LIJST VAN AFKORTINGEN

aj bijvoeglijk naamwoord
ad bijwoord
alg. algemeen
Am vooral in Amerika
anat anatomie
Austr vooral in Australië
B Bijbels
biol biologie
Br vooral in Groot-Brittannië
cj voegwoord
dial dialect
eig eigenlijk
F gemeenzaam
fig figuurlijk
filos filosofie
fon fonetiek
Fr Frans
geol geologie
gew. gewoonlijk
gram grammatica
h. in de voltooide tijd vervoegd met *hebben*
id. idem
iem. iemand
iems. iemands
ij tussenwerpsel
Ir Iers
is in de voltooide tijd vervoegd met *zijn*
J schertsend
Lat Latijn
m mannelijk
math wiskunde
mv meervoud
o onzijdig
P plat, triviaal
phot fotografie
pl meervoud
pol politiek
pr protestants
pref voorvoegsel
prep voorzetsel
pron voornaamwoord
ps psychologie
R radio
rel godsdienst
rk rooms-katholiek
RT radio en televisie
S slang
sb zelfstandig naamwoord
sbd. somebody
sbd.'s somebody's
Sc Schots
sp sport
spec in het bijzonder
sth. something
T televisie
theat toneel
typ typografie
v vrouwelijk
v. van; voor
V.D. voltooid deelwoord
verk. v. verkorting van
va absoluut gebruikt werkwoord
vi onovergankelijk werkwoord
vr wederkerend werkwoord
vt overgankelijk werkwoord
V.T. onvoltooid verleden tijd
ZA Zuid-Afrikaans

KRAMERS' ENGELS WOORDENBOEK

2

36e druk - 1e druk van de tweedelige uitgave

KRAMERS' ENGELS WOORDENBOEK

deel 2

NEDERLANDS ~ ENGELS

ZESENDERTIGSTE GEHEEL HERZIENE
EN VERMEERDERDE DRUK BEWERKT DOOR

J. A. JOCKIN ~ la BASTIDE

en G. van KOOTEN

MCMLXXIX ELSEVIER Amsterdam/Brussel

2de oplage van de zesendertigste druk – 1e druk van de tweedelige uitgave (1979)

D/MCMLXXIX/0199/666 ISBN 90 10 03005 9 (deel II)
ISBN 90 10 03006 7 (deel I + deel II)

Deze uitgave is verzorgd door B.V. Uitgeversmaatschappij Elsevier Argus

INHOUDSOPGAVE

WENKEN VOOR HET GEBRUIK VAN DEEL II: NEDERLANDS-ENGELS

Net als in deel I is ook hier de inrichting van de tekst gewijzigd: er is gebroken met de oude traditie van ieder trefwoord voluit op een nieuwe regel. De afleidingen en samenstellingen worden in de nieuwgevormde, samengestelde artikelen in afgekorte vorm weergegeven. In het samengestelde artikel *deinen* staat *–ning* voor *deining* en in het artikel *dempen* staat *–er* voor *demper*. In deze gevallen geeft een half kastlijntje (–) dàt gedeelte van het opvolgende trefwoord aan, dat met het voorafgaande trefwoord – vóór de eerste gemeenschappelijke klinker of medeklinker, van achteren gerekend – gelijk is.
In het samengestelde artikel *deur* staat *–bel* voor *deurbel*, *–klink* voor *deurklink* enz.
In sommige grotere samengestelde artikelen is het eerste trefwoord niet het hoofdwoord van de daarna volgende afgekorte afleidingen of samenstellingen. Men dient binnen een samengesteld artikel te zien naar het eerste, niet afgekorte trefwoord dat aan één of meerdere afgekorte voorafgaat: dat is het hoofdwoord waarop die afkorting(en) aansluiten. De lezer die een bepaald woord opzoekt komt automatisch van het voluit geschreven trefwoord binnen een samengesteld artikel bij het daarna volgende, afgekorte trefwoord dat hij zoekt terecht. In het artikel *dromen* bijvoorbeeld ziet men als eerste trefwoord *dromen* voluit, gevolgd door *dromenland* en *dromer* voluit en *dromerig* in de afgekorte vorm *–ig*. Het is in dit geval duidelijk dat de grondvorm van het afgekorte *dromerig*, *dromer* is.
De soms optredende complicatie van een verbindings-n of -s in samenstellingen, wordt in het gevolgde systeem als volgt aangegeven: in het samengestelde artikel *dokter*, vindt u na het tweede trefwoord *dokteren* (N.B. werkwoorden worden niet afgekort in samengestelde artikelen, tenzij er een reeks werkwoorden op elkaar volgen die een prefix gemeen hebben, zie bijvoorbeeld *doormaken*), het trefwoord *doktersassistente* voluit, gevolgd door de afgekorte vormen *–rekening* en *–visite*. De verbindings-s in doktersassistente treedt ook op in *doktersrekening* en *doktersvisite*. Opvolgende trefwoorden waarbij dat niet het geval is worden niet afgekort, maar voluit na elkaar gegeven, zie het samengestelde artikel *besseboom*.
Naast de hierboven geschetste vernieuwing van de redactie van samengestelde artikelen, zijn nog andere vernieuwingen geïntroduceerd, waarbij in het bijzonder gelet is op de bruikbaarheid van het woordenboek voor niet-nederlandstaligen. Wij menen hiermee te zijn tegemoetgekomen aan de in augustus 1973, tijdens het Vijfde Colloquium Neerlandicum te Noordwijkerhout, aangenomen resolutie, waarbij het bestuur van de Internationale Vereniging voor Nederlandistiek verzocht werd er bij de uitgevers van woordenboeken op aan te dringen te letten op de bruikbaarheid van hun uitgaven voor niet-nederlandstaligen. Bij de Nederlandse trefwoorden zijn bij deze bewerking toegevoegd: aanwijzingen voor de uitspraak, wanneer die niet met de bekend veronderstelde regels voor de uitspraak van het Nederlands in overeenstemming is[1], de klemtoon, het woordgeslacht, de vorm van het meervoud van het zelfstandig naamwoord en de vervoeging van de werkwoorden, plus de aanduiding of deze in de voltooide tijd met *hebben* of met *zijn* worden vervoegd. Bij sterke werkwoorden, waarbij in de verleden en/of voltooide tijd klinkerwisseling optreedt, zijn die 'afwijkende' vormen – op dezelfde wijze als dat met de Engelse onregelmatige werkwoorden in deel I gebeurt – op hun alfabetische plaats in het alfabet nog eens afzonderlijk vermeld, voor wat de verleden tijd betreft zowel in de vorm van het enkel- als van het meervoud.
Achterin het boek is een naar volledigheid strevende lijst van de sterke en onregelmatige werkwoorden van het Nederlands opgenomen. Bij de spelling van de trefwoorden is de voorkeurspelling gevolgd.

[1] Voor de uitspraak van woorden met een c geldt de regel: vóór medeklinker en a, o, u klinkt de c als een k, in de overige gevallen als een s. Afwijkingen van deze regel zijn afzonderlijk aangegeven.

LIJST VAN TEKENS

~	herhalingsteken
*	sterk of onregelmatig werkwoord, zie de lijst achterin
&	en; enzovoorts
+	attributief
±	ongeveer hetzelfde als
‖	etymologisch niet verwant
●	verbindingen
◍	eufemistisch
⊙	dichterlijk en hogere stijl
⚒	verouderd
<	versterkend
>	geringschattend
↓	zie beneden
²	na een woord: eigenlijk en figuurlijk
°	na een woord: in velerlei betekenis
🐾	dierkunde
🦢	vogelkunde
🐟	viskunde
🦋	insektenkunde
✿	plantkunde
★	sterrenkunde
📖	historische term
🎓	school en academie
🛡	wapenkunde
⚔	militaire term; wapens
⚓	marine, scheepvaart
✈	vliegwezen
🚗	automobilisme; wegverkeer
⚡	elektriciteit
⍑	telegrafie
☎	telefonie
📯	post
$	handelsterm
Ⓜ	handelsmerk[1]
⚕	geneeskunde
⚖	rechtskundige term
×	wiskunde
⚒	techniek
△	bouwkunde
♪	muziek
⚬	biljart
◊	kaartspel

[1] Het ontbreken van het teken Ⓜ bij enig woord in dit woordenboek heeft niet de betekenis dat dit woord geen merk in de zin van de Nederlandse of enige andere merkenwet zou zijn.

LIJST VAN AFKORTINGEN

aj bijvoeglijk naamwoord
ad bijwoord
alg. algemeen
Am vooral in Amerika
anat anatomie
Austr vooral in Australië
B Bijbels
biol biologie
Br vooral in Groot-Brittannië
cj voegwoord
dial dialect
eig eigenlijk
F gemeenzaam
fig figuurlijk
filos filosofie
fon fonetiek
Fr Frans
geol geologie
gew. gewoonlijk
gram grammatica
h. in de voltooide tijd vervoegd met *hebben*
id. idem
iem. iemand
iems. iemands
ij tussenwerpsel
Ir Iers
is in de voltooide tijd vervoegd met *zijn*
J schertsend
Lat Latijn
m mannelijk
math wiskunde
mv meervoud
o onzijdig
P plat, triviaal
phot fotografie
pl meervoud
pol politiek
pr protestants
pref voorvoegsel
prep voorzetsel
pron voornaamwoord
ps psychologie
R radio
rel godsdienst
rk rooms-katholiek
RT radio en televisie
S slang
sb zelfstandig naamwoord
sbd. somebody
sbd.'s somebody's
Sc Schots
sp sport
spec in het bijzonder
sth. something
T televisie
theat toneel
typ typografie
v vrouwelijk
v. van; voor
V.D. voltooid deelwoord
verk. v. verkorting van
va absoluut gebruikt werkwoord
vi onovergankelijk werkwoord
vr wederkerend werkwoord
vt overgankelijk werkwoord
V.T. onvoltooid verleden tijd
ZA Zuid-Afrikaans

PHONETIC SYMBOLS

DUTCH VOWELS

Several Dutch vowel sounds have no equivalent in English. As close an approximation as possible is given below. It should be borne in mind that all Dutch vowels are much shorter than the corresponding English vowels.

Sign	*Dutch word*	*Equivalent in English and other languages*	*Description*
ɑ	b*a*d	shorter than b*a*th	
a	b*a*den, h*aa*st	f*a*st, f*a*ther	
ɛ	b*e*d	f*a*t	
e	f*ee*st, l*e*zen	f*a*ce	
ɪ	p*i*t	p*i*t	
i	r*ie*t	fr*ee*	
ò	b*o*t	between f*u*ll and p*o*t	
ɔ	p*o*t	p*o*t	
o	b*oo*t, l*o*pen	d*o*te	
u	h*oe*d	f*oo*t	
ü	p*u*t	unstressed vowel in *a*go	
y	min*uu*t, *u*ren	Fr. min*u*te	
ø	r*eu*s	Fr. p*eu*	
ɛ:	cr*è*me	*ai*r	
ɔ:	contr*o*le	dr*aw*	in foreign words only
œ:	fr*eu*le	p*ea*rl	
ə	gav*e*	unstressed vowel in *a*go	
ã	ha*n*gar	Fr. d*ans*	
ɛ̃	enf*in*	Fr. enf*in*	nasalized vowels,
õ	pensi*on*	Fr. t*on*	in foreign words only
œ̃	Verd*un*	Fr. Verd*un*	

ɑ, ɛ, ɪ, ò, ɔ, ü, short vowels
a., e., o., u., y., ø., half long vowels
a:, e:, o:, u:, y:, ø:, ɛ:, ɔ:, œ:, long vowels

DUTCH DIPHTHONGS

ai	*ai*	l*i*ne	
ɛi	*ij*s, r*ei*s	*eye*	[ɛ + i]
ɔu	k*ou*d, mi*auw*	l*ou*d	[ɔ (top) + u]
a:i	dr*aai*	a (f*a*st) + i (fr*ee*)	
e:u	*eeuw*	e (f*a*ce) + u (f*oo*t)	
i:u	n*ieuw*	i (fr*ee*) + u (f*oo*t)	
o:i	n*ooi*t	o (d*o*te) + i (fr*ee*)	
œy	h*ui*s	œ (p*ea*rl) + ə (*a*go)	
u:i	r*oei*t	u (f*oo*t) + i (fr*ee*)	
y:u	d*uw*	y (Fr. min*u*te) + u (f*oo*t)	

DUTCH CONSONANTS

All Dutch consonants are pronounced as in English with the exception of those indicated below.

Sign	*Dutch word*	*Equivalent in English and other languages*	*Description*
c	ka*tj*e	cu*t y*our	
g	za*g*en	Scotch lo*ch*, but weaker	
j	*j*ong	*y*es	
ŋ	la*ng*	lo*ng*	
ɲ	fra*nj*e	pan*nier*	
ʃ	sjaal, ka*stj*e	*sh*awl	
ʒ	stella*ge*	lei*su*re	
v	*w*ater	like a soft *v*	pronounced by pressing the lower lip against the edge of the upper teeth, like Engl. v, but it is a stop without friction
x	dee*g*	Scotch lo*ch*	

STRESS

In words of two or more syllables the stress is indicated by ʹ preceding the syllable: [ʹja.*g*ə(n)], [jɑsʹmɛin].

Kramers' Woordenboeken

Nederlands
door Prof. dr. C.B. van Haeringen

Frans
bewerkt door F. Prick van Wely

Duits
bewerkt door Prof. dr. J. van Dam

Engels
bewerkt door J.A. Jockin-la Bastide
en Gijsbert van Kooten

Spaans
door Prof. dr. C.F.A. van Dam
en Dr. H.C. Barrau

Italiaans
door H.J. Lindt

Latijn
door Dr. J.W. Fuchs
m.m.v. Dr. E. Michiels O.F.M.

en

Kramers' Woordentolk,
verklarend woordenboek van meer dan
36.000 vreemde woorden, uitdrukkingen
en afkortingen
bewerkt door Dr. C. Kruyskamp

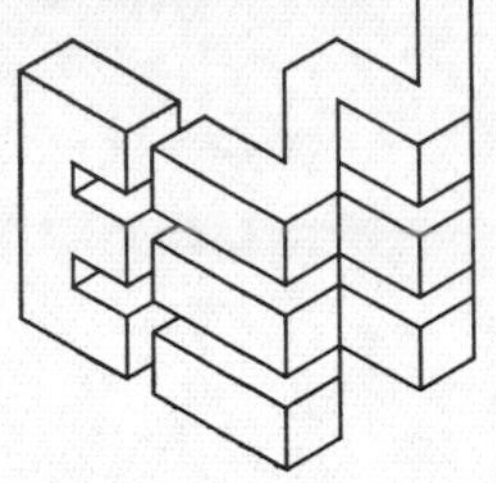

Van Goor's Spaans Handwoordenboek,
in twee delen
door Prof. dr. C.F.A. van Dam

Van Goor's Deens Woordenboek,
in twee delen
door Drs. Geerte de Vries

Van Goor's Kleine Woordenboeken

Frans	Deens
Duits	Zweeds
Engels	Noors
Spaans	Portugees
Italiaans	Roemeens
	Joegoslavisch
	Tsjechisch
	Turks

Signalement van Nieuwe Woorden
door Dr. Riemer Reinsma

Signalement van Sprekende Zegswijzen
door Annemarie Houwink ten Cate

Nederlandse spreekwoorden, spreuken en zegswijzen
door K. ter Laan

Woordenboek der Zeeuwse Dialecten
door Dr. Ha.C.M. Ghijsen

II

NEDERLANDS-ENGELS

A

a [a.] (a's) *v* a; *wie ~ zegt, moet ook b zeggen* in for a penny, in for a pound; *van ~ tot z* [read a book] from A to Z, from beginning to end, from cover to cover
a = *are*
à [a.] at [four guilders, 6 per cent(.)]; *tien ~ vijftien* from ten to fifteen; *vijf ~ zes* some five or six; *over 4 ~ 5 weken* in 4 or 5 weeks
A° = *anno*
'Aagje (-s) *o nieuwsgierig ~* Paul Pry; Nos(e)y Parker
aai (-en) *m* caress, chuck (under the chin); **'aaien** (aaide, h. geaaid) *vt* stroke, caress, chuck (under the chin)
aak (aken) *m* & *v* ⚓ barge; **–schipper** (-s) *m* bargemaster
aal (alen) *m* 🐟 eel; *bij is zo glad als een ~* he is as slippery as an eel
'aalbes (-sen) *v* ✿ (black, red, white) currant; **–sestruik** (-en) *m* currant bush
'aalmoes (-moezen) *v* alms, charity; (*om*) *een ~ vragen* ask for charity, ask for (an) alms
aalmoeze'nier (-s) *m* 1 [prison &] chaplain; 2 ⚔ (army) chaplain, **F** padre; 3 ✎ almoner
'aalscholver (-s) *m* 🐦 cormorant
'aaltje (-s) *o* eelworm
'aambeeld (-en) *o* anvil°, *anat* ook: incus; *steeds op hetzelfde ~ hameren* (*slaan*) always harp on one (the same) string
'aambeien *mv* h(a)emorrhoids, piles
aam'borstig asthmatic, wheezy; **–heid** *v* asthma, shortness of breath, wheeziness
aan I *prep* on, upon, at; *~ haar bed* at (by) her bedside; *~ boord* on board; *~ de deur* at the door; *~ de muur* on the wall; *vier ~ vier* four by four; *rijk ~ mineralen* rich in minerals; *er is iets stuk ~ de motor* there is something wrong with the engine; *zij is ~ het koken* she is cooking; *~ wie heb je dat gegeven?* to whom did you give it?; *het is ~ u* 1 (it is) your turn; it is for you [to play]; 2 it is up to you, it is your duty [to...]; **II** *ad* (v. kleding) *hij heeft zijn jas ~* he has his coat on; (v. vuur, licht &) *het licht is ~* the light is on; (v. boot, trein &) *de boot is nog niet ~* the steamer is not in yet; (v. deur, raam &) *de deur staat ~* the door is ajar; (v. bijeenkomsten) *de school is al ~* school has begun; (v. bewind) *dit kabinet blijft niet lang ~* this government will not remain in office for long; (v. liefde, vriendschap) *het is erg ~ tussen hen* they are very fond of each other, they are as thick as thieves; (in combinatie met er) *er is niets van ~* there is not a word of truth in it; *er is niets ~* 1 it is easy; 2 it is very dull; *er is niet veel ~* it is very dull
'aanaarden[1] *vt* earth (up), hill (up)
'aanbakken (bakte 'aan, is 'aangebakken) *vi* stick to the pan [of food]
'aanbeeld = *aambeeld*
'aanbelanden (belandde 'aan, is 'aanbeland) *vi ergens ~* end up somewhere; **–belangen** *wat mij aanbelangt* as far as I am concerned; **–bellen**[1] *vi* ring (the bell), give a ring; **–benen** (beende 'aan, h. 'aangebeend) *vi* **F** step out, mend one's pace
'aanbesteden[1] *vt* invite tenders for, put out to tender; **–ding** (-en) *v* tender; *bij openbare* (*onderhandse*) *~* by public (private) tender
'aanbetalen[1] *vt* make a down payment, deposit; **–ling** (-en) *v* initial deposit, down payment, (first) instalment
'aanbevelen[1] **I** *vt* recommend, commend; *wij houden ons aanbevolen voor...* we solicit the favour of... [your orders]; **II** *vr zich ~* recommend oneself; **aanbevelens'waard(ig)** recommendable; **'aanbeveling** (-en) *v* recommendation; ook = *aanbevelingsbrief, aanbevelingslijst*; *kennis van Frans strekt tot ~* knowledge of French (will be) an advantage; *het verdient ~* it is to be recommended, it is advisable; *op ~ van...* on the recommendation of...; **'aanbevelingsbrief** (-brieven) *m* letter of recommendation (introduction); **–lijst** (-en) *v* nomination
aan'biddelijk adorable; **aan'bidden**[1] (aan'bad, h. aan'beden en bad 'aan, h. 'aangebeden) *vt* adore[2], worship; **–er** (-s) *m* adorer; **aan'bidding** *v* adoration, worship
'aanbieden[1] **I** *vt* offer [congratulations, a gift, services &], tender [money, services, one's resignation]; present [a bill]; present [sbd.] with [a bouquet]; hand in [a telegram]; **II** *vr zich ~* 1 (personen) offer (oneself), volunteer; 2 (gelegenheid) offer (itself), present

[1] V.T. en V.D. van dit werkwoord volgens het model: **'aan**aarden, V.T. aardde **'aan**, V.D. **'aan**geaard. Zie voor de vormen onder het grondwoord, in dit voorbeeld: *aarden*. Bij sterke en onregelmatige werkwoorden wordt u verwezen naar de lijst achterin.

itself; **–ding** (-en) *v* offer, tender; (v. geschenk, wissel) presentation; (reclame ~) bargain, special offer; *in de ~* on offer

'aanbijten[1] *vi* bite[2], take the bait[2], rise to the bait[2]; **–binden**[1] *vt* tie (on), fasten; zie ook: *aangebonden*; **–blaffen**[1] *vt* bark at, bay at; **–blazen**[1] *vt* blow[2]; fan[2] [the fire, discord]; rouse, stir up [passions]; *fon* aspirate; **–blijven**[1] *vi* continue (remain) in office; stay on

'aanblik *m* sight, look, view, aspect; *bij de eerste ~* at first sight (glance)

'aanbod (aanbiedingen) *o* offer; *een ~ doen* make an offer

'aanboren[1] *vt* 1 bore, sink [a well]; 2 strike [oil &]; 3 broach [a cask]; 4 *fig* tap [other sources]

'aanbouw *m* 1 (aanbouwsels) annex(e); 2 building [of ships]; 3 cultivation [of land]; 4 growing [of potatoes]; *in ~* under (in course of) construction; **'aanbouwen**[1] *vt* 1 add [by building]; 2 build [ships &]; 3 cultivate [the land]; 4 grow [potatoes]; **'aanbouwsel** (-s) = *aanbouw* 1

'aanbranden (brandde 'aan, is 'aangebrand) *vi* burn, be burnt; *dat ruikt* (*smaakt*) *aangebrand* it has a burnt smell (taste); *hij is gauw aangebrand* [*fig*] he is very touchy; **–breken**[1] **I** *vt* break into [one's provisions, one's capital], cut into [a loaf], broach [a cask], open [a bottle]; **II** *vi* 1 (v. dag) break, dawn; 2 (v. nacht) fall; 3 (v. ogenblik, tijd) come; **III** *o bij het ~ van de dag* at daybreak, at dawn; *bij het ~ van de nacht* at nightfall

'aanbreng *m* ⚖ (marriage) portion; dowry; **'aanbrengen**[1] *vt* 1 *eig* bring, carry; 2 (plaatsen) place, put up [ornaments], fix (up) [a thermometer], fit [a telephone in a room, to the wall]; 3 (maken) make [a passage in a wall], let [a door into a wall]; introduce [a change]; 4 (geven) yield [a profit]; bring [luck]; bring in [capital]; 5 (aangeven) denounce [sbd. to the police], inform on [one's own family]; 6 (werven) introduce [new members]; bring in, recruit [subscribers]; **'aanbrengpremie** (-s) *v* reward

'aandacht *v* attention; *iets onder iems. ~ brengen* bring sth. to sbd.'s notice; *geen ~ schenken aan* pay no attention to...; *overdreven ~ aan iem. schenken* make a fuss of (over) sbd.; *de ~ trekken* attract (catch) attention; *de ~ vestigen op* call (draw) attention to..., highlight...; *zijn ~ vestigen op...* turn one's attention to...; **aan'dachtig** attentive; **'aandachtstreep** (-strepen) *v* dash

'aandeel (-delen) *o* share , portion, part; *~ aan toonder* share to bearer, bearer share; *~ op naam* registered share; *gewoon, preferent ~* ordinary, preference share; *voorlopig ~* scrip (certificate); *~ hebben in* have a share in, have part in; zie ook: *deel*; **–bewijs** (-wijzen) *o* share certificate; **–houder** (-s) *m* shareholder; **'aandelenkapitaal** (-talen) *o* share capital, capital stock; **–pakket** (-ten) *o* block of shares

'aandenken *o* memory, remembrance; (voorwerp) memento, souvenir, keepsake

'aandienen[1] *vt* announce; *zich laten ~* send in (up) one's name (one's card); **–dikken** (dikte 'aan, h. 'aangedikt) *vt* thicken [a line]; heighten [an effect, a story]; blow up [a story]

'aandoen[1] *vt* 1 put on [clothes]; 2 (veroorzaken) cause [trouble], give [pain], bring [shame, disgrace]; 3 (aanpakken) affect [the mind &]; move [the heart &]; 4 (binnenlopen) call at [a port, a station &]; *zijn longen zijn aangedaan* his lungs are affected; *dat kun je hem niet ~* you cannot do that to him; *het doet* (*ons*) *vreemd aan* it strikes us as odd; *aangenaam ~* please [the eye]; *onaangenaam ~* offend [the ear &]; *aangedaan* ook: moved, touched, affected; zie ook: *proces* &; **'aandoening** (-en) *v* emotion [in his voice]; affection [of the throat]; *een lichte ~ van koorts* ook: a touch of fever; **aan'doenlijk I** *aj* 1 (v. verhaal, toneel) moving, touching, pathetic; 2 (v. gemoed) sensitive, impressionable; **II** *ad* movingly, touchingly, pathetically; **–heid** *v* 1 (v. verhaal) pathos; 2 (v. gemoed) sensitiveness

'aandraaien[1] *vt* 1 turn on, turn, fasten, tighten [the screw[2]]; 2 switch on [the light]; **–dragen**[1] *vt* bring, carry; *komen ~ met* furnish [proof]

'aandrang *m* 1 (aandrift) impulse, urge; 2 ('t aandringen) pressure; urgency; insistence; 3 (v. bloed) congestion, rush (to the head); 4 (toeloop) crush; *met ~* urgently, earnestly; *op ~ van* at the instance of; *uit eigen ~* of one's own accord

'aandrift (-en) *v* impulse; instinct

'aandrijfas (-sen) *v* drive shaft, driving axle; **'aandrijven**[1] **I** *vt* drive on, prompt, press, press on, urge on; ⚒ drive [a machine, nails]; **II** *vi* be washed ashore; **–ving** (-en) *v* ⚒ drive; *met elektrische ~* ⚒ electrically driven

[1] V.T. en V.D. van dit werkwoord volgens het model: **'aan**aarden, V.T. aardde **'aan**, V.D. **'aan**geaard. Zie voor de vormen onder het grondwoord, in dit voorbeeld: *aarden*. Bij sterke en onregelmatige werkwoorden wordt u verwezen naar de lijst achterin.

'aandringen[1] **I** *vi* press; insist (*op* on); *op iets* ~ press the matter, pursue one's point; **II** *o* insistence; *op* ~ *van* at the instance of; **–drukken**[1] *vt* press (firmly)
'aanduiden[1] *vt* 1 (w i j z e n) indicate, point out, show; 2 (a a n g e v e n) denote, designate, describe; 3 (b e t e k e n e n) mean, signify, mark; *nader* ~ specify; *terloops* ~ hint at; **–ding** (-en) *v* 1 indication, intimation; (t e r l o o p s) hint; 2 designation
'aandurven[1] *vt* dare; venture; *iem.* ~ dare to fight sbd., stand up to sbd.; (*iets*) *niet* ~ shrink from, be afraid to, not feel up to, stop short of; **–duwen**[1] *vt* push (firmly)
aan'een together; *dagen* ~ for days together, at a stretch; *zes uren* ~ for six hours on end; **–binden**[2] *vt* bind (tie) together; **–gesloten** united; serried [ranks]; **–hangen**[2] *vi* hang together; *het hangt als droog zand aaneen* it sticks together like grains of sand; *het hangt van leugens aaneen* it is a tissue of lies; **–hechten**[2] *vt* join, fasten, connect together; **–ketenen**[2] *vt* chain (link) together; **–kleven**[2] *vi* stick together; **–klinken**[2] *vt* rivet together; **–knopen**[2] *vt* tie together; **–koppelen**[2] *vt* couple together, couple[2] [railway-carriages, dogs, two people]; **–lassen**[2] *vt* join together; **–lijmen**[2] *vt* glue together; **–naaien**[2] *vt* sew together; **–plakken**[2] **I** *vi* stick together; **II** *vt* glue (paste) together; **–rijgen**[2] *vt* string [beads]; tack together [garments]; **–schakelen**[2] *vt* link together, link up; **–schakelend** *gram* copulative; **–schakeling** (-en) *v* concatenation, series, sequence; **–schrijven**[2] *vt* write in one; **–sluiten**[2] **I** *vi* fit; **II** *vr zich* ~ close the ranks; join hands, unite; zie ook: *aaneengesloten*; **–smeden**[2] *vt* weld together; **–vlechten**[2] *vt* braid together; twist (twine) together; **–voegen**[2] *vt* put together, join
'aanfluiting (-en) *v* mockery [of a trial]; **B** byword; *tot een* ~ *maken* make into a farce
'aanfokken[1] *vt* = *fokken*
'aangaan[1] **I** *vi* 1 (v u u r &) light, catch, strike, take fire, burn; (l i c h t) come on, go up; (v o o r s t e l l i n g &) begin; 2 (t e k e e r g a a n) take on, carry on; *dat gaat niet aan* that won't do; *b i j iem.* ~ call at sbd.'s house, call on sbd.; ~ *o p* ... go up to..., make for...; **II** *vt* 1 enter into [a marriage, treaty &], contract [a marriage], conclude [a treaty], negotiate [a loan], lay [a wager &]; 2 concern, regard; *dat gaat u niet(s) aan* ook: that's none of your business, no business (no concern) of yours; *wat dat aangaat*... as regards (respects) this, as to that; as for that; for that matter; *wat mij aangaat* so far as I am concerned, for my part, I for one, as for me; *wat gaat mij dat aan?* what's that to me?; *allen die het aangaat* all concerned; **aan'gaande** concerning, as regards..., as to...
'aangapen[1] *vt* gape at
aange'bedene (-n) *zijn* ~ his adored (one), **F** his dream-boat
'aangebonden *kort* ~ short-tempered; **–geboren** innate [ideas]; inborn [talent]; inbred [courtesy]; congenital [defect]; hereditary [disease]; native [charm]; **–gebrand** zie *aanbranden*; **–gedaan** zie *aandoen*; **–gegoten** *het zit als* ~ it fits like a glove; **–gehuwd** = *aangetrouwd*; **–gelegd** *humoristisch* ~ of a humorous turn; *religieus* ~ religiously minded
'aangelegen adjacent, adjoining, contiguous
aange'legenheid (-heden) *v* matter, concern, affair, business
'aangenaam I *aj* agreeable, pleasant; pleasing; gratifying; comfortable; ~ *(kennis te maken)!* pleased to meet you!; how do you do?; *het is mij* ~ *te horen* I am pleased to hear; **II** *sb het aangename van*... the amenities of... [such a life]; *het aangename met het nuttige verenigen* combine business with pleasure
'aangenomen adoptive [child]; assumed [name]; ~ *werk* job-work; zie ook: *aannemen*; **–geschoten** 1 (v o g e l) winged, wounded; 2 (d r o n k e n) **F** tipsy; zie ook: *aanschieten*; **–geschreven** zie *aanschrijven*; **–gesloten** ~ *bij* affiliated [to a party]; on [the telephone]; **–gestoken** worm-eaten [apples]; unsound [fruit]; carious [teeth]; broached [casks]; **–getekend** ✉ registered; ~ *verzenden* ✉ send by registered post; **–getrouwd** related by marriage; ~*e tante* aunt by marriage
'aangeven[1] **I** *vt* 1 (a a n r e i k e n) give, hand, reach, pass [the salt]; 2 (a a n w i j z e n) indicate [the direction]; mark [sth. on a map]; 3 (o p g e v e n) state [particulars]; notify [a disease]; give notice of [a birth]; 4 (v. b a g a g e) register; 5 (a a n d e d o u a n e) enter, declare; 6 ⚖ denounce, report [sbd. to the police]; *hebt u niets aan te geven?* anything to declare?; zie ook: *maat, pas, toon* &; **II** *vr zichzelf* ~ *bij de politie* give oneself up to the police; **–er** (-s) *m* 1 ⚖ denunciator, informer; 2 $

[1,2] V.T. en V.D. volgens de modellen: 1 **'aan**aarden, V.T. aardde **'aan**, V.D. **'aan**geaard; 2 **aan'een**hechten; V.T. hechtte **aan'een**, V.D. **aan'een**gehecht. Zie voor de vormen onder de grondwoorden, in deze voorbeelden: *aarden* en *hechten*. Bij sterke en onregelmatige werkwoorden wordt u verwezen naar de lijst achterin.

declarant; 3 *theat* stooge
'aangewezen zie *aanwijzen*
'aangezicht (-en) *o* = *gezicht*; *van* ~ *tot* ~ face to face; **–spijn** (-en) *v* face-ache, ⚕ tic douloureux
aange'zien, 'aangezien seeing that, since, as
'aangifte (-n) *v* notification [of birth &]; declaration [of goods, of one's income]; ⚖ information; ~ *doen van* give notice of [a birth]; declare, enter [goods]; report [a theft]; **–biljet** (-ten) *o* form of return, tax form
'aangorden[1] **I** *vt* gird on [a sword]; **II** *vr zich* ~ gird oneself [for the fray]
aan'grenzend adjacent, adjoining, neighbouring
'aangrijnzen[1] *vt* grin at [sbd.]; *de honger grijnst hen aan* hunger stares them in the face
'aangrijpen[1] *vt* 1 *eig* seize, take (seize, catch) hold of; 2 *fig* take, seize [the opportunity], seize upon [a pretext]; attack [the enemy]; tell upon [sbd.'s health]; *aangegrepen door...* seized with [fear]; deeply moved by [the sight]; **aan'grijpend** 1 (o n t r o e r e n d) touching, moving, pathetic; 2 (h u i v e r i n g w e k k e n d) thrilling; **'aangrijpingspunt** (-en) *o* point of application
'aangroei *m* growth, increase; **'aangroeien**[1] *vi* grow, augment, increase; (v. s c h i p) get fouled; **'aangroeisel** (-s) *o* (o p s c h e e p s r o m p) marine fouling
'aanhaken[1] *vt* hook on, hitch on [to]
'aanhalen[1] *vt* 1 (a a n t r e k k e n) tighten [a knot]; 2 (c i t e r e n) quote, cite [an author, his words, an instance]; instance [cases]; 3 (b i j d e l i n g) bring down [a figure]; 4 (l i e f k o z e n) fondle, caress; *je weet niet wat je aanhaalt* you don't know what you are letting yourself in for; **aan'halig** affectionate, caressing, cuddlesome, cuddly; **'aanhaling** (-en) *v* quotation, citation; **–stekens** *mv* inverted commas, quotation marks, **F** quotes; *tussen* ~ *plaatsen* put (place) in inverted commas (quotation marks)
'aanhang *m* supporters, following, party, followers, adherents, disciples; **'aanhangen**[1] *vt* adhere to [a party]; **–er** (-s) *m* follower, supporter, partisan, adherent; **aan'hangig** pending; ~ *maken* 1 ⚖ lay, put, bring [a matter] before a court; 2 bring in [a bill]; 3 take up [the matter with the government]; **'aanhangmotor** (-s, -motoren) *m* 1 ⚓ outboard motor; 2 (v. f i e t s) cycle motor; **'aanhangsel** (-s) *o* appendix [to a book]; rider [of a document], codicil [of a will]; **'aanhangwagen** (-s) *m* trailer; **aan'hankelijk** affectionate, attached; **–heid** *v* attachment
'aanhechten[1] *vt* affix, attach
'aanhef *m* beginning [of a letter]; opening words [of a speech]; **'aanheffen**[1] *vt* intone [a psalm], strike up [a song], raise [a shout], set up [a cry]
'aanhikken[1] *vi* ~ *tegen iets* have difficulty in doing sth.; **–hitsen** (hitste 'aan, h. 'aangehitst) = *ophitsen*; **–horen**[1] *vt* listen to; *het is hem aan te horen* you can tell by his accent (voice); *het is niet om aan te horen* you couldn't bear to hear it, I can't stand it; *ten* ~ *van* in the hearing of; **–houden**[1] **I** *vt* 1 (n i e t a f b r e k e n) hold, sustain [a note]; 2 (n i e t l a t e n d o o r g a a n) stop [a man in the street &]; hold up [a ship]; apprehend, arrest [a thief]; seize, detain [goods]; 3 (b e h o u d e n) keep on [servants &]; 4 (b l i j v e n d o o r g a a n m e t) keep up [a correspondence &]; 5 (n i e t u i t d o v e n) keep... burning; 6 (n i e t b e h a n d e l e n) hold over [an article, the matter till the next meeting]; **II** *vi* 1 (v o o r t d u r e n) hold, last [of the weather], continue; 2 (v o l h o u d e n) hold on[2]; *fig* persevere, persist, ook: pursue one's point; 3 (a a n e e n h e r b e r g &) stop; ~ *op* ⚓ make for [the coast], head for [home], keep to [the right]; **aan'houdend** continual, continuous, incessant, persistent; **'aanhouder** (-s) *m* persevering person, sticker; *de* ~ *wint* it's dogged does it; **'aanhouding** (-en) *v* 1 detainment, seizure [of goods, of a ship]; 2 arrest, apprehension [of a thief], detention [of a suspect]; **–sbevel** (-bevelen) *o* ⚖ warrant
'aanjagen[1] zie: *schrik*, *vrees*; **–er** (-s) *m* ⚒ supercharger, booster
'aankaarten[1] *vt* bring up [matters]
'aankap *m* 1 felling [of trees]; 2 timber reserve, lumber exploitation
'aankijken[1] *vt* look at; *het* ~ *niet waard* not worth looking at; *iem. niet* ~ look away from sbd.; *de zaak nog eens* ~ wait and see; *iem. op iets* ~ blame sbd. for sth.; *met schele ogen* ~ view with jealous eyes
'aanklacht (-en) *v* accusation, charge, indictment; *een* ~ *indienen tegen* lodge a complaint against, bring a charge against; **'aanklagen**[1] *vt* accuse; ~ *wegens* accuse of, charge with, indict for; **–er** (-s) *m* 1 (i n 't a l g.) accuser; 2 ⚖ plaintiff; *openbaar* ~ public prosecutor
'aanklampen[1] (klampte 'aan, h. 'aangeklampt)

[1] V.T. en V.D. van dit werkwoord volgens het model: **'aan**aarden, V.T. aardde **'aan**, V.D. **'aan**geaard. Zie voor de vormen onder het grondwoord, in dit voorbeeld: *aarden.* Bij sterke en onregelmatige werkwoorden wordt u verwezen naar de lijst achterin.

vt 1 ⚓ board [a vessel]; 2 *fig* accost, buttonhole [sbd.]

'aankleden[1] **I** *vt* dress [a child &]; get up [a play]; **II** *vr zich* ~ dress (oneself); **–ding** *v* dressing; get-up [of a play]

'aankloppen[1] *vi* knock (rap) at the door; *bij iem.* ~ *om geld (hulp)* apply (appeal) to sbd. for money (help)

'aanknopen[1] **I** *vt* tie on to; *een gesprek* ~ *met* enter into conversation with; *onderhandelingen* ~ enter into negotiations, open negotiations; *weer* ~ renew, resume; **II** *vi* ~ *bij* go on [from what was said before]; **–pingspunt** (-en) *o* point of contact; ~ *voor een gesprek* starting point for a conversation

'aankoeken (koekte 'aan, is 'aangekoekt) *vi* cake, incrust, encrust; stick [to the pan]

'aankomeling (-en) *m* beginner, novice; ✎ freshman; new-comer; **'aankomen**[1] **I** *vi* 1 *eig* come [of persons], arrive, come in [of a train &]; 2 (v. slag) go home; 3 (v. twist &) begin, start; 4 (toenemen in gewicht &) gain [8 oz. a week]; put on weight; *je moet eens* ~ just come round, drop in; *je moet er niet* ~ you must not touch it (them), (you should) leave it alone; *te laat* ~ be overdue; arrive (be) late; *ik zie* ~, *dat...* I foresee...; *ik heb 't wel zien* ~ I've seen it coming; *hij zal je zien* ~ he'll see you further (first); • ~ *bij iem.* call at sbd.'s house, call on sbd.; ~ *in Londen* arrive in London; ~ *met een voorstel* come out with, put forward a proposal; *daarmee kan je bij hem niet* ~ 1 it will hardly do for you to propose that to him; 2 that will be no good with him; *daarmee hoef je bij mij niet aan te komen* none of that for me; don't tell me!; ~ *op de plaats* arrive at (on) the spot; *op iem.* ~ come up to a person; *het komt hier op geld aan* it is money that matters; *het komt op nauwkeurigheid aan* accuracy is the great thing; *op de kosten komt het niet aan* the cost will be no consideration; *het komt er niet op aan* it doesn't matter; *het zal er maar op* ~ *om...* the great thing will be to...; *nu zal het erop* ~ now for it!; *als het erop aankomt* when it comes to the trial; *als het erop aankomt om te betalen...* when it comes to paying...; *het laten* ~ *op een ander* leave things to another; *het er maar op laten* ~ let things drift, trust to luck, leave it to chance; *het laten* ~ *op het laatste ogenblik* put it off to the last minute; ~ *tegen de muur* strike (against) the wall; **II** *o er is geen* ~ *aan* it is (they are) not to be had; **–d** *een* ~ *bediende, kantoorbediende* a junior man, clerk; *een* ~ *onderwijzer* 1 (nog opgeleid wordend) a future teacher; 2 (pas beginnend) a young teacher; **'aankomst** *v* arrival; *bij (mijn)* ~ on (my) arrival

'aankondigen (kondigde 'aan, h. 'aangekondigd) *vt* 1 (in 't alg.) announce; (bij wijze van reclame) advertise; (per aanplakbiljet) bill [a play &]; (officieel) notify; 2 (voorspellen) herald; forebode, portend; foreshadow [a major crisis, grave developments]; 3 (bespreken) notice, review [a book]; **–ging** (-en) *v* 1 announcement; (officieel) notification; notice; 2 (advertentiereclame) advertisement; 3 (bespreking) (press) notice, review [of a book]; *tot nadere* ~ until further notice

'aankoop (-kopen) *m* purchase, acquisition; **–som** (-men) *v* (purchase) price; **'aankopen**[1] *vt* purchase, buy, acquire

'aankrijgen[1] *vt* get on [one's boots &]; get into [one's clothes]; (v. waren) get in stock

'aankruisen[1] *vt* check (tick) off; mark with a cross, put a cross against

'aankunnen[1] **I** *vt* be a match for [sbd.]; be equal to [a task]; be able to cope with [the demands]; *hij kan heel wat aan* 1 he can cope with a lot of work; 2 he can manage heaps of food, a lot of drink, no end of money; **II** *vi kan men op hem aan?* can one rely upon him?

'aankweken[1] *vt eig* grow, cultivate[2]; *fig* foster [feelings of...]

'aanlachen[1] = *toelachen*

'aanlanden[1] *vi* land; zie ook: *belanden*

aan'landig onshore [breeze]

'aanleg *m* 1 laying out, lay-out [of avenues, roads &]; construction [of a railway]; laying [of a cable]; installation [of electric plant]; 2 (natuurlijk talent) (natural) disposition, aptitude, talent, turn [for music &]; 3 (vatbaarheid) predisposition, tendency [to consumption]; 4 (geneigdheid) disposition [to jealousy]; 5 ⚖ instance; 6 (plantsoen) (pleasure) grounds; ~ *hebben voor* have a turn for [music &]; have a tendency, a predisposition to [consumption]; **'aanleggen**[1] **I** *vt* 1 apply [a dressing, a standard]; place [a clinical thermometer]; 2 (tot stand brengen) lay out [a garden], construct [a railway, a road], build [a bridge], dig [a canal], install, put in [electric light]; lay on [gas, light, water]; lay [a fire]; make [a collection, a list]; 3 ⚔ level [one's rifle] (at *op*); *het* ~ manage; *het (de zaak)*

[1] V.T. en V.D. van dit werkwoord volgens het model: **'aan**aarden, V.T. aardde **'aan**, V.D. **'aan**geaard. Zie voor de vormen onder het grondwoord, in dit voorbeeld: *aarden*. Bij sterke en onregelmatige werkwoorden wordt u verwezen naar de lijst achterin.

handig ~ manage things (the matter) cleverly; *het verkeerd* ~ set about it the wrong way; *het zó* ~ *dat...* manage to, contrive to...; *het zuinig* ~ be economical; *het* ~ *met een meisje* carry on (take up) with a girl; *hij legt het er op aan om straf te krijgen* he is bent upon getting punished; **II** *vi* 1 (s t i l h o u d e n) stop [at an inn]; 2 (m i k k e n) aim, take aim; *leg aan!* ⚔ present!; ~ *o p* aim at, take aim at; zie ook: *aangelegd*; **–er** (-s) *m* 1 originator [of a quarrel], instigator [of a revolt], author [of a plot]; 2 constructor, builder [of roads, canals &]; **'aanleghaven** (-s) *v* port of call; **–plaats** (-en) *v*, **–steiger** (-s) *m* landing-stage, pier

'aanleiding (-en) *v* occasion, inducement, motive; ~ *geven tot* give rise to, lead to, give cause for, occasion; *b i j de geringste* ~ on the slightest provocation; *n a a r* ~ *van* in pursuance of [our note]; with reference to, referring to [your letter]; having seen [your advertisement...]; in consequence of, on account of [his behaviour]; in connection with [your inquiry]; *z o n d e r de minste* ~ without any reason

'aanlengen[1] *vt* dilute, weaken; **–leren**[1] *vt* learn [a trade &]; acquire [a habit]; **–leunen**[1] *vi* ~ *tegen* lean against; *zich iets laten* ~ take sth. as one's due; *zich iets niet laten* ~ not put up with sth., not swallow sth., not take sth. lying down

'aanliggend, aan'liggend adjacent, adjoining

'aanlijmen[1] *vt* glue on; **–lijnen** (lijnde 'aan, h. 'aangelijnd) *vt* leash [a dog]; *fig* = *aankaarten*

aan'lokkelijk alluring, enticing, tempting, attractive; **–heid** (-heden) *v* alluringness &; charm, attraction; **'aanlokken**[1] *vt* allure, entice, tempt; (a a n t r e k k e n) attract, draw [customers]

'aanloop *m* run; *fig* preamble; *een* ~ *nemen* take a run; *veel* ~ *hebben* be called on by many people; *sprong met* (*zonder*) ~ running (standing) jump; **–haven** (-s) *v* port of call; **–kosten** *mv* initial cost(s), start-up cost(s); **–stadium** (-ia) *o* initial stage; **'aanlopen**[1] *vi* 1 (e e n s a a n - k o m e n) call round, drop in [somewhere]; 2 (d u r e n) last; *hij liep blauw* (*rood, paars*) *aan* he got purple in the face; ~ *b i j iem.* call on sbd., drop in upon sbd.; ~ *o p* walk towards; ~ *t e g e n* run up against [a wall]; run into [sbd.]; *er* (*toevallig*) *tegen* ~ *fig* chance upon [sth.]

'aanmaak *m* manufacture, making; **–hout** *o* kindling; *aanmaakhoutjes* kindlings; **–kosten** *mv* cost of manufacture, manufacturing cost(s); = *aanloopkosten*; **'aanmaken**[1] *vt* 1 manufacture, make; 2 light [a fire]; 3 dress [salad]; 4 mix [colours]

'aanmanen[1] *vt* exhort [to a course, to make haste], call upon [him to do his duty]; dun [for payment]; **–ning** (-en) *v* warning, exhortation; dun [for payment]

'aanmatigen *zich* ~ (matigde zich 'aan, h. zich 'aangematigd) arrogate to oneself; assume; presume [to advise sbd., to express an opinion]; **aan'matigend** arrogant, presumptuous, overbearing, overweening, assuming, high-handed, assertive, assumptive, pretentious; **'aanmatiging** (-en) *v* arrogance, presumption, overbearingness, assumingness, high-handedness, pretence

'aanmelden[1] **I** *vt* announce; **II** *vr zich* ~ announce oneself; apply [for a place]; zie verder: *zich aangeven*; **–ding** (-en) *v* 1 (b e r i c h t) announcement, notice; 2 (v o o r b e t r e k k i n g) application; 3 (v o o r w e d s t r i j d &) entry

'aanmengen[1] *vt* mix

aan'merkelijk considerable; **'aanmerken**[1] *vt* (b e s c h o u w e n, r e k e n e n) consider; *ik heb er niets* (*veel, weinig*) *op aan te merken* I have no (great, little) fault to find with it; **–king** (-en) *v* 1 (o p m e r k z a a m h e i d) consideration; 2 (o n a a n g e n a m e o p m e r k i n g) remark, observation; 3 (a f k e u r i n g) ✎ bad mark; ~ *maken op* find fault with, criticize, pick holes in; *geen* ~ *te maken hebben* have no fault to find (with it); *in* ~ *komen* be considered [for an appointment]; be eligible [for a pension]; qualify [for a job]; *niet in* ~ *komen* be left out of account (consideration), deserve (receive) no consideration; *hij komt niet in* ~ *voor die betrekking* his application is not considered; *in* ~ *nemen* take into consideration, consider (that...), take into account, make allowance for; *zijn leeftijd in* ~ *genomen...* considering (in view of) his age; *alles in* ~ *genomen...* all things considered

'aanmeten[1] *vt* take one's measure for; *zich een jas laten* ~ have one's measure taken for a coat; *een aangemeten jas* a made-to-measure coat

aan'minnig charming, sweet

'aanmoedigen (moedigde 'aan, h. 'aangemoedigd) *vt* encourage; **'aanmoediging** (-en) *v* encouragement; **–spremie** (-s) *v* incentive bonus

'aanmonsteren I (monsterde 'aan, h. 'aangemonsterd) *vt* engage; **II** (monsterde 'aan, is 'aangemonsterd) *vi* sign on [in a ship]

[1] V.T. en V.D. van dit werkwoord volgens het model: '**aan**aarden, V.T. aardde '**aan**, V.D. '**aan**geaard. Zie voor de vormen onder het grondwoord, in dit voorbeeld: *aarden*. Bij sterke en onregelmatige werkwoorden wordt u verwezen naar de lijst achterin.

'aanmunten[1] *vt* coin, mint, monetize
aan'nemelijk acceptable [present &]; plausible [excuse]; **'aannemeling(e)** (-en) *m* (& *v*) 1 *pr* candidate for confirmation; confirmee; 2 *rk* first communicant; **'aannemen**[1] *vt* 1 take, accept, receive [it]; take in [the milk]; take delivery of [the goods]; 2 (opnemen als lid) admit [(ás) a member], confirm [a baptized person], receive [into the Church]; 3 (niet weigeren) accept [an offer &]; 4 (niet verwerpen) adopt, carry [a motion], pass [a bill]; 5 (als waar) admit; 6 (onderstellen) suppose; 7 (in dienst nemen) take on, engage; 8 (zich geven) adopt, take on, assume [an air]; 9 (kleur, vorm) take on; 10 (v. werk) take in [sewing]; contract for [a work]; *~!* waiter!; *aangenomen!* agreed!; *aangenomen dat...* assuming that..., supposing it to be...; zie ook: *aangenomen*; *~ om te...* undertake to...; *als regel ~ om...* make it a rule to...; *tot kind ~* adopt as a child; *boodschappen ~* take messages; *een godsdienst ~* embrace a religion; *de telefoon ~* answer the telephone; zie ook: *gewoonte* & *rouw*; *goed van ~* teachable [of a child &]; **'aannemer** (-s) *m* contractor; building contractor, (master) builder; **–sfirma** ('s) *v* firm of (building) contractors; **'aanneming** (-en) *v* 1 acceptance, adoption, admission; 2 confirmation [in the Protestant Church]; **'aannemingssom** (-men) *v* sum (price) contracted for
'aanpak *m de ~ van dit probleem* the approach to this problem; **'aanpakken**[1] **I** *vt* 1 *eig* seize, take (lay) hold of; tackle [a problem]; deal with [a situation]; 2 (v. de gezondheid) tell upon [sbd.]; *hoe wil je dat ~?* how are you going to set about it, tackle it?; *het goed (verkeerd) ~* go to work the right (wrong) way; *iem. flink ~* take a firm line with sbd.; *iem. ruw (zacht) ~* handle sbd. roughly (gently); *het verkeerd ~* go the wrong way to work; *iem. verkeerd ~* rub sbd. the wrong way; *dat pakt je nogal aan* it rather tells on you, takes it out of you; **II** *vi* **F** wire in, wire away; *je moet (flink) ~* put your back into [the job]; **'aanpakkertje** (-s) *o* holder
'aanpalend adjacent, adjoining, neighbouring
'aanpappen (papte 'aan, h. 'aangepapt) *vi met iem. ~* **F** strike up an acquaintance with sbd., pick up (chum up) with sbd.
'aanpassen[1] **I** *vt* try on [clothes]; *~ aan* adapt to [the needs of...], adjust to [modern conditions]; **II** *vr zich ~ aan* adapt oneself to, adjust oneself to [circumstances, conditions]; **'aanpassing** (-en) *v* adaptation, adjustment; **–svermogen** *o* adaptability
'aanplakbiljet (-ten) *o* placard, poster, bill; **–bord** (-en) *o* bill-board, notice-board; **'aanplakken**[1] *vt* placard, post (up); paste (up); *verboden aan te plakken* stick no bills; **–er** (-s) *m* bill-sticker; **'aanplakzuil** (-en) *v* advertising pillar
'aanplant *m* 1 (het planten) planting; 2 (plantage) plantation; **'aanplanten**[1] *vt* plant; **–ting** (-en) = *aanplant*
'aanporren[1] *vt* rouse, shake up, spur on; **–poten**[1] **I** *vt* (aanplanten) plant; **II** *vi* **F** (aanstappen) step out; *fig* work hard; **–praten**[1] *vt iem. iets ~* talk sbd. into sth.; **–prijzen**[1] *vt* recommend, commend highly, sound the praises of, preach up
'aanraden[1] **I** *vt* advise; recommend; suggest; **II** *o op ~ van* on (at) the advice of, on (at) the suggestion of
'aanraken[1] *vt* touch; **'aanraking** (-en) *v* touch, contact; *in ~ brengen met* bring into contact with; *in ~ komen met* come into touch (contact) with; *met de politie in ~ komen* get into trouble with the police; **–spunt** (-en) *o* point of contact
'aanranden (randde 'aan, h. 'aangerand) *vt* assail, assault [⚖ a woman criminally]; **–er** (-s) *m* assailant, assaulter; **'aanranding** (-en) *v* assault
'aanrecht (-en) *o* & *m* dresser
'aanreiken[1] *vt* reach, hand, pass
'aanrekenen[1] **I** *vt iem. iets ~* blame sbd. for sth., hold sth. against sbd.; **II** *vr zich iets als een eer ~* 1 take credit to oneself for...; 2 consider it an honour; zie ook: *verdienste*
'aanrichten[1] *vt* 1 do [harm]; work [mischief]; cause, bring about [damage]; commit [ravages]; 2 give [a dinner-party]
'aanrijden[1] **I** *vt iem. ~* run into sbd.; collide with [another car]; *hij werd aangereden* he was knocked down [by a motor-car]; **–ding** (-en) *v* collision, crash, smash
'aanroepen[1] *vt* invoke [God's name]; call, hail [sbd., a cab, a ship]; call upon [sbd. for help]; ⚔ challenge [sbd.]; **–ping** (-en) *v* invocation; ⚔ challenge
'aanroeren[1] *vt fig* touch upon [a subject]; zie ook: *snaar*; **–rommelen**[1] *vi* mess, fiddle, tinker about ; **–rukken**[1] *vi* advance, march on; *~ op* march (move) upon; *laten ~* order [wine &]; ⚔ move up [reinforcements]

[1] V.T. en V.D. van dit werkwoord volgens het model: **'aan**aarden, V.T. aardde **'aan**, V.D. **'aan**geaard. Zie voor de vormen onder het grondwoord, in dit voorbeeld: *aarden*. Bij sterke en onregelmatige werkwoorden wordt u verwezen naar de lijst achterin.

'aanschaf (-fingen) *m* acquisition, purchase; **'aanschaffen** (schafte 'aan, h. 'aangeschaft) **I** *vt* procure, buy, get; **II** *vr zich* ~ procure, buy, get
'aanscherpen[1] *vt* sharpen[2]; **'aanschieten**[1] *vt* 1 (vogel) wing, wound; 2 (kleren &) slip on [one's coat]; *vleugelen* ~ take wing; *iem.* ~ accost sbd.; zie ook: *aangeschoten*
'aanschijn *o* 1 (schijn) appearance; 2 (gelaat) face, countenance; zie ook: *zweet*
'aanschikken[1] *vi* draw up to the table, sit down to table; **–schoppen**[1] *vi* ~ *tegen* [*eig*] kick against; *fig* go on about, storm at [sacred cows]
aan'schouwelijk clear, graphic; ~ *onderwijs* object teaching, object lessons; ~ *maken* illustrate; **aan'schouwen** (aanschouwde, h. aanschouwd) *vt* behold; see; *ten* ~ *van* in the sight of, in the presence of
'aanschrijven[1] *vt* notify; summon; instruct; *goed (slecht) aangeschreven staan* be in good (bad, ill) repute, enjoy a good (bad) reputation; *ik sta goed (slecht) bij hem aangeschreven* I am in his good (bad) books; **–ving** (-en) *v* notification, summons; instruction(s)
'aanschroeven[1] *vt* 1 (schroeven aan) screw on; 2 (vaster schroeven) screw home; **–schuiven**[1] **I** *vt* push on, shove on; **II** *vi* = *aanschikken*
'aanslaan[1] **I** *vt* 1 (vastslaan) put up [a notice]; 2 (vaster inslaan) drive home; 3 ♪ strike [a note], touch [a string]; 4 (schatten) estimate, rate; 5 (in de belasting) assess; *een artikel* ~ (met kasregister) ring up an item; *een huis* ~ put up a house for sale; *te hoog* ~ 1 (schatten) overestimate; 2 (in de belasting) assess too high; *te laag* ~ 1 (schatten) underestimate; 2 (in de belasting) assess too low; *voor 300 gulden (in de belasting)* ~ assess in (at) 300 guilders; **II** *vi* 1 ⚔ salute; 2 (blaffen) bark, give tongue; 3 ⚒ (v. motor) start; 4 (door aanslag op ruit &) dim, get blurred; fur [of a boiler]; 5 *fig* (indruk maken) catch on; 6 (v. wortels) strike [root], root; *fig* take; ~ *tegen* strike, beat (dash, flap &) against; **'aanslag** (-slagen) *m* 1 ('t aanslaan) striking; ♪ (v. pianist) touch; 2 (op ruit) moisture; (in ketel) scale, fur; 3 (in belasting) assessment; 4 attempt [on sbd.'s life], [bomb] outrage; *met het geweer in de* ~ with one's rifle at the ready; *in de* ~ *brengen* cock [a rifle &]; **–biljet** (-ten) *o* notice of assessment
'aanslibben (slibde 'aan, is 'aangeslibd) *vi* form a deposit, silt up; **–bing** *v* accretion; alluvium, silt
'aanslingeren[1] *vt* crank [the motor]
'aansluiten[1] **I** *vt* 1 connect; link up; 2 ☏ link up with the telephone system; **II** *vi* & *va* join [of two roads]; connect, correspond [of two trains]; ~*!* close up!; ~ *op* be linked up with; connect with [the 6.30 train]; **III** *vr zich* ~ unite, join hands; *zich* ~ *bij* 1 join [sbd., a party]; join in [a strike]; rally to [the Western bloc]; 2 become affiliated to (with) [a society]; 3 hold with [a speaker]; *verkeerd aangesloten* ☏ wrong number; *aangesloten bij* affiliated to [a party]; on [the telephone]; **–ting** (-en) *v* 1 joining; junction; 2 connection [on the telephone]; communication; 3 connection, correspondence [of trains]; ~ *hebben* connect (with *op*), correspond [of trains]; *de* ~ *missen* miss the connection; ~ *zoeken bij...* try to join..., seek contact with...; *in* ~ *op ons schrijven van...* referring to our letter of...
'aansmeren[1] *vt* smear, daub [a wall]; *iem. iets* ~ palm sth. off on sbd.; **–snellen**[1] *vi* run up, hurry on; ~ *op* make a run for; **–snijden**[1] *vt* cut into [a loaf]; *een onderwerp* ~ broach (bring up) a subject; **–spannen**[1] **I** *vt* put to [horses]; *een proces* ~ take (institute) legal proceedings; **II** *va* put the horses to; **–spoelen**[1] **I** *vt* wash ashore [jetsam &]; **II** *vi* be washed ashore, be washed up
'aansporen (spoorde 'aan, h. 'aangespoord) *vt* spur (on) [a horse]; incite, urge, urge on [a person]; **–ring** (-en) *v* incitement; stimulus; impetus; *op* ~ *van* at the instance of
'aanspraak (-spraken) *v* claim; title; ~ *hebben* have people to talk to [you]; ~ *hebben op* have a claim to, be entitled to; ~ *maken op* lay claim to; **aan'sprakelijk** answerable, responsible, liable; ~ *stellen voor* hold responsible for; *zich* ~ *stellen voor* accept responsibility for; **–heid** (-heden) *v* responsibility, liability
aan'spreekbaar approachable, get-at-able, communicative; **'aanspreekvorm** (-en) *m* (form of) address; **'aanspreken**[1] **I** *vt* speak to, address [sbd.], accost [in the street]; *de fles (geducht)* ~ have a good go at the bottle; *zijn kapitaal* ~ break into one's capital; ● *iem.* ~ *met „Sir"* address sbd. as "Sir"; *iem.* ~ *om schadevergoeding* claim damages from sbd., ⚖ sue sbd. for damages; *iem.* ~ *over...* talk to sbd. about...; **II** *vi deze schilderijen spreken mij aan, spreken (mij) weinig aan* these paintings appeal

[1] V.T. en V.D. van dit werkwoord volgens het model: **'aan**aarden, V.T. aardde **'aan**, V.D. **'aan**geaard. Zie voor de vormen onder het grondwoord, in dit voorbeeld: *aarden*. Bij sterke en onregelmatige werkwoorden wordt u verwezen naar de lijst achterin.

to me, have little appeal (for me); **–er** (-s) *m* undertaker's man

'aanstaan[1] *vi* please || (v. d e u r) be ajar || (v. r a d i o) be on; *het zal hem niet ~* he will not be pleased with it, he will not like (fancy) it; **'aanstaande, aan'staande I** *aj* next, (forth)coming; *~ Kerstmis* next Christmas; *~ moeders* expectant mothers; *~ onderwijzers* prospective teachers; *zijn ~ schoonmoeder* his prospective mother-in-law, his mother-in-law to-be; *~ week* next week; **II** (-n) *m-v zijn ~, haar ~* his fiancée, her fiancé, his future wife, her future husband

'aanstalten *mv ~ maken om* make ready to, prepare to; *geen ~ maken om* show no sign of [...ing]

'aanstampen[1] *vt* ram (down, in); tamp; **–stappen**[1] *vi* mend one's pace, step out; *op iem. ~* step up to sbd.; **–staren**[1] *vt* stare at, gaze at, gape at

aan'stekelijk infectious[2], contagious[2], catching[2]; **'aansteken**[1] **I** *vt* 1 light [a lamp &]; kindle [a fire]; set fire to [a house]; 2 broach, tap [a cask]; 3 infect [with a disease]; **II** *vi* & *va* be infectious, be catching; zie ook: *aangestoken*; **–er** (-s) *m* lighter

'aanstellen[1] **I** *vt* appoint; *~ tot* appoint (as), appoint to be [commander &]; **II** *vr zich ~* pose, attitudinize; (t e k e e r g a a n) carry on; *zich dwaas (mal) ~* make a fool of oneself, play the fool; **–er** (-s) *m* poseur; **aan'stellerig** affected; **aanstelle'rij** (-en) *v* affectation, attitudinizing, posing, pose; **'aanstelling** (-en) *v* appointment [to office]

'aansterken[1] *vi* get (grow) stronger, recuperate, convalesce

'aanstevenen (stevende 'aan, is 'aangestevend) *vi komen ~* come sailing along; *~ op* make for, head for, bear down upon

'aanstichten[1] *vt* instigate [some mischief]; hatch [a plot]; **–er** (-s) *m* instigator; **'aanstichting** (-en) *v op ~ van* at the instigation of

'aanstippen[1] *vt* 1 tick (check) off [items &]; 2 touch [a sore spot]; 3 touch (lightly) on [a subject]

'aanstoken[1] *vt* stir up, incite, instigate; **–er** (-s) *m* instigator, firebrand

'aanstonds, aan'stonds presently, directly, forthwith

'aanstoot *m* offence, scandal; *~ geven* give offence, create a scandal; scandalize people; *~ nemen aan* take offence at, take exception to, resent; **–gevend, aan'stotelijk** offensive, scandalous, objectionable, shocking;

'aanstoten[1] **I** *vt* 1 (i e m.) nudge, jog; 2 (t o o s t e n) clink [glasses]; **II** *vi ~ tegen* bump up against, strike against; **–strepen**[1] *vt* mark [a passage in a book]; tick (check) off [items]; **–strijken**[1] *vt* 1 brush (over) [with paint], paint [with iodine]; 2 plaster [a wall]; 3 strike, light [a match]; **–sturen**[1] *vi ~ op* make for, head for[2] [the harbour &]; *fig* lead up to [sth.]; aim at

'aantal (-len) *o* number; *in ~ overtreffen* outnumber

'aantasten[1] *vt* 1 (g e z o n d h e i d, m e t a a l &) affect; 2 trench on [sbd.'s capital]; 3 injure [sbd.'s honour]; *in de wortel ~* strike at the roots of

'aantekenboekje (-s) *o* notebook; **'aantekenen**[1] **I** *vt* 1 note (down), write down; mark; record; 2 📯 register [a letter]; zie ook: 2 *appel* & *protest;* **II** *va* have their names entered at the registry office; *aangetekend verzenden* send by registered post; **–ning** (-en) *v* 1 note; annotation; entry [in a diary]; [good (bad)] mark; 2 📯 registration; *~en maken* take (make) notes

'aantellen[1] *va* add up [nicely]

'aantijgen (teeg 'aan, h. 'aangetegen en tijgde 'aan, h. 'aangetijgd) *vt* impute [a fault & to]; **–ging** (-en) *v* imputation

'aantikken[1] **I** *va* tap (at the door &), knock [before entering]; **II** *vi* (b i j z w e m w e d s t r i j d) finish; (v. b e d r a g e n) add up [nicely]

'aantocht *m in ~ zijn* be approaching [of a thunderstorm &]; be in the offing, be on the way; ⚔ be advancing, be marching on

'aantonen[1] *vt* show, demonstrate, prove; point out; zie ook: *bewijzen;* **aan'toonbaar** demonstrable

'aantrappen[1] *vt* (v. b r o m f i e t s &) start; **–treden**[1] **I** *vi* fall in, fall into line; line up, form up; **–treffen**[1] *vt* meet (with), find; come across, come upon

aan'trekkelijk attractive, likeable, inviting; **–heid** (-heden) *v* attractiveness, attraction, charm; **'aantrekken**[1] **I** *vt* 1 attract[2], draw; raise [capital &]; 2 (v a s t e r t r e k k e n) draw tighter, tighten; 3 put on [a coat, one's boots]; *zich aangetrokken voelen tot* feel attracted to(wards), feel drawn to(wards); **II** *vi* $ (v. p r i j z e n) harden, stiffen, firm up; **III** *vr zich iets (erg) ~* take sth. (heavily) to heart; *zich iems. lot ~* interest oneself in sbd.'s behalf; *hij zal er zich niets (geen lor, geen zier) van ~* he won't care

[1] V.T. en V.D. van dit werkwoord volgens het model: **'aan**aarden, V.T. aardde **'aan**, V.D. **'aan**geaard. Zie voor de vormen onder het grondwoord, in dit voorbeeld: *aarden.* Bij sterke en onregelmatige werkwoorden wordt u verwezen naar de lijst achterin.

a bit (a straw); **'aantrekking** *v* attraction; **–skracht** *v* pull, (power of) attraction[2]; weight

aan'vaardbaar acceptable (*voor* to); **aan'vaarden** (aanvaardde, h. aanvaard) *vt* accept [an offer, an invitation, the consequences], assume [a responsibility, the government, command]; take possession of [an inheritance &], take up [one's appointment]; enter upon, begin [one's duties]; set out on [one's journey]; *dadelijk* (*leeg*) *te* ~ with vacant possession, with immediate possession; *wanneer is het* (*huis*) *te* ~? when can I have possession?; **–ding** (-en) *v* acceptance; taking possession [of a house]; accession [to the throne]; entering [upon one's duties]; *bij de* ~ *van mijn ambt* on my entrance into office

'aanval (-len) *m* 1 ⚔ attack°, assault, onset, charge; 2 attack, fit [of fever &]; zie ook: *beroerte*; **'aanvallen**[1] **I** *vt* attack, assail, assault; fall upon, set upon, lash out at [an enemy]; tackle [the player who has the ball]; charge [with the bayonet]; **II** *vi* & *va* attack; (t o e t a s t e n) fall to; ~ *op* fall upon, attack; **–d I** *aj* offensive; aggressive; ~ *verbond* offensive alliance; **II** *ad* ~ *optreden* act on the offensive; **'aanvaller** (-s) *m* attacker, assailant, aggressor

aan'vallig sweet, charming; tender [age]; **–heid** (-heden) *v* sweetness, charm

'aanvalsoorlog (-logen) *m* war of aggression

'aanvang *m* beginning, start, commencement; *een* ~ *nemen* commence, begin; *bij de* ~ at the beginning; zie verder: *begin*; **'aanvangen I** (ving 'aan, is 'aangevangen) *vi* begin, start, commence; **II** (ving 'aan, h. 'aangevangen) *vt* do; *wat zullen wij ermee* ~? what to do with it?; zie verder *beginnen*; **'aanvangssalaris** (-sen) *o* commencing salary; **–snelheid** (-heden) *v* initial velocity; **aan'vankelijk I** *aj* initial; **II** *ad* in the beginning, at first, at the outset

'aanvaring (-en) *v* collision; *in* ~ *komen met* collide with, run into, fall foul of

'aanvatten[1] *vt* catch (take, seize, lay) hold of; *iets* (*goed, verkeerd*) ~ zie *aanpakken*; **'aanvattertje** (-s) *o* holder

aan'vechtbaar questionable, debatable; **'aanvechten**[1] *vt* 1 ⊙ tempt; 2 (b e t w i s t e n) challenge, question; **–ting** (-en) *v* temptation

'aanvegen[1] *vt* sweep [the floor]; *de vloer met iem.* ~ **F** wipe the floor with sbd., knock (hit) sbd. for six

'aanverwant allied, related

'aanvliegen[1] **I** *vt iem.* ~ fly at sbd.; **II** *vi komen* ~ come flying along; (v. v l i e g t u i g) approach; ~ *op* fly at; **'aanvliegroute** [-ru.tə] (-s en -n) *v* approach route (path)

'aanvlijen[1] *zich* ~ *tegen* nestle against (up to)

'aanvoegen[1] *vt* add, join; ~*de wijs* subjunctive (mood)

'aanvoelen[1] **I** *vt* feel; appreciate [the difficulty &]; *zij voelen elkaar goed aan* they are well attuned to each other; **II** *vi zacht* ~ feel soft, be soft to the touch (to the feel); **'aanvoelingsvermogen** *o* intuitive power; *ps* empathy; understanding

'aanvoer (-en) *m* supply, arrival(s); **–der** (-s) *m* 1 commander, leader; *sp* captain; 2 (v. k o m p l o t) ringleader; **'aanvoeren**[1] *vt* 1 (a a n b r e n g e n) supply; bring, convey [to]; 2 (a a n h a l e n) allege, put forward, advance [arguments], adduce [a proof], produce [reasons]; raise [objections to], cite [a saying, a case]; 3 (l e i d e n) command; lead; **–ring** *v* leadership, command; *onder* ~ *van X* under the command of X; **'aanvoerweg** (-wegen) *m* approach (access) road

'aanvraag (-vragen) *v* demand, inquiry [for goods]; (v e r z o e k) request; *op* ~ [send] on application; [tickets to be shown] on demand; *op* ~ *van* at the request of; **–formulier** (-en) *o* form of application, application form; **'aanvragen**[1] *vt* apply for, ask for; **–er** (-s) *m* applicant

'aanvreten[1] *vt* erode; (v. m e t a l e n) corrode

'aanvullen[1] *vt* fill up [a gap]; replenish [one's stock]; amplify [a statement]; complete [a number], supplement [a sum]; supply [a deficiency]; *elkander* ~ be complementary (to one another); **–d** supplementary, complementary; **'aanvulling** (-en) *v* replenishment, replacement [of stock]; amplification [of a statement]; completion [of a number]; supplement, new supply; **–stroepen** *mv* ⚔ reserves

'aanvuren[1] *vt* fire, stimulate, inspire; (s p o r t) cheer; **–ring** (-en) *v* stimulation, incitement

'aanwaaien[1] *vi hij is hier komen* ~ *uit Amerika* he has come over from America; *kennis zal niemand* ~ there is no royal road to learning

'aanwakkeren I (wakkerde 'aan, h. 'aangewakkerd) *vt* 1 (o n g u n s t i g) stir up, fan; 2 (g u n s t i g) stimulate; **II** (wakkerde 'aan, is 'aangewakkerd) *vi* freshen [of the wind]; increase

'aanwas (-sen) *m* 1 growth, increase; 2 (v.

[1] V.T. en V.D. van dit werkwoord volgens het model: **'aan**aarden, V.T. aardde **'aan**, V.D. **'aan**geaard. Zie voor de vormen onder het grondwoord, in dit voorbeeld: *aarden*. Bij sterke en onregelmatige werkwoorden wordt u verwezen naar de lijst achterin.

g r o n d) accretion; **'aanwassen**[1] *vi* grow, increase

'aanwenden[1] *vt* use, employ, apply, bring to bear; *geld ten eigen bate* ~ convert money to one's own use; *pogingen* ~ make attempts; **-ding** *v* use, employment, application

'aanwennen[1] *vt zich een gewoonte (iets)* ~ make it a habit, get (fall) into the habit of...; **'aanwensel** (-s) *o* (ugly) habit, trick

'aanwerven[1] *vt* enlist, recruit [soldiers]

aan'wezig 1 present; 2 (b e s t a a n d) extant; *de ~e voorraad* the stock on hand, the available stock; *de ~en* those present; **-heid** *v* 1 presence; 2 existence

aan'wijsbaar apparent; **'aanwijsstok** (-ken) *m* pointer; **'aanwijzen**[1] *vt* 1 show, point out, indicate [it]; mark [80°]; register [10 miles an hour]; 2 (t o e w i j z e n) assign; 3 (v o o r b e p a a l d d o e l) designate; *zij zijn op zich zelf aangewezen* they are thrown on their own resources; they are entirely dependent upon themselves, *hij is de aangewezen man* he is the one to do it; *het aangewezen middel* the obvious thing; *de aangewezen weg* the proper way [to do it]; **'aanwijzend, aan'wijzend** demonstrative [pronoun]; **'aanwijzing** (-en) *v* 1 indication; 2 assignment, allocation; 3 direction [for use]; instruction, hint; 4 (i n z. v o o r d e p o l i t i e) clue (to *omtrent*)

'aanwinnen[1] *vt* reclaim [land]; **'aanwinst** (-en) *vt* 1 (w i n s t) gain; 2 (b o e k e n &) acquisition, accession; 3 *fig* asset

'aanwippen[1] *vi* **F** drop in (on sbd.), pop in

'aanwrijven[1] *vt iem. iets* ~ impute sth. to sbd.

'aanzeggen[1] *vt* announce, notify, give notice of; **-ging** (-en) *v* announcement, notification, notice

'aanzet (-ten) *m* start; ♪ embouchure; **-riem** (-en) *m* (razor-)strop; **-sel** (-s) *o* crust; **-stuk** (-ken) *o* extension (piece); **'aanzetten**[1] **I** *vt* 1 put... (on to); 2 fit on [a piece]; sew (on) [a button]; put ajar [the door]; turn on, tighten [a screw]; put on [the brake]; whet [a knife], set, strop [a razor]; 3 start [an engine]; put on, turn on, switch on [the radio]; urge on [a horse, a pupil]; incite [to revolt]; put [sbd.] up [to sth.]; **II** *vi* 1 (v. s p i j z e n) stick to the pan (to the bottom); 2 (v. k e t e l) fur; *komen* ~ come along; *komen ~ met* 1 *eig* come and bring; 2 *fig* come out with [a guess], bring forward [a proposal]

'aanzien[1] **I** *vt* look at; *wij zullen het nog wat* ~ we'll wait and see; we'll take no steps for the present; *men kan het hem* ~ he looks it; *het niet kunnen* ~ be unable to bear the look of it; be unable to stand it; *ik zie er u niet minder o m aan* I don't respect you the less for it; *iem. o p iets* ~ suspect sbd. of sth.; *iem. (iets) ~ v o o r...* take sbd. (sth.) for...; *(ten onrechte) ~ voor* mistake for; *waar zie je mij voor aan?* what (whom) do you take me for?; *ik zie ze er wel voor aan* I wouldn't put it past them; *zich goed (mooi) laten* ~ look promising, promise well; *het laat zich ~ dat...* there is every appearance that...; *naar het zich laat ~, zullen wij slecht weer krijgen* to judge from appearances, we are going to have bad weather; zie ook: *nek*; **II** *o* 1 look, aspect; 2 (a c h t i n g) consideration; regard; prestige, esteem; *zich het ~ geven van* assume an air of; *dat geeft de zaak een ander* ~ that puts another complexion on the matter; • *(zeer) i n ~ zijn* be held in (great) respect, in (high) esteem; *t e n ~ van* with respect to, with regard to; *te dien* ~ as for that; *een man v a n* ~ a man of note (distinction); *iem. van ~ kennen* know sbd. by sight; *z o n d e r ~ des persoons* without respect of persons; **aan'zienlijk I** *aj* 1 (g r o o t) considerable [sums], substantial [loss]; 2 (v o o r n a a m) distinguished [people], notable, ...of note, of good (high) standing; **II** *ad* < considerably [better &]

'aanzijn *o* existence; *het ~ geven* give life (to); *in het ~ roepen* call into being (existence)

'aanzitten[1] *vi* sit at table, sit down; *de aanzittenden, de aangezetenen* the guests

'aanzoek (-en) *o* 1 request, application; 2 offer (of marriage), proposal; *een ~ doen* propose to [a girl]; **'aanzoeken**[1] *vt* apply to [a person for...]; request

'aanzuiveren[1] *vt* pay, clear off [a debt], settle [an account]; make good [a deficit]

'aanzwellen[1] *vi* swell [into a roar]

'aanzwengelen (zwengelde 'aan, h. aangezwengeld) *vt* crank up [the motor]

aap (apen) *m* monkey[2]; (z o n d e r s t a a r t) ape; *een ~ van een jongen* a (little) rascal; *in de ~ gelogeerd zijn* **F** be in a fix; be up a tree; *daar komt de ~ uit de mouw* there we have it; *zich een ~ lachen* split one's sides with laughter; *iem. voor ~ zetten* make a laughing-stock of sbd.; *~-wat-heb-je-mooie-jongen spelen* butter up; **-achtig** apish, ape-like, monkey-like; **-je** (-s) *o* 1 *eig* little monkey; 2 (r i j t u i g) cab; **-mens** (-en) *m* ape man

[1] V.T. en V.D. van dit werkwoord volgens het model: **'aan**aarden, V.T. aardde **'aan**, V.D. **'aan**geaard. Zie voor de vormen onder het grondwoord, in dit voorbeeld: *aarden.* Bij sterke en onregelmatige werkwoorden wordt u verwezen naar de lijst achterin.

aar (aren) *v* ear [of corn] || (b l o e d v a t) vein
aard *m* 1 (g e s t e l d h e i d) nature, character, disposition; 2 (s o o r t) kind, sort; *het ligt niet in zijn* ~ it is not in his nature, it is not in him; *u i t de* ~ *der zaak* in (by, from) the nature of the case (of things); *v a n allerlei* ~ of all kinds, of every description; *de omstandigheden zijn van die* ~, *dat*... the circumstances are such that ...; *niets van die* ~ nothing of the kind; *studeren* (*werken, zingen*) *dat het een* ~ *heeft* with a will, with a vengeance; zie ook *aardje*
'aardappel (-s en -en) *m* potato; **–meel** *o* potato flour; **–moeheid** *v* potato blight (disease, rot); **–puree** *v* mashed potatoes; **–ziekte** *v* potato blight (disease, rot)
'aardas *v* axis of the earth, earth's axis; **–bei** (-en) *v* strawberry; **–beving** (-en) *v* earthquake; **–bodem** *m* earth; **–bol** (-len) *m* (terrestrial) globe; **'aarde** *v* 1 earth; 2 soil; (t e e l ~) mould; 3 ✻ earth connection; (*niet*) *i n goede* ~ *vallen* be (badly) well received [of a proposal &]; *b o v e n* ~ *staan* await burial; *t e r* ~ *bestellen* inter, commit to earth; *zich ter* ~ *werpen* prostrate oneself; **'aardedonker I** *aj* pitch-dark; **II** *o* pitch-darkness; **1 'aarden** *aj* earthen; ~ *kruik* stone jar; ~ *pijp* clay pipe; **2 'aarden** (aardde, h. geaard) *vi* thrive, do well [of a plant]; ~ *naar* take after; *ik kon er niet* ~ I did not feel at home there; zie ook: *geaard*; **3 'aarden** (aardde, h. geaard) *vt* ✻ earth, ground; zie ook: *geaard*; **'aardewerk** *o* earthenware, crockery, pottery
'aardgas *o* natural gas; **–bel** (-len) *v* natural gas reserve (field, deposit, pocket); **–leiding** (-en) *v* gas pipeline (feeder)
'aardgeest (-en) *m* gnome; **–gordel** (-s) *m* zone
'aardig I *aj* 1 (l i e f, b e v a l l i g) pretty, nice; dainty; sweet; 2 (e e n a a n g e n a m e i n d r u k m a k e n d) nice, pleasant; 3 (h e u s) nice, kind; 4 (g r a p p i g) witty, smart; 5 (t a m e l i j k g r o o t) fair; *een* ~ *sommetje* a pretty penny, a tidy sum of money; *dat vindt hij wel* ~ he rather fancies it; *zich* ~ *voordoen* have a way with one; **II** *ad* 1 nicely, prettily, pleasantly; 2 < pretty [cold &]; **–heid** (-heden) *v er is geen* ~ *aan* there is not much fun to be got out of it; *de* ~ *is er af* the gilt is off; ~ *in iets hebben* take pleasure in sth.; ~ *in iets krijgen* take a fancy to sth.; *uit* ~, *voor de* ~ for fun, for the fun of the thing; **–heidje** (-s) *o* little present
'aardje *o hij heeft een* ~ *naar zijn vaartje* he is a chip of the old block
'aardkluit (-en) *m* & *v* clod (lump) of earth; **–korst** *v* crust of the earth, earth's crust; **–kunde** *v* geology; **–laag** (-lagen) *v* layer (of earth); **–leiding** (-en) *v* ✻ earth connection, earth wire, ground wire; **–magnetisme** *o* terrestrial magnetism; **–mannetje** (-s) *o* gnome, goblin, brownie; **–noot** (-noten) *v* ground-nut; **–olie** *v* petroleum
'aardrijkskunde *v* geography; **aardrijks'kundig I** *aj* geographical [knowledge, Society &], geographic; **II** *ad* geographically; **–e** (-n) *m* geographer
aards earthly[2] [paradise], terrestrial; worldly
'aardsatelliet (-en) *m* earth satellite; **–schok** (-ken) *m* earthquake shock; **–schors** *v* = *aardkorst*; **–slak** (-ken) *v* slug; **–straal** (-stralen) *m* & *v* earth ray, dowsing ray; **–verschuiving** (-en) *v* landslip, landslide; **–worm** (-en) *m* earthworm
aars (aarzen) *m* anus; **–vin** (-nen) *v* anal fin
aartsbedrieger (-s) *m* arrant cheat; **–bisdom** (-men) *o* archbishopric; **–bisschop** (-pen) *m* archbishop; **aartsbis'schoppelijk** archiepiscopal; **'aartsdom** as stupid as an ass; **–engel** (-en) *m* archangel; **–hertog** (-togen) *m* archduke; **–hertogdom** (-men) *o* archduchy; **aartsher'togelijk** archducal; **'aartshertogin** (-nen) *v* archduchess; **–leugenaar** (-s) *m* arrant liar, arch-liar; **–lui** extremely lazy; **–luiaard** (-s) *m* inveterate idler; **–vader** (-s en -en) *m* patriarch; **aarts'vaderlijk** patriarchal; **'aartsvijand** (-en) arch-enemy
'aarzelen (aarzelde, h. geaarzeld) *vi* hesitate, waver; *zonder* ~ without hesitation, unhesitatingly; **–ling** (-en) *v* hesitation, wavering
1 aas *o* 1 bait[2]; 2 (d o o d d i e r) carrion; **2 aas** (azen) *m* & *o* ◇ ace; **–eter** (-s) *m* scavenger; **–gier** (-en) *m* vulture; **–je** (-s) *o een* ~ *wind* a breath of wind; **–vlieg** (-en) *v* bluebottle; meat-fly
A.B.(N.) = *Algemeen Beschaafd Nederlands* standard Dutch (cf. the King's English)
abat'toir [a.bɑ'twa:r] (-s) *o* abattoir, slaughterhouse
ab'c [a.be.'se.] ('s) *o* ABC[2], alphabet; **ab'c-boek** (-en) *o* primer, spelling book
ab'ces [ɑp'sɛs] (-sen) *o* abscess
abdi'catie [-(t)si.] (-s) *v* abdication; **abdi'ceren** (abdiceerde, h. geabdiceerd) *vi* abdicate, renounce, give up [the throne]
ab'dij (-en) *v* abbey; **ab'dis** (-sen) *v* abbess
a'beel (abelen) *m* abele
aber'ratie [a.bɛ'ra.(t)si.] *v* aberration
Abes'sijn (-en) *m* Abyssinian; **–s** Abyssinian; **Abes'sinië** *o* Abyssinia
'ablatief (-tieven) *m* ablative
abnor'maal abnormal; **abnormali'teit** (-en) *v* abnormality, abnormity
abomi'nabel horrible, abominable, execrable
abon'nee (-s) *m* 1 subscriber; 2 (o p t r e i n &) season-ticket holder; **–nummer** (-s) *o* subscriber's number; **abonne'ment** (-en) *o*

subscription [to...]; season-ticket; **abonne'mentskaart** (-en) *v* season-ticket; **–prijs** (-prijzen) *m,* **–tarief** (-rieven) *o* subscription rate, rate of subscription; **abon'neren** (abonneerde, h. geabonneerd) *vr zich ~ op* subscribe to [a newspaper]; *ik ben op de Times geabonneerd* I take in the Times
abor'teren (aborteerde, h. geaborteerd) *vt* abort; **abor'tief** abortive, unsuccessful; **a'bortus** (-sen) *m* abortion
à bout por'tant [a.bu.pɔr'tã] point-blank
'Abraham, 'Abram ['a.bra.hɑm, 'a.brɑm] *m* Abraham; *~ gezien hebben* be 50 years or over; zie ook: *weten*
a'bri ('s) *m* (bus) shelter
abri'koos (-kozen) *v* apricot
ab'rupt abrupt, sudden
ab'sent 1 (a f w e z i g) absent; 2 (v e r s t r o o i d) absent-minded, abstracted; **absente'ïsme** *o* absenteeism; **ab'sentie** [-(t)si.] (-s) *v* 1 absence; non-attendance; 2 absence (of mind), absent-mindedness; **–lijst** (-en) *v* attendance register
ab'sint *o* & *m* absinth(e)
abso'lutie [-(t)si.] *v* absolution; *de ~ geven rk* absolve
absolu'tisme *o* absolutism; **–ist** (-en) *m* absolutist; **–istisch** absolutist
abso'luut I *aj* absolute; *~ gehoor* absolute pitch; **II** *ad* absolutely, decidedly; *~ niet* not at all, by no means, not by any means; *~ niets* absolutely nothing
absor'beren (absorbeerde, h. geabsorbeerd) *vt* absorb[2]; **ab'sorptie** [-'sɔrpsi.] *v* absorption
ab'soute [ɑp'su.tə] *v rk* absolution; *de ~ verrichten* pronounce (give) the absolution
ab'stract abstract [art]; **–ie** [-'strɑksi.] (-s) *v* abstraction; **abstra'heren** (abstraheerde, h. geabstraheerd) *vt* abstract
ab'surd absurd, preposterous; **absurdi'teit** (-en) *v* absurdity, preposterousness
abt (-en) *m* abbot
a'buis (abuizen) *o* mistake, error; *~ hebben (zijn)* be mistaken; *per ~* by (in) mistake, erroneously, mistakenly; **abu'sief, abu'sievelijk** wrongly, by mistake
a'cacia [a.'ka.si.a.] ('s) *m* acacia
aca'demicus (-ci) *m* university graduate, academic; **aca'demie** (-s en -iën) *v* academy, university, college; *pedagogische ~* (teachers') training college; **aca'demisch** academic [year, title, question]; *~ gevormd* college-taught, with a university training; *~e graad* university degree; *~ ziekenhuis* teaching hospital
accele'ratie [ɑkse.lə'ra.(t)si.] *v* acceleration
ac'cent [ɑk'sɛnt] (-en) *o* accent°; stress[2]; *fig* emphasis [*mv* emphases]; **accentu'eren** (accentueerde, h. geaccentueerd) *vt* accent; stress[2]; *fig* emphasize, accentuate
ac'cept [ɑk'sɛpt] (-en) *o* $ 1 acceptance [of a bill]; 2 (p r o m e s s e) promissory note; **accep'tabel** acceptable; **–ant** (-en) *m* $ acceptor; **accep'teren** (accepteerde, h. geaccepteerd) *vt* accept; *niet ~* refuse (acceptance of); $ dishonour [a bill]
ac'ces [ɑk'sɛs] (-sen) *o* access, entrance
acces'soires [ɑksɛ'swa.rəs] *mv* accessories
ac'cijns [ɑk'sɛins] (-cijnzen) *m* excise(-duty)
accla'matie [ɑkla.'ma.(t)si.] *v* acclamation; *bij ~ aannemen* carry by acclamation
acclimati'satie [ɑkli.ma.ti.'za.(t)si.] *v* acclimatization; **acclimati'seren** [s = z] **I** (acclimatiseerde, h. geacclimatiseerd) *vt* acclimatize; **II** (acclimatiseerde, is geacclimatiseerd) *vi* become acclimatized
acco'lade [ɑko.'la.də] (-s) *v* 1 accolade [at bestowal of knighthood]; 2 (~t e k e n) brace; ♪ accolade
accommo'datie [ɑkɔmo.'da.(t)si.] (-s) *v* accommodation; **–vermogen** *o* faculty of accommodation
accompagne'ment [ɑkòmpaɲə'mɛnt] *o* accompaniment; **accompa'gneren** (accompagneerde, h. geaccompagneerd) *vt* accompany
accorde'on [cc = k] (-s) *o* & *m* accordion; **accordeo'nist** (-en) *m* accordionist
accor'deren [cc = k] (accordeerde, h. geaccordeerd) *vi* 1 agree; come to terms; 2 $ compound with one's creditors; 3 get on [well]
ac'countant [ɑ'kɑuntənt] (-s) *m* (chartered) acountant, auditor; **ac'countantsdienst** (-en) *m* audit(ing) service, accounts service; **–rapport** (-en) *o* audit(ing) report
accredi'teren [cc = k] (accrediteerde, h. geaccrediteerd) *vt* accredit [to, at a court]; **accredi'tief** (-tieven) *o* letter of credit
'accu ['ɑky.] ('s) = *accumulator*; **accumu'latie** [-(t)si.] (-s) *v* accumulation; **–tor** (-s en -'toren) *m* accumulator, (storage) battery; *de ~ is leeg* the battery is burnt out; **accumu'leren** (accumuleerde, h. geaccumuleerd) *vt* accumulate, store
accu'raat [ɑky.-] accurate, exact, precise; **accura'tesse** *v* accuracy, exactitude, precision
'accusatief ['ɑky.za.ti.f] (-tieven) *m* accusative
ace'taat [c = s] (-taten) *o* acetate
ace'ton [c = s] *o* & *m* acetone
acety'leen [a.səti.'le.n] *o* acetylene
ach ah!, alas!; *~ en wee roepen* lament
a'chilleshiel (-en) *m* Achilles' heel[2]; **–pees** (-pezen) *v* Achilles tendon
1 acht eight
2 acht *v* attention, heed, care; *~ slaan op* pay

attention to; *geef...~!* ⚔ attention!, 'shun!; *in ~ nemen* be observant of, observe [the rules, the law]; *zich in ~ nemen* 1 be on one's guard; 2 take care of one's health (of oneself); *neem u in ~* be careful!; mind what you do!; *zich in ~ nemen voor...* beware of..., be on one's guard against...

'achtbaan (-banen) *v* big dipper, switchback [at a fair]

'achteloos careless, negligent; **achte'loosheid** *v* carelessness, negligence; **'achten** (achtte, h. geacht) **I** *vt* 1 esteem, respect; 2 (denken, vinden) deem, think, consider, judge; 3 (letten op) pay attention to; *het beneden zich ~ om...* think it beneath one to...; *ik acht het niet raadzaam* I don't think it advisable; **II** *vr zich gelukkig ~* deem (think) oneself fortunate; *ik acht mij niet verantwoord dit te zeggen* I do not feel justified in saying this; zie ook: *geacht*; **achtens'waardig** respectable

'achter I *prep* behind, after, at the back of; *ik ben er ~* 1 (nu weet ik het) I've found it out; 2 (nu ken ik het) I've got into it; I've got the knack of it; *~ iem. staan fig* support, stand by sbd.; **II** *ad hij is ~* 1 he is in the backroom; 2 *fig* he is behindhand (in his studies, with his lessons); he is in arrear(s) [with his payments]; *mijn horloge is ~* my watch is slow; *er ~ komen* discover, detect, find out; *er toevallig ~ komen* stumble upon; *~ raken* drop (fall) behind; get behind [with one's work]; • *ten ~* in arrear(s) [with his payments]; behindhand [in his studies, with his lessons]; behind [with his work]; *ten ~ bij zijn tijd* behind the times; *van ~* [attack] from behind; [low] at the back; [viewed] from the back; *van ~ inrijden op* run into the back of, crash into the rear of [another train]; *van ~ naar voren* [spell a word] backwards; **achter'aan** behind, in the rear, at the back; *2de klas ~* 2nd class in rear of train; **'achteraandrijving** *v* rear-wheel drive; **achter'aankomen** (kwam achter'aan, is achter'aangekomen) *vi* come last, lag behind, bring up the rear; **'achteraanzicht** (-en) *o* back (rear) view; **achter'af** in the rear; [live] out of the way; *~ bekeken...* 1 looking back, retrospectively, in retrospect; 2 after all [he is not a bad fellow]; *zich ~ houden* keep aloof; **achter'afbuurt** (-en) *v* = *achterbuurt;* **'achteras** (-sen) *v* rear (hind, back) axle

achter'baks I *aj* underhand, backdoor; **II** *ad* underhand, behind one's back; *iets ~ houden* keep sth. back

'achterbalkon (-s) *o* rear platform [of a tramcar]; **–ban** *m fig* rank and file; **–band** (-en) *m* back tyre; **–bank** (-en) *v* back seat, rear seat

'achterblijven[1] *vi* 1 *eig* stay behind, remain behind; 2 (bij sterfgeval) be left (behind); 3 (bij wedstrijden &) fall (drop, lag) behind, be outdistanced; ✎ be backward; *~ bij* fall (come) short of; *achtergebleven gebieden* backward countries, underdeveloped countries; **–er** (-s) *m* straggler, laggard

'achterbout (-en) *m* hind quarter; **–buurt** (-en) *v* back street, slum; **–deel** (-delen) *o* back part, hind part; **–dek** (-ken) *o* poop, after-deck; **–deur** (-en) *v* backdoor; **~tje** (spaarduitje) nest-egg

'achterdocht *v* suspicion; *~ hebben* (*koesteren*) have suspicions, be suspicious; *~ krijgen* become suspicious; *~ opwekken* arouse suspicion; **achter'dochtig** suspicious

achter'een in succession, consecutively; at a stretch; *viermaal ~* four times running; *vier uur ~* four hours at a stretch (on end); *maanden ~* for months at a time, for months together; **achtereen'volgend** successive, consecutive; **achtereen'volgens** successively, in succession, in turn, consecutively

'achtereind(e) (-(e)n) *o* hind part, back part

achterel'kaar one after the other; *~ lopen* walk in single (Indian) file; *~ door* continuously, without interruption; zie ook *achtereen*

'achteren *naar ~* backward(s); *naar ~ gaan* **F** go to the bathroom, spend a penny; *van ~* from behind; zie verder: *achter* **II**

'achtergebleven zie *achterblijven*

'achtergevel (-s) *m* back-front; **–grond** (-en) *m* background[2]; *op de ~ blijven* keep (remain) in the background; *op de ~ raken* fall (recede) into the background; **–grondmuziek** *v* background music, muzak

achter'halen (achterhaalde, h. achterhaald) *vt* 1 (v. misdadiger &) arrest; 2 (v. voorwerpen) recover; 3 (v. fouten, gegevens) trace, detect; *achterhaald* out of date

'achterhand (-en) *v* 1 (handwortel) carpus; 2 (v. paard) hind quarters

achter'heen *achter iem. (iets) heen zitten* keep at sbd. (sth.)

'achterhoede (-n en -s) *v* rear(guard); *sp* defence; *de ~ vormen* bring up the rear; **–gevecht** (-en) *o* rearguard action; **–speler** (-s) *m* = *achterspeler*

'achterhoofd (-en) *o* back of the head, occiput; *gedachten in zijn ~* thoughts at the back of his

[1] V.T. en V.D. volgens het model: **'achter**stellen, V.T. stelde **'achter,** V.D. **'achter**gesteld. Zie voor de vormen onder het grondwoord, in dit voorbeeld: *stellen.* Bij sterke en onregelmatige werkwoorden wordt u verwezen naar de lijst achterin.

mind; *hij is niet op zijn ~ gevallen* there are no flies on him
'achterhouden[1] *vt* keep back, hold back, withhold
'achterhuis (-huizen) *o* 1 (achterste gedeelte) back part of the house; 2 (gebouw) back premises
achter'in at the back [of the book, of the garden &], [sit] in the back [of a car, of a lorry], [climb, peer] into the back [of the car]
'Achter-'Indië *o* Further India, Indochina
'achterkamer (-s) *v* backroom; **-kant** (-en) *m* back; reverse (side); **-klap** *m* backbiting, scandal, slander(ing); **-kleinkind** (-eren) *o* greatgrandchild; **-lader** (-s) *m* breech-loader; **-land** (-en) *o* hinterland
achter'lastig ⚓ stern-heavy
'achterlaten[1] *vt* leave [sth. somewhere, with sbd.]; leave behind [after one's departure or death]; **-ting** *v met ~ van* leaving behind
'achterlicht (-en) *o* rear-light, tail-light, rear-lamp
'achterliggen[1] *~ op, bij* lag behind [sbd.]
'achterlijf (-lijven) *o* abdomen [of insects]
'achterlijk 1 retarded, backward [= mentally deficient]; 2 behind the times; **-heid** *v* backwardness
'achterlopen[1] *vi* (v. uurwerk) be slow; *fig* lag behind, not keep up with the times
achter'na after; behind; *~ gaan* follow, pursue; *~ lopen, zitten* run after; *~ zetten* chase, pursue
'achternaam (-namen) *m* surname, family name
'achterneef (-neven) *m* grand-nephew; second cousin; **-nicht** (-en) *v* grand-niece; second cousin
achter'om the back way about; behind; back; *~ lopen* go round (at the back); *~ zien* &, zie *omzien* &
achter'op behind, at the back; on the back [of an envelope]; *~ raken* fall behind; get behind with one's work (studies); be in arrear(s) [with one's payments]; **-komen** (kwam achter'op, is achter'opgekomen) *vt* overtake [sbd.], catch [sbd.] up, come up with
achter'over backward, on one's back; **-drukken**[2] **F** pinch, pilfer; **-leunen**[2] *vi* lean back; **-vallen**[2] *vi* fall backwards
'achterpand (-en) *o* back; **-plaats** (-en) *v* back-yard; **-plecht** (-en) *v* poop; **-poot** (-poten) *m* hind leg; **-ruit** (-en) *v* rear window; **-schip** (-schepen) *o* stern; *op het ~* abaft; **-speler** (-s) *m* back
'achterstaan[1] *vi ~ bij* be inferior to; *bij niemand ~* ook: be second to none
achter'stallig outstanding; overdue; *~e huur* back rent; *~e rente* interest arrears; *~ zijn* be in arrear(s) with one's payments; be behind with the rent
'achterstand *m* arrears; *~ inlopen (inhalen)* make up arrears
'achterste I *aj* hindmost, hind; **II** *sb* (-n) *o* 1 back part; 2 (zitvlak) bottom, backside, buttocks
'achterstellen[1] *vt* subordinate (to); discriminate (against); slight [sbd.]; *~ bij* neglect for; **-ling** *v* neglect, slighting; *met ~ van* to the neglect of
'achtersteven (-s) *m* stern
achterste'voren back to front
'achtertuin (-en) *m* back-garden
achter'uit I *ad* backward(s), back; ⚓ aft; [full speed] astern; *~ daar!* stand back!; **II** *v* 🚗 reverse; **-boeren** (boerde achter'uit, h. en is achter'uitgeboerd) *vi* go downhill; **-gaan**[3] *vi* go (walk) back(wards); *fig* go back [of civilization], decline [in vitality, prosperity], go down in the world; retrograde [in morals], fall off [in quality]; fall [of barometer]; *hard ~* ook: sink fast
1 'achteruitgang (-en) *m* rear-exit
2 achter'uitgang *m* going down, decline
achter'uitkijkspiegel (-s) *m* (driving) mirror; **-krabbelen**[3] *vi* back out of sth.; **-rijden**[3] **I** *vi* 1 ride (sit) with one's back to the engine (to the driver); 2 back, reverse [of motor-car]; **II** *vt* back, reverse [a motor-car]; **-zetten**[3] *vt* 1 put (set) back [a watch]; 2 (financieel &) throw back; 3 (v. gezondheid) put back; 4 (verongelijken) slight
'achtervoegen[1] *vt* affix, add; **'achtervoegsel** (-s) *o* suffix
achter'volgen (achtervolgde, h. achtervolgd) *vt* run after[2], pursue, dog; persecute; **achter'volging** (-en) *v* pursuit; persecution; **-swedstrijd** (-en) *m* pursuit race
'achterwaarts I *aj* backward, retrograde; **II** *ad* backward(s), back
achter'wege *~ blijven* fail to appear; *~ laten* omit, drop
'achterwerk (-en) *o* = *achterste* **II** 2
'achterwiel (-en) *o* back (hind, rear) wheel; **-aandrijving** *v* rear-wheel drive

[1,2,3] V.T. en V.D. volgens de modellen: 1 **'achter**stellen, V.T. stelde **'achter**, V.D. **'achter**gesteld; 2 **achter'over**drukken, V.T. drukte **achter'over**, V.D. **achter'over**gedrukt; 3 **achter'uit**krabbelen, V.T. krabbelde **achter'uit**, V.D. **achter'uit**gekrabbeld. Zie voor de vormen onder de grondwoorden, in deze voorbeelden: *stellen, drukken* en *krabbelen*. Bij sterke en onregelmatige werkwoorden wordt u verwezen naar de lijst achterin.

'achterzak (-ken) *m* hip-pocket; **–zij(de)** (-den) *v* back; reverse (side)
'achthoek (-en) *m* octagon; **–ig, acht'hoekig** octagonal
'achting *v* esteem, regard, respect; *de ~ genieten van...* be held in esteem by...; *~ hebben voor* hold in esteem; *in iems. ~ dalen (stijgen)* fall (rise) in sbd.'s esteem
'achtjarig 1 of eight years, eight-year-old; 2 octennial (= lasting eight years); **'achtste** eighth (part); **'achttal** (-len) *o* (number of) eight; **'achttien** eighteen; **–de** eighteenth (part); **acht'urendag** (-dagen) *m* eight-hour(s) day; **'achtvlak** (-ken) *o* octahedron; **–kig** octahedral; **'achtvoudig** eightfold, octuple
acquisi'teur [ɑkvi.zi.'tø:r] (-s) *m* canvasser
acro'baat (-baten) *m* acrobat; **acroba'tiek** *v* acrobatics; **acro'batisch** acrobatic; *~e toeren* acrobatic feats
acro'niem (-en) *o* acronym
'acte *~ de présence* [ɑktədəpre'zãs] *geven* put in an appearance, show one's face; zie ook *akte*
ac'teren (acteerde, h. geacteerd) *vi* & *vt* act; **ac'teur** (-s) *m* actor, player
'actie ['ɑksi.] (-s) *v* 1 ⚖ action°; lawsuit; 2 agitation, campaign [in favour of]; drive [to raise funds &]; 3 ⚔ action; *een ~ instellen tegen* ⚖ bring an action against; *in ~ komen* 1 ⚔ go into action; 2 *fig* act, take action; *~ voeren (voor)* agitate (for); *in ~ zijn* run; **ac'tief I** *aj* 1 active, energetic; 2 ⚔ with the colours; *actieve handelsbalans* $ favourable trade balance; **II** *ad* actively, energetically; **III** (-tiva) *o ~ en passief* $ assets and liabilities; **'actiegroep** ['ɑksi.-] (-en) *v* action group, action committee; **–radius** *m* radius (range) of action, flying range; **'activa** *mv* $ assets; *~ en passiva* assets and liabilities; **acti'veren** (activeerde, h. geactiveerd) *vt* activate; **acti'vist** (-en) *m* activist; **activi'teit** (-en) *v* activity
ac'trice (-s) *v* actress
actuali'teit (-en) *v* topicality [of a theme]; actuality; *een ~* a topic of the day; **–enprogramma** ('s) *o* news-reel
actu'aris (-sen) *m* actuary
actu'eel of present interest; topical [event, question, subject]; timely [article in the papers]
acupunc'tuur (-turen) *v* acupuncture
a'cuut acute
ad $ at [3%]
A.D. = *anno Domini*
'adamsappel (-s) *m* Adam's apple; **–kostuum** *o in ~* in a state of nature
adap'tatie [-'ta.(t)si.] (-s) *v* adaptation; **adap'teren** (adapteerde, h. geadapteerd) adapt
'adder (-s) *v* viper, adder; *een ~ aan zijn borst koesteren* nourish (cherish) a viper in one's bosom; *er schuilt een ~tje onder het gras* there is a snag somewhere, there is a nigger in the woodpile
'adel *m* nobility; *van ~ zijn* be of noble birth, belong to the nobility
'adelaar (-s en -laren) *m* eagle; **–sblik** (-ken) *m met ~* eagle-eyed
'adelboek (-en) *o* peerage; **–borst** (-en) *m* naval cadet, midshipman, **F** middy; **–brief** (-brieven) *m* patent of nobility; **–dom** *m* nobility; **'adelen** (adelde, h. geadeld) *vt* ennoble[2], raise to the peerage; **'adellijk** 1 noble; 2 high [of game], gamy; **'adelstand** *m* nobility, nobiliary rank; *in (tot) de ~ verheffen* ennoble, raise to the peerage
'adem *m* breath; *de ~ inhouden* hold one's breath; *~ scheppen* take breath; *de laatste ~ uitblazen* breathe one's last; *b u i t e n ~* out of breath, breathless; *buiten ~ raken* get out of breath; *i n één ~* in (one and) the same breath; *n a a r ~ snakken* gasp; *o p ~ komen* recover one's breath; *op ~ laten komen* breathe; *v a n lange ~* 1 long-winded [speaker, tale]; 2 [a work] requiring time and labour; **–benemend, adembe'nemend** breath-taking; **'ademen** (ademde, h. geademd) *vt* & *vi* breathe; *piepend ~* wheeze; **'ademhalen** (haalde 'adem, h. 'ademgehaald) *vi* draw breath, breathe; *ruimer ~* breathe more freely, breathe again; **'ademhaling** (-en) *v* respiration, breathing; *kunstmatige ~* artificial respiration; **'ademhalingsoefening** (-en) *v* respiratory exercise, breathing exercise; **–organen** *mv* respiratory organs; **'ademloos** breathless[2]; **–nood** *m* dyspn(o)ea; **–pauze** (-s) *v* breathing space, breather; **–proef** (-proeven) *v* breath test; **–tocht** *m* breath
adeno'ïde vege'taties [... ve.gə'ta.(t)si.s] *mv* adenoids
a'dept (-en) *m* follower
ade'quaat [a.de.'kva.t] adequate
'ader (-s en -en) *v* 1 (i n h e t l i c h a a m o f h o u t) vein; 2 (v. e r t s &) vein, lode, seam; **'aderen** (aderde, h. geaderd) *vt* vein, grain; **'aderlaten** (liet 'ader, h. 'adergelaten) *vt* bleed[2]; **–ting** (-en) *v* blood-letting; bleeding[2]; **'aderlijk** venous; **'aderontsteking** (-en) *v* phlebitis; **–verkalking** *v* arteriosclerosis
ad 'fundum bottoms up!
ad'hesie [ɑt'he.zi.] *v* adhesion; *zijn ~ betuigen* give one's adhesion [to a plan]
ad 'interim ad interim
'adjectief (-tieven) *o* adjective
adju'dant (-en) *m* ⚔ adjutant; aide-de-camp, A.D.C. [to a general]
ad'junct (-en) *m* assistant
administra'teur (-s en -en) *m* 1 (i n 't a l g.)

administrator; manager; 2 ⚓ purser; 3 (v. plantage) estate manager; 4 (boekhouder) book-keeper, accountant; **admini'stratie** [-'stra.(t)si.] (-s) *v* administration, management; **administra'tief** administrative; **admini'stratiekosten** [-'stra.(t)si.-] *mv* administrative expenses; **admini'streren** (administreerde, h. geadministreerd) *vt* administer, manage

admi'raal (-s en -ralen) *m* ⚓ admiral; ook = *admiraalvlinder*; **-schap** *o* ⚓ admiralship; **admi'raalsschip** (-schepen) *o* ⚓ flagship; **admi'raalvlinder** (-s) *m* red admiral; **admirali'teit** (-en) *v* admiralty

adoles'cent [adolɛ'sɛnt] (-en) *m* adolescent; **-ie** [-(t)si.] *v* adolescence

adop'tant (-en) *m* adopter; **adop'teren** (adopteerde, h. geadopteerd) *vt* adopt; **a'doptie** [a.'dɔpsi.] *v* adoption

ado'ratie [-(t)si.] (-s) *v* adoration; **ado'reren** (adoreerde, h. geadoreerd) worship, adore, venerate

ad 'rem to the point

a'dres (-sen) *o* 1 (op brief) address, direction; 2 (memorie) memorial, petition; *een ~ richten tot* address a petition to; *dan ben je aan het verkeerde ~* you have come to the wrong shop; *per ~* care of, c/o; **-boek** (-en) *o* directory; **-kaart** (-en) *v* (voor postpakket) dispatch note; **-plaatje** (-s) *o* address stencil; **adres'sant** (-en) *m* petitioner, applicant; **adres'seermachine** [-ma.ʃi.nə] (-s) *v* addressing machine, addressograph; **adres'seren** (adresseerde, h. geadresseerd) *vt* direct, address [a letter]; **a'dresstrook** (-stroken) *v* label, wrapper; **-wijziging** (-en) *v* change of address

Adri'atische 'Zee *v de ~* the Adriatic

adspi'rant = *aspirant*

ad'structie [-'strüksi.] *v ter ~ van* in elucidation (explanation) of, in support of

ad'vent *m* Advent

adver'teerder (-s) *m* advertiser; **adver'tentie** [-'tɛnsi.] (-s) *v* advertisement, **F** ad; *kleine ~s* classified advertisements; **-blad** (-bladen) *o* advertiser; **-bureau** [-by.ro.] (-s) *o* advertising agency; **-kosten** *mv* advertising charges; **-pagina** ('s) *v* advertisement page; **adver'teren** (adverteerde, h. geadverteerd) *vt* & *va* advertise

ad'vies (-viezen) *o* 1 advice; 2 recommendation [of a commission]; *op ~ van* at (by, on) the advice of; *commissie van ~* advisory committee; *het verstrekken van ~* (als beroep) consultancy; **-bureau** [-by.ro.] (-s) *o* consultancy firm; **-commissie** (-s) *v* advisory committee; **-orgaan** (-ganen) *o*, **-raad** (-raden) *m* consultative body, consultative council; **-prijs** (-prijzen) *m* recommended price; **advi'seren** [s = z] (adviseerde, h. geadviseerd) *vt* 1 advice; 2 recommend [of a jury &]; **-d** advisory, consultative; **advi'seur** [s = z] (-s) *m* adviser, consultant; *wiskundig ~* actuary

advo'caat (-caten) *m* 1 ⚖ barrister(-at-law), counsel; ± solicitor, lawyer; *Sc* advocate; 2 (drank) advocaat; *als ~ toegelaten worden* be admitted to the bar; *~ van kwade zaken* shyster, pettifogger; **advo'caat-gene'raal** (advocaten-generaal) *m* Solicitor-General; **advo'catenstreken** *mv*, **advocate'rij** *v* pettifoggery; **advoca'tuur** *v de ~* the bar, the legal profession

aërody'namica [a.e.ro.di.-] *v* aerodynamics; **aëro'sol** [a.e.r.o.-] (-s en -solen) *o* aerosol

af off; down; *~ en aan lopen* come and go; go to and fro; *~ en toe* off and on, every now and then, now and again, once in a while, occasionally; *A ~* exit A; *allen ~* exeunt all; *het (engagement) is ~* the engagement is off; *het (werk) is ~* the work is finished; *hij is ~* he is out [at a game]; *hij is minister ~* he is out (of office); *~!* 1 down! [to a dog]; 2 *sp* [are you ready?] go!; *hoeden ~!* hats off!; *links ~* to the left; *goed (slecht) ~ zijn* be well (badly) off; *alle prijzen ~ fabriek* $ all prices ex works (mill); ● *bij zwart ~* off black; *op de minuut & ~* to the minute &; *van... ~* from [a child, his childhood, that day &], from [two shillings] upwards; from [this day] onwards; *nu ben je van die... ~* now you are rid of that (those)...; *ze zijn van elkaar ~* they have separated; *je bent nog niet van hem ~!* you have not done with him yet; you haven't heard (seen) the last of him yet

afa'sie [s = z] *v* ⚕ aphasia

'afbakenen (bakende 'af, h. 'afgebakend) *vt* 1 (weg &) trace (out), mark out; 2 ⚓ (vaarwater) beacon; *duidelijk afgebakend* ook: clearly defined

'afbeelden (beeldde 'af, h. 'afgebeeld) *vt* represent, portray, picture, paint, depict; **-ding** (-en) *v* picture, portrait, representation, portraiture

'afbekken (bekte 'af, h. 'afgebekt) *vt* snap at, snap sbd.'s head off; **-bellen**[1] *vt* & *va* (afbestellen) countermand (put off) by telephone; (gesprek beëindigen) put down the

[1] V.T. en V.D. van dit werkwoord volgens het model: **'af**bellen, V.T. belde **'af**, V.D. **'af**gebeld. Zie voor de vormen onder het grondwoord, in dit voorbeeld: *bellen*. Bij sterke en onregelmatige werkwoorden wordt u verwezen naar de lijst achterin.

receiver, ring off
'afbestellen (bestelde 'af, h. 'afbesteld) *vt* countermand, cancel [the order]; **–ling** (-en) *v* cancellation
'afbetalen[1] (-en) *vt* pay off, pay (up); pay [£ 5] on account; **'afbetaling** (-en) *v* (full) payment; ~ *in termijnen* payment by instalments; £ *5 op* ~ £ 5 on account; *op* ~ *kopen* buy on the instalment plan (system), on the hire-purchase system, **F** on the never-never; **–stermijn** (-en) *m* repayment [of a mortgage &], instalment
'afbetten[1] *vt* bathe [a wound]; **–beulen** (beulde 'af, h. 'afgebeuld) **I** *vt* overdrive, fag out [sbd.], override [a horse]; **II** *vr zich* ~ work oneself to the bone, work oneself to death; **–bidden**[1] *vt* 1 (trachten af te wenden) avert; 2 (bidden om) pray for, invoke; **–bijten**[1] *vt* bite off [a bit]; clip [one's words]; zie ook: *bijten, afgebeten, spits*; **–bikken**[1] *vt* chip (off); **–binden**[1] **I** *vt* 1 untie [one's skates]; 2 ligature [a vein], tie (up) [an artery]; **II** *va* untie one's skates; **–bladderen**[1] *vi* peel off, scale off; **–blaffen** [1] *iem.* ~ storm at sbd.; **–blazen**[1] *vt* blow off, let off[2] [steam]; **–blijven**[1] *vi* ~ *van iem.* keep one's hands off sbd.; ~ *van iets* let (leave) sth. alone; ~*!* hands off!; **–boeken**[1] *vt* $ 1 (afschrijven) write off; 2 (overboeken) transfer [from one account to another]; 3 (afsluiten) close [an account]; **–boenen**[1] *vt* (droog) rub; (nat) scrub; **–borstelen**[1] **I** *vt* brush off [the dust]; brush [clothes, shoes, a person]; **II** *vr zich* ~ brush oneself up; **–bouwen**[1] *vt* finish [a building construction]; (verminderen) reduce, cut (run) down [numbers of staff]
'afbraak *v* 1 demolition; 2 old materials [of a house]; rubbish; 3 § breakdown; *voor* ~ *verkopen* sell for its materials; **–prijzen** *mv* rock-bottom (distress) prices; **–produkt** (-en) *o* breakdown product
'afbranden I (brandde 'af, h. 'afgebrand) *vt* burn off [the paint]; burn down [a house]; **II** (brandde 'af, is 'afgebrand) *vi* be burnt down
af'breekbaar biodegradable, biodestructible;
'afbreken[1] **I** *vt* 1 break (off) [a flower from its stalk]; demolish, pull down [a house], break down [a bridge; chemically]; take down [a booth, a scaffolding]; 2 break off [a sentence, engagement &], divide [a word], interrupt [one's narrative]; cut short [one's holidays]; 3 cut [a connection]; 4 sever [friendship, relations]; 5 *fig* demolish, cry down, pull to pieces [an author &], write down [a book, play &]; **II** *vi* 1 break (off) [of a thread]; 2 stop [in the middle of a sentence]; **III** *va* destroy, disparage; *hij is altijd aan het* ~ he is always crying (running) down people; **IV** *o* rupture, severance [of diplomatic relations]; zie ook *afgebroken*; **–d** destructive [criticism]; **'afbreking** (-en) *v* breaking off, rupture; interruption; demolition; **–steken** (-s) *o* break
'afbrengen[1] *vt* (vlot maken) ⚓ get off; *het er goed* ~ get through very well, do well; *het er levend* ~ get off (escape) with one's life; *het er slecht* ~ come off badly, do badly; *hij was er niet van af te brengen* he could not be dissuaded from it, we could not talk (reason) him out of it; *iem. van de goede* (*rechte*) *weg* ~ lead sbd. away from the right course, lead sbd. astray
'afbreuk *v* ~ *doen aan* be detrimental to, detract from [his reputation]; *de vijand* ~ *doen* do harm to the enemy
'afbrokkelen (brokkelde 'af, is 'afgebrokkeld) *vi* crumble (off, away); **–buigen**[1] *vi* turn off; (v. weg) branch off; **–checken**[1] [-tʃɛkə(n)] *vt* check against [a list]; tick off
'afdak (-daken) *o* penthouse, shed
'afdalen[1] *vi* descend, come (go) down; ~ *in bijzonderheden* go (enter) into detail(s); ~ *tot* condescend to [inferiors]; descend to [the level of, doing something]; **–d** descending; **'afdaling** (-en) *v* 1 descent; 2 *sp* downhill [in skiing]
'afdammen (damde 'af, h. 'afgedamd) *vt* dam up; **–ming** (-en) *v* damming up; dam
'afdanken[1] *vt* disband [troops]; dismiss [an army, a servant &]; pay off [the ship's crew]; superannuate [an official]; discard [a lover, clothes]; part with [a motorcar]; scrap [ships]; **'afdankertje** (-s) *o* cast-off; **'afdanking** *v* disbanding [of troops]; dismissal [of a servant &]
'afdeinzen (deinsde 'af, is 'afgedeinsd) *vi* withdraw, retreat; **–dekken**[1] *vt* 1 (toedekken) cover; 2 cope [a wall]
'afdeling (-en) *v* 1 (het afdelen) division; classification; 2 (onderdeel) division, section, branch [of a party &]; 3 ⚔ detachment [of soldiers], body [of horse], [landing] party; 4 (compartiment) compartment; 5 (van bestuur, winkel &) department; ward [in a hospital]; [parliamentary] ± committee; **'afdelingschef** [-ʃɛf] (-s) *m* head of a department, floorwalker [in shop]; **–hoofd** (-en) *o* divisional head
'afdingen[1] **I** *vi* bargain, chaffer; beat down the

[1] V.T. en V.D. van dit werkwoord volgens het model: **'af**bellen, V.T. belde **'af**, V.D. **'af**gebeld. Zie voor de vormen onder het grondwoord, in dit voorbeeld: *bellen.* Bij sterke en onregelmatige werkwoorden wordt u verwezen naar de lijst achterin.

price; **II** *vt* beat down; *ik wil niets ~ op zijn verdiensten* I have no wish to detract from his merits; *daar is niets op af te dingen* there is nothing to be said against it, it is unobjectionable

'afdoen[1] *vt* 1 (kledingstukken &) take off; 2 (afvegen) clean, wipe, dust; 3 (afmaken) finish, dispatch, expedite [a business]; 4 (uitmaken) settle [a question]; 5 (verhandelen) $ sell; 6 (afbetalen) pay off, settle [a debt]; *hij heeft afgedaan* he has had his day; *hij heeft bij mij afgedaan* I have done with him, I am through with him; *dat doet er niets aan toe of af* 1 it doesn't alter the fact; 2 that's neither here nor there; *iets van de prijs ~, er iets ~* knock off something, take something off; *dit doet niets af van de waarde* this does not detract from the value; **–d, af'doend** *dat is ~(e)* that settles the question; *een ~ argument (bewijs)* a conclusive argument (proof); *~e maatregelen* efficacious (effectual, effective) measures; **'afdoening** (-en) *v* 1 disposal, dispatch [of the business on hand]; 2 settlement of business]; payment [of a debt]; 3 $ sale

'afdraaien[1] *vt* 1 turn off [a tap, the gas]; 2 (er ~) twist off; 3 (rammelend opzeggen) reel off, rattle off [one's lines]; 4 grind out [on a barrel-organ]; 5 run off [a stencil on a duplicating machine]; 6 show [a film]; 7 play [a gramophone record]

'afdracht *v* remittance [of money]; **'afdragen**[1] *vt* 1 carry down [the stairs &]; 2 wear out [clothes]; 3 remit, hand over [money]

'afdraven[1] *vt een paard ~* trot out a horse; **–dreggen**[1] *vt* drag; **–drijven**[1] **I** *vi* 1 float (drift) down [the river]; 2 (v. schip) drift (off), make leeway; 3 (onweer &) blow over; *met de stroom ~* be borne down the stream; *fig* go with the stream; **II** *vt* produce an abortion; **–drogen**[1] *vt* dry, wipe (off); (afranselen) beat, thrash

'afdronk *m* after-taste [of wine]

'afdroogdoek (-en) *m* tea-towel

'afdruipen[1] *vi* 1 (vloeistoffen) trickle (drip) down, drain; 2 (wegsluipen) slink away, slink off [with one's tail between one's legs]; **'afdruiprek** (-ken) *o* drainer, draining board

'afdruk (-ken) *m* 1 (indruk) imprint, print; 2 (v. boek of gravure) impression; copy; 3 (v. foto) print; **'afdrukken**[1] *vt* 1 print (off) [a book]; 2 impress [on wax]; 3 *sp* clock [8 minutes 7.10 seconds in a race]

'afduwen[1] **I** *vt* push off; **II** *va* push off, shove off

'afdwalen (dwaalde 'af, is 'afgedwaald) *vi* 1 *eig* stray off, stray from the company; 2 *fig* stray (wander) from one's subject, depart from the question; (op verkeerde wegen) go astray; **–ling** (-en) *v* 1 straying, wandering from the point; digression; 2 (fout) aberration

'afdwingen[1] *vt* compel, command [admiration, respect]; extort [a concession from]

'afeten[1] **I** *vt* eat off; **II** *vi* finish one's dinner &

af'faire [ɑ'fɛːrə] (-s) *v* 1 (zaak) affair, business; 2 $ business; (transactie) transaction

af'fect (-en) *o ps* affect

affec'tatie [-'ta.(t)si.] (-s) *v* affectation

af'fectie [-ksi.] (-s) *v* affection

af'fiche [ɑ'fi.ʃə] (-s) *o* & *v* poster, placard; playbill [of a theatre]; **affi'cheren** (afficheerde, h. geafficheerd) *vt* post up, placard; *fig* show off, parade

affili'atie [-(t)si.] *v* affiliation

affini'teit (-en) *v* affinity

af'fix (-en) *o* affix

'affluiten[1] *vi* whistle for a foul

af'freus horrid, horrible

af'front (-en) *o* affront; **affron'teren** (affronteerde, h. geaffronteerd) *vt* affront

af'fuit (-en) *v(m)* & *o* ⚔ (gun-)carriage; [fixed] mounting

'afgaan[1] **I** *vi* 1 (afvaren) start, sail; 2 (v. vuurwapenen) go off; 3 (v. getij) recede, ebb; *er ~* come off [of paint]; 4 (defaeceren) excrete; 5 (in de ogen van anderen) fail dismally; *het gaat hem glad (handig, gemakkelijk) af* it comes very easy to him; *dat gaat hem goed af* it [his new dignity &] sits well on him; • *bij de rij ~* take them in their order; *~ op iem.* 1 walk up to sbd., make for sbd. [the enemy]; 2 *fig* rely on sbd.; *~ op praatjes* trust (go by) what people say; *recht op zijn doel ~* go straight to the point; *~ van* leave [school, sbd.]; *daar gaat niets van af* there is no denying it; **II** *vt* go (walk) down [the stairs, a hill &]; **–gang** (-en) *m* failure, flop

'afgebeten clipped [speech]; **–gebroken** broken off, broken, interrupted; **–gedaan** zie *afdoen*; **–geladen** *de treinen waren ~ (vol)* the trains were packed, crowded [with passengers]

'afgelasten[1] *vt* countermand, cancel [a dinner, a football match], call off [a strike]

'afgeleefd decrepit, worn with age; **–gelegen**

[1] V.T. en V.D. van dit werkwoord volgens het model: **'af**bellen, V.T. belde **'af**, V.D. **'af**gebeld. Zie voor de vormen onder het grondwoord, in dit voorbeeld: *bellen.* Bij sterke en onregelmatige werkwoorden wordt u verwezen naar de lijst achterin.

distant, remote, outlying, out-of-the-way, sequestered; **–geleid** derived; ~ *woord* derivative; zie ook: *afleiden*; **–gelopen** past [year]; *nu is het ~!* stop it!; **–gemat** tired out, worn out, exhausted; **–gemeten** measured[2], formal, stiff; *op ~ toon* [speak] in measured tones, stiffly; **–gepast** adjusted; ready-made [curtains &]; ~ *geld* the exact sum (money); *met ~ geld betalen!* no change given!, (i n b u s, t r a m) exact fare!; **–gepeigerd** ready to drop, more dead than alive; exhausted, fagged out; **–gerond** rounded (off); *een ~ geheel* a self-contained unit; *een ~e som* a round sum; **–gescheiden** separate; *een ~ dominee* a dissenting minister; ~ *van* apart from; **–gesloofd** fagged (out), worn out; **–gesloten** closed &; ~ *rijweg!* no thoroughfare!; **–gestampt** ~ *vol* packed; **–gestompt** dull, impassive; **–gestorven I** *aj* deceased, dead; **II** *sb de ~e* the deceased, the defunct; *de ~en* the deceased, the dead; **–getobd** haggard [look]; careworn [with care], exhausted [with suffering]; **–getrapt** *~e schoenen* boots down at heel; *met ~e schoenen aan* down at heel; **–getrokken** pale, white

'afgevaardigde (-n) *m* deputy, delegate, representative; *het Huis van Afgevaardigden* the House of Representatives [in Australia, U.S.A. &]

'afgeven[1] **I** *vt* 1 deliver up [what is not one's own]; hand [a parcel], hand in (over); leave [a card] on [sbd.], leave [a letter] with [sbd.]; issue [a declaration, a passport]; 2 (v a n z i c h g e v e n) give off, give out [heat &], emit [a smell &]; *een boodschap ~* deliver a message; *een wissel ~ op...* draw (a bill) on...; **II** *vr zich ~ met een meisje* take up with a girl; *zich ~ met iets* meddle with sth.; *geef u daar niet mee af, met hem niet af* have nothing to do with it, with him; **III** *vi* come off [of paint]; stain [of material]; ~ *op iem. (iets)* cry (run) down sbd. (sth.)

'afgezaagd *fig* trite, stale, hackneyed, hard-worked, worn-out

'afgezant (-en) *m* ambassador; envoy; messenger; (g e h e i m) emissary

'afgezien ~ *van* apart from

'afgezonderd secluded, retired, sequestered; ~ *van* separate from; ~ *wonen* live in an out-of-the-way place

Af'ghaan(s) [ɑf'ga.n(s)] Afghan; **Af'ghanistan** *o* Afghanistan

'afgieten[1] *vt* 1 (v. k o o k s e l) pour off, strain off; 2 (v. g i p s b e e l d e n) cast; **'afgietsel** (-s) *o* (plaster) cast

'afgifte *v* delivery; *bij ~* on delivery

'afglijden[1] *vi* slide down (off), slip down (off); ✈ stall; *fig* slide, drift [into chaos &]

'afgod (-goden) *m* idol[2], false god; **afgode'rij** (-en) *v* idolatry, idol worship; **af'godisch** idolatrous; ~ *liefhebben (vereren)* idolize; **'afgodsbeeld** (-en) *o* idol

'afgooien[1] *vt* throw down (off)

'afgraven[1] *vt* dig off; level; **–ving** (-en) *v* quarry

'afgrazen[1] *vt* graze, browse

'afgrendelen[1] *vt* ⚔ seal off [an area]

af'grijs(e)lijk horrible, horrid, ghastly; **'afgrijzen** *o* horror; *een ~ hebben van* abhor

'afgrond (-en) *m* abyss[2], gulf[2], precipice[2]

'afgunst *v* envy, jealousy; **af'gunstig** envious (of), jealous (of)

'afhaken[1] *vt* unhook; uncouple [a railway carriage]; **–hakken**[1] *vt* cut off, chop off, lop off; **–halen**[1] *vt* 1 (n a a r b e n e d e n) fetch down; 2 (o p h a l e n) collect [parcels]; 3 (p e r s o n e n) call for [a man at his house]; meet (at the station); take up [in one's car]; 4 (v. d i e r e n) zie *afstropen* 1; *de bedden ~* strip the beds; *bonen ~* string beans; *laten ~* send for; *wordt afgehaald* to be left till called for; *niet afgehaalde bagage* left luggage; **–handelen**[1] *vt* settle, conclude, dispatch

af'handig *iem. iets ~ maken* trick sbd. out of sth.

'afhangen[1] *vi* hang down; depend[2]; ~ *van* depend (up)on, be dependent on; *dat zal er van ~* that depends; **–d** hanging, drooping

af'hankelijk dependent (on *van*); **–heid** *v* dependence (on *van*)

'afhechten[1] *vt* (b r e i w e r k) cast off; (n a a i w e r k) fasten off; **–hellen**[1] *vi* slope down; **–helpen**[1] *vt* 1 help off, help down [from a horse &]; 2 rid [sbd. of his money]; **–houden**[1] **I** *vt* 1 keep [one's eyes] off, keep... from [evil courses &]; 2 deduct, stop [so much from sbd.'s pay]; *van zich ~* keep [one's enemies] at bay (at a distance); **II** *vi* ⚓ bear off; *van land ~* ⚓ stand from the shore; *links* (*rechts*) ~ turn to the left (right); zie ook *boot*; **–jakkeren**[1] *vt* override [a horse], overdrive, jade [one's servants], wear out [with work]; **–kalven** (kalfde 'af, is 'afgekalfd) *vi* cave in; **–kammen**[1] *vt* cut up, run down, pull to pieces [a book]; **–kanten**[1] *vt* cant, bevel, square; (b r e i w e r k) cast off; **–kapen**[1] *vt* filch (pilfer) from

'afkappen[1] *vt* cut off, chop off, lop off; **–pingsteken** (-s) *o* apostrophe

'afkeer *m* aversion, dislike; *een ~ inboezemen*

[1] V.T. en V.D. van dit werkwoord volgens het model: **'af**bellen, V.T. belde **'af**, V.D. **'af**gebeld. Zie voor de vormen onder het grondwoord, in dit voorbeeld: *bellen*. Bij sterke en onregelmatige werkwoorden wordt u verwezen naar de lijst achterin.

inspire an aversion; *een ~ hebben van* have a dislike of (to), feel (have) an aversion to (for, from); dislike; be allergic to; *een ~ krijgen van* take a dislike to, take an aversion to;

'afkeren[1] **I** *vt* turn away [one's eyes]; avert [a blow]; **II** *vr zich ~* turn away; **af'kerig** averse; *~ van* averse from (to); *iem. ~ maken van* make sbd. take an aversion to; *~ worden van* take an aversion (a dislike) to; **-heid** *v* aversion

'afketsen[1] **I** *vi* glance off, ricochet; *fig* fall through; **II** *vt* reject [an offer], defeat [a motion]

'afkeuren[1] *vt* 1 (z e d e l i j k) condemn, disapprove (of); rebuke; 2 (n i e t a a n n e m e n) reject [a man] as unfit; 3 (b u i t e n d i e n s t s t e l l e n) condemn [a house as unfit to live in], scrap [ships &]; declare [meat] unfit for use; *hij is afgekeurd* he was rejected (not passed) by the doctor; **-d I** *aj* disapproving, [look] of disapproval; **II** *ad* disapprovingly; **afkeurens'waard(ig)** condemnable, objectionable, censurable, blameworthy; **'afkeuring** (-en) *v* 1 disapprobation, disapproval, condemnation, censure; 2 ⚔ rejection [by the Army doctor]; 3 ✎ bad mark

'afkicken [-kɪkə(n)] (kickte 'af, is 'afgekickt) *vi* **S** kick it, kick the habit; **-kijken**[1] **I** *vt iets van iem. ~* 1 learn sth. from sbd. by watching him; 2 ✎ copy, **F** crib sth. from sbd.; *de straat ~* look down the street; **II** *va* ✎ copy, **F** crib; **-klaren**[1] *vt* (v l o e i s t o f) clarify, clear; **-klauteren**[1], **-klimmen**[1] *vt* clamber (climb) down; **-klemmen**[1] *vt* clamp; ⚕ strangulate; ⚒ disconnect; **-kloppen**[1] **I** *vt* (k l e r e n &) flick [the dust] off; **II** *va* (u i t b i j g e l o o f) touch wood; **-kluiven**[1] *vt* gnaw off, pick [a bone]; **-knabbelen**[1] *vt* nibble off, nibble at; **-knagen**[1] *vt* gnaw off; **-knappen**[1] *vi* 1 *eig* snap (off); 2 *fig* have a breakdown; **-knijpen**[1] *vt* pinch (nip) off; **-knippen**[1] *vt* clip (off), cut (off); snip (off) [a piece]; **-knotten**[1] *vt* 1 truncate [a cone]; 2 top [a tree]

'afkoelen[1] **I** *vt* cool (down)[2]; **II** *vi* 1 cool (down)[2]; 2 (v a n h e t w e e r) grow cooler; **'afkoeling** (-en) *v* 1 cooling (down)[2]; 2 fall in temperature; **-speriode** (-s en -n) *v* cooling-off period

'afkoken (kookte 'af, h. en is 'afgekookt) *vt* boil

'afkomen[1] **I** *vi* 1 (e r a f k o m e n) come down; get off (his horse &); 2 (k l a a r k o m e n) get finished; 3 (o f f i c i e e l b e k e n d w o r d e n) be published; 4 (m e t g e l d) **F** cough up; *er goed* (*goedkoop of genadig, slecht*) *~* get off well (cheaply, badly); *er ~ m e t een boete* get off (be let off) with a fine; *er met ere ~* come out of it with honour; *er met de schrik ~* get off with a fright; *~ o p* make for; *ik zag hem op mij ~* I saw him coming towards me, coming up to me; *~ v a n* be derived from [Latin &]; *ik kon niet van hem ~* I could not get rid of him; *ik kon niet van mijn waren ~* I was left with my goods; **II** *vt* come down [the stairs &]; **'afkomst** *v* descent, extraction, origin, birth; **af'komstig** *~ uit* (*van*) coming from; a native of [Dublin]; *hij is uit A. ~* he hails from A.; *~ van* coming from [my father], emanating from [his pen]; *dat is van hem ~* that proceeds from him; that comes from his pen

'afkondigen (kondigde 'af, h. 'afgekondigd) *vt* proclaim, promulgate [a decree], publish [the banns], declare, call [a strike]; **-ging** (-en) *v* proclamation, publication

'afkooksel (-s) *o* decoction

'afkoop (-kopen) *m* buying off, redemption, ransom; **-som** (-men) *v* ransom, redemption money; **'afkopen**[1] *vt* 1 buy (purchase) from; 2 (l o s k o p e n) buy off [a strike], ransom, redeem

'afkoppelen[1] *vt* uncouple [railway carriages]; ⚒ disconnect, throw out of gear

'afkorten[1] *vt* shorten, abbreviate; **-ting** (-en) *v* abbreviation; *...is een ~ van...* ...is short for...

'afkrabben[1] *vt* scrape (scratch) off, scrape; **-kraken**[1] *vt* slash, **F** slate, do down [a book]; **-krijgen**[1] *vt* 1 (k l a a r k r i j g e n) get finished; 2 (a f n e m e n) take (down) [from the cupboard &]; *ik kon hem niet van zijn plaats* (*stoel*) *~* I could not get him away from where he stood, from his chair; *ik kon er geen cent ~* I could not get off one cent; *ik kon er de vlek niet ~* I could not get the stain out; **-kunnen**[1] **I** *vi* (a f g e m a a k t k u n n e n w o r d e n) get finished; *meer dan hij afkan* more than he can manage, more than he can handle (cope with); *je zult er niet meer ~* you won't be able to back out of it, they won't let you off; *het zal er niet ~* I'm sure we (they) can't afford it; *hij kan niet van huis af* he can't leave home; *hij kon niet van die man af* he couldn't get rid of that fellow; **II** *vt het alleen niet ~* 1 be unable to manage the thing (things) alone; 2 be unable to cope with so much work alone; *het wel ~* be able to manage, to cope; **-kussen**[1] *vt* kiss away [tears]; *laten wij het maar ~* let us kiss and be friends

'aflaat (-laten) *m rk* indulgence; *volle ~* plenary

[1] V.T. en V.D. van dit werkwoord volgens het model: **'af**bellen, V.T. belde **'af**, V.D. **'af**gebeld. Zie voor de vormen onder het grondwoord, in dit voorbeeld: *bellen.* Bij sterke en onregelmatige werkwoorden wordt u verwezen naar de lijst achterin.

indulgence
'afladen[1] *vt* unload, discharge; zie ook *afgeladen*
af'landig off-shore [breeze]
'aflaten[1] **I** *vt* let down; **II** *vi* (o p h o u d e n) cease, desist (from), leave off ...ing
'afleggen[1] *vt* 1 lay down [a burden, arms &], take (put) off [one's cloak &]; 2 (v o o r g o e d w e g l e g g e n) lay aside[2] [one's arrogance, mourning &]; 3 (l i j k) lay out [a corpse]; 4 (d o e n) make [a declaration, a statement &]; 5 cover [a distance, so many miles]; 6 (v. p l a n t) layer; *het* ~ have (get) the worst of it, be worsted, go to the wall; fail [of a student]; (s t e r v e n) die; *het* ~ *tegen* be unable to hold one's own against, be no match for; zie ook: *bezoek*, *eed* &; **–er** (-s) *m* 1 layer-out [of a corpse]; 2 ⚘ layer; 3 cast-off coat, trousers &
'afleiden[1] *vt* 1 (n a a r b e n e d e n) lead down; 2 (i n a n d e r e r i c h t i n g) divert [the course of a river, sbd.'s attention]; distract, take off [one's mind, students from their studies]; 3 (t r e k k e n u i t) derive [words from Latin &]; 4 (b e s l u i t e n) deduce, infer, conclude [from sbd.'s words &]; *hij is gauw afgeleid* he is easily distracted; **'afleiding** (-en) *v* 1 diversion [of water &]; derivation [of words]; distraction, diversion [of the mind, ook: = amusement]; 2 *gram* derivative; **'afleidingsmanoeuvre, –maneuver** [-ma.nœ.vər] (-s) *v* & *o* diversion; *fig* red herring, smoke-screen
'afleren[1] *vt* 1 (i e t s) unlearn [the habit, the practice of]; 2 (i e m. i e t s) break sbd. of a habit; *ik heb het lachen afgeleerd* 1 I have broken myself of the habit of laughing; 2 I have unlearned the practice of laughing; *ik zal het je* ~ *om*... I'll teach you to...
'afleveren[1] *vt* deliver; **–ring** (-en) *v* 1 delivery [of goods]; 2 number, part, instalment [of a publication]; *in* ~*en laten verschijnen* serialize
'aflezen[1] *vt* read (out); read [ook: the thermometer]; **–likken**[1] *vt* lick [it] off; lick [one's fingers]; **–loeren**[1] *vt alles* ~ spy out everything
'afloop (-lopen) *m* 1 (v. g e b e u r t e n i s) end, termination; 2 (u i t s l a g) issue, result; 3 (v. t e r m i j n) expiration; *ongeluk met dodelijke* ~ fatal accident; *na* ~ *van het examen* when the examination is (was) over, after the examination; *na* ~ *van deze termijn* on expiry of this term; **'aflopen**[1] **I** *vi* 1 (n a a r b e n e d e n) run down; 2 (a f h e l l e n) slope; 3 (t e n e i n d e l o p e n) run out, expire [of a contract]; 4 (e i n d i g e n) turn out [badly &]; end; 5 (v. u u r w e r k) run down; go off [of alarm]; 6 (v. k a a r s) run, gutter; 7 ⚓ (v. s c h e p e n) leave the ways, be launched; *het zal gauw met hem* ~ all will soon be over with him; *het zal niet goed met je* ~ you will come to grief; *hoe zal het* ~*?* what will be the end of it?; *op iem.* ~ go (run) up to sbd.; *laten* ~ launch [a vessel]; pay out [a cable]; let [the alarm] run down; terminate [a contract]; **II** *vt* 1 (n a a r b e n e d e n) run (walk, go) down [a hill &]; 2 (s t u k l o p e n) wear [one's shoes &] out (by walking), wear down [one's heels]; 3 (d o o r l o p e n) beat, scour [the woods]; *fig* finish [a course]; pass through [a school]; 4 (p l u n d e r e n) plunder [a vessel]; *alle huizen* ~ run from house to house; *de stad* ~ go through (search) the whole town; zie ook *afgelopen*; *zich de benen* ~ walk off one's legs; **–d** sloping; outgoing [tide]
af'losbaar redeemable, repayable; **'aflossen** [1] *vt* 1 (i e m.) ⚔ relieve [the guard]; take sbd.'s place; 2 (a f b e t a l e n) pay off [a debt], redeem [a bond, a mortgage]; *elkaar* ~ take turns; **–sing** (-en) *v* 1 (v. w a c h t &) relief; 2 (a f b e t a l i n g) instalment; (v. l e n i n g &) redemption
'afluisterapparaat (-raten) *o* detectophone, **S** bug; **'afluisteren**[1] *vt* overhear, eavesdrop; listen in to (bug, tap) [telephone conversations]
'afmaaien[1] *vt* mow, cut, reap [corn]; **–maken**[1] **I** *vt* finish [a letter], complete [a building]; 2 (b e ë i n d i g e n, u i t m a k e n) settle [the matter]; 3 (d o d e n) kill, dispatch [a victim]; 4 agree (up)on [a price]; *het* ~ *met zijn meisje* break it (the engagement) off; **II** *vr zich van iets* (*met een grapje*) ~ pass off the matter with a joke; *zich met een paar woorden van een kwestie* ~ dismiss a question with a few words
'afmarche [-marʃ] = *afmars*; **'afmarcheren**[1] *vi* march off; **'afmars** *m* & *v* marching off, march
'afmatten (matte 'af, h. 'afgemat) *vt* fatigue, wear out, tire out; **af'mattend** fatiguing, tiring, trying
'afmelden[1] *zich* ~ check out; **–meren**[1] *vi* moor [a ship]
'afmeten[1] *vt* measure (off); *anderen naar zichzelf* ~ judge others by oneself; zie ook *afgemeten*; **–ting** (-en) *v* measurement; dimension
'afmijnen[1] *vt* bid at a public auction
'afmonsteren I (monsterde 'af, h. 'afgemonsterd) *vt* pay off, discharge [the crew]; **II** (monsterde 'af, is 'afgemonsterd) *vi* be paid off;

[1] V.T. en V.D. van dit werkwoord volgens het model: **'af**bellen, V.T. belde **'af**, V.D. **'af**gebeld. Zie voor de vormen onder het grondwoord, in dit voorbeeld: *bellen*. Bij sterke en onregelmatige werkwoorden wordt u verwezen naar de lijst achterin.

–ring (-en) *v* paying off, discharge
'afname *v bij ~ van 100 stuks* when taking a hundred; zie *afneming*; **af'neembaar** detachable, removable; (v. b e h a n g &) washable; **'afnemen**[1] **I** *vt* 1 take (away) [a book, his rights & from a man, a child from school]; take off [a bandage], take down [a picture &]; 2 (a f z e t t e n) take off [one's hat to sbd.]; 3 (s c h o o n v e g e n) clean [the windows &]; 4 (k o p e n) $ buy; *de kaarten ~* cut; zie ook: *biecht, eed* &; **II** *vi* decrease, decline [of forces]; diminish [of stocks]; abate [of a storm]; wane [of the moon & *fig*]; draw in [of the days]; **III** *va* 1 cut [at cards]; 2 clear away, remove the cloth [after dinner]; **–er** (-s) *m* client, buyer, purchaser; **'afneming** *v* 1 decrease, diminution, abatement [of a storm], wane[2]; 2 deposition [from the Cross]
'afnokken *vi* (nokte 'af, is 'afgenokt) knock off
afo'risme (-n) *o* aphorism
'afpakken[1] *vt* snatch (away) [sth. from sbd.]; **–palen**[1] *vt* 1 fence off, enclose; 2 stake out; **–passen**[1] *vt* pace [a field &]; *geld ~* give the exact sum (money); zie ook: *afgepast*; **–peigeren** (peigerde 'af, h. afgepeigerd) **I** *vt* = *afbeulen*; **II** *vr zich ~* wear oneself out; zie ook *afgepeigerd*; **'afpellen**[1] *vt* peel, pare off; **–perken** (perkte 'af, h. afgeperkt) *vt* 1 (a f - b a k e n e n) peg out, delimit; 2 (i n p e r k e n) fence in
'afpersen[1] *vt* extort [money & from]; blackmail; force, draw [tears & from]; wring, wrest [a promise from]; **–er** (-s) *m* blackmailer, extortioner; **'afpersing** *v* extortion, exaction; blackmail
'afpijnigen[1] *vt* rack [one's brains]; **–pikken**[1] *vt* peck off; *iem. iets ~ [fig]* **F** pinch sth. from sbd.; **–pingelen**[1] **I** *vi* haggle, chaffer; **II** *vt* beat down
'afplatten (platte 'af, h. 'afgeplat) *vt* flatten; **–ting** *v* flattening
'afplukken[1] *vt* pluck (off), pick; **–poeieren** (poeierde 'af, h. 'afgepoeierd) *vt iem. ~* send sbd. about his business; rebuff sbd., put sbd. off; **–prijzen** (prijsde 'af, h. 'afgeprijsd) *vt* mark down; **–raden**[1] *vt iem.... ~* advise sbd. against..., dissuade sbd. from...; **–raffelen** (raffelde 'af, h. 'afgeraffeld) = *afroffelen*; **–raken**[1] *vi* be broken off [of an engagement]; *~ van* 1 (w e g k o m e n) get away from; get off, get clear of [a dangerous spot &]; 2 (k w i j t r a k e n) get rid of [sbd., wares]; *van de drank ~* drop the drink habit; *van elkaar ~* get separated; drift apart[2]; *van zijn onderwerp ~* wander from one's subject; *van de weg ~* lose one's way, lose oneself, go astray; **–rammelen**[1] *vt* 1 rattle off, reel off [one's lines]; 2 = *afranselen*; **–ranselen**[1] *vt* thrash, beat (up), flog, whack
'afrasteren (rasterde 'af, h. 'afgerasterd) *vt* rail off (in), fence off (in); **–ring** (-en) *v* railing, fence
'afratelen[1] *vt* reel off [one's lesson], rattle off; **–reageren**[1] *vt* work off [one's bad temper]; *ps* abreact; **–reizen**[1] **I** *vi* depart, set out (on one's journey), leave (for *naar*); **II** *vt* travel all over [Europe &]; tour [the country]
'afrekenen[1] **I** *vt* (a f t e l l e n) take off, deduct; **II** *vi* settle, square up; *ik heb met hem afgerekend* we have settled accounts[2]; I have squared accounts with him; I have settled with him; **–ning** (-en) *v* settlement; statement (of account), account
'afremmen[1] **I** *vt* slow down[2]; *fig* put a brake on [spending]; **II** *va* slow down[2]; *fig* put on the brake(s); **–richten**[1] *vt* train [for a match &]; coach [for an examination]; break [a horse]; **–rijden**[1] **I** *vi* ride (drive) off, ride (drive) away; *sp* start; **II** *vt* 1 (n a a r b e n e d e n r i j d e n) ride (drive) down [a hill]; 2 (o e f e n e n) exercise [a horse]; 3 (a f j a k k e r e n) override [one's horses]; *beide benen werden hem afgereden* both his legs were cut off [by a train]
'Afrika *o* Africa; **Afri'kaan** (-kanen) *m* African; **Afri'kaander** (-s) *m* = *Afrikaner*; **Afri'kaans** African; **afri'kaantje** (-s) *o* African marigold; **Afri'kaner** (-s) *m ZA* Afrikaner
'afristen[1] *vt* strip (off), string
'afrit (-ten) *m* 1 start [on horseback]; 2 slope [of a hill]; exit [of motorway]
'Afro-Azi'atisch Afro-Asian, Afro-Asiatic
'afroeien[1] **I** *vi* row off (away); **II** *vt* 1 row down [the river]; 2 *sp* coach [the crew]
'afroep *m levering op ~* delivery at buyer's request; **'afroepen**[1] *vt* call [the hours, a blessing upon]; call over [the names]
'afroffelen[1] *vt* bungle, scamp [one's work]; **–rollen**[1] *vt* unroll, unreel; **–romen**[1] *vt* cream, skim [milk]; **–ronden**[1] *vt* round, round off; zie ook *afgerond*
'afrossen (roste 'af, h. 'afgerost) *vt* thrash, beat (up), whack; **–sing** (-en) *v* thrashing, beating (up), whacking
'afruimen[1] **I** *vt* clear [the table]; **II** *va* clear away; **–rukken**[1] *vt* tear away (off, down); snatch (away), pluck off

[1] V.T. en V.D. van dit werkwoord volgens het model: **'af**bellen, V.T. belde **'af**, V.D. **'af**gebeld. Zie voor de vormen onder het grondwoord, in dit voorbeeld: *bellen*. Bij sterke en onregelmatige werkwoorden wordt u verwezen naar de lijst achterin.

'afschaafsel (-s) *o* shavings
'afschaduwen[1] *vt* adumbrate, shadow forth; **–wing** (-en) *v* adumbration, shadow
'afschaffen (schafte 'af, h. 'afgeschaft) *vt* 1 (v. w e t &) abolish; 2 (v. m i s b r u i k) do away with; 3 (v. d e h a n d d o e n) part with, give up [one's car]; **–fing** *v* abolition [of a law, of slavery]; giving up [of one's car &]
'afschampen[1] *vi* glance off
'afscheid *o* parting, leave, leave-taking, farewell, adieu(s); ~ *nemen* take (one's) leave, say goodbye; ~ *nemen van* take leave of, say goodbye to, bid farewell to; **'afscheiden**[1] **I** *vt* 1 separate; sever; mark off &; zie *scheiden*; 2 (u i t s c h e i d e n) secrete; **II** *vr zich* ~ 1 (v. p e r s o n e n) separate, secede; break away [of colonies &]; 2 (v. s t o f f e n) be secreted; zie ook *afgescheiden*; **–ding** (-en) *v* 1 (v. l o k a l i t e i t) separation; partition; 2 (v. v o c h t) secretion; 3 (v. p a r tij) secession, separation; breakaway; **'afscheidsgroet** (-en) *m* farewell, valediction; **–receptie** [-sɛpsi.] (-s) *v* farewell reception; **–rede** (-s) *v* valedictory address
'afschenken[1] *vt* pour off, decant; **–schepen** (scheepte 'af, h. 'afgescheept) *vt* 1 ⚓ ship [goods]; 2 *fig* send [sbd.] about his business; put [sbd.] off; **–scheppen**[1] *vt* skim [milk]; skim off [the cream, the fat]; **–scheren**[1] *vt* 1 shave (off) [the beard]; 2 shear (off) [wool]; **–schermen** (schermde 'af, h. 'afgeschermd) *vt* screen; **–scheuren**[1] **I** *vt* tear off; tear down [a poster]; **II** *vr zich* ~ *van* tear oneself away from, break away from; **–schieten**[1] **I** *vt* 1 (v u u r - w a p e n) discharge, fire (off), let off; (p i j l) shoot, let fly; 2 (w e g s c h i e t e n) shoot off; (r a k e t) launch; 3 (a f d e l e n) partition off [a room]; (m e t g o r d i j n) curtain off; (m e t p l a n k e n) board off; **II** *vi* ~ *op iem.* rush at sbd.; ~ *van* slip (off) from; **–schilderen**[1] *vt* paint, depict, portray; **–schilferen**[1] *vi* & *vt* scale, peel (flake) off; **–schminken**[1] [-ʃmi.ŋ kə(n)] *zich* ~ take off one's make-up (one's grease paint); **–schoppen**[1] *vt* & *vi* = *aftrappen*
'afschraapsel (-s) *o* scrapings; **'afschrabben**[1], **–schrapen**[1], **–schrappen**[1] *vt* scrape (off) [a carrot]; zie ook: *schrappen*; **–schrapsel** (-s) *o* scrapings
'afschrift (-en) *o* copy; *gewaarmerkt* ~ certified copy; exemplification; *een* ~ *maken van* make (take) a copy of; **'afschrijven**[1] **I** *vt* 1 finish [what one is writing]; 2 copy [from original or another's work]; 3 write off [so much for depreciation, as lost]; *iem.* ~ 1 put sbd. off, write a message of excuse; 2 declare the deal off; **II** *vi X en Y hebben afgeschreven* 1 X and Y have copied; 2 X and Y have written to excuse themselves; **III** *vr zich laten* ~ have one's name taken off the books [of a club &]; remove one's name from the list [of subscribers]; **–ving** (-en) *v* copying; $ writing off; ~ *voor waardevermindering* $ depreciation
'afschrik *m* horror; *een* ~ *hebben van* hold in abhorrence, abhor; *tot* ~ as a deterrent; **'afschrikken**[1] *vt* deter [from going &]; discourage; scare [wild animals]; *hij laat zich niet gauw* ~ he is not easily daunted; *hij liet zich niet* ~ *door...* he was not to be deterred by...; **'afschrikkend, afschrik'wekkend** deterrent [effect]; forbidding [appearance]; *een* ~ *middel* (*voorbeeld*) a deterrent
'afschudden[1] *vt* shake off; **–schuimen**[1] *vt* 1 skim [metals]; 2 scour [the seas]; **–schuinen**[1] *vt* bevel, chamfer, flue, splay; **–schuiven**[1] **I** *vt* push off, move away [a chair from...]; push back [a bolt]; *de schuld van zich* ~ shift (shove) the blame on another man's shoulders; **II** *vi* 1 slide (slip) down; 2 (b e t a l e n) **S** shell out; **–schutten**[1] *vt* partition (off), screen (off)
'afschuw *m* abhorrence, horror; *een* ~ *hebben van* hold in abhorrence, abhor; **af'schuwelijk** horrible, horrid, lurid, abominable, execrable; **afschuw'wekkend** revolting, repulsive
'afslaan[1] **I** *vt* 1 *eig* knock (beat, strike) off; 2 beat off [the enemy], repulse [an attack]; 3 (d e b a j o n e t) unfix; 4 (d e t h e r m o m e t e r) beat down; 5 (d e p r i j s) reduce [the price], knock down [a penny]; 6 (w e i g e r e n) refuse [a request], decline [an invitation], reject [an offer]; *dat kan ik niet* ~, *dat sla ik niet af* I won't (can't) say no to that; I can't (won't) refuse it; *hij slaat niets af dan vliegen* nothing comes amiss to him; **II** *vi* 1 (a f b u i g e n) turn off [to the right]; 2 (v. p r i j z e n) go down; 3 (v. m o t o r) cut out; *links, rechts* ~ (i n h e t v e r k e e r) turn left, right; *van een ladder* ~ dash down from a ladder; (*flink*) *van zich* ~ hit out
'afslachten[1] *vt* kill off, slaughter, massacre
'afslag (-slagen) *m* 1 abatement, reduction [of prices]; 2 (sale by) Dutch auction; 3 (v. a u t o w e g) exit; *bij* ~ *veilen* (*verkopen*) sell by Dutch auction; **'afslager** (-s) *m* auctioneer
'afslanken (slankte 'af, is 'afgeslankt) *vi* & *vt* slim; **–slijten**[1] *vt* & *vi* wear down; wear off (out)[2]; **–sloven**[1] *zich* ~ drudge, slave, toil and moil; zie ook *afgesloofd*

[1] V.T. en V.D. van dit werkwoord volgens het model: **'af**bellen, V.T. belde **'af,** V.D. **'af**gebeld. Zie voor de vormen onder het grondwoord, in dit voorbeeld: *bellen.* Bij sterke en onregelmatige werkwoorden wordt u verwezen naar de lijst achterin.

'afsluitdijk (-en) *m* dam; **'afsluiten**[1] **I** *vt* 1 lock [a door]; 2 (door sluiten versperren) lock up [a garden &]; block, close [a road]; 3 (insluiten) fence off [a garden]; 4 (v. toevoer) turn off [the gas], cut off [the steam, the supply]; 5 (opmaken) $ balance [the books], close [an account]; 6 (tot stand brengen) conclude [a bargain, a contract]; effect [an insurance]; 7 (beëindigen) close [a period]; **II** *vi* lock up; **III** *vr zich ~* seclude oneself from the world (from society); zie ook: *afgesloten*; **-ting** (-en) *v* 1 (in 't alg.) closing; 2 (v. contract) conclusion; 3 (afsluitmiddel) barrier, partition, enclosure; **'afsluitkraan** (-kranen) *v* stopcock

'afsmeken[1] *vt* implore, invoke (on *over*); **-snauwen**[1] *vt* snarl at, snap at, snub; *hij werd afgesnauwd* ook: he had his head snapped off; **-snijden**[1] *vt* cut (off) [ook: gas &]; zie ook: 1 *pas*; **-snoepen**[1] *vt iem. iets ~* steal a march on sbd.; **-snoeren**[1] *vt* ⚕ tie up, strangulate; **-soppen**[1] *vt* wash [tiles &]; **-spannen**[1] *vt* 1 unyoke [oxen]; unharness [a horse]; 2 (afmeten met hand) span; **-spelen**[1] **I** *vt* (doen slijten) wear out; (met bandrecorder) play back; **II** *vr het drama dat zich daar heeft afgespeeld* the drama that was enacted there; *de gebeurtenissen spelen zich af in Londen* the events take place in London; *de handeling speelt zich af in Frankrijk* the scene is laid in France

'afspiegelen[1] **I** *vt* reflect, mirror; **II** *vr zich ~* be reflected, be mirrored [in a lake &]; **-ling** (-en) *v* reflection

'afsplijten[1] *vt* & *vi* split off; **-splitsen**[1] **I** *vt* split off; **II** *vr zich ~* split off; (politiek) secede; **-spoelen**[1] *vt* wash, rinse; wash away; **-sponsen**[1], **-sponzen**[1] *vt* sponge (down, over)

'afspraak (-spraken) *v* agreement; appointment [to meet], engagement; arrangement; *een ~ maken om...* make an arrangement to...; agree upon ...ing; *zich houden aan de ~* stand by the agreement, stick to one's word; *tegen de ~* contrary to (our) agreement; *volgens ~* according to (our) agreement, as agreed; [meet] by appointment; **-je** (-s) *o* **F** date; *een ~ maken* date [a girl]; make a date [with sbd.]; **'afspreken**[1] *vt* agree upon, arrange; *het was afgesproken voor de gelegenheid* it was preconcerted, got up (for the occasion); *de afgesproken plaats* the place agreed upon; *het was een afgesproken zaak* it was an arranged thing, a concerted piece of acting, a put-up job; *afgesproken!* done!, that's a bargain!

'afspringen[1] *vi* 1 (naar beneden) leap down, jump off; 2 (losgaan) come off, fly off; 3 (onderhandelingen) break down; 4 (koop) come to nothing; *~ op* 1 spring at [sbd.]; 2 = *afstuiten*; **-staan**[1] **I** *vt* cede [territory], yield [possession, one's place]; resign [office, a right &]; surrender [a privilege]; give up, hand over [property &]; **II** *vi ~ van* stand away (back) from; *zijn oren staan af* his ears stick (stand) out

'afstammeling (-en) *m* descendant; *~en* progeniture; *~ in de rechte lijn* lineal descendant; *~ in de zijlinie* collateral descendant; **'afstammen**[1] *vi ~ van* be descended [in the (fe)male line] from, spring from, come of [a noble stock], be derived from [Latin &]; **'afstamming** *v* descent [of man], [of Indian] extraction, ancestry; derivation [of words]; **-sleer** *v* descent theory

'afstand (-en) *m* 1 distance[2]; 2 (v. troon) abdication; 3 (v. recht) relinquishment; 4 (v. eigendom of recht) cession, surrender, renunciation; *~ doen van* renounce, give up, waive [a claim, a right]; abdicate [a power, the throne]; cede [a property, right]; forgo [an advantage]; part with [property]; *~ nemen* ⚔ take distance; ● *op een ~* at a (some) distance; *hij is erg op een ~* he is very stand-offish; *op een ~ blijven* = *zich op een ~ houden*; *op een ~ houden* keep at a distance, keep [sbd.] at arm's length; *zich op een ~ houden* keep at a distance; *fig* keep one's distance, keep aloof; *van ~ tot ~* at regular distances, at intervals; **af'standelijk** detached; **'afstandsbediening** *v* remote control; **-marche** [-marʃ] = *afstandsmars*; **-mars** (-en) *m* & *v* ⚔ route-march; **-meter** (-s) *m* ⚔ range-finder; **-rit** (-ten) *m* long-distance ride (run)

'afstapje (-s) *o denk om het ~* mind the step; **'afstappen**[1] **I** *vi* step down; get off [one's bike], alight [from one's horse], dismount; *~ bij een vriend* put up with a friend; *~ in een hotel* put up at a hotel; *~ op iem.* step up to sbd.; *~ van het onderwerp* change (drop) the subject; **II** *vt* pace [the room]; walk [a horse]

'afsteken[1] **I** *vt* 1 (met beitel) bevel; (met spa) cut; 2 (doen ontbranden) let off [fireworks]; 3 (kortere weg nemen) take a short cut; *een bezoek ~* pay a visit; *een speech ~* make a speech; **II** *vi* 1 ⚓ push off [from the shore]; 2 contrast [with its surroundings]; *gunstig ~ bij* contrast favourably with; ~

[1] V.T. en V.D. van dit werkwoord volgens het model: **'af**bellen, V.T. belde **'af**, V.D. **'af**gebeld. Zie voor de vormen onder het grondwoord, in dit voorbeeld: *bellen*. Bij sterke en onregelmatige werkwoorden wordt u verwezen naar de lijst achterin.

tegen stand out against, be outlined against
'afstel *o* zie *uitstel*; **'afstellen**[1] *vt* ⚒ adjust; **'afstelling** *v* ⚒ adjustment
'afstemmen[1] *vt* 1 reject [a motion]; 2 *R* tune (in), syntonize [a wireless set]; ~ *op* 1 *R* tune (in) to [a station]; 2 *fig* tune to; attune to [modern life &]
'afstempelen[1] *vt* (v. rekeningen &) stamp; **'afstempeling** *v* stamping [of shares &]
'afsterven[1] *vi* die; zie ook *afgestorven*; **'afstevenen** (stevende 'af, is 'afgestevend) *vi* ~ *op* make for, bear down upon; **'afstijgen**[1] **I** *vi* get off [one's horse], dismount [from horseback]; **II** *vt* go down [a hill &]; **'afstoffen**[1] *vt* dust; **'afstompen I** (stompte 'af, h. 'afgestompt) *vt* blunt[2]; *fig* dull; **II** (stompte 'af, is afgestompt) *vi* become dull[2]; zie ook *afgestompt*
af'stotelijk = *afstotend*; **'afstoten**[1] **I** *vt* 1 *eig* push down (off), knock off (down), thrust down; 2 (iem.) repel; 3 (bij transplantatie) ⚕ reject; 4 (zich ontdoen van) dispose of [shares &]; discharge [personnel]; **II** *va* repel, be repellent; **'afstotend, af'stotend** repelling, repellent, repulsive; **'afstoting** (-en) *v* 1 repulsion; 2 ⚕ rejection [of the transplant]; 3 **$** disposal [of share &]; discharge [of personnel]
'afstraffen[1] *vt* punish; chastise, correct; *fig* trounce, **F** give a dressing-down; **'afstraffing** (-en) *v* punishment; correction; *fig* trouncing, **F** dressing-down
'afstralen[1] *vt* & *vi* radiate [heat, joy &]; **'afstraling** (-en) *v* radiation; reflection
'afstrijken[1] *vt* strike [a match, bushel]; *een afgestreken theelepel* a level teaspoonful; **–stropen**[1] *vt* 1 *eig* strip (off) [the skin, a covering]; skin [an eel]; flay [a fox]; strip [a hare]; 2 *fig* ravage, harry [the country]; **–studeren**[1] *vi* finish one's studies; **–stuiten**[1] *vi* rebound; ~ *op* 1 *eig* glance off [the cuirass], rebound from [a wall]; 2 *fig* be frustrated by, be foiled by [one's tenacity]; **–stuiven**[1] *vi* 1 (v. zaken) fly off; 2 (v. personen) rush (tear) down [the stairs &]; ~ *op* make a rush for, rush at
'aftakdoos (-dozen) *v* ⚡ branch box
'aftakelen I (takelde 'af, h. 'afgetakeld) *vt* unrig, dismantle [a ship]; **II** (takelde 'af, is 'afgetakeld) *vi hij is aan het* ~ he is on the decline; *zij is aan het* ~ she is going off; *hij ziet er erg afgetakeld uit* he looks rather decrepit (a wreck); **–ling** *v* ⚓ unrigging &; *fig* decay
'aftakken (takte 'af, is 'afgetakt) *vt* branch, (⚡ ook) tap; **'aftakking** (-en) *v* 1 (de tak) branch, (⚡ ook) tap; 2 (het aftakken) branching, (⚡ ook) tapping
af'tands long in the tooth[2]; *fig* past one's prime
'aftapkraan (-kranen) *v* drain-cock; **'aftappen**[1] *vt* draw (off); tap [a tree, telegraph or telephone wires, calls &], drain [a pond]; bottle [beer &]
'aftasten[1] *vt* scan [*T* a picture; an air space with a radar beam]; feel, grope [an object]; (peilen) put out feelers; **'aftekenen**[1] **I** *vt* 1 (natekenen) draw, delineate; 2 (met tekens aangeven) mark off; 3 (voor gezien) sign; **II** *vr zich* ~ *tegen* stand out against, be outlined against
'aftellen[1] **I** *vt* 1 (tellen) count (off, out); 2 (bij spelen) count out; 3 (bij lancering) count down; 4 (aftrekken) deduct; **II** *o het* ~ *voor de lancering* the countdown; **'aftelrijmpje** (-s) *o* counting-out rhyme
'aftobben[1] *zich* ~ weary oneself out, worry oneself; zie ook *afgetobd*
'aftocht *m* retreat[2]; *de* ~ *blazen* [*fig*] beat a retreat
'aftrap (-pen) *m sp* kick-off; *de* ~ *doen* kick off; **'aftrappen**[1] **I** *vt* kick down (off); *hem van de kamer* ~ kick him out of the room; **II** *vi* (bij voetbal) kick off; *van zich* ~ kick out; zie ook *afgetrapt*
'aftreden[1] **I** *vi* 1 *eig* step down; go off [the stage]; 2 (v. ministers &) resign (office), retire (from office); **II** *o zijn* ~ his resignation, his retirement; **'aftredend** retiring, outgoing
'aftrek *m* 1 deduction; 2 **$** (verkoop) sale, demand; *goede* ~ *vinden* meet with a large sale, find a ready market, sell well; *ze vinden weinig* ~ there is little demand for them; *na* (*onder*) ~ *van...* after deducting [expenses]; less [10 %]; *vóór* ~ *van belasting* before-tax [*aj*]; **af'trekbaar** deductible; **'aftrekken**[1] **I** *vt* 1 (neertrekken) draw off (down), pull (tear) off; 2 (v. geld) deduct; 3 (v. getal) subtract; 4 (v. vuurwapen) fire (off) [a gun]; 5 (kruiden &) extract; ~ *van* 1 draw... from, pull away... from; 2 × subtract, take [5] from [10]; *zijn* (*de*) *handen van iem.* ~ wash one's hands of sbd.; **II** *vi* 1 × subtract; 2 (weggaan) withdraw, march off, ⚔ retreat; 3 (v. onweer) blow over; 4 (afschieten) pull the trigger; *de* ~*de wacht* ⚔ the old guard; zie ook *afgetrokken*; **–er** (-s) *m* × subtrahend; **'aftrekking** (-en) *v* deduction; × subtraction;

[1] V.T. en V.D. van dit werkwoord volgens het model: **'af**bellen, V.T. belde **'af**, V.D. **'af**gebeld. Zie voor de vormen onder het grondwoord, in dit voorbeeld: *bellen*. Bij sterke en onregelmatige werkwoorden wordt u verwezen naar de lijst achterin.

'aftrekpost (-en) *m* deductible item [from taxable income]; **–sel** (-s) *o* infusion, extract; **–som** (-men) *v* × subtraction sum; **–tal** (-len) *o* × minuend
'aftroeven (troefde 'af, h. 'afgetroefd) *vt* 1 ◊ trump; 2 *fig* put [sbd.] in his place; **–troggelen** (troggelde 'af, h. 'afgetroggeld) *vt* wheedle (coax) out of, trick [sbd.] out of; **'aftuigen**[1] *vt* 1 unharness [a horse]; 2 ⚓ unrig [a ship]; 3 *fig* thrash, beat (up); **–turven** (turfde 'af, h. 'afgeturfd) *vt* score, notch, tick off
'afvaardigen (vaardigde 'af, h. 'afgevaardigd) *vt* delegate, depute; return [members of Parliament]; **–ging** (-en) *v* delegation, deputation
'afvaart (-en) *v* sailing, departure
1 'afval *m* (afvalligheid v. geloof) apostasy; (in de politiek) defection
2 'afval (-len) *o* & *m* (het afgevallene in 't alg.) waste (matter), refuse (matter), rubbish; (bij het slachten) offal, garbage; (bij het bewerken) clippings, cuttings, parings; (v. eten) leavings; (afgewaaide vruchten) windfall; **'afvallen**[1] *vi* 1 (naar beneden) fall (off), tumble down; 2 (vervallen) fall away, lose flesh, lose [six pounds] (in weight); 3 (van geloof) apostatize; 4 (v. zijn partij) desert [one's party, one's friends &]; secede [from...]; 5 (bij spelen) drop out [of the race]; *er zal voor hem wel wat ~* he is sure to have his pickings out of it; *iem. ~* fall away from sbd.; let sbd. down; **af'vallig** apostate; unfaithful; *~ worden* backslide; zie ook *afvallen* 3, 4; **–e** (-n) *m-v* (v. geloof) apostate; (v. partij) renegade, deserter; **–heid** *v* (v. geloof) apostasy; (v. partij) desertion, defection; **'afvalprodukt** (-en) *o* waste product; **–stoffen** *mv* [chemical, radioactive] waste, waste materials; **–verwerking** *v* waste disposal; **–water** *o* effluent [of factory into stream]; **–wedstrijd** (-en) *m sp* (eliminating) heat
'afvaren[1] **I** *vi* sail, depart, start, leave; **II** *vt* go down [the river]; **–vegen**[1] *vt* wipe (off); *haar handen ~ aan een schort* wipe her hands on an apron; **–vinken** (vinkte 'af, h. afgevinkt) *vt* tick off [items on a list]; **–vissen**[1] *vt* fish (out), whip [a stream], draw [a pond]; **–vlakken**[1] *vt* make flat, flatten
'afvloeien[1] *vi* flow down, flow off; *fig* be discharged gradually; **'afvloeiing** (-en) *v* flowing down, flowing off; *fig* gradual discharge; **–sregeling** (-en) *v* personnel reduction agreement
'afvoer *m* 1 carrying off, discharge [of a liquid]; 2 conveyance, transport, removal [of goods]; 3 = *afvoerbuis*; **–buis** (-buizen) *v* outlet-pipe, waste-pipe, drain-pipe; **'afvoeren**[1] *vt* 1 (afleiden) carry off [water]; 2 (vervoeren) convey, transport, remove; 3 (afschrijven) remove [sbd.'s name from the list], strike off [the list]; **'afvoerkanaal** (-nalen) *o* drainage canal; outlet
'afvragen[1] **I** *vt* ask (for), demand; **II** *vr zich ~* ask oneself; *zij vroegen zich af...* they wondered...; **–vuren**[1] *vt* fire off, fire, discharge
'afwachten[1] **I** *vt* wait (stay) for, await; abide [the consequences]; wait [one's turn]; bide [one's time]; *dat moeten we nog ~, dat dient men af te wachten* that remains to be seen; **II** *vi* wait (and see); *een ~de houding aannemen* assume an attitude of expectation; follow a wait-and-see policy; **–ting** *v* expectation; *in ~ van de dingen die komen zouden* in (eager) expectation of what was to come; *in ~ van een regeling* pending a settlement; *in ~ uwer berichten* awaiting your news
'afwas *m* washing-up; **–automaat** [-o.t o.-, -ɔuto.-] (-maten) *m* (automatic) dishwasher; **af'wasbaar** washable; **'afwasbak** (-ken) washing-up bowl; **–kwast** (-en) *m* dish-mop; **–machine** [-ma.ʃi.nə] (-s) *v* = *afwasautomaat*; **–middel** (-en) *o* detergent; **'afwassen**[1] **I** *vt* wash, wash off; (de vaat) wash up; **II** *va* wash up; **'afwaswater** *o* dish-water
'afwateren[1] *vt* & *vi* drain; **–ring** (-en) *v* drainage; drain
'afweer *m* defence; **–geschut** *o* anti-aircraft artillery; **–houding** *v* defensive attitude; **–kanon** (-nen) *o* anti-aircraft gun; **–mechanisme** (-n) *o* defense mechanism; **–reactie** [-ksi.] (-s) *v* defensive reaction; **–stof** (-fen) *v* anti-body; **–vuur** *o* defensive fire
'afwegen[1] *vt* weigh; weigh out [sugar]; *tegen elkaar ~* balance, compare the pro's and cons; **–weken**[1] **I** *vt* remove by soaking; **II** *vi* come off; **–wenden**[1] **I** *vt* turn away [one's eyes]; divert [the attention]; avert [a danger]; ward off, parry [a blow], stave off [a calamity, ruin]; **II** *vr zich ~* turn away; **–wennen**[1] *vt iem. iets ~* break sbd. of the habit of ...ing; *zich iets ~* get out of a (bad) habit, break oneself of a habit; **–wentelen**[1] *vt* roll off (down); *de schuld op iem. anders ~* shift the blame on to another; **–weren**[1] *vt* keep off; avert [danger]; ward off, parry [a blow]; counter [an attack]
'afwerken[1] *vt* finish, finish off, give the finish-

[1] V.T. en V.D. van dit werkwoord volgens het model: **'af**bellen, V.T. belde **'af**, V.D. **'af**gebeld. Zie voor de vormen onder het grondwoord, in dit voorbeeld: *bellen.* Bij sterke en onregelmatige werkwoorden wordt u verwezen naar de lijst achterin.

ing touch(es) to; get (work) through [the programme]; (v. n a a d) overcast; zie ook: *afbeulen*; **–king** *v* finishing (off); finish

'afwerpen[1] *vt* cast off, throw off, shake off, fling off; throw down; hurl down; cast, shed [the horns, the skin]; ✈ drop [bombs, arms], parachute [a man, troops]; *fig* yield [profit, results]; zie ook: *masker*; **–weten**[1] *vi het laten* ~ cry off; *ergens van* ~ 1 know sth. about; 2 know a thing or two about

af'wezig 1 absent [from school &]; away [from home], not at home; 2 *fig* absent-minded; *de afwezige(n)* the absentee(s); **–heid** *v* 1 absence; non-attendance; 2 *fig* absent-mindedness; *bij* ~ *van* in the absence of

'afwijken[1] *vi* 1 (v. n a a l d) deviate; 2 (v. l i j n) diverge; 3 (v. w e g) deflect [to the west]; 4 *fig* deviate [from a course, rule, a predecessor, the truth &]; wander [from the right path]; depart [from custom, a method, truth]; differ [from sample]; vary; **–d, af'wijkend** deviating[2], divergent[2]; different [readings]; dissentient [views]; at variance [with the truth]; aberrant [forms]; *ps* deviant [social behaviour]; **'afwijking** (-en) *v* deviation, deflection; divergence [from a course, line &]; departure [from a rule, a habit]; variation, difference [in a text]; (g e e s t e l i j k) aberrance, aberration; (l i c h a m e l i j k) abnormity, anomaly; *in* ~ *van* contrary to [this rule]

'afwijzen[1] *vt* refuse admittance to, turn away [intending visitors]; turn down [proposal, offer]; reject [a candidate, a lover, an offer]; refuse [a request]; decline [an invitation]; deny [a charge]; dismiss [a claim]; *afgewezen worden* fail [in an examination]; **af'wijzend** *er werd* ~ *beschikt op zijn verzoek* his request met with a refusal; ~ *staan tegenover* be averse to, from; **'afwijzing** (-en) *v* refusal, denial [of a request]; rejection [of a candidate, of an offer]

'afwikkelen[1] *vt* unroll, unwind, wind off [a rope &]; *fig* wind up [a business], settle [affairs]; fulfil [a contract]; **–ling** (-en) *v* unrolling, unwinding; *fig* winding up [of a business]; settlement [of affairs]; fulfilment [of a contract]

'afwimpelen (wimpelde 'af, h. 'afgewimpeld) *vt* brush aside [a proposal], wave aside [compliments]; **–winden**[1] *vt* wind off, unwind, unreel

'afwisselen[1] **I** *vi* 1 (e l k a a r) alternate; 2 (v e r s c h i l l e n) vary; **II** *vt* 1 (i e m.) relieve [sbd.], take turns with [sbd.]; 2 (i e t s) alternate, interchange; vary; *elkaar* ~ 1 (p e r s o n e n) relieve one another, take turns; 2 (z a k e n) succeed each other, alternate; *...afgewisseld door...* relieved by[2]...; **af'wisselend I** *aj* 1 (o n g e l i j k) various; 2 (v o l a f w i s s e l i n g) varied, variegated; 3 (w i s s e l e n d) alternate; *met* ~ *geluk* with varying success; **II** *ad* alternately, by turns, in turn; **'afwisseling** (-en) *v* 1 (v e r a n d e r i n g) change, variation; 2 (v e r s c h e i d e n h e i d) variety; 3 (o p e e n v o l g i n g) alternation [of day and night], succession [of the seasons]; *t e r* ~, *v o o r de* ~ for a change, by way of a change

'afwissen[1] *vt* wipe (off); **–wrijven**[1] *vt* rub (off)

'afzadelen[1] *vt* unsaddle; **–zagen**[1] *vt* saw off; zie ook: *afgezaagd*

'afzakken[1] **I** *vi* (v. k l e r e n) come (slip) down; 2 (v. b u i) blow (pass) over; 3 (v. p e r s o n e n) withdraw, drop away; **II** *vt de rivier* ~ sail (float) down the stream; **'afzakkertje** (-s) *o* **F** one for the road

'afzeggen[1] *vt* countermand; *het (laten)* ~ send an excuse; *iem.* ~ put sbd. off

'afzenden[1] *vt* send (off), dispatch, forward, ship; **–er** (-s) *m* sender, shipper; ~ *X* from X; **'afzending** *v* 1 sending; 2 $ dispatch, forwarding; shipment

1 'afzet *m* $ sale; ~ *vinden* zie *aftrek*

2 'afzet *m sp* (b i j s p r o n g) take-off

'afzetgebied (-en) *o* outlet, market; **'afzetten**[1] **I** *vt* 1 (a f n e m e n) take off [one's hat]; take [from the fire]; 2 (u i t v e r v o e r m i d d e l) put (set) down [sbd. at the post office &], drop [a passenger]; 3 (d o e n b e z i n k e n) deposit [mud]; 4 (v. l e d e m a t e n) cut off, amputate; 5 (a f s t o t e n) push off [a boat]; 6 (a f p a l e n) peg out, stake out [an area]; 7 (a f s l u i t e n) block, close [a road]; (i n d e l e n g t e) line [with soldiers]; (m e t t o u w e n) rope off; 8 (o m h e i n e n) fence in; 9 (o m b o o r d e n) set off [with pearls &], trim [a dress with...]; 10 (o n t s l a a n) depose [a king], dismiss [a functionary], deprive [a clergyman]; 11 (v e r k o p e n) sell; 12 (s t o p z e t t e n) ⚒ shut off, switch off, turn off [the wireless]; stop [the alarm]; 13 (t e v e e l l a t e n b e t a l e n) fleece [one's customers]; *iem.* ~ *voor vijf gulden* swindle (cheat, do) sbd. out of five guilders; *ik kon het niet van mij* ~ I couldn't put away the thought from me, dismiss the idea, put it out of my head; *een stoel van de muur* ~ move away a chair from the wall; **II** *vi* ⚓ push off; **III** *vr zich* ~ *sp* take off [for a jump]; *zich* ~ *tegen* [*fig*]

[1] V.T. en V.D. van dit werkwoord volgens het model: **'af**bellen, V.T. belde **'af**, V.D. **'af**gebeld. Zie voor de vormen onder het grondwoord, in dit voorbeeld: *bellen.* Bij sterke en onregelmatige werkwoorden wordt u verwezen naar de lijst achterin.

dissociate oneself from; **–er** (-s) *m* swindler, extortioner; **afzette'rij** (-en) *v* swindling, swindle; **'afzetting** (-en) *v* 1 dismissal [of a functionary], deprivation [of a clergyman], deposition [of a king]; 2 ⚕ amputation; 3 (b e z i n k i n g) deposition; (b e z i n k s e l) deposit; (v. i j s, r i j p) formation; 4 (a f-s l u i t i n g) [police] cordon; **–sgesteente** (-n en -s) *o* sedimentary rocks

af'zichtelijk hideous

'afzien[1] **I** *vt* look down [the road]; *heel wat moeten* ~ have to go through quite a lot; **II** *vi* ~ *van* 1 (a f k i j k e n) copy from [one's neighbour]; 2 (o p g e v e n) relinquish, renounce, waive [a claim, a right &]; forgo, give up [an advantage, a right]; abandon, give up [the journey, the attempt]; *er van* ~ cry off [from a bargain]; zie ook: *afgezien*; **af'zienbaar** *in (binnen) afzienbare tijd* in the near future, in (within) the foreseeable future, within a measurable time

af'zijdig *zich* ~ *houden* hold (keep, stand) aloof

'afzoeken[1] *vt* search, ransack [a room]; beat [the woods], scour [the country]; *de stad* ~ hunt through the town; **–zoenen**[1] *vt* = *afkussen*

'afzonderen (zonderde 'af, h. 'afgezonderd) **I** *vt* separate (from *van*); prescind (from *van*); set apart; put aside [money]; isolate [patients], segregate [the sexes]; **II** *vr zich* ~ seclude oneself [from society], retire [from the world]; zie ook *afgezonderd*; **–ring** (-en) *v* separation; isolation, retirement, seclusion [from the world]; privacy; *in* ~ in seclusion; **af'zonderlijk I** *aj* separate, private, special; *elk deel* ~ each separate volume; ~*e gevallen* individual cases; **II** *ad* separately; individually; [dine] apart

'afzuigen[1] *vt* suck (up), draw off [by suction]; **'afzuiginstallatie** [-(t)si.] (-s) *v* suction apparatus; **–kap** (-pen) *v* hood [over the kitchen range]

'afzwaaien[1] *vi* ⚔ be released, demob; **–zwakken** (zwakte 'af, h. 'afgezwakt) *vt* tone down[2]; **–zwemmen**[1] **I** *vi* 1 swim off; 2 (v o o r d i p l o m a) pass the final swimming test; **II** *vt* swim down [the river]; swim [a distance]

1 'afzweren (zwoer 'af. h. 'afgezworen) *vt* swear off [drink, a habit &]; abjure [a heresy, cause]; forswear [sbd.'s company]; renounce [the world]; **2 'afzweren** (zwoor 'af en zweerde 'af, is 'afgezworen) *vi* ulcerate away; **'afzwering** (-en) *v* abjuration; renunciation

a'gaat (agaten) *m* & *o* agate; **a'gaten** *aj* agate

a'genda ('s) *v* 1 agenda, order-paper; 2 (pocket) diary

'agens (a'gentia) *o* agent

a'gent (-en) *m* 1 agent; representative; 2 ~ (*van politie*) policeman, constable, officer; **–schap** (-pen) *o* agency; (v. b a n k) branch (office); **agen'tuur** (-turen) *v* agency

a'geren (ageerde, h. geageerd) *vi* ~ *voor* (*tegen*) agitate for (against) [capital punishment &]

agglome'raat (-raten) *o* agglomerate; **agglome'ratie** [-(t)si.] (-s) *v* agglomeration; *stedelijke* ~ conurbation

aggra'veren (aggraveerde, h. geaggraveerd) *vt* aggravate, exaggerate [symptoms]

aggre'gaat (-gaten) *o* 1 aggregate; 2 ⚒ unit; **aggre'gatietoestand** [-'ga.(t)si.-] (-en) *m* state of matter (of aggregation)

'agio *o* premium

agi'tatie [-'ta.(t)si.] *v* agitation, flutter, excitement; **agi'tator** (-s en -'toren) *m* agitator; **agi'teren** (agiteerde, h. geagiteerd) *vt* agitate; flutter, fluster, flurry

a'gnosticus (-ci) *m* agnostic

a'gogisch agogic

a'grariër (-s) *m* farmer; **a'grarisch** ~*e hervorming* land reform; ~*e produkten* agricultural products, farm products

a'gressie (-s) *v* aggression; ~ *plegen* (*jegens*) aggress (on); **agres'sief** aggressive; **agressivi'teit** *v* aggressiveness; **a'gressor** (-s) *m* aggressor

ah!, aha! aha!

a'horn (-en) *m*, **a'hornboom** (-bomen) *m* maple (tree)

a.h.w. = *als het ware* as it were

a.i. = *ad interim*

air [ɛ:r] *o* air; look, appearance; *een* ~ *aannemen, zich* ~*s geven* give oneself airs

a'jakkes!, a'jasses! *ij* bah!, faugh!

a'jour [a.'ʒu:r] open-work

a'juin (-en) *m* onion

ake'lei (-en) *v* columbine

'akelig I *aj* dreary, dismal, nasty; *ik ben er nog* ~ *van* I still feel quite upset; *ik word er* ~ *van* it makes me (feel) sick; *wat* ~ *goedje!* what vile (nasty) stuff!; *dat* ~*e mens* that hateful woman; *die* ~*e vent* **F** that rotten chap (fellow); *die* ~*e wind* that wretched wind; **II** *ad* < ~ *geleerd* & awfully learned &

'Aken *o* Aix-la-Chapelle, Aachen

akke'fietje (-s) *o* (bad) job, affair; ook: trifle

[1] V.T. en V.D. van dit werkwoord volgens het model: **'af**bellen, V.T. belde **'af**, V.D. **'af**gebeld. Zie voor de vormen onder het grondwoord, in dit voorbeeld: *bellen*. Bij sterke en onregelmatige werkwoorden wordt u verwezen naar de lijst achterin.

'akker (-s) *m* field; **–bouw** *m* agriculture, farming, tillage [of the land]; **–winde** *v* bindweed
akke'vietje = *akkefietje*
ak'koord (-en) **I** *o* 1 agreement, arrangement, settlement; 2 $ composition [with one's creditors]; 3 ♪ chord; *een ~ aangaan* (*sluiten, treffen*) come to an agreement; *het op een ~je gooien* compromise; come to terms (with); **II** *aj* correct; *~ bevinden* find correct; *~ gaan met* agree to [a resolution]; agree with [the last speaker]; *~!* agreed!
akoe'stiek *v* acoustics; **a'koestisch** acoustic(al)
ako'lei = *akelei*
ako'niet (-en) *v* ✿ aconite; *o* (v e r g i f) aconite
'akte (-n en -s) *v* document; [legal] instrument; deed [of sale &]; diploma, certificate; *rk* act [of faith, hope, and charity, of contrition]; act [of a play]; *~ van beschuldiging* indictment; *~ van oprichting* memorandum of association; *~ van overdracht* (*verkoop, vennootschap* &) deed of conveyance (sale, partnership &); *~ van overlijden* death certificate; *~ nemen van* take note of; *~ opmaken van* make a record of; **'aktentas** (-sen) *v* brief case, portfolio
1 al, 'alle I *aj* all; every; *alle dagen* &, every day &; *alle drie* all three (of them); *er is alle reden om...* there is every reason to...; *al het mogelijke* all that is possible; zie ook: *mogelijk* **II**; *al het vee* all the cattle; *wij* (*gij, zij*) *allen* we (you, they) all, all of us (you, them); *gekleed en al* dressed as he was; *met schil en al* skin and all; *al met al* all in all; **II** *sb het al* the universe; *zij is zijn al* she is his all (in all); zie ook: *met*
2 al *ad* already, yet; *dat is ~ even moeilijk* quite as difficult; *het wordt ~ groter* it is growing larger and larger; *~ lang* long before this, for a long time past; *~ maar* all the while, continually; *~* (*wel*) *zes maanden geleden* as long as six months ago; *dat is ~ zeer ongelukkig* very unfortunate indeed; *~ de volgende dag* the very next day; *~ in de 16e eeuw* as early as, as (so) far back as the 16th century; *hoe ver ben je ~?* how far have you got yet?; *zijn ze ~ getrouwd?* are they married yet?; *nu* (*toen*) *~* even now (then); *~ zingende* singing (all the while), as he sang; *~ te zwaar* too heavy; *het is maar ~ te waar* it's only too true; *niet ~ te best* none too good, rather bad(ly); *niet ~ te wijd* not too wide; *u kunt het ~ of niet geloven* whether you believe it or not; *ik twijfelde of hij mij ~ dan niet gehoord had* I was in doubt whether he had heard me or not
3 al *cj* though, although, even if, even though; *~ is hij nog zo rijk* however rich he may be
a'larm *o* 1 alarm; 2 commotion, uproar; *~ blazen* sound the (an) alarm; *~ maken* (*slaan*) give (raise) the alarm; *loos ~ maken* make a false alarm; **alar'meren** (alarmeerde, h. gealarmeerd) *vt* give the alarm [to the soldiers], alarm [the population]; **–d** alarming; **a'larminstallatie** [-(t)si.] (-s) *v* alarm (device); **–klok** (-ken) *v* alarm-bell; **–pistool** (-pistolen) *o* blank (cartridge) pistol; **–signaal** [-si.ɲa.l] (-nalen) *o* alarm(-signal); **–toestand** *m* ⚔ alert
Alba'nees Albanian; **Al'banië** *o* Albania
al'bast (-en) *o* alabaster; **–en** *aj* alabaster
'albatros (-sen) *m* albatross
'albe (-n) *v* alb
'albino ('s) *m* albino
'album (-s) *o* album
alche'mie, alchi'mie *v* alchemy; **alche'mist, alchi'mist** (-en) *m* alchemist
'alcohol (-holen) *m* alcohol; **–gehalte** *o* alcoholic content; **–houdend** alcoholic; **alco'holica** *mv* alcoholic drinks; **alco'holisch** alcoholic; **alcoho'lisme** *o* alcoholism; **–ist** (-en) *m* alcoholic; **'alcoholvrij** non-alcoholic
al'daar there, at that place
alde'hyde [y = i.] (-n en -s) *o* aldehyde
'aldoor all the time
al'dus thus, in this way
al'eer before; *voor en ~* before
alexan'drijn (-en) *m* alexandrine
'alfa ('s) *v* alpha
'alfabet [-bɛt] (-ten) *o* alphabet; **alfa'betisch I** *aj* alphabetical; **II** *ad* alphabetically, in alphabetical order; **alfabeti'seren** [s = z] (alfabetiseerde, h. gealfabetiseerd) *vt* arrange alphabetically (in alphabetical order)
'alfavakken *mv* humanities, arts
'alge (-n) *v* alga [*mv* algae]
'algebra *v* algebra; **alge'braïsch** algebraic
'algeheel complete, entire, total, whole; zie ook: *geheel*
'algemeen, alge'meen I *aj* 1 (a l l e n o f a l l e s o m v a t t e n d) universal [history, suffrage &], general [rule]; 2 (o v e r a l v e r s p r e i d) general, common; 3 (o p e n b a a r) general, public; 4 (o n b e p a a l d) general, vague; *dat is thans erg ~* that is very common now; *met algemene stemmen* unanimously; **II** *ad* generally, universally; *~ in gebruik* ook: in general (common) use; **III** *o in het ~* in general, on the whole; *o v e r het ~* generally speaking, on the whole; **–heid** (-heden) *v* universality, generality; *vage algemeenheden* commonplaces, platitudes; *in algemeenheden spreken* speak in vague terms
Al'gerië, Alge'rije *o* Algeria; **Alge'rijn(s)** (-en) *m* (*aj*) Algerian
al'hier here, at this place
alhoe'wel (al)though
'alias *ad* alias, otherwise (called)
'alibi ('s) *o* alibi

'alikruik (-en) *v* periwinkle, winkle
alimen'tatie [-(t)si.] *v* alimony
a'linea ('s) *v* paragraph
al'kali (-iën) *o* alkali; **al'kalisch** alkaline
al'koof (-koven) *v* alcove, recess [in a wall]
'allebei, alle'bei both (of them)
alle'daags 1 *eig* daily [wear], everyday [clothes], quotidian [fever]; 2 *fig* common, commonplace [topic], ordinary, plain [face], stale, trivial, trite [saying]; **–heid** (-heden) *v* triteness, triviality
al'lee (-leeën) *v* avenue
al'leen I *aj* 1 alone; single-handed; by oneself; 2 [feel] lonely; *de gedachte ~ is...* the mere (bare) thought; **II** *ad* only, merely; *ik dacht ~ maar dat...* I only thought...; *niet ~..., maar ook...* not only..., but also...; **–handel** *m* monopoly; **–heerschappij** *v* absolute monarchy (power, rule), autocracy; **–heerser** (-s) *m* absolute monarch, autocrat; **–spraak** (-spraken) *v* monologue, soliloquy; **–staand** single, isolated [case], detached [house]; **–staande** (-n) *m-v* single, unattached man or woman; **–verkoop** *m* sole sale, sole agency; **–vertegenwoordiger** (-s) *m* sole agent
'allegaar, alle'gaar = *allemaal*; **alle'gaartje** (-s) *o* hotchpotch, medly
allego'rie (-ieën) *v* allegory; **alle'gorisch** allegoric
'allemaal, alle'maal all, one and all
alle'machtig I *ij* (*wel*) *~!* well, I never!; by Jove!; **II** *ad* < awfully
'alleman everybody; zie ook: *Jan*; **'allemansgeheim** (-en) *o* open secret; **–vriend** (-en) *m* *hij is een ~* he is friends with everybody
'allen all (of them); zie 1 *al*
al'lengs, 'allengs by degrees, gradually
aller'aardigst most charming; **–'armst** very poorest; **–be'lachelijkst** most ridiculous; **'allerbest, aller'best I** *aj* very best, best of all; *~e vriend* dear(est) friend; *het ~e* the very best thing you can do (buy, get &); **II** *ad* best (of all); zie ook: *best*; **aller'christelijkst** [ch = k] most Christian; **–'eerst I** *aj* very first; **II** *ad* first of all; **'allerergst, aller'ergst** very worst, worst of all
aller'geen (-genen) *o* allergen
allerge'ringst least (smallest) possible; *niet het ~e* not the least little bit
aller'gie (-ieën) *v* allergy; **al'lergisch** allergic (to *voor*); **allergo'loog** (-logen) *m* allergist
'allerhande of all sorts, all sorts (kinds) of
Aller'heiligen *m* All Saints' Day
aller'heiligst most holy; *het Allerheiligste* 1 the Holy of Holies, Tabernacle; 2 *rk* the Eucharist; **–'hoogst** very highest; supreme; **–'laatst, 'allerlaatst I** *aj* very last; **II** *ad* last of all
'allerlei, aller'lei I *aj* of all sorts, all sorts (kinds) of; miscellaneous; **II** *o* 1 all sorts of things; 2 (in de krant) miscellaneous
'allerliefst, aller'liefst I *aj* 1 loved, very dearest; 2 (aardig) charming, sweet; **II** *ad* most charmingly, sweetly; *het ~ hoor ik Wagner* best of all I like to hear W.; **'allermeest, aller'meest** most, most of all; *op zijn ~* at the very most; **aller'minst, 'allerminst I** *aj* (very) least, least possible; **II** *ad* least of all; zie ook: *minst*; **'allernaast, aller'naast** very nearest; very next; **'allernieuwst, aller'nieuwst** very newest (latest); **'allernodigst, aller'nodigst** most necessary; *het ~e* 1 what is most needed; 2 the common (least dispensable) necessaries; **'alleruiterst, aller'uiterst** (very) utmost; **'aller'wegen** everywhere
Aller'zielen *m* All Souls' Day
'alles all, everything; *~ en nog wat* the whole bag of tricks; *~ of niets* all or nothing; *niets van dat ~* nothing of the sort; *~ op zijn tijd* there's a time for everything; *dat is ook niet ~* it is anything but pleasant, it is no joke; *geld is niet ~* money is not everything; *~ te zamen genomen* on the whole, taking it all in all; • *boven ~* above all; *~ op ~ zetten* go all out; *van ~* all sorts of things; *van ~ en nog wat* this that and the other, one thing and another; *voor ~* above all; *veiligheid voor ~!* safety first!; **'allesbehalve, allesbe'halve** anything but, not at all, far from; **'allesbe'heersend** predominating [idea &], of paramount importance; **'allesetend** omnivorous; **'alleszins** in every respect, in every way, in all respects; highly, very, wholly
alli'age [g = ʒ] (-s) *v* & *o* alloy
alli'antie [-(t)si.] (-s) *v* alliance
al'licht, 'allicht (wellicht) probably, perhaps; *~, zeg!* of course!, obviously!; *je kunt het ~ proberen* no harm in trying
alli'gator (-s) *m* alligator
allit(t)e'ratie [-(t)si.] (-s) *v* alliteration; **allit(t)e'reren** (allit(t)ereerde, h. geallit(t)ereerd) *vi* alliterate; *~d* alliterative [verse]
al'longe [a'lõʒə] (-s) *v* $ allonge, rider
al'lure (-s) *v* *~s* airs; *van (grote) ~* in the grand manner
al'lusie [s = z] (-s) *v* allusion; **allu'sief** allusive
alluvi'aal alluvial; **al'luvium** *o* alluvium, alluvion
'almacht *v* omnipotence; **al'machtig** almighty, omnipotent, all-powerful; *de Almachtige* the Almighty, the Omnipotent
'almanak (-ken) *m* almanac
'alom everywhere; **alomtegen'woordig** omnipresent, ubiquitous

'alom'vattend all-embracing
'aloud ancient, antique
'alpaca *o* 1 (weefsel) alpaca; 2 (legering) German silver
'Alpen *mv de ~* the Alps; **alpen-** Alpine [club, flora, hut, pass, peak, rose &]; **'alpenweide** (-n) *v* alpine pasture, alp; **al'pine** Alpine [race]; **alpi'nisme** *o* mountaineering; **–ist** (-en) *m* mountaineer, (mountain) climber, Alpinist
al'pino (-s) *m,* **al'pinomuts** (-en) *v* beret
al'ras (very) soon
al'ruin (-en) *v* mandrake, mandragora
als 1 (gelijk) like [a father &]; 2 (zoals: bij opsomming) (such) as [ducks, drakes &]; 3 (qua) as [a father]; as [president]; by way of [a toothpick]; 4 (alsof) as if [he wanted to say...]; 5 (wanneer) when, whenever; 6 (indien) if; 7 (vaak na comparatief) than; *rijk ~ hij is, kan hij dat betalen* being rich; *rijk ~ hij is, zal hij dat niet kunnen betalen* however rich he may be; *~ het ware* as it were
als'dan then
alsje'blieft = *alstublieft*
als'mede and also, as well as, and... as well, together with; **als'nog** yet, still; **als'of** as if, as though; *doen ~* pretend, make believe, play-act; **als'ook** in addition, too, along with; zie ook *alsmede*
alstu'blieft 1 (overreikend) here is... [the key &], here you are; 2 (verzoekend) (if you) please; 3 (toestemmend) yes, please; thank you
alt (-en) *v* alto; (mannelijke) ook: counter-tenor; (vrouwelijke) ook: contralto
'altaar (-taren) *o* altar; **–stuk** (-ken) *o* altar piece
'altblokfluit (-en) *v* alto recorder, tenor recorder
alterna'tief (-tieven) *o* & *aj* alternative
alter'neren (alterneerde, h. gealterneerd) *vi* alternate
al'thans at least, at any rate, anyway
'altijd, al'tijd always, ever; *~ door* all the time; *~ en eeuwig* for ever (and ever); *~ nog* always; *nog ~* still; *nog ~ niet* not ...yet; *~ weer* always, time and again; *voor ~* for ever; **–durend** everlasting; **–groen** evergreen; *~ gewas* evergreen
'altoos, al'toos = *altijd*
altru'ïsme *o* altruism; **–'ïst** (-en) *m* altruist; **–'ïstisch** *aj* (& *ad*) altruistic(ally)
'altsleutel (-s) *m* alto clef; **–stem** (-men) *v* contralto (voice); **–viool** (-violen) *v* viola, tenor violin
a'luin (-en) *m* alum; **–aarde** *v* alumina, alum earth
alu'minium *o Am* aluminum, *Br* aluminium; **–folie** *o* tinfoil
al'vast *zo, dat is ~ gebeurd* well, that's that; *dat is ~ verkeerd* that's wrong to begin with
al'vleesklier (-en) *v* pancreas
al'vorens before, previous to
al'waar where; wherever
al'weer again, once again
al'wetend all-knowing, omniscient
'alzijdig = *veelzijdig*
'alzo, al'zo thus, in this manner, so
amalga'matie [-(t)si.] *v* amalgamation; **amalga'meren** (amalgameerde, h. geamalgameerd) *vt* amalgamate
a'mandel (-en en -s) *v* 1 ♣ almond; 2 (klier) tonsil; **–ontsteking** (-en) *v* tonsilitis; **–pers** *o,* **–spijs** *v* almond paste; **–vormig** almond-shaped
amanu'ensis (-ensissen en -enses) *m* assistant [in physics and chemistry]
ama'teur (-s) *m* amateur; **amateu'risme** *o* amateurism; **–istisch** amateurish, small-time
ama'zone [-'zɔ:nə] (-s) *v* 1 horsewoman; 2 (kostuum) riding habit
'ambacht (-en) *o* trade, (handi)craft; *op een ~ doen bij* apprentice [sbd.] to; *timmerman van zijn ~* a carpenter by trade; *twaalf ~en en dertien ongelukken* [he is] a Jack-of-all-trades and master of none; **'ambachtsman** (-lieden en -lui) *m* artisan; **–onderwijs** *o* technical instruction
ambas'sade (-s) *v* embassy; **ambassa'deur** (-s) *m* ambassador
'amber *m* amber
ambi'ëren (ambieerde, h. geambieerd) *vt* aspire after (to); **am'bitie** [-(t)si.] (-s) *v* 1 zeal; 2 ambition; **ambiti'eus** [-(t)si.'øs] 1 zealous, full of zeal; 2 ambitious
ambiva'lent ambivalent; **–ie** [-(t)si.] *v* ambivalence
ambro'zijn *o* ambrosia
ambt [ɑmt] (-en) *o* 1 office, place, post, function; 2 (kerkelijk) ministry; **'ambtelijk** official; **'ambteloos** out of office; *~ burger* private citizen; **'ambtenaar** (-s en -naren) *m* official [in the Government service], civil servant, officer; [public] functionary; clerk; *~ van de burgerlijke stand* registrar; **'ambtenarenapparaat** *o* civil service; **ambtena'rij** *v* officialdom, officialism, bureaucracy, **F** red tape, bumbledom; **'ambtgenoot** (-noten) *m* colleague; **'ambtsaanvaarding** *v* entrance into office; **–eed** (-eden) *m* oath of office; **–geheim** (-en) *o* 1 official secret [of a minister &]; 2 professional secret [of a doctor]; *het ~* 1 official secrecy; 2 professional secrecy; **–gewaad** (-waden) *o* robes of office; **–halve,**

ambts'halve officially; **'ambtsketen** (-s) *v* chain of office; **–misdrijf** (-drijven) *o*, **–overtreding** (-en) *v* misfeasance, abuse of power; **–periode** (-s en -n) *v*, **–termijn** (-en) *m* term of office; **–woning** (-en) *v* official residence
ambu'lance [-'lãs(ə)] (-s en -n) *v* ambulance; field hospital
a'mechtig breathless, out of breath
'amen (*o*) amen
amende'ment (-en) *o* amendment (to *op*); **amen'deren** (amendeerde, h. geamendeerd) *vt* amend
A'merika *o* America; **Ameri'kaan(s)** American
ame'thist (-en) *m* & *o* amethyst
ameuble'ment (-en) *o* suite (set) of furniture
amfeta'mine *v* amphetamine
amfi'bie (-bieën) *m* amphibian; **–vaartuig** (-en) *o* amphibian; **–voertuig** (-en) *o* amphibious vehicle; **am'fibisch** amphibious [animal; ⚔ operation]
amfithe'ater (-s) *o* amphitheatre; **–sgewijs** in tiers
ami'caal I *aj* friendly; **II** *ad* in a friendly way; **a'mice** [a'mi.sə] (dear) friend
am'monia *m* ammonia; **ammoni'ak** *m* ammonia
ammu'nitie [-(t)si.] *v* (am)munition
amne'sie [ɑmne.'zi.] *v* amnesia
amnes'tie (-ieën) *v* amnesty; (*algemene*) ~ general pardon; ~ *verlenen* (*aan*) amnesty
a'moebe [a.'mø.bə] (-n) *v* amoeba [*mv* amoebae]
'amok *o* amuck; ~ *maken* run amuck
amo'reel non-moral
a'morf amorphous
amorti'satiefonds [-'za.(t)si.-] (-en) *o*, **–kas** (-sen) *v* sinking fund; **amorti'seren** (amortiseerde, h. geamortiseerd) *vt* amortize, redeem
amou'reus [ou = u.] amorous [disposition, looks, words]; amatory [interests, successes]
amo'veren (amoveerde, h. geamoveerd) *vt* pull down [houses]
'ampel ample
'amper hardly, scarcely; barely [thirty]
am'père (-s) *m* ampere; **–meter** (-s) *m* ammeter
ampli'tude (-s en -n) *v* amplitude
am'pul (-len) *v* 1 ampulla [*mv* ampullae]; 2 (v o o r i n j e c t i e s t o f) ampoule; 3 *rk* cruet
ampu'tatie [-'ta.(t)si.] (-s) *v* amputation; **ampu'teren** (amputeerde, h. geamputeerd) *vt* amputate
amu'let (-ten) *v* amulet, talisman, charm
amu'sant [s = z] amusing; **amuse'ment** [s = z] (-en) *o* amusement, entertainment, pastime; **amuse'mentsbedrijf** *o* entertainment industry; **–film** (-s) *m* entertainment film; **amu'seren** [s = z] (amuseerde, h. geamuseerd) **I** *vt* amuse; **II** *vr zich* ~ enjoy (amuse) oneself; *amuseer je!* I hope you will enjoy yourself!, have a good time!
a'naal anal
anachro'nisme (-n) *o* anachronism; **–istisch** anachronistic
anako'loet *v* anacoluthon, anacoluthia
anakro- = *anachro-*
analfa'beet (-beten) *m* illiterate; **analfabe'tisme** *o* illiteracy
ana'list (-en) *m* analyst, analytical chemist
analo'gie (-ieën) *v* analogy; *naar* ~ *van* on the analogy of, by analogy with; **ana'loog** analogous (to *aan*); *analoge rekenmachine* analogue computer
ana'lyse [-'li.zə] (-n en -s) *v* analysis [*mv* analyses]; **analy'seren** [-li.'ze.rə(n)] (analyseerde, h. geanalyseerd) *vt* analyse; **ana'lyticus** [-'li.ti.küs] (-ci) *m* (psycho)analyst; **ana'lytisch** [y = i.] **I** *aj* analytical [geometry &], analytic; **II** *ad* analytically
anam'nese [s = z] *v* ⚕ anamnesis
ana'nas (-sen) *m* & *v* pine-apple
anar'chie *v* anarchy; **anar'chisme** *o* anarchism; **–ist** (-en) *m* anarchist; **–istisch** 1 anarchist [theories &]; 2 (o r d e l o o s) anarchic(al)
anato'mie *v* anatomy; **ana'tomisch** anatomical; **ana'toom** (-tomen) *m* anatomist
anciënni'teit [ɑnsi.ɛni.'tɛit] *v* seniority; *naar* ~ by seniority
'ander I *aj* other [= different, second]; *een ~e dag* another day, some other day; *om de ~e dag* every other day; *een ~e keer* some other time; *~e kleren aantrekken* change one's clothes; *hij was een ~ mens* he was a changed man; *de ~e week* next week; *met ~e woorden* in other words; **II** *pron een* ~ another (man); *~en* others, other people; *de een n a de* ~ one after the other; *o m de* ~ by turns, in turn; zie ook: *om*; *o n d e r ~e* among other things; *het ene verlies o p het ~e* loss upon loss; **–daags** *~e koorts* tertian fever; **–deels** on the other hand; **–half, ander'half** one and a half; ~ *maal zo lang* one and a half times the length of..., half as long again; ~ *uur* an hour and a half; *anderhalve man* (*en een paardekop*) a handful of people; **'andermaal** (once) again, once more, a second time; **–mans** another man's, other people's
'anders I *aj* other [than he is], different [from us]; **II** *pron iemand* ~ anybody (any one) else, another (person), other people; *iets* (*niets*) ~ something (nothing) else; *als u niets ~ te doen hebt* if you are not otherwise engaged; *wat* (*wie*) *~?* what (who) else?; *dat is wat* ~ that's another affair (matter); *ik heb wel wat ~ te doen* I've

other things to do, I've other fish to fry; **III** *ad* 1 otherwise, differently; 2 at other times; 3 in other respects; ~ *niet?* nothing else?, is that all?; *net als* ~ just as usual; *het is niet* ~ it cannot be helped; *het kan niet* ~ 1 it cannot be done in any other way; 2 there's no help for it; *ik kan niet* ~ I can do no other, I have no choice; *ik kan niet* ~ *dan erkennen dat*... I cannot but recognize that..., I can't help recognizing that...; *hoe vlug hij* ~ *is, dit*... quick(-witted) as he is at other times (as a rule), this...; **anders'denkend** 1 of another opinion; 2 (in godsdienst) dissenting; ~*en* 1 such as think (believe) otherwise; 2 dissentients; **–ge'zind** otherwise-minded, dissenting; **–'om, 'andersom** the other way round; *het is precies* ~ it is quite the reverse; **'anderszins** otherwise; **'anderzijds** on the other hand

'Andes *de* ~ the Andes

an'dijvie *v* endive

anek'dote *v* (-s en -n) anecdote, **F** yarn; **anek'dotisch** anecdotal

ane'mie [ɑne.-] *v* an(a)emia; **a'nemisch** an(a)emic

ane'moon (-monen) *v* anemone

anesthe'sie [ɑnɛste.'zi.] *v* anaesthesia; **anesthe'sist** [-'zɪst] (-en) *m* anaesthesist

'angel (-s) *m* 1 sting [of a wasp]; 2 (fish)hook

'Angelen *mv* Angles

Angel'saks (-en) *m* Anglo-Saxon; **Angel'saksisch** *aj* & *o* Anglo-Saxon

'angelus *o* angelus

an'gina [ɑŋ'gi.na.] *v* ⚕ angina, quinsy; ~ *pectoris* ['pɛkto:rɪs] angina pectoris

angli'caan(s) [ɑŋgli.-] Anglican

An'glist [ɑŋ'glɪst] (-en) *m* Anglicist

anglo'fiel [ɑŋglo.-] (-en) *m* Anglophile

An'gola [ɑŋ'go.la.] *o* Angola; **Ango'lees I** *aj* Angolan; **II** *o* Angolese; **III** (-lezen) *m* Angolese

an'gorakat [ɑŋ'go:-] (-ten) *v* Angora cat

angst (-en) *m* 1 fear, terror; 2 (sterker) [mental] anguish, agony; 3 *ps* anxiety [complex, neurosis]; *uit* ~ *voor*... for fear of; *radeloze* ~ **F** blue funk; *duizend* ~*en uitstaan* be in mortal fear; **angstaan'jagend** terrifying, fearsome; **'angstgevoel** (-ens) *o* feeling of anxiety; **'angstig** afraid [alléén predikatief!]; fearful; anxious [moment]; **'angstkreet** (-kreten) *m* cry of distress; **–toestand** (-en) *m* anxiety state; **angst'vallig** scrupulous; **–'wekkend** alarming; **'angstzweet** *o* cold perspiration, cold sweat

a'nijs *m* anise; **–zaad** *o* aniseed

ani'line *v* aniline

ani'meermeisje (-s) *o* nightclub hostess; **ani'meren** (animeerde, h. geanimeerd) *vt* encourage, stimulate; *een geanimeerd gesprek* an animated (a lively) discussion; **'animo** *m* & *o* gusto, zest, spirit; *er was weinig* ~ *voor het plan* the plan was not too well received

animosi'teit [s = z] *v* animosity

anje'lier (-en), **'anjer** (-s) *v* [red, white] carnation, pink

'anker (-s) *o* 1 ⚓ anchor²; 2 (aan muur) brace, cramp-iron; 3 (v. magneet) armature; 4 (maat) anker; *het* ~ *laten vallen* ⚓ drop anchor; *het* ~ *lichten* ⚓ weigh anchor; *het* ~ *werpen* ⚓ cast anchor; *voor* ~ *liggen* ⚓ be (lie, ride) at anchor; **–boei** (-en) *v* anchor-buoy; **'ankeren** (ankerde, h. geankerd) *vi* ⚓ anchor, cast (drop) anchor; **'ankergrond** (-en) *m* anchoring ground, anchorage; **–plaats** (-en) *v* moorage, mooring, anchorage; **–touw** (-en) *o* cable

'anklet [a = ɛ] (-s) *m* short [men's] sock, anklet

an'nalen *mv* annals

an'nex *huis met* ~*e brouwerij* house with brewery joined on to it

anne'xatie [-(t)si.] (-s) *v* annexation; **anne'xeren** (annexeerde, h. geannexeerd) *vt* annex

'anno in the year; ~ *Domini* in the year of our Lord

an'nonce [ɑ'nõsə] (-s) *v* advertisement, **F** ad; **annon'ceren** (annonceerde, h. geannonceerd) *vt* announce

anno'teren (annoteerde, h. geannoteerd) *vt* annotate

annuï'teit (-en) *v* annuity

annu'leren (annuleerde, h. geannuleerd) *vt* cancel, annul; **–ring** *v* cancellation, annulment

a'node (-n en -s) *v* anode

ano'niem anonymous; **anonimi'teit** *v* anonymity; **a'nonymus** [y = i.] (-mi) *m* anonymous writer

anor'ganisch inorganic [chemistry]

'ansichtkaart [s = z] (-en) *v* picture postcard

an'sjovis (-sen) *m* anchovy

antago'nisme *o* antagonism

antece'dent (-en) *o* 1 (logisch & *gram*) antecedent; 2 (ander geval) precedent; *zijn* ~*en* his antecedents, his record

anteda'teren (antedateerde, h. geantedateerd) *vt* antedate

an'tenne (-n en -s) *v RT* aerial, antenna

antibi'oticum (-ca) *o* antibiotic

anticham'breren [ch = ʃ] (antichambreerde, h. geantichambreerd) *vi* be kept waiting; cool one's heels

antici'patie [-'pa.(t)si.] *v* anticipation; **antici'peren** (anticipeerde, h. geanticipeerd) *vt* anticipate

anticon'ceptie [-'sɛpsi.] *v* contraception; **anticonceptio'neel** contraceptive; ~ *middel*

contraceptive
antida'teren (antidateerde, h. geantidateerd) = *antedateren*
an'tiek I *aj* antique, old [furniture]; ancient, old-fashioned; **II** *o* (v o o r w e r p e n) antiques; **III** *mv* (k u n s t e n a a r s) *de ~en* the classics; **–zaak** (-zaken) *v* antique shop
anti'geen (-genen) *o* antigen
antikleri'kaal anticlerical
anti'krist (-en) *m* Antichrist
An'tillen *de ~* the Antilles; *de Grote* (*Kleine*) *~* the Greater (Lesser) Antilles; **Antilli'aan(s)** (-ianen) *m* (& *aj*) Antillian
anti'lope (-n) *v* antelope
antima'kassar (-s) *m* antimacassar
Antio'chië *o* Antioch
antipa'pisme *o* anticlericalism; hatred of Roman-Catholicism
'antipassaat *m* anti-trade (wind)
antipa'thie (-ieën) *v* antipathy, dislike; **antipa'thiek** antipathetic, unlikeable
anti'pode (-n) *m* antipode
anti'quaar [-'kva:r] (-quaren) *m* 1 antique dealer; 2 second-hand bookseller, antiquarian bookseller; **anti'quair** [-'kɛ:r] (-s) *m* antique dealer; **antiquari'aat** [-kva:-] (-riaten) *o* 1 (h e t v a k) antiquarian bookselling; 2 (d e w i n k e l) second-hand bookshop, antiquarian bookshop; **anti'quarisch** [-'kva:-] second-hand, antiquarian; **antiqui'teiten** [-kvi.-] *mv* antiques
antise'miet (-en) *m* anti-Semite; **antise'mitisch** anti-Semitic; **antisemi'tisme** *o* anti-Semitism
anti'septisch antiseptic
anti'slip non-skid [tyre]
'antistof (-fen) *v* antibody
anti'tankgeschut [-'tɛŋk] *o* anti-tank gun
anti'these [s = z] (-n en -s) *v* antithesis [*mv* antitheses]
anti'vries *o*, **anti'vriesmiddel** (-en) *o* anti-freeze
antra'ciet *m* & *o* anthracite
antropolo'gie *v* anthropology; **antropo'logisch** anthropologic
'Antwerpen *o* Antwerp
'antwoord (-en) *o* 1 (o p e e n b r i e f, v r a a g &) answer, reply; (o p e e n a n t w o o r d) rejoinder; *gevat ~* repartee, ready answer; *i n ~ op* in reply (answer) to; **–apparaat** (-raten) *o* answer-phone machine; **–coupon** [ou = u.] (-s) *m* reply coupon; **'antwoorden** (antwoordde, h. geantwoord) **I** *vt* answer, reply; rejoin, retort; **II** *va* & *vi* answer, reply; (b r u t a a l) talk back; *~ op* reply to, answer [a letter]; **'antwoordkaart** (-en) *v* business reply card
'anus *m* anus, vent
A° = *anno*
a'orta ('s) *v* aorta
AO'W [a.o.'ve.] *v* = *Algemene Ouderdomswet*; **F** old-age pension; **AO'W'er** (-s) *m* old-age pensioner
a'pache [a.'pɑxə] (-n) *m* Apache; apache [street robber]
a'part apart; separate; *een ~ ras* a race apart; *~ berekenen* charge extra for; zie verder: *afzonderlijk*; **–heid** *v* *ZA* apartheid: (race, racial) segregation; **–je** (-s) *o* private talk
apa'thie *v* apathy; **a'pathisch** apathetic
'apegapen *op ~ liggen* be at one's last gasp; **–kool** *v* **F** gammon, bosh; **–kop** (-pen) *m* monkey; **–liefde** *v* blind love, foolish fondness; **–nootje** (-s) *o* peanut
Apen'nijnen *mv* Apennines; **Apen'nijns** Apennine [peninsula]
'apepak (-ken) *o* **F** gala uniform
aperi'tief [-pe.-] (-tieven) *o* & *m* apéritif
a'pert obvious, evident
'ape'zat F dead-drunk; **'apezuur** *o zich het ~ schrikken* be frightened out of one's wits; **a'pin** (-nen) *v* she-monkey, she-ape [tailless]
a'plomb [a.'plõ] *o* aplomb, self-possession, coolness, assurance
apoca'lyptisch [y = ı] apocalyptic
apo'crief apocryphal; *de ~e boeken* the Apocrypha
apo'dictisch apodictic
apolo'gie (-ieën) *v* apology°
a'postel (-en en -s) *m* apostle; **–schap, aposto'laat** *o* apostolate, apostleship; **apos'tolisch** apostolic
apo'strof (-fen en -s) *v* apostrophe
apo'theek (-theken) *v* pharmacy, chemist's (shop), dispensary; **apo'theker** (-s) *m* pharmacist, (pharmaceutical, dispensing) chemist
apothe'ose [s = z] (-n) *v* apotheosis
appa'raat (-raten) *o* apparatus, zie ook: *toestel*; *fig* [government, production &] machinery, machine; *huishoudelijke apparaten* domestic (electrical) appliances; **appara'tuur** *v* equipment
apparte'ment (-en) *o* apartment
1 'appel (-en en -s) *m* apple (ook = pupil of the eye); *door de zure ~ heen bijten* make the best of a bad job; *voor een ~ en een ei* **F** for a (mere) song; *de ~ valt niet ver van de boom* it runs in the blood; like father, like son
2 ap'pel (-s) *o* 1 ⚖ appeal; 2 ⚔ roll-call; parade; *~ aantekenen* give notice of appeal, lodge an appeal; *~ houden* call the roll, take the roll-call; *ze goed onder ~ hebben* have them well in hand
'appelbeignet [-bɛɲe.] (-s) *m* apple fritter; **–bol** (-len) *m* apple dumpling; **–boom** (-bomen) *m*

apple tree; **–flap** (-flappen) *v* apple turnover; **–flauwte** (-n en -s) *v een ~ krijgen* pretend to faint

appel'lant (-en) *m* appellant; **appel'leren** (apelleerde, h. geapelleerd) *vi* ⚖ appeal, lodge an appeal; *~ aan* appeal to [reason, the sentiments]

'appelmoes *o* & *v* apple-sauce; **–sap** *o* apple juice; **–schimmel** (-s) *m* dapple-grey (horse); **–taart** (-en) *v* apple-tart; **–tje** (-s) *o* (small) apple; *een ~ met iem. te schillen hebben* have a bone to pick with sbd.; have a rod in pickle for sbd.; have an account to settle with sbd.; *een ~ voor de dorst* a nest-egg; *een ~ voor de dorst bewaren* provide against a rainy day; **–wangen** *mv* rosy cheeks; **–wijn** *m* cider

appe'tijtelijk appetizing; *er ~ uitzien* look attractive

applaudis'seren [-di.-] (applaudisseerde, h. geapplaudisseerd) *vi* applaud, clap, cheer; **ap'plaus** *o* applause

appor'teren (apporteerde, h. geapporteerd) *vi* fetch and carry, retrieve

appreci'atie [ɑpre.si.'a.(t)si.] (-s) *v* appreciation; **appreci'ëren** (apprecieerde, h. geapprecieerd) *vt* appreciate, value

ap'pret [ɑ'prɛ] *o* starch; **appre'teren** (appreteerde, h. geappreteerd) *vt* finish

approvian'deren (approviandeerde, h. geapproviandeerd) *vt* provision [a garrison &]

a'pril *m* April; *eerste ~* first of April; *één ~* All Fools' Day; *één ~ !* April Fool!

apro'pos [a.pro.'po:] **I** *ad* apropos, to the point; **II** *ij* by the way, by the bye; talking of...; **III** *o* & *m om op ons ~ terug te komen...* to return to our subject; *hij laat zich niet van zijn ~ brengen* he is not to be put out

aqua'duct (-en) *o* aqueduct

'aqualong (-en) *v* aqualung

aquama'rijn (-en) *m* & *o* aquamarine

aqua'rel (-len) *v* aquarelle, water-colour

a'quarium (-s en -ria) *o* aquarium

ar (-ren) *v* sleigh, sledge

ara'besk (-en) *v* arabesque

A'rabië *o* Arabia; **Ara'bier** (-en) *m* Arab [man & horse]; **A'rabisch I** *aj* Arabian [Desert, Sea &], Arab [horse, country, state, League]; (v. taal & getallen) Arabic; **II** *o* Arabic

à raison van [a.rɛ'zɔ̃:-] at [15 p.]

a'rak *m* arrack, rack

'arbeid *m* labour, work°; *zware ~* toil; *aan de ~ gaan* set to work; *aan de ~ zijn* be at work; *~ adelt* there is nobility in labour; **'arbeid(s)besparend** labour-saving; **'arbeiden** (arbeidde, h. gearbeid) *vi* labour, work; **'arbeider** (-s) *m* worker, working man, labourer, hand, operative, workman; **'arbeidersbeweging** (-en) *v* labour movement; **–klasse** (-n) *v* working class(es); **–wijk** (-en) *v* workmen's quarter; **–'zelfbestuur** *o* autogestion

'arbeidsbemiddeling *v* (*bureau, dienst voor*) *~ = arbeidsbureau*; **–beurs** (-beurzen) *v = arbeidsbureau*; **–bureau** [-by.ro.] (-s) *o* labour exchange, employment exchange; **–contractant** (-en) *m* (in overheidsdienst) public servant appointed on agreement; **–geschil** (-len) *o* labour dispute; **–inspectie** [-spɛksi.] (-s) *v* trade (industrial) supervision; factory inspection; **–intensief** [-zi.f] requiring much labour; *bedrijven die ~ zijn* industries that are heavy users of labour; **–kracht** (-en) *v = werkkracht*; **–leer** *v* ergonomics; **–loon, arbeids'loon** (-lonen) *o* wages; **–markt** *v* labour market; **arbeidsonge'schikt** unfit for work, disabled; **'arbeidsovereenkomst** (-en) *v* labour contract, labour agreement; *collectieve ~* collective agreement; *het onderhandelen over een collectieve ~* collective bargaining; **–plaats** (-en) *v* job; **–prestatie** [-(t)si.] (-s) (labour) efficiency, output, productivity; **–reserve** [-zɛrvə] *v* labour reserve; **–terrein** *o* field (sphere) of activity, domain; **–therapeut** [-te.ra.pœyt] (-en) *m* occupational therapist; **–therapie** *v* occupational therapy; **–tijd** (-en) *m* working hours; **–tijdverkorting** *v* shortening (reduction) of working hours; reduced hours; **–verdeling** (-en) *v* division of labour; **–vermogen** *o* working power, energy; *~ van beweging* kinetic (actual) energy; *~ van plaats* potential energy; **–voorwaarden** *mv* [favourable] terms of employment; [healthy] working conditions; **–vrede** *m* & *v* labour peace; **ar'beidzaam** industrious

ar'biter (-s) *m* arbiter, arbitrator; *sp* umpire; **arbi'trage** [g = ʒ] *v* arbitration

ar'cadisch Arcadian

ar'ceren (arceerde, h. gearceerd) *vt* hatch, shade

ar'chaïsch archaic; **archa'ïsme** (-n) *o* archaism

archeolo'gie *v* archaeology; **archeo'logisch** archaeological; **archeo'loog** (-logen) *m* archaeologist

ar'chief (-chieven) *o* 1 archives, records; 2 record office; 3 $ files

'archipel ['ɑrgi.-, 'ɑrʃi.pɛl] (-s) *m* archipelago

archi'tect [ɑrgi.-, ɑrʃi.-] (-en) *m* architect; **architec'tonisch** architectonic, architectural; **architec'tuur** *v* architecture

archi'traaf (-traven) *v* architrave

archi'varis (-sen) *m* archivist, keeper of the records

Ar'dennen *de ~* the Ardennes

ar'duin *o* freestone, ashlar

'are (-n) *v* are [= 100 sq. m.]

'areligi'eus ['a.re.li.gi'øs] areligious, religionless
a'rena ('s) *v* arena; bullring [for bullfights], ring [of circus]
'arend (-en) *m* eagle; **'arendsblik** (-ken) *m met* ~ eagle-eyed; **–jong** (-en) *o* eaglet; **–nest** (-en) *o* eagle's nest, aerie; **–neus** (-neuzen) *m* aquiline nose
'argeloos 1 guileless, inoffensive; 2 unsuspecting; **arge'loosheid** *v* 1 guilelessness, inoffensiveness; 2 confidence
Argen'tijn(s) (-en) *m* (&*aj*) Argentine; **Argen'tinië** *o* the Argentine, Argentina
'arglist *v* craft(iness), cunning, guile; **arg'listig** crafty, cunning, guileful
argu'ment (-en) *o* argument, plea; **argumen'tatie** [-(t)si.] (-s) *v* argumentation; **argumen'teren** (argumenteerde, h. geargumenteerd) *vi* argue
'argusogen *mv met* ~ argus-eyed
'argwaan *m* suspicion, mistrust; ~ *hebben* entertain (have) suspicions, misdoubt; ~ *krijgen* become suspicious, **F** smell a rat; **arg'wanend** suspicious
'aria ('s) *v* air, aria
'Ariër (-s) *m* Aryan; **'Arisch** Aryan
aristo'craat (-craten) *m* aristocrat; **aristocra'tie** [-'(t)si.] (-ieën) *v* aristocracy; **aristo'cratisch** aristocratic
Aris'toteles *m* Aristotle
ark (-en) *v* ark; *de ~e Noachs* Noah's ark; ~ *des Verbonds* Ark of the Covenant
1 arm (-en) *m* arm [of a man, the sea, a balance &]; branch [of a river]; bracket [of a lamp]; *de ~ der wet* the limb of the law; *haar de ~ bieden* give (offer) her one's arm; *met een meisje a a n de ~* with a girl on his arm; ~ *i n* ~ arm in arm; *iem. in de ~ nemen* consult sbd.; *zich in de ~en werpen van* throw oneself into the arms of; *m e t open ~en ontvangen* receive with open arms; *met de ~en over elkaar* with folded arms
2 arm *aj* poor[2], indigent, needy; ook: penniless; *zo ~ als Job* (*als de mieren, als de straat, als een kerkrat*) as poor as Job (as a church mouse); *een ~e* a poor man, a pauper; *de ~en* the poor; *de ~en van geest* the poor in spirit; ~ *aan* poor in [minerals]
arma'tuur (-turen) *v* armature
'armband (-en) *m* bracelet; **–horloge** [-lo.ʒə] (-s) *o* wrist-watch
'armelijk poor, shabby; **'armenhuis** (-huizen) = *armhuis*; **–zorg** *v* 🕮 poor-relief; **arme'tierig** poor, wretched
arme'zondaarsbankje (-s) *o* penitent form; **–gezicht** *o een ~ zetten* put on a hangdog look
'armhuis (-huizen) *o* 🕮 almshouse, workhouse; **arm'lastig** ~ *worden* 🕮 come upon the parish (the rates)
'armleuning (-en) *v* arm, arm-rest
'armoe(de) *v* 1 poverty; *het is daar ~ troef* they are in dire want; *t o t ~ geraken* (*vervallen*) be reduced to poverty; *u i t* ~ from poverty; **ar'moedig** poor, needy, poverty-stricken, shabby; **–heid** *v* poverty; penury, poorness; **'armoedje** *o mijn* ~ what little I have, my few sticks of furniture; **'armoedzaaier** (-s) *m* poor devil
'armsgat (-gaten) *o* arm-hole; **'armslag** *m* elbow-room[2]; **'armslengte** (-n) *v op* ~ at arm's length; **'armstoel** (-en) *m* arm-chair
arm'tierig = *armetierig*
'armvol (-len) *m* armful
arm'zalig pitiful, miserable; paltry, beggarly
a'roma ('s) *o* aroma, flavour; **aro'maten** *mv* flavourings; **aro'matisch** aromatic
'aronskelk (-en) *m* arum
a'room (aromen) *o* = *aroma*
arrange'ment [ɑrãʒə'mɛnt] (-en) *o* ♪ arrangement, orchestration; **arran'geren** [g = ʒ] (arrangeerde, h. gearrangeerd) *vt* arrange°; get up
'arreslede (-n) *v*, **'arreslee** (-sleeën) *v* sleigh, sledge
ar'rest (-en) *o* 1 (v a s t h o u d i n g) custody, arrest; 2 (b e s l a g n a m e) seizure; 3 (b e s l u i t) decision, judgement; *in ~* under arrest; *in ~ nemen* = *arresteren* 1; *in ~ stellen* place under arrest; **arres'tant** (-en) *m* arrested person, prisoner; **arres'tantenkamer** (-s) *v*, **–lokaal** (-kalen) *o* detention room; **arres'tatie** [-(t)si.] (-s) *v* arrest, apprehension; **–bevel** (-velen) *o* ⚖ warrant of arrest; **arres'teren** (arresteerde, h. gearresteerd) *vt* 1 arrest, take into custody, apprehend [an offender]; 2 confirm [the minutes]
arri'veren (arriveerde, is gearriveerd) *vi* arrive
arro'gant arrogant, presumptuous, uppish; **arro'gantie** [-(t)si.] *v* arrogance, presumption
arrondisse'ment [-di.-] (-en) *o* district; **–srechtbank** (-en) *v* county court
arse'naal (-nalen) *o* arsenal; armoury
ar'senicum *o*, **arse'niek** *o* arsenic
ar'tesisch [-zi.s] *~e put* artesian well
articu'latie [-(t)si.] (-s) *v* articulation; **articu'leren** (articuleerde, h. gearticuleerd) *vt* articulate
ar'tiest (-en) *m* artist; (i n c i r c u s e. d.) artiste, performer
ar'tikel (-en en -s) *o* 1 (i n 't a l g.) article; (w e t e n s c h a p p e l i j k) ook: paper; 2 (a f d e l i n g) section, clause [of a law]; 3 (i n w o o r d e n b o e k) entry; 4 $ article, commodity; (b e p a a l d s o o r t) line; *~en* $ ook: goods, [own brand] items [at a supermarket];

ar'tikelsgewijs, –gewijze by clause
artille'rie [ɑrtɪlə'ri. of -ti.jə-] (-ieën) *v* artillery, ordnance; *rijdende* ~ horse artillery; **artille'rist** (-en) *m* artilleryman, gunner
'Artis *v* the Amsterdam Zoo
arti'sjok (-ken) *v* artichoke
artistici'teit *v* artistry; **artis'tiek** artistic; **artis'tiekerig F** arty
arts (-en) *m* physician, general practioner; **–enbezoeker** (-s) *m* pharmaceutical representative, salesman; **artse'nij** (-en) *v* medicine, physic; **–bereidkunde** *v* pharmaceutics, pharmacy
a.s. = *aanstaande* **I**
1 as (-sen) *v* 1 axle, axle-tree [of a carriage]; 2 axis [of the earth & *fig, mv* axes]; 3 ⚒ shaft; arbor; spindle; *vervoer per* ~ road transport
2 as *v* ash [= powdery residue, also of a cigar], ashes [ook = remains of human body]; [hot] embers; cinders; ~ *is verbrande turf* if ifs and ans were pots and pans; *in de* ~ *leggen* lay in ashes, reduce to ashes; *uit zijn* ~ *verrijzen* rise from its ashes; zie ook: *rusten*; **–bak** (-ken) *m* 1 ash-tray; 2 (v u i l n i s b a k) ash-bin; **–belt** (-en) *m* & *v* ash-pit, refuse dump
as'best *o* asbestos
'asblond ash-blond(e)
as'ceet [ɑ'se.t, ɑs'ke.t] (-ceten) *m* ascetic; **as'cese** [ɑ'se.zə, ɑs'ke.zə] *v* asceticism; **as'cetisch** [ɑ'se.ti.s, ɑs'ke.ti.s] ascetic
ascor'binezuur [ɑskɔr-] *o* ascorbic acid
'asem *m* **F** *geen* ~ *geven* keep silent, keep mum, not breathe a word
a'septisch aseptic
'asfalt (-en) *o* asphalt, bitumen; **asfal'teren** (asfalteerde, h. geasfalteerd) *vt* asphalt; **'asfaltpapier** *o* bituminized (asphalt) paper; **–weg** (-wegen) *m* asphalt (bituminous) road
'asgrauw ashen(-grey), ashy
a'siel [s = z] (-en) *o* asylum; home; shelter; *politiek* ~ political asylum; **a'sielrecht** *o* right of asylum
asje'blief(t) [ɑʃə'bli.f(t)] 1 (e n o f!) I should think so!, you bet!; (n e e m a a r!) well now!, my word!; 2 = *alstublieft*
asjeme'nou! *ij* **F** good heavens!
'asmogendheden *mv* 🕮 Axis powers
asoci'aal [-si.'a.l] antisocial, unsocial
as'pect (-en) *o* aspect
as'perge [g = ʒ] (-s) *v* asparagus
aspi'rant (-en) *m* applicant; candidate
aspi'ratie [-(t)si.] (-s) *v* aspiration, ambition
Ⓜ **aspi'rine** (-s) *v* aspirin
assem'blage [ɑsɑm'bla.ʒə] *v* (car) assembly; **–bedrijf** (-drijven) *o* (car) assembly plant
assem'blee [ɑsɑm-] (-s) *v* assembly [of UNO]
assem'bleren [ɑsɑm-] (assembleerde, h. geassembleerd) *vt* assemble [cars]
'Assepoester, 'assepoes(ter) *v* Cinderella[2]
assimi'latie [-(t)si.] (-s) *v* assimilation; **assimi'leren** (assimileerde, h. geassimileerd) *vt* assimilate
assi'stent (-en) *m* assistant; **–e** (-n) *v* assistant, lady help; **–ie** [-(t)si.] *v* assistance, help; **assi'steren** (assisteerde, h. geassisteerd) *vt* & *va* assist
associ'atie [-(t)si.] (-s) *v* association°; $ partnership; **associ'é** (-s) *m* $ partner; **associ'ëren** (associeerde, h. geassocieerd) *zich* ~ $ enter into partnership (with *met*)
assorti'ment (-en) *o* assortment
assura'deur (-en en -s) *m* insurer; ⚓ underwriter; **assu'rantie** [-(t)si.] (-iën en -s) *v* 1 [fire, accident] insurance; 2 [life] assurance; **–bezorger** (-s) *m* insurance agent; **–premie** (-s) *v* (insurance) premium; **assu'reren** (assureerde, h. geassureerd) *vt* 1 insure, effect an insurance [against fire]; 2 assure [one's life]
As'syrië [y = i.] *o* Assyria; **–r** (-s) *m* Assyrian; **As'syrisch** *aj* & *o* Assyrian
'aster (-s) *v* aster
'astma *o* asthma; **–lijder** (-s) *m* asthmatic (patient); **ast'matisch** asthmatic
astrolo'gie *v* astrology; **astro'logisch** astrological; **astro'loog** (-logen) *m* astrologer
astro'naut (-en) *m* astronaut
astrono'mie *v* astronomy; **astro'nomisch** astronomical [figures], astronomic; **astro'noom** (-nomen) *m* astronomer
'asvaalt (-en) *v* = *asbelt*
'aswenteling (-en) *v* rotation
As'woensdag *m* Ash Wednesday
asym'metrisch [y = i.] asymmetric(al), dissymmetric
at (aten) V.T. v. *eten*
ata'visme (-n) *o* atavism, throw-back; **–istisch** atavistic
atelier [ɑtəl'je.] (-s) *o* 1 studio; atelier [of an artist]; 2 workshop, work-room [of an artisan]
'aten V.T. meerv. v. *eten*
'aterling (-en) *m* disgusting fellow
A'theens Athenian
athe'ïsme *o* atheism; **–ïst** (-en) *m* atheist; **–'ïstisch** atheistic
A'thene *o* Athens; **A'thener** (-s) *m* Athenian
athe'neum [a.tə'ne.üm] (-s en -nea) *o* ≈ ± secondary modern school
At'lantische Oce'aan *m* Atlantic (Ocean)
'atlas (-sen) *m* atlas
at'leet (-leten) *m* athlete; **atle'tiek I** *v* athletics; **at'letisch** athletic
atmos'feer (-feren) *v* atmosphere; **atmos'ferisch** atmospheric; ~*e storing* static
a'tol (-len) *o* atoll

a'tomisch atomic
ato'naal atonal
a'toom (atomen) *o* atom; **a'toom-** atomic, nuclear; **a'toombom** (-men) *v* atom bomb, atomic bomb; **–centrale** (-s) *v* atomic power-station; **–energie** [-*gi*. of -ʒi.] *v* atomic energy; **–gewicht** (-en) *o* atomic weight; **–kern** (-en) *v* atomic nucleus [*mv* nuclei]; **–kop** (-pen) *m* atomic war-head; **–proef** (-proeven) *v* atomic (nuclear) test; **–splitsing** *v* fission; **–tijdperk** *o* atomic age; **–wapen** (-s) *o* nuclear weapon
atro'fie *v* atrophy; **atrofi'ëren** (atrofieerde, *vt* h., *vi* is geatrofieerd) *vi* & *vt* atrophy
atta'ché [ch = ʃ] (-s) *m* attaché
atten'deren (attendeerde, h. geattendeerd) *vt* ~ *op* draw attention to; **at'tent** 1 (o p l e t t e n d) attentive; 2 (v o l a t t e n t i e s) considerate (to *voor*), thoughtful (of, for *voor*); *iem.* ~ *maken op* draw sbd.'s attention to; **–ie** [-(t)si.] (-s) *v* 1 attention; 2 consideration, thoughtfulness
at'test (-en) *o* certificate; (g e t u i g s c h r i f t) testimonial; **attes'tatie** [-(t)si.] (-s) *v* attestation; testimonial, certificate
at'tractie [ɑ'trɑksi.] (-s) *v* attraction; **attrac'tief** attractive; **attractivi'teit** *v* attractiveness
attri'buut (-buten) *o* attribute
au! [ɔu] ouch!, ow!
a.u.b. = *alstublieft*
au'bade [au = o.] (-s) *v* aubade
audi'ëntie [o.-, ɔudi.'ɛn(t)si.] (-s) *v* audience; ~ *aanvragen bij* ask (request) an audience of; ~ *verlenen* grant an audience; *op* ~ *gaan bij de minister* have an audience of the minister
'audio-visu'eel [s = z] audio-visual
audi'teren [au = ɔu en o.] (auditeerde, h. geauditeerd) *vi* audition; **au'ditie** [ɔu'di.(t)si., o.-], (-s) *v* audition
audi'torium [au = ɔu en o.] (-s en -ria) *o* 1 auditory [= part of building & assembly of listeners]; 2 audience [= assembly of listeners]
'Augiasstal *de* ~ *reinigen* clean the Augean stables
au'gurk (-en) *v* gherkin
augus'tijn (-en) *m* Augustinian, Austin friar; (t y p o g r a f i e) cicero
au'gustus *m* August
'aula ('s) *v* auditorium
au 'pair [o.'pɛ:r] au pair
aure'ool [au = ɔu en o.] (-reolen) *v* aureole, halo
aus'piciën *mv onder de* ~ *van* under the auspices of, sponsored by; under the aegis of
Aus'tralië *o* Australia; **Aus'traliër** (-s) *m* Australian; **Aus'tralisch** Australian
'autaar ['ɔuta:r] = *altaar*
autar'kie *v* autarky, self-sufficiency; **au'tarkisch** autarkic(al), selfsufficient
au'teur [au = o. en ɔu] (-s) *m* author; **–srecht** *o* copyright
authentici'teit [au = ɔu en o.] *v* authenticity; **authen'tiek** authentic
au'tisme *o ps* autism; **–istisch** autistic
'auto [au = ɔu en o.] ('s) *m* car, motor-car; **–band** (-en) *m* (automobile, motor) tyre; **–bezitter** (-s) *m* car owner
autobiogra'fie (-ieën) *v* autobiography; **autobio'grafisch** autobiographical
'autobus [au = o. en ɔu] (-sen) *m* & *v* motor-bus, coach
'autocoureur ['o.to.-, 'ɔuto.ku:rør] (-s) *m* = *coureur* 1
auto'craat (-craten) *m* autocrat; **autocra'tie** [-'(t)si.] (-ieën) *v* autocracy; **auto'cratisch** autocratic
autodi'dact (-en) *m* autodidact, self-taught man
auto'geen autogenous [welding]
auto'gram (-men) *o* autograph
'autokerkhof [au = o. en ɔu] (-hoven) *o* car dump
auto'maat [au = ɔu en o.] (-maten) automatic machine, [cigarette, stamp, ticket &] machine, penny-in-the-slot machine, slot-machine, vending machine; **automa'tiek** (-en) *v* automat; **auto'matisch** automatic, self-acting; ~*e handeling* automatism; **automati'seren** [s = z] (automatiseerde, h. geautomatiseerd) *vt* automate, computerize; **–ring** *v* automation, computerization; **automa'tisme** (-n) *o* automatism
automo'biel [au = o. en ɔu] (-en) *m* motor-car, *Am* automobile; **automobi'lisme** *o* motoring; **–ist** (-en) *m* motorist
'automonteur [au = o. en ɔu] (-s) *m* motor mechanic
autono'mie [au = ɔu en o.] *v* autonomy; **auto'noom** autonomous, autonomic
'autonummer [au = o. en ɔu] (-s) *o* registration number, car number; **–park** (-en) *o* 1 (t e r r e i n) car park; 2 (d e a u t o 's) fleet of (motor-)cars; **–pech** *m* car breakdown; **–ped** (-s) *m* scooter; **–radio** ('s) *m* car radio; **–rijden** **I** (reed 'auto, h. 'autogereden) *vi* drive [a car], motor; **II** *o* motoring; **–rijder** (-s) *m* motorist; **–rijschool** (-scholen) *v* driving-school, school of motoring
autori'seren [s = z] (autoriseerde, h. geautoriseerd) *vt* authorize
autori'tair [ɔu-, o.to.ri.'tɛ:r] authoritative [air, manner, tones], officious; (i n z. ± n i e t - d e m o c r a t i s c h) authoritarian [regime, State]; **autori'teit** (-en) *v* authority
'autoslaaptrein [au = o. en ɔu] (-en) *m* car sleeper train; **–snelweg** (-wegen) *m Br* motorway, *Am* super highway, turnpike;

–tentoonstelling (-en) *v* motor show; **–verhuur** *m* car hire; ~ *zonder chauffeur* self-drive (car hire); **–verkeer** *o* motor traffic; **–weg** (-wegen) *m* motorway, motor road; **–wrak** (-ken) *o* car wreck

a'val *o* guarantee [of a bill]; *voor* ~ *tekenen* guarantee

a'vances [a.'vãsəs] *mv* advances, approaches, overtures

avant-'garde [a.vã'gɑrdə] **I** *v* avant-garde; **II** *aj* avant-garde; **avant-gar'distisch** avant-garde

'avegaar (-s) *m* auger

'averechts I *aj* purl [stitch]; *fig* wrong [way, ideas &]; preposterous [means]; **II** *ad* wrongly, the wrong way (round); ~ *breien* purl

ave'rij *v* damage; ~ *grosse* general average; ~ *particulier* particular average; ~ *krijgen* 1 suffer damage; 2 break down

a'versie [s = z] *v* aversion

'avond (-en) *m* evening, night; *de* ~ *te voren* the evening (night) before; *de* ~ *vóór de slag* the eve of the battle; *des ~s, 's ~s* 1 (t i j d) in the evening, at night; 2 (g e w o o n t e) of an evening; *b ij* ~ in the evening, at night; *t e g e n de* ~ towards evening; *het wordt* ~ night is falling; **–blad** (-bladen) *o* evening paper; **–cursus** [-züs] (-sen) *m* evening-classes; **–eten** *o* supper; **–gebed** (-beden) *o* night prayers; **–japon** (-nen) *m* evening gown (frock); **–je** (-s) *o* evening (party); *een gezellig* ~ a social evening; *een* ~ *uit* a night out; **–kleding** *v* evening dress; **–klok** *v* curfew; *de* ~ *instellen* impose a curfew; **–land** *o* Occident; **–maal** *o* supper, evening-meal; *het Avondmaal* the Lord's Supper, Holy Communion; *het Laatste Avondmaal* the Last Supper; **–rood** *o* afterglow, red evening-sky; **–schemering** *v* evening twilight; **–school** (-scholen) *v* night-school, evening school, evening classes; **–ster** *v* evening star; **–stond** (-en) *m* evening (hour); **–voorstelling** (-en) *v* evening performance

avon'turen (-tuurde, h. ge-tuurd) *vt* risk, venture; **avontu'rier** (-s) *m* adventurer; **avon'tuur** (-turen) *o* adventure; **–lijk I** *aj* adventurous [life]; risky [plan &]; *een* ~ *leven* ook: a life of adventures; **II** *ad* adventurously

à 'vue [a.'vy.] at sight

axi'oma ('s) *o* axiom

a'zalea ('s) *v* azalea

'azen (aasde, h. geaasd) *vi* ~ *op* [*fig*] covet

Azi'aat (-iaten) *m* Asian, Asiatic; **Azi'atisch** Asian, Asiatic; **'Azië** *o* Asia

a'zijn (-en) *m* vinegar; **–zuur** *o* acetic acid

'azimut *o* azimuth

A'zoren *mv de* ~ the Azores

a'zuren *aj* azure, sky-blue; **a'zuur** *o* azure, sky blue

B

b [be.] ('s) *v* b

ba [bɑ] *ij* bah!, pooh!, pshaw!, pah!; zie ook *boe*

'baadje (-s) *o* (sailor's) jacket; *iem. op zijn ~ geven* **F** dust (trim) sbd.'s jacket

baai (-en) 1 *v* (i n h a m) bay || 2 *m* & *o* (s t o f) baize || 3 *m* (t a b a k) cross-cut Maryland; **–en** *aj* baize

'baaierd *m* chaos, welter

baak (baken) *v* = *baken*

baal (balen) *v* 1 (g e p e r s t) bale [of cotton &]; (g e s t o r t) bag [of rice &]; 2 ten reams [of paper]; (*de*) *balen* (*tabak*) *van iets hebben* = *balen*

'Baäl *m* Baal

baan (banen) *v* 1 path, way, road; 2 (r e n - b a a n) (race-)course, (running) track; 3 (l o o p b a a n) orbit [of planet, (earth) satellite]; trajectory [of projectile]; 4 (t e n n i s~) court; 5 (v. s p o o r w e g) track; 6 (v. a u t o w e g, *sp* v. z w e m b a s s i n &) lane; 7 (i j s~) (skating) rink; 8 (g l ij~) slide; 9 (k e g e l~) alley; 10 (s t r o o k) breadth, width [of cloth &]; 11 (v. v l a g) stripe; 12 = *baantje*; *zich ~ breken* make (push, force) one's way; *fig* ook: gain ground; *ruim ~ maken* clear the way; • *in een ~ brengen* put into orbit, orbit [an artificial satellite]; *in een ~ draaien* orbit; *in een ~* (*om de aarde*) *komen* come into orbit; *vlucht in een ~* orbital flight; *het gesprek in andere banen leiden* turn the conversation into other channels; *op de lange ~ schuiven* put off (indefinitely), shelve, postpone; *dat is nu van de ~* that question has been shelved, that's off now; **–brekend** pioneer [work], epoch-making [discovery]; **–breker** (-s) *m* pioneer, pathfinder; **–schuiver** (-s) *m* fender, track-clearer; **'baantje** (-s) *o* 1 slide [on snow]; 2 job; billet, berth; *een gemakkelijk* (*lui*) *~* **F** a soft job; **'baantjesjager** (-s) *m* place-hunter; **'baanvak** (-ken) *o* section [of a railroad line]; **–veger** (-s) *m* sweeper; **–wachter** (-s) *m* signalman

baar (baren) **I** *v* 1 (g o l f) wave, billow || 2 (l i j k~) bier; 3 (d r a a g~) litter, stretcher || 4 (s t a a f) bar, ingot || 5 (z a n d b a n k) bar; **II** als *aj ~ geld* ready money

baard (-en) *m* beard [of man, animals, grasses &]; barb, wattle [of a fish]; feather [of a quill]; whiskers [of a cat]; whalebone, baleen [of a whale]; bit [of a key]; *een ~ van een week* a week's growth of beard; *hij heeft de ~ in de keel* his voice is breaking; *iets in zijn ~ brommen* mutter something in one's beard; *zijn ~ laten staan* grow a beard; *om 's keizers ~ spelen* play for love; zie ook: 2 *mop*; **–aap** (-apen) **F** *m* beaver; **–eloos** beardless; **–ig** bearded

'baarlijk *de ~e duivel* the devil himself; *~e nonsens* utter (rank) nonsense, gibberish

'baarmoeder (-s) *v* womb, uterus

baars (baarzen) *m* perch, bass

baas (bazen) *m* I master; foreman [in a factory]; **F** boss; 2 (a l s a a n s p r e k i n g) **P** governor, mister; *de ~* **F** the old man [at the office &]; *is de ~ thuis?* **P** is your man [= husband] in?; *een leuke ~* 1 **F** a funny chap; 2 **F** a jolly buffer; *het is een ~ hoor!* **F** what a whopper!; *hij is de ~* (*van het spul*) **F** he runs the show; *hij is een ~* he is a dab (at *in*); *zijn vrouw is de ~* the wife wears the breeches; *de ~ blijven* remain top dog; *de ~ spelen* lord it (over), overbear; *om de inflatie de ~ te worden* to get inflation under control; *de socialisten zijn de ~* (*geworden*) the socialists are in control, have gained control; *zij werden ons de ~* they got the better of us; *hij is mij de ~* he beats me [in...]; he is one too many for me, he has the whip hand of me; *er is altijd ~ boven ~* a man always finds his master; *zijn eigen ~ zijn* be one's own master

baat (baten) *v* I (v o o r d e e l) profit, benefit; 2 (g e n e z i n g) relief; *te ~ nemen* avail oneself of, take [the opportunity]; use, employ [means]; *~ vinden bij* be benefited by, derive benefit from; *zonder ~* without avail; zie ook: *bate* & 2 *baten*; **–zucht** *v* selfishness, self-interest; **baat'zuchtig** selfish, self-interested

'babbel (-s) *m* 1 (p e r s o o n) chatterbox; 2 (b a b b e l t j e) chat; **–aar** (-s) *m* 1 tattler; chatterbox, gossip; telltale; 2 (s n o e p) bull's-eye; **–achtig** talkative; **'babbelen** (babbelde, h. gebabbeld) *vi* 1 chatter, babble, prattle, tittle, chit-chat; 2 talk (in class); 3 tittle-tattle, gossip; **'babbeltje** (-s) *o* chat; **'babbelziek** talkative; **–zucht** *v* talkativeness

'Babel *o* Babel

'baby ('s) ['be.bi.] *m* baby; **–box** (-en) *m* playpen

'Babylon [y = i] *o* Babylon; **Baby'loniër** (-s) *m* Babylonian; **Baby'lonisch** Babylonian [captivity, exile]; *een ~e spraakverwarring* a perfect Babel

'babysit(ter) ['be.bi.-] (-s) *m-v* baby-sitter; **'babysitten** *vi* baby-sit; **'babyuitzet** (-ten) *m* & *o* baby linen, layette

baccalaure'aat *o* baccalaureate, bachelor's degree

baccha'naal [bɑga.-] (-nalen) *o* bacchanal

ba'cil (-len) *m* bacillus [*mv* bacilli]; **–lendrager**

(-s) *m* (germ-)carrier
back [bɛk] (-s) *m sp* back
'bacon ['be.kən] *o* & *m* bacon
bac'terie (-iën) *v* bacterium [*mv* bacteria]; **bacteri'eel** bacterial; **bacteriolo'gie** *v* bacteriology; **bacterio'logisch** bacteriological; **bacterio'loog** (-logen) *m* bacteriologist
1 bad (baden) *o* bath [= vessel, or room for bathing in]; *een ~ geven* bath [the baby]; *een ~ nemen* have (take) a bath [in the bathroom]; have (take) a bathe [in the sea, river]
2 bad (baden) V.T. v. *bidden*
'badcel (-len) *v* shower cabinet; **1 baden** (baadde, h. gebaad) **I** *vi* bathe²; *in bloed ~* bathe in blood; **II** *vt* bath [a child]; **III** *vr zich ~* bathe [= take a bath or bathe]; *(zich) in tranen ~* be bathed in tears; *(zich) in weelde ~* be rolling in luxury
2 'baden V.T. meerv. v. *bidden*
3 'baden meerv. v. 1 *bad*
'badgast (-en) *m* visitor [at a watering place; at a seaside resort]; **–handdoek** (-en) *m* bath towel; **–hokje** (-s) *o* bathing box; **–huis** (-huizen) *o*, **–inrichting** (-en) *v* (public) baths; **–jas** (-sen) *m* & *v* bathing wrap; **–kamer** (-s) *v* bathroom; **–kuip** (-en) *v* bath, bath-tub; **–mantel** (-s) *m* bathing wrap; **–meester** (-s) *m* bath(s) superintendent; **–muts** (-en) *v* bathing cap; **–pak** (-ken) *o* bathing suit; **–plaats** (-en) *v* (n i e t a a n z e e) spa, watering place; (a a n z e e) seaside resort; **–schuim** *o* foam bath, bath foam, bubble bath; **–seizoen** (-en) *o* bathing season; **–spons** (-en en -sponzen) *v* bath sponge; **–stof** *v* towelling, terry (cloth); **–water** *o* bath-water; *het kind met het ~ wegwerpen* throw out the baby with the bath-water; **–zeep** *v* bath soap; **–zout** (-en) *o* bath salts
ba'gage [-'ga.ʒə] *v* luggage; ook: (⚔ en vooral *Am*) baggage; **–bureau** [-by.ro.] (-s) *o* luggage office; **–depot** [-de.po.] (-s) *o* & *m* cloak-room; **–drager** (-s) *m* (luggage) carrier; **–net** (-ten) *o* (luggage) rack; **–reçu** [-rəsy.] ('s) *o* luggage ticket; **–ruimte** *v* 🚗 boot; **–wagen** (-s) *m* luggage van
baga'tel (-len) *v* & *o* trifle, bagatelle, fillip; **bagatelli'seren** [s = z] (bagatelliseerde, h. gebagatelliseerd) *vt* make light of [a matter]; minimize [the gravity of ..., its importance], play down
'bagger *v* mud, slush; **'baggeren** (baggerde, h. gebaggerd) **I** *vt* dredge; **II** *vi door de modder ~* wade through the mud; **'baggerlaarzen** *mv* waders; **–machine** [-ma.ʃi.nə] (-s) *v* dredging machine, dredger; **–molen** (-s) *m* dredger; **–schuit** (-en) *v* dredge, mud-barge
bah! [bɑ] bah!, pooh!, pshaw!, pah!
'Bahrein *o* Bahrain
'baileybrug ['be.li.-] (-gen) *v* Bailey bridge
'baisse ['bɛ.sə] *v* fall; *à la ~ speculeren* speculate for a fall, sell short, bear; **baissi'er** [bɛ.si.'e.] (-s) *m* bear
'bajes *v in de ~* **S** in quod, in the nick, in jug; **–klant** (-en) *m* jail bird
bajo'net (-ten) *v* bayonet; *met gevelde ~* with fixed bayonets; **–sluiting** (-en) *v* bayonet catch (joint)
bak (-ken) *m* 1 trough [for animal food, mortar &]; cistern, tank [for water]; bin [for dust]; bucket [of a dredging-machine]; basket [for bread]; tray [in a trunk]; body [of a carriage]; 2 = **F** 2 *mop*
'bakbeest (-en) *o* colossus
'bakblik (-ken) *o* baking tin
'bakboord *o* port; *aan ~* port-side, to port; *iem. van ~ naar stuurboord zenden* send sbd. from pillar to post
'baken (-s) *o* beacon; *als ~ dienen* beacon; *de ~s verzetten* change one's policy, change one's tack; *de ~s zijn verzet* times have changed; **–licht** (-en) *o* beacon light
'baker (-s) *v* monthly nurse, (dry-)nurse; **'bakeren** (bakerde, h. gebakerd) **I** *vt* swaddle; **II** *vr zich ~* bask [in the sun]; **III** *vi uit ~ gaan* go out nursing; zie ook: *gebakerd*; **'bakerkind** (-eren) *o* infant in arms; **–mat** (-ten) *v* cradle² [of freedom]; **–praat** *m* old wives' tales, gossip; **–rijmpje** (-s) *o* nursery rhyme; **–speld** (-en) *v* large safety-pin; **–sprookje** (-s) *o* nursery tale, old wives' tale
'bakfiets (-en) *m* & *v* carrier tricycle, carrier cycle
'bakje (-s) *o* **F** cup [of coffee]
'bakkebaard (-en) *m* (side-)whisker(s)
bakke'leien (bakkeleide, h. gebakkeleid) *vi* tussle, be at loggerheads
'bakken* **I** *vt* (i n o v e n) bake; (i n p a n) fry; *iem. een poets ~* play sbd. a trick; **II** *va* 1 make bread; 2 ⊜ fail [in an examination], **S** plough; *laten ~* **S** pluck [sbd.], plough [sbd.]; **III** *vi* bake [bread]; *aan de pan ~* stick to the pan; **'bakker** (-s) *m* baker; **bakke'rij** (-en) *v* bakery, bakehouse; baker's shop; **'bakkersknecht** (-s en -en) *m* baker's man; **–tor** (-ren) *v* cockroach; **–winkel** (-s) *m* baker's shop
'bakkes (-en) *o* **P** mug, **F** phiz; *hou je ~!* **F** shut up!
'bakoven (-s) *m* (baking) oven; **–pan** (-nen) *v* frying-pan; **–plaat** (-platen) *v* baking sheet; **–poeder** *o* & *m* baking powder; **–sel** (-s) *o* batch, baking; **–steen** (-stenen) *o* & *m* brick; *drijven (zinken) als een ~* float (sink) like a stone; *zakken als een ~* fail ignominiously [in one's exam]; **–stenen** *aj* brick; **–vis** (-sen) *v* teen-

ager (girl)
'bakzeil ~ *halen* ⚓ back the sails; *fig* back down, climb down
1 bal (-len) *m* ball [also of the foot]; bowl [solid, of wood]; (t e e l ~) testicle; *de ~ misslaan* miss the ball; *fig* be beside (wide of) the mark; *de ~ aan het rollen brengen* set the ball rolling; *er geen ~ van weten* **S** not know the first thing about it; *geen ~ geven om* **S** not care a rap (damn, fig)
2 bal (-s) *o* ball; ~ *masqué* masked ball
balan'ceren (balanceerde, h. gebalanceerd) *vt* & *vi* balance, poise; **ba'lans** (-en) *v* 1 (w e e g s c h a a l) balance, (pair of) scales; 2 ⚒ beam; 3 $ balance-sheet; *de ~ opmaken* 1 $ draw up the balance-sheet; 2 *fig* strike a balance; **–opruiming** (-en) *v* clearance sale
'balboekje (-s) *o* (ball) programme, (dance) card
bal'dadig wanton; **–heid** (-heden) *v* wantonness; *hij deed het uit louter ~* he did it out of pure mischief
balda'kijn (-s en -en) *o* & *m* canopy, baldachin
'balderen (balderde, h. gebalderd) *vi* court, display, call
Bale'arisch *de ~e Eilanden* the Balearic Islands
ba'lein (-en) 1 *o* (v. w a l v i s) whalebone, baleen; 2 *v* (v. k o r s e t) busk; *de ~en* ook: the steels [of a corset], the ribs [of an umbrella]
'balen (baalde, h. gebaald) *vi* ~ *van iets* **F** be fed up with sth., be sick of sth., pall with sth.
balg (-en) *m* bellows [of a camera]
'balie (-s) *v* 1 bar; 2 (v. k a n t o o r) counter; 3 (v. b r u g) railing, parapet; *tot de ~ toegelaten worden* be called to the bar; **–kluiver** (-s) *m* loafer
'baljapon (-nen) *m* ball dress
'baljuw (-s) *m* bailiff; **–schap** (-pen) *o* bailiwick
balk (-en) *m* beam; ♪ staff, stave; ▨ bar; *dat mag wel aan de ~* it is to be marked with a white stone; *het over de ~ gooien* play ducks and drakes with one's money; *het niet over de ~ gooien* be rather close-fisted
'Balkan *m de ~* the Balkans; *het ~schiereiland* the Balkan peninsula; *de ~staten* the Balkan States
'balken (balkte, h. gebalkt) *vi* bray; *fig* bawl
bal'kon (-s) *o* 1 (a a n h u i s) balcony; 2 (v. t r a m) platform; 3 (i n s c h o u w b u r g) balcony, dress circle
bal'lade (-s en -n) *v* 1 ballad; 2 [mediaeval French] ballade
'ballast *m* ballast
'ballen (balde, h. gebald) **I** *vi* 1 ball [= grow into a lump]; 2 play at ball; **II** *vt* ball; *de vuist ~* clench, double one's fist; **'ballenjongen** (-s) *m* ball boy
balle'rina ('s) *v* ballerina; **bal'let** *o* ballet; **–danser** (-s) *m* ballet dancer; **–danseres** (-sen) *v* ballet dancer, ballet girl
'balletje (-s) *o* small ball; *een ~ over iets opgooien* **F** fly a kite, throw out a feeler
bal'letmeester (-s) *m* ballet master; **–school** (-scholen) *v* ballet school
'balling (-en) *m* exile; **–schap** *v* exile, banishment
ballis'tiek *v* ballistics; **bal'listisch** ballistic
bal'lon (-s en -nen) *m* 1 (l u c h t b a l) balloon; 2 (v. l a m p) globe; **–band** (-en) *m* balloon tire; **–vaarder** (-s) *m* balloonist; **–vaart** (-en) *v* balloon flight
ballo'tage [-'ta.ʒə] (-s) *v* ballot(ing), voting by ballot; **ballo'teren** (balloteerde, h. geballoteerd) *vt* ballot, vote by ballot
ba'lorig petulant, cross; *er ~ van worden* get out of all patience with it; **–heid** *v* petulance
'balpen (-nen) *m* ballpoint, ball-point pen
balsa'mine (-n) *v* = *balsemien*
'balsem (-s) *m* balm[2], balsam; **'balsemen** (balsemde, h. gebalsemd) *vt* embalm[2]
balse'mien (-en) *v* balsam
'balspel (-spelen) *o* ball game
bal'sturig obstinate, refractory, intractable, stubborn
'Baltisch Baltic; *de ~e Zee* the Baltic
balu'strade (-s en -n) *v* balustrade [of a terrace &]; banisters [of a staircase]
'balzaal (-zalen) *v* ball-room
'balzak (-ken) *m* scrotum
'bamboe *o* & *m*, *aj* bamboo
ban (-nen) *m* excommunication; *in de ~ doen* (k e r k e l i j k) excommunicate; *fig* put (place) under a ban, proscribe, ostracize; *in de ~ van haar schoonheid* under the spell of her beauty
ba'naal banal, trite, commonplace
ba'naan (-nanen) *v* banana
banali'teit (-en) *v* banality, platitude
ba'naneschil (-len) *v* banana skin (peel)
'banbliksem (-s) *m* anathema, excommunication
1 band *o* (s t o f n a a m) tape; ribbon
2 band (-en) *m* 1 tie [for fastening], tape [used in dressmaking and for parcels, documents, sound recording]; fillet, braid [for the hair]; string [of an apron, bonnet &]; 2 (d r a a g b a n d) sling [for injured arm &]; (b r e u k b a n d) truss; 3 (o m a r m, h o e d &) band; 4 (o m t e v e r b i n d e n) bandage; 5 (v. t o n) hoop; (v. a u t o, f i e t s) tyre, tire; 7 ⚇ cushion; 8 (i n d e a n a t o m i e) ligament; 9 (v. b o e k) binding; cover; (l o s) case; [ring, spring] binder; 10 (b o e k d e e l) volume; 11 *R* [frequency, wave] band; 12 *fig* tie [of blood, friendship], bond [of love, captivity &], link [with the people, with home]; [political] affiliation; *lopende ~* ⚒ conveyor (belt); assembly line; *aan de lopende ~*

[murders, novels &] one after another; *iem. aan ~en leggen* put a restraint on sbd.; *aan de ~ liggen* be tied up; *uit de ~ springen* kick over the traces

3 band [bɛnt] (-s) *m* ♪ band

'bandelichter (-s) *m* tyre lever

bande'lier (-s en -en) *m* shoulder-belt, bandoleer

'bandeloos lawless, licentious, riotous

'bandenspanning *v* tyre pressure

'bandepech *m* puncture, tyre trouble

bande'rol (-rollen) *v* band [for cigar]; **banderol'leren** (banderolleerde, h. gebanderolleerd) *vt* band [cigars]

ban'diet (-en) *m* bandit, ruffian, brigand

'bandijzer *o* bale tie, metal strapping

bandi'tisme *o* banditry

'bandjir (-s) *m Ind* spate

'bandopname (-n en -s) *v* tape recording; **–opnemer** (-s), **–recorder** [-rikɔrdər] (-s) *m* tape recorder

'banen (baande, h. gebaand) *vt een weg ~* clear (break) a way; *nieuwe wegen ~* break new ground; *de weg ~ voor* pave the way for; *zich een weg ~ door* make (force, push) one's way through; *zich al strijdend een weg ~* fight one's way; zie ook: *gebaand*

bang I *aj* afraid [alléén predikatief]; fearful; (schuchter) timorous, timid; (ongerust) anxious; *~ voor* 1 afraid of [death, tigers &], in fear of [a person]; 2 afraid for, fearing for [one's life]; *daar ben ik niet ~ voor* I'm not afraid of that; *~ maken* frighten, make afraid, scare; *~ zijn* be afraid; *~ zijn om...* be afraid to..., fear to...; *~ zijn dat* be afraid that, fear that; *wees maar niet ~!* ook: no fear!; zie ook: *dood*; *zo ~ als een wezel* as timid as a hare; **II** *ad* fearfully &; **–erd** (-s) *m*, **–erik** (-riken) *m* coward, **S** funk

'Bangla'desh *o* Bangladesh

bangmake'rij *v* intimidation

ba'nier (-en) *v* banner, standard

'banjir = *bandjir*

'banjo ('s) *m* banjo

bank (-en) *v* 1 (zit~) bench, [garden] seat; 2 (v. bankstel) settee; 3 (school~) desk; 4 (kerkbank) pew; 5 (mist-, zandbank &) bank; 6 $ bank; *~ van lening* pawnshop; *de ~ houden* keep (hold) the bank; *door de ~ (genomen)* on the average; **–bediende** (-n en -s) *m-v* bank clerk (official); **–biljet** (-ten) *o* bank-note; **–breuk** (-en) *v* bankruptcy; *bedrieglijke ~* fraudulent bankruptcy; **–directeur** (-en) *m* bank manager; **–disconto** ('s) *o* bank rate, bank discount

ban'ket (-ten) *o* 1 (gastmaal) banquet [= dinner with speeches &]; 2 (gebak) (fancy) cakes, pastry; (met amandelpers) almound pastry; **–bakker** (-s) *m* confectioner; **banketbakke'rij** (-en) *v* confectioner's (shop); **banket'teren** (banketteerde, h. gebanketteerd) *vi* banquet, feast

'bankgeheim *o* banking secrecy; **–houder** (-s) *m* 1 *sp* banker; 2 (v. pandhuis) pawnbroker; **ban'kier** (-s) *m* banker; **–shuis** (-huizen) *o* banking house; **'bankinstelling** (-en) *v* banking house; **'bankje** (-s) *o* 1 small bench, stool; 2 banknote; **'bankkluis** (-kluizen) *v* bank vault, strongroom; **–krediet** (-en) *o* bank credit (loan); **–loper** (-s) *m* bank messenger; **–overval** (-len) *m* bank raid; **–papier** *o* paper currency, bank-notes; **–rekening** (-en) *v* bank(ing) account

bank'roet (-en) *o* bankruptcy, failure; *~ gaan* become a bankrupt, go bankrupt; *frauduleus ~* fraudulent bankruptcy; **bankroe'tier** (-s) *m* bankrupt

'banksaldo ('s en -di) *o* balance [with a bank]; **–schroef** (-schroeven) *v* vice; **–stel** (-len) *o* lounge suite, three-piece suite; **–werker** (-s) *m* fitter, bench hand; **–wezen** *o* banking

'banneling (-en) *m* exile; **'bannen*** *vt* 1 (verbannen) banish[2], exile; 2 (uitdrijven) exorcise [evil spirits]

'bantamgewicht *o* bantam weight

'banvloek (-en) *m* anathema, ban

bap'tist (-en) *m* baptist

1 bar (-s) *m* & *v* bar

2 bar I *aj* barren [tract of land]; inclement [weather]; biting [cold]; rough [manner]; *het is ~* it's a bit thick; **II** *ad* < awfully, very

ba'rak (-ken) *v* ⚔ hut; *~ken* ook: ⚔ barracks

bar'baar (barbaren) *m* barbarian; **bar'baars** barbarous, barbaric, barbarian; **–heid** (-heden) *v* barbarousness, barbarity; **barba'rij** *v* barbarism; **barba'risme** (-n) *o* barbarism

bar'beel (-belen) *m* barbel

bar'bier (-s) *m* barber

barbitu'raat (-raten) *o* barbiturate

bard (-en) *m* bard

'baren (baarde, h. gebaard) *vt* give birth to, bring forth, bear [into the world]; *opzien ~* create a stir; *zorg ~* cause anxiety, give trouble; *de tijd baart rozen* time and straw make medlars ripe; zie ook *oefening*; **'barensnood** *m in ~* in labour, in travail; **–weeën** *mv* throes, pains of childbirth, birth pains, labour pains

ba'ret (-ten) *v* [student's, magistrate's] cap; [soldier's, woman's] beret

Bar'goens *o* (thieves') flash; *fig* jargon, gibberish, lingo, **F** double Dutch

'baring (-en) *v* delivery; child-birth, parturition

'bariton (-s) *m* baritone

bark (-en) *v* ⚓ bark, barque

bar'kas (-sen) *v* launch, longboat
'barkeeper ['ba.rki.pər] (-s) *m* bar keeper; **–kruk** (-ken) *v* bar stool
barm'hartig merciful, charitable; **–heid** (-heden) *v* mercy, mercifulness, charity; *uit ~* out of charity
'barnsteen *o* & *m* amber; **'barnstenen** *aj* amber
ba'rok *aj, v* baroque
'barometer (-s) *m* barometer; **–stand** (-en) *m* height of the barometer, barometer reading; **baro'metrisch** barometric(al)
ba'ron (-nen) *m* baron; **baro'nes(se)** (-nessen) *v* baroness; **baro'nie** (-ieën) *v* barony
'barrevoets barefoot
barri'cade (-n en -s) *v* barricade; *een ~ opwerpen* raise (put up) a barricade; **barrica'deren** (barricadeerde, h. gebarricadeerd) *vt* barricade
barri'ère (-s) *v* barrier
bars stern, hard-featured [look]; grim [aspect]; harsh, gruff, rough [voice]
barst (-en) *m* & *v* crack, burst, flaw; *geen ~* **F** zie *zier*; **'barsten*** *vi* burst°, crack [of glass &], split [of wood]; chap [of the skin]; *barst!* hell!; *een ~de hoofdpijn* a splitting headache; *(tot) ~s (toe) vol* crammed
Bartholo'meusnacht [-'me.üs-] *m* Massacre of St. Bartholomew
'Bartje(n)s *volgens ~* according to Cocker
bas (-sen) 1 *v* (instrument) double-bass, contrabass; 2 *m* (zanger) bass
ba'salt [s = z] *o* basalt, whimstone
bas'cule (-s) *v* weighing machine
'base [s = z] (-n) *v* base
ba'seren [s = z] (baseerde, h. gebaseerd) **I** *vt ~ op* base, found, ground on; **II** *vr zich ~ op* take one's stand on, base one's case on
'bases meerv. v. *basis*
ba'silicum [s = z] *o* basil
basi'liek [s = z] (-en) *v* basilica
'basis [-zəs] (-ses en -sissen) *v* (grondslag) basis; (wiskunde, ⚔) base; (legerkamp) base, station; *de ~ leggen voor* lay the foundation of; *op ~ van* on the basis of, on the principle that
'basisch [-zi.s] basic
'basisindustrie [-zəs-] (-ieën) *v* basic industry; **–loon** (-lonen) *o* basic wage; **–onderwijs** *o* elementary education
Bask (-en) *m* Basque; **–isch I** *aj* Basque; **II** *o* Basque
bas'kuul (-kules) *v* = *bascule*
bas-reliëf [bɑrəl'jɛf] (-s) *o* bas-relief, low relief
'bassen (baste, h. gebast) *vi* bay, bark
bas'sin [bɑ'sɛ̃] (-s) *o* 1 ⚓ basin; reservoir; 2 (zwem~) pool
bas'sist (-en) *m* bass (singer); (basspeler) bass player; **'bassleutel** (-s) *m* bass clef, F-clef; **–stem** (-men) *v* bass (voice)
bast (-en) *m* 1 bark, rind [of a tree]; bast [= inner bark]; 2 pod, husk, shell [of pulse]; **F** *in z'n blote ~* in his birthday suit
'basta *ij (daarmee) ~!* and there's an end of it!, so there!, enough!
'bastaard (-en en -s) *m* (& *aj*) 1 bastard; 2 ♣ & ♣ mongrel; 3 ♣ hybrid; *tot ~ maken* bastardize; **bastaar'dij** *v* bastardy; **'bastaardnachtegaal** (-galen) *m* hedge-sparrow; **–ras** (-sen) *o* mongrel breed; **–suiker** *m* = *basterdsuiker*; **–vloek** (-en) *m* mild oath; **–woord** *o* loanword; **'basterd(-)** = *bastaard*(-); **'basterdsuiker** *m* caster (castor) sugar
basti'on (-s) *o* bastion
'basviool (-violen) *v* bass-viol, violoncello
Ba'taaf(s) Batavian
batal'jon (-s) *o* battalion
'bate *ten ~ van* for the benefit of, in behalf of, in aid of; **1 'baten** *mv* profits; *de ~ en lasten* the assets and liabilities; **2 'baten** (baatte, h. gebaat) *vt* avail; *niet(s) ~* be of no use, of no avail; *wat baat het?* what's the use (the good)?; *daar ben je niet mee gebaat* that will not benefit you, that will not serve your interests; *gebaat worden door...* profit by; **'batig** *~ saldo* credit balance, surplus
'batikken (batikte, h. gebatikt) *vt* & *vi* batik
ba'tist *o* batiste, lawn, cambric; **–en** *aj* batiste, lawn, cambric
batte'rij (-en) *v* ⚔ & ⚓ battery
bau'xiet *o* bauxite
bavi'aan (-ianen) *m* baboon
ba'za(a)r (-s) *m* 1 (oosterse marktplaats) bazaar; 2 (warenhuis) stores; 3 (voor liefdadig doel) bazaar, fancy fair, jumble-sale
'Bazel *o* Basel, Basle
'bazelen (bazelde, h. gebazeld) *vi* twaddle, drivel
'bazig masterful, bossy; **ba'zin** (-nen) *v* mistress
ba'zooka [-'zu:-] ('s) *m* bazooka
ba'zuin (-en) *v* ♪ trombone; **B** trumpet
B.B = *Bescherming Bevolking* Civil Defense
b.b.h.h. = *bezigheden buitenshuis hebbende* away all day [in advertisements]
be'ademen[1] *vt* ⚕ apply artificial respiration

[1] V.T. en V.D. van dit werkwoord volgens het model: **be'**ademen, V.T. **be'**ademde, V.D. **be'**ademd (**ge-** valt dus weg in het V.D.). Zie voor de vormen onder het grondwoord, in dit voorbeeld: *ademen.* Bij sterke en onregelmatige werkwoorden wordt u verwezen naar de lijst achterin.

[to]; breathe upon [a window-pane]
be'ambte (-n) *m* functionary, official, employee
be'amen (beaamde, h. beaamd) *vt* say yes to, assent to
be'angstigen (beangstigde, h. beangstigd) *vt* alarm
be'antwoorden[1] *vt* & *vi* answer, reply to [a letter, speaker]; return [love &]; acknowledge [greetings]; *aan de beschrijving ~* answer (to) the description; *aan het doel ~* answer (serve, fulfil) the purpose; *aan de verwachtingen ~* come up to expectations; **-ding** *v* answering, replying; *ter ~ van* in answer (reply) to
be'bakenen (bebakende, h. bebakend) *vt* beacon; **-ning** (-en) *v* 1 (d e h a n d e l i n g) beaconing; 2 (d e b a k e n s) beacons
be'bloed blood-stained, covered with blood
be'boeten[1] *vt* fine, mulct, amerce
be'bossen (beboste, h. bebost) *vt* afforest; **-sing** *v* afforestation
be'bouwbaar arable, tillable, cultivable; **be'bouwd** 1 built on [plot]; *~e kom* built-up area; 2 cultivated [land], under cultivation; *~ met graan* under corn; **be'bouwen**[1] *vt* 1 build upon [a building plot]; develop [a housing estate]; 2 cultivate, till [the soil, the ground]; **-wing** (-en) *v* 1 building upon [a plot]; development [of the City of London]; 2 cultivation [of the ground], tillage [of the soil]
be'broeden[1] *vt* brood, sit (on eggs); *bebroed* hard-set [egg]
be'cijferen[1] *vt* calculate, figure out
beconcur'reren[1] *vt* compete with
bed (-den) *o* bed[2]; ook: bedside; *het ~ houden* stay in bed; *i n (zijn) ~* in bed; *in ~ leggen, naar ~ brengen* put to bed; *naar ~ gaan* go to bed, **S** hit the hay (the sack); *met iem. naar ~ gaan* sleep with sbd; *aan zijn ~* at his bedside; *o p zijn ~* on (in) his bed; *t e ~* in bed; *te ~ liggen met reumatiek* be laid up (be down) with rheuma-[tism
be'daagd elderly, aged
be'daard calm, composed, quiet; zie ook *bedaren;* **-heid** *v* calmness, composure, quietness
be'dacht *~ zijn op* think of, be mindful (thoughtful) of; *niet ~ op* not prepared for; **be'dachtzaam** 1 (o v e r l e g g e n d) thoughtful; 2 (o m z i c h t i g) cautious; **-heid** *v* 1 thoughtfulness; 2 cautiousness
be'dankbrief (-brieven) *m* 1 acknowledgement, (letter of) thanks; 2 refusal; **be'danken**[1] **I** *vt* (d a n k b e t u i g e n) thank; **II** *vi* & *va* 1 (z i j n d a n k u i t s p r e k e n) return (render) thanks; 2 (n i e t a a n n e m e n) decline [the honour &]; 3 (a f t r e d e n) resign; 4 (v o o r t i j d s c h r i f t, l i d m a a t s c h a p) withdraw one's subscription, withdraw one's name [from the society]; *wel bedankt!* thank you very much!; *~ voor een betrekking* 1 decline the offer of a post (place); 2 send in one's papers, resign; *~ voor een uitnodiging* decline an invitation; **be'dankje** (-s) *o* 1 acknowledgement, (letter of) thanks; 2 refusal; *ik heb er niet eens een ~ voor gehad* I've not even got a "thank you" for it
be'daren I (bedaarde, is bedaard) *vi* calm down, quiet down, compose oneself; abate, subside [of a storm, tumult &]; **II** (bedaarde, h. bedaard) *vt* calm, soothe, quiet; appease, still; assuage, allay [pain]; *tot ~ brengen* = *vt*; *tot ~ komen* = *vi*; zie ook *bedaard*
'bedbank (-en) *v* bed-settee
'beddegoed *o* bedding, bed-clothes; **-laken** (-s) *o* sheet; **'beddenwinkel** (-s) *m* bedroom furniture shop; **'beddepan** (-nen) *v* warming pan; **-sprei** (-en) *v* bedspread, counterpane, coverlet; **-tijk** (-en) 1 *o* (s t o f) ticking; 2 *m* (v o o r w e r p) (bed)tick
'bedding (-en) *v* 1 bed, watercourse [of a river]; 2 layer, stratum [*mv* strata] [of matter]; 3 ⚔ platform [of a gun], rest
'bede (-n) *v* 1 (g e b e d) prayer; 2 (s m e e k - b e d e) supplication, appeal, entreaty
be'deesd timid, bashful, shy; **-heid** *v* timidity, bashfulness, shyness
'bedehuis (-huizen) *o* house (place) of worship
be'dekken[1] *vt* cover, cover up; **-king** (-en) *v* cover; **be'dekt** covered [with straw &]; veiled [hint]; *op ~e wijze* covertly; **-bloeiend** *~e plant* cryptogam; **bedekt'zadig** angiospermous
'bedelaar (-s) *m* beggar; **-ster** (-s) *v*, **bedela'res** (-sen) *v* beggar-woman; **bedela'rij** *v* begging; **'bedelarmband** (-en) *m* charm bracelet; **-brief** (-brieven) *m* begging letter; **1 'bedelen** (bedelde, h. gebedeld) **I** *vi* beg; beg (ask) alms, beg charity; *er om ~* beg for it; **II** *vt* beg
2 be'delen (bedeelde, h. bedeeld) *vt* endow; *bedeeld met* endowed with, blessed with; **-ling** (-en) *v* 1 distribution (of alms); 2 *fig* order, dispensation; *in de ~ zijn, van de ~ krijgen* 🕮 be on the parish; *in deze ~, onder de tegenwoordige ~* in this dispensation, under the present dispensation
'bedelmonnik (-niken) *m* mendicant friar; **-nap** (-pen) *m* begging bowl; **-orde** (-n en -s) *v* mendicant order; **-staf** *m tot de ~ brengen*

[1] V.T. en V.D. van dit werkwoord volgens het model: **be'**ademen, V.T. **be'**ademde, V.D. **be'**ademd (**ge-** valt dus weg in het V.D.). Zie voor de vormen onder het grondwoord, in dit voorbeeld: *ademen.* Bij sterke en onregelmatige werkwoorden wordt u verwezen naar de lijst achterin.

reduce to beggary; **–tje** (-s) *o* charm [for a bracelet]
be'delven[1] *vt* bury; *bedolven onder* [*fig*] snowed under with
'bedelvolk *o* beggarly people, beggars; **–zak** (-ken) *m* (beggar's) wallet
be'denkelijk I *aj* critical, risky [of operations &]; serious, grave [of cases &]; doubtful [of looks &]; questionable [assertion]; *dat ziet er ~ uit* things look serious; *een ~ gezicht zetten* put on a serious (doubtful) face; *een ~e overeenkomst vertonen met...* look suspiciously like...; **II** *ad* alarmingly [thin &]; suspiciously [alike]; **be'denken**[1] **I** *vt* 1 (niet vergeten) remember, bear in mind [that...]; 2 (overwegen) consider, take into consideration, reflect [that]; 3 (uitdenken) think of, bethink oneself of, devise; invent, contrive, hit upon; 4 (een fooi & geven) remember [the waiter]; *als men bedenkt dat...* considering that...; *een vriend in zijn testament ~* put a friend in one's will; **II** *vr zich ~* think better of it, change one's mind; *zich wel ~ alvorens te...* think twice before ...ing; *zonder (zich te) ~* without thinking, without hesitation; zie ook *bedacht*; **–king** (-en) *v* objection; *geen ~ hebben tegen* have no objection to...; **be'denktijd** *m* time to consider
be'derf *o* corruption [of what is good, of language &]; decay [of a tooth &]; depravation [of morals]; [moral] taint; *aan ~ onderhevig* perishable; *tot ~ overgaan* go bad; **–elijk** perishable [goods]; **–'werend** antiseptic; **be'derven* I** *vt* spoil [a piece of work, a child &]; taint, vitiate [the air]; disorder [the stomach]; corrupt [the language &]; deprave [the morals]; ruin [sbd.'s prospects &]; mar [the effect]; **II** *vi* go bad; zie ook: *bedorven*
'bedevaart (-en) *v* pilgrimage; **–ganger** (-s) *m* pilgrim; **–plaats** (-en) *v* place of pilgrimage
'bedgenoot (-noten) *m* bedfellow
be'diende (-n en -s) *m* 1 (man-)servant, man; 2 waiter, attendant [at hotel or restaurant]; 3 employee [of a firm]; 4 clerk [in an office]; 5 assistant [in a shop]; **be'dienen**[1] **I** *vt* 1 serve, attend to [customers]; 2 wait upon [people at table &]; 3 ⚔ serve [the guns]; 4 ⚒ work [a pump], operate [an engine], control [from a distance, electronically]; *een stervende ~ rk* administer the last sacraments to a dying man; **II** *vr zich ~* help oneself [at table]; *zich ~ van* 1 help oneself to [some meat &]; 2 avail oneself of [an opportunity]; use; **III** *vi* & *va* 1 wait (at table); 2 serve (in the shop); **be'diening** *v* 1 (in hotel &) attendance, service; waiting (at table); ⚔ serving, service [of the guns]; 3 ⚒ working [of a pump], operation [of a machine], [remote] control; *rk* administration of the last sacraments; **–sgeld** *o* [15%] service charge; house charge
be'dierf (bedierven) V.T. v. *bederven*
be'dijken (bedijkte, h. bedijkt) *vt* dam up, dam in, embank; **–king** (-en) *v* embankment; dikes
be'dilal [-'dɪl-] (-len) *m* fault-finder, caviller, carper; **be'dillen** (bedilde, h. bedild) *vt* censure, carp at; **be'dillerig, be'dilziek** censorious; **–zucht** *v* censoriousness
be'ding (-en) *o* condition, proviso, stipulation; *onder één ~* on one condition; **be'dingen**[1] *vt* stipulate (that), bargain for [a price], obtain [better terms]; *dat was er niet bij bedongen* that was not included in the bargain
bediscussi'ëren[1] *vt* discuss
be'disselen (bedisselde, h. bedisseld) *vt fig* arrange [matters], manage
'bedjasje (-s) *o* bed-jacket; **bed'legerig** bedridden, laid up, confined to one's bed
bedoe'ïen [be.du.'i.n] (-en) *m* Bedouin [*mv* Bedouin]
be'doeld *(de) ~e...* the... in question; **be'doelen**[1] *vt* 1 (zich ten doel stellen) intend; (een bedoeling hebben) mean; 3 (willen zeggen) mean (to say); *het was goed bedoeld* it was meant for the best, I (he) meant it kindly; *hij bedoelt het goed met je* he means well by you; *een goed bedoelde raad* a well-intentioned piece of advice; *ik heb er geen kwaad mee bedoeld!* it was meant for the best, no offence was meant!; *ik begrijp wat je bedoelt* I see your point; *wat bedoelt u daarmee?* what do you mean by it?; **–ling** (-en) *v* 1 (voornemen) intention, design, purpose, aim, ⚖ intent; 2 (betekenis) meaning, purport; *het ligt niet in onze ~ om...* we have no intention to...; *met de beste ~* with the best intentions; *met een bepaalde ~* purposively; *zonder bepaalde ~* unintentionally; *zonder kwade ~* no offence being meant; no harm being meant
be'doen[1] **F** *zich ~* wet one's pants, wet oneself
be'dompt close, stuffy, frowsty; **–heid** *v* closeness, stuffiness
be'dorven V.D. v. *bederven*; *~ kind* spoiled child; *~ lucht* foul air; *~ maag* disordered stomach; *~ vis (vlees)* tainted fish (meat); *~ zeden* depraved morals
be'dotten (bedotte, h. bedot) *vt* take in, cheat,

[1] V.T. en V.D. van dit werkwoord volgens het model: **be'**ademen, V.T. **be'**ademde, V.D. **be'**ademd (**ge-** valt dus weg in het V.D.). Zie voor de vormen onder het grondwoord, in dit voorbeeld: *ademen*. Bij sterke en onregelmatige werkwoorden wordt u verwezen naar de lijst achterin.

bilk; **–er** (-s) *m* cheat; **bedotte'rij** *v* take-in, trickery, monkey business
be'drading (-en) *v* ✻ wiring
be'drag (-dragen) *o* amount; *ten ~e van* to the amount of; **be'dragen**[1] *vt* amount to
be'dreigen[1] *vt* threaten, menace; **–ging** (-en) *v* threat, menace
be'dremmeld confused, perplexed; **–heid** *v* confusion, perplexity
be'dreven skilful, skilled, experienced, practised, expert; *~ in* (well) versed in; **–heid** *v* skill, skilfulness, expertness; *zijn ~ in* his proficiency in
be'driegen* **I** *vt* 1 deceive, cheat, take in, impose upon; 2 (ontrouw zijn) be unfaithful to [one's husband, one's wife]; *bedrogen echtgenoot* cuckold; *hij heeft ons voor een grote som bedrogen* he has cheated us out of a large amount; *hij kwam bedrogen uit* his hopes were deceived, he was disappointed; **II** *vr als ik mij niet bedrieg* if I am not mistaken; **III** *va* cheat [at cards &]; **–er** (-s) *m* deceiver, impostor, cheat, fraud; *de ~ bedrogen* the biter bit; **bedriege'rij** (-en) *v* deceit, deception, imposture, fraud; **be'drieglijk** deceitful [acting]; fraudulent [practices]; deceptive, fallacious, delusive [arguments &]; **–heid** *v* deceitfulness, fraudulence; deceptiveness, delusiveness, fallacy
be'drijf (-drijven) *o* 1 (handeling) action, deed; 2 (beroep) business, trade; 3 (v. toneelstuk) act [of a play]; 4 (exploitatie) working; 5 (nijverheid) industry; 6 (dienst) [gas, railway &] service; 7 (onderneming) business, concern, undertaking, [chemical] works; *buiten ~* (standing) idle; *buiten ~ stellen* close down; *in ~* in (full) operation; *in ~ stellen* put into operation; *onder de bedrijven door* in the meantime, meanwhile
be'drijfsauto [-o.to., -ɔuto.] ('s) *m* commercial vehicle; **be'drijfseconomie** *v* business economics; **–geneeskunde** *v* industrial medicine; **–installatie** [-(t)si.] (-s) *v* working plant; **–kapitaal** (-talen) *o* working capital; **–klaar** in working order; **–kosten** *mv* working expenses; *vaste ~* overhead charges; **–kunde** *v* business administration; **–leider** (-s) *m* works manager; **–leiding** *v* (industrial) management; **–leven** *o* trade and industry; **–resultaat** [-zül-] (-taten) *o* operating results; **–sluiting** (-en) *v* close down; **–tak** (-ken) *m* industrial branch
be'drijven[1] *vt* commit, perpetrate; zie ook *bedreven*; **–d** *gram* active; **be'drijvig** active, busy, bustling; **–heid** *v* activity, stir
'bedrinken[1] *zich ~* get drunk, **F** get tight, fuddle oneself
be'droefd sad, sorrowful, grieved; **–heid** *v* sadness, sorrow, grief; **be'droeven** (bedroefde, h. bedroefd) **I** *vt* give (cause) pain (to), afflict, grieve, distress; *het bedroeft mij dat...* I am grieved (distressed) to learn (see) that...; **II** *vr zich ~ (over)* grieve, be grieved (at it, to see &); **–d I** *aj* sad, pitiable, deplorable; **II** *ad ~ weinig* precious little (few)
be'drog *o* deceit, deception, imposture, fraud; [optical] illusion; *~ plegen* cheat [at play &];
be'drogen V.T. meerv. en V.D. v *bedriegen*;
be'droog (bedrogen) V.T. v. *bedriegen*
be'druipen[1] *vt* baste [meat]; *zich kunnen ~* pay one's way, be selfsupporting
be'drukken[1] *vt* print (over); **be'drukt** 1 *eig* printed [cotton &]; 2 *fig* depressed, dejected; **–heid** *v* depression, dejection
'bedsprei (-en) *v* = *beddesprei*; **–stede** (-n) *v*, **-stee** (-steeën) *v* cupboard-bed; **'bedtafeltje** (-s) *o* bedside table; **–tijd** *m* bedtime
be'ducht *~ voor* apprehensive of [danger], apprehensive for [his life, safety]
be'duiden[1] *vt* 1 (aanduiden, betekenen) mean, signify; 2 (duidelijk maken) make clear [something to...], indicate; *het heeft niets te ~* it does not matter; it is of no importance; **–d** considerable
be'duimelen (beduimelde, h. beduimeld) *vt* thumb; *beduimeld* well-thumbed [book]
be'duusd dazed, **F** flabbergasted, taken aback
be'duvelen (beduvelde, h. beduveld) *vt* fool, hoodwink, double-cross, finagle
be'dwang *o* restraint, control; *goed in ~ hebben* have well in hand; *in ~ houden* hold (keep) in check, keep under control; *zich in ~ houden* control oneself
'bedwateren I *vt* wet one's bed; **II** *o* bed-wetting; ⚕ enuresis
be'dwelmen (bedwelmde, h. bedwelmd) *vt* stun, stupefy, drug; intoxicate; **–d** stunning [beauty]; stupefying; intoxicating [liquor]; *~ middel* ook: narcotic, drug; **be'dwelming** (-en) *v* stupefaction, stupor
be'dwingen[1] **I** *vt* restrain, subdue, control, check, curb; *een oproer ~* repress (put down, quell) a rebellion; *zijn toorn ~* contain one's anger; *zijn tranen ~* keep back one's tears; **II** *vr zich ~* contain oneself, restrain oneself
be'ëdigd 1 (v. personen) sworn (in); 2 (v.

[1] V.T. en V.D. van dit werkwoord volgens het model: **be'**ademen, V.T. **be'**ademde, V.D. **be'**ademd (**ge-** valt dus weg in het V.D.). Zie voor de vormen onder het grondwoord, in dit voorbeeld: *ademen*. Bij sterke en onregelmatige werkwoorden wordt u verwezen naar de lijst achterin.

v e r k l a r i n g) sworn, on oath; *~e verklaring* affidavit; *~ makelaar* sworn broker; **be'ëdigen** (beëdigde, h. beëdigd) *vt* 1 (i e m.) swear in [a functionary]; administer the oath to [the witnesses]; 2 (i e t s) swear to, confirm on oath; **-ging** (-en) *v* 1 swearing in [of a functionary]; 2 administration of the oath [to witnesses]; 3 confirmation on oath

be'ëindigen[1] *vt* bring to an end, finish, conclude; terminate [a contract]; **-ging** *v* conclusion; termination [of a contract]

beek (beken) *v* brook, rill, rivulet; **-je** (-s) *o* brooklet, rill, runnel

beeld (-en) *o* 1 (s p i e g e l b e e l d) image, reflection; 2 (a f b e e l d i n g) image, picture, portrait; 3 (s t a n d b e e l d) statue; 4 (z i n n e - b e e l d) image, symbol; 5 (r e d e f i g u u r) figure (of speech), metaphor; 6 (s c h o o n - h e i d) beauty, **F** beaut; *zich een ~ vormen van* form a notion of, visualize, image to oneself, realize; *in ~ brengen = afbeelden; n a a r Gods ~ (en gelijkenis) geschapen* created after (in) the image of God; **-band** (-en) *m* video-tape; **-buis** (-buizen) *v T* cathode tube; *op de ~* **F** on the small screen, on the box; **'beeldenaar** (-s) *m* effigy, head [of a coin]; **'beeldend** expressive; pictorial; *~e kunsten* plastic arts; **'beeldendienst** *m* image-worship; **-storm** *m* iconoclasm; **-stormer** (-s) *m* iconoclast

'beeldhouwen (beeldhouwde, h. gebeeldhouwd) *vt* sculpture; **-er** (-s) *m* sculptor; **'beeldhouwkunst** *v* sculpture; **-werk** (-en) *o* sculpture

'beeldig charming, lovely, sweet; **'beeldje** (-s) *o* image, figurine, statuette; **'beeldmerk** (-en) *o* ideograph, ideogram; **-rijk** full of images, vivid [style]; **-roman** (-s) *m = beeldverhaal*; **-scherm** (-en) *o* screen; **-schoon** divinely beautiful; **-snijder** (-s) *m* (wood-)carver; **-spraak** *v* figurative language; metaphor, imagery; **-stormer** (-s) *m = beeldenstormer*; **-verhaal** (-halen) *o* comic strip; **'beeltenis** (-sen) *v* image, portrait, likeness

beemd (-en) *m* meadow, field, pasture, ⊙ lea

been *o* 1 (benen) leg; 2 (beenderen) (d e e l v. g e r a a m t e) bone; 3 (s t o f n a a m) bone; *benen maken, de benen nemen* take to one's heels; *het ~ stijf houden* stand firm, dig one's toes in, dig in one's heels; *er geen ~ in zien om...* make no bones about ...ing, make nothing of ...ing; • *m e t één ~ in het graf staan* have one foot in the grave; *met het verkeerde ~ uit bed stappen* get out of bed on the wrong side; *o p de ~ blijven* keep (on) one's feet; *op de ~ brengen* levy, raise [an army]; *iem. op de ~ helpen* set (put) sbd. on his legs; *op de ~ houden* keep going; *zich op de ~ houden = op de been blijven*; *op één ~ kan men niet lopen* two make a pair; *op zijn laatste benen lopen* be on one's last legs; *op eigen benen staan* stand on one's own feet (legs); *op de ~ zijn* 1 *eig* be on one's feet; 2 (o p z i j n) ook: be stirring; 3 (r o n d l o p e n) be about, be on the move; 4 (n a z i e k t e) be on one's legs, be up and about again; *vlug (wel) t e r ~ zijn* be a good walker; *het zijn sterke benen die de weelde kunnen dragen* set a beggar on horseback and he'll ride to the devil; **-beschermer** (-s) *m* leg-guard, pad; **-breuk** (-en) *v* fracture of a bone; fracture of the leg

'beendergestel *o* skeleton; osseous system; **-meel** *o* bone-dust

'beeneter (-s) *m* caries, necrosis; **-houwer** (-s) *m = slager*; **-kap** (-pen) *v* legging, gaiter; **-merg** *o* bone marrow; **-tje** (-s) *o* (small) bone; *~ over rijden* do the outside edge; *iem. een ~ lichten (zetten)* trip sbd. up; *zijn beste ~ voorzetten* put one's best foot foremost; **-vlies** (-vliezen) *o* periosteum; **-windsel** (-s) *o* puttee

beer (beren) *m* 1 bear || 2 (m a n n e t j e s - v a r k e n) boar || 3 (s c h o o r) buttress; 4 (w a t e r k e r i n g) dam || 5 (m e s t) night-soil; *de Grote Beer* the Great Bear, Ursa Major; *de Kleine Beer* the Little Bear, Ursa Minor; *de huid van de ~ verkopen voor men hem geschoten heeft* count one's chickens before they are hatched; zie ook: *ongelikt*; **-put** (-ten) *m* cesspool, cesspit

be'ërven[1] *vt* inherit

beest (-en) *o* (zelden *v*) 1 animal; 2 beast[2], brute[2] [ook = lower animal]; 3 ⁂ fluke, fluky shot; *een ~ van een kerel* a brute (of a man); *de ~ spelen (uithangen)* raise hell (the devil, Cain); **-achtig I** *aj* beastly, bestial, brutal, brutish; **II** *ad* in a beastly way, bestially &; < beastly [drunk, dull, wet]; **'beestenboel** *m een ~* a beastly mess; **-spel** (-len) *o* menagerie; **-voe(de)r** *o* fodder; **-wagen** (-s) *m* cattle-truck; **-weer** *o* beastly weather; **'beestig I** *aj* beastly; **II** *ad* < beastly

1 beet (beten) *m* 1 (h a n d e l i n g) bite; 2 (h a p j e) bit, morsel, mouthful; *hij heeft ~* he has a bite (got a rise)

2 beet (beten) V.T. v *bijten*

3 beet (beten) *v = biet*

'beethebben[2] *vt iem. ~* have got hold of sbd.; zie ook: 1 *beet* & *beetnemen*

[1,2] V.T. en V.D. van dit werkwoord volgens het model: 1 **be'**ademen, V.T. **be'**ademde, V.D. **be'**ademd (**ge-** valt dus weg in het V.D.); 2 **'beet**pakken, V.T. pakte **'beet**, V.D. **'beet**gepakt. Zie voor de vormen onder het grondwoord, in deze voorbeelden: *ademen* en *pakken*. Bij sterke en onregelmatige werkwoorden wordt u verwezen naar de lijst achterin.

'beetje (-s) *o* (little) bit, little; *het ~ geld dat ik heb* 1 the little money I have; 2 what money I have; *lekkere ~s* titbits, dainties; *alle ~s helpen* every little helps; *bij ~s* bit by bit, little by little
'beetkrijgen[2] *vt* catch; zie ook *beetpakken*; **–nemen**[2] *vt* 1 (voor de gek houden) pull sbd.'s leg; 2 (bedotten) take [sbd.] in; *je hebt je laten ~* **F** you've been had (**S** sold); **–pakken**[2] *vt* seize, take (get) hold of, grip, grasp
'beetwortel (-en en -s) *m* beet(root); **'beetwortelsuiker** *m* beet(root) sugar
'beevaart (-en) *v* = *bedevaart*
bef (-fen) *v* bands
be'faamd noted, famous, renowned; **–heid** *v* fame, renown
be'gaafd gifted, talented; **–heid** (-heden) *v* gifts, talents
1 be'gaan (beging, h. begaan) **I** *vt* 1 (lopen over) walk (upon); tread; 2 (bedrijven) commit [an error], make [a mistake], perpetrate [a crime]; **II** *va laat hem maar ~!* leave him alone!; leave it to him; **2 be'gaan** *aj* trodden [path], beaten [track]; *~ zijn met* feel sorry for, pity; *de begane grond* the (solid) ground; the ground level; the ground floor; **–baar** passable, practicable [pass, road]
be'geerlijk desirable; **be'geerte** (-n) *v* desire; (seksueel) lust
bege'leiden (begeleidde, h. begeleid) *vt* accompany [a lady]; attend [a royal personage &]; ♪ accompany, play the accompaniment; (⚔) escort, ⚓ convoy; *~d schrijven* covering letter; *~de omstandigheden* attendant (concomitant) circumstances; **–er** (-s) *m* 1 companion; 2 ♪ accompanist; **bege'leiding** (-en) *v* accompaniment; *met ~ van...* ♪ to the accompaniment of...
bege'nadigen (begenadigde, h. begenadigd) *vt* 1 pardon, reprieve; 2 bless [with]; *een begenadigd kunstenaar* an inspired artist; **–ging** (-en) *v* pardon, reprieve
be'geren (begeerde, h. begeerd) *vt* desire, wish, want, covet; **begerens'waard(ig)** desirable; **be'gerig** desirous, covetous, eager, (gulzig) edacious, (inhalig) greedy; *~ naar* avid of, eager for, greedy of; *~ om te...* desirous to..., eager to...; *~e blikken werpen op* cast covetous eyes on; **–heid** *v* covetousness, eagerness, greediness, avidity
be'geven[1] **I** *vt zijn benen begaven hem* his legs gave way; *zijn krachten ~ hem* his strength begins to fail him; *zijn moed begaf hem* his heart sank; **II** *va de ketting kan het ~* the chain may give; **III** *vr ik zou mij daar niet in ~* I should not venture on that sort of thing; *zich ~ in gevaar* expose oneself to danger; *zich ~ naar* go to, repair to, set out (start) [for home]; zie ook *rust, weg* &
be'gieten[1] *vt* water
be'giftigen (begiftigde, h. begiftigd) *vt* endow [an institution]; *iem. ~ met...* endow sbd. with..., confer... on sbd.
be'gijn (-en) *v*, **be'gijntje** (-s) *o* Beguine
be'gin *o* beginning, commencement, outset, opening, start, inception; *een ~ van brand* an outbreak of fire; *het ~ van het einde* the beginning of the end; *alle ~ is moeilijk* all beginnings are difficult; *een goed ~ is het halve werk* well begun is half done; *een verkeerd ~* a bad (false) start; *een ~ maken* make a beginning (a start); *een ~ maken met* begin, start [work &]; • *bij het ~ beginnen* begin at the beginning; *in het ~* at (in) the beginning [of the year]; at first [all went well]; *al in het ~* at the (very) outset; from the outset [we could not hit it off]; *(in het) ~ (van) januari* at the beginning of January, early in January; *van het ~ af aan* from the first, from the beginning; *van het ~ tot het einde* from beginning to end, from start to finish, throughout; **–fase** (-s en -n) *v* initial phase; **–letter** (-s) *v* initial; **–neling** (-en) *m* beginner, tyro, novice; **be'ginnen*** **I** *vt* begin, commence, start; *een school ~* open a school; *met Frans ~* take up French; *wat moet ik ~?* what to do?; *wat ben ik begonnen!* what have I let myself in for!; *~ te drinken* 1 (feit) begin to drink, begin drinking; 2 (als gewoonte) take to drinking (drink); **II** *vi* begin; set in [of winter]; come on [rain, illness, night]; start; *begin maar!* go ahead!; *zij zijn begonnen!* they started it!; *om te ~* ... to begin with..., to start with..., for a start...; • *aan iets ~* begin (up)on sth., begin sth.; *daar begin ik niet aan* I don't go in for that sort of thing; *met iets ~* begin with sth.; *~ met te zeggen dat...* begin by saying that...; *er is niets met hem te ~* he is quite unmanageable; *er is niets mee te ~* 1 it won't do, it's hopeless; 2 I can make nothing of it; *om te ~...* to begin with..., to start with...; *men moet iets hebben om te ~* to start upon; *~ (te praten) over* begin (start) on, broach [a subject, politics]; *van voren af aan ~* begin [it] over again; start afresh [in business]; *voor zich zelf ~* set up (start) for oneself; **–er** (-s) *m* beginner, tyro, novice; **be'ginpunt** (-en) *o*

[1,2] V.T. en V.D. van dit werkwoord volgens het model: 1 **be**'ademen, V.T. **be**'ademde, V.D. **be**'ademd (**ge-** valt dus weg in het V.D.); 2 **'beet**pakken, V.T. pakte **'beet**, V.D. **'beet**gepakt. Zie voor de vormen onder het grondwoord, in deze voorbeelden: *ademen* en *pakken*. Bij sterke en onregelmatige werkwoorden wordt u verwezen naar de lijst achterin.

starting point; **–salaris** (-sen) *o* commencing salary
be'ginsel (-en en -s) *o* principle; *de (eerste) ~en* the elements, the rudiments; the ABC [of science]; *i n ~* in principle; *u i t ~* on principle; **–loos** without principle(s); > unprincipled; **–vast** firm in one's principle(s); **–verklaring** (-en) *v* platform [of a party], statement (declaration) of policy
be'ginsnelheid (-heden) *v* initial velocity; **–stadium** (-s en -dia) *o* initial stage
be'gluren[1] *vt* spy upon; peep at; ogle [a girl]
be'gon (begonnen) V.T. v. *beginnen*
be'gonia ('s) *v* begonia
be'gonnen V.T. meerv. en V.D. v. *beginnen*
be'goochelen[1] *vt* bewitch; delude; **–ling** (-en) *v* spell; delusion
be'graafplaats (-en) *v* burial-ground, cemetery, churchyard, graveyard; **be'grafenis** (-sen) *v* funeral, burial, interment; **–gezicht** (-en) *o* funereal expression; **–kosten** *mv* funeral expenses; **–ondernemer** (-s) *m* undertaker, mortician; **–onderneming** (-en) *v* undertaker's business; **–plechtigheid** (-heden) *v* funeral ceremony; (k e r k e l i j k) burial-service; **–stoet** (-en) *m* funeral procession; **be'graven**[1] **I** *vt* bury, ⊙ inter
be'grensd limited; **be'grenzen**[1] *vt* bound; (b e p e r k e n) limit; **–zing** (-en) *v* limitation
be'grijpelijk understandable, comprehensible, intelligible; **begrijpelijker'wijs, –'wijze** understandably, for obvious reasons; **be'grijpelijkheid** *v* comprehensibility, intelligibility; **be'grijpen**[1] *vt* understand, comprehend, conceive, grasp; *verkeerd ~* misunderstand; *alles inbegrepen* all included, inclusive (of everything); *het niet op iem. begrepen hebben* have no friendly feelings towards sbd.; *dat kun je ~!* **F** not likely!
be'grinden (begrindde, h. begrind), **be'grinten** (begrintte, h. begrint) *vt* gravel
be'grip (-pen) *o* 1 (i d e e) idea, notion, conception; 2 (b e v a t t i n g) understanding, comprehension, apprehension; *kort ~* summary, epitome; *traag van ~* slow in the uptake; *zich een ~ van iets vormen (maken)* form an idea (a notion) of sth.; *dat gaat mijn ~ te boven* it passes my understanding, it is beyond my comprehension, it is beyond me; *~ hebben voor* appreciate [other people's problems], sympathize with [your difficulties], be understanding of [their point of view]; *volgens mijn ~pen* according to my notions of...; **–sverwarring** (-en) *v* confusion of ideas
be'groeid overgrown, grown over (with), covered (with); **be'groeiing** (-en) *v* vegetation
be'groeten[1] *vt* salute, greet; *gaan ~* (go and) pay one's respects to...; **–ting** (-en) *v* salutation, greeting
be'groten (begrootte, h. begroot) *vt* estimate (at *op*); **be'groting** (-en) *v* estimate; *de ~* the budget, the [Army, Navy, Air] estimates; **be'grotingspost** (-en) *m* item on a budget; **–tekort** (-en) *o* budgetary deficit
be'gunstigde (-n) *m-v* beneficiary; **be'gunstigen** (begunstigde, h. begunstigd) *vt* 1 favour; 2 (z e d e l i j k s t e u n e n) countenance; **–er** (-s) *m* patron; **be'gunstiging** (-en) *v* favour; patronage, preferential treatment; (a l s s t e l s e l) favouritism; *onder ~ van...* favoured by..., under favour of [(the) night]
be'ha [be.'ha.] ('s) *m* bra
be'haaglijk pleasant, comfortable; **F** snug; **–ziek** coquettish; **–zucht** *v* coquetry
be'haard hairy, hirsute
be'hagen I (behaagde, h. behaagd) *vt* please; **II** *o* pleasure; *~ scheppen in* find pleasure in, take delight (pleasure) in
be'halen[1] *vt* obtain, gain, win; *daar is geen eer aan te ~* zie 2 *eer (inleggen met iets)*; zie ook *overwinning, prijs, winst*
be'halve 1 (u i t g e z o n d e r d) except, but, save, apart from; 2 (m e t i n b e g r i p v a n) besides, in addition to
be'handelen[1] *vt* 1 (i e m .) treat [well, ill]; deal [cruelly &] with (by); (r u w) knock about; handle [kindly, roughly]; attend [medically]; 2 (i e t s) handle, manipulate [an instrument]; treat [a sprained ankle]; treat of [a subject]; deal with [a case, a matter, a question]; ⚖ hear [civil cases], try [criminal cases]; **–ling** (-en) *v* treatment [of a man, a patient]; [medical] attendance; handling [of an instrument]; discussion [of a bill]; ⚖ hearing [of a civil case], trial [of a criminal case]; *de zaak is i n ~* the matter is being dealt with, under discussion; *wanneer zal de zaak in ~ komen?* when will the matter come up for discussion (be dealt with)?; *hij is o n d e r ~* he is under medical treatment; **be'handelkamer** (-s) *v* consulting room
be'hang *o* = *behangsel*; **be'hangen**[1] *vt* hang [with festoons]; paper [a room]; **–er** (-s) *m* paper-hanger; (b e h a n g e r e n s t o f f e e r d e r) upholsterer; **be'hangsel** (-s) *o*, **–papier** (-en) *o* (wall)paper, paper-hangings

[1] V.T. en V.D. van dit werkwoord volgens het model: **be**'ademen, V.T. **be**'ademde, V.D. **be**'ademd (**ge-** valt dus weg in het V.D.). Zie voor de vormen onder het grondwoord, in dit voorbeeld: *ademen.* Bij sterke en onregelmatige werkwoorden wordt u verwezen naar de lijst achterin.

be'hartigen (behartigde, h. behartigd) *vt* look after, attend to; (b e v o r d e r e n) promote, further; **–ging** *v* promotion, care

be'heer *o* management, control, direction, administration; *i n eigen ~* under direct management; *o n d e r zijn ~* 1 under his management &; 2 during his administration; **–der** (-s) *m* manager, director, administrator; *~ van een failliete boedel* trustee

be'heersen[1] **I** *vt* command, master [one's passions], control [oneself], dominate [a man, the surrounding country], rule, govern, sway [a people &]; be master of [a language, of the situation]; **II** *vr zich ~* control oneself; **–sing** (-en) *v* command [of a language], control, dominion, sway, rule; **be'heerst** 1 (k a l m) self-possessed, composed; restrained; 2 (g e - m a t i g d) controlled

be'heksen[1] *vt* bewitch

be'helpen[1] *zich ~* make shift, make do, manage to get on

be'helzen (behelsde, h. behelsd) *vt* contain; *~de dat...* to the effect that...

be'hendig dext(e)rous, deft, adroit; **–heid** (-heden) *v* dexterity, deftness, skill, adroitness

be'hept *~ met* afflicted with, troubled with, affected with

be'heren (beheerde, h. beheerd) *vt* manage, control [affairs], superintend; administer [an estate], conduct [a business]; *~d vennoot* managing (acting) partner

be'hoeden[1] *vt* protect, guard, preserve (from *voor*)

be'hoedzaam prudent, cautious, wary; **–heid** *v* prudence, caution, cautiousness, wariness

be'hoefte (-n) *v* want, need [of money, for quiet]; *~ hebben aan* stand in need of, be in want of, want; *zijn ~ doen* relieve oneself (nature), do one's needs; zie ook: *voorzien*; **–tig** needy, indigent, destitute; *in ~e omstandigheden* in penury

be'hoeve *ten ~ van* for the benefit of, in behalf of, in aid of; **be'hoeven**[1] *vt* want, need, require; *men behoeft niet te ...om* there is no need to ..., it is not necessary to ...; *er behoeft niet gezegd te worden, dat...* there is no occasion (for me) to say that...

be'hoorlijk I *aj* proper, fit(ting); decent [coat, salary &]; siz(e)able [piece, cupboard]; *~e kennis van...* fair knowledge of...; **II** *ad* properly, decently; < pretty [cold]; **be'horen I** (behoorde, h. behoord) *vi* 1 (t o e b e h o r e n) belong to; 2 (b e t a m e n) be fit (proper); *je behoort* (*behoorde*) *te gehoorzamen* you should (ought to) obey; *~ b ij* go with; *bij elkaar ~* belong together; *~ t o t de besten* be among the best; **II** *sb naar ~* as it should be, duly, properly, fittingly. Zie ook: *toebehoren*

be'houd *o* preservation [of one's health]; conservation [of energy]; salvation [of the soul &]; *met ~ van zijn salaris* on full pay, [holidays] with pay; **1 be'houden**[1] *vt* keep, retain, preserve; **2 be'houden** *aj* safe, safe and sound; **be'houdend** conservative [party]; **be'houdens** except for, but for; barring [mistakes &]; *~ nadere goedkeuring van...* subject to the approval of...; *~ onvoorziene omstandigheden* if no unforeseen circumstances arise; *~ zijn recht om...* without prejudice to his right to...; **be'houdzucht** *v* conservatism

be'huild tear-stained [eyes], blubbered [face]

be'huisd *klein ~ zijn* be confined (cramped) for room, live at close quarters; *ruim ~ zijn* have plenty of room; **be'huizing** (-en) *v* 1 housing; 2 house, dwelling

be'hulp *o met ~ van* with the help (assistance) of [friends], with the aid of (crutches); **–zaam** helpful, obliging, ready to help; *iem. ~ zijn* (*bij*)... help, assist sbd. (in)...; *iem. de behulpzame hand bieden* hold out a helping hand to sbd., lend sbd. a helping hand

be'huwd [brother &] in-law

'beiaard ['bɛia:rt] (-s en -en) *m* chimes, carillon; **beiaar'dier** (-s) *m* carrillon player

'beide both; *m e t ons* (*z'n*) *~n* we two, the two of us; *met ons ~n kunnen wij dat wel* between us; *een van ~*(*n*) one of the two, either; *geen van ~*(*n*) neither; *alle ~* both of them; *wij, gij ~n* both of us, both of you; *ons ~r vriend* our mutual friend; *in ~ gevallen* in either case

↖ **'beiden** (beidde, h. gebeid) *vt* abide, wait for

'beiderlei of both sorts; *o p ~ wijs* both ways, either way; *v a n ~ kunne* of both sexes, of either sex; **'beiderzijds** on both sides

'Beier (-en) *m* Bavarian

'beieren (beierde, h. gebeierd) *vi* (& *vt*) chime, ring (the bells)

'Beieren *o* Bavaria; **'Beiers** Bavarian

'beige ['bɛ:ʒə] *aj* & *o* beige

beig'net [bɛ'ɲe.] (-s) *m* fritter

be'ijveren[1] *zich ~ om...* do one's utmost to..., lay oneself out to...

be'ijzeld icy [roads]

be'ïnvloeden (beïnvloedde, h. beïnvloed) *vt* influence, affect

'beitel (-s) *m* chisel; **'beitelen** (beitelde, h.

[1] V.T. en V.D. van dit werkwoord volgens het model: **be'**ademen, V.T. **be'**ademde, V.D. **be'**ademd (**ge-** valt dus weg in het V.D.). Zie voor de vormen onder het grondwoord, in dit voorbeeld: *ademen*. Bij sterke en onregelmatige werkwoorden wordt u verwezen naar de lijst achterin.

gebeiteld) *vt* chisel [a block of marble]
beits (-en) *m* & *o* mordant, stain; **'beitsen** (beitste, h. gebeitst) *vt* stain
be'jaard aged; **be'jaarden** *mv* the aged, old people; **–tehuis** (-huizen) *o* old people's home; **–zorg** *v* care for the aged
be'jammeren[1] *vt* deplore, bewail, lament
be'jegenen (bejegende, h. bejegend) *vt* use [ill &], treat [politely &]; **–ning** (-en) *v* treatment
be'jubelen[1] *vt* cheer, acclaim, extol
bek (-ken) *m* mouth [of a horse &, also ⚒]; beak, bill [of a bird]; snout [of fish &]; jaws [of a vice]; bit [of pincers]; *hou je ~!* shut up!; *een grote ~ hebben* be rude, be impudent; zie ook: *mond*
be'kaaid *er ~ afkomen* come off badly, fare badly
'bekaf knocked up, done up, dog-tired
be'kakt haughty, supercilious
be'kapping (-en) *v* roofing
be'keerde (-n) *m* = *bekeerling*; **be'keerling** (-en) *m* convert, proselyte
be'kend 1 known; 2 (welbekend) well-known, noted, famous [author &], > notorious [criminal]; familiar [face, ground]; *~ (zijn) in Amsterdam* (be) acquainted or known in A.; *~ met* acquainted with, familiar with; *~ maken* announce, make known, publish; *als ~ aannemen* (*veronderstellen*) take for granted; *iem. met iets ~ maken* acquaint sbd. with sth.; *~ worden* 1 (v. personen &) become known; 2 (v. geheim) become known, get about (abroad); *met iem. ~ raken* get acquainted with sbd.; *~ zijn* be known; *het is ~* it is a well-known fact; *~ zijn om* be known for; *het is algemeen ~* it is a matter of common knowledge; *er zijn gevallen ~ van...* there are cases on record of...; *~ zijn* (*staan*) *als...* be known as...; *~ staan als de bonte hond* have a bad reputation; *ik ben hier* (*goed*) *~* I know the place (well), I know these parts; *ik ben hier niet ~* I am a stranger (to the place); *voor zover mij ~* as far as I know, for all I know; to (the best of) my knowledge; **–e** (-n) *m-v* acquaintance; **–heid** *v* acquaintance, conversance, familiarity [with French, a fact &]; *~ geven aan* make public; *grote ~ genieten* be widely known; **–making** (-en) *v* announcement, notice [in the papers]; publication [of a report]; [official] proclamation
be'kennen[1] **I** *vt* confess, own, admit [one's guilt]; **B** know [a woman]; *er was geen huis te ~* there was no sign of a house, there was not a house to be seen; *de moord ~* ⚖ confess to the murder; *kleur ~* follow suit [at cards]; **II** *va* ⚖ plead guilty; **be'kentenis** (-sen) *v* confession, admission, avowal; *een volledige ~ afleggen* make a full confession; make a clean breast [of...]
'beker (-s) *m* cup, chalice, goblet, beaker, bowl; mug [of cocoa]; (v. dobbelstenen) dice-box
be'keren[1] **I** *vt* convert[2]; reclaim [a sinner]; ook: proselytize; **II** *vr zich ~* (tot andere godsdienst) be converted, become a convert; (v. zondaar) reform, repent; **–ring** (-en) *v* 1 (tot ander geloof) conversion; 2 (v. zondaar) reclamation
'bekerwedstrijd (-en) *m* cup match, cup tie
be'keuren[1] *vt iem. ~* take sbd.'s name; **–ring** (-en) *v* ticket
be'kijk *o veel ~s hebben* attract a great deal of notice; **be'kijken**[1] *vt* look at, view; *de zaak van alle kanten ~* turn the matter over in one's mind; *zo heb ik het nog niet bekeken* I have not thought of it that way
be'kisting (-en) *v* (v. beton) shuttering, formwork
'bekken (-s) *o* 1 (schotel) bowl, basin; 2 (in het lichaam) pelvis; 3 ♪ cymbal; 4 (v. rivier) (catchment) basin; **bekke'nist** (-en) *m*, **'bekkenslager** (-s) *m* ♪ cymbalist
'bekketrekken *vi* clown
be'klaagde (-n) *m-v* (the) accused; **–nbankje** *o* (-s) dock
be'kladden[1] *vt* bespatter, blot; *fig* asperse, smear, slander [a person]
be'klag *o* complaint; *zijn ~ doen over... bij* complain of... to...; *zijn ~ indienen* (*bij*) lodge a complaint (with); **be'klagen**[1] **I** *vt* (iets) lament, deplore; (iem.) pity, commiserate; **II** *vr zich ~* complain; *zich ~ over... bij...* complain of... to...; **beklagens'waard(ig)** (much) to be pitied, pitiable, lamentable
be'klant *goed ~e winkel* well-patronized shop
be'kleden[1] *vt* 1 (bedekken) clothe, cover, upholster [chairs], drape, dress [a figure]; coat, line [with tinfoil], face [with layer of other material]; metal, sheathe [a ship's sides]; ⚒ lag [a boiler with a strip of wood]; 2 *fig* (innemen) hold, fill [a place], occupy [a post]; *~ met* endow with, (in)vest with [power]; **–ding** (-en) *v* clothing, covering &, upholstery [of chairs]
be'klemd (benauwd) oppressed; *~e breuk* ⚕ strangulated hernia; **–heid** *v* oppression; **be'klemmen**[1] *vt* oppress; **–ming** (-en) *v* 1

[1] V.T. en V.D. van dit werkwoord volgens het model: **be'**ademen, V.T. **be'**ademde, V.D. **be'**ademd (**ge-** valt dus weg in het V.D.). Zie voor de vormen onder het grondwoord, in dit voorbeeld: *ademen.* Bij sterke en onregelmatige werkwoorden wordt u verwezen naar de lijst achterin.

oppression; 2 (v. breuk) ⚕ strangulation; 3 (op de borst) constriction
be'klemtonen (beklemtoonde, h. beklemtoond) *vt* stress[2], *fig* emphasize
be'klijven (beklijfde, h. en is beklijfd) *vi* remain, stick
be'klimmen[1] *vt* climb [a tree, a mountain], mount [a throne]; ascend [a mountain, the throne]; scale [a wall]; **–ming** (-en) *v* climbing, mounting, ascent
be'klinken[1] *vt fig* settle [an affair]; clinch [the deal, a question]; *de zaak was spoedig beklonken* the matter was soon settled
be'kloppen[1] *vt* 1 tap; 2 ⚕ percuss, sound
be'knellen[1] *vt* pinch; *bekneld raken* get jammed, get wedged
be'knibbelen[1] *vt* pinch [sbd. for food], skimp, stint [sbd. in money, praise &]
be'knopt concise, brief, succinct; **–heid** *v* conciseness, briefness, brevity, succinctness
be'knorren[1] *vt* chide, scold
be'knotten[1] *vt* curtail
be'kocht *ik voelde mij* ~ I felt taken in; *hij is er aan* ~ he has paid too dear for it; *u bent er niet aan* ~ you have got your money's worth; zie ook: *bekopen*
be'koelen[1] *vi* (& *vt*) cool (down)[2]
be'kogelen (bekogelde, h. bekogeld) *vt* pelt [with eggs &]; [*fig*] *iem. met vragen* ~ fire questions at sbd.
be'kokstoven (bekokstoofde, h. bekokstoofd) *vt* = *bekonkelen*
be'komen I (bekwam, h. bekomen) *vt* 1 (krijgen) get, receive, obtain; 2 (v. spijzen) agree with, suit; *dat zal je slecht* ~ you will be sorry for it; **II** (bekwam, is bekomen) *vi* recover [from the shock]
be'kommerd concerned, anxious;
be'kommeren (bekommerde, h. bekommerd) *zich* ~ *om* (*over*) care about, trouble about, be anxious about; *zonder zich te* ~ *om* heedless of, regardless of; **be'kommernis** (-sen) *v* anxiety, solicitude, trouble, care
be'komst *zijn* ~ *hebben van* **F** be fed up with
be'konkelen[1] *vt* plot, hatch, scheme
be'koorlijk charming, enchanting; **–heid** (-heden) *v* charm, enchantment
be'kopen[1] *vt hij moest het met de dood* ~ he had to pay for it with his life; zie ook: *bekocht*
be'koren (bekoorde, h. bekoord) *vt* charm, enchant, fascinate; *rk* tempt; *dat kan mij niet* ~ that does not appeal to me; **–ring** (-en) *v* charm, enchantment, fascination; *rk* temptation; *onder de* ~ *komen van* fall under the spell of
be'korten[1] *vt* shorten [a distance]; abridge [a book]; cut short [a speech]; **–ting** (-en) *v* shortening, abridgement
be'kostigen (bekostigde, h. bekostigd) *vt* defray (bear) the cost of, pay the expenses of; *dat kan ik niet* ~ I cannot afford it
be'krachtigen (bekrachtigde, h. bekrachtigd) *vt* confirm [a statement]; ratify [a treaty]; sanction [a custom, a law]; **–ging** (-en) *v* confirmation; ratification; sanction; [royal] assent
be'krassen[1] *vt* scratch (all) over
be'kreunen[1] *zich* ~ = *zich bekommeren*
be'krimpen[1] *zich* ~ cut down [on food]
bekriti'seren [s = z] (bekritiseerde, h. bekritiseerd) *vt* criticize, censure
be'krompen 1 (personen, geest) narrow-minded, narrow; 2 (beginselen) hidebound; 3 confined [space]; 4 slender [means], straitened [circumstances]; **–heid** *v* narrow-mindedness
be'kronen[1] *vt* 1 crown; 2 award a (the) prize to; zie ook: *bekroond*; **–ning** (-en) *v* 1 crowning; 2 award, prize; **be'kroond** prize (winning) [ox, poem, essay, fellowship]
be'kruipen[1] *vt de lust bekroop hem om...* a desire to... came over him
'bekvechten *vi* wrangle, squabble
be'kwaam capable, able, clever; fit; **–heid** (-heden) *v* capability, ability, capacity, aptitude; skill, proficiency; *zijn bekwaamheden* his capacities (faculties, abilities, accomplishments); **be'kwamen** (bekwaamde, h. bekwaamd) *vr zich* ~ fit oneself, qualify [for a post]; read [for an examination]
be'kwijlen *vi* beslaver, beslobber
bel (-len) *v* 1 (v. metaal) bell; 2 (luchtblaasje) bubble; zie ook: *kat*
be'labberd = *beroerd*
be'lachelijk I *aj* ridiculous, ludicrous, laughable; ~ *maken* ridicule; *zich* ~ *maken* make oneself ridiculous, make a fool of oneself; **II** *ad* ridiculously
be'laden[1] *vt* load, lade, burden[2]
be'lagen (belaagde, h. belaagd) *vt* threaten, beset; **–er** (-s) *m* enemy, attacker
be'landen[1] *vi* land; *waar is mijn pen beland?* what has become of my pen?; *doen* ~ land
be'lang (-en) *o* 1 (voordeel) interest; 2 (belangrijkheid) importance; ~ *hebben bij* have an interest in, be interested in; *er* ~ *bij hebben om...* find it one's interest to...; ~ *stellen in* take an interest in, be interested in, interest

[1] V.T. en V.D. van dit werkwoord volgens het model: **be'**ademen, V.T. **be'**ademde, V.D. **be'**ademd (**ge-** valt dus weg in het V.D.). Zie voor de vormen onder het grondwoord, in dit voorbeeld: *ademen.* Bij sterke en onregelmatige werkwoorden wordt u verwezen naar de lijst achterin.

oneself in; ~ *gaan stellen in* become interested in; • *ik doe het in uw* ~ I do it in your interest; *het is in ons aller* ~ it is to the interest of all of us; *het is v a n* ~ it is important, it is of importance; *van groot* ~ of consequence; *van geen* ~ of no importance; *van het hoogste* ~ of the first (of vital) importance; *van weinig* ~ of little consequence (moment); **–eloos** disinterested; **be'langenconflict** (-en) *o* clash of interests; **–gemeenschap** (-pen) *v* community of interests; **–groep** (-en) *v* pressure group; **–groepering** (-en) *v* combine; syndicate; **–sfeer** (-sferen) *v* sphere of interests; **belang'hebbende** (-n) *m-v* party concerned, party interested; **be'langrijk I** *aj* important, of importance; considerable [amount &]; marked [difference]; *een* ~ *man* a man of weight, a notability; **II** *ad* < considerably [better &]; **–heid** *v* importance; **belang'stellend I** *aj* interested; **II** *ad* with interest; **–en** *mv* those interested; **be'langstelling** *v* interest (in *voor*); *bewijzen* (*blijken*) *van* ~ marks of sympathy; *iems.* ~ *wekken voor* interest sbd. in; *met* ~ with interest; **belang'wekkend** interesting

be'last ~ *en beladen* heavy-laden, heavily loaded; *een erfelijk* ~*e* a victim of heredity; **–baar** dutiable [at the custom-house], taxable [income, capital, profits], assessable, rat(e)able [property]; **be'lasten** (belastte, h. belast) **I** *vt* 1 (l a s t o p l e g g e n) burden; 2 ⚒ load; 3 (b e l a s t i n g o p l e g g e n) tax [subjects], rate [city people]; impose a tax on [liquors]; 4 $ debit [with a sum]; *iem. met iets* ~ charge sbd. with sth.; *belast zijn met* (*de zorg voor*) be in charge of; *erfelijk belast zijn* have a hereditary taint; **II** *vr zich* ~ *met* undertake, take upon oneself, charge oneself with; **–d** incriminating [evidence]

be'lasteren[1] *vt* calumniate, slander, malign, defame; **–ring** (-en) *v* calumniation, defamation

be'lasting (-en) *v* 1 (h e t b e l a s t e n) burdening &; taxation [of subjects]; 2 ⚒ weight, load [on arch &]; 3 (r i j k s ~) tax(es); duty [on petrol]; (p l a a t s e l i j k) rates; 4 (d e d i e n s t, d e f i s c u s) inland revenue; ~ *op openbare vermakelijkheden* (public) entertainment tax, amusement tax; ~ *over de toegevoegde waarde* zie *B.T.W.*; ~ *heffen van* levy a tax (taxes) on; *in de* ~ *vallen* be liable to taxation; **–aangifte** (-n) *v* (tax) return; **–aanslag** (-slagen) *m* assessment; **–aftrek** *m* tax deduction; **–ambtenaar** (-s en -naren) *m* tax official, revenue official; **–betaler** (-s) *m* taxpayer, ratepayer; **–biljet** (-ten) *o* notice of assessment; **–consulent** [-zy.lɛnt] (-en) *m* tax consultant; **–druk** *m* tax burden; **–faciliteit** (-en) *v* tax relief (concession); **–inspecteur** (-s) *m* assessor; **–jaar** (-jaren) *o* fiscal year; **–kantoor** (-toren) *o* tax-collector's office; **–ontduiking** *v* tax-evasion, tax-dodging; **belasting'plichtig** *aj* taxable, ratable; ~*en* taxpayers, ratepayers; **be'lastingschuld** (-en) *v* tax(es) due; **belasting'schuldig** = *belastingplichtig;* **be'lastingstelsel** (-s) *o* system of taxation, tax system, fiscal system; **–verlaging** (-en) *v* tax abatement (relief, reduction); **–vrij** tax-free, duty-free

be'lazeren (belazerde, h. belazerd) *vt* **P** cheat, swindle, defraud; *ben je belazerd?* are you mad?

'belboei (-en) *v* bell-buoy

be'ledigen (beledigde, h. beledigd) *vt* insult, affront, offend, hurt [one's feelings], (g r o f) outrage; **–d** offensive, insulting, opprobrious; ~ *worden* **F** become (get) personal; **be'lediging** (-en) *v* (v. i e m.) insult, affront; (v. g e v o e l e n s) offence, outrage

be'leefd I *aj* polite, civil, courteous; **II** *ad* politely &; *wij verzoeken u* ~ we kindly request you; ~ *maar dringend* gently but firmly; **be'leefdheid** (-heden) *v* politeness, civility, courteousness, courtesy; *de burgerlijke* ~ common politeness; *beleefdheden* civilities; compliments; *dat laat ik aan uw* ~ *over* I leave it to your discretion; **–sbezoek** (-en) *o* courtesy visit; **beleefdheids'halve** out of politeness, out of courtesy; **be'leefdheidsvorm** (-en) *m* form of etiquette; (a a n s p r e e k v o r m) form of address

be'leenbaar pawnable; **–brief** (-brieven) *m* pawn ticket

be'leg *o* ⚔ siege; *het* ~ *slaan voor* lay siege to; zie ook: *opbreken, staat* &

be'legen matured [cigars, wine &]; ripe [cheese], stale [bread]

be'legeraar (-s) *m* besieger; **be'legeren**[1] *vt* besiege; **–ring** (-en) *v* siege

be'leggen[1] *vt* 1 cover, overlay [with a coating of...]; 2 invest [money]; 3 (b i j e e n r o e p e n) convene, call [a meeting]; 4 (o p t o u w z e t t e n) arrange [a meeting]; **–er** (-s) *m* $ investor; **be'legging** (-en) *v* $ investment; **–sfondsen** *mv* investment stock

be'legsel (-s) *o* trimming [of a gown]; **be'legstuk** (-ken) *o* lining piece

be'leid *o* 1 prudence, discretion, generalship; 2

[1] V.T. en V.D. van dit werkwoord volgens het model: **be'**ademen, V.T. **be'**ademde, V.D. **be'**ademd (**ge-** valt dus weg in het V.D.). Zie voor de vormen onder het grondwoord, in dit voorbeeld: *ademen*. Bij sterke en onregelmatige werkwoorden wordt u verwezen naar de lijst achterin.

[foreign] policy; *met ~ te werk gaan* proceed tactfully

be'lemmeren (belemmerde, h. belemmerd) *vt* hamper, hinder, impede, obstruct, stand in the way of; *in de groei belemmerd* stunted in growth; **–ring** (-en) *v* hindrance, impediment, obstruction, handicap, obstacle

be'lendend adjacent, adjoining, neighbouring

be'lenen[1] *vt* pawn; borrow money on [securities]; **–ning** (-en) *v* pawning; loan against security

be'lerend lecturing, didactic

be'let *o ~!* don't come in!, occupied!; *~ geven* not be at home [to visitors]; *~ hebben* be engaged; *hij heeft ~* he cannot receive you; *~ krijgen* be denied; *~ laten vragen* send to inquire if Mr and Mrs So-and-So are at home

'bel-etage ['bɛle.ta.ʒə] (-s) *v* ground floor

be'letsel (-s en -en) *o* hindrance, obstacle, impediment; **be'letten** (belette, h. belet) *vt* 1 (iets) prevent; 2 (met infinitief) hinder (prevent) from, preclude from

be'leven[1] *vt* 1 live to see; 2 go through [many adventures, three editions]; *zijn 80ste verjaardag nog ~* live to be eighty; **be'levenis** (-sen) *v* experience

be'lezen *aj* well-read; **–heid** *v* (range of) reading; *zijn grote ~* his extensive (wide) reading

'belfort (-s) *o* bell tower, belfry

Belg (-en) *m* Belgian; **'België** *o* Belgium; **'Belgisch** Belgian

'Belgrado *o* Belgrade

'belhamel (-s) *m* bell-wether; (deugniet) rascal

be'lichamen (belichaamde, h. belichaamd) *vt* embody; **–ming** (-en) *v* embodiment

be'lichten[1] *vt* 1 illuminate, throw (a) light on; 2 light [a picture]; 3 expose [in photography]; **be'lichting** (-en) *v* 1 illumination, light; 2 lighting [of a picture]; 3 exposure [in photography]; **–smeter** (-s) *m* exposure meter

be'lieven I (beliefde, h. beliefd) *vt* please; *wat belieft u?* (bij niet verstaan) (I beg your) pardon?; **II** *o naar ~* at pleasure, at will; [add sugar] to taste

be'lijden[1] *vt* 1 confess [one's guilt]; 2 profess [a religion]; **be'lijdenis** (-sen) *v* 1 confession [of faith]; 2 (godsdienst) profession, creed, denomination; 3 (aanneming tot lidmaat) confirmation; *zijn ~ doen* be confirmed; **be'lijder** (-s) *m* 1 adherent [of a faith], professor [of a religion]; 2 confessor [in spite of persecution and torture]; *Eduard de Belijder* 🕮 Edward the Confessor

'belknop (-pen) *m* bell-button, bell-push

bella'donna *v* belladonna

'bellen (belde, h. gebeld) *vi* & *vt* ring [the bell]; *er wordt gebeld* there is a ring (at the bell, at the door); *ik zal je ~* I'll give you a ring

bellet'trie *v* belles-lettres

be'loeren[1] *vt* watch, spy upon, peep at

be'lofte (-n) *v* promise; (plechtig) pledge, undertaking; ⚖ affirmation; *zijn ~ breken* break one's promise; *zijn ~ houden* keep one's promise; *~ maakt schuld* promise is debt

be'loken ~ *Pasen* Low Sunday

be'lommerd shady

be'lonen[1] *vt* reward; recompense, remunerate; **–ning** (-en) *v* reward; recompense, remuneration; *ter ~ van* as a reward for, in reward of, in return for; *een ~ uitloven* offer a reward

be'loop *o alles op zijn ~ laten* let things take their course, let things drift; **be'lopen**[1] *vi* amount to [of a sum]

be'loven[1] *vt* promise; (plechtig) vow; *fig* bid fair [to be a success]; *de oogst belooft veel* the crops are very promising, promise well; *het belooft mooi weer te worden* there is every promise of fine weather; *dat belooft wat!* that looks promising!

'belroos *v* ⚕ erysipelas

belt (-en) *m* & *v* = *asbelt*

be'luisteren[1] *vt* overhear [a conversation]; catch [a change of tone]; listen in to [a broadcast]; ⚕ auscultate

be'lust ~ *zijn op* be eager for, be keen on

be'machtigen[1] *vt* secure, seize, take possession of, possess oneself of

be'mannen (bemande, h. bemand) *vt* man [a ship]; *bemand* manned [spacecraft, space flight]; **–ning** (-en) *v* crew

be'mantelen (bemantelde, h. bemanteld) *vt* cloak[2], *fig* veil, palliate; gloze over, gloss over

be'merken[1] *vt* perceive, notice, find

be'mesten[1] *vt* manure, dress; (door bevloeiing) warp; (met kunstmest) fertilize; **–ting** (-en) *v* manuring, dressing; (met kunstmest) fertilization

be'middelaar (-s) *m* mediator, go-between

be'middeld in easy circumstances, well-to-do

be'middelen (bemiddelde, h. bemiddeld) *vt* mediate [a peace]; *~d optreden* act as a mediator, mediate; **be'middeling** (-en) *v* mediation; *door ~ van* through the agency (intermediary, medium) of...; **–spoging** (-en) *v*

[1] V.T. en V.D. van dit werkwoord volgens het model: **be'**ademen, V.T. **be'**ademde, V.D. **be'**ademd (**ge-** valt dus weg in het V.D.). Zie voor de vormen onder het grondwoord, in dit voorbeeld: *ademen.* Bij sterke en onregelmatige werkwoorden wordt u verwezen naar de lijst achterin.

mediatory effort
be'mind (be)loved; *zich ~ maken* make oneself loved [by...], popular [with...], endear oneself [to...]; **–e** (-n) *m-v* loved one, (well-)beloved, lover, sweetheart, betrothed; **be'minnelijk** 1 (p a s s i e f) lovable; 2 (a c t i e f) amiable; **be'minnen**[1] *vt* be fond of, love, cherish
be'modderd muddy, mud-stained
be'moederen[1] *vt* mother
be'moedigen (bemoedigde, h. bemoedigd) *vt* encourage, cheer up; **–ging** (-en) *v* encouragement
be'moeial [bə'mu.jɑl] (-len) *m* busybody, meddler; **be'moeien** (bemoeide, h. bemoeid) *zich ~ met* meddle with, interfere with [what's not one's business]; *zich met zijn eigen zaken ~* mind one's own business; *hij bemoeit zich niet met anderen* he keeps himself to himself; *niet mee ~!* let well alone!; *je moet je niet zo met alles ~* you mustn't always be meddling; **be'moeienis** (-sen), **be'moeiing** (-en) *v ik heb er geen ~ mee* I have nothing to do with it; *door zijn ~* through his efforts
be'moeilijken (bemoeilijkte, h. bemoeilijkt) *vt* hamper, hinder, thwart
be'moeiziek meddlesome; **–zucht** *v* meddlesomeness
be'monsteren[1] *vt* sample; *bemonsterde offerte* sampled offer, offer with sample(s)
be'morsen[1] *vt* soil, dirty, bedabble
be'most mossy, moss-grown
ben (-nen) *v* basket, hamper
be'nadelen [-de.-] (benadeelde, h. benadeeld) *vt* hurt, harm, injure, prejudice; **–ling** (-en) *v* injury; ⚖ lesion
be'naderen (benaderde, h. benaderd) *vt* 1 (n a b i j k o m e n) approximate; 2 (s c h a t t e n) estimate; 3 (i e m a n d, e e n v r a a g s t u k) approach; *moeilijk te ~* unapproachable; **–ring** (-en) *v* (v. g e t a l l e n &) approximation; *de ~ van een probleem* the approach to a problem; *bij ~* approximately
be'nadrukken (benadrukte, h. benadrukt) *vt* stress, emphasize, underline
be'naming (-en) *v* name, appellation; *verkeerde ~* misnomer
be'nard critical; *in ~e omstandigheden* in straitened circumstances, in distress; *in deze ~e tijden* in these hard (trying) times
be'nauwd 1 (v e r t r e k) close, stuffy; (w e e r) stifling, sultry; oppressive; 2 tight in the chest, oppressed; 3 (b a n g) fearful, timid, timorous; anxious [hours]; 4 (n a u w) tight; *het is hier erg ~* 1 it is very close here; 2 we are rather cramped for room; *hij kreeg het ~* 1 he was hard pressed; 2 he became afraid; *wees maar niet ~!* no fear!, don't be afraid!; **–heid** (-heden) *v* 1 closeness; 2 tightness of the chest; 3 anxiety, fear; **be'nauwen** (benauwde, h. benauwd) *vt* oppress; **–d** oppressive; **be'nauwing** (-en) *v* oppression
'bende (-n en -s) *v* band [of rebels], troop [of children]; gang [of ruffians]; pack [of beggars]; *de hele ~* the whole lot; *een hele ~* a lot of [mistakes]; *wat een ~!* 1 (v. p e r s o n e n) what a (disorderly) crew!; 2 (v. t o e s t a n d) what a mess!; **–hoofd** (-en) *o*, **–leider** *m* (-s) gang leader
be'neden I *prep* below, beneath, under; *dat is ~ mijn waardigheid* that is beneath me; *hij staat ~ mij* he is under me, my inferior; *inkomens ~ £ 200* incomes under £ 200; *ver ~... blijven* fall greatly short of...; *~ verwachting* not up to (below) expectations; **II** *ad* 1 downstairs, down; 2 below (ook = at the foot of the page); *wij wonen ~* we live on the ground-floor; *~ (aan de bladzijde)* at the foot (bottom) of the page, below; *n a a r ~* downstairs; downward(s), down; [jump] on to the ground; *5de regel v a n ~* from bottom; **–buur** (-buren) *m* neighbour on the lower storey, ground-floor neighbour; **–eind(e)** (-(e)n) *o* lower end, bottom; **–hoek** (-en) *m* bottom corner; *~ links (rechts)* bottom left-hand (right-hand) corner; **–huis** (-huizen) *o* ground floor; **–loop** (-lopen) *m* lower course [of a river]; **–stad** *v* lower town; **–ste** lowest, lowermost, undermost, bottom; **–verdieping** (-en) *v* ground floor; **Be'nedenwindse 'Eilanden** *mv* Leeward Islands
benedic'tijn [be.nə-] (-en) *m* Benedictine (monk)
bene'fietvoorstelling [be.nə-] (-en) *v* benefit performance, benefit night
be'nemen[1] *vt* take away [one's breath]; *het uitzicht ~* obstruct the view; *de moed ~* dishearten; *iem. de lust ~ om...* spoil sbd.'s pleasure in...
1 'benen *aj* bone
2 'benen (beende, h. gebeend) *vi* walk (quickly)
'benenwagen *m met de ~ gaan* ride Shanks'(s) mare
be'nepen petty; small-minded; pinched [face]; *met een ~ hart* with a faint heart; *met een ~ stemmetje* in a timid voice; **–heid** *v* small-mindedness, pettiness, pinchedness

[1] V.T. en V.D. van dit werkwoord volgens het model: **be'**ademen, V.T. **be'**ademde, V.D. **be'**ademd (**ge-** valt dus weg in het V.D.). Zie voor de vormen onder het grondwoord, in dit voorbeeld: *ademen.* Bij sterke en onregelmatige werkwoorden wordt u verwezen naar de lijst achterin.

be'neveld 1 foggy, misty, hazy; dim [of sight, intelligence]; 2 (h a l f d r o n k e n) muzzy, fuddled; **be'nevelen** (benevelde, h. beneveld) *vt* 1 befog, cloud, dim; 2 (d o o r d e d r a n k) bemuse, fuddle
be'nevens (together) with, besides, in addition to
'bengel (-s) *m* 1 clapper [of a bell]; 2 bell; 3 naughty boy, **F** pickle
'bengelen (bengelde, h. gebengeld) *vi* dangle, swing [on the gallows]
be'nieuwd ~ *zijn* be curious to know; *zeer* ~ *zijn* be anxious to know; zie ook: *benieuwen*; **be'nieuwen** (benieuwde, h. benieuwd) *vt het zal mij* ~ *of hij komt* I wonder if he is going to turn up
'benig bony
be'nijdbaar enviable; **be'nijden** (benijdde, h. benijd) *vt* envy, be envious of; **benijdens-'waard(ig)** enviable
Be'nin *o* Benin
be'nodigd required, necessary, wanted; **–heden** *mv* needs, necessaries, requisites, materials
be'noembaar eligible; **be'noemd** ~ *getal* concrete number; **be'noemen**[1] *vt* appoint, nominate; *hem* ~ *tot...* appoint him (to be)...; **–ming** (-en) *v* appointment, nomination; *zijn* ~ *tot...* his appointment to be (a)..., as (a)...
be'noorden (to the) north of
'bent *v* set, clique, party; **–genoot** (-noten) *m* partisan, fellow
be'nul *o* notion; *ik heb er geen flauw* ~ *van* I have not the foggiest (slightest) idea
be'nutten (benutte, h. benut) *vt* utilize, make use of, avail oneself of
B. en W. = *Burgemeester en Wethouders*, zie *burgemeester*
ben'zeen *o* benzene
ben'zine *v* 1 petrol; *Am* gasoline; 2 benzine [for cleaning clothes &]; **–blik** (-ken) *o* petrol can; **–bom** (-men) *v* petrol bomb, Molotov cocktail; **–meter** (-s) *m* petrol gauge; **–motor** (-s en -toren) *m* petrol engine; **–pomp** (-en) *v* petrol pump; **–station** [-sta.(t)ʃòn] (-s) *o* filling station; **–tank** [-tɛŋk] (-s) *m* fuel tank
be'oefenaar (-s en -naren) *m* practitioner [of pugilism &]; student [of English]; cultivator [of the art of painting]; **be'oefenen**[1] *vt* study [a science, an art], cultivate [an art]; practise, follow [a profession]; practise [virtue]; **–ning** *v* study [of a science, an art], practice, cultivation [of an art]
be'ogen (beoogde, h. beoogd) *vt* have in view, aim at, intend; *het had niet de beoogde uitwerking* it did not work
be'oordelen[1] *vt* judge of [sth.], judge [sbd.]; review, criticize [a book, play &]; *hem* ~ *naar...* judge him by...; **be'oordeling** (-en) *v* 1 judg(e)ment; 2 (v. b o e k &) criticism, review; (v. s c h o o l w e r k) marking; *dit is ter* ~ *van...* this is at the discretion of...; **–sfout** (-en) *v* misjudgement, miscalculation
be'oorlogen (beoorloogde, h. beoorloogd) *vt* wage (make) war on (against)
be'oosten (to the) east of, eastward of
be'paalbaar determinable, definable; **be'paald I** *aj* fixed [hour, price]; 2 (d u i d e l i j k o m - l i j n d) definite [object], positive [answer], distinct [inclination]; 3 (v a s t s t a a n d) stated [hours for...], appointed [times for...]; 4 *gram* definite [article]; *in* ~*e gevallen* in certain (particular, specific) cases; *het bij de wet* ~*e* the provisions enacted (laid down) by law; *niets* ~*s* nothing definite; **II** *ad* positively, quite, decidedly [fine, impossible &]; *u moet* ~ *gaan* you should go by all means; you should make a point of going; *hij moet daar* ~ *iets mee op het oog hebben* I am sure he must have a definite object in view; *als je nu* ~ *gaan wilt, dan...* if you are determined on going, then...; *hij is nu niet* ~ *slim* he is not exactly clever; **–elijk** particularly, specifically; **–heid** *v* definiteness, positiveness
be'pakken[1] *vt* pack; **–king** (-en) *v* ⚔ pack; *met volle* ~ in full marching kit
be'palen (bepaalde, h. bepaald) **I** *vt* 1 fix [a time, price], appoint [an hour for...], stipulate [a condition]; 2 (b i j b e s l u i t) provide, lay down, decree, enact; 3 (d o o r o n d e r z o e k) ascertain, determine [the weight &]; 4 (o m - s c h r i j v e n) define [an idea]; 5 (u i t m a k e n) decide, determine [the success]; *nader te* ~ to be fixed, to be determined later on; **II** *vr zich* ~ *t o t* restrict oneself to, confine oneself to; **–d** defining, determining; ~ *lidwoord* definite article; **be'paling** (-en) *v* 1 (v. u u r &) fixing; 2 (v. b e g r i p) definition; 3 (i n c o n t r a c t) stipulation, condition, clause; 4 (i n w e t &) provision, regulation; 5 (d o o r o n d e r z o e k) determination; 6 *gram* adjunct
be'pantseren[1] *vt* armour; *bepantserd* ook: armour-plated
be'peinzen[1] *vt* meditate (on), muse (up)on
be'perken (beperkte, h. beperkt) **I** *vt* limit, restrict, confine; cut down, curtail [expenses,

[1] V.T. en V.D. van dit werkwoord volgens het model: **be'**ademen, V.T. **be'**ademde, V.D. **be'**ademd (**ge-** valt dus weg in het V.D.). Zie voor de vormen onder het grondwoord, in dit voorbeeld: *ademen.* Bij sterke en onregelmatige werkwoorden wordt u verwezen naar de lijst achterin.

output], reduce [the service]; modify, qualify [the sense of a word]; *de brand* ~ localize the fire; **II** *vr zich* ~ *tot* limit (restrict) oneself to; **–d** restrictive [clause &]; **be'perking** (-en) *v* limitation, restriction, restraint; reduction; [credit, economic] squeeze; **be'perkt** limited [area, means, franchise, sense], confined [space], restricted [application]; *~e aansprakelijkheid* limited liability; ~ *tot* limited to, restricted to; **–heid** (-heden) *v* limitedness, limitation

be'plakken[1] *vt* paste (over)

be'planten[1] *vt* plant; **–ting** (-en) *v* planting; plantation

be'pleisteren[1] *vt* plaster (over); **–ring** (-en) *v* plastering

be'pleiten[1] *vt* plead, advocate

be'poederen, be'poeieren[1] *vt* powder

be'poten[1] *vt* plant, set [with]

be'praten[1] *vt* 1 (i e t s) talk about, discuss; 2 (i e m.) talk... round, persuade; *iem.* ~ *om...* talk sbd. into ...ing; *zich laten* ~ allow oneself to be persuaded, to be talked into ...ing

be'proefd well-tried [system], approved [methods]; efficacious [remedy]; tried [friend]; *zwaar* ~ bereaved [family]; sorely tried [people]; **be'proeven**[1] *vt* 1 (p r o b e r e n) try, attempt, endeavour [it]; 2 (o p d e p r o e f s t e l l e n) try, test; visit [with affliction]; **–ving** (-en) *v* trial, ordeal, affliction

be'raad *o* deliberation, consideration; *iets in* ~ *houden* think it over, consider it; *in* ~ *nemen* consider; *na rijp* ~ after mature deliberation, on careful consideration; **be'raadslagen** (beraadslaagde, h. beraadslaagd) *vi* deliberate; ~ *m e t* consult with; ~ *o v e r* deliberate upon; **–ging** (-en) *v* deliberation, consultation; **1 be'raden** *aj* 1 well-advised; deliberate; 2 (v a s t b e s l o t e n) resolute; **2 be'raden**[1] *zich* ~ think [sth.] over

be'ramen (beraamde, h. beraamd) *vt* 1 (b e d e n k e n) devise [a plan]; plan [a journey &]; plot [his death]; 2 (s c h a t t e n) estimate [at fifty pounds]; **–ming** (-en) *v* (r a m i n g) estimate

'berberis (-sen) *v* ♣ barberry

'berde zie *brengen*

be'rechten (berechtte, h. berecht) *vt* ⚖ try [a criminal]; adjudicate [a civil case]; **–ting** (-en) *v* ⚖ trial [of a criminal]; adjudication [of a civil case]

be'redderen[1] *vt* arrange, put in order

be'reden mounted [police]

berede'neren[1] *vt* reason about (upon), discuss, argue

be'reid ready, prepared, willing; *zich* ~ *verklaren* express one's willingness; **be'reiden** (bereidde, h. bereid) *vt* 1 prepare [the meals]; 2 dress [leather]; 3 give [a cordial welcome, a surprise]; **be'reidheid** *v* readiness, willingness; **be'reiding** (-en) *v* preparation [of a meal]; **bereid'vaardig, bereid'willig** ready, willing, obliging

be'reik *o* reach[2], range[2]; *b i n n e n ieders* ~ within the reach of all[2]; [price] within the means of all; *b u i t e n mijn* ~ beyond (out of) my reach[2]; **–baar** attainable, within (easy) reach, on (at) call; **be'reiken**[1] *vt* reach[2], attain[2]; *fig* achieve; *we* ~ *er niets mee* it does not get us anywhere, it gets us nowhere

be'reisd (widely-)travelled; **be'reizen**[1] *vt* travel over; visit

be'rekend ~ *o p* calculated (meant) for; ~ *v o o r zijn taak* equal to (up to) his task; **be'rekenen**[1] *vt* 1 (u i t r e k e n e n) calculate, compute [the number]; 2 (a a n r e k e n e n) charge [five pounds]; *teveel* ~ overcharge; **–d** scheming, craftly [person]; **be'rekening** (-en) *v* calculation, computation

'berekuil (-en) *m* bear-pit; **–muts** (-en) *v* bearskin (cap)

berg (-en) *m* mountain[2], mount; (i n e i g e n n a m e n) Mount [Everest]; *gouden ~en beloven* promise mountains of gold; *over* ~ *en dal* up hill and down dale; *de haren rijzen mij te ~e* it makes my hair stand on end; *de* ~ *heeft een muis gebaard* the mountain has brought forth a mouse; **–achtig** mountainous, hilly; **berg'af** downhill; **berg'afwaarts** downhill, down the slope; **'bergbeklimmer** (-s) *m* mountain climber, mountaineer; **–bewoner** (-s) *m* mountaineer

'bergen* **I** *vt* 1 (l e g g e n) put; 2 (o p s l a a n) store; 3 (b e v a t t e n) hold, contain; 4 (s t r a n d g o e d e r e n) salve; 5 (e e n l i j k, r u i m t e c a p s u l e) recover; **II** *vr zich* ~ get out of the way; *berg je!* hide yourself!; get away!; save yourself!; *niet weten zich te* ~ *van schaamte* not to know where to hide

'bergengte (-n en -s) *v* defile

'berger (-s) *m* salvor

'berghelling (-en) *v* mountain slope

'berghok (-ken) *o* shed

'berghut (-ten) *v* climbers' hut, mountain hut, Alpine hut

'berging *v* 1 (v. s t r a n d g o e d e r e n) sal-

[1] V.T. en V.D. van dit werkwoord volgens het model: **be'**ademen, V.T. **be'**ademde, V.D. **be'**ademd (**ge-** valt dus weg in het V.D.). Zie voor de vormen onder het grondwoord, in dit voorbeeld: *ademen.* Bij sterke en onregelmatige werkwoorden wordt u verwezen naar de lijst achterin.

vage; 2 (v. ruimtecapsule) recovery; **'bergingsmaatschappij** (-en) *v* salvage company; **–vaartuig** (-en) *o* salvage vessel, salvor
'bergkam (-men) *m* mountain ridge; **–keten** (-s) *v* chain (range) of mountains, mountain range, mountain chain, rand; **–kloof** (-kloven) *v* cleft, gorge, chasm, ravine, gully; **–kristal** (-len) *o* rock-crystal; **–land** (-en) *o* mountainous country
'bergloon (-lonen) *o* ⚓ salvage (money)
berg'op uphill; **'bergpad** (-paden) *o* mountain path; **–pas** (-sen) *m* mountain pass; **–plaats** (-en) *v* depository; shed
'Bergrede *v* Sermon on the Mount; **'bergrug** (-gen) *m* mountain ridge
'bergruimte (-s en -n) *v* storage room, *Br* box-room
'bergschoen (-en) *m* mountaineering boot; **–sport** *v* mountaineering; **–storting** (-en) *v* landslide, landslip; **–top** (-pen) *m* mountain top; mountain peak, pinnacle; **–wand** (-en) *m* mountain side, mountain slope
be'richt (-en) *o* 1 (nieuws) news, tidings; 2 (kennisgeving) message, notice, advice; communication; report; 3 (in krant) paragraph; ~ *van ontvangst* acknowledgement (of receipt); ~ *krijgen* receive (get) news, hear [from sbd.]; ~ *sturen* (*zenden*) send word
be'richten (berichtte, h. bericht) *vt* let [us] know, send word [whether...], inform [of your arrival], report; zie ook: *ontvangst*
be'ridderen (beridderde, h. beridderd) = *beredderen*
be'rijdbaar passable, practicable [of roads]; **be'rijden**[1] *vt* ride over, drive over [a road]; ride [a horse, a bicycle]
be'rijmen[1] *vt* rhyme, versify, put into verse; **–ming** (-en) *v* rhyming, rhymed version
be'rijpt frosted, hoar
be'rin [be:-] (-nen) *v* she-bear
be'rispen (berispte, h. berispt) *vt* blame, reprove, rebuke, reprehend, reprimand, censure, admonish, rate; **–ping** (-en) *v* reproof, rebuke, reprimand
berk (-en), **'berkeboom** (-bomen) *m* birch, birch tree; **'berkehout** *o* birch-wood; **'berken** *aj* birchen
Ber'lijn *o* Berlin, **–er** (-s) *m* Berliner; **–s** Berlin; ~ *blauw* Prussian blue
berm (-en) *m* (grass) verge [of a road], [hard, soft] shoulder; (verhoogd) bank; **–lamp** (-en) *v* spotlight
Bern *o* Berne; **'Berner** Bernese [Oberland]; Berne [Convention]
be'roemd famous, renowned, illustrious, celebrated; ~ *maken* **F** put on the map; **–heid** (-heden) *v* fame, renown; *een* ~ a celebrity; **be'roemen**[1] *zich* ~ boast, brag; *zich* ~ *op* boast of, pride oneself on, glory in
be'roep (-en) *o* 1 (vak) profession, trade, business, calling, occupation; 2 ⚖ appeal; 3 (predikant) call; ~ *aantekenen* lodge an appeal; *een* ~ *doen op* appeal to [sbd. for sth.]; call on [sbd.'s help]; *in* (*hoger*) ~ *gaan* appeal to a higher court, appeal against a decision; *zijn* ~ *maken van* professionalize; ...*van* ~ ...by profession, by trade, professional...; *Anna N. zonder* ~ ...(of) no occupation; **be'roepen**[1] **I** *vt* call [a clergyman]; **II** *vr zich* ~ *op* refer to [your evidence], plead [ignorance], invoke [article 34]; **be'roepengids** (-en) *m*, **–lijst** (-en) *v* yellow pages; **be'roeps(-)** vaak: professional; **be'roepsgeheim** (-en) *o* professional secret; *het* ~ professional secrecy [in journalism &]; **beroeps'halve** by virtue of one's profession, professionally; **be'roepskeuze** *v* choice of a profession (of a career); *voorlichting bij* ~ vocational guidance; **–leger** (-s) *o* regular army; **–misdadiger** (-s) *m* professional criminal; **–officier** (-en) *m* regular officer; **–speler** (-s) *m* professional (player); **–sport** *v* professionalism; **–ziekte** (-n en -s) *v* occupational (industrial) disease
be'roerd I *aj* unpleasant, miserable, wretched, **F** rotten; **II** *ad* < wretchedly [bad &]; **be'roeren**[1] *vt eig* touch lightly; *fig* stir, disturb, perturb; **–ring** (-en) *v* commotion, disturbance, turmoil; perturbation; *in* ~ *brengen* = *fig beroeren;* **be'roerling** (-en) *m* rotter; **be'roerte** (-n en -s) *v* stroke (of apoplexy), (apoplectic) fit, seizure; *een* (*aanval van*) ~ *krijgen, door een* ~ *getroffen worden* have an apoplectic fit (a stroke)
be'roet sooty
be'rokkenen (berokkende, h. berokkend) *vt* cause [sorrow], give [pain]; *leed* ~ bring misery upon; *schade* ~ do damage to
be'rooid penniless, down and out
be'rouw *o* repentance, contrition, compunction, remorse; ~ *hebben over* (*van*) repent (of), regret, feel sorry for; **be'rouwen** (berouwde, h. berouwd) *vt* 1 (persoonlijk) repent (of), regret; 2 (onpersoonlijk) *het zal u* ~ you will repent it; 3 (als dreigement) you shall repent (rue) it, you will be sorry for it; *die dag zal u* ~ you will rue the

[1] V.T. en V.D. van dit werkwoord volgens het model: **be'**ademen, V.T. **be'**ademde, V.D. **be'**ademd (**ge-** valt dus weg in het V.D.). Zie voor de vormen onder het grondwoord, in dit voorbeeld: *ademen*. Bij sterke en onregelmatige werkwoorden wordt u verwezen naar de lijst achterin.

day; **be'rouwvol** repentant, contrite, penitent; ~ *zondaar* prodigal
be'roven[1] *vt* rob [a traveller]; *iem. van iets* ~ rob, deprive sbd. of sth.; *zich van het leven* ~ take one's own life; **–ving** (-en) *v* robbery
'berrie (-s) *v* (hand-)barrow; stretcher [for the wounded]
'berst = *barst*; **'bersten*** = *barsten*
be'rucht notorious; disreputable, ...of ill repute [of persons, places &]; ~ *om* (*wegens*) notorious for; **–heid** *v* notoriety, notoriousness, disreputableness
berusten[1] *vi* ~ *b ij* rest with, be in the keeping of, be deposited with [of a document &]; be lodged in [of power], be vested in [of a right]; ~ *i n iets* acquiesce in sth., resign oneself to sth.; ~ *o p* be based (founded) on, rest on [solid grounds], be due to [a misunderstanding]; **–d** resigned; **be'rusting** *v* resignation, acquiescence, submission; *de stukken zijn onder zijn* ~ the documents rest with him, are in his hands, are in his custody
1 bes *v* ♪ B flat
2 bes (-sen) *v* ♣ berry [of coffee &]; ~*sen* [black, red, white] currants
3 bes (-sen) *v* old woman, gammer
be'schaafd *aj* 1 (n i e t b a r b a a r s) civilized [nations]; 2 (u i t e r l i j k) well-bred [people], polished, refined [manners, society], polite [society]; 3 (g e e s t e l i j k) cultivated, educated, cultured; **–heid** *v* refinement, good breeding
be'schaamd I *aj* ashamed, shamefaced, abashed; (s c h u c h t e r) bashful; ~ *maken* make [sbd.] feel ashamed; ~ *staan* be ashamed; ~ *doen staan* make [sbd.] feel ashamed, put to shame; *wij werden in onze verwachtingen* (*niet*) ~ our hopes (expectations) were (not) falsified; ~ *zijn over* be ashamed of; **II** *ad* shamefacedly; (s c h u c h t e r) bashfully
be'schadigen (beschadigde, h. beschadigd) *vt* damage; **–ging** (-en) *v* damage
be'schaduwen[1] *vt* shade, overshadow
be'schamen[1] *vt* 1 put to shame, confound [sbd.]; 2 falsify [sbd.'s expectations]; betray [our trust]; **–d** humiliating
be'schaven[1] *vt fig* refine, polish, civilize; **–ving** (-en) *v* civilization; culture, refinement
be'scheid (-en) *o* answer; *de* (*officiële*) ~*en* the (official) papers, documents
be'scheiden modest; unpretending, unassuming, unobtrusive; **–heid** *v* modesty
be'schenken[1] *vt* ~ *met* present with, bestow, confer [a title, a favour &] on, endow with [a privilege]
be'schermeling(e) (-(e)n) *m* (-*v*) protégé(e); **be'schermen** (beschermde, h. beschermd) *vt* protect, screen, shelter; *beschermd t e g e n de wind* sheltered (screened) from the wind; ~ *v o o r* protect from (against); **–d** 1 protecting [hand &]; protective [duties]; protectionist [system]; 2 patronizing [tone]; **be'schermengel** (-en) *m* guardian angel; **be'schermer** (-s) *m* protector; ook: = *beschermheer*; **be'schermheer** (-heren) *m* patron; **–schap** (-pen) *o* patronage; **be'schermheilige** (-n) *m* (-*v*) patron(ess), patron saint; **be'scherming** (-en) *v* 1 (b e s c h u t t i n g) protection; 2 (b e g u n s t i g i n g) patronage; *Bescherming Bevolking* ± Civil Defence; *i n* ~ *nemen tegen* shield from; *o n d e r* ~ *van* under cover of [the night]
be'scheuren[1] *zich* ~ **P** split one's sides, laugh fit to burst
be'schieten[1] *vt* 1 ⚔ fire at (upon), (i n z. m e t g r a n a t e n) shell; 2 (b e k l e d e n) board, wainscot [a wall]; **–ting** (-en) *v* firing, (i n z. m e t g r a n a t e n) shelling
be'schijnen[1] *vt* shine upon; light up
be'schikbaar available, at sbd.'s disposal; *niet* ~ unavailable; **be'schikken**[1] *vi gunstig* (*ongunstig*) ~ *o p* grant (refuse) [a request]; ~ *o v e r* have the disposal of, have at one's disposal; dispose of [one's time]; command [a majority, 50 seats in the Lower House]; *u kunt over mij* ~ I am at your disposal; zie ook *wikken*; **–king** (-en) *v* 1 disposal; 2 [ministerial] decree; *de* ~ *hebben over*... have the disposal of..., have at one's disposal; *b ij* ~ *van de president* by order of the president; *het staat t e uwer* ~ it is at your disposal; *ter* ~ *stellen van* place (put) at the disposal of; *ter* ~ *zijn* be available
be'schilderen[1] *vt* paint, paint over; *beschilderde ramen* stained-glass windows
be'schimmeld mouldy; **be'schimmelen**[1] *vi* go (grow) mouldy
be'schimpen[1] *vt* taunt, jeer (at)
be'schoeien (beschoeide, h. beschoeid) *vt* campshed; **be'schoeiing** (-en) *v* campshot, campshedding, campsheeting
be'schonken drunk, intoxicated, tipsy
be'schoren *het was mij* ~ it fell to my lot
be'schot (-ten) *o* 1 (b e k l e e d s e l) wainscoting; 2 (a f s c h e i d i n g) partition
be'schouwelijk contemplative;
be'schouwen[1] *vt* look at, view, contemplate;

[1] V.T. en V.D. van dit werkwoord volgens het model: **be'**ademen, V.T. **be'**ademde, V.D. **be'**ademd (**ge-** valt dus weg in het V.D.). Zie voor de vormen onder het grondwoord, in dit voorbeeld: *ademen.* Bij sterke en onregelmatige werkwoorden wordt u verwezen naar de lijst achterin.

consider, regard, envisage; ~ *als* consider [it one's duty], regard as [confidential], look upon as [a crime], hold (to be) [responsible], take [sbd. to be crazy, the news as true]; *(alles) wel beschouwd* after all, all things considered; *op zichzelf beschouwd* in itself; *oppervlakkig beschouwd* on the face of it; **–d** contemplative, speculative; **be'schouwer** (-s) *m* spectator, contemplator; **–wing** (-en) *v* 1 (als handeling) contemplation; 2 (bespiegeling) speculation, contemplation; 3 (beoordeling, bespreking) consideration; 4 (denkwijze) view; *bij nadere* ~ on closer examination; *buiten* ~ *laten* leave out of consideration, leave out of account (out of the question), not take into consideration, ignore, prescind from

be'schrijven[1] *vt* 1 (schrijven op) write upon; 2 describe, draw [a circle &]; 3 (schilderen) describe [a voyage &]; 4 (schriftelijk bijeenroepen) convoke [a meeting]; **–d** descriptive [style, geometry]; **be'schrijving** (-en) *v* description; **–sbrief** (-brieven) *m* convocation, notice of a meeting

be'schroomd I *aj* timid, timorous, diffident, shy; **II** *ad* timidly

be'schuit (-en) *v* rusk

be'schuldigde (-n) *m-v de* ~ the accused; **be'schuldigen** (beschuldigde, h. beschuldigd) *vt* incriminate [sbd.]; accuse [other people], impeach [sbd. of treason, heresy &]; indict [sbd. for riot, as a rioter]; ~ *van* accuse of [a fault, theft], charge with [carelessness, complicity], tax with [ingratitude], impeach of [high crime], indict for [riot]; **–d** accusatory; **be'schuldiging** (-en) *v* accusation, charge, indictment, impeachment; *een* ~ *inbrengen tegen iem.* bring a charge against sbd.; *een* ~ *richten tot* level charges at; *onder* ~ *van* on a charge of

be'schutten (beschutte, h. beschut) *vt* shelter[2], screen[2], protect[2]; ~ *voor* (*tegen*) shelter from [heat, danger &], protect from (against) [danger, injury]; **–ting** (-en) *v* shelter, protection; ~ *geven* (*verlenen*) give shelter [from heat, danger &]; ~ *zoeken* take shelter [in a cave, under a tree, with friends; from the rain, dangers &]

be'sef *o* 1 sense, notion; 2 realization [of the situation]; *geen flauw* ~ *hebben van* not have the faintest notion of; *tot het* ~ *komen van* realize; **be'seffen** (besefte, h. beseft) *vt* realize, be aware; *wij* ~ *heel goed dat* we fully appreciate that

'besje (-s) *o* old woman, gammer; **–shuis** (-huizen) *o* old women's almshouse

be'slaan[1] **I** *vt* 1 ⚒ (...slaan om), hoop [a cask]; (...slaan op) stud [a door with nails], mount [a pistol with silver]; shoe [a horse]; 2 (kloppend roeren) beat up [the batter]; 3 take up [much room], occupy [much space], contain [300 pages], fill [the whole space]; **II** *vi* & *va* become steamy, get dim [of panes]; get covered over [with moisture]; **be'slag** (-slagen) *o* 1 ⚒ (als versiering) mounting; (aan deur) ironwork, studs, (iron, brass) fittings; (aan heipaal) binding; (aan ton) hoops, bands; (aan stok) tip, ferrule; (v. paard) (horse)shoes; 2 (v. deeg) batter; (voor brouwsel) mash; 3 (op tong) fur; 4 ⚖ attachment; seizure; ⚓ embargo; *de zaak heeft haar* ~ the matter is settled; ~ *leggen op* levy a distress upon [sbd.'s goods], seize; ⚓ put (lay) an embargo on; ~ *leggen op iemand(s tijd)* 1 (v. personen) trespass on sbd.'s time; 2 (v. zaken) engross sbd., take up all his time; *in* ~ *nemen* seize [goods smuggled]; *fig* take up [much time, much room]; engross [sbd.'s attention]; **be'slagen** 1 shod [of a horse]; 2 steamy, steamed [windows], dimmed with moisture [of glass]; furred, coated [tongue]; zie ook: *beslaan* & *ijs*; **be'slaglegging** (-en) *v* = *beslag* 4

be'slapen[1] *vt dit bed is al* ~ this bed has been slept in; *zich ergens op* ~ sleep on (over) it, take counsel of one's pillow

be'slechten[1] *vt* settle, compose [a quarrel]; zie ook *pleit*

be'slissen (besliste, h. beslist) **I** *vt* decide; (scheidsrechterlijk) arbitrate (upon), rule; ~ *ten gunste van* decide for (in favour of); ~ *ten nadele van* decide against; **II** *va* decide; **–d** decisive [battle], final [match, trial], conclusive [proof], determinant [factor]; critical [moment]; casting [vote]; **be'slissing** (-en) *v* decision; ⚖ ruling; *een* ~ *nemen* make a decision, come to a decision; **–swedstrijd** (-en) *m* final; play-off; decider

be'slist decided, resolute, firm, peremptory; **–heid** *v* decision, resolution, firmness; peremptoriness

be'slommering (-en) *v* care, worry

be'sloten resolved, determined; *ik ben* ~ I am resolved, I have made up my mind; *vast* ~ of set purpose; ~ *naamloze vennootschap* ± limited liability company; ~ *jacht* private shooting; ~ *vergadering* private meeting

[1] V.T. en V.D. van dit werkwoord volgens het model: **be**'ademen, V.T. **be**'ademde, V.D. **be**'ademd (**ge-** valt dus weg in het V.D.). Zie voor de vormen onder het grondwoord, in dit voorbeeld: *ademen.* Bij sterke en onregelmatige werkwoorden wordt u verwezen naar de lijst achterin.

be'sluipen[1] *vt* 1 (o p j a c h t) stalk [deer]; 2 *fig* steal upon [sbd.]
be'sluit (-en) *o* 1 (b i j z i c h z e l f) resolve; resolution, determination; decision; 2 (v . v e r g a d e r i n g &) resolution [of a meeting]; decree [set forth by authority]; 3 (g e v o l g - t r e k k i n g) conclusion; 4 (e i n d e) conclusion, close; *Koninklijk B~* Order in Council; *een ~ nemen* 1 (i n v e r g a d e r i n g) pass (adopt) a resolution; 2 (v . p e r s o o n) take a decision, make up one's mind; *een kloek ~ nemen* form a bold resolution; *tot ~* in conclusion, to conclude; *tot een ~ komen* come to a conclusion (resolution); *hij kan nooit tot een ~ komen* he cannot make up his mind; **be'sluiteloos** undecided, irresolute; **besluite'loosheid** *v* irresolution, indecision, infirmity of purpose; **be'sluiten**[1] **I** *vt* 1 (e i n d i g e n) end, conclude [a speech]; 2 (g e v o l g t r e k k i n g m a k e n) conclude, infer (from *uit*); 3 (e e n b e s l u i t n e m e n) decide, resolve, determine [to do, on doing]; *ergens toe ~* make up one's mind; *dat heeft me doen ~ te gaan* that has decided me to go; **II** *vi ~ met het volkslied* wind up with the national anthem; **III** *va* decide; *hij kan maar tot niets ~* he cannot decide on anything; zie ook: *besloten*; **besluit'vaardig** resolute; **be'sluitvorming** *v* decision-making
be'smeren[1] *vt* besmear, smear, daub; spread [with butter], (m e t b o t e r) butter [bread]
be'smet contaminated, infected; polluted [water]; (b i j w e r k s t a k i n g) tainted [goods]; **–telijk** contagious[2], infectious[2], catching[2]; **be'smetten** (besmette, h. besmet) *vt* contaminate [by contact & morally], infect [the body & the mind]; pollute[2] [water], taint[2] [meat]; **be'smetting** (-en) *v* contagion, contamination, infection, pollution, taint; **–shaard** (-en) *m* source of infection
be'smeuren (besmeurde, h. besmeurd) *vt* besmear, besmirch[2], soil[2], stain[2]
be'snaren (besnaarde, h. besnaard) *vt* string
be'sneeuwd covered with snow, snow-covered, snowy
be'snijden[1] *vt* 1 cut, carve [wood]; 2 (r i t u e e l & ✡) circumcise; **be'snijdenis** (-sen) *v* circumcision
be'snoeien *vt fig* cut down; retrench, curtail [expenses &]; **be'snoeiing** (-en) *v fig* retrenchment, curtailment; *~en* cutbacks
be'snuffelen[1] *vt* smell at, sniff at
be'spannen[1] *vt* ♪ string [a violin]; *met paarden ~* horse-drawn; *met vier paarden ~ wagen* coach and four, four-in-hand
be'sparen[1] *vt dat leed werd haar bespaard* she was spared that grief; *zich (de moeite) ~* save (spare) oneself [the trouble, the effort]; **–ring** (-en) *v* saving; economy; *ter ~ van kosten* to save expenses
be'spatten[1] *vt* splash, (be)spatter
be'spelen[1] *vt* play on [an instrument, a billiards table &], play [an instrument], touch [the lyre]; play in [a theatre]
be'speuren[1] *vt* perceive, descry
be'spieden[1] *vt* spy upon, watch
be'spiegelend contemplative [life]; speculative [philosophy]; **be'spiegeling** (-en) *v* speculation, contemplation; *~en houden over* speculate on
be'spijkeren[1] *vt* stud [a door &] with nails; *met planken ~* nail planks on to
be'spikkelen[1] *vt* speckle
bespio'neren[1] *vt* spy upon
be'spoedigen (bespoedigde, h. bespoedigd) *vt* accelerate [a motion], hasten, speed up [a work], expedite [a process]
be'spottelijk I *aj* ridiculous, ludicrous; *~ maken* ridicule, deride, hold up to ridicule; *zich ~ aanstellen* make a fool of oneself, lay oneself open to ridicule; **II** *ad* ridiculously;
be'spotten[1] *vt* mock, deride, ridicule, quip; **–ting** (-en) *v* mockery, derision, ridicule
be'spreekbureau [-by.ro.] (-s) *o* booking-office; (i n t h e a t e r) box-office;
be'spreken[1] *vt* 1 talk about, talk [it] over, discuss; 2 (b e o o r d e l e n) review [a book &]; 3 (v o o r u i t n e m e n) book [a berth, a place], secure, engage, reserve [seats], bespeak [a book at the library]; **–king** (-en) *v* 1 discussion [of some subject], talk, conference; 2 review [of a book]; 3 booking [of seats]
be'sprenkelen[1] *vt* sprinkle
be'springen[1] *vt* leap (spring, pounce) upon
be'sproeien[1] *vt* water [plants]; irrigate [land]
be'spuiten[1] *vt* squirt [water] upon; spray [an insecticide] on
'besseboom (-bomen) *m* currant bush;
'bessengelei [-ʒəlɛi] (-en) *m* & *v* currant jelly; **–jenever** *m* black-currant gin; **'bessesap** (-pen) *o* & *m* currant juice; **–struik** (-en) *m* currant bush
best I *aj* 1 (r e l a t i e f) best; 2 (a b s o l u u t) very good; *mij ~!* all right!, I have no objection; *hij is niet al te ~* he is none too well; *~e aardappelen* prime potatoes; *~e jongen* (my) dear boy; **II** *ad* best; very well; *ik zou ~ met hem*

[1] V.T. en V.D. van dit werkwoord volgens het model: **be'**ademen, V.T. **be'**ademde, V.D. **be'**ademd (**ge-** valt dus weg in het V.D.). Zie voor de vormen onder het grondwoord, in dit voorbeeld: *ademen*. Bij sterke en onregelmatige werkwoorden wordt u verwezen naar de lijst achterin.

willen ruilen I wouldn't mind swapping with him; *het is ~ mogelijk* it is quite possible; *hij schrijft het ~* he writes best; **III** *sb* best; *dat kan de ~e gebeuren* that may happen to the best of us; ..., *dan ben je een ~e!* there is a good boy (a dear); *het ~e zal zijn...* the best thing (plan) will be...; *het ~e ermee!* all the best, good luck (to you)!; *het ~e met je verkoudheid* I hope your cold will soon be better; *zijn ~ doen* do one's best; *zijn uiterste ~ doen* do one's utmost, exert oneself to the utmost; *beter zijn ~ doen* try harder; *er het ~e van hopen* hope for the best; *er het ~ van maken* make the best of it; *iem. het ~e wensen* wish sbd. all the best; • *o p zijn ~* [Shakespeare] at his best; [fifty] at the utmost, at most, at best; *Juffrouw X zal iets t e n ~e geven* Miss X is going to oblige the company; *alles zal ten ~e keren* everything will turn out for the best

be'staan[1] I *vi* be, exist; subsist [= continue to exist]; *hoe bestaat 't?* how is it possible?; • *~ i n* consist in; *~u i t* consist of, be composed of; *~ v a n* live on (upon); *iem. van na(bij) ~* be near sbd. in blood; *~ v o o r* live for; *hij heeft het ~ om...* he had the nerve to...; **II** *o* 1 (h e t z i j n) being, existence; 2 (o n d e r h o u d) subsistence; *een aangenaam ~* a pleasant life; *een behoorlijk ~* a decent living; *de strijd om het ~* the struggle for life; *hij heeft een goed ~* he has a fair competency; *het vijftigjarig ~ herdenken van* commemorate the fiftieth anniversary of; **–baar** possible; **be'staand** existing, in existence; **be'staansminimum** (-nima) *o* subsistence minimum; **–voorwaarden** *mv* living conditions

1 be'stand *aj ~ zijn tegen* be able to resist, be proof against; *~ tegen het weer* weather-proof

2 be'stand (-en) *o* truce

be'standdeel (-delen) *o* element, component, (constituent) part, ingredient

be'standslijn (-en) *v* armistice (cease-fire) line

be'steden (besteedde, h. besteed) *vt* spend, pay [a certain sum]; *geld (tijd) ~ aan* spend money (time) on; *het is aan hem besteed* he can appreciate that; *het is aan hem niet besteed* it [the joke, advice &] is wasted (lost) on him; *goed (nuttig) ~* make (a) good use of; *slecht ~* make a bad use of; **be'steding** (-en) *v* expenditure, spending; **–sbeperking** *v* austerity, economic squeeze

be'stek (-ken) *o* 1 (b i j a a n n e m i n g) △ specification(s); 2 ⚓ (g e g i s t ~) (dead) reckoning; 3 (e e t g e r e i v o o r é é n p e r s o o n) fork, knife and spoon; cover; *het ~ opmaken* ⚓ determine (reckon) the ship's position; *b i n n e n het ~ van dit werk* within the scope of this work; *veel i n een klein ~* much in a small compass; *in kort ~* in brief, in a nutshell

beste'kamer (-s) *v* convenience, w.c., privy

be'stel *o* [new, old, present] order (of things), set-up, [totalitarian &] regime, [financial, army &] system, scheme; *het (heersende) ~* the Establishment

be'stelauto [-o.to., -ɔuto.] ('s) *m* delivery van; **–biljet** (-ten) *o*, **–bon** (-nen en -s) *m* order-form; **–dienst** (-en) *m* parcels delivery (service)

be'stelen[1] *vt* rob

be'stelkaart (-en) *v* order-form; **be'stellen**[1] *vt* 1 (b e z o r g e n) deliver [letters &]; 2 (o m t e b e z o r g e n) order [goods from]; 3 (o n t - b i e d e n) send for [sbd.]; *bij wie bestelt u uw boeken?* from whom do you order your books?; **–er** (-s) *m* 1 📯 postman; 2 parcels delivery man; 3 (k r u i e r) porter; **be'stelling** (-en) *v* 1 📯 delivery; 2 $ order; *~en aannemen (doen, uitvoeren)* receive (place, fill) orders; *~en doen bij* place orders with; *ze zijn i n ~* they are on order; *o p (volgens) ~* (made) to order; **be'stelloon** (-lonen) *o* porterage; **–wagen** (-s) *m* delivery van

'bestemaatjes *ze zijn ~* they are very thick together; *met iedereen ~ zijn* be hail-fellow-well-met with everybody

be'stemmen[1] *vt* destine, intend, mark out; *~ v o o r* destine for [some service]; appropriate, set apart, allocate [a sum] for...; appoint, fix [a day] for...; *dat was voor u bestemd* that was intended (meant) for you; **be'stemming** (-en) *v* 1 (place of) destination, 2 [a man's] lot, destiny; *met ~* ⚓ bound for [Marseille]; **–splan** (-nen) *o* development plan

be'stempelen[1] *vt* stamp; *~ met de naam van...* designate as..., style..., describe as..., label as...

be'stendig I *aj* continual, constant, lasting; steady; *~ weer* settled weather, set fair; **II** *ad* continually, constantly; **be'stendigen** (bestendigde, h. bestendigd) *vt* continue, confirm [in office]; perpetuate [indefinitely]; **–ging** *v* continuance; perpetuation

be'sterven[1] *hij zal het nog ~* it wil be the death of him; *zij bestierf het bijna van schrik (van het lachen)* she nearly jumped out of her skin (nearly died with laughing); *het woord bestierf op zijn lippen* the word died on his lips; *vlees laten*

[1] V.T. en V.D. van dit werkwoord volgens het model: **be'**ademen, V.T. **be'**ademde, V.D. **be'**ademd (**ge-** valt dus weg in het V.D.). Zie voor de vormen onder het grondwoord, in dit voorbeeld: *ademen.* Bij sterke en onregelmatige werkwoorden wordt u verwezen naar de lijst achterin.

~ hang meat; zie ook: *bestorven*
be'stier *o*, **be'stiering** (-en) *v* guidance
be'stijgen (besteeg, h. bestegen) *vt* ascend, climb [a mountain]; mount [the throne, a horse]; **–ging** (-en) *v* ascent, climbing, mounting
be'stikken[1] *vt* stitch, embroider
be'stoken[1] *vt* batter, shell [a fortress]; harass [the enemy], press hard; ~ *met vragen* ply (assail) with questions
be'stormen[1] *vt* storm, assault [a fortress], assail, bombard [people with questions]; besiege [with requests]; *de bank werd bestormd* there was a run (rush) on the bank; **–er** (-s) *m* stormer, assaulter; **be'storming** (-en) *v* storming, assault; rush [of a fortress, on a bank]
be'storven *dat ligt hem in de mond* ~ it is constantly on his lips
be'stoven 1 dusty; 2 ✿ pollinated
be'straffen[1] *vt* punish; (b e r i s p e n) reproach, rebuke, reprimand; *~d* reproachful, reproving [look]; **–fing** (-en) *v* punishment
be'stralen[1] *vt* shine upon, irradiate; ⚕ ray; **–ling** (-en) *v* irradiation; ⚕ radiation; *Röntgen~* radiotherapy
be'straten (bestraatte, h. bestraat) *vt* pave; **–ting** (-en) *v* (d e h a n d e l i n g; d e s t e n e n) paving; (d e s t e n e n) pavement
be'strijden[1] *vt* 1 (i e m .) fight (against), combat, contend with; 2 (i e t s) fight (against), combat [abuses, prejudice]; control [insects, diseases]; dispute, contest [a point], oppose [a proposal]; defray [the expenses], meet [the costs]; **–er** (-s) *m* fighter, adversary, opponent; **be'strijding** *v* fight [against cancer]; control [of insects, of diseases]; fighting; *ter ~ der kosten* to meet the costs, for the defrayment of expenses; **–smiddel** (-en) *o* pesticide
be'strijken[1] *vt* 1 spread (over) [with mortar &]; 2 ⚔ cover, command, sweep; ~ *met* coat (spread) with; *een groot terrein* ~ cover a wide field
be'strooien[1] *vt* strew, sprinkle
bestu'deren[1] *vt* study, read up [a subject]; *bestudeerd* affected [attitude]; **–ring** *v* study
be'stuiven[1] *vt* 1 cover with dust; 2 ✿ pollinate; 3 dust [crops with insecticide]; **–ving** (-en) *v* ✿ pollination
be'sturen[1] *vt* govern, rule [a country]; manage [affairs]; conduct [a business], run [a house]; ⚒ steer [a ship]; drive [a car]; ✈ fly [an aeroplane]; *draadloos bestuurd* wireless-controlled, radio-controlled; **–ring** (-en) *v* ⚒ steering &; *dubbele* ~ ✈ 🚗 dual control; *linkse* (*rechtse*) ~ 🚗 left-hand (right-hand) drive; **be'stuur** (-sturen) *o* 1 government, rule; administration [of a country]; 2 (l e i d i n g) administration, management, direction, control [of an undertaking]; 3 (l i c h a a m) board, governing body, committee, executive [of a party]; *het plaatselijk* ~ 1 (c o n c r e e t) the local authorities; 2 (a b s t r a c t) local government; **be'stuurbaar** dirigible [balloon]; manageable; **–heid** *v* ⚓ steerage; **be'stuurder** (-s en -en) *m* 1 governor, director, administrator; 2 ⚒ driver; 3 ✈ pilot; **be'stuurlijk** administrative; **be'stuursambtenaar** (-s en -naren) *m* government official, civil servant; **–functie** [-fünksi.] (-s) *v* executive function; **–lid** (-leden) *o* member of the board &, zie *bestuur* 3; **–tafel** (-s) *v* board table, committee table; **–vergadering** (-en) *v* committee meeting, meeting of the board, board meeting
'bestwil *om uw* ~ for your good; *een leugentje om* ~ a white lie
'bèta ('s) *v* beta
be'taalbaar payable; ~ *stellen* make payable, domicile; **be'taald** paid (for); *het iem.* ~ *zetten* pay sbd. out, take it out of sbd.; *met* ~ *antwoord* reply paid [telegram]; ~ *voetbal* professional football; **be'taaldag** (-dagen) *m* 1 day of payment; 2 pay-day; **–kantoor** (-toren) *o*, **–kas** (-sen) *v* pay-office; **–meester** (-s) *m* paymaster; **–middel** (-en) *o wettig* ~ legal tender, legal currency; **–pas** (-sen) *m* bank card; **–staat** (-staten) *m* pay-sheet; **be'talen** (betaalde, h. betaald) **I** *vt* pay [one's debts, the servants &], pay for [the drinks, flowers &]; *zij kunnen het* (*best*) ~ they can afford it; *wie zal dat ~?* who is to pay?; *zich goed laten* ~ charge heavily; ~ *met* pay with [ingratitude &]; pay in [gold]; *het is met geen geld te* ~ money cannot buy it; **II** *va* pay, settle; *dat betaalt goed* it pays (you well); *ze* ~ *slecht* 1 they are not punctual in paying; 2 they underpay their workmen (employees &); **be'taling** (-en) *v* payment; *tegen* ~ *van...* on payment of; *ter* ~ *van* in payment of; **be'talingsbalans** (-en) *v* balance of payments; **–condities** [-(t)si.s] *mv* terms of payment; **–termijn** (-en) *m* 1 term (of payment, for the payment of...); 2 instalment; **–voorwaarden** *mv* terms (of payment); *op gemakkelijke* ~ on easy terms
be'tamelijk decent, becoming, proper, befitting; **be'tamen** (betaamde, h. betaamd) *vi* become, beseem; behove; *het betaamt u niet...*

[1] V.T. en V.D. van dit werkwoord volgens het model: **be'**ademen, V.T. **be'**ademde, V.D. **be'**ademd (**ge-** valt dus weg in het V.D.). Zie voor de vormen onder het grondwoord, in dit voorbeeld: *ademen.* Bij sterke en onregelmatige werkwoorden wordt u verwezen naar de lijst achterin.

ook: it is not for you to...
be'tasten[1] *vt* handle, feel, ⚕ palpate
'bètastralen *mv* beta rays; **'bètatron** (-s) *o* betatron; **'bètawetenschappen** *mv* (natural) sciences
be'tegelen (betegelde, h. betegeld) *vt* tile
be'tekenen[1] *vt* 1 (w i l l e n z e g g e n) mean, signify; 2 (v o o r s p e l l e n) signify, portend, spell; 3 ⚖ serve [a notice, writ] upon [sbd.]; *het heeft niet veel te* ~ 1 it does not amount to much; 2 it is nothing much; *het heeft niets te* ~ it does not matter; it is of no importance; *wat heeft dat te* ~*?* what does it all mean?, what's all this?; **-ning** (-en) *v* ⚖ (legal) notice, service (of writ); **be'tekenis** (-sen) *v* 1 meaning, sense, signification; acceptation [= aangenomen betekenis]; pregnancy [= volle betekenis]; 2 (b e l a n g) significance, importance, consequence; *het is van* ~ it is significant; it is important; *van enige* ~ of some significance (consequence); *het is van geen* ~ it is of no importance (consequence), it does not signify; *mannen van* ~ men of note; *een schrijver van* ~ a distinguished writer; **-leer** *v* semantics, semasiology; **-verandering** (-en) *v* change of meaning, semantic change
'beten V.T. meerv. v. *bijten*
be'tengelen (betengelde, h. betengeld) *vt* lath
'beter I *aj* better [weather &]; better (i.e. improved), well (i.e. recovered) [of a patient]; *hij is* ~ 1 he is better, a better man [than his brother]; 2 he is better (= improved) [of a patient]; 3 he is well again, he is (has) recovered [of a patient]; *het* ~ *hebben* be better off; *het kan nog* ~ you (he, they) can do better yet; *zij hopen het* ~ *te krijgen* they hope to better themselves; *de volgende keer* ~ better luck next time; ~ *maken* set right, put right, cure [some defect &]; set up, bring round [a patient]; *dat maakt de zaak niet* ~ that does not improve (help) matters; ~ *weten* know better than that; *de zaken gaan* ~ business is looking up; *ik ben er niets* ~ *van geworden* I did not get anything out of it, I have gained nothing of it; ~ *worden* 1 become (get) better, mend, improve [of the outlook &]; 2 be getting well (better) [after illnes]; **II** *ad* better; *des te* ~*!* so much the better!; *hij deed* ~ *te zwijgen* he had better be silent; **III** *sb als u niets* ~*s te doen hebt* if you are not better engaged
1 be'teren[1] *vt* tar
2 'beteren (beterde, h. en is gebeterd) **I** *vi* become (get) better, mend, improve, recover [in health]; *aan de* ~*de hand zijn* be getting better, be doing well, be on the mend; **II** *vr zich (zijn leven)* ~ mend one's ways; **'beterschap** *v* improvement [in health], recovery; ~*!* I hope you will soon be well again!; ~ *beloven* promise to behave better (in future).
be'teugelen (beteugelde, h. beteugeld) *vt* bridle, curb, check, keep in check, restrain
be'teuterd confused, perplexed, puzzled; ~ *kijken* be taken aback
be'tichten (betichtte, h. beticht) *vt iem.* ~ *van* accuse sbd. of, charge sbd. with, tax sbd. with
be'timmeren[1] *vt* line with wood; **-ring** (-en) *v* woodwork [of a room]
be'titelen (betitelde, h. betiteld) *vt* title, entitle, style; **-ling** (-en) *v* style, title
be'togen (betoogde, h. betoogd) **I** *vt* argue; **II** *vi* make a [public] demonstration, demonstrate; **-er** (-s) *m* demonstrator; **be'toging** (-en) *v* [public] demonstration
be'ton *o* concrete; *gewapend* ~ reinforced concrete, ferro-concrete
be'tonen[1] **I** *vt* show [courage, favour, kindness], manifest [one's joy]; **II** *vr zich* ~ show oneself [grateful], prove oneself [equal to]
be'tonijzer *o* reinforcement (reinforcing) steel; **-molen** (-s) *m* concrete mixer
1 be'tonnen (betonde, h. betond) *vt* buoy
2 be'tonnen *aj* concrete
be'tonning (-en) *v* 1 (d e h a n d e l i n g) buoying; 2 (d e t o n n e n) buoys
be'tonwerker (-s) *m* concrete worker, concreter
be'toog (-togen) *o* argument(s); *dat behoeft geen* ~ it is obvious; **-kracht** *v* argumentative power; **-trant** *m* argumentation
be'toon *o* demonstration, show, manifestation
be'toveren[1] *vt* bewitch[2], enchant[2], cast a spell on[2], *fig* fascinate, charm; **-d** bewitching, enchanting, fascinating, charming
'betovergrootmoeder (-s) *v* great-great-grandmother; **-vader** (-s) *m* great-great-grandfather
be'tovering (-en) *v* enchantment, bewitchment, spell, fascination, glamour
be'traand tearful, wet with tears
be'trachten[1] *vt de deugd* ~ practise virtue; *zijn plicht* ~ do one's duty
be'trappen[1] *vt* catch, detect; *iem. op diefstal* ~ catch sbd. (in the act of) stealing; *iem. op een fout* ~ catch sbd. out (tripping); *op heter daad* ~ take in the (very) act, catch sbd. red-handed; *iem. op een leugen* ~ catch sbd. in a lie
be'treden[1] *vt* tread (upon), set foot upon (in);

[1] V.T. en V.D. van dit werkwoord volgens het model: **be'**ademen, V.T. **be'**ademde, V.D. **be'**ademd (**ge-** valt dus weg in het V.D.). Zie voor de vormen onder het grondwoord, in dit voorbeeld: *ademen.* Bij sterke en onregelmatige werkwoorden wordt u verwezen naar de lijst achterin.

enter [a building, a room &]; *de kansel ~* mount the pulpit
be'treffen[1] *vt* concern, regard, touch, affect, pertain; *waar het zijn eer betreft* where his honour is concerned; *voor zover het... betreft* so far as... is (are) concerned; *wat [uitgaan &] betreft* in the way of [entertainment &]; *wat mij betreft* as for me, as to me, I for one, personally, I; *wat dat betreft* as to that; **–de** concerning, regarding, with respect (regard) to, relative to
be'trekkelijk *aj* relative [pronoun &]; comparative [poverty &]; *alles is ~* all things go by comparison; **–heid** *v* relativity; **be'trekken**[1] **I** *vt* 1 (trekken in) move into [a house]; 2 (laten komen) get, order [goods from X &]; *iem. in iets ~* involve (implicate) sbd. in an affair, mix sbd. up in it; bring sbd. into the discussion &; draw sbd. into a conflict; **II** *vi* become overcast [of the sky], cloud over[2] [of the sky, sbd.'s face]; zie ook: *betrokken*; **be'trekking** (-en) *v* 1 (verhouding) relation; relationship [of master and servant, with God]; 2 (baan) post, position, place, job, situation [as servant], [official] appointment; *diplomatieke ~en* diplomatic relations; *dat heeft daar geen ~ op* that does not relate to it, has no reference to it; that does not bear upon it; *het vraagteken heeft ~ op...* the question mark refers to...; • *in ~* in employment; *in ~ staan met* have relations with; *in goede ~ staan met* be on good terms with; *met ~ tot* with regard (respect) to, in (with) reference to; *zonder ~* out of employment, unemployed
be'treuren[1] *vt* regret, deplore, lament, bewail, mourn for [a lost person], mourn [the loss of...]; zie ook *mensenleven*; **betreurens'waard(ig)** regrettable, deplorable, lamentable
be'trokken 1 cloudy, overcast [sky]; 2 clouded, gloomy [face]; *de ~ autoriteiten* the proper authorities; *bij (in) iets ~ zijn* be concerned in (with), be a party to, be mixed up with (in); be involved in [a bankruptcy]; *financieel ~ zijn bij* have a financial interest in; *de daarbij ~en* the persons concerned (involved); **–heid** *v* involvement
be'trouwbaar reliable, trustworthy; **–heid** *v* reliability, reliableness, trustworthiness
'betten (bette, h. gebet) *vt* bathe, dab
be'tuigen (betuigde, h. betuigd) *vt* express [sympathy, one's regret &]; protest [one's innocence]; profess [friendship]; tender [thanks]; **–ging** (-en) *v* expression [of one's feelings]; protestation [of one's innocence]; profession [of friendship]
be'tuttelen (betuttelde, h. betutteld) *vt* chide, lecture, upbraid
'betweter ['bɛt-] (-s) *m* wiseacre, pedant; **F** back-seat driver; **betwete'rij** (-en) *v* pedantry
be'twijfelen[1] *vt* doubt, question
be'twistbaar disputable, contestable [statements &], debatable [grounds], questionable [accuracy]; **be'twisten**[1] *vt* 1 (iets) dispute [a fact, every inch of ground], contest [a point], challenge [a statement]; 2 (iem. iets) dispute [a point] with; deny; *zij betwistten ons de overwinning* they disputed the victory with us
beu ~ *(van)* tired (sick) of
beug (-en) *v* long line [for fishing]
'beugel (-s) *m* guard [of a sword]; (trigger) guard [of a rifle]; ⚒ shackle [of a padlock], ring, strap, brace; ⚓ gimbals [of a compass]; clasp [of lady's bag; on a bottle]; ✻ (contact) bow [of an electric tramway]; braces [for straitening teeth]; (leg) iron; zie ook: *stijgbeugel*; *dat kan niet door de ~* 1 (kan er niet mee door) that cannot pass muster; 2 (is ongeoorloofd) this cannot be allowed; **–sluiting** (-en) *v* clasp
'beugvisserij *v* long-line fishing
1 beuk (-en) *m* & *v* △ (hoofd~) nave; (zij~) aisle
2 beuk (-en) *m*, **'beukeboom** (-bomen) *m* ♣ beech, beech tree; **'beukehout** *o* beech-wood, beech; **1 'beuken** *aj* beech(en)
2 'beuken (beukte, h. gebeukt) *vt* beat, batter, pummel, pommel; pound [with one's fists]; *de golven ~ het strand* the waves lash the shore (the beach); *er op los ~* pound away [at sbd.]
'beukenbos (-sen) *o* beech-wood; **'beukenoot** (-noten) *v* beech-nut
'beukhamer (-s) *m* maul, mallet
beul (-en) *m* 1 hangman, executioner; 2 *fig* brute, bully, torturer; **'beulsknecht** (-s en -en) *m* hangman's assistant; **–werk** *o fig* drudgery, toil, grind
'beunhaas (-hazen) *m* interloper, dabbler; **'beunhazen** (beunhaasde, h. gebeunhaasd) *vi* dabble (in); **beunhaze'rij** (-en) *v* dabbling
'beuren (beurde, h. gebeurd) *vt* 1 lift (up) [a load]; 2 receive [money]
1 beurs *aj* overripe, bruised [fruit]
2 beurs (beurzen) *v* 1 (voor geld) purse; 2 $ (gebouw) exchange; Bourse [on the Continent]; 3 (studiebeurs) scholarship,

[1] V.T. en V.D. van dit werkwoord volgens het model: **be'**ademen, V.T. **be'**ademde, V.D. **be'**ademd (**ge-** valt dus weg in het V.D.). Zie voor de vormen onder het grondwoord, in dit voorbeeld: *ademen.* Bij sterke en onregelmatige werkwoorden wordt u verwezen naar de lijst achterin.

bursary; grant; *i n zijn ~ tasten* loosen one's purse strings; *elkaar met gesloten beurzen betalen* settle on mutual terms; *n a a r de ~ gaan* go to 'Change; *o p de ~, t e r beurze* on 'Change; *hij studeert v a n een ~* he holds a scholarship; **-berichten** *mv* quotations, stock-list; **-gebouw** (-en) *o* exchange building; **-notering** *v* stock-exchange quotation; **-overzicht** (-en) *o* exchange report; **-polis** (-sen) *v* exchange policy; **-student** (-en) *m* scholar, exhibitioner; **-tijd** (-en) *m* 'Change hours; **-waarde** *v* market value; *~n* stocks and shares

beurt (-en) *v* turn; *een kamer een ~ geven* do (turn out) a room; *een ~ krijgen* get one's turn; *een goede ~ maken* make a good impression, score; *a a n de ~ komen* come in for one's turn; *wie is aan de ~?* whose turn is it; next please!; *o m de ~, om ~en* by turns, in turn; *~ om ~* turn (and turn) about, by turns; *ieder o p zijn ~* everyone in his turn; *t e ~ vallen* fall to the share of, fall to; *v ó ó r zijn ~* out of his turn; **-dienst** (-en) *m*, **-vaart** (-en) *v* regular (barge) service; **-elings** by turns, turn (and turn) about, in turn, alternately; **-zang** (-en) *m* alternate singing; antiphon(y)

'beuzelachtig trifling, trivial, futile; **beuzela'rij** (-en) *v* trifle; **'beuzelen** (beuzelde, h. gebeuzeld) *vi* dawdle, trifle; **-ling** (-en) *v* trifle; **'beuzelpraat** *m* nonsense, twaddle

be'vaarbaar navigable; **-heid** *v* navigableness, navigability

be'vaderen (bevaderde, h. bevaderd) *vt* patronize, paternalize

be'val (**bevalen**) V.T. v. *bevelen*

be'vallen[1] **I** (beviel, h. bevallen) *vt* please; *het zal u wel ~* I am sure you will be pleased with it, you will like it; *hoe is 't u ~?* how did you like it?; *dat (zaakje) bevalt mij niet* I don't like it; **II** (beviel, is bevallen) *vi* be confined (be delivered) [of a child]; *zij moet ~* she is going to have a baby; *zij is ~ van een zoon* she gave birth to a son; *aan het ~ zijn* be in labour

be'vallig graceful; **-heid** (-heden) *v* grace, gracefulness

be'valling (-en) *v* confinement, delivery; *pijnloze ~* painless childbirth

be'vangen[1] **I** *vt* seize; *de koude beving hem* the cold seized him; *door slaap ~* overcome with (by) sleep; *door vrees ~* seized with fear; **II** *aj* timid, bashful

1 be'varen[1] *vt* navigate, sail [the seas]; **2 be'varen** *aj ~ matroos* able (experienced) sailor

be'vattelijk I *aj* 1 (v l u g) intelligent, teachable; 2 (v e r s t a a n b a a r) intelligible; **II** *ad* intelligibly; **be'vatten**[1] *vt* 1 (i n h o u d e n) contain, comprise; 2 (b e g r i j p e n) comprehend, grasp; **be'vatting** *v* comprehension, (mental) grasp; **-svermogen** *o* comprehension, (mental) grasp

be'vechten[1] *vt* fight (against), combat; *de zege ~* gain the victory, carry the day

be'veiligen (beveiligde, h. beveiligd) *vt* secure, protect, safeguard; *beveiligd tegen (voor)* secure from (against) [attack], sheltered from [rain &]; **-ging** (-en) *v* protection, safeguarding, shelter

be'vel (-velen) *o* order, command, injunction [= authoritative order]; *~ tot aanhouding* warrant (of arrest); *~ tot huiszoeking* search-warrant; *~ geven om...* give orders to...; order [sbd.] to...; *het ~ overnemen* take over command; *het ~ voeren over* be in command (control) of, command; • *o n d e r iems. ~en staan* be under command; *o p ~* 1 [cry, laugh] to order; 2 (o p h o o g b e v e l) by order; *op ~ van* at (by) the command of, by order of; **be'velen*** *vt* order, command, charge; commend [one's spirit into the hands of the Lord]; *~de toon* commanding tone; **be'velhebber** (-s) *m* commander; **-schrift** (-en) *o* warrant; **-voerder** (-s) *m* commander; **-voerend** commanding, in command

'beven (beefde, h. gebeefd) *vi* tremble [with anger or fear]; shake [with fear or cold]; quiver, waver [of the voice]; shiver [with cold]; shudder [with horror]; *~ als een riet* tremble like an aspen leaf

'bever 1 (-s) *m* 🐾 beaver; 2 *o* (s t o f) beaver

'beverig trembling, shaky

be'vestigen[1] *vt* fix, fasten, attach [a thing to another]; *fig* 1 affirm [a declaration]; 2 confirm [a report]; corroborate, bear out [an opinion, a statement]; 3 consolidate [power]; 4 confirm [new members of a Church]; 5 induct [a new clergyman]; 6 uphold [a judge's decision]; **-d I** *aj* affirmative; **II** *ad* affirmatively, [answer] in the affirmative; **be'vestiging** (-en) *v* 1 fastening; 2 (b e k r a c h t i g i n g) affirmation; 3 (v a n b e r i c h t) confirmation; 4 (v a n m a c h t, p o s i t i e) consolidation; 5 (v a n l i d m a t e n) confirmation; 6 (v a n p r e d i k a n t) induction

be'vind *naar ~ (van zaken)* according to the circumstances; **be'vinden**[1] **I** *vt* find [sbd. guilty, correct]; **II** *vr zich ~* (e r g e n s) be (found) [of things], be [of persons]; *zich ergens*

[1] V.T. en V.D. van dit werkwoord volgens het model: **be'**ademen, V.T. **be'**ademde, V.D. **be'**ademd (**ge-** valt dus weg in het V.D.). Zie voor de vormen onder het grondwoord, in dit voorbeeld: *ademen.* Bij sterke en onregelmatige werkwoorden wordt u verwezen naar de lijst achterin.

~, *zich in gevaar* ~ find oneself [somewhere]; be [in danger]; **–ding** (-en) *v* finding [of a committee]; ~*en uitwisselen* compare notes

'beving (-en) *v* trembling, shivering, dither

be'vitten[1] *vt* cavil at, carp at, criticize

be'vlekken[1] *vt* stain, spot, soil, defile, pollute

be'vliegen[1] *vt* ✈ fly [a route]

be'vlieging (-en) *v* caprice, whim; *een* ~ *van edelmoedigheid* a fit of generosity

be'vloeien[1] *vt* irrigate; **be'vloeiing** (-en) *v* irrigation

be'vochtigen (bevochtigde, h. bevochtigd) *vt* moisten, wet; **–er** (-s) *m* damper; **be'vochtiging** (-en) *v* moistening, wetting

be'voegd competent, [fully] qualified; authorized, entitled; *de* ~*e instanties* the appropriate authorities; ~ *om*... qualified to...; having power to...; *van* ~*e zijde* from an authoritative source, [hear] on good authority; **–heid** (-heden) *v* competence, competency; power [of the government, local officials &]; qualification; ...*met de* ~ *om*... qualified to [teach that language]; with power to [dismiss him]

be'voelen[1] *vt* feel, finger, handle

be'volen V.D. v. *bevelen*

be'volken (bevolkte, h. bevolkt) *vt* people, populate; **be'volking** (-en) *v* population; **be'volkingsaanwas** *m* increase in population; **–cijfer** (-s) *o* population figure, population returns; **–dichtheid** *v* density of population, population density; **–explosie** [-ɛksplo.zi.] (-s) *v* explosion of population, population explosion; **–groei** *m* = *bevolkingsaanwas*; **–groep** (-en) *v* 1 section of the population; 2 [Jewish, Muslim] community; **–overschot** *o* surplus population; **–register** (-s) *o* register (of population), registry; **–statistiek** (-en) *v* statistics of population, population statistics; **be'volkt** populated

be'voogding *v* paternalism

be'voordelen (bevoordeelde, h. bevoordeeld) *vt* favour

bevoor'oordeeld prejudiced, prepossessed, bias(s)ed

be'voorraden (bevoorraadde, h. bevoorraad) *vt* supply, provision; **–ding** (-en) *v* supply, provisioning

be'voorrechten (bevoorrechtte, h. bevoorrecht) *vt* privilege, favour; **–ting** (-en) *v* 1 (in 't alg.) favouring; 2 (als stelsel) favouritism

be'vorderen[1] *vt* further [a cause &]; advance, promote [plans, sbd. to a higher office]; prefer [sbd. to an office]; aid [digestion]; benefit [health]; remove [a pupil]; ~ *tot kapitein* promote (to the rank of) captain; **–ring** (-en) *v* advancement, promotion [of plans, persons]; preferment [to an office]; furtherance [of a cause]; ⚘ remove; **be'vorderlijk** ~ *voor* conducive to, beneficial to, instrumental to

be'vrachten (bevrachtte, h. bevracht) *vt* freight, charter [ships]; load

be'vragen[1] *te* ~ *bij*... (for particulars) apply to..., information to be had at ...'s, inquire at...'s; *hier te* ~ inquire within

be'vredigen (bevredigde, h. bevredigd) *vt* satisfy [appetite or want], gratify [a desire], appease [hunger]; *het bevredigt (je) niet* it does not give satisfaction; **–d** satisfactory, satisfying; **be'vrediging** (-en) *v* satisfaction, gratification, appeasement

be'vreemden (bevreemdde, h. bevreemd) *vt het bevreemdt mij, dat hij het niet deed* I wonder (am suprised to find) he...; *het bevreemdde mij* I wondered (was surprised) at it; **–ding** *v* surprise

be'vreesd afraid; ~ *voor* 1 apprehensive of [the consequences, danger]; 2 apprehensive for [a person or his safety]

be'vriend friendly [nations]; ~ *met* on friendly terms with, a friend of; ~ *worden met* become friends (friendly) with

be'vriezen* I *vi* 1 freeze (over, up), congeal; 2 freeze to death; *ik bevries* I am freezing; *je bevriest hier* one freezes to death here; *laten* ~ freeze [meat &]; **II** *vt* freeze; **–zing** *v* freezing (over, up), congelation

be'vrijd free, at liberty, liberated [from tyranny]; **be'vrijden** (bevrijdde, h. bevrijd) *vt* free, set free, set at liberty, deliver, liberate, rescue [from danger]; release [from confinement], emancipate [from a yoke]; **–er** (-s) *m* deliverer, liberator, rescuer; **be'vrijding** (-en) *v* deliverance, liberation, rescue, release, emancipation; **be'vrijdingsfront** (-en) *o* liberation front; **–leger** (-s) *o* liberation army; **–oorlog** (-logen) *m* war of liberation

be'vroeden (bevroedde, h. bevroed) *vt* 1 suspect, surmise; 2 realize, apprehend

be'vroor (bevroren) V.T. v. *bevriezen*

be'vroos (bevrozen) V.T. v. *bevriezen*

be'vroren V.T. meerv. en V.D. v. *bevriezen*; frozen [meat; credits]; frost-bitten [buds, toes]; frosted [window-panes]

be'vrozen V.T. meerv. en V.D. van *bevriezen*

[1] V.T. en V.D. van dit werkwoord volgens het model: **be'**ademen, V.T. **be'**ademde, V.D. **be'**ademd (**ge-** valt dus weg in het V.D.). Zie voor de vormen onder het grondwoord, in dit voorbeeld: *ademen.* Bij sterke en onregelmatige werkwoorden wordt u verwezen naar de lijst achterin.

be'vruchten (bevruchtte, h. bevrucht) *vt* impregnate; ✿ fertilize; **–ting** (-en) *v* impregnation; ✿ fertilization
be'vuilen (bevuilde, h. bevuild) *vt* dirty, soil, foul, defile, pollute; *zich* ~ soil one's pants
be'waarder (-s) *m* keeper, guardian; (v. woning) care-taker; **be'waarengel** (-en) *m* guardian angel; **–geving** *v* deposit
be'waarheid ~ *worden* come true
be'waarloon *o* storage; **–nemer** (-s) *m* depositary; **–plaats** (-en) *v* depository, [furniture] repository, storehouse; [bicycle] shelter; **–school** (-scholen) *v* infant school, kindergarten
be'waasd steamed up [window]
be'waken[1] *vt* (keep) watch over, guard; *laten* ~ set a watch over; **–er** (-s) *m* keeper, watch; (in museum) custodian; (v. auto) [car] attendant; **be'waking** *v* guard, watch(ing), custody; *onder* ~ under guard; *onder* ~ *van* in the charge of
be'wandelen[1] *vt* walk, tread (upon); *de veilige weg* ~ keep on the safe side
be'wapenen[1] *vt* arm; **be'wapening** *v* armament; **be'wapeningsindustrie** (-ieën) *v* arms industry; **–wedloop** *m* arms race
be'waren (bewaarde, h. bewaard) *vt* keep [a thing, a secret, one's balance]; preserve [fruit, meat &]; maintain, keep up [one's dignity]; ~ *voor* preserve (defend, save) from, guard from (against); zie ook: *God, hemel*; **–ring** *v* keeping, preservation, custody; *in* ~ *geven* deposit [luggage, money &]; *het hem in* ~ *geven* entrust him with the care of it; *in* ~ *hebben* have in one's keeping, hold in trust; *iem. in verzekerde* ~ *nemen* take sbd. into custody
be'wasemen[1] *vt* steam, dim (cloud) with moisture
be'weegbaar movable; **–grond** (-en) *m* motive, ground; **be'weeglijk** 1 movable; mobile [features]; 2 lively [children]; **–heid** *v* 1 movableness; mobility; 2 liveliness; **be'weegreden** (-en) *v* motive, ground; **be'wegen**[1] **I** *vi* move; stir; **II** *vt* 1 move; stir; 2 (ontroeren) move, stir, affect; 3 (overhalen) move, induce [sbd. to do it]; **III** *vr zich* ~ move, stir, budge; *zich in de hoogste kringen* ~ move in the best society (circles); *hij weet zich niet te* ~ he doesn't know how to behave, he has no manners; **be'weging** (-en) *v* 1 (het bewegen v. iets) motion, **F** move; movement, stir(ring); 2 (het bewegen met iets) motion [of the arms], movement [of the lever]; 3 (drukte) commotion, agitation, stir, bustle; 4 (lichaamsbeweging) exercise; *(veel)* ~ *maken* create a commotion; make a stir; ~ *nemen* take exercise; ● *in* ~ *brengen* set (put) in motion, set going, ⚒ start; *fig* stir [people]; *in* ~ *houden* keep going; *in* ~ *komen* begin to move, start; *in* ~ *krijgen* set (get) going; *in* ~ *zijn* 1 be moving, be in motion, be on the move [of sbd.]; 2 be in commotion [of a town &]; *uit eigen* ~ of one's own accord; **be'wegingloos** motionless; **be'wegingsleer** *v* kinetics, mechanics, dynamics; **–oorlog** (-logen) *m* mobile (open) warfare; **–vrijheid** *v* 1 freedom of movement; 2 ⚔ 24 hours' leave
be'wegwijzeren (bewegwijzerde, h. bewegwijzerd) *vt* signpost
be'weiden[1] *vt* pasture, graze
be'wenen[1] *vt* weep for, weep, deplore, lament, bewail, mourn, mourn for
be'weren (beweerde, h. beweerd) *vt* 1 assert, contend, maintain, claim; 2 (wat onbewezen is) allege; 3 (meestal ten onrechte) pretend; *hij heeft niet veel te* ~ he has not much to say for himself; *naar men beweert* by all accounts; **–ring** (-en) *v* 1 assertion, contention; 2 (onbewezen) allegation
be'werkelijk laborious, requiring or involving much labour, toilsome; **be'werken**[1] *vt* 1 work, dress, fashion, shape [one's material], till [the ground]; work up [materials]; 2 (omwerken) adapt [a novel for the stage]; (tot stand brengen) effect, bring about; 4 (iem.) influence [sbd.]; > tamper with, prime [the witnesses]; *met vuisten* ~ pummel [sbd.]; *6de druk bewerkt door...* edited (revised) by...; ~ *tot* work up into; **–er** (-s) *m* cause [of sbd.'s death], worker [of mischief]; compiler [of a book], adapter [of a novel], editor [of the revised edition]; **be'werking** (-en) *v* 1 (het bewerken) working [of material], tillage [of the ground]; × operation [in mathematics], adaptation, dramatization [of a play]; version [of a film]; 2 (wijze van bewerken) workmanship [of a box &]; *in* ~ in preparation
be'werkstelligen (bewerkstelligde, h. bewerkstelligd) *vt* bring about, effect
be'westen (to the) west of
be'wieroken (bewierookte, h. bewierookt) *vt iem.* ~ shower praise on sbd.; extol sbd.
be'wijs (-wijzen) *o* 1 proof, evidence, demonstration; 2 (bewijsgrond) argument; 3 (bewijsstuk) voucher; [doctor's, medical &]

[1] V.T. en V.D. van dit werkwoord volgens het model: **be'**ademen, V.T. **be'**ademde, V.D. **be'**ademd (**ge-** valt dus weg in het V.D.). Zie voor de vormen onder het grondwoord, in dit voorbeeld: *ademen.* Bij sterke en onregelmatige werkwoorden wordt u verwezen naar de lijst achterin.

certificate; 4 (b l i j k) mark; *indirect* ~ ⚖ circumstantial evidence; ~ *van goed gedrag* certificate of good character (conduct); ~ *van herkomst* (*oorsprong*) certificate of origin; ~ *van lidmaatschap* certificate of membership; ~ *van ontvangst* receipt; *ten bewijze waarvan* in support (proof) of which; **–baar** provable, demonstrable; **–exemplaar** [-ɛksəm-] (-plaren) *o* (v. b o e k) free copy, voucher copy; (v. k r a n t) reference copy; **–grond** (-en) *m* argument; **–je** *o* (-s) small trace (of), suspicion of; **–kracht** *v* evidential force, conclusiveness, conclusive force, cogency [of an argument]; **–last** *m* burden (onus) of proof; **–materiaal** *o* evidence; **–plaats** (-en) *v* quotation in support, reference; **–stuk** (-ken) *o* evidence; ⚖ exhibit; title-deed [as evidence of a right]; **–voering** (-en) *v* argumentation; **be'wijzen**[1] *vt* 1 (a a n t o n e n) prove, demonstrate [a proposition], establish [the truth of...], make out, make good [a claim, one's point]; 2 (b e t o n e n) show [favour], confer [a favour] upon, render [a service, the last funeral honours]; zie ook *dienst*, 2 *eer*, *gunst* &

be'willigen (bewilligde, h. bewilligd) *vi* ~ *in* grant, consent to

be'wind *o* administration, government, rule; *het* ~ *voeren* hold the reins of government; *het* ~ *voeren over* rule (over); *aan het* ~ *komen* accede to the throne [of a king], come into power [of a minister]; *aan het* ~ *zijn* be in power; **be'windsman** (-lieden) *m* minister, member of the government; **be'windvoerder** (-s) *m* ⚖ receiver; trustee

be'wogen *fig* 1 moved, affected; 2 feeling [language]; ~ *debat* heated debate; ~ *tijden* stirring times

be'wolken (bewolkte, h. en is bewolkt) *vi* cloud over (up), become overcast; **–king** (-en) *v* cloud(s); **be'wolkt** clouded, cloudy, overcast

be'wonderaar (-s) *m*, **–ster** (-s) *v* admirer, fan; **be'wonderen** (bewonderde, h. bewonderd) *vt* admire; **bewonderens'waard(ig)** admirable; **be'wondering** *v* admiration

be'wonen[1] *vt* inhabit, occupy, live in, dwell in, reside in [a place]; **–er** (-s) *m* inhabitant [of a country], tenant, inmate, occupant, occupier [of a room, a house]; resident [and not a visitor]; **be'woning** *v* occupation [of a house], (in)habitation; **be'woonbaar** (in)habitable

be'woording(en) *v* (*mv*) wording; *in algemene* ~*en* in general terms; *in krachtige* ~*en gesteld* strongly worded

be'wust 1 conscious; 2 (b e d o e l d) in question; *ik was het mij niet* ~ I did not realize it, I was unaware of it; *hij was het zich ten volle* ~ he was fully aware of it; *zij werd het zich* ~ she became conscious of it; *hij was zich van geen kwaad* ~ he was not conscious of having done anything wrong; ~ *of onbewust* wittingly or unwittingly; *heb je de* ~*e persoon gezien?* have you seen the person in question?; **be'wusteloos** unconscious; ~ *slaan* beat insensible, knock senseless; **–heid, bewuste'loosheid** *v* unconsciousness, senselessness, insensibility; **be'wustheid** *v* consciousness; **be'wustwording** *v* awaking; **be'wustzijn** *o* consciousness, (full) knowledge; *het* ~ *verliezen* lose consciousness; *b ij zijn volle* ~ fully conscious; *b u i t e n* ~ unconscious; *weer t o t* ~ *komen* recover (regain) consciousness; **be'wustzijnsverruimend** psychedelic, consciousness-expanding, mind-expanding, **S** mind-blowing

be'zaaien[1] *vt* sow, seed; ~ *met* sow (seed) with[2]; *fig* strew with

be'zaan (-zanen) *v* ⚓ miz(z)en; **–smast** (-en) *m* miz(z)enmast

be'zadigd sedate, staid, dispassionate [views]

be'zegelen[1] *vt* seal[2] [sbd.'s fate]

be'zeilen[1] *vt* sail [the seas]; *er is geen land met hem te* ~ he is quite unmanageable

'bezem (-s) *m* broom; (v. t w i j g e n) besom; *nieuwe* ~*s vegen schoon* new brooms sweep clean; **–steel** (-stelen) *m* broomstick

be'zeren (bezeerde, h. bezeerd) **I** *vt* hurt, injure; **II** *vr zich* ~ hurt oneself

be'zet 1 taken [of a seat]; 2 (b e z i g) engaged, occupied, busy; 3 ⚔ occupied [of a town]; 4 (m e t j u w e l e n) set [with rubies]; *alles* ~*!* full up!; *is deze plaats* ~*?* is this seat taken?; *ik ben zó* ~ *dat...* I am so busy that...; *al mijn uren zijn* ~ all my hours are taken up; *de rollen waren goed* ~ the cast was an excellent one; *de zaal was goed* ~ there was a large audience

be'zeten *aj* possessed; *als* ~*(en)* like mad; ~ *van* obsessed by; **–e** (-n) *m-v* one possessed; **–heid** *v* mania

be'zetten[1] *vt* occupy [a town]; take [seats]; fill [a post]; cast [a piece, play]; ~ *met* set with [diamonds]. Zie ook: *bezet*; **be'zetting** (-en) *v* 1 (h e t b e z e t t e n) occupation; 2 (v. t o n e e l s t u k) cast; 3 (v. o r k e s t) strength; **–sleger** *o* army of occupation; **be'zettoon** (-tonen) *m* engaged signal

be'zichtigen (bezichtigde, h. bezichtigd) *vt* have a look at, view, inspect; *te* ~ on view;

[1] V.T. en V.D. van dit werkwoord volgens het model: **be'**ademen, V.T. **be'**ademde, V.D. **be'**ademd (**ge-** valt dus weg in het V.D.). Zie voor de vormen onder het grondwoord, in dit voorbeeld: *ademen.* Bij sterke en onregelmatige werkwoorden wordt u verwezen naar de lijst achterin.

-ging (-en) *v* view(ing), inspection
be'zield animated, inspired; **be'zielen** (bezielde, h. bezield) *vt* animate, inspire; *wat bezielt je toch?* **F** what has come over you?; **-d** inspiring [influence, leadership]; **be'zieling** *v* animation, inspiration
be'zien[1] *vt* look at, view; *het staat te ~* it remains to be seen; **beziens'waardig** worth seeing; **-heid** (-heden) *v* curiosity; *de bezienswaardigheden* the sights [of a town], the places of interest
'bezig busy, at work, occupied, engaged; *is hij weer ~?* is he at it again?; *a a n iets ~ zijn* have sth. in hand, be at work (engaged) on sth.; *hij is er druk aan ~* he is hard at work upon it, hard at it; *~ zijn m e t...* be busy ...ing, be busy at (on), be working on
'bezigen (bezigde, h. gebezigd) *vt* use, employ
'bezigheid (-heden) *v* occupation, employment; *bezigheden* pursuits; *huishoudelijke bezigheden* household duties (chores); **'bezighouden** (hield bezig, h. beziggehouden) *vt iem. ~* keep sbd. busy; *het gezelschap (aangenaam) ~* entertain the company; *de kinderen nuttig ~* keep the children usefully occupied; *deze gedachte houdt mij voortdurend bezig* this thought haunts me; *zich met iets ~* occupy (busy) oneself with sth.
be'zijden *het is ~ de waarheid* it is beside the truth
be'zingen[1] *vt* sing (of), chant
be'zinken[1] *vi* settle (down); *fig* sink [in the mind]; **be'zinking** (-en) *v* sedimentation; **be'zinkingssnelheid** (-heden) *v* sedimentation rate; **be'zinksel** (-s) *o* sediment, deposit, lees, dregs; residue
be'zinnen[1] **I** *va* reflect; *bezint eer gij begint* look before you leap; **II** *vr zich ~* think, reflect, change one's mind; *zich lang ~* think long; **-ning** *v* conciousness; *zijn ~ verliezen* lose one's senses; *weer tot ~ komen* come to one's senses again; *iem. tot ~ brengen* bring sbd. to his senses
be'zit *o* possession; (e i g e n d o m) property; (t. o. s c h u l d e n) assets; *fig* asset; $ holdings [of securities, sterling &]; *in het ~ zijn van* be in possession of, be possessed of; *wij zijn in het ~ van uw brief* we have your letter; *in het volle ~ van zijn geestesvermogens* in full possession of his mental faculties; **-neming** *v* occupancy, occupation; **be'zittelijk** possessive [pronoun]; **be'zitten**[1] *vt* possess, own, have; $ hold [securities]; *zijn ziel in lijdzaamheid ~* possess one's soul in patience; *de ~de klassen* the propertied classes; **-er** (-s) *m* possessor, owner, proprietor; $ holder [of securities]; **be'zitting** (-en) *v* possession; property; *zijn persoonlijke ~en* his personal effects
be'zocht (much) frequented [place]; *druk ~* ook: numerously attended [meeting]; *goed ~* well-attended; *door spoken ~* haunted
be'zoedelen (bezoedelde, h. bezoedeld) *vt* soil, sully, contaminate, stain, pollute, defile, blemish, besmirch; **-ling** (-en) *v* contamination, stain, pollution, defilement, blemish
be'zoek (-en) *o* 1 (v i s i t e) visit, call; [cinema-, museum-, theatre- &] going; 2 (m e n s e n) visitor(s), guests, company; 3 (a a n w e z i g z i j n) attendance; *een ~ afleggen (brengen)* make a call, pay a visit; *een ~ beantwoorden* return a call; *er is ~, we hebben ~* we have visitors; *wij ontvangen vandaag geen ~* we are not at home to anybody to-day; *ik was daar op ~* I was on a visit there; **-dag** (-dagen) *m* visitors' (visiting) day [at a hospital &]; **be'zoeken**[1] *vt* visit [a person, place, museum &]; go (come) to see, call on, see [a friend, a man], call at [a house, the Jansens'], attend [church, school, a lecture &]; frequent [the theatres]; **-er** (-s) *m* visitor, caller, guest; frequenter [of a theatre], [theatre- &] goer; **be'zoeking** (-en) *v* visitation, affliction, trial; **be'zoekuur** (-uren) *o* visiting hour
be'zoldigen (bezoldigde, h. bezoldigd) *vt* pay, salary; **-ging** (-en) *v* pay, salary
be'zondigen[1] *zich ~ aan* indulge in [alcohol]
be'zonken *fig* well-considered, mature [judgement]
be'zonnen level-headed, sober-minded, staid, sedate
be'zopen (d r o n k e n) sozzled, dead drunk; (d w a a s) fatuous, crazy, idiotic
be'zorgd anxious, solicitous; *~ voor* anxious (uneasy, concerned) about, solicitous about (for); *zich ~ maken* worry (about *over*); **-heid** (-heden) *v* anxiety, uneasiness, solicitude, concern, apprehension; worry
be'zorgen[1] *vt* 1 (b r e n g e n) deliver [goods, letters &]; 2 (v e r s c h a f f e n) procure, get, find [sth. for sbd.]; gain, win [him many friends], earn [him a certain reputation]; 3 give, cause [trouble &]; *we kunnen het u laten ~* you can have it delivered at your house; **-er** (-s) *m* delivery-man; bearer [of a letter]; [milk &] roundsman; **be'zorging** (-en) *v* delivery [of letters, parcels &]
be'zuiden (to the) south of
be'zuinigen (bezuinigde, h. bezuinigd) *vi*

[1] V.T. en V.D. van dit werkwoord volgens het model: **be**'ademen, V.T. **be**'ademde, V.D. **be**'ademd (**ge-** valt dus weg in het V.D.). Zie voor de vormen onder het grondwoord, in dit voorbeeld: *ademen.* Bij sterke en onregelmatige werkwoorden wordt u verwezen naar de lijst achterin.

economize, retrench, reduce one's expenses, cut down expenses, reduce expenditure; *~ op* economize on; **be'zuiniging** (-en) *v* economy, retrenchment, cut [in wages]; **be'zuinigingsmaatregel** (-en en -s) *m* measure of economy, economy measure

be'zuipen[1] *vr zich ~* fuddle oneself, booze

be'zuren (bezuurde, h. bezuurd) *vt iets moeten ~* suffer (pay dearly, smart) for sth.

be'zwaar (-zwaren) *o* 1 difficulty, objection; scruple [= concientious objection]; 2 (n a d e e l) drawback; *dat is geen ~* that's no problem; *heeft u er ~ tegen...* do you mind...; *bezwaren maken* 1 raise objections, object (to *tegen*); 2 make difficulties, have scruples about doing

be'zwaard burdened[2]; *fig* oppressed; heavy-laden; *voelt u zich ~?* is there anything weighing on your mind?, have you any grievance?; *zich ~ voelen* have scruples; *met ~ gemoed* with a heavy heart; *~ met een hypotheek* encumbered (with a mortgage), mortgaged

be'zwaarlijk I *aj* difficult, hard; **II** *ad* with difficulty; **be'zwaarschrift** (-en) *o* petition; (t e g e n b e l a s t i n g) appeal

be'zwadderen (bezwadderde, h. bezwadderd) *vt fig* besmirch

be'zwangerd *met geuren ~* laden (heavy) with odours

be'zwaren (bezwaarde, h. bezwaard) *vt* burden[2], load[2], weight [with a load]; oppress, weigh (lie) heavy upon [the stomach, the mind]. Zie ook: *bezwaard*; **–d** burdensome [tax], onerous [terms], aggravating [circumstances], damaging [facts], incriminating [evidence]

be'zweek (bezweken) V.T. v. *bezwijken*

be'zweet perspiring, in a sweat

be'zweken V.T. meerv. en V.D. v. *bezwijken*

be'zweren[1] *vt* 1 (m e t e e d) swear (to), make oath [that...]; 2 (b a n n e n) exorcise, cónjure, lay [ghosts, a storm]; charm [snakes]; avert, ward off [a danger]; 3 (s m e k e n) conjúre, adjure [sbd. not to...]; **be'zwering** (-en) *v* 1 swearing; 2 exorcism; 3 conjuration, adjuration; **–sformulier** (-en) *o* incantation, charm, spell

be'zwijken* *vi* succumb [to wounds, to a disease], yield [to tempation], give way, break down, collapse [also of things]

be'zwijmen (bezwijmde, is bezwijmd) *vi* faint (away), swoon; **–ming** (-en) *v* fainting fit, faint, swoon

b.g.g. = *bij geen gehoor* if there is no answer

b.h. = *bustehouder*

bi'aisband [bi.'e.-] *o* bias binding

bibbe'ratie [-'ra.(t)si.] *v* the shivers; **'bibberen** (bibberde, h. gebibberd) *vi* shiver [with cold], tremble [with fear]; **'bibberig** shaky, tremulous

'bibliobus (-sen) *m* & *v* mobile library; **biblio'fiel I** (-en) *m* bibliophile, philobiblist; **II** *aj* bibliophilic, philobiblic; **biblio'graaf** (-grafen) *m* bibliographer; **bibliogra'fie** (-ieën) *v* bibliography; **biblio'grafisch** bibliographical; **bibliothe'caris** (-sen) *m* librarian; **biblio'theek** (-theken) *v* library

bibs *mv* **F** buttocks, bottom

'biceps (-en) *m* biceps

'bidbankje (-s) *o* praying desk; **–dag** (-dagen) *m* day of prayer; **'bidden* I** *vi* 1 pray [to God], say one's prayers; 2 (v ó ó r h e t e t e n) ask a blessing; 3 (n a h e t e t e n) say grace; *~ om* pray for; *~ en smeken* beg and pray (implore); **II** *vt* pray [to God]; beg, entreat, implore [sbd. to...]; *niet zo vlug, wat ik u ~ mag* pray not so fast; **'bidprentje** (-s) *o* 1 mortuary card; 2 devotional picture; **–stoel** (-en) *m* prie-dieu (chair); **–stond** (-en) *m* prayer meeting; intercession service [for peace]

biecht (-en) *v* confession; *de ~ afnemen rk* confess [a penitent]; *fig* question [sbd.] closely; *~ horen* hear confession; *te ~ gaan* go to confession; **–eling(e)** (-en) *m* (*v*) confessant; **'biechten** (biechtte, h. gebiecht) *vt* & *vi* confess; *gaan ~* go to confession; **'biechtgeheim** (-en) *o* secret of the confessional; **–stoel** (-en) *m* confessional (box); **–vader** (-s) *m* confessor

'bieden* I *vt* 1 (a a n b i e d e n) offer, present; 2 (o p v e r k o p i n g, ◊) bid; *vijf gulden ~ op* offer 5 guilders for; **II** *va* bid, make bids; *~ op* make a bid for; *meer ~ dan een ander* outbid sbd.; **–er** (-s) *m* bidder

'biefstuk (-ken) *m* rumpsteak

biels *mv* sleepers [under the rails]

bier *o* beer, ale; **–blikje** (-s) *o* beer-can; **–brouwer** (-s) *m* (beer-)brewer; **bierbrouwe'rij** (-en) *v* brewery; **'bierbuik** (-en) *m* pot-belly; **–fles** (-sen) *v* beer-bottle; **–glas** (-glazen) *o* beer-glass; **–huis** (-huizen) *o* beerhouse, ale-house; **–kaai** *v het is vechten tegen de ~* it is lost labour; **–pomp** (-en) *v* beer-engine; **–ton** (-nen) *v*, **–vat** (-vaten) *o* beer-cask, beer-barrel; **–viltje** (-s) *o* beer-mat

1 bies (biezen) *v zijn biezen pakken* clear out

[1] V.T. en V.D. van dit werkwoord volgens het model: **be**'ademen, V.T. **be**'ademde, V.D. **be**'ademd (**ge-** valt dus weg in het V.D.). Zie voor de vormen onder het grondwoord, in dit voorbeeld: *ademen.* Bij sterke en onregelmatige werkwoorden wordt u verwezen naar de lijst achterin.

2 bies (biezen) *v* 1 border; 2 piping [on trousers &]; **–band** (-en) *o* & *m* seam binding
'bieslook *o* chive
biest *v* beestings
biet (-en) *v* beet; **–suiker** *m* beet sugar
'biezen *aj* rush, rush-bottomed [chair]
big (-gen) *v* young pig, piglet, pigling
biga'mie *v* bigamy; *in ~ levend* bigamous
'biggelen (biggelde, h. gebiggeld) *vi* trickle; *tranen ~ langs haar wangen* tears trickle down her cheeks
'biggen (bigde, h. gebigd) *vi* farrow, cast [pigs]; **'biggetje** (-s) *o* piggy
bi'got bigot(ed)
1 bij (-en) *v* bee
2 bij I *prep* by, with, near, about &; *~ zijn aankomst* on (at) his arrival; *~ de artillerie* (*marine*) in the artillery (navy); *~ avond* in the evening; *~ de Batavieren* with the Batavians; *~ brand* in case of fire; *zijn broer was ~ hem* his brother was with him; *~ zijn dood* at his death; *~ het dozijn* by the dozen; *~ een glas bier* over a glass of beer; *~ honderden* by (in) hundreds; [they came] in their hundreds; *dat is ~ Europa* (*~ Fichte*) *reeds vermeld* already mentioned under Europe (in Fichte); *~ al zijn geleerdheid...* with all his learning; *~ het lezen* when reading; *~ goed weer* if it is fine; *ik heb het niet ~ mij* I've not got it with me; *er werd geen geld ~ hem gevonden* 1 no money was found (up)on him; 2 no money was found in his house; *~ zijn leven* during his life; *hij is* (*iets*) *~ het spoor* he is (something) on (in) the railway; *er stond een streepje ~ zijn naam* against his name; *~ ons* 1 with us; 2 in this country; *~ het vallen van de avond* at nightfall; *~ het venster* near (by) the window; *het is ~ vijven* going on for five; *~ de zestig* close upon sixty; *~ Waterloo* near Waterloo; *de slag ~ Waterloo* the battle of Waterloo; *~ deze woorden* at these words; **II** *ad hij is goed ~* he has (all) his wits about him, **F** he is all there; *ik ben niet ~* I've got behind; *ik ben nog niet ~* I am still behind; *het boek is ~* is up to date; *de boeken zijn ~* $ are posted up; *hij is er ~* he is present; *hij is er niet ~* he is not attending to what I say (to his work &); *je bent er ~!* you are in for it!; *zonder mij was je er ~ geweest* but for me you would have been done for; **–baantje** (-s) *o* side-line; **–bedoeling** (-en) *v* hidden motive, by-end; **–behorend** accessory; *met ~(e)...* with... to match
'bijbel (-s) *m* bible; **–plaats** (-en) *v* scriptural passage; **'bijbels** *aj* biblical, of the bible, scriptural; *~e geschiedenis* sacred history; **'bijbeltaal** *v* biblical language; **–tekst** (-en) *m* Scripture text; **–vast** well-read in Scripture; **–verklaring** (-en) *v* exegesis; **–vertaling** (-en) *v* translation of the bible; *de Engelse ~* the English version of the Bible; (v a n 1 6 6 1) the Authorized Version; (v a n 1 8 8 4) the Revised Version
'bijbenen[1] keep pace (step) with [sbd.], keep up with (abreast with) [sth.]; be able to follow [what is said]
'bijbetalen[1] *vt* pay in addition, pay extra; **–ling** (-en) *v* additional (extra) payment
'bijbetekenis (-sen) *v* additional meaning, connotation
'bijblad (-bladen) *o* supplement [to a newspaper]
'bijblijven[1] *vi* 1 (m e t l o p e n) keep pace; (m e t z i j n t i j d) keep up to date; 2 (i n h e t g e h e u g e n) remain, stick in one's memory; *ik kan niet ~* I can't keep up (with you); *het is mij altijd bijgebleven* it has remained with me all along
'bijbrengen[1] *vt* 1 (i e t s) bring forward [evidence], produce [proofs]; 2 (i e m .) bring round, bring to, restore to consciousness; 3 (i e m . i e t s) impart [knowledge] to, instil [it] into sbd.'s mind, teach [a pupil French]
bijde'hand smart, quick-witted, bright, spry; **–je** (-s) *o het* (*hij*) *is een ~* he is a smart little fellow; *zij is een ~* **F** she is all there, there are no flies on her; **'bijdehands** *~ paard* near (left) horse
'bijdraaien[1] *vi* ⚓ heave to, bring to; *fig* come round
'bijdrage (-n) *v* contribution°; *een ~ leveren tot* make a contribution to(wards); **'bijdragen**[1] *vt* contribute [money to a fund &]; *zijn deel* (*het zijne*) *~* ook: play one's part; zie ook *steentje*
bij'een together; **–behoren** (hoorde bij'een, h. bij'eenbehoord) *vi* belong together; **–brengen**[2] *vt* bring together [people]; collect [money], raise [funds]; **–drijven**[2] *vt* drive together, round up; **–houden**[2] *vt* keep together; **–komen**[2] *vi* 1 (v. p e r s o n e n) meet, assemble, get together; 2 (v. k l e u r e n) go together, match; **–komst** (-en) *v* meeting, gathering, assembly; **–roepen**[2] *vt* call together, call, convene, convoke, summon; **–schrapen**[2] *vt* scrape together, scratch up [a living &]; **–zoeken**[2] *vt* get together, gather, find

[1,2] V.T. en V.D. van dit werkwoord volgens het model: 1 **'bij**draaien, V.T. draaide **'bij**, V.D. **'bij**gedraaid; 2 **bij'een**schrapen, V.T. schraapte **bij'een**, V.D. **bij'een**geschraapt. Zie voor de vormen onder het grondwoord, in deze voorbeelden: *draaien* en *schrapen*. Bij sterke en onregelmatige werkwoorden wordt u verwezen naar de lijst achterin.

'bijenhouder (-s) *m* bee-keeper, bee-master, apiarist; **–koningin** (-nen) *v* queen-bee; **–korf** (-korven) *m* beehive; **–stal** (-len) *m* apiary; **–teelt** *v* apiculture; **–volk** (-en) *o* hive, swarm (of bees); **–was** *m* & *o* beeswax; **–zwerm** (-en) *m* swarm of bees

'bijfiguur (-guren) *v* secondary figure [in drawing]; minor character [in novel &]; **–film** (-s) *m* supporting film

'bijgaand enclosed, annexed; ~ *schrijven* the accompanying letter

'bijgebouw (-en) *o* outbuilding, outhouse, annex(e); **–gedachte** (-n) *v* 1 by-thought; 2 ulterior motive

'bijgeloof *o* superstition; **bijge'lovig** superstitious; **–heid** (-heden) *v* superstitiousness

'bijgeluid (-en) *o* accompanying noise, background noise; **–genaamd** nicknamed, surnamed; **–gerecht** (-en) *o* side-dish

bijge'val by any chance, perhaps; *als je* ~... if you happen (chance) to...; **bijge'volg** in consequence, consequently

'bijhouden[1] *vt* (iem., iets) keep up with, keep pace with [sbd., sth.]; (zijn glas &) hold out [one's glass]; $ (de boeken) 1 keep up to date [the books]; 2 keep [the books]; (zijn talen &) keep up [one's French, German]; *er is geen* ~ *aan* it is impossible to cope with (keep up with)

'bijkans, bij'kans almost, nearly

'bijkantoor (-toren) *o* 1 branch office; 2 📯 sub-office; **–keuken** (-s) *v* scullery

'bijknippen[1] *vt* trim

'bijkok (-s) *m* under-cook

'bijkomen[1] *vi* 1 (na flauwte) come to oneself again, come round; 2 (na ziekte) gain [in weight; four pounds &], put on weight; zie ook *komen*; **–d** ~*e (on)kosten* additional (extra) costs, extras; ~*e omstandigheden* attendant circumstances; **bij'komstig** of minor importance; **–heid** (-heden) *v* thing of minor importance

bijl (-en) *v* axe, hatchet; *voor de* ~ *gaan* **F** be for it, get it

'bijladen[1] *vt* fill up; ※ recharge

'bijlage (-n) *v* appendix, enclosure, addendum

'bijlbundel (-s) *m* 🕮 fasces (*mv*)

'bijleggen[1] *vt* 1 (leggen bij) add [to]; 2 (uitmaken) make up, accommodate, arrange, compose, settle [differences]; *het weer* ~ make it up again; *ik moet er nog (geld)* ~ I lose on it, I'm a loser by it

'bijles (-sen) *v* extra lesson, coaching

'bijlichten[1] *vt iem.* ~ give sbd. a light

'bijltje (-s) *o* little axe; *het* ~ *er bij neerleggen* leave off, give up, chuck; *ik heb (hij heeft) al lang met dat* ~ *gehakt* I am (he is) an old hand at it, he is an old stager; **–sdag** *m* day of reckoning

'bijmaan (-manen) *v* mock-moon, moon dog

'bijna almost, nearly, next to, all but; ~ *niet* hardly, scarcely; ~ *niets (niemand, nooit)* hardly anything (anybody, ever)

'bijnaam (-namen) *m* 1 (tweede naam) surname; 2 (scheldnaam) nickname, byname, sobriquet; **–nier** (-en) *v* adrenal gland

bijoute'rieën [bi.ʒu.tə-] *mv* jewellery; **bijoute'riekistje** (-s) *o* jewel-case

'bijpassen[1] *vt* pay in addition, pay extra; **–d** ...to match, ...to go with it (them)

'bijprodukt (-en) *o* by-product; spin-off; **–rijder** (-s) *m* driver's mate; **–rivier** (-en) *v* tributary (stream), affluent; **–rol** (-len) *v* secondary part, minor rôle

'bijschaven[1] *vt fig* polish, smooth

'bijschilderen[1] *vt* 1 paint in [figures &]; 2 touch up, work up [here and there]

'bijschrift (-en) *o* inscription, legend, motto; marginal note; postscript; letterpress [to an illustration]; **'bijschrijven**[1] *vt* write up [the books]; *er wat* ~ add something [in writing]; **–ving** (-en) *v* $ credit statement

'bijschuiven[1] **I** *vt* draw (pull) up [one's chair to the table]; **II** *vi* close up

'bijslaap *m* cohabitation; **–slag** *m* extra allowance; zie ook: *toeslag* 1; **–smaak** (-smaken) *m* taste, flavour, tang[2]; *fig* tinge

'bijspringen[1] *vt iem.* ~ stand by sbd.; help sbd. out

'bijstaan[1] *vt* assist, help, aid, succour; **'bijstand** *m* assistance, help, aid, succour; ~ *verlenen* lend assistance

'bijstellen[1] *vt* (re)adjust; **–ling** (-en) *v gram* apposition

'bijster I *aj het spoor* ~ *zijn* 1 *eig* be thrown off the scent; 2 *fig* have lost one's way; be at sea, be at fault; **II** *ad* < *hij is niet* ~ *knap* he is not particularly clever; *het is* ~ *koud* it is extremely cold

'bijstorten[1] *vt* make an additional payment of...

'bijsturen[1] *vi* correct [the course]

bijt (-en) *v* hole (made in the ice)

'bijtanken[1] *vi* refuel

'bijtellen[1] *vt* count in

'bijten* I *vt* bite[2]; **II** *vi* bite[2]; *hij wou er niet in* ~ he did not bite; *in het stof (zand)* ~ 1 bite the dust; 2 (ruiter) be thrown, be unhorsed; *op*

[1] V.T. en V.D. van dit werkwoord volgens het model: **'bij**draaien, V.T. draaide **'bij**, V.D. **'bij**gedraaid. Zie voor de vormen onder het grondwoord, in dit voorbeeld: *draaien*. Bij sterke en onregelmatige werkwoorden wordt u verwezen naar de lijst achterin.

zijn nagels ~ bite one's nails; *v a n zich af* ~ show fight, not take it lying down; **–d** biting, caustic, corrosive; nipping [cold]; *fig* biting, caustic, cutting, mordant, pungent, poignant; *~e spot* sarcasm
bij'tijds in (good) time
'bijtmiddel (-en) *o* mordant, caustic, corrosive
'bijtrekken[1] **I** *vt* draw, pull [a chair &] near(er); join, add [an adjacent plot] on to [one's own garden &]; **II** *vi het zal wel* ~ it is sure to tone down [to the colour of the surrounding part]; *hij zal wel* ~ he'll come round in the end
'bijtring (-en) *m* teething ring
bijv. = *bijvoorbeeld*
'bijvak (-ken) *o* subsidiary subject
'bijval *m* approval, approbation, applause; *stormachtige* ~ *(in)oogsten* be received with a storm of applause; ~ *vinden* meet with approval [proposal]; catch on [plays]; **'bijvallen**[1] *vt iem.* ~ concur in (fall in with) sbd.'s opinions (ideas &), agree with sbd.; **'bijvalsbetuiging(en)** *v* (*mv*) applause; shouts of applause, cheers
'bijvegen[1] *vt* sweep up
'bijverdienen[1] earn sth. extra; **'bijverdienste** (-n) *v* extra earnings
'bijvoeding *v* extra feeding
'bijvoegen[1] *v* add, join, subjoin, annex; **–ging** (-en) *v* addition; *onder* ~ *van...* adding..., enclosing...; **bij'voeglijk I** *aj* adjectival; ~ *naamwoord* adjective; **II** *ad* adjectively; **'bijvoegsel** (-s) *o* 1 addition; 2 supplement, appendix
bij'voorbeeld for instance, for example, say [three]
'bijvullen[1] *vt* replenish, fill up
'bijwagen (-s) *m* trailer [of a tram-car]; **–weg** (-wegen) *m* by-road, by-path
'bijwerken[1] *vt* 1 (i e t s) touch up [a picture], bring up to date [a book]; $ post up [the books]; make up [arrears]; 2 (e e n l e e r l i n g) coach; *bijgewerkt tot 1977* brought up to 1977; **–king** (-en) *v* ⚕ side-effect [of a drug]
'bijwijzen[1] *vi* follow with one's finger
'bijwonen[1] *vt* be present at [some function], attend [divine service, a lecture, mass], witness [a scene]
'bijwoord (-en) *o gram* adverb; **bij'woordelijk** adverbial
'bijzaak (-zaken) *v* matter of secondary (minor) importance, accessory matter; side-issue, side-show; *geld is* ~ money is no object [with him]
'bijzettafeltje (-s) *o* occasional table;
'bijzetten[1] *vt* 1 place or put near (to, by); 2 (b e g r a v e n) inter; 3 ⚓ set [a sail]; *kracht* ~ *aan* emphasize, add (lend) force to, press [a demand]; zie ook *luister, zeil*; **–ting** (-en) *v* interment
bij'ziend near-sighted, myopic; **–heid** *v* near-sightedness, myopia
'bijzijn *o* presence; *in het* ~ *van* in the presence of
'bijzin (-nen) *m gram* (subordinate) clause
'bijzit (-ten) *v* concubine; **'bijzitter** (-s) *m* 1 ✎ second examiner; 2 ⚖ assessor
'bijzon (-nen) *v* mock-sun, sun-dog
bij'zonder [bi.-] **I** *aj* particular, special; peculiar, strange; *in het* ~ in particular, especially; **II** *ad* < particularly, exceptionally, uncommonly, specially [active]; **–heid** (-heden) *v* particularity; particular, detail; peculiarity
bi'kini ('s) *m* bikini
'bikkel (-s) *m* knucklebone; **'bikkelen** (bikkelde, h. gebikkeld) *vi* play at knucklebones; **'bikkel'hard** hard as stone, stony
'bikken (bikte, h. gebikt) *vt* chip [a stone]; scale [a boiler] ‖ (e t e n) eat
bil (-len) *v* buttock; rump [of oxen]; *voor de ~len geven* spank
bilate'raal bilateral
bil'jart (-en) *o* 1 (h e t s p e l) billiards; 2 (d e t a f e l) billiard(s) table; ~ *spelen* play (at) billiards; *een partij* ~ a game of billiards; **–bal** (-len) *m* billiard-ball; **bil'jarten** (biljartte, h. gebiljart) *vi* play (at) billiards; **bil'jartkeu** (-en en -s) *v* billiard ceu; **–laken** (-s) *o* billiard-cloth; **–spel** (-spelen) *o* (game of) billiards; **–zaal** (-zalen) *v* billiard(s) room
bil'jet (-ten) *o* 1 (k a a r t) ticket; 2 (b a n k~) (bank-)note; 3 (a a n p l a k~) poster; 4 (s t r o o i~) handbill
bil'joen (-en) *o* billion [= million millions]; *Am* trillion
'billijk fair, just, reasonable; $ moderate [prices]; *het is niet meer dan* ~ it is only fair; **'billijken** (billijkte, h. gebillijkt) *vt* approve of; **billijker'wijs, –'wijze** in fairness, in justice; **'billijkheid** *v* fairness, justice; reasonableness [of demands]
'bimbam ding-dong
bimetal'lisme *o* bimetallism
'binden* I *vt* bind° [a book, sheaves, a prisoner], tie [a knot, sbd.'s hands]; tie up [a parcel]; thicken [soup, gravy]; make [brooms]; *iem. iets op het hart* ~ enjoin sth. on sbd.; ~ *aan* tie to [a post &]; *de kinderen* ~ *mij aan huis* I am

[1] V.T. en V.D. van dit werkwoord volgens het model: '**bij**draaien, V.T. draaide '**bij**, V.D. '**bij**gedraaid. Zie voor de vormen onder het grondwoord, in dit voorbeeld: *draaien*. Bij sterke en onregelmatige werkwoorden wordt u verwezen naar de lijst achterin.

tied down to my home by the children; **II** *vr zich* ~ bind oneself, commit oneself; **–d** binding [on both parties]; **'bindgaren** (-s) *o* string; **'binding** (-en) *v* tie, bond; (v. s k i) ski-binding; **'bindmiddel** *o* binder, cement[2]; *fig* link; **–vlies** (-vliezen) *o* conjunctiva; **–weefsel** (-s) *o* connective tissue
bink (-en) **S** *m* chap
'binnen I *prep* within; ~ *enige dagen* in a few days; ~ *veertien dagen* within a fortnight; **II** *ad* ~*!* come in!; *wie is er* ~*?* who is inside (within)?; *hij is* ~ he is indoors; *fig* he is a made man; • *n a a r* ~ *gaan* go (walk) in; *naar* ~ *gekeerd* [with the hairy side] in; [with his toes] turned in; *naar* ~ *zenden* send in; *iem. t e* ~ *schieten* come to sbd.; *het wilde me niet te* ~ *schieten* I could not remember it (think of it), I could not hit upon it; *v a n* ~ 1 (on the) inside; [it looks fine] whithin; 2 [it came] from within; *van* ~ *en van buiten* inside and out; **–baan** (-banen) *v* inside track; **–bad** (-baden) *o* indoor swimming-pool; **–bal** (-len) *m* [football] bladder; **–band** (-en) *m* (inner) tube
'binnenblijven[1] *vi* remain (keep) indoors, stay in
'binnenbocht (-en) *v* inside(-bend); **–brand** (-en) *m* indoor fire
'binnenbrengen[1] *vt* bring in, take in; ⚓ bring [a ship] into port
'binnendeur (-en) *v* inner door; **–dijks, binnen'dijks** (lying) on the inside of a dike, on the landside of the dike
binnen'door ~ *gaan* 1 take a short cut; 2 go through the house
'binnendringen[1] **I** *vt* penetrate, invade; *een huis* ~ penetrate into a house; **II** *vi* force one's way into a (the) house
'binnendruppelen[1] *vi fig* trickle in
'binnengaan[1] *vi* & *vt* enter
binnen'gaats ⚓ in the roads
'binnenhalen[1] *vt* gather in; zie ook: *inhalen*
'binnenhaven (-s) *v* 1 inner harbour; 2 inland port; **–hoek** (-en) *m* interior angle; **–hof** (-hoven) *o* inner court
'binnenhouden[1] *vt* 1 keep [sbd.] in; 2 retain [food on one's stomach]
'binnenhuisarchitect [-ɑrgi.-, -ɑrʃi.tɛkt] (-en) *m* interior decorator; **–architectuur** *v* interior decoration
'binnenhuisje (-s) *o* interior
binnen'in on the inner side, inside, within
'binnenkant (-en) *m* inside
'binnenkomen[1] *vi* 1 (p e r s o n e n, t r e i n, g e l d &) come in; get in(to a room), enter; 2 ⚓ come into port; *laat haar* ~ show (ask) her in; **–komst** (-en) *v* entrance, entry, coming in
binnen'kort before long, shortly
'binnenkrijgen[1] *vt* get down [food]; get in [outstanding debts]; *water* ~ (v. s c h i p) make water
'binnenland (-en) *o* interior; *in binnen- en buitenland* at home and abroad; **–s** inland [letter, navigation], home [market, news]; home-made [products], interior, domestic, intestine [quarrels], internal [policy]; ~ *bestuur* 🕮 civil service; *ambtenaar bij het* ~ *bestuur* 🕮 civil servant; ~*e zaken* home affairs; zie ook: *ministerie* &
'binnenlaten[1] *vt* let in, show in; admit
'binnenleiden[1] *vt* usher in
'binnenloodsen[1] *vt* pilot [a ship] into port
'binnenlopen[1] **I** *vi* 1 run in; 2 ⚓ put into port; *even* ~ drop in for a minute; **II** *vt* 1 run into [a house]; 2 ⚓ put into [port]
'binnenmeer (-meren) *o* inland lake; **–meid** (-en) *v*, **–meisje** (-s) *o* parlourmaid; **–muur** (-muren) *m* inner wall; **–pad** (-paden) *o* by-path; **–pagina** ('s) *v* inside page; **–plaats** (-en) *v* inner court, inner yard, courtyard [of a prison]
'binnenpraten[1] *vt* (v. v l i e g t u i g) talk down
'binnenpret *v* secret amusement
'binnenrijden[1] *vi* ride, drive in(to a place)
'binnenroepen[1] *vt* call in
'binnenrukken[1] *vi* march in(to the town &)
'binnenscheepvaart *v* inland navigation; **–schipper** (-s) *m* bargeman, bargemaster
binnens'huis indoors, within doors; **–'kamers** in one's room; *fig* in private, privately
'binnensluipen[1] *vi* steal into [a house]
'binnensmokkelen[1] *vt* smuggle (in)
binnens'monds under one's breath; ~ *spreken* speak indistinctly, mumble
'binnenspeler (-s) *m sp* inside right (or left) forward; **–stad** (-steden) *v* inner part of a town
'binnenstappen[1] *vi* step in(to the room)
'binnenste I *aj* inmost; **II** *o* inside; *in zijn* ~ in his heart of hearts, deep down; **binnenste'buiten** inside out
'binnenstormen[1] *vi* rush in(to a house)
'binnenstromen[1] *vi* stream (flow, pour) in; stream (flock, flow, pour) into the country &
'binnenstuiven[1] *vi* = *binnenstormen*
'binnentarief (-rieven) *o* $ internal tariff
'binnentreden[1] *vi* enter [the room]

[1] V.T. en V.D. van dit werkwoord volgens het model: **'binnen**halen, V.T. haalde **'binnen**, V.D. **'binnen**gehaald. Zie voor de vormen onder het grondwoord, in dit voorbeeld: *halen*. Bij sterke en onregelmatige werkwoorden wordt u verwezen naar de lijst achterin.

'binnentrekken[1] *vi* = *binnenrukken*
'binnenvaart *v* inland navigation
'binnenvallen[1] *vi* 1 ⚓ put into port; 2 invade [a country]; 3 drop in [on a friend]
'binnenvetter (-s) *m fig* secret hoarder; **–waarts I** *aj* inward; **II** *ad* inward(s); **–wateren** *mv* inland waterways; **–weg** (-wegen) *m* 1 by-road, by-path; (k o r t e r) short cut; 2 (v. h. v e r k e e r) secondary road; **–werk** *o* 1 inside work; 2 works [of a watch]; 3 interior [of a piano]; 4 filler [for cigars]; **–werks** *~e maat* inside diameter
'binnenwippen[1] drop in, **F** blow in [upon sbd.]
'binnenzak (-ken) *m* inside pocket; **–zee** (-zeeën) *v* inland sea; **–zij(de)** (-den) *v* inside, inner side; **–zool** (-zolen) *v* insole
bi'nomium *o* binomial; *het ~ van Newton* the binomial theorem
bint (-en) *o* tie-beam, joist
bioche'mie *v* biochemistry
bio'graaf (-grafen) *m* biographer; **biogra'fie** (-ieën) *v* biography; **bio'grafisch** biographical
biolo'geren (biologeerde, h. gebiologeerd) *vt* mesmerize; **biolo'gie** *v* biology, natural history; **bio'logisch** biological; **bio'loog** (-logen) *m* biologist
bio'scoop (-scopen) *m* cinema, picture-theatre; *naar de ~ gaan* go to the pictures; **–bezoeker** (-s) *m* filmgoer; *in 1977 bedroeg het aantal ~s...* ook: in 1977 cinema attendances numbered...; **–voorstelling** (-en) *v* picture show, cinema show
bio'sfeer *v* biosphere
bio'toop (-topen) *v* biotope
bips F *mv* bottom, buttocks, behind
'Birma *o* Burma; **Bir'maan(s)** Burmese [*mv* Burmese]
1 bis [bi.s] *ad* encore
2 bis [bi.s] *v* ♩ B sharp
'bisambont ['bi.zɑm-] *o* musquash, musk-rat; **–rat** (-ten) *v* musk-rat, musquash
bis'cuit [bɪs'kvi.] (-s) *o* & *m* biscuit
'bisdom (-men) *o* diocese; bishopric
biseksu'eel bisexual
Bis'kaje *Golf van ~* Gulf of Biscay
'bismut *o* bismuth
'bisschop (-pen) *m* bishop (ook = mulled wine); **bis'schoppelijk** episcopal; **'bisschopsmijter** (-s) *m* mitre; **–staf** (-staven) *m* crosier
bissec'trice [bi.sɛk-] (-n) *v* bisector, bisecting line
bis'seren [bi.-] (bisseerde, h. gebisseerd) **I** *vt* encore; **II** *va* demand an encore
'bit (-ten) *o* bit
bits snappish, snappy, acrimonious, tart; sharp
'bitter I *aj* bitter[2] [drink, disappointment, tone &]; sore [distress]; grinding [poverty]; plain [chocolate]; **II** *ad* bitterly; < bitter; *zij hebben het ~ arm* they are extremely poor; *het is ~ koud* it is bitter cold; *~ weinig* next to nothing; **III** *o* & *m* bitters; *een glaasje ~* a (glass of) gin and bitters; **–heid** (-heden) *v* bitterness[2], *fig* acerbity, acrimony; **–koekje** (-s) *o* macaroon; **–zout** *o* magnesium sulphate, Epsom salt(s)
bi'tumen *o* bitumen
'bivak (-ken) *o* bivouac; *ergens z'n ~ opslaan* [*fig*] stay temporarily; **bivak'keren** (bivakkeerde, h. gebivakkeerd) bivouac
bi'zar I *aj* bizarre, grotesque, odd; **II** *ad* in a bizarre way, grotesquely
'bizon (-s) *m* bison, buffalo
'blaadje (-s) *o* 1 leaflet [= young leaf & part of compound leaf]; 2 sheet [of paper]; > (news) paper, **F** rag; 3 tray [of wood or metal]; *bij iem. in een goed* (*slecht*) *~ staan* be in sbd.'s good (bad) books
blaag (blagen) *m-v* naughty boy or girl, brat
blaam *v* 1 blame, censure; 2 blemish; *hem treft geen ~* no blame attaches to him; *een ~ werpen op* put (cast) a slur on; *zich van alle ~ zuiveren* exculpate oneself; zie ook *vrees*
blaar (blaren) *v* 1 (z w e l l i n g) blister; 2 (b l e s) blaze, white spot
blaas (blazen) *v* 1 (i n l i c h a a m) bladder; 2 (i n v l o e i s t o f) bubble
'blaasbalg (-en) *m* bellows; *een ~* a pair of bellows; **–instrument** (-en) *o* wind instrument
'blaasje (-s) *o* 1 vesicle, bleb; 2 bubble, bladder
'blaaskaak (-kaken) *v* gas-bag, braggart; **blaaskake'rij** (-en) *v* gassing, swagger, braggadocio
'blaaskapel (-len) *v* brass band
'blaasontsteking (-en) *v* cystitis
'blaasorkest (-en) *o* wind-band; **–pijp** (-en) *v* blow-pipe; *~je* breathalyzer
'blaassteen (-stenen) *m* ⚕ calculus; **–worm** (-en) *m* bladder-worm
blad *o* 1 (bladen, bla(de)ren) leaf [of a tree, of a book]; 2 (bladen) sheet [of paper, metal], blade [of an oar, of a saw & ⚒], top [of a table]; 3 (bladen) tray [for glasses]; 4 (bladen) (news)paper, magazine, journal; *geen ~ voor de mond nemen* not mince one's words, not mince matters; *van het ~ spelen* play at sight; **–aarde** *v* leaf-mould; **–deeg** = *bladerdeeg*

[1] V.T. en V.D. van dit werkwoord volgens het model: **'binnen**halen, V.T. haalde **'binnen**, V.D. **'binnen**gehaald. Zie voor de vormen onder het grondwoord, in dit voorbeeld: *halen.* Bij sterke en onregelmatige werkwoorden wordt u verwezen naar de lijst achterin.

'bladder (-s) *v* (*m*) blister [in paint]; **'bladderen** (bladderde, h. gebladderd) *vi* blister
'bladen meerv. v. *blad*
'bladerdeeg *o* puff-paste
1 'bladeren (bladerde, h. gebladerd) *vi* ~ *in* turn over the leaves [of a book], leaf (through) [a book]; **2 'bladeren** meerv. v. *blad* 1
'bladgoud *o* gold-leaf; **–groen** *o* leaf-green, chlorophyll; **–groente** (-n en -s) *v* greens, leafy vegetable; **–knop** (-pen) *m* leaf-bud; **–koper** *o* sheet-copper, leaf-brass; **–luis** (-luizen) *v* plant-louse, green fly, aphid, aphis [*mv* aphides]; **–spiegel** (-s) *m* type area; **–steel** (-stelen) *m* leaf-stalk; **–stil** *het was* ~ there was a dead calm, not a leaf stirred; **–tin** *o* tinfoil; **–vormig** leaf-like, leaf-shaped; **–vulling** (-en) *v* fill-up, stop-gap; **–wijzer** (-s) *m* bookmark(er); **–zij(de)** (-den) *v* page
'blaffen (blafte, h. geblaft) *vi* bark[2] (at *tegen*); **–er** (-s) *m* barker[2]
'blaken (blaakte, h. geblaakt) *vi* ~ *van gezondheid* be in rude health, glow with health; ~ *van vaderlandsliefde* burn with patriotism; **–d** burning, ardent; (z o n) blazing, scorching; *in ~e welstand* in the pink of health
'blaker (-s) *m* flat candlestick
'blakeren (blakerde, h. geblakerd) *vt* burn, scorch
bla'mage [-'ma.ʒə] (-s) *v* disgrace (to *voor*); **bla'meren** (blameerde, h. geblameerd) **I** *vt iem.* ~ bring shame upon sbd.; **II** *vr zich* ~ disgrace oneself
'blanco blank; ~ *stemmen* abstain (from voting); *tien* ~ *stemmen* ten abstentions; ~ *volmacht* blank power of attorney
blank I *aj* white, fair [skin]; naked [sword]; ~ *schuren* scour bright; *de weiden staan* ~ the meadows are flooded; **II** *o* (d o m i n o s p e l) blank; **'blanke** (-n) *m-v* white man (woman); *de ~n* the whites
blan'ketsel (-s) *o* paint; face powder
'blaren meerv. v. *blad* 1
bla'sé [bla.'ze.] blasé: cloyed with pleasure
blasfe'meren (blasfemeerde, h. geblasfemeerd) *vi* blaspheme; **blasfe'mie** *v* blasphemy
'blaten (blaatte, h. geblaat) *vi* bleat
'blauw I *aj* blue; *~e druif* black grape; *een ~e maandag* a very short time; *de zaak* ~ ~ *laten* let the matter rest; *iemand een* ~ *oog slaan* give sbd. a black eye; *een ~e plek* a bruise; *~e zone* restricted parking zone; **II** *o* blue; **–achtig** bluish
'Blauwbaard, 'blauwbaard *m* Bluebeard; **'blauwbekken** (blauwbekte, h. geblauwbekt) *staan* ~ stand in the cold; **'blauwdruk** (-ken) *m* blueprint; **blauwe'regen** (-s) *m* ♣ wistaria; **'blauwkous** (-en) *v* bluestocking; **–sel** (-s) *o* powder-blue; *door het* ~ *halen* blue; **–tje** (-s) *o een* ~ *lopen* **F** get the mitten, be jilted [by a girl]; **–zuur** *o* Prussic acid
'blazen* I *vi* blow°; (v . k a t) spit; ~ *op* blow [the flute, a whistle]; sound, wind [the horn]; sound [the trumpet]; **II** *vt* blow [one's tea, the flute, glass &], blow, play [an instrument]. Zie ook: *aftocht, alarm* &; **1 'blazer** (-s) *m* (p e r s o o n) blower; *de ~s* ♪ the wind
2 'blazer ['ble.zər] (-s) *m* (j a s j e) blazer
bla'zoen (-en) *o* blazon, coat of arms
bleef (**bleven**) V.T. v. *blijven*
1 bleek *aj* pale, pallid, wan; ~ *van toorn* pale with anger
2 bleek *v* bleach-field
3 bleek (**bleken**) V.T. v. *blijken*
'bleekgezicht (-en) *o* pale-face; **–heid** *v* paleness, pallor; **–jes** palish; **–middel** (-en) *o* bleaching agent; **–neus** (-neuzen) *m* tallow-face; **–neusje** (-s) *o* delicate child, sickly-looking child; **–poeder** *o* & *m* bleaching-powder; **–veld** (-en) *o* bleach-field; **–water** *o* bleach(ing liquor); **–zucht** *v* chlorosis, green sickness; **bleek'zuchtig** chlorotic
blei (-en) *v* 𝔖 white bream
1 'bleken (bleekte, h. gebleekt) *vt* & *vi* bleach
2 'bleken V.T. meerv. v. *blijken*
'blèren ['blɛ:rə(n)] (blèrde, h. geblèrd) *vi* bawl, howl
bles (-sen) 1 *v* blaze; 2 *m* horse with a blaze
bles'seren (blesseerde, h. geblesseerd) *vt* injure, wound, hurt; **bles'sure** (-n) *v*, **bles'suur** (-suren) *v* injury, wound, hurt
bleu timid, shy, bashful
bleven V.T. meerv. v. *blijven*
bliek (-en) *m* 𝔖 = *blei* & *sprot*
blies (**bliezen**) V.T. v. *blazen*
'blieven (bliefde, h. gebliefd) = *believen*
'blij(de) glad, joyful, joyous, cheerful, pleased; *hij is er* ~ *mee* he is delighted (happy) with it; *ik ben er* ~ *om* (*over*) I am glad of it; *iem.* ~ *maken* please sbd., make sbd. happy; *zich* ~ *maken met een dode mus* have found a mare's nest; **'blijdschap** *v* gladness, joy, mirth; *met* ~ *geven wij kennis van...* we are happy to announce...; **'blijheid** *v* gladness, joyfulness, joy
blijk (-en) *o* token, mark, proof, sign; ~ *geven van* give evidence (proof) of, show; **–baar** apparent, evident, obvious; **'blijken*** *vi* be evident, appear, be obvious; *het blijkt nu* it is evident now; *uit alles blijkt dat...* everything goes to show that...; *hij bleek de maker te zijn* he turned out (proved) to be the maker; *het is nodig gebleken te...* it has been found necessary to...; *het zal wel* ~ *uit de stukken* it will appear (be apparent, be evident) from the documents; *het moet nog* ~ it remains to be seen; it is to be

proved; *doen ~ van* give proof of; *niet de minste aandoening laten ~* not betray (show) the least emotion; *je moet er niets van laten ~* you must not appear to know anything about it; **–s** as appears from, from

blij'moedig joyful, cheerful, jovial, merry, gay, glad

'blijspel (-spelen) *o* comedy; **–dichter** (-s) *m* writer of comedies

'blijven* *vi* 1 remain [for weeks in Paris], stay [here!]; 2 (in een toestand) remain [faithful, fine, our friend]; go [unnoticed, unpunished]; 3 (overblijven) remain, be left [of former glory]; 4 (doodblijven) die, be killed, perish; 5 (doorgaan met) continue to..., keep ...ing; *waar blijft hij toch?* where can he be?; *waar is het (hij) gebleven?* what has become of it (him)?; *waar zijn we gebleven?* where did we leave off (stop)?; *waar was ik gebleven?* where had I got to?; *waar blijft het eten toch?* where *is* dinner?; *waar blijft de tijd!* how time flies!; *hij blijft lang, hoor!* 1 how long he is staying!; 2 he is a long time (in) coming (back); *blijf je het hele concert?* are you going to sit out the whole concert?; *goed ~* keep [of food]; *~ eten* stay to dinner; *~ leven* live (on); zie ook: *hangen* &; • *hij blijft bij ons* he is going to stay with us; *alles blijft bij het oude* everything remains as it was; *maar daar bleef het niet bij* but that was not all; *ik blijf bij wat ik gezegd heb* I stick to what I have said; *hij blijft er bij, dat...* he persists in saying that...; *het blijft er dus bij dat...* so it is settled that...; *daarbij bleef het* there the matter rested, that was that; *dat blijft onder ons* this is strictly between ourselves; *blijf van mij (ervan) af!* hands off!; *daarmee moet je mij van het lijf ~!* none of that for me!; **–d** lasting [peace, evidence]; enduring, abiding [value]; permanent [abode, wave]; **'blijvertje** (-s) *o dat is geen ~* that child will never grow old; **S** it's a goner

1 blik (-ken) *m* glance, look; *zijn brede ~* his broad view; *zijn heldere ~* 1 his bright look; 2 his keen insight; *een ~ slaan (werpen) op* cast a glance at; *begerige ~ken werpen (laten vallen) op* cast covetous eyes on; • *bij de eerste ~* at the first glance; *in één ~* at a glance; *met één ~ overzien* take it in at a (single) glance

2 blik (-ken) *o* 1 (metaal) tin, tin plate, white iron; 2 (voorwerp) dustpan; tin [of meat], can [of peaches &]; *kreeft in ~* tinned (canned) lobster; *stoffer en ~* brush and dustpan; **–groenten** *mv* tinned (canned) vegetables; **–je** (-s) *o* tin [of meat], can; **1 'blikken** *aj* tin

2 'blikken (blikte, h. geblikt) *vt* look, glance; *zonder ~ of blozen* without turning a hair

'blikkeren (blikkerde, h. geblikkerd) *vi* glitter, flash

'blikkerig tinny, brassy

'blikopener (-s) *m* tin-opener, can opener; **–schade** *v* bodywork damage

'bliksem (-s) *m* lightning; *arme ~* poor devil; *wat ~!* **F** what the hell!; *als de ~* (as) quick as lightning, like blazes; *naar de ~ gaan* go to the dogs, go to pot; *loop naar de ~!* go to blazes!; **–actie** [-ɑksi.] (-s) *v* lightning action; **–afleider** (-s) *m* lightning conductor[2]; **–bezoek** (-en) *o* flying visit; **'bliksemen** (bliksemde, h. gebliksemd) *vi* lighten; (v. de ogen &) flash; *het bliksemt* it lightens, there is a flash of lightning; zie ook: *donderen*; **'bliksemflits** (-en) *m* flash (streak) of lightning; **'bliksems I** *aj die ~e kerel* that confounded fellow; **II** *ad* < deucedly; **III** *ij* the deuce!; **'bliksemschicht** (-en) *m* thunderbolt, flash of lightning; **–snel** quick as lightning, with lightning speed; lightning [victory &]; **F** like winking; **–straal** (-stralen) *m* & *v* flash of lightning; *als een ~ uit heldere hemel* like a bolt from the blue

'blikslager (-s) *m* tin-smith

'blikvanger (-s) *m* eye-catcher

1 blind (-en) *o* shutter

2 blind *aj* blind[2]; *~ als een mol* as blind as a bat; *~e deur* blind (dead) door; *~e gehoorzaamheid* blind obedience; *~ geloof (vertrouwen)* implicit faith; *~e kaart* skeleton map, blank map; *~e klip* sunken rock; *~e muur* blank (dead) wall; *~e passagier* stowaway; *~e steeg* blind alley; *~ toeval* mere chance; *~e vlek* blind spot; *~ aan één oog* blind of (in) one eye; *~ voor het feit dat...* blind to the fact that...; zie ook: *blinde*; **–doek** (-en) *m* bandage; **'blinddoeken** (blinddoekte, h. geblinddoekt) *vt* blindfold; **'blinddruk** (-ken) *m* blind-blocking, blind-tooling, blind-stamping; **'blinde** (-n) *m-v* 1 blind man, blind woman; *de ~n* the blind; 2 ◊ dummy; *in den ~* at random; blindly; *met de ~ spelen* ◊ play dummy

blinde'darm (-en) *m* 1 caecum; 2 (= wormvormig aanhangsel) vermiform appendix; **–ontsteking** (-en) *v* 1 appendicitis; 2 (van het caecum) typhlitis

'blindelings blindfold; blindly; *~ gehoorzamen* obey implicitly; **'blindemannetje** (-s) *o* blindman's buff; *~ spelen* play at blindman's buff; **'blindenge'leidehond** (-en) *m* guide dog; **'blindeninstituut** (-tuten) *o* institution for the blind, home for the blind; **'blindenschrift** *o* Braille

blin'deren (blindeerde, h. geblindeerd) *vt* blind; *geblindeerde auto's* ⚔ armoured cars

'blindganger (-s) *m* ⚔ dud; **'blindge'boren** blind-born, born blind; **'blindheid** *v* blindness; *met ~ geslagen* struck blind[2]; *fig* blinded;

'blindtypen [y = i.] (typte 'blind, h. 'blindgetypt) *vi* touch type; **'blindvliegen** (vloog 'blind, h. 'blindgevlogen) **I** *vi* fly blind; **II** *o* blind flying

'blinken* *vi* shine, gleam; *het is niet alles goud wat er blinkt* all that glitters is not gold

blo bashful, timid; *better ~ Jan dan do Jan* discretion is the better part of valour

bloc *en ~* [ã'blɔk] in the lump; in a body; *en ~ weigeren* refuse in mass

'blocnote [-no.t] (-s) *m* (scribbling-)block, (writing-)pad

'blode = *blo*

1 bloed *o* blood; *blauw ~* blue blood; *kwaad ~ zetten* stir strong feelings, stir up bad blood; *nieuw ~* (*in een vereniging* &) fresh blood; *het zit in het ~* it runs in the blood; *het ~ kruipt waar het niet gaan kan* blood is thicker than water; **–aandrang** *m* congestion, rush of blood (to the head); **–arm** anaemic; **–armoede** *v* anaemia; **–baan** (-banen) *v* blood-stream; **–bad** (-baden) *o* blood-bath, carnage, massacre, (wholesale) slaughter; *een ~ aanrichten onder...* make a slaughter of..., massacre...; **–bank** (-en) *v* blood bank; **–bezinking** (-en) *v* sedimentation rate; **'bloeddoor'lopen** bloodshot; **'bloeddorst** *m* thirst for blood, bloodthirstiness; **'bloed'dorstig** bloodthirsty; **'bloeddruk** *m* [high, low] blood pressure; **–eigen** very own; **–eloos** bloodless; **'bloeden** (bloedde, h. gebloed) *vi* bleed[2]; *uit zijn neus ~* bleed at (from) the nose; *hij zal er voor moeten ~* they will make him bleed for it; *tot ~s toe* till the blood came; **'bloeder** (-s) *m* bleeder; **–ig** bloody; **–ziekte** *v* haemophilia; **'bloedgeld** *o* blood-money, price of blood; **–getuige** (-n) *m-v* martyr; **–gever** (-s) *m* blood donor; **–groep** (-en) *v* blood group; **–heet** sizzling hot; **–hond** (-en) *m* bloodhound; **–ig** bloody, sanguinary; **–ing** (-en) *v* bleeding, h(a)emorrhage; **–je** (-s) *o ~s van kinderen* poor little mites; **–koraal** (-ralen) *o* & *v* red coral; **–lichaampje** (-s) *o* blood corpuscle; **–neus** (-neuzen) *m* bleeding nose; *hem een ~ slaan* make his nose bleed; **–onderzoek** (-en) *o* blood test; **–plas** (-sen) *m* pool of blood; **–plasma** *o* (blood) plasma; **–proef** (-proeven) *v* blood test; **–prop** (-pen) *v* blood clot, thrombus; **–rood** blood-red, scarlet; **–schande** *v* incest; **bloed'schendig, –'schennig** incestuous; **'bloedsomloop** *m* circulation of the blood, blood circulation; **'bloedspuwing** (-en) *v* spitting of blood; **–stelpend** styptic; *~ middel* styptic; **–suiker** *m* blood sugar; **–transfusie** [-fy.zi.] (-s) *v* blood transfusion; **–uitstorting** (-en) *v* extravasation of blood, effusion of blood, haematoma; **–vat** (-vaten) *o* blood-vessel; **–vergieten** *o* bloodshed; **–vergiftiging** (-en) *v* blood-poisoning, sepsis; **–verlies** *o* loss of blood; **–verwant(e)** (-en) *m* (*v*) (blood-)relation, relative, kinsman, kinswoman; *naaste ~* near relative; **–verwantschap** (-pen) *v* blood-relationship, consanguinity; **–vlek** (-ken) *v* bloodstain; **–worst** (-en) *v* black pudding, blood sausage; **–wraak** *v* vendetta; **–ziekte** (-n en -s) *v* blood disease; **–zuiger** (-s) *m* leech, blood-sucker[2]; **–zuiverend** blood-cleansing

bloei *m* flowering; bloom[2], flower[2], *fig* prosperity; *in ~ staan* be in blossom; *in de ~ der jaren* in the prime of life; *in volle ~* in full blossom, in (full) bloom; **'bloeien** (bloeide, h. gebloeid) *vi* bloom, blossom, flower; *fig* flourish, prosper, thrive; **–d** *aj* blossoming, [early-, late-]flowering; *fig* flourishing, prosperous, thriving; **'bloeimaand** *v* May; **–tijd** (-en) *m* flowering time, florescence; *fig* flourishing period; **–wijze** (-n) *v* ♣ inflorescence

bloem (-en) *v* 1 *eig* & *fig* flower; 2 (v. meel) flour; **–bak** (-ken) *m* flower-box; **–bed** (-den) *o* flower-bed; **–blad** (-bladen) *o* petal; **–bol** (-len) *m* (flower) bulb

'bloembollenteelt *v* bulb growing; **–veld** (-en) *o* bulb field

'bloemencorso ('s) *m* & *o* floral procession, flower pageant, flower parade; **–handelaar** (-s en -laren) *m* florist; **'bloemenschikken** *o* flower-arranging; **–stalletje** (-s) *o* flower-stall; **–teelt** *v* floriculture; **–vaas** (-vazen) *v* (flower) vase; **–winkel** (-s) *m* flower shop, florist's shop

'bloemetje (-s) *o* little flower, floweret; *de ~s buiten zetten* go on the spree, be on a spree, **F** paint the town red, make whoopee; **'bloemig** floury, mealy [potatoes]; **bloe'mist** (-en) *m* florist, floriculturist; **bloemiste'rij** (-en) *v* 1 floriculture; 2 florist's (garden, business, shop)

'bloemkelk (-en) *m* ♣ calyx; **–knop** (-pen) *m* flower-bud; **–kool** (-kolen) *v* cauliflower; **–kooloor** (-oren) *o* cauliflower ear; **–krans** (-en) *m* garland, wreath (chaplet) of flowers; **–kroon** (-kronen) *v* corolla; **–lezing** (-en) *v* anthology; **–perk** (-en) *o* flower-bed; **–pje** (-s) *o* 1 little flower, floweret; 2 (v. bloeiwijze) floret; **–pot** (-ten) *m* flowerpot; **–rijk** flowery[2]; *fig* florid; **–scherm** (-en) *o* ♣ umbel; **–schikken** *o* flower-arranging; **–steel** (-stelen), **–stengel** (-s) *m* flowerstalk; **–stuk** (-ken) *o* 1 (v. bloemist) bouquet; 2 (schilderij) flower-piece

bloes (bloezes, bloezen) *v* blouse, shirt

'bloesem (-s) *m* blossom, bloom, flower; **'bloesemen** (bloesemde, h. gebloesemd) *vi* blossom, bloom, flower

blok (-ken) *o* 1 block [of anything, also for chopping or hammering on], log [of wood]; billet [of firewood], chump [= short thick lump of wood], clog [to leg]; brick [= building block]; pig [of lead]; 2 bloc [of parties, of nations]; *het ~* 🕮 the stocks; *een ~ aan het been hebben* be clogged; *dat is een ~ aan zijn been* it is a drag on him; *iem. voor het ~ zetten* leave sbd. no choice, give sbd. Hobson's choice; **–boek** (-en) *o* block book; **–druk** (-ken) *m* block printing; **–fluit** (-en) *v* recorder; **–hoofd** (-en) *o* (air-raid) warden; **–huis** (-huizen) *o* 1 blockhouse, loghouse; 2 (v. spoorweg) signal-box; **–hut** (-ten) *v* (*m*) log-cabin

blok'kade (-s) *v* blockade; *de ~ doorbreken* run the blockade

'blokken (blokte, h. geblokt) *vi ~* (*op*) plod (at), **F** swot (at), mug (at), grind (at)

'blokkendoos (-dozen) *v* box of bricks

blok'keren (blokkeerde, h. geblokkeerd) *vt* blockade [a port]; block [a road &; $ an account], freeze [an account]; **–ring** (-en) *v* blockade [of a port]; blocking [of a road &; $ of an account]; freezing [of an account]

'blokletter (-s) *v* block capital, block letter; **–schrift** *o* block capitals, print; **–stelsel** (-s) *o* block system; **–vorming** *v* forming of blocks

blom (-men) *v* flower; [*fig*] *een jonge ~* a young (and pretty) girl

blond blond, fair, light; **blon'deren** (blondeerde, h. geblondeerd) dye blond, bleach; **blon'dine** (-s) *v* blonde, fair-haired girl

blonk (blonken) V.T. v. *blinken*

'bloodaard (-s) *m* coward

bloot I *aj* 1 naked, bare; 2 (alleen maar) bald, mere; *de blote feiten* the bald facts; *een ~ toeval* a mere accident; *met het blote oog* with the naked eye; *onder de blote hemel* in the open; ...*op het blote lijf dragen* wear... next (next to) the skin; **II** *ad* barely, merely; **–geven**[1] *zich ~* show one's hand, lay oneself open[2]; *fig* commit oneself; *zich niet ~* be non-committal; **–leggen**[1] *vt* lay bare[2], reveal [plans], expose [secrets]; *fig* state, uncover; **–liggen**[1] *vi* lie bare, lie open; **'blootshoofds, bloots'hoofds** bareheaded; **'blootstaan**[1] *vi ~ aan* be exposed to; **–stellen**[1] **I** *vt* expose; **II** *vr zich ~ aan* expose oneself to [the weather]; lay oneself open to [criticism]

'blootsvoets, bloots'voets barefoot

blos *m* 1 blush [of embarrassment], flush [of excitement]; 2 bloom [of health]

'blouse ['blu.zə] (-s) *v* blouse°, shirt

'blozen (bloosde, h. gebloosd) *vi* blush, flush, colour; *doen ~* cause [sbd.] to blush, make [sbd.] blush; *~ om* (*over*) blush at [sth.]; **–d** 1 blushing; 2 ruddy, rosy

'blubber *m* mud, slush

bluf *m* brag(ging), boast(ing), **F** swank; **'bluffen** (blufte, h. gebluft) *vi* brag, boast, **F** swank; *~ op* boast of; **bluffe'rij** (-en) *v* bragging, boasting, braggadocio

'blunder (-s) *m* blunder, howler; **'blunderen** (blunderde, h. geblunderd) *vi* blunder

'blusapparaat (-raten) *o* fire-extinguisher; **–middel** (-en) *o* fire-extinguisher; **'blussen** (bluste, h. geblust) *vt* 1 extinguish, put out; 2 slack, slake [lime]

blut *aj* 1 hard up, **F** broke; 2 (na spel) **F** cleaned out; *iem. ~ maken* **F** clean sbd. out

bluts (-en) *v* (deuk) dent; **'blutsen** (blutste, h. geblutst) *vt* (deuken) dent

blz. = *bladzijde*

'boa ['bo.a.] ('s) *m* boa [snake & fur necklet]

'bobbel (-s) *m* 1 bubble; 2 (gezwel) lump; **'bobbelen** (bobbelde, h. gebobbeld) *vi* bubble; **–lig** lumpy

'bobslee (-sleeën en -sleden) *v* bob-sled, bobsleigh

'bochel (-s) *m* 1 hump, hunch; 2 (persoon) humpback, hunchback; zie ook: *lachen*

1 bocht *o* & *m* trash, rubbish; (v. drank) rot-gut

2 bocht (-en) *v* bend, turn(ing), winding [of a road, river &]; trend [of the coast]; flexion, curve [in a line]; bight [in a rope]; coil [of a cable]; bight [of the sea]; bay; *voor iem. in de ~ springen* take sbd.'s part; *zich in ~en wringen* tie oneself in knots; **–ig** winding, tortuous, sinuous

'bockbier *o* bock(-beer)

bod *o* 1 $ offer; 2 (op verkoping) bid; *een hoger ~ doen dan* outbid [sbd.]; *aan ~ komen* get a chance; *een ~ doen* make a bid; *een ~ doen op* make a bid for[2]

'bode (-n en -s) *m* 1 messenger[2]; 2 (vrachtrijder) carrier; 3 (v. gemeente &) beadle; 4 ⚖ usher

bo'dega ('s) *m* bodega

'bodem (-s) *m* 1 bottom [of a cask, the sea]; 2 [English] ground, soil, territory; 3 ⚓ bottom, ship, vessel; *de ~ inslaan* stave in [a cask]; *fig* shatter [plans, hopes]; dash [expectations]; *op de ~ van de zee* at the bottom of the sea; *vaste ~ onder de voeten hebben* be on firm ground; *op*

[1] V.T. en V.D. van dit werkwoord volgens het model: **'bloot**stellen, V.T. stelde **'bloot,** V.D. **'bloot**gesteld. Zie voor de vormen onder het grondwoord, in dit voorbeeld: *stellen.* Bij sterke en onregelmatige werkwoorden wordt u verwezen naar de lijst achterin.

vreemde ~ on foreign soil; *tot de* ~ *leegdrinken* drain to the dregs; **–gesteldheid** *v* nature of the soil, soil conditions; **–kunde** *v* soil science, pedology; **–loos** bottomless; *'t is een bodemloze put* it's like pouring money down a drain; **–onderzoek** *o* soil research; **–prijs** (-prijzen) *m* minimum price; **–schatten** *mv* mineral resources

'boden V.T. meerv. v. *bieden*

boe bo(o)!; ~ *roepen* boo, hoot; *geen* ~ *of ba zeggen* not open one's lips; *zij durft geen* ~ *of ba te zeggen* she cannot say boo to a goose

'Boeddha, 'boeddha ('s) *m* Buddha; **'Boeddhabeeld** (-en) *o* Buddha; **boed'dhisme** *o* Buddhism; **–ist** (-en) *m* Buddhist; **–istisch** Buddhist [monk &], Buddhistic

'boedel (-s) *m* (personal) estate, property, goods and chattels, movables; *de* ~ *aanvaarden* take possession of the estate; *de* ~ *beschrijven* make (draw up) an inventory; **–afstand** *m* cession; **–beschrijving** (-en) *v* inventory; **–scheiding** (-en) *v* division of an estate, division of property

boef (boeven) *m* 1 knave, rogue, villain; (v. k i n d) rascal; 2 ⚖ criminal, **F** crook; (t u c h t h u i s b o e f) convict, jail-bird; **–je** (-s) *o* gutter-snipe, street arab

boeg (-en) *m* ⚓ bow(s); *het o v e r een andere* ~ *wenden* (*gooien*) ⚓ change one's tack[2], try another tack[2]; *v o o r de* ~ *hebben* have to deal with [much work]; *wat wij nog voor de* ~ *hebben* what lies ahead of us, what is ahead; **–beeld** (-en) *o* figurehead

boeg'seren (boegseerde, h. geboegseerd) *vt* tow [a boat]

'boegspriet (-en) *m* 1 ⚓ bowsprit; **–lopen** *o sp* walking the greasy pole

1 boei (-en) *v* (a a n v o e t e n) shackle, fetter; (a a n h a n d e n) handcuff; *in* ~*en* in irons, in chains; *iem. de* ~*en aandoen* handcuff sbd.; *iem. in de* ~*en sluiten* put sbd. in irons

2 boei (-en) *v* ⚓ buoy; *met een kop als een* ~ as red as a beetroot

'boeien (boeide, h. geboeid) *vt* put in irons; handcuff; *fig* captivate, enthral(l), fascinate, grip [the audience], arrest [the attention, the eye]; **–d** captivating, enthralling, fascinating, arresting, absorbing; **'boeienkoning** (-en) *m* escapologist

'boeier (-s) *m* ⚓ small yacht

boek (-en) *o* 1 book; 2 quire [of paper]; *dat is voor mij een gesloten* ~ that is a sealed book to me; *te* ~ *staan als...* be reputed (as)..., be reputed to be..., pass for...; *te* ~ *stellen* set down, record

boeka'nier (-s) *m* buccaneer

'Boekarest *o* Bucharest

'boekband (-en) *m* binding; **'boekbespreking** (-en) *v* (book) review, criticism; **–binden** *o* bookbinding, bookbinder's trade; **–binder** (-s) *m* bookbinder; **boekbinde'rij** (-en) *v* 1 bookbinding; 2 bookbinder's shop, bookbinding establishment, bookbindery; **'boekdeel** (-delen) *o* volume; *dat spreekt boekdelen* that speaks volumes; **–druk** *m* typographic printing; **–drukken** *o* (book) printing; **–drukker** (-s) *m* (book) printer; **boekdrukke'rij** (-en) *v* printing office; **'boekdrukkunst** *v* (art of) printing, typography; **'boekebon** (-nen) *m* book token; **–legger** (-s) *m* book-mark(er);

'boeken (boekte, h. geboekt) *vt* book [an order]; enter (in the books); *fig* record, register; *succes* ~ score a success; *een post* ~ make an entry; *in iems. credit* (*debet*) ~ place [a sum] to sbd.'s credit (debit); *op nieuwe rekening* ~ carry to new account; **'boekenclub** (-s) *v* book club; **–geleerdheid** *v* book-learning; **–kast** (-en) *v* bookcase; **–lijst** (-en) *v* list of books; **–molen** (-s) *m* revolving book-stand; **–plank** (-en) *v* book-shelf; **–rek** (-ken) *o* book-rack; **–stalletje** (-s) *o* (second-hand) bookstall; **–steun** (-en) *m* book-end; **–taal** *v* bookish language; **–tas** (-sen) *v* satchel; **–wijsheid** *v* book-learning; **–worm, –wurm** (-en) *m* bookworm; **boeke'rij** (-en) *v* library

boe'ket (-ten) *o* & *m* 1 [bu.'kɛt] bouquet, nosegay; 2 [bu.'kɛ] bouquet, aroma, flavour [of wine]

'boekhandel (-s) *m* 1 bookselling, book trade; 2 bookseller's shop, bookshop; **–aar** (-s en -laren) *m* bookseller

'boekhouden I (hield 'boek, h. 'boekgehouden) *vi* $ keep books (accounts); **II** *o* book-keeping; *dubbel* (*enkel*) ~ book-keeping by double entry (by single entry); **–er** (-s) *m* book-keeper; **'boekhouding** (-en) *v* book-keeping; (a f d e l i n g) accounts (accounting) department; **'boekhoudmachine** [-ma.ʃi.nə] (-s) *v* book-keeping machine

'boeking (-en) *v* entry; **'boekjaar** (-jaren) *o* financial (fiscal) year; **'boekje** (-s) *o* small book, booklet; *ik zal een* ~ *over* (*van*) *u opendoen* I'll let people know what (the) sort of man you are; *b u i t e n zijn* ~ *gaan* go beyond one's powers; exceed one's orders; *bij iem. i n* (*g*)*een goed* ~ *staan* be in sbd.'s good (bad) books; *v o l g e n s het* ~ by the book

'boekomslag (-slagen) *m* dust jacket; **'boekstaven** (boekstaafde, h. geboekstaafd) *vt* set down, record, chronicle; **'boekverkoper** (-s) *m* bookseller; **–verkoping** (-en) *v* book auction; **–waarde** *v* book value

'boekweit *v* buckwheat

'boekwerk (-en) *o* book, work, volume;

-winkel (-s) *m* bookshop, bookstore
boel *m een* ~ (quite) a lot, lots [of sth.]; *een* ~ *geld* a lot (lots) of money; *de hele* ~ the whole lot; the whole thing; **F** the whole show; *een* (*hele*) ~ *beter* (*meer*) **F** a jolly sight better (more); *een hele* ~ *mensen* an awful lot of people; *het was een dooie* (*saaie*) ~ it was a dull affair; *een mooie* ~*!* a pretty kettle of fish, **F** a nice go (mess); *het is een vuile* ~ it is a mess; *de* ~ *erbij neergooien* **F** chuck it
'boeldag (-dagen) *m* auction
'boeltje (-s) *o zijn* ~ **F** his traps; *zijn* ~ *pakken* pack up one's traps
'boeman (-nen) *m* bogey(-man), bugaboo
'boemel *aan de* ~ on the spree; **-aar** (-s) *m* reveller, rake, run-about, fly-by-night; **'boemelen** (boemelde, h. geboemeld) *vi* 1 **F** knock about; 2 go the pace, be on the spree; **'boemeltrein** (-en) *m* slow train
'boemerang (-s) *m* boomerang
'boender (-s) *m* scrubbing-brush, scrubber; **'boenen** (boende, h. geboend) *vt* scrub; rub; polish; **'boenwas** *m* & *o* beeswax
boer (-en) *m* 1 farmer; (k e u t e r ~) peasant; (b u i t e n m a n) countryman; 2 ◊ knave, jack; 3 *fig* boor, yokel; 4 (o p r i s p i n g) belch, **F** burp; *een* ~ *laten* belch, **F** burp; *de* ~ *opgaan* go round the country hawking; **boerde'rij** (-en) *v* farm; farm-house
'boeren (boerde, h. geboerd) *vi* 1 farm, be a farmer; 2 (o p r i s p e n) belch, **F** burp; *hij heeft goed geboerd* he has managed his affairs well
boeren'arbeider (-s) *m* farmhand; **'boerenbedrijf** *o* farming; **-bedrog** *o* humbug, monkey business, take-in; **boeren'bont** *o* (s t o f) gingham; **-'bruiloft** (-en) *v* country wedding; **-'dans** (-en) *m* country dance; **boeren'hoeve** (-n) *v*, **boeren'hofste(d)e** (-steden, -steeën) *v* farmstead, farm, homestead; **-'jongen** (-s) *m* country lad; ~*s* (d r a n k) brandy and raisins **-'kinkel** (-s) *m* yokel, country lout; **-'knecht** (-en en -s) *m* farm-hand; **-'kool** (-kolen) *v* ✿ kale, kail; **-'lummel** (-s) *m* clodhopper, bumpkin, lout; **-'meisje** (-s) *o* country girl, country lass; ~*s* (d r a n k) brandy and apricots; **'Boerenoorlog** *m* Boer War; **'boerenoorlog** (-logen) *m* peasants' war; **boeren'pummel** *m* bumpkin; **-'slimheid** *v* cunning, craftiness; **-'stand** (-en) *m* peasantry; **-'vrouw** (-en) *v* countrywoman; **-'wagen** (-s) *m* farm(er's) cart; **-'zoon** (-s en -zonen) *m* farmer's son; **-'zwaluw** (-en) *v* barnswallow; **boe'rin** (-nen) *v* 1 countrywoman; 2 farmer's wife; **boers** rustic, boorish
Boe'roendi *o* Burundi
boert (-en) *v* bantering, jest, joke; **-ig** jocular
Boe'tan *o* Bhutan
'boete (-n en -s) *v* 1 (b o e t e d o e n i n g) penance; 2 (g e l d b o e t e) penalty, fine; ~ *betalen* pay a fine; ~ *doen* do penance; *50 £* ~ *krijgen* be fined £ *50;* ~ *opleggen* impose a fine; *op* ~ *van* under (on) penalty of; **-doening** (-en) *v* penance, penitential exercise; **-kleed** (-klederen) *o* penitential robe (garment), hair-shirt; *het* ~ *aanhebben* stand in a white sheet; **-ling(e)** (-en) *m*(*-v*) penitent; **'boeten** (boette, h. geboet) **I** *vt* (h e r s t e l l e n) mend [nets, sth.]; atone [an offence], expiate [sin]; *iets* ~ *met zijn leven* pay for sth. with one's life; **II** *vi* ~ *voor* expiate, atone for [an offence]; *hij zal ervoor* ~ he shall pay (suffer) for it
boe'tiek (-s) *v* = *boutique*
'boetpredikatie [-(t)si.] (-s en -iën) *v* penitential homily; **-psalm** (-en) *m* penitential psalm
boet'seerklei *v* modelling clay; **boet'seren** (boetseerde, h. geboetseerd) *vt* model
boet'vaardig contrite, penitent, repentant; **-heid** *v* contriteness, contrition, penitence, repentance; *het sacrament van* ~ *rk* the sacrament of penance
'boevenstreek (-streken) *m* & *v* villainy, roguish (knavish) trick, piece of knavery; **-taal** *v* flash (language), thieves' slang (cant); **-tronie** (-s) *v* hangdog face; **-wagen** (-s) *m* police van, **F** black Maria, *Am* patrol wagon
'boezel(aar) (-s) *m* apron
'boezem (-s) *m* 1 bosom, breast; 2 auricle [of the heart]; 3 bay [of the sea]; 4 reservoir [of a polder]; *de hand in eigen* ~ *steken* search one's own heart; **-vriend** (-en) *m*, **'boezemvriendin** (-nen) *v* bosom friend
boeze'roen (-s en -en) *m* & *o* (workman's) blouse
bof *m* 1 ⚕ (z w e l l i n g) mumps; 2 (g e l u k) stroke of luck, **F** fluke; **'boffen** (bofte, h. geboft) *vi* be lucky, be in luck; *daar bof je bij!* lucky for you!; **-er** (-s) *m* **F** lucky dog
'bogaard (-en) *m* = *boomgaard*
1 'bogen (boogde, h. geboogd) *vi* ~ *op* glory in, boast
2 'bogen V.T. meerv. v. *buigen*
Bo'heems Bohemian; **Bo'hemen** *o* Bohemia
bohe'mien [bo.he.'mjɛ̃] (-s) *m* Bohemian
'boiler (-s) *m* (hot-water) heater
bok (-ken) *m* 1 ♞ (he-)goat; (v. r e e &) buck; 2 (v o o r g y m n a s t i e k) vaulting buck; 3 (v. r i j t u i g) box; 4 ⚘ rest; 5 (s c h r a a g) [sawyer's] jack; 6 (h i j s t o e s t e l) derrick; 7 (f o u t) blunder, **F** bloomer, howler; *een* ~ *schieten* [*fig*] make a blunder; *als een* ~ *op de haverkist* as keen as mustard
bo'kaal (-kalen) *m* goblet, beaker, cup
'bokken (bokte, h. gebokt) *vi* 1 (v. p a a r d)

buck, buckjump; 2 *fig* be sulky
'bokkepoot (-poten) *m* = *bokspoot*; **-pruik** (-en) *v de ~ op hebben* be in a (black) temper; **-sprong** (-en) *m* caper, capriole; *~en maken* [cut capers
'bokkig surly, churlish
'bokking (-en) *m* 1 (v e r s) bloater; 2 (g e r o o k t) red herring
'boksbal (-len) *m sp* punch(ing)-ball; **-beugel** (-s) *m* knuckle-duster; **'boksen** (bokste, h. gebokst) *vi* box; **'bokser** (-s) *m* 1 boxer, prize-fighter; 2 ♎ boxer; **'bokshandschoen** (-en) *m* & *v* boxing glove; **-kampioen** (-en) *m* boxing champion
'bokspoot (-poten) *m* goat's paw; *met bokspoten* goat-footed
'bokspringen *o* vaulting; zie ook: *haasje-over*; **bok-sta'vast** *o* high cockalorum
'bokswedstrijd (-en) *m* boxing match, prize-fight
'boktor (-ren) *v* capricorn beetle
1 bol *aj* convex [glasses]; bulging [sails]; chubby [cheeks]; *~ staan* belly, bulge
2 bol (-len) *m* ball, sphere; globe [of a lamp]; bulb [of a plant & thermometer]; crown [of a hat]; *zijn ~* **F** his pate; *een knappe ~* a clever fellow, **F** a dab (at *in*)
'boldriehoek (-en) *m* spherical triangle; **-smeting** *v* spherical trigonometry
bo'leet (-leten) *m* boletus
'bolgewas (-sen) *o* ♣ bulbous plant
'bolhoed (-en) *m* bowler (hat)
Bolivi'aan(s) (-ianen) *m* (*aj*) Bolivian; **Bo'livië** *o* Bolivia
bolle'boos (-bozen) *m* **F** dab [at something]; *hij is een ~ in het zwemmen* he is a first-rate (crack) swimmer
'bollen (bolde, h. gebold) *vi* puff up, swell (fill) out
'bollenkweker (-s) *m* bulb-grower; **-teelt** *v* bulb-growing; **-veld** (-en) *o* bulb-field
'bolletje (-s) *o* globule
'bolrond convex; spherical
bolsje'wiek (-en) *m* bolshevik, bolshevist; **bolsje'wisme** *o* bolshevism; **-istisch** bolshevik, bolshevist
'bolster (-s) *m* ♣ shell, husk, hull; *ruwe ~ blanke pit* rough diamond
'bolus (-sen) *m* 1 bole [clay]; 2 ⚕ bolus [large pill]; 3 (g e b a k) treacle cake
'bolvorm (-en) *m* spherical shape; **-ig, bol'vormig** spherical, globular, bulb-shaped, bulbous
'bolwerk (-en) *o* rampart, bastion; *fig* bulwark, stronghold [of liberty &]
'bolwerken (bolwerkte, h. gebolwerkt) *vt het ~* manage, bring it off
bom (-men) *v* bomb; *zure ~* pickled gherkin; *de ~ is gebarsten* the fat is in the fire, the storm has broken; *hij heeft een ~ duiten* he has lots of money; **-aanslag** (-slagen) *m* bomb outrage; **-alarm** *o* bomb alarm; **bombarde'ment** (-en) *o* bombardment°; (m e t g r a n a t e n) shelling; **bombar'deren** (bombardeerde, h. gebombardeerd) *vt* bombard° [also in nuclear physics]; (i n z. ✈) bomb; (i n z. m e t g r a n a t e n) shell; *met vragen ~* bombard [sbd.] with questions; *iem. ~ tot...* **F** make sbd. a... on the spur of the moment, pitchfork sbd. into...
bom'barie *v* fuss, tumult; *~ maken over iets* make a fuss about sth.
'bombast *m* bombast, fustian; **bom'bastisch** bombastic, fustian
'bombrief (-brieven) *m* bomb letter, letter bomb
'bomen (boomde, h. geboomd) **I** *vt* punt, pole [a boat]; **II** *vi* (p r a t e n) yarn, spin a yarn
'bomgat (-gaten) *o* bung-hole
'bomijs *o* cat-ice
'bominslag (-slagen) *m* bomb hit; **-krater** (-s) *m* bomb crater; **-melding** (-en) *v* bomb alert
'bommen (bomde, h. gebomd) *vi* boom; *'t kan mij niet ~* **F** I don't care a rap, (a) fat lot I care!
'bommenlast (-en) *m* bomb load; **-luik** (-en) *o* bomb(-bay) door; **-tapijt** (-en) *o* bomb carpet; **-werper** (-s) *m* bomber
'bomscherf (-scherven) *v* fragment of a bomb, splinter of a bomb; **-vrij** bomb-proof, shell-proof
bon (-nen) *m* ticket (o o k b e k e u r i n g), check; voucher [for the payment of money]; coupon [of an agency, for meat &]; [book, gift] token; *o p de ~* [sell food &] on the ration; *iem. op de ~ zetten* (b e k e u r e n) take sbd.'s name
bona 'fide in good faith
'bonboekje (-s) *o* coupon-book; (v. d i s t r i - b u t i e) ration-book
bon'bon (-s) *m* bonbon, sweet, [chocolate, peppermint] cream, [liqueur] chocolate; *een doos ~s* ook: a box of chocolates; **bonbon'nière** [-'jɛrə] (-s) *v* bonbon dish, bonbonnière
1 bond (-en) *m* alliance, association, union, league, confederacy, confederation
2 bond (**bonden**) V.T. v. *binden*
'bondgenoot (-noten) *m* ally, confederate; **-schap** (-pen) *o* alliance, confederacy; **bond-genoot'schappelijk** allied
'bondig succinct, concise
'bondsdag (-dagen) *m* federal diet; **-kanselier** (-s) *m* federal chancellor; **'Bondsrepubliek** *v de ~ Duitsland* the Federal Republic of Germany; **'bondsstaat** (-staten) *m* federal state
'bonekruid *o* ♣ savory; **'bonensoep** (-en) *v* bean-soup; **'bonestaak** (-staken) *m* bean-stalk,

beanpole[2]
'bongerd (-s) *m* orchard
bonho'mie [bɔnɔ'mi.] *v* geniality, bonhomie
'bonis *hij is een man in* ~ he is well off
'bonje *v* **F** row, ructions
'bonjour [bõ'ʒu:r] 1 (bij komen of ontmoeten) good morning, good day; 2 (bij weggaan) good-bye!; **bon'jouren** (bonjourde, h. gebonjourd) *vt iem. er uit* ~ bundle sbd. off, out of the room &
bonk (-en) *m* lump; chunk; *hij is één* ~ *zenuwen* he is a bundle of nerves; *een* ~ *van een kerel* a hulking lump of a fellow
'bonken (bonkte, h. gebonkt) *vi* ~ *op* thump [(on) the door]
'bonkig bony, chunky
bonne'fooi *op de* ~ on spec, hit or miss
1 bons (bonzen) *m* thump, bump, thud; *~!* bang!; *de* ~ *geven* **F** give the sack (boot, mitten, push), jilt; *de* ~ *krijgen* **F** get the sack (the boot, the push)
2 bons (bonzen) *m* [trades-union, party] boss
1 bont *aj* particoloured [dresses]; motley [assembly, crowd]; manycoloured, vari-coloured, varied, variegated [flowers]; spotted [cows]; piebald, pied [horses]; gay [colours]; colourful[2] [life, scene]; > gaudy [dress]; ~ *hemd* coloured shirt; ~ *schort* print apron; *~e was* coloured washing; *in ~e rij* 1 in motley rows; 2 the gentlemen paired off with the ladies; *het te* ~ *maken* go too far; ~ *en blauw slaan* beat black and blue; zie ook *bekend*
2 bont *o* fur; **-en** *aj* fur, furry, furred; **-jas** (-sen) *m* & *v* fur coat; **-je** (-s) *o* fur collar; **-mantel** (-s) *m* fur coat; **-muts** (-en) *v* fur cap; **-werk** *o* furriery; **-werker** (-s) *m* furrier
'bonus (-sen) *m* bonus; **-aandeel** (-delen) *o* bonus share
bon-vi'vant [bõvi.'vã] (-s) *m* man about town
'bonze (-n) *m* 1 bonze [= Buddhist priest]; 2 *fig* [trades-union, party] boss
'bonzen (bonsde, h. gebonsd) *vi* throb, thump [of the heart]; *op de deur* ~ bang at the door, batter the door; *tegen iem.* (*aan*) ~ bump (up) against sbd.
bood (**boden**) V.T. v. *bieden*
'boodschap (-pen) *v* 1 message; errand; 2 (een inkoop) purchase; *de blijde* ~ the Gospel; *een blijde* ~ good news; *grote* (*kleine*) ~ **F** number two (one); *een* ~ *achterlaten* (*bij*) leave word (with); *de* ~ *brengen dat...* bring word that...; *~pen doen* 1 be shopping [for oneself]; 2 run errands [for others]; *een* ~ *laten doen* send on an errand; *stuur hem maar even een* ~ just send him word; **'boodschappen** (boodschapte, h. geboodschapt) *vt* bring word, announce; **-jongen** (-s) *m* errand-boy; *ik ben je* ~ *niet!* you cannot order me around!; **-mand** (-en) *v* shopping basket; **-net** (-ten) *o* string bag; **-tas** (-sen) *v* shopping bag; **'boodschapper** (-s) *m* messenger
1 boog (bogen) *m* 1 [archer's] bow; 2 (v. gewelf) arch; 3 (v. cirkel) arc; 4 (bocht) curve; 5 ♪ tie; *de* ~ *kan niet altijd gespannen zijn* the bow cannot always be stretched (strung); zie ook: *pijl*
2 boog (**bogen**) V.T. v. *buigen*
'boogbrug (-gen) *v* arch(ed) bridge; **-gewelf** (-welven) *o* arched vault; **-lamp** (-en) *v* [electric] arc-lamp; **-passer** (-s) *m* wing divider; **-raam** (-ramen) *o* arched window; **-schieten** *o* archery; **-schutter** (-s) *m* archer, bowman; ★ *de B~* the Archer, Sagittarius; **-venster** (-s) *o* arched window; **-vormig** arched
boom (bomen) *m* 1 ♣ tree; 2 ⚒ beam [of a plough, in a loom]; 3 ⚓ punting pole; boom [for stretching the sail]; 4 (ter afsluiting) bar [of a door]; barrier; 5 (v. wagen) shaft; pole; *een* ~ *van een kerel, een kerel als een* ~ a strapping fellow; *een* ~ *opzetten* have a chat, **F** spin a yarn; *hoge bomen vangen veel wind* high (huge) winds blow on high hills; *door de bomen het bos niet zien* not see the wood for the trees; **-bast** (-en) bark, rind; **-gaard** (-en) *m* orchard; **-grens** *v* tree line, timber line; **-kikvors** (-en) *m* tree-frog; **-klever** (-s) *m* nuthatch; **-kruiper** (-s) *m* (tree-)creeper; **-kweker** (-s) *m* nursery-man; **boom-kweke'rij** (-en) *v* 1 (als handeling) cultivation of trees; 2 (kweekplaats) nursery; **'boommarter** (-s) *m* pine marten; **-pieper** (-s) *m* tree-pipit; **-schors** (-en) *v* (tree-)bark; **-stam** (-men) *m* (tree-)trunk, stem, bole; **-stomp** (-en) *m*, **-stronk** (-en) *m* tree-stump; **-tak** (-ken) *m* (tree-)branch, bough; **-zaag** (-zagen) *v* pit-saw
boon (bonen) *v* bean; *blauwe* ~ **F** bullet; *bruine bonen* kidney beans; *tuinbonen* broad beans; *witte bonen* white beans; *ik ben een* ~ *als het niet waar is* I'm blest (I'm a Dutchman) if it's not true; *in de bonen zijn* be at sea; **-kruid** *o* = *bonekruid*; **-soep** (-en) *v* = *bonensoep*; **-staak** (-staken) *m* = *bonestaak*; **-tje** (-s) *o* bean; *heilig* ~ (little) saint; ~ *komt om zijn loontje* his chickens have come home to roost; *zijn eigen ~s doppen* manage one's own affairs
boor (boren) *v* 1 brace and bit, gimlet, drill, borer; 2 taster [for cheese &]; *appel~* corer
boord (-en) 1 *m* (rand) border [of a carpet &], edge [of a forest], brim [of a cup], bank [of a river]; 2 *o* & *m* (kraag) collar; 3 *o* & *m* ⚓ board; *dubbele* ~ double collar; *omgeslagen* ~ turndown collar; *staande* ~ stand-up collar;

• *aan ~ van het schip* on board the ship; *aan ~ brengen* put on board; *aan ~ gaan* go on board; *te Genua aan ~ gaan* take ship, embark at Genoa; *aan ~ hebben* have on board, carry [wireless]; *aan ~ nemen* take on board; *een man over ~!* man overboard!; *over ~ gooien (werpen)* throw overboard², jettison²; fling [principles] to the winds; *over ~ slaan* be swept overboard; *van ~ gaan* go ashore, disembark; **–band** *o* binding, edging; **'boordeknoopje** (-s) *o* collar stud; **'boorden** (boordde, h. geboord) *vt* border, edge, hem; **'boordevol** filled to the brim, brimful; **'boordje** (-s) *o* = *boord* 2; **'boordlicht** (-en) *o* sidelight; **–lint** *o* tape; **–radio** ('s) *m* ship's radio; **–schutter** (-s) *m* (✈ air-)gunner; **'boordsel** (-s) *o* edging, border

boordwerktuig'kundige (-n) *m* ✈ flight engineer

'booreiland (-en) *o* drilling platform, drilling rig; **–gat** (-gaten) *o* bore-hole; **–ijzer** (-s) *o* bit; **–kop** (-pen) *m* drill head; **–machine** [-ma.-ʃi.nə] (-s) *v* drilling machine, boring machine; **–put** (-ten) *m* drilling hole; **–tje** (-s) *o* gimlet; **–toren** (-s) *m* (drilling) derrick

'boorwater *o* boric lotion; **–zalf** *v* boric ointment; **–zuur** *o* bor(ac)ic acid

boos 1 (kwaad) angry, cross, annoyed; 2 (kwaadaardig) malign, malicious [influence]; 3 (slecht) bad [wheather, dream], evil [spirits, tongues]; *het boze oog* the evil eye; *zo ~ als wat* as cross as two sticks; *~ worden, zich ~ maken* become angry, lose one's temper (with *op*); *~ zijn om (over)* be angry at; *~ zijn op* be angry (cross) with; **boos'aardig** [s = z] malicious, malign; **–heid** *v* malice; **'boosdoener** (-s) *m* malefactor, evildoer, culprit; **–heid** (-heden) *v* 1 anger; 2 wickedness; **–wicht** (-en) *m* wretch, villain

boot (boten) *m* & *v* boat, steamer, vessel; *toen was de ~ aan* then the fat was in the fire; *de ~ afhouden* [*fig*] play for time; *de ~ missen* miss the bus; *laat je niet in de ~ nemen* don't let yourself be fooled; *uit de ~ vallen* [*fig*] opt out; **–reis** (-reizen) *v* boat-journey, boat-trip; **'bootshaak** (-haken) *m* boat-hook; **–lengte** (-n en -s) *v* boat's length; **–man** (-lieden) *m* boatswain; **'boottocht** (-en) *m* boat-excursion, boat-trip; **–trein** (-en) *m* boat-train; **–werker** (-s) *m* docker, dock worker

bord (-en) *o* 1 plate; (diep) soup-plate, (plat) dinner-plate, (houten) trencher; 2 (schoolbord) blackboard; (aanplak~, dam~ &) board; (inz. voor het verkeer & uithang~) sign

bordeaux(wijn) [bɔr'do.-] *m* (rode) claret; Bordeaux (wine)

bor'deel (-delen) *o* brothel, bawdy (disorderly) house, house of ill fame

'bordenrek (-ken) *o* plate-rack; **–wasser** (-s) *m* dishwasher; **–wisser** (-s) *m* (school) eraser

borde'rel [-'rɛl] (-len) *o* list, docket

bor'des (-sen) *o* (flight of) steps

'bordje (-s) *o* 1 (small) plate; 2 (notice-)board, sign; *de ~s zijn verhangen* the tables are turned

'bordpapier *o* cardboard, pasteboard

bor'duren (borduurde, h. geborduurd) *vi* & *vt* embroider²; **bor'duurgaas** (-gazen) *o* canvas; **–garen** (-s) *o* embroidery thread; **–naald** (-en) embroidery needle; **–raam** (-ramen) *o* embroidery frame; **–sel** (-s) *o*, **–werk** (-en) *o* embroidery; **–wol** *v* crewel

'boren (boorde, h. geboord) *vt* bore, drill, pierce [a hole &], sink [a well]; *in de grond ~* ⚓ sink [a ship]; *fig* ruin [sbd.], torpedo [a plan]

1 borg (-en) *m* 1 (persoon) surety, guarantee, guarantor; 2 (zaak) security, guaranty; 3 ⚖ bail; *~ staan voor, zich ~ stellen voor* stand surety (⚖ go bail) for [a friend]; answer for, warrant, guarantee [the fulfilment of...]; give security

2 borg (borgen) V.T. v. *bergen*

1 'borgen (borgde, h. geborgd) *vi* give credit

2 'borgen V.T. meerv. v. *bergen*

'borgtocht (-en) *m* security, surety; ⚖ bail; *onder ~ vrijlaten* ⚖ release on bail

'boring (-en) *v* boring; (v. cilinder) bore; *~en* ook: drilling operations

'borrel (-s) *m* dram, nip, peg; **S** snorter, snifter; **'borrelen** (borrelde, h. geborreld) *vi* 1 (bellen maken) bubble, burble; 2 (borrels drinken) have drinks; **'borrelpraat** *m* trifling club chat, tattle; **–uur** (-uren) *o* cocktail hour

1 borst (-en) *v* 1 [right, left] breast, [broad] chest, ⊙ bosom; 2 breast, front [of a dress, a coat, a shirt]; *een hoge ~ (op)zetten* throw out one's chest, give oneself airs; *aan de ~* breastfed [baby]; *het op de ~ hebben* be chesty; *het stuit mij tegen de ~* it goes against the grain with me; *uit volle ~* at the top of one's voice, lustily

2 borst (-en) *m* lad; *brave ~* good fellow; *een jonge ~* a stripling; *een stevige ~* a strapping lad

3 borst (borsten) V.T. v. bersten

'borstaandoening (-en) *v* chest affection; **–beeld** (-en) *o* 1 bust; 2 effigy; **–been** (-deren) *o* breast-bone, sternum

'borstel (-s) *m* 1 (voor kleren &) brush; 2 (stijve haren) bristle; **'borstelen** (borstelde, h. geborsteld) *vt* brush; **'borstelig** bristly, bristling

'borsten V.T. meerv. v. *bersten*

'borstharnas (-sen) *o* breast-plate, cuirass; **–holte** (-n) *v* cavity of the chest; **–kanker** *m* breast cancer; **–kas** (-sen) *v* chest, thorax; **–kruis** (-en) *o* pectoral cross; **–kwaal** (-kwalen) *v* chest complaint, chest trouble; **–middel** (-en) *o* pectoral (medicine); **–plaat** (-platen) *v* 1 ⚓ breast-plate, cuirass; 2 (suikergoed) fudge; **–riem** (-en) *m* breast-strap; **–rok** (-ken) *m* (under)vest; **–slag** (-slagen) *m* breast-stroke; **–spier** (-en) *v* pectoral muscle; **–stuk** (-ken) *o* 1 (v. geslacht beest) breast, brisket; 2 (v. harnas) breast-plate, corslet; 3 (v. insekt) thorax, corslet; **–vin** (-nen) *v* pectoral fin; **–vlies** (-vliezen) *o* pleura; **–vliesontsteking** (-en) *v* pleurisy; **–voeding** *v* breast feeding; mother's milk; *het kind krijgt ~* the child is breast-fed; **–wering** (-en) parapet°; ⚔ ook: breastwork; **–wijdte** (-n en -s) *v* chest measurement; **–zak** (-ken) *m* breast-pocket

1 bos (-sen) *m* bunch [of radishes, daffodils, keys], bottle [of hay], bundle [of grass, straw, papers &], truss [of straw]; tuft, shock [of hair]

2 bos (-sen) *o* wood; (uitgestrekt) forest; *iem. het ~ insturen* **F** lead sbd. up the garden (path); **–achtig** woody, woodlike, bosky; **–beheer** *o* forest administration; **–bes** (-sen) *v* bilberry, whortleberry; **–bouw** *m* forestry; **–bouwkunde** *v* sylviculture, forestry; **–brand** (-en) *m* forest-fire; **–duif** (-duiven) *v* wood-pigeon, ring-dove; **–god** (-goden) *m* sylvan deity, faun; **–grond** (-en) *m* woodland; **1 'bosje** (-s) *o* grove, thicket, shrubbery

2 'bosje (-s) *o* = 1 *bos*

'Bosjesman (-nen) *m* Bushman

'boskabouter (-s) *m* wood goblin; **–kat** (-ten) *v* wild cat; **–neger** (-s) *m* Bush Negro, maroon; **–nimf** (-en) *v* wood-nymph; **–rand** (-en) *m* edge of the wood(s); **–rijk** woody, wooded; **bos'schage** [-'ga.ʒə] (-s) *o* grove, spinney; **'bosuil** (-en) *m* tawny owl; **–viooltje** (-s) *o* wood-violet; **–wachter** (-s) *m* forester; **boswachte'rij** (-en) *v* forestry; **'bosweg** (-wegen) *m* forest road

1 bot *eig* blunt [of a knife]; *fig* dull, obtuse, stupid [fellow]; blunt [answer], flat [refusal]

2 bot *~ vangen* draw a blank

3 bot (-ten) 1 *m* 🐟 flounder ‖ 2 *v* ✿ bud

4 bot (-ten) *o* bone

bo'tanicus (-ci) *m* botanist; **bota'nie** *v* botany; **bo'tanisch** botanical; **botani'seertrommel** [s = z] (-s) *v* botanical collecting box; **botani'seren** [s = z] (botaniseerde, h. gebotaniseerd) *vi* botanize

'botenhuis (-huizen) *o* boat-house; **–verhuurder** (-s) *m* boatman

'boter (-s) *v* 1 butter; 2 ◍ margarine, **F** marge; *het is ~ aan de galg gesmeerd* it's to no purpose; *~ bij de vis* cash down; *met zijn neus in de ~ vallen* come at the right moment; **–bloem** (-en) *v* ✿ buttercup; **–briefje** (-s) *o* **F** (marriage) lines; **'boteren** (boterde, h. geboterd) *vt* butter [bread]; *het botert niet tussen ons* we don't hit it off together; **'boterfabriek** (-en) *v* creamery, butter factory; **'boterham** (-men) *m* & *v* (slice of, some) bread and butter; *dubbele ~* sandwich; *een goede ~ verdienen* make a decent living; **–(me)papier** *o* greaseproof paper, sandwich paper; **–trommeltje** (-s) *o* sandwich box; **'boterletter** (-s) *v* almond-paste letter; **–pot** (-ten) *m* butter pot, butter crock; **–vlootje** (-s) *o* butter-dish

'botheid *v* bluntness², dulness², obtuseness²

'botje (-s) *o ~ bij ~ leggen* pool money, club together

'botsautootje [-o.to.-, -ɔuto.-] (-s) *o* dodgem car, dodgem; **'botsen** (botste, h. en is gebotst) *vi ~ tegen* 1 (v. voertuigen) collide with, crash into; 2 (anders) bump against, strike against, dash against; **–sing** (-en) *v* collision², [air, road, train] crash; *fig* clash; *in ~ komen met* collide with²; *fig* clash with

Bot'swana *o* Botswana

'bottelen (bottelde, h. gebotteld) *vt* bottle

'botten (botte, is gebot) *vi* bud

'botter (-s) *m* fishing boat

'botterik (-riken) *m* blockhead

'botvieren (vierde 'bot, h. 'botgevierd) *vt zijn hartstochten (lusten) ~* give rein to one's passions

'botweg bluntly; *~ weigeren* refuse point-blank (flatly)

boud bold

bou'deren [bu.-] (boudeerde, h. geboudeerd) *vi* sulk

bou'doir [bu.'dva:r] (-s) *o* boudoir

'boudweg boldly

bouf'fante [bu.-] (-s) *v* comforter, (woollen) muffler

bou'gie [bu.'ʒi.] (-s) *v* ⚒ spark(ing) plug; **–sleutel** (-s) *m* sparking-plug spanner

bouillon [bu.l'jòn] *m* broth, beef tea, clear soup; stock [from stews, used for soups]; **–blokje** (-s) *o* beef cube

boule'vard [bu.lə'va:r] *m* boulevard; **–blad** (-bladen) *o* tabloid; **–pers** *v* yellow press, gutter press

bour'gogne(wijn) [bu:r'gòɲə-] *m* burgundy

Bour'gondië [bu:r-] *o* Burgundy; **–r** (-s) *m* Burgundian; **Bour'gondisch** Burgundian

bout (-en) *m* 1 ⚒ bolt; [wooden] pin; 2 (in strijkijzer) heater; (strijkijzer) iron ‖ 3 (v. dier) leg, quarter, drumstick [of fowls]

bou'tade [bu.-] (-s) *v* witticism, sally

bou'tique [bu.'ti.k] (-s) *v* boutique

bouw *m* 1 building, construction, erection [of houses]; 2 structure [of a crystal &], frame [of the body], build [of the body, a violin &]; 3 (v. l a n d) cultivation, culture; 4 = *bouwbedrijf*; *krachtig van ~* of powerful build; **–bedrijf** (-drijven) *o* building trade, construction industry; **–beleid** *o* building policy; **–doos** (-dozen) *v* box of bricks; **'bouwen** (bouwde, h. gebouwd) **I** *vt* 1 build [a house], construct [a factory, an aircraft]; throw [a party]; **II** *vi* build; *op iem. (iets) ~* rely on sbd. (on sth.); **–er** (-s) *m* builder; constructor; **'bouwfonds** (-en) *o* building society; **–grond** (-en) *m* building ground, building site, building plot; **–keet** (-keten) *v* building shed; **–kunde** *v* structural (building) engineering; **bouw'kundig** structural (civil) [engineer]; architectural [journal]; **–e** (-n) *m* structural (construction) engineer; **'bouwkunst** *v* architecture; **–land** *o* arable land, farmland; **–materialen** *mv* building materials; **–meester** (-s) *m* architect, builder; **–pakket** (-ten) *o* building set, construction set; **–plaat** (-platen) *v* cut out; **–plan** (-nen) *o* building scheme, plan; **–politie** [-po.li.(t)si.] *v* building inspectors; **–put** (-ten) *m* excavation, excavated building-site; **–rijp** ready for building; **–sel** (-s) *o* structure; **–steen** (-stenen) *m* building stone; *bouwstenen* materials [for an essay &]; **–stijl** (-en) *m* architecture, style (of building); **–stoffen** *mv* materials; **–stop** (-pen) *m* building freeze; **–terrein** (-en) *o* building-site, building-plot; **–trant** *m* style of building; **–vak** (-ken) *o* building trade; **–vakarbeider** (-s) *m*, **–vakker** (-s) *m* building(-trade) worker, builder; **–val** (-len) *m* ruin, ruins; **bouw'vallig** going to ruin, tumbledown, dilapidated, ramshackle, crazy; **'bouwverbod** (-boden) *o* building ban; **–vergunning** (-en) *v* building permit (licence); **–werk** (-en) *o* building

'boven I *prep* above [par, criticism, one's station &]; [fly, hover] over; over, upwards of [fifty &]; beyond [one's means]; *~ de deur stond...* over the door; *~ het lawaai (uit)* above the tumult (noise); *het gaat (stijgt) ~ het menselijke uit* it transcends the human; *hij is ~ de veertig* he is over forty; **II** *ad* above (in one's room, in this book); upstairs; *hij is ~* he is upstairs; *deze kant ~* this side up; *als ~* as above; ● *n a a r ~* up; *naar ~ brengen* take up [luggage]; bring up [a miner from the pit]; *naar ~ gaan* go upstairs; *naar ~ kijken* look up(wards); *t e ~ gaan* be above [one's strength]; surpass [everything], exceed [the amount]; zie ook: *begrip* &; *te ~ komen* overcome, surmount [difficulties]; *wij zijn het nu te ~* we have got over it now; *v a n ~* 1 from upstairs; 2 from above, from on high [comes all blessing]; *zoveelste regel van ~* from the top; *spits van ~* pointed at the top; *van ~ naar beneden* from the top downward; *van ~ tot beneden* from top to bottom; **boven'aan** at the upper end, at the top; *~ op de lijst staan* be at the top (at the head) of the list, head the list; **'bovenaards, boven'aards** superterrestrial, supernatural [phenomena]; heavenly [music]; **boven'af** *van ~* from above, from the top, from the surface; **'bovenal, boven'al** above all (things), especially; **'bovenarm** (-en) *m* upper arm; **bovenbe'doeld** above (-mentioned); **'bovenbeen** (-benen) *o* upper (part of the) leg, thigh; **–blad** (-bladen) *o* table-top; **–bouw** *m* superstructure; **–buur** (-buren) *m* upstairs neighbour; **–dek** (-ken) *o* ⚓ upper deck; **boven'dien** besides, moreover; **'bovendorpel** (-s) *m*, **–drempel** (-s) *m* lintel; **'bovendrijven** (dreef 'boven, h. 'bovengedreven) *vi* float on the surface; *fig* prevail [of an opinion]; **'boveneind(e)** (-en) *o* upper end, top, head [of the table]; **–gedeelte** (-n en -s) *o* upper part; **–gemeld, bovenge'meld, 'bovengenoemd, bovenge'noemd** above(-mentioned); **'bovengronds** above-ground, elevated [railway]; ⚒ overhead [wires]; surface [miner]; **–hand** *v de ~ krijgen* get (take) the upper hand; **–hoek** (-en) *m* top corner; *~ links (rechts)* top left-hand (right-hand) corner; **–huis** (-huizen) *o* 1 upper part of a house; 2 upstairs flat; **boven'in** at the top; **'bovenkaak** (-kaken) *v* upper jaw; **–kamer** (-s) *v* upper room, upstairs room; *het scheelt hem in zijn ~* **F** he is a little wrong in the upper storey, he has a tile loose; **–kant** (-en) *m* top, upper side; **'bovenkomen** (kwam 'boven, is 'bovengekomen) *vi* rise to the surface, come to the surface, come to the top [of the water]; come up(stairs); *laat hem ~* show him up(stairs); **'bovenlaag** (-lagen) *v* upper (top) layer; **–landen** *mv* uplands; **–last** (-en) *m* ⚓ deck-load, deck-cargo; **–le(d)er** *o* upper leather, uppers; **–leiding** (-en) *v* ⚒ overhead wires; **–licht** (-en) *o* skylight, transom-window; **–lijf** (-lijven) *o* upper part of the body; **–lip** (-lippen) *v* upper lip; **–loop** (-lopen) *m* upper course [of a river]; **–mate, boven'mate, boven'matig** extremely, exceedingly; **boven'menselijk** superhuman; **–na'tuurlijk** supernatural; **boven'op** on (the) top, on top of [the others &]; *er (weer) ~ brengen (helpen)* 1 pull, bring [a patient] round (through), get [a patient] on his legs again; 2 put [a business man] on his feet again; *er weer ~ komen* pull through, pull round; *er ~ zijn* be a made man; **–'over** along the top; **'bovenschip** (-schepen) *o* ⚓ upperworks; **–staand** *aj* above(-mentioned); *het ~e* the above; **–stad**

(-steden) *v* upper town; **'bovenste I** *aj* uppermost, upper, topmost, top; *een ~ beste* **F** a trump, a clipper; **II** *sb het ~* the upper part, the top; **'bovenstuk** (-ken) *o* upper part, top; **–toon** (-tonen) *m* overtone; *de ~ voeren* (pre)dominate; **boven'uit** (*men hoorde zijn stem*) *er ~* above (the noise, the tumult &); **'bovenverdieping** (-en) *v* upper storey, upper floor, top floor; **'bovenvermeld, bovenver'meld** above(-mentioned), aforementioned; **'bovenwijdte** *v* bust size; **'Bovenwindse 'Eilanden** *mv* Windward Islands; **'bovenzij(de)** (-zijden) *v* = *bovenkant*; **boven'zinnelijk** transcendental, supersensual

bowl [bo.l] (-s) *m* 1 (kom) bowl; 2 (drank) (claret &) cup

'bowlen ['bo.lə(n)] (bowlde, h. gebowld) *vi* bowl

box (-en) *m* 1 (in stal) box; 2 (in garage) lock-up; 3 (v. kinderen) playpen; 4 ✉ (post-office) box

'boycot ['bɔikɔt] (-ten) *m* boycott; **'boycotten** (boycotte, h. geboycot) *vt* boycott

'boze *m de B~* the Evil One; *het is uit den ~* it is wrong

'braadkip (-pen) *v*, **'braadkuiken** (-s) *o* broiler hen, broiler; **–oven** (-s) *m* roaster; **–pan** (-nen) *v* 1 (met steel, koekepan) frying pan; 2 (met deksel, vuurvaste tafelpan) casserole; **–sle(d)e** (-sleeën, -sleden) *v* baking dish, roasting pan; **–spit** (-speten) *o* spit, broach; **–vet** (-ten) *o* 1 dripping; 2 frying-fat; **–worst** (-en) *v* roast sausage

braaf ± good, honest, > worthy [people]; honest and respectable [servant-girls]; *~!* good (old) dog!; **–heid** *v* honesty

1 braak *aj* fallow; *~ liggen* lie fallow[2]

2 braak (braken) *v* 1 breaking [into a house], burglary; 2 brake [for hemp]

'braakbal (-len) *m* pellet; **–middel** (-en) *o* emetic; **–sel** *o* vomit

braam (bramen) *v* 1 ⚒ wire-edge, burr [of a knife] ‖ 2 (braambes) blackberry; **–struik** (-en) *m* blackberry bush, bramble

'brabbelen (brabbelde, h. gebrabbeld) *vt* & *vi* jabber; **'brabbeltaal** *v* jabber, gibberish

brace'let [brasə'lɛt] (-ten) *m* bracelet, bangle

bracht (brachten) V.T. v. *brengen*

'braden* **I** *vt* roast [on a spit], fry [in a pan], grill, broil [on a fire, on a gridiron], bake [in an oven]; **II** *vi* roast &; zie ook: *gebraden*

'Brahma ['bra.ma.] *m* Brahma; **brah'maan** (-manen) *m* Brahman, Brahmin

'braille(schrift) ['brɑjə-] *o* braille

1 brak *aj* brackish, saltish, briny

2 brak (-ken) *m* 🐕 beagle

3 brak (braken) V.T. v. *breken*

1 'braken (braakte, h. gebraakt) **I** *vt* break [hemp] ‖ vomit[2] [blood, smoke &]; bring up, belch forth [flames, smoke &]; **II** *vi* vomit

2 'braken V.T. meerv. v. *breken*

'brallen (bralde, h. gebrald) *vi* brag

bram (-men) *m* topgallant sail; **–steng** (-en) *v* ⚓ topgallant mast

bran'card [brɑŋ'ka:r] (-s) *m* stretcher

'branche ['brɑ̃ʃə] (-s) *v* 1 line [of business], trade; 2 (filiaal) branch

brand (-en) *m* 1 *eig* fire, conflagration; 2 (brandstof) fuel, firing; 3 (in het lichaam) heat; 4 (uitslag) eruption; 5 (in het koren) smut, blight; *~!* fire! *er is ~* there is a fire; *~ stichten* raise a fire; *in ~ raken* catch (take) fire; ignite; *in ~ staan* be on fire, be burning; *in ~ steken* set on fire, set fire to; ignite; *iem. uit de ~ helpen* **F** help sbd. out of a scrape; **–alarm** *o* fire-alarm, firecall; **–assurantie** [-(t)si.] (-s) *v* fire insurance; **–baar** combustible, (in)flammable; **–blaar** (-blaren) *v* blister from a burn; **–blusapparaat** (-raten) *o* fire-extinguisher; **–bom** (-men) *v* incendiary bomb, incendiary, fire bomb; **–brief** (-brieven) *m fig* pressing letter; **–deur** (-en) *v* emergency door

brande'bourg [-'bu:r] (-s) *m* frog

'brandemmer (-s) *m* fire-bucket; **'branden** (brandde, h. gebrand) **I** *vi* burn, be on fire; *het brandt hem op de tong* (*om het te zeggen*) he is burning to tell the secret; *~ van liefde* burn with love; *~ van verlangen* (*om*)... be burning (dying) to...; **II** *vt* burn [wood, lime, charcoal]; brand [cattle]; roast [coffee]; scald [with hot liquid]; distil [spirits]; cauterize [a wound]; stain [glass]; zie ook: *gebrand*; **–d I** *aj* burning [fire &]; lighted [candle, cigar]; ardent [love]; **II** *ad ~ heet* burning (scalding) hot; **'brander** (-s) *m* 1 burner [of a lamp, of a gascooker &]; 2 distiller [of spirits]; 3 fire-ship; **–ig** *ik heb een ~ gevoel in mijn ogen* my eyes burn (smart); *een ~e lucht* (*smaak*) a burnt smell (taste)

'brandewijn (-en) *m* brandy

'brandgang (-en) *m* fire lane; **–gevaar** *o* danger from fire; fire-risk; **–glas** (-glazen) *o* burning glass; **–haard** (-en) *m* seat (source) of a fire; **–hout** *o* firewood; **–ijzer** (-s) *o* 1 (voor wond) cauterizing iron; 2 (voor merk) branding iron

'branding (-en) *v* breakers, surf

'brandkast (-en) *v* safe, strong-box; **–kastkraker** (-s) *m* safe buster (cracker); **–klok** (-ken) *v* fire-bell; **–kraan** (-kranen) *v* fire-plug; **–ladder** (-s) *v* fire-ladder, fire-escape; **–lucht** *v* smell of fire, burnt smell; **–meester** (-s) *m* chief fireman; **–melder** (-s) *m* fire-alarm; **–merk** (-en) *o* brand, stigma; **'brandmerken**

(brandmerkte, h. gebrandmerkt) *vt* brand², *fig* stigmatize; **'brandmuur** (-muren) *m* fire-proof wall; **–netel** (-s) *v* stinging nettle; **–offer** (-s) *o* holocaust, burnt offering; **–plek** (-ken) *v* burn; **–polis** (-sen) *v* fire-policy; **–punt** (-en) *o* focus [*mv* foci] [of a lens]; *fig* focus [of interest]; centre [of civilization]; *in één ~ verenigen* (*brengen*) focus; **–puntsafstand** (-en) *m* focal distance; **–schade** *v* damage (caused) by fire, fire-loss; **'brandschatten** (brandschatte, h. gebrandschat) *vt* lay under contribution; **–ting** (-en) *v* contribution; **'brandschel** (-len) *v* fire-alarm; **–scherm** (-en) *o* safety curtain, fire-curtain; **'brandschilderen** (brandschilderde, h. gebrandschilderd) *vt* 1 (v. g l a s &) stain; 2 (e m a i l l e r e n) enamel; *gebrandschilderd raam* stained-glass window; **'brandschoon** scrupulously clean; **F** spic-and-span; **–slang** (-en) *v* fire-hose, hose pipe; **–spiritus** *m* methylated spirit; **–spuit** (-en) *v* fire-engine; *drijvende ~* fire-float; **–spuitgast** (-en) *m* fireman; **–stapel** (-s) *m* (funeral) pile; *o p de ~* at the stake; *t o t de ~ veroordelen* condemn to the stake; **–stichter** (-s) *m* incendiary, arsonist, fire raiser; **–stichting** (-en) *v* arson, incendiarism, fire-raising; **–stof** (-fen) *v* fuel, firing; **–strook** (-stroken) *v* fire-break; **–trap** (-pen) *m* fire-escape; **–verf** *v* enamel; **–verzekering** (-en) *v* fire insurance; **–vrij** fire-proof; **–wacht** (-en) *v* fire-watcher, fire-warden

'brandweer (-weren) *v* fire-brigade; fire department; **–auto** [-o.to., -ɔuto.] ('s) *m* fire-engine; **–kazerne** (-s) *v* (fire-)brigade premises; fire-station; **–man** (-nen en -lieden) *m* fireman

'brandwond (-en) *v* burn [from fire]; scald [from hot liquids]; *derdegraads ~en* third-degree burns; **–zalf** (-zalven) *v* anti-burn ointment

'branie (-s) *m* 1 (d u r f) daring, pluck; (o p s c h e p p e r ij) swagger, **F** swank; 2 (d u r f a l) dare-devil; (o p s c h e p p e r) swell; *de ~ uithangen* do the grand (the swell); **–achtig** swaggering

bras (-sen) *m* ⚓ brace

'brasem (-s) *m* bream

'braspartij (-en) *v* orgy, revel; **'brassen** (braste, h. gebrast) **I** *vi* feast, revel || **II** *vt* ⚓ brace; **–er** (-s) *m* feaster, reveller; **brasse'rij** (-en) *v* feasting, revel, orgy

bra'vo *ij* bravo! [to actor &], good!, well done!; hear, hear! [to orator]

bra'voure [-'vu:r] *v* (d a p p e r h e i d) bravado; (m u z i k a l e v a a r d i g h e i d) bravura

Brazili'aan(s) Brazilian; **Bra'zilië** *o* Brasil

breed I *aj* broad [chest, smile, street], wide [street, river, brim &]; *lang en ~* (*in den brede*) *uiteenzetten* set forth at large, at length; **II** *ad het niet ~ hebben* be in straitened circumstances, not be well off; *wie het ~ heeft, laat het ~ hangen* they that have plenty of butter can lay it on thick; *iets ~ zien* take a wide view; zie ook: *opgeven, uitmeten* &; **–gerand** broad-brimmed; **–geschouderd** broad-shouldered; **–heid** *v* breadth², width²; **breed'sprakig** verbose, diffuse, lengthy, long-winded, prolix; **–heid** *v* verbosity, prolixity, diffuseness

'breedte (-n en -s) *v* breadth, width [of a piece of cloth]; [geographical] latitude; *in de ~* in breadth; breadthwise, breadthways, broadwise; **–cirkel** (-s) *m* parallel of latitude; **–graad** (-graden) *m* degree of latitude

breed'voerig I *aj* ample [discussion]; circumstantial [account]; **II** *ad* amply, at length, in detail; **–heid** *v* ampleness

'breekbaar breakable, fragile, brittle; (v. s t r a l e n) refrangible; **–heid** *v* fragility, brittleness; **'breekijzer** (-s) *o* crowbar, crow, jemmy; **–punt** (-en) *o* breaking point

'breeuwen (breeuwde, h. gebreeuwd) *vt* caulk

'breidel (-s) *m* bridle²; **'breidelen** (breidelde, h. gebreideld) *vt* bridle, check, curb; **'breidelloos** unbridled

'breien (breide, h. gebreid) *vi* & *vt* knit [stockings]; **'breikatoen** *o* & *m* knitting cotton; **–kous** (-en) *v* knitting, stocking; **–machine** [-ma.ʃi.nə] (-s) *v* knitting machine

brein *o* brain, intellect, mind; *fig* (c o m p l o t) mastermind; *elektronisch ~* electronic brain

'breinaald (-en) *v* knitting needle; **–patroon** (-tronen) *o* knitting pattern; **–pen** (-nen) *v* knitting needle; **–ster** (-s) *v* knitter; *de beste ~ laat wel eens een steek vallen* it is a good horse that never stumbles; **–werk** (-en) *o* knitting; **–wol** *v* knitting wool

'brekebeen (-benen) *m-v* duffer, bungler; **'breken* I** *vi* break, be broken; *~ d o o r* break through [the enemy, the clouds]; *m e t iem. ~* break with sbd.; *met een gewoonte ~* 1 break oneself of a habit; 2 break through a practice; *u i t de gevangenis ~* break out of prison; **II** *vt* break [a glass, one's fall, the law, the record, resistance, a vow &], smash [a jug], fracture [a bone]; refract [the light]; zie ook: *hals* &; **–er** (-s) *m* breaker; **'breking** (-en) *v* breaking; refraction [of light]; **–shoek** (-en) *m* angle of refraction

brem *m* ✿ broom

'bremzout salt as brine

'brengen* *vt* 1 carry [in vehicle, ship, hand], convey [goods &]; put [one's handkerchief to one's nose]; see [sbd. home]; 2 (n a a r d e s p r e k e r) bring; 3 (v a n d e s p r e k e r a f) take; *het ver ~* go far [in the world]; make one's way; *wat brengt u hier?* what brings you here? *wat brengt hem ertoe te...* what makes him [say that...]; *dit brengt ons niets verder* this gets us nowhere; ● *iem. a a n het twijfelen ~* make sbd. doubt; *n a a r voren ~* put forward, mention; *iem. o p iets ~* get sbd. on the subject, lead sbd. up to it; *iem. op een idee ~* suggest an idea to sbd.; *het gesprek ~ op* lead the conversation to the subject of; *het getal ~ op* raise the number to; *t e berde ~* put forward, mention; *het zich te binnen ~* call it to mind, recall it; *iem. er t o e ~ te...* bring (persuade, get) sbd. to...; *hij was er niet toe te ~* he couldn't be made to do it; *het t o t generaal ~* rise to be a general; *het tot niets ~* come to nothing; *tot wanhoop ~* drive to despair; zie ook: *aanraking, bed* &; **-er** (-s) *m* bearer; *~ dezes* bearer

bres (-sen) *v* breach; *een ~ schieten in...* make a breach in...[2]; *i n de ~ springen voor* stand in the breach for; *o p de ~ staan* [*voor iem.*] stand in the breach

Bre'tagne [brəˈtɑɲə] *o* Brittany

bre'tels *mv* braces, suspenders

Bre'ton (-s) *m* Breton; **-s** *aj* & *o* Breton

breuk (-en) *v* burst, crack [in glass &]; break [with a tradition]; rupture, split [between friends]; fracture [of a leg, an arm], rupture [of a blood-vessel], hernia [of the intestines]; fraction [in arithmetics]; $ breakage; *gewone ~* vulgar fraction; *onechte ~* improper fraction; *repeterende ~* repeater, repeating fraction; *gemengd repeterende ~* mixed repeater; *zuiver repeterende ~* pure repeater; *samengestelde ~* complex fraction; *tiendelige ~* decimal fraction; **-band** (-en) *m* truss; **-lijn** (-en) *v* line of fissure, rift; **-vlak** (-ken) *o* (i n a a r d l a a g) fault(-plane); (i n g e s t e e n t e) fracture

bre'vet (-ten) *o* patent, brevet, certificate

bre'vier (-en) *o rk* breviary; *zijn ~ bidden (lezen)* recite one's breviary; **bre'vieren** (brevierde, h. gebrevierd) *vi rk* recite one's breviary

bridge [brɪdʒ] *o* bridge; **'bridgen** (bridgede, h. gebridged) *vi* play bridge

brief (brieven) *m* letter, epistle; *een ~ op poten* **F** a snorter; *per ~* by letter; **-geheim** *o* privacy (secrecy) of correspondence; **-hoofd** (-en) *o* letter-head; **-je** (-s) *o* note; *dat geef ik u op een ~* you may take it from me; **-kaart** (-en) *v* postcard; *dubbele ~* letter-card; *~ met betaald antwoord* reply-postcard; **-opener** (-s) *m* paper-knife; **-ord(e)ner** (-s) *m* (letter) file; **-papier** *o* writing-paper, note-paper; **-port(o)** (-porti, porto's) *o* & *m* letter postage; **-stijl** (-en) *m* epistolary style; **-telegram** (-men) *o* letter telegram; **-vorm** *m* epistolary form; **-weger** (-s) *m* = *brieveweger*; **-wisseling** (-en) *v* correspondence; *~ houden* carry on (keep up) a correspondence

bries *v* breeze; **'briesen** (brieste, h. gebriest) *vi* snort [of horses], roar [of lions]; *fig* foam [with rage]; seeth [with anger]

'brievehoofd (-en) *o* = *briefhoofd*; **'brievenbakje** (-s) *o* letter tray: in-tray, out-tray; **-besteller** (-s) *m* postman; **-boek** (-en) *o* 1 letter-book; 2 model letter-writer; **-bus** (-sen) *v* letter-box [of a house, at a post office], pillar-box [in the street], post-box; **-post** *v* mail, post; **'brieveweger** (-s) *m* letter-balance

bri'gade (-s en -n) *v* ⚔ brigade; *vliegende ~* flying squad; **-commandant** (-en) *m* ⚔ brigadier; **briga'dier** (-s) *m* police sergeant

brij (-en) *m* 1 (v o e d s e l) porridge, mush; 2 (v. s n e e u w, m o d d e r) slush; (v. p a p i e r &) pulp

brik (-ken) *v* 1 brig [ship] ‖ 2 break [carriage]

bri'ket (-ten) *v* briquette

bril (-len) *m* 1 (pair of) spectacles; (t e r b e s c h e r m i n g t e g e n s t o f, s c h e r p l i c h t &) goggles; 2 seat [of a water-closet]; *blauwe (groene, zwarte) ~* dark glasses, smoked glasses; *alles door een rooskleurige ~ bekijken* look at (view) things through rose-coloured spectacles

bril'jant (-en) brilliant; **II** *m* brilliant

brillan'tine [brɪljɑn-, bri.jɑn-] *v* brilliantine

'brilledoos (-dozen) *v*, **'brillehuisje** (-s) *o*, **'brillekoker** (-s) *m* spectacle-case; **'brillen** (brilde, h. gebrild) *vi* wear spectacles; **'brilmontuur** (-turen) *o* spectacle-frame; **-slang** (-en) *v* cobra

brink (-en) *m* village green

bri'santbom [s = z] (-men) *v* highly explosive bomb

Brit (-ten) *m* Briton, > Britisher; *de ~ten* (i n 't a l g., g e z a m e n l i j k) the British

brits (-en) *v* wooden couch; plank-bed

Brits British; **Brit'tanje, Brit'tannië** *o* Britain

'broche [ˈbrɔʃə] (-s) *v* brooch

bro'cheren [brɔˈʃe:rə(n)] (brocheerde, h. gebrocheerd) *vt* stitch, sew [a book]; **bro'chure** [brɔˈʃy:rə] (-s) *v* pamphlet, brochure

'broddelaar (-s) *m* bungler, botcher; **'broddelen** (broddelde, h. gebroddeld) *vi* bungle, botch; **'broddelwerk** (-en) *o* bungling, bungle, botch

'brodeloos breadless; *iem. ~ maken* throw sbd. out of employment

'broed *o* brood, hatch; fry [of fish]; **-ei** (-eren) *o* brood egg; **'broeden** (broedde, h. gebroed) *vi* brood, sit (on eggs); *op iets zitten ~* brood over, hatch [a plot]

'broeder (-s en -en) *m* 1 brother; 2 (g e e s t e l i j k e) brother, friar; 3 (z i e k e n ~) male nurse; *de zwakke ~s* the weaker brethren; **–dienst** *m* brotherly service; *vrijstelling wegens ~* exemption owing to one's brother's (military) service; **–liefde** *v* fraternal (brotherly) love; **–lijk** brotherly, fraternal; **–moord** (-en) *m* fratricide; **–moordenaar** (-s) *m* fratricide; **–schap** (-pen) 1 *o* & *v* (e i g e n s c h a p) fraternity, brotherhood; 2 *v* (v e r e n i g i n g) *rk* brotherhood, confraternity, sodality; *~ sluiten met* fraternize with; **–volk** (-en en -eren) *o* sister nation

'broedhen (-nen) *v* brood-hen; **–machine** [-ma.ʃi.nə] (-s) *v* incubator; **–plaats** (-en) *v* breeding place; **'broeds** wanting to brood, broody; **'broedsel** (-s) *o* = *broed*

'broeibak (-ken) *m* hotbed; **'broeien** (broeide, h. gebroeid) *vi* (v. d. l u c h t) be sultry; (v. h o o i) heat, get heated, get hot; *daar (er) broeit iets* there is some mischief brewing; *dat heeft al lang gebroeid* that has been smouldering for ever so long; *er broeit een onweer* a storm is gathering; **'broeierig** stifling, sweltering; **'broeikas** (-sen) *v* hothouse, forcing-house; **–nest** (-en) *o* hotbed²

broek (-en) *v* (pair of) trousers; *Am* pants; **F** breeches; *korte ~* breeches, knickerbockers; shorts; *de vrouw heeft de ~ aan* the wife wears the breeches; *iem. a c h t e r de ~ zitten* keep sbd. up to scratch; *v o o r de ~ geven* spank [a child]; *voor de ~ krijgen* be spanked; **–eman** (-nen) *m* tiny tot, little mite, toddler; **–je** (-s) *o* shorts; *zo'n jong ~* a whipper-snapper (of a young fellow); **–pak** (-ken) *o* trouser suit; **–rok** (-ken) *m* culottes, divided skirt; **'broeksband** (-en) *m* waist-band; **–pijp** (-en) *v* trouser-leg, trouser; **'broekzak** (-ken) *m* trouser(s) pocket

broer (-s) *m* = *broeder*; **–tje** (-s) *o* little brother; baby brother; *ik heb er een ~ aan dood* I hate (detest) it; *het is ~ en zusje* it is six of one and half a dozen of the other

broes (broezen) *v* rose [of shower-bath, watering-can]

brok (-ken) *m* & *v* & *o* piece, bit, morsel, lump, fragment; *hij voelde een ~ in de keel* he felt a lump in his throat; *~ken maken* [*fig*] blunder

bro'kaat *o* brocade

'brokje (-s) *o* bit, morsel; *een lekker ~* a titbit

'brokkelen (brokkelde, h. gebrokkeld) *vt* & *vi* crumble; **'brokkelig** crumbly, friable, brittle; **'brokken** (brokte, h. gebrokt) *vt* break [bread]; zie ook: *melk*; **'brokstuk** (-ken) *o* fragment, piece, scrap

'brombeer (-beren) *m* grumbler

'bromfiets (-en) *m* & *v* moped, motorized bicycle, auto-cycle; **–er** (-s) *m* moped rider, mopedalist

'brommen (bromde, h. gebromd) *vi* 1 (v. i n s e k t e n) drone, hum, buzz; 2 (v. p e r s o n e n) growl, grumble; 3 (i n g e v a n g e n i s) do time, do [a month]; 4 (o p b r o m f i e t s) ride on a moped; **'brommer** (-s) *m* = *brombeer, bromfiets, bromvlieg*; **–ig** grumpy, grumbling; **'brompot** (-ten) *m* = *brombeer*; **–tol** (-len) *m* humming-top; **–vlieg** (-en) *v* bluebottle, flesh-fly

bron (-nen) *v* source², spring², well², fountain-head, fountain², ⊙ fount; *fig* origin; *~ van bestaan* means of living; *~ van inkomsten* source of income (of revenue); *uit goede ~ iets vernemen* have sth. from a reliable source, on good authority; **–bemaling** *v* de-watering, drainage

'bronchiën ['brɔŋgi.ən] bronchi, *enkelvoud*: bronchea; **bron'chitis** *v* bronchitis

'bronnenstudie (-s) *v* study of literary or historical sources

brons *o* bronze; **–kleurig** bronze-coloured

bronst *v* (v. m a n n e t j e s d i e r) rut; (v. v r o u w t j e s d i e r) heat; **–ig** (v. m a n n e t j e s d i e r) ruttish, (v. v r o u w t j e s d i e r) in heat

'bronstijd *m* bronze age

'bronsttijd *m* rutting season

'bronwater (-en) *o* 1 spring water; 2 mineral water

'bronzen I (bronsde, h. gebronsd) *vt* bronze; **II** *aj* bronze

brood (broden) *o* bread; *een ~* a loaf [of bread]; *ons dagelijks ~* our daily bread; *wiens ~ men eet, diens woord men spreekt* ± it is bad policy to quarrel with one's bread and butter; *zijn ~ hebben* earn one's bread; *goed zijn ~ hebben* be well off; *iem. het ~ uit de mond stoten* take the bread out of sbd.'s mouth; *zijn ~ verdienen* earn one's bread; *geen droog ~ verdienen* not earn a penny; *ergens geen ~ in zien* not think sth. will pay bread; *iemand a a n een stuk ~ helpen* put sbd. in the way to earn a living; *hij doet het o m den brode* he does it for a living; *iem. iets o p zijn ~ geven* cast (fling, throw) sth. in sbd.'s teeth; **broodbakke'rij** *v* 1 (b e d r i j f) bread-baking, baker's trade; 2 (-en) (g e b o u w) bakehouse, bakery; **–bezorger** (-s) *m* baker's delivery-man; **–boom** (-bomen) *m* bread-fruit tree; **–deeg** *o* dough (for bread); **brood'dronken** wanton; **'broodfabriek** (-en) *v* bread-factory, bakery; **–heer** (-heren) *m* employer; **–je** (-s) *o* roll; *zoete ~s bakken* eat humble pie; **–korst** (-en) *v* bread-crust; **–kruimel** (-s) *m* (bread) crumb; **–mager** as lean as a rake; **–mand** (-en) *v* bread-basket; **–mes** (-sen) *o* bread-knife; **–nijd** *m* professional jealousy; **–nodig** highly necessary, much-needed; **–plank** (-en) *v* bread-board; **–rooster** (-s) *m* & *o* toaster; **–schrijver** (-s) *m* hack (writer); **–trommel**

(-s) *v* bread-tin; **–vrucht** (-en) *v* bread-fruit; **–winner** (-s) *m* bread-winner; **–winning** (-en) *v* (means of) living, livelihood; **–zak** (-ken) *m* 1 bread-bag; 2 ⚔ haversack
broom *o* 1 (element) bromine; 2 (geneesmiddel) potassium bromide; **broom'kali** *m* potassium bromide; **'broomzuur** *o* bromic acid
broos *aj* frail, brittle, fragile
bros crisp, brittle
brosse [brɔs] *Fr haar en* ~ crew cut
brouil'leren [bru.(l)'je:rə(n)] (brouilleerde, h. gebrouilleerd) *vt* set at variance; zie ook: *gebrouilleerd*
'brouwen* I *vt* brew; *fig* brew, concoct, plot [evil, mischief] || **II** *vi* speak with a burr; **–er** (-s) *m* brewer; **brouwe'rij** (-en) *v* brewery; zie ook: *leven* **II** 3; **'brouwerspaard** (-en) *o* dray-horse
'brouwsel (-s) *o* brew, concoction[2]
brug (-gen) *v* 1 bridge; 2 (oefentoestel) parallel bars; *over de ~ komen* pay up, cough up; *flink over de ~ komen* **F** come down handsomely; **–balans** (-en) *v* weighing-machine; **–dek** (-ken) *o* roadway [of a bridge]
'Brugge *o* Bruges
'bruggegeld (-en) *o* (bridge-)toll; **–hoofd** (-en) *o* 1 abutment; 2 ⚔ bridgehead; **–wachter** (-s) *m* = *brugwachter*; **'brugleuning** (-en) *v* railing; (v. steen) parapet
'Brugman *praten kunnen als ~* **F** have the gift of the gab
'brugpijler (-s) *m* pier, pillar; **–wachter** (-s) *m* bridge-man
brui *m ik geef er de ~ van* **F** I chuck the thing (the whole show)
bruid (-en) *v* bride; **–egom** (-s) *m* bridegroom; **'bruidsbed** (-bedden) *o* bridal bed, nuptial couch; **–boeket** (-ten) *o* & *m* wedding-bouquet; **–dagen** *mv* bridal days; **–japon** (-nen) *m* wedding-dress, bridal gown; **–jonker** (-s) *m* 1 bridesman, groomsman, best man; 2 bride's page; **–meisje** (-s) *o* bridesmaid; **–nacht** (-en) *m* wedding night; **–paar** (-paren) *o* bride and bridegroom; newly-married couple; **–schat** (-ten) *m* dowry, dower, dot; **–sluier** (-s) *m* wedding-veil; **–stoet** (-en) *m* wedding-procession; **–suikers** *mv* sugar(ed) almonds; **–taart** (-en) *v* wedding cake; **–tooi** *m* bridal attire, bride's dress and jewellery; **'bruigom** (-s) *m* = *bruidegom*
'bruikbaar serviceable, useful, fit for use; workable [definition, scheme]; **–heid** *v* serviceableness, usefulness, utility; **'bruikleen** *o* & *m* (free) loan; *in ~ afstaan* lend
'bruiloft (-en) *v* wedding [ook: golden, silver &], wedding-party, ⊙ nuptials; *~ houden* celebrate one's wedding; have (attend) a wedding-party; **'bruiloftsdag** (-dagen) *m* wedding-day; **–feest** (-en) *o* wedding-party; **–gast** (-en) *m* wedding-guest; **–maal** (-malen) *o* wedding-banquet; **–taart** (-en) *v* wedding-cake
bruin I *aj* brown; tanned [by the sun]; (v. paard) bay; *~e beuk* copper beech; *~e suiker* brown sugar; *~ worden* (van huid door zon of kunstmatig) get a tan, tan; **II** *o* brown; zie ook: *bruintje*; **–achtig** brownish; **'bruinen** (bruinde, *vt* h., *vi* is gebruind) *vt* & *vi* brown; (van huid door zon of kunstmatig) tan; **brui'neren** (bruineerde, h. gebruineerd) *vt* burnish; **'bruinharig** brown-haired; **–kool** (-kolen) *v* brown coal, lignite; **–ogig** brown-eyed; **–tje** (-s) *o* 1 bay horse; 2 Bruin [the bear]; *dat kan ~ niet trekken* I cannot afford it; **–vis** (-sen) *m* porpoise
'bruisen (bruiste, h. gebruist) *vi* effervesce, fizz [of drinks]; seethe, roar [of the sea]; *fig* bubble [with energy]; **'bruispoeder** (-s) *o* & *m* effervescent powder
'brulaap (-apen) *m* howling-monkey; **–boei** (-en) *v* whistling-buoy; **'brullen** (brulde, h. gebruld) *vi* roar
bru'nette (-n en -s) *v* brunette
'Brunswijk *o* Brunswick
'Brussel *o* Brussels; **–s** Brussels; *~e kant* Brussels lace; *~ lof* chicory
bru'taal I *aj* 1 (zich aan niets storend) bold, cool; 2 (al te vrijmoedig) forward, pert, saucy, brash, **F** cheeky; impudent, impertinent; *zo ~ als de beul* as bold as brass; *~ zijn tegen iem.* cheek (sauce) sbd., give sbd. lip; *een ~ mens heeft de halve wereld* fortune favours the bold; **II** *ad* coolly &; *het ~ volhouden* brazen it out; **–tje** (-s) *o* impertinent girl, **F** hussy; **–weg** coolly; **brutali'seren** [s = z] *vt iem. ~* give sbd. lip, cheek (sauce) sbd.; **brutali'teit** (-en) *v* forwardness &; impudence, impertinence, effrontery; *hij had de ~ om...* **F** he had the cheek to...
'bruto gross [income, national product, weight &]
bruusk brusque, abrupt, blunt, off-hand
bruut I *aj* brutal, brutish; *~ geweld* brute force; **II** (bruten) *m* brute; **–heid** (-heden) *v* brutality, brutishness
B.S. = *Burgerlijke stand*
B.T.W. [be.te.'ve.] *v* = *belasting over de toegevoegde waarde* value-added tax, VAT
bubs *de hele ~* the whole caboodle, all the lot
budget ['büdʒɛt, büd'ʒɛt] (-s en -ten) *o* budget; **budget'tair** [büdʒɛ'tɛ:r] budgetary; **budget'teren** (budgetteerde, h. gebudgetteerd) **I** *vi* budget; **II** *vt* budget for; **–ring** *v*

budgeting
'buffel (-s) *m* ♎ buffalo; **'buffelen** (buffelde, h. gebuffeld) *vi* gobble, gorge oneself
'buffer (-s) *m* buffer; **–staat** (-staten) *m* buffer-state; **–voorraad** (-raden) *m* buffer stock; **–zone** (-n en -s) *v* buffer zone
buf'fet [by'fɛt] (-ten) *o* 1 (m e u b e l) sideboard, buffet; 2 (t a p k a s t i n s t a t i o n &) refreshment bar, buffet; *koud* ~ buffet dinner (luncheon); **–bediende** (-n) *m* barman; **–juffrouw** (-en) *v* barmaid
'bugel (-s) *m* bugle
bui (-en) *v* 1 shower [of rain, hail or arrows, stones &], squall [of wind, with rain or snow]; 2 (g r i l) freak, whim; 3 fit [of humour, of coughing]; *b ij ~en* by fits and starts; *i n een goede ~ zijn* be in a good humour; *in een boze (kwade) ~ zijn* be in a (bad) temper, be out of humour; *in een royale ~ zijn* be in a generous mood
'buidel (-s) *m* bag, pouch [ook = purse], sac; **–dier** (-en) *o* marsupial (animal); **–rat** (-ten) *v* opossum
'buigbaar pliable, flexible, pliant; **'buigen* I** *vi* bend, bow; curve; *hij boog en vertrok* he made his bow; *~ als een knipmes* make a deep bow; *~ of barsten* bend or break; *~ voor* bow to[2]; bow before [sbd.]; **II** *vt* bend [a branch, the knee, sbd.'s will], bow [the head, the back, sbd.'s will]; **III** *vr zich ~* bend (down), bow (down), stoop [of persons]; curve [of a line]; deflect, make a bend, trend [of a path &]; *zich ~ over* [*fig*] examine, look into [the problem]; **'buiging** (-en) *v* bow [of head or body]; curts(e)y [of a lady]; declension [of a word]; deflection [of a beam]; **–suitgang** (-en) *m* (in)flexional ending; **'buigspier** (-en) *v* flexor; **–tang** (-en) *v* pliers; **'buigzaam** flexible, supple[2], pliant[2]; **–heid** *v* flexibility, suppleness[2], pliancy[2]
'buiig ['bœyəx] showery, gusty, squally
buik (-en) *m* belly [of man, animals & things], abdomen, > paunch; ● stomach, **F** tummy; *ik heb er mijn ~ vol van* **F** I am fed up with it; *zijn ~ vol eten* eat one's fill; *zijn ~ vasthouden van het lachen* hold one's sides with laughter; *twee handen op één ~* hand in glove; **–band** (-en) *m* abdominal belt; **–dans** (-en) *m* belly dance; **–holte** (-n en -s) *v* abdominal cavity; **–ig** (big-)bellied, bulging; **–je** (-s) *o* tummy; (d i k) potbelly, paunch; **J** corporation; **–kramp** (-en) *v* gripes; **F** collywobbles; **–landing** (-en) *v* belly landing; **–loop** *m* diarrhoea; **–pijn** (-en) *v* stomach ache, **F** tummy ache; **–riem** (-en) *m* girth, belly-band; *de ~ aanhalen* tighten the belt[2]; **'buikspreken I** (sprak 'buik, h. 'buikgesproken) *vi* ventriloquize; **II** *o* ventriloquy, ventriloquism; **'buikspreker** (-s) *m* ventriloquist; **–tyfus** [-ti.füs] *m* enteric (fever), typhoid; **–vin** (-nen) *v* ♁ ventral fin; **'buikvlies** (-vliezen) *o* peritoneum; **–ontsteking** (-en) *v* peritonitis; **'buikziek** (v. p e e r) sleepy
buil (-en) *v* swelling; lump, bump, bruise; *daar kun je je geen ~ aan vallen* it won't ruin (kill) you
'builen (builde, h. gebuild) *vt* bolt
'builenpest *v* bubonic plague
'builtje (-s) *o* sachet, [tea-]bag
1 buis (buizen) *o* (k l e d i n g s t u k) jacket
2 buis (buizen) *v* tube [ook ✱], pipe, conduit, duct; *de ~ T* **F** the box, the little screen; **–leiding** (-en) *v* conduit, duct, pipe, tube, pipeline(s); **–post** *v* pneumatic dispatch; **–verlichting** (-en) *v* tube (fluorescent) lighting; **–vormig** tubular
'buiswater *o* spray, bow wave
buit *m* booty, spoils, prize, plunder, loot; *met de ~ gaan strijken* carry off the prize (the swag)
'buitelaar (-s en -laren) *m* tumbler; **'buitelen** (buitelde, h. en is gebuiteld) *vi* tumble; **–ling** (-en) *v* tumble
'buiten I *prep* outside [the town], out of [the room, breath &], without [doors], beyond [one's reach, all question]; *hij kon niet ~ haar* he could not do without her; *~ iets blijven, zich er ~ houden* keep out of sth.; (*niet*) *~ iets kunnen* (not) be able to do without sth.; *iem. er ~ laten* leave sbd. out of sth.; *ergens ~ staan* be (entirely) out of; *~ (en behalve) zijn salaris* besides (over and above) his salary; *~ mij was er niemand* there was no one except me, but me; *dat is ~ mij om gegaan* I have nothing to do with it; *het werd ~ mij om gedaan* it was done without my knowledge, behind my back; *hij was ~ zichzelf* he was beside himself; **II** *ad* outside, out, outdoors, out of doors, without; *hij is ~* 1 he is outside; 2 he is in the country; *hij woont ~* he lives in the country; ● *n a a r ~!* (go) outside!; *naar ~ gaan* 1 go outside, leave the house; 2 go into the country; *naar ~ opengaan* open outwards; *zijn voeten naar ~ zetten* turn out one's toes; *t e ~ gaan* exceed; *zich te ~ gaan aan* indulge too freely in, partake too freely of; *v a n ~* [come, as seen] from without; [open] from the outside; *een meisje van ~* a girl from the country, a country-girl; *van ~ gesloten* locked on the outside; *van ~ kennen* know by heart; *van ~ leren* learn by heart; *van ~ en van binnen* outside and in; **III** (-s) *o* country house, country seat; zie *grens*; **–aards** extraterrestrial; **–baan** (-banen) *v sp* outside track; **–bad** (-baden) *o* open-air swimming-pool, lido; **–band** (-en) *m* (outer) cover; **–beentje** (-s) *o* 1 illegitimate child; 2 *fig* **F** crank, maverick;

buiten'boordmotor (-s en -toren) *m* outboard motor; **'buitendeur** (-en) *v* 1 outer door; 2 street-door; **buiten'dien** moreover, besides; **'buitendienst** (-en) *m* field (outside) service; **–dijks, buiten'dijks** on the outside of the dike; **buiten'echtelijk** (r e l a t i e) extra-marital; (k i n d) illegitimate, born out of wedlock; ~ *kind* **F** side-blow, by-blow, side-slip; **buiten'gaats** outside; offshore, in the offing; **'buitengemeen, buitenge'meen I** *aj* extraordinary, uncommon, exceptional; **II** *ad* < extraordinarily, uncommonly, exceptionally; **buitenge'rechtelijk** extrajudicial, out of court, private [settlement]; **'buitengewoon, buitenge'woon I** *aj* extraordinary; ~ *gezant* envoy extraordinary; ~ *hoogleraar* extraordinary professor; *buitengewone uitgaven* extras; *niets ~s* nothing out of the common; zie ook: *buitengemeen;* **II** *ad* < extraordinarily, uncommonly; **'buitenhaven** (-s) *v* outer harbour; **–hoek** (-en) *m* 1 exterior angle [of a △]; 2 outer corner [of the eye]; **–hof** (-hoven) *o* outer court, fore-court; **–huis** (-huizen) *o* country house, cottage

buite'nissig out-of-the-way, eccentric; **–heid** (-heden) *v* oddity, eccentricity

'buitenkansje (-s) *o* (stroke of) good luck, godsend, windfall; **–kant** (-en) *m* outside, exterior; **buiten'kerkelijk** irreligious, non-church; **'buitenland** *o* foreign country (countries); *i n het* ~ abroad, in foreign parts; *n a a r het* ~ abroad; *u i t het* ~ from abroad; **–lander** (-s) *m* foreigner; **–lands** foreign [affairs &]; exotic [fruit]; *een ~e reis* a trip abroad; *van ~ fabrikaat* of foreign make, foreign-made; **–leven** *o* country-life; **–lucht** *v* 1 open air; 2 country air; **–lui** *mv* country people; *burgers en* ~ town folk and country folk; **–man** (-lieden, -lui) *m* countryman; **buiten'mate** = *bovenmate*; **'buitenmens** (-en) *m-v* countryman; **buitenmo'del** ⚔ non-regulation; **'buitenmuur** (-muren) *m* outer wall; **buiten'om** [go] round the house &; **'buitenopname** (-n en -s) *v* exterior (shot); **–plaats** (-en) *v* country seat; **–post** (-en) *m* 1 ⚔ outpost; 2 out-station; **buitens'huis** out of doors, outdoors; ~ *eten* eat (dine) out; **–'lands** abroad, in foreign parts; **'buitensluiten** (sloot 'buiten, h. 'buitengesloten) *vt* exclude, shut out; **–ting** *v* exclusion; **buiten'spel** *sp* offside; **'buitenspeler** (-s) *m* left (right) wing; **–spiegel** (-s) *m* 🚗 driving mirror; **buiten'sporig I** *aj* extravagant, excessive, exorbitant [price]; **II** *ad* extravagantly, excessively, to excess; **–heid** (-heden) *v* extravagance, excessiveness, exorbitance; **'buitenstaander** (-s) *m* outsider; **'buitenste** outmost, outer(most), exterior; **'buitentarief** (-rieven) *o* $ external tariff; **–verblijf** (-blijven) *o* country house, country seat; **–waarts I** *aj* outward; **II** *ad* outward(s); **–wacht** (-en) *v* outpost; *ik heb het van de* ~ I heard it from an outsider; **–weg** (-wegen) *m* country-road, rural road; **–wereld** *v* outer (outside, external) world; **–werk** (-en) *o* 1 ⚔ outwork; 2 outdoor-work; **–wijk** (-en) *v* suburb; *de ~en* ook: the outskirts; **–zak** (-ken) *m* outside pocket, outer pocket; **–zij(de)** (-den) *v* outside exterior

'buitmaken (maakte 'buit, h. 'buitgemaakt) *vt* seize, take, capture

'buizenpost *v* = *buispost*

'buizerd (-s) *m* buzzard

'bukken (bukte, h. gebukt) **I** *vt* bend [the head]; **II** *vi* stoop; duck [to avoid a blow]; *gebukt gaand o n d e r...* bending under, bowed (weighed) down by; ~ *v o o r* bow to (before), submit to; **III** *vr zich* ~ stoop; duck

buks (-en) *v* ⚔ rifle

1 bul (-len) *m* (s t i e r) bull

2 bul 1 (papal) bull; 2 ✎ diploma

'bulderbast (-en) *m* blusterer; **'bulderen** (bulderde, h. gebulderd) *vi* boom [of cannon &], bluster, roar [of wind, sea, persons], bellow [of persons]; ~ *tegen* bellow at; *~d gelach* uproarious laughter

'buldog (-gen) *m* bulldog

Bul'gaar (-garen) *m*, **Bulgaars** *aj* & *o* Bulgarian; **Bulga'rije** Bulgaria

bulk *m* ⚓ bulk; **–artikelen** *mv* bulk goods

'bulken (bulkte, h. gebulkt) *vi* low, bellow, bawl, roar; ~ *van het geld* roll in money

'bulldozer ['bu.l-] (-s) *m* bulldozer

'bullebak (-ken) *m* bully, browbeater, bugbear, ogre; **–bijter** (-s) *m* bulldog; *fig* bully

'bullen *mv* **F** things

'bullepees (-pezen) *v* (*m*) policeman's rod

bulle'tin [by.lə'tɛ̃] (-s) *o* bulletin, newsletter

bult (-en) *m* 1 hunch [of a man], hump [of man or camel]; 2 boss, lump [= swelling]; **–ig** 1 hunchbacked, humpbacked; 2 lumpy [old mattress]

'bumper (-s) *m* bumper; ~ *aan* ~ bumper to bumper

bun (-nen) *v* creel

'bundel (-s) *m* bundle [of clothes, rods &], sheaf [of arrows, papers]; beam [of light]; *een ~ gedichten* a volume of verse; **'bundelen** (bundelde, h. gebundeld) *vt* gather, bring together, collect; tie up together

'bunder (-s) *o* hectare

'bungalow ['büŋga.lo.] (-s) *m* bungalow

'bungelen (bungelde, h. gebungeld) *vi* dangle

'bunker (-s) *m* 1 bunker; 2 ⚔ casemate, (k l e i n) [concrete] blockhouse, pill-box,

[German] bunker; (tegen luchtaanval) air-raid shelter; **'bunkeren** (bunkerde, h. gebunkerd) *vi* bunker, coal
'bunzing (-s en -en) *m* polecat, fitchew
burcht (-en) *m* & *v* castle, stronghold², citadel²; **–heer** (-heren) *m* 🕮 castellan; **–vrouw(e)** (-en) *v* 🕮 chatelaine
bu'reau [by.'ro.] (-s) *o* 1 (meubel) desk, writingtable; 2 (lokaal) bureau [*mv* bureaux], office; [police] station; 3 (bedrijf) [travel, publicity, private detective] agency; **–chef** [-ʃɛf] (-s) *m* head-clerk
bureau'craat [by.ro.-] (-craten) *m* bureaucrat; **bureaucra'tie** [-'(t)si.] *v* bureaucracy, **F** red tape; **bureau'cratisch** bureaucratic
bu'reaukosten [by.'ro.-] *mv* office expenses; **–lamp** (-en) *v* desk lamp; **bu'reau-mi'nistre** [-mi.'ni.strə] (bureaux-ministres) *o* pedestal writing-table; **bu'reauredacteur** (-s en -en) *m* desk-editor; **–stoel** (-en) *m* desk chair; **–werk** *o* office work, clerical work
bu'reel (-relen) *o* office, bureau
'burengerucht *o* disturbance; ~ *maken* cause a nuisance by noise
burg (-en) *m* & *v* = *burcht*
burge'meester (-s) *m* 1 burgomaster [on the Continent]; 2 mayor [in England]; ~ *en wethouders* the burgomaster [in England: the mayor] and aldermen; **–sbuik** (-en) *m* **J** corporation
'burger (-s) *m* 1 citizen; commoner [not a nobleman]; **J** & ⚒ (niet in Eng.) burgher; 2 civilian [non-military man]; *in* ~ in plain clothes, **F** in civvies; ⚔ in mufti; *agent in* ~ plainclothes (police)man; *een brave* ~ *worden* settle down; *dat geeft de* ~ *moed* that is encouraging; **–bevolking** (-en) *v* civil(ian) population; **–deugd** (-en) *v* civic virtue; **burge'rij** (-en) *v* 1 (als stand) commonalty, commoners, middle classes; *de kleine* ~ the lower classes; 2 (de ingezetenen) citizens, citizenry [of Amsterdam &]; **'burgerkleding** *v* plain (civilian) clothes; *in* ~ zie *burger*; **–kost** *m* plain fare; **–lijk** 1 civil [engineering, law, rights &]; civic [functions], civilian [life]; 2 (v. de burgerstand) middle-class; 3 (niet fijn of voornaam) middle-class, bourgeois, plain, homely; zie ook: *ambtenaar, stand, beleefdheid*; **–luchtvaart** *v* civil aviation; **–man, burger'man** (-lieden en -lui) *m* middle-class man, bourgeois; **'burgeroorlog** (-logen) *m* civil war; **–pakje** (-s) *o* ⚔ **S** civvies; **–plicht** (-en) *m* & *v* civic duty; **–recht** (-en) *o* civil right, citizenship, freedom of a city; *dat woord heeft* ~ *verkregen* the word has been adopted into the language; *zijn* ~ *verliezen* forfeit one's civil rights; **'burgerschap** *o* citizenship; **'burgerschapskunde** *v* civics; **–rechten** *mv* civic rights; **'burgerstand** (-en) *m* middle classes; **burger'vader** (-en en -s) *m* 1 father of the city, burgomaster; 2 mayor [in England]; **'burgerwacht** (-en) *v* citizen guard, civic guard, home guard; **–zin** *m* civic spirit, civic sense
'burggraaf (-graven) *m* (titel) viscount; **–gravin** (-nen) *v* viscountess
bur'lesk burlesque, farcical; **–e** (-n) *v* burlesque, farce
bur'saal (-salen) *m* scholar, exhibitioner
1 bus (-sen) *v* 1 (voor groenten &) tin, can; 2 (voor geld, brieven) (money-) box, (letter-)box; poor-box [in a church], collecting-box; 3 ⚒ bush, box; 4 (fonds) club; *in de* ~ *blazen* dip deep in one's purse; *dat klopt (sluit) als een* ~ it is perfectly logical; *uit de* ~ *komen* result; *een brief op de* ~ *doen* post a letter
2 bus (-sen) *m* & *v* (autobus) bus; (voor lange afstanden) coach; **–chauffeur** [-ʃo.fø:r] (-s) *m* bus driver; **–conducteur** (-s) *m* ticket-collector, **F** jumper; **–dienst** (-en) *m* bus service; **–halte** (-n en -s) *v* bus stop
'buskruit *o* gunpowder; *hij heeft het* ~ *niet uitgevonden* he will never set the Thames on fire; *opvliegen als* ~ flare up at the least thing
'buslichting (-en) *v* collection
'buslijn (-en) *v* bus line, bus service; **–station** [-sta.(t)ʃɔn] (-s) *o* bus station
'buste ['by.stə] (-n en -s) *v* bust, (v. vrouw vaak:) bosom; **–houder** (-s) *m* brassière, bra
bu'taan *o* butane; **'butagas** *o* compressed butane, Calor gas
'butler (-s) *m* butler
buts (-en) *v* dent
buur (buren) *m* neighbour; **–kind** (-eren) *o* neighbour's child; **–land** (-en) *o* neighbour(ing) country; **–man** (-lieden) *m* neighbour; **–meisje** (-s) *o* girl next door; **–praatje** (-s) *o* neighbourly talk, gossip; **–schap** (-pen) 1 *o* neighbourhood; 2 *v* = *buurtschap*
buurt (-en) *v* neighbourhood, vicinity; (wijk) quarter; *het is in de* ~ it is quite near; *een winkelier in de* ~ a neighbouring shopkeeper; *hier in de* ~ hereabout(s); near here; *(ver) uit de* ~ far off, a long way off; *blijf uit zijn* ~ don't go near him; **'buurten** (buurtte, h. gebuurt) *vi* pay a visit to a neighbour; **'buurthuis** (-huizen) *o* community centre; **–schap** (-pen) *v* hamlet; **–spoor** (-sporen) *o* local railway; **–verkeer** *o* local service
'buurvrouw (-en) *v* neighbour, neighbour's wife
b.v. = *bij voorbeeld* zie *voorbeeld*
B.W. = *burgerlijk wetboek* zie *wetboek*
By'zantium *o* Byzantium; **Byzan'tijn(s)** (-en) *m (aj)* Byzantine

C

c [se.] ('s) *v* c
ca = *centiare*
ca. ['sɪrka.] = *circa*
caba'ret [kaba'rɛ(t)] (-s) *o* cabaret; **cabare'tier** [kabarɛ'tje.] (-s) *m* cabaret performer
ca'bine (-s) *v* 1 cabin; 2 (v. vrachtauto) cab; 3 (v. bioscoop) projection room
cabrio'let (-ten) *m* (rijtuig) cabriolet; 🚗 convertible
ca'cao [ka'kɔu] *m* cocoa; **–boon** (-bonen) *v* cocoa-bean; **–boter** *v* cocoa-butter; **–poeder** *o* & *m* cocoa-powder
ca'chet [ka.'ʃɛ(t)] (-ten) *o* 1 seal, signet; 2 (eigenaardige stempel) cachet, stamp [of distinction]; *een zeker ~ hebben* bear a distinctive stamp
ca'chot [ka'ʃɔt] (-ten) *o* lock-up, **S** clink; ⚔ cells
'cactus (-sen) *m* cactus [*mv* cacti]
ca'dans (-en) *v* cadence
ca'deau [ka'do.] (-s) *o* present; *iem. iets ~ geven* give sbd. sth. as a present, make sbd. a present of sth.; *ik zou het niet ~ willen hebben* I would not have it as a gift; *dat kun je van mij ~ krijgen!* you can have (keep) it!; **–bon** (-nen) *m* gift token
ca'dens (-en) *v* ♩ cadenza
ca'det (-s en -ten) *m* cadet; **–tenschool** (-scholen) *v* military school, cadet college
ca'fé (-s) *o* café, coffee-house; (met vergunning) ± public house, **F** pub; **ca'fé-chan'tant** [-ʃã'tã] (café-chantants) *o* cabaret; **ca'féhouder** (-s) *m* café proprietor; (met vergunning) ± public-house keeper, publican
cafe'ïne [kafe.'i.nə] *v* caffeine; **–vrij** caffeine-free, decaffeinated
ca'fé-restau'rant [ka'fe.rɛsto:'rã] (café-restaurants) *o* café-restaurant; **cafe'taria** [kafə-] ('s) *v* cafetaria
ca'hier [ka'je.] (-s) *o* exercise-book
caissière [kɛ.s'jɛ:rə] (-s) *v* cashier
cais'son [kɛ'sõ] (-s) *m* caisson
cake [ke.k] (-s) *m* cake
cal = *calorie*
'calcium *o* calcium
calcu'latie [-(t)si.] (-s) *v* calculation, estimation; (v. bouwwerk) costing; **calcu'lator** (-s) *m* calculator, computing clerk; **calcu'leren** (calculeerde, h. gecalculeerd) calculate, estimate, compute; (v. bouwwerk) cost
ca'lèche [ka'lɛʃ] (-s) *v* calash
caleido'scoop (-scopen) *m* kaleidoscope; **–'scopisch** kaleidoscopic
Cali'fornië *o* California; **–r** (-s) *m*, **Cali'fornisch** Californian
calo'rie (-ieën) *v* calorie; **calori'meter** (-s) *m* calorimeter; **ca'lorisch** caloric
cal'queerlinnen [qu = k] *o* tracing-cloth; **–papier** (-en) *o* transfer paper, tracing-paper; **cal'queren** (calqueerde, h. gecalqueerd) *vt* trace, calk
Cal'varieberg *m* (Mount) Calvary
Cal'vijn *m* Calvin; **calvi'nisme** *o* Calvinism; **–ist** (-en) *m* Calvinist; **–istisch** Calvinistic
ca'mee (-meeën) *v* cameo
ca'melia ('s) *v* camellia
'camera ('s) *v* camera; *~ obscura* [-ɔp'sky:ra.] camera obscura; **–man** (-nen) *m* cameraman; **–wagen** (-s) *m* dolly
camou'flage [kamu.'fla.ʒə] *v* camouflage; **camou'fleren** (camoufleerde, h. gecamoufleerd) *vt* camouflage
cam'pagne [-'paɲə] (-s) *v* ⚔ campaign[2]; season [of opera]; working season [of a sugar factory]; *fig* ook: [export] drive
'camping ['kɛmpɪŋ] (-s) *m* camping site, caravan park
'campus (-sen) *m* campus
'Canada *o* Canada; **Cana'dees** *m* (-dezen) & *aj* Canadian
ca'naille [ka'na(l)jə] (-s) *o* 1 (gespuis) rabble, mob, riff-raff; 2 (man) scamp; 3 (vrouw) vixen
cana'pé (-s) *m* 1 sofa, settee; *Am* davenport; 2 (hapje) canapé
ca'nard [ka'na:r] *m* canard, newspaper hoax
Ca'narische 'Eilanden *mv* Canaries
canne'leren (canneleerde, h. gecanneleerd) *vt* channel, flute
'canon (-s) *m* canon°; (lied) catch; **cano'niek** canonical; *~ recht* canon law; **canoni'satie** [-'za.(t)si.] (-s) *v* canonization; **canoni'seren** [s = z] (canoniseerde, h. gecanoniseerd) *vt* canonize
can'tate (-n en -s) *v* cantata
cantha'rel (-len) *m* chanterelle
ca'nule (-s) *v* can(n)ula
'canvas *o* canvas
C.A.O. [se.a.'o.] *v* = *collectieve arbeidsovereenkomst*; zie *arbeidsovereenkomst*
ca'outchouc [ka'u.tʃu.k] *o* & *m* caoutchouc, india-rubber
capaci'teit (-en) *v* capacity; ability

'cape [ke.p] (-s) *v* (k o r t) cape; (l a n g) cloak
capil'lair [-'lɛ:r] capillary; **capillari'teit** *v* capillarity
capiton'neren (capitonneerde, h. gecapitonneerd) *vt* pad
Capi'tool *o* Capitol
capitu'latie [-(t)si.] (-s) *v* capitulation, surrender (to *voor*); **capitu'leren** (capituleerde, h. gecapituleerd) *vt* capitulate, surrender (to *voor*)
caprici'eus [kɑprisi.'ø:s] capricious
capri'ool (-olen) *v* caper; *zijn* (*haar*) *capriolen* ook: his (her) antics; *capriolen maken* cut capers
cap'sule (-s) *v* capsule, cachet; (v. f l e s) lead cap
'captie ['kɑpsi.] (-s) *v* *~s maken* 1 raise captious objections; 2 recalcitrate
capu'chon [kɑpy.'ʃɔ̃n] (-s) *m* hood
Cara'ïbisch *het ~ gebied* the Caribbean
caram'bole [kɑrɑm'bo.l] (-s) *m* cannon; **carambo'leren** (caramboleerde, h. gecaramboleerd) *vi* ⚬ cannon [against, with]
'caravan ['kɛrəvən] (-s) *m* caravan
car'bid [-'bi.t] *o* carbide
car'bol *o* & *m* carbolic acid; **-zeep** (-zepen) *v* carbolic soap; **-zuur** *o* = *carbol*
carboni'seren [s = z] (carboniseerde, h. gecarboniseerd) *vt* carbonize
car'bonpapier *o* carbon paper
carbura'teur (-s) *m*, **carbu'rator** (-s en -'toren) *m* carburettor
car'danas (-sen) *v* propellor shaft; **car'dankoppeling** (-en) *v* universal joint
cardio'graaf (-grafen) *m* cardiograph; **cardio'gram** (-men) *o* cardiogram; **cardiolo'gie** *v* cardiology; **cardio'loog** (-logen) *m* cardiologist
carga'door (-s) *m* ship-broker; **'cargalijst** (-en) *v* manifest; **'cargo** ('s) *m* cargo
'cariës ['ka:ri.ɛs] *v* caries
caril'lon [kɑri.l'jɔ̃n] (-s) *o* & *m* carillon, chimes
carita'tief = *charitatief*
'carnaval (-s) *o* carnival
car'ré (-s) *o* & *m* square
carri'ère [kari.'ɛrə] (-s) *v* career; *~ maken* make a career for oneself; **-jager** (-s) *m* careerist
carrosse'rie (-ieën) *v* coach-work, body
carrou'sel [ou = u.] (-s) *m* & *o* merry-go-round
carte [kart] *à la ~ eten* dine à la carte; *~ blanche* carte blanche; *iem. ~ blanche geven* give sbd. a free hand
'carter (-s) *o* crank-case
cartogra'fie *v* cartography
carto'theek (-theken) *v* filing cabinet, card-index cabinet, card index
cas'cade [kɑs'ka.də] (-n en -s) *v* cascade
'casco ['kɑsko.] ('s) *o* body, hull [of ship]
ca'sino [s = z] ('s) *o* casino
cas'satie [-(t)si.] *v* cassation, appeal; *~ aantekenen* give notice of appeal; **cas'seren** (casseerde, h. gecasseerd) *vt* 1 reverse, quash [a judgment in appeal]; 2 ⚔ cashier [an officer]
cas'sette (-n en -s) *v* 1 money-box; 2 casket [for jewels &]; 3 canteen [of cutlery]; 4 box [for books]; 5 writing-desk; 6 cassette [for cassette recorder and player]
casta'gnetten [kɑstɑ'ɲɛtə(n)] *mv* castanets
Castili'aan (-anen) *m* Castilian; **-s** Castilian; **Cas'tilië** *o* Castile
'castorolie *v* castor oil
cas'traat (-traten) *m* castrato; **cas'treren** (castreerde, h. gecastreerd) *vt* castrate, geld, emasculate
'casu [s = z] *in ~* in (this) case
casu 'quo [ka.zy.'kvo.] or, as the case may be
cata'combe (-n) *v* catacomb
catalogi'seren [s = z] (catalogiseerde, h. gecatalogiseerd) *vt* catalogue; **ca'talogus** (-gi en -gussen) *m* catalogue; **-prijs** (-prijzen) *m* list price
cata'ract (-en) *v* cataract
ca'tarre [ka'tɑr] (-s) *v* catarrh
catastro'faal catastrophic, disastrous; **cata'strofe** (-n en -s) *v* catastrophe, disaster
cate'cheet [kɑtə'xe.t] (-cheten) *m* catechist; **cate'chetisch** catechetic; **catechi'sant** [s = z] (-en) *m* catechumen; **catechi'satie** [-'za.(t)si.] (-s) *v* confirmation class(es); **cate'chismus** (-sen) *m* catechism
categori'aal grouped (classified) according to category; **catego'rie** (-ieën) *v* category; **cate'gorisch** categorical
ca'theter (-s) *m* catheter
cau'saal [s = z] causal; **causali'teit** *v* causality; **'causatief** causative
cause'rie [ko.zə'ri.] (-ieën) *v* causerie, talk; *een ~ houden* give a talk; **cau'seur** [ko.'zø:r] (-s) *m* conversationalist
'cautie ['kɔutsi.] (-s) *v* = *borgtocht*
caval'cade (-s en -n) *v* cavalcade
cavale'rie *v* cavalry, horse; **cavale'rist** (-en) *m* cavalryman, trooper
cava'lier [kɑvɑ'lje.] (-s) *m* cavalier
'cavia ('s) *v* guinea-pig
ca'yennepeper [ka.'jɛnəpe.pər] *m* Cayenne pepper
'cedel (-s) = *ceel*
'ceder (-s) *m* cedar; *~ van de Libanon* cedar of Lebanon
ce'deren (cedeerde, h. gecedeerd) *vt* ⚖ assign
'cederhouten *aj* cedar
ce'dille [se.'di.jə] (-s) *v* cedilla
ceel (celen) *v* & *o* 1 list; 2 $ (dock) warrant
cein'tuur [ei = ɛ] (-s en -turen) *v* belt, sash

cel (-len) *v* cell; **F** ook = *celstraf* & *cello*; **–deling** *v* cell division
cele'brant [se.lə-] (-en) *m* celebrant; **cele'breren** (celebreerde, h. gecelebreerd) *vt* & *vi* celebrate
celi'baat *o* celibacy; **celiba'tair** [-'tɛ:r] *m* celibate, (old) bachelor
'celkern (-en) *v* nucleus
cel'list (-en) *m* violoncellist, cellist; **'cello** ['sɛlo., 'tʃɛlo.] ('s) *m* cello
cello'faan *o* cellophane
cellu'lair [-'lɛ:r] *~e opsluiting* solitary confinement
cellu'loid [-'lɔit] *o* celluloid
cellu'lose [-'lo.zə] *v* cellulose
'Celsius *m* Celsius; *20° ~* 20 degrees centigrade
'celstraf *v* solitary confinement; **–vormig** cellular; **–weefsel** *o* cellular tissue
ce'ment *o* & *m* cement; **–en** *aj* cement; **cemen'teren** (cementeerde, h. gecementeerd) *vt* cement
'censor [s = z] (-s en -soren) *m* censor, licenser [of plays]; **censu'reren** [s = z] (censureerde, h. gecensureerd) *vt* censor [letters]
'census [-zүs] *m* census
cen'suur [s = z] *v* censorship; *onder ~ staan* be censored; *onder ~ stellen* censor
cent (-en) *m* cent [1/100 of a guilder]; *~en* **F** money; *~en hebben* have plenty of money; *ik heb geen ~* I haven't a penny; *het is geen ~ waard* it is not worth a red cent; *het kan me geen ~ schelen* I don't care a cent; *tot de laatste ~* to the last farthing; zie ook *duit*
cen'taur [sɛn'tɔur] (-en) *m* centaur
'centenaar (-s) *m* hundredweight; quintal
'center (-s) *m sp* centre
'centerboor (-boren) *v* centrebit
'centeren (centerde, h. gecenterd) *vi* & *vt sp* centre
'centiare (-n en -s) *v* centiare, square metre; **–gram** (-men) *o* centigramme; **–liter** (-s) *m* centilitre; **–meter** (-s) *m* 1 centimetre [1/100 part of a metre]; 2 (m e e t l i n t) tape-measure
cen'traal central; centric(al); *met centrale verwarming* centrally heated; *~ staan bij* be central to [their idea, programme], be at the centre of [their strategy]; *deze kwestie staat ~ bij het conflict* ook: the conflict centres on this issue; **–station** [-sta.(t)ʃɔn] (-s) *o* central station; **cen'trale** (-s) *v* 1 ⚡ generating station, power-station; 2 ☎ exchange; 3 $ bureau, agency; **centrali'satie** [-'za.(t)si.] *v* centralization; **centrali'seren** [s = z] (centraliseerde, h. gecentraliseerd) *vt* centralize
cen'treren (centreerde, h. gecentreerd) *vt* centre
centrifu'gaal centrifugal; **centri'fuge** [g = ʒ] (-s) *v* 1 centrifugal machine; 2 (v. w a s - a u t o m a a t) spin-drier; **centrifu'geren** (centrifugeerde, h. gecentrifugeerd) *vt* (v. d. w a s) spin
centripe'taal centripetal
'centrum (-s en -tra) *o* centre
cera'miek [se.-, ke.-] *v* ceramics; **ce'ramisch** ceramic
cere'braal cerebral[2]
cere'monie (-s en -iën) *v* ceremony; **ceremoni'eel I** *aj* ceremonial; **II** *het ~* the ceremonial; **cere'moniemeester** (-s) *m* Master of (the) Ceremonies; **ceremoni'eus** ceremonious
ce'rise [sə'ri.zə] cerise, cherry-red
certifi'caat (-caten) *o* certificate; *~ van aandeel* share certificate; *~ van oorsprong* certificate of origin
cerve'laatworst (-en) *v* saveloy
'cessie (-s) *v* cession; **cessio'naris** (-sen) *m* cessionary, assign(ee)
ce'suur [se.'zy:r] (-suren) *v* caesura
cf = [*Lat*] *confer* vergelijk
cg = *centigram*
cha'grijn [ʃɑ-] *o* chagrin, vexation; **cha'grijnig** chagrined, peevish, fretful
cham'breren [ch = ʃ] (chambreerde, h. gechambreerd) *vt* (v. w ij n) bring to room temperature
cham'pagne [ʃɑm'pɑɲə] (-s) *m* champagne, **F** fizz, **S** bubbly
champi'gnon [ʃɑmpi.'ɲɔn] (-s) *m* [edible] mushroom
chan'geant [ʃã'ʒã.] *~ zijde* shot silk
chan'tage [ʃɑn'ta.ʒə] *v* blackmail; *~ plegen jegens* blackmail [sbd.]; **chan'teren** (chanteerde, h. gechanteerd) *vt* blackmail; **chan'teur** (-s) *m* 1 ♪ singer, vocalist; 2 (a f p e r s e r) blackmailer
'chaos ['xa.ɔs] *m* chaos; *orde scheppen in de ~* bring (make) order out of chaos, reduce chaos to order; **cha'otisch** chaotic
chape'ron [ʃɑpə'rõ] (-s) *m*, **chaperonne** (-s) *v* chaperon; **chaperon'neren** (chaperonneerde, h. gechaperonneerd) *vt* chaperon
cha'piter [ʃɑ-] (-s) *o* chapter; *nu wij toch a a n dat ~ bezig zijn* as (now) we are upon the subject; *om o p ons ~ terug te komen* to return to our subject; *dat is een heel ander ~* (but) that is quite something else
'charge ['ʃɑrʒə] (-s) *v* charge; *getuige à ~* ⚖ witness for the prosecution; **char'geren** (chargeerde, h. gechargeerd) *vi* 1 ⚔ charge; 2 *fig* exaggerate, overact, overdraw
cha'risma [xa.-] ('s) *o* charisma, charism; **charis'matisch** charismatic
'charitas ['xa:-] *v* charity; **charita'tief** charitable

'charlatan ['ʃɑr-] (-s) *m* charlatan, quack, mountebank
char'mant [ʃɑr-] charming; **'charme** (-s) *m* charm; **char'meren** (charmeerde, h. gecharmeerd) *vt* charm; zie ook: *gecharmeerd*
char'taal [xɑr-] ~ *geld* notes and coin
'charter ['(t)ʃɑrtər] (-s) *o* charter; **'charteren** (charterde, h. gecharterd) *vt* charter; **'chartervliegtuig** (-en) *o* charter plane; **–vlucht** (-en) *v* charter flight
chas'seur [ʃɑ'sø:r] (-s) *m* page(-boy), **F** buttons, *Am* bell-hop
chas'sis [ʃɑ'si.] *o* 1 chassis [of a motor-car &]; 2 plate-holder [for a camera]
chauf'feren [ʃo.-] (chauffeerde, h. gechauffeerd) *vi* drive [a car]; **chauf'feur** (-s) *m* (in dienst bij iem.) chauffeur; (bestuurder) driver; zie ook: *autoverhuur*
chauvi'nisme [ʃo.-] *o* chauvinism; **–ist** (-en) *m* chauvinist; **–istisch** chauvinistic
'checken [tʃɛ-] (checkte, h. gecheckt) *vt* check, examine
chef [ʃɛf] (-s) *m* chief, head; (v. afdeling) office-manager; (patroon) employer; (directeur) manager; **F** boss; ~ *de bureau* head-clerk; ~ *de cuisine*, ~*-kok* chef; ~*-d'oeuvre* masterpiece; ~ *van het protocol* head of protocol; ~*-staf* ⚔ Chief of Staff
chemi'caliën [ch = x] *mv* chemicals; **'chemicus** (-ci) *m* 1 chemist; 2 analytical chemist; **che'mie** *v* chemistry; **'chemisch** chemical; ~ *reinigen* dry-clean; *het* ~ *reinigen* dry-cleaning; ~*e wasserij* dry-cleaning works
cheque [ʃɛk] (-s) *m* cheque; **–boek** (-en) *o* cheque-book
'chertepartij ['ʃɛrtə-] (-en) *v* $ charter-party
cheru'bijn [xe:-] (-en) *m* cherub
che'vron [ʃə-] (-s) *m* chevron, stripe
chic [ʃi.k] **I** *aj* smart, stylish, fashionable [hotel]; **II** *ad* smartly &; **III** *m* smartness &; *de* ~ the smart set; *kale* ~ shabby-genteel people
chi'cane [ʃi.-] (-s) *v* chicane(ry); **chica'neren** (chicaneerde, h. gechicaneerd) *vi* chicane, quibble; **chica'neur** (-s) *m* quibbler; **chica'neus** captious
'Chili *o* Chile
'chimpansee [ch = ʃ] (-s) *m* chimpanzee
'China [ch = ʃ] *o* China; **Chi'nees I** *aj* Chinese, China; **II** *o het* ~ Chinese; **III** (-nezen) *m* Chinese; *de Chinezen* the Chinese; zie ook: *raar*; **Chi'nezenbuurt** (-en) *v*, **Chi'nezenwijk** (-en) *v* Chinese quarter, [New York's &] Chinatown
chique [ʃi.k] = *chic* **I** & **II**
chi'rurg [ch = ʃ] (-en) *m* surgeon; **chirur'gie** [ʃi.rür'ʒi.] *v* surgery; **chi'rurgisch** surgical
'chloor [ch = x] *m* & *o* chlorine; **chlo'reren** (chloreerde, h. gechloreerd) *vt* chlorinate
chloro'form [ch = x] *m* chloroform
chloro'fyl [xlo.ro.'fi.l] *o* chlorophyll
choco'la(-) [ʃo.ko.'la] = *chocolade*(-); **choco'laatje** (-s) *o* chocolate, **F** choc; **choco'lade** *m* chocolate; **–bonbon** (-s) *m* chocolate cream; **–reep** (-repen) *m* bar of chocolate
'cholera [ch = x] *v* (malignant) cholera
cho'lericus [ch = x] (-ci) *m* choleric (irascible) person; **cho'lerisch** choleric
choleste'rol [xo.lɛs-] *m* cholesterol
cho'queren [ʃɔ'ke:rə(n)] (choqueerde, h. gechoqueerd) *vt* shock
choreo'graaf [ch = x] (-grafen) *m* choreographer; **choreogra'fie** (-ieën) *v* choreography
'christelijk [ch = k of x] Christian; **'christen** (-en) *m* Christian; **–dom** *o* Christianity; **–heid** *v* Christendom; **chris'tin** (-nen) *v* Christian, Christian lady (woman); **'Christus** *m* Christ; *in 200 na* ~ in 200 A.D.; *in 200 voor* ~ in 200 B.C.
chro'matisch [ch = x] chromatic
chromo'soom [xro.mo.'zo.m] (-somen) *o* chromosome
'chronisch [ch = x] chronic
chronolo'gie [ch = x] (-ieën) *v* chronology; **chrono'logisch** chronological
'chronometer ['xro.no.me.tər] (-s) *m* chronometer
'chroom [ch = x] *o* chromium; **–geel** *o* chrome yellow; **–le(d)er** *o* chrome leather; **–staal** *o* chrome steel
chry'sant [kri.- of xri.'zɑnt] (-en) *v* ✿ chrysanthemum
c.i. = *civiel-ingenieur*
ci'borie (-s en -iën) *v rk* ciborium
cicho'rei [si.xo.'rɛi] (-en) *m* & *v* chicory
'cider *m* cider
Cie. = *compagnie*
'cijfer (-s) *o* 1 figure; 2 cipher [in cryptography]; 3 ✎ mark; *Arabische* (*Romeinse*) ~*s* Arabic (Roman) numerals; **'cijferen** (cijferde, h. gecijferd) *vi* cipher; **'cijferkunst** *v* arithmetic; **–lijst** (-en) *v* ✎ marks list; **–schrift** (-en) *o* 1 numerical notation; 2 cipher, code; *in* ~ in cipher; **–telegram** (-men) *o* code message
cijns (cijnzen) *m* tribute, tribute-money
ciko'rei (-en) *m* & *v* = *cichorei*
ci'linder (-s) *m* cylinder; **–bureau** [-by.ro.] (-s) *o* roll-top desk; **–inhoud** *m* cubic capacity; **–kop** (-pen) *m* cylinder head; **–vormig, ci'lindrisch** cylindrical
cim'baal (-balen) *v* ♪ cymbal; **cimba'list** (-en) *m* ♪ cymbalist
'cineac, cine'ac (-s) *m* newsreel theatre;

cine'ast (-en) *m* film maker; **'cinema** ('s) *m* cinema, picture-theatre; **cinema'scope** [-'sko.p] *in* ~ wide-screen
ci'pier (-s) *m* warder, jailer, gaoler, turnkey
ci'pres (-sen) *m* cypress
'circa ['sɪrka.] about, some [5 millions], circa
cir'cuit [sɪr'kvi.(t)] (-s) *o* circuit; *gesloten tv-~* closed-circuit television
circu'laire [-'lɛ:rə] (-s) *v* circular letter, circular
circu'latie [-'la.(t)si.] *v* circulation; *in ~ brengen* put into circulation; **–bank** (-en) *v* bank of issue; **–stoornis** (-sen) *v* circulatory disorder; **–systeem** [y = i.] (-stemen) *o* circulatory system; **circu'leren** (circuleerde, h. gecirculeerd) *vi* circulate; *laten ~* circulate, send round [lists &]
circum'flex (-en) *m* & *o* circumflex (accent)
'circus (-sen) *o* & *m* circus; **–artiest** (-en) *m* circus performer; **–directeur** (-en) *m* circus master; **–tent** (-en) *v* circus tent
'cirkel (-s) *m* circle; **–boog** (-bogen) *m* arc of a circle; **'cirkelen** (cirkelde, h. gecirkeld) *vi* circle; ~ *om de aarde* circle the earth; **'cirkelgang** (-en) *m* circular course; *fig* circle; **–omtrek** (-ken) *m* circumference of a circle; **–redenering** (-en) *v* circular reasoning; **–vormig** circular; **–zaag** (-zagen) *v* ⚒ circular saw
'cirruswolk (-en) *v* cirr(h)us (cloud)
cis [si.s] (-sen) *v* ♪ C sharp
cise'leren [s = z] (ciseleerde, h. geciseleerd) *vt* chase
ci'taat (-taten) *o* quotation
cita'del (-len en -s) *v* citadel
'citer (-s) *v* zither
ci'teren (citeerde, h. geciteerd) *vt* quote [a saying]; cite [book, author]; ⚖ cite, summon
ci'troen (-en) *m* & *v* lemon; **–geel** *aj* lemon-coloured; **–limonade** *v* lemonade; **–pers** (-en) *v* lemon-squeezer; **–sap** *o* lemon juice; **–schijfje** (-s) *o* slice of lemon; **–schil** (-len) *v* lemon peel; **–vlinder** (-s) *m* brimstone butterfly; **–zuur** *o* citric acid
'citrus (-sen) *m* citrus; **–vrucht** (-en) *v* citrus fruit
ci'viel 1 (b u r g e r l i j k) civil; 2 (b i l l i j k) moderate, reasonable [prices]; **ci'viel-inge'nieur** [-ɪnge.-, -ɪnʒəni.'ø:r] (-s) *m* civil engineer; **civili'satie** [-za.(t)si.] (-s) *v* civilization; **civili'seren** [s = z] (civiliseerde, h. geciviliseerd) *vt* civilize
clandes'tien [-dɛs-] clandestine, secret, illicit, illegal; *een ~e zender R* a pirate transmitter
classi'cisme *o* classicism;**'classicus** (-ci) *m* classicist
classifi'catie [-'ka.(t)si.] (-s) *v* classification; **classifi'ceren** (classificeerde, h. geclassificeerd) *vt* classify, class
claus (clausen, clauzen) *v* cue
claustrofo'bie *v* claustrophobia
clau'sule [s = z] (-s) *v* clause, proviso
claxon (-s) *m* horn, hooter; **claxon'neren** (claxonneerde, h. geclaxonneerd) *vi* sound the (one's) horn, honk, hoot
'clearinginstituut ['kli:rɪŋ-] (-tuten) *o* clearing institute
cle'matis [kle.-] (-sen) *v* clematis
cle'ment [kle.-] lenient, clement; **cle'mentie** [-(t)si.] *v* clemency, leniency
'clerus *m* clergy
cli'ché [kli.'ʃe.] (-s) *o* 1 plate [of type], block [of illustration]; 2 [photo] negative; 3 *fig* cliché, worn-out phrase, ready-made answer; **cli'cheren** (clicheerde, h. geclicheerd) *vt* stereotype
cli'ënt (-en) *m* 1 client [🕮 of a patrician &, ⚖ of a lawyer]; 2 $ customer [of a shop]; **cliën'teel** *v*, **clien'tèle** [kli.ã'tɛ:lə] *v* clientele, customers, clients
cligno'teur [kli.ɲo.'tø:r] (-s) *m* 🚗 winker, trafficator, flashing signal (indicator)
'climax *m* climax
clo'set [s = z] (-s) *o* water-closet, **F** loo; **–bak** (-ken) *m* lavatory basin, lavatory pan; **–borstel** (-s) *m* lavatory brush; **–papier** *o* toilet-paper; **–pot** (-ten) *m* lavatory bowl
close-up [klo.'züp] (-s) *m* close-up
clou [klu.] *m* feature, chief attraction
clown [klɔun] (-s) *m* clown, funny-man; **–achtig, 'clownerig, clow'nesk** clownish
club (-s) *v* club; **–fauteuil** [-fo.tœyj] (-s) *m* club (arm-)chair
cm = *centimeter*
Co. = *compagnon*
coa'litie [-(t)si.] (-s) *v* coalition
'coassistent (-en) *m* medical student who walks the hospital
'cobra ('s) *v* 🐍 cobra
coca'ïne *v* cocaine
'cockpit (-s) *m* cockpit
'cocktail ['kɔkte.l] (-s) *m* cocktail; **–jurk** (-en) *v* cocktail dress; **–partij** (-en) *v* cocktail party
co'con (-s) *m* cocoon
'code (-s) *m* code; **co'deren** (codeerde, h. gecodeerd) *vt* code; **'codetelegram** (-men) *o* code message; **–woord** (-en) *o* code word
'codex (codices) *m* codex [*mv* codices]
codi'cil (-len) *o* codicil
codifi'catie [-'ka.(t)si.] (-s) *v* codification; **codifi'ceren** (codificeerde, h. gecodificeerd) *vt* codify
coëdu'catie [-'ka.(t)si.] *v* coeducation
coëffi'cient [ko.ɛfi.'ʃɛnt] (-en) *m* coefficient
coëxi'stentie [-(t)si.] *v* coexistence;

coëxi'steren (coëxisteerde, h. gecoëxisteerd) *vi* coexist
co'gnac [kò'ɲɑk] *m* cognac, brandy
cognosse'ment [kònɔsə-] (-en) *o* = *connossement*
co'hesie [s = z] *v* cohesion
co'hort(e) (-en) *v* cohort
coif'feren [kvɑ'fe:rə(n)] (coiffeerde, h. gecoiffeerd) *vt* dress (do) the hair; **coif'feur** (-s) *m* hairdresser; **coif'fure** (-s) *v* coiffure, hair-style, hairdo
coïnci'dentie [-(t)si.] (-s) *v* coincidence
coï'teren (coïteerde, h. gecoïteerd) *vi* cohabit, copulate; **'coïtus** *m* coition
cokes [ko.ks] *v* coke
col (-s) *m* 1 (b e r g p a s) col; 2 (k r a a g v. t r u i) polo-neck
col'bert [kɔl'bɛ:r] *o* & *m* 1 (j a s j e) jacket; 2 (k o s t u u m) lounge-suit; **–kostuum** (-s) *o* lounge-suit
collabora'teur (-s) *m* collaborator; **collabo'ratie** [-'ra.(t)si.] *v* collaboration; **collabo'reren** (collaboreerde, h. gecollaboreerd) *vi* collaborate
col'lage [g = ʒ] (-s) *v* collage [a picture]
col'laps *m* collapse
collate'raal collateral
col'latie [-(t)si.] (-s) *v* collation; **collatio'neren** [-(t)si.o-] (collationeerde, h. gecollationeerd) *vt* collate, check
collec'tant (-en) *m* collector; **col'lecte** (-s en -n) *v* collection; *een ~ houden* make a collection; **–bus** (-sen) *v* collecting-box; **collec'teren** (collecteerde, h. gecollecteerd) **I** *vt* collect; **II** *va* make a collection; **col'lecteschaal** (-schalen) *v* collection-plate
col'lectie [kɔ'lɛksi.] (-s) *v* collection
collec'tief collective
col'lega ('s) *m* colleague
col'lege [g = ʒ] (-s) *o* 1 college [of cardinals &]; board [of guardians]; 2 ✎ lecture; *~ geven* ✎ give a course of lectures, lecture (on *over*); *~ lopen* (*volgen*) attend the lectures; **–gelden** *mv* lecture fees; **–zaal** (-zalen) *v* lecture-room, lecture-hall
collegi'aal [kɔle.gi.'a.l] (in a) brotherly (spirit)
'colli ('s) *o* package, bale, bag, barrel &
col'lier [kɔl'je.] (-s) *m* necklace
'collo ('s) *o* = *colli*
colon'nade (-s) *v* colonnade, portico
co'lonne (-s) *v* column; *auto-~* motorcade; *vijfde ~* fifth column; *lid van de vijfde ~* fifth columnist
colo'radokever (-s) *m* Colorado beetle
colpor'tage [g = ʒ] *v* colportage; **colpor'teren** (colporteerde, h. gecolporteerd) *vt* hawk, peddle [wares]; *fig* retail, spread [a report]; **colpor'teur** (-s) *m* 1 $ canvasser; 2 hawker [of religious books &]
'coltrui (-en) *v* polo-neck sweater, roll-neck sweater
colum'barium (-s en -ria) *o* columbarium
Co'lumbia *o* Colombia
'coma ('s) *o* coma; **coma'teus** comatose
combat'tant (-en) *m* combatant
'combi ('s) *m* estate car, shooting-brake
combi'natie [-(t)si.] (-s) *v* combination; $ combine; **–vermogen** *o* power of combining
com'bine [kòm'bi.nə, -'bain] (-s) *v* combine; **combi'neren** (combineerde, h. gecombineerd) *vt* combine
'combo ('s) *m* combo [small jazz band]
comes'tibles [ko.mɛs'ti.bləs] *mv* comestibles, provisions; table delicacies
com'fort [kõ'fɔ:r, kòm'fɔ:r] *o* (conveniences conducive to) personal comfort; **comfor'tabel** [kòmfɔr'ta.bəl] **I** *aj* (v a n h u i z e n) commodious, supplied with all conveniences, with every comfort, comfortable; **II** *ad* conveniently, comfortably
comi'té [kòmi.'te.] (-s) *o* committee
comman'dant (-en) *m* ⚔ commandant, commander, officer in command; ⚓ captain; **comman'deren** (commandeerde, h. gecommandeerd) **I** *vt* order, command, be in command of; *hij commandeert iedereen maar* he orders people about; *zij laten zich niet ~* they will not be ordered about; **II** *vi* & *va* 1 command; be in command; 2 order people about; **comman'deur** (-s) *m* commander [of an order of knighthood]
commandi'tair [-'tɛ:r] *~ vennoot* sleeping (silent, dormant) partner; *~e vennootschap* limited partnership
com'mando ('s) 1 *o* (word of) command; 2 *m* (s p e c i a l e m i l i t a i r e g r o e p) commando; 3 *m* (l i d d a a r v a n) commando; zie verder: *bevel*; **–brug** (-gen) *v* ⚓ (navigating) bridge; **–post** (-en) *m* command post; **–toren** (-s) *m* conning-tower
comme il 'faut [kɔmi.l'fo.] correct, good form
commen'saal (-s en -salen) *m* boarder, lodger; ⚘ commensal
commen'taar (-taren) *m* & *o* commentary; comment; *~ overbodig* comment is needless; *~ leveren op* make comment on, comment (up)on; *zich van ~ onthouden* give no comment; **commentari'ëren** (commentarieerde, h. gecommentarieerd) *vt* comment upon; **commen'tator** (-s en -'toren) *m* commentator
com'mercie *v* commerce, business; *de ~* the business world; **commerci'eel** commercial
com'mies (-miezen) *m* 1 (departmental) clerk; 2 (v. d o u a n e) custom-house officer
commissari'aat (-riaten) *o* 1 commissioner-

ship; 2 police-station; **commis'saris** (-sen) *m* 1 commissioner; 2 (v. m a a t s c h a p p ij) supervisory director; 3 (v. o r d e) steward; 4 (v. p o l i t i e) superintendent of police, chief constable; *Hoge C~* High Commissioner; *~ der Koningin* provincial governor
com'missie (-s) *v* 1 committee, board; 2 $ commission; *~ van onderzoek* fact-finding commission; *~ van toezicht* board of visitors [of a school], visiting committee; *in ~* $ [sell] on commission; [send] on consignment; **–handel** *m* commission business; **–loon** *o* $ commission; **commissio'nair** [-'nɛ:r] (-s) *m* 1 $ commission-agent; 2 commissionaire, porter; *~ in effecten* $ stockbroker; **commissori'aal** *iets ~ maken* refer sth. to a committee
commit'tent (-en) *m* principal
com'mode (-s) *v* chest of drawers
communau'tair [-no.'tɛ.r] regarding the E.E.C., the Common Market
com'mune (-s) *v* commune
communi'cant (-en) *m rk* communicant
communi'catie [-'ka.(t)si.] (-s) *v* communication; **–middel** (-en) *o* means of communication; **–satelliet** (-en) *m* communication satellite; **–stoornis** (-sen) *v* failure of communication, breakdown in communications [between... and...]; **communi'ceren** (communiceerde, h. gecommuniceerd) *vi* 1 communicate; 2 *rk* = *te communie gaan*
com'munie (-s en -iën) *v* communion; *zijn ~ doen rk* receive Holy Communion for the first time; *de ~ ontvangen rk* take Holy Communion; *te ~ gaan rk* go to Communion; **–bank** (-en) *v* communion rail(s)
communi'qué [qu = k] (-s) *o* communiqué
commu'nisme *o* communism; **–ist** (-en) *m* communist; **–istisch** communist [party, Manifesto], communistic [system]
com'pact compact, dense
compa'gnie [gn = ɲ] (-s en -ieën) *v* ⚔ & $ company; **–schap** (-pen) *v* $ partnership; **compa'gnon** [gn = ɲ] (-s) *m* $ partner
compa'rant (-en) *m* ⚖ appearer, party (to a suit); **compa'reren** (compareerde, h. en is gecompareerd) *vi* appear (in court); **compa'ritie** [-'ri.(t)si.] (-s en -iën) *v* appearance
comparti'ment (-en) *o* compartment
com'pendium (-s en -ia) *o* compendium
compen'satie [-pɛn'za.(t)si.] (-s) *v* compensation; **compen'seren** [s = z] (compenseerde, h. gecompenseerd) *vt* compensate, counterbalance, make up for
compe'tent competent; **compe'tentie** [-'tɛn(t)si.] (-s) *v* competence; *het behoort niet tot mijn ~* it is out of my domain
compe'titie [-'ti.(t)si.] (-s) *v* 1 competition; 2 *sp* league
compi'latie [-(t)si.] (-s) *v* compilation; **compi'lator** (-s en -'toren) *m* compiler; **compi'leren** (compileerde, h. gecompileerd) *vt* & *vi* compile
com'pleet complete
comple'ment (-en) *o* complement; **complemen'tair** [-'tɛ:r] complementary
com'plet [kɔm'plɛ] (-s) *m* & *o* ensemble
comple'teren [kòmple.-] (completeerde, h. gecompleteerd) *vt* complete
com'plex (-en) *aj* & *o* complex; **complexi'teit** *v* complexity
compli'catie [-(t)si.] (-s) *v* complication; **compli'ceren** (compliceerde, h. gecompliceerd) *vt* complicate; zie ook: *gecompliceerd*
compli'ment (-en) *o* compliment; *de ~en aan allemaal* best remembrances (love) to all; *de ~en aan Mevrouw* kind regards to Mrs...; *~ van mij, de ~en van mij en zeg dat...* give him (them) my compliments and say that...; *zonder ~* without (standing upon) ceremony; *zonder veel (verdere) ~en* [dismiss him] without more ado, off-hand; *zijn ~ afsteken (bij de dames)* pay one's respects to the ladies; *geen ~en afwachten van iem.* stand no nonsense from sbd.; *de ~en doen (maken)* give (make, pay, send) one's compliments; *veel ~en hebben* be very exacting; put on airs; *iem. een (zijn) ~ maken over iets* compliment sbd. (up)on sth.; *hij houdt van ~en maken* he is given to paying compliments; **complimen'teren** (complimenteerde, h. gecomplimenteerd) *vt iem. ~* compliment sbd. [on, upon sth.]; **complimen'teus** complimentary; **compli'mentje** (-s) *o* compliment; *~s maken* turn compliments
compo'nent (-en) *m* component
compo'neren (componeerde, h. gecomponeerd) *vt* & *vi* compose; **compo'nist** (-en) *m* composer; **compo'sitie** [-'zi.(t)si.] (-s) *v* composition
com'post *o* & *m* compost
com'pote [kòm'pɔ(:)t] (-s) *m* & *v* compote, stewed fruit
com'pressor (-s en -'soren) *m* ⚒ compressor
compri'meren (comprimeerde, h. gecomprimeerd) *vt* compress, condense
compro'mis [-'mɪs, -'mi.] (-sen) *o* compromise; *een ~ sluiten* compromise; *een ~voorstel* a compromise proposal
compromit'teren (compromitteerde, h. gecompromitteerd) **I** *vt* compromise; **II** *vr zich ~* compromise oneself, commit oneself
comptabili'teit *v* 1 accountability; 2 accountancy; audit-office
com'puter [-'pju.-] (-s) *m* computer; **compu-**

teri'seren [s = z] (computeriseerde, h. gecomputeriseerd) *vt* computerize; **–ring** *v* computerization
con'caaf concave
concen'tratie [-(t)si.] (-s) *v* concentration; **–kamp** (-en) *o* concentration camp; **–vermogen** *o* power(s) of concentration; **concen'treren** (concentreerde, h. geconcentreerd) **I** *vt* concentrate [troops, power, attention &, in chemistry], focus [one's attention &]; **II** *vr zich* ~ concentrate
con'centrisch concentric
con'cept (-en) *o* (rough) draft
con'ceptie [-'sɛpsi.] (-s) *v* conception
con'cept-reglement [-re.-] (-en) *o* draft regulations
con'cern [kòn'sə.(r)n] (-s) *o* concern
con'cert (-en) *o* 1 concert; 2 recital [by one performer]; 3 concerto [for solo instrument]; **concer'teren** (concerteerde, h. geconcerteerd) *vi* give a concert; **con'certmeester** (-s) *m* leader; **–stuk** (-ken) *o* concert piece; **–vleugel** (-s) *m* concert grand; **–zaal** (-zalen) *v* concert hall; **–zanger** (-s) *m*, **–zangeres** (-sen) *v* concert singer
con'cessie (-s) *v* concession; ~ *aanvragen* apply for a concession; ~*s doen* make concessions; ~ *verlenen* grant a concession; **–houder** (-s) *m*, **concessio'naris** (-sen) *m* concessionaire
conciërge [kòn'sjɛrʒə] (-s) *m* door-keeper, hall-porter, care-taker [of flats &]
con'cilie (-s en -iën) *o* council [of prelates]
concipi'ëren (concipieerde, h. geconcipieerd) *vt* draft [a plan]
con'claaf (-claven) *o*, **conclave** (-n) *o* conclave
conclu'deren (concludeerde, h. geconcludeerd) *vt* conclude (from *uit*); **con'clusie** [s = z] *v* conclusion
concor'daat (-daten) *o* concordat
concor'dantie [-(t)si.] (-s en -iën) *v* (Bible) concordance
con'cours [-'ku:r(s)] (-en) *o* & *m* competition; ~ *hippique* [-ku:ri'pi.k] horse show
con'creet concrete; **concreti'seren** [s = z] (concretiseerde, h. geconcretiseerd) **I** *vt* shape [one's attitude, a plan]; **II** *vr zich* ~ take shape, materialize
concubi'naat *o* concubinage; **concu'bine** (-s) *v* concubine, mistress
concur'rent [-ky.'rɛnt] (-en) **I** *aj* ordinary [creditor]; **II** *m* competitor, rival; **concur'rentie** [-(t)si.] *v* competition, rivalry; **–beding** *o* competition clause; **concur'reren** (concurreerde, h. geconcurreerd) *vi* compete [with...]; **–d** competitive [price]; rival [firms]
conden'satie [-'za.(t)si.] *v* condensation; **conden'sator** (-s en -'toren) *m* condenser; **conden'seren** (condenseerde, *vt* h., *vi* is gecondenseerd) condense; *gecondenseerde melk* evaporated milk; **con'densstreep** (-strepen) *v* ✈ contrail, vapour trail
con'ditie [-(t)si.] (-s en -iën) *v* (v o o r w a a r d e) condition; *onze* ~*s zijn*... our terms are...; *in goede* ~ [kept] in good repair [of a house &]; in good form [of a person]; in good condition [of a horse &]; **–training** [-tre.-] *v* fitness training
conditio'neren (conditioneerde, h. geconditioneerd) *vt* 1 condition; 2 stipulate
condolé'ance [-'ãsə] (-s) *v* condolence, sympathy; **–bezoek** (-en) *o* call of condolence; **–brief** (-brieven) *m* letter of condolence, letter of sympathy; **condole'antie** [-(t)si.] (-s) *v* condolence, sympathy; **condo'leren** (condoleerde, h. gecondoleerd) *vt* condole, express one's sympathy; *iem.* ~ condole with sbd. [on a loss], sympathize with sbd. [in his loss]; *ik condoleer u van harte* accept my heartfelt sympathy
con'doom (-domen) *o* condom, sheath, **F** French letter
'condor (-s) *m* condor
conduc'teur (-s) *m* 1 (v. t r e i n) guard; 2 (v. b u s, t r a m) conductor, ticket-collector; **conduc'trice** (-s) *v* conductress, **F** clippie
con'duitelijst [-'dvi.-] (-en) *v*, **–staat** (-staten) *m* ⚔ confidential report
con'fectie [-'fɛksi.] *v* ready-made clothing, ready-made clothes, **F** off the peg (clothes), reach-me-downs; **–pak** (-ken) *o* ready-made suit
confede'ratie [-fe.də'ra.(t)si.] (-s) *v* confederation, confederacy
conferen'cier [kònfe.rã'sje.] (-s) *m* (v. c a b a r e t) compere
confe'rentie [-fə'rɛn(t)si.] (-s) *v* conference, discussion, **F** palaver; **–tafel** (-s) *v* conference table; **–tolk** (-en) *m* conference interpreter; **–zaal** (-zalen) *v* conference room; **confe'reren** (confereerde, h. geconfereerd) *vi* confer (consult) together, hold a conference; ~ *over* confer upon
con'fessie (-s) *v* confession; **confessio'neel** denominational [teaching &]
con'fetti *m* confetti
confi'dentie [-(t)si.] (-s) *v* confidence; **confidenti'eel** confidential
confis'catie [-(t)si.] (-s) *v* confiscation, seizure; **confis'queren** [qu = k] (confisqueerde, h. geconfisqueerd) *vt* confiscate, seize
confi'turen *mv* preserves, jam
con'flict (-en) *o* conflict; *in* ~ *komen met*... come into conflict with, conflict (clash) with; **–situatie** [-(t)si.] (-s) *v* situation of conflict,

conflict situation
con'form in conformity with; **confor'meren** (conformeerde, h. geconformeerd) *vr zich ~* conform oneself; **confor'misme** *o* conformity; –ist (-en) *m* conformist; **–istisch** conformist
con'frater (-s) *m* colleague, confrère
confron'tatie [-(t)si.] (-s) *v* confrontation; **confron'teren** (confronteerde, h. geconfronteerd) *vt* confront [with...]; *geconfronteerd met de werkelijkheid* faced with reality
con'fuus confused, abashed, ashamed
con'gé [kõ'ʒe.] *o* & *m* dismissal; *iem. zijn ~ geven* **F** give sbd. the sack, dismiss sbd; *hij kreeg zijn ~* **F** he got the sack, he was dismissed
con'gestie [kɔŋ'gɛsti.](-s) *v* congestion[2] [⚕, of traffic &]
conglome'raat [kɔŋglo.-] (-raten) *o* conglomerate
congre'gatie [-gre.'ga.(t)si.] (-s) *v* congregation; *rk* ook: sodality [for the laity]
con'gres [-'grɛs] (-sen) *o* congress; **–lid** (-leden) *o* member of a (the) congress; (v. h. Am. Congres) Member of Congress, Congressman; **congres'seren** (congresseerde, h. gecongresseerd) *vi* meet, hold a meeting, sit (in congress); **con'grestolk** (-en) *m* congress interpreter
congru'ent congruent; **–ie** [-(t)si.] (-s) *v* congruence
coni'feer (-feren) *m* ✿ conifer
con'junctie [-'jüŋksi.] (-s) *v* conjunction; **'conjunctief** (-tieven) *m* subjunctive; **conjunc'tuur** (-turen) *v* conjuncture; $ economic (trade, business) conditions; state of the market, state of trade (and industry); (periode) trade cycle, business cycle
con'nectie [kɔ'nɛksi.] (-s) *v* connection; *~s hebben* have influence [with the minister]
connosse'ment (-en) *o* bill of lading, B/L
'conrector (-s en -toren) *m* ✎ second master, vice-principal
consa'creren (consacreerde, h. geconsacreerd) *vt rk* consecrate
consciënti'eus [-ʃɛnsi.'ø.s] conscientious
con'scriptie [-'skrɪpsi.] *v* conscription
conse'cratie [-se.'kra.(t)si.] (-s) *v rk* consecration; **conse'creren** (consecreerde, h. geconsecreerd) *vt rk* consecrate
conse'quent [-sə'kvɛnt] (logically) consistent; **conse'quentie** [-(t)si.] (-s) *v* 1 (logical) consistency; 2 (gevolg) consequence
conserva'tief I *aj* conservative; **II** (-tieven) *m* conservative; **conserva'tisme** *o* conservatism
conser'vator (-s en -'toren) *m* custodian, curator [of a museum]
conserva'torium (-s en -ria) *o* school of music, conservatoire, conservatory
con'serven *mv* preserves; **–fabriek** (-en) *v* preserving factory, canning factory, cannery; **–industrie** (-ieën) *v* preserving industry, canning industry; **conser'veren** (conserveerde, h. geconserveerd) *vt* preserve, keep
conside'ratie [-(t)si.] (-s) *v* consideration
consig'natie [-si.'ɲa.(t)si.] (-s) *v* consignment; *in ~ zenden* send on consignment, consign
con'signe [-'si.ɲə] (-s) *o* 1 orders, instructions; 2 password
consig'neren [-si.'ɲe:-] (consigneerde, h. geconsigneerd) *vt* 1 $ consign [goods]; 2 ⚔ confine [troops] to barracks
consi'storie (-s) *o* consistory; **–kamer** (-s) *v* vestry
con'sole [-'sɔ:lə] (-s) *v* 1 △ console; 2 console table
consoli'datie [-(t)si.] *v* consolidation; **consoli'deren** (consolideerde, h. geconsolideerd) *vt* consolidate
'consonant (-en) *v* consonant
con'sorten *mv* associates; *X en ~* X and his company, **F** X and his likes
con'sortium [-tsi.üm] (-s) *o* $ consortium, syndicate, ring
con'stant constant; **–e** (-n) *v* constant
consta'teren (constateerde, h. geconstateerd) *vt* state; ascertain, establish [a fact]; ⚕ diagnose; *er werd geconstateerd dat...* ook: it was found that...; **–ring** (-en) *v* statement; *tot de ~ komen dat* find that, observe that
constel'latie [-(t)si.] (-s) *v* (sterrenbeeld) constellation; (situatie) situation, **F** line-up
conster'natie [-(t)si.] (-s) *v* consternation, dismay
consti'patie [-(t)si.] *v* constipation
constitu'eren (constitueerde, h. geconstitueerd) **I** *vt* constitute; **II** *vr zich tot... ~* constitute themselves into...; **consti'tutie** [-(t)si.] (-s) *v* constitution; **constitutio'neel** constitutional
construc'teur (-s) *m* designer; **con'structie** [-'strüksi.] (-s) *v* construction; **construc'tief** constructive; **constru'eren** (construeerde, h. geconstrueerd) *vt* construct
'consul (-s) *m* consul; **consu'laat** (-laten) *o* consulate; **~-gene'raal** (consulaten-generaal) *o* consulate general; **consu'lair** [-'lɛ:r] consular
consu'lent (-en) *m* 1 adviser; 2 advisory expert
'consul-gene'raal (consuls-generaal) *m* consul general
con'sult (-en) *o* consultation; **consul'tatie** [-(t)si.] (-s) *v* consultation; **–bureau** [-by.ro.] (-s) *o* health centre, (infant) welfare centre; **consul'teren** (consulteerde, h. geconsulteerd) *vt* consult [a doctor]; *~d geneesheer* consulting

physician
consu'ment [s = z] (-en) *m* consumer; **-enbond** (-en) *m* consumers' association, consumers' union; **consu'meren** (consumeerde, h. geconsumeerd) *vt* consume; **con'sumptie** [-'züm(p)si.] (-s) *v* 1 consumption; 2 food and drinks; **-goederen** *mv* consumer goods; **-maatschappij** *v* consumer society
con'tact (-en) *o* contact, touch; ~ *hebben met* be in contact with, be in touch with; ~ *maken* (*nemen, opnemen*) *met* make contact with, contact [sbd.]; ~*en leggen* make contacts; **-doos** (-dozen) *v* (wall) socket, plug-box; **-draad** (-draden) *m* contact wire; **-lens** (-lenzen) *v* contact lens; **-man** (-nen en -lieden) contact (man); **-sleuteltje** (-s) *o* ignition key
con'tainer [-'te.nər] (-s) *m* (freight) container
contami'natie [-(t)si.] (-s) *v* contamination, blend
con'tant I *aj* cash; *à* ~ for cash; ~*e betaling* cash payment; **II** *ad* ~ *betalen* pay cash; **III** *mv* ~*en* ready money, (hard) cash
contempla'tief contemplative, meditative
contempo'rain [-tãpo'rɛ̃.] contemporary
con'tent content(ed), happy
conti'nent (-en) *o* continent; **continen'taal** continental
contin'gent [-tɪŋ'gɛnt] (-en) *o* ⚔ contingent²; $ quota²; **contingen'teren** (contingenteerde, h. gecontingenteerd) *vt* establish quotas for [imports], quota, limit by quotas; **-ring** *v* quota system, quota restriction, quota
conti'nu continuous; **-bedrijf** (-drijven) *o* continuous industry; **continu'eren** (continueerde, h. gecontinueerd) *vt* & *vi* continue; **continuï'teit** *v* continuity;
con'tour [-'tu:r] (-en) *m* contour, outline
'contra contra, versus, against
'contrabande *v* contraband (goods)
'contrabas (-sen) *v* double-bass
con'tract (-en) *o* contract; **contrac'tant** (-en) *m* contracting party; **con'tractbreuk** (-en) *v* breach of contract; **contrac'teren** (contracteerde, h. gecontracteerd) *vi* & *vt* contract (for)
con'tractie [-'trɑksi.] (-s) *v* contraction
contractu'eel I *aj* contractual; **II** *ad* by contract
'contradans (-en) *m* contra dance, contredance
contra'dictie [-'dɪksi.] (-s) *v* contradiction
'contrafagot (-ten) *m* ♪ double-bassoon
'contragewicht (-en) *o* counterpoise, counterweight
'contra-indicatie [-(t)si.] (-s) *v* counter indication
'contramerk (-en) *o* 1 pass-out check (ticket); 2 countermark
'contramine *v in de* ~ *zijn* $ speculate for a fall; *hij is altijd in de* ~ he is always in the humour of opposition
'contrapunt (-en) *o* counterpoint
'contrarevolutie [-re.vo.ly.(t)si.] (-s) *v* counter-revolution
contrari'ëren (contrarieerde, h. gecontrarieerd) *vt* act (go) contrary to the wishes of, thwart the plans of
contrasig'neren [-si.'ɲe:rə(n)] (contrasigneerde, h. gecontrasigneerd) *vt* countersign
'contraspionage [g = ʒ] *v* counter-espionage
con'trast (-en) *o* contrast; **constras'teren** (contrasteerde, h. geconstrasteerd) *vi* contrast
contre'coeur [kõtrə'kø:r] *à* ~ half heartedly
con'treien *mv* regions; *in deze* ~ in these parts
contribu'ant (-en) *m* subscribing member; **contribu'eren** (contribueerde, h. gecontribueerd) *vt* & *vi* contribute; **contri'butie** [-(t)si.] (-s) *v* subscription
con'trole [-'trɔ:lə] (-s) *v* check(ing), supervision, control; ~ *uitoefenen op de...* check the...; **-kamer** (-s) *v* control room; **-post** (-en) *m* checkpoint; **contro'leren** [-tro.-] (controleerde, h. gecontroleerd) *vt* check, examine, verify, control; test; supervise; **contro'leur** (-s) *m* 1 (in 't alg.) controller; 2 (aan schouwburg &) ticket inspector
contro'verse (-n en -s) *v* controversy; **controversi'eel** controversial
conveni'ëren (convenieerde, h. geconvenieerd) *vi* suit; *het convenieert mij niet* I cannot afford it; *als het u convenieert* if it suits your convenience
con'ventie [-(t)si.] (-s) *v* convention; **conventio'neel** conventional, orthodox
conver'geren (convergeerde, h. geconvergeerd) *vi* converge
conver'satie [-'za.(t)si.] (-s) *v* conversation; *hij heeft geen* ~ 1 he has no conversational powers; 2 he has no friends; *zij hebben veel* ~ they see much company; **-les** (-sen) *v* conversation lesson; **conver'seren** [s = z] (converseerde, h. geconverseerd) *vi* converse
con'versie [s = z] *v* conversion; **conver'teerbaar** convertible; **conver'teren** (converteerde, h. geconverteerd) *vt* convert [into...]; **convertibili'teit** *v* convertibility
con'vex convex
convo'catie [-'ka.(t)si.] (-s) *v* 1 convocation; 2 notice (of a meeting); **convo'ceren** [-'se:rə(n)] (convoceerde, h. geconvoceerd) *vt* convene, convoke
coöpe'ratie [ko.o.pə'ra.(t)si.] (-s) *v* 1 co-operation; 2 co-operative stores; **coöpera'tief** co-operative
coöp'tatie [ko.ɔp'ta.(t)si.] (-s) *v* co-optation
coördi'naten [ko.ɔr-] *mv* co-ordinates;

coördi'natie [-(t)si.] (-s) *v* co-ordination; **coördi'neren** (coördineerde, h. gecoördineerd) *vt* co-ordinate
copi'eus I *aj* plentiful [dinner]; **II** *ad* ~ *dineren* partake of a plentiful dinner
'coproductie [-düksi.] (-s) *v* co-production
copu'leren (copuleerde, h. gecopuleerd) *vi* copulate
Co'rinthe *o* Corinth; **Co'rinthiër** (-s) *m* Corinthian; **Co'rinthisch** Corinthian
'corner (-s) *m sp* & $ corner
coro'nair [-'nɛ:r] coronary [thrombosis &]
corpo'ratie [-(t)si.] (-s) *v* corporate body, corporation; **corpora'tief** corporative
corps [kɔ:r, kɔrps] (corpora) *o* corps, body; zie ook: *studentencorps*; *het* ~ *diplomatique* the Diplomatic Corps, the Diplomatic Body; *het* ~ *leraren* the teaching staff; *en* ~ in a body
corpu'lent corpulent, stout; **–ie** [-(t)si.] *v* corpulence, stoutness
corpuscu'lair [-lɛ.r] corpuscular
cor'rect correct; **–heid** *v* correctness; **cor'rectie** [-'rɛksi.] (-s) *v* correction; **–teken** (-s) *o* correction mark; **cor'rector** (-s en -'toren) *m* (proof-)reader, corrector
correspon'dent (-en) *m* correspondent; [foreign] correspondence clerk; **correspon-'dentie** [-(t)si.] (-s) *v* correspondence; **corres-pon'deren** (correspondeerde, h. gecorrespondeerd) *vi* correspond
corri'dor [-'dɔ:r] (-s) *m* corridor
corri'geren [g = *g* en ʒ] (corrigeerde, h. gecorrigeerd) *vt* & *vi* correct[2]; mark [papers], read [proofs]
cor'rosie [s = z] *v* corrosion
corrum'peren (corrumpeerde, h. gecorrumpeerd) *vt* & *vi* corrupt; **cor'rupt** corrupt; **–ie** [-'rüpsi.] (-s) *v* corruption
cor'sage [-'sa.ʒə] (-s) *v* & *o* corsage
corse'let (-s en -ten) *o* corslet
'corso ('s) *m* & *o* parade, procession
cor'vee (-s) *v* 1 ⚔ fatigue duty; fatigue party; 2 *het is een* ~ it's quite a job; ~ *hebben* do the chores
cory'fee [ko:ri.-] (-feeën) *m* & *v* coryphaeus; coryphee
cos. = *cosinus*; **'cosinus** *m* cosine
cos'metica *mv* cosmetics
'Costa 'Rica *o* Costa Rica
'cotangens *v* cotangent
cote'rie (-s en -ieën) *v* coterie, clique, (exclusive) set
cou'chette [ku.'ʃɛtə] (-s) *v* berth
cou'lant [ou = u.] $ accommodating
cou'lisse [ku.'lɪsə, ku.'li.sə] (-n en -s) *v* side-scene, wing; *achter de* ~*n* behind the scenes, in the wings; als *aj* back-stage [influence]
cou'loir [ku.'lʋa:r] (-s) *m* lobby [of Lower House]
coup [ku.] (-s) *m* coup, stroke, move
coupe [ku.p] (-s) *v* 1 cut [of dress]; 2 cup [as a drink]
cou'pé [ku.'pe.] (-s) *m* 1 (t r e i n) compartment; 2 (r ij t u i g) coupé, brougham
'coupenaad ['ku.p-] (-naden) *m* dart
cou'peren [ou = u.] (coupeerde, h. gecoupeerd) **I** *vt* cut [the cards]; make cuts [in a play]; forestall [disagreeable consequences]; dock [a tail], crop [ears]; *een gecoupeerde staart* a bobtail; **II** *va* cut [the cards]
cou'peur (-s) *m*, **cou'peuse** [s = z] (-s) *v* cutter
cou'plet [ou = u.] (-ten) *o* stanza; (t w e e - r e g e l i g) couplet
cou'pon [ou = u.] (-s) *m* 1 $ coupon; remnant [of dress-material], cutting; **–blad** (-bladen) *o* coupon-sheet; **–boekje** (-s) *o* book of coupons, book of tickets
cou'pure [ou = u.] (-s) *v* cut; *in* ~*s van* £ *5* en £ *10* in denominations of £ 5 and £ 10
1 cou'rant [ou = u.] **I** *aj* current, marketable; **II** *o Nederlands* ~ Dutch currency
2 cou'rant [ou = u.] (-en) *v* = *krant*
cour'bette [ku:r'bɛt] (-s) *v* curvet
cou'reur [ou = u.] (-s) *m* 1 (m e t a u t o) racing driver, racing motorist; 2 (m e t m o t o r) racing motor-cyclist; 3 (m e t f i e t s) racing cyclist, racer
cour'tage [ku.r'ta.ʒə] (-s) *v* brokerage
courti'sane [ku.rti.'za.nə] (-s) *v* courtesan
cou'vert [ku.'vɛ:r] (-s) *o* 1 cover [of letter & plate, napkin, knife and fork]; 2 envelope; *onder* ~ under cover
cou'veuse [ku.'vø.zə] (-s) *v* incubator; **–kind** (-eren) *o* premature baby
'coveren ['küvərə(n)] (coverde, h. gecoverd) *vt* retread [a tyre]
'cowboy ['kɔubɔi] (-s) *m* cowboy; **–film** (-s) *m* cowboy film, western; **–pak** (-ken) *o* cowboy suit
c.q. = *casu quo*
cra'paud [krɑ'po.] (-s) *m* easy-chair
craque'lé [krɑkə'le.] *o* crackling; **craque'leren** (craqueleerde, h. gecraqueleerd) *vt* craze
'crawl(slag) ['krɔ:l-] (-slagen) *m* crawl(-stroke)
cre'atie [kre.'a.(t)si.] (-s) *v* creation; **crea'tief** creative, originative; **creativi'teit** *v* creativeness; **crea'tuur** (-turen) *o* creature
crèche [krɛ:ʃ] (-s) *v* crèche, day-nursery
'credit *o* credit; **credi'teren** (crediteerde, h. gecrediteerd) *vt iem.* ~ *voor* place [a sum] to sbd.'s credit, credit sbd. with; **credi'teur** (-s en -en) *m* creditor; **'creditnota** ('s) *v* credit note; **–zijde** (-n) *v* credit side, creditor side
'credo ('s) *o* credo [during Mass]; [Apostles',

political] creed
cre'ëren (creëerde, h. gecreëerd) *vt* create [a part &]
cre'matie [-(t)si.] (-s) *v* cremation; **crema'torium** (-s en -ria) *o* crematorium, crematory
crème [krɛ:m] **I** (-s) *v* cream; **II** *aj* cream (-coloured)
cre'meren [kre.-] (cremeerde, h. gecremeerd) *vt* cremate
cre'ool (-olen) *m*, **creoolse** (-n) *v* Creole
creo'soot [kre.o.'zo.t] *m* & *o* creosote
crêpe [krɛ:p] *m* crêpe [ook = crêpe rubber]
'crêpepapier [krɛ:p-] (-en) *o* crêpe paper
cre'peren (crepeerde, is gecrepeerd) *vi* die [of animals]
cric (-s) *m* (car, lifting) jack
'cricket ['krɪkət] *o* cricket
criminali'teit *v* 1 (het misdadige) criminality; 2 (de misdaad collectief) crime; *het toenemen van de ~* the increase in crime; zie ook: *jeugdcriminaliteit*; **crimi'neel** criminal; *(de) criminele jeugd* delinquent youth; **criminolo'gie** *v* criminology; **crimino'loog** (-logen) *m* criminologist
crino'line (-s) *v* crinoline, hoop petticoat, hoop
'crisis ['kri.zɪs] (-sen en crises) *v* crisis° [*mv* crises], critical stage, turning-point; (inz. economisch) depression, slump; (noodtoestand v. d. landbouw &) emergency; *tot een ~ komen* come to a crisis (a head); **–maatregel** (-en) *m* emergency measure; **–tijd** (-en) *m* time of crisis; *de ~* the depression
cri'terium (-ria) *o* criterion [*mv* criteria], test
criti'caster (-s) *m* criticaster; **'criticus** (-ci) *m* critic
cro'quant [qu = k] crisp
1 cro'quet [kro.'kɛt] (-ten) *v* (voedsel) croquette
2 'croquet ['krɔkət] *o* *sp* croquet
cru [kry.] crude, blunt
cruci'fix (-en) *o* crucifix
cruise [kru:z] (-s) *m* cruise
crypt(e) [y = ɪ] (-(e)n) *v* crypt
c.s. = *cum suis*
'Cuba *o* Cuba; **Cu'baan** (-banen) *m* Cuban; **–s** Cuban
culi'nair [-'nɛ:r] culinary
culmi'natie [-(t)si.] (-s) *v* culmination; **–punt** (-en) *o* culminating point²; **culmi'neren** (culmineerde, h. geculmineerd) *vi* culminate²
culti'veren (cultiveerde, h. gecultiveerd) *vt* cultivate
cul'ture (-s) *v* (verbouw v. gewassen in het groot) plantation
cultu'reel cultural
'cultus (culten) *m* cult²
cul'tuur (-turen) *v* 1 (beschaving) culture; 2 (teelt) culture, cultivation; 3 culture [= set of bacteria]; **–filosoof** (-sofen) *m* social philosopher; **–geschiedenis** *v* social history; **–historicus** (-ci) *m* social historian; **–his'torisch** socio-historical; **–volk** (-en en -eren) *o* civilized nation
cum 'suis [küm'sy.ɪs] and others
cumu'latie [-(t)si.] (-s) *v* accumulation; **cumula'tief** cumulative
'cumuluswolk (-en) *v* cumulus (cloud)
cup (-s) *m* 1 *sp* cup; 2 (v. beha) cup
'Cupido, 'cupido ('s) *m* Cupid
cura'tele *v* guardianship; *onder ~ staan* be in ward, be under guardianship; *onder ~ stellen* put in ward, deprive of the management of one's affairs; **cu'rator** (-s en -'toren) *m* 1 guardian; curator, keeper [of a museum &]; 2 governor [of a school]; 3 ⚖ trustee, official receiver [in bankruptcy]; **cura'torium** (-ria) *o* board of governors [of a school]
1 'curie *v* *rk* [Roman] curia
2 cu'rie *v* (v. radioactieve straling) curie
curi'eus curious, odd, queer; **curiosi'teit** [s = z] (-en) *v* curiosity
cur'sief (-sieven) **I** *o* italic type, italics; **II** *aj* in italics, italicized; **III** *ad* in italics; **–je** (-s) *o* (regular) column [in newspaper]; **–letters** *mv* italics
cur'sist [-'zɪst] (-en) *m* student of a course (of lectures)
cursi'veren (cursiveerde, h. gecursiveerd) *vt* italicize, print in italics; *wij ~* the italics are ours, our italics
'cursus [-züs, -zəs] (-sen) *m* course, curriculum; [evening] classes
'curve (-n) *v* curve
'custos (custodes) *m* 1 keeper, custodian; 2 catchword
c.v. = *commanditaire vennootschap*; *centrale verwarming*
cyaan'kali [y = i.] *m* cyanide, prussic acid
cyber'netica [si.bɛr'ne.ti.ka.] cybernetics; **cyber'netisch** cybernetic
cy'claam [y = i.] (-clamen) *v* cyclamen
Cy'claden [y = i.] *de ~* the Cyclades
'cyclisch [y = i.] cyclic(al)
cyclo'naal [y = i.] cyclonic(al); **cy'cloon** (-clonen) *m* cyclone
cy'cloop [y = i.] (-clopen) *m* cyclops
cyclo'style [si.klo.'sti.l] (-s) *m* cyclostyle; **cyclosty'leren** (cyclostyleerde, h. gecyclostyleerd) *vt* cyclostyle
cyclo'tron [y = i.] (-s) *o* cyclotron
'cyclus [y = i.] (-sen en cycli) *m* cycle

'cynicus [y = i.] (-ci) *m* cynic; **'cynisch** cynical; **cy'nisme** *o* cynicism
'cypers [si.pərs] **~***e kat* Cyprian cat
Cypri'oot [y = i.] (-oten) *m* Cypriot, Cyprian; **'Cyprisch** Cyprian, Cypriot; **'Cyprus** *o* Cyprus
'cyste ['ki.stə] (-n) *v* cyst
cytolo'gie [y = i.] *v* cytology

D

d [de.] ('s) *v* d

daad (daden) *v* deed, act, action, feat, achievement; *man van de ~* man of action; *de ~ bij het woord voegen* suit the action to the word; zie ook: *betrappen* & *raad*; **daad'werkelijk** 1 (werkelijk, metterdaad) actual; 2 (krachtig) active [support &]

daags I *aj* daily; *mijn ~e jas* my everyday (weekday) coat; **II** *ad* by day; *des anderen ~, ~ daarna* the next day; *~ te voren* the day before, the previous day; *driemaal ~* three times a day

'daalder (-s) *m* 🕮 Dutch coin; f 1,50-worth

daar I *ad* there; **II** *cj* as (in vóórzin), because (in nazin); **daaraan'volgend** following, next; **daar'achter** behind it (that), at the back of that; **–be'neden** 1 under it; 2 down there; *...van 21 jaar en ~* ...and under; **'daarbij, daar'bij** 1 near it; 2 over and above this, besides, moreover, in addition, at that; *50 gedood, ~ 3 officieren* including (among them, among whom) three officers; *zij hebben ~ het leven verloren* they have lost their lives in it; **daar'binnen** within, in there; **–'boven** 1 up there, above; 2 over it; *50% en iets ~* and something over; *sommen van £ 500 en ~* and upwards; *God ~* God above, God on high; **–'buiten** outside; zie verder: *buiten*; **'daardoor, daar'door** 1 (plaatselijk) through it; 2 (oorzakelijk) by that, by doing so, by these means; **daaren'boven** moreover, besides; **–'tegen** on the other hand, on the contrary; *hij is..., zijn broer ~ is zeer...* ook: whereas his brother is very...; **'daargelaten** leaving aside; *dat ~* apart from that; *nog ~ dat...* let alone (not to mention) that; **daar'ginder, daar'ginds** over there; out there [in Africa &]; **'daarheen, daar'heen** there, thither; **'daarin** in there; in it (this, that); **daar'langs** along that road (path, line &); **'daarlaten** (liet 'daar, h. 'daargelaten) *vt dat wil ik nog ~* this I'll leave out of consideration. Zie ook: *daargelaten*; **'daarme(d)e, daar'me(d)e** with that; **'daarna, daar'na** after that; in the second place; **'daarnaar** by that, accordingly; **'daarnaast, daar'naast** beside it, at (by) the side of it; next to it; **daar'net** just now; **'daarom, daar'om** therefore, for that reason; *~ ga ik er niet heen* ook: that's why I am not going; **daarom'heen** around (it); about it; **'daaromstreeks** thereabouts; **'daaromtrent, daarom'trent I** *prep* about that, concerning that; **II** *ad* thereabouts; **'daaronder, daar'onder** 1 under it (that); underneath, 2 among them; **'daarop** 1 on it, on that; 2 there-upon, upon (after) this; **daarop'volgend** following, next; **'daarover, daar'over** 1 over it (that), across it; 2 about (concerning) that, on that subject; **'daartegen, daar'tegen** against that; **daartegen'over** opposite; *~ staat dat...* but then..., on the other hand..., however...; **'daartoe, daar'toe** for it, for that purpose, to that end; **'daartussen, daar'tussen** between (them), among them; *en niets ~* and nothing in between; **'daaruit, daar'uit** out (of it), from that (this), thence; **'daarvan, daar'van** 1 of that; 2 from that; **'daarvandaan, daarvan'daan** away from there, thence; (reden) that's why, therefore; **1 'daarvoor, daar'voor** for that; for it; for that purpose; *~ komt hij* that is what he has come for; **2 daar'voor** before (that); before it (them)

daas dazed; foolish [plans]

1 dacht (dachten) V.T. v. *denken*

2 dacht *mij ~* V.T. van *dunken*

dactylosco'pie [y = i.] *v* finger-print identification; **dactylo'scopisch** finger-print [examination &]

'dactylus [y = i.] (-tyli en -tylen) *m* dactyl

'dadel (-s) *v* date; **–boom** (-bomen) *m* date tree

'dadelijk I *aj* immediate, direct; **II** *ad* immediately, at once, right away, directly, instantly; *zo ~* presently

'dadelpalm (-en) *m* date-palm

'dader (-s) *m* author, doer, wrong-doer, culprit

'dading (-en) *v* ⚖ settlement, arrangement

dag (dagen) *m* day; *~!* zie *goedendag*; *~ en nacht* night and day, day and night, round the clock; *de (ge)hele ~* all day (long); *de jongste ~* the Day of Judgment; *de oude ~* old age; *de ~ daarna* the following day; *de ~ tevoren* the day before, the previous day; *de ~ des Heren* the Lord's Day [= Sunday]; *de ~ van morgen* to-morrow; *dezer ~en* the other day, lately; ook = *één dezer ~en* one of these days, some day soon; *betere ~en gekend hebben* have seen better days; *het wordt ~* day is breaking; *het is kort ~* time is short; *het is morgen vroeg ~* we have to get up early tomorrow; • *~ aan ~* day by day, day after day; *het aan de ~ brengen* bring it to light; *aan de ~ komen* come to light; *aan de ~ leggen* display, manifest, show; *bij ~* by day; *bij de ~ leven* live by the day; *(in) de laatste ~en* during the last few days, lately, of late; *in vroeger ~en*

in former days, formerly; *~ in ~ uit* day in day out; *later op de ~* later in the day(-time); *op de ~ (af)* to the (very) day; *midden op de ~* 1 in the middle of the day; 2 in broad daylight; *op een (goeie) ~, op zekere ~* one (fine) day; *op zijn oude ~* in his old age; *ten ~e van...* in the days of...; *heden ten ~e* nowadays; *tot op deze ~* to this (very) day; *van ~ tot ~* from day to day, day by day; ... *van de ~* current [affairs, politics]; *voor ~ en dauw* at dawn, before daybreak; *iets voor de ~ halen* produce sth., take it out, bring it out; *voor de ~ komen* appear, show oneself, turn up [of persons]; become apparent, show [of things]; *voor de ~ ermee!* out with it!; *hij kwam er niet mee voor de ~* he didn't produce it [the promised thing], he didn't come out with it [his guess], he didn't put it [the idea] forward
'dagblad (-bladen) *o* (daily) newspaper, daily paper, daily; **–correspondent** (-en) *m* newspaper correspondent; **–pers** *v* daily press
'dagblind day-blind; **–boek** (-en) *o* 1 diary; 2 $ day-book; **–boot** (-boten) *m* & *v* day-boat, day-steamer; **–bouw** *m* open-cast mining, surface mining; **–dief** (-dieven) *m* idler; **–dienst** (-en) *m* 1 day-service; 2 day-duty; **'dagdieven** (dagdiefde, h. gedagdiefd) *vi* idle; **dagdieve'rij** (-en) *v* idling; **'dagdromen** *o* day-dreaming
dagelijks I *aj* daily, everyday [clothes, life], ★ diurnal; *het ~ bestuur* 1 (v. gemeente) ± the mayor and aldermen; 2 (v. vereniging) the executive (committee); **II** *ad* every day, daily; **1 'dagen** (daagde, h. gedaagd) **I** *vi* dawn; **II** *vt* summon, summons; **2 'dagen** meerv. v. *dag*; **'dagenlang I** *aj* lasting for days; **II** *ad* for days on end; **dag-en-'nacht-evening** *v* equinox; **'dageraad** *m* daybreak, dawn[2]; **'daggeld** (-en) *o* $ call-money; day's wage(s), daily wage(s); **–gelder** (-s) *m* day-labourer; **–geldlening** (-en) *v* $ day-to-day loan, call loan; **–hit** (-ten) *v* day-girl; **–indeling** (-en) *v* = *dagverdeling*; **–je** (-s) *o* day; *het er een ~ van nemen* make a day of it; **–jesmensen** *mv* day trippers, cheap trippers; **–kaart** (-en) *v* day-ticket; **–koers** (-en) *m* day's rate of exchange, current rate of exchange; **–licht** *o* daylight; *dat kan het ~ niet verdragen* that cannot bear the light of day; *iem. in een kwaad ~ stellen* get sbd. in wrong [with sbd. else]; *bij ~* by daylight; **–loner** (-s) *m* day-labourer; **–loon** (-lonen) *o* day's wage(s), daily wage(s); **–marche** [-mɑrʃ] (-n) *m* & *v*, **–mars** (-en) *m* & *v* day's march; **–meisje** (-s) *o* day-girl, daily help, daily; **–orde** *v* order of the day; **–order** (-s) *v* & *o* ⚔ order of the day; **–pauwoog** (-ogen) *m* peacock butterfly; **–ploeg** (-en) *v* day-shift; **–reis** (reizen) *v* day's journey; **–retour** [ou = u.] (-s) *o* day-return ticket; **–school** (-scholen) *v* day-school; **–schotel** (-s) *m* & *v* special dish for the day; **–taak** (-taken) *v* day's work; **'dagtekenen** (dagtekende, h. gedagtekend) *vi* & *vt* date; **–ning** (-en) *v* date; **'dagtochtje** (-s) *o* day trip
'dagvaarden (dagvaardde, h. gedagvaard) *vt* cite, summon, summons, subpoena; **–ding** (-en) *v* summons, subpoena, writ
'dagverdeling (-en) *v* division of the day; time-table, schedule; **–vlinder** (-s) *m* (diurnal) butterfly; **–werk** *o* daily work; *als..., dan had ik wel ~* there would never be an end of it
'dahlia ['da.li.a] ('s) *v* dahlia
'dak (daken) *o* roof; *een ~ boven zijn hoofd hebben* have a roof over one's head; *onder ~ brengen* give [sbd.] shelter; *onder één ~ wonen met* live under the same roof with; *ik kon nergens onder ~ komen* nobody could take me in, could put me up; *onder ~ zijn* be under cover [of a person]; *fig* be provided for; *iem. op zijn ~ komen* [*fig*] take sbd. to task; *dat krijg ik op mijn ~* they'll lay it at my door, they'll blame it on me; *iem. iets op zijn ~ schuiven* (*sturen*) shove the blame (sth.) on sbd., saddle sbd. with sth.; *over de ~en klauteren* scramble over the roof-tops; *van de ~en prediken* proclaim from the house-tops; *het gaat van een leien ~je* it goes smoothly (swimmingly), the thing goes on wheels (without a hitch); **–balk** (-en) *m* roof-beam; **–bedekking** (-en) *v* roofing; roofing material; **–dekker** (-s) *m* = *dekker*; **–goot** (-goten) *v* gutter; **–kamertje** (-s) *o* attic, garret; **–kapel** (-len) *v* dormer-window; **–licht** (-en) *o* sky-light; **–loos** homeless, roofless; **–loze** (-n) *m-v* waif; *de ~n* ook: the homeless; **–pan** (-nen) *v* (roofing) tile; **–pijp** (-en) *v* gutter-pipe; **–rand** (-en) *m* (onderste) eaves; **–riet** *o* thatch; **–ruiter** (-s) *m* 1 ridge-piece, ridge-board; 2 (torentje) ridge turret; **–spaan** (-spanen) *v* shingle; **–spar** (-ren) *m* rafter; **–stoel** (-en) *m* truss; **–tuin** (-en) *m* roof garden; **–venster** (-s) *o* dormer-window, garret-window; **–vorst** (-en) *v* ridge [of a (the) roof]; **–werk** *o* roofing
dal (dalen) *o* valley, ☉ vale; dale; dell, dingle
'dalen (daalde, is gedaald) *vi* descend, land [of an airplane]; sink, drop [of the voice], go down [of the sun, of prices &], fall [of prices, the barometer]; *de stem laten ~* drop (lower) one's voice; **–ling** (-en) *v* descent, fall, drop, decline
1 dam (-men) *m* dam, dike, causeway, barrage [to hold back water], weir [across a river]; *een ~ opwerpen tegen* cast (throw) up a dam against; dam up[2], stem[2] [the progress of evil]
2 dam (-men) *v* king [at draughts]; *~ halen*

crown a man, go to king; ~ *spelen* play at draughts
da'mast (-en) *o*, **da'masten** *aj* damask
'dambord (-en) *o* draught-board
'dame (-s) *v* 1 lady; 2 partner [at dance &]; **'damesachtig** ladylike; **–blad** (-bladen) *o* women's magazine; **–fiets** (-en) *m* & *v* ladies' bicycle; **–kapper** (-s) *m* ladies' hairdresser; **–kleding** *v* ladies' wear; **–kleermaker** (-s) *m* ladies' tailor; **–mantel** (-s) *m* lady's coat; **–mode** *v de* ~ ladies' fashion; *~s* ladies' wear; **–tasje** (-s) *o* lady's bag, vanity bag; **–verband** *o* sanitary towel, sanitary napkin; **–zadel** (-s) *o* & *m* side-saddle [for horse]; lady's saddle [for bicycle]
'damhert (-en) *o* fallow-deer
'dammen (damde, h. gedamd) *vi* play at draughts; **–er** (-s) *m* draught-player
damp (-en) *m* vapour, steam, smoke, fume; **'dampen** (dampte, h. gedampt) *vi* steam [of soup &], smoke; *(zitten)* ~ sit and smoke, blow clouds; **'dampig** 1 vaporous, vapoury, hazy; 2 (k o r t a d e m i g) broken-winded; **'dampkring** (-en) *m* atmosphere
'damschijf (-schijven) *v* (draughts)man; **–spel** (-len) *o* 1 draughts, game at (of) draughts; 2 draught-board and men
dan I *ad* then; *zeg het, ~ ben je een beste vent* tell it, there's (that's) a good boy; *ik had ~ toch maar gelijk* so I was right after all; *ga ~ toch* do go; *en ik ~?* and what about me?; *wat is er ~?* now, what's the matter?; *wat zeur je ~?* why all the fuss?; *als je wilt, ~ kun je gaan* you can go, if you want to; *maar hij heeft ~ ook...* after all he has...; *nu eens hier, ~ weer daar* now here, now there; **II** *cj* than; *groter ~* bigger than; *hij is te oud, ~ dat wij...* he is too old for us to...; *of hij komt, ~ of hij gaat* whether he comes or whether he goes
'dancing ['da.nsıŋ] (-s) *m* dance-hall
'dandy ['dɛndi.] ('s) *m* dandy, coxcomb
'danig I *aj* < very great; *ik heb een ~e honger* I feel awfully hungry; **II** *ad* very, very much, greatly [disappointed], vigorously [defending themselves], badly, severely [hurt], sadly [disappointed], sorely [mistaken, afflicted]
dank *m* thanks; *geen ~!* don't mention it!; *zijn hartelijke ~ betuigen* express one's heartfelt thanks; *ik heb er geen ~ van gehad* much thanks I have got for it!; *~ weten* thank; *~ zij zijn hulp* thanks to his help; *Gode zij ~* thank God; *in ~* gratefully [accepted]; [received] with thanks; *in ~ terug* returned with thanks; zie ook *stank*; **'dankbaar** thankful, grateful; **–heid** *v* thankfulness, gratitude; **'dankbetuiging** (-en) *v* expression of thanks, letter of thanks, vote of thanks; *onder ~* with thanks; **–dag** (-dagen) *m* thanksgiving day; **'danken** (dankte, h. gedankt) **I** *vt* thank; *te ~ hebben* owe, be indebted for [to sbd.]; *hij heeft het zichzelf te ~* he has himself to thank for it; *dank u* 1 (b ij w e i g e r i n g) no, thank you; 2 (b ij a a n n e m i n g) thank you; *dank u zeer* thank you very much, thanks awfully; *niet te ~!* don't mention it!; **II** *vi* 1 give thanks; 2 say grace [after meals]; *daar dank ik voor* thank you very much; *ik zou je ~!* not likely!; thank you for nothing!; **'dankfeest** (-en) *o* 1 thanksgiving feast; 2 harvest festival; **–gebed** (-beden) *o* 1 (prayer of) thanksgiving; 2 grace [before and after meals]; **–lied** (-eren) *o* song of thanksgiving; **–offer** (-s) *o* thank-offering; **'dankzeggen** (zei of zegde 'dank, h. 'dankgezegd) *vi* give thanks, render (return) thanks, thank [sbd.]; **–zegging** (-en) *v* thanksgiving
dans (-en) *m* dance; *de ~ ontspringen* have a narrow escape; **–club** (-s) *v* dancing-club; **'dansen** (danste, h. gedanst) *vi* dance°; *hij danst naar haar pijpen* he dances to her piping (to her tune); **–er** (-s) *m*, **danse'res** (-sen) *v* dancer; partner [at a dance]; **dan'seuse** [-'sø.zə] (-s) *v* dancer, ballet-dancer; **'dansfiguur** (-guren) *v* & *o* dance figure; **–je** (-s) *o* dance, **F** hop; *een ~ maken* have a dance, **S** shake a leg; **–kunst** *v* (art of) dancing; **–leraar** (-s en -raren) *m* dancing master; **–les** (-sen) *v* dancing-lesson; (a l g e m e e n) dancing classes; **–muziek** *v* dance music; **–orkest** (-en) *o* dance band, dance-orchestra; **–partij** (-en) *v* dancing-party, dance, **F** hop; **–pas** (-sen) *m* dancing-step, step; **–school** (-scholen) *v* dancing-school; **–vloer** *m* dance floor; **–wijsje** (-s) *o* dance tune; **–zaal** (-zalen) *v* ball-room, dancing-room, dance-hall
'dapper I *aj* brave, valiant, gallant, valorous; *een ~ ventje* a plucky little fellow; **II** *ad* bravely &; *~ meedoen* join heartily in the game; *er ~ op los zingen* sing (away) lustily; *zich ~ houden* behave gallantly, bear oneself bravely, **F** keep one's pecker up; **–heid** *v* bravery, valour, gallantry, prowess
dar (-ren) *m* drone
Darda'nellen *mv de ~* the Dardanelles
darm (-en) *m* intestine, gut; *~en* ook: bowels; *dikke (dunne) ~* large (small) intestine; *nuchtere ~* jejunum; *twaalfvingerige ~* duodenum; **–kanaal** (-nalen) *o* intestinal tube; **–ontsteking** (-en) *v* enteritis
'dartel frisky, frolicsome; playful, skittish, sportive; wanton; **'dartelen** (dartelde, h. gedarteld) *vi* frisk, frolic, gambol; dally; **'dartelheid** *v* friskiness, playfulness; wantonness
darwi'nisme *o* Darwinism; **–ist** (-en) *m*,

darwi'nistisch *aj* Darwinian, Darwinist
1 das (-sen) *m* ♘ badger
2 das (-sen) *v* 1 (neck-)tie; 2 (inz. = sjaal) scarf, (dik, voor warmte) = *bouffante*; 3 ⚒ cravat; *iem. de ~ omdoen* be sbd.'s undoing, **F** do for sbd.
'dashond (-en) *m* ♘ badger-dog
'dasspeld (-en) *v* tie-pin, scarf-pin
dat I *aanw. vnw.* that; *~ alles* all that; *~ moest je doen* that's what you ought to do; *~ zijn mijn vrienden* those are my friends; *het is je ~!* **F** that's the stuff!; *het is nog niet je ~* not quite what it ought to be; *hij heeft niet ~* not even that much; *wat zijn ~?* what are those?; *wie zijn ~?* who are they?; *~ zijn...* those are..., they are...; *ben jij ~?* is that you?; *wat zou ~?* what of it?; *wat moet ~?* what's all that?; *en ~ is ~* so much for that; *~ is het nu juist* that's just it; *hoe weet je ~?* how do you know?; **II** *betr. vnw.* that, which; *de dag ~ hij kwam* the day he came; **III** *cj* (that); *en regenen ~ het deed!* how it rained!
'data *mv* (gegevens) data; **-bank** (-en) *v* data bank
da'teren (dateerde, *vt* h., *vi* is gedateerd) *vt* (& *vi*) date (from *uit*)
'datgene that; *~ wat* that which
'datief (-tieven) *m* dative
'dato dated...; *twee maanden na ~* two months after date; **'datum** (data) *m* date
dauw *m* dew; **-droppel** (-s) *m*, **-druppel** (-s) *m* dew-drop; **'dauwen** (dauwde, h. gedauwd) *vi* dew; *het dauwt* the dew is falling; *het begint te ~* it is beginning to dew; **'dauwworm** *m* ⚕ ringworm
d.a.v. = *daaraanvolgend*
'daveren (daverde, h. gedaverd) *vi* thunder, resound; shake; *de zaal daverde van de toejuichingen* the house rang with cheers; *een ~d succes* a roaring succes
'davidster (-ren) *v* Star of David
'davit (-s) *m* davit
'dazen (daasde, h. gedaasd) *vi* **F** waffle, talk rot, talk through one's hat
d.d. = *de dato*
de [də] the
'dealer ['di.lər] (-s) *m* dealer
de'bâcle [de.'ba.kəl] *v* & *o* debacle; collapse; **F** flop
deballo'teren [de.-] (deballoteerde, h. gedeballoteerd) *vt* blackball
de'bat [de.-] (-ten) *o* debate, discussion; **de'bater** [di.'be:tər] (-s) *m* debater; **debat'teren** [de.-] (debatteerde, h. gedebatteerd) *vi* debate, discuss; *~ over* debate (on), discuss
'debet ['de.bɛt] **I** *o* debit; **II** *aj u bent mij nog ~* you still owe me something; *ook hij is er ~ aan* he, too, is guilty of it; **-post** (-en) *m* debit item; **-zijde** (-n) *v* debit side, Debtor side
de'biel [de.-] **I** *aj* mentally deficient (defective); **II** *m-v* mental deficient (defective)
de'biet [də-] *o* sale; *een groot ~ hebben* meet with (find, command) a ready sale, sell well
debili'teit [de.-] *v* mental deficiency
debi'teren [de.-] (debiteerde, h. gedebiteerd) *vt* $ debit [sbd. with an amount]; dish up [arguments, lies]; *een aardigheid ~* crack a joke
debi'teur [de.-] (-s en -en) *m* debtor
deblok'keren [de.-] (deblokkeerde, h. gedeblokkeerd) *vt* $ unblock, unfreeze; **-ring** (-en) *v* $ unblocking, unfreezing
debra'yeren [de.bra.'je:rə(n)] (debrayeerde, h. gedebrayeerd) *vi* declutch
debu'tant [de.-] (-en) *m*, **debu'tante** (-n en -s) *v* débutant(e); **debu'teren** (debuteerde, h. gedebuteerd) *vi* make one's début; **de'buut** [də- en de.-] (-buten) *o* début, first appearance [of an actor &]
de'caan [de.-] (-canen) *m* dean
de'cade [de.-] (-s en -n) decade
deca'dent [de.-] decadent; **-ie** [-(t)si.] *v* decadence
'decagram (-men) *o* decagramme; **-liter** (-s) *m* decalitre; **-meter** (-s) *m* decametre
deca'naat [de.-] (-naten) *o* deanship, deanery
decan'teren [de.-] (decanteerde, h. gedecanteerd) *vt* decant
de'cember [de.-] *m* December
de'cennium [de.-] (-niën en -nia) *o* decennium, decade
de'cent [de.-] decent, seemly
decentrali'satie [de.sɛntra.li.'za.(t)si.] (-s) *v* decentralization, devolution; **decentrali'seren** [s = z] (decentraliseerde, h. gedecentraliseerd) *vt* decentralize
de'ceptie [de.'sɛpsi.] (-s) *v* disappointment
de'charge [de.'ʃɑrʒə] *v* discharge; *~ verlenen* give a discharge; *getuige à décharge* ⚖ witness for the defence; **dechar'geren** (dechargeerde, h. gedechargeerd) *vt* give [sbd.] a release, give formal approval of the actions of [sbd.]
'decibel ['de.si.bɛl] (-s) *m* decibel
deci'deren [de.-] (decideerde, h. gedecideerd) *vt* & *vi* decide; zie ook: *gedecideerd*
'decigram (-men) *o* decigramme; **-liter** (-s) *m* decilitre
deci'maal I *aj* decimal; **II** (-malen) *v* decimal place; *tot in 5 decimalen* to 5 decimal places; **-teken** (-s) *o* decimal point
deci'meren (decimeerde, h. gedecimeerd) *vt* decimate
'decimeter (-s) *m* decimetre
decla'matie [de.kla.'ma.(t)si.] (-s) *v* declamation, recitation; **decla'mator** (-s en -'toren) *m*

elocutionist, reciter; **decla'meren** (declameerde, h. gedeclameerd) *vt* & *vi* declaim, recite
decla'ratie [de.kla.'ra.(t)si.] (-s) *v* declaration [of Paris, at a custom-house], entry [at a custom-house], voucher [for money]; expense account; **decla'reren** (declareerde, h. gedeclareerd) *vt* charge [expences]; declare [dutiable goods]
decli'natie [de.kli.'na.(t)si.] (-s) *v* declination [of star, compass]; *gram* declension
deco'deren [de.-] (decodeerde, h. gedecodeerd) *vt* decode
decolleté [de.-] (-s) *o* low neckline
de'cor [de.'kɔ:r] (-s) *o* scenery, scenes, [film] set; **decora'teur** (-s) *m* 1 (painter and) decorator, ornamental painter; 2 scene-painter; **deco'ratie** [-(t)si.] (-s) *v* decoration [ook = order of knighthood, cross, star]; ornament; *de ~s* the scenery, the scenes; **decora'tief** decorative, ornamental; **deco'reren** (decoreerde, h. gedecoreerd) *vt* 1 decorate, ornament [a wall]; 2 decorate [a general &]; **de'corontwerper** (-s) *m* scene (scenic, set) designer, stage decorator
de'corum [de.'ko:rüm] *o* decorum; *het ~* ook: the proprieties, the decencies; *het ~ bewaren* keep up appearances
de'creet [də-] (-creten) *o* decree; **decre'teren** [de.kre.-] (decreteerde, h. gedecreteerd) *vt* decree, ordain
de'dain [de.'dɛ̃.] *o* contempt, hauteur, disdain
de 'dato [de.] dated...
'deden V.T. meerv. v. *doen*
dedu'ceren [de.-] (deduceerde, h. gededuceerd) *vt* deduce; infer; **de'ductie** [de.'düksi.] (-s) *v* deduction; **deduc'tief** deductive
deed (**deden**) V.T. v. *doen*
deeg *o* dough, (v. g e b a k) paste; **–achtig** doughy; **–roller** (-s) *m* rolling-pin
1 deel (delen) *o* 1 part, portion, share; 2 (b o e k ~) volume; 3 (d e e l v a n s y m f o n i e) movement; *ik heb er geen ~ aan* I am no party to it; *ik heb er geen ~ in* I have no share in it; *zijn ~ krijgen* come into one's own; come in for one's share [of vicissitudes &]; *~ uitmaken van...* form part of...; be a member of...; ● *i n allen dele* in every respect; *in genen dele* not at all, by no means; *iem. t e n ~ vallen* fall to sbd.'s lot (share); *ten dele* partly; *v o o r een ~* partly; *voor een goed ~ = goeddeels*; *voor een groot ~ = grotendeels*; *voor het grootste ~* zie *gedeelte*
2 deel (delen) *v* 1 (p l a n k) deal, board [under 2 in. thick]; 2 (d o r s v l o e r) treshing-floor
deel'achtig *iem. iets ~ maken* impart sth. to sbd.; *iets ~ worden* obtain, participate in [the grace of God]; **'deelbaar** divisible [number], partible; **–heid** *v* divisibility; **'deelgenoot** (-noten) *m* 1 sharer [of my happiness], partner; 2 $ partner; *iem. ~ maken van een geheim* disclose (confide) a secret to sbd.; **–schap** (-pen) *o* partnership; **'deelge'rechtigd** entitled to a share; **'deelhebber** (-s) *m* 1 participant, participator; 2 $ partner, copartner, joint proprietor
'deelname *v = deelneming* 2; **'deelnemen** (nam 'deel, h. 'deelgenomen) *vi ~ aan* participate in, take part in, join in [the conversation &], assist at [a dinner]; *~ in* participate in, share in, share [sbd.'s feelings]; **–er** (-s) *m* 1 participant, participator, partner; 2 competitor, entrant, contestant [in a match &], entry [for a race, contest]; **'deelneming** *v* 1 sympathy, compassion, commiseration, concern, pity; 2 participation (in *aan*); entry [for sporting event &]; *iem. zijn ~ betuigen = condoleren*
'deelpachter (-s) *m* sharecropper
deels *~..., ~...* partly..., partly...; *~ door..., ~ door...* what with... and...
'deelsom (-men) *v* division sum; **–staat** (-staten) *m* federal state; **–tal** (-len) *o* dividend; **–teken** (-s) *o gram* diaeresis; × division sign (mark); **'deeltje** (-s) *o* particle; **–sversneller** (-s) *m* cyclotron; **'deelwoord** (-en) *o* participle; *tegenwoordig* (*verleden, voltooid*) *~* present (past) participle
'deemoed *m* humility, meekness; **dee'moedig** humble, meek; apologetic; **dee'moedigen** (deemoedigde, h. gedeemoedigd) **I** *vt* humble, mortify [a person]; **II** *vr zich ~* humble oneself; **dee'moedigheid** *v* humility, humbleness
Deen (Denen) *m* Dane; **–s I** *aj* Danish; **II** *o het ~* Danish; **III** *v een ~e* a Danish woman
'deerlijk I *aj* sad, grievous, piteous, pitiful, miserable; **II** *ad* grievously, piteously &; *~ gewond* badly wounded; *zich ~ vergissen* be greatly (sorely) mistaken
'deern(**e**) (-s en -(e)n) *v* girl, lass, wench; > hussy
'deernis *v* pity, commiseration, compassion; *~ hebben met* take (have) pity on, pity; **deernis'waard**(**ig**) pitiable; **–'wekkend** pitiful
de 'facto [de.] de facto
defai'tisme [de.fɛ.-] *o* defeatism; **–ist** (-en) *m*, **–istisch** *aj* defeatist
de'fect [də-] **I** (-en) *o* defect, deficiency; [engine] trouble; **II** *aj* defective, faulty, [machinery] out of order; *er is iets ~* there is something wrong [with the engine]; *~ raken* get out of order, break down, go wrong
de'fensie [de.-] *v* defence; **defen'sief I** *aj* defensive; **II** *ad* defensively; *~ optreden* act on the defensive; **III** *o* defensive; *in het ~* on the defensive
'deficit [de.fi.'(t)si.t] (-s) *o* deficit, deficiency,

shortfall
defi'lé [de.-] (-s) *o* 1 (bergpas) defile; 2 (voorbijmarcheren) march past; *een ~ afnemen* take the salute; **defi'leren** (defileerde, h. gedefileerd) *vi* defile; ~ (*voor*) march past
defini'ëren [de.-] (definieerde, h. gedefinieerd) *vt* define; **defi'nitie** [de.fi.'ni.(t)si.] (-s) *v* definition
defini'tief [de.-] **I** *aj* definitive; final [agreement, decision], definite [answer, reductions]; permanent [appointment]; **II** *ad* definitively; finally; [coming, say] definitely; *~ benoemd worden* be permanently appointed
de'flatie [de.'fla.(t)si.] *v* $ deflation; **deflatio'nistisch, defla'toir** [-'twa:r en -'to.r] deflationary
'deftig I *aj* grave [mien], dignified, stately [bearing], portly [gentlemen], distinguished [air], fashionable [quarters]; (overdreven ~) genteel [woman]; *zogenaamd ~* la-di-da; **II** *ad* gravely &; *~ doen* assume a solemn and pompous air; **–heid** *v* gravity, stateliness, portliness; (overdreven) genteelness
'degelijk I *aj* substantial [food]; solid [grounds &]; thorough [work &]; sterling [fellow, qualities]; sound [education, knowledge]; **II** *ad* thoroughly; *ik heb het wel ~ gezien* I did see it; *het is wel ~ waar* it is really true; **–heid** *v* solidity, thoroughness, sterling qualities, soundness
'degen (-s) *m* sword; *de ~s kruisen* cross swords
de'gene [də-] (-n) he, she; *~n die* those (they) who
degene'ratie [de.gənə'ra.(t)si.] (-s) *v* degeneracy, degeneration; **degene'reren** (degenereerde, is gedegenereerd) *vi* degenerate; zie ook: *gedegenereerd*
'degenslikker (-s) *m* sword-swallower; **–stoot** (-stoten) *m* sword thrust
degra'datie [de.gra.'da.(t)si.] (-s) *v* degradation, demotion; ⚔ reduction to the ranks; ⚓ disrating; *sp* relegation; **degra'deren** (degradeerde, h. gedegradeerd) *vt* 1 degrade, demote; reduce to a lower rank; 2 ⚔ reduce to the ranks; ⚓ disrate; *sp* relegate
'deinen (deinde, h. gedeind) *vi* heave, roll; **–ning** (-en) *v* swell; *fig* excitement, commotion
'deinzen (deinsde, is gedeinsd) *vi* recoil
dejeu'ner [de.ʒœ.'ne.] (-s) *o* 1 breakfast; 2 (tweede ontbijt) lunch(eon); **dejeu'neren** (dejeuneerde, h. gedejeuneerd) *vi* 1 breakfast, have breakfast; 2 lunch, have lunch
dek (-ken) *o* 1 cover, covering; 2 bed-clothes; 3 horse-cloth; 4 ⚓ deck; *aan ~* ⚓ on deck; **–balk** (-en) *m* deck beam; **–bed** (-den) *o* quilt, eider-down, duvet; **–blad** (-bladen) *o* (van sigaar) wrapper
1 'deken (-en en -s) *m* dean
2 'deken (-s) *v* blanket; *onder de ~s kruipen* **F** turn in
'dekhengst (-en) *m* stud-horse, stallion, sire; **'dekken** (dekte, h. gedekt) **I** *vt* cover [one's head, one's bishop, expenses, a debt, a horse, the retreat &]; (met pannen) tile, (met lei) slate, (met riet) thatch; screen, shield [a functionary]; (bevruchten) serve; *sp* mark [an opponent]; *gedekt zijn* 1 be secured against loss; 2 be covered [of functionaries, soldiers &]; *zich gedekt houden* lie low; *houd u gedekt!* 1 be covered; 2 *fig* be careful!; **II** *vr zich ~* 1 cover oneself [put on one's hat]; 2 shield oneself, screen oneself [behind others]; 3 $ secure oneself against loss(es); **III** *va* lay the cloth, set the table; *~ voor 20 personen* lay (covers) for twenty; **'dekker** (-s) *m* (pannen~) tiler, (lei~) slater, (riet~) thatcher; **'dekking** (-en) *v* cover; ⚔ cover; *fig* cloak, shield, guard; *~ zoeken* ⚔ seek (take) cover (from *voor*); **'dekkleed** (-kleden) *o* cover
'deklaag (-lagen) *v* top (surface) layer, protective cover
'deklading (-en) *v* = *deklast*; **–last** (-en) *m* deck-cargo, deck-load
'dekmantel (-s) *m* cloak², *fig* veil; cover; *onder de ~ van...* under the cloack (cover) of...
dekoloni'satie [de.ko.lo.ni.'za.(t)si.] (-s) *v* decolonization
'dekpassagier [-ʒi:r] (-s) *m* deck-passenger
'dekriet *o* thatch; **–schaal** (-schalen) *v* vegetable dish; **–schild** (-en) *o* wing-sheath, wing-case; **–schuit** (-en) *v* covered barge
'deksel (-s) *o* cover; lid; *te ~!, wat ~!* **F** the deuce!, the devil!
'deksels = *drommels*
'deksteen (-stenen) *m* slab [of a stone]; capstone; copingstone, coping [of a wall]
'dekstoel (-en) *m* deck-chair
'dekstro *o* thatch; **–veren** *mv* 🐦 coverts; **–verf** (-verven) *v* body-colour; **–zeil** (-en) *o* tarpaulin
del (-len) *v* hollow, dip; ‖ (slordige vrouw) **P** slut, slattern
dele'gatie [de.lə'ga.(t)si.] (-s) *v* delegation; **dele'geren** (delegeerde, h. gedelegeerd) *vt* delegate
'delen (deelde, h. gedeeld) **I** *vt* divide [a sum of money &], share [sbd.'s feelings]; split [the difference]; **II** *vi* divide; *~ in* participate in, share in, share [sbd.'s feelings]; *~ in iems. droefheid* sympathize with sbd.; *~ met* share with; *samen ~* go halves, go fifty-fifty; **'deler** (-s) *m* 1 (persoon) divider; 2 (getal) divisor; (*grootste*) *gemene ~* (highest) common factor

'delfstof (-fen) *v* mineral; **'delfstoffenkunde** *v* = *delfstofkunde*; **–rijk** *o* mineral kingdom; **'delfstofkunde** *v* mineralogy
delfts *o* (a a r d e w e r k) delftware, dęlf(t)
'delgen (delgde, h. gedelgd) *vt* pay off, amortize, discharge, redeem [a loan], extinguish [a debt]; **–ging** *v* extinction [of a debt], redemption [of a loan], amortization, payment
delibe'ratie [de.li.bə'ra.(t)si.] (-s) *v* deliberation; **delibe'reren** (delibereerde, h. gedelibereerd) *vi* deliberate
deli'caat [de.-] **I** *aj* delicate°, ticklish; **II** *ad* delicately, tactfully; **delica'tesse** (-n) *v* 1 delicacy°; 2 dainty (bit); *~n* table delicacies, delicatessen; *~nwinkel* delicatessen
de'lict [de.-] (-en) *o* offence
'deling (-en) *v* 1 partition [of real property]; 2 × division
delin'quent [de.lɪŋ'kvɛnt] **I** (-en) *m* delinquent, offender; **II** *aj* delinquent
de'lirium [de.-] *o* delirium, delirium tremens; *~ hebben* **F** see snakes, have the horrors
'delta ('s) *v* delta
'delven* *vi* & *vt* dig; **–er** (-s) *m* digger
demago'gie [de.-] *v* demagogy; **dema'gogisch** demagogic; **dema'goog** (-gogen) *m* demagogue
demar'catie [de.mɑr'ka.(t)si.] (-s) *v* demarcation; **–lijn** (-en) *v* line of demarcation, demarcation line, dividing line
de'marche [de.'mɑrʃə] (-s) *v* demarche, diplomatic step
de'ment [de.-] dement, demented
1 demen'teren [de.-] (dementeerde, is gedementeerd) *vi* (k i n d s w o r d e n) grow senile, become dement(ed)
2 demen'teren [de.-] (dementeerde, h. gedementeerd) *vt* (o n t k e n n e n) deny [a fact], disavow, disclaim
demen'ti [de.mã'ti.] ('s) *o* denial, disclaimer; *een ~ geven* give the lie
de'mi [də.-] ('s) *m* = *demi-saison*; **de'mi-fi'nale** (-s) *v sp* semi-final; **de'mi-sai'son** [-sɛ'zõ] (-s) *m* spring overcoat; summer overcoat; autumn overcoat
demissionair [de.mɪsjo.'nɛ.r] *~ zijn* be under resignation; *~ kabinet* outgoing cabinet
demobili'satie [de.mo.bi.li.'za.(t)si.] (-s) *v* demobilization; **demobili'seren** [s = z] (demobiliseerde, h. gedemobiliseerd) *vt* demobilize
demo'craat [de.-] (-en) *m* democrat; **democra'tie** [-'(t)si.] (-ieën) *v* democracy; **demo'cratisch** democratic; **democrati'seren** [s = z] (democratiseerde, h. gedemocratiseerd) *vt* democratize; **–ring** *v* democratization

'demon (de'monen) *m* demon; **de'monisch** demoniac(al)
demon'strant [de.-] (-en) *m* demonstrator; **demonstra'teur** (-s) *m* demonstrator [of an article, for a company]; **demon'stratie** [-(t)si.] (-s) *v* demonstration; display [by aircraft]; **demonstra'tief** demonstrative, ostentatious [behaviour &]; **demon'streren** (demonstreerde, h. gedemonstreerd) *vt* & *vi* demonstrate
demon'teren [de.-] (demonteerde, h. gedemonteerd) *vt* dismount [a gun]; ⚒ dismantle [machines, mines]
demorali'satie [de.mo.ra.li.'za.(t)si.] *v* demoralization; **demorali'seren** [s = z] (demoraliseerde, h. gedemoraliseerd) *vt* demoralize
'dempen (dempte, h. gedempt) *vt* fill up (in) [a canal &]; quench, smother [fire]; quell, crush, stamp out [a revolt]; damp [a furnace]; muffle, deaden [the sound]; subdue [light]; *met gedempte stem* in a hushed (muffled) voice; **–er** (-s) *m* 1 ⚒ damper; 2 ♪ mute; **'demping** (-en) *v* filling up; quenching &
den (-nen) *m* fir, fir tree; *grove ~* pine; **–appel** (-s) *m* = *denneappel*
denatu'reren [de.-] (denatureerde, h. gedenatureerd) *vt* denature; *gedenatureerde alcohol* methylated spirit
'denderen (denderde, h. gedenderd) *vi* rumble; **–d** *aj* & *ad* **F** smashing
'Denemarken *o* Denmark
deni'grerend [de.-] derogatory
'denim *o* denim
'denkbaar imaginable, conceivable, thinkable; **'denkbeeld** (-en) *o* idea, notion; (m e n i n g) view; **denk'beeldig** imaginary; **'denkelijk I** *aj* probable, likely; **II** *ad* probably; *hij zal ~ niet komen* he is not likely to come; **'denken* I** *vi* & *vt* think; *...denk ik* ...I think, I suppose; *...zou ik ~* I should think; *ik denk het wel, ik denk van wel* I think so, I should imagine so; *ik denk het niet, ik denk van niet* I think not, I don't suppose so; *wat denk je wel?* 1 what are you thinking of?; 2 who do you think you are?; *kun je net ~!* what an idea!, not likely!; *dat kun je ~!* **F** *dat had je gedacht!* fancy me doing that!, **F** catch me!, not I!; *ik denk er heen te gaan* I think of going (there); *ik denk er het mijne van* I know what to think of it; *het laat zich ~* it may be imagined; • *~ a a n iets* think of sth.; *daar is geen ~ aan* it is out of the question, **F** forget it; *ik moet er niet aan ~* I cannot bear to think of it, it does not bear thinking; *denk eraan dat...* mind you..., be sure to..., remember to...; *denk eens aan!* imagine, just think of it, fancy that!; *ik denk er niet aan!* I'll do nothing of the kind!, absolutely not!, I would not dream of it!; *ik*

denk er niet aan om... I have no idea of ...ing, I do not intend to...; *ik dacht er niet aan dat...* I didn't realize that...; *nu ik eraan denk* now I come to think of it; *doen ~ aan* make [sbd.] think of; remind [them] of [his brother &]; *...dacht ik b ij mijzelf* I thought to myself; *zonder er b ij te ~* without thinking, thoughtlessly; *o m iets ~* think of (remember) sth.; *denk er om!* mind!; *o v e r iets ~* think about (of) sth.; *ik denk er niet over* I wouldn't even dream of it; *hoe denk je erover?* how about it?; *ik zal er eens over ~* I'll see about it; *ik denk er nu anders over* I now feel differently, I take a different view now; *daar kun je verschillend over ~* that is a matter of opinion; **II** *o het ~* [Marxist, modern] thought; [creative, critical, crude, historical] thinking; **–er** (-s) *m* thinker; **'denkfout** (-en) *v* error of thought; **–patroon** (-tronen) *o* pattern of thinking; **–proces** (-sen) *o* thinking process, thought process; **–vermogen** (-s) *o* faculty of thinking, thinking faculty; intellectual power; **–werk** *o* brain-work, **F** cerebration; **–wijs, –wijze** (-wijzen) *v* way of thinking, way(s) of thought, habit of thought

'denneappel (-s) *m* fir-cone; **–boom** (-bomen) *m* fir-tree; **–hout** *o* fir-wood; **'dennen** *aj* fir; **'dennenaald** (-en) *v* fir-needle; **'dennenbos** (-sen) *o* fir-wood

de'odorans, deodo'rant [de.-] (-tia, -s) *o* deodorant

Dep. = *departement*; **departe'ment** [de.-] (-en) *o* department, government office; *~ van Binnenlandse Zaken* Home Office; *~ van Buitenlandse Zaken* Foreign Office; *~ van Marine* Navy Office; *~ van Oorlog* War Office

depen'dance [de.pã'dãsə] (-s) *v* annex(e) [to a hotel]

deplo'rabel [de.-] pitiable

depo'neren [de.-] (deponeerde, h. gedeponeerd) *vt* put down [sth.]; deposit [a sum of money], lodge [a document with sbd.]; zie ook: *gedeponeerd*

depor'tatie [de.pɔr'ta.(t)si.] (-s) *v* deportation, transportation; **depor'teren** (deporteerde, h. gedeporteerd) *vt* deport, transport

de'posito [de.'po.zi.to.] ('s) *o* deposit; *in ~* on deposit; **–bank** (-en) *v* deposit bank

de'pot [de.'po.] (-s) *o* & *m* 1 ⚔ depot; 2 $ depot; **–houder** (-s) *m* $ (sole) agent

'deppen (depte, h. gedept) *vt* dab

depreci'atie [de.pre.si.'a.(t)si.] *v* depreciation

de'pressie [de.-] (-s) *v* depression; **depres'sief** depressive; **depri'meren** [de.-] (deprimeerde, h. gedeprimeerd) *vt* depress, dispirit

Dept. = *departement*

depu'tatie [de.py.'ta.(t)si.] (-s) *v* deputation

derail'leren [de.rɑ'je:rə(n)] (derailleerde, is gederailleerd) *vi* go (run) off the metals

deran'geren [de.rã'ʒe:rə(n)] (derangeerde, h. gederangeerd) **I** *vt* inconvenience; **II** *vr zich ~* put oneself out, trouble

'derde I *aj* third; *~ man* 1 third person; 2 third player; *~ wereld* Third World; *ten ~* thirdly; **II** (-n) *sb* 1 third (part); 2 third person, third party; 3 third player; *aansprakelijkheid jegens ~n* third-party risks

derde'machtsvergelijking (-en) *v* cubic equation; **–wortel** (-s) *m* cube root

'derdendaags quartan [fever]; **'derderangs** third-rate

'deren (deerde, h. gedeerd) *vt* harm, hurt; *wat deert het ons?* what do we care?; *het deerde hem niet, dat...* it was nothing to him that...

'dergelijk such, suchlike, like, similar; *en ~e* and the like; *iets ~s* something like it; some such thing, [say] something to that effect (in that strain)

der'halve therefore, consequently, so

deri'vaat [de:-] (-vaten) *o* derivate, derivative

'dermate in such a manner, to such a degree

'derrie *v* muck

'dertien thirteen; **–de** thirteenth (part); **'dertig** thirty; **–jarig** of thirty years; *de D~e oorlog* the Thirty Years' War; **–ste** thirtieth (part)

'derven (derfde, h. gederfd) *vt* be (go) without, be deprived of, forgo [wages]; **–ving** *v* privation, want, loss

'derwaarts thither, that way

1 des of the, of it, of that; *~ avonds* zie *avond*; *~ te beter* all the better, so much the better; *hoe meer..., ~ te meer...* the more..., the more...

2 des *v* ♪ d flat

desalniette'min [dɛs-] nevertheless, for all that

desavou'eren [de.za.vu.'e:rə(n)] (desavoueerde, h. gedesavoueerd) *vt* repudiate, disavow

'desbetreffend pertinent (relating, relative) to the matter in question

'desem (-s) *m* leaven; **'desemen** (desemde, h. gedesemd) *vt* leaven

deser'teren [de.zɛr-] (deserteerde, is gedeserteerd) *vi* desert; **deser'teur** (-s) *m* deserter; **de'sertie** [-(t)si.] (-s) *v* desertion

desge'lijks likewise, also, as well; **–ge'wenst** if so wished, if desired

'desillusie ['dɛ.zi.ly.zi.] (-s) *v* disillusionment, disenchantment; **desillusio'neren** (desillusioneerde, h. gedesillusioneerd) *vt* disillusion, disenchant

desinfec'teermiddel (-en) *o* disinfectant; **desinfec'teren** (desinfecteerde, h. gedesinfecteerd) *vt* disinfect; **desin'fectie** [-'fɛksi.] *v* disinfection; **–middel** (-en) *o* disinfectant

desinte'gratie [-(t)si.] *v* disintegration; **desinte'greren** (desintegreerde, is gedes-

integreerd) *vi* disintegrate
des'kundig *aj* expert; ~*e, m-v* expert; **–heid** expert knowledge, expertise
desniettegen'staande, desniette'min for all that, nevertheless
des'noods, 'desnoods if need be, **F** at a pinch
deso'laat [de.zo.-] disconsolate, ruined
deson'danks [dɛs-] nevertheless, for all that
desorgani'satie [-'za.(t)si.] *v* disorganization; **desorgani'seren** [s = z] (desorganiseerde, h. gedesorganiseerd) *vt* disorganize
des'poot (-poten) *m* despot; **des'potisch** despotic; **despo'tisme** *o* despotism
des'sert [dɛ'sɛr(t)] (-en) *o* dessert; *bij het* ~ at dessert; **–lepel** (-s) *m* dessert-spoon
des'sin [dɛ'sɛ̃] (-s) *o* design, pattern
des'sous [dɛ'su.] *mv* ladies underwear; *fig* background [of an affair]
'destijds at the (that) time
de'structie [dɛ'strüksi.] *v* destruction; **destruc'tief** destructive
desver'langd if desired; **'deswege** for that reason, on that account
detache'ment [de.tɑʃə-] (-en) *o* detachment, draft, party; **deta'cheren** (detacheerde, h. gedetacheerd) *vt* detach, detail, draft (off)
de'tail [de.'tɑi] (-s) *o* detail; *en* ~ $ (by) retail; *in* ~*s* in detail; *in* ~*s treden* enter (go) into detail(s); **–foto** ('s) *v* close-up; **–handel** *m* 1 retail trade; 2 retail business, shopkeeping; **–kwestie** (-s) *v* matter of detail; **detail'leren** (detailleerde, h. gedetailleerd) *vt* detail, particularize, specify; zie ook: *gedetailleerd*; **detail'list** (-en) *m* retailer, retail dealer; **de'tailprijs** (-prijzen) *m* retail price; **–verkoop** (-kopen) *m* retail sale
detec'tive [de.tɛk-] (-s) *m* detective; *particulier* ~ private detective, private eye; **–roman** (-s) *m* detective novel; ~*s* ook: detective fiction; **–verhaal** (-halen) *o* detective story, **F** whodunit
determi'neren [de.tɛr-] (determineerde, h. gedetermineerd) *vt* determine; **determi'nisme** *o* determinism
deti'neren [de.-] (detineerde, h. gedetineerd) *vt* detain
deto'neren [de.-] (detoneerde, h. gedetoneerd) *vi* 1 be out of tune; *fig* be out of keeping; 2 detonate
deugd (-en) *v* virtue [ook = quality]; (good) quality; *lieve* ~*!* good gracious!; **'deugdelijk I** *aj* sound, valid; **II** *ad* duly; **–heid** *v* soundness, validity; **'deugdzaam** virtuous [women]; **–heid** *v* virtuousness; virtue
'deugen (deugde, h. gedeugd) *vi* be good, be fit; *niet* ~ be good for nothing, be no good, not be worth one's salt; *dit deugt niet* it is not any good, this won't do; *je werk deugt niet* your work is bad; *a l s onderwijzer deugt hij niet* as a teacher he is inefficient; *hij deugt niet v o o r onderwijzer* he will never make a good teacher, he will never do for a teacher; **'deugniet** (-en) *m* good-for-nothing, ne'er-do-well, rogue, rascal
deuk (-en) *v* dent, dint, **F** dinge; **'deuken** (deukte, h. gedeukt) *vt* dent, indent; **'deukhoed** (-en) *m* soft felt hat, trilby (hat)
deun (-en) tune, song, singsong, chant; **–tje** (-s) *o* air, tune
deur (-en) *v* door; *dat doet de* ~ *dicht* **F** that puts the lid on it, that settles it; *bij iem. de* ~ *platlopen* be either coming or going; *ik ga* (*kom*) *de* ~ *niet uit* I never go out; *iem. de* ~ *uitzetten* turn sbd. out; *iem. de* ~ *wijzen* show sbd. the door; *een open* ~ *intrappen* force an open door; • *a a n de* ~ at the door; *b ij de* ~ near (at) the door; *b u i t e n de* ~ out of doors; *i n de* ~ in his door, in the doorway; *m e t gesloten* ~*en* behind closed doors; ⚖ in camera; *met open* ~*en* with open doors; ⚖ in open court; *met de* ~ *in huis vallen* go straight to the point; *het gevaar staat v o o r de* ~ the danger is imminent; *de winter staat voor de* ~ winter is at hand; *voor een gesloten* ~ *staan* find the door locked; **–bel** (-len) *v* door-bell; **–klink** (-en) *v* door-latch; **–klopper** (-s) *m* door-knocker; **–knop** (-pen) *m* door-handle, door-knob; **–kozijn** (-en) *o* door-frame; **–lijst** (-en) *v* door-frame; **–mat** (-ten) *v* door-mat; **–opening** (-en) *v* doorway; **–post** (-en) *m* door-post, door-jamb; **–slot** (-sloten) *o* door-lock; **–stijl** (-en) *m* = *deurpost*
'deurwaarder (-s) *m* process-server; usher; **'deurwaardersexploot** (-ploten) *o* writ (of execution)
deux-'pièces [dø.'pjɛ.s] *v* two-piece
devalu'atie [de.va.ly.'a.(t)si.] (-s) *v* devaluation; **devalu'eren** (devalueren, h. gedevalueerd) *vt* devaluate, devalue
devi'atie [de.vi.'a.(t)si.] (-s) *v* deviation
de'vies [də-] (-viezen) *o* device, motto; *deviezen* $ (foreign) exchange, (v a l u t a) (foreign) currency
de'voot [de.-] devout, pious; **de'votie** [-(t)si.] (-s) *v* devotion, piety
⊙ **de'welke** [də-] who, which, that
'deze this, these; ~ *en gene* this one and the other; ~ *of gene* somebody or other; this or that man; zie ook: *gene*; *de 10de* ~*r* the 10th inst.; *schrijver* ~*s* the present writer; *b ij* ~*n* herewith, hereby; *i n* ~*n* in this matter; *n a* (*voor*) ~*n* after (before) this (date); *t e n* ~ in this respect
de'zelfde [də-] the same; *precies* ~ the very same
'dezerzijds on this side, on our part

de'zulken [də-] such
dhr. = *de heer*
d.i. = *dat is* that is, i.e.
dia ('s) *m* slide, transparency
dia'betes [-'be.təs] *m* diabetes; **dia'beticus** (-ci) *m* diabetic
dia'bolisch diabolic(al)
dia'bolo ('s) *m* diabolo
diaco'nes (-sen) *v* 1 deaconess; 2 sicknurse; **–senhuis** (-huizen) *o* 1 home for deaconesses; 2 nursing-home
dia'deem (-demen) *m* & *o* diadem
dia'fragma ('s) *o* diaphragm
dia'gnose [s = z] (-n en -s) *v* diagnosis [*mv* diagnoses]; *de ~ stellen* diagnose the case; **diagnosti'seren** [s = z] (diagnostiseerde, h. gediagnostiseerd) diagnose
diago'naal I *aj* diagonal; **II** (-nalen) *v* diagonal (line)
dia'gram (-men) *o* diagram
di'aken (-en en -s) *m* deacon
dia'lect (-en) *o* dialect; **dia'lecticus** (-ci) *m* dialectician; **dialec'tiek** *v* dialectic(s); **dia'lectisch** 1 dialectal [word]; 2 dialectical [philosophy, materialism]
dia'loog (-logen) *m* dialogue
dia'mant (-en) *m* & *o* diamond; *geslepen ~* cut diamond; *ongeslepen ~* rough diamond; **diaman'tair** [-'tɛ:r] (-s) *m* jeweller; **dia'manten** *aj* diamond; **dia'mantslijper** (-s) *m* diamond-polisher, diamond-cutter; **diamantslijpe'rij** (-en) *v* diamond-polishing factory; **dia'mantwerker** (-s) *m* diamond-worker
'diameter (-s) *m* diameter
diame'traal diametrical
diaposi'tief [s = z] (-tieven) *o* slide, transparency; **'diaprojector** (-s) *m* slide projector; **–raampje** (-s) *o* slide frame
diar'ree *v* diarrhoea
'diaschuif (-schuiven) *v* slide carrier; **dia'scoop** (-scopen) *m* slide projector; **'diaviewer** [-vju.ər] *m* slide viewer
dicht I *aj* 1 closed [doors, car]; 2 dense [clouds, fog, forests &], close [texture], thick [fog, woods], tight [ships]; clogged [nose]; *de deur was ~* the door was closed (shut); *hij is zo ~ als een pot* he is very close; **II** *ad* closely [interwoven]; densely [populated]
'dichtader *v* poetic vein
'dichtbevolkt, dichtbe'volkt densely populated; **dicht'bij** close by, hard by, near; *van ~* at close quarters; **'dichtbinden**[1] *vt* tie up
'dichtbundel (-s) *m* volume of verse
'dichtdoen[1] *vt* shut, close; **–draaien**[1] *vt* turn off [a tap]
1 'dichten (dichtte, h. gedicht) *vt* & *vi* make verses; write poetry
2 'dichten (dichtte, h. gedicht) *vt* stop (up), close [a dyke]
'dichter (-s) *m* poet; **dichte'res** (-sen) *v* poetess; **'dichterlijk** poetic(al)
'dichtgaan[1] *vi* 1 (v. d e u r &) shut, close; 2 (v. w o n d e) heal over (up), close; **–gooien**[1] *vt* slam [a door]; fill up [a ditch], fill in [a well]; **–groeien**[1] *vi* (w o n d) heal; (b o s s c h a g e) close; (v e r s t o p p e n) clog up; **–heid** *v* density; **–houden**[1] *vt* keep closed (shut); hold [one's nose], stop [one's ears]; **–knijpen**[1] *vt* clench, clasp [hands]; shut tightly [eyes]; *half ~* screw up [eyes]; **–knippen**[1] *vt* snap shut, close with a snap; **–knopen**[1] *vt* button up
'dichtkunst *v* (art of) poetry, poetic art; **–maat** (-maten) *v* metre; *in ~* in verse
'dichtmaken[1] *vt* close, stop [a hole]; shut [one's book], do up [her dress]; **–metselen**[1] *vt* brick up, wall up, mure up; **–naaien**[1] *vt* sew up; **–plakken**[1] *vt* seal (up)
'dichtregel (-s en -en) *m* verse
'dichtschroeien[1] *vt* sear; cauterize [a wound]; **–schroeven**[1] *vt* screw down (up); **–schuiven**[1] *vt* shut; **–slaan**[1] **I** *vt* slam, bang [a door]; **II** *vi* slam (to); **–slibben**[1] *vi* silt up; **–smijten**[1] *vt* slam shut; **–spelden**[1] *vt* pin up; **–spijkeren**[1] *vt* nail up; board up [a window]; **–stoppen**[1] *vt* stop, plug; **–trekken**[1] *vt* pull [the door] to, draw [the curtains]; **–vallen**[1] *vi* (d e u r) click shut; (o g e n) close
'dichtvorm (-en) *m* poetic form; *in ~* in verse
'dichtvouwen[1] *vt* fold up; **–vriezen**[1] *vi* freeze over (up)
'dichtwerk (-en) *o* poetical work, poem
dic'taat (-taten) *o* 1 dictation; 2 (h e t g e d i c t e e r d e) notes; **–cahier** [-ka.je.] (-s) *o* (lecture) notebook; **dicta'foon** (-s) *m* dictaphone
dic'tator (-s) *m* dictator; **dictatori'aal** dictatorial; **dicta'tuur** (-turen) *v* dictatorship
dic'tee (-s) *o* dictation; **dic'teerapparaat** (-raten) *o*, **–machine** [-ma.ʃi.nə] (-s) *v* dictating machine; **–snelheid** *v* dictation speed; **dic'teren** (dicteerde, h. gedicteerd) *vt* & *vi* dictate
'dictie ['dɪksi.] *v* diction, utterance
dictio'naire [dɪkʃo.'nɛ:rə] (-s) *v* dictionary
di'dacticus (-ci) *m* didactician; **didac'tiek** *v* didactics; **di'dactisch** didactic

[1] V.T. en V.D. van dit werkwoord volgens het model: **'dicht**draaien, V.T. draaide **'dicht**, V.D. **'dicht**gedraaid. Zie voor de vormen onder het grondwoord, in dit voorbeeld: *draaien.* Bij sterke en onregelmatige werkwoorden wordt u verwezen naar de lijst achterin.

die I *aanw. vnw.* that, those; ~ *met de groene jas* the one in the green coat, he of the green coat; *Meneer ~ en ~* (Mr) So-and-so; *in ~ en ~ plaats* in such and such a place; ~ *is goed, zeg!* I like that!; **II** *betr. vnw.* which, who, that
di'eet (diëten) *o* diet, regimen; ~ *houden, op ~ leven* be on a diet, diet (oneself); *hem op (streng) ~ stellen* put him on a diet, diet him
1 dief (dieven) *m* (s c h e u t) bud, shoot
2 dief (dieven) *m* thief; *houd(t) de ~!* stop thief!; *het is ~ en diefjesmaat* the one is as great a thief as the other; *wie eens steelt is altijd een ~* once a thief, always a thief; *met dieven moet men dieven vangen* set a thief to catch a thief; *als een ~ in de nacht* as (like) a thief in the night; **–achtig** thievish; **–stal** (-len) *m* theft, robbery, ⚖ larceny
'diegene [*-ge.-*] he, she; *~n die* those who
'dienaangaande with respect to that, on that score, as to that
'dienaar (-s en -naren) *m* servant; *uw dienstwillige ~ H.* Yours faithfully H.; **diena'res(se)** (-sen) *v* servant
'dienblad (-bladen) *o* (dinner, tea) tray; **–couvert** [-ku.vɛr] (-s) *o* server
'diender (-s) *m* policeman, constable; *dooie ~* **F** stick
'dienen (diende, h. gediend) **I** *vt* serve [the Lord, two masters &]; *dat kan u niet ~* that won't serve your purpose; *waarmee kan ik u ~?* 1 (b ij d i e n s t a a n b i e d i n g) what can I do for you?; 2 (i n w i n k e l) can I help you?; *om u te ~* 1 at your service; 2 right you are!; **II** *vi* & *va* serve [in the army, navy], be in service [of girls &]; *aan tafel ~* wait at table; *gaan ~* go (out) to service; *het dient te gebeuren* it ought to (must) be done; *deze dient om u aan te kondigen, dat...* the present is to let you know that...; • ~ *a l s verontschuldiging* serve as an excuse; ~ *b ij de artillerie* serve in the artillery; ~ *bij rijke mensen* serve with rich people; *nergens t o e ~* serve no purpose, be no good; *waartoe zou het ~?* what's the good?; *waartoe dient dit knopje?* what is the use of this switch?; ~ *t o t bewijs* serve as a proof; *tot niets ~ = nergens toe ~*; *laat u dit tot een waarschuwing ~* let this be a warning to you; *iem. v a n advies ~* advise sbd.; *iem. van antwoord ~* 1 answer sbd.; 2 (i r o n.) serve sbd. out; *van zo iets ben ik niet gediend* none of that for me
'dienluik (-en) *o* service hatch
dienovereen'komstig accordingly
dienst (-en) *m* service; *commissie van goede ~en* good offices commission (committee); *iem. een ~ bewijzen* do (render) sbd. a service, do sbd. a good office; *goede ~en bewijzen* do good service; *u hebt mij een slechte ~ bewezen* you have done me an ill service (a disservice, a bad turn); ~ *doen* perform the duties of one's office; be on duty [of police &]; *die jas kan nog ~ doen* that coat may be useful yet; ~ *doen als...* serve as, serve for, do duty as...; *de ~ doen* officiate [of a clergyman]; ~ *hebben* 1 be on duty; 2 be in attendance [at court]; *geen ~ hebben* 1 be off duty [of a soldier, of a doctor &]; 2 be out of employment [of servants]; ~ *nemen* ⚔ enlist; *de ~ opzeggen* give warning, give (a month's) notice; *de ~ uitmaken* [*fig*] run the show; *de ~ weigeren* refuse to act [of a thing]; refuse to obey [of persons]; *een ~ zoeken* look out for a place; *de ene ~ is de andere waard* one good turn deserves another; • *b u i t e n ~* 1 (v. p e r s o o n) off duty; retired [colonel &]; 2 (v. s c h i p &) taken out of the service; 3 (a l s o p s c h r i f t v. s p o o r w e g r ij t u i g &) not to be used!; *buiten ~ stellen* lay up, scrap [a ship &]; *i n ~ gaan* go into service; ⚔ enter the service; *in ~ hebben* employ [600 men and women]; *in ~ komen* enter upon one's duties, take up office; ⚔ enter the service [the army]; *in ~ nemen* take [sbd.] into one's service (employ), engage [a servant &]; *in ~ stellen* put [a steamer] on the service; *in ~ stellen van* place [television] at the service of [propaganda]; *in ~ treden = in ~ komen*; *in ~ zijn* 1 be in service, be serving; 2 be on duty; 3 ⚔ be in the army; *in mijn ~* in my employ; *n a de ~* after (divine) service; *o n d e r ~ gaan* ⚔ enlist; *onder ~ zijn* ⚔ be in the army; *t e n ~e van* for the use of...; *t o t de (heilige) ~ toegelaten* admitted to holy orders; *tot uw ~!* [na: thank you] not at all, don't mention it!; *het is tot uw ~* it is at your service, at your disposal; *het zal u v a n ~ zijn* it will be of use to you; it will render you good service; *waarmee kan ik u van ~ zijn?* zie *dienen*; *z o n d e r ~* out of employment; **–auto** [-ɔuto., -o.to.] ('s) *m* official car; **'dienstbaar** liable to service, subservient, menial; *(een volk) ~ maken* subjugate; ~ *maken aan* make subservient to; **–heid** *v* servitude, subservience; **'dienstbetoon** *o* service(s) rendered; **–betrekking** (-en) *v* service; **–bode** (-n en -s) *v* (domestic) servant, maid-servant; **–boek** (-en) *o* service book [of the Church]; **–brief** (-brieven) *m* (official) missive; **–doend** 1 in waiting [at court]; 2 ⚔ on duty; 3 (w a a r n e m e n d) acting; *~e beambte* official in charge; **–er** (-s) *v* waitress; **–ig** serviceable, useful; ~ *voor* conducive to, beneficial to; **–ijver** *m* (professional) zeal; **–jaar** (-jaren) *o* 1 financial year, fiscal year; 2 year of service, in: *dienstjaren* years of service, years in office; **–kleding** *v* uniform; **–klopper** (-s) *m* martinet; **–knecht** (-en) *m* servant, man-servant; ⊙ **–maagd** (-en) *v*

servant, handmaid; **–meid** (-en) *v* (maid-) servant; **–meisje** (-s) *o* servant-girl; **–order** (-s) *v* service order; **–personeel** *o* servants; **–plicht** *m* & *v* compulsory (military) service; *algemene ~* general conscription;
dienst'plichtig liable to (military) service; *~e m* conscript; **'dienstregeling** (-en) *v* timetable, ✎ (& *Am*) schedule; **–reis** (-reizen) *v* official journey, (duty) tour; **–tijd** (-en) *m* 1 (v. iedere dag) working-hours, hours of attendance; 2 (v. iems. loopbaan) term of office; 3 ⚔ period of service;
dienst'vaardig obliging; **–heid** *v* obligingness; **'dienstverband** *o* engagement; **–verlenend** [-le.-] *~e bedrijven* service industries; **–vertrek** (-ken) *o* office; **–weigeraar** (-s) *m* (met gewetensbezwaren) ⚔ conscientious objector; **–weigeren** (weigerde 'dienst, h. 'dienstgeweigerd) *vi* object to military service; refuse to serve in the army; refuse to enter the service; **–weigering** *v* refusal to obey orders; **dienst'willig** obliging; *uw ~e* zie *dienaar*; **'dienstwoning** (-en) *v* official residence; **–zaak** (-zaken) *v*, **–zaken** *mv* official business
'dientafeltje (-s) *o* dinner-wagon, dumb-waiter
dientenge'volge [-tɛn-] in consequence, hence, as a result
'dienwagen (-s) *m* trolley, dinner-wagon
1 diep 1 *aj* deep [water, bow, mourning, colour, sleep, sigh &], profound [interest, secret, bow]; *in ~e gedachten* deep in thought; **II** *ad* deeply, profoundly; *~ gevallen* fallen low; *~ in de dertig* well on in the thirties; *~ in de nacht* far into the night, very late in the night; *~ in de schulden* deep in debt; **III** als *o* in: *in het ~ste van zijn hart* in the depths of his heart, in his heart of hearts
2 diep (-en) *o* deep; canal; channel of a harbour; *het grondeloze ~* ⊙ the unfathomed deep
'diepbedroefd deeply afflicted; **–denkend** deep-thinking; **–druk** *m* rotogravure; **–gaand** searching [inquiry]; profound [difference]; ⚓ with a deep draught; **–gang** *m* ⚓ draught; *fig* depth; *een ~ hebben van 10 voet* draw 10 feet of water; **–liggend** sunken, deep-set [eyes]; **–lood** (-loden) *o* sounding-lead, deep-sea lead; **–ploeg** (-en) *m* trench-plough
'diepte (-n en -s) *v* deep [= the sea]; depth²; *fig* deepness, profoundness; *naar de ~ gaan* go to the bottom; **–bom** (-men) *v* depth-charge; **–meter** (-s) *m* depth-gauge; **–psychologie** [y = i.] *v* depth psychology; **–punt** (-en) *o* lowest point; the depth(s); ... *heeft het ~ bereikt* ... is at its lowest ebb
'diepvries *m* deep-freeze [vegetables &]; **–kast** (-en) *v*, **–kist** (-en) *v* deep-freeze, freezer; **–vak** (-ken) *o* deep-freeze chamber (compartment)
diep'zeeonderzoek (-en) *o* deep-sea research
diep'zinnig deep, profound, abstruse; **–heid** (-heden) *v* depth, profoundness, profundity, abstruseness
dier (-en) *o* animal, beast
'dierbaar dear, beloved, dearly beloved; *dierbare herinneringen* cherished memories; *mijn ~ste wens* my dearest wish
'dierenarts *m* veterinary surgeon, **F** vet; **–asiel** [s = z] (-en) animal home; **–bescherming** *v* protection of animals; *de ~* the Society for the Prevention of Cruelty to Animals; **–beul** (-en) *m* tormentor of animals; **–dag** *m* (world) animal day; **–fabel** (-s) *v* beast fable, animal fable; **–handel** *m* 1 (a l g.) animal trade; 2 (-s) pet shop; **–handelaar** (-s en -laren) *m* naturalist; **–park** (-en) *o* zoological garden(s), zoo; **–psychology** [y = i.] animal psychology, zoopsychology; **–riem** *m* ★ zodiac; **–rijk** *o* animal kingdom; **–temmer** (-s) *m* tamer (of wild beasts); **–tuin** (-en) *m* zoological garden(s), **F** zoo; **–vriend** (-en) *m* animal lover; **–wereld** *v* animal world, fauna;
'dierevel (-len) *o* hide; **'diergaarde** (-n en -s) *v* zoological garden(s), zoo; **–geneeskunde** *v* veterinary medicine; **–kunde** *v* zoology;
dier'kundig zoological; **–e** (-n) *m* zoologist;
'dierlijk animal [fat, food, magnetism &], bestial [instincts], brutal, brutish [lusts]; **–heid** *v* animality; bestiality, brutality; **'diersoort** (-en) *v* species of animals
1 dies *ad* therefore, consequently; *en wat ~ meer zij* and so on, and so forth
2 'dies ['di.ɛs] *m* ⚭ ± Founders' Day, [Oxford University] Commemoration
'dieselmotor [s = z] (-s en -toren) *m* Diesel engine; **–olie** *v* Diesel oil
dië'tist (-en) *m* dietician
diets *iem. iets ~ maken* make one believe sth.
Diets *o* (mediaeval) Dutch
die'vegge (-n) *v* (female) thief; **'dieven** (diefde, h. gediefd) *vt* steal, pilfer, thieve; **'dievenbende** (-n en -s) *v* gang of thieves; **–hol** (-holen) *o* thieves' den; **–lantaarn, –lantaren** (-s) *v* dark lantern, bull's-eye; **–taal** *v* = *boeventaal*; **–wagen** (-s) *m* = *boevenwagen*; **dieve'rij** (-en) *v* theft, robbery, thieving
differenti'aal [t = (t)s] (-ialen) *v* × differential; **–rekening** *v* × differential calculus; **differenti'eel** [t = (t)s] **I** *aj differentiële rechten* differential duties; **II** (-iëlen) *v* ⚒ differential; **differenti'ëren** (differentieerde, h. gedifferentieerd) *vt* differentiate
dif'fusie [s = z] *v* diffusion; **dif'fuus** diffuse
difte'rie, difte'ritis *v* diphtheria

dif'tong (-en) *v* diphthong; **difton'gering** [-tɔŋ'ge:-] (-en) *v* diphthongization

di'gestie *v* digestion

'diggel (-en) *m* potsherd; *aan ~en vallen* **F** fall to smithereens

digi'taal digital

digni'taris (-sen) *m* dignitary

dij (-en) *v* thigh; **–been** (-deren) *o* thigh-bone, femur

dijk (-en) *m* dike, bank, dam; *aan de ~ zetten* get rid of [a functionary]; **–bestuur** (-sturen) *o* board of inspection of dikes; **–breuk** (-en) *v* bursting of a dike; **–graaf** (-graven) *m* dike-reeve; **–schouw** *m* inspection of a dike (of dikes); **–werker** (-s) *m* dike-maker, diker

dijn zie *mijn*

'dijspier (-en) *v* thigh muscle

dik I *aj* thick°, big, bulky, burly, stout; *~ en vet* plump; *Karel de Dikke* Charles the Fat; *de ~ke dame* the fat lady; *een ~ke honderd gulden* a hundred guilders odd; *~ke melk* curdled milk; *een ~ uur* a good hour; *~ke vrienden* great (close, fast, firm) friends; *ze zijn ~ke vrienden* **F** they are very thick (together); *een ~ke wang* a swollen cheek; *~ke wangen* plump cheeks; *~ doen* swagger, boast; *maak je niet ~* don't get excited, **S** keep your hair on; *~ worden* grow fat, put on flesh, fill out; **II** *ad* thickly; *het er ~ opleggen* **F** lay it on thick, pile it on; *de... ligt er ~ op* the... is quite obvious; *er ~ in zitten* have plenty of money; **III** *o* thick (part); grounds [of coffee]; *door ~ en dun met iem. meegaan* go through thick and thin with sbd.; **–buik** (-en) *m* **F** fatty; **dik'buikig** big-bellied, corpulent; **'dikdoener** (-s) *m* braggart, windbag; **–ig** swaggering, ostentatious, braggart; **'dikheid** *v* thickness, corpulency, bigness; **dik'huidig** *aj* thick-skinned[2]; *~e dieren, ~en* thickskinned quadrupeds, pachyderms; **'dikkerd** (-s) *m* = *dikzak*; **–je** (-s) *o* **F** roly-poly; **'dikkop** (-pen) *m* 1 thickhead; 2 🝖 tadpole; **'dikte** (-n en -s) *v* thickness, bigness &; ⚕ swelling

'dikwijls often, frequently

'dikzak (-ken) *m* big fellow, **F** fatty

di'lemma ('s) *o* dilemma; *iem. voor een ~ stellen* place sbd. on the horns of a dilemma

dilet'tant(e) (-en) *m* (-*v*) dilettante [*mv* dilettanti], amateur; **dilet'tanterig** amateurish; **dilettan'tisme** *o* dilettantism, amateurishness

dili'gence [di.li.'ʒãsə] (-s) *v* stage-coach, coach

'dille *v* ⚘ dill

diluvi'aal diluvial; **di'luvium** *o* diluvium

di'mensie (-s) *v* dimension

'dimlicht (-en) *o met ~(en) rijden* drive on dipped headlights; **'dimmen** (dimde, h. gedimd) *vt* & *vi* dip [the headlights]

di'ner [di.'ne.] (-s) *o* dinner, dinner party; **di'neren** (dineerde, h. gedineerd) *vi* dine

ding (-en) *o* thing; *een aardig ~* a bright young thing [of a girl]; *het is een heel ~* it is not an easy thing; *alle goede ~en in drieën* third time is lucky

'dingen* *vi* chaffer, bargain, haggle; *~ naar* compete for, try to obtain [a post &]

'dinges *mijnheer ~* Mr So-and-so; **'dingsigheidje** (-s) *o* gadget, dinkey

'dinsdag (-dagen) *m* Tuesday; **–s I** *aj* Tuesday; **II** *ad* on Tuesdays

dio'cees (-cesen) *o* diocese; **dioce'saan** [s = z] (-sanen) *aj* & *m* diocesan; **dio'cese** (-n) *v* = *diocees*

diop'trie (-ieën) *v* dioptre, diopter

di'ploma ('s) *o* certificate, diploma

diplo'maat (-maten) *m* diplomat, diplomatist; **diplo'matenkoffertje** (-s) *o* attaché-case, dispatch case; **diploma'tie** [-'(t)si.] *v* diplomacy; **diploma'tiek I** *aj* diplomatic; *langs ~e weg* through diplomatic channels; **II** *v* diplomatics; **diplo'matisch** diplomatic

diplo'meren (diplomeerde, h. gediplomeerd) *vt* certificate; *gediplomeerd verpleegster* ook: qualified (trained) nurse

di'rect I *aj* direct; straight; **II** *ad* directly, promptly, at once, straightaway

direc'teur (-en en -s) *m* director, managing director [of a company]; manager [of a theatre]; governor [of a prison]; superintendent [of a hospital]; ✉ postmaster; principal, headmaster [of a school]; ♪ (musical) conductor, choirmaster; **~-generaal** (directeurs-generaal en directeuren-generaal) *m* director-general [of the B.B.C.]; *~ der Posterijen* ✉ Postmaster General

di'rectheid *v* directness

di'rectie [-'rɛksi.] (-s) *v* board; management; **direc'tief** (-tieven) *o* directive; **di'rectiekeet** [-'rɛksi.-] (-keten) *v* building shed

direc'toire [di.rɛk'twa:r] (-s) *m* knickers, panties

directo'raat (-raten) *o* directorate; **direc'trice** (-s) *v* directress; manageress [of a hotel], (lady-)principal, headmistress [of a school]; superintendent, matron [of a hospital]

diri'geerstok (-ken) *m* baton; **diri'gent** (-en) *m* (musical) conductor [of an orchestra], (v a n k o o r) choirmaster; **diri'geren** (dirigeerde, h. gedirigeerd) *vt* direct [troops]; ♪ conduct [an orchestra]; **diri'gisme** *o* dirigism(e)

1 dis [di.s] (-sen) *v* ♪ D sharp

2 ⊙ **dis** [dɪs] (-sen) *m* table, board

dis'agio *o* discount

dis'cipel [dɪ'si.pəl] (-en en -s) *m* disciple [of Christ, of any leader of thought &]; pupil [of a school]

discipli'nair [-'nɛ:r] disciplinary; **disci'pline** (-s) *v* discipline; *ijzeren ~* tight rein;

discipli'neren (disciplineerde, h. gedisciplineerd) *vt* discipline
'discobar (-s) *m* & *v* record shop
discon'teren (disconteerde, h. gedisconteerd) *vt* discount; **dis'conto** ('s) *o* (rate of) discount, (bank) rate
disco'theek (-theken) *v* 1 record library; 2 (amusementsgelegenheid) discotheque
dis'creet modest [behaviour]; considerate [handling of the business]; discreet [person]
discre'pantie [-kre.'pan(t)si.] (-s) discrepancy, difference
dis'cretie [-(t)si.] *v* 1 modesty; considerateness; 2 (geheimhouding) secrecy; 3 (goedvinden) discretion
discrimi'natie [-(t)si.] (-s) *v* discrimination; **discrimi'neren** (discrimineerde, h. gediscrimineerd) *vt* discriminate against
'discus (-sen) *m* discus, disc, disk
dis'cussie (-s) *v* discussion, debate, argument; *in ~ brengen, ter ~ stellen* bring up for discussion, bring (call) in(to) question, challenge; **-leider** (-s) *m* (panel) chairman; **discussi'ëren** (discussieerde, h. gediscussieerd) *vi* = *discuteren*; **dis'cussiestuk** (-ken) *o* working paper
'discusvormig discoid; **-werpen** *o* throwing the discus; **-werper** (-s) *m* discus thrower
discu'tabel arguable, debatable; **discu'teren** (discuteerde, h. gediscuteerd) *vi* discuss, argue; *met iem. ~* argue with sbd.; *over iets ~* discuss, talk over, ventilate a subject
'disgenoot (-noten) *m* neighbour at table, fellow-guest; *de disgenoten* the guests
'disharmonie *v* disharmony, discord
'diskrediet *o* discredit; *in ~ brengen* bring into discredit, bring (throw) discredit on, discredit
diskwalifi'catie [-(t)si.] (-s) *v* disqualification; **diskwalifi'ceren** (diskwalificeerde, h. gediskwalificeerd) *vt* disqualify
dis'pache [-pa.ʃ] (-s) *v* average adjustment; **dispa'cheur** (-s) *m* average adjuster
dispen'satie [-'za.(t)si.] (-s) *v* dispensation (*from* van); **dispen'seren** [s = z] (dispenseerde, h. gedispenseerd) *vt* dispense (*from* van)
dispo'neren (disponeerde, h. gedisponeerd) *vi ~ op* $ value on; *~ over* dispose of; zie ook: *gedisponeerd*; **dispo'nibel** available, at one's disposal; **dispo'sitie** [-'zi.(t)si.] (-s) *v* disposition, disposal
dispu'teren (disputeerde, h. gedisputeerd) *vi* dispute, argue; **dis'puut** (-puten) *o* dispute, disputation, argument; (club) debating club
'dissel (-s) *m* 1 pole [of a carriage] ‖ 2 [carpenter's] adze; **-boom** (-bomen) *m* pole
dis'senter (-s) *m pol* dissident; dissenter
disser'tatie [-(t)si.] (-s) *v* dissertation; ≈ thesis [*mv* theses] [for a degree]
dissi'dent (-en) *m* dissident; (communistisch) deviationist
disso'nant (-en) *m* ♪ discord; *dat was de enige ~* that was the only discordant note
dis'tantie [-(t)si.] (-s) *v* distance; *fig* reserve; *~ bewaren* keep (stand, hold) aloof from; **distanti'ëren** [-(t)si.'e:rə(n)] (distantieerde, h. gedistantieerd) *zich ~ van* ⚔ detach oneself from [the enemy]; *fig* move away from, dissociate oneself from [those views &]
'distel (-s en -en) *m* & *v* thistle; **-vink** (-en) *m* & *v* goldfinch
distil'laat (-laten) *o* distillate; **distilla'teur** (-s) *m* distiller; **distil'latie** [-(t)si.] *v* distillation; **distilleerde'rij** (-en) *v* distillery; **distil'leerketel** (-s) *m* still; **-kolf** (-kolven) *v* receiver of a still; **-toestel** (-len) *o* still; **distil'leren** (distilleerde, h. gedistilleerd) *vt* distil
dis'tinctie [-'tɪnksi.] (-s) *v* refinement, elegance, distinction; **distinc'tief** (-tieven) *o* (distinctive) badge
distribu'eren (distribueerde, h. gedistribueerd) *vt* distribute; (in tijden van oorlog of schaarste) ration; **distri'butie** [-(t)si.] (-s) *v* distribution; (in tijden van oorlog of schaarste) rationing
dis'trict (-en) *o* district
dit this; *~ alles* all this; *~ zijn mijn kleren* these are my clothes; **'ditje** (-s) *o ~s en datjes* 1 customary banalities; 2 trifles, knick-knacks; *wij praatten over ~s en datjes* we were talking about (of) this and that, about one thing and another; **'ditmaal** this time, for this once
'dito ditto, do
'diva ('s) *v* diva, prima donna
'divan (-s) *m* couch, divan; **-bed** (-den) *o* bed-settee, sofa bed
diver'geren (divergeerh. en is gedivergeerd) *vi* diverge
di'vers various; *~en* sundries, miscellaneous (articles, items, news &)
divi'dend (-en) *o* dividend; **-belasting** *v* dividend (coupon) tax; **-bewijs** (-wijzen) *o* dividend coupon
di'visie [s = z] (-s en -iën) *v* division°
dm = *decimeter*
d.m.v. = *door middel van*
do *v* ♪ do
'dobbelbeker (-s) *m* dice cup, shaker, dicebox; **'dobbelen** (dobbelde, h. gedobbeld) *vi* dice, play dice, gamble; **'dobbelspel** (-spelen) *o* dice-playing, game at dice; **-steen** (-stenen) *m* die [*mv* dice]; cube [of bread &]
'dobber (-s) *m* float [of a fishing-line]; *een harde ~ hebben om...* be hard put to it to [do sth.];

'dobberen (dobberde, h. gedobberd) *vi* bob (up and down), float; *fig* fluctuate [between hope and fear]
do'cent (-en) *m* teacher; **–enkamer** (-s) *v* common room, staff room; **do'ceren** (doceerde, h. gedoceerd) *vi* & *vt* teach
doch but
docht *mij* V.T. v. *dunken*
'dochter (-s) *v* daughter; **–maatschappij** (-en) *v* subsidiary company
do'ciel docile, submissive
'doctor (-s en -'toren) *m* doctor; **docto'raal** (-ralen) *o* final examination for a degree; **docto'raat** (-raten) *o* doctorate, doctor's degree; **docto'randus** (-di en -dussen) *m* candidate for the doctorate (for a doctor's degree); **docto'reren** (doctoreerde, is gedoctoreerd) *vi* graduate, take one's degree; **'doctorsbul** (-len) *v* doctor's diploma
doctri'nair [-'nɛ:r] doctrinaire
docu'ment (-en) *o* document; **documen'tair** [-'tɛ:r] documentary; **–e** (-s) *v* documentary (film), actuality film; **documen'tatie** [-(t)si.] *v* documentation; **docu'mentenkoffertje** (-s) *o* dispatch-box (-case); **documen'teren** (documenteerde, h. gedocumenteerd) *vt* document; zie ook: *gedocumenteerd*
'doddig sweet, adorable; *Am* cute
'dode (-n) *m-v* dead man, dead woman; *de* ~ ook: the deceased; *de* ~*n* the dead; *een* ~ a dead man (body); *één* ~ one dead, one killed; *het aantal* ~*n* the number of lives lost [in an accident], the casualties; **'dodelijk I** *aj* mortal [blow], fatal [wounds]; deadly [hatred]; lethal [weapons]; **II** *ad* mortally, fatally [wounded]; deadly [dull]; **'dodemansknop** (-pen) *m* dead-man's handle (pedal); **'doden** (doodde, h. gedood) *vt* kill[2], slay, put (do) to death; *fig* mortify [the flesh]; *de tijd* ~ kill time; **'dodenakker** (-s) *m* God's acre, cemetery; **–cel** [-sɛl] (-len) *v* condemned cell, deathcell; **–cultus** *m* cult of the dead; **–dans** (-en) *m* death-dance, Dance of Death [by Dürer]; **–masker** (-s) *o* death-mask; **–mis** (-sen) *v* requiem mass; **–rijk** *o* realm of the dead; **–wacht** (-en) *v* lyke-wake
'doedelen (doedelde, h. gedoedeld) *vi* 1 ♪ play the bagpipe; 2 tootle; **'doedelzak** (-ken) *m* bagpipe, (bag)pipes
doe-het-'zelf do-it-yourself [kit &]; **doe-het-'zelver** (-s) *m* do-it-yourselfer, hobbyist
1 doek (-en) *m* 1 cloth; 2 (o m s l a g d o e k) shawl; *hij had zijn arm in een* ~ he wore his arm in a sling; *u i t de* ~*en doen* disclose
2 doek (-en) 1 *o* & *m* cloth [of woven stuff]; ⚓ sail; 2 *o* canvas [of a painter]; curtain [of theatre]; screen [of cinema]; **–je** (-s) *o* 1 (piece of) cloth, rag; 2 fichu; ~ *voor het bloeden* palliative; *er geen* ~*s om winden* not mince matters; **–speld** (-en) *v* brooch
doel (-en) *o* target°, mark; *sp* goal; *fig* mark, aim, goal, purpose, object; design; (v. r e i s) destination); *een goed* ~ a good (worthy) cause (intention; *het* ~ *heiligt de middelen* the end justifies the means; *recht op zijn* ~ *afgaan* go (come) straight to the point; *zijn* ~ *bereiken* gain (attain, secure, achieve) one's object (one's end); *zijn* ~ *missen* miss one's aim; *een* ~ *nastreven* pursue an object (end); *zijn* ~ *treffen* hit the mark; *het* ~ *voorbijstreven* overshoot the mark, defeat its own object; • *m e t het* ~ *om...* for the purpose of ...ing, with a view to...; with intent to... [steal]; *t e n* ~ *hebben* be intended to... [ensure his safety &]; *zich ten* ~ *stellen* make it one's object to...; *v o o r een goed* ~ for a good intention; *dat was genoeg voor mijn* ~ that was enough for my purpose;
doelbe'wust purposeful, purposive;
'doeleinde (-n) *o* end, purpose; **'doelen** (doelde, h. gedoeld) *vi* ~ *op* aim at, allude to; *dat doelt op mij* it is aimed at me; **'doelgemiddelde** (-n en -s) *o* goal average; **–groep** (-en) *v* target group; **–lijn** (-en) *v* goal line; **'doelloos** aimless, meaningless; **–heid** *v* aimlessness; **'doelman** (-nen) *m* = *doelverdediger*; **doel'matig** appropriate (to the purpose), suitable, efficient; **–heid** *v* suitability, efficiency; **'doelpaal** (-palen) *m sp* goal post; **–punt** (-en) *o sp* goal; *een* ~ *maken* score (a goal); **–schop** (-pen) *m* goal-kick; **–stelling** (-en) *v* aim; **–trap** (-pen) *m* goal-kick; **doel'treffend** efficient, effective, to the purpose; **'doelverdediger** (-s) *m* goal-keeper; **–wit** *o* target°, mark; *fig* mark, aim, goal, purpose, object
doem *m* curse; **'doemen** (doemde, h. gedoemd) *vt* condemn, foredoom; *tot mislukking gedoemd* doomed to failure
doen* I *vt* 1 (i n h e t a l g.) do, work [harm, a service &]; 2 (v ó ó r i n f i n i t i e f) make [sbd. go, people laugh]; 3 (s t e k e n, w e g b e r g e n) put [it in one's pocket &]; 4 (o p k n a p p e n) do [one's hair, a room]; 5 (o p b r e n g e n, k o s t e n) be worth, be, fetch [2 guilders a pound]; 6 (m a k e n) make [a journey], take [a walk &]; 7 (u i t s p r e k e n) make [a promise, vow], take [an oath]; 8 (t e r h e r h a l i n g v a n h e t w e r k w.) do [of onvertaald: he will cheat you, as he has (done) me; will you get it or shall I?]; zie ook: *afbreuk, dienst, groet, keuze* &; *het* ~ (v. m a c h i n e) work, go; *die vaas doet het* produces its effect; *dat doet het hem* that's what does it; it works; *geld doet het hem* it's money makes the mare to go; *het doet er niet(s) toe* it does not matter; that

is neither here nor there, no matter; *hij kan het (goed) ~* he can (well) afford it; he is comfortably off; *hij kan het er mee ~* he can take his change out of that; *hij doet het om het geld* he does it for the money; *hij doet het er om* he does it on purpose; *het is hem er om te ~ aan te tonen, dat...* he is concerned to show that...; *het is hem alleen om het geld te ~* it is only money that he is after; *daarom is het niet te ~* that is not the point; *is het je daarom te ~?* is that what you are after?; *het zijne ~* play one's part; *iets ~* do something; *als je hem iets durft te ~* if you dare hurt (touch) him; *als ik er iets aan kan ~* if I can do anything about it; *ik zal zien of ik er iets aan kan ~* I'll see about it; *ik kan er niets aan ~* 1 I can do nothing about it (in the matter), 2 I cannot help it; *er is niets aan te ~* it cannot be helped, there is no help for it; *je moet hem niets ~, hoor!* mind you don't hurt (touch) him; *zij hebben veel te ~* 1 they have a lot of work to do; 2 they do a roaring business; *wat doet het buiten?* what is the weather doing?; *wat doet het er toe?* what does it matter?; *wat doet dat huis?* what's the rent of the house?; *wat doet hij?* what's his business (trade, profession)?; *wij hebben wel wat beters te ~* we have better things to do; *ik heb het weer gedaan* I'm always blamed; **II** *vi* do; *wat is hier te ~?* what is doing here?, what's up?, what is going on here?; *~ alsof...* pretend to, make as if, make believe to; *je doet maar!* (do) as you please, please yourself; *je moet maar ~ alsof je thuis was* make yourself at home!; *hij doet maar zo* he is only pretending (shamming); *daaraan heeft hij verkeerd (wijs) gedaan* he has done wrong (wisely) to...; *onverschillig ~* feign indifference; *vreemd ~* act (behave) strangely; *doe wel en zie niet om* do well and shame the devil; *doe zoals ik* do as I do; • *zij ~ niet a a n postzegels verzamelen* they don't go in for collecting stamps; *zij doet niet meer aan...* she has given up...; *ik kan daar niet aan ~* I can't occupy myself with that; *zij ~ i n wijnen* they deal in wines; *daar kun je jaren m e e ~* that will last you for years; *hij had gedaan m e t eten (schrijven)* he had finished (done) dinner (writing &); *wij hadden met hem te ~* we pitied him, we were (we felt) sorry for him; *pas op, als je met hem te ~ hebt* when dealing with him; *...je zult met mij te ~ krijgen* you shall have to do with me; *als je... dan krijg je met mij te ~* ...we shall get into a row; *met een gulden kun je niet veel ~* a guilder does not go far; *hoe lang doe je o v e r dat werk?* how long does it take you?; *daar is heel wat over te ~ geweest* there has been a lot of talk about it, it has made a great stir. Zie ook: *doende* & *gedaan;* **III** *o* doing(s); *hij weet ons ~ en laten* he knows all our doings; *er is geen ~ aan* it cannot be done; • *i n betere ~* in better circumstances, better situated, better off; *in goede(n) ~ zijn* be well-to-do, well off, in easy circumstances; *hij is niet in zijn gewone ~* he is not his usual self; *u i t zijn gewone ~* off (out of) one's beat; upset; *niets v a n ~ hebben met* have nothing to do with; *dat is al heel aardig v o o r zijn ~* for him; **–de** doing; *~ zijn met ...*be busy ...ing; *al ~ leert men* practice makes perfect; **'doeniet** (-en) *m* do-nothing, idler; **'doenlijk** practicable, feasible

does (doezen) *m* poodle

'doetje (-s) *o* **F** silly, softy

'doezelen (doezelde, h. gedoezeld) *vi* doze, be drowsy; **'doezelig** dozy, drowsy

dof dull [of colour, light, sound, mind &]; dim [light]; lacklustre [eyes], lustreless [pearls]; dead [gold]

'doffer (-s) *m* cock-pigeon

'dofheid *v* dullness, dimness, lack of lustre

doft (-en) *v* thwart, (rower's) bench

dog (-gen) *m* mastiff, bulldog

'dogma ('s en -ta) *o* dogma; **dog'maticus** (-ci) *m* dogmatist; **dogma'tiek** *v* dogmatics; **dog'matisch** dogmatic

dok (-ken) *o* ⚓ dock; *drijvend ~* floating dock

'doken V.T. meerv. v. *duiken*

'dokgeld (-en) *o* dockage; *~en* dock-dues

'dokken (dokte, h. gedokt) **I** *vt* dock, put into dock; **II** *vi* dock, go into dock; (b e t a l e n) **F** fork out, cough up

dok'saal (-salen) *o = oksaal*

'dokter (-s en dok'toren) *m* doctor, physician; *hij is onder ~s handen* he is under medical treatment; **'dokteren** (dokterde, h. gedokterd *vi* 1 (v. d o k t e r) practise; 2 (v. p a t i ë n t) be under the doctor; *~ aan* tinker at; **'doktersassistente** (-n) *v* receptionist; **–rekening** *v* doctor's bill; **–visite** [-zi.tə] (-s) *v* doctor's visit

'dokwerker (-s) *m* dock labourer, docker

1 dol I *aj* mad; frantic, wild; *is het niet ~?* isn't it ridiculous?; *een ~le hond* a mad dog; *~le pret* hilarious fun; *~le schroef* screw that won't bite, stripped screw; *hij is ~ met haar* he is wild (crazy) about her; *hij is ~ op erwtensoep* he is very fond of pea-soup; *iem. ~ maken* drive sbd. mad (wild); *~ worden* run mad; *het is om ~ te worden* it is enough to drive you mad, it is maddening; **II** *ad* madly; *~veel van iets houden* be mad about it; *hij is ~ verliefd* he is madly in love (with her), he is mad on her; **III** *o door het ~le heen zijn* be mad (frantic) with joy, be wild

2 dol (-len) *m* ⚓ thole, row lock

'dolblij mad with joy, overjoyed

'dolboord (-en) *o* gunwale

'doldriest reckless; **dol'driftig** furious

'dolen (doolde, h. gedoold) *vi* 1 wander (about),

roam, rove, ramble; 2 err [be mistaken]
dolf (**dolven**) V.T. v. *delven*
dol'fijn (-en) *m* 🐬 dolphin
'dolgelukkig deliriously happy
'dol'graag *~!* with the greatest pleasure!, ever so much!; *ik zou het ~ willen* I'd love to
'dolheid (-heden) *v* wildness, madness, frenzy
'dolik *v* cockle, corn-cockle, darnel
dolk (-en) *m* dagger, poniard, stiletto, dirk; **–mes** (-sen) *o* bowie-knife; **–steek** (-steken) *m*, **–stoot** (-stoten) *m* stab (with a dagger), stab² [in the back]
'dollar (-s) *m* dollar
dolle'kervel *m* hemlock
'dolleman (-nen) *m* madman, madcap; **–swerk** *o het is ~* it is sheer madness, a mad thing to do; **'dollen** (dolde, h. gedold) *vi* lark
'dolmen (-s) *m* dolmen
dolo'miet *o* dolomite
'dolven V.T. meerv. v. *delven*
dol'zinnig mad, frantic; **–heid** (-heden) *v* madness, frenzy
1 dom I *aj* stupid, dull; *een ~me streek* a stupid (silly, foolish) thing; *hij is zo ~ nog niet (als hij er uitziet)* he is not such a fool as he looks; *hij houdt zich van de(n) ~me* he pretends ignorance, plays possum; *het geluk is met de ~men* fortune favours fools; **II** *ad* stupidly
2 dom (domkerken) *m* cathedral (church)
3 dom *m* (t i t e l) dom
domani'aal domanial
do'mein (-en) *o* domain², crown land, demesne; *publiek ~* public property
'domheer (-heren) *m* canon, prebendary
'domheid (-heden) *v* stupidity, dullness; *domheden* ook: stupid (silly, foolish) things
domi'cilie (-s en -iën) *o* domicile; *~ kiezen* choose one's domicile; **domicili'ëren** (domicilieerde, h. gedomicilieerd) *vt* domicile
domi'nant (-en) *v* ♪ dominant
'dominee (-s) *m* clergyman; minister [esp. in Nonconformist & Presbyterian Churches]; vicar, rector [in Church of England]; > parson; [Lutheran] pastor; *~ W. Brown* the Reverend W. Brown; *~ Niemöller* Pastor Niemöller
domi'neren (domineerde, h. gedomineerd) **I** *vt* dominate (over), lord it over, command; **II** *vi* (pre)-dominate ‖ play (at) dominoes; **–d** dominating, possessive
domini'caan (-canen) *m* Dominican
Domini'caanse Repu'bliek *v de ~* the Dominican Republic, Santo Domingo
dominica'nes (-sen) *v* Dominican nun
'domino ('s) 1 *m* domino; 2 *o sp* dominoes; **'dominoën** (dominode, h. gedominood) *vi* play (a game of) dominoes; **'dominospel** (-len) *o* 1 (game of) dominoes; 2 set of dominoes; **–steen** (-stenen) *m* domino
'domkapittel (-s) *o* (dean and) chapter; **–kerk** (-en) *v* cathedral (church)
'domkop (-pen) *m* blockhead, dunce, duffer, dolt, numskull, dullard, nitwit; **'dommekracht** (-en) *v* ⚒ jack
'dommel *m in de ~ zijn* be in a doze; **'dommelen** (dommelde, h. gedommeld) *vi* doze, drowse; **'dommelig** dozy, drowsy
'dommerik (-riken) *m*, **'domoor** (-oren) *m* = *domkop*
'dompelaar (-s) *m* 1 🐦 diver; 2 ⚒ plunger; 3 ✳ immersion heater; **'dompelen** (dompelde, h. gedompeld) **I** *vt* plunge², dip, duck, immerse; **II** *vr zich ~ in* plunge into
'domper (-s) *m* extinguisher; *een ~ zetten op* dampen, cast a damp over, pour (throw) cold water on
'dompig close, stuffy
'domproost (-en) *m* dean
domp'teur (-s) *m* (animal) trainer, (animal) tamer
'domtoren (-s) *m* cathedral tower
'domweg 1 stupidly, without thinking; 2 (e e n v o u d i g w e g) just, simply
dona'teur (-s) *m* donor; **do'natie** [-(t)si.] (-s) *v* donation, gift
'Donau *m* Danube
'donder (-s) *m* thunder²; *arme ~* poor devil; *het kan me geen ~ schelen* I don't care a damn; *daar kun je ~ op zeggen* you bet, you can bet your life on it; *iem. op zijn ~ geven* give sbd. a proper dressing down; *als door de ~ getroffen* thunderstruck; **–bui** (-en) *v* thunderstorm; **–bus** (-sen) *v* 📖 blunderbuss
'donderdag (-dagen) *m* Thursday; **–s I** *aj* Thursday; **II** *ad* on Thursdays
'donderen (donderde, h. gedonderd) *vi* thunder² [against abuses, in one's ears], fulminate²; *hij keek of hij het in Keulen hoorde ~* he stared like a stuck pig; (v a l l e n) **P** pitch, tumble (down the stairs); **–d** thundering², thunderous²; **'dondergod** *m* thunder-god, thunderer; **'donderjagen** (donderjaagde, h. gedonderjaagd) *vi* raise hell; **'donders F I** *aj* devilish, confounded; **II** *ad* < deucedly; *~ blij (groot)* thundering glad (great); **III** *ij* the deuce!; **'donderslag** (-slagen) *m* thunderclap, peal of thunder; *een ~ uit heldere hemel* a bolt from the blue; **–steen** (-stenen) *m* **F** little rascal; **–straal** (-stralen) *m* & *v* streak of lightning; (s c h e l d w o o r d) **F** rogue, rascal, scoundrel; **–wolk** (-en) *v* thundercloud
dong (**dongen**) V.T. v. *dingen*
don'jon [dõ'ʒõ] (-s) *m* dungeon, keep
Don Juan [dõʒy.'ã, dòngu.'ɑn] *m* Don Juan²,

lady-killer

'donker I *aj* dark[2], obscure, gloomy, sombre, dusky, dim, ⊙ darksome, darkling; *het ziet er ~ voor hem uit* things look pretty black (gloomy) for him; **II** *ad* darkly; *hij keek ~* he looked gloomy; *hij ziet alles ~ in* he takes a gloomy view of things; **III** *o het ~* the dark; *b ij ~* at dark; *i n het ~* in the dark[2]; *in het ~ tasten* 1 grope (walk) in darkness; 2 be in the dark [about the future &]; *n a ~* after dark; *v ó ó r ~* before dark; **–blauw** dark-blue, deep-blue; **–bruin** dark-brown, deepbrown; **–geel** deep-yellow; **–heid** *v* darkness, obscurity; **–rood** dark-red, deep-red; **–te** *v* darkness, obscurity

'donor (-s) *m* donor

dons *o* down, fluff; zie ook: *poederdons*; **–achtig** downy, fluffy; **'donzen** *aj* down; zie ook: *donzig*; **–zig** downy, fluffy

dood *aj* dead [also of capital, weight &]; *zo ~ als een pier* as dead as a door-nail; *de dode hand* mortmain; *een dode stad* a dead-alive town; *ze lieten hem voor ~ liggen* they left him for dead; *zich ~ drinken* drink oneself to death; *zich ~ houden* sham dead; *zich ~ lachen* die (with, of) laughing, laugh one's head off, laugh oneself helpless; *ik lach me ~!* **F** it's too killing; zie ook: *kniezen* &; *iem. ~ verklaren* send sbd. to Coventry; **II** *m* & *v* death; *~ en verderf* death and destruction; *het is de ~ in de pot* it is a dead-alive business; *er uitziend als de ~ van Ieperen* ghastly white, wretchedly thin; *de een zijn ~ is de ander zijn brood* one man's meat is another man's poison; *duizend doden sterven* die a thousand deaths; *een natuurlijke ~ sterven* die a natural death; *de ~ vinden* meet one's death; *de ~ in de golven vinden* find a watery grave; *hij is er (zo bang) als de ~ voor* he is mortally afraid of it, he is scared stiff (of it); *de ~ nabij* at death's door; ● *hij heeft het gehaald b ij de ~ af* he has been at death's door; *n a de ~* after death; *o m de (dooie) ~ niet!* not for anything!, not on your life!; by no means, not at all [stupid &]; *dat zou ik om de ~ niet willen* not for the life of me; *hij is t e n dode opgeschreven* he is doomed (to death); *t e r ~ brengen* put to death; *t o t in de ~ getrouw* faithful unto death; *u i t de ~ opstaan* rise from the dead; **–'af** dead-beat, knocked up; **–'arm** very poor, as poor as Job, as poor as a church mouse; **–be'daard** quite calm, as cool as a cucumber; **–bidder** (-s) *m* undertaker's man; **–bijten**[1] *vt* bite to death; **–blijven**[1] *vi ter plaatse ~* die on the spot; **–bloeden** (bloedde 'dood, is 'doodgebloed) *vi* bleed to death; *fig* fizzle out, die down; **–doener** (-s) *m* **F** clincher; **–drukken**[1] *vt* press (squeeze) to death; **–een'voudig I** *aj* very easy, as easy as lying, quite simple; **II** *ad* simply; **–'eerlijk** honest to the core; **–'eng** creepy, eerie; **–'ernstig** serious; **–gaan**[1] *vi* die; **–geboren** still-born[2]; *fig* foredoomed to failure; *het boek was een ~ kindje* the book fell still-born from the press; **–ge'makkelijk** quite easy; **–gemoede'reerd** cooly, calmly; **–gewoon I** *aj* quite common; ordinary, common or garden; **II** *ad* simply; **–goed** extremely kind-hearted, kind to a fault; **–gooien**[1] *vt* kill by throwing stones at...; *iem. ~ met geleerde woorden* knock sbd. down (bombard) with learned words; **–graver** (-s) *m* 1 grave-digger; 2 ✾ sexton-beetle; **–hongeren** (hongerde 'dood, *vi* is, *vt* h. 'doodgehongerd) starve to death; **–jammer** a great pity; **–kalm** = *doodbedaard*; **–kist** (-en) *v* coffin; **–lachen**[1] *vr zich ~* nearly die laughing, split one's sides with laugher; *ik lach me dood!* that's a scream!, that's absolutely killing!; *'t is om je dood te lachen* it's too funny for words; **–'leuk** quite coolly, as cool as a cucumber; **–lopen**[1] **I** *vi* have a dead end [of a street]; *~de straat* cul-de-sac, blind alley; *~de weg* (o p s c h r i f t) no through road; **II** *vr zich ~* tire oneself out with walking; **–'mak** meek as a lamb; **–maken**[1] *vt* kill, do to death; **–'makkelijk** = *doodgemakkelijk*; **–martelen**[1] *vt* torture to death; **–'moe(de)** dead-tired, dead-beat, tired to death; **–'nuchter** quite sober; zie ook: *doodleuk*; **–onge'lukkig** utterly miserable; **–on'schuldig** as innocent as a lamb; **–'op** = *doodaf*; **–praten**[1] *vt* talk out [a bill]

doods deathly, deathlike [silence], dead, dead-alive [town]; **'doodsakte** (-n en -s) *v* death certificate; **–angst** (-en) *m* 1 (d o d e l i j k e a n g s t) mortal fear; 2 (a n g s t d e s d o o d s) death agony; **–'bang** mortally afraid [of...], dead scared [of...], scared stiff; **–bed** (-den) *o* death-bed; **–beenderen** *mv* (dead man's) bones; **–be'nauwd** = *doodsbang*; **–bericht** (-en) *o* 1 announcement of sbd.'s death; 2 obituary (notice); **–bleek** deathly pale, as white as a sheet; **'doodschamen**[1] *vr zich ~* die for shame; **–schieten**[1] *vt* shoot (dead); **–schoppen**[1] *vt* kick to death; **'doodsgevaar** (-varen) *o* peril of death, danger of life, deadly

[1] V.T. en V.D. van dit werkwoord volgens het model: **'dood**drukken, V.T. drukte **'dood**, V.D. **'dood**gedrukt. Zie voor de vormen onder het grondwoord, in dit voorbeeld: *drukken*. Bij sterke en onregelmatige werkwoorden wordt u verwezen naar de lijst achterin.

danger; **–hemd** (-en) *o* shroud, winding-sheet; **–hoofd** (-en) *o* death's-head, skull; **–kist** (-en) = *doodkist*; **–kleed** (-kleden) *o* 1 (l i j k w a d e) shroud, winding-sheet; 2 (d o o d k i s t k l e e d) pall; **–kleur** *v* livid colour; **–klok** (-ken) *v* death-bell, passing-bell, knell; **–kop** (-pen) *m* **F** = *doodshoofd*

'doodslaan[1] *vt* kill, slay, [a man], beat to death; *fig* silence [sbd. in a discussion]; **–slag** (-slagen) *m* homicide, manslaughter; **–smak** (-ken) *m* deadly crash (fall)

'doodsnood *m* (death) agony; **–oorzaak** (-zaken) *v* cause of death; **–schrik** *m* mortal fright; *iem. een ~ op het lijf jagen* frighten sbd. out of his wits; **–snik** *m* last gasp; **–strijd** (-en) *m* death-struggle, agony; **–stuip** (-en) *v* spasm of death

'doodsteek (-steken) *m* death-blow[2], finishing stroke[2]; **–steken**[1] *vt* stab (to death); **–stil** stock-still; still as death, deathly silent; [listen] dead silent; *hij stond ~* he stood as still as a statue; **–straf** (-fen) *v* capital punishment, death penalty

'doodsuur (-uren) *o* hour of death, dying (last, mortal) hour; **–verachting** *v* contempt for death; **–vijand** (-en) *m* mortal enemy; **–zweet** *o* death-sweat, sweat of death

'dood'tij *o* slack water; neap(-tide); **'dood-trappen**[1] *vt* kick to death; **–vallen**[1] *vi* fall (drop) dead; *ik mag ~ als...* strike me dead if...; **–ver'legen** very bashful, very timid; **–verven**[1] *vt met een betrekking gedoodverfd worden* be popularly designated for a place (post); *hij werd ermee gedoodverfd* it was attributed to him, it was laid at his door; **–vonnis** (-sen) *o* sentence of death, death-sentence; *het ~ uitspreken over* pass sentence of death on; **–vriezen**[1] *vi* freeze (be frozen) to death; **–werken**[1] *zich ~* work oneself to death; *iem. zich laten ~* slave sbd. to death; **–ziek** mortally ill; **–zonde** (-n) *v rk* mortal sin; **–zwijgen**[1] *vt* not talk about, hush up; ignore

doof deaf; *zo ~ als een kwartel* as deaf as a post; *oostindisch ~ zijn* sham deafness; • *~ a a n één oor* deaf on (in) one ear; *aan dat oor was hij ~* he was deaf on that side; *~ v o o r* deaf to; *~ blijven voor...* turn a deaf ear to...; **–achtig** somewhat deaf; **–heid** *v* deafness; **–pot** (-ten) *m* extinguisher; *in de ~ stoppen* hush up (cover up) [the matter], draw a curtain

'doofstom, doof'stom deaf and dumb; **doof'stomheid** *v* deaf-muteness; **doof'stomme** (-n) *m-v* deaf-mute; **doof'stommeninstituut** (-tuten) *o* institution for the deaf and dumb

dooi *m* thaw; **'dooien** (dooide, h. gedooid) *vi* thaw; *het dooit* it is thawning; *het begint te ~* the thaw is setting in

'dooier (-s) *m* yolk

'dooiwe(d)er *o* thaw

dook (doken) V.T. v. *duiken*

'doolhof (-hoven) *m* labyrinth, maze; **–weg** (-wegen) *m* wrong way; *op ~en geraken* go astray

doop *m* baptism, christening; *de ~ ontvangen* be baptized, be christened; *ten ~ houden* hold (present) at the font; **–akte** (-n en -s) *v* certificate of baptism; **–bekken** (-s) *o* (baptismal) font; **–boek** (-en) *o* register of baptisms; **–ceel** (-celen) *v* & *o* certificate of baptism; *iems. ~ lichten* lay bare sbd.'s past; **–feest** (-en) *o* christening feast; **–formulier** (-en) *o* service for baptism; **–gelofte** (-n) *v* baptismal vow(s); **–getuige** (-n) *m-v* sponsor; **–hek** (-ken) *o* baptistery screen; **–jurk** (-en) *v* christening robe; **–kapel** (-len) *v* baptistery; **–kind** (-eren) *o* godchild; **–kleed** (-kleden) *o* christening robe; chrisom; **–leerling** (-en) *m* catechumen; **–maal** (-malen) *o* christening feast; **–moeder** (-s) *v* godmother; **–naam** (-namen) *m* Christian name; **–plechtigheid** (-heden) *v* christening ceremony, (v. s c h i p &) naming ceremony; **–register** (-s) *o* register of baptisms; **–sel** (-s) *o* baptism; **doopsge'zinde** (-n) *m-v* Mennonite; **'doopvader** (-s) *m* godfather; **–vont** (-en) *v* (baptismal) font; **–water** *o* baptismal water

door I *prep* through; by; due to, on account of [the rain, his illness &]; *het ene jaar ~ het andere* one year with another; *~ alle eeuwen* through all ages; *~ heel Europa* throughout Europe, all over Europe; *~ mij geschreven* written by me; *ik rende ~ de gang* I ran along the corridor; *ik liep ~ de kamer* I walked across the room; *~ de stad* through the town; *~ de week* during the week, on week-days; **II** *ad* through; *ik ben het boek ~* I have got through the book; *de dag* (*het jaar*) *~* throughout the day (the year); *al maar ~* all the time, on and on; *iems. hele leven ~* all through a man's life, all his life; *ze zijn er ~* they have got through; *de verloving is er ~* the engagement has come off; *~ en ~ eerlijk* thoroughly (completely) honest; *iets ~ en ~ kennen* know a thing thoroughly (through and through); *~ en ~ koud* chilled to the marrow, the bones; *~ en ~ nat* wet through, wet to the skin

[1] V.T. en V.D. van dit werkwoord volgens het model: **'dood**drukken, V.T. drukte **'dood**, V.D. **'dood**gedrukt. Zie voor de vormen onder het grondwoord, in dit voorbeeld: *drukken*. Bij sterke en onregelmatige werkwoorden wordt u verwezen naar de lijst achterin.

door'bakken well-baked [bread]; *niet* ~ slack-baked
'doorberekenen (berekende 'door, h. 'doorberekend) *vt* pass on [the higher prices to the consumer]; *de verhoging* ~ *in de prijzen* pass the increase on in higher prices; **–betalen**[1] *vt* continue to pay wages [during temporary absence &]; **–bijten**[1] *vt* bite through; **–bladeren**[1] *vt* turn over the leaves of [a book], leaf, riffle, browse (through) [a book]; **–blazen**[1] *vt* blow through; **door'boren** (doorboorde, h. doorboord) *vt* 1 (m e t i e t s p u n t i g s) pierce, perforate; 2 (m e t e e n w a p e n) transfix [with a lance], run through [with a sword], stab [with a dagger]; impale [with a spear]; 3 (m e t k o g e l s) riddle [with bullets]; 4 (m e t z i j n b l i k k e n) transfix [him]; ~ *de blik* piercing look; **'doorbraak** (-braken) *v* bursting [of a dike]; breach [in a dike]; ⚔, *fig* break-through; **–braden**[1] *vt* roast well (thoroughly); *goed door'braden* well-done [steak]; **–branden**[1] **I** *vi* 1 (b l i j v e n b r a n d e n) burn on, burn away; 2 burn through; *de lamp is doorgebrand* ✳ the bulb has burnt out; *de zekering is doorgebrand* ✳ the fuse has blown; **II** *vt* burn through
1 'doorbreken[1] **I** *vt* break [a piece of bread &]; break through [the enemy]; run [a blockade]; **II** *vi* & *va* burst [of a dike, an abscess], break through [of the sun]; cut [of teeth through gums]; **2 door'breken** (doorbrak, h. doorbroken) *vt* break through
'doorbrengen[1] *vt* pass [one's days], spend [days, money]; run through [a fortune]; **–buigen**[1] *vi* bend, give way, sag
door'dacht well-considered, well thought-out
door'dat because, on account of; ~ *hij niet...* by (his) not having...
1 'doordenken[1] *vt* consider fully, think out, reflect; **2 door'denken** (doordacht, h. doordacht) **I** *vt* think out [a thought]; **II** *vi* think things out
door-de-'weeks weekday [clothes, morning, name &]; *een* ~*e dag* a weekday; **'doordouwer** (-s) *m* persevering person, pusher; **'doordraaien**[1] *vi* continue turning; **–draven**[1] *vi* trot on; *fig* rattle on
door'drenkt drenched (with), permeated (with)
'doordrijven[1] *vt* force through [measures]; *zijn wil* (*zin*) ~ carry one's point, have one's own way; **–er** (-s) *m* self-willed whole-hogger; **doordrijve'rij** (-en) *v* obstinate assertion of one's will
door'dringbaar penetrable [by shot &]; pervious, permeable [to a fluid]; **1 'doordringen**[1] *vi* penetrate [into sth.]; *het dringt niet tot hem door* he doesn't realize it, he doesn't take it in, it doesn't register with him; **2 door'dringen** (doordrong, h. doordrongen) *vt* pierce, penetrate, pervade; zie ook: *doordrongen*; **door'dringend** penetrating [odour], piercing [cold, wind, looks, cry], searching [cold, look], strident [sound], permeating [light]; **–heid** *v* piercingness; searchingness; (power of) penetration; **door'drongen** ~ *van* penetrated by [a sense of...]; impressed with [the truth]; imbued with [his own importance]
'doordrukken[1] **I** *vi* 1 press through; 2 continue pressing; 3 go on printing; **II** *vt* push through
door'een pell-mell, in confusion; ~ *genomen* on an average; **–gooien**[2] *vt* jumble together, make hay of [papers &]; **–halen**[2] *vt* = *dooreengooien* & *dooreenhaspelen*; **–haspelen**[2] *vt* mix up, muddle up; **–lopen**[2] *vi* 1 flow together; 2 run together; intermingle; **–schudden**[2] *vt* shake up; *je wordt dooreengeschud in de trein* one is jolted; **–strengelen**[2] *vt* intertwine; **–weven**[2] *vt* interweave
'doorgaan[1] **I** *vi* 1 (v e r d e r g a a n) go (walk) on; 2 (v o o r t g a n g h e b b e n) come off, take place; 3 (d o o r b r e k e n) break [of an abscess]; 4 (b l i j v e n g e l d e n) hold (good); 5 (g o e d g e k e u r d w o r d e n) go through, pass [of a bill], be carried [of a motion]; *ga* (*nu*) *door!* go on!; *de koop gaat niet door* the deal is off; *er van* ~ zie *ervandoor*; • ~ *m e t* go on with [his studies]; go on, continue, keep [doing something]; *o p* (*o v e r*) *iets* ~ pursue the subject; ~ *v o o r* be considered, be thought (to be), pass for; *zij wilden hem laten* ~ *voor de prins* they wanted to pass him off as the prince; **II** *vt* go through [the street, accounts], pass through [the doorway]; **'doorgaand** ~*e reizigers* through passengers; ~*e trein* through (non-stop) train; ~ *verkeer* through traffic; **'doorgaans** generally, usually, normally, commonly, as a rule; **'doorgang** (-en) *m* passage, way, thoroughfare; *geen* ~ no thoroughfare; *...zal geen* ~ *hebben* ...will not take place; **'doorgangshuis** (-huizen) *o* temporary stay institution; **–kamp** (-en) *o* transit camp
'doorgeefkast (-en) *v* two-way cupboard; **–luik** (-en) *o* service hatch
'doorgelegen ~ *plek* bedsore; **–gestoken**

[1,2] V.T. en V.D. van dit werkwoord volgens het model: 1 **'door**bladeren, V.T. bladerde **'door**, V.D. **'door**gebladerd; 2 **door'een**gooien, V.T. gooide **door'een**, V.D. **door'een**gegooid. Zie voor de vormen onder de grondwoorden, in deze voorbeelden *bladeren* en *gooien*. Bij sterke en onregelmatige werkwoorden wordt u verwezen naar de lijst achterin.

pierced; zie ook: *kaart*; **–geven**[1] *vt* pass, pass [it] on, hand down, hand on; **–gewinterd** seasoned [soldier &], hard-core [politician]
door'gloeien (doorgloeide, h. doorgloeid) *vt* inflame, fire
'doorgraven[1] *vt* dig through, cut (through); **–ving** (-en) *v* digging (through); cutting [of the Isthmus of Suez]
door'groefd rugged [face]
door'gronden (doorgrondde, h. doorgrond) *vt* fathom [a mystery], get to the bottom of [sth.], see into [the future], see through [sbd.]
'doorhakken[1] *vt* cut (through), cleave
'doorhalen[1] *vt* 1 (d o o r t r e k k e n) pull through [a cord]; 2 (d o o r s t r e p e n) strike (cross) out [a word]; 3 (o v e r d e h e k e l h a l e n) haul over the coals [sbd.]; slash, cut up, slate [a book, an author]; *hij zal het er wel ~* zie *halen;* **–ling** (-en) *v* erasure, cancellation
'doorhebben[1] *vt* see through [a person, it], get wise [to sth.], realize [it]; *iets ~* (b e g r i j p e n) comprehend, **S** tape; (e r a c h t e r k o m e n) **S** rumble sth.
door'heen through; *ik ging er ~* I went through [the ice]; *zich ergens ~ slaan* labour through
'doorhelpen[1] *vt* help (*fig* see) through; **–hollen**[1] **I** *vi* hurry on; **II** *vt* hurry through [the country], gallop through [a book]; **door'huiveren** (doorhuiverde, h. doorhuiverd) *vt* thrill
'doorjagen[1] *vt er ~* run through [a fortune &]; *een wetsvoorstel er ~* rush a bill through
'doorkijk (-en) *m* vista; **–bloes** (-bloezes, -bloezen) *v* see-through blouse; **'doorkijken**[1] *vt* look over, look (go) through [a list], glance through [the newspapers]
door'klieven (doorkliefde, h. doorkliefd) *vt* cleave; **'doorknagen**[1] *vt* gnaw through
door'kneed *~ in* versed in, well-read in [history], steeped in [the philosophy of...], seasoned in [a science]
'doorknippen[1] *vt* cut (through)
'doorknoopjurk (-en) *v* button-through gown
'doorkomen[1] **I** *vt* pass, get through[2]; tide through [difficulties]; **II** *vi* get through[2], come through[2]; *er was geen ~ aan* you couldn't get through [the crowd]; *hij zal er wel ~* he is sure to pass [his exam]; *zijn tandjes zullen gauw ~* it will soon cut its teeth; *de zon zal gauw ~* the sun will soon break through; **–krijgen**[1] *vt* get through; *iem.* (*iets*) *~* see through sbd. (sth.); **door'kruisen** (doorkruiste, h. doorkruist) *vt* cross [the mind], traverse [the streets]; intersect [the country, of railways], scour [the seas, a forest]; *fig* thwart [sbd.'s plans]
'doorlaat (-laten) *m* culvert; **–post** (-en) *m* checkpoint; **'doorlaten**[1] *vt* let [sbd., sth.] through, pass [a candidate], transmit [the light]
'doorlekken[1] *vt* leak through; **door'leven** (doorleefde, h. doorleefd) *vt* go (pass) through [moments of..., dangers &]
'doorlezen[1] **I** *vt* read through, go through, peruse; **II** *vi* read on, go on reading; **–zing** *v* reading, perusal
'doorlichten[1] *vt* ⚕ X-ray; **–ting** (-en) *v* ⚕ X-ray examination
'doorliggen[1] *vi* get bedsores, become bedsore
'doorloop (-lopen) *m* passage; 1 **'doorlopen**[1] **I** *vi* go (walk, run) on; keep going (walking, running); (v . k l e u r e n) run; *~ (mensen)!* pass along!, move on!; *loop door!* **F** get along (with you)!; *loop wat door!* hurry up a bit!; **II** *vt* 1 go (walk, run) through [a wood]; 2 go through [a piece of music, accounts]; run over [the contents]; 3 wear out [one's shoes] by walking; *doorgelopen voeten* sore feet; **2 door'lopen** (doorliep, h. doorlopen) *vt* walk through; pass through [a school]; **1 'doorlopend,** *aj* continuous, non-stop [performance]; **2 door'lopend** *ad* continuously; *~ genummerd* consecutively numbered
door'luchtig illustrious; (most) serene; **–heid** (-heden) *v* illustriousness; *Zijne Doorluchtigheid* His Serene Highness
'doormaken[1] *vt* go (pass) through [a crisis &]; **–marcheren**[1] [ch = ʃ] **I** *vi* march on; **II** *vt* march through; **–meten**[1] *vt* ※ test [electrical apparatus, flex &]
door'midden in half, [break] in two; [tear it] across
'doorn (-en en -s) *m* 1 thorn, prickle, spine; 2 tang [of a knife]; *dat is hem een ~ in het oog* it is an eyesore to him, a thorn in his side; *een ~ in het vlees* a thorn in the flesh; **–achtig** thorny, spinous; **–appel** (-s) *m* thorn-apple
'door'nat wet through, wet to the skin, soaked, drenched
'doornemen[1] *vt* go through, go over [a paper, book &]
'doornenkroon (-kronen) *v* crown of thorns; **'doornhaag** (-hagen) *v* thorn-hedge, hawthorn hedge; **'doornig** thorny[2]; **'Doornroosje** *v* & *o* the Sleeping Beauty; **'doornstruik** (-en) *m* thorn-bush
'doornummeren[1] *vt* number consecutively
door'ploegen (doorploegde, h. doorploegd) *vt*

[1] V.T. en V.D. van dit werkwoord volgens het model: **'door**bladeren. V.T. bladerde **'door**, V.D. **'door**gebladerd. Zie voor de vormen onder het grondwoord, in dit voorbeeld: *bladeren*. Bij sterke en onregelmatige werkwoorden wordt u verwezen naar de lijst achterin.

plough [the sea]; **'doorpraten**[1] **I** *vi* go on talking, talk on; **II** *vt* talk [it] out; **door'priemen** (doorpriemde, h. doorpriemd) *vt* pierce; **'doorprikken**[1] *vt* prick, pierce

door'regen *aj* streaked, streaky [bacon]

'doorreis *v* passage (journey) through; *op mijn ~ door A.* on my way through A.; **1 'doorreizen**[1] *vi* go on; **2 door'reizen** (doorreisde, h. doorreisd) *vt* travel through

'doorrennen[1] **I** *vi* race along; **II** *vt* race through[2] [the fields, a curriculum]

'doorrijden[1] **I** *vi* ride (drive) on; *wat ~* ride (drive) faster; **II** *vt* ride (drive) through [the country]; **'doorrijhoogte** *v* headroom

'doorrit (-ten) *m* passage

'doorroeren[1] *vt* stir; **–roesten**[1] *vt* corrode, rust; **–rollen**[1] **I** *vi* continue rolling; *er ~* **F** escape (pass) by the skin of one's teeth, scrape through; **II** *vt* roll through

'doorschemeren[1] *vi* shine (show) through; *laten ~* hint, give to understand; **–scheuren**[1] *vt* rend, tear (up)

1 'doorschieten[1] **I** *vi* continue to shoot (fire); **II** *vt* shoot through; **2 door'schieten** (doorschoot, h. doorschoten) *vt* 1 riddle [with shot]; 2 interleave [a book]

'doorschijnen[1] *vi* shine (show) through; **door'schijnend** translucent, diaphanous

'doorschrappen[1] *vt* cross (strike) out, cancel; **–schudden**[1] *vt* shake thoroughly; shake (up) [a mixture][2]; shuffle [the cards]; **–seinen**[1] *vt* ⚡ transmit [a message]; **–sijpelen**[1] *vi* ooze through, percolate

'doorslaan[1] **I** *vi* 1 *eig* go on beating; 2 (v. b a l a n s) dip; 3 (v. m a c h i n e) race; 4 ☀ (v. z e k e r i n g) blow (out); 5 *fig* run on [in talking]; 6 **S** (v. m e d e p l i c h t i g e) squeal, blow the gaff; 7 (v. v o c h t i g e m u u r) sweat; *de balans doen ~* turn the scale[2]; **II** *vt* sever [sth.] with a blow; ⚒ punch [a metal plate]; ☀ blow [a fuse]; zie ook: *doorschrappen*; **III** *vr zich er ~* zie *slaan*; **–d** ~ *bewijs* conclusive proof

'doorslag (-slagen) *m* 1 (d r e v e l) punch; 2 (k o p i e) carbon copy, **F** flimsy; 3 turn of the scale; *dat gaf de ~* that's what turned the scale (what settled the matter), that did it; **doorslag'gevend** decisive [importance, proof, factor], deciding [factor, voice]; **'doorslagpapier** *o* copy(ing) paper

'doorslapen[1] *vi* sleep on, sleep without a break; **–slepen**[1] *vt* drag (pull) through[2]; **–slijten**[1] *vt* & *vi* wear through; **–slikken**[1] *vt* swallow (down); **–smelten**[1] **I** *vi* ☀ blow (out); **II** *vt* ☀ blow [a fuse]; **–smeren**[1] *vt* 🚗 grease

'doorsne(d)e (-sneden) *v* [longitudinal, transverse] section; profile; diameter; *in ~* (g e m i d d e l d) on an (the) average; **'doorsneeprijs** (-prijzen) *m* $ average price;

1 'doorsnijden[1] *vt* cut (through); **2 door'snijden** (doorsneed, h. doorsneden) *vt* cut, traverse, intersect, cross; *elkaar ~* intersect

door'snuffelen (doorsnuffelde, h. doorsnuffeld) *vt* ransack, rummage (in); **–'spekken** (doorspekte, h. doorspekt) *vt* lard[2], *fig* interlard; **'doorspelen**[1] **I** *vi* play on; **II** *vt* ♪ play over; **–spoelen**[1] *vt* rinse (through) [stockings &]; flush [a drain]; *fig* wash down [one's food]; **–spreken**[1] **I** *vi* speak on, go on speaking; **II** *vt* discuss; **door'staan** (doorstond, h. doorstaan) *vt* stand [the wear and tear, the test]; sustain [a siege, hardships, a comparison]; go through [many trials], endure [pain]; weather [the storm]; **'doorstappen**[1] *vi* mend one's pace

'doorsteek (-steken) *m* (k o r t e r e w e g) short cut; **1 'doorsteken**[1] 1 *vt* pierce [the dikes], prick [a bubble]; 2 *vi* (k o r t e r e w e g n e m e n) take a short cut; zie ook: *kaart*; **2 door'steken** (doorstak, h. doorstoken) *vt* run through, stab, pierce

'doorstoten[1] **I** *vt* thrust (push) through; **II** *vi* ⚇ play a follow; **–strepen**[1] *vt* = *doorschrappen*

door'stromen (doorstroomde, h. doorstroomd) *vt* stream (flow, run) through; **–ming** *v* flow[2], circulation[2]

'doorstuderen[1] *vi* continue one's studies; **–sturen**[1] *vt* = *doorzenden*

'doortasten[1] *vi* push on, go ahead, take strong action; **door'tastend I** *aj* energetic; *een ~ man* a man of action; **II** *ad* energetically

door'timmerd solidly built

door'tintelen (doortintelde, h. doortinteld) *vt* thrill

'doortocht (-en) *m* passage, march through; *zich een ~ banen* force one's way through

'doortrappen[1] *vi* pedal on; **door'trapt** sly, cunning, tricky; **–heid** *v* wiliness, cunning

1 'doortrekken[1] *vt* 1 pull through [a thread in sewing]; 2 (s t u k m a k e n) pull asunder [a string]; 3 go through, march through [the country, the streets]; 4 continue [a line], extend [a railway]; *de W.C. ~* flush the toilet, pull the plug; **2 door'trekken** (doortrok, h. doortrokken) *vt* permeate, pervade, imbue, soak; zie ook: *doortrokken*; **door'trokken** permeated [with a smell], imbued [with a

[1] V.T. en V.D. van dit werkwoord volgens het model: **'door**bladeren. V.T. bladerde **'door**, V.D. **'door**gebladerd. Zie voor de vormen onder het grondwoord, in dit voorbeeld: *bladeren.* Bij sterke en onregelmatige werkwoorden wordt u verwezen naar de lijst achterin.

doctrine], steeped [in prejudice], soaked [in, with]

'doorvaart (-en) *v* passage; **–hoogte** (-n en -s) *v* headway, headroom; **'doorvaren I** (voer 'door, is 'doorgevaren) *vi* sail on; pass [under a bridge]; **II** (door'voer, h. door'varen) *vt* pass through

'doorverbinden[1] *vt* ☏ put [me] through (to *met*); **'doorverkopen**[1] *vt* resell; **door'vlechten** (doorvlocht, h. doorvlochten) *vt* interweave, intertwine, interlace; **'doorvliegen**[1] **I** *vt* fly through [the country]; run over [the contents]; gallop through [a curriculum]; **II** *vi* ✈ fly on [to Paris]

door'voed well-fed

'doorvoer (-en) *m* transit; **'doorvoeren**[1] *vt* 1 $ convey [goods] in transit; 2 carry through, follow out [a principle]; **'doorvoerhandel** *m* transit trade; **–rechten** *mv* $ transit duties

door'vorsen (doorvorste, h. doorvorst) *vt* fathom, get to the bottom (of sth.)

door'waadbaar fordable; **door'waden** (doorwaadde, h. doorwaad) *vt* wade through, ford [a river]

door'waken (doorwaakte, h. doorwaakt) *vt* watch through [the night]; *doorwaakte nachten* wakeful nights

door'weekt soaked, sodden, soggy; **door'weken** (doorweekte, h. doorweekt) *vt* soak, steep

1 'doorwerken[1] **I** *vi* work on, keep working; **II** *vt* work through; **2 door'werken** (doorwerkte, h. doorwerkt) *vt* work [with gold]; *een doorwerkte studie* an elaborate study

door'weven (doorweefde, h. doorweven) *vt* interweave [with...]; **–'worstelen** (doorworstelde, h. doorworsteld) *vt* struggle (toil, plough, wade) through [a book]

door'wrocht elaborate

'doorzagen[1] **I** *vt* saw through; *iem.* ~ 1 pester sbd. with questions; 2 **F** bore sbd. stiff; **II** *vi* saw on; **–zakken**[1] *vi* sag; (b r a s s e n) go on a spree; *doorgezakte voet* fallen arch; **–zenden**[1] *vt* send on [sth.]; forward [letters]; transmit [a memorial to the proper authority]

'doorzetten[1] **I** *vt* carry (see) ...through, see [a thing] out, go on with [it]; **II** *va* persevere, carry on, **F** stick it; **–er** (-s) *m* go-getter; **'doorzettingsvermogen** *o* perseverance

door'zeven (doorzeefde, h. doorzeefd) *vt* riddle [with bullets]

'doorzicht *o* penetration, discernment, insight; **door'zichtig** transparent; **–heid** *v* transparency; **1 door'zien** (doorzag, h. doorzien) *vt* see through [a man &]; **2 'doorzien**[1] *vt* = *doorkijken*

'doorzijpelen[1] *vi* = *doorsijpelen*; **door'zoeken** (doorzocht, h. doorzocht) *vt* search, go through [a man's pockets], ransack [a house], rummage [a desk]

'doos (dozen) *v* box, case; *in de* ~ **S** in quod; *uit de oude* ~ antiquated; **–vrucht** (-en) *v* capsular fruit, capsule

dop (-pen) *m* 1 shell [of an egg, a nut], husk [of some seeds], pod [of peas], cup [of an acorn]; 2 top, cap [of a fountain-pen]; cover [of a tobacco-pipe]; button [of a foil]; *hoge* ~ top-hat; *een advocaat i n de* ~ a budding lawyer; *hij is pas u i t de* ~ just out of the shell; *goed uit zijn ~pen kijken* have all one's eyes about one; *kijk uit je ~pen* look where you're going

'dopeling (-en) *m* child (person) to be baptized; **'dopen** (doopte, h. gedoopt) *vt* 1 baptize, christen [a child, a church bell, a ship] name [a ship]; 2 dip; sop [bread in tea]; *hij werd Jan gedoopt* he was christened John; **–er** (-s) *m* baptizer; *Johannes de Doper* John the Baptist

'doperwt ['dɔpɛrt] (-en) *v* green pea; **–hei(de)** *v* heath, bell-heather; **–hoed** (-en) *m* **F** billy-cock; **'doppen** (dopte, h. gedopt) **I** *vt* shell [eggs, peas]; husk [corn]; **II** *vi* ~ *voor* cap [= take off one's hat to sbd.]; **'dopper** (-s) *m* = *doperwt*; **'dopsleutel** (-s) *m* socket wrench, box wrench

dor barren, arid, dry

'doren (-s) = *doorn*

'dorheid *v* barrenness, aridity, dryness

'Dorisch Dorian, (i n z. △) Doric

dorp (-en) *o* village

'dorpel (-s) *m* threshold

'dorpeling (-en) *m* villager; **dorps** countrified, rustic; **–bewoner** (-s) *m* villager; **–dominee** (-s) *m* country vicar; **–gek** (-ken) *m* village idiot; **–herberg** (-en) *v* country inn, village inn; **–kerk** (-en) *v* village church; **–meisje** (-s) *o* country lass, country girl; **–pastoor** (-s) *m* village priest; **–pastorie** (-ieën) *v* country rectory; **–plein** *o* village square; **–school** (-scholen) *v* village school

'dorren (dorde, is gedord) *vi* wither, fade

'dorsen (dorste, h. gedorst) *vt* & *vi* thresh; **'dorsmachine** [-ma.ʃi.nə] (-s) *v* threshing machine

1 dorst *m* thirst[2]; *de* ~ *naar roem* the thirst for glory; ~ *hebben* (*krijgen*) be (get) thirsty

2 dorst (**dorsten**) V.T. v. *durven*

[1] V.T. en V.D. van dit werkwoord volgens het model: **'door**bladeren. V.T. bladerde **'door**, V.D. **'door**gebladerd. Zie voor de vormen onder het grondwoord, in dit voorbeeld: *bladeren*. Bij sterke en onregelmatige werkwoorden wordt u verwezen naar de lijst achterin.

1 'dorsten (dorstte, h. gedorst) *vi* be thirsty; *fig* thirst (for, after)
2 'dorsten V.T. meerv. v. *durven*
'dorstig thirsty; **–heid** *v* thirstiness, thirst; **dorst'lessend** refreshing, thirst-quenching; **–ver'wekkend** producing thirst
'dorsvlegel (-s) *m* flail; **–vloer** (-en) *m* threshing-floor
dos *m* attire, raiment, dress
do'seren [s = z] (doseerde, h. gedoseerd) *vt* dose; **–ring** (-en) *v* dosage; **'dosis** [-zɪs] (doses) *v* dose, quantity; *te grote* ~ overdose; *te kleine* ~ underdose
'dossen (doste, h. gedost) *zich* ~ smarten oneself up
dossier [dɔsi.'e.] (-s) *o* dossier, file
dot (-ten) *m* & *v* knot [of hair, worsted &], tuft [of grass]; *een* ~ *van een kind* (*hoedje*) a duck of a child (of a hat); *wat een* ~*!* what a dear!
'dotterbloem (-en) *v* marsh marigold
douairi'ère [duɛr'jɛ:rə] (-s) *v* dowager
dou'ane [du.'a.nə] (-n) *v* customs house, custom-house; *de* ~ ook: the Customs; **–beambte** (-n) *m* customs officer, custom-house officer; **–formaliteiten** *mv* customs formalities; **–kantoor** (-toren) *o* customs house, custom-house; **–loods** (-en) *v* customs shed; **–onderzoek** *o* customs examination; **–post** (-en) *m* customs station; **–rechten** *mv* customs (duties); **–tarief** (-rieven) *o* customs tariff; **dou'ane-unie** (-s) *v* customs union; **dou'aneverklaring** (-en) *v* customs declaration; **doua'nier** [du.a.n'je.] (-s) *m* = *douanebeambte*
dou'blé [ou = u.] *o* gold-(silver-)plated work
dou'bleren [ou = u.] (doubleerde, h. gedoubleerd) **I** *vt* 1 double [a part, a rôle]; 2 ⌂ repeat [a class]; **II** *vi* ◊ double; **dou'blet** (-s) *o* 1 double [of stamps; ◊]; 2 doublet [of words]; **dou'blure** (-s) *v* understudy [of an actor]
dou'ceurtje [ou = u.] (-s) *o* tip, gratuity
'douche ['du.ʃ(ə)] (-s) *v* shower(-bath); *een koude* ~ [*fig*] a cold shower; **–cel** (-len) *v* shower cabinet; **'douchen** (douchte, h. gedoucht) *vi* take a shower, shower
'douw(en) ['dɔu(ə(n))] **F** = *duw(en)*
'dove (-n) *m-v* deaf man, deaf woman &; **'doveman** *m* deaf man; *dat is niet aan* ~*s oren gezegd* that did not fall on deaf ears
'doven (doofde, h. gedoofd) *vt* 1 extinguish, put out; 2 *vi* die down[2]
dove'netel (-s) *v* ♣ dead-nettle
'dovig somewhat deaf
do'zijn (-en) *o* dozen; *per* ~ [sell them] by the dozen; [pack them] in dozens; *drie* (*vier* &) ~ three (four &) dozen; *een paar* ~ some dozens
Dr. = *doctor*

dra = *weldra*
1 draad (draden) *m* thread [of cotton, screw & *fig*]; fibre, filament [of plant or root]; wire [of metal]; filament [of electric bulb]; string [of French beans]; grain [of wood]; *een* ~ *in een naald steken* thread a needle; *de* (*rode*) ~ *die er doorheen loopt* the (leading) thread running through it; *de draden in handen hebben* hold the clue, have got hold of the threads [of the mystery]; *de* ~ *kwijt zijn* have lost the thread (of one's argument &); *geen droge* ~ *aan het lijf hebben* not have a dry thread (stitch) on one; *de* ~ *weer opvatten* take up the thread (of one's narrative); *alle dagen een draadje, is een hemdsmouw in het jaar* many a little makes a mickle; • *aan een zijden* ~*(je) hangen* hang by a thread; (*kralen*) *aan een* ~ *rijgen* thread beads; *met* (*op*) *de* ~ with the grain; *tegen de* ~ against the grain[2]; *versleten tot op de* ~ threadbare; *voor de* ~ *komen* speak up; **2 draad** *o* & *m* (stofnaam) thread [of cotton]; wire [of metal]; **–glas** *o* wire(d) glass; **–harig** wire-haired [terrier]; **–loos** wireless; **–nagel** (-s) *m* wire-nail; **–omroep** *m* wire broadcasting; **–schaar** (-scharen) *v* wire-cutter; **–tang** (-en) *v* pliers, nippers; **–trekker** (-s) *m* wire-drawer; **–vormig** thread-like; **–werk** (-en) *o* 1 filigree; 2 wire-work
1 'draagbaar *aj* bearable; portable [loads]; wearable [clothes]
2 'draagbaar (-baren) *v* litter, stretcher
'draagbalk (-en) *m* beam, girder; **–band** (-en) *m* strap; sling [for arm]; **–golf** (-golven) *v* ✳ carrier wave; **–koets** (-en) *v* palanquin; **–kracht** *v* ability to bear [something, also financial loads]; capacity to pay; carrying-capacity [of a ship]; range [of guns, of the voice]; **draag'krachtig** well-to-do, prosperous; **'draaglijk I** *aj* 1 tolerable [= endurable & fairly good], bearable; 2 passable, rather decent, middling; **II** *ad* tolerably; **–loon** *o* porterage; **–raket** (-ten) *v* carrier rocket, booster rocket; **–riem** (-en) *m* strap; **–stoel** (-en) *m* 🕮 sedan (chair); **–tas** (-sen) *v* carrier bag; **–vermogen** *o* = *draagkracht*; **–vlak** (-ken) *o* ✈ plane, bearing surface; aerofoil (*Am* airfoil); **–vleugelboot** (-boten) *m* & *v* hydrofoil; **–wijdte** *v* 1 ⚔ range; 2 *fig* bearing, full significance [of one's words]
draai (-en) *m* turn; twist [of a rope], turning, winding [of the road]; ~ (*om de oren*) box on the ear; *hij gaf er een* ~ *aan* he gave it a twist; *zijn* ~ *hebben* be as pleased as Punch (about it); *hij nam zijn* ~ *te kort* he took too short a bend; **–baar** revolving; **–bank** (-en) *v* lathe; **–boek** (-en) *o* shooting script, screenplay, continuity; **–brug** (-gen) *v* swing-bridge; **–cirkel** (-s) *m*

turning circle; **–deur** (-en) *v* revolving door; **'draaien** (draaide, h. gedraaid) **I** *vi* 1 *eig* turn [in all directions], spin [quickly round], whirl [rapidly round and round in orbit or curve], twist [spirally], gyrate [in circle or spiral], revolve, rotate [on axis], shift, veer [from one position to another, round to the East &]; 2 *fig* shuffle, prevaricate, tergiversate; *zitten te ~* wriggle [on a chair]; *het (alles) draait mij, mijn hoofd draait* my head swims; *in deze bioscoop draait de film* this cinema is showing the film; *de fabriek draait (volop, op volle toeren)* the factory is working (to capacity), is running (at full capacity), is in full swing; *blijven ~ [fig]* keep going; *alles draait om dat feit* everything turns (hinges, pivots) on that fact; *om de zaak heen ~* beat about the bush; **II** *vt* turn [the spit, a wheel, ivory &]; roll [a cigarette, pills]; wind [round one's finger]; zie ook: *orgel* &; *een film ~* 1 (v e r t o n e n) show a film; 2 (o p n e m e n) shoot a film; *een nummer ~* ☎ dial; *(grammofoon)platen ~* play records; *hij weet alles zo te ~ dat...* he gives things a twist so that...; **III** *vr zich ~* turn [to the right, left]; **–d** turning &; rota(to)ry [motion]; **'draaier** (-s) *m* 1 [wood, ivory] turner; 2 *fig* shuffler, prevaricator; 3 (h a l s w e r v e l) axis; **–ig** giddy, dizzy; **'draaihek** (-ken) *o* turnstile; **'draaiing** (-en) *v* turn(ing); rotation; **'draaikolk** (-en) *m* & *v* whirlpool, eddy, vortex²; **–kraan** (-kranen) *v* rotary (swing, slewing) crane; **–licht** (-en) *o* revolving-light; **–molen** (-s) *m* roundabout, merry-go-round, whirligig; **–orgel** (-s) *o* barrel-organ; **–punt** (-en) *o* turning-point; centre of rotation, fulcrum; **–schijf** (-schijven) *v* 1 turn-table [of a railway; of a gramophone]; 2 ☎ dial; 3 (potter's) wheel; **–spit** (-ten) *o* spit; **–stoel** (-en) *m* revolving chair; **–stroom** *m* ⚡ rotary current, three-phase current; (i n s a m e n s t.) three-phase [motor &]; **–tafel** (-s) *v* turn-table [of record player]; **–tol** (-len) *m* spinning-top; *fig* weathercock; **–toneel** (-nelen) *o* revolving stage

draak (draken) *m* 1 ♒ dragon²; 2 (t o n e e l s t u k) melodrama; *de ~ steken met* poke fun at [sbd.], make fun of [the regulations]

drab *v* & *o* dregs, lees; sediment; **–big** turbid, dreggy

dracht (-en) *v* 1 (l a s t) charge, load; 2 (z w a n g e r s c h a p) gestation, pregnancy; 3 (k l e d e r d r a c h t) dress, costume, garb; 4 (e t t e r) matter; 5 (d r a a g w i j d t e) range

'drachtig pregnant; with young, in pup

'drad(er)ig thready, stringy; ropy [of liquids]

1 draf *m* trot; *in volle ~* at full trot; *op een ~* at a trot

2 draf *m* (v e e v o e d e r) draff, hog-wash

dra'gee [g = ʒ] (-s) *v* dragée

'dragen* **I** *vt* bear [a load, arms, a name, the cost, interest &], wear [a beard, clothes, spectacles, diamonds, a look of... &], carry [sth., arms, a watch, interest, one's head high]; support [the roof, a character, part]; **II** *vi* & *va* 1 bear [of the ice, a tree]; 2 discharge [of a wound]; 3 ⚔ carry [of fire-arms]; *~de vruchtbomen* fruit-trees in (full) bearing; **–er** (-s) *m* bearer², carrier, porter; wearer [of contact lenses]

'dragon *m* tarragon

dra'gonder (-s) *m* dragoon; *een ~ (van een wijf)* a virago

drai'neerbuis [drɛ.-] (-buizen) *v* drain(age) pipe; **drai'neren** (draineerde, h. gedraineerd) *vt* drain; **–ring** (-en) *v* drainage, draining

'drakerig melodramatic

'dralen (draalde, h. gedraald) *vi* linger, tarry; dawdle; *zonder ~* without (further) delay

'drama ('s) *o* drama; **drama'tiek** *v* drama; **dra'matisch** dramatic; **dramati'seren** [s = z] (dramatiseerde, h. gedramatiseerd) *vt* dramatize, emotionalize; **–ring** (-en) *v* dramatization; **drama'turg** (-en) *m* dramatist, dramaturge; script reader; **dramatur'gie** *v* dramaturgy

drang *m* pressure, urgency, impulse, urge [of impulse, instinct], drive [= strong impulse]; *onder de ~ der omstandigheden* under (the) pressure of circumstances

'dranghek (-ken) *o* crush-barrier

drank (-en) *m* 1 drink, beverage; 2 ⚕ medicine, mixture, draught, [love, magic] potion; *sterke ~* strong drink, spirits, liquor; *aan de ~ zijn* be given to drink, be addicted to liquor; zie ook *raken*; **–bestrijder** (-s) *m* teetotaller; **–bestrijding** *v* temperance movement; **–misbruik** *o* excessive drinking; **–orgel** (-s) *o* **J** sponge, soaker, tippler; **–smokkel** *m* bootlegging; **–smokkelaar** (-s) *m* bootlegger, **S** moonshiner; **–verbod** (-boden) *o* prohibition; **–verkoop** (-kopen) *m* sale of intoxicants; **–verkoper** (-s) *m* liquor-seller; **–winkel** (-s) *m* gin-shop, liquor-shop; **–zucht** *v* dipsomania; **drank'zuchtige** (-n) *m-v* dipsomaniac

dra'peren (drapeerde, h. gedrapeerd) *vt* drape; **drape'rie** (-ieën) *v* drapery

'drasland (-en) *o* marshland, swamp; **'drassig** marshy, swampy, soggy; **–heid** *v* marshiness

'drastisch drastic

'draven (draafde, h. gedraafd) *vi* trot; **–er** (-s) *m* trotter; **drave'rij** (-en) *v* trotting-match

1 dreef (dreven) *v* 1 alley, lane; 2 field, region; *iem. op ~ helpen* help sbd. on; *op ~ komen* get into one's swing, get into one's stride; *op ~ zijn* be in the vein; be in splendid form

2 dreef (**dreven**) V.T. v. *drijven*

dreg (-gen) *v* drag, grapnel; **–anker** (-s) *o* grapnel; **'dregge** (-n) *v* = *dreg*; **'dreggen** (dregde, h. gedregd) *vi* drag (for *naar*)
'dreigbrief (-brieven) *m* threatening letter; **dreige'ment** (-en) *o* threat, menace; **'dreigen** (dreigde, h. gedreigd) *vi* & *vt* threaten, menace; *hij dreigde in het water te vallen* he was in danger of falling into the water; *het dreigt te regenen* it looks like rain; *er dreigt een onweer* a storm is threatening (brewing), it looks like thunder; *er dreigt oorlog* it threatens war; *er dreigt een staking* a strike is threatened; *er ~ moeilijkheden* there's trouble brewing; **–d I** *aj* threatening, menacing [looks, dangers &]; imminent, impending [perils]; lowering [clouds]; ugly [situation]; *de ~e hongersnood* (*staking* &) the threatened famine (strike &); **II** *ad* threateningly, menacingly; **'dreiging** (-en) *v* threat, menace
'dreinen (dreinde, h. gedreind) *vi* whine, whimper, pule
drek *m* dirt, muck; (u i t w e r p s e l e n) dung, excrement, droppings
'drempel (-s) *m* threshold; **–waarde** *v* threshold (liminal) value
'drenkeling (-en) *m* 1 drowned person; 2 drowning person
'drenken (drenkte, h. gedrenkt) *vt* water [cattle, horses &]; drench [the earth]; *~ in* steep (soak) in
'drentelen (drentelde, h. en is gedrenteld) *vi* saunter
'drenzen (drensde, h. gedrensd) *vi* = *dreinen*; **'drenzerig** whining, fretful, crabbed, cross
dres'seren (dresseerde, h. gedresseerd) *vt* break (in) [horses], train [dogs], break in [schoolboys]; *gedresseerde olifanten* performing elephants; **dres'seur** (-s) *m* trainer; (v. p a a r d) horse-breaker
dres'soir [-'sva:r] (-s) *o* & *m* sideboard
dres'suur *v* breaking in[2] [of horses, schoolboys], *sp* dressage [of a horse for show jumping &], training [of animals]
'dreumes (-mesen) *m* mite, toddler
dreun (-en) *m* 1 (v. g e l u i d) drone, rumble, roar(ing), boom; 2 (b i j o p z e g g e n) singsong, chant; 3 (o p s t o p p e r) **F** biff, pound, sock; *op een ~* in monotone; **'dreunen** (dreunde, h. gedreund) *vi* drone, rumble, roar, boom; (*doen*) *~* shake [the house]
'drevel (-s) *m* drift, punch; **'drevelen** (drevelde, h. gedreveld) *vt* drift, punch
'dreven V.T. meerv. v *drijven*
'dribbelaar (-s) *m* toddler; **'dribbelen** (dribbelde, h. en is gedribbeld) *vi* 1 toddle; trip; 2 *sp* dribble; **'dribbelpasjes** *mv* tripping steps
drie three; *wij ~ën* the three of us; *het is bij ~ën* it's going on for three; it's almost three o'clock; *in ~ën delen* divide in three; zie ook: *ding* &; **–daags** three days'...; **–delig** tripartite; three-piece [suit]; **–dik** threefold, treble, three-ply; **driedimensio'naal** threedimensional; **'driedraads** three-ply; **–'dubbel** treble, triple, threefold; **Drie'ëenheid** *v* (Holy) Trinity; **drie'ënig** triune; **'drieërlei** of three sorts; **drie'fasen, –'fasig** [s = z] ⚹ three-phase [current]
'driehoek (-en) *m* triangle; (t e k e n g e r e e d s c h a p) set square; **–ig** triangular, three-cornered; **'driehoeksmeting** (-en) *v* trigonometry; (v. t e r r e i n) triangulation; **–ruil** *m* triangular (ex)change [of houses &]; **–verhouding** (-en) *v* triangular relationship; three-cornered love affair
'driehoofdig three-headed [monster], triceps [muscle]; **–jaarlijks** triennial; **–jarig** of three years, three-year-old; **–kant(ig)** three-cornered; **–klank** (-en) *m* ♪ triad
'driekleur (-en) *v* tricolour; **drie'kleurendruk** (-ken) *m* three-colour printing; **'driekleurig** three-coloured
Drie'koningen *m* Twelfthnight, Epiphany
'driekwart three-quarter(s); **–smaat** (-maten) *v* ♪ three-four time
drie'ledig threefold; **'drielettergrepig** trisyllabic; *~ woord* trisyllable; **'drieling** (-en) *m* triplets; **–luik** (-en) *o* triptych; **–maal** three times, thrice; **–maandelijks** quarterly; *~e betaling* quarterage; *een ~ tijdschrift* a quarterly
'drieman (-nen) *m* triumvir; **–schap** (-pen) *o* triumvirate
'driemaster (-s) *m* three-master; **driemo'torig** three-engined; **'driepoot** (-poten) *m* tripod; **–regelig** of three lines, threeline...; *~ vers* triplet; **–span** (-nen) *o* team of three horses (oxen); **–sprong** (-en) *m* three-forked road
driest audacious, bold
'driestemmig, drie'stemmig for three voices, three-part
'driestheid (-heden) *v* audacity, boldness
'drietal (-len) *o* (number of) three, trio; **drie'talig** trilingual; **'drietallig** ternary
'drietand (-en) *m* trident; **–ig** three-pronged [fork]
'drietrapsraket (-ten) *o* & *v* three-stage rocket; **–versnellingsnaaf** (-naven) *v* threespeed hub
'drievoet (-en) *m* tripod, trivet; **–ig** three-footed, three-legged
'drievoud (-en) *o* treble; *in ~* in triplicate; **–ig** triple, threefold; **Drie'vuldigheid** *v* (Holy) Trinity
'driewerf three times, thrice; **–wieler** (-s) *m* tricycle; **–zijdig** three-sided, trilateral
drift (-en) *v* 1 drove [of oxen], flock [of sheep]; 2 ⚓ drift [of a ship]; 3 (w o e d e , h a r t s-

t o c h t) passion; 4 *ps* impulse, urge; *i n* ~ in a fit of passion; *in* ~ *geraken* lose one's temper; *o p* ~ ⚓ adrift; **–bui** (-en) *v* fit of temper; **driftig I** *aj* 1 (o p v l i e g e n d) passionate, quick-tempered, fiery, hasty; (w o e d e n d) angry; 2 ⚓ adrift; ~ *worden, zich* ~ *maken* fly into a passion, lose one's temper; **II** *ad* passionately; angrily; **–heid** *v* passionateness, quick temper, hastiness of temper; **'driftkop** (-pen) *m* hothead, spitfire, tartar; **–leven** *o* instinctive life

'drijfanker (-s) *o* drift-anchor; **–as** (-sen) *v* driving shaft; **–beitel** (-s) *m* chasing-chisel; **–hamer** (-s) *m* chasing-hammer; **–hout** *o* driftwood; **–ijs** *o* drift-ice, floating ice; **–jacht** (-en) *v* drive, battue; **–kracht** *v* 1 ⚒ motive power; 2 *fig* driving force, moving power; *voornaamste* ~ prime mover; **–'nat** soaking wet, sopping wet; **–riem** (-en) *m* driving-belt; **–stang** (-en) *v* connecting-rod; **–veer** (-veren) *v* moving spring²; *fig* mainspring, incentive, motive; *wat was zijn* ~ *tot die daad?* by what motive was he actuated?; **–werk** (-en) *o* 1 chased work, chasing; 2 ⚒ driving-gear; **–wiel** (-en) *o* driving-wheel; **–zand** *o* quicksand(s); **'drijven* I** *vi* 1 float [on or in liquid], swim [on the surface]; 2 (m e e g e v o e r d w o r d e n) drift; 3 (n a t z i j n) be soaking wet; **II** *vt* 1 drive², propel², impel², *fig* actuate, prompt [to an action]; 2 chase [gold, silver]; *een zaak* ~ run a business; *het te ver* ~ carry it [economy, the thing] too far; *iem. in het nauw* ~ press sbd. hard; *het t o t het uiterste* ~ push things to the last extremity (to an extreme); *iem. tot het uiterste* ~ drive sbd. to extremities; **III** *va* be fanatically zealous [in some cause]; *door afgunst gedreven* prompted by jealousy; *door stoom gedreven* driven by steam; **–er** (-s) *m* 1 beater [of game]; driver, drover [of cattle]; 2 chaser [in metal]; 3 *fig* zealot, fanatic; 4 ⚒ & ✈ float; **drijve'rij** (-en) *v* fanaticism, zealotry, bigotry

1 dril (-len) *m* (b o o r) drill

2 dril *v* (v l e e s n a t) jelly

3 dril *o* (w e e f s e l) drill

'drilboor (-boren) *v* drill

'drillen (drilde, h. gedrild) *vt* 1 ⚒ drill; 2 drill [soldiers &]; ✎ cram [pupils for an examination]; **'drilschool** (-scholen) *v* cramming-school

'dringen* I *vi* push, crowd, throng; *de tijd dringt* time presses; ~ *d o o r* pierce, penetrate; force (push) one's way through [the crowd]; ~ *i n* = *binnendringen*; *naar voren* ~ force one's way (through); **II** *vt* push, crowd; press [against sth.]; *wanneer het hart* (*u*) *tot spreken dringt* when your heart urges (prompts) you to speak; *ze drongen hem de straat op* they hustled him out into the street; **–d** urgent, pressing

'drinkbaar drinkable; **'drinkbak** (-ken) *m* drinking-trough, watering-trough; **–bakje** (-s) *o* (bird's) trough; **–beker** (-s) *m* cup, goblet; **'drinkebroer** (-s) *m* toper, tippler, wine-bibber; **'drinken* I** *vt* drink [water &]; have, take [a glass of wine with sbd]; **II** *vi* drink; *o p iems. gezondheid* ~ drink (to) sbd.'s health; *veel* (*zwaar*) ~ drink deep; **III** *va* drink; **IV** *o* drinking [is bad]; beverage, drink(s); **–er** (-s) *m* (great) drinker, toper, tippler; **'drinkgelag** (-lagen) *o* drinking-bout, carousal; **–geld** (-en) *o* 1 ⚔ drink-money; 2 gratuity, tip; **–glas** (-glazen) *o* drinking-glass, tumbler; **–lied** (-eren) *o* drinking-song; **–plaats** (-en) *v* watering-place; **–water** *o* drinking-water; **–watervoorziening** *v* water-supply

droef sad, afflicted; **–enis** *v* grief, sorrow, affliction; **droef'geestig** melancholy, gloomy, wistful; **–heid** *v* melancholy, gloominess; **'droefheid** *v* sadness, affliction, sorrow

droeg (**droegen**) V.T. v. *dragen*

droes *m* 1 (g o e d a a r d i g e) strangles; 2 (k w a d e) glanders

'droesem (-s) *m* dregs, lees; **–ig** dreggy, turbid

'droevig sad [man]; pitiful, sorry [sight]; mournful, rueful [countenance]

'drogbeeld (-en) *o* illusion, phantom

'droge *o op het* ~ on dry land; zie ook *vis* &; **'drogen** (droogde, h. gedroogd) **I** *vt* dry; wipe; **II** *vi* dry; **droge'naaldets** (-en) *v* dry point

dro'gist (-en) *m* chemist, druggist; **drogiste'rij** (-en) *v* chemist's (shop), druggist's (shop)

'drogreden (-en) *v* fallacy

drol (-len) **P** *m* turd

drom (-men) *m* crowd, throng

drome'daris [drɔmə-] (-sen) *m* dromedary

'dromen (droomde, h. gedroomd) *vi* & *vt* dream²; **'dromenland** *o* dreamland, never-never land; **'dromer** (-s) *m* dreamer; **–ig** dreamy; **drome'rij** (-en) *v* day-dreaming, reverie

'drommel (-s) *m* deuce, devil; *arme* ~ poor devil; *wat* ~*!* what the deuce; *om de* ~ *niet!* not on your life!; *hij is om de* ~ *niet dom* he is by no means stupid; **–s I** *aj* devilish, deuced, confounded; **II** *ad* < devilish; ~ *goed weten* know jolly well; **III** *ij* the deuce!, what the dickens (devil)!, confound it!

'drommen (dromde, h. en is gedromd) *vi* throng, crowd [around sbd., to the city]

drong (**drongen**) V.T. v. *dringen*

1 dronk (-en) *m* draught, drink [of water &]; *een* ~ *instellen* propose a toast; **2 dronk** (**dronken**) V.T. v *drinken*; **'dronkaard** (-s) *m*,

'dronkelap (-pen) *m* drunkard, **F** soak, sponge; **'dronkemanspraat** *m* drunken twaddle; **1 'dronken** [predikatief] drunk, tight; [attributief] drunken, tipsy, cock-eyed; **2 'dronken** V.T. meerv. v. *drinken*; **'dronkenschap** (-pen) *v* drunkenness, inebriety

droog I *aj* dry² [bread, cough, humour &], arid² [ground, subject &]; parched [lips]; *fig* dry-as-dust; *het zal wel ~ blijven* the fine (dry) weather will continue; *geen ~ brood verdienen* not earn enough for one's bread and cheese; *hij is nog niet ~ achter de oren* he is only just out of the shell; *het droge* zie *droge*; **II** *ad* drily², dryly²; **-bloeier** (-s) *m* ♣ meadow saffron; **-bloemen** *mv* everlastings, everlasting flowers; **-doek** (-en) *m* tea-towel; **-dok** (-ken) *o* dry-dock, graving-dock; **-heid** *v* dryness, aridity; **-je** *o op een ~ zitten* have nothing to drink; **-jes** = *droogweg;* **-kap** (-pen) *v* electric hair-dryer; **-koken** (kookte 'droog, is 'drooggekookt) *vi* & *vt* boil dry; **-komiek I** (-en) *m* man of dry humour; **II** *aj* full of quiet fun (dry humour); **III** *ad* with dry humour, drily, dryly; **-leggen**[1] *vt* 1 drain [a marsh]; reclaim [a lake]; 2 *fig* make [a country] dry; **-legging** (-en) *v* draining; reclaiming [of a lake]; *fig* making dry [of a country]; prohibition [of alcohol]; **-lijn** (-en) *v* clothes-line; **-lopen**[1] *vi* run dry; **-machine** [-ma.ʃi.nə] (-s) *v* drying-machine; **-maken**[1] *vt* dry [what is wet]; zie ook: *drooglеggen*; **droogmake'rij** (-en) *v* 1 reclaimed land; 2 reclamation of land; **'droogmaking** (-en) *v* = *drooglegging*; **-malen**[1] *vt* = *droogleggen* 1; **-oven** (-s) *m* (drying-)kiln; **-rek** (-ken) *o* drying-rack; clothes-horse; **-stempel** (-s) *o* die stamp; **-stoppel** (-s) *m* dry old stick, dry-as-dust; **-te** (-n) *v* 1 dryness, drought; 2 shoal, sand-bank; **-trommel** (-s) *v* tumble drier; **-vallen**[1] *vi* fall dry; **-weg** drily, dryly, with dry humour; **-zolder** (-s) *m* drying-loft

droom (dromen) *m* dream; *dromen zijn bedrog* dreams are deceptive; *uit de ~ helpen* undeceive; **-beeld** (-en) *o* vision; **-boek** (-en) *o* dream-book; **-gezicht** (-en) *o* vision; **-uitlegger** (-s) *m* interpreter of dreams; **-wereld** *v* dream world

droop (**dropen**) V.T. v *druipen*

1 drop (-pen) *m* 1 drop; 2 drip(ping) [of water from the roof]

2 drop [drɔp] *v* & *o* liquorice, licorice

'dropen V.T. meerv. v. *druipen*

'droppel- & = *druppel-* &

'dropwater *o* licorice-water

'drossen (droste, is gedrost) *vi* run away

drs. = *doctorandus*

'druggebruik [drüggə-] *o* use of drugs, drug-taking; **-gebruiker** (-s) *m* drug user, drug-taker; **-handel** *m* drug traffic, drug trafficking, **S** drug pushing; **-handelaar** (-s en -laren) *m* drug trafficker, **S** drug pusher; **drugs** *mv* [hard, soft] drugs; *~ gebruiken* be on drugs

dru'ïde (-n) *m* druid

druif (druiven) *v* grape; *de druiven zijn zuur* the grapes are sour; **-luis** (-luizen) *v* vine-pest, phylloxera

'druilen (druilde, h. gedruild) *vi* mope, pout; **'druilerig** moping [person]; drizzling [weather]; **'druiloor** (-oren) *m-v* mope, moper

'druipen* *vi* drip; *~ van het bloed* drip with blood; **'druiper** (-s) *m* ⚕ gonorrhoea, **S** clap; **'druipnat** dripping (wet); **-neus** (-neuzen) *m* 1 running nose; 2 sniveller; **-steen** (-stenen) *m* stalactite [hanging from roof of cave], stalagmite [rising from floor]

'druiveblad (-bladen en -bladeren) *o* vine-leaf; **'druivenkas** (-sen) *v* vinery; **-kwekerij** (-en) *v* 1 grape culture; 2 grapery; **-oogst** (-en) *m* grape-harvest, vintage; **-pers** (-en) *v* wine-press; **-plukker** (-s) *m* grape gatherer, vintager; **-tros** (-sen) *m* bunch (cluster) of grapes; **'druivepit** (-ten) *v* grape-stone; **-sap** *o* grape juice; **-suiker** *m* grape-sugar, glucose, dextrose

1 druk I *aj* 1 (v. plaatsen) busy [street], crowded [meeting], bustling [town], lively [place]; 2 (v. personen) busy, bustling, fussy; lively, noisy [children]; 3 (v. versiering) loud [patterns]; *een ~ gebruik maken van...* make a frequent use of...; *een ~ gesprek* a lively conversation; *een ~ke handel* a brisk trade; *de ~ke uren* the busy hours, the rush hours; *~ verkeer* heavy traffic [on the road]; *een ~ke zaak* a well-patronized business; *het is mij hier te ~* things are too lively for me here; *het ~ hebben* be (very) busy; *het ontzettend ~ hebben* be rushed; *zij hadden het ~ over hem* he was made the general theme of their conversation; *ze hebben het niet ~ in die winkel* there is not much doing in that shop; *zich ~ maken* get excited; worry, bother, fuss (about *om, over*); *hij maakt het zich niet ~* he takes things easy; **II** *ad* busily; *~ bezochte vergadering* well-attended meeting; *~ bezochte winkel* well-patronized shop; zie ook: *bezig, stemmen* **III**

[1] V.T. en V.D. van dit werkwoord volgens het model: **'droog**maken, V.T. maakte **'droog**, V.D. **'droog**gemaakt. Zie voor de vormen onder het grondwoord, in dit voorbeeld: *maken*. Bij sterke en onregelmatige werkwoorden wordt u verwezen naar de lijst achterin.

2 druk (-ken) *m* 1 pressure² [of the hand, of the atmosphere &, also = oppression]; squeeze [of the hand]; *fig* burden [of taxation]; 2 print(ing), [small] print, type; [5th] impression, edition; *~ uitoefenen op* bring pressure to bear upon [sbd.]; *in ~ verschijnen* appear in print
'drukcabine (-s) *v* pressurized cabin
'drukfout (-en) *v* misprint, printer's error, typographical error
'drukinkt *m* printer's (printing) ink; **'drukken** (drukte, h. gedrukt) **I** *vt* 1 press²; squeeze, *fig* weigh (heavy) upon, oppress [sbd.], depress [prices, the market]; 2 print [books, calico &]; *iem. a a n zijn borst (het hart) ~* press sbd. to one's breast (heart); *iem. i n zijn armen ~* clasp sbd. in one's arms; *de hoed diep in de ogen ~* pull one's hat over one's eyes; *iem. iets o p het hart ~* impress (enjoin) sth. upon sbd.; **II** *vi* press; pinch [of shoes]; *zich ~* **F** flunk; *~ op* press (on); *fig* weigh (heavy) upon; *op de knop ~* press the button; zie ook: *gedrukt*; **–d** burdensome [load], heavy [air]; oppressive [load, heat], close, stifling [atmosphere], sultry [weather], crushing; **'drukker** (-s) *m* printer; **drukke'rij** (-en) *v* printing-office, printing-works; **'drukknoopje** (-s) *o* press-button, press-stud; **–knop** (-pen) *m* push-button; **–kosten** *mv* cost of printing; **–kunst** *v* (art of) printing, typography; **–letter** (-s) *v* 1 type; 2 (t e g e n o v e r s c h r i j f l e t t e r) print letter; **–meter** (-s) *m* pressure-gauge; **–pan** (-nen) *v* pressure-cooker; **–pers** (-en) *v* printing-press, press; **–proef** (-proeven) *v* proof [for correction]; *vuile ~* galley-proof, galley-sheet
'drukte *v* stir, (hustle and) bustle; [seasonal] pressure; fuss; *kouwe ~* **F** swank, la-di-da *veel ~ over iets maken* make a noise (a great fuss) about sth.; **–maker** (-s) *m* **F** fuss-pot; zie ook: *opschepper*
'druktoets (-en) *m* push key, push button; **–verband** (-en) *o* pressure bandage (dressing); **–werk** (-en) *o* printed matter; *een ~* ✉ a printed paper; *als ~ verzenden* send as printed matter
drum (-s) *m* ♪ drum; **'drummen** (drumde, h. gedrumd) *vi* ♪ drum; **–er** (-s) *m* ♪ drummer; **'drumstel** (-len) *o* drums, set of drums
drup (-pen) *m* = 1 *drop*; **'druppel** (-s) *m* drop (of water); globule, bead; *het is een ~ op een gloeiende plaat* it's a drop in the ocean; **'druppelen** (druppelde, h. en is gedruppeld) *vi* drop; *het druppelt* drops of rain are falling; *het water druppelt van het dak* the water is dripping (trickling) from the roof; **'druppelsgewijs, –gewijze** by drops
Ds. *~ W. Brown* the Reverend W. Brown, the Rev. W. Brown
D-trein (-en) *m* corridor train
dua'lisme *o* dualism; **–istisch** dualistic
'dubbel I *aj* double; twofold; dual; *~e bodem* false bottom; *de ~e hoeveelheid* double the quantity; *~e naam* double-barrelled name, hyphenated name; *zijn ~e natuur* his dual nature; *~e punt* zie 3 *punt*; *~e schroef* twin-screw; **II** *ad* doubly; *~ en dwars verdiend* more than deserved; *~ zo groot (lang & als)* twice the size (length &) (of); *~ zien* see double; **III** (-en) *m een ~e* a duplicate [of a stamp], a double [at dominoes; **–dekker** (-s) *m* biplane, double-decker; **dubbel'focusbril** (-len) *m* bifocal glasses, bifocals; **'dubbelganger** (-s) *m* double; **dubbel'hartig** double-faced, double-hearted; **–heid** *v* double-dealing, duplicity; **dubbel'koolzure 'soda** *m* & *v* bicarbonate of soda; **'dubbelloops** double-barrelled; **–parkeren** (parkeerde 'dubbel, h. 'dubbelgeparkeerd) *vi* & *vt* double-park; **–punt** (-en) *v* & *o* colon; **–rol** (-len) *v een ~ spelen* double (as); **–spel** (-spelen) *o sp* double [at tennis]; *dames- (heren-)~* ladies' (men's) doubles; *gemengd ~* mixed doubles; **–spion** (-nen) *m* double agent; **–spoor** (-sporen) *o* double track; **–stek(k)er** (-s) *m* multiple plug; **–tje** (-s) *o* "dubbeltje", ten cent piece; *het is een ~ op zijn kant* it wil be touch and go; *een ~ tweemaal omkeren* look twice at one's money; **–vouwen** (vouwde 'dubbel, h. 'dubbelgevouwen) *vt* fold in two; double up [with laughter]; **–zien** (zag 'dubbel, h. 'dubbelgezien) *vi* see double, suffer from diplopia; **dubbel'zinnig** ambiguous, equivocal; **–heid** (-heden) *v* ambiguity, double entendre
'dubben (dubde, h. gedubd) *vi* be in two minds; waver
dubi'eus dubious, doubtful; *dubieuze vordering* $ doubtful (bad) debt
'dubio *hij stond in ~* he was in two minds
'duchten (duchtte, h. gedycht) *vt* fear, dread, apprehend; **'duchtig I** *aj* fearful, strong; **II** *ad* < fearfully, terribly
du'el [dy.'ɛl] (-s en -len) *o* duel, single combat; **duel'leren** (duelleerde, h. geduelleerd) *vt* fight a duel, duel
du'et [dy'ɛt] (-ten) *o* ♪ duet
duf stuffy; fusty; *fig* fusty, musty
'duffel I *o* duffel, duffle, pilot cloth; **II** (-s) *m* duffel coat
'dufheid *v* fustiness, stuffiness; *fig* fustiness, mustiness
'duidelijk clear, plain, distinct, obvious, self-evident, explicit; marked [improvement, influence, preference]; **–heid** *v* clearness, plainness &; **duidelijkheids'halve** for the sake of clearness

'duiden (duidde, h. geduid) **I** *vi* ~ *op iets* point to sth.; **II** *vt* interpret; *ten kwąde* ~ take amiss (in bad part); **–ding** (-en) *v* interpretation

duif (duiven) *v* 🐦 pigeon, dove[2]; *de gebraden duiven vliegen een mens niet in de mond* don't think the plums will drop into your mouth while you sit still; zie ook *havik, schieten* **I**; **–je** (-s) *o* (small) pigeon; *mijn* ~*!* my dove!

duig (-en) *v* stave; *in* ~*en vallen* drop to pieces; *fig* fall through, miscarry [of plans &]; *in* ~*en doen vallen* stave in; *fig* cause to fall through, make [plans] miscarry

duik (-en) *m* dive; **–bommenwerper** (-s) *m* dive-bomber; **–boot** (-boten) *m* & *v* submarine, [German] U-boat; **–bril** (-len) *m sp* diving goggles; **–elaar** (-s) *m* (poppetje) tumbler; **'duikelen** (duikelde, h. en is geduikeld) *vi* 1 tumble, fall head over heels; 2 *fig* fall flat; **–ling** (-en) *v* 1 (in de lucht) somersault; 2 (val) tumble; *een* ~ *maken* = *duikelen*; **'duiken*** *vi* dive, plunge, dip; *in elkaar gedoken* huddled (up), hunched (up), crouched (down); *in zijn stoel gedoken* ensconced in his chair; *onder de tafel* ~ duck under the table; **'duiker** (-s) *m* 1 diver (ook 🐦); 2 ⚒ culvert; **–helm** (-en) *m* diving-helmet; **–klok** (-ken) *v* diving-bell; **–pak** (-ken) *o* diving-dress, diving-suit; **–toestel** (-len) *o* diving-apparatus;**'duikmasker** (-s) *o sp* face mask; **–sport** *v* skin-diving; **–vlucht** (-en) *v* dive

duim (-en) *m* 1 thumb [of the hand]; 2 inch = $2^{1}/_{2}$ cm; 3 ⚒ hook [also of a door]; *ik heb hem onder de* ~ he is under my thumb; **–afdruk** (-ken) *m* thumb-print; **–breed** *o geen* ~ not an inch; **'duimeling** (-en) *m* thumb-stall; **–lot** (-ten) *m* 1 thumb-stall; 2 thumb; **'duimen** (duimde, h. geduimd) *vi ik zal voor je* ~ ± I'll keep my fingers crossed; **–dik** *het ligt er* ~ *bovenop* (it is) as plain as pike staff; **–draaien** (draaide 'duimen, h. 'duimengedraaid) *vi* twiddle (twirl) one's thumbs[2]; **'duimpje** (-s) *o* thumb; *iets op zijn* ~ *kennen* have a thing at one's finger-ends; **'duimschroef** (-schroeven) *v* thumbscrew; (*iem.*) *de duimschroeven aanzetten* put on the thumbscrews; *fig* put on the screw; **–stok** (-ken) *m* (folding) rule

duin (-en) *v* & *o* dune

'Duinkerken *o* Dunkirk

'duinpan (-nen) *v* dip (hollow) in the dunes; **–roos** (-rozen) *v* Scotch rose; **–zand** *o* sand (of the dunes)

'duister I *aj* dark[2], obscure[2], dim[2]; gloomy[2]; *fig* mysterious; **II** *o het* ~ the dark; *iem. in het* ~ *laten* keep (leave) sbd. in the dark; *in het* ~ *tasten* be (grope) in the dark; zie ook: *donker*; **–heid** (-heden) *v* darkness[2], obscurity; **–ling** (-en) *m* obscurant(ist); **–nis** (-sen) *v* darkness, dark, obscurity

duit (-en) *m* & *v* 🕮 doit; *een aardige* (*flinke*) ~ a pretty penny; *hij heeft geen* (*rooie*) ~ he has not a penny to bless himself with, he hasn't a bean; *een hele* (*een slordige*) ~ *kosten* cost a pretty penny; *ook een* ~ *in het zakje doen* contribute one's mite; put in a word; ~*en hebben* **F** have plenty of money; *op de* ~*en zijn* be close-fisted; zie ook: *cent*; **'duitendief** (-dieven) *m* money-grubber

Duits I *aj* German; 🕮 Teutonic [Order of Knights]; **II** *sb het* ~ German; *een* ~*e* a German woman; **–er** (-s) *m* German; **–land** *o* Germany

'duiveëi (-eren) *o* pigeon's egg.

'duivel (-en en -s) *m* devil[2], demon, fiend; *een arme* ~ a poor devil; *de* ~ *en zijn moer* the devil and his dam; *wat* ~ *is dat nou?* what the deuce have we here?; *de* ~ *hale me, als...* (the) deuce take me, if...; *het is of de* ~ *er mee speelt* the devil is in it; *loop naar de* ~*!* **F** go to hell!; *iem. naar de* ~ *wensen* wish sbd. at the devil; *de* ~ *in hebben* have one's monkey up; *als je van de* ~ *spreekt, trap je op zijn staart* talk of the devil and he is sure to appear; **–achtig** devilish, fiendish, diabolic(al); **–banner** (-s) *m*, **–bezweerder** (-s) *m* exorcist; **–banning** *v*, **–bezwering** *v* exorcism; **duive'lin** (-nen) *v* she-devil; **'duivels I** *aj* devilish, diabolic(al), fiendish; (woedend) furious; [*iem.*] ~ *maken* infuriate; *het is om* ~ *te worden* it would vex a saint; *het is een* ~*e kerel* he is a devil of a fellow; *die* ~*e kerel* that confounded fellow; *het is een* ~ *werk* it is a devilish business, the devil and all of a job; **II** *ad* diabolically; < devilish, deuced(ly); **III** *ij* the deuce, the devil!; **'duivelsdrek** *m* asafoetida; **–kind** (-eren) *o* imp, child of Satan; **–kunstenaar** (-s) *m* magician, sorcerer; **duivelskunstena'rij** (-en) *v* devilish arts, magic; **'duivels'toejager** (-s) *m* **F** factotum, handyman; **'duivelswerk** (-en) *o* devilish work; **'duiveltje** (-s) *o* (little) devil, imp; *een* ~ *in een doosje* a Jack-in-the-box

'duivenhok (-ken) *o*, **'duivenkot** (-ten) *o* pigeon-house, dovecot; **–melker** (-s) *m* pigeon-fancier; **–slag** (-slagen) *o* pigeon-loft; **–til** (-len) *v* pigion-house, dovecot, columbarium

'duizelen (duizelde, h. geduizeld) *vi* grow dizzy (giddy); *ik duizel* I feel dizzy (giddy); *het* (*hoofd*) *duizelt mij* my head swims (whirls), my brain reels; **'duizelig** dizzy, giddy, vertiginous; **–heid** *v* dizziness, giddiness [of persons], swimming of the head; **'duizeling** (-en) *v* vertigo, fit of giddiness, swimming of the head; *een* ~ *overviel hem* he was seized (taken) with giddiness; **duizeling'wekkend** dizzy, giddy, vertiginous

'duizend (-en) a (one) thousand; *iem. uit ~en* one in a thousand; **–blad** *o* milfoil, yarrow; **duizend-en-'één-nacht** *m* the Arabian Nights' (Entertainments), a Thousand and One Nights; **'duizendjarig** of a thousand years, millennial; *het ~ rijk* the millennium; **–kunstenaar** (-s) *m* magician, sorcerer; **–poot** (-poten) *m* centipede, millipede; **–schoon** (-schonen) *v* ⚘ sweet william; **–ste** thousandth (part); **–stemmig** many-voiced, myriad-voiced; **–tal** (-len) *o* a thousand; **–voud** *o* multiple of a thousand; **–voudig** a thousand-fold

du'kaat (-katen) *m* ducat

duk'dalf (-dalven) *m* ⚓ dolphin

'dulden (duldde, h. geduld) *vt* bear, suffer, endure [pain]; stand, tolerate [practices, actions]; *het (Jan) niet ~* not tolerate it (John); *zij ~ hem daar, hij wordt geduld, méér niet* he is there on sufferance

dun I *aj* thin[2], slender [waists]; small [ale], washy [beer], clear [soup], rare [air]; *het is ~* 1 it is a poor performance, poor stuff; 2 it is mean; **II** *ad* thinly [spread, inhabited]; **–doek** *o* bunting, flag; **–drukpapier** *o* thin paper, India paper; **–heid** *v* thinness[2]; rareness [of the air]

dunk *m* opinion; *een grote (hoge) ~ hebben van* have a high opinion of, think much (highly) of; *geen hoge ~ hebben van* have but a poor opinion of, think poorly of; have no opinion of, think little (nothing) of; **'dunken*** *vi* think; *mij dunkt* I think, it seems to me; *mij dacht (docht)* I thought; *wat dunkt u?* what you think?

'dunnen I (dunde, h. gedund) *vt* thin (out); *gedunde gelederen* depleted ranks; **II** (dunde, is gedund) *vi* thin; **'dunnetjes I** *ad* thinly; zie ook: *overdoen*; **II** *aj het is ~* zie *dun*; **'dunsel** *o* thinnings

'duo ('s) 1 *o* (t w e e t a l) pair, (i n c a b a r e t, r e v u e &) duo; ♪ duet ‖ 2 *m* (v. m o t o r f i e t s) pillion; *~ rijden* ride pillon; **–passagier** [g = ʒ] (-s) *m* pillion-rider; **–zitting** (-en) *v* pillion

'dupe (-s) *m-v* dupe, victim; *ik ben er de ~ van* I am to suffer for it; **du'peren** (dupeerde, h. gedupeerd) *vt* fail, disappoint, trick

dupli'caat (-caten) *o* duplicate; **dupli'cator** (-s) *m* duplicator

du'pliek (-en) *v* rejoinder

'duplo *in ~* in duplicate; *in ~ opmaken* draw up in duplicate, duplicate

'duren (duurde, h. geduurd) *vt* last, endure; *het duurde uren voor hij...* it was hours before...; *dit kan wel eindeloos ~* this can go on (continue) for ever; *duurt het lang?* will it take (be) long)?; *wat duurt het lang voor jij komt* what a time you are!; *het duurde lang eer hij kwam* he was (pretty) long in coming; *het zal lang ~ eer...* it will be long before...; *het duurt mij te lang* it is too long for me; *zo lang als het duurde* while (as long as) it lasted

durf *m* daring, **F** pluck; **–al** (-len) *m* dare-devil; **'durven*** *vt* dare; *dat zou ik niet ~ beweren* I should not venture (be bold enough) to say such a thing, I am not prepared to say that; zie ook: *gedurfd*

dus I *ad* thus, in that way; **II** *cj* consequently, so, therefore; *we zien ~, dat...* ook: we see, then, that...; **–danig I** *aj* such; **II** *ad* 1 in such a way (manner), so; 2 to such an extent, so much; **–ver(re)** *tot ~* so far, hitherto, up to the present, up to this time, up to now

dut (-ten) *m* doze, snooze, nap; **–je** (-s) *o* = *dut*; *een ~ doen* take a nap; **'dutten** (dutte, h. gedut) *vi* doze, snooze, take a nap, have forty winks; *zitten ~* doze

1 duur *m* duration; continuance; length [of service, of a visit]; life [of an electric bulb]; *op den ~* in the long run, in the end; *van korte ~* of short duration; short-lived; *van lange ~* of long standing; of long duration; long-lived; *het was niet van lange ~* it did not last long

2 duur I *aj* dear, expensive, costly; *hoe ~ is dat?* how much is it?, what is the price?; *een dure eed zweren* swear a solemn oath; *het is mijn dure plicht* it is my bounden duty; **II** *ad* dear(ly); *het zal u ~ te staan komen* you shall pay dearly for this; *~ verkopen* $ sell dear; *fig* sell [one's life] dearly; **'duurbaar** = *dierbaar*

'duurkoop dear; zie ook *goedkoop*; **'duurte** *v* dearness, expensiveness; **–toeslag** (-slagen) *m* cost-of-living allowance

'duurzaam durable, lasting [peace]; hard-wearing, that wears well [stuff]; *duurzame gebruiksgoederen* consumer durables; **–heid** *v* durability, durableness

'duvels'toejager (-s) *m* factotum, handy-man

duw (-en) *m* push, thrust, shove; **'duwen** (duwde, h. geduwd) *vt* & *vi* push, thrust, shove; **'duwschroef** (-schroeven) *v* ✈ pusher screw; **–tje** (-s) *o* nudge, shove, prod; *iem. een ~ geven* ook: nudge sbd.

D.V. = *deo volente* God willing

dw. = *dienstwillige*

'dwaalbegrip (-pen) *o* false notion, fallacy; **–geest** (-en) *m* wandering (erring) spirit; **–leer** (-leren) *v* false doctrine, heresy; **–licht** (-en) *o* will-o'-the-wisp; **–spoor** (-sporen) *o* wrong track; *iem. op een ~ brengen* lead sbd. astray; *op een ~ geraken* go astray; **–ster** (-ren) *v* planet; **–weg** (-wegen) *m* wrong way, zie verder: *dwaalspoor*

dwaas I *aj* foolish, silly; ~ *genoeg heb ik...* I was fool enough to...; zie ook: *aanstellen*; **II** *ad* foolishly, in a silly way; **III** (dwazen) *m* fool; **–heid** (-heden) *v* folly, foolishness
'dwalen (dwaalde, h. gedwaald) *vi* 1 roam, wander; 2 (e e n v e r k e e r d i n z i c h t h e b b e n) err; ~ *is menselijk* to err is human; **–ling** (-en) *v* error
dwang *m* compulsion, constraint, coercion; **–arbeid** *m* hard (compulsory) labour; ⚖ penal servitude; **–arbeider** (-s) *m* convict; **–bevel** (-velen) *o* ⚖ warrant, writ; distress warrant [for non-payment of rates]; **–buis** (-buizen) *o* strait-jacket; **–gedachte** (-n) *v* obsession; **–handeling** (-en) *v* compulsive (obsessional) act; **–maatregel** (-en) *m* coercive measure; **dwang'matig** compulsive; **'dwangmiddel** (-en) *o* 1 means of coercion; 2 forcible means; **–positie** [-zi.(t)si.] (-s) *v* 1 ◊ squeeze; 2 *fig* embarrassing situation, plight; *iem. in een* ~ *brengen* force (tie) sbd.'s hands; **–som** (-men) *v* penal sum; **–voorstelling** (-en) *v* obsession, fixed idea
'dwarrelen (dwarrelde, h. en is gedwarreld) *vi* whirl; **–ling** (-en) *v* whirl(ing); **'dwarrelwind** (-en) *m* whirlwind
dwars 1 transverse, (in samenst.) cross...; 2 *fig* (t e g e n d e d r a a d i n) cross-grained, wrong-headed, contrary; ~ *door... heen,* ~ *over* (right) across the...; ~ *oversteken* cross [the street]; *iem. de voet* ~ *zetten, iem.* ~ *zitten* cross (thwart) sbd., **F** put sbd.'s nose out of joint; *dat zit hem* ~ (*in de maag*) that sticks in his gizzard, that annoys him; **–balk** (-en) *m* cross-beam; **–beuk** (-en) *m* transept; **–bomen** (dwarsboomde, h. gedwarsboomd) *vt* cross, thwart; **–dal** (-dalen) *o* transverse valley; **–doorsne(d)e** (-sneden) *v* cross-section; slice; **–drijven** (dwarsdrijfde, h. gedwarsdrijfd) *vi* take the opposite course (or view); **–drijver** (-s) *m* cross-grained (perverse) fellow; **dwarsdrijve'rij** (-en) *v* contrariness, perverseness; **'dwarsfluit** (-en) *v* German flute; **–gang** (-en) *m* transverse passage; **–heid** *v* = *dwarsdrijverij*; **–hout** (-en) *o* cross-beam; **–kijker** (-s) *m* spy, snooper; **–laesie** [-le.zi.] transverse lesion; **–lat** (-ten) *v* 1 cross-lath; 2 *sp* cross-bar; **–ligger** (-s) *m* sleeper [under the rails]; *fig* **F** anti; **–lijn** (-en) = *dwarsstreep*; **'dwars'scheeps** abeam; **'dwarsschip** (-schepen) *o* transept [of a church]; **–sne(d)e** (-sneden) *v* cross-section; **–straat** (-straten) *v* cross-street; **–streep** (-strepen) *v* cross-line, transverse line; **–weg** (-wegen) *m* cross-road
'dwaselijk foolishly
'dweepachtig *aj* 1 fanatical [in religious matters]; 2 gushing [in sentimental matters]; **–ziek** 1 fanatical; 2 gushingly enthusiastic; **–zucht** *v* fanaticism
dweil (-en) *m* floor-cloth, mop, swab; (s l o n s) slut; **'dweilen** (dweilde, h. gedweild) *vt* mop (up), swab, wash [floors]
'dwepen (dweepte, h. gedweept) *vi* be fanatical; ~ *met* be enthusiastic about [poetry], be dotingly fond of, **F** enthuse over [music], gush about [professor X], be a devotee of [Wagner], rave about [a girl]; **–d** zie *dweepachtig*; **'dweper** (-s) *m* 1 fanatic; 2 **F** enthusing zealot, devotee, enthusiast; **–ig** fanatic, bigoted; **dwepe'rij** (-en) *v* 1 fanaticism; 2 gushing enthusiasm
dwerg (-en) *m* dwarf, pygmy; **–achtig** dwarfish, dwarf, pygmean; **–poedel** (-s) *m* toy poodle; **–volk** (-en) *o* pygmean race
'dwingeland (-en) *m* tyrant; **dwingelan'dij** *v* tyranny; **'dwingen* I** *vt* compel, force, constrain, coerce; *hij laat zich niet* ~ he doesn't suffer himself to be forced; *dat laat zich niet* ~ you can't force it; **II** *vi* be tyrannically insistent [of a child]; *om iets* ~ be insistent on getting sth.; *dat kind kan zo* ~ always wants to have its own way; **–d** coercive [measures]; compelling [reasons]; **'dwingerig** tyrannic, insistent; **dwong** (**dwongen**) V.T. v. *dwingen*
d.w.z. = *dat wil zeggen* that is (to say), namely
dy'namica [y = i.] *v* dynamics; **dyna'miek** *v* dynamics
dyna'miet [y = i.] *o* dynamite
dy'namisch [y = i.] dynamic; **dy'namo** ('s) *m* dynamo
dynas'tie [y = i.] (-ieën) *v* dynasty; **–k** dynastic
dysente'rie [y = i.] *v* dysentery

E

e [e.] ('s) *v* e
e.a. = *en andere(n)* and others, and other things
eau de co'logne [o.dəko.'lòɲə] *v* eau de Cologne
eb, 'ebbe *v* ebb, ebb-tide; ~ *en vloed* ebb-tide and flood-tide, ebb and flow
'ebbehout *o* ebony; **–en** *aj* ebony
'ebben (ebde, h. geëbd) *vi* ebb, flow back; *de zee ebt* the tide ebbs, is ebbing, is going out
ebo'niet *o* ebonite, vulcanite
e'chec [e.'ʃɛk] (-s) *o* check, rebuff, repulse, failure; ~ *lijden* 1 (v. p e r s o o n) meet with a rebuff; 2 (v. r e g e r i n g &) be defeated; 3 (v. o n d e r n e m i n g) fail
eche'lon [e.ʃə'lòn] (-s) *m* ⚔ echelon
'echo ['ɛxo.] ('s) *m* echo; **'echoën** (echode, h. geëchood) *vi* & *vt* (re-)echo; **'echolood** *o* echo sounder; **–peiling** (-en) *v* echo sounding; **–put** (-ten) *m* echoing well
1 echt I *aj* authentic [letters], real [roses &], genuine [butter &], legitimate [children]; true(-born) [Briton]; out-and-out [boys]; **F** regular [blackguards]; *dat is nou ~ eens een man* he is a real man; **II** *ad* < really; *hij was ~ kwaad* he was downright angry; *het is ~ waar* it is really true
2 echt *m* marriage, matrimony, wedlock; *in de ~ treden, zich in de ~ begeven* marry; zie ook: *verbinden, verenigen*; **'echtbreekster** (-s) *v* adulteress; **–breken** *vi* commit adultery; **–breker** (-s) *m* adulterer; **–breuk** *v* adultery; **'echtelieden** *mv* married people; *de ~* the married couple; **–lijk** conjugal [rights]; matrimonial [happiness]; married [state]; marital [bliss]; **'echten** (echtte, h. geëcht) *vt* legitimate [a child]
'echter however, nevertheless; **F** though
'echtgenoot (-noten) *m* husband, spouse; *echtgenoten* zie ook *gehuwden*; **–genote** (-n) *v* wife, spouse, lady
'echtheid *v* authenticity [of a picture], genuineness
'echting *v* legitimation; **'echtpaar** (-paren) *o* (married) couple; **–scheiding** (-en) *v* divorce; **–verbintenis** (-sen) *v*, **–vereniging** (-en) *v* marriage
ecla'tant signal, striking [case &]; brilliant, sensational [success]
ec'lecticus [ɛk'lɛk-] (-ci) *m* eclectic; **ec'lectisch** eclectic
e'clips (-en) *v* eclipse; **eclip'seren** (eclipseerde, h. en is geëclipseerd) **I** *vt* eclipse; **II** *vi fig* abscond
ecolo'gie *v* ecology; **eco'logisch** ecological; **eco'loog** (-logen) *m* ecologist
econome'trie *v* econometrics
econo'mie (-ieën) *v* 1 economy; 2 (w e t e n s c h a p) economics; *geleide ~* planned economy; **eco'nomisch** 1 economic; 2 (z u i n i g) economical; **economi'seren** [s = z] (economiseerde, h. geëconomiseerd) *vi* economize; **eco'noom** (-nomen) *m* economist
e'cru ecru
'Ecuador *m* Ecuador
ec'zeem [ɛk'se.m] (-zemen) *o* eczema
e.d. = *en dergelijke* zie *dergelijk*
e'dammer (-s) *m* Edam (cheese)
'edel I *aj* 1 noble[2] [birth, blood, features, thoughts &]; 2 precious [metals, stones]; 3 vital [parts, organs]; *de ~en* the nobility; 🕮 the nobles; **II** *ad* nobly; **edel'achtbaar** honourable, worshipful; *Edelachtbare* Your Honour; Your Worship; **'edelgas** (-sen) *o* rare gas; **–gesteente** (-n en -s) *o* precious stone, gem; **–heid** *v* nobleness, nobility; *Hare (Zijne) Edelheid* Her (His) Grace; **–hert** (-en) *o* red deer; **–knaap** (-knapen) *m* page; **–man** (-lieden) *m* nobleman, noble; **edel'moedig** generous, noble(-minded); **–heid** *v* generosity, noblemindedness; **'edelsmid** (-smeden) *m* gold and silver smith; **–steen** (-stenen) *m* = *edelgesteente*; **–vrouw** (-en) *v* noblewoman
e'dict (-en) *o* edict [of Nantes &], decree
e'ditie [-(t)si.] (-s) *v* edition, issue
e'doch but, however, yet, still
educa'tief educational
eed (eden) *m* oath; *de ~ afnemen* administer the oath to, swear in [a functionary]; *een ~ doen (afleggen)* take (swear) an oath; *een ~ doen om...* swear [never] to...; *daarop heeft hij een ~ gedaan* 1 he has sworn it; 2 he has affirmed it on his oath; *onder ede* [declared] on oath; *hij staat onder ede* he is under oath; **–aflegging** (-en) *v* taking an (the) oath; **–afneming** (-en) *v* swearing in; **–breuk** (-en) *v* violation of one's oath, perjury; **'eedsaflegging** (-en) *v* = *eedaflegging*
E.E.G. *v* = *Europese Economische Gemeenschap* European Economic Community, E.E.C.
'eega ('s en eegaas), **'eegade** (-n) *m-v* spouse
'eekhoorn, 'eekhoren (-s) *m* squirrel
eelt *o* callus, callosity; **'eeltachtig** callous, horny [hands]; **–heid** *v* callosity; **'eeltig** callous, horny [hands]; **'eeltknobbel** (-s) *m* callosity

1 een [ən] a, an; ~ *vijftig* some fifty
2 een [e.n] **I** *telw.* one; *het was ~ en al modder* all mud, mud all over; *~ en al oor* all ears; *~ en ander* the things mentioned; *het ~ en ander* a few things, a thing or two, one thing and another; *de ene na de andere...* one... after another; *de (het) ~ of andere* one or other, some; *het ~ of ander* 1 *aj* some; 2 *sb* something or other; *de ~ of andere dag* some day; *het ~ of het ander* either... or..., one or the other; *noch het ~ noch het ander* neither one thing nor the other; *in ~ of andere vorm* in one shape or another; *die ene dag* 1 (only) that one day; 2 that day of all others; *~-twee-drie* **F** in two shakes; *op ~ na* all except one; the last but one; *ze zijn van ~ grootte (leeftijd)* they are of a size (of an age); *~ voor ~* one by one, one at a time; **II** *v* one; *drie enen* three ones; **–akter** (-s) *m* act play; **–armig** one-armed; **–cellig** unicellular; *~e diertjes* protozoa
eend (-en) *v* 1 duck; 2 *fig* goose, ass
'eendaags lasting one day, one-day; **'eendagsvlieg** (-en) *v* ephemeron, mayfly
'eendeëi (-eren) *o* duck's egg; **–jacht** (-en) *v* duck-shooting
'eendekker (-s) *m* monoplane
'eendekroos *o* duckweed
'eendelig one-piece [swim-suit]
'eendemossel (-s) *v* barnacle
'eendenkooi (-en) *v* decoy
'eender I *aj* equal; the same; *het is my ~* it is all the same (all one) to me; **II** *ad* equally; *~ gekleed* dressed alike
'eendracht *v* concord, union, unity, harmony; *~ maakt macht* union is strength; **een'drachtig I** *aj* united [efforts], harmonious, concerted [views]; **II** *ad* unitedly, as one man, [act] in unity, in concert, [work together] harmoniously
'eendvogel (-s) *m* duck; **'eeneiïg** (v. tweelingen) identical; uniovular, monozygotic
eenge'zinswoning (-en) *v* one-family-house
'eenheid (-heden) *v* 1 (als maat) unit; 2 (als eigenschap) oneness, uniformity [of purpose]; 3 (als deugd) unity; *de drie eenheden* the three (dramatic) unities; **'eenheidsprijs** (-prijzen) *m* unit price; **–staat** (-staten) *m* unitary state
'eenhoevig ungulate; **–hoofdig** monarchial; *een ~e regering* a monarchy; **–hoorn, –horen** (-s) *m* unicorn; **–huizig** ♣ monoecious; **–jarig** 1 of one year, one-year-old [child]; 2 ♣ annual; 3 ♞ yearling
een'kennig shy, timid; **–heid** *v* shyness, timidity
'eenlettergrepig monosyllabic, of one syllable; *~ woord* monosyllable; **'eenling** (-en) *m* individual; **'eenmaal** 1 once; 2 one day; *~, andermaal, derdemaal!* going, going, gone!; *~ is geenmaal* once is no custom; zie ook: 1 *zo* **I;** **'eenmaking** *v* unification, integration [of Europe]; **'eenmansgat** (-gaten) *o* fox-hole; **–zaak** (-zaken) *v* one-man business; **'eenmotorig** single-engined
'eenogig one-eyed; **–oog** (-ogen) *m-v* one-eyed person; *in het land der blinden is ~ koning* in the kingdom of blind men the one-eyed is king
een'parig I *aj* 1 unanimous [in opinion]; 2 uniform [velocity]; **II** *ad* 1 unanimously, with one accord; 2 uniformly [accelerated]; **–heid** *v* 1 unanimity; 2 uniformity
'eenpersoons for one person, one-man [show &]; single [room, bed]; twin [bed, of a pair]; single-seater [car, aeroplane]; **een'richtingsverkeer** *o* oneway traffic; *straat voor ~* one-way-street
eens 1 once, one day (evening); (in sprookjes) once upon a time [there was...]; 2 (in de toekomst) one day [you will...]; 3 just [go, fetch, tell me &]; *~ voor al* once for all; *de ~ beroemde schoonheid* the once famous beauty; *hij bedankte niet ~* he did not so much as (not even) thank us; *~ zoveel* as much (many) again; *het ~ worden* come to an agreement [about the price &]; *wij zijn het ~ (met elkaar)* we are at one, we agree; *die twee zijn het ~* there is an understanding between them; they are hand in glove; *ik ben het met mijzelf niet ~* I am in two minds about it; *wij zijn het er over ~ dat...* we are of one mind as to..., we are agreed that...; *daar zijn we het niet over ~* we don't see eye to eye on that point; *daarover zijn allen het ~* there is only one opinion about that; *zij waren het onderling niet ~* they were divided against themselves
'eensdeels *~...anderdeels...* partly... partly...; for one thing... for another...; **eensge'zind I** *aj* unanimous, of one mind, at one, in harmony; **II** *ad* unanimously, [act] in harmony, in concert; **–heid** *v* unanimousness, unanimity, union, harmony; **'eensklaps** all at once, suddenly, all of a sudden
een'slachtig monosexual, unisexual; **eens'luidend** of the same tenor; *~ afschrift* a true copy; *~e verklaringen* identical statements
een'stemmig, 'eenstemmig I *aj* ♪ for one voice; *fig* unanimous; *~e liederen* unison songs; **II** *ad* with one voice, unanimously; **–heid** *v* unanimity, harmony
'eenterm (-en) *m* × monomial; **'eentje** *o* one; *je bent me er ~* **F** you are a one; *er ~ pakken* **F** have one; *in (op) mijn ~* by myself
een'tonig I *aj* monotonous[2] [song]; *fig* humdrum, dull [life &]; **II** *ad* monotonously;

–heid *v* monotony; *fig* sameness
een-twee-'drie at once, immediately
een'vormig uniform; **–heid** *v* uniformity
'eenvoud *m* simplicity, plainness, homeliness; *in alle* ~ without ceremony, in all simplicity; **een'voudig I** *aj* simple [sentence, dress, style, people], plain [food, words]; homely [fare, entertainment &]; **II** *ad* simply; *ik vind het* ~ *schande* I think it a downright shame; *ga* ~ *en zeg niets* (just) go and say nothing; **–heid** *v* simplicity; *in zijn* ~ in his simplicity; **eenvoudigheids'halve** for the sake of simplicity; **een'voudigweg** simply
'een(zaad)lobbig unilobed
'eenzaam I *aj* solitary, lonely, lone(some); desolate, retired; *het is hier zo* ~ 1 it is (one is, one feels) so lonely here; 2 the place is so lonely; *een eenzame* a solitary; **II** *ad* solitarily; ~ *leven* lead a solitary (secluded) life, live in solitude; **–heid** *v* solitariness, loneliness, solitude; retirement; *in de* ~ in solitude
een'zelvig I *aj* solitary, keeping oneself to oneself, self-contained; **II** *ad* ~ *leven* lead a solitary (secluded) life; **–heid** *v* solitariness
'eenzijdig, een'zijdig *aj* one-sided [views]; partial [judgements]; unilateral [disarmament]; **–heid** *v* one-sidedness, partiality
1 eer *ad* & *cj* before, sooner; rather; ~ *dat* before; *hoe* ~ *hoe liever* the sooner the better; ~ *te veel dan te weinig* rather too much than too little
2 eer *v* honour; credit; *de* ~ *aandoen om...* do [me] the honour to...; *op een manier die hun weinig* ~ *aandeed* (very) little to their honour (credit); *een schotel* ~ *aandoen* do justice to a dish; ~ *bewijzen* do (render) honour to; *iem. de laatste* ~ *bewijzen* render the last honours to sbd.; *ik heb de* ~ *u te berichten...* I have the honour to inform you...; *ik heb de* ~ *te zijn* I am; *je hebt er alle* ~ *van* you have all credit of it, you have done a fine job; *de* ~ *aan zich houden* save one's honour, put a good face on the matter; ~ *inleggen met iets* gain credit by sth.; *dat kwam zijn* ~ *te na* that he felt as a disparagement to his honour; *er een* ~ *in stellen te...* make it a point of honour to..., be proud to...; *ere wie ere toekomt* honour to whom (where) honour is due; *ere zij God!* glory to God!; • *dat bent u a a n uw* ~ *verplicht* you are in honour bound to...; *i n (alle)* ~ *en deugd* in honour and decency; *in ere houden* honour; *iems. aandenken in ere houden* hold sbd.'s memory in esteem; *m e t e r e* with honour, with credit, honourably, creditably; *met militaire* ~ *begraven* bury with military honours; *t e zijner ere* in (to) his honour; *t e r ere van de dag* in honour of the day; *ter ere Gods* for the glory of God; *acceptatie ter ere* acceptance for honour; *t o t zijn* ~ *zij het gezegd* to his credit be it said; *zich iets tot een* ~ *rekenen* consider sth. an honour; take credit (to oneself) for ...ing; *het zal u tot* ~ *strekken* it will be a credit to you, do you credit, reflect honour on you; **'eerbaar** virtuous, modest; *eerbare bedoelingen* honorable intentions; **–heid** *v* virtue, modesty; **'eerbetoon** *o*, **–betuiging** (-en) *v*, **–bewijs** (-wijzen) *o* (mark of) honour, homage; **–bied** *m* respect, reverence; **eer'biedig** respectful, deferential, reverent; **eer'biedigen** (eerbiedigde, h. geëerbiedigd) *vt* respect; **eer'biedigheid** *v* respect, deference, devotion; **eer'biediging** *v* respect; **eerbied'waardig** respectable, venerable; (d o o r o u d e r d o m) time-honoured; **–'wekkend** imposing
'eerdaags one of these days, in a few days
'eerder = 1 *eer*; *nooit* ~ never before
'eergevoel *o* sense of honour
'eergisteren, eer'gisteren the day before yesterday; **eergister(en)'nacht** the night before last
'eerherstel *o* rehabilitation
'eerlang, eer'lang before long, shortly
'eerlijk I *aj* honest [people], fair [fight, play, dealings], honourable [burial, intentions]; ~*!* **F** honour bright!; ~ *duurt het langst* honesty is the best policy; ~ *is* ~ fair is fair; **II** *ad* honestly, fair(ly); ~ *delen!* divide fairly!; ~ *gezegd...* to be honest, honestly [I don't trust him]; ~ *spelen* play fair; ~ *zijn brood verdienen* make an honest living; ~ *of oneerlijk* by fair means or foul; ~ *waar* it is the honest truth; **–heid** *v* honesty, probity, fairness; **eerlijkheids'halve** in fairness
'eerloos infamous; **–heid** *v* infamy; **eers'halve** for honour's sake
eerst I *aj* first [aid, principles, hours, class &]; early [times]; prime [minister]; premier [position]; first-rate [singers &]; leading [shops]; initial [difficulties, expenses]; chief [clerk]; *de* ~*e de beste man* the (very) first man you meet, the next man you see, anybody, any man; *hij is niet de* ~*e de beste* he is not everybody; *bij de* ~*e de beste gelegenheid* at the first opportunity; *in de* ~*e zes maanden niet* not for six months yet; *de* ~*e steen* the foundation-stone; *de* ~*en van de stad* the upper ten of the town; *hij is de* ~*e van zijn klas* he is at the top of his class; *het* ~*e dat ik hoor* the first thing I hear; *de* ~*e..., de laatste...* the former..., the latter...; • *i n het* ~ at first; *t e n* ~*e* first, in the first place, to begin with; ook: firstly; *ten* ~*e..., ten tweede...* ook: for one thing..., for another...; *v o o r het* ~ for the first time; **II** *ad* first; ook: at first; *beter dan* ~ better than before (than he used to); ~ *was hij zenuwachtig* 1 at first [when beginning his speech] he

was nervous; 2 [long ago] he used to be nervous; *als ik maar ~ eens weg ben, dan...* when once away, I...; *~ gisteren is hij gekomen* he came only yesterday; *~ gisteren heb ik hem gezien* not before (not until) yesterday; *~ in de laatste tijd* but (only) recently; *~ morgen* not before to-morrow; *~ nu (nu ~)* only now [do I see it]; *doe dat het ~* do it first thing; *hij kwam het ~* he was the first to come, he was first; *wie het ~ komt, het ~ maalt* first come first served; **–aanwezend** senior; **–daags** in a few days, one of these days; **eerste'dagenvelop(pe)** [-ãvəlɔp] (-pen) *v* first-day cover; **–'jaarsstudent** (-en) *m* first-year student; **–'klas(se) I** *v* first-class [in a train]; **II** *aj* first-class [hotel]; **'eersteling** (-en) *m* first-born [child]; firstling [of cattle]; *fig* first-fruits; *het is een ~* it is a "first" book (picture &); **eerste'rangs** first-rate, first-class; **–'steenlegging** (-en) *v* laying of the foundation-stone; **eerstge'boorte** *v* primogeniture; **–recht** *o* birthright; **eerstge'borene** (-n) *m-v* first-born; **'eerstgenoemde** (-n) *(de) ~* the first-mentioned, the former; **eerst'komend, eerst'volgend** next, following

'eertijds formerly, in former times

'eervergeten devoid of all honour, lost to all sense of honour, infamous; **–vol** honourable [discharge]; creditable; **eer'waard** *aj* reverend; *uw ~e* Your Reverence; **–ig** venerable; **'eerzaam** respectable; **–zucht** *v* ambition; **eer'zuchtig** ambitious; *~ zijn* aim high

'eetbaar fit to eat, eatable, edible [bird's nest, fungus, snail], esculent; **–heid** *v* eatableness, edibility; **'eetgelegenheid** (-heden) *v* eating-place, restaurant; **–gerei** *o* dinner-things; **–hoek** (-en) *m* dinette; dining recess; **–huis** (-huizen) *o* eating-house; **–kamer** (-s) *v* dining-room; **–keteltje** (-s) *o* ⚔ mess-tin; **–keuken** (-s) *v* dining-kitchen; **–lepel** (-s) *m* table-spoon; **–lust** *m* appetite; *dat heeft mij ~ gegeven* it has given me an appetite; **–servies** (-viezen) *o* dinner-set, dinner-service; **–stokje** (-s) *o* chopstick; **–tafel** (-s) *v* dining-table; **–waren** *mv* eatables, victuals; **–zaal** (-zalen) *v* dining-room

eeuw (-en) *v* century, age; *de gouden ~* the golden age; *de twintigste ~* the twentieth century; *de ~ van Koningin Elizabeth* the age of Queen Elizabeth; *in geen ~* not for ages; **'eeuwenlang** age-long [tyranny &]; **–oud** centuries old [trees], age-old [errors]; **'eeuwfeest** (-en) *o* centenary; **'eeuwig** *aj* eternal, everlasting, perpetual; *ten ~en dage, voor ~* for ever; **II** *ad* for ever; < eternally; *het is ~ jammer* it is a thousand pities; **'eeuwigdurend, eeuwig'durend** = *eeuwig*; **'eeuwigheid** (-heden) *v* eternity; *ik heb een ~ gewacht* I have been waiting for ages; *nooit in der ~* never; *ik heb je in geen ~ gezien* I have not seen you for ages; *tot in ~* to all eternity; *van ~ tot amen* for ever and ever; **'eeuwwisseling** (-en) *v* turn of the century; *bij de ~* at the turn of the century

efe'meer [e.fe.-] ephemeral

ef'fect (-en) *o* 1 effect; 2 ⚽ side; *nuttig ~* ⚒ efficiency; *een bal ~ geven* ⚽ put side on a ball; *~ hebben* take effect; *dat zal ~ maken* that will produce quite an effect; *~ sorteren* have the desired effect; zie ook: *effecten*; **–bejag** *o* straining after effect, claptrap

ef'fecten *mv* stocks (and shares), securities; **–beurs** (-beurzen) *v* stock exchange; **–handel** *m* stock-jobbing; **–handelaar** (-s) *m* stock-jobber; **–makelaar** (-s) *m* stock-broker; **–markt** (-en) *v* stockmarket

effec'tief effective, real; *in effectieve dienst* on active service; **effectu'eren** (effectueerde, h. geëffectueerd) *vt* carry out, execute

'effen smooth, even, level [ground]; plain [colour, material]; unruffled [countenance]; settled [account]; **'effenen** (effende, h. geëffend) *vt* smooth (down, over, out), level, make even; *fig* smooth [the way for sbd.]; zie ook: *vereffenen*; **'effenheid** *v* smoothness, evenness; **'effening** *v* levelling, smoothing

efficiënt [ɛfi.si.'ɛnt] 1 (v. z a k e n) efficacious [cure, method]; 2 (v. p e r s o n e n) efficient

eg (-gen) *v* harrow, drag

e'gaal uniform, unicoloured, plain [in colour]; smooth, even [grand]; *het is mij ~* it is all the same to me

egali'satie [-'za.(t)si.] (-s) *v* levelling, equalization; **egali'seren** [s = z] (egaliseerde, h. geëgaliseerd) *vt* level, make even [ground]; equalize

e'gards [e.'ga.rs] *mv* consideration(s), regard(s), attention; *iem. met (zonder) veel ~ behandelen* treat sbd. with (little) ceremony

E'geïsche 'Zee *v* Aegean Sea

'egel (-s) *m* hedgehog

egelan'tier (-s en -en) *m* eglantine, sweet briar

'egelstelling (-en) *v* ⚔ all-round defense position

'egge (-n) = *eg*; **'eggen** (egde, h. geëgd) *vt* & *vi* harrow, drag

ego'centrisch self-centred, self-absorbed, egocentric; **ego'ïsme** *o* egoism; **–'ïst** (-en) *m* egoist; **–'ïstisch** selfish, egoistic

E'gypte [y = ɪ] *o* Egypt; **–naar** (-s en -naren) *m* Egyptian; **E'gyptisch** Egyptian; *~e duisternis* Egyptian darkness

E.H.B.O. [e.ha.b.e.'o.] = *Eerste Hulp bij Ongelukken* first-aid (association); *~-afdeling* emergency ward; *~-post* first-aid station

1 ei (-eren) *o* egg; *gebakken ~* fried egg; *zacht (hard) gekookt ~* soft-(hard-)boiled egg; *het ~ van Columbus* the egg of Columbus; *het ~ wil wijzer zijn dan de hen!* teach your grandmother to suck eggs!; *een half ~ is beter dan een lege dop* half a loaf is better than no bread; *zij kozen eieren voor hun geld* they came down a peg or two; *dat is het hele ~eren eten* that's all there is to it

2 ei! *ij* ah!, indeed!

e.i. = *elektrotechnisch ingenieur*; zie *elektrotechnisch*

'eicel (-len) *v* egg, ovum

'eiderdons *o* eider-down; **–eend** (-en) *v*, **–gans** (-ganzen) *v* eider (-duck)

'eierdooier (-s) *m* yolk (of egg), egg-yolk; **–dop** (-pen) *m* egg-shell; **–dopje** (-s) *o* egg-cup; **–klopper** (-s) *m* egg-whisk, egg-beater; **–koek** (-en) *m* egg-cake; **–kolen** *mv* egg coal, ovoids; **–leggend** egg-laying, oviparous; **–lepeltje** (-s) *o* egg-spoon; **–rekje** (-s) *o* egg-rack; **–saus** (-en) *v* egg-sauce; **–schaal** (-schalen) *v* egg-shell; **–stok** (-ken) *m* ovary; **–warmer** (-s) *m* egg cosy; **'eigeel** (-gelen) *o* yellow, (egg-)yolk

'eigen 1 (i n i e m s. b e z i t) own, of one's own, private, separate; 2 (a a n g e b o r e n) proper to [mankind], peculiar to [that class]; 3 (k e n m e r k e n d) characteristic, peculiar; 4 (i n t i e m) friendly, familiar, intimate; 5 (z e l f d e) the (very) same, [his] very...; *~ broeder van...* own brother to...; *hij heeft een ~ huis* he has a house of his own; *in zijn ~ huis* in his own house; *zijn vrouws ~ naam* his wife's maiden name; *met de hem ~ beleefdheid* with his characteristic courtesy; *ik ben hier al ~* I am quite at home here; *hij was zeer ~ met ons* he was on terms of great intimacy with us; *zich ~ maken* make oneself familiar with, master [a technique], acquire [all the knowledge needed]

'eigenaar (-s en -naren) *m* owner, proprietor; *van ~ verwisselen* change hands

eigen'aardig 1 (m e r k w a a r d i g) curious; 2 (b i j z o n d e r) peculiar; **–heid** (-heden) *v* peculiarity

eigena'res (-sen) *v* owner, proprietress

'eigenbaat *v* self-interest, self-seeking; **–belang** *o* self-interest, personal interest

'eigendom (-men) 1 *o* (b e z i t t i n g) property; 2 *m* (r e c h t) ownership [of the means of production]; *bewijs van ~* title(-deed); *in ~ hebben* be in possession of, own; **'eigendomsbewijs** (-wijzen) *o* title deed; **–overdracht** *v* transfer of property; **–recht** *o* 1 ownership; 2 proprietary right(s) [of an estate]; 3 copyright [of a publisher]

'eigendunk *m* self-conceit; **eigen'erfde** (-n) *m* = *eigengeërfde*; **'eigengebakken** home-made; **–geërfde** [-gəɛrf-] (-n) *m* freeholder; **–gemaakt** home-made; **eigenge'rechtig** self-righteous; **–ge'reid** opinionated, self-willed, stubborn; **–'handig** [done] with one's own hands; [written] in one's own hand; [to be delivered] "by hand"; *~ geschreven brieven aan...* apply in own handwriting to...; *~ geschreven stuk* autograph; **'eigenliefde** *v* self-love, love of self

'eigenlijk I *aj* proper, properly so called; actual, real, true; zie ook: *zin*; **II** *ad* properly speaking; really, actually; *wat betekent dit ~?* just what does this mean?; *wat is hij nu ~?* what is he exactly?; *wat wil je nu ~?* what in point of fact do you want?; *wie is die vent ~ ?* who is this fellow, anyway?; *~ niet* not exactly; *kunnen we dat ~ wel tolereren?* can we really tolerate this?

eigen'machtig I *aj* arbitrary, high-handed; **II** *ad* arbitrarily, high-handedly; **–heid** *v* arbitrariness, highhandedness

'eigennaam (-namen) *m* proper noun, proper name; **–richting** *v* ⚖ taking the law into one's own hands; **–schap** (-pen) *v* property [of bodies]; 2 quality [of persons], attribute [of God]; **–tijds** contemporary; **–waan** *m* conceitedness, presumption; **–waarde** *v gevoel van ~* feeling of one's own worth, self-esteem; **eigen'wijs** pigheaded, opinionated; *~ zijn* always think one knows better; **–'zinnig** self-willed, wayward, wilful

eik (-en) *m* oak; **'eikeboom** (-bomen) *m* oak-tree; **eike'hakhout** *o* oak coppice; **'eikehout** *o* oak, oak-wood; **–en** *aj* oak, oaken

'eikel (-s) *m* acorn; (v. d. p e n i s) glans

'eikeloof *o* oak-leaves; **'eiken** *aj* oak, oaken; **–bos** (-sen) *o* oak-wood; **'eikeschors** *v* oak-bark; (g e m a l e n) tan

'eiland (-en) *o* island, isle; *het ~ Wight* the Isle of Wight; **–bewoner** (-s) *m* islander; **'eilandengroep** (-en) *v* group of islands, archipelago

'eileider (-s) *m* oviduct

eind (-en) *o* 1 end[2] [ook = death]; [happy] ending; close, termination, conclusion; (u i t e i n d e) end, extremity; 2 (s t u k) piece [of wood]; bit [of string]; length [of sausage]; zie ook: *eindje*; 3 in: *~ (weegs)* part of the way; *het is een heel ~* it is a good distance (off), a long way (off); *maar een klein ~* only a short distance; *het ~ van het liedje is...* the upshot is..., the end is...; *zijn ~ voelen naderen* feel one's end drawing near; • *a a n het andere ~ van de wereld* at the back of beyond; *er komt geen ~ aan* there is no end to it; *komt er dan geen ~ aan?* shall we never see (hear) the last of it?; *er moet een ~ aan komen* it must stop; *hij kwam treurig aan zijn ~* he came to a sad end; *aan alles komt een ~* all things must have an end; *een ~ maken aan iets* put an end (a stop) to sth., make an end of sth.; *aan het kortste (langste) ~ trekken* come off worst (best), get the worst (best) of it, have the worst (better) end of the staff; *wij zijn nog niet aan het ~* the end is not yet; *het b i j het rechte ~ hebben* be right, be correct; *het bij het verkeerde ~ aanpakken* begin at the wrong end; *het bij het verkeerde ~ hebben* be mistaken, have got hold of the wrong end of the stick, be wrong; *i n (o p) het ~* at last, eventually; *een ~ in de 40* well past forty, well over forty years of age; *een ~ over zessen* well over six [o'clock]; *het loopt o p een ~* things are coming to an end (drawing to a close); *het loopt op zijn ~ met hem* his end is drawing near; *t e dien ~e* to that end, with that end in view, for that purpose; *t e g e n het ~* towards the end (close); *t e n ~e...* in order to...; *ten ~e brengen* bring to an end (conclusion); *ten ~e lopen* come to an end, draw to an end (to a close), expire [of a contract]; *ten ~e raad zijn* be at one's wits' (wit's) end; *t o t het ~ (toe)* till the end; *tot een goed ~e brengen* bring the matter to a favourable ending, bring [things] to a happy conclusion; *v a n alle ~en van de wereld* from all parts of the world; *ze stelen, daar is het ~ van weg* there is no end to it; *jokken dat hij kan, daar is het ~ van weg!* he is no end of a liar; *z o n d e r ~* without end, endless(ly); *het ~ zal de last dragen* the end will bear the consequences; *~ goed al goed* all's well that ends well; **–bedrag** (-dragen) *o* total, sum total; **–beslissing** (-en) *v*, **–besluit** (-en) *o* final decision; **–bestemming** (-en) *v* final destination, ultimate destination; **–cijfer** (-s) *o* 1 final figure; 2 🕮 final mark; 3 (t o t a a l) grand total; **–diploma** ('s) *o* (school) leaving certificate, (v. m i d d e l b a r e s c h o o l) *Br* ± General Certificate of Education, G.C.E.; **–doel** (-en) *o* final purpose, final goal, ultimate object; **'einde** (-n) *o* = *eind*; **'eindelijk** finally, at last, ultimately, in the end, at length; **'eindeloos I** *aj* endless, infinite, interminable; **II** *ad* infinitely, without end; *~ lang* [talking, waiting] interminably; **–heid** (-heden) *v* endlessness, infinity

'einder (-s) *m* horizon

'eindexamen (-s) *o* final examination, (school) leaving examination; **–fase** [s = z] (-n en -s) *v* final stage

'eindig finite; **'eindigen I** (eindigde, is geëindigd) *vi* end, finish, terminate, conclude; *~ i n* end in; *~ m e t te geloven dat...* end in believing that...; *~ met te zeggen* end with (by) saying that...; *~ o p een k* end in a k; **II** (eindigde, h. geëindigd) *vt* end, finish, conclude, terminate

'eindje (-s) *o* end, bit, piece; (a f s t a n d) *een klein ~* a short distance, a short way; *een ~ verder* a little (way) further; *een ~ sigaar* a cigar-end, a cigar-stub; *ga je een ~ mee?* will you accompany me (are you coming) part of the way? *de ~s aan elkaar knopen* make (both) ends meet; **'eindklassement** *o* final classification; **–letter** (-s) *v* final letter; **–overwinning** *v* final victory; **–paal** (-palen) *m sp* winning-post; **–produkt** (-en) *o* finished product, end-product; **–punt** (-en) *o* terminal point, end; [bus, tramway, railway] terminus; **–resultaat** (-taten) *o* (end, final) result, upshot; **–rijm** (-en) *o* final rhyme; **–spel** (-spelen) *o* end game [at chess]; **–sprint** (-en en s) *m*, **–spurt** *m sp* finishing spurt; **–stand** (-en) *m* final score; **–station** [-sta.(t)ʃòn] (-s) *o* terminal station, terminus; **–streep** *v* finish(ing) line, finish; **–strijd** *m sp* finals; final fight; final struggle, final contest; **–uitslag** *m* (end, final) result; **–wedstrijd** (-en) *m* final match, final

'eirond egg-shaped, egg-like, oval

eis (-en) *m* demand, requirement; claim; petition [for a divorce]; *de gestelde ~en* the requirements; *~ tot schadevergoeding* claim for damages; *de ~en voor het toelatingsexamen* the requirements of the entrance examination; *iems. ~ afwijzen* ⚖ find against sbd.; *een ~ instellen* ⚖ institute proceedings; *een ~ inwilligen* meet a claim; *hogere ~en stellen* make higher demands (on *aan*); *hem de ~ toewijzen* ⚖ give judgement in his favour; *aan de gestelde ~en voldoen* come up to (meet) the requirements; *naar de ~* as required, properly; **'eisen** (eiste, h. geëist) *vt* demand, require, claim; **'eiser** (-s) *m*, **eise'res** (-sen) *v* 1 claimant; 2 ⚖ plaintiff

'eivol crammed, chock-full; **–vormig** = *eirond*

'eiwit (-ten) *o* white of egg, glair, albumen; protein; **–houdend** albuminous; **–stof** (-fen) *v* albumen; protein

e.k. = *eerstkomend*

'ekster (-s) *v* magpie; **–oog** (-ogen) *o* corn [on toe]

ekwi'page [g = ʒ] (-s) *v* = *equipage*

ekwiva'lent = *equivalent*

el (-len) *v* yard [English]; ell [Dutch]

élan [e.'lã] *o* élan, dash, impetuousness

'eland (-en) *m* elk

elastici'teit *v* elasticity, springiness; **elas'tiek** (-en) *o* elastic; **–en** *aj* elastic; **–je** (-s) *o* (piece of) elastic; (r i n g v o r m i g) rubber ring; (b r e e d) rubber band; **e'lastisch** elastic, springy

'elders elsewhere; *naar ~ (vertrekken)* (move) somewhere else; *overal ~* everywhere (anywhere) else

eldo'rado ('s) *o* El Dorado

electo'raat (-raten) *o* electorate

ele'gant elegant, stylish; **–ie** [-(t)si.] *v* elegance
ele'gie [e.le.'gi] (-ieën) *v* elegy; **e'legisch** elegiac
e'lektra *o* **F** electricity; electric appliancies; **elektri'cien** [-'ʃɛ̃.] (-s) *m* electrician; **elektrici'teit** *v* electricity; **–svoorziening** (-en) *v* electricity supply; **elektrifi'catie** [-(t)si.] *v* electrification; **elektrifi'ceren** (elektrificeerde, h. geëlektrificeerd) *vt* electrify; **e'lektrisch** electric; **elektri'seren** [s = z] (elektriseerde, h. geëlektriseerd) *vt* electrify; **elektrocardio'gram** (-men) *o* electrocardiogram; **elek'trode** (-n en -s) *v* electrode; **elektro'lyse** [-li.zə] *v* electrolysis; **e'lektromagneet** (-neten) *m* electromagnet; **elektromag'netisch** electro-magnetic; **e'lektromonteur** (-s) *m* electrician; **–motor** (-s en -toren) *m* electric motor, electromotor; **e'lektron** (-'tronen) *o* electron; **elek'tronenbuis** (-buizen) *v* valve; **–microscoop** (-scopen) *m* electron microscope; **elek'tronica** *v* electronics; **elek'tronisch** electronic; **elektro'scoop** (-scopen) *m* electroscope; **elektro'technicus** (-ci) *m* electrical engineer; **e'lektrotechniek** *v* electrical engineering; **elektro'technisch** electrical; ~ *ingenieur* electrical engineer
ele'ment (-en) *o* 1 element[2]; 2 ※ cell; *in zijn ~ zijn* be in one's element; **elemen'tair** [-'tɛ:r] elementary
1 elf (elven) *v* (natuurgeest) elf
2 elf eleven; **'elfde** eleventh (part); **elfen'dertigst** *op zijn ~* at a snail's pace; **'elftal** (-len) *o* (number of) eleven; *sp* eleven, team, side; **elf'uurtje** (-s) *o* elevenses
elimi'natie [-(t)si.] (-s) *v* elimination; **elimi'neren** (elimineerde, h. geëlimineerd) *vt* eliminate
eli'tair [-'tɛ:r] elite(-conscious); **e'lite** *v* élite, pick, flower (of society)
e'lixer, e'lixir [e.'lɪksər] (-s) *o* elixir
elk every; each; any
el'kaar, el'kander each other, one another; • *achter* ~ 1 one after the other, in succession; 2 at a stretch; *uren achter ~* for hours (together), for hours on end; *achter ~ lopen* file, walk in single (Indian) file; *bij ~ is het* [*200 gld.*] together; *bij ~ pakken* (*rapen* &) gather up; *door ~ gebruiken* use indifferently; *door ~ gebruikt kunnende worden* be interchangeable; *door ~ raken* get (become) mixed up; *door ~ roeren* mix; *door ~* (*genomen*) on an (the) average, by (in) the lot; *door ~ liggen* lie in a heap, mixed up, pell-mell; *in ~ vallen* (*storten*) collapse, fall to pieces; *in ~ zakken* collapse, sag; *in ~ zetten* put together, ⚒ assemble; *goed in ~ zitten* be well-made, well-planned, well-organized, well set-up; *met ~* together; *na ~* the one after the other; after each other; *naast ~* side by side; [four, five, six] abreast; *onder ~* zie *onder* **I**; *op ~* one on top of the other; *met de benen over ~* (with) legs crossed; *uit ~ houden* tell apart; *uit ~ vallen* fall to pieces; zie ook *uiteen*; *van ~ gaan* separate; *fig* drift apart; *voor ~ willen ze het niet weten* they (are)..., but they won't let it appear; *'t is voor ~* it's settled; *het voor ~ krijgen* manage (it)
'elkeen every man, everyone, everybody
'elleboog (-bogen) *m* elbow; *het* (*ze*) *achter de ~* (*ellebogen*) *hebben* be a slyboots; *de ellebogen vrij hebben* have elbow-room; *zijn ellebogen steken erdoor* he is out at elbows
el'lende *v* misery, miseries, wretchedness; **–ling** (-en) *m* wretch, miscreant; **el'lendig** miserable, wretched [feeling, weather]; *zich ~ voelen* feel low, feel miserable
'ellenlang many yards long; *fig* longdrawn; **'ellepijp** (-en) *v* ulna
el'lips (-en) *v* ellipsis [of word]; ellipse [oval]; **el'liptisch** elliptic(al)
1 els (elzen) *v* [shoemaker's] awl, bradawl
2 els (elzen) *m* ☘ alder
El Salva'dor *o* (El) Salvador
'Elzas *m de ~* Alsace; **~-'Lotharingen** *o* Alsace-Lorraine
'elzeboom (-bomen) *m* alder-tree; **–hout** *o* alder-wood; **–katje** (-s) *o* alder-catkin; **'elzen** *aj* alder
e'mail [e.'ma.j] *o* enamel; **email'leren** (emailleerde, h. geëmailleerd) *vt* enamel; **email'leur** (-s) *m* enameller
emanci'patie [-(t)si.] (-s) *v* emancipation; **emanci'peren** (emancipeerde, h. geëmancipeerd) *vt* emancipate
embal'lage [ɑmbɑ'la.ʒə] *v* packing; **embal'leren** (emballeerde, h. geëmballeerd) *vt* pack (up); **embal'leur** (-s) *m* packer
em'bargo *o* embargo; *onder ~ leggen* lay an embargo on, embargo; **em'bleem** (-blemen) *o* emblem; **embo'lie** *v* embolism
'embryo ('s) *o* embryo; **embryo'naal** embryonic
emeri'taat *o* superannuation [of professors and clergymen]; *met ~ gaan* retire; **e'meritus** emeritus, retired
emfy'seem [-fi.'ze.m] *o* emphysema
'emier (-s) *m* emir, ameer
emi'grant (-en) *m* emigrant; **emi'gratie** [-(t)si.] (-s) *v* emigration; **emi'greren** (emigreerde, is geëmigreerd) *vi* emigrate
emi'nent eminent; **–ie** [-(t)si.] (-s) *v* eminence
e'missie (-s) *v* issue [of shares]
'emmer (-s) *m* pail, bucket; **'emmeren** (emmerde, h. geëmmerd) *vi* **F** whine, bore, bother

emolu'menten *mv* emoluments, perquisites, fringe benefits
e'motie [-(t)si.] (-s) *v* emotion; **emotionali'teit** *v* emotionality; **emotio'neel** emotional, affective
empa'thie *v* empathy
em'pirisch empiric(al)
emplace'ment [ãm-] (-en) *o* emplacement [of gun]; railway-yard
em'plooi [ãm-, ɛm-] *o* 1 employ, employment; 2 part, rôle
emplo'yé [ãmplvɑ'je.] (-s) *m* employee
emul'geren (emulgeerde, h. geëmulgeerd) *vt* emulsify; **e'mulsie** (-s) *v* emulsion
en and; *èn..., èn...* both... and...; ... ~ *zo* and such, and the like, and all that
en bloc [ã'blɔk] en bloc; lock, stock and barrel; [tender their resignation] in a body; [reject proposals] in their entirety
enca'dreren [ãka.-] (encadreerde, h. geëncadreerd) *vt* 1 frame; 2 ⚔ officer [a battalion]; enroll [recruits]
encanail'leren [ãka.na'je:rə(n)] (encanailleerde, h. geëncanailleerd) *vr zich* ~ keep low company, cheapen oneself
en'clave [ã-, ɛn-] (-s) *v* enclave
en corps [ã'kɔ:r] in a body
ency'cliek [ãsi.-, ɛnsi.-] (-en) *v* encyclical (letter)
encyclope'die [ã-, ɛnsi.klo.pe.'di.] (-ieën) *v* encyclop(a)edia; **encyclo'pedisch** encyclop(a)edic
end (-en) = *eind*
'endeldarm (-en) *m* rectum
endo'crien endocrine [gland]; **endocrino'loog** (-logen) *m* endocrinologist
endo'geen endogenous, endogenetic
endos'sant [ã-, ɛn-] (-en) *m* endorser; **endosse'ment** (-en) *o* endorsement; **endos'seren** (endosseerde, h. geëndosseerd) *vt* endorse
'enenmale *ten* ~ entirely, wholly, utterly, totally, completely, absolutely
ener'gie [e.n.ɛr'ʒi.] (-ieën) *v* 1 energy; 2 power [from coal, water]; **–bron** (-nen) *v* source of power, power source; **ener'giek** energetic; **ener'gievoorziening** (-en) *v* power supply
'enerlei of the same kind; zie ook: *eender*
ener'veren (enerveerde, h. geënerveerd) *vt* agitate, fluster; enervate
'enerzijds on the one side
en'face [ã'fɑs] full face [portrait]
en'fin [ã'fɛ̃] in short...; ~*!* well, ...; *maar* ~ anyhow, anyway, but there,...
eng 1 (n a u w) narrow [passage, street &]; tight, [coat &]; 2 (a k e l i g) creepy, eerie, weird, uncanny
engage'ment [ãga.ʒə-] *o* 1 engagement [ook: betrothal]; 2 *fig* [political] commitment; **enga'geren** (engageerde, h. geëngageerd) **I** *vt* engage; **II** *vr zich* ~ become engaged (to *met*); zie ook: *geëngageerd*
'engel (-en) *m* angel[2]; *mijn reddende* ~ my saviour; **–achtig** angelic; **–achtigheid** *v* angelic nature
'Engeland *o* (a a r d r i j k s k.) England; (s t a a t k. t h a n s m e e s t a l) Britain; ⊙ Albion
'engelbewaarder (-s) *m* guardian angel; **'engelenbak** (-ken) *m* gallery; **–geduld** *o* angelic patience; **–haar** *o* angel hair [for Christmas tree]; **–koor** (-koren) *o* angelic choir, angel choir; **–schaar** (-scharen) *v* host of angels; **–zang** *m* hymn of angels
'Engels I *aj* English [language, girl]; (s t a a t k. t h a n s m e e s t a l) British [army, navy, consul]; (i n s a m e n s t.) Anglo[-Dutch trade]; *de* ~*e Kerk* the Anglican Church; the Church of England; ~*e pleister* court-plaster; ~*e sleutel* ⚒ monkey-wrench; ~*e ziekte* rachitis, rickets; *lijdend aan* ~*e ziekte* rickety; ~ *zout* Epsom salt(s); **II** *o het* ~ English; **III** *v een* ~*e* an Englishwoman; *zij is een* ~*e* ook: she is English; **IV** *mv de* ~*en* the English, the British; **–gezind** Anglophile; **–man** (Engelsen) *m* Englishman, Briton; **–talig** English-speaking [countries, South Africans], English-language [churches, press]
'engeltje (-s) *o* (little) angel, cherub
'engerd (-s) *m* horrible fellow, **F** creep
'engerling (-en) *m* grub of the cockchafer
eng'hartig narrow-minded; **'engheid** *v* narrowness, tightness
en 'gros [ã'gro.] $ wholesale
'engte (-n en -s) *v* 1 strait[2]; defile, narrow passage; 2 ('t e n g z i j n) narrowness
'enig I *aj* sole [heir], single [instance], only [child], unique [specimen]; *een* ~*e vent* a smashing fellow; *dat (vaasje) is* ~*!* that is something unique; *dat (die) is* ~ that's a good one, that is capital!; *het was* ~*!* it was marvellous, delightful!; *het is* ~ *in zijn soort* it is (of its kind) unique; *de* ~*e...* ook: the one and only...; *de* ~*e die...* the one man who..., the only one to...; *het* ~*e dat hij zei* the only thing he said; **II** *pron* some, any; ~*en hunner* some of them; **III** *ad* ~ *en alleen omdat...* uniquely because...; **'enigerlei** any, of some sort; **'eniger'mate** in a measure, in some degree
'eniggeboren only-begotten; **'enigszins** somewhat, a little, slightly, rather; *als u ook maar* ~ *moe bent* if you are tired at all; *indien* ~ *mogelijk* if at all possible; *zo gauw ik maar* ~ *kan* as soon as I possibly can; *alle* ~ *belangrijke*

mensen all people of any importance
1 'enkel (-s) *m* ankle; *tot aan de ~s* up to the ankles, ankle-deep
2 'enkel I *aj* single; *~e reis* single (journey); *geen ~e kans* not a single chance; *een ~e keer* once in a while, occasionally; *een ~e vergissing* an occasional mistake; *een ~ woord* just a word, a word or two; *~e boeken* (*uren* &) a few books (hours &); zie ook: *keer* &; **II** *ad* only, merely; **'enkeling** (-en) *m* individual; **'enkelspel** (-spelen) *o sp* single [at tennis]; *dames-* (*heren-*)*~* ladies' (men's) singles; **–spoor** (-sporen) *o* single track
'enkelvoud (-en) *o* singular (number); **enkel'voudig** 1 singular [number]; 2 simple [tenses]
e'norm enormous, huge, immense, tremendous; **enormi'teit** (-en) *v* enormity; *~en verkondigen* make shocking remarks, say the most awful things
en pas'sant [ãpɑ'sã] by the way, in passing
en pro'fil [ãpro.'fi.l] in profile
en'quête [ã'kɛ.tə] (-s) *v* inquiry, investigation
ensce'neren [ãsɛ-] (ensceneerde, h. geënsceneerd) *vt* stage; **ensce'nering** (-en) *v* (abstract) staging²; (concreet) setting
en'semble [ã'sãblə] (-s) *o* ensemble, [theatrical] company
ent (-en) *v* graft
enta'meren [ã-] (entameerde, h. geëntameerd) *vt* enter upon, broach [a subject]; start on, begin, address oneself to [a task]
'enten (entte, h. geënt) *vt* 1 graft [upon]; 2 = *inenten*
'enteren (enterde, h. geënterd) *vt* board; **'enterhaak** (-haken) *m* grappling-iron
enthousi'asme [ãtu.zi.'ɑsmə] *o* enthusiasm, warmth; **enthousi'ast I** (-en) *m* enthusiast; **II** *aj* enthusiastic
'enting *v* grafting; **'entmes** (-sen) *o* grafting knife
entou'rage [ãtu'ra.ʒə] (-s) *v* entourage, surroundings, environment; (gevolg) attendants, retinue
entr'acte [ã'traktə] (-s en -n) *v* entr'acte, interval, interlude
entre-'deux [ãtrə'dø] *o* & *m* [lace] insertion
en'tree [ã'tre.] (-s) *v* 1 (toelating) entrance, admittance, admission; 2 (binnentreden) entrance, [ceremonial] entry; 3 (plaats) entrance, (entrance-)hall; 4 (toelatingsprijs) entrance-fee [of a club], admission [of a theatre], *sp* gate-money [received at football match]; 5 (schotel) entrée; *~ betalen* pay for admission; *zijn ~ maken* enter; *fig* make one's bow; *tegen ~* at a charge; *vrij ~* admission free; **–biljet** (-ten) *o* (admission) ticket; **–geld** (-en) *o* door-money, admission; (als lid) admission fee
entre'pot [ãtrə'po.] (-s) *o* bonded warehouse; *in ~ opslaan* bond [goods]
entre'sol [ãtrə'sɔl] (-s) *m* mezzanine (floor)
entstof (-fen) *v* vaccine, serum
enve'lop(pe) [ãvə'lɔp] (-pen) *v* envelope
enz., enzo'voort(s), 'enzovoort(s) etc., and so on
en'zym [y = i.] (-en) *o* enzyme
'eolusharp (-en) *v* Aeolian harp
epau'let [e.po.'lɛt] (-ten) *v* 1 ⚔ epaulet(te); 2 shoulderknot
epi'centrum (-tra en -trums) *o* epicentre
epicu'rist (-en) *m* epicure, epicurean; **–isch** epicurean
epide'mie (-ieën) *v* epidemic; **epi'demisch** epidemic(al)
e'piek *v* epic poetry
epi'goon (-gonen) *m* epigone
epi'gram (-men) *o* epigram
epilep'sie *v* epilepsy; **epi'lepticus** (-ci) *m* epileptic
epi'leren (epileerde, h. geëpileerd) *vt* depilate
epi'loog (-logen) *m* epilogue
'episch epic
episco'paal *aj* episcopal, *de episcopalen* the episcopalians; **episco'paat** *o* episcopacy
epi'sode [s = ż] (-n en -s) *v* episode; *korte ~* incident
e'pistel (-s) *o* & *m* epistle
e'pos (epen en epossen) *o* epic, epic poem, epopee; (primitief, niet op schrift) epos
e'quator [e.'kva.-] *m* equator; **equatori'aal** equatorial; *E~ Guinee* Equatorial Guinea
equi'page [e.k.(v)i.'pa.ʒə] (-s) *v* 1 ⚓ crew; 2 carriage
e'quipe [e.'ki.p] (-s) *v sp* team, side
equipe'ment [e.ki.-] (-en) *o* ⚔ equipment
equiva'lent [e.kvi.-] (-en) *o* equivalent
er there; *~ zijn ~ die nooit...* there are people who never...; *hoeveel heb je ~* how many have you (got)?; *ik heb ~ nog twee* I have (still) two left; *ik ken ~ zo* I know some like that; *wat is ~?* what's the matter?; what is it?; *is ~ iets?* what's wrong?, is anything the matter?; *ik ben ~ nog niet geweest* I have not been there yet; *we zijn ~* here we are; *~ komt niemand* nobody comes; *~ gebeurt nooit iets* nothing ever happens; zie ook: *worden* &
'era ['e:ra.] ('s) *v* era
er'barmelijk pitiful, pitiable, miserable, wretched, lamentable; **er'barmen** (erbarmde, h. erbarmd) *vr zich ~ over* have pity (mercy) on; **–ming** *v* pity, compassion
'ere = 2 *eer*; **'ereambt** (-en) *o*, **–baantje** (-s) *o*

honorary post (office); **–blijk** (-en) *o* mark of respect, tribute; **–boog** (-bogen) *m* triumphal arch; **'ereburger** (-s) *m* freeman; **–schap** *o* freedom [of a city]; **'erecode** (-s) *m* code of honour

e'rectie [-ksi.] (-s) *v* erection

'eredienst (-en) *m* (public) worship; **–diploma** ('s) *o* award of honour; **–divisie** [s = z] (-s) *sp* first division [in league football]; **–doctoraat** (-raten) *o* honorary degree, honorary doctorate; **–kroon** (-kronen) *v* crown of honour; **–kruis** (-en) *o* cross of merit; **–lid** (-leden) *o* honorary member; **–medaille** [-mədɑ(l)jə] (-s) *v* medal of honour; **–metaal** *o* medal of honour

ere'miet (-en) *m* = *heremiet*

'eren (eerde, h. geëerd) *vt* honour, revere

'erepalm (-en) *m* palm of honour; **–plaats** (-en) *v* place of honour; **–poort** (-en) *v* triumphal arch; **–prijs** (-prijzen) *m* prize ‖ ♣ speedwell, veronica; **–ronde** (-n en -s) *v sp* lap of honour; **–schuld** (-en) *v* debt of honour²; **–teken** (-en en -s) *o* mark (badge) of honour; **–titel** (-s) *m* title of honour, honorary title; **–voorzitter** (-s) m honorary president; **–voorzitterschap** (-pen) *o* honorary presidency; **–wacht** (-en) *v* guard of honour; **–woord** (-en) *o* 1 word of honour; 2 ⚔ parole; *op mijn* ~ upon my word; *op zijn* ~ *vrijlaten* ⚔ liberate on parole

erf (erven) *o* grounds; premises; (o o s t e r s) compound; (v. b o e r d e r ij) (farm)yard

'erfdeel (-delen) *o* portion, heritage; *vaderlijk* ~ partrimony; **–dochter** (-s) *v* heiress; **'erfelijk** hereditary; ⚕ congenital; **–heid** *v* heredity; **–heidsleer** *v* genetics; **'erfenis** (-sen) *v* inheritance, heritage, legacy [of the past, of the war]; **'erfgenaam** (-namen) *m* heir; **–gename** (-n) *v* heiress; **–gerechtigd** heritable; **–goed** (-eren) *o* inheritance, estate; *vaderlijk* ~ patrimony; **–laatster** (-s) *v* testatrix; **–land** (-en) *o* patrimonial land; **–later** (-s) *m* testator; **–lating** (-en) *v* bequest; legacy; **–opvolging** (-en) *v* succession; **–pacht** (-en) *v* 1 (d e v e r b i n t e n i s) hereditary tenure, long lease; 2 (h e t g e l d) groundrent; *in* ~ on long lease; **–pachter** (-s) *m* long-lease tenant; **–prins** (-en) *m* hereditary prince; **–recht** *o* 1 law of inheritance (succession); 2 right of inheritance (succession); **–schuld** (-en) *v* debt(s) payable by the heirs; **–stuk** (-ken) *o* heirloom; **–vijand** (-en) *m* sworn (traditional, hereditary) enemy; **–zonde** *v* original sin

erg I *aj* bad, ill, evil; *het is* ~ it is (very) bad; *de zieke is* ~ *vandaag* he is (very) bad to-day; **II** *ad* badly; < badly, very, very much, sorely [needed], severely [felt]; *ik heb het* ~ *nodig* I want it very badly; *vind je het* ~ ...? do you mind ...?; zie ook: *erger* & *ergst*; **III** *o voor ik er* ~ *in had* before I was aware of it, before I knew where I was; *hij had er geen* ~ *in* he was not aware of any harm (of it); *hij deed het zonder* ~ quite unintentionally

'ergens somewhere; *zo* ~ if anywhere; ~ *vind ik* **F** I think somehow; ~ *herinnert het aan* ... it is somehow reminiscent of...

'erger worse; *al* ~ worse and worse; ~ *worden* grow worse; *om* ~ *te voorkomen* to prevent worse following

'ergeren (ergerde, h. geërgerd) **I** *vt* 1 annoy, irritate, **F** peeve; 2 scandalize; **B** offend; *het ergert mij* it annoys (vexes) me; *anderen* ~ make a nuisance of oneself; **II** *vr zich* ~ take offence [at sth.], be indignant [with sbd.]; **'ergerlijk** 1 annoying, irritating, provoking, irksome, vexatious, aggravating; 2 offensive, shocking, scandalous; **'ergernis** (-sen) *v* 1 annoyance, nuisance, irritation, aggravation, vexation; (s t e r k e r) anger; 2 umbrage, offence, scandal; *tot mijn grote* ~ to my great annoyance

'ergo ergo, therefore, consequently

ergst worst; *op het* ~*e voorbereid* prepared for the worst; *op zijn* ~ at (the) worst, at its worst; zie ook: *geval*

'erica ('s) *v* ♣ heath

er'kennen (erkende, h. erkend) *vt* acknowledge [to be...], recognize [a government]; admit, own, confess, avow; *een erkende handelaar* a recognized dealer; *een erkende instelling* ook: an approved institution; **–ning** (-en) *v* acknowledg(e)ment, recognition [of a government]; admission [of a fact]

er'kentelijk thankful, grateful; **–heid** *v* thankfulness, gratitude

er'kentenis *v* = *erkenning* & *erkentelijkheid*

'erker (-s) *m* 1 (v i e r k a n t) bay-window; 2 (r o n d) bow-window; 3 (a a n b o v e n v e r d i e p i n g) oriel window

ermi'tage [g = ʒ] (-s) *v* = *hermitage*

ernst *m* earnestness, earnest, seriousness, gravity [of the situation]; *is het u* ~? are you serious?; *het wordt nu* ~ things are getting serious now; *in* ~ in earnest, earnestly, seriously; *in alle (volle)* ~ in good (full, sober) earnest; *u moet het niet in* ~ *opvatten* don't take it seriously; **'ernstig I** *aj* earnest [wish, word]; serious [look, matter, rival, wound &], grave [concern, fault, symptom]; serious-minded [persons]; pensive [look]; solemn [child, look]; **II** *ad* earnestly &; badly [wounded]

ero'deren (erodeerde, h. geërodeerd) *vt* erode

ero'geen erogenous, ero(to)genic

er'op on it (them &); ~ *of eronder* sink or swim, kill or cure

e'rosie *v* erosion
ero'tiek *v* eroti(ci)sm; **e'rotisch** erotic
er'rata *mv* errata
erts (-en) *o* ore; **–ader** (-s en -en) *v* mineral vein, lode; **–boot** (-boten) *m* & *v* ore carrier
eru'diet erudite; **eru'ditie** [-(t)si.] *v* erudition
e'ruptie [-'rüpsi.] (-s) *v* eruption
ervan'door ~ *gaan* bolt, take to one's heels, run away [also of a couple of lovers]; *de paarden gingen* ~ the horses bolted, ran away; *ik ga* ~ I'm off; *ik moet* ~ I must be off
1 er'varen* *vt* 1 (o n d e r v i n d e n) experience; 2 (g e w a a r w o r d e n) perceive; 3 (v e r n e m e n) learn
2 er'varen *aj* experienced, expert, skilled, practised [in...]; **–heid** *v* experience, skill; **er'varing** (-en) *v* experience; *uit eigen* ~ from one's own experience
'erve (-n) *v* = *erf*
1 'erven *mv* heirs; *de* ~ *X* X heirs
2 'erven (erfde, h. geërfd) **I** *vt* inherit; **II** *va* come into money
er'voer (**ervoeren**) V.T. v. *ervaren*
erwt [ɛrt] (-en) *v* pea; **'erwtensoep** *v* (thick) pea-soup
1 es (-sen) *v* ♩ E flat
2 es (-sen) *m* ♣ ash, ash-tree
esca'latie [-(t)si.] *v* escalation; **esca'leren** (escaleerde, *vi* is, *vt* h. geëscaleerd) *vi* & *vt* escalate
esca'pade (-s) *v* escapade, adventurous prank
eschatolo'gie *v* eschatology
es'corte (-s) *o* escort; **escor'teren** (escorteerde, h. geëscorteerd) *vt* escort
escu'laap (-lapen) *m fig* Aesculapius
'esdoorn, –doren (-s) *m* maple (tree)
es'kader (-s) *o* ⚓ squadron; **eska'dron** (-s) *o* ⚔ squadron
'Eskimo ('s) *m* Eskimo
eso'terisch [s = z] esoteric
esp (-en) *m* aspen
espagno'let [ɛspaɲo.'lɛt] (-ten) *v* = *spanjolet*
'espeblad (-bladen, -bladeren) *o* aspen leaf; **–boom** (-bomen) *m* aspen; **'espen** *aj* aspen
espla'nade (-n) *v* esplanade
'essehout *o* ash-wood; **–en** *aj* ashen; **'essen** *aj* ash
es'sence [ɛ'sãsə] (-s en -n) *v* essence
es'sentie [-(t)si.] *v de* ~ the substance, the inbeing; **essenti'eel I** *aj* essential; **II** *o het essentiële* what is essential; the quintessence, gist [of the matter]
esta'fette (-n en -s) 1 *m* courier; 2 *v* (w e d s t r i j d) relay; **–loop** (-lopen) *m sp* relay race
'ester (-s) *m* ester
es'theet (-theten) *m* aesthete; **es'thetica** *v* aesthetics; **es'thetisch** aesthetic

'Estland *o* Esthonia
etablisse'ment [e.ta.bli.-] (-en) *o* establishment
e'tage [e.'ta.ʒə] (-s) *v* floor, stor(e)y
eta'gère [e.ta.'ʒɛ:rə] (-s) *v* whatnot, bracket
e'tagewoning [e.'ta.ʒə-] (-en) *v* flat
eta'lage [e.ta.'la.ʒə] (-s) 1 (h e t r a a m, d e r u i m t e) shop-window, show-window; 2 (h e t u i t g e s t a l d e) display; ~*s kijken* window-shop; **–materiaal** (-ialen) *o* display material(s); **–pop** (-pen) *v* (window) dummy; **eta'leren** (etaleerde, h. geëtaleerd) **I** *vt* display; **II** *va* do the window-dressing; **III** *o* window-dressing; **eta'leur** (-s) *m* window-dresser
e'tappe *v* (-n en -s) 1 halting-place; 2 stage [in route]; 3 ⚔ supply-depot; *in* ~*n* by stages; *in twee* ~*n* in two stages; **–dienst** (-en) *m* ⚔ supply service, rear service
etc. = etcetera etc., &, and so on
'eten* I *vt* eat; *ik heb vandaag nog niets gegeten* I have had no food to-day; *wat* ~ *we vandaag?* what have we got for dinner to-day?, **F** what's for dinner to-day?; **II** *vi* 1 eat; 2 have dinner; *blijven* ~ stay for dinner; *je moet komen* ~ come and eat your dinner; *kom je bij ons* ~*?* will you come and dine with us?; **III** *o* food; *het* ~ the food; *het* ~ *staat op tafel* dinner (supper) is on the table; *hij laat er* ~ *en drinken voor staan* it is meat and drink to him; ● *n a het* ~ after dinner; *o n d e r het* ~ during dinner; *iem. t e (n)* ~ *vragen* invite sbd. to dinner; *hij is bij ons ten* ~ he is dining with us; *v o o r het* ~ before dinner; *z o n d e r* ~ *naar bed gaan* go to bed without supper; **'etenstijd** (-en) *m* dinner-time, meal-time; **–uur** (-uren) *o* dinner-hour; **'etentje** (-s) *o* dinner, small dinner party; **'eter** (-s) *m* eater
eter'niet *o* asbestos cement
'etgras, –groen *o* after-grass, aftermath
'ether ['e.tər] (-s) *m* 1 ether; 2 *R* air; *door (in, uit) de* ~ over (on, off) the air; **e'therisch** ethereal
'ethica, e'thiek, 'ethika *v* ethics
Ethi'opië *o* Ethiopia; **Ethi'opiër** (-s) *m*, **Ethi'opisch** *aj* Ethiopian
'ethisch ethical
eti'ket (-ten) *o* label; **etiket'teren** (etiketteerde, h. geëtiketteerd) *vt* label
etiolo'gie *v* (a)etiology
eti'quette [e.ti.'kɛtə] *v* etiquette
'etmaal (-malen) *o* (space of) 24 hours
'etnisch I *aj* ethnic(al); **II** *ad* ethnically; **etno'graaf** (-grafen) *m* ethnographer; **etnogra'fie** *v* ethnography; **etno'grafisch** ethnographic(ally); **etnolo'gie** *v* ethnology; **etno'logisch** ethnological(ly); **etno'loog** (-logen) *m* ethnologist
ets (-en) *v* etching; **'etsen** (etste, h. geëtst) *vt* & *vi* etch; **'etser** (-s) *m* etcher; **'etskunst** *v* (art

of) etching; **–naald** (-en) *v* etching-needle
'ettelijke a number of, some, several
'etter *m* matter, pus, purulent discharge; **–achtig** purulent; **'etteren** (etterde, h. geëtterd) *vi* fester, suppurate, ulcerate, run; **'ettergezwel** (-len) *o* abscess, gathering; **'etterig** purulent; **'ettering** (-en) *v* suppuration
e'tude (-s) *v* ♪ study
e'tui [e.'tvi.] (-s) *o* case, etui, etwee
etymolo'gie [y = i.] (-ieën) *v* etymology; **etymo'logisch** etymological; **etymo'loog** (-logen) *m* etymologist
eucharis'tie [œy-] *v rk* Eucharist; **–viering** (-en) *v* celebration of the Eucharist; **eucha'ristisch** *rk* Eucharistic
eufe'misme [œy-] (-n) *o* euphemism; **–istisch** euphemistic
eufo'nie [œy-] *v* euphony; **eu'fonisch** euphonic
eufo'rie [œy-] *v* euphoria; **eu'forisch** euphoric
'eunuch ['œy-] (-en) *m* eunuch
'Euromarkt *v* Common Market; **Eu'ropa** *o* Europe; **Europe'aan** (-eanen) *m*, **Euro'pees** *aj* European
Eu'stachius [ø:- of œy-] *buis van ~* Eustachian tube
euthana'sie [œyta.na'zi.] *v* euthanasia; mercy killing
'euvel I *ad ~ duiden* (*opnemen*) take amiss, take in bad part; *duid het mij niet ~* don't take it ill of me; **II** *aj ~e moed* insolence; **III** (-en) *o* evil, fault; **–daad** (-daden) *v* evil deed, crime
e.v. = *en volgende* f.f., and following
'Eva *v* Eve
E.V.A. = *Europese Vrijhandelsassociatie* European Free-Trade Association, E.F.T.A.
evacu'atie [e.va.ky.'a.(t)si.] (-s) *v* evacuation; **evacu'é(e)** (-s) *m* (*-v*) evacuee; **evacu'eren** (evacueerde, h. geëvacueerd) *vt* 1 evacuate [a place]; 2 invalid home, send home [wounded soldiers]
evalu'atie [-(t)si.] (-s) *v* evaluation; **evalu'eren** (evalueerde, h. geëvalueerd) *vt* evaluate
evan'gelie (-iën en -s) *o* gospel; *het ~ van Johannes* the Gospel according to St. John; *het is nog geen ~ wat hij zegt* it is not gospel truth what he says; **–woord** (-en) *o* gospel; **evangeli'satie** [-'za.(t)si.] *v* evangelization, mission work; **evan'gelisch** evangelic(ally); **evangeli'seren** [s = z] (evangeliseerde, h. geëvangeliseerd) *vt* evangelize; **evange'list** (-en) *m* evangelist
'even I *aj* even [numbers, numbered]; *~ of oneven* odd or even; *het is mij om het ~* it is all the same (all one) to me; *om het ~ wie* no matter who; **II** *ad* 1 (g e l i j k) equally; 2 (e v e n t j e s) just; *~... als...* as... as...; *overal ~ breed* of uniform breadth; *een ~ groot aantal* an equal number; *zij zijn ~ groot* 1 they are equally tall; 2 they are of a size; *haal eens ~...* just go and fetch me...; *wacht ~* wait a minute (bit); *~ aangaan bij iem.* put in at sbd.
'evenaar (-s) *m* 1 equator; 2 index, tongue [of a balance]
'evenals (just) as, (just) like
eve'naren (evenaarde, h. geëvenaard) *vt* equal, match, be a match for, come up to
'evenbeeld (-en) *o* image, picture
even'eens also, likewise, as well
evene'ment (-en) *o* event
'evengoed 1 as well; 2 all the same
'evenknie (-knieën) *v* equal; **–mens** (-en) *m* fellow-man
'evenmin, even'min no more; *~ te vertrouwen als...* no more to be trusted than...; *en zijn broer ~* nor his brother either
even'naaste (-n) *m* fellowman
even'nachtslijn *v* equator
even'redig *aj* proportional [numbers, representation]; *omgekeerd ~ met* inversely proportional to; *recht ~ met* directly proportional to; **–heid** (-heden) *v* proportion
'eventjes just, only just, (just) a minute
eventuali'teit (-en) *v* contingency; possibility; **eventu'eel I** *aj* contingent [expenses]; possible [defeat]; potential [buyer]; *eventuele mogelijkheid* off chance; *eventuele onkosten worden vergoed* any expenses will be made good; *de eventuele schade wordt vergoed* the damage, if any, will be made good; **II** *ad* this being the case; *mocht hij ~ weigeren...* in the event of his refusing...
'even'veel as much, as many
even'wel nevertheless, however
'evenwicht *o* equilibrium, balance, (equi)poise; *het ~ bewaren* keep one's balance; *het ~ herstellen* redress (restore) the balance; *het ~ verliezen* lose one's balance; *het ~ verstoren* upset the balance; *in ~* in equilibrium, evenly balanced; *in ~ brengen* bring into equilibrium, equilibrate, balance; *in ~ houden* keep in equilibrium, balance; *uit zijn ~* off-balance; **even'wichtig** 1 well-balanced[2]; 2 *fig* level-headed; **'evenwichtsbalk** (-en) *m sp* balance beam; **–leer** *v* statics; **–orgaan** (-ganen) *o* organ of equilibrium; **–stoornis** (-sen) *v* disequilibrium
even'wijdig parallel; *~e lijn* parallel (line); **–heid** *v* parallelism
'evenzeer, even'zeer as much
even'zo likewise; *~ groot als...* (just) as large as...; *zijn broer ~* his brother as well, his brother too
'everzwijn (-en) *o* 🐗 wild boar
evi'dent evident, plain, clear

evolu'eren (evolueerde, h. en is geëvolueerd) *vi* evolve; **evo'lutie** [-(t)si.] (-s) *v* evolution; **evo'lutieleer** *v* theory of evolution
ex ex, late, past, sometime [president &]
ex'act exact [sciences]; precise
ex'amen (-s en -mina) *o* examination **F** exam; ~ *afleggen* undergo an examination; ~ *afnemen* examine; *ik ga* ~ *doen* I am going in for an examination; *ik moet* ~ *doen* I must go up for (my) examination, take my examination, sit for an examination; *voor zijn* ~ *slagen* pass (one's examination); **–commissie** (-s) *v* examining board, examination board; **–geld** (-en) *o* examination fee; **–opgaaf** (-gaven) *v*, **–opgave** (-n) *v* examination paper; **–vak** (-ken) *o* examination subject; **–vrees** *v* examination fright; **exami'nandus** (-di) *m* examinee; **exami'nator** (-s en -'toren) *m* examiner; **exami'neren** (examineerde, h. geëxamineerd) *vt* & *vi* examine (on *in*)
excel'lent excellent; **–ie** [-(t)si.] (-s) *v* excellency; *Ja, Excellentie* Yes, Your Excellency
excentri'citeit (-en) *v* eccentricity, oddity; **excen'triek** 1 *aj* eccentric(al); 2 (-en) *o* ⚒ eccentric [gear]; **excen'triekeling** (-en) *m* eccentric, **F** freak; **ex'centrisch** eccentric
ex'ceptie [-'sɛpsi.] (-s) *v* exception; ⚖ demurrer, bar; **exceptio'neel** exceptional, unusual
excer'peren (excerpeerde, h. geëxcerpeerd) *vt* make an abstract of; **ex'cerpt** (-en) *o* abstract
ex'ces (-sen) *o* excess
exclu'sief [s = z] 1 exclusive; 2 (n i e t i n b e g r e p e n) exclusive of..., excluding..., ...not included, ...extra; **exclusivi'teit** *v* exclusiveness, exclusivity
excommuni'catie [-(t)si.] (-s) *v* excommunication; **excommuni'ceren** (excommuniceerde, h. geëxcommuniceerd) *vt* excommunicate
ex'cretie [-(t)si.] (-s) *v* excretion
ex'cursie [s = z] (-s) *v* excursion
excu'seren [s = z] (excuseerde, h. geëxcuseerd) **I** *vt* excuse; **II** *vr zich* ~ 1 excuse oneself; 2 send an excuse; **ex'cuus** (-cuses) *o* excuse, apology; *hij maakte zijn* ~ he apologized; *ik vraag u* ~ I beg your pardon
exe'crabel execrable, abominable, detestable
execu'tant (-en) *m* executant, performer; **execu'teren** (executeerde, h. geëxecuteerd) *vt iem.* ~ 1 (t e r e c h t s t e l l e n) execute sbd.; 2 ⚖ sell sbd.'s goods under execution; **execu'teur** (-s en -en) *m* executor; **execu'teur-testamen'tair** [-'tɛ:r] (executeurs-testamentair) *m* executor; **exe'cutie** [-(t)si.] (-s) *v* execution°; *bij* ~ *laten verkopen* ⚖ sell under execution; **–peleton** (-s) *o* ⚔ firing-party, firing-squad; **execu'tieve** *v* executive (authority); **executori'aal** *executoriale verkoop* distress sale, compulsory sale; **execu'trice** (-s) *v* executrix
exe'geet (-geten) *m* exegete; **exe'gese** [s = z] (-n) *v* exegesis
exem'plaar (-plaren) *o* specimen; copy [of a book &]
excer'ceren (exerceerde, h. geëxerceerd) *vi* & *vt* drill; *aan het* ~ at drill; **exer'citie** [-(t)si.] (-s en -iën) *v* drill; **–terrein** (-en) *o* ⚔ parade (-ground)
exhibitio'nisme [-(t)si.-] *o* exhibitionism; **–istisch** exhibitionist
existentia'lisme [-(t)si.-] *o* existentialism; **–ist** *m* existentialist; **–istisch** existentialist; **exis'tentie** *v* existence; **existenti'eel** existential; **exis'teren** (existeerde, h. geëxisteerd) *vi* exist
ex-'libris (-libris en -librissen) *o* ex-libris [ook *mv*], bookplate
exoga'mie *v* exogamy
exo'geen exogenous
exorbi'tant exorbitant, excessive
ex'otisch exotic
ex'pansie [s = z] *v* expansion; **expan'sief** expansive; **ex'pansiepolitiek** *v* policy of expansion; **–vat** (-vaten) *o* expansion tank
expedi'ëren (expedieerde, h. geëxpedieerd) *vt* forward, send, dispatch, ship [goods]; **expedi'teur** (-s en -en) *m* forwarding-agent, shipping-agent; **expe'ditie** [-(t)si.] (-s) *v* 1 ⚔ expedition; 2 $ forwarding, dispatch, shipping [of goods]; **–kosten** *mv* forwarding charges
experi'ment (-en) *o* experiment; **experimen'teel** experimental; **experimen'teren** (experimenteerde, h. geëxperimenteerd) *vi* experiment
ex'pert [ɛks'pɛ:r] (-s) *m* expert; (s c h a t t e r) appraiser; surveyor [of Lloyd's &]; **exper'tise** [s = z] (-s en -n) 1 appraisement, survey; 2 certificate of survey
explici'teren (expliciteerde, h. geëxpliciteerd) *vt* state explicitly
explo'deren (explodeerde, is geëxplodeerd) *vi* explode
exploi'tant [-plva-] (-en) *m* owner [of a mine &], operator [of air service]; **exploi'tatie** [-(t)si.] (-s) *v* exploitation[2], working, operation [of air service]; *in* ~ in working order; **–kosten** *mv* working-expenses, operating costs; **exploi'teren** (exploiteerde, h. geëxploiteerd) *vt* exploit[2], work [a mine], run [hotel], operate [air service]; *fig* ook: trade on [sbd.'s credulity]
ex'ploot (-ploten) *o* writ; *iem. een* ~ *betekenen* serve a writ upon sbd.

ex'plosie [s = z] (-s) *v* explosion; **explo'sief** explosive; **ex'plosiemotor** (-toren) *m* internal combustion engine
expo'nent (-en) *m* exponent², index
'export *m* $ export(ation), exports; **expor'teren** (exporteerde, h. geëxporteerd) *vt* export; **expor'teur** (-s) *m* $ exporter; **'exporthandel** *m* export trade
expo'sant [s = z] (-en) *m* exhibitor; **expo'seren** (exposeerde, h. geëxposeerd) *vt* exhibit, show; **expo'sitie** [-'zi.(t)si.] (-s) *v* 1 (k u n s t) exhibition, show; 2 (a n d e r s) exposition° [ook ♪, *rk*]
ex'pres I *aj ~se bestelling* ✉ express delivery; **II** *ad* [do] on purpose, deliberately; **III** *m* = *exprestrein*; **–goed** (-eren) *o* parcels; *als ~* by passenger train; **ex'presse** (-n) *v* ✉ express-delivery letter
ex'pressie (-s) *v* expression; **expres'sief** expressive; **expressio'nisme** *o* expressionism; **expressio'nist** (-en) *m* expressionist; **–isch** expressionist [painter, painting], expressionistic
ex'prestrein (-en) *m* express (train)
ex'quis [ɛks'ki.s] exquisite
ex'tase [s = z] *v* ecstasy, rapture; *in ~* enraptured; *in ~ geraken* go into ecstasies [over sth.]; *in ~ zijn* be in an ecstasy; **ex'tatisch** ecstatic
ex'tenso [s = z] *in ~* at great length
ex'tern I *aj* non-resident [master]; *~e leerlingen* day-pupils, day-scholars; **II** *mv de ~en* the day-pupils, day-boys
'extra extra, special, additional; **'extraatje** (-s) *o* extra
ex'tract (-en) *o* extract; **extra'heren** (extraheerde, h. geëxtraheerd) *vt* extract
ex'traneus [-ne.üs] (-neï) *m* extramural student
extrapo'latie [-(t)si.] (-s) *v* extrapolation; **extrapo'leren** (extrapoleerde, h. geëxtrapoleerd) *vt* extrapolate
'extraterritori'aal exterritorial, extraterritorial
extra'vert (-en) *m, aj* extrovert
ex'treem extreme; **extre'mist** (-en) *m* extremist; **extre'mistisch** extremist
extremi'teit (-en) *v* extremity
'ezel (-s) *m* 1 🐾 ass², donkey; 2 easel [of a painter]; *een ~ stoot zich geen tweemaal aan dezelfde steen* once bitten twice shy, the burnt child dreads the fire; **'ezelachtig** asinine², *fig* stupid; **–heid** (-heden) *v* (asinine) stupidity; **eze'lin** (-nen) *v* she-ass, jenny-ass; **–nemelk** *v* ass's milk; **'ezelsbrug** (-gen) *v*, **'ezelsbruggetje** (-s) *o* aid (in study &); **–kop** (-pen) *m* 1 ass's head; 2 *fig* dunce, ass; **–oor** (-oren) *o* 1 ass's ear; 2 dog-ear [of a book]; **–veulen** (-s) *o* 1 ass's foal; 2 *fig* dunce, ass; **'ezel(s)wagen** (-s) *m* donkey-cart

F

f [ɛf] ('s) *v* f;-**f.** = *florijn, gulden*
fa [fa.] *v* ♪ fa, f
fa. = *firma*
faam *v* fame; reputation [as a scholar]
'fabel (-en en -s) *v* fable²; *fig* myth; **–achtig** fabulous; **–leer** *v* mythology; **–tje** (-s) *o* fabrication, fiction
fabri'cage [g = ʒ] *v*, **fabri'catie** [-(t)si.] *v* manufacture; **fabri'ceren** (fabriceerde, h. gefabriceerd) *vt* manufacture; *fig* fabricate [lies &]
fa'briek (-en) *v* factory; works, mill; plant; **fa'brieken** (fabriekte, h. gefabriekt) *vt* make; **fa'brieksarbeider** (-s) *m* (factory-)hand, factory-worker, mill-hand; **–gebouw** (-en) *o* factory-building; **–geheim** (-en) *o* trade secret; **–meisje** (-s) *o* factory girl; **–merk** (-en) *o* trade mark; **–prijs** (-prijzen) *m* manufacturer's price; **–schip** (-schepen) *o* ⚓ factory (ship); **–stad** (-steden) *v* manufacturing town; **–terrein** (-en) *o* factory site; **–werk** *o* machine-made article(s)
fabri'kaat (-katen) *o* make; *auto van Frans* ~ French-made car; **fabri'kant** (-en) *m* 1 manufacturer; 2 factory-owner, mill-owner; **fabri'keren** (fabrikeerde, h. gefabrikeerd) *vt* = *fabriceren*
fabu'leren (fabuleerde, h. gefabuleerd) *vt* invent, fabricate, lie
fabu'leus fabulous
fa'çade (-s en -n) *v* facade, front
face-à-'main [fa.sa.'mɛ̃] (-s) *m* lorgnette
fa'cet (-ten) *o* facet; aspect
'facie (-s) *o* & *v* face, **F** phiz, **S** mug
facili'teit (-ten) *v* facility
fac'simile [fɑk'si.mi.le.] ('s) *o* facsimile, autotype
'factie ['fɑksi.] (-s en -iën) *v* faction
fac'toor (-toren) *m* factor, agent
'factor (-'toren) *m* factor²
facto'rij (-en) *v* factory, trading-post
fac'totum (-s) *o* factotum
factu'reren (factureerde, h. gefactureerd) *vt* invoice; **factu'rist** (-en) *m* $ invoice clerk; **fac'tuur** (-turen) *v* $ invoice; **–prijs** (-prijzen) *m* $ invoice price
faculta'tief optional [subjects]
facul'teit (-en) *v* faculty; *de medische* ~ the faculty of medicine
fae'caliën [fe.-] *mv* faeces; **'faeces** ['fe.tsəs] *mv* faeces
fa'got (-ten) *m* bassoon; **fagot'tist** (-en) *m* bassoonist
faïence [fa.'jã:sə] (-s) *v* faience
fail'leren [fɑ(l)'je:rə(n)] (failleerde, is gefailleerd) *vi* fail, become a bankrupt; be adjudged (adjudicated) bankrupt; **fail'liet** [fɑ'ji.t] **I** *o* 1 failure, bankruptcy; 2 (-en) *m* bankrupt; **II** *aj* ~*e boedel*, ~*e massa* bankrupt's estate; ~ *gaan* fail, become (go) bankrupt; **F** smash; **S** bust up; ~ *verklaren* adjudge (adjudicate) bankrupt; **–verklaring** (-en) *v* adjudication order; **faillisse'ment** (-en) *o* failure, bankruptcy; (*zijn*) ~ *aanvragen* file one's petition (in bankruptcy); *in staat van* ~ (*verkerend*) in bankruptcy; **faillisse'mentsaanvraag** (-vragen) *v*, **–aanvrage** (-n) *v* petition (in bankruptcy); **–wet** (-ten) *v* Bankruptcy act
'fait accom'pli ['fɛtakòm'pli] (faits accomplis) *m* fait accompli
'faki(e)r (-s) *m* fakir
'fakkel (-s) *v* torch; ✈ flare; **–drager** (-s) *m* torch-bearer; **–loop** (-lopen) *m* torch race; **–(op)tocht** (-en) *m* torch-light procession
falderalde'riere folderol
'falen (faalde, is gefaald) *vi* fail, miss, make a mistake, err
'falie (-s) *v* **F** *iem. op zijn* ~ *geven* dust sbd.'s jacket
falie'kant wrong; ~ *uitkomen* go wrong; ~ *verkeerd* completely (all) wrong
'fallus (-sen) *m* phallus
fal'saris (-sen) *m* falsifier, forger
fal'set (-ten) *m* & *o* falsetto; **–stem** (-men) *v* head voice
fa'meus I *aj* famous; *het is* ~*!* it is enormous!; **II** *ad* [enjoy oneself] splendidly, gloriously
famili'aar familiar, informal; *al te* ~ too free (and easy); ~ *met iem. zijn* be on familiar terms with sbd.; **familiari'teit** (-en) *v* familiarity; *zich* ~*en veroorloven jegens* take liberties with sbd.
fa'milie (-s) *v* family, relations, relatives; *de Koninklijke* ~ the royal family; *de* ~ *X* the X family; *zijn* ~ his relations, his people; *ik ben* ~ *van hem* I am related to him; *van goede* ~ of a good family, well-connected; ~ *en kennissen* relatives and friends; **–aangelegenheden** *mv* family affairs (business); **–band** (-en) *m* family tie; **–berichten** *mv* births, marriages and deaths [column]; **–drama** ('s) *o* domestic drama; **–feest** (-en) *o* family celebration; **–graf** (-graven) *o* family vault; **–kring** (-en) *m* family circle, domestic circle; **–kwaal** (-kwalen) *v* family complaint; **–leven** *o* family life; **–lid**

(-leden) *o* member of the family, relation, relative; *familieleden* **F** folks; **–naam** (-namen) *m* 1 surname; 2 family name; **–pension** [-pãsi.òn] (-s) *o* private boarding-house, private hotel; **–raad** (-raden) *m* family council; **–stuk** (-ken) *o* family piece, heirloom; **–trek** (-ken) *m* family trait; **–trots** *m* family pride; **–twist** (-en) *m* family quarrel; **–wapen** (-s) *o* ⊘ family arms; **–ziek** clannish
fan [fɛn] (-s) *m* fan
fa'naticus (-ci) *m* fanatic; **fana'tiek** fanatical; **–eling** (-en) *m* fanatic; **fana'tisme** *o* fanaticism
'fanclub [fɛn-] (-s) *v* fan club
fan'fare (-n en -s) *v* ♪ 1 fanfare, flourish; 2 (korps) brass band; **–korps** (-en) *o* brass band
fanta'seren [s = z] (fantaseerde, h. gefantaseerd) **I** *vt* 1 invent [things]; 2 ♪ improvise; **II** *vi* 1 indulge in fancies, imagine things; 2 ♪ improvise; **fanta'sie** [s = z] (-ieën) *v* phantasy, fancy, [rich] imagination; **–stof** (-fen) *v* dress-material in fancy shades; **fan'tast** (-en) *m* fantast, phantast; **–isch** fantastic°; fanciful [project; writer]; visionary; ~ (*goed, mooi*) < **F** marvellous, wonderful; terrific
'farao ('s) *m* Pharaoh
'farce (-n en -s) *v* 1 farce, mockery ‖ 2 stuffing [in cookery]; **far'ceren** (farceerde, h. gefarceerd) *vt* stuff
fari'zeeër (-s) *m* pharisee, hypocrite; **fari'zees, fari'zeïsch** pharisaic
farma'ceut [-'sœyt] (-en) *m* (pharmaceutical) chemist; **–isch** pharmaceutical; **farma'cie** *v* pharmacy
'Faröer ['fa: røər] *nw* Faeroes, Faroe Islands
fasci'neren [fɑsi.-] (fascineerde, h. gefascineerd) *vt* fascinate; ~*d* [*fig*] magnetic, intriguing
fas'cisme [fɑ's(j)ɪsmə] *o* fascism; **–ist** (-en) *m*, **fas'cistisch** *aj* fascist
'fase [s = z] (-s en -n) *v* phase; stage; period; vgl. *stadium*; **fa'seren** [s = z] (faseerde, h. gefaseerd) *vt* phase; stagger [holidays]
fat (-ten) *m* dandy, fop, **F** swell
fa'taal fatal; **fata'lisme** *o* fatalism; **fata'list** (-en) *m* fatalist; **–isch** fatalistic
'fata mor'gana ('s) *v* fata morgana, mirage
fat'soen (-en) *o* 1 (vorm) fashion, form, shape, make, cut; 2 (decorum) decorum, (good) manners; 3 (naam) respectability; *zijn* ~ *houden* behave (decently); *zijn* ~ *ophouden* keep up appearances; ● *met* (*goed*) ~ decently; *erg op zijn* ~ *zijn* be a great stickler for the proprieties; *uit zijn* ~ *zijn* be out of shape; *voor zijn* ~ for the sake of decency, to keep up appearances; **fatsoe'neren** (fatsoeneerde, h. gefatsoeneerd) *vt* fashion, shape, model;
fat'soenlijk I *aj* 1 (net) respectable [people]; reputable [neighbourhood]; decent [behaviour, clothes, fellow]; 2 (would-be aanzienlijk) genteel; ~*e armen* deserving poor; ~*e armoede* gilded poverty, shabby gentility; **II** *ad* respectably; decently; **–heid** *v* 1 respectability; decency; 2 gentility; **fat'soenshalve** for decency's sake; **–rakker** (-s) *m* stickler for proprieties; bigot
'fatterig foppish, dandified; **–heid** *v* foppishness, dandyism
faun (-en) *m* faun
'fauna *v* fauna
faus'set [fo.'sɛt] = *falset*
fau'teuil [fo.'tœyj] (-s) *m* 1 arm-chair, easy chair; 2 fauteuil, stall [in theatre]
favo'riet I *aj* favourite; **II** (-en) *m* favourite; *hij is* ~ he is the favourite
fa'zant (-en) *m* pheasant; **fa'zantehaan** (-hanen) *m* cock-pheasant; **–hen** (-nen) *v* hen-pheasant; **–jacht** (-en) *v* pheasant shooting; **fa'zantenpark** *o* pheasant preserve
febru'ari *m* February
fede'raal federal; **federa'list** (-en) *m* federalist; **fede'ratie** [-(t)si.] (-s) *v* federation; **federa'tief** federative
fee (feeën) *v* fairy; **'feeënland** *o* fairyland; **feeë'rie** (-ieën) *v* fairy play; **feeë'riek** fairy-like
feeks (-en) *v* vixen, termagant, shrew, virago
feest (-en) *o* feast, festival, festivity, fête; (feestje, fuif) party; *een waar* ~ a treat; **–avond** (-en) *m* festive evening, festive night; **–commissie** (-s) *v* entertainment committee; **–dag** (-dagen) *m* 1 feast-day, festive day, festal day, high day; [national, public] holiday; 2 [church] holy-day; *op zon- en feestdagen* on Sundays and holidays; **–dis** (-sen) *m* festive board; **–dronk** (-en) *m* toast; **–drukte** *v* festive excitement (commotion, turmoil, bustle); **'feestelijk** festive, festal; *dank je* ~ no, thank you; I'll thank you!, nothing doing!; **–heid** (-heden) *v* festivity; merry-making, rejoicings; *met grote* ~ amid much festivity; **'feesten** (feestte, h. gefeest) *vi* feast, make merry, celebrate; **'feestgewaad** (-waden) *o* festive attire, festal dress; **–je** (-s) *o* party; **–maal** (-malen) *o*, **–maaltijd** (-en) *m* banquet; **–neus** (-neuzen) *m* false nose; **–programma** ('s) *o* program of (the) festivities; **–rede** (-s) *v* speech of the day; **–redenaar** (-s) *m* speaker of the day; **–stemming** *v* festive mood; **–terrein** (-en) *o* festive grounds; **–verlichting** *v* illumination; **–vieren** (vierde 'feest, h. 'feestgevierd) *vi* feast, make merry, celebrate; **–viering** (-en) *v* feasting, celebration of a (the) feast, feast,

festival; **'feestvreugde** *v* festive joy, festive mirth
feil (-en) *v* fault, error, mistake; **'feilbaar** fallible, liable to error; **–heid** *v* fallibility; **'feilen** (feilde, h. gefeild) *vi* err, make a mistake; **'feilloos** faultless, indefectable
feit (-en) *o* fact; *in ~e = feitelijk* **II**; **–elijk I** *aj* actual, real; *~e gegevens* factual data; **II** *ad* in point of fact, in fact [you are right]; virtually [the same case]; **'feitenkennis** *v* factual knowledge; **–materiaal** *o* body of facts, factual material, factual evidence
fel fierce [heat &]; *zij zijn er ~ op* they are very keen on it; **–gekleurd** gaudy; **–heid** *v* fierceness
felici'tatie [-(t)si.] (-s) *v* congratulation; **–brief** (-brieven) *m* letter of congratulation; **felici'teren** (feliciteerde, h. gefeliciteerd) **I** *vt* congratulate (on *met*); **II** *va* offer one's congratulations
'femelaar (-s) *m*, **–ster** (-s) *v* canter, canting hypocrite, sniveller; **'femelen** (femelde, h. gefemeld) *vi* cant, snivel
femi'nisme *o* feminism; **–ist(e)** (-en) *m(v)* feminist
'feniks (-en) *m* phoenix
fe'nol (-nolen) *o* phenol
feno'meen (-menen) *o* phenomenon [*mv* phenomena]; **fenome'naal** phenomenal, exceptional
feo'daal 🕮 feudal
ferm 1 (f l i n k, d e g e l i j k) fine [boy]; smart [blow]; 2 (v. k a r a k t e r) energetic; spirited
fer'ment (-en) *o* ferment; **fermen'tatie** [-(t)si.] *v* fermentation; **fermen'teren** (fermenteerde, h. gefermenteerd) *vi* ferment
fer'vent fervent, passionate
fes'tijn (-en) *o* feast, banquet
'festival (-s) *o* (musical) festival
festivi'teit (-en) *v* festivity
fes'toen (-en) *o* & *m* 1 (g u i r l a n d e) festoon [of flowers &]; 2 = *feston*
fes'ton (-s) *o* & *m* (g e b o r d u u r d e r a n d) scallop; **feston'neren** (festonneerde, h. gefestonneerd) *vt* scallop [handkerchiefs &]; buttonhole [lace]
fê'teren (fêteerde, h. gefêteerd) *vt* fête, lionize, make much of
fetisj ['fe.ti.ʃ] (-en) *m* fetish
feu'daal [fø'da.l] = *feodaal*
feuille'ton [fœyjə'tòn] (-s) *o* & *m* 1 (v e r v o l g v e r h a a l) serial (story); 2 (a n d e r s) feuilleton
fi'asco ('s) *o* fiasco; **F** wash-out, flop; *een ~ worden* (zijn) be a failure, fall flat
'fiat I *o* fiat; **II** *ij* done!; that's a bargain; **fiat'teren** (fiatteerde, h. gefiatteerd) *vt* 1 give on's fiat to; authorize, **F** o.k.; 2 pass for press
'fiber *o* & *m* fibre
fi'brine *v* fibrin
'fiche ['fi.ʃə] (-s) *o* & *v* 1 (p e n n i n g) counter, fish, marker; 2 (v. k a a r t s y s t e e m) index card, filing card; **fi'cheren** (ficheerde, h. geficheerd) *vt* card-index
'fictie [fıksi.] (-s) *v* fiction; **fic'tief** fictitious [names], fictive [characters, persons], imaginary [profits]
fi'deel jolly, jovial
fiduci'air [fi.dy.si.'ɛ:r] fiduciary
fi'ducie *v* confidence, trust; *niet veel ~ hebben in* not have much faith in
'Fidji ['fi.ʒi.] *de ~-eilanden* the Fiji islands
'fiedel (-s) *m* **F** fiddle; **'fiedelen** (fiedelde, h. gefiedeld) *vi* & *vt* **F** fiddle
fielt (-en) *m* rogue, rascal, scoundrel; **–achtig** rascally, scoundrelly; **–enstreek** (-streken) *m* & *v* knavish trick, piece of knavery; **–erig** = *fieltachtig*
fier proud; **–heid** *v* pride
fiets (-en) *m* & *v* bicycle, cycle, **F** bike; **–band** (-en) *m* (cycle-)tyre; **–bel** (-len) *v* bicycle-bell, cycle-bell; **–benodigdheden** *mv* cycle accessories; **'fietsen** (fietste, h. en is gefietst) *vi* cycle, **F** bike; *wat gaan ~* **F** go for a spin; **'fietsenhok** (-ken) *o* bicycle shed; **–rek** (-ken) *o* bicycle stand; **–stalling** (-en) *v* (bi)cycle store; **'fietser** (-s) *m* cyclist; **'fietshok** (-ken) *o* = *fietsenhok*; **–ketting** (-en) *m* & *v* bicycle chain; **–lamp** (-en) *v*, **–lantaarn, –lantaren** (-s) *v* cycle-lamp; **–pad** (-paden) *o* cycling-track, cycle-track; *Am* bikeway; **–pomp** (-en) *v* inflator, cycle-pump; **–rek** (-ken) *o* = *fietsenrek*; **–tas** (-sen) *v* cycle-bag; **–tocht** (-en) *m* cycling-tour, **F** spin
figu'rant (-en) *m* super, walking gentleman; **–e** (-n) *v* super, walking lady
figura'tief figurative; **figu'reren** (figureerde, h. gefigureerd) *vi* figure; (t o n e e l) walk on; **fi'guur** (-guren) *v* & *o* figure [of the body, decorative, geometrical, emblematical, historical, in dancing, in grammar, of speech]; [illustrative] diagram; character [in drama, in history]; *een droevig (goed) ~ maken (slaan)* cut (make) a poor (good) figure; *zijn ~ redden* save one's face; **–lijk** figurative; **–naad** (-naden) *m* dart; **–zaag** (-zagen) *v* fret-saw; **fi'guurzagen I** *vi* do fretwork; **II** *o* fretwork
fijn I *aj* 1 (s c h e r p) fine [point, tooth, ear, gold, distinctions], fine-tooth(ed) [comb]; 2 (v. k w a l i t e i t) choice [food, wines]; exquisite [taste]; 3 (v. o n d e r s c h e i d i n g) nice [difference], delicate [ear for music], subtle [distinction], shrewd [remarks]; 4 (o r t h o d o x) precise, godly; 5 (v o o r n a a m, c h i c)

smart [people], **F** swell [neighbourhood, clothes]; (*dat is*) *~!* good!, **F** capital!, famous!, (it's) great! **S** ripping!; *een ~e vent* **F** a man and a brother; **II** *o het ~e van de zaak* the ins and outs of the matter; **III** *ad* finely; *het is ~ koud* 1 the cold is biting; 2 it is nice and cold; **–besnaard** finely strung, delicate, refined; **–gebouwd** of delicate build; **'fijngevoelig** delicate, sensitive; **–heid** (-heden) *v* delicacy, sensitiveness; **'fijnhakken**[1] *vt* cut (chop) small, mince; **–heid** (-heden) *v* fineness, choiceness, delicacy, nicety [of taste], subtlety; **–knijpen**[1] *vt* squeeze; **–korrelig** fine-grained; **–maken**[1] *vt* pulverize, crush; **–malen**[1] *vt* grind (down); **–proever** (-s) *m* gastronomer; *fig* connoisseur; **–stampen**[1] *vt* crush, bray, pound, pulverize; **–tjes** smartly, cleverly, [guess] shrewdly, [remark] slyly; zie ook: *fijn* **III**; **–wrijven**[1] *vt* rub (grind) down, bray, pulverize

fijt (-en) *v* & *o* whitlow

fik (-ken) *m* (h o n d) dog(gie), bow-wow; || (b r a n d) blaze, fire; *in de ~ staan* (*steken*) be (set) ablaze

'fikken *mv* **F** paws; *blijf eraf met je ~!* paws off!

'fiks I *aj* good, sound; *een ~e klap* a smart (hard) blow; **II** *ad* well, soundly, thoroughly

filan'troop (-tropen) *m* philanthropist; **filantro'pie** *v* philanthropy; **filan'tropisch** philanthropic

filate'lie *v* philately; **filate'list** (-en) *m* philatelist; **–isch** philatelic

fil d'é'cosse [fi.lde.'kɔs] *o* lisle thread; *kousen van ~* lisle stockings

'file (-s) *v* row, file, line, queue

fi'leren (fileerde, h. gefileerd) *vt* fillet [fish]; **fi'let** [-'le.] (-s) *m* & *o* fillet [of fish &], undercut [of beef]

'filevorming (-en) *v* traffic congestion

filhar'monisch philharmonic

fili'aal (-ialen) *o* branch establishment, branch office, branch; (v. g r o o t w i n k e l b e d r i j f) chain store; **–bedrijf** (-drijven) *o* chain store

film (-s) *m* film°; *aan de ~ zijn, voor de ~ spelen* act for the films; *naar de ~ gaan* go to the pictures (**F** the flicks); **–acteur** (-s) *m* film actor; **'filmen** (filmde, h. gefilmd) *vt* film; **'filmindustrie** *v* film industry; **'filmisch** cinematic; **'filmjournaal** [-ʒu: r-] (-s) *o* newsreel; **–keuring** *v* 1 film censorship; 2 (d e c o m m i s s i e) board of film censors, viewing board; **–kunst** *v* film art; **–operateur** (-s) *m* 1 (d i e o p n e e m t) cameraman; 2 (d i e v e r t o o n t) projectionist; **filmo'theek** (-theken) *v* film library; **'filmscenario** [-se.-] ('s) *o* film script, screenplay; **–ster** [-stɛr] (-ren) *v* film star, screen star; **–sterretje** (-s) *o* film starlet; **–studio** ('s) *m* film studio; **–toestel** (-len) *o* cine-camera; **–verhuur** *m* distribution; **–verhuurder** (-s) *m* distributor

filolo'gie *v* philology; **filo'logisch** philological; **filo'loog** (-logen) *m* philologist

filoso'feren (filosofeerde, h. gefilosofeerd) *vi* philosophize; **filoso'fie** (-ieën) *v* philosophy; **filo'sofisch** philosophical; **filo'soof** (-sofen) *m* philosopher

'filter (-s) *m* & *o* filter, percolator; **'filteren** (filterde, h. gefilterd) *vi* & *vt* filter; (v. k o f f i e) percolate; **'filtersigaret** (-ten) *v* filter-tip cigarette; **fil'traat** (-traten) *o* filtrate; **fil'treerpapier** (-en) *o* filter(ing)-paper; **fil'treren** (filtreerde, h. gefiltreerd) *vt* filter, filtrate; (v. k o f f i e) percolate

'Fin (-nen) *m* Finn

fi'naal I *aj* final; complete, total; *finale uitverkoop* wind-up sale; **II** *ad* quite [impossible]

fi'nale (-s) *v* 1 finale; 2 *sp* final; *halve ~* semi-final; **fina'list** (-en) *m* finalist

financi'eel financial; **fi'nanciën** *mv* 1 finances; 2 (f i n a n c i e w e z e n) finance; **finan'cier** (-s) *m* financier; **finan'cieren** (financierde, h. gefinancierd) *vt* finance; **–ring** *v* financing; necessary funds, capital

fi'neer *o* veneer; **fi'neren** (fineerde, h. gefineerd) *vt* 1 refine [gold]; 2 veneer [wood]

fi'nesse (-s) *v* finesse, nicety; *de ~s* (*van een zaak*) ook: the ins and outs

fin'geren [fɪŋ'ge: rə(n)] (fingeerde, h. gefingeerd) *vt* feign, simulate; zie ook: *gefingeerd*

'finish ['fɪnɪʃ] *m sp* finish; **'finishen** (finishte, h. gefinisht) *vi sp* finish

'Finland *o* Finland; **'Fins** Finnish

fi'ool (fiolen) *v* phial; *de fiolen des toorns* the vials of wrath

'firma ('s) *v* 1 style [of a firm]; 2 firm, house (of business)

firma'ment *o* firmament, sky

'firmanaam (-namen) *m* firm, style; **fir'mant** (-en) *m* partner

fis [fi.s] (-sen) *v* ♪ F sharp

fis'caal fiscal

'fiscus *m* treasury, exchequer, Inland Revenue

'fistel (-s) *v* fistula

fit fit; *~ blijven* keep fit

'fitis (-sen) *m* willow-warbler

'fitter (-s) *m* (gas-)fitter

[1] V.T. en V.D. van dit werkwoord volgens het model: **'fijn**maken, V.T. maakte **'fijn**, V.D. **'fijn**gemaakt. Zie voor de vormen onder het grondwoord, in dit voorbeeld: *maken*. Bij sterke en onregelmatige werkwoorden wordt u verwezen naar de lijst achterin.

'fitting (-s en -en) *m* fitting; lampholder, socket
fix'atie [-(t)si.] (-s) *v* fixation; **fixa'tief** (-tieven) *o* 1 fixative; 2 (v o o r h e t h a a r) fixature; **fi'xeerbad** (-baden) *o* fixing-bath; **–middel** (-en) *o* fixer; **fi'xeren** (fixeerde, h. gefixeerd) *vt* 1 fix, fixate; 2 fix [a person with one's eyes], stare at [her]
fjord (-en) *m* fiord, fjord
fl. = *florijn, gulden*
fla'con (-s) *m* 1 flask; 2 scent-bottle
'fladderen (fladderde, h. en is gefladderd) *vi* flit [of bats &]; flitter, flutter, hover [from flower to flower]
flageo'let [flaʒo.'lɛt] (-ten) *m* ♪ flageolet
fla'grant glaring [error, injustice &]
flair [flɛ:r] *m* & *o* flair
'flakkeren (flakkerde, h. geflakkerd) *vi* flicker, waver
flam'bard [flɑm'ba:r] (-s) *m* slouch hat, wide-awake
flam'bouw (-en) *v* torch
fla'mingo [fla.'mɪŋgo.] ('s) *m* flamingo
fla'nel(len) *o* (& *aj*) flannel; **fla'nelletje** (-s) *o* flannel vest; **fla'nelsteek** (-steken) *m* herring-bone stitch
fla'neren (flaneerde, h. geflaneerd) *vi* stroll, lounge, saunter, laze about; **fla'neur** (-s) *m* lounger, saunterer, idler
flank (-en) *v* flank, side; *i n de ~ vallen* take in flank; *rechts (links) u i t de ~!* by the right (the left); **–aanval** (-len) *m* flank attack[2]; **flank'eren** (flankeerde, h. geflankeerd) *vt* flank[2]
'flansen (flanste, h. geflanst) *vt in elkaar ~* knock together, rip up, whip up [a meal]
flap (-pen) **I** *m* slap, box [on the ear]; **II** *ij* flop!; **–drol** (-len) **F** *m* milksop, craven; **–hoed** (-en) *m* = *flambard*; **–oren** *met ~* flap-eared; **'flappen** (flapte, h. geflapt) *vi* flap; ook = *uit-flappen*; **'flaptekst** (-en) *m* blurb; **flap'uit** (-en) *m* blab(ber)
'flarden *mv* rags, tatters; *aan ~* [be] in tatters, in rags, [tear] to rags
flat [flɛt] (-s) *m* flat; *Am* apartment; zie ook: *flatgebouw*
'flater (-s) *m* blunder, **F** howler
'flatgebouw ['flɛt-] (-en) *o* block of flats, *Am* apartment building
flat'teren (flatteerde, h. geflatteerd) *vt* flatter; *de balans ~* cook (salt) the balance-sheet; *het flatteert u niet* it [the photo] doesn't flatter you; *een geflatteerd portret* a flattering portrait; **flat'teus** flattering, becoming
flauw I *aj* 1 faint [resistance, notions, light, of heart, with hunger]; 2 insipid [food, remarks], mild [jokes], vapid [conversation]; 3 dim, pale [outline]; 4 $ flat [of the market]; 5 poor-spirited [fellows]; *hij heeft er geen ~ begrip van* he has not got the faintest notion of it; zie ook *idee*; *ik had er een ~ vermoeden van* I had an inkling of it; *dat is ~ van je* (how) silly!; **II** *ad* faintly, dimly; **flauwe'kul** *m* rubbish, fiddle-sticks, stuff and nonsense, all my eyes (and Betty Martin); **P** bull shit; **'flauwerd** (-s) *m*, **'flauwerik** (-riken) *m* 1 (k i n d e r a c h t i g) silly; 2 (b a n g) **S** funk; **flauw'hartig** faint-hearted; **–heid** *v* faint-heartedness; **'flauw-heid** (-heden) *v* faintness, insipidity; **'flauwig-heid** (-heden) *v*, **flauwi'teit** (-en) *v* silly thing, silly joke; **'flauwte** (-n en -s) *v* swoon, fainting fit, faint; **'flauwtjes** faintly; **'flauwvallen** (viel 'flauw, is 'flauwgevallen) *vi* go off in a swoon, have a fainting fit, swoon, faint
'fleemkous (-en) *v*, **'fleemster** (-s) *v* coaxer
fleer (fleren) *m* box on the ear
'flegma *o* phlegm, stolidity; **flegma'tiek** phlegmatic(al), stolid
'flemen (fleemde, h. gefleemd) *vi* coax; **–er** (-s) *m* coaxer
flens (flenzen) *m* ⚒ flange
'flensje (-s) *o* thin pancake
fles (-sen) *v* bottle; *Leidse ~* Leyden jar; *op de ~ gaan* **S** go to pot, go bust; *(veel) van de ~ houden* be fond of the bottle; **'flesopener** (-s) *m* bottle opener; **'flessebier** *o* bottled beer; **–gas** *o* bottled gas; **–hals** (-halzen) *m* bottle-neck; **–kind** (-eren) *o* bottle-baby, bottle-fed child; **–melk** *v* milk in bottles, bottled milk; **flessen** (fleste, h. geflest) *vt* swindle, cheat, **F** diddle; **'flessenrek** (-ken) *o* bottle-rack; **–trekker** (-s) *m* swindler; **flessentrekke'rij** (-en) *v* swindle, swindling
flets pale, faded, washy; **–heid** *v* paleness, fadedness, washiness
fleur *m* & *v* bloom, flower, prime; **'fleurig** blooming; *fig* bright, gay; **–heid** *v* bloom; *fig* brightness, gaiety
flex'ibel flexible[2]; **flexibili'teit** *v* flexibility[2]
'flikflooien (flikflooide, h. geflikflooid) *vt* & *vi* cajole, wheedle, fawn on [sbd.]; **–er** (-s) *m* fawner, cajoler, wheedler
'flikje (-s) *o* chocolate drop
'flikken (flikte, h. geflikt) *vt* patch, cobble [shoes]; **P** manage, do; *het 'm ~* manage to do sth., bring sth. about; *iem. iets ~* play sbd. a trick, do sth. to sbd.
'flikker (-s) *m* **P** 1 (z i e r) *het kan me geen ~ schelen* I don't care a damn; *hij weet er geen ~ van* he knows nothing about it, he hasn't got a clue; 2 (l i c h a a m) *iem. op zijn ~ slaan* give sbd. a hiding; [*fig*] *iem. op zijn ~ geven* give sbd. a drubbing; 3 > male homosexual
'flikkeren (flikkerde, h. geflikkerd) *vi* flicker, glitter, twinkle; **P** = *smijten*; **–ring** (-en) *v*

flicker(ing), glittering, twinkling; **'flikkerlicht** (-en) *o* flash-light

flink I *aj* 1 (v. z a k e n) good [walk, telling-off, number, size &], considerable [sum], substantial [progress]; goodly [size, volumes], sizable [desk, table], generous [piece], thorough [overhaul], sound [drubbing], smart [rap, pace &]; 2 (v. p e r s o n e n) fine [boy, lass, woman]; sturdy, stout, lusty, robust, strapping, stalwart, hardy [fellows], notable [housekeeper]; *hij is niet ~* 1 he is not strong; 2 he is not energetic enough; *hij is nog ~* he is still going strong; *wees nou een ~e jongen!* be a brave chap now!; **II** *ad* soundly, vigorously, thoroughly; *iem. ~ aframmelen* give sbd. a good (sound) drubbing; *~ eten* eat heartily (well); *hij kan ~ lopen* he is a good walker; *~ optreden* deal firmly (with), take a firm line; *het regent ~* it is raining hard; *zij zongen er ~ op los* they sang lustily; *ik heb hem ~ de waarheid gezegd* I have given him a piece of my mind, I have taken him up roundly; **-gebouwd** strongly built, well set-up; **-heid** *v* thoroughness; spirit; **-weg** without mincing matters

'flinter (-s) *m* flake; thin slice; paring, shaving; strip

'flippen (flipte, is geflipt) *vi* **S** have a bad trip

flirt [flœ:rt] (-en) 1 *m-v* (p e r s o o n) flirt; 2 *m* (h a n d e l i n g) flirtation; **'flirten** (flirtte, h. geflirt) *vi* flirt

flits (-en) *m* flash; **'flitsen** (flitste, h. geflitst) *vi* flash; **'flitslamp** (-en) *v* flash lamp, (k l e i n) flash bulb; **-licht** *o* flash-light

'flitspuit (-en) *v* spray

'flodder (-s) *v losse ~s* blank cartridges; **'flodderbroek** (-en) *v* floppy trousers; **'flodderen** (flodderde, h. geflodderd) *vi* 1 flounder (splash) through the dirt; 2 hang loosely, flop; 3 work in a careless (sluttish) way; **-rig** floppy; baggy; slipshod; **'flodderkous** (-en) *v* frump

floep *ij* pop!; (i n w a t e r) flop!

floers (-en) *o* (black) crape; *fig* veil

'flonkeren (flonkerde, h. geflonkerd) *vi* sparkle, twinkle; **-ring** (-en) *v* sparkling, twinkling

floot (floten) V.T.v. *fluiten*

flop *m* **F** flop, fiasco

'flora *v* flora

flo'reren (floreerde, h. gefloreerd) *vi* flourish, prosper, thrive

flo'ret (-retten) *v* & *o* (d e g e n) foil

floris'sant [-ri.-] flourishing, prospering, thriving

'floten V.T. meerv. v. *fluiten*

flot'tielje (-s) *v* flotilla

fluctu'atie [-(t)si.] *v* fluctuation; **fluctu'eren** (fluctueerde, h. gefluctueerd) *vi* fluctuate

'fluïdum *o* 1 (g a s, v l o e i s t o f) fluid; 2 (s p i r i t i s t i s c h) aura

fluim (-en) *v* phlegm, **S** gob; *een ~ van een vent* a squirt

'fluistercampagne [-pɑɲə] (-s) *v* whispering campaign; **'fluisteren** (fluisterde, h. gefluisterd) *vt* & *vi* whisper; *het iem. in het oor ~* whisper it in his ear; *er wordt gefluisterd dat...* it is whispered that...; **-d** whisperingly, in a whisper; **'fluistergewelf** (-welven) *o* whispering gallery; **'fluistering** (-en) *v* whispering, whisper

fluit (-en) *v* flute; *op de ~ spelen* play (on) the flute; **-concert** (-en) *o* concert for flute; **F** *een ~ geven* (u i t j o u w e n) boo, hiss; **'fluiten* I** *vi* whistle [on one's fingers, of a bullet, the wind &]; ♪ play (on) the flute; warble, sing [of birds]; hiss [in theatre]; *je kan er naar ~* you may whistle for it; **II** *vt* whistle [a tune]; **'fluitenkruid** *o* cow parsley; **flui'tist** (-en) *m* ♪ flute-player, flautist, flutist; **'fluitje** (-s) *o* whistle; **'fluitketel** (-s) *m* whistling kettle; **-register** (-s) *o* ♪ flute-stop; **-spel** *o* flute-playing; **-speler** (-s) *m* flute-player, flautist, flutist

fluks quickly

'fluor *o* fluorine

fluores'centie [fly.o.rɛ'sɛn(t)si.] (-s) *v* fluorescence; **-lamp** (-en) *v* fluorescent lamp; **fluores'cerend** fluorescent

fluo'ride (-n) *o* fluoride; **fluori'deren** (fluorideerde, h. gefluorideerd) *vt* fluoridate; **-ring** *v* fluoridation

flu'weel (-welen) *o* velvet; *op ~ zitten* [*fig*] be on velvet; **-achtig** velvety, velvet-like; **flu'welen** *aj* velvet; *met ~ handschoenen* [handle sbd.] with kid gloves; **flu'welig** velvety, velvet-like

flux de 'bouche [fly.də'bu.ʃ] *o* flow of words, gift of the gab

'fnuiken (fnuikte, h. gefnuikt) *vt* destroy, break, clip (the wings of)²; **-d** pernicious

fo'bie (-ieën) *v* phobia

foe'draal (-dralen) *o* case, sheath, cover

foef (foeven) *v*, **'foefje** (-s) *o* trick, **F** dodge

'foei! fie!, for shame!, phooey!

'foelie (-s) *v* 1 mace [of nutmeg]; 2 (tin-)foil [of a looking-glass]

foe'rage [g = ʒ] *v* forage; **foera'geren** (foerageerde, h. gefoerageerd) *vi* forage

foe'rier (-s) *m* quartermaster-sergeant

'foeteren (foeterde, h. gefoeterd) *vi* storm and swear; grumble (at *over, tegen*)

'foetsie *ij* gone, **S** napoo

'foetus [oe = ø:] (-sen) *m* foetus, fetus

föhn [føn] *m* foehn, föhn

fok (-ken) *v* 1 ⚓ foresail; 2 **F** specs: spectacles

'fokhengst (-en) *m* breeding stallion, sire, stud-horse
'fokkemast (-en) *m* foremast
'fokken (fokte, h. gefokt) *vt* breed, rear [cattle]; **–er** (-s) *m* (cattle-)breeder, stock-breeder; **fokke'rij** (-en) *v* 1 (cattle-)breeding, stock-breeding; 2 (stock-)farm; **'fokvee** *o* breeding-cattle
'folder (-s) *m* folder
foli'ant (-en) *m* folio (volume)
'folie *v* foil
'folio ('s) *o* folio
folk'lore *v* folklore
'folteraar (-s) *m* torturer, tormentor; **'folteren** (folterde, h. gefolterd) *vt* put to the rack²; *fig* torture, torment; **–ring** (-en) *v* torture, torment; **'folterkamer** (-s) *v* torture chamber
fond [fõ] *o* & *m* background; *fig* bottom; *au* [o.] ~ actually, fundamentally [he is right]
fonda'ment (-en) *o* 1 foundation(s); 2 **F** anus
fon'dant (-s) *m* fondant
fonde'ment (-en) *o* = *fondament*
fonds (-en) *o* 1 $ fund, stock; 2 club; 3 (publisher's) list; *zijn ~en zijn gerezen* his shares have risen; **–dokter** (-s) *m* panel doctor; **–enmarkt** (-en) *v* stockmarket; **–patiënt** [-pa.si.ɛnt] (-en) *m* panel patient; **–praktijk** (-en) *v* panel practice
fo'neem (-nemen) *o* phoneme; **fone'tiek** *v* phonetics; **fo'netisch** phonetic(al)
'fonkelen (fonkelde, h. gefonkeld) *vi* sparkle, scintillate; **–ling** (-en) *v* sparkling, scintillation; **'fonkelnieuw** brand-new
fono'graaf (-grafen) *m* phonograph
fonta'nel (-len) *v* fontanel
fon'tein (-en) *v* fountain²; **–tje** (-s) *o* (wall) wash-basin
fooi (-en) *v* tip, gratuity; *fig* pittance; *hem een (pond) ~ geven* tip him (a pound); **'fooienpot** (-ten) *m* tronc; **–stelsel** *o* tipping system
'foppen (fopte, h. gefopt) *vt* fool, cheat, gull, hoax, **S** cod; **foppe'rij** (-en) *v* hoax, trickery; **'fopspeen** (-spenen) *v* (baby's) comforter, dummy
for'ceren (forceerde, h. geforceerd) *vt* force [sbd., one's voice, a door, locks, defences]
fo'rel (-len) *v* trout
fo'rens (-en en -renzen) *m* non-resident; ± suburban, commuter; **fo'rensenplaats** (-en) *v* dormitory suburb; **–trein** (-en) *m* suburban train, *Am* commuter train
fo'rensisch *~e geneeskunde* forensic medicine
fo'renzen (forensde, h. geforensd) **I** *vi* commute; **II** = *mv* v. *forens*
'forma *v pro ~* for form's sake
for'maat (-maten) *o* format, size²; *...van (groot) ~* [individuals] of large calibre, of great stature, [problems] of great magnitude, major [figures, problems]; *een denker van Europees ~* a thinker of European stature
formali'seren [s = z] (formaliseerde, h. geformaliseerd) *vt* formalize; **–ring** (-en) *v* formalization; **forma'listisch** formalist(ic); **formali'teit** (-en) *v* formality
for'matie [-(t)si.] (-s) *v* 1 formation; 2 ⚔ establishment; *b o v e n de ~* ⚔ supernumerary; *i n ~ vliegen* ✈ fly in formation
for'meel **I** *aj* formal; ceremonial; **II** *ad* formally; *~ weigeren* flatly refuse
for'meren (formeerde, h. geformeerd) *vt* form; **–ring** *v* formation
formi'dabel formidable, mighty
for'mule (-s) *v* formula [*mv* ook *formulae*]; **formu'leren** (formuleerde, h. geformuleerd) *vt* formulate [a wish], word [a notion]; *ánders ~* reword; **–ring** (-en) *v* formulation, wording
formu'lier (-en) *o* 1 form [to be filled up]; 2 formulary [for belief or ritual]
for'nuis (-nuizen) *o* kitchen-range, [electric, gas] cooker
fors robust [fellows], strong [voice, wind, style], vigorous [style]; heavy [defeat, loss]; zie verder *fiks*; **–gebouwd** strongly built; **–heid** *v* robustness, strength, vigour
1 fort (-en) *o* ⚔ fort
2 fort [fɔ:r] [Fr] *o* & *m* forte, strong point
fortifi'catie [-(t)si.] (-s en -iën) *v* fortification
for'tuin [-'tœyn] 1 *v* fortune [= chance]; 2 (-en) *o* fortune [= wealth]; *~ maken* make one's fortune; *zijn ~ zoeken* seek one's fortune; **–lijk** lucky; **–tje** (-s) *o* 1 small fortune; 2 piece of good fortune, windfall; **–zoeker** (-s) *m* fortune-hunter, adventurer
'forum (-s) *o* forum²; (a l s g r o e p d e s k u n d i g e n) panel; (a l s d i s c u s s i e) teach-in; *voor het ~ der publieke opinie brengen* bring before the bar of public opinion
fos'faat (-faten) *o* phosphate
'fosfor *m* & *o* phosphorus
fosfores'centie [fɔsfo.rɛ'sɛn(t)si.] *v* phosphorescence; **fosfores'ceren** (fosforescеerde, h. gefosforesceerd) *vi* phosphoresce; **–d** phosphorescent
'fosforzuur *o* phosphoric acid
fos'siel **I** *aj* fossil; **II** (-en) *o* fossil; **–enkunde** *v* palaeontology
'foto ('s) *v* photograph, **F** photo; (i n k r a n t &) picture; **–album** (-s) *o* photograph album; **foto-e'lektrisch** *~e cel* photocell, photo-electric cell; **'fotofinish** *m sp* photo-finish; **fotoge'niek** [-ʒe.'ni.k] photogenic; **foto'graaf** (-grafen) *m* photographer; **fotogra'feren** (fotografeerde, h. gefotografeerd) *vt* & *va* photograph; *zich laten ~* have one's photo

(picture) taken; **fotogra'fie** (-ieën) *v* 1 (d e k u n s t) photography; 2 (b e e l d) photo(graph); **foto'grafisch** photographic; **fotogra'vure** (-s) *v* photogravure; **fotoko'pie** (-ieën) *v* photocopy; **fotokopi'eerapparaat** (-raten) *o* photostat, copier; **fotokopi'ëren** (fotokopieerde, h. gefotokopieerd); *vt* photostat, photocopy; **'fotomodel** (-len) *o* cover-girl; **–montage** [g = ʒ] (-s) *v* 1 (d e h a n d e l i n g) photo composing; 2 (h e t g e h e e l) composite picture; **–toestel** (-len) *o* camera; **–wedstrijd** (-en) *m* photographic competition
fouil'leren [fu.(l)'je:rə(n)] (fouilleerde, h. gefouilleerd) *vt* search [a suspect], frisk; **–ring** (-en) *v* search
four'neren [ou = u.] (fourneerde, h. gefourneerd) *vt* furnish
fout (-en) **I** *v* fault; mistake, error, blunder; **II** *aj* wrong; **fou'tief** wrong; **'foutloos** faultless, perfect, impeccable
fo'yer [fvɑ'je.] (-s) *m* foyer, lobby
fraai beautiful, handsome, pretty, nice, fine; *een ~e hand schrijven* write a fair hand; *dat is ~!* (i r o n i s c h) that is nice (of you); **–heid** (-heden) *v* beauty, prettiness &; **'fraaiigheid** (-heden) *v* fine thing
'fractie ['frɑksi.] (-s) *v* 1 fraction; 2 [political] group; party; *(in) een ~ van een seconde* **F** (in) a split second; **–voorzitter** (-s) *m* leader of a parliamentary group; ± whip [in Britain]; **fractio'neel** [frɑksi.-] fractional
frac'tuur (-turen) *v* ⚕ fracture
fra'giel [g = ʒ] fragile; **fragili'teit** *v* fragility
frag'ment (-en) *o* fragment; **fragmen'tarisch** fragmentary, scrappy [knowledge]
frak (-ken) *m* dress-coat
fram'boos (-bozen) *v* raspberry; **fram'bozestruik** (-en) *m* raspberry bush
'frame [fre.m] (-s) *o* frame
Fran'çaise [frɑn'sɛ:zə] (-s) *v* Frenchwoman
francis'caan (-canen) *m* Franciscan
'franco 1 ✉ post-free, post-paid, postage paid; 2 $ carriage paid; free [on board &]
franco'foon French-speaking
franc-tir'eur [frãti.'rø:r] (francs-tireurs) *m* franc-tireur, sniper
'franje (-s) *v* fringe; *fig* frills
1 frank frank; *~ en vrij* frank and free
2 frank (-en) *m* franc
fran'keerkosten *mv* postage [of a letter], carriage [of a parcel]; **–machine** [-ma.ʃi.nə] (-s) *v* franking machine; **–zegel** (-s) *m* postage stamp; **fran'keren** (frankeerde, h. gefrankeerd) *vt* ✉ prepay; (p o s t z e g e l s o p - p l a k k e n) stamp [a letter]; *gefrankeerd* postpaid; *gefrankeerde enveloppe* stamped envelope; *onvoldoende gefrankeerd* understamped; **–ring** (-en) *v* ✉ prepayment, postage; *~ bij abonnement* ✉ paid
'Frankrijk *o* France; **'Frans I** *aj* French; **II** *o het ~* French; *daar is geen woord ~* bij [*fig*] that is plain English; **III** *v een ~e* a Frenchwoman; **IV** *mv de ~en* the French; **–man** (Fransen) *m* Frenchman; **Fran'soos** (-sozen) *m* **F** Frenchy; **'Franstalig** French-speaking
frap'pant striking; **frap'peren** (frappeerde, h. gefrappeerd) *vt* 1 (t r e f f e n) strike; 2 (k o u d m a k e n) ice [drinks]
'frase [s = z] (-n en -s) *v* phrase; *holle ~n* vapourings; **fra'seren** [s = z] (fraseerde, h. gefraseerd) *vt* & *vi* phrase
'frater (-s) *m* (Christian) brother, friar
'fratsen *mv* caprices, whims, pranks; **–maker** (-s) *m* buffoon
'fraude (-s) *v* fraud [on the revenue]; **frau'deren** (fraudeerde, h. gefraudeerd) *vi* practise fraud(s); **fraudu'leus** fraudulent
frees (frezen) *v* ⚒ (milling) cutter
'freesia [s = z] ('s) *v* freezia
'freesmachine [-ma.ʃi.nə] (-s) *v* milling machine
fre'gat [frə-] (-ten) *o* frigate
fre'quent [fre.'kvɛnt] frequent; **frequen'teren** (frequenteerde, h. gefrequenteerd) *vt* frequent; **fre'quentie** [-(t)si.] (-s) *v* frequency, incidence; **–modulatie** [-(t)si.] (-s) *v* frequency modulation, F.M.
'fresco ('s) *o* fresco; *al ~ schilderen* paint in fresco, fresco
fret (-ten) 1 *o* 🐾 ferret || 2 *m* ⚒ auger
'fretten (frette, h. gefret) *vi* ferret
Freudi'aan(s) [eu = ɔi] Freudian
'freule ['frœ:lə] (-s) *v* honourable miss (lady)
'frezen (freesde, h. gefreesd) *vt* ⚒ mill; **–er** (-s) *m* ⚒ miller
'friemelen (friemelde, h. gefriemeld) *vi* fumble
fries (friezen) 1 *v* & *o* △ frieze || 2 *o* (s t o f) frieze
Fries I *aj* Frisian; **II** *o het ~* Frisian; **III** (Friezen) *m* Frisian
friet (-en) *v* = *frites*
Frie'zin (-nen) *v* Frisian (woman)
fri'gide [g = ʒ] frigid, sexually unresponsive
frik (-ken) *m* **F** schoolmaster
frika'del (-len) *v* minced-meat ball
fris I *aj* fresh [morning, complexion, wind &], refreshing [drinks]; cool [room]; *een ~ meisje* a girl as fresh as a rose; *zo ~ als een hoentje* as fit as a fiddle, as fresh as paint; *met ~se moed* with fresh courage; **II** *ad* freshly, fresh; **–drank** (-en) *m* soft drink
fri'seerijzer [s = z] (-s) *o*, **fri'seertang** (-en) *v* curling-tongs; **fri'seren** (friseerde, h. gefriseerd) *vt* crisp, curl, frizz

'frisheid *v* freshness; coolness; **–jes** a little fresh
frites [fri.t] *mv* French fried potatoes, French fries, (potato) chips; **–kraam** (-kramen) *v* French-fries stand, chips stand
fri'tuurvet *o* deep fat; *in ~ bakken* deep-fry
frivoli'té *o* tatting
frivoli'teit (-en) *v* frivolity; **fri'vool** frivolous
'fröbelschool [ö = ø] (-scholen) *v* kindergarten
'frommelen (frommelde h. gefrommeld) *vt* rumple, crumple
frons (-en en fronzen) *v* frown, wrinkle; **'fronsen** (fronste, h. gefronst) *vt het voorhoofd (de wenkbrauwen) ~* frown, knit one's brows
front (-en) *o* front, façade; frontage [= 1 front of a building &; 2 extent of front &; 3 exposure]; (i n k o l e n m i j n) (coal-)face; *~ maken naar de straat* front (towards) the street; *~ maken tegen zijn vervolgers* front one's pursuers; • *a a n het ~* ⚔ at the front; *m e t het ~ naar...* fronting...; *v o o r het ~* ⚔ in front of the line (of the troops); **fron'taal** *~ tegen elkaar botsen* collide head-on; *frontale botsing* head-on collision; **'frontaanval** (-len) *m* frontal attack
frontis'pice [-'pi.s] (-s) *o* frontispiece
'frontje (-s) *o* front, **S** dick(e)y
frot'té *o* sponge cloth
fruit *o* fruit
fruiten (fruitte, h. gefruit) *vt* fry
'fruitig fruity [wine]
'fruitmand (-en) *v* fruit basket; **–schaal** (-schalen) *v* fruit dish; **–winkel** (-s) *m* fruit shop; fruiterer's shop
frus'tratie [-(t)si.] (-s) *v* frustration; **frus'treren** (frustreerde, h. gefrustreerd) *vt* frustrate
'frutselen (frutselde, h. gefrutseld) *vi* trifle, tinker; fumble
'fuga ('s) *v* fugue
fuif (fuiven) *v* celebration, party, spree, **F** beano; *een ~ geven* throw a party; **–nummer** (-s) *o* **F** gay blade
fuik (-en) *v* trap; *in de ~ lopen* walk (fall) into the trap
'fuiven (fuifde, h. gefuifd) **I** *vi* feast, celebrate, revel, make merry; **II** *vt* feast [sbd. (with *op*)], treat (to *op*)
fulmi'neren (fulmineerde, h. gefulmineerd) *vi* fulminate, thunder; *~ tegen* declaim (inveigh) against
'functie ['fü̃ksi.] (-s) *v* function; *in ~ treden* enter upon one's duties; *in ~ zijn* be in function; *in zijn ~ van* in his capacity of; **functio'naris** [fü̃ksi.-] (-sen) *m* functionary, office-holder, official; **functio'neel** functional; **functio'neren** (functioneerde, h. gefunctioneerd) *vi* function
funda'ment (-en) *o* foundation(s); **fundamen'teel** fundamental, basal
fun'datie [-(t)si.] (-s en -iën) *v* foundation; **fun'deren** (fundeerde, h. gefundeerd) *vt* 1 found; 2 $ fund [a debt]; **–ring** (-en) *v* foundation
fu'nest fatal, disastrous
fun'geren [fü̃'ge:rə(n)] (fungeerde, h. gefungeerd) *vi* officiate; *~ als* act as, perform the duties of; **–d** acting, in charge, pro tem
'furie (-s en -iën) *v* fury[2]; **furi'eus** furious
fu'rore *v ~ maken* create a furore
fu'seepen [-'ze.pɛn] (-en) *v* ⚒ kingbolt
fuse'lier [s = z] (-s) *m* 1 fusilier; 2 ⚔ private (soldier)
fu'seren [s = z] (fuseerde, is gefuseerd) *vt* & *vi* = *fusioneren*; **'fusie** [s = z] (-s) *v* amalgamation, fusion, merger; *een ~ aangaan, een ~ tot stand brengen tussen* amalgamate, fuse
fusil'leren [fy.zi.(l)'je:rə(n)] (fusilleerde, h. gefusilleerd) *vt* shoot (down)
fusio'neren [s = z] (fusioneerde, h. gefusioneerd) *vt* & *vi* amalgamate, fuse
fust (-en) *o* cask, barrel; *leeg ~* empty boxes, dummies; *wijn op ~* wine in the wood
fut *m* & *v* spirit, **F** spunk; *de ~ is eruit* **F** he has no kick (pep, snap) left in him
futili'teit (-en) *v* futility
'futloos spiritless
futu'risme *o* futurism; **–ist** (-en) *m*, **futu'ristisch** *aj* futurist; **futurolo'gie** *v* futurology
fuut (futen) *m* 🐦 grebe
'fysica ['fi.zi.ka.] *v* physics, natural science; **'fysicus** (-ci) *m* physicist
fy'siek [fi.'zi.k] **I** *aj* physical; **II** (-en) *o* physique, physical structure
fysiolo'gie [fi.zi.-] *v* physiology; **fysio'logisch** physiological; **fysio'loog** (-logen) *m* physiologist
fysiothera'peut [-te:ra.'pœyt] (-en) *m* physiotherapist; **–'pie** *v* physiotherapy
'fysisch ['fi.zi.s] physical

G

g [ge.] ('s) *v* g
1 gaaf (gaven) *v* = *gave*
2 gaaf *aj* 1 *eig* sound, whole, entire; 2 *fig* pure, perfect, flawless [technique, work of art &]; **–heid** *v* 1 *eig* soundness, wholeness; 2 *fig* purity, perfectness, flawlessness
gaai (-en) *m* 🐦 jay
gaal (galen) *v* (in weefsel) thin place
gaan* **I** *vi* 1 go°; 2 (vóór infinitieven) go and..., go to...; *ik ging hem bezoeken* I went to see him; *hij ging jagen* he went (out) shooting; ~ *liggen* zie *liggen*; *zullen wij* ~ *lopen?* shall we walk it?; *wij* ~ *verhuizen* we are going to move; *hij is* ~ *wandelen* he has gone for a walk; *ik ga, hoor!* I am off; *ik ga al* I am going; *ze zien hem liever* ~ *dan komen* they like his room better than his company; *daar ga je!, daar gaat-ie!* here goes!; *...en hij ging* and off he went, [saying...] he left, he walked away; *hoe gaat het* (*met u*)? how are you?, how do you do?; *hoe gaat het met uw broer* (*voet* &) how is your brother (your foot &)?; *hoe gaat het met uw proces* (*werk*)? how is your lawsuit (your work) getting on?; *het zal hem niet beter* ~ he will fare no better; *het gaat hem goed* he is doing well; *het ging hem niet goed* things did not go well with him; *hoe is het?, het gaat nogal* pretty middling, not too bad; *hoe is het met je...? o, het gaat* (*wel*) fairly well; *het stuk ging 150 keer* the play had a run of 150 nights; *dat boek zal wel* (*goed*) ~ will sell well; *als alles goed gaat* if everything goes off (turns out) well; *onze handel gaat goed* our trade is going; *deze horloges* ~ *goed* 1 these watches go well, keep good time; 2 these watches sell well; *het ga je goed!* good luck to you!; *de zee ging hoog* there was a heavy sea on; *het* (*dat*) *gaat niet* that won't do (work), it can't be done; *zijn zaken* ~ *niet* he isn't doing well; *het zal niet* ~*!* no go!, **F** nothing doing!; *het gaat slecht* things are going badly; *het ging slecht* things went off badly; *het ging hem slecht* he was doing badly; *zij gingen verder* they walked on; *ga verder!* go on!; *het ging verkeerd* things turned out badly; *zo gaat het* that's the way of things; *zo is het gegaan* that is how it came about; *het zal wel* ~ it will go all right; *het ga zoals het gaat* come what may; ● *er aan* ~ **F** buy it, be for it, *dat gaat boven alles* that surpasses everything; that comes first (of all); *er gaat niets boven...* there is nothing like... [a good cigar &]; *dat gaat er bij mij niet in* that won't go down with me; *de weg gaat langs een kanaal* the road runs along a canal; *hiermee gaat het niet* this will not do; *met de pen gaat het nog niet* I (he &) cannot yet manage a (his) pen; *met de trein* ~ go by train (by rail); ~ *met* **F** walk out with [a girl]; *naar de bioscoop* ~ go to the pictures; *waar* ~ *ze naar toe?* where are they going?; *daar gaat het* (*niet*) *om* that is (not) the point; *daar gaat het juist om* that's just the point; *het gaat om uw toekomst* your future is at stake; *5 gaat 6 keer op 30* 5 into 30 goes 6 times; *6 op de 5 gaat niet* 6 into 5 will not go; *over Brussel* ~ go via (by way of) Brussels; *de dokter gaat over vele patiënten* the doctor attends many patients; *het gesprek gaat over...* the conversation is about (on) [war, peace &]; *zij gaat over het geld* she has the spending; *wie gaat erover?* who is in charge?; *wij* ~ *tot A.* we are going as far as A.; *zij gingen tot 1000 gulden* they went as high as 1000 guilders; *uit eten* ~ dine out; *uit werken* ~ go out to work; *er van door* ~ zie *ervandoor*; **II** *vt* go; zie 2 *gang* &; **III** *vr zich laten* ~ let oneself go; **IV** *o* going, walking; *het* ~ *valt hem moeilijk* he walks with difficulty; **'gaande** going; *de* ~ *en komende man* comers and goers; ~ *houden* keep going; *de belangstelling* ~ *houden* keep the interest from flagging; *het gesprek* ~ *houden* keep up the conversation; ~ *maken* stir, arouse, move [sbd.'s pity]; provoke [sbd.'s anger]; *wat is er* ~*?* what is going on?, what is the matter?; **gaande'rij** (-en) *v* gallery; **'gaandeweg** gradually, by degrees, little by little; **gaans** *een uur* ~ an hour's walk
gaap (gapen) *m* yawn; *de* ~ the gapes
gaar 1 done [meat]; 2 *fig* clever, knowing [fellows]; *goed* ~ well-done; *juist* ~ done to a turn; *niet* ~ underdone [meat]; *te* ~ overdone; **–keuken** (-s) *v* eating-house
'gaarne willingly, readily, gladly; with pleasure; ~ *doen* 1 like to...; 2 be quite willing to...; *iets* ~ *erkennen* admit sth. frankly; zie ook: *mogen* &, *graag* **II**
gaas *o* gauze; (kippe~) wire-netting; **–achtig** gauzy
'gaatje (-s) *o* (small) hole
gabar'dine (-s) *v* gabardine
Ga'bon *o* Gabon
'gade (-n) 1 *m* husband, consort; 2 *v* wife, consort
'gadeslaan (sloeg 'gade, h. 'gadegeslagen) *vt* observe, watch
'gading *v* liking; *alles is van zijn* ~ nothing comes amiss to him, all's fish that comes to his

net; *het is niet van mijn ~* it is not what I want
gaf (gaven) V.T. v. *geven*
'gaffel (-s) *v* 1 pitchfork, fork; 2 ⚓ gaff; **–vormig** forked; **–zeil** (-en) *o* ⚓ trysail
'gage ['ga.ʒə] (-s) *v* 1 wage(s); 2 ⚓ pay
'gaine ['gɛ.nə] *v* girdle
'gajes ['ga.jəs] **S** *o* rabble, hoi polloi
gal *v* gall, bile; *zijn ~ uitbraken* vent one's bile [on sbd.]; *de ~ loopt hem over* his blood is up; *iems. ~ doen overlopen* stir (up) sbd.'s bile
'gala *o* gala; full dress; *in ~* in full dress, [dine] in state; **'gala-avond** (-en) *m* gala night; **'galadiner** [-di.ne.] (-s) *o* state dinner; **–kleding** *v* full dress
ga'lant I *aj* gallant; **II** (-s en -en) *m* intended, betrothed, fiancé
galante'rie (-ieën) *v* gallantry; *~ën* fancy goods
galan'tine *v* galantine
'galappel (-s) *m* gall-nut
'galavoorstelling (-en) *v* gala performance
'galblaas (-blazen) *v* gall-bladder; **–bult** (-en) *m* *~en* hives
ga'lei (-en) *v* ⚓ galley; **–boef** (-boeven) *m*, **–slaaf** (-slaven) *m* galleyslave; **–straf** *v* forced labour in the galleys
gale'rie (-s en -ieën) *v* (picture) gallery
gale'rij (-en) *v* gallery°; [Indonesian] veranda(h)
galg (-en) *v* gallows; gallows-tree; *op moord staat de ~* murder is a hanging matter; *tot de ~ veroordelen* sentence to death on the gallows; *voor ~ en rad (voor de ~) opgroeien* be heading straight for the gallows; **'galgebrok** (-ken) *m* = *galgenaas*; **–humor** *m* grim humour; **–maal** *o* last meal, parting meal; **'galgenaas** (-azen) *o* gallows bird, rogue, ruffian; **'galgestrop** (-pen) *m* & *v* = *galgenaas*; **–tronie** (-s) *v* hangdog look
gal'joen (-en en -s) *o* galleon
'gallen (galde, h. gegald) *vt* take the gall from [a fish]
galli'cisme (-n) *o* gallicism
'Gallië *o* Gaul; **–r** (-s) *m* Gaul
'gallig bilious²; **–heid** *v* biliousness²
'Gallisch Gallic
galm (-en) *m* sound, resounding, reverberation; **'galmen** (galmde, h. gegalmd) *vi* 1 sound, resound; 2 bawl, chant [of persons]; **'galmgat** (-gaten) *o* belfry window, sound hole
'galnoot (-noten) *v* gall-nut
ga'lon (-nen en -s) *o* & *m* (gold or silver) lace, braid, galloon, piping; **galon'neren** (galonneerde, h. gegalonneerd) *vt* lace, braid
ga'lop (-s) *m* 1 gallop; 2 (d a n s) galop; *korte ~* canter; *in ~* at a gallop; *in volle ~* (at) full gallop; **galop'peren** (galoppeerde, h. gegaloppeerd) *vi* 1 gallop [of a horse]; 2 galop [of a dancer]
'galsteen (-stenen) *m* gall-stone, bile-stone
galvani'satie [-za.(t)si.] *v* galvanization; **gal'vanisch** galvanic; **galvani'seren** [s = z] (galvaniseerde, h. gegalvaniseerd) *vt* galvanize; **galva'nisme** *o* galvanism
'galwesp (-en) *v* gall-fly; **–ziekte** (-n en -s) *v*, **–zucht** *v* bilious complaint
'Gambia *o* Gambia
gam'biet (-en) *o* gambit
ga'mel (-len) *v* mess-tin
'gamma ('s) *v* & *o* 1 ♪ gamut, scale; 2 (l e t t e r) gamma; **–stralen** *mv* gamma rays; **–wetenschappen** *mv* ± social sciences
'gammel 1 (v e r v a l l e n, w r a k) ramshackle, decrepit; 2 (v e r s l e t e n, a f g e l e e f d) worn out; 3 (s l a p, l u s t e l o o s) **F** seedy
1 gang (-en) *m* 1 [subterranean] passage [of a house], corridor [of a house, train]; 2 alley [= narrow street]; 3 gallery [of a mine]; **2 gang** (-en) *m* 1 (v. p e r s o o n) gait, walk; 2 (v. h a r d l o p e r, p a a r d) pace; 3 (v. a u t o, t r e i n &) speed, rate; 4 (v. z a a k) progress; 5 (v. z i e k t e, g e s c h i e d e n i s) course, march; 6 (v. m a a l t i j d) course; 7 ⚒ (v. m a c h i n e) running, working; 8 ⚒ (v. s c h r o e f) thread; 9 (i n h e t s c h e r m e n) pass; *~ van zaken* course of things; *de gewone (normale) ~ van zaken* the usual procedure, the usual course of things, the customary routine; *voor de goede ~ van zaken* for a smooth running, for the proper working; *de verdere ~ van zaken* further developments; *er zit ~ in (de handeling)* it is full of go; *ga uw ~!* 1 please yourself!; 2 (t o e m a a r !) go ahead !, go on!; ⚔ **S** carry on!; *hij gaat zijn eigen ~* he goes his own way; *laat hem zijn ~ maar gaan* let him have his way; *alles gaat weer zijn gewone ~* things go on as usual; *~ maken sp* spurt; *iems. ~en nagaan* watch sbd., have sbd. shadowed; *ik zal u die ~ sparen* I'll spare you that walk; ● *a a n de ~ blijven* go on, continue (working &); *aan de ~ brengen (helpen, maken)* set going, start; *aan de ~ gaan* get going, set to work; *aan de ~ zijn* 1 (v. p e r s o o n) be at work; 2 (v. v o o r s t e l l i n g &) have started, be in progress; *wat is er aan de ~?* what is going on?; *hij is weer aan de ~* he is at it again; *i n volle ~ zijn* be in full swing²; *o p ~ brengen* set going, start; *op ~ houden* keep going; *op ~ komen* get going; *op ~ krijgen* get going; **'gangbaar** current; *~ zijn* pass [of coins]; be still available [of tickets]; $ have a ready sale [of articles]; **–heid** *v* currency; **'gangboord** (-en) *o* & *m* ⚓ gangway; **–loper** (-s) *m* corridor-carpet; **–maker** (-s) *m sp* pace-maker; **–pad** (-paden) *o* 1 path; 2 gangway; 3 (i n k e r k, v l i e g-

t u i g) aisle
gan'green [gɑŋ'gre.n] *o* gangrene, necrosis
'gangspil (-len) *o* capstan
'gangster ['gɛŋstər] (-s) *m* gangster
'gannef (gannefen en ganneven) *m* crook; rogue
1 gans (ganzen) *v* goose[2]; *sprookjes van Moeder de Gans* Mother Goose's tales
2 gans I *aj* whole, all; ~ *Londen* the whole of London [was burnt down]; all London [was at the races]; **II** *ad* wholly, entirely; ~ *niet* not at all
'gansje (-s) *o* gosling, little goose[2]; **'ganzebloem** (-en) *v* ox-eye (daisy); **–lever** (-s) *v* goose-liver; **'ganzenbord** (-en) *o* game of goose; **'ganzenborden** (ganzenbordde, h. geganzenbord) *vi* play the game of goose; **'ganzenhoeder** (-s) *m* gooseherd; **–mars** (-en) *m* Indian file, single file; **–pas** (-sen) *m* goose step; **'ganzeveer** (-veren) *v* goose-quill
'gapen (gaapte, h. gegaapt) *vi* gape [in amazement, also of oysters, chasms, wounds]; yawn [from hunger, drowsiness]; *een ~de afgrond* a yawning abyss (precipice); **–er** (-s) *m* gaper; **'gaping** (-en) *v* gap, hiatus
'gappen (gapte, h. gegapt) *vt* & *vi* **F** pinch, **S** nab, nip
ga'rage [-ʒə] (-s) *v* garage; **–houder** (-s) *m* garage keeper, garage proprietor
garan'deren (garandeerde, h. gegarandeerd) *vt* warrant, guarantee; zie ook: *gegarandeerd*; **ga'rant** (-en) *m* guarantor; **ga'rantie** [-(t)si.] (-s) *v* guarantee, warrant, security, warranty; *onder ~ vallen* be under warranty; **–bewijs** (-wijzen) *o* warranty
gard (-en) *v* rod
'garde *v* 1 (-s) guard; || 2 (-n) = *gard*; *de koninklijke ~* the Royal Guards; *de oude ~* the old guard
gar'denia ('s) *v* gardenia
garde'robe [-rɔ:bə] (-s) *v* 1 wardrobe; 2 cloakroom [in a theatre, railway station &]; **–juffrouw** (-en) *v* cloak-room attendant
ga'reel (-relen) *o* harness, (horse-)collar; *in het ~* in harness[2]; *in het ~ brengen* bring into line
1 'garen (-s) *o* thread, yarn; ~ *en band* haberdashery; *wollen ~* worsted; **2 'garen** *aj* thread
3 'garen = *vergaren*
garen-en-'bandwinkel (-s) *m* haberdashery
garf (garven) *v* sheaf; *in garven binden* sheave
gar'naal (-nalen) *m* shrimp; *een geheugen als een ~* a memory like a sieve; **gar'nalenvangst** (-en) *v* shrimping; **–visser** (-s) *m* shrimper
gar'neersel (-s) *o* trimming; **gar'neren** (garneerde, h. gegarneerd) *vt* trim [a dress, hat &], garnish [a dish]; **–ring** (-en) *v* trimming; garnish [of food]
garni'tuur (-turen) *o* 1 trimming [of a gown]; 2 set of jewels; 3 set of mantelpiece ornaments
garni'zoen (-en) *o* garrison; ~ *leggen in een plaats* garrison a town; *bij lag te G. in ~* he was garrisoned at G; **garni'zoenscommandant** (-en) *m* town major; **–plaats** (-en) *v* ⚔ garrison town
'garstig rancid; **–heid** *v* rancidness
garve (-n) *v* = *garf*; **'garven** (garfde, h. gegarfd) *vt* sheave, sheaf
gas (-sen) *o* gas; ~ *geven* open (out) the throttle, **F** step on the gas; ~ *op de plank geven* **F** step on the juice; ~ *terugnemen* throttle down; **–aanval** (-len) *m* gas attack; **–achtig** 1 gaseous [body &]; 2 gassy [smell]; **'gasbel** (-len) *v* = *aardgasbel*; **–brander** (-s) *m* gas-burner, gas-jet; **–buis** (-buizen) *v* gas-pipe; **–fabriek** (-en) *v* gas-works; **–fitter** (-s) *m* gas-fitter; **–fornuis** (-nuizen) *o* gas-cooker (-stove); **–geiser** [-zər] (-s) *m* gas-heater; **–generator** (-s en -toren) *m* gas producer; **–haard** (-en) *m* gas-fire; **–houder** (-s) *m* gas-holder, gasometer; **–kachel** (-s) *v* gas-stove; **–kamer** (-s) *v* gas-chamber [for executing human beings]; lethal chamber [for killing animals]; **–komfoor** (-foren) *o* gas-ring; **–kraan** (-kranen) *v* gas-tap; **–lamp** (-en) *v* gas-lamp; **–lantaarn, –lantaren** (-s) *v* gas-light, gas-lamp; **–leiding** (-en) *v* 1 gas-main [in the street]; 2 gas-pipes [in the house]; **–licht** *o* gas-light; **–lucht** *v* smell of gas, gassy smell; **–masker** (-s) *o* gas-mask; **–meter** (-s) *m* gas-meter; **–motor** (-s en -toren) *m* gas-engine; **–oven** (-s) *m* 1 (i n h u i s h o u d i n g) gas stove; 2 ⚒ gas furnace; **–pedaal** (-dalen) *o* & *m* accelerator (pedal); **–pit** (-ten) *v* gas-burner; (g a s a r m) gas bracket; **–rekening** (-en) *v* gas-bill; **'gassen** (gaste, h. gegast) *vt* ⚔ gas; **'gasslang** (-en) *v* gas-tube; **–stel** (-len) *o* = *gasfornuis* en *gaskomfoor*
gast (-en) *m* guest; visitor; *stevige ~* robust fellow; *bij iem. te ~ zijn* be sbd.'s guest; **–arbeider** (-s) *m* foreign (immigrant, migratory) worker; **–dirigent** (-en) *m* guest conductor; **'gastenboek** (-en) *o* visitors' book; **gas'teren** (gasteerde, h. gegasteerd) *vi* be starring; **'gastheer** (-heren) *m* host; **–hoogleraar** (-s en -raren) *m* visiting professor; **–huis** (-huizen) *o* hospital; **–maal** (-malen) *o* feast, banquet
'gastrol (-len) *v* star-part
gastrono'mie *v* gastronomy; **gastro'nomisch** gastronomic; **gastro'noom** (-nomen) *m* gastronomer
'gasturbine (-s) *v* gas-turbine
'gastvoorstelling (-en) *v* starring-performance; **'gastvrij, gast'vrij** hospitable; *heel ~ zijn* keep

open house; **gast'vrijheid** *v* hospitality; **'gastvrouw** (-en) *v* hostess

'gasverlichting (-en) *v* gas-lighting; **–verwarming** (-en) *v* gas heating; **–vlam** (-men) *v* gas-flame; **–vormig** gasiform, gaseous; **–vorming** (-en) *v* gasification

gat (gaten) *o* hole, opening, gap [in a wall &]; cavity (in tooth); **P** arse; *een* ~ > **F** a hole [of a place]; *een ~ in de dag slapen* sleep all the morning; *een ~ in de lucht springen* jump for joy; *een ~ stoppen* stop a gap; *het ene ~ met het andere stoppen* rob Peter to pay Paul; *zich een ~ in het hoofd vallen* break one's head; *ergens geen ~ in zien* not see a way out of it, not see one's way to... [do something]; • *iets in de ~en hebben* have got wind of sth.; **F** have twigged sth.; *iem. in de ~en hebben* have found out sbd; *iem. in de ~en houden* keep one's eye on sbd.; *in de ~en krijgen* get wind of [sth]; spot [sbd.]

gauw I *aj* 1 (v. beweging) quick, swift; 2 (v. verstand) quick; *ik was hem te ~ af* I was too quick for him; **II** *ad* quickly, quick; soon; in a hurry; *~ wat!* be quick!, hurry up!; *ik kom ~* I'm coming soon; *dat zal hij niet zo ~ weer doen* he won't do that again in a hurry; *zo ~ hij mij zag* as soon as he saw me; **–dief** (-dieven) *m* thief, rogue; **gauwdieve'rij** (-en) *v* thieving; **'gauwigheid** *v* quickness[2], swiftness; *in de ~* 1 in a hurry; 2 in my hurry

'gave (-n) *v* gift[2]

'gaven V.T. meerv. v. *geven*

ga'zel(le) (-len) *v* gazelle

'gazen *aj* gauze

ga'zon (-s) *o* lawn, green; **–sproeier** (-s) *m* (lawn) sprinkler

ge [gə] = *gij*

ge'aard disposed; **–heid** (-heden) *v* disposition, temper, nature

geabon'neerde (-n) *m-v* = *abonnee*

geacciden'teerd [-aksi.-] uneven, hilly [ground]

geache'veerd [ch = ʃ] carefully finished, completed, perfected

ge'acht respected, esteemed; *G~e heer* Dear Sir

geadres'seerde (-n) *m-v* addressee; consignee [of goods]

geaffec'teerd affected; **–heid** *v* affectedness, affectation

Gealli'eerden *mv* Allied Powers

ge'armd arm in arm

geavan'ceerd advanced, progressive

geb. = *geboren*

ge'baand beaten [road]; *~e wegen bewandelen (gaan)* follow the beaten track

ge'baar (-baren) *o* gesture[2], gesticulation; motion, sign; *gebaren maken* gesticulate, make gestures

ge'babbel *o* chatter, babble, prattle, tattle, chit-chat; (roddel) tittle-tattle, gossip

ge'bak *o* pastry, cake(s), confectionery

ge'bakerd *heet ~* hot-headed

ge'bakje (-s) *o* pastry (ook = *~s*), tart(let)

ge'balk *o* braying, bray

ge'baren (gebaarde, h. gebaard) *vi* gesticulate; motion; **ge'barenspel** *o* 1 gesticulation, gestures; 2 pantomime, dumb-show; **–taal** *v* sign-language

ge'bazel *o* twaddle, drivel, balderdash

ge'bed (-beden) *o* prayer; *het ~ des Heren* the Lord's Prayer; *een ~ doen* say a prayer, pray

ge'bedel *o* begging

ge'beden V.D. v. *bidden*; **ge'bedenboek** (-en) *o* prayer-book; **ge'bedsgenezer** (-s) *m* faith healer; **–riem** (-en) *m* phylactery; **–molen** (-s) *m* prayer wheel

ge'beente (-n) *o* bones

ge'beft with bands

ge'beier *o* chiming, ringing

ge'bekt *goed ~ zijn* have the gift of the gab; zie ook: *vogeltje*

ge'bel *o* ringing

ge'belgd offended (at *over*); **–heid** resentment; anger

ge'bergte (-n en -s) *o* (chain of) mountains

ge'beten V.D. v. *bijten*; *~ zijn op iem.* have a grudge (spite) against sbd.

ge'beurde *het ~* what (had) happened, the happenings, the occurrence(s), the incident; **ge'beuren** (gebeurde, is gebeurd) *vi* happen, chance, occur, come about, come to pass, be; *het is me gebeurd, dat...* it has happened to me that...; *er ~ rare dingen* 1 strange things happen; 2 things come about (so) strangely; *wanneer zal het ~?* when is it to come about (come off, be)?; *dat zal me niet weer ~* that will not happen to me again; *wat er ook ~ moge* happen (come) what may; *het moet ~!* it must be done!; *het zal je ~!* fancy that happening!; *dat gebeurt niet!* you will do nothing of the kind!; *wat ermee gebeurde, is onbekend* what happened to it is unknown; *voor ik wist wat er gebeurde* before I knew where I was; **ge'beurtenis** (-sen) *v* event, occurrence; *een blijde ~* a happy event; *een toevallige ~* a contingency

ge'beuzel *o* dawdling, trifling

ge'bied (-en) *o* territory, dominion; area; [mining] district, [arctic] region; ⚖ jurisdiction; *fig* domain, sphere, department, province, field, range; *op het ~ van de kunst* in the domain (field, realm(s)) of art; *dat behoort niet tot mijn ~* that is not within my province

ge'bieden (gebood, h. geboden) **I** *vt* command, order, bid; **II** *vi* command, order; *~ over* command; **–d** imperious; imperative [neces-

sity]; *de ~e wijs* the imperative (mood);
ge'bieder (-s) *m* ruler, master, lord
ge'biesd *oranje ~* orange-piped
ge'bint(e) (-en) *o* cross-beams
ge'bit (-ten) *o* 1 (e c h t) set of teeth, teeth; 2 (v a l s) (set of) false teeth, denture(s); 3 (v. i j z e r) bit [of horses]
ge'blaas *o* blowing; (v. k a t) spitting
ge'blaat *o* bleating
ge'bladerte *o* foliage, leaves
ge'blaf *o* bark(ing)
ge'bleken V.D. v. *blijken*
ge'bleven V.D. v. *blijven*
ge'bloemd flowered
ge'blok *o* plodding, **F** swotting
ge'blokt chequered
ge'blonken V.D. v. *blinken*
ge'bluf *o* boast(ing), brag(ging), **F** swank
ge'bocheld [-'bògəlt] **I** *aj* hunchbacked, humpbacked; **II** *m-v ~e* hunchback, humpback
'gebod (-boden) *o* command; *de ~en* 1 the [ten] commandments; 2 (h u w e l i j k s a f k o n d i g i n g) the banns
ge'boden V.D. v. *bieden* & *gebieden*; required, necessary, called for
ge'boefte *o* riff-raff, rabble
ge'bogen V.D. v. *buigen*
ge'bonden V.D. v. *binden*; bound [books]; tied [hands &]; latent [heat]; thick [soup, sauce]; *~ stijl* poetic style, verse; *je bent zo ~* it is such a tie; *niet ~* uncommitted, non-aligned [nations]
ge'bons *o* thumping &, zie *bonzen*
ge'boomte (-n) *o* trees
ge'boorte (-n) *v* birth; *b ij de ~* at birth; *n a de ~* post-natal; *een Fransman v a n ~* a Frenchman by birth, [he is] French-born; *een Groninger van ~* a native of Groningen; **-akte** (-n en -s) *v* birth-certificate; **-dag** (-dagen) *m* birthday; **-datum** (-s en -data) *m* date of birth, birthdate; **-grond** *m* native soil; **-huis** *o* birthplace, house where... was born; **-jaar** (-jaren) *o* year of sbd.'s birth; **-land** *o* native land (country), (o f f i c i e e l) country of birth
ge'boortenbeperking *v* birth-control; *v* **-cijfer** (-s) *o* birth-rate; **-golf** (-golven) *v* (birth) bulge; **-overschot** (-ten) *o* excess of births; **-regeling** (-en) *v* birth control; **-register** (-s) *o* register of births
ge'boorteplaats (-en) *v* birth-place, place of (one's) birth; **-recht** *o* birthright; **-stad** (-steden) *v* native town; *zijn ~ Londen* & his native London &; **ge'boortig** *~ uit A.* born in (at) A., a native of A.; **ge'boren** born; *hij is een ~ Fransman* he is a Frenchman by birth; *hij is een ~ Groninger* he is a native of Groningen; *Mevrouw A., ~ B.* Mrs. A., née B., maiden name B.; *~ en getogen* born and bred
ge'borgen V.D. v. *bergen*; secure; **-heid** *v* security
gebor'neerd limited, narrow-minded, narrow
ge'borrel *o* 1 (o p b o r r e l e n) bubbling; 2 (d r i n k e n v a n b o r r e l s) tippling
ge'borsten V.D. v. *bersten*
ge'bouw (-en) *o* building, edifice², structure², *fig* fabric
Gebr. = *Gebroeders*
ge'braad *o* roast, roast meat
ge'brabbel *o* gibberish, jabber
ge'bracht V.D. v. *brengen*
ge'braden roasted [potatoes], roast [meat]
ge'bral *o* **F** brag, wind, gas
ge'brand burnt &; zie *branden*; *~ zijn op* be keen (**F** hot) on [sth.]; be agog [to know...]
ge'bras *o* feasting, revelling
ge'breid knitted; *~e goederen* knitted goods, knitwear
ge'brek (-breken) *o* 1 (t e k o r t) want, lack, shortage (of *aan*); 2 (a r m o e d e) want [= poverty]; 3 (f o u t) defect, fault, shortcoming; 4 (l i c h a a m s~) infirmity; *~ hebben = ~ lijden*; *~ hebben aan* be in want of, be short of; *aan niets ~ hebben* want for nothing; *~ lijden* suffer want, be in want; *~ aan eerbied* disrespect; *~ aan organisatie* inorganization; *er is ~ aan steenkolen* there is a famine in coal; *geen ~ aan klachten* no lack (want) of complaints; ● *b ij ~ aan...* for want of...; in default of; *bij ~ aan iets beters* for lack of something better; *bij ~ daaraan* failing that, in the absence of such; *i n ~e blijven te...* fail to...; *in ~e blijven te betalen* default; *u i t ~ aan* for want of; *hij heeft de ~en zijner deugden* he has the defects of his qualities; **-kelijk** infirm, crippled; **ge'brekkig I** *aj* 1 (v. p e r s o n e n) invalid [by injury], infirm [through age]; 2 (v. z a k e n) defective [machines], faulty [English]; **II** *ad zich ~ uitdrukken* express oneself badly (imperfectly, poorly); murder the King's English; **-heid** *v* defectiveness, faultiness
ge'brild spectacled
ge'broddel *o* bungling, botch
ge'broed *o* brood
ge'broeders *mv* brothers; *de ~ P.* the P. brothers, $ P. Brothers, P. Bros
ge'broken V.D. v. *breken*; *~ getal* fractional number, fraction; *~ rib* ⚕ ook: fractured rib
ge'brom *o* buzz(ing), humming, drone; growling [of a dog, of a person]; *fig* grumbling
gebrouil'leerd [-bru.(l)'je:rt] on bad terms, not on speaking terms
ge'bruik (-en) *o* 1 use [of cosmetics, opium &]; 2 employment [of special means]; 3 consumption [of food]; 4 custom, usage, habit, practice [followed in various countries]; *~ maken van*

use, make use of [sth.]; avail oneself of [an offer, opportunity]; *een goed ~ maken van* make good use of [sth.], put [it] to good use, turn [one's time] to good account; *veel (druk) ~ maken van* use freely, make a great use of; • *buiten ~* out of use; *in ~ (hebben)* (have) in use; *in ~ nemen (stellen)* put into use; *naar aloud ~* according to time-honoured custom; *ten ~e van* for the use of; *voor dagelijks ~* for everyday use, for daily wear; **–elijk** usual, customary; **ge'bruiken** (gebruikte, h. gebruikt) *vt* 1 use, make use of, employ [means]; 2 partake of, take [food, a drink, sugar, the waters]; 3 (verbruiken) consume; *hij kan (van) alles ~* he has a use for everything; *ik kan het (hem) niet ~* I have no use for it (for him); *Gods naam ijdellijk ~* **B** take God's name in vain; *wat ~* take (have) some refreshment; *wat wilt u ~?* what will you have?, what's yours?; **–er** (-s) *m* user; **ge'bruikmaking** *v met ~ van* using, by means of; **ge'bruiksaanwijzing** (-en) *v* directions for use; **–goederen** *mv* utility goods; (*duurzame ~*) durable consumer goods; **–klaar** ready (for use); **–voorwerp** (-en) *o* article (thing) of use, useful object; *~en* utilities; **–waarde** *v* utility

ge'bruis *o* 1 effervescence; 2 seething, roaring

ge'brul *o* roaring[2]

ge'bulder *o* rumbling, booming &,zie *bulderen*; ook: roar

ge'bulk *o* bellowing, lowing &, zie *bulken*

gechar'meerd [ch = ʃ] *~ zijn van* be taken with

gecommit'teerde [-mi.-] (-n) *m* delegate; (bij examen) supervisor

gecompli'ceerd complicated [affair]; complex [character, problem, situation &]; compound [fracture]; **–heid** *v* complexity

geconsig'neerde [-si.ɲe:r-] *m* **$** consignee

ge'daagde (-n) *m-v* defendant

ge'daan V.D. v. *doen*; finished; *~ geven* dismiss; *~ krijgen* **F** get the sack [of servants]; *ik kan niets van hem ~ krijgen* I have no influence with him; *het (iets) ~ krijgen* bring it off; *het is niets ~* it's no good; *ik kan alles van hem ~ krijgen* he will do anything for me; *het is met hem ~* it is all over (**F** all up) with him; **F** he is done for, he is finished; zie ook: *doen, zaak*

ge'daante (-n en -s) *v* shape, form, figure; *in de ~ van...* in the shape of...; *zich in zijn ware ~ vertonen* show oneself in one's true colours; *onder beiderlei ~n* in both kinds; *van ~ veranderen* change one's shape; *van ~ verwisselen* 1 change one's shape; 2 ook: be subject to metamorphosis [of insects]; **–verwisseling** (-en) *v* metamorphosis

ge'daas *o* balderdash, **S** tosh

ge'dacht V.D. v. *denken*; **ge'dachte** (-n) *v* thought, idea; reflection; notion; *~n zijn tolvrij* thought is free; *de ~ daaraan* the thought of it; *de ~ alleen al* the mere thought; *de ~ dat ik zo iets zou kunnen doen* the idea of my doing such a thing; *ik heb mijn eigen ~n daarover* I have an idea of my own about it; *zijn ~n erbij houden* keep one's mind on what one is doing; *zijn ~n er niet bij hebben* be absent-minded, be wool-gathering; *zijn ~en erover laten gaan* give one's mind to the subject; just give a thought to the matter; *waar zijn uw ~n?* what are you thinking of?; • *bij de ~ aan* when thinking of, at the thought of; *in ~n* in thought, in spirit; *ik zal het in ~ houden* I'll keep it in mind (remember it); *in ~n verzonken* lost in thought; *in ~n zijn* be (deep) in thought; *op de ~ komen* hit upon the idea; *hoe is hij op die ~ gekomen?* what can have suggested the idea to him?; *tot andere ~n komen* change one's mind, come to think differently about the matter; *hij kwam tot betere ~n* better thoughts came to him; *dat is mij uit de ~ gegaan* it has gone out of my mind; *dat moet je je maar uit je ~n zetten* you must put it out of your mind; *van ~ veranderen* change one's mind, think better of it; *van ~n wisselen* exchange views; *van ~ zijn dat* be of the opinion that; *van ~ zijn om...* think of ...ing, mean to...; *zijn ~n verzamelen* recollect one's thoughts, concentrate one's thoughts;

ge'dachteloos thoughtless; **–heid** *v* thoughtlessness; **ge'dachtenassociatie** [-sja.(t)si.] (-s) *v* association of ideas, thought association; **–gang** (-en) *m* train (line) of thought; **ge'dachtenis** (-sen) *v* 1 (herinnering) memory, remembrance; 2 (voorwerp ter herinnering) memento, souvenir, keepsake; *ter ~ van* in memory of; **ge'dachtenlezen** *o* thought-reading, mind-reading; **–loop** (-lopen) *m* = *gedachtengang*; **–overbrenging** *v* thought-transference; **–reeks** (-en) *v* train of thoughts; **–sprong** (-en) *m* mental leap (jump), mental switch; **–streep** (-strepen) *v* dash; **–vlucht** *v ps* flight of ideas; **–wereld** *v* world of thought; **–wisseling** (-en) *v* exchange of views; **ge'dachtig** mindful (of); *wees mijner ~* remember me [in your prayers]

ge'dartel *o* gambolling, frisking

gedeci'deerd [-de.si.-] firm decided, resolute

gedecolle'teerd [-de.-] décolleté(e), low-necked [dress], [woman] in a low-necked dress

ge'deelte (-n en -s) *o* part, section, piece; instalment; *bij ~n* [pay] in instalments; *voor een groot ~* largely; *voor het grootste ~* for the most (greater, better) part; **–lijk I** *aj* partial; *~e betaling* part-payment; **II** *ad* partly, in part

ge'degen 1 native [gold]; 2 (grondig) thorough [enquiry]; (degelijk) sound, solid

[knowledge]; (wetenschappelijk ~) scholarly [study]
gedegene'reerd [-de.-] degenerate; *een* ~e a degenerate
ge'deist F *zich ~ houden* lie doggo
gedele'geerde [-de.-] (-n) *m* delegate
ge'demilitari'seerd [s = z] demilitarized
ge'denkboek (-en) *o* memorial book; *~en* annals, records; **–dag** (-dagen) *m* anniversary; **ge'denken** (gedacht, h. gedacht) *vt* remember [in one's prayers], commemorate; **ge'denkjaar** (-jaren) *o* memorial year; **–penning** (-en) *m* commemorative medal; **–plaat** (-platen) *v* (memorial) plaque, table; **–schrift** (-en) *o* memoir; **–steen** (-stenen) *m* memorial tablet (stone); **–teken** (-s en -en) *o* monument, memorial; **gedenk'waardig** memorable; **ge'denkzuil** (-en) *v* commemorative column
gedepo'neerd [-de.-] registered [trade mark]
gedepor'teerde [-de.-] (-n) *m* deportee
gedepu'teerde [-de.-] (-n) *m* deputy, delegate
gedesoriën'teerd [-dɛs-] disoriented
gedetail'leerd [-de.tɑ'je:rt] **I** *aj* detailed; **II** *ad* in detail
gedeti'neerde [-de.-] (-n) *m* prisoner
ge'dicht (-en) *o* poem; **–enbundel** (-s) *m* volume of verse (poems)
ge'dienstig I *aj* obliging, (overdreven) obsequious; **II** (-n) *v onze ~e* our domestic
ge'dierte (-n en -s) *o* 1 (dieren) animals, beasts; 2 (ongedierte) vermin
ge'dijen (gedijde, h. en is gedijd) *vi* thrive, prosper, flourish
ge'ding (-en) *o* ⚖ lawsuit, action, cause, case; *fig* controversy; *kort ~* summary proceedings (procedure), proceedings for a rule nisi; *in het ~ brengen* argue, bring into discussion; *in het ~ komen* come into play; *in het ~ zijn* be at issue, be in question, be at stake
gedispo'neerd *ik ben er niet toe ~* I am not in the mood for it
gedistin'geerd [-tɪŋ'ge:rt] distingué, distinguished; refined [taste]
ge'dobbel *o* gambling[2], dicing
ge'docht V.D. v. *dunken*
gedocumen'teerd well-documented [report &]; $ documentary [draft]
ge'doe *o* doings, bustle, carryings-on; **F** brouhaha; *het hele ~(tje)* the whole affair, the whole business
ge'dogen (gedoogde, h. gedoogd) *vt* suffer, permit, allow, tolerate
ge'doken V.D. v. *duiken*
ge'dolven V.D. v. *delven*
ge'donder *o* 1 *eig* thunder; 2 *fig* trouble, botheration
ge'dongen V.D. v. *dingen*
ge'draaf *o* running, trotting (about)
ge'draai *o* turning; wriggling; *fig* shuffling
ge'draal *o* lingering, tarrying, delay
ge'drag (-dragingen) *o* [moral] conduct, behaviour, bearing; [outward] demeanour, deportment [also in chemical experiment]
1 ge'dragen (gedroeg, h. gedragen) *zich ~* behave, conduct oneself; *zich netjes ~* behave (oneself)
2 ge'dragen V.D. v. *dragen* en *gedragen*; lofty, exalted, elevated [tone]
ge'dragingen *mv* v. *gedrag*
ge'dragscijfer (-s) *o* ✎ conduct mark; **–lijn** *v* line of conduct, line of action, course, policy; **–patroon** (-tronen) *o* behavioural pattern, pattern of behaviour, pattern of conduct; **–regel** (-s) *m* rule of conduct; **–stoornis** (-sen) *v* behavioural disturbance; **–wetenschappen** *mv* behavioural sciences
ge'drang *o* crowd, throng, crush; *in het ~ komen* get in a crowd; *fig* be hard pressed; suffer, be neglected [of discipline &]
ge'drentel *o* sauntering
ge'dreun *o* droning &, zie *dreunen*
ge'dreven V.D. v. *drijven*
ge'dribbel *o* toddling; (voetbal) dribbling
ge'drocht (-en) *o* monster, misgrowth; **–elijk** monstrous
ge'drongen V.D. v. *dringen*; 1 compact, terse [style]; 2 thick-set [body]; *wij voelen ons ~ te...* we feel prompted to...
ge'dronken V.D. v. *drinken*
ge'dropen V.D. v. *druipen*
ge'druis *o* noise, roar; hubbub
ge'drukt 1 printed [books, cottons &]; 2 depressed, dejected, in low spirits; 3 $ depressed, weak [of the market]
ge'ducht 1 *aj* formidable, redoubtable, feared; < tremendous [ook = huge]; **II** *ad* fearfully, tremendously
ge'duld *o* patience, forbearance; *~ overwint alles* patience overcomes all things; *~ hebben* (*oefenen*) have (exercise) patience; be patient [under trials]; *iems. ~ op de proef stellen* try sbd.'s patience; *wij verloren ons ~* we lost patience; *mijn ~ is op, mijn ~ is ten einde* my patience is at an end; *met ~* with patience, patiently; **–ig** patient; **–oefening** (-en) *v* trial of patience; **–werk** *o* work (task) requiring great patience
gedu'peerde (-n) *m-v* sufferer, victim
ge'durende *prep* during, for, ook: pending; over; *~ twee dagen* for two days (at a stretch); *~ de laatste vijf jaar* over the last five years; *~ het onderzoek* pending the inquiry
ge'durfd daring
ge'durig continual, incessant
ge'duvel *o* bother, botheration, nuisance

ge'duw *o* pushing, jostling, elbowing
ge'dwarrel *o* whirling, whirl
ge'dwee meek, docile, submissive
ge'dweep *o* fanaticism; gushing enthusiasm
ge'dwing *o* insistency, insistent begging
ge'dwongen I V.D. v. *dwingen*; **II** *aj* forced [avowal, laugh, loan &]; enforced [absence, idleness]; constrained [manner]; compulsory [service]; **III** *ad* forcedly &; [laugh] in a strained manner; *hij deed het* ~ he did it under compulsion
geef *te* ~ for nothing; *het is te* ~ it is dirt-cheap; **-ster** (-s) *v* giver, donor
geel I *aj* yellow; **II** (gelen) *o* yellow; *het* ~ *van een ei* the yolk; **-achtig** yellowish; **-filter** (-s) *m* & *o* yellow filter; **-gors** (-en) *v* yellowhammer, yellowbunting; **-koper** *o* brass; **-koperen** *aj* brass; **-tje** (-s) *o* **S** 25-guilders note; **-zucht** *v* jaundice, ⚕ icterus
geëmotio'neerd [-(t)ʃjo.-] moved, affected
geen no, none, not any, not one; ~ *van allen* none of them; ~ *ander kan dat* nobody else, no other; ~ *van beiden* neither of them; ~ *cent* not a (red) cent, not a (single) farthing; ~ *één* not (a single) one; *hij kent* ~ *Engels* he doesn't know (any) English; ~ *enkel geval* not a single case; ~ *geld meer* no money left; ~ *geld en ook* ~ *soldaten* no money nor soldiers either; *hij heet* ~ *Jan* he isn't called J.; *dat is* ~ *spelen* (*vechten* &) that is not playing the game, that is not (what you call) fighting; ~ *hunner* none (neither) of them
geëndos'seerde [gəã-, gəɛn-] (-n) *m* $ endorsee
geen'eens not even, not so much as
geënga'geerd [-ãga.'ʒe:rt] 1 engaged; 2 *fig* committed [writer]; **-heid** *v* commitment
'geenszins, geens'zins not at all, by no means
geep (gepen) *v* 𝔖 garfish
'geervalk (-en) *m* & *v* gerfalcon
geest (-en) *m* 1 (t e g e n o v e r l i c h a a m) spirit, mind, intellect; 2 (g e e s t i g h e i d) wit; 3 (o n l i c h a m e l i j k w e z e n) spirit, ghost, spectre, phantom, apparition; [good, evil] genius; *de* ~ *des tijds* the spirit of the age; ~ *van wijn* spirit(s) of wine; *boze* ~*en* evil spirits; *zijn boze* ~ his evil genius; *zijn goede* ~ his good genius; *er heerste een prettige* ~ there was a pleasant atmosphere; *de Griekse* ~ the Greek genius; *een grote* ~ a great mind; *hoe groter* ~, *hoe groter beest* the greater the intellect, the worse the man; *de Heilige Geest* the Holy Ghost; *vliegende* ~ ammonia; ~ *van zout* spirits of salt; *de* ~ *geven* expire, breathe one's last, give up the ghost; *de* ~ *krijgen* be inspired, be in the mood; *er uitzien als een* ~ look like a ghost; • *i n de* ~ *was ik bij u* in (the) spirit; *in die* ~ *is het boek geschreven* that is the strain in which the book is written; *in die* ~ *handelen* act along these lines; *hij maakte nog een paar opmerkingen in deze* ~ in the same strain, to the same effect; *n a a r de* ~ *zowel als naar de letter* in (the) spirit as well as in (the) letter; *v o o r de geest brengen* (*roepen, halen*) call to mind, call up before the mind (our minds); *zich weer voor de* ~ *halen* recapture; *het staat mij nog voor de* ~ it is still present to my mind; *voor de* ~ *zweven* zie *zweven*; *de* ~ *is gewillig, maar het vlees is zwak* **B** the spirit is willing, but the flesh is weak; zie ook *tegenwoordigheid*; **'geestdodend, geest'dodend** dull, monotonous
'geestdrift *v* enthusiasm; *in* ~ *brengen* rouse to enthusiasm; enrapture; *in* ~ *geraken* become enthusiastic; **geest'driftig** enthusiastic(al)
geestdrijve'rij (-en) *v* fanaticism
'geestelijk I *aj* 1 (n i e t s t o f f e l i j k) spiritual [comfort]; 2 (v a n h e t v e r s t a n d) intellectual, mental [gifts, health, hygiene]; 3 (n i e t w e r e l d s) sacred [songs]; religious [orders], clerical, ecclesiastical [duties]; ~*e zaken* things spiritual; **II** *ad* mentally [disturbed, handicapped]; **-e** (-n) *m* clergyman, divine; *rk* priest; ~*n en leken* clerics and laymen; **-heid** *v* clergy, ministry
'geesteloos spiritless, insipid, dull; **'geestenbezweerder** (-s) *m* exorcist; **-bezwering** (-en) *v* exorcism; **-rijk** *o*, **-wereld** *v* spirit world
'geestesgaven *mv* intellectual gifts, mental powers; **-gesteldheid** (-heden) *v* mental condition, state of mind, mentality; **-houding** (-en) *v* mental attitude, mentality; **-oog** *o* mind's eye; **-produkt** (-en) *o* brain child; **-toestand** (-en) *m* = *geestesgesteldheid*; **-stoornis** (-sen) *v* (mental) derangement; **-wetenschappen** *mv* ± humanities; **-ziek** mentally ill (sick); **-zieke** (-n) *m-v* mental patient; **-ziekte** (-n en -s) *v* mental sickness, illness (disease) of the mind
'geestig witty, smart; **-heid** (-heden) *v* wit, wittiness; *geestigheden* witty things, witticisms
'geestkracht *v* energy, strength of mind, intellectual power; **-rijk** witty; ~*e dranken* spirituous liquors, spirits; **geestver'heffend** elevating (the mind); **'geestvermogens** *mv* intellectual faculties, mental powers; **-verruimend** mind-expanding, hallucinogenic [drugs]; **-verrukking** (-en) *v* rapture, trance; **-verschijning** (-en) *v* apparition, phantom; **-vervoering** *v* exaltation, rapture; **'geestverwant I** *aj* congenial; **II** (-en) *m* congenial (kindred) spirit; [political] supporter; **-schap** (-pen) *v* congeniality of mind
geeuw (-en) *m* yawn; **'geeuwen** (geeuwde, h. gegeeuwd) *vi* yawn
geëvacu'eerde [gəe.-] (-n) *m-v* evacuee

geëxal'teerd over-excited, exaggerated
ge'femel *o* cant(ing)
gefin'geerd [-fɪŋ'ge:rt] fictitious [name], feigned; *~e factuur* $ pro forma invoice
ge'fladder *o* fluttering, flutter, flitting
ge'fleem *o*, **ge'flikflooi** *o* coaxing, wheedling
ge'flikker *o* twinkling, twinkle, flashing, flash
ge'flirt [-'flœ:rt] *o* flirting, flirtation
ge'flonker *o* sparkling, sparkle, twinkling; twinkle
ge'floten V.D. v. *fluiten*
ge'fluister *o* whisper(ing), whispers
ge'fluit *o* whistling [of a person, an engine]; warbling, singing [of birds]; hissing, catcalls [in theatre &]
gefortu'neerd rich, wealthy; *de ~en* the rich
ge'gadigde (-n) *m-v* interested party; intending purchaser; would-be contractor; applicant, candidate
ge'galm *o* 1 sound, resounding; 2 bawling; [monotonous] chant
gegaran'deerd guaranteed; (s t e l l i g) definitely, absolutely, **F** and no mistake
ge'geten V.D. v. *eten*
ge'geven I *aj* given; *in de ~ omstandigheden* in the circumstances, as things are; **II** (-s) *o* datum [*mv* data]; fundamental idea, subject [of a play &]
ge'giechel *o* giggling, titter(ing)
ge'gier *o* scream(ing)
ge'gil *o* screaming, yelling, screams, yells
ge'ginnegap *o* giggling, sniggering
ge'gleden V.D. v. *glijden*
ge'glommen V.D. v. *glimmen*
ge'goed well-to-do, well-off, in easy circumstances; *de meer ~en* those better off; **-heid** *v* wealth, easy circumstances
ge'golden V.D. v. *gelden*
ge'golfd 1 waved [hair]; 2 corrugated [iron]
ge'gons *o* buzz(ing), hum(ming) [of insects]; whirr(ing) [of wheels &]
ge'goochel *o* juggling[2]
ge'gooi *o* throwing
ge'goten V.D. v. *gieten*; cast [steel, iron]; [*fig*] *het zit als ~* it fits like a glove
ge'grabbel *o* grabbling, scrambling, scramble [for money &]
ge'grepen V.D. v. *grijpen*
ge'grinnik *o* snigger, chortle
ge'groefd grooved [beams]; fluted [columns]
ge'grom *o* grumbling, growling[2]
ge'grond well-grounded, well-founded, just; *dit zijn ~e redenen om dankbaar te zijn* these are strong reasons for gratitude; **-heid** *v* justice; soundness
ge'haaid sharp, knowing, wily
ge'haast hurried [work]; *~ zijn* be in a hurry
ge'haat hated, hateful, odious
ge'had V.D. v. *hebben*
ge'hakketak *o* wrangling, bickering(s), squabble(s)
ge'hakt *o* minced meat; *bal(letje) ~* minced-meat ball; **-bal** (-len) *m* meat-ball; **-molen** (-s) *m* mincer
ge'halte (-n en -s) *o* grade [of ore], alloy [of gold or silver], proof [of alcohol], percentage [of fat], standard[2]; *van degelijk ~* of (sterling) quality; *van gering ~* low-grade [ore]; *fig* of a low standard
ge'hamer *o* hammering
ge'hard 1 hardened, hardy [of body]; 2 tempered [steel]; *~ tegen* inured to; **-heid** *v* hardiness, inurement
ge'harrewar *o* bickering(s), squabble(s)
ge'haspel *o* 1 bungling; 2 trouble; zie ook: *geharrewar*
ge'havend battered, dilapidated, damaged
ge'hecht attached; *~ aan* attached to; **-heid** *v* attachment
ge'heel I *aj* whole, entire, complete; *~ Engeland* the whole of England, all England; *gehele getallen* whole numbers; *de gehele mens* the entire man; *de gehele stad* the whole town; zie verder *heel*; **II** *ad* wholly; entirely, completely, all [alone, ears &]; *~ (en al)* completely, quite; *~ of gedeeltelijk* in whole or in part; **III** (gehelen) *o* whole; *een ~ uitmaken (vormen)* form a whole; • *i n het ~...* in all...; *in het ~ niet* not at all; *in het ~ niets* nothing at all; *in zijn ~* [the Church &] in its entirety; [swallow it] whole; [look on things] as a whole; *o v e r het ~ (genomen)* (up)on the whole; **ge'heelonthouder** (-s) *m* teetotaller, total abstainer; *~ zijn* **F** be on the water-wagon; **-svereniging** (-en) *v* temperance society; **ge'heelonthouding** *v* total abstinence, teetotalism
ge'heim I *aj* secret [door, session, understanding &]; clandestine [trade]; occult [sciences]; private [ballots &]; *het moet ~ blijven* it must remain a secret, it must be kept (a) secret; *je moet het ~ houden (voor hen)* keep it (a) secret (from them); *wat ben je er ~ mee!* how secret(ive) (mysterious) you are about it!; *voor mij is hier niets ~* there are no secrets from me here; **II** (-en) *o* secret, mystery; *publiek ~* open secret; *een ~ bewaren* keep a secret; *in het ~* in secret, secretly, in secrecy; **-enis** (-sen) *v* mystery; **-houdend** secret, secretive, close; **-houding** *v* secrecy; **-schrift** (-en) *o* cipher, cryptography; **-taal** (-talen) *v* secret language, code (language); **-zegel** (-s) *o* privy seal; **geheim'zinnig** mysterious; *hij is er erg ~ mee* he is very mysterious about it; **-heid** (-heden) *v* mysteriousness, mystery

ge'helmd helmeted
ge'hemelte (-n en -s) *o* palate
ge'hesen V.D. v. *hijsen*
ge'heugen (-s) *o* memory; *een goed* ~ a strong (retentive) memory; *een slecht* ~ poor memory; *als mijn* ~ *me niet bedriegt* if my memory serves me; *iets in het* ~ *houden* keep (bear) sth. in mind; **-verlies** *o* loss of memory, amnesia
ge'heven V.D. v. *heffen*
ge'hijg *o* panting, gasping
ge'hinnik *o* neighing, whinnying
ge'hobbel *o* jolting
ge'hoest *o* coughing
ge'hol *o* running
ge'holpen V.D. v. *helpen*
ge'hoor *o* 1 (zintuig) hearing; 2 (toehoorders) audience, auditory; 3 (geluid) sound; *een goed* ~ a good ear for music; *geen* ~ no ear for music; *bij geen* ~ if there's no answer; ~ *geven aan de roepstem van...* give ear to the call of..., obey the call of...; ~ *geven aan een verzoek* comply with a request; ~ *krijgen* get (obtain) a hearing; *ik klopte, maar ik kreeg geen* ~ 1 I could not make myself heard; 2 ook: there was no answer; ~ *verlenen* give an audience, receive in audience; • *ik was onder zijn* ~ I sat under him (that clergyman); *op het* ~ *spelen* ♪ play by ear; *ten gehore brengen* ♪ play, sing; **-apparaat** (-raten) *o* hearing aid; **-beentjes** *mv* the ossicles: anvil (incus), stirrup (stapes), hammer (malleus); **-buis** (-buizen) *v* 1 acoustic duct [of the ear]; 2 ear-trumpet [for deaf people]; **-gang** (-en) *m* auditory canal; **-gestoord** hard of hearing
ge'hoornd horned, cornuted
ge'hoororganen *mv* auditory organs; **ge'hoorsafstand** *m binnen* ~ within hearing, within earshot, within call; **ge'hoorzaal** (-zalen) *v* auditory, auditorium
ge'hoorzaam obedient; **-heid** *v* obedience; **ge'hoorzamen** (gehoorzaamde, h. gehoorzaamd) **I** *vt* obey; *niet* ~ refuse obedience, disobey; *hij weet zich te doen* ~ he knows how to enforce obedience; **II** *vi* obey; ⚔ obey orders; ~ *aan* obey, be obedient to; ~*d aan* in obedience to...
ge'hoorzenuw (-en) *v* auditory nerve
ge'horend = *gehoornd*
ge'horig noisy, not sound-proof
ge'hots *o* jolting
ge'houden ~ *zijn om...* be bound to...; **-heid** *v* obligation
ge'hucht (-en) *o* hamlet
ge'huichel *o* dissembling, hypocrisy; **-d** feigned, sham
ge'huil *o* howling [of dogs &], crying [of a child]
ge'huisvest lodged, housed
gehu'meurd *goed* ~ good-tempered (well-disposed); *slecht* ~ ill-tempered
ge'huppel *o* hopping, skipping
ge'huwd *aj* married; ~*en* married people (persons, couples)
'geigerteller ['gaigər-] (-s) *m* Geiger counter
ge'ijkt ~*e termen* current (standing) expressions
geil 1 rank [of the soil]; 2 lascivious, lewd, hot [of persons]; **-heid** *v* 1 rankness; 2 lasciviousness, lewdness
gein *m* (grappigheid, plezier) fun; (grap) joke
geïnteres'seerd interested; [watch sth.] with interest; *de* ~*en* the persons interested, those concerned
geïnter'neerde (-n) *m* internee; *de* ~*n* ook: the interned
'geintje (-s) **F** *o* joke, lark, prank
geïntri'geer *o* scheming, intriguing
'geiser [s = z] (-s) *m* geyser
geit (-en) *v* 1 (soortnaam) goat; 2 (vrouwelijk dier) she-goat; *vooruit met de* ~*!* off you go!, go it!; **'geitele(d)er** *o* goatskin; **-melk** *v* goat's milk; **'geitenhoeder** (-s) *m* goatherd; **-melker** (-s) *m* 🐦 nightjar, goatsucker; **'geitevel** (-len) *o* goatskin; **'geitje** (-s) *o* 🐾 kid
ge'jaag *o* hunting; *fig* driving, hurrying; **ge'jaagd** hurried, agitated, nervous; **-heid** *v* hurry, agitation
ge'jacht *o* hurry(ing), hustling, hustle
ge'jammer *o* lamenting, lamentation(s)
ge'jank *o* yelping, whining, whine
ge'jengel *o* whining, whine
ge'jodel *o* yodelling
ge'joel *o* shouting, shouts
ge'jok *o* fibbing, story-telling
ge'jouw *o* hooting, booing
ge'jubel *o*, **ge'juich** *o* cheering, cheers, shouting, shouts
gek I *aj* 1 (krankzinnig) mad, crazy, crack-brained, **F** cracked; **S** moony, loony, loopy, nuts, daffy; 2 (onwijs) mad, foolish [pranks], nonsensical, silly [remarks]; 3 (vreemd) odd, funny, queer, curious; 4 (bespottelijk) funny, queer; *dat is* ~ that is funny; that is queer; *het is nog zo* ~ *niet* there's something in that; *zo iets* ~*s* such a funny (queer) thing; ~ *genoeg, hij...* oddly enough, he...; *te* ~ *om los te lopen* too ridiculous; *die gedachte maakt je* ~ the thought is enough to drive you mad; *je wordt er* ~ *van* it's maddening; ~ *opzien* (*staan kijken*) look foolish, **F** sit up [at being told that...]; ~ *worden* go (run) mad; **S** go off the hooks; ~ *worden op...* run mad after...; *dat ziet er* ~ *uit* it is awkward; *zich* ~ *zoeken* seek till one is half

crazy; • *hij is ~ met dat kind* he is mad about the child; *hij is ~ op zeldzame postzegels* he is mad after (about, on) rare stamps; *~ van woede* mad with rage; *het ~ke (van het geval) is* the funny part of it is, the odd thing is; **II** *ad* like a madman; foolishly, oddly, funnily; **III** (-ken) *m* 1 (krankzinnige) madman, lunatic; 2 (dwaas) fool; 3 (modegek) fop; 4 (schoorsteenkap) cowl, chimney-cap; *hij is een grote ~* he is a downright fool; *een halve ~* a half-mad fellow; *ouwe ~* old fool; *de ~ scheren (steken) met iem. = voor de gek houden*; *de ~ steken met iets* make sport of sth.; poke fun at sth.; *iem. voor de ~ houden* make a fool of sbd., make fun of sbd., pull sbd.'s leg; fool sbd., josh sbd.; *voor ~ spelen* play the fool; *iem. voor ~ laten staan* make sbd. look a fool (foolish); *als een ~ staan kijken* look foolish; *ik heb als een ~ moeten vliegen (lopen)* I had to run like mad; *de ~ken krijgen de kaart* fortune favours fools; *één ~ kan meer vragen dan honderd wijzen kunnen beantwoorden* one fool can ask more than ten wise men can answer

ge'kabbel *o* babbling, babble [of a brook]; *het ~ der golven* the lapping of the waves

ge'kakel *o* cacling[2], cackle[2]

ge'kanker *o* **F** grousing, grumbling

ge'kant *~ tegen* set against, opposed to, hostile to

ge'karteld 1 milled [coins]; 2 ♣ crenate(d)

ge'kef *o* yapping

ge'keken V.D. v. *kijken*

ge'kerm *o* groaning, groans, moans, lamentation(s)

ge'keuvel *o* chat, chit-chat, tattle, gossip

ge'keven V.D. v. *kijven*

'gekheid (-heden) *v* folly, foolishness, foolery, madness; *Gekheid!* Fiddlesticks!; *het is geen ~* 1 I am not joking; 2 it is no joke; *uit ~* for a joke, for fun; *alle ~ op een stokje* joking apart; *zonder ~* seriously, no kidding; *~ maken* joke; *je moet hier geen ~ uithalen!* no foolery here!; *hij verstaat geen ~* he cannot take a joke

ge'kibbel *o* bickering(s), squabble(s)

ge'kietel *o* tickling

ge'kijf *o* quarrelling, wrangling, dispute

ge'kir *o* cooing

ge'kittel *o* tickling, titillation

'gekken (gekte, h. gegekt) *vi* jest, joke

'gekkenhuis (-huizen) *o* madhouse; **-praat** *m* foolish talk, nonsense; **-werk** *o* (sheer) madness

ge'klaag *o* complaining, lamentation

ge'klad *o* daubing

ge'klap *o eig* 1 clapping [of hands]; 2 cracking [of a whip]; *fig* prattle, tattle

ge'klapper *o* flapping [of a sail]; chattering [of the teeth]

ge'klapwiek *o* flapping of wings, wing-beat

ge'klater *o* splash(ing)

ge'kleed dressed [persons, dolls]; *geklede jas* frock-coat; *dat staat (niet) ~* it is (not) dressy; *fig* **F** it is (not) the thing

ge'klep *o* tolling [of bells]; clatter [of pigeon's wings]; clapping [of storks]

ge'klepper *o* clatter(ing); zie ook: *geklep*

ge'klets *o* cackle, twaddle; **S** jaw, rubbish, tosh

ge'kletter *o* clattering &, zie *kletteren*

ge'kleurd coloured; *~ glas* stained glass; *~e platen* colour plates; *er ~ op staan [fig]* look a fool

ge'klik *o* tale-telling

ge'klommen V.D. v. *klimmen*

ge'klonken V.D. v. *klinken*

ge'klop *o* 1 knocking [at a door]; 2 throbbing [of the pulse]

ge'klots *o* dashing, [of the waves], splashing, sloshing

ge'kluns *o* **S** bungling, clumsiness

ge'kloven V.D. v. *kluiven* en v. *klieven*

ge'knaag *o* gnawing

ge'knabbel *o* nibbling

ge'knars *o* gnashing [of the teeth], grinding

ge'knepen V.D. v. *knijpen*

ge'knetter *o* crackling

ge'kneusd bruised

ge'kneveld moustached; zie ook: *knevelen*

ge'knies *o* fretting, moping

ge'knipt *~ voor* cut out for [a teacher], to the manner born for [the job]

ge'knoei *o* bungling &, zie *knoeien*; zie ook: *gekonkel*

ge'knor *o* grumbling; grunting, grunt

ge'knutsel *o* pottering; zie ook: *knutselwerk*

ge'kocht V.D. v. *kopen*

gekon'fijt candied

ge'konkel *o* intriguing, plotting, intrigues; **F** jiggery-pokery

ge'korven V.D. v. *kerven*

ge'kout *o* talk, chat(ting)

ge'kozen V.D. v. *kiezen*

ge'kraai *o* crowing[2]

ge'kraak *o* creaking; *met een luid ~* with a loud crash

ge'krabbel *o* 1 scratching; 2 *zijn ~* his scrawl, his scribbling

ge'krakeel *o* quarrelling, wrangling

ge'kras *o* 1 croaking [of raven], screeching [of owl]; 2 scratching [of a pen]

ge'kregen V.D. v. *krijgen*

ge'kreten V.D. v. *krijten*

ge'kreukeld rumpled, creased, wrinkled

ge'kreun *o* groaning, groans, moan(ing)

ge'kriebel *o* 1 tickling; 2 = *krabbelschrift*

ge'krijs *o* screeching
gekri'oel *o* swarming
ge'kroesd frizzy, crisp, fuzzy
ge'kromd curved
ge'krompen V.D. v. *krimpen*
ge'kropen V.D. v. *kruipen*
'gekscheren (gekscheerde, h. gegekscheerd) *vi* jest, joke, banter; ~ *met* poke fun at; *hij laat niet met zich* ~ he is not to be trifled with; *zonder* ~ joking apart
ge'kuch *o* coughing
ge'kuip *o* = *gekonkel*
ge'kunsteld artificial, mannered, affected, unnatural; **–heid** *v* artificiality, mannerism
ge'kwaak *o* quack-quack, quacking [of ducks]; croaking [of frogs or ravens]
ge'kwebbel *o* chattering, chatter
ge'kweel *o* warbling
ge'kweten V.D. v. *kwijten*
ge'kwezel *o* cant(ing)
ge'kwijl *o* drivelling[2], slobber
ge'kwispel *o* (tail-)wagging
ge'laagd stratified; **–heid** *v* stratification
ge'laarsd booted; *de Gelaarsde Kat* Puss in Boots
ge'laat (-laten) *o* countenance, face; **–kunde** *v* physiognomy; **gelaat'kundige** (-n) *m* physiognomist; **ge'laats-** facial; **ge'laatskleur** *v* complexion; **–trek** (-ken) *m* feature; **–uitdrukking** (-en) *v* facial expression
ge'lach *o* laughter, laughing; mirth; *een homerisch* ~ Homeric laughter
ge'laden (v u u r w a p e n) charged, loaded; (a c c u) charged; *fig* (s f e e r) tense
ge'lag (-lagen) *o het* ~ *betalen* pay for the drinks; *fig* pay the piper; *het is een hard* ~ (*voor hem*) it is hard lines (on him)
ge'lagkamer (-s) *v* bar-room, tap-room
gelamen'teer *o* lamenting, lamentations
ge'lang *naar* ~ [their action was] in keeping; *naar* ~... according as... [we are rich or poor], as... [we grow older, we...]; *naar* ~ *van* in proportion to, according to; *naar* ~ *van omstandigheden* according to the circumstances of the case; as circumstances may require
ge'lasten (gelastte, h. gelast) *vt* order, charge, instruct; **ge'lastigde** (-n) *m* proxy, delegate, deputy
ge'laten resigned; **–heid** *v* resignation
gela'tine [g = ʒ] *v* gelatine; **–achtig** gelatinous; **–pudding** (-en) *m* jelly
ge'lauwerd crowned with laurel
geld (-en) *o* money; (*af*)*gepast* ~ zie *afgepast*; *gereed* ~ ready money, cash; ~ *en goed* money and property; *kinderen half* ~ children at half price; *klein* ~ change, small coin; *slecht* ~ bad (base) coin; *vals* ~ counterfeit money; *weggegooid* ~ money down the drain; *de nodige* ~*en* the necessary moneys; *alles draait om het* ~ money makes the world go round; *er is geen* ~ *onder de mensen* there is no money stirring; *goed* ~ *naar kwaad* ~ *gooien* throw good money after bad, throw the helve after the hatchet; *zijn* ~ *in het water gooien* (*smijten*) throw away one's money, throw one's money down the drain; *het* ~ *groeit mij niet op de rug* do you think I am made of money?; ~ *hebben* have some money, have private means; ~ *hebben als water* have tons of money; *dat zal* ~ *kosten* it will cost a pretty penny; ~ *slaan* coin money; ~ *slaan uit* make money (capital) out of...; ~ *speelt geen rol* money is no object; ~ *stinkt niet* money tells no tales; ~ *stukslaan* make the money fly; *heb je al* ~ *terug?* have you got your change?; ~*en toestaan voor*... vote money towards...; ~ *verdienen als water* coin money; ~ *verkwisten* squander money; *zwemmen in het* ~ be rolling in money; • *duizend gulden a a n* ~ in cash; *een meisje m e t* ~ a moneyed girl; *het is met geen* ~ *te betalen* it's priceless; *zijn... t e* ~*e maken* convert one's... into cash, realize; *iem.* ~ *u i t de zak kloppen* relieve sbd. of his money, take sbd.'s money off him; *v a n zijn* ~ *leven* live on one's capital (private means); *v o o r geen* ~ *van de wereld* not for the world; *voor* ~ *of goede woorden* for love or money; *een meisje z o n d e r* ~ a moneyless (dowerless) girl; *geen* ~ *geen Zwitsers* nothing for nothing; *het* ~ *moet rollen* money is round, it will roll; ~ *verzoet de arbeid* ± money makes labour(s) sweet; **–adel** *m* moneyed aristocracy; **–belegging** (-en) *v* investment; **–beurs** (-beurzen) *v* purse; **–boete** (-n) *v* (money-)fine; **–buidel** (-s) *m* money-bag; **–dorst** *m* thirst for money; **–duivel** (-s) *m* 1 demon of money; 2 (v r e k) money-grubber; **–elijk I** *aj* monetary [matters]; pecuniary [considerations], financial [support]; money [contributions, reward]; **II** *ad* financially
'gelden* I *vi* 1 (k o s t e n) cost, be worth; 2 (v. k r a c h t z i j n) be in force, obtain, hold (good); 3 (b e t r e k k i n g h e b b e n o p) concern, apply to, refer to; *dat geldt niet* that does not count; *dat geldt van* (*voor*) *ons allen* it holds good with regard to all of us, it is true of all of us; *het geldt mij méér dan al het andere* (*dan schatten*) it outweighs all the rest with me; *mijn eerste gedachte gold hem* my first thought was of him; *zulke redenen* ~ *hier niet* do not hold in this case; *zulke redenen* ~ *bij mij niet* carry no weight with me; *die wetten* ~ *hier niet* do not hold (good), cannot be applied here; ~ *als,* ~ *voor* be considered (to be); *deze regeling geldt niet voor personen die*... this scheme does not apply to persons who...; *zijn invloed doen* (*laten*) ~ assert one's influence, make one's influence felt; *zich*

doen ~ 1 (v. personen) assert oneself; 2 (v. zaken) assert itself, make itself felt; *dat laat ik* ~ I grant (admit) that; **II** (onpersoonlijk) *wie geldt het hier?* who is aimed at?; *het geldt hier te...* the great point is...; *het geldt uw leven* your life is at stake; *als het ... geldt* when it is a question of...; *wanneer het u zelf geldt* when you are concerned

'geldgebrek *o* want of money; ~ *hebben* be short of money, be hard-pressed; **–handel** *m* money-trade; **–handelaar** (-s en -laren) *m* money-broker

'geldig valid; ~ *voor de wet* valid in law; ~ *voor een maand na de dag van afgifte* valid (available) for a month after the day of issue; **'geldigheid** *v* validity; **–sduur** *m* period of validity

'geldingsdrang *m ps* need for recognition; desire to be important

'geldkist (-en) *v* strong-box; **–kistje** (-s) *o* cash-box; **–la(de)** (-laden) *v* cash-drawer, till; **–lening** (-en) *v* loan; **–magnaat** (-naten) *m* financial magnate; **–markt** (-en) *v* money-market; **–middelen** *mv* pecuniary resources, means; **F** the where withal; *zijn* ~ ook: his finances; **–nood** *m* shortage of money; *in* ~ *zijn* be short of money, be hard-pressed; **–ontwaarding** *v* inflation; **–sanering** (-en) *v* currency reform; **–schaarste** *v* scarcity of money; **–schieter** (-s) *m* money-lender; **–som** (-men) *v* sum of money; **–soort** (-en) *v* kind of money, coin; **–stuk** (-ken) *o* coin; **'geldswaarde** *v* money value, value in money, monetary value; **gelds'waardige pa'pieren** *mv* securities; **'geldverspilling** (-en) *v* waste of money; **–wezen** *o* finance; **–wisselaar** (-s) *m* money-changer; **–wolf** (-wolven) *m* money-grubber; **–zaak** (-zaken) *v* money affair; money matter; **–zak** (-ken) *m* money-bag[2]; **–zending** (-en) *v* remittance; **–zorgen** *mv* money troubles (worries); **–zucht** *v* love of money; **geld'zuchtig** covetous, money-grubbing, mercenary; **'geldzuivering** (-en) *v* currency reform

1 ge'leden ago; *het is lang* ~ it is long since, long ago, a long time ago

2 ge'leden V.D. v. *lijden*

ge'lederen *mv* v. *gelid*

ge'leding (-en) *v* 1 articulation, joint [of the bones]; 2 ⚒ joint; 3 indentation [of coastline]; 4 *fig* section [of the people]

ge'leed jointed, articulated

ge'leerd learned; *dat is mij te* ~ that is beyond me, beyond my comprehension; **–e** (-n) *m-v* 1 learned man, scholar; learned woman, scholar; 2 [atomic] scientist; **–heid** (-heden) *v* learning, erudition, scholarship

ge'legen V.D. v. *liggen*; 1 lying, situated; 2 convenient; *het is er zó mee* ~ that is how matters stand; *als het u* ~ *komt* if it suits your convenience, at your convenience; *net* ~ at an opportune moment, just in time; *het komt mij niet* ~ it is not convenient (to me) just now; *daar is veel aan* ~ it is of great importance, it matters a great deal; *daar is niets aan* ~ it is of no consequence; *ik laat mij veel aan hem* ~ *liggen* I interest myself in him; *te* ~*er tijd* zie *tijd*

ge'legenheid (-heden) *v* opportunity; occasion; *er was* ~ *om te dansen* there was a place to dance; *de* ~ *aangrijpen om...* seize the opportunity to... (for..., of ...ing); *iem. (de)* ~ *geven om...* give (afford) sbd. an opportunity to... (for ...ing), put sbd. in the way of...; ~ *geven* (v. pooier) procure, pander; *de* ~ *hebben om...* have an opportunity to... (of ...ing); *(de)* ~ *krijgen* get, find, be given an opportunity (to, of, for); *wanneer hij er de* ~ *toe zag* when he saw his opportunity; *een* ~ *voorbij laten gaan* miss an opportunity; *als de* ~ *zich aanbiedt* when the opportunity offers, when occasion arises; • *bij* ~ 1 on occasion, occasionally [I go there]; 2 at the first opportunity [I mean to do it]; *bij een andere* ~ on some other occasion; *bij deze* ~ on this occasion; *bij de een of andere* ~ as opportunity occurs; *bij de eerste* ~ at (on) the first opportunity; *bij de eerste* ~ *vertrekken* sail by first steamer, leave by the next train; *bij elke (iedere)* ~ on every occasion, on all occasions; *bij feestelijke gelegenheden* on festive occasions; *bij voorkomende* ~ when opportunity offers, when occasion arises; *bij gelegenheden ben ik in het zwart* for social events I wear black; *bij* ~ *van zijn huwelijk* on the occasion of his marriage; *iem. in de* ~ *stellen om...* give sbd. an opportunity to...; *in de* ~ *zijn om...* be in a position to..., have opportunities to...; *op eigen* ~ on one's own; *per eerste* ~ = *bij de eerste* ~; *ter* ~ *van* on the occasion of; *de* ~ *maakt de dief* opportunity makes the thief; **ge'legenheidsdief** (-dieven) *m* sneak-thief; **–gedicht** (-en) *o* occasional verses; **–gezicht** (-en) *o* face put for the occasion; **–kleding** *v* full dress, formal dress; **–stuk** (-ken) *o* occasional piece

ge'lei [ʒə'lɛi] (-en) *m* & *v* 1 (voor vlees &) jelly; 2 (v. vruchten) jelly, preserve(s); *paling in* ~ jellied eel(s); **–achtig** jelly-like

ge'leibiljet (-ten) *o* permit; **–brief** (-brieven) *m* safe-conduct

ge'leid guided; ~*e economie* planned economy; ~ *projectiel* guided missile

ge'leide *o* 1 guidance, care, protection; 2 ⚔ escort; 3 ⚓ convoy; *mag ik u mijn* ~ *aanbieden?* may I offer to accompany you (to see you home)?; *onder* ~ *van* escorted by; **–hond** (-en) *m* guide-dog (for the blind)

ge'leidelijk I *aj* gradual; **II** *ad* gradually, by degrees, little by little; *heel* ~ inchmeal; **–heid** *v* gradualness
ge'leiden (geleidde, h. geleid) *vt* 1 lead, conduct, accompany [persons]; 2 conduct [electricity, heat]; **–er** (-s) *m* 1 guide, conductor; 2 (warmte, elektr.) conductor; **ge'leiding** (-en) *v* 1 (abstract) leading, conducting; conduction [of electricity, heat]; 2 (concreet) conduit, pipe, ✻ wire; **–svermogen** *o* conductivity; **ge'leidraad** (-draden) *m* ✻ conducting-wire
ge'leken V.D. v. *lijken* en *gelijken*
ge'letterd lettered[2], literary; *~e* man of letters; *de ~en* ook: the literati
ge'leuter *o* drivel, twaddle, **F** rot
ge'lezen read; *het ~e* the things (books &) read
ge'lid (-lederen) *o* 1 joint [of, in the body]; 2 ⚔ rank, file; *de gelederen der liberalen* the ranks of the liberals; *dubbele* (*enkele*) *gelederen* ⚔ double (single) files; *de gelederen sluiten* close the ranks; *in ~ opstellen* ⚔ align; *zich in ~ opstellen* ⚔ draw up; *in de voorste gelederen* in the front ranks; *uit het ~* zie *lid*; *uit het ~ treden* leave the ranks, ⚔ fall out
ge'liefd 1 beloved, dear; 2 = *geliefkoosd*; **–e** (-n) *m-v* sweetheart, beloved, [his] lady-love, inamorata; [her] lover, inamorato; *de ~n* the lovers; **ge'liefhebber** *o* amateurism, dilettantism, dabbling [in politics &]; **–koosd** favourite; **1 ge'lieven** *mv* lovers; **2 ge'lieven** (geliefde, h. geliefd) *vt* please; *gelieve mij te zenden* please send me; *als het hem gelieft te komen* when he chooses to come
'gelig yellowish
ge'lijk I *aj* 1 (hetzelfde) similar, identical [things]; [they are] alike, equal, even [quantities]; 2 (gelijkwaardig) equivalent; 3 (effen) even, level, smooth; *~ en gelijkvormig* congruent [triangles]; *dat is mij ~* it is all the same to me; *mijn horloge is ~* my watch is right; *wij zijn ~* we are even (quits); *40 ~!* forty all!, [bij tennis] deuce!; *~ spel sp* draw; *twee en drie is ~ aan vijf* two and three equal (make) five; *zich ~ blijven* act consistently; *ze zijn ~ in grootte* (*jaren*) they are of a size, of an age; *~ van hoogte* of the same height; zie ook: *maat, munt* &; **II** *ad* 1 (evenmatig) equally; 2 (eender) alike, similarly; 3 (in gelijke porties) equally, evenly; 4 (tegelijkertijd) at the same time; **III** *cj* as, ↘ like; **IV** *o* right; *iem. ~ geven* grant that sbd. is right, agree with sbd., back sbd. up; *~ hebben* be right, be correct; soms: be in the right; *~ heb je!* quite right too!, right you are; *hij heeft groot ~ dat hij het niet doet* he is quite right not to do it; *hij wil altijd ~ hebben* he always wants to know better; *~ krijgen* be put in the right; *iem. in het ~ stellen* declare that sbd. is right; decide in sbd.'s favour; *de uitkomst heeft hem in het ~ gesteld* has proved him right, has justified him; zie ook: *gelijke*; **gelijk'benig** isosceles [triangle]; **ge'lijke** (-n) *m-v* equal; *hij heeft zijns ~ niet* there is no one like him, he has no equal; *van 's ~n!* (the) same to you!; **ge'lijkelijk** equally; zie verder *gelijk* **II**; **ge'lijken** (geleek, h. geleken) **I** *vt* be like, resemble, look like; **II** *vi ~ op* be like &; zie ook: 2 *lijken*; **ge'lijk- en gelijk'vormigheid** *v* congruence; **ge'lijkenis** (-sen) *v* 1 (overeenkomst) likeness, resemblance (to *met*), similitude; 2 parable; **gelijkge'rechtigd** having equal rights, equal; **–heid** *v* equality; **gelijkge'zind** of one mind, likeminded, consentient; **ge'lijkheid** *v* 1 equality; 2 parity [among members of a church]; 3 similarity, likeness; 4 evenness, smoothness [of a path, road]; zie ook: *voet*; **gelijk'hoekig** equiangular; **ge'lijklopend** 1 (v. lijnen) parallel; 2 (v. uurwerken) keeping good time; **gelijk'luidend** 1 ♪ consonant; homonymous [words]; 2 of the same tenor, identical [clauses]; *~ afschrift* true copy; **–heid** *v* 1 ♪ consonance; 2 conformity; **ge'lijkmaken**[1] **I** *vt* equalize [quantities]; 2 level [with], raze [to the ground]; **II** *vi sp* equalize; **–er** (-s) *m sp* equalizer; **ge'lijkmaking** *v* equalization; levelling; **gelijk'matig** equal, equable, even [temper &], uniform [size, acceleration]; **–heid** *v* equability, equableness, evenness, uniformity; **gelijk'moedig I** *aj* of equable temperament; **II** *ad* with equanimity; **–heid** *v* equanimity; **gelijk'namig** of the same name; having the same denominator [of fractions]; ✻ similar [poles]; *~ maken* reduce to a common denominator [of fractions]; **ge'lijkrichter** (-s) *m* rectifier; **ge'lijkschakelen**[1] *vt* coordinate; *fig* synchronize; **–ling** *v* coordination; *fig* synchronization; **gelijk'slachtig** homogeneous; **gelijk'soortig** homogeneous, similar; **–heid** *v* homogeneousness, similarity; **ge'lijkspelen**[1] *vi sp* draw (a game); **–staan**[1] *vi* be equal, be on a level; *~ met* be equal to, be equivalent to, be tantamount to, amount to [an insult &]; be on a level (on a par) with [a minister &]; **–stellen**[1] *vt* put on a level (on a par); **–stelling** (-en) *v* equalization; levelling;

[1] V.T. en V.D. van dit werkwoord volgens het model: **ge'lijk**maken, V.T. maakte **ge'lijk**, V.D. **ge'lijk**gemaakt. Zie voor de vormen onder het grondwoord, in dit voorbeeld: *maken.* Bij sterke en onregelmatige werkwoorden wordt u verwezen naar de lijst achterin.

assimilation; **gelijk'straats** at street-level; **ge'lijkstroom** *m* direct current; **–teken** (-s) *o* sign of equality; **gelijk'tijdig** simultaneous, synchronous; **–heid** *v* simultaneousness, simultaneity, synchronism; **gelijk'vloers** on the ground floor; *~e kruising* level crossing; **gelijk'vormig** of the same form, similar; **–heid** (-heden) *v* similarity; **gelijk'waardig** equal in value, equivalent; equal [members, partners]; **–heid** (-heden) *v* equivalence; equality [between the sexes]; **ge'lijkzetten**[1] *vt de klok ~* set the clock (right); *~ met* set by; *hun horloges met elkaar ~* synchronize their watches; **gelijk'zijdig** equilateral [triangles]

ge'lijnd, gelini'eerd ruled

ge'lispel *o* lisping, lisp

ge'lobd lobed, lobate

ge'loei *o* lowing, bellowing; roaring, roar; wail [of sirens]

ge'lofte (-n) *v* vow [of chastity, obedience, poverty], promise; *de ~ afleggen rk* take the vow; *een ~ doen* make a vow

ge'logen V.D. v. *liegen*

ge'loken V.D. v. *luiken*; *met ~ ogen* with eyes closed

ge'lonk *o* ogling

ge'loof (-loven) *o* 1 (k e r k e l i j k) faith, creed, belief [in God]; 2 (n i e t k e r k e l i j k) credit, credence; trust; belief [in ghosts]; *de twaalf artikelen des ~s* the Apostles' Creed; *het ~ verzet bergen* faith will remove mountains; *een blind ~ hebben in* have an implicit faith in; *~ hechten (slaan) aan* give credence to, give credit to, believe; *het verdient geen ~* it deserves no credit; *~ vinden* be credited; *op goed ~* on trust; **ge'loofsartikel** (-en en -s) *o* article of faith; **–belijdenis** (-sen) *v* confession of faith, profession of faith, creed; *de apostolische ~* the Apostles' Creed; **–brieven** *mv* 1 letters of credence, credentials [of an ambassador]; 2 documentary proof of one's election; **–dwang** *m* coercion (constraint) in religious matters, religious constraint; **–genoot** (-noten) *m* co-religionist; **–ijver** *m* religious zeal; **–leer** *v* doctrine (of faith); **–overtuiging** (-en) *v* religious conviction; **–punt** (-en) *o* doctrinal point; **–vervolging** (-en) *v* religious persecution; **–verzaker** (-s) *m* apostate, renegade; **–verzaking** *v* apostasy; **–vrijheid** *v* religious liberty; **–waarheid** (-heden) *v* religious truth; **–zaak** (-zaken) *v* matter of faith; **geloof'waardig** credible [of things]; trustworthy, reliable [of persons]; **–heid** *v* credibility, trustworthiness, reliability

ge'loop *o* running

ge'loven (geloofde, h. geloofd) *vi* & *vt* 1 believe; 2 (m e n e n) believe, think, be of opinion; *het is niet te ~!* it's incredible!; *je kunt me ~ of niet* believe it or not; *je kunt niet ~ hoe...* you can't think (imagine) how...; *geloof dat maar!* you can take it from me!; *dat geloof ik!* I should think so!, I dare say; *ze ~ het wel* they don't bother, they couldn't care less; *iem. op zijn woord ~* believe sbd. on his word, take sbd.'s word for it; ● *~ a a n spoken* believe in ghosts; *niet ~ aan* disbelieve in; *hij moest eraan ~* there was no help for it, he had to...; *mijn jas moest er aan ~* my coat had to go; *~ i n God* believe in God; **ge'lovig** 1 believing; 2 earnest [Christian, prayer]; *de ~en* the faithful, the believers; **–heid** *v* 1 faith; 2 earnestness

ge'lui *o* ringing, tolling, peal of bells, chime

ge'luid (-en) *o* sound, noise; **–dempend** sound-deadening; **–demper** (-s) *m* 1 silencer [of engine, fire-arm]; 2 ♪ mute [for violin, trumpet], sordine [for violin]; 3 muffler [for engine, piano]; **–dicht** soundproof; **–gevend** sounding; **–loos** soundless; **ge'luidsband** (-en) *m* recording tape, *Am* dictabelt; **–barrière** [-bari.ɛ:rə] (-s) *v* sound barrier, sonic barrier; **–bron** (-nen) *v* sound source; **–film** (-s) *m* sound film, sound picture; **–golf** (-golven) *v* sound wave; **–hinder** *m* noise pollution; **–installatie** [-(t)si.] (-s) *v* sound equipment; **–isolatie** [-zo.la.(t)si.] *v* sound proofing, sound isolation; **–knal** (-len) sonic bang, sonic boom; **–leer** *v* acoustics; **–opname** (-n) *v* sound recording; **–signaal** [-si.ɲa.l] (-nalen) *o* sound signal; **–snelheid** *v* sonic speed, speed of sound; **–spoor** (-sporen) *o* sound track; **–technicus** (-ci) *m* sound engineer, sound mixer; **–trilling** (-en) *v* sound vibration

ge'luier *o* idling, lazing, laziness

ge'luimd in the mood [for...], in the humour [to...]; *goed (slecht) ~* in a good (bad) temper

ge'luk *o* 1 (a l s g e v o e l) happiness, felicity [= intense happiness], bliss; 2 (z e g e n) blessing; 3 (g u n s t i g t o e v a l) fortune, (good) luck, chance; 4 (s u c c e s) success; *als je ~ hebt...* with some luck...; *wat een ~!* what a mercy!; *stom ~* sheer luck; *dat is nu nog eens een ~* that is a piece of good fortune, indeed; *dat ontbrak nog maar aan mijn ~ [iron]* that would be all I'd need; *een ~ bij een ongeluk* a blessing in disguise; *~ ermee!* I wish you joy of it!; *het ~ dient u* you

[1] V.T. en V.D. van dit werkwoord volgens het model: **ge'lijk**maken, V.T. maakte **ge'lijk**, V.D. **ge'lijk**gemaakt. Zie voor de vormen onder het grondwoord, in dit voorbeeld: *maken*. Bij sterke en onregelmatige werkwoorden wordt u verwezen naar de lijst achterin.

are always in luck; *meer ~ dan wijsheid* more lucky than wise; *zijn ~ beproeven* try one's luck; *~ hebben* be fortunate, be in luck; *het ~ hebben om...* have the good fortune to...; *hij mag nog van ~ spreken* he may thank his lucky stars, he may consider himself lucky; • *b ij ~* by chance; *o p goed ~* (*af*) at a venture, at random, at haphazard, on the off-chance, **F** on spec; hit or miss; **-aanbrengend** bringing luck, lucky; **-je** (-s) *o* piece (stroke) of good fortune, windfall; **ge'lukken** (gelukte, is gelukt) *vi* succeed; *alles gelukt hem* he is successful in everything; *als het gelukt* if the thing succeeds; *het gelukte hem...* he succeeded in ...ing; *het gelukte hem niet...* ook: he failed to...; **ge'lukkig I** *aj* 1 (v. gevoel) happy; 2 (v. kans) lucky, fortunate; 3 (goed gekozen &) felicitous; *een ~e dag* 1 a happy day; 2 a lucky day; *een ~e gedachte* a happy thought; *een ~ huwelijk* a happy marriage; *~ in het spel, ongelukkig in de liefde* lucky at play (at cards), unlucky in love; *wie is de ~e?* who is the lucky one?; **II** *ad* 1 (beperkend) [live] happily; 2 (zinsbepalend) = *gelukkigerwijs*; *~!* thank goodness!; **gelukkiger'wijs, -'wijze** fortunately, happily, luckily; **ge'luksdag** (-dagen) *m* 1 happy day; 2 lucky day; **-kind** (-eren) *o* favourite (spoiled child) of fortune, **F** lucky dog; **-nummer** (-s) *o* lucky number; **-poppetje** (-s) *o* mascot; **-ster** [-stɛr] (-ren) *v* lucky star; **-telegram** (-men) *o* greetings telegram, congratulatory telegram; **-vogel** (-s) *m* **F** lucky dog; **ge'lukwens** (-en) *m* congratulation; **ge'lukwensen** (wenste ge'luk, h. ge'lukgewenst) *vt* congratulate (on *met*); wish [a person] good luck; wish [a person] joy (of it *ermee*); **geluk'zalig** blessed, blissful; *de ~en* the blessed; **-heid** (-heden) *v* blessedness, bliss, felicity, beatitude; **ge'lukzoeker** (-s) *m* adventurer, fortune-hunter

ge'lul *o* **F** rot, rubbish, drivel, nonsense

ge'maakt 1 made; ready-made, ready-to-wear [clothes]; 2 affected, pretentious, finical [ways]; **-heid** *v* affectation, mannerism

1 ge'maal (-malen) *o* 1 (het malen) grinding; 2 (in polder) pumping-engine (-station)

2 ge'maal (-s en -malen) *m* (echtgenoot) consort, spouse

ge'machtigde (-n) *m* proxy, deputy; (van postwissel) endorsee

ge'mak (-ken) *o* 1 (gemakkelijkheid) ease, facility; 2 (rustigheid) ease; 3 (gerief) comfort, convenience; *hou je ~!* 1 don't move; 2 keep quiet!; *zijn ~ (ervan) nemen* take one's ease; • *met ~* easily; *een huis met vele ~ken* a house with many conveniences; *op zijn ~* at ease; *niet op zijn ~* ill at ease; *hij had het op zijn ~ kunnen doen* he might have... and done it easily; *doe het op uw ~* take it easy; take your time; *op zijn ~ gesteld* easy-going; *iem. op zijn ~ stellen* put sbd. at ease; *op zijn ~ winnen* have a walk-over [of a race-horse]; *iem. op zijn ~ zetten* put sbd. at ease; *zit je daar op je ~?* **F** are you quite comfy there?; *van zijn ~ houden* love one's ease, like one's comforts; *van alle moderne ~ken voorzien* fitted with all modern conveniences; *voor het ~* for convenience('s sake); **ge'makkelijk I** *aj* easy [sums, chairs &]; commodious [house]; comfortable [armchairs]; *zij hebben het niet ~* they are not having an easy time; *hij is wat ~* he likes to take his ease (to take things easy); *hij is niet ~, hoor!* **F** he is an ugly customer to deal with; he is hard to please; *het zich ~ maken* make oneself comfortable, take one's ease; take things easy; *neem een van die ~e stoelen* take one of those easy chairs; **II** *ad* [done] easily, at one's ease, with ease; conveniently [arranged], comfortably [settled]; *~ te bereiken van...* within easy reach of...; *zit je daar ~?* are you comfortable there?; *die stoel zit ~* that is an easy chair; **-heid** *v* facility, ease, easiness, commodiousness, comfortableness; **gemaks'halve** for convenience('s sake); **ge'makzucht** *v* love of ease; **gemak'zuchtig** easy-going

gema'lin (-nen) *v* consort, spouse, lady

gema'nierd well-behaved, well-mannered

gemanië'reerd mannered; **-heid** *v* mannerism

gemari'neerd marinaded [herring]

ge'martel *o* tormenting, torturing

ge'matigd moderate [claims]; measured [terms, words]; temperate [zones]; *de ~en* the moderates; **-heid** *v* 1 moderation; 2 temperateness

ge'mauw *o* mewing

'gember *m* ginger; **-bier** *o* ginger ale, ginger beer

ge'meden V.D. v. *mijden*

ge'meen I *aj* 1 (algemeen) common, public; 2 (gemeenschappelijk) common, joint; 3 (gewoon) common, ordinary; 4 (ordinair) common, vulgar, low; 5 (slecht in zijn soort) bad, inferior, vile; 6 (min) mean, base, scurvy; 7 (zedenkwetsend, vuil) obscene, foul, filthy, smutty; *een gemene jaap* an ugly gash; *die gemene jongens* those mean (bad) boys; *een gemene streek* a dirty trick; *gemene taal* foul language, foul talk; *een gemene vent* a shabby fellow, a blackguard, a scamp; *de gemene zaak* the public cause, zie ook: *zaak*; *~ hebben met* have in common with; *iets ~ maken* make it common property; **II** *ad* basely, meanly &; < beastly [cold &]; **III** *o* rabble, mob

ge'meend serious

gemeen'goed *o* common property
ge'meenheid (-heden) *v* 1 meanness, baseness &; 2 mean action, shabby trick
ge'meenlijk commonly, usually
ge'meenplaats (-en) *v* commonplace [expression], platitude, ready-made answer (opinion)
ge'meenschap (-pen) *v* 1 (a a n r a k i n g) *eig* connection, communication², *fig* commerce, intercourse [also sexual]; 2 (m a a t s c h a p) fellowship, community; communion [of saints]; 3 (g e m e e n s c h a p p e l i j k h e i d) community [of interests]; *Europese G~pen* European Communities; ~ *hebben met* have intercourse with [persons]; communicate with [a passage &]; *in ~ van goederen* in community of goods; **gemeen'schappelijk I** *aj* common [friend, market, room]; joint [property, interests, statement]; *voor ~e kosten (rekening)* on joint account; **II** *ad* in common, jointly; ~ *optreden* act together, act in concert
ge'meenschapsgevoel *o* communal sense; **–huis** (-huizen) *o* community centre; **–zin** *m* sense of community (solidarity)
ge'meente (-n en -s) *v* 1 (b u r g e r l i j k e) municipality; 2 (k e r k e l i j k e) parish; 3 (k e r k g a n g e r s) congregation; **–ambtenaar** (-s en -naren) *m* municipal official; **–bestuur** (-sturen) *o* municipality, [the Mayor and his] corporation; **–huis** (-huizen) *o* town hall; **–lijk** municipal; **–naren** *mv* inhabitants; **–raad** (-raden) *m* town (municipal, parish) council; **–raadslid** (-leden) *o* town councillor; **–raadsverkiezing** (-en) *v* municipal election; **–reiniging** (-en) *v* municipal scavenging department; **–school** (-scholen) *v* municipal school; **–secretaris** (-sen) *m* town clerk; **–verordening** (-en) *v* by-law; **–werken** *mv* municipal works; **–wet** (-ten) *v* Municipal Corporations Act; **–woning** (-en) *v* council-house
ge'meenzaam familiar; ~ *met* familiar with; **–heid** (-heden) *v* familiarity
ge'meld (above-)said, above-mentioned
'gemelijk peevish, sullen, fretful, morose
gemene'best (-en) *o* commonwealth
ge'mengd mixed [number, company, marriage]; assorted [biscuits]; miscellaneous; ~ *bedrijf* mixed farming; *~e berichten, ~ nieuws* miscellaneous news; *voor ~ koor* ♪ for mixed voices
ge'menigheidje (-s) *o* (bit of) trickery, dirty trick
gemi'auw *o* mewing
ge'middeld I *aj* average, mean; **II** *ad* on an average, on the average; **–e** (-n en -s) *o* average
ge'mier *o wat een ~!* bother!, what a bore!, botheration!
ge'mijmer *o* reverie, musing, meditation
ge'mijterd mitred
ge'mis *o* want, lack; *een ~ vergoeden* make up for a deficiency; *het ~ aan...* the lack of...
ge'mocht V.D. v. *mogen*
ge'modder *o* messing in the mud; *fig* bungling; *wat een ~!* what a mess!
ge'moed (-eren) *o* mind, heart; *in ~e* in (all) conscience; *zijn ~ luchten* vent one's feelings, pour out one's heart; *de ~eren waren verhit* feeling was running high
ge'moedelijk kind(-hearted), good-natured, genial; heart-to-heart [talk]; ~ *met iem. spreken* have a heart-to-heart talk with sbd.; **–heid** (-heden) *v* kind-heartedness, good nature
gemoede'reerd *dood~* coolly, serenely
ge'moedsaandoening (-en) *v* emotion; **–bezwaar** (-zwaren) *o* conscientious scruple; **–gesteldheid** *v* frame of mind, temper, disposition; **–leven** *o* inner life; **–rust** *v* peace of mind, tranquillity (of mind), serenity; **–stemming** (-en) *v* mood; zie ook: *gemoedsgesteldheid*; **–toestand** (-en) *m* state of mind, disposition of mind, temper
ge'moeid *...is er mee ~* ...is at stake; ...is involved; *daar is veel ... mee ~* it takes a lot of...
ge'mok *o* sulking
ge'molken V.D. v. *melken*
ge'mompel *o* mumbling, muttering, murmur
ge'moogd V.D. v. *mogen*
ge'mopper *o* grumbling, **S** grousing
ge'mor *o* murmuring, grumbling
ge'morrel *o* fumbling
ge'mors *o* messing, slopping
gems (gemzen) *v* chamois
'gemsle(d)er = *gemzele(d)er*
ge'mummel *o* mumbling
ge'munt coined; *op wie heb je het ~?* who do you aim at?, who is it meant for?; *hij heeft het op haar geld ~* he is after her money; *hij heeft het altijd al op mij ~* he always picks on me
ge'murmel *o* purl(ing), gurgling, murmur(ing)
ge'mutst *goed (slecht) ~* in a good (bad) temper
'gemzele(d)er *o* chamois, shammy (leather)
gen (genen) *o* gene
ge'naakbaar accessible², approachable²; **–heid** *v* accessibility, approachableness
ge'naamd named, called
ge'nade *v* grace [of God], mercy [from our fellow-men]; ⚖ pardon; *geen ~!* ⚔ no quarter!; *goeie (grote) ~!* good gracious!, bless my soul!; *Uwe Genade* Your Grace; ~ *voor recht laten gelden* temper justice with mercy; *iem. ~ schenken* pardon sbd.; *(geen) ~ vinden in de ogen van...* find (no) favour in the eyes of...; ● *a a n de ~ van... overgeleverd zijn* be at the mercy of..., be left to the tender mercies of...; *d o o r Gods ~* by the

grace of God; *weer in ~ aangenomen worden* be restored to grace (to favour); *o m ~ bidden (smeken)* pray (cry) for mercy; *zich o p ~ of ongenade overgeven* surrender at discretion; *van anderer ~ afhangen* be dependent upon the bounty of others; *z o n d e r ~* without mercy; **-brood** *o* bread of charity, bread of dependence; *hij eet het ~* he eats the bread of charity, he lives upon charity; **-loos** merciless, ruthless; hip and thigh; **-middel** (-en) *o* means of grace; *de ~en der Kerk rk* the sacraments; **-schot** (-schoten) *o* coup de grace, death-blow; **-slag** (-slagen) *m* finishing stroke, death-blow; **ge'nadig I** *aj* merciful, gracious; *een ~ knikje* a gracious (condescending) nod; *God zij ons ~* God have mercy upon us; *wees hem ~* be merciful to him; **II** *ad* 1 mercifully; *er ~ afkomen* get off lightly; 2 graciously, patronizingly, condescendingly

ge'naken (genaakte, is genaakt) *vt & vi* approach, draw near; *hij is niet te ~* he is inaccessible (unapproachable)

gê'nant [ʒə'nɑnt] embarrassing, awkward

ge'nas (genazen) V.T. v. *genezen*

gen'darme [ʒã'dɑrm(ə)] (-n en -s) *m* gendarme; **gendarme'rie** *v* gendarmerie

'gene that, the former; *aan ~ zijde van de rivier* beyond the river; *~ de..., deze de...* the former..., the latter...

genealo'gie [ge.ne.-] (-ieën) *v* genealogy; **genea'logisch** genealogical; **genea'loog** (-logen) *m* genealogist

ge'neesheer (-heren) *m* physician, doctor; *~-directeur* medical superintendent

ge'neeskracht *v* curative power, healing power; **genees'krachtig** curative, healing [properties]; medicinal [springs], officinal [herbs]

ge'neeskunde *v* medicine, medical science; **genees'kundig** medical; *(gemeentelijke) ~e dienst* public health department; *arts van de (gemeentelijke) ~e dienst* medical officer of health; **-e** (-n) *m* = *geneesheer*; **ge'neeskunst** *v* medecine, medical science

ge'neeslijk curable; **-heid** *v* curability; **ge'neesmethode** [-me.to.-] (-n en -s) *v* therapy; **-middel** (-en) *o* remedy, medicine; **-wijze** (-n) *v* curative (medical) method, method of treatment

ge'negen V.D. v. *nijgen*; inclined, disposed (to...); *iem. ~ zijn* feel favourably (friendly) disposed towards sbd.; **-heid** (-heden) *v* affection, inclination

ge'neigd *~ om te (tot)* ... inclined, disposed, apt to..., < prone to...; **-heid** (-heden) *v* inclination, disposition, aptness, proneness, propensity

ge'nepen V.D. v. *nijpen*

1 gene'raal [ge.-] *aj* general; *generale bas* thoroughbass; zie ook: *repetitie*; **2 gene'raal** (-s) *m* general; **gene'raal-ma'joor** (-s) *m* major-general; **generali'satie** [-za.(t)si.] (-s) *v* generalization, generalizing; **generali'seren** [s = z] (generaliseerde, h. gegeneraliseerd) *vi* generalize; **-ring** (-en) *v* generalization; **genera'lissimus** *m* ⚔ generalissimo

gene'ratie [ge.nə'ra.(t)si.] (-s) *v* generation

gene'rator [ge.-] (-s en -toren) *m* generator, [gas] producer

ge'neren [ʒə-] (geneerde, h. gegeneerd) *vr zich ~* feel embarrassed; *geneer je maar niet!* 1 don't be shy! (there's plenty more); 2 don't stand on ceremony; *geneer u maar niet voor mij* never (don't) mind me; *zij geneerden zich het aan te nemen* they were nice about accepting it; *zij ~ zich zo iets te doen* they are ashamed (think shame) of doing a thing like that

gene'reus [ge.-] generous

ge'nerfd nervate

'generhande, 'generlei no manner of, no... whatever

generosi'teit [ge.-; s = z] *v* generosity

ge'neselijk(-) = *geneeslijk(-)*

ge'netica [ge.-] *v* genetics; **ge'neticus** (-ci) *m* geneticist; **ge'netisch** genetic(al)

Ge'nève [ʒə'nɛ:və] *o* Geneva

⊙ **ge'neugte** (-n) *v* pleasure, delight, delectation

ge'neurie *o* humming

ge'nezen* I *vt* cure² [a patient, malaria], heal [wounds, the sick], restore [people] to health; *iem. ~ van...* cure² sbd. of...; **II** *vi* get well again [of persons, wounds]; heal [of wounds]; recover (from *van*) [of persons]; **III** V.D. v. *genezen*; **-zing** (-en) *v* cure, recovery, healing

geni'aal [ge.-] **I** *aj* [man, stroke, work] of genius; brilliant [idea, general]; *iets ~s* a touch of genius; **II** *ad* with genius; brilliantly; **geniali'teit** *v* genius

1 ge'nie [ʒə'ni.] (-ieën) *o* genius; *een ~* a man of genius

2 ge'nie [ʒə'ni.] *v de ~* ⚔ the Royal Engineers

ge'niep *in het ~* in secret, secretly, on the sly, stealthily; **-erig, -ig I** *aj* sneaking; **II** *ad* = *in het geniep*; **-igerd** (-s) *m* sneak

ge'nies *o* sneezing

ge'niesoldaat [ʒə-] (-daten) *m* ⚔ engineer

ge'nietbaar enjoyable; **ge'nieten* I** *vt* enjoy [sbd.'s favour, poor health], savour [a wine &]; *een goede opvoeding genoten hebben* have received a good education; *een salaris ~* receive (be in receipt of) a salary; **II** *vi ~ van* enjoy [one's dinner, the performance]; **III** *va* enjoy it; **-er** (-s) *m* epicurean, sensualist; **ge'nieting** (-en) *v*

enjoyment
ge'nietroepen [ʒə-] *mv* ⚔ engineers
geni'taliën [*ge*.-] *mv* genitals; **F** (privy) parts
'genitief (-tieven) *m* genitive
'genius (geniën) *m* genius [*mv* genii]
geno'cide [*ge*.-] *v* genocide
ge'nodigde (-n) *m-v* person invited, guest
ge'noeg enough, sufficient(ly); ~ *hebben van iem.* have had enough of sbd.; ~ *hebben van alles* have enough of everything, have no lack of anything; *er schoon* ~ *van hebben* **F** be fed up with it; *meer dan* ~ more than enough, enough and to spare; ~ *zijn* suffice, be sufficient; *zo is het* ~ ook: that will do; *vreemd* ~, *hij*... oddly enough, he...; *het moet u* ~ *zijn, dat ik*... you ought to be satisfied with the assurance that I...; *men kan niet voorzichtig* ~ *zijn* one cannot be too careful; **–doening** *v* satisfaction, reparation
ge'noegen (-s) *o* pleasure, delight; satisfaction; *u zult er* ~ *van beleven* it (he) will give you satisfaction; *dat zal hem* ~ *doen* he will be pleased (with it), be pleased (satisfied) to hear it; *dat doet mij* ~ I am very glad to hear it; *wil je mij het* ~ *doen bij mij te eten?* will you do me the pleasure (the favour) of dining with me?; *zijn* ~ *eten* eat one's fill; *wij hebben het* ~ *u mede te delen* we have pleasure in informing you...; *met wie heb ik het* ~ *(te spreken)?* may I ask whom I have the pleasure of speaking to?; ~ *nemen met* be satisfied with, be content with, put up with; *daarmee neem ik geen* ~ I won't put up with that; ~ *scheppen in,* (*zijn*) ~ *vinden in* take (a) pleasure in; • *m e t* ~ with pleasure; *met alle* ~ I shall be delighted!; *was het n a a r* ~*?* were you satisfied with it (with them)?; *neem er van naar* ~ take as much (many) as you like; *ik kon niets naar zijn* ~ *doen* I couldn't possibly please (satisfy) him in anything; *als het niet naar* ~ *is* if it does not give satisfaction; *t e n* ~ *van*... to the satisfaction of...; *adieu, t o t* ~*!* good-bye!, I hope we shall meet again!; *tot mijn* ~ to my satisfaction; *hij reist v o o r zijn* ~ for pleasure; **ge'noeglijk I** *aj* pleasant, agreeable, enjoyable; contented; **II** *ad* pleasantly; contentedly; **–heid** (-heden) *v* pleasantness, agreeableness; contentedness
ge'noegzaam sufficient; **–heid** *v* sufficiency
ge'noemd 1 named, called; 2 [the person] mentioned, (the) said person
ge'nomen V.D. v. *nemen*
1 ge'noot (-noten) *m* fellow, companion
2 ge'noot (genoten) V.T. v. *genieten*
ge'nootschap (-pen) *o* [learned] society
'genot (genietingen) *o* 1 joy, pleasure, delight; 2 enjoyment; 3 usufruct; ~ *verschaffen* afford pleasure; *onder het* ~ *van*... while enjoying...; **ge'noten** V.T. meerv. en V.D. v. *genieten;*
ge'notmiddel (-en) *o* luxury; **ge'notrijk, ge'notvol** delightful
'genotype [y = i.] (-n) *o* genotype
ge'notziek pleasure-loving; **–zoeker** (-s) *m* pleasure seeker; **–zucht** *v* love of pleasure; **genot'zuchtig** pleasure-seeking
'genre ['ʒãrə] (-s) *o* genre, kind, style
Gent *o* Ghent
genti'aan [gɛn(t)si.'a.n] (-ianen) *v* gentian
1 'Genua *o* Genoa
2 'genua ('s) *v* ⚓ Genoa (jib)
genuan'ceerd differentiated [opinion]
Genu'ees (-nuezen) Genoese [*mv* Genoese]
geode'sie [*ge*.o.de.'zi.] *v* geodesy
ge'oefend practised, trained, expert
geo'fysica [*ge*.o.'fi.zi.ka.] geophysics
geo'graaf (-grafen) *m* geographer; **geogra'fie** *v* geography; **geo'grafisch** geographical
geolo'gie *v* geology; **geo'logisch** geological; **geo'loog** (-logen) *m* geologist
geome'trie *v* geometry
ge'oorloofd lawful, allowed, permitted, admissible, allowable
'geowetenschappen *mv* geo-sciences
ge'paard 1 in pairs, in couples, coupled; 2 ✿ geminate; *dat gaat* ~ *met*... that is attended by..., that is coupled with...; that involves...; *en de daarmee* ~ *gaande*... the ... attendant upon it [old age] and its attendant... [ills]
ge'pakt ~ *en gezakt* all ready to depart
ge'pantserd armoured, armour-plated (-clad); ~*e vuist* mailed fist; ~ *tegen* proof against
geparen'teerd related (to *aan*)
ge'past fit, fitting, befitting, proper, suitable, becoming; ~ *geld* zie *afgepast*; **–heid** *v* fitness, propriety, suitability, becomingness
ge'peins *o* musing, meditation(s), pondering; *in diep* ~ *verzonken* absorbed in thought, in a brown study
gepensio'neerde (-n) *m-v* pensioner
ge'pepen V.D. v. *pijpen*
ge'peperd peppered, peppery; *fig* 1 highly seasoned [stories], spiced [jests]; 2 exorbitant [bills], stiff [prices]
ge'peupel *o* mob, populace, rabble; **F** ragtag (and bobtail)
ge'peuter *o* picking; fumbling
ge'pieker *o* brooding
ge'piep *o* chirping, squeaking
gepi'keerd I *aj* piqued (at *over*); *hij is* ~ he is in a fit of pique; *gauw* ~ touchy; **II** *ad* with a touch of feeling; **–heid** *v* pique
ge'pimpel *o* toping, tippling
ge'pingel *o* haggling
ge'plaag *o* teasing
ge'plas *o* splashing, splash
ge'ploeter *o* splashing; *fig* drudging

ge'plozen V.D. v. *pluizen*
ge'poch *o* boasting, brag(ging)
gepor'teerd ~ *zijn voor* favour, have a liking for
gepo'seerd [s = z] staid, steady
ge'praat *o* talk, tattle
ge'preek *o* preaching, sermonizing, lecturing
ge'prevel *o* muttering, mumbling
ge'prezen V.D. v. *prijzen*
ge'prikkeld irritated, huffish; ...*zei hij* ~ ...he said irritably; **ge'prikkeldheid** *v* irritation
gepromo'veerde (-n) *m-v* graduate
ge'pronk *o* ostentation
gepronon'ceerd pronounced[2]
geproportio'neerd [-pɔrsi.-] [well-, ill-] proportioned
ge'pruikt periwigged
ge'pruil *o* pouting, sulkiness
ge'pruts *o* pottering, tinkering
ge'pruttel *o* 1 simmering [of a kettle]; 2 grumbling [of a person]
ge'raakt hit, touched; *fig* piqued, offended; **–heid** *v* pique, irritation
ge'raamte (-n en -s) *o* skeleton [of animal or vegetable body]; carcass [of ship]; shell [of a house]; frame, framework [of anything]
ge'raas *o* noise, din, hubbub, roar
ge'raaskal *o* raving(s)
ge'radbraakt *zich ~ voelen* feel knocked up, feel used up (exhausted)
ge'raden *het ~ achten* think it advisable; *het is je* ~ you'd better (do it)
geraffi'neerd 1 refined[2] [sugar; taste]; 2 (s l u w) cunning, crafty; *een ~e schelm* a thorough-paced rogue
ge'raken (geraakte, is geraakt) *vi* get, come to, arrive, attain; zie ook: *raken*; *i n gesprek* ~ get into conversation; *in iems. gunst* ~ win sbd.'s favour; *in verval* ~ fall into decay; *o n d e r dieven* ~ fall among thieves; *t e water* ~ fall into the water; *t o t zijn doel* ~ attain one's end
ge'rammel *o* clanking, rattling
ge'rand edged [lace]; rimmed [glasses]; bordered [parterres]; milled [coins]
ge'ranium (-s) *v* geranium
ge'rant [ʒe: 'rã] (-s en -en) *m* manager
ge'ratel *o* rattling
gera'vot *o* romping
1 ge'recht *aj* just, condign [punishment], righteous [ire]
2 ge'recht (-en) *o* 1 ⚖ court (of justice), tribunal; 2 course; [egg &] dish; *voor het ~ dagen* summon; *voor het ~ moeten verschijnen* have to appear in court; **ge'rechtelijk I** *aj* judicial [murder, sale]; legal [adviser]; *~e geneeskunde* forensic medicine; **II** *ad* judicially; legally; *iem. ~ vervolgen* proceed against sbd., bring an action against sbd.
ge'rechtigd authorized, qualified, entitled
ge'rechtigheid (-heden) *v* justice
ge'rechtsbode (-n en -s) *m* usher; **–dag** (-dagen) *m* court-day; **–dienaar** (-s en -naren) *m = politieagent*; **–gebouw** (-en) *o* court house; **–hof** (-hoven) *o* court (of justice); **–kosten** *mv* legal charges; costs; **–zaal** (-zalen) *v* courtroom
ge'redelijk readily
ge'reden V.D. v. *rijden*
gerede'neer *o* arguing
ge'reed 1 ready [money, to do something]; 2 finished [product]; ~ *houden* hold ready, hold in readiness; *zich ~ houden* hold oneself in readiness, stand by [to assist]; ~ *leggen* put in readiness, lay out; ~ *liggen* be (lie) ready; (*zich*) ~ *maken* make (get) ready, prepare; ~ *staan* be (stand) ready; ~ *zetten* put ready, set out [the tea-things], lay [dinner]; **–heid** *v* readiness; *in ~ brengen* put in readiness, get ready
ge'reedschap (-pen) *o* tools, instruments, implements, utensils; **ge'reedschapskist** (-en) *v* tool-box, tool-chest, kit; **–maker** (-s) *m* tool maker
gerefor'meerd Calvinist; *de ~en* the Calvinists
ge'regeld I *aj* regular, orderly, fixed; *~e veldslag* pitched battle; **II** *ad* regularly; **–heid** *v* regularity
ge'regen V.D. v. *rijgen*
ge'rei *o* things [for tea &], tackle [for shaving &]; [fishing] gear
ge'reis *o* travelling
ge'rekt long-drawn(-out), long-winded, protracted; *ietwat* ~ ook: lengthy
ge'remd *ps* inhibited; **–heid** (-heden) *v ps* inhibition
1 'geren (geerde, h. gegeerd) **I** *vi* slant; (v. r o k) flare; **II** *vt* gore
2 ge'ren *o* running
gerenom'meerd famous, renowned
gerepatri'eerde [-re.pa.-] (-n) *m-v* repatriate
gereser'veerd [s = z] reserved[2]; **–heid** *v* reserve
ge'reten V.D. v. *rijten*
ge'reutel *o* [dying man's] death-rattle
ge'rezen V.D. v. *rijzen*
geri'ater [ge:-] (-s) *m* geriatrician; **geria'trie** *v* geriatrics; **geri'atrisch** geriatric
ge'ribd ribbed
ge'richt *o het jongste* ~ judgment day
ge'rief *o* convenience, comfort; *veel ~ bieden* offer many comforts; *ten gerieve van...* for the convenience of...; **ge'rief(e)lijk** commodious, convenient, comfortable
ge'rieven (geriefde, h. geriefd) *vt* accommodate, oblige [persons]
ge'rijmel *o* rhyming

ge'ring small, scanty, slight, trifling, inconsiderable; low; *van niet ~e bekwaamheid* of no mean ability; *een ~e dunk hebben van* have a poor opinion of; *een ~e kans* a slender chance, a slim chance; *met ~ succes* with scant success; **-heid** *v* smallness, scantiness; **-schatten** (schatte ge'ring, h. ge'ringgeschat) *vt* hold cheap, have a low opinion of, disparage; **-schattend** slighting; **-schatting** *v* disdain, disregard, slight

ge'rinkel *o* jingling

ge'ritsel *o* rustling, rustle

Ger'maan (-manen) *m* Teuton; **-s** Teutonic, Germanic; **Ger'manië** *o* Germany; **germa'nisme** (-n) *o* germanism; **germa'nist** (-en) *m* Germanist

ge'rochel *o* death-rattle

ge'roddel *o* talk, gossip

ge'roep *o* calling, shouting, shouts, call

ge'roerd touched; moved [person]

ge'roezemoes *o* bustle; buzz(ing), hubbub

ge'roffel *o* roll, rub-a-dub [of a drum]

ge'roken V.D. v. *rieken* en v. *ruiken*

ge'rol *o* rolling

ge'rommel *o* rumbling [of a cart, of thunder]

ge'ronk *o* snoring [of a sleeper]; snorting [of an engine], drone [of aircraft], zie *ronken*

ge'ronnen curdled [milk], clotted [blood]

gerontolo'gie [ge:-] *v* gerontology; **geronto'loog** (-logen) *m* gerontologist

gerouti'neerd [ou = u.] (thoroughly) experienced, expert, practised

gerst *v* barley; **'gerstekorrel** (-s) *m* 1 barleycorn; 2 (g e z w e l a a n o o g l i d) sty; 3 (w e e f s e l) huckaback; **'gerstkorrel** (-s) *m* = *gerstekorrel*

ge'rucht (-en) *o* rumour, report, whisper; noise; *er loopt een ~ dat...* it is rumoured that...; *~ maken* make a noise; *het* (*een*) *~ verspreiden* (*dat*)... spread a rumour, noise it abroad (that)...; • *b ij ~e* [know] by (from) hearsay; *i n een kwaad ~ staan* be in bad repute; *hij is v o o r geen klein ~(je) vervaard* he is not easily frightened; **-makend** sensational

ge'rug(ge)steund backed (up), supported (by)

ge'ruim *een ~e tijd* a long time, a considerable time

ge'ruis *o* noise [of moving thing], rustling, rustle [of a dress, leaf], murmur [of a stream], rushing [of a torrent]; **-loos** noiseless, silent

ge'ruit checked, chequered

ge'rust I *aj* quiet; easy; *u kunt er ~ op zijn dat...* you may rest assured that...; *wees daar maar ~ op* make your mind easy on that point (about that); *ik ben er niet ~ op* I feel uneasy about it, I have some misgivings; **II** *ad* [sleep] quietly; *ik durf ~ beweren, dat...* I venture to say that...; *u kunt er ~ heengaan* without fear; *zij kunnen ~ wegblijven* they may stay away and welcome; *u kunt ~ zeggen, dat...* you may freely say (say with a clear conscience) that...; *wij kunnen dat ~ zeggen* we may safely say that; **-heid** *v* peace of mind, tranquillity; **-stellen** (stelde ge'rust, h. ge'rustgesteld) *vt* set [sbd.'s mind] at rest (at ease), reassure [sbd.]; **-stellend** reassuring; **-stelling** (-en) *v* reassurance

ge'sar *o* teasing

ge'schal *o* shouting, sound [of voices]; clang [of a horn]

ge'schapen V.D. v. *scheppen*

ge'scharrel *o* scraping &, zie *scharrelen*

ge'schater *o* burst (shout) of laughter; *hun ~* their peals of laughter

ge'scheiden separated [gardens]; divided [into parts]; divorced [women]; [living] apart

ge'schel *o* ringing

ge'scheld *o* abuse (of *op*)

ge'schenen V.D. v. *schijnen*

ge'schenk (-en) *o* present, gift; *iets ten ~e geven* make a present of sth., present (sbd.) with sth.; **-bon** (-s en -nen) *m* gift voucher, gift token; **-zending** (-en) *v* gift parcel

ge'scherm *o* fencing, zie *schermen*

gescher'mutsel *o* skirmishing

ge'scherts *o* joking, banter

ge'scheten V.D. v. *schijten*

ge'schetter *o* flourish, blare; *fig* bragging

ge'schiedboeken *mv* annals, records

ge'schieden (geschiedde, is geschied) *vi* happen, come to pass, occur, chance; befall, take place; *Uw wil geschiede* Thy will be done!

ge'schiedenis (-sen) *v* history; story; *de hele ~* the whole affair; *een mooie ~!* a pretty story!, a pretty kettle of fish!; *het is weer de oude ~* it is the old story over again; *een rare ~* a queer story; *het is een saaie* (*taaie*) *~* it is a flat affair, a tedious business; *dat zal spoedig tot de ~ behoren* that will soon be a thing of the past; **-boek** (-en) *o* history book; **ge'schiedkunde** *v* history; **geschied'kundig** historical; **-e** (-n) *m* historian; **ge'schiedrol** (-len) *v* record, archives; **-schrijver** (-s) *m* historical writer, historian, historiographer [= official historian]; **-schrijving** *v* writing of history, historiography

ge'schift **F** crack-brained, dotty

ge'schikt fit [person, to do..., to be..., for...]; able, capable, efficient [man, servant &]; suitable, suited [to or for the purpose], appropriate [to the occasion]; practical [solution]; eligible [candidate], proper [time, way]; *een ~e vent* **F** a decent chap; *~ zijn voor* lend oneself (itself) [to the purpose, the occasion]; make a good [teacher]; *dat is er niet ~ voor* that's

no good; **–heid** *v* fitness, capability, ability; suitability
ge'schil (-len) *o* difference, dispute, quarrel; **–punt** (-en) *o* point (matter) at issue, point of difference
ge'schimp *o* scoffing, abuse
ge'schitter *o* glitter(ing)
ge'schok *o* jolting, shaking
ge'scholden V.D. v. *schelden*
ge'scholen V.D. v. *schuilen*
ge'schommel *o* swinging &, zie *schommelen*
ge'schonden V.D. v. *schenden*
ge'schonken V.D. v. *schenken*
ge'schoold trained [voices &], skilled [labourers]
ge'schop *o* kicking
ge'schoren V.D. v. *scheren*
ge'schoten V.D. v. *schieten*
ge'schoven V.D. v. *schuiven*
ge'schraap *o* 1 scraping [on the violin]; 2 throat-clearing; 3 *fig* money-grubbing
ge'schreden V.D. v. *schrijden*
ge'schreeuw *o* cry, cries, shrieks, shouts; *veel ~ en weinig wol* much ado about nothing
ge'schrei *o* weeping, crying
ge'schreven V.D. v. *schrijven*
ge'schrift (-en) *o* 1 writing; 2 document, letter, paper &; *in ~e* in writing; zie ook: *valsheid*
ge'schrijf *o* scribbling, writing
ge'schrokken V.D. v. *schrikken*
ge'schubd scaled, scaly
ge'schuifel *o* shuffling, scraping [of feet]
ge'schut *o* artillery, guns, ordnance; *grof ~* heavy artillery, heavy guns[2]; *licht ~* light artillery; *een stuk ~* a piece of ordnance; *het zware ~* the heavy guns; **–koepel** (-s) *m* (gun-)turret; **–poort** (-en) *v* porthole; **–toren** (-s) *m* (gun-)turret; **–vuur** *o* gunfire
'gesel (-en en -s) *m* scourge[2] [of war, of God], lash[2] [of satire], whip; **'geselen** (geselde, h. gegeseld) *vt* lash[2], scourge[2], flagellate, whip; ⚖ flog; **–ling** (-en) *v* lashing[2], scourging[2], flagellation, whipping; ⚖ flogging; **'geselkoord** (-en) *o* & *v* lash; **–paal** (-palen) *m* whipping-post; **–roede** (-n) *v* scourge[2], lash[2]; **–slag** (-slagen) *m* lash; **–straf** (-fen) *v* lashing, whipping; ⚖ flogging
geser'reerd terse, succinct
ge'sis *o* hissing
gesitu'eerd *beter ~* well-(better-)off; *de beter ~en* the better-off, the more substantial class; *de minder ~en* the less well-to-do
ge'sjachel [-ʃɑ-] *o*, **ge'sjacher** [-ʃɑ-] *o* bartering; traffic
ge'sjochten F done for, down and out
ge'sjouw *o* toiling
ge'slaagd successful

1 ge'slacht (-en) *o* 1 (g e n e r a t i e) generation; 2 (f a m i l i e) race, family [of men], lineage; genus [*mv* genera] [of animals, plants]; 3 (k u n n e) [male, female] sex; 4 *gram* [masculine, feminine, neuter] gender; *het andere ~* the opposite sex; *het menselijk ~* the human race, mankind; *het schone ~* the fair sex; *het sterke ~* the sterner sex; *het zwakke ~* the weaker sex
2 ge'slacht *o* killed meat, butcher's meat
ge'slachtelijk sexual
ge'slachtkunde *v* genealogy
ge'slachtloos sexless [beings]; asexual; ✿ agamic, agamous
ge'slachtsboom (-bomen) *m* genealogical tree, pedigree
ge'slachtsdaad *v* sexual act; coitus; **–delen** *mv* genitals, private parts; **–drift** *v* sexual urge, desire, sex instinct, libido; **–gemeenschap** *v* intercourse, coition, coitus, sex, intimacy, love-making; *~ hebben met* have intercourse with, have sex with, lie with; **–kenmerken** *mv* sex characteristics; **–klier** (-en) *v* ⚕ sexual gland; ✿ germ gland
ge'slachtsnaam (-namen) *m* family name
ge'slachtsorgaan (-ganen) *o* sexual organ
ge'slachtsregister (-s) *o* genealogical register
ge'slachtsrijp sexually mature; **–heid** *v* sexual maturity
ge'slachtswapen (-s) *o* family arms
ge'slachtsziekte (-n en -s) *v* venereal disease
ge'slagen V.D. v. *slaan*; beaten; *~ goud* beaten gold; *~ vijanden* declared enemies
ge'sleep *o* dragging
ge'slenter *o* sauntering, lounging
ge'slepen I V.D. v. *slijpen*; **II** *aj* sharp, whetted [knives]; cut [glass]; *fig* cunning, sly; **III** *ad* cunningly, slyly; **–heid** *v* cunning, slyness
ge'sleten V.D. v. *slijten*
ge'slinger *o* ⚓ roll
ge'sloken V.D. v. *sluiken*
ge'slof *o* shuffling
ge'sloof *o* drudgery
ge'slonken V.D. v. *slinken*
ge'slopen V.D. v. *sluipen*
ge'sloten V.D. v. *sluiten*; 1 shut [doors], closed [doors, books, car, circuit, economy, system; to traffic]; sealed [envelope]; (o p s l o t) locked; 2 ⚔ serried [ranks], close [formation]; 3 *fig* uncommunicative, close; *~ jachttijd* close season, fence-season; **–heid** *v* uncommunicativeness, closeness
ge'sluierd 1 veiled [lady]; 2 fogged [plate]
ge'smaal *o* reviling, scoffing, contumely
ge'smak *o* smacking [of lips]
ge'smeek *o* supplication(s), entreaty
ge'smeten V.D. v. *smijten*
ge'smoes *o* 1 whispering; 2 underhand

dealings
ge'smolten V.D. v. *smelten*; melted [butter], molten [lead]
ge'smul *o* feasting, banqueting
ge'snap *o* (tittle-)tattle, prattle, small talk
ge'snater *o* chatter(ing)
ge'snauw *o* snarling, snubbing
ge'sneden V.D. v. *snijden*; cut; sliced [bread]; gelded [tomcat]
ge'snik *o* sobbing, sobs
ge'snoef *o* boasting, boast, bragging
ge'snor *o* whirr(ing)
ge'snork *o* snoring
ge'snoten V.D. v. *snuiten*
ge'snotter *o* snivelling
ge'snoven V.D. v. *snuiven*
ge'snuffel *o* ferreting, rummaging
ge'soes *o* dozing
gesoig'neerd [-sva'ɲe:rt] = *verzorgd* 2
gesp (-en) *m* & *v* buckle, clasp
ge'spannen bent [of a bow]; taut, tight [rope]; nervous, on edge; strained² [relations], tense² [situation &]; zie ook: *verwachting* & *voet*
ge'spartel *o* sprawling, floundering
ge'speel *o* playing
ge'speend ~ *van* deprived of, devoid of, without
'gespen (gespte, h. gegespt) *vt* buckle
ge'speten V.D. v. *spijten*
ge'spierd muscular, sinewy, brawny; *fig* nervous [language]
ge'spin *o* 1 spinning; 2 purring [of a cat]
ge'spleten V.D. v. *splijten*; split, cleft; ~ *verhemelte* cleft palate
ge'spogen V.D. v. *spugen*
ge'sponnen V.D. v. *spinnen*
ge'spoord spurred
ge'spot *o* mocking, jeering, scoffing &
ge'spoten V.D. v. *spuiten*
ge'sprek (-ken) *o* conversation, talk; ☏ call; *fig* dialogue [of the Church with the State]; *in* ~ ☏ number engaged (*Am* number busy); *een* ~ *voeren* hold a conversation; **ge'spreksgroep** (-en) *v* discussion group; **–partner** (-s) *m-v* interlocutor; **ge'sproken** V.D. v. *spreken*
ge'sprongen V.D. v. *springen*
ge'sproten V.D. v. *spruiten*
ge'spuis *o* rabble, riff-raff, scum
ge'staag, ge'stadig I *aj* steady, continual, constant; **II** *ad* steadily, constantly; **ge'stadigheid** *v* steadiness, constancy
ge'stalte (-n en -s) *v* figure, shape, stature
ge'stamel *o* stammering
ge'stamp *o* 1 stamping; 2 ⚓ pitching [of a steamer]
ge'stand *zijn woord* ~ *doen* redeem one's promise (word, pledge), keep one's word
'geste ['ʒɛstə] (-n en -s) *v* gesture²
ge'steente (-n en -s) *o* 1 (precious) stones; 2 stone, rock; *vast* ~ solid rock
ge'stegen V.D. v. *stijgen*
ge'stel (-len) *o* system, constitution
ge'steld ~ *dat het zo is* supposing it to be the case; *de* ~*e machten* (*overheid*) the constituted authorities, J the powers that be; *het is er zó mee* ~ that's how the matter stands; ~ *zijn op* be fond of [a good dinner, a friend]; stand on [getting things well done &]; be a stickler for [ceremony]; *daar ben ik niet op* ~ I don't appreciate that, I want none of that; **–heid** *v* state, condition; nature [of the soil &]
ge'stemd 1 ♪ tuned; 2 *fig* disposed; *ik ben er niet toe* ~ I am not in the vein for it; *gunstig* ~ *zijn jegens* be favourably disposed towards
ge'sternte (-n) *o* star, constellation, stars; *onder een gelukkig* ~ *geboren* born under a lucky star
ge'steun *o* moaning, groaning
ge'steven V.D. v. *stijven*
1 ge'sticht (-en) *o* (in 't alg.) establishment, institution; (voor daklozen &) asylum, home
2 ge'sticht *aj fig* edified; *hij was er niets* ~ *over* he was not pleased at all about it
gesticu'latie [gɛsti.ky.'la.(t)si.] (-s) *v* gesticulation; **gesticu'leren** (gesticuleerde, h. gegesticuleerd) *vi* gesticulate
ge'stoei *o* romping
⊙ **ge'stoelte** (-n en -s) *o* seat, chair
gestof'feerd (partly) furnished [rooms]
ge'stoken V.D. v. *steken*
ge'stolen V.D. v. *stelen*
ge'stommel *o* clatter(ing)
ge'stonken V.D. v. *stinken*
ge'stoord disturbed; *geestelijk* ~ mentally deranged (handicapped)
ge'storven V.D. v. *sterven*
ge'stotter *o* stuttering, stammering
ge'stoven V.D. v. *stuiven*
ge'streden V.D. v. *strijden*
ge'streept striped
ge'streken V.D. v. *strijken*
ge'strekt stretched; *in* ~*e draf* (at) full gallop; ~*e hoek* straight angle
ge'streng = 2 *streng*
gestructu'reerd structured
gestu'deerd ~ *iem.* (university) graduate
ge'suf *o* day-dreaming, dozing
ge'suikerd sugared, sugary, candied
ge'suis *o* = *suizing*
ge'sukkel *o* 1 pottering &; 2 ailing
ge'taand tawny, tanned
ge'takt branched, branchy, branching
ge'tal (-len) *o* number; *in groten* ~*e* in (great) numbers; *ten* ~*e van* to the number of..., ...in

number; **–lenprijs** (-prijzen) *m* trade discount (price)
ge'talm *o* lingering, loitering, dawdling
ge'talsterkte *v* numerical strength
ge'tand 1 toothed; 2 ♣ dentate; 3 ⚒ toothed, cogged
ge'tapt 1 drawn [beer]; skimmed [milk]; 2 *fig* popular [with the boys &]
ge'teem *o* drawl(ing), whine, whining
ge'tekend drawn, signed; marked
ge'teut *o* dawdling, loitering
ge'tier *o* noise, clamour, vociferation
ge'tij (-den) *o* 1 (ebbe en vloed) tide [high or low]; 2 = *getijde*; *het ~ keert* the tide turns; *dood ~* neap tide; zie ook: *baken*
⊙ **ge'tijde** (-n) *o* 1 (tijdruimte) season; 2 = *getij*; *de ~n rk* the hours; **ge'tijdenboek** (-en) *o rk* breviary
ge'tijhaven (-s) *v* tidal harbour; **–rivier** (-en) *v* tidal river; **–stroom** (-stromen) *m* tidal current; **–tafel** (-s) *v* tide-table
ge'tik *o* ticking [of a clock]; tapping [at a door]; click(ing) [of an engine &]
ge'tikt nuts, daft, weird, loopy, crack-brained
ge'timmer *o* carpentering
ge'timmerte (-n) *o* structure
ge'tingel *o* tinkling
ge'tintel *o* sparkling &, zie *tintelen*
ge'titeld titled [person]; [book &] entitled
ge'tjilp *o* chirping, twitter
ge'tob *o* 1 bother, worry; 2 toiling, drudgery
ge'toet(er) *o* tooting, hoot(ing)
ge'togen V.D. v. *tijgen*; zie ook: *geboren*
ge'tokkel *o* thrumming, twanging &, zie *tokkelen*
ge'touw (-en) *o* gear, loom; zie ook: *touw*
ge'tralied grated, latticed, barred
ge'trappel *o* stamping, trampling
ge'trapt *~e verkiezingen* elections at two removes, indirect elections
ge'treiter *o* teasing, nagging
ge'treur *o* pining, mourning
ge'treuzel *o* dawdling, lingering
ge'trippel *o* tripping, patter, pitter-patter
getroe'bleerd (mentally) deranged, **F** a bit touched, a bit cracked
ge'troffen V.D. v. *treffen*
ge'trokken V.D. v. *trekken*
ge'trommel *o* 1 drumming, rattle of drums; 2 strumming [on a piano]
ge'troosten (getroostte, h. getroost) *zich ~* bear patiently, put up with; *zich een grote inspanning ~* make a great effort; *zich de moeite ~ om...* go (put oneself) to the trouble of ...ing; *zich veel moeite ~* spare no pains
ge'trouw = *trouw* **I** & **II**; *zijn ~en* his trusty followers, his stalwarts, his henchmen
'getto ('s) *o* ghetto
ge'tuige (-n) *m* & *v* 1 ⚖ witness; 2 (bij huwelijk) best man; 3 (bij duel) second; *~ mijn armoede* witness my poverty; *schriftelijke ~n* written references; *ik zal u goede ~n geven* I'll give you a good character; *iem. tot ~ roepen* call (take) sbd. to witness; *~ zijn van* be a witness of, witness; **ge'tuigen** (getuigde, h. getuigd) **I** *vt* testify to, bear witness [that...]; **II** *vi* appear as a witness, give evidence; *dat getuigt tegen...* that is what testifies against...; *~ van* attest to..., bear witness to...; *dat getuigt van zijn...* that testifies to his..., that bears testimony to his...; *~ voor* testify in favour of; *dat getuigt voor hem* that speaks in his favour; **ge'tuigenbank** (-en) *v* witness-box; **–bewijs** (-wijzen) *o* proof by witnesses, oral evidence; **–geld** (-en) *o* conduct money; **ge'tuigenis** (-sen) *o* & *v* evidence, testimony; *~ afleggen van* bear witness to, give evidence of; *~ dragen van* bear testimony (evidence) to; **ge'tuigenverhoor** (-horen) *o* examination (hearing) of the witnesses; **–verklaring** (-en) *v* deposition, testimony, evidence; **ge'tuigschrift** (-en) *o* certificate, testimonial; [servant's] character
ge'twist *o* quarreling, wrangling, bickering(s)
geul (-en) *v* gully, channel, watercourse
geur (-en) *m* smell, odour, fragrance, flavour, aroma, perfume, scent; *in ~en en kleuren* in detail; **'geuren** (geurde, h. gegeurd) *vi* 1 smell, be fragrant, give forth scent (perfume); 2 **F** swank; *~ met* show off [one's learning], sport, **F** flash [a gold watch]; **'geurig** sweet-smelling, odoriferous, fragrant, aromatic; **–heid** *v* perfume, smell, fragrance; **'geurmaker** (-s) *m* swagger
1 geus (geuzen) *m* 🕮 Beggar: Protestant [during the revolt of the Netherlands against Spain]
2 geus (geuzen) *v* ⚓ jack
'gevaar (-varen) *o* danger, peril, risk; *er is geen ~ bij* there is no danger; *daar is geen ~ voor* no danger (no fear) of that; *~ voor brand* danger of fire; *een ~ voor de vrede* a danger to peace; *~ lopen om...* run the risk of ...ing; • *buiten ~* out of danger [of a patient &]; *in ~ brengen* endanger, imperil; (v. reputatie) compromise, jeopardize; *in ~ verkeren* be in danger (peril); *op ~ af van u te beledigen* at the risk of offending you; *zonder ~* without danger, without (any) risk; **ge'vaarlijk** dangerous, perilous, risky, hazardous; *het ~e ervan* the danger of it; *~e zone* danger zone (area); **–heid** *v* dangerousness &
ge'vaarte (-n en -s) *o* colossus, monster, leviathan
ge'vaarvol perilous, hazardous

ge'val (-len) *o* 1 case; 2 **J** affair; *het ~ zijn* be the case; *een gek ~* a queer business (situation), a strange affair; *een lastig ~* an awkward case; *bij ~* by any chance, possibly; *dat is met hem ook het ~* that's the same with him, he is in the same position; • *in ~ van* in case of [need], in the event of [war]; *in negen van de tien ~len* in nine cases out of ten; *in elk ~* in any case, at all events; at any rate, anyhow; *in het ergste ~* if the worst comes to the worst; *in het gunstigste ~* at (the) best; *in geen ~* in no case, not on any account, on no account; *in uw ~ zou ik...* if it were my case I should...; *van ~ tot ~* individually; *voor het ~ dat...* in case... [you should...]; *wat wou nu het ~* it so turned out that..., it happened that...

ge'vallen (geviel, is gevallen) *vi* happen; *zich laten ~* put up with

ge'vangen captive; zie *geven* **II**; **ge'vangenbewaarder** (-s) *m* warder, jailer, turnkey; **ge'vangene** (-n) *m-v* prisoner, captive; **ge'vangenenkamp** (-en) = *gevangenkamp*; **ge'vangenhouden**[1] *vt* detain, keep in prison (in custody); **–ding** *v* detention; **ge'vangenis** (-sen) *v* 1 (gebouw) prison, jail, gaol; **S** nick, quod; 2 (straf) imprisonment, goal; *de ~ ingaan* be sent to prison; **–kleren** *mv* prison clothes; **–kost** *m* prison food; **–straf** (-fen) *v* imprisonment; *tot ~ veroordelen* sentence to prison; **–wezen** *o* prison system; **ge'vangenkamp** (-en) *o* prison camp, prisoners' camp; **ge'vangennemen**[1] *vt* 1 ⚖ arrest, apprehend, capture; 2 ⚔ take prisoner, take captive; **–ming** (-en) *v* arrest, apprehension, capture; **ge'vangenschap** *v* (inz. krijgs~) captivity; (als straf) imprisonment; **–wagen** (-s) *m* prison van; **F** black Maria; **ge'vangenzetten**[1] *vt* put in prison, imprison; **–ting** (-en) *v* imprisonment; **ge'vangenzitten**[1] *vi* be in prison (in jail); **ge'vankelijk** *~ wegvoeren* 1 ⚖ take away in custody; 2 ⚔ march off under guard

ge'varendriehoek (-en) *m* red warning (advance danger) triangle; **–zone** [-zɔnə] *v* danger zone (area)

ge'vat quick-witted [debater]; witty [answer], clever, smart [retort]; **–heid** (-heden) *v* quickwittedness, ready wit, quickness at repartee, smartness

ge'vecht (-en) *o* ⚔ fight, combat, battle, action, engagement; *de ~en duren nog voort* ⚔ the fighting still goes on; *buiten ~ stellen* ⚔ put out of action, disable; **ge'vechtsklaar** combat-ready, clear for action; **–linie** (-s) *v* line of battle

ge'vederd feathered; **ge'vederte** *o* feathers, feathering

ge'veins *o* dissembling, dissimulation; **ge'veinsd** feigned, simulated, hypocritical; **–heid** *v* dissembling, dissimulation, hypocrisy

'gevel (-s) *m* front, façade; **–breedte** (-n en -s) *v* frontage; **–dak** (-daken) *o* gabled roof; **–spits** (-en) *v*, **–top** (-pen) *m* gable; **–toerist** (-en) *m* cat burglar

'geven* I *vt* give [money, a cry]; make a present of [it], present with [a thing]; afford, yield, produce; give out [heat]; ◊ deal [the cards]; *mag ik u wat kip ~?* may I help you to some chicken?; *geef mij nog een kopje* let me have another cup; *geef mij maar Amsterdam* commend me to Amsterdam; *dat zal wel niets ~* it will be of no avail, it will be no use (no good); *het geeft 50%* it yields 50 per cent.; *rente (interest) ~* bear interest; *welk stuk wordt er gegeven?* what is on (to-night)?; *een toneelstuk ~* produce (put on) a play; *ik gaf hem veertig jaar* I took him to be forty, I put him down at forty; *het geeft je wat of je al...* it is no use telling him (to tell him); *wat geeft het?* (helpen) what's the use (the good)?; (hinderen) what does it matter?; (wat zou dat) what of that?; *wat moet dat ~?* what will be the end of it?; zie ook: *brui, cadeau, gewonnen, les, rekenschap, vuur* &; *God geve dat het niet gebeurt* God grant that it does not happen; *gave God dat ik hem nooit gezien had!* would to God I had never seen him; • *het roken eraan ~* give up smoking; *er een andere uitleg aan ~* put a different construction (up)on it; *niets ~ om* not care for; *veel ~ om* care much for; *weinig ~ om* care little for [jewels]; not mind [privations], make little of [pains]; **II** *vr zich ~ zoals men is* give oneself in one's true character; *zich gevangen ~* give oneself up [to justice], surrender; zie ook: *gewonnen*; **III** *vi* & *va* 1 give; 2 ◊ deal; *~ en nemen* give and take; *u moet ~* ◊ it is your deal, the deal is with you; *er is verkeerd gegeven* ◊ there was a misdeal; *geef hem ervan langs!* let him have it!; *te denken ~* give food for thought; **–er** (-s) *m* giver, donor; ◊ dealer

ge'vest (-en) *o* hilt

ge'vestigd fixed [opinion]; *~e belangen* vested interests; *zijn ~e reputatie* his (old-, well-)established reputation

ge'vierd famous; zie ook: *vieren*

ge'vind 1 🐟 finned, finny; 2 ✿ pinnate

[1] V.T. en V.D. van dit werkwoord volgens het model: **ge'vangen**zetten, V.T. zette **ge'vangen**, V.D. **ge'vangen**gezet. Zie voor de vormen onder het grondwoord, in dit voorbeeld: *zetten*. Bij sterke en onregelmatige werkwoorden wordt u verwezen naar de lijst achterin.

ge'vingerd fingered, ♣ & ♣ digitate
ge'vit *o* fault-finding, cavilling
ge'vlamd flamed [tulips]; watered [silk]
ge'vlei *o* flattering &, zie *vleien*
ge'vlekt spotted, stained; piebald [horse]
ge'vleugeld winged[2]; *~e woorden* winged words, well-known sayings
ge'vlij *o bij iem. in het ~ zien te komen* make up to sbd., try to ingratiate oneself with sbd.
ge'vlochten V.D. v. *vlechten*
ge'vloden V.D. v. *vlieden*
ge'vloek *o* cursing, swearing
ge'vlogen V.D. v. *vliegen*
ge'vloten V.D. v. *vlieten*
ge'vochten V.D. v. *vechten*
ge'voeg *o zijn ~ doen* relieve nature
ge'voeglijk decently; *wij kunnen nu ~...* we may as well...; **-heid** *v* decency, propriety
ge'voel (-ens) *o* 1 (a l s a a n d o e n i n g) feeling, sensation, sentiment, sense; feel; 2 (a l s z i n) feeling, touch; *het ~ hebben dat...* have the feeling that...; *het ~ voor...* the sense of...; *m e t ~* with expression, with much feeling; *o p het ~* by the feel; [read] by touch; *zacht op het ~* soft to the feel (touch); **ge'voelen**[1] **I** *vt* = *voelen*; **II** (-s) *o* feeling; opinion; *edele ~s* noble sentiments; *n a a r mijn ~* in my opinion; *wij verschillen v a n ~* we are of a different opinion [about this], we differ; **ge'voelig I** *aj* 1 (v e e l g e v o e l h e b - b e n d) feeling, susceptible, impressionable, sensitive [people]; 2 (l i c h t g e r a a k t) touchy; 3 (p i j n l i j k) tender [feet]; 4 (h a r d) smart [blow]; severe [cold &]; 5 (i n d e f o t o - g r a f i e) sensitive [plates]; *een ~e nederlaag* a heavy defeat; *~e plek* tender spot; *fig* sore point; *~ o p het punt van eer* sensitive about honour; *~ v o o r* sensitive to [kindness]; *~ zijn voor* ook: appreciate [sbd.'s kindness]; *~ maken* sensitize [a plate &]. Zie ook: *snaar*; **II** *ad* feelingly; **-heid** (-heden) *v* sensitiveness; tenderness; *gevoeligheden kwetsen* wound (offend) susceptibilities; **ge'voelloos** unfeeling; insensible [to emotion]; numb [foot, arm]; *~ maken* anaesthetize; **-heid** *v* unfeelingness; insensibility; **ge'voelsleven** *o* emotional-life, inner life; **-mens** (-en) *m* emotional person; **-waarde** *v* emotional value; **-zenûw** (-en) *v* sensory nerve; **-zin** *m* sense of touch (feeling); **ge'voelvol** feeling
ge'vogelte *o* birds, fowl(s), poultry
ge'volg (-en) *o* 1 (p e r s o n e n) followers, suite, train, retinue; 2 (u i t o o r z a a k) consequence, result; effect [of the wars on the nations]; *geen nadelige ~en ondervinden van* be none the worse for; *de ~en zijn voor hem* he must take the consequences; ● *~ geven a a n een opdracht* carry an order into effect; *~ geven aan een verzoek* grant a request; *~ geven aan een wens* comply with a wish, carry out (fulfil) a wish; *m e t goed ~* with success, successfully; *t e n ~e hebben* cause [sbd.'s death &], result in [a big profit], bring on; *ten ~e van* in consequence of, as a result of, owing to; *z o n d e r ~* without success, unsuccessful(ly); **-aanduidend** *gram* consecutive; **-lijk** consequently; **-trekking** (-en) *v* conclusion, deduction, inference; *een ~ maken* draw a conclusion (from *uit*)
ge'volmachtigde (-n) *m* plenipotentiary [of a country]; proxy [in business]
ge'vonden V.D. v. *vinden*
ge'vorderd advanced, late; *op ~e leeftijd* at an advanced age; *op een ~ uur* at a late hour
ge'vorkt forked, furcated
ge'vraag *o* asking, inquiring, questioning; **-d** asked, requested, $ in request (demand)
ge'vreeën F V.D. v. *vrijen*
ge'vreesd dreaded
ge'vroren V.D. v. *vriezen*
ge'vuld well-lined [purse]; full, plump [figure]
ge'waad (-waden) *o* garment, dress, garb, attire
ge'waagd hazardous, risky; risqué [joke]; *aan elkaar ~ zijn* be well-matched
ge'waand supposed, pretended, feigned
gewaar'deerd valued [friends, help]
ge'waarmerkt certified, attested, authenticated
ge'waarworden (werd ge'waar, is ge'waargeworden) *vt* become aware of, perceive, notice; find out, discover; **-ding** (-en) *v* 1 (a a n - d o e n i n g) sensation; 2 (v e r m o g e n) perception
ge'wag *~ maken van* = *gewagen*; **ge'wagen** (gewaagde, h. gewaagd) *vi ~ van* mention, make mention of
ge'wapend armed [soldiers, peace, eye]; *~ beton* reinforced concrete; *~ glas* wired glass; **-erhand** by force of arms
ge'wapper *o* fluttering
ge'warrel *o* whirl(ing)
ge'was (-sen) *o* 1 growth, crop(s), harvest; 2 plant
gewat'teerd quilted, wadded [quilt]
ge'wauwel *o* twaddle, drivel, **F** (tommy-)rot
ge'weeklaag *o* lamentation(s)
ge'ween *o* weeping, crying
ge'weer (-weren) *o* gun, rifle, ✎ musket; *i n het ~ komen* 1 ⚔ turn out [of the guard]; stand to [of a company in the field]; 2 *fig* be up in arms (against *tegen*); *het ~ presenteren* present arms; *o v e r... ~!* ⚔ slope... arms!; **-fabriek** (-en) *v* small-arms factory; **-kogel** (-s) *m* (rifle) bullet; **-kolf** (-kolven) *v* rifle butt; **-loop** (-lopen) *m* (gun-)barrel; **-maker** (-s) *m* gunsmith, gunmaker; **-rek** (-ken) *o* arm-rack; **-riem**

(-en) *m* rifle-sling; **–schot** (-schoten) *o* gunshot, rifleshot; **–vuur** *o* rifle-fire, musketry, fusillade

ge'weest V.D. v. *wezen* en v. *zijn*

ge'wei (-en) *o* (h o r e n s) horns, antlers [of a deer]

ge'wei(de) 1 (i n g e w a n d e n) bowels, entrails; 2 (u i t w e r p s e l e n) droppings

ge'weifel *o* hesitation, wavering

ge'weken V.D. v. *wijken*

ge'weld *o* 1 (main) force, violence; 2 noise; ~ *aandoen* do violence to[2], *fig* strain, stretch [the truth &]; *zich zelf* ~ *aandoen* do violence to one's nature (one's feelings); *zich* ~ *aandoen om (niet) te...* make an effort (not) to...; ~ *gebruiken* use force, use violence; *met* ~ by (main) force, by violence; *hij wou er met alle* ~ *heen* he wanted to go by all means, at any cost; *hij wou met alle* ~ *voor ons betalen* he insisted on paying for us; *fysiek* ~ [*fig*] the mailed fist; **–daad** (-daden) *v* act of violence; *tot gewelddaden overgaan* offer violence; **geweld'dadig** violent, forcible; **–heid** (-heden) *v* violence; **ge'weldenaar** (-s en -naren) *m* tyrant, oppressor; **ge'weldig I** *aj* (h e v i g) violent; (m a c h t i g) powerful, mighty, enormous, < terrible; *ze zijn* ~*!* **F** they are wonderful (marvellous, terrific, fabulous, super)!; **II** *ad* < dreadfully, terribly, awfully; **ge'weldloosheid** *v* non-violence; **–pleging** (-en) *v* violence

ge'welf (-welven) *o* vault, arched roof, dome, archway; **–d** vaulted, arched, domed

ge'wemel *o* swarming &, zie *wemelen*

ge'wend accustomed; ~ *aan* accustomed to, used to; ~ *zijn om...* be in the habit of ...ing; *ben je hier al* ~*?* do you feel at home here?; *hij is niet veel* ~ he is not used to better things; *jong* ~*, oud gedaan* as the twig is bent the tree is inclined

ge'wennen (gewende, *vt* h., *vi* is gewend) *vt* & *vi* = *wennen*; zie ook *gewend*; **–ning** *v* habituation, habit-formation

ge'wenst wished(-for), desired; desirable

ge'werveld vertebrate

ge'west (-en) *o* region, province; *betere* ~*en* better lands, the fields of heavenly bliss; **–elijk** regional, provincial; **–vorming** (-en) *v* regionalization

1 ge'weten (-s) *o* conscience; *een rekbaar, ruim* ~ *hebben* have an elastic conscience; *d o o r zijn* ~ *gekweld* conscience smitten (stricken); *het m e t zijn* ~ *overeenbrengen* reconcile it to one's conscience; *iets op zijn* ~ *hebben* have something on one's conscience; *heel wat op zijn* ~ *hebben* have a lot to answer for; *z o n d e r* ~ = *gewetenloos* **I**

2 ge'weten V.D. v. *weten* en v. *wijten*

ge'wetenloos I *aj* unscrupulous, unprincipled; **II** *ad* unscrupulously; **geweten'loosheid** *v* unscrupulousness, unprincipledness; **ge'wetensbezwaar** (-zwaren) *o* (conscientious) scruple, conscientious objection; **–bezwaarde** (-n) *m* conscientious objector, **F** conchie, conchy, C. O.; **–dwang** *m* moral constraint; **–geld** (-en) *o* conscience money; **–vraag** (-vragen) *v* question of conscience; **–vrijheid** *v* freedom of conscience; **–wroeging** (-en) *v* sting (pangs, qualms, twinges) of conscience, compunction(s); **–zaak** (-zaken) *v* matter of conscience; *van iets een* ~ *maken* make sth. a matter of conscience

ge'wettigd justified, legitimate

ge'weven woven, textile [fabrics]

1 ge'wezen late, former, ex-

2 ge'wezen V.D. v. *wijzen*

ge'wicht (-en) *o* weight[2], *fig* importance; *dood (eigen)* ~ dead weight; *soortelijk* ~ specific gravity; *(geen)* ~ *hechten aan* attach (no) importance to; ~ *in de schaal leggen* carry weight; *zijn* ~ *in de schaal werpen* throw the weight of one's (his) influence into the scale; • *b ij het* ~ *verkopen* sell by weight; *een man v a n* ~ a man of weight (consequence); *een zaak van groot* ~ a matter of weight (moment, importance); *van het grootste* ~ all-important; **–heffen** *o* weightlifting; **–heffer** (-s) *m* (weight-)lifter; **ge'wichtig** important, weighty, momentous, of weight; ~ *doen* assume consequential airs; ~ *doend* consequential, pompous, self-important; **gewichtigdoene'rij** (-en) *v* pomposity; (v. a m b t e n a r e n) bumbledom; **ge'wichtigheid** *v* importance, weightiness; **ge'wichtloosheid** *v* weightlessness; **ge'wichtseenheid** (-heden) *v* unit of weight; **–verlies** *o* loss of weight

ge'wiekst knowing, sharp, **F** deep; **–heid** *v* knowingness &

ge'wiekt winged

ge'wijd consecrated [Host], sacred [music &]

ge'wijsde (-n) *o* ⚖ final judgment; *in kracht van* ~ *gaan* ⚖ become final

ge'wild 1 in demand, in favour, much sought after, popular; 2 studied [= affected], would-be

ge'willig willing; **–heid** *v* willingness

ge'win *o* gain, profit; *vuil* ~ filthy lucre; **–zucht** *v* = *winzucht*

ge'wis certain, sure; **–heid** *v* certainty, certitude

ge'woel *o* stir, bustle, turmoil

ge'wogen V.D. v. *wegen*

ge'wonde (-n) *m-v* wounded person; *de* ~*n* the wounded

ge'wonden V.D. v. *winden*

ge'wonnen V.D. v. *winnen*; *zo* ~ *zo geronnen*

light(ly) come, light(ly) go; *het ~ geven* give it up, give up the point; *zich ~ geven* yield the point [in an argument]; own defeat, throw up the sponge; zie ook: *spel*

ge'woon I *aj* 1 (gewend) accustomed, used to; customary, usual, wonted; 2 (niet buitengewoon) common [people, cold]; ordinary [people, shares, members]; plain [people]; [professor] in ordinary; *de gewone man* the man in the street; *het is heel ~* it is quite common, nothing out of the common; *~ raken aan* get accustomed (used) to; *~ zijn aan* be accustomed (used) to...; *~ zijn om...* be in the habit of ...ing; *hij was ~ om...* ook: he used to...; **II** *ad* commonly; **F** simply, just; [everything is going on] as usual; *het was ~ verrukkelijk* **F** it was simply ravishing; *het is ~ niet waar* **F** it is just not true; **-heid** *v* commonness; **-lijk** usually, as a rule, normally, mostly, generally, ordinarily; *als ~* as usual

ge'woonte (-n en -s) *v* 1 (gebruik) custom, use, usage; 2 (aanwensel) habit, wont; 3 (aangewende handelwijze) practice; *zijn ~s* his ways; *ouder ~* as usual, from old habit; *dat is een ~ van hem* that is a custom with him, a habit of his; *een ~ aannemen* contract a habit; *die ~ afleggen* get out of that habit; • *zoals de ~ is, als naar ~, volgens ~* as usual, according to custom; *tegen zijn ~* contrary to his wont; *tot een ~ vervallen* fall into a habit; *alleen uit ~* from (sheer force of) habit; *~ is een tweede natuur* use is a second nature; **-misdadiger** (-s) *m* habitual criminal; **-recht** *o* common law

ge'woonweg F simply, just

ge'worden (gewerd, is geworden) come to hand; *het is mij ~* it has come to hand; *ik zal het u doen (laten) ~* I'll let you have it; *iem. laten ~* let sbd. have his way

ge'worpen V.D. v. *werpen*

ge'worven V.D. v. *werven*

ge'woven F V.D. v. *wuiven*

ge'wreven V.D. v. *wrijven*

ge'wricht (-en) *o* joint, articulation; **ge'wrichtsontsteking** (-en) *v* arthritis; **-reumatiek** *v* rheumatoid arthritis

ge'wrocht (-en) *o* work, masterpiece, creation

ge'wroet *o* rooting &; *fig* insidious agitation, intrigues

ge'wroken V.D. v. *wreken*

ge'wrongen V.D. v. *wringen*; distorted

ge'wurm *o* toiling and moiling

Gez. = *Gezusters*

ge'zaag *o* sawing; *fig* scraping [on a violin]

ge'zag *o* authority; *~ hebben over, het ~ voeren over* command; *op eigen ~* on one's own authority; **-drager** (-s) *m* authority; **-hebbend** authoritative; **-hebber** (-s) *m* director, administrator; **ge'zagscrisis** [-zɪs] (-ses en -sissen) *v* crisis of authority; **-getrouw** law-abiding; **ge'zagvoerder** (-s) *m* ⚓ master, captain; ✈ chief pilot, captain

ge'zakt 1 (in zakken gedaan) bagged; 2 ✈ **F** plucked; zie ook: *gepakt*

ge'zalfde (-n) *m* [the Lord's] anointed

ge'zamenlijk I *aj* joint [owners, account]; collective [interests, action]; aggregate, total [amount]; complete [works of Scott &]; **II** *ad* jointly, together

ge'zang (-en) *o* 1 (het zingen) singing; warbling [of birds]; 2 (het te zingen of gezongen lied) song; 3 (kerkgezang) hymn; **-boek** (-en) *o* hymn-book

ge'zanik *o* bother, botheration

ge'zant (-en) *m* 1 minister; 2 (ambassadeur, afgezant) ambassador, envoy; *pauselijk ~* (papal) nuncio; **-schap** (-pen) *o* embassy, legation

ge'zapig indolent, easy-going, languid

ge'zegd above-said, above-mentioned; **-e** (-n en -s) *o* 1 saying, expression, phrase, dictum, (opmerking) statement; 2 *gram* predicate

ge'zegeld 1 sealed [envelope]; 2 stamped [paper]

ge'zegen V.D. v. *zijgen*

ge'zegend blessed; *~ met...* ook: happy in the possession of...

ge'zeggen *vt zich laten ~* listen to reason; obey

ge'zeglijk biddable, docile, amenable; **-heid** *v* docility

ge'zeken V.D. v. *zeiken*

ge'zel (-len) *m* 1 mate, companion, fellow; 2 workman, journeyman [baker &]

ge'zellig 1 (v. persoon) companionable, sociable, convivial; 2 (v. vertrek &) snug, cosy; 3 (gezellig levend) social, gregarious [animals]; *~e bijeenkomst* social meeting; *een ~e boel* a pleasant affair; **ge'zelligheid** *v* companionableness, sociability, conviviality; snugness, cosiness; *voor de ~* for company; **-svereniging** (-en) *v* social club, students' society

gezel'lin (-nen) *v* companion, mate

ge'zelschap (-pen) *o* company°, society; *ons (het Koninklijk &) ~* our (the royal &) party; *besloten ~* private party, club; *iem. ~ houden* bear, keep sbd. company; • *in ~ van* in (the) company of, in company with, accompanied by; *wil jij van het ~ zijn?* will you be of the party?; *hij is zijn ~ waard* he is good company; **ge'zelschapsbiljet** (-ten) *o* party ticket; **-dame** (-s) *v* (lady-)companion; **-reis** (-reizen) *v* conducted party tour; **-spel** (-spelen) *o* round game

ge'zet 1 set [hours]; 2 corpulent, thickset, stout, stocky
ge'zeten V.D. v. *zitten*; ~ *burger* substantial citizen
ge'zetheid *v* corpulence, stoutness, stockiness
ge'zeur *o* (moeilijkheid) bother; (gezanik) drivel, twaddle
'gezicht (-en) *o* 1 (vermogen) (eye)sight; 2 (aangezicht) face; **S** mug; 3 (uitdrukking) looks, countenance; 4 (het geziene) view, sight; 5 (visioen) vision; *~en trekken* pull (make) faces (at *tegen*); *een vrolijk (treurig) ~ zetten* put on a cheerful (sad) face; ● *bij (op) het ~ van...* at sight of; *in het ~ van de kust* in sight of the coast; *in het ~ komen* heave in sight; *in het ~ krijgen* catch sight of, sight; *hem in het ~ uitlachen* laugh in his face; *hem in zijn ~ zeggen* tell him to his face; *op het eerste ~* at first sight; *zo op het eerste ~ is het...* on the face of it, it is...; *iem. op zijn ~ geven* tan sbd.'s hide; *uit het ~ verdwijnen* disappear, vanish (from sight); *uit het ~ verliezen* lose sight of; *uit het ~ zijn* be out of sight; *hem van ~ kennen* know him by sight; *scherp van ~* sharp-sighted; *(ergens) even je ~ laten zien* **F** show the flag; **ge'zichtsbedrog** *o* optical illusion; **–einder** *m* horizon; **–hoek** (-en) *m* optic (visual) angle; **–kring** (-en) *m* horizon, ken; **–orgaan** (-organen) *o* organ of sight; **–punt** (-en) *o* point of view, viewpoint; sight; **–scherpte** *v* visual acuity; **–veld** (-en) *o* field of vision; **–verlies** *o* loss of (eye) sight; *fig* loss of face; **–vermogen** *o* visual faculty, visual power; *zijn ~* his eyesight; **–zenuw** (-en) *v* optic nerve
ge'zien esteemed, respected; *hij is daar niet ~* he is not liked (not popular) there; *~...* in view of... [the danger &]; *mij niet ~!* **F** nothing doing!
ge'zin (-nen) *o* family, household; *het grote ~* the large family
ge'zind inclined, disposed; ...-minded; *iem. goed (slecht) ~ zijn* be kindly (unfriendly) disposed towards sbd.; **–heid** (-heden) *v* 1 inclination, disposition; 2 persuasion; **ge'zindte** (-n) *v* persuasion, sect
ge'zinshelpster (-s) *v* home help; **–hoofd** (-en) *o* 1 head of the family; 2 householder; **–hulp** (-en) *v* home help; **–leven** *o* family life; **–planning** [-plɛn-] *v* family planning; **–verzorgster** (-s) *v* trained mother's help; **–voogd** (-en) *m* family guardian
ge'zocht V.D. v. *zoeken*; 1 in demand, in request, sought after [articles, wares]; 2 (niet natuurlijk) studied, affected; 3 (vergezocht) far-fetched
ge'zoden V.D. v. *zieden*
ge'zoek *o* seeking, search
ge'zoem *o* buzz(ing), hum(ming)
ge'zoen *o* kissing
ge'zogen V.D. v. *zuigen*
ge'zond I *aj* healthy² [life, man &]; wholesome² [food]; sound² [body, mind, policy &]; *fig* sane [judgment, views]; [alléén predikatief] [a man] in good health; *uw ~ verstand* your common sense; *de zaak is ~* it's all right, the business is safe; *~ en wel* fit and well, safe and sound; *zo ~ als een vis* as fit as a fiddle; *~ naar ziel en lichaam* sound in body and mind; *~ van lijf en leden* sound in life and limb; *~ bidden* heal by prayer; *~ blijven* keep fit; *~ maken* restore to health, cure; *weer ~ worden* recover (one's health); **II** *ad* [live] healthily; [reason] soundly²; **–bidden** *o* faith-healing; **–bidder** (-s) *m* faith-healer
ge'zonden V.D. v. *zenden*
ge'zondheid *v* health; healthiness &; *fig* soundness; *~ is de grootste schat* health is better than wealth; *op iems. ~ drinken* drink sbd.'s health; *op uw ~!* your health! *voor zijn ~* for health; **ge'zondheidsattest** (-en) *o* health certificate; **–commissie** (-s) *v* 1 Board of Health, Health Committee; 2 Medical Board; **–dienst** *m* public health service, health department; **–leer** *v* hygiene; **–maatregel** (-en en -s) *m* sanitary measure; **–onderzoek** (-en) *o algemeen ~* check-up, medical (examination); **–redenen** *mv* considerations of health; *om ~* 1 for reasons of health; 2 on the ground of ill health; **–toestand** (-en) *m* (state of) health; *de ~ der ... is uitstekend* the... are in excellent health
ge'zongen V.D. v. *zingen*
ge'zonken V.D. v. *zinken*
ge'zonnen V.D. v. *zinnen*
ge'zopen V.D. v. *zuipen*
ge'zouten salt° [food]; [predikatief] salted
ge'zucht *o* sighing, sighs
ge'zusters *mv* sisters; *de ~ D.* the D. sisters
ge'zwam *o* jaw, blah; **S** tosh
ge'zwegen V.D. v. *zwijgen*
ge'zwel (-len) *o* swelling, growth, tumour
ge'zwendel *o* swindling
ge'zwets *o* vapourings, wind, **F** gas
ge'zwind swift, quick; *met ~e pas* at the double
ge'zwoeg *o* drudgery, toiling
ge'zwolgen V.D. v. *zwelgen*
ge'zwollen V.D. v. *zwellen*; *fig* stilted [style, tone] ; bombastic [speech], turgid [language]; **–heid** (-heden) *v* swollen state; *fig* turgidity [of style]
ge'zwommen V.D. v. *zwemmen*
ge'zworen V.D. v. *zweren*; sworn [friends, enemies]; *een ~e* a juror, a juryman; *de ~en* the jury

ge'zworven V.D. v. *zwerven*
G.G. (& G.) D. = *Gemeentelijke Geneeskundige en Gezondheidsdienst* ± Municipal Public Health Department
'Ghana *o* Ghana; **Gha'nees** Ghanaian
gids (-en) *m* guide², (b o e k) ook: guide-book, handbook; *Gids voor Londen* Guide to London
'giechelen (giechelde, h. gegiecheld) *vi* giggle, titter
giek (-en) *m* ⚓ gig
1 gier (-en) *m* 🐦 vulture
2 gier *v* (m e s t) liquid manure
'gierbrug (-gen) *v* flying-bridge
1 'gieren (gierde, h. gegierd) *vi* scream; (v. w i n d) howl; ~ *van het lachen* (*de pret*) scream (shriek) with laughter, delight; *het was om te* ~ **F** it was screamingly funny
2 'gieren (gierde, h. gegierd) *vi* ⚓ jaw, sheer
'gierig I *aj* miserly, niggardly, stingy, avaricious, close-fisted; **II** *ad* stingily, avariciously; **–aard** (-s) *m* miser, niggard, skinflint; **–heid** *v* avarice, miserliness, stinginess
'gierpont (-en) *v* flying-bridge
gierst *v* millet
'giervalk (-en) *m* & *v* gyrfalcon; **–zwaluw** (-en) *v* swift
'gietbeton *o* poured concrete; **–bui** (-en) *v* downpour; **'gieten* I** *vt* 1 pour [water]; 2 found [guns], cast [metals &], mould [candles &]; **II** *vi* (*het regent dat*) *het giet* it is pouring, it is raining cats and dogs; **'gieter** (-s) *m* 1 watering-can, watering-pot; 2 founder, caster [of metals]; **giete'rij** (-en) *v* foundry; **'gietijzer** *o* cast iron; **–staal** *o* cast steel; **–stuk** (-ken) *o* casting; **–vorm** (-en) *m* casting-mould; **–werk** (-en) *o* cast work
gif (-fen) *o* = 1 *gift*; **–beker** (-s) *m* = *giftbeker*; **–blaas** (-blazen) *v* = *giftblaas*; **–gas** (-sen) *o* = *giftgas;* **–kikker** (-s) *m* crosspatch, hothead; **–klier** (-en) *v* = *giftklier*; **–menger** (-s) *m*, **–mengster** (-s) *v* = *giftmenger, -mengster*; **–plant** (-en) *v* = *giftplant*; **–slang** (-en) *v* = *giftslang*; **1 gift** (-en) *o* 1 (i n 't a l g.) poison²; 2 (v. d i e r) venom²; 3 (v. z i e k t e) virus²
2 gift (-en) *v* (g e s c h e n k) gift, present, donation, gratuity
'giftand (-en) *m* = *gifttand*; **'giftbeker** (-s) *m* poisoned cup; **–blaas** (-blazen) *v* venom bag; **–gas** (-sen) *o* poison-gas; **'giftig** 1 poisonous, venomous²; *fig* virulent; 2 **S** waxy [= angry]; **–heid** *v* 1 poisonousness, venomousness²; *fig* virulence; 2 (b o o s h e i d) anger; **'giftklier** (-en) *v* poison-gland, venom gland; **–menger** (-s) *m*, **–mengster** (-s) *v* poisoner; **–plant** (-en) *v* poisonous plant; **–slang** (-en) *v* poisonous snake; **–tand** (-en) *m* poison-fang; **gif(t)vrij** non-poisonous

gi'gant (-en) *m* giant; **–isch** giant, gigantic
'gigolo ['dʒi.go.-] ('s) *m* gigolo, **S** lounge lizard
gij you, ⊙ ye; ⊙ [a l l é é n e n k e l v.] thou; **gij'lieden** you, **F** you fellows, you people
'gijpen (gijpte, h. gegijpt) *vi* ⚓ gybe, jibe
'gijzelaar (-s) *m* 1 hostage; 2 prisoner for debt; **'gijzelen** (gijzelde, h. gegijzeld) *vt* 1 seize and keep as hostage(s); 2 imprison for debt; **–ling** (-en) *v* 1 seizure and keeping as hostage(s); 2 imprisonment for debt
gil (-len) *m* yell, shriek, scream
gild (-en) *o*, **'gilde** (-n) *o* & *v* 🕮 guild, corporation, craft; **'gildebroeder** (-s) *m* 🕮 freeman of a guild; **–huis** (-huizen) *o* 🕮 guildhall
'gillen (gilde, h. gegild) *vi* yell, shriek, scream; *het was om te* ~ **F** it was a scream; **–er** (-s) *m* **F** scream, howler
'ginder over there, yonder
ginds I *aj* yonder, ⊙ yon; ~*e boom* the tree over there; *aan* ~*e kant* on the other side, over the way, over there; **II** *ad* over there
ging (gingen) V.T. v. *gaan*
'ginnegappen (ginnegapte, h. geginnegapt) *vi* giggle, snigger
gips (-en) *o* 1 (m e n g s e l) plaster (of Paris); 2 (m i n e r a a l) gypsum; *in het* ~ *liggen* lie in plaster; **–afgietsel** (-s) *o* plaster cast; **–beeld** (-en) *o* plaster image, plaster figure; **1 'gipsen** *aj* plaster; **2 'gipsen** (gipste, h. gegipst) *vt* plaster; **'gipsmodel** (-len) *o* plaster cast; **–verband** (-en) *o* plaster of Paris dressing; **–vorm** (-en) *m* plaster mould
gi'raal ~ *geld* deposit money, money in account
gi'raf(fe) [ʒi:'rɑf(ə)] (-fen en -fes) giraffe
gi'reren (gireerde, h. gegireerd) *vt* $ transfer; ✆ pay through (by) giro; **'giro** *m* $ 1 clearing; 2 *de* ~(*dienst*) ✆ giro; **–bank** (-en) *v* $ clearing-bank; **–betaalkaart** (-en) *v* giro cheque; **–dienst** (-en) *m* = *giro* 2; **–kaart** (-en) *v* giro transfer card; **–nummer** (-s) *o* transfer account number, giro number; **–rekening** (-en) *v* $ transfer account, giro account
gis *v* guess, conjecture; *op de* ~ at random
'gispen (gispte, h. gegispt) *vt* blame, censure; **–ping** (-en) *v* blame, censure
'gissen (giste, h. gegist) **I** *vt* guess, conjecture, surmise; **II** *vi* guess; ~ *naar iets* guess at sth.; **–sing** (-en) *v* guess, conjecture; estimation; *het is maar een* ~ it is mere guesswork; *naar* ~ at a rough guess (estimate)
gist *m* yeast, barm; **'gisten** (gistte, h. gegist) *vi* ferment², work; *het had al lang gegist* things had been in a ferment for a long time already
'gisteren yesterday; *hij is niet van* ~ he was not born yesterday, there are no flies on him, he knows a thing or two; *de Times van* ~ yesterday's (issue of the) Times; *gister(en)avond*

last night, yesterday evening; *gister(en)morgen* yesterday morning
'gisting (-en) *v* working, fermentation², ferment² [ook = agitation, excitement]; *in ~ verkeren* be in a ferment²
git (-ten) *o* & *v* jet
gi'taar (-taren) *v* guitar; **gita'rist** (-en) *m* guitarist
'gitten *aj* (made of) jet; **'gitzwart** jet-black
'glaasje (-s) *o* 1 (small) glass; 2 slide [of a microscope]; *hij heeft te diep in het ~ gekeken* he has had a drop too much; *een ~ nemen* have a glass
gla'cé I *aj* kid; **II** (-s) *o* kid (leather); **III** (-s) *m* (handschoen) kid glove; **–handschoen** (-en) *m* = *glacé* **III**
gla'ceren (glaceerde, h. geglaceerd) *vt* glaze [tiles]; ice, frost [pastry, cakes]
glad I *aj eig* slippery [roads, ground]; sleek [hair]; *eig* & *fig* smooth [surface, chin, skin, style, verse &]; glib [tongue]; *fig* cunning, cute, clever [fellow]; *een ~de ring* a plain ring; *dat is nogal ~* **F** that goes without saying; **II** *ad* smooth(ly); *~ lopen* run smooth(ly); *je hebt het ~ mis* you are quite wrong; *dat zal je niet ~ zitten* you're not going to get away with that; *ik ben het ~ vergeten* I have clean forgotten it; *dat was ~ verkeerd* that was quite wrong
'gladakker (-s) *m* 1 ♘ pariah dog; 2 *fig* (schurk) rascal, scamp; 3 (slimmerd) **F** sly dog, slyboots
'gladgeschoren clean-shaven; **–harig** sleek-haired, smooth-haired; **–heid** *v* smoothness², slipperiness
gladi'ator (-s en -'toren) *m* gladiator
gladi'ool (-iolen) *v* gladiolus [*mv* gladioli]
'gladjanus (-sen) *m* **F** sly dog, slyboots; **'gladmaken** (maakte 'glad, h. 'gladgemaakt) *vt* smooth, polish; **–schaaf** (-schaven) *v* ⚒ smoothing-plane; **–strijken** (streek 'glad, h. 'gladgestreken) *vt* smooth (out)²; **–weg** clean [forgotten]; [refuse] flatly; **–wrijven** (wreef 'glad, h. 'gladgewreven) *vt* polish
glans (glansen en glanzen) *m* 1 shine [of boots], gloss [of hair], lustre²; *fig* gleam [in his eye]; glory, splendour, brilliancy, glamour; 2 polish; *~ verlenen aan* lend lustre to; *hij is met ~ geslaagd* he has passed with flying colours; **–loos** lustreless [stuff], lacklustre [eyes]; **–papier** *o* glazed (coated) paper; **–periode** (-n en -s) *v* heyday, golden age; **–punt** (-en) *o* acme, height, highlight; **–rijk I** *aj* splendid, glorious, radiant, brilliant; **II** *ad* gloriously, brilliantly; *het ~ afleggen tegen* fail signally; *de vergelijking ~ doorstaan* compare very favourably (with); **'glanzen** (glansde, h. geglansd) **I** *vi* gleam, shine; **II** *vt* gloss [cloth]; glaze [paper]; burnish [steel &]; polish [marble, rice]; brighten [metal]; **–d** gleaming, glossy; **'glanzig** shining, glossy, glittering
glas (glazen) *o* 1 glass; 2 chimney [of a lamp]; *zes glazen* ⚓ six bells; *het ~ heffen* raise one's glass; *zijn eigen glazen ingooien* cut (bite) off one's nose to spite one's face, stand in one's own light, quarrel with one's bread and butter; *onder ~ kweken* grow under glass; **–achtig** glass-like, glassy, vitreous; **–blazen I** (blies 'glas, h. 'glasgeblazen) *vi* blow glass; **II** *o* glass-blowing; **–blazer** (-s) *m* glass-blower; **glas-blaze'rij** (-en) *v* glass-works; **glas'dicht** glazed; **'glasfabriek** (-en) *v* glass-works; **–fiber** [-faibər] *o* & *m* glass fibre; **–handel** (-s) *m* glass-trade; **–hard** hard as nails; *hij weigerde ~* he refused flatly (bluntly); **–helder** clear as glass; *fig* crystal-clear; **glas-in-'lood** leaded (lights); *~ ruitje* quarrel; **'glasoven** (-s) *m* glass-furnace; **–potlood** (-loden) *o* chinagraph pencil; **–ruit** (-en) *v* window-pane; **–scherf** (-scherven) *v* piece of broken glass; **–schilder** (-s) *m* stained-glass artist, glass-painter; **–schilderen** *o* glass-painting; **–slijper** (-s) *m* glass-grinder; **–snijder** (-s) *m* glass-cutter; **–verzekering** (-en) *v* plate-glass insurance; **–vezel** (-s) *v* glass fibre; **–werk** (-en) *o* 1 glass-work, (table) glass-ware, glasses, glass things; 2 glazing [windows &]; **–wol** *v* glass mineral wool; **1 'glazen** *aj* (of) glass, glassy; *~ deur* glass door, glazed door; *een ~ oog* a glass eye; **2 'glazen** meerv. v. *glas*; **glaze'nier** (-s) *m* = *glasschilder*; **'glazenkast** (-en) *v* glazed cabinet, glazed cupboard; **–maker** (-s) *m* 1 (mens) glazier; 2 (insekt) dragon-fly; **–spuit** (-en) *v* window-cleaning syringe; **–wasser** (-s) *m* window-cleaner; **glazen-wasse'rij** (-en) *v* window-cleaning company; **'glazig** glassy; waxy [potato]
gla'zuren (glazuurde, h. geglazuurd) *vt* glaze; **gla'zuur** *o* 1 glaze [of pottery]; 2 enamel [of teeth]
gleed (**gleden**) V.T. v. *glijden*
'gletsjer (-s) *m* glacier
gleuf (gleuven) *v* groove, slot, slit
'glibberen (glibberde, is geglibberd) *vi* slither, slip; **–rig** slithery, slippery
'glijbaan (-banen) *v* slide; **–bank** (-en) *v* sliding-seat [in a gig]; **–bekisting** (-en) *v* formwork; **–boot** (-boten) *m* & *v* hydroplane (motorboat); **'glijden*** *vi* glide [over the water &]; slide [on ice]; slip [over a patch of oil, from one's hands, off the table]; *laten ~* slide [a drawer &]; slip [a coin into sbd.'s hand]; run [one's fingers over, one's eyes along...]; *zich laten ~* slip [off one's horse]; slide [down the banisters]; *door de vingers ~* slip through one's

fingers; *over iets heen* ~ slide over a delicate subject; **'glijvlucht** (-en) *v* glide
'glimlach *m* smile; **'glimlachen** (glimlachte, h. geglimlacht) *vi* smile; ~ *over* (*tegen*) smile at
'glimmen* *vi* 1 shine; glimmer, gleam; 2 glow [under the ashes]; *haar neus glimt* her nose is shiny; **-d** shining, shiny
'glimmer (-s) *o* mica
glimp (-en) *m* glimpse; glimmer [of hope &]; *hij gaf er een* ~ *aan* he varnished it over; *een* ~ *van waarheid* some colour of truth
'glimworm (-en) *m* glow-worm, firefly
'glinsteren (glinsterde, h. geglinsterd) *vi* glitter, sparkle, shimmer, glint; **-ring** (-en) *v* glittering, sparkling, sparkle, shimmering, shimmer, glint
'glippen (glipte, is geglipt) *vi* slip; *er door* ~ slip through
glo'baal I *aj* rough; broad [picture]; **II** *ad* roughly, in the gross
'globe (-s en -n) *v* globe; **-trotter** (-s) *m* globe-trotter
gloed *m* blaze, glow; *fig* ardour, fervour, verve; *in* ~ *geraken* warm up [to one's subject]; **-nieuw** brand-new
'gloeidraad (-draden) *m* ⚒ filament; **'gloeien** (gloeide, h. gegloeid) **I** *vi* 1 (v. metalen) glow, be red-hot (white-hot); 2 (v. wangen &) burn; ~ *van* glow (be aglow) with, burn with, be aflame with; **II** *vt* bring to a red (white) heat; **-d I** *aj* glowing; red-hot [iron]; burning [cheeks]; *fig* ardent; ~*e kolen* hot (live) coals; **II** *ad* ~ *heet* 1 burning hot, baking hot; 2 (v. metalen) red-hot; 3 (v. water) scalding hot; **'gloeihitte** *v* red (white) heat; intense heat; **-kousje** (-s) *o* gas-mantle, incandescent mantle; **-lamp** (-en) *v* glow-lamp, bulb; **-licht** *o* incandescent light
glom (glommen) V.T. v. *glimmen*
'glooien (glooide, h. geglooid) *vi* slope; **-d** sloping; **'glooiing** (-en) *v* slope, escarp
'gloren (gloorde, h. gegloord) *vi* 1 glimmer; 2 dawn; *bij het* ~ *van de dag* at dawn, at peep of day
'glorie *v* glory, lustre, splendour; **-rijk, glori'eus** [glo:ri'ø.s] glorious
glos'sarium (-ria) *o* glossary
glu'cose [s = z] *v* glucose
'gluipen (gluipte, h. gegluipt) *vi* sneak, skulk; **'gluiper(d)** (-s) *m* sneak, skulking fellow; **'gluiperig** sneaking
'glunder genial; **'glunderen** (glunderde, h. geglunderd) *vi* beam (with geniality)
'gluren (gluurde, h. gegluurd) *vi* peep, > leer
glyce'rine [y = i.] *v* glycerine
'gniffelen (gniffelde, h. gegniffeld) *vi* chuckle
gnoe (-s) *m* 🐃 gnu, wildebeest
gnoom (gnomen) *m* gnome, goblin
'gnuiven (gnuifde, h. gegnuifd) *vi* chuckle
goal [go.l] (-s) *m* goal
gobe'lin [go.bə'lɛ̃] (-s) *o* & *m* gobelin, Gobelin tapestry
God *m* God; ~ *bewaar me* God forbid!, save us!; ~ *weet waar* Heaven (Goodness) knows where; *om* ~*'s wil* for God's sake; *zo* ~ *wil* God willing; ~ *zij gedankt* thank God; *leven als* ~ *in Frankrijk* be in clover; **god** (goden) *m* god; **god'dank** thank God!; **'goddelijk** divine [providence, beauty], heavenly; **-heid** *v* divineness, divinity; **'goddeloos I** *aj* godless, impious, ungodly, wicked, unholy; *een* ~ *kabaal* a dreadful (infernal) noise; **II** *ad* 1 godlessly, impiously; 2 < dreadfully;. **godde'loosheid** (-heden) *v* godlessness, ungodliness, impiety, wickedness; **'godendienst** (-en) *m* idolatry; **-dom** *o* (heathen) gods; **-drank** *m* nectar; **-leer** *v* mythology; **-spijs** *v* ambrosia; **god'gans(elijk)** *de* ~*e dag* the whole blessed day; **'godgeklaagd** *het is* ~ it is a crying shame; **'godgeleerd** theological; **-e** (-n) *m* theologian, divine; **'godgeleerdheid** *v* theology; **'godheid** (-heden) *v* 1 divinity [of Christ], godhead; 2 deity; **go'din** (-nen) *v* goddess; **god'lof** thank God (heavens); **'godloochenaar** (-s) *m* atheist; **-ning** (-en) *v* atheism; **'Godmens** *m* God-man; **'godsakker** (-s) *m* God's acre, churchyard
'godsdienst (-en) *m* 1 religion; 2 divine worship; **gods'dienstig I** *aj* religious [people]; devotional [literature]; **II** *ad* religiously; **-heid** *v* religiousness, piety; **'godsdienstijver** *m* religious zeal; **-leraar** (-s en -raren) *m* religious teacher; **-oefening** (-en) *v* divine service; **-onderwijs** *o* religious teaching; **-onderwijzer** (-s) *m* religious teacher; **-oorlog** (-logen) *m* religious war; **-plechtigheid** (-heden) *v* religious ceremony (rite); **-twist** (-en) *m* religious dissension; **-vrijheid** *v* religious liberty, freedom of religion; **-waanzin** *m* religious mania
'godsgericht (-en) *o* 1 judgment of God; 2 = *godsoordeel*; **-geschenk** (-en) *o* gift of God; godsend; **'Godsgezant** (-en) *m* divine messenger; **'godshuis** (-huizen) *o* 1 house of God, place of worship; 2 charitable institution, almshouse; **-lamp** (-en) *v* sanctuary lamp; **-lasteraar** (-s) *m* blasphemer; **-lastering** (-en) *v* blasphemy; **gods'lasterlijk** blasphemous, profane; **gods'mogelijk** *hoe is het* ~ how on earth (how the hell) is it possible; **'godsnaam** *in* ~ *ga weg!* for Heaven's sake go!; *ga in* ~ go in the name of God; *in* ~ *dan maar* all right! [I'll go]; *waar heb je het in* ~ *over?* what

on earth are you talking about?; **'godsonmogelijk** absolutely impossible; **'godsoordeel** (-delen) *o* 🕮 (trial by) ordeal; **–vrede** (-s) *m* truce of God; **–vrucht** *v* piety, devotion; **–wil** *om* ~ for Heaven's sake; goodness gracious; **'godvergeten I** *aj* godforsaken [country, place]; graceless [rascal]; **II** *ad* < infernally, infamously; **god'vrezend** godfearing, pious; **god'vruchtig** devout, pious; **–heid** *v* devotion, piety; **god'zalig** godly

1 goed I *aj* 1 (niet slecht) good; 2 (niet verkeerd) right, correct; 3 (goedhartig) kind; 4 (gezond) well; *een ~ eind* a goodly distance; *een ~ jaar* 1 a good year [for fruit]; 2 a round (full) year; *een ~ rekenaar* a clever (good) hand at figures; *een ~ uur* a full (a good) hour; *hij is een ~e veertiger* he is (has) turned forty; *~ volk* honest people; *Goede Vrijdag* Good Friday; *de Goede Week rk* Holy Week; *~!* good!; *die is ~!* that's a good one!; *mij ~!* all right!, I don't mind!; *net ~!* serve him (you, them) right!; *nu, ~!* well!; all right!; *ook ~!* just as well!; *al te ~ is buurmans gek* all lay goods on a willing horse; (*alles*) *~ en wel* that's all very well, (all) well and good [but...]; *wij zijn ~ en wel aangekomen* safe and sound; *het is maar ~ dat* it's a good thing that, it's as well that; *dat is maar ~ ook!* and a (very) good thing (it is), too!; *~ zo!* well done!, good business that!; *het zou ~ zijn als...* it would be a good thing if...; *hij is niet ~* 1 he is not well; 2 he is not in his right mind; *ben je niet ~?* are you mad?; *hij was zo ~ niet of hij moest...* he had to... whether he liked it or not; *wees zo ~ mij te laten weten...* be so kind as to, be kind enough to...; *zou u zo ~ willen zijn mij het zout aan te reiken?* ook: would you mind passing the salt?; *hij is zo ~ als dood* he is as good as (all but) dead, nearly dead; *zo ~ als niemand* next to nobody; *zo ~ als niets* next to nothing; *het is zo ~ als onmogelijk* it is well-nigh impossible; *zo ~ als zeker* next to certain, all but certain, almost certain; *het weer ~ maken, weer ~ worden* make it up (again); *hij is ~ af* zie *af*; • *hij is ~ in talen* he is good at languages, **F** he is a whale at languages; *hij is weer ~ op haar* he is friends with her again; *~ voor... gld.* good for... guilders; *hij is ~ voor zijn evenmens* kind to his fellowmen; *hij is er ~ voor* he is good for it [that sum]; *hij is nergens ~ voor* he is a good-for-nothing sort of fellow, he is no good; *het is ergens* (*nergens*) *~ voor* it serves some (no) purpose; *daar ben ik te ~ voor* I am above that; *hij is er niet te ~ voor* he is not above that; *zich te ~ doen* do oneself well; *zij deden zich te ~ aan mijn wijn* they were having a go at my wine; *nog iets te ~ hebben* (*van*) 1 have something in store; 2 (nog te vorderen) zie *tegoed*; *ik heb nog geld te ~* money is owing to me; *ik heb nog geld van hem te ~* he owes me money; *ten ~e beïnvloed* influenced for good; *verandering ten ~e* change for the good (for the better); *u moet het mij ten ~e houden* you must not take it ill of me; *dat zal u ten ~e komen* it will benefit you; *jullie hebt ~ praten* it is all very well for you to say so; zie ook: *houden, uitzien* &; *ik wens u alles ~s* I wish you well; *niets dan ~s* nothing but good; **II** *ad* well; *~ wat geld* a good deal of money; *als ik het ~ heb* if I'm not mistaken; *zo ~ en zo kwaad als hij kon* as best he might, somehow or other; *het is ~ te zien* it is easily seen; *men kan net zo ~...* one might just as well...; *hij doet* (*maakt*) *het ~* he is doing well; *hij kan ~ leren* he is good at learning; *hij kan ~ rekenen* he is good at sums; *hij kan ~ schaatsen* he is a clever skater; *het smaakt ~* it tastes good; zie ook: *goede*

2 goed *o* 1 (het goede) good; 2 (kledingstukken) clothes, things; 3 (reisgoed) luggage, things; 4 (gerei) things; 5 (koopwaar) wares, goods; 6 (bezitting) goods, property, possession; 7 (landgoed) estate; 8 (stoffen) stuff, material [for dresses]; *lijf en ~* life and property; *de strijd tussen ~ en kwaad* the struggle between good and evil; *meer ~ dan kwaad* more good than harm; *aardse ~eren* worldly goods; *ik kan geen ~ bij hem doen* I can do no good in his eyes; *gestolen ~ gedijt niet* ill-gotten goods seldom prosper; *het hoogste ~* the highest good; *het kleine ~* the small fry; *onroerend ~* real property, real estate, immovables; *roerend ~* personal property, movables; *schoon ~* a change of linen; clean things; *vaste ~eren = onroerend ~*; *vuil ~* dirty linen; *mijn goeie ~* **F** my Sunday best; *dat zoete ~* that (sort of) sweet stuff

goed'aardig I *aj* 1 (v. mensen) good-natured, benignant; 2 (v. ziekten) benign [tumour], mild [form of measles]; **II** *ad* good-naturedly, benignantly; **–heid** *v* good nature [of a person, an animal]; benignity, mildness [of a disease]

'goedbedoeld well-meant; **–betaald** well-paid; **–bloed** (-s) *m een* (*Joris*) *~* **F** a softy; **–deels** for the greater part; **–doen**[1] *vi* do good; **–dunken**[1] **I** *vi* think fit; **II** *o* approba-

[1] V.T. en V.D. van dit werkwoord volgens het model: **'goed**keuren, V.T. keurde **'goed**, V.D. **'goed**gekeurd. Zie voor de vormen onder het grondwoord, in dit voorbeeld: *keuren*. Bij sterke en onregelmatige werkwoorden wordt u verwezen naar de lijst achterin.

tion; *naar* ~ as you think fit, at discretion; *handel naar* ~ use your own discretion

'goede *o* good; *het* ~ *doen* do what is right; *te veel van het* ~ too much of a good thing

goede'middag good afternoon!; **–'morgen** good morning!; **–'nacht** good night!; **goeden'avond** (b i j k o m s t) good evening!; (b i j v e r t r e k) good night!; **–'dag** (b i j k o m s t) good day!, hallo!; (b i j a f s c h e i d) good-bye!, bye-bye!; ~ *zeggen* (i n h e t v o o r b i j g a a n) say good morning, give the time of day, say hallo; (b i j v e r t r e k) say good-bye, bid farewell

'goederen *mv* goods; **–kantoor** (-toren) *o* goods office; **–loods** (-en) *v* goods shed; **–station** [-sta.(t)ʃòn] (-s) *o* goods station; **–trein** (-en) *m* freight train, goods train; **–verkeer** *o* goods traffic; **–vervoer** *o* carriage of goods; **–voorraad** (-raden) *m* stock(-in-trade); **–wagen** (-s) *m* goods van [of a train], truck

goeder'hand *van* ~ from a good source

goeder'tieren merciful, clement; **–heid** *v* mercy, clemency

'goedgebouwd well-built

goed'geefs liberal, generous, open-handed; **–heid** *v* liberality, generosity, open-handedness

goedge'lovig credulous; **–heid** *v* credulity

'goedgemikt well-aimed; **–gevuld** well-lined [purse]; full [house, figure]; **goedge'zind** friendly

goed'gunstig kind; **–heid** *v* kindness

goed'hartig I *aj* good-natured, good-tempered, kind-hearted; **II** *ad* good-naturedly, kind-heartedly; **–heid** (-heden) *v* good nature, kind-heartedness

'goedheid *v* goodness, kindness; *hemelse* ~! good heavens!, good gracious!; *wilt u de* ~ *hebben*... will you have the kindness to..., will you be so kind as to...; **'goedhouden**[1] zie *houden* **III**; **'goedig** good-natured; **–heid** *v* good nature; **'goedje** *o dat* ~ that (sort of) stuff

'goedkeuren[1] *vt* 1 approve (of) [a measure]; 2 pass [a person, play, film]; ⚔ pass [him] fit (for service); **–d** approving; ~ *knikken* nod one's assent; **'goedkeuring** *v* 1 approval, approbation; assent; 2 ✎ good mark; *zijn* ~ *hechten aan* approve of; *zijn* ~ *onthouden* (*aan*) not approve (of); *o n d e r nadere* ~ *van* subject to the approval of; *t e r* ~ *voorleggen* submit for approval

goed'koop cheap[2]; low-budget; ~ *is duurkoop* cheap goods are dearest in the long run; cheap bargains are dear; **–'lachs** fond of laughter, easily amused; *zij is erg* ~ she laughs very easily; **–'leers** teachable, docile; **'goedmaken**[1] *vt* 1 (v e r b e t e r e n) put right, repair [a mistake]; 2 (a a n v u l l e n, i n h a l e n, h e r s t e l l e n) make good, make up for [a loss]; *het weer* ~ make (it) up again;

goed'moedig = *goedhartig*; **'goedpraten**[1] *vt iets* ~ gloze (varnish) sth. over, explain sth. away, gloss over, whitewash; **'goedschiks** with a good grace, willingly; ~ *of kwaadschiks* willy-nilly; **goeds'moeds** 1 with a good courage; 2 of good cheer; **'goedvinden**[1] **I** *vt* think fit, approve of; *hij zal het wel* ~ he won't mind; **II** *o* approval; *m e t* ~ *van*... with the consent of...; *met onderling* ~ by mutual consent; *doe* (*handel*) *n a a r eigen* ~ use your own discretion; *naar eigen* ~ *handelen* act on one's own discretion; **goed'willig** willing; **'goedzak** (-ken) *m* = *goeierd*; **goege'meente** *v de* ~ the general public, the public at large; **'goeierd** (-s) *m* 1 dear (kind) soul, good fellow; 2 > simpleton, **F** juggins

'gok *m* gamble; *een* ~*je* **F** a flutter; **–automaat** [au = ɔu en o.] (-maten) *o* fruitmachine; **'gokken** (gokte, h. gegokt) *vi* gamble; **–er** (-s) *m* gambler; **gokke'rij** (-en) *v* gamble, gambling; **'goktent** (-en) *v* gambling house; disorderly house

gold (**golden**) V.T. v. *gelden*

1 golf [gɔlf] (golven) *v* 1 wave° [ook *R*], billow; stream [of blood]; 2 (i n h a m) bay, gulf

2 golf [gɔlf] *o sp* golf; **–baan** (-banen) *v sp* golf-course, golf-links

'golfbeweging (-en) *v* undulatory motion, undulation; **–breker** (-s) *m* breakwater, pier, bulwark; **–dal** (-dalen) *o* trough (of the sea); **–ijzer** *o* corrugated iron; **–karton** *o* corrugated cardboard; **–lengte** (-n en -s) *v* wave-length; **–lijn** (-en) *v* wavy (sinuous) line; **–slag** *m* dash of the waves; **–stok** (-ken) *m sp* golf-club; **'Golfstroom** *m* Gulf-Stream; **'golven** (golfde, h. gegolfd) *vt* & *vi* wave, undulate; zie ook *gegolfd*; **–d** waving, wavy [hair], undulating [countryside]; rolling [fields]; flowing [robes]; **'golving** (-en) *v* waving, undulation

gom (-men) *m* & *o* gum; *Arabische* ~ gum arabic; zie ook: *vlakgom*; **–achtig** gummy; **–bal** (-len) *m* gum, gum-drop; **gomelas'tiek** [gòme.-] *o* (india-)rubber; **'gomhars** (-en) *o* & *m* gum-resin; **'gommen** (gomde, h. gegomd)

[1] V.T. en V.D. van dit werkwoord volgens het model: **'goed**keuren, V.T. keurde **'goed**, V.D. **'goed**gekeurd. Zie voor de vormen onder het grondwoord, in dit voorbeeld: *keuren*. Bij sterke en onregelmatige werkwoorden wordt u verwezen naar de lijst achterin.

vt gum
'gondel (-s) *v* gondola; **gonde'lier** (-s) *m* gondolier; **'gondellied** (-eren) *o* barcarol(l)e
gong (-s) *m* gong
goniome'trie *v* goniometry
gonor'rhoea [go.nɔ'rø.] *v* gonorrhea, **S** clap
'gonzen (gonsde, h. gegonsd) *vi* buzz, hum, drone, whirr; *het gonst van geruchten* the air buzzes with rumours
'goochelaar (-s) *m* juggler, conjurer, illusionist; juggler; **'goochela'rij** (-en) *v* conjuring, conjuring trick(s); juggling, jugglery; **'goochelen** (goochelde, h. gegoocheld) *vi* conjure, perform conjuring tricks; juggle²; ~ *met cijfers* juggle with figures; **'goochelkunst** (-en) *v* 1 prestidigitation; 2 = *goocheltoer*; **–toer** (-en) *m*, **–truc** [-try.k] (-s) conjuring trick
'goochem knowing, shrewd, **F** all there; **–erd** (-s) *m* **F** slyboots
gooi (-en) *m* cast, throw; *een ~ naar iets doen* 1 have a shot at sth., have a try at sth.; 2 make a bid for sth.; **'gooien** (gooide, h. gegooid) **I** *vt* fling, cast, throw; *d o o r elkaar ~* jumble; *iets i n het vuur ~* throw (fling, toss) sth. into the fire; *m e t de deur ~* slam the door; *iem. met iets ~* throw (pitch, shy) sth. at sbd.; *iem. met stenen ~* pelt sbd. with stones; *iets n a a r iem. ~* toss (throw) sth. to sbd.; *o p papier ~* dash off [an article &]; *het (de schuld) op iem. ~* lay the blame (for it) on sbd.; *het op iets anders ~* turn the talk to something else; zie ook: *balk* & *boeg*; **II** *va* throw; *jij moet ~* it is your turn to throw; *gooi jij ook eens* have a throw, too; **gooi-en-'smijt-film** (-s) *m* slapstick film; **–kraam** (-kramen) *v* cock-shy
goor dingy; *fig* nasty; **–heid** *v* dinginess; *fig* nastiness
1 goot (goten) *v* gutter, gully, kennel, drain; **2 goot (goten)** V.T. v. *gieten*; **'gootsteen** (-stenen) *m* (kitchen) sink; **–water** *o* gutter-water; slops
'gordel (-s) *m* girdle [round waist], belt² [of leather, of forts], ⊙ zone; *een stoot onder de ~ toebrengen* hit below the belt²; **–dier** (-en) *o* ♞ armadillo; **–riem** (-en) *m* belt; **–roos** *v* ⚕ shingles
'gorden (gordde, h. gegord) **I** *vt* gird; **II** *vr zich ten strijde ~* gird oneself (up) for the fight
gordi'aans *de ~e knoop* the Gordian knot; zie ook: *knoop*
gor'dijn (-en) *o* & *v* curtain [of window, in theatre]; (o p r o l l e n) blind; *ijzeren ~* iron curtain; **–koord** (-en) *o* & *v* curtain-cord; **–rail** [-re.l] *v*, **gor'dijnreel** (-s) *v* curtain-rail; **–ring** (-en) *m* curtain-ring; **–roe(de)** (-den) *v* curtain-rod, curtain-pole
'gording (-s en -en) *v* ⚓ bunt-line
'gorgeldrank (-en) *m* gargle; **'gorgelen** (gorgelde, h. gegorgeld) *vi* gargle
go'rilla ('s) *m* gorilla
gors (gorzen) *v* 🐦 bunting
gort *m* groats, grits; (s p e c i a a l) barley; (p a p) gruel
'gortig *het al te ~ maken* go too far
'gossie!, gossie'mijne F gosh!
1 'Goten *mv* Goths
2 'goten V.T. meerv. v. *gieten*
go'tiek *v* Gothic (style), Gothicism; **'gotisch** Gothic; *~e letter* Gothic letter, black letter; **'Gotisch** *o* Gothic
goud *o* gold; *het is ~ waard* it is worth its weight in gold; *het is alles geen ~ wat er blinkt* it is not all gold that glitters; **–achtig** gold-like, golden; **–blond** golden; **–brokaat** *o* gold-brocade; **–bruin** auburn [hair]; golden brown; **–clausule** [s = z] (-s) *v* gold clause; **–dekking** (-en) *v* $ gold cover; **–delver** (-s) *m* gold-digger; **–dorst** *m* thirst for (of) gold, lust of gold, gold-thirst; **–draad** (-draden) *m* & *o* 1 gold-wire; 2 gold-thread; **–druk** *m* gold-printing; **'gouden** gold, golden²; *~ bril* gold-rimmed spectacles; *~ standaard* gold standard; **gouden'regen** (-s) *m* laburnum; **'gouderts** (-en) *o* gold-ore; **–fazant** (-en) *m* golden pheasant; **–geel** gold-coloured, golden; **–geld** *o* gold coin, gold; **–graver** (-s) *m* gold-digger; **–houdend** gold-bearing, auriferous; **–kleur** *v* gold colour; **–kleurig** golden, gold-coloured; **–klomp** (-en) *m* nugget of gold; **–koorts** *v* gold-fever; **–le(d)er** *o* gilt leather; **–le(de)ren** *aj* gilt-leather; **–merk** (-en) *o* hallmark [on gold]; **–mijn** (-en) *v* gold-mine²; **–renet** [-rənɛt] (-ten) *v* golden rennet
Gouds Gouda [cheese]
'goudsbloem (-en) *v* marigold; **'goudschaal** (-schalen) *v* gold-balance, gold-scales, assay-balance; *zijn woorden op een ~ wegen* weigh one's every word; **–smid** (-smeden) *m* goldsmith; **–stuk** (-ken) *o* gold coin; **'goudveld** (-en) *o* gold-field; **–vink** (-en) *m* & *v* 🐦 bullfinch; **–vis** (-sen) *m* 1 🐟 goldfish; 2 *fig ~(je)* rich heiress; **–viskom** (-men) *v* globe (for gold-fish), goldfish bowl; **–voorraad** (-raden) *m* gold stock(s); **–werk** (-en) *o* gold-work; **–zoeker** (-s) *m* gold-seeker
gouver'nante [gu.-] (-s) *v* governess
gouverne'ment [gu.vərnə'mɛnt] (-en) *o* government; **gouverne'mentsambtenaar** (-s en -naren) *m* government officer (official, servant); **–dienst** (-en) *m* government service; *in ~* in the government service
gouver'neur [gu.vər'nø:r] (-s) *m* 1 governor; 2 (o n d e r w i j z e r) tutor; **gouver'neur-gene'raal** [-ge.-] (gouverneurs-generaal) *m*

governor-general; **gouver'neurs–** gubernatorial
gouw (-en) *v* district, province
'gouwenaar (-s) *m* long clay, **F** churchwarden
'gozer (-s) *m* **S** bloke, guy, chap
graad (graden) *m* 1 degree°; 2 (r a n g) rank, grade, degree; 3 (v a n b l o e d v e r w a n t s c h a p) remove; *14 graden vorst* 14 degrees of frost; *een ~ halen* take one's [university] degree; • *b ij 0 graden* at zero; *i n graden verdelen* graduate; *o p 52 graden noorderbreedte en 16 graden westerlengte* in latitude 52° north and in longitude 16° west; **–boog** (-bogen) *m* protractor, graduated arc, quadrant scale; **–meter** (-s) *m* graduator; *fig* criterion, standard; **–verdeling** (-en) *v* graduation
graaf (graven) *m* 1 earl [in England]; 2 count [on the Continent]; **–lijk** = *grafelijk*
'graafmachine [-ma.ʃi.nə] (-s) *v* excavator
'graafschap (-pen) *o* 1 (g e b i e d) county, shire; 2 countship, earldom
'graafwerk (-en) *o* digging, excavation(s); **–wesp** (-en) *v* digger-wasp
graag I *aj* eager; **II** *ad* gladly, readily, willingly; with pleasure; *hij doet het ~* he likes to do it, he likes it; *ik zou niet ~* I would not care to; *wil je nog wat...? heel ~* thank you!; *~ of niet* take it or leave it!; zie ook: *gaarne*; **–te** *v* eagerness, appetite
'graaien (graaide, h. gegraaid) *vt* & *vi* grab; grabble
graal *m* (Holy) Grail; **–ridder** (-s) *m* Knight of the Round Table
graan (granen) *o* corn, grain; *granen* cereals; **–beurs** (-beurzen) *v* corn-exchange; **–bouw** *m* corn-growing; **–gewassen** *mv* cereals; **–handel** (-s) *m* corn-trade; **–handelaar** (-s en -laren) *m* corn-dealer, corn-merchant; **–korrel** (-s) *m* grain of corn; **–oogst** (-en) *m* grain-crop(s), cereal crop; **–pakhuis** (-huizen) *o* granary; **–schuur** (-schuren) *v* granary²; **–silo** ('s) *m* = *graanpakhuis*; **–tje** (-s) *o een ~ pikken* **F** have a quick drink; *een ~ meepikken* profit by, gain by; **–zolder** (-s) *m* corn-loft; **–zuiger** (-s) *m* grain elevator
graat (graten) *v* fish-bone, bone; *rood (niet zuiver) op de ~* 1 not fresh [of fish]; 2 *fig* unreliable; unorthodox [in politics]; 3 red [= a socialist, communist]; *fijn op de ~* orthodox; *van de ~ vallen* 1 be faint with hunger; 2 lose flesh; 3 faint
'grabbel *te ~ gooien* throw [among children] to be scrambled for; *zijn eer te ~ gooien* throw away one's honour; *zijn geld te ~ gooien* [*fig*] make ducks and drakes of one's money; **'grabbelen** (grabbelde, h. gegrabbeld) *vi* scramble [for a thing], grabble [in...]; **'grabbelton** (-nen) *v* bran-tub, bran-pie, lucky dip
gracht (-en) *v* 1 canal [in a town]; 2 ditch, moat [round a town]; *ik woon op een ~* I live in a canal street; **–enhuis** (-huizen) *o* [Amsterdam] canal(side) house
graci'eus [gra.si.'øs] graceful
gra'datie [-(t)si.] (-s en -iën) *v* gradation;
'gradenboog (-bogen) *m* = *graadboog;*
gra'deren (gradeerde, h. gegradeerd) *vt* graduate
gradu'eel [difference] of (in) degree
graf (graven) *o* grave, ⊙ tomb, sepulchre; *witgepleisterde graven* **B** whited sepulchres; *het Heilige Graf* the Holy Sepulchre; *zijn eigen ~ graven* dig one's own grave; *een ~ in de golven vinden* find a watery grave; **F** go to Davy Jones's locker; • *hij sprak a a n het ~* he spoke at the graveside; *dat zal hem i n het ~ brengen* that will bring him to his grave; *het geheim met zich meenemen in het ~* carry the secret with one to the grave; *hij zou zich in zijn ~ omkeren* he would turn in his grave; *t e n grave dalen* sink into the grave; *iem. ten grave dragen* bear sbd. to burial; *dit zal hem ten grave slepen* it will bring him (carry him off) to his grave; *t o t aan het ~* till death
'grafelijk 1 of a count, of an earl; 2 like a count, like an earl; zie *graaf*
'grafgewelf (-welven) *o* sepulchral vault; (o n d e r k e r k) crypt; **–heuvel** (-s) *m* 1 burial mound, grave-mound; 2 🕮 barrow, tumulus [*mv* tumuli]
'graficus (-ci) *m* graphic artist
gra'fiek (-en) *v* 1 (k u n s t) graphic arts, graphics; (v o o r t b r e n g s e l e n d a a r v a n) drawings; 2 (v o o r s t e l l i n g) graph, diagram
gra'fiet *o* graphite, plumbago
'grafisch graphic; *~e kunst* graphic arts, graphics; (s t a t i s t i e k) *~e voorstelling* graph, diagram
'grafkamer (-s) *v* burial chamber; **–kapel** (-len) *v* mortuary chapel; **–kelder** (-s) *m* (family) vault; **–krans** (-en) *m* (funeral) wreath; **–kuil** (-en) *m* grave; **–legging** (-en) *v* interment, sepulture; *de ~ van Christus* the Entombment of Christ; **–lucht** *v* sepulchral smell; **–monument** (-en) *o* mortuary monument
grafolo'gie *v* graphology; **grafo'loog** (-logen) *m* graphologist, handwriting expert
'grafrede (-s) *v* funeral oration; **–schennis** *v* desecration of graves (a grave); **–schrift** (-en) *o* epitaph; **–steen** (-stenen) *m* gravestone, tombstone; **–stem** (-men) *v* sepulchral voice; **–tombe** (-s en -n) *v* tomb; **–waarts** to the grave; **–zerk** (-en) *v* = *grafsteen*; **–zuil** (-en) *m*

sepulchral pillar
1 gram (-men) *o* gramme
2 gram *v zijn ~ halen* obtain satisfaction (compensation), get one's own back
gram'matica ('s) *v* grammar; **grammati'caal** grammatical
grammo'foon (-s en -fonen) *m* gramophone, record player; **–muziek** *v* gramophone music, recorded music; **F** canned (tinned) music; **–naald** (-en) *v* gramophone needle; **–plaat** (-platen) *v* (gramophone) record, disk
'gramschap *v* anger, wrath; **gram'storig** angry, wrathful
1 gra'naat (-naten) *m* (s t e e n) garnet
2 gra'naat (-naten) *v* ⚔ shell; (hand) grenade
3 gra'naat *o* (s t o f n a a m) garnet
gra'naatappel (-en en -s) *m* pomegranate
gra'naatscherf (-scherven) *v* shell splinter; **–trechter** (-s) *m* shell hole, shell crater; **–vuur** *o* shell fire
grandi'oos grandiose, grand
'grand-seig'neur ['grãsɛ̃'jø.r] (grands-seigneurs) *m* fine gentleman; **F** swell; *de ~ uithangen* do the grand, play the swell
gra'niet *o* granite; **–blok** (-ken) *o* block of granite; **gra'nieten** *aj* granite
granu'leren (granuleerde, h. gegranuleerd) *vt* granulate
grap (-pen) *v* joke, jest; **F** gag; *een dure ~* an expensive business (affair); *een mooie ~!* a nice affair!; *dat zou me een ~ zijn!* 1 wouldn't that be fun (some fun)?; 2 **F** that would be a nice go!; *~pen maken* joke, cut jokes; *~pen uithalen* play tricks; *je moet hier geen ~pen uithalen* you must not play off your (any) jokes here, don't come your tricks over me; *hij maakte er een ~(je) van* he laughed it off; *voor de ~* in (for) fun, by way of a joke; **'grapjas** (-sen) *m*, **'grappenmaker** (-s) *m* wag, joker; **grappenmake'rij** (-en) *v* drollery, waggery; **'grappig I** *aj* funny, amusing, droll, comic, facetious; (b i j z o n d e r) quaint; jocose, jocular; comical; *het ~ste was* the funniest part of it was, the best joke of all was; **II** *ad* funnily, drolly, comically, facetiously; jocosely, jocularly; **–heid** (-heden) *v* fun, drollery, comicality, facetiousness; jocosity, jocularity
gras (-sen) *o* grass; *Engels ~* ✿ sea-pink, thrift; *hij laat er geen ~ over groeien* he doesn't let the grass grow under his feet; *iem. het ~ voor de voeten wegmaaien* cut the ground from under sbd.'s feet; **–achtig** grass-like, grassy; **–baan** (-banen) *v sp* 1 grass-court [for lawntennis]; 2 grass-track [for racing]; **–boter** *v* grass-butter, May-butter; **–duinen** (grasduinde, h. gegrasduind) *vi ergens in ~* browse [among books &, in a book]; **–gewas** (-sen) *o* 1 grass crop; 2 graminaceous plant; **–groen** as green as grass, grassgreen; **–halm** (-en) *m* grass-blade, blade of grass; **–je** (-s) *o* blade of grass; **–land** (-en) *o* grassland; **–linnen** *o* grass-cloth; cotton fabric; **–maaier** (-s) *m* 1 (p e r s o o n) grass-mower; 2 = *grasmaaimachine*; **–maaimachine** [-ma.ʃi.nə] (-s) *v* lawn-mower, grass-cutter; **–maand** *v* April; **–machine** [-ma.ʃi.nə] (-s) *v* lawn-mower; **–mat** (-ten) *v* turf, sward; **–mus** (-sen) *v* 🐦 whitethroat; **–perk** (-en) *o* grass-plot, lawn; **–rol** (-len) *v*, **–roller** (-s) *m* garden-roller; **–spriet** (-en) *m* blade of grass; **–veld** (-en) *o* grass-field; lawn, grass-plot; **–vlakte** (-n en -s) *v* grassy plain, prairie; **–zode** (-n) *v* (turf) sod
'gratie ['gra.(t)si.] (-tiën) *v* 1 (g e n a d e) pardon, grace; (v. d o o d s t r a f) reprieve; 2 (b e v a l l i g h e i d) grace; *~ verlenen (aan)* pardon; *verzoek om ~* appeal for mercy; ● *b ij de ~ Gods* by the grace of God; *weer i n de ~ komen* be restored to grace (in favour); *in de ~ trachten te komen bij* ingratiate oneself with; *bij iem. in de ~ zijn* be in favour with sbd., be in sbd.'s good books; *bij iem. u i t de ~ raken* lose favour with sbd., fall from grace; *bij iem. u i t de ~ zijn* be out of favour with sbd., be no longer in sbd.'s good books
gratifi'catie [-(t)si.] (-s en -tiën) *v* bonus, gratuity
'gratig bony
'gratis I *aj* gratis, free (of charge); *~ monster* $ free sample; **II** *ad* gratis, free (of charge)
gratu'it [gra.ty'vi.t] gratuitous [remark]
1 grauw (-en) *m* growl, snarl
2 grauw *o* rabble, mob
3 grauw *aj* grey; *fig* drab; **–achtig** greyish, grizzly
'grauwen (grauwde, h. gegrauwd) *vi* snarl; *~ en snauwen* growl and grumble, snap and snarl
'grauwtje (-s) *o* donkey
gra'veerder (-s) *m* engraver; **gra'veerkunst** *v* art of engraving; **–naald** (-en) *v*, **–staal** *o*, **–stift** (-en) *v* engraving-needle, burin; **–werk** (-en) *o* engraving
1 'graven* I *vt* dig [a hole, pit, well &]; 🐾 burrow [a hole]; sink [a mine, a well]; **II** *vi* dig, 🐾 burrow
2 'graven meerv. v. *graf* en *graaf*
's-Graven'hage *o* The Hague
'graver (-s) *m* digger
gra'veren (graveerde, h. gegraveerd) *vt & vi* engrave; **gra'veur** (-s) *m* engraver
gra'vin (-nen) *v* countess
gra'vure (-n en -s) *v* engraving, plate
'grazen (graasde, h. gegraasd) *vi* graze, pasture, feed; *iem. te ~ nemen* 1 take sbd. in; 2 get one's own back

'grazig grassy; **B** *~e weiden* green pastures
1 greep (grepen) *m* 1 (h e t g r i j p e n) grip, grasp; > clutch; 2 *v* handful [of salt &]; 3 (h a n d v a t) grip [of a weapon &], clutch [of a crane], handle [of a tool &], pull [of a bell], hilt [of a sword], haft [of a dagger]; 4 (v o r k) (dung-)fork; *een gelukkige ~* a lucky hit; *hier en daar een ~ doen in...* dip into the subject here and there; *een ~ doen naar* make a grab at; *fig* make a bid for [power]
2 greep (grepen) V.T. v. *grijpen*
Gregori'aans *aj* (& *sb*) Gregorian (chant)
grei'neren (greineerde, h. gegreineerd) *vt* granulate
'greintje (-s) *o* particle, atom, spark; *geen ~ ijdelheid* not a grain of vanity; *geen ~ verschil* not a bit of difference;
grena'dier (-s) *m* ⚔ grenadier
grena'dine *v* grenadine
'grendel (-s) *m* bolt [of a door, of a rifle &], slot; **'grendelen** (grendelde, h. gegrendeld) *vt* bolt
'grenehout *o* deal; **'grenen** *aj* deal
grens (grenzen) *v* 1 limit, boundary; 2 (b e p e r k i n g) bound; 3 (p o l i t i e k e s c h e i l i j n) frontier, border; (n a t u u r l i j k e s c h e i l i j n) border; *alles heeft zijn grenzen* there are limits (to everything); *de grenzen te buiten gaan* go beyond all bounds, exceed all bounds; *zijn... kent geen grenzen* his... knows no bounds; • *b i n n e n zekere grenzen* within certain limits; *binnen de grenzen blijven van...* keep within the bounds of...; *o p de ~ van* [*fig*] on the verge of; *o v e r de ~ zetten* conduct across the frontier; **–bewoner** (-s) *m* frontier inhabitant, borderer; **–gebied** (-en) *o* border (frontier) area, borderland; *fig* borderland, twilight zone; **–geschil** (-len) *o* frontier (border) dispute; **–geval** (-len) *o* borderline case; **–incident** (-en) *o* border incident; **–kantoor** (-toren) *o* frontier customhouse; **–land** (-en) *o* borderland; **–lijn** (-en) *v* border line; boundary; *pol* line of demarcation; **–nut** *o* marginal utility; **–paal** (-palen) *m* boundary post, landmark; **–rechter** (-s) *m sp* linesman; **–regeling** (-en) *v* frontier settlement; **–rivier** (-en) *v* river forming a border; **–station** [-sta.(t)ʃòn] (-s) *o* frontier station; **–steen** (-stenen) *m* boundary stone; **–verkeer** *o* frontier (border) traffic; **–vesting** (-en) *v* frontier fortress; **–waarde** (-n) *v* 1 × ultimate (limit) value; 2 $ marginal utility [of an article]; **–wacht** (-en) *v* (p o s t) frontier outpost; *m* (s o l d a a t) frontier guard; **'grenzeloos** boundless, unlimited; **'grenzen** (grensde, h. gegrensd) *vi ~ aan* border on, abut on; *fig* border on (upon), verge on (upon); *dit land grenst ten noorden aan...* is bounded on the North by...
'grepen V.T. meerv. v. *grijpen*
'greppel (-s) *v* trench, ditch, drain
'gretig avid [of], eager [for], greedy [of]; **–heid** *v* avidity, eagerness, greediness
'gribus (-sen) *m* slum; 2 hovel, **F** hole
grief (grieven) *v* grievance; (o n r e c h t) wrong; *een ~ hebben* have a monkey on one's back
Griek (-en) *m* Greek[2]; **'Griekenland** *o* Greece; **'Grieks I** *aj* 1 (e c h t G r i e k s) Greek; 2 (n a a r G r i e k s m o d e l) Grecian; **II** *o* Greek
griend (-en) *v* low willow-ground
'grienen (griende, h. gegriend) *vi* cry, snivel, blubber, whimper
griep *v* influenza, **F** flu; **–epidemie** (-mieën) *v* influenza epidemic
gries *o* middlings; **–meel** *o* semolina
1 griet (-en) *v* 🐟 brill
2 griet (-en) *m* 🐦 godwit
3 griet (-en) *v* (m e i s j e) **P** skirt, piece; *Am* **F** dame
'grieve (-n) *v* = *grief*; **'grieven** (griefde, h. gegriefd) *vt* hurt, offend; **–d** offensive, bitter
'griezel (-s) *m* 1 (o o r z a a k v a n a f k e e r) horror; 2 (r i l l i n g) shudder, (the) creep(s); **'griezelen** (griezelde, h. gegriezeld) *vi* shiver, shudder; *~ bij de gedachte* shiver (shudder) at the thought; *ik griezel ervan* it makes me shudder; it gives me the creeps; **'griezelfilm** (-s) *m* horror film; **'griezelig** gruesome, creepy, weird
grif readily, promptly
'griffel (-s) *v* slate-pencil; **–doos** (-dozen) *v*, **–koker** (-s) *m* pencil-case
'griffen (grifte, h. gegrift) *vt* grave (on *in*), inscribe (on *in*)
'griffie (-s) *v* office of the clerk; *ter ~ deponeren* [*fig*] shelve [a proposal &]; **grif'fier** (-s) *m* clerk (of the court), recorder, registrar; **'griffierecht** (-en) *o* registration fee
griff(i)'oen (-en) *m* griffin
'grifweg = *grif*
grijns (grijnzen) *v* smirk, grimace; **–lach** *m* sneer; **–lachen** (grijnslachte, h. gegrijnslacht) *vi* laugh sardonically, sneer; **'grijnzen** (grijnsde, h. gegrijnsd) *vi* smirk, grimace
'grijparm (-en) *m* ⚒ grip arm, transfer arm; 🐟 tentacle; **'grijpen* I** *vt* 1 (o m v a t t e n) catch, seize, lay hold of, grasp; 2 (n a a r z i c h t o e) grasp, grab, snatch; 3 (i n z i j n k l a u w) clutch; **II** *vi i n elkaar ~* ⚒ gear into one another; *~ n a a r* grab (snatch, grasp) at [it]; reach for [his revolver &]; take up [arms]; make a bid for [power]; *o m zich heen ~* spread [of flames]; zie ook *ineengrijpen*; **III** *o je hebt ze maar v o o r het ~* they are as plentiful as black-

berries; *ze zijn niet voor het* ~ they are not found every day, they do not grow on every bush; *voor het* ~ *liggen* be (lie) ready to hand, be readily available; (o p l o s s i n g) be obvious; **'grijper** (-s) *m* ⚒ grab; **'grijpstaart** (-en) *m* prehensile tail; **–stuiver** (-s) *m* trifle

grijs grey; grey-haired, grey-headed; *fig* hoary [antiquity]; ~ *worden* = *grijzen*; **–aard** (-s) *m* grey-haired man, old man; **–achtig** greyish; **–heid** *v* greyness, hoariness²; **'grijzen** (grijsde, is gegrijsd) *vi* grow (become, go, turn) grey, grey; **'grijzig** greyish

gril (-len) *v* caprice, whim, freak, fancy

'grille ['gri.jə] (-s) *v* (v. a u t o) radiator grill

'grillen (grilde, h. gegrild), **gril'leren** [grɪl-] (grilleerde, h. gegrilleerd) *vt* grill

'grillig capricious, whimsical, freakish, fitful, fickle, wanton; **F** crotchety; **–heid** (-heden) *v* capriciousness, caprice, whimsicality, whimsicalness, fitfulness

gri'mas (-sen) *v* grimace, wry face; ~*sen maken* grimace, make wry faces, pull faces

grime [gri.m] (-s) *v* make-up [of actors]; **gri'meren** (grimeerde, h. gegrimeerd) **I** *vt* make up; **II** *vr zich* ~ make up

'grimmig grim, truculent; **–heid** *v* grimness

grind *o* gravel; **–weg** (-wegen) *m* gravel-road, gravelled road

'grinniken (grinnikte, h. gegrinnikt) *vi* chuckle, chortle, snigger

'grissen (griste, h. gegrist) *vt* grab, snatch

1 groef (groeven) *v* = *groeve*

2 groef (**groeven**) V.T. v. *graven*

groei *m* growth; *in de* ~ *zijn* be growing; *op de* ~ *gemaakt* made with a view to growing requirements; **'groeien** (groeide, is gegroeid) *vi* grow; *iem. b o v e n (o v e r) het hoofd* ~ 1 outgrow sbd.; 2 *fig* get beyond sbd.'s control; ~ *i n* exult in [the misfortunes of others &]; *u i t zijn kracht (kleren)* ~ outgrow one's strength (clothes); **'groeifonds** (-en) *o* growth stock; **–kracht** *v* vegetative faculty, vigour, vitality; **–proces** (-sen) *o* process of growth; **'groeisnelheid** (-heden) *v* rate of growth, growth rate; **'groeistuip** (-en) *v* ~*en* growing pains, infantile convulsions; **–zaam** favourable to vegetation; ~ *weer* growing weather

groen I *aj* green², ⊙ & *fig* verdant; *het werd hem* ~ *en geel voor de ogen* his head began to swim; *het licht op* ~ *zetten voor* give the green light (the go-ahead) to [a plan &]; *een* ~*e hand* (~*e vingers*) *hebben* [*fig*] have a green thumb (green fingers); ~*e kaart* international motor insurance card; ~*e zeep* soft soap; ~*e zone* green belt; **II** 1 *o* (a l s k l e u r) green; (l e v e n d) verdure, greenery; 2 (-en) *m* greenhorn; ⚭ freshman, fresher; **–achtig** greenish; **–gordel** (-s) *m* green belt; **–heid** *v* greenness², verdancy; **–ig** greenish, ⊙ viridescent; **–strook** (-stroken) *v* 1 green belt; 2 grass-strip; centre strip [of grass]

'groente (-n en -s) *v* 1 (o n g e k o o k t) greens, vegetables, green stuff; 2 (g e k o o k t) vegetables; **–boer** (-en) *m* greengrocer; **–kweker** (-s) *m* vegetable grower, market gardener; **–kwekerij** (-en) *v* market garden; **–man** (-nen) *m* greengrocer; **–markt** (-en) *v* vegetable market; **–soep** (-en) *v* vegetable soup; **–tuin** (-en) *m* kitchen-garden, vegetable garden; **–vrouw** (-en) *v* greengrocer('s wife); **–winkel** (-s) *m* greengrocer's (shop)

'groentijd (-en) *m* ⚭ noviciate; **–vink** (-en) *m* & *v* greenfinch; **–voe(de)r** *o* green fodder

groep (-en) *v* group; cluster [of stars, islands, houses], clump [of trees, plants], batch [of children, recruits], body [of men, members], band [of robbers, fugitives]

groe'page [-pa.ʒə] *v* (o v e r z e e) joint cargo; (o v e r l a n d) combined truck load

groe'peren (groepeerde, h. gegroepeerd) **I** *vt* group; **II** *vr zich* ~ group themselves; **–ring** (-en) *v* grouping

'groepje (-s) *o* (little) group [of people], cluster, clump [of trees]; *bij* ~*s* in groups; **'groepsgewijs, –gewijze** in groups; **'groepspraktijk** (-en) *v* group practice; **'groep(s)verband** *in* ~ in groups; *werken in* ~ do teamwork

groet (-en) *m* greeting, salutation, salute; *de* ~*en aan allemaal!* best love to all!; *de* ~ *thuis* remember me to the family; *hij laat de* ~*en doen* he begs to be remembered to you; he sends his love; *met vriendelijke* ~*en* with kind(est) regards; **'groeten** (groette, h. gegroet) **I** *vt* greet, salute; *gegroet, hoor!* 1 good-bye!; 2 (s a r c a s t i s c h) good afternoon!; *groet hem van mij* kindly remember me to him; **II** *va* salute, raise (take off) one's hat, touch one's cap; **'groetenis** (-sen) *v* salutation

'groeve (-n) *v* groove, channel, flute [in a column; furrow² [between two ridges; in the forehead]; line [in a face]; pit [for marl], quarry [for stones]; *bij de (geopende)* ~ at the graveside, at the open grave

1 'groeven (groefde, h. gegroefd) *vt* groove; zie ook *gegroefd*

2 'groeven V.T. meerv. v. *graven*

'groezelig dingy, grubby, dirty; **–heid** *v* dinginess, dirtiness

grof I *aj* 1 (n i e t f i j n) coarse [bread, cloth, hair, salt, features &]; rough [work]; large-toothed [comb]; 2 (n i e t b e w e r k t) crude [oar]; 3 (n i e t g l a d) coarse [hands], rough [towels]; 4 (l a a g) deep [voice]; 5 *fig* coarse [language], rude, abusive [words, terms]; crude [style]; gross [injustice, insult, ignorance], big [lies &]; guess [estimate]; *dadelijk ~ worden* become rude (abusive) at once; **II** *ad* coarsely &; *~ liegen* lie barefacedly; *~ spelen* play high; *~ geld verdienen* make big money; *~ (geld) verteren* spend money like water; **–gebouwd** large-limbed, big-boned; **–grein** *o* grogram; **–heid** (-heden) *v* coarseness &; *grofheden* ook: rude things; **–korrelig** coarse-grained; **–smid** (-smeden) *m* blacksmith

grog [grɔk] *m* grog; **–stem** (-men) *v* husky voice

grol (-len) *v* broad joke; *~len* buffoonery

grom *m* growl; **'grommen** (gromde, h. gegromd) *vi* grumble, growl (at *tegen*); **'grompot** (-ten) *m* grumbler

grond (-en) *m* 1 (a a r d e) ground, earth, soil; 2 (l a n d) land; 3 (o n d e r s t e) ground, bottom; 4 (g r o n d s l a g) ground, foundation, substratum [of truth]; 5 *fig* (r e d e n) ground, reason; *vaste ~* firm ground; *vaste ~ onder de voeten hebben* be on firm ground; *~ hebben (krijgen, voelen, vinden)* feel ground, touch ground; *de ~ leggen tot...* lay the foundation(s) of...; *~ verliezen* lose ground; *ik voelde geen ~* I was out of my depth; • *a a n de ~ raken (zitten)* ⚓ run (be) aground; *aan de ~ geraakt [fig]* **F** down and out; *b o v e n de ~* above ground; *d o o r de ~ zinken* sink through the ground; *iets in de ~ kennen* know sth. thoroughly; *in de ~ is hij eerlijk* he is an honest fellow at bottom; *in de ~ hebt u gelijk* fundamentally you are right; *o n d e r de ~* under ground, underground; *o p ~ van...* on the ground of..., on the score of..., on the strength of...; *op ~ van het feit dat...* on the ground(s) that...; *op goede ~* on good grounds; *op de ~ gooien* throw down; *op de ~ vallen* fall to the ground; *t e ~e gaan* go to rack and ruin, be ruined, come to nought; *te ~e richten* bring to ruin (nought), ruin, wreck; *t e g e n de ~ gooien* throw (dash) to the ground; *u i t de ~ van zijn hart* from the bottom of his heart; *v a n alle ~ ontbloot* without any foundation; *een dichter van de koude ~* a would-be poet; *groenten van de koude ~* open-grown vegetables; *van de ~ komen* get off the ground; **–beginsel** (-en en -s) *o* fundamental (basic, root) principle; *de ~en* the elements, rudiments, fundamentals; **–begrip** (-pen) *o* fundamental (basic) idea; **–belasting** (-en) *v* land-tax; **–bestanddeel** (-delen) *o* fundamental part; **–bezit** *o* landed property; **–bezitter** (-s) *m* landed proprietor, landholder; **–boring** (-en) *v* soil drilling, soil boring; **–dienst** (-en) *m* ✈ ground organization; **–eigenaar** (-s en -naren) *m* = *grondbezitter*; **–eigendom** (-men) *o* = *grondbezit*

'grondel (-s) *m*, **'grondeling** (-en) *m* 🐟 gudgeon

'grondeloos bottomless, unfathomable; **gronde'loosheid** *v* bottomless depth

'gronden (grondde, h. gegrond) *vt* ground [a painting]; *fig* ground, found, base [one's belief &]; zie ook *gegrond*

'grondgebied (-en) *o* territory; **–gedachte** (-n) *v* leading thought, root idea; **–gesteldheid** (-heden) *v* nature (condition) of the soil

'grondig I *aj* 1 *fig* thorough [cleaning, overhaul, knowledge], profound [study]; 2 *eig* earthy [taste]; **II** *ad* thoroughly; *iets ~ doen* ook: **F** go the whole hog; **–heid** *v* 1 *fig* thoroughness; 2 *eig* earthiness [of taste]

'grondijs *o* ground-ice, anchor-ice; **–kamer** (-s) *v* land-control board; **–kleur** (-en) *v* 1 (v e r f) ground-colour, priming; 2 (k l e u r) primary colour; **–laag** (-lagen) *v* 1 bottom layer; 2 (v e r f) priming coat; **–lasten** *mv* land-tax; **–legger** (-s) *m* founder, father, founding father; **–legging** (-en) *v* foundation; **–lijn** (-en) *v* base; **–monster** (-s) *o* soil sample; **–nevel** (-en en -s) *m* ground mist; **–oorzaak** (-zaken) *v* original (first, root) cause; **–patroon** (-tronen) *o* basic pattern; **–personeel** *o* ✈ ground staff; **–rechten** *mv* civil rights; **–regel** (-en en -s) *m* fundamental rule, principle, maxim; **–slag** (-slagen) *m* foundation(s)²; *fig* basis; *~en* grass-roots; *ten ~ liggen aan* underlie; **–soort** (-en) *v* kind of soil; **–sop** *o* grounds, dregs; **–stelling** (-en) *v* axiom [in geometry]; principle, maxim; **–stof** (-fen) *v* raw material; element; **–strijdkrachten** *mv* ground forces; **–tal** (-len) *o* base; **–toon** (-tonen) *m* ♪ keynote²; **–trek** (-ken) *m* main feature; **–verf** (-verven) *v* ground-colour, priming; **–verven** (grondverfde, h. gegrondverfd) *vt* ground, prime; **–verzakking** (-en) *v* subsidence

1 'grondvesten *mv* foundations; **2 'grondvesten** (grondvestte, h. gegrondvest) *vt* found, lay the foundations of; **–vester** (-s) *m* founder, founding father; **–vesting** (-en) *v* foundation

'grondvlak (-ken) *o* base [of cube]; **–vorm** (-en) *m* primitive form; **–waarheid** (-heden) *v* fundamental truth; *de grondwaarheden* the basic truths; **–water** *o* (under)ground water; **–werk** (-en) *o* earthwork; **–werker** (-s) *m* navvy; **–wet** (-ten) *v* fundamental law, constitution; **–wetsherziening** (-en) *v* revision of the Constitution; **grond'wettelijk, grond'wettig** constitutional; **'grondwoord** (-en) *o* primary word, primitive word-form, etymon; **–zee** (-zeeën) *v* breaker; **–zeil** (-en) *o* ground sheet

groot I *aj* 1 (o m v a n g) large, big; voluminous; (e m o t i o n e e l) great, big [trees]; 2 (u i t g e s t r e k t) great, large, vast; 3 (v. g e s t a l t e) tall; 4 (n i e t m e e r k l e i n) grown-up; 5 (v. b e t e k e n i s) great [men, scoundrels];

great [powers, question], grand [entrance, dinner]; major [crisis, operations &]; *een grote eter* a big (great) eater; *een ~ kwartier* a good quarter of an hour; *een ~ man* a great man; *een grote man* a tall man; *de grote massa* the masses; *de grote mast* ⚓ the mainmast; *de Grote Oceaan* the Pacific (Ocean); *de grote weg* the high road, the highway, the main road; *~ wild* big game; *~ worden* grow (up), grow tall; *wat ben je ~ geworden!* how tall you have grown!; *groter groeien* grow, increase; **II** *ad* large; *~ gelijk!* quite right!; *~ leven* live in grand style; **III** *sb de groten* the great ones (of the earth); *het grote* what is great; *~ en klein* big and small; *groot (groten) en klein(en)* great and small; *in het ~* 1 in grand style, on a large scale; in a large way; 2 $ wholesale; *iets ~s* something great (grand), a great thing; zie ook *klein* **III**; **–bedrijf** *o* large-scale industry; *het ~* ook: the big industries; **–boek** (-en) *o* 1 $ ledger; 2 Great Book of the Public Debt; **–brengen** (bracht 'groot, h. 'grootgebracht) *vt* bring up, rear; **Groot-Brit'tannië** *o* Great Britain; **'grootdoen** *vi* give oneself airs, swagger; **grootdoene'rij** (-en) *v* swagger; **groot'grondbezit** *o* large ownership; **–bezitter** (-s) *m* big landowner, big landed proprietor; **'groothandel** (-s) *m* wholesale trade; **–handelaar** (-s) *m* wholesale dealer; **–handel(s)prijs** (-prijzen) *m* wholesale price; **groot'hartig** magnanimous; generous; **'grootheid** (-heden) *v* greatness, largeness, bigness, tallness; *fig* grandeur, magnitude[2], quantity; *~ van ziel* magnanimity; *algebraïsche grootheden* algebraic magnitudes; *een onbekende ~* an unknown quantity[2]; **–swaan(zin)** *m* delusion of grandeur, megalomania; *lijder aan ~* megalomaniac; **'groothertog** (-togen) *m* grand duke; **groot'hertogdom** (-men) *o* grand duchy [of Luxembourg]; **groothertoʼgin** (-nen) *v* grand duchess; **'groothoekig** *~e lens* wide-angle lens; **–houden** (hield 'groot, h. 'grootgehouden) *zich ~* keep up appearances, bear it bravely, keep a stiff upper lip; **–industrie** (-ieën) *v de ~* the big industries; **–industrieel** (-iëlen) *m* captain of industry; **–je** (-s) *o* **F** granny; *je ~!* not a bit!; *maak dat je ~ wijs* you tell that to the marines; **–kapitaal** *o* 1 high finance; 2 *het ~* the big capitalists; **–kruis** (-en) *o* grand cross; **–ma(ma)** ('s) *v* grandmother; **–meester** (-s) *m* Grand Master [Mason; of an order of knighthood; of chess]; **–moe(der)** (-(der)s) *v* grandmother; **groot'moedig** magnanimous, generous; **–heid** *v* magnanimity, generosity; **'grootmogol** (-s) *m* Great Mogul; **–ouders** *mv* grandparents; **–pa(pa)** ('s) *m* **F** grandfather, grand-dad; **groots** 1 grand, grandiose, noble, majestic; ambitious [plans]; 2 (t r o t s) proud, haughty; **'grootscheeps, groot'scheeps I** *aj* grand; ambitious [attempt]; large-scale [programme]; **II** *ad* in grand style; on a large scale; **'grootschrift** *o* text-hand; **'grootsheid** *v* 1 grandeur, grandiosity, nobleness, majesty; 2 (t r o t s) pride, haughtiness; **'grootsig** arrogant, haughty; **'grootspraak** *v* boast(ing), brag(ging), big words; **groot'sprakig** vainglorious, boastful; **'grootspreken** *vi* boast, brag, talk big; **–spreker** (-s) *m* boaster, braggart; **groot'steeds** *~e manieren* city manners; **'grootte** (-n en -s) *v* bigness, largeness, greatness, size, extent; magnitude [of stars, an offer]; *i n deze ~* of this size; *o p (de) ware ~* full-size(d); *een... t e r ~ van* ...the size of...; *v a n dezelfde ~ zijn* be of a size; *van de eerste ~* of the first magnitude[2]; **'grootvader** (-s) *m* grandfather; **–vizier** (-en en -s) *m* grand vizier; **–vorst** (-en) *m* grand duke; **–vorstin** (-nen) *v* grand duchess; **groot'waardigheidsbekleder** (-s) *m* high dignitary; **groot'winkelbedrijf** (-drijven) *o* 1 (c o l l e c t i e f) multiple shop organization, chain; 2 (é é n w i n k e l d a a r v a n) multiple shop, chain store; **'grootzegel** (-s) *o het ~* the great seal; **groot'zegelbewaarder** (-s) *m* keeper of the great seal; *Br* Lord Privy Seal; **'grootzeil** (-en) *o* ⚓ mainsail

gros (-sen) *o* 1 gross [= 12 dozen]; 2 gross, mass, main body; *het ~* ook: the majority; **–lijst** (-en) *v* list of candidates

'grosse (-n) *v* engrossment, engrossed document; **gros'seren** (grosseerde, h. gegrosseerd) *vt* engross

gros'sier (-s) *m* wholesale dealer; **grossierde'rij** (-en) *v* 1 wholesale trade; 2 wholesale business; **gros'siersprijs** (-prijzen) *m* wholesale price, trade price

grot (-ten) *v* grotto, cave

grote (-n) 1 *m* grown-up person, adult; *de ~n der aarde* the great ones [of the earth]; 2 *v* (g r o t e b o o d s c h a p) **F** number two; 3 *o wie het kleine niet eert is het ~ niet weerd* take care of the pence and the pounds will take care of themselves; **'grotelijks** greatly, in a large measure; **'grotendeels** for the greater part, for the most part; largely [depend on]

gro'tesk grotesque; **–e** (-n) *v* grotesque

'grotonderzoek (-en) *o* speleology

'grovelijk grossly; coarsely

gruis *o* 1 coal-dust; 2 grit [of stone]

gruize(le)'menten *mv* = *gruze(le)menten*

grut *o het kleine ~* the small fry

'grutten *mv* groats, grits

'grutter (-s) *m* grocer; **–swaren** *mv* groceries

'grutto ('s) *m* godwit

'gruwel (-en) *m* 1 (g e v o e l) abomination; 2

(d a a d) atrocity, horror; *...is mij een ~* I detest (loath, abhor)..., ...is my pet aversion (abomination); **–daad** (-daden) *v* atrocity; **–ijk I** *aj* abominable, horrible, atrocious; **II** *ad* abominably, horribly, atrociously, < awfully; *zich ~ vervelen* be bored to death; **–kamer** (-s) *v* chamber of horrors; **–verhaal** (-halen) *o* horror story; **'gruwen** (gruwde, h. gegruwd) *vi* shudder; *~ b ij de gedachte* shudder at the thought; *~ v a n* abhor; **'gruwzaam** horrible, gruesome

gruze(le)'menten *mv aan ~* to shivers

gu'ano *m* guano

Guate'mala *o* Guatemala

guer'rilla ('s) *m*, **guer'rillaoorlog** [gɛ'ri.lja.-] (-logen) *m* guer(r)illa (warfare); **–strijder** (-s) *m* guer(r)illa

'guichelheil *o* (scarlet) pimpernel

guillo'tine [gi.(l)jo.'ti.nə] (-s) *v* guillotine

Gui'nee-Bissau *o* Guinea-Bissau; **Gui'nees** [*gi.*- of *gu.vi.*-] Guinean; *~ biggetje* guinea-pig

guir'lande [gi:r-] (-s) *v* garland, festoon, wreath, [paper] chain

guit (-en) *m* rogue[2]; **'guitenstreek** (-streken) *m* & *v* roguish trick; **'guitig** roguish, arch; **–heid** (-heden) *v* roguishness, archness

gul I *aj* 1 generous, open-handed, liberal; 2 frank, open, open-hearted, genial; **II** *ad* 1 generously, liberally; 2 frankly, genially

1 'gulden *aj* golden; *de ~ middenweg* the happy (golden) mean (medium)

2 'gulden (-s) *m* guilder

gul'hartig = *gul* **I** 2; **–heid** (-heden) *v* 1 generosity, open-handedness, liberality, bounty; 2 frankness, openness, open-heartedness, geniality

gulp (-en) *v* 1 gulp [of blood]; 2 (v. b r o e k) fly; **'gulpen** (gulpte, h. gegulpt) *vi* gush, spout

'gulzig gluttonous, greedy, edacious; **–aard** (-s) *m* glutton; **–heid** (-heden) *v* gluttony, greediness, greed

gum *m* & *o* = *gom*

'gummi *o* & *m* (india-)rubber; **–hak** (-ken) *v* rubber heel; **–handschoen** (-en) *m* & *v* rubber glove; **–stok** (-ken) *m* (rubber) truncheon; **–waren** *mv* rubber articles (goods)

'gunnen (gunde, h. gegund) *vt* 1 grant; 2 not grudge, not envy; *het is je gegund* you are welcome to it; **–ning** (-en) *v* allotment

gunst (-en) **I** *v* favour; **$** favour, patronage, custom, goodwill; *een ~ bewijzen* do a favour, oblige; *i n de ~ komen bij* get into favour with, **F** get on the right side of; *weer bij iem. in de ~ komen* get into sbd.'s good books again; *in de ~ trachten te komen bij* ingratiate oneself with; *in de ~ staan bij iem.* be in favour with sbd., be in sbd.'s good books; *t e n ~e van...* 1 in favour of...; 2 in behalf of...; *u i t de ~ geraken* fall out of favour (with *bij*); *uit de ~ zijn* be in disfavour; **II** *ij* goodness gracious!; **–bejag** *o* favour-hunting; **–betoon** *o* marks of favour; **–bewijs** (-wijzen) *o* mark of favour, favour; **–eling(e)** (-en) *m(-v)* favourite

'gunstig I *aj* favourable, propitious, auspicious; *het geluk was ons ~* fortune (fate) favoured us; *op het ~ste moment* at the flood; zie ook *geval*; **II** *ad* favourably; *~ bekend* enjoying a good reputation

gut! *ij* = *gunst* **II**

guts (-en) *v* ⚒ gouge

1 'gutsen (gutste, h. gegutst) *vt* ⚒ gouge

2 'gutsen (gutste, h. gegutst) *vi* gush, spout [of blood]; stream, run [of sweat]

guur bleak, raw, inclement, damp and chilly; **–heid** *v* bleakness, inclemency, intemperance [of climate]

Guy'aan [*gi.*'a.n] (-anen) *m* Guyanese [*mv* Guyanese]; **–s** Guyanese; **Guy'ana** *o* Guyana

'gymbroek ['*g*ɪm-] (-en) *v* **F** gym slip

gymnasi'aal [*g*ɪmna.zi.'a.l] *aj* grammar-school...; **gymnasi'ast** (-en) *m* pupil of a grammarschool; **gym'nasium** (-s en -ia) *o* grammar school

gym'nast (-en) *m* gymnast; **gymnas'tiek** *v* gymnastics, physical training, P.T.; *ritmische ~* callisthenics; **–leraar** (-s en -raren) *m* physical training master, P.T. master; **–les** (-sen) *v* gymnastic lesson; **–lokaal** (-kalen) *o* gymnasium; **–schoen** (-en) *m* gymnasium shoe, **F** gym shoe; **–uitvoering** (-en) *v* gymnastic display; **–vereniging** (-en) *v* gymnastic club; **–werktuigen** *mv* gymnastic apparatus; **–zaal** (-zalen) *v* gymnasium; **gym'nastisch** gymnastic

'gympjes *mv*, **'gymschoenen** *mv* plimsolls

gynaecolo'gie [*gi.ne.*-] *v* gynaecology; **gynaeco'loog** (-logen) *m* gynaecologist

H

h [ha.] ('s) *v* h
H. = *heilige*
ha! *ij* ha!, oh!, ah!; ~ *die Jan* hullo John!
Haag, Den ~ The Hague
haag (hagen) *v* hedge, hedgerow; lane [of people, of soldiers]; **–appel** (-en en -s) *m* haw, hawthorn berry; **–beuk** (-en) *m* hornbeam; **–doorn, –doren** (-s) *m* = *hagedoorn*
Haags (of The) Hague
haai (-en) *m* 𝔖 shark; *fig* vulture, kite; *naar de ~en gaan* ⚓ go to Davy Jones's locker; *hij is voor de ~en* he is going to the dogs
'haai(e)baai (-en) *v* shrew, virago, scold
haak (haken) *m* 1 hook; 2 cradle [of desk telephone]; 3 picklock [for opening locks &]; 4 (winkel~) ⚒ square; 5 (kleerhanger) peg; *haken en ogen* hooks and eyes; *fig* difficulties, squabbles, bickerings; *aan de ~ slaan* hook[2]; *schoon aan de ~* dressed (net) weight; (*niet*) *in de ~* (not) right; *de hoorn weer op de ~ leggen* ☏ put down the receiver, ring off, hang up; *de hoorn van de ~ nemen* ☏ lift the receiver
'haakbus (-sen) *v* (h)arquebus
'haakgaren (-s) *o* crochet cotton
'haakje (-s) *o* (in de drukkerij) bracket, parenthesis: ( ); *tussen (twee) ~s* between brackets; *fig* in parentheses; *tussen twee ~s, heb je ook...?* by the way, have you...?
'haaknaald (-en) *v*, **–pen** (-nen) *v* crochet-hook
haaks square; *niet* ~ out of square; **'haakvormig** hook-shaped, hooked
'haakwerk (-en) *o* crochet-work, crocheting
haal (halen) *m* stroke [in writing]; *aan de ~ gaan* take to one's heels, run away
'haalbaar practicable, realizable, feasible
haam (hamen) *o* collar [of a horse]
haan (hanen) *m* cock; *daar zal geen ~ naar kraaien* nobody will be the wiser; *zijn ~ kraait daar koning* he is (the) cock of the walk, he has it all his own way; *de rode ~ laten kraaien* set the house & ablaze; *de ~ overhalen* cock a gun; *de gebraden ~ uithangen* do the grand; **–tje** (-s) *o* young cock, cockerel; *hij is een ~* he is a young hotspur; *hij is ~ de voorste* he is (the) cock of the walk
1 haar 1 *bez. vnmw.* her; their; 2 *pers. vnmw.* (3de nmv.) (to) her; (to) them; (4de nmv.) her; them; *het is van ~* it is hers
2 haar (haren) *o* hair [of the head &]; *hij is geen ~ beter* he is not a bit (whit) better; *geen ~ op mijn hoofd dat er aan denkt* I don't even dream of doing such a thing; *~ op de tanden hebben* be a tough customer, have a sharp tongue; *het scheelde maar een ~, geen ~* it was a near thing, it was touch and go; *iem. geen ~ krenken* not touch (harm) a hair of sbd.'s head; *ergens grijze haren van krijgen* worry about sth., lose sleep over sth.; *zijn haren rezen hem ten berge* his hair stood on end; [*het scheelde*] *geen ~* very nearly, by an inch; *het scheelde maar een ~* it was a near miss; *zijn wilde haren verliezen* sow one's wild oats; *elkaar in het ~ vliegen* go for one another, come to blows; *elkaar altijd in het ~ zitten* quarrel constantly, always be at loggerheads; *iets met de haren erbij slepen* drag it in; *dat is er met de haren bijgesleept* that's far-fetched; *op een ~ na* by (to) a hair, by a hair's breadth; *alles op haren en snaren zetten* leave no stone unturned; *tegen het ~ instrijken* stroke against the hair, rub [sbd.] the wrong way; zie ook *hand, huid, vos*; **–band** (-en) *m* hair ribbon, fillet, headband; **–borstel** (-s) *m* hairbrush; **–bos** (-sen) *m* 1 tuft of hair; 2 (haardos) shock of hair; **–breed** *o* hair's-breadth, hairbreadth; **–buisje** (-s) *o* capillary vessel (tube)
haard (-en) *m* 1 hearth, fireside, fireplace; 2 stove; 3 *fig* focus [*mv* foci], seat [of the fire], centre [of infection, resistance]; *eigen ~ is goud waard* there is no place like home, home is home be it (n)ever so homely; *aan de huiselijke ~, bij de ~* by (at) the fireside; **–ijzer** (-s) *o* 1 fender [to keep coals from rolling into room]; 2 firedog [for supporting burning wood]; **–kleedje** (-s) *o* hearth-rug
'haardos *m* (head of) hair
'haardplaat (-platen) *v* hearth-plate
'haardracht (-en) *v* coiffure, hairdo; **–droger** (-s) *m* hair drier
'haardscherm (-en) *o* fire-screen, fender; **–stede** (-n) *v* hearth, fireside; **–stel** (-len) *o* (set of) fire-irons; **–vuur** *o* fire on the hearth
'haarfijn I *aj* 1 as fine as a hair; 2 *fig* minute [account], subtle [distinction]; **II** *ad* minutely, [tell] in detail; **–groei** *m* hair growth, growth of the hair; **–groeimiddel** (-en) *o* hair-grower, hair-restorer, pilatory; **–kam** (-men) *m* hair-comb
'haarkloven (haarkloofde, h. gehaarkloofd) *vi* split hairs; **–klover** (-s) *m* hair-splitter, casuist; **haarklove'rij** (-en) *v* hair-splitting
'haarknippen *o* hair-cutting; **–lak** *m* hair spray
'Haarlemmer Haarlem; ~ *olie* Dutch drops
'haarlijntje (-s) *o* fine line, hairline; **–lint** (-en) *o* hair-ribbon; **–lok** (-ken) *v* lock of hair; **–loos**

hairless, without hair; **–netje** (-s) *o* hairnet; **–pijn** *v* **F** a head, a hang-over; **–scherp** very clear; **–speld** (-en) *v* hairpin, hair-slide, bobby-pin; **–speldbocht** (-en) *v* hairpin bend; **–stukje** (-s) *o* hairpiece, toupee; **–uitval** *m* loss of hair; ⚕ alopecia; **–vat** (-vaten) *o* capillary vessel; **–verf** (-verven) *v* hair-dye; **–versteviger** (-s) *m* setting lotion; **–vlecht** (-en) *v* [woman's] plait, braid; [girl's] pigtail [hanging from the back]; **–wassing** (-en) *v* shampoo; **–water** (-s) *o* hair-wash (lotion); **–worm** (-en) *m* trichina; **–wortel** (-s) *m* root of a hair; **–zakje** (-s) *o* hair follicle

haas (hazen) *m* 1 🐇 hare; 2 (s t u k v l e e s) fillet, tenderloin, undercut [of beef]; **haasje-'over** *o* leap-frog

1 haast *v* haste, speed, hurry [= undue haste]; *er is ~ bij* it is urgent; *er is geen ~ bij* there is no hurry; *~ hebben* be in a hurry; *~ maken* make haste, be quick; *in ~* in a hurry; *waarom zo'n ~?* what's the hurry?

2 haast *ad* 1 = *bijna*; 2 *kom je ~?* are you coming soon (yet)?

'haasten (haastte, h. gehaast) **I** *vt* hurry; **II** *vr zich ~* hasten, make haste; *haast je langzaam!* make haste slowly!; *haast je (wat)!* hurry up!; *haast je rep je...* in a hurry; zie ook *haast-je-rep-je, gehaast*; **'haastig I** *aj* hasty, hurried; *~e spoed is zelden goed* more haste, less speed; **II** *ad* hastily, in haste, in a hurry, hurriedly; **haast-je-'rep-je** post-haste, *Am* **S** lickety-split; **'haastklus** (-sen) *m* hurry-up job; **'haastwerk** (-en) *o* rush job, rush order

haat *m* hatred (of *tegen*), ⊙ hate; **haat'dragend** resentful, rancorous; **–heid** *v* resentfulness, rancour

'habbekrats *m voor een ~* for a mere song (trifle)

ha'bijt (-en) *o* habit

habitu'é (-s) *m* regular customer (visitor), patron

'habitus *m* habit

ha'chee [hɑ'ʃe.] (-s) *m* & *o* hash [of warmed-up meat]

'hachelen (hachelde, h. gehacheld) *je kunt me de bout ~* **F** go climb a tree

'hachelijk precarious, critical, dangerous, perilous

'hachje (-s) *o bang voor zijn ~* anxious to save one's skin; *zijn ~ er bij inschieten* not be able to save one's skin

had (hadden) V.T. v. *hebben*

haf (-fen) *o* lagoon

haft (-en) *o* mayfly, ephemeron

hage'dis (-sen) *v* lizard

'hagedoorn, –doren (-s) *m* hawthorn

'hagel (-s) *m* 1 hail; 2 (o m t e s c h i e t e n) (small) shot; **–bui** (-en) *v* shower of hail, hailstorm; *een ~ van stenen* a shower of stones; **'hagelen** (hagelde, h. gehageld) *vi* hail; *het hagelde kogels* volleys of shot pattered down; **'hagelkorrel** (-s) *m* 1 hailstone; 2 grain of shot; **–schade** *v* damage (caused) by hail; **–slag** *m* 1 hailstorm; 2 damage (caused) by hail; 3 (o p b r o o d) ± hundreds and thousands; **–steen** (-stenen) *m* hailstone; **–wit** white as snow

'hageprediker (-s) *m* 🕮 hedge-priest; **–preek** (-preken) *v* 🕮 hedge-sermon

Ha'ïti *o* Haiti

1 hak (-ken) *v* 1 (g e r e e d s c h a p) hoe, mattock, pickaxe; 2 heel; *schoenen met hoge (lage, platte) ~ken* high-heeled (low-heeled, flat-heeled) shoes; *met de ~ken over de sloot* [escape] by the skin of one's teeth, only just [managed to...]; *op de ~ nemen* make fun of

2 hak (-ken) *m* cut [of wood]; *iem. een ~ zetten* play sbd. a nasty trick; *van de ~ op de tak springen* jump (skip) from one subject to another, ramble

'hakbijl (-en) *v* 1 hatchet; 2 (v. s l a g e r) chopper, cleaver; **–bord** (-en) *o* chopping-board

'haken (haakte, h. gehaakt) **I** *vt* 1 hook, hitch [to..., on to...]; 2 (h a n d w e r k e n) crochet; **II** *va* 1 hook, hitch; 2 (h a n d w e r k e n) do crochetwork; *in een struik blijven ~* be caught in a bush; **III** *vi ~ naar* hanker after, long for, yearn for (after)

'hakenkruis (-en en -kruizen) *o* swastika

'hakhout *o* copse, coppice

'hakkebord (-en) *o* dulcimer

'hakkelen (hakkelde, h. gehakkeld) *vi* stammer, stutter

'hakken (hakte, h. gehakt) *vt* & *vi* cut, chop, hack, hew, hash, mince [to pieces]; *op iem. zitten ~* peck, nag at sbd.; *waar gehakt wordt vallen spaanders* ± you can't make an omelette without breaking eggs; zie ook: *inhakken, pan* &

'hakketakken (hakketakte, h. gehakketakt), **hakke'teren** (hakketeerde, h. gehakketeerd) *vi* bicker, squabble, wrangle

'hakmes (-sen) *o* chopping-knife, cleaver; **–sel,** (-s), **–stro** *o* chopped straw, chaff; **–vrucht** (-en) *v* root crop

hal (-len) *v* hall; (covered) market

'halen (haalde, h. gehaald) **I** *vt* fetch; get; draw, pull; get; run [the comb through one's hair, one's pen through the name]; *laten ~* send for; *een akte ~* obtain (secure) a certificate (a diploma); *bij zal de dag niet meer ~* he won't last out the night; *een dokter ~* go for (call in) a doctor; *er bij ~* drag in [sbd.'s name]; *hij zal het* *wel* (*erdoor*) ~ he's sure to pull through; *de doker kan hem niet erdoor* ~ the doctor can't pull him through; *het wetsvoorstel erdoor* ~ carry the bill; *hij haalde het nog net* he just made it; *de post* ~ 1 fetch the mail; 2 be in time for the post; *het zal nog geen 10 stuivers* ~ it will not even fetch 10 pence; *de honderd* ~ live to be a hundred; *de trein* ~ catch the train; *iem. van de trein* ~ meet sbd. at the station; *daar is niets te* ~ nothing to be got there; *worden jullie* (*straks*) *gehaald?* is anybody coming for you?; *een huis tegen de grond* ~ pull down a house; *zijn beurs uit de zak* ~ pull out one's purse; *dat haalt niets uit* that's no good; *waar haalt hij het vandaan?* where does he get IT?; zie ook: *hals* &; **II** *va* 1 ⚓ pull; 2 draw (raise) the curtain; 3 (k i n k h o e s t) whoop; *dat haalt niet bij...* **F** that is not a patch (up)on..., that cannot touch...

half I *aj* half; *halve cirkel* semicircle; ~ *één* half past twelve; ~ *Engeland* half (one half of) England; ~ *geld* half the money, half price; *een halve gulden* (w a a r d e) half a guilder; *een* ~ *jaar* half a year, six months; ~ *maart* mid-March; *tot* ~ *maart* until the middle of March; *een halve toon* ♪ a semitone; *een* ~ *uur* half an hour; *de halve wereld* half the world; zie ook: *verstaander* &; *het slaat* ~ the half-hour is striking; **II** *o* half; *twee en een* ~ two and a half; *twee halven* two halves; *ten halve iets doen* do a thing by halves; *ten halve omkeren* turn when halfway; *beter ten halve gekeerd dan ten hele gedwaald* he who stops halfway is only half in error; **III** *ad* half; ~ *te geef* half for nothing; *dat is mij maar* ~ *naar de zin* not altogether to my liking; *iets maar* ~ *verstaan* understand only half of it; *hij is niet* ~ *zo...* not half so...; **–aap** (-apen) *m* half-ape; **half'bakken** half-baked[2]; **'halfbloed I** *aj* half-bred; **II** (-en en -s) *m-v* half-breed, half-caste, half-blood; **–broe(de)r** (-s) *m* half-brother; **–dek** *o* quarter-deck; **–donker** *o* semi-darkness; **half'dood** half-dead; **'half-edelsteen** (-stenen) *m* semi-precious stone; **1 'half-en-half** *ad* ~ *beloven* half promise; *ik denk er* ~ *over om...* I have half a mind to...; **2 half-en-'half** *o* & *m* = *half-om-half*; **'halffabrikaat** (-katen) *o* semi-manufactured article; **'halfgaar, half'gaar** 1 half-done, half-baked; 2 *fig* half-baked, **F** dotty; **'halfgeleider** (-s) *m* semi-conductor; **–god** (-goden) *m* demigod; **–heid** *v* half-heartedness, irresolution; **'halfjaarlijks, half'jaarlijks I** *aj* half-yearly; **II** *ad* every six months; **'halfje** (-s) *o* **F** 1 half a glass; 2 ⚒ [Dutch] half-cent; **'halfklinker** (-s) *m* semivowel; **–leer** *o* half calf; *halfleren band* half binding; **–linnen** *o* half cloth; **–luid** in an undertone, under one's breath; **'halfmaandelijks, half'maandelijks I** *aj* fortnightly; **II** *ad* every fortnight; **half-om-'half** *o* & *m* half-and-half; fifty-fifty; **'halfrond** (-en) *o* hemisphere; **–schaduw** (-en) *o* penumbra; **half'slachtig** amphibious; *fig* half-hearted; **'halfsleets** halfworn; **–speler** (-s) *m* half-back; **half'stok** at half-mast, half-mast high; **half'vasten** *m* mid-Lent; **–'was** *m-v* apprentice; **'halfweg, half'weg** halfway; **half'wijs** half-witted; **–'zacht** medium-boiled [egg]; *fig* half-baked, dotty; **'halfzuster** (-s) *v* half-sister; **half'zwaargewicht** (-en) *m* light-heavy-weight

halle'luja ('s) *o* hallelujah

hal'lo *ij* hullo!

halluci'natie [-(t)si.] (-s) *v* hallucination; **hallucino'geen I** (-genen) *o* hallucinogen; **II** *aj* hallucinogenic

halm (-en) *m* stalk, blade

'halo ('s) *m* halo

hals (halzen) *m* 1 neck [of body, bottle, garment &]; 2 tack [of a sail]; 3 (*onnozele*) ~ simpleton; *zijn* (*de*) ~ *breken* break one's neck; *dat zal hem de* ~ *breken* that will be his undoing; *iem. o m* ~ *brengen* make away with sbd.; *iem. om de* ~ *vallen* fling one's arms round sbd.'s neck, fall upon sbd.'s neck; *zich iets o p de* ~ *halen* bring sth. on oneself, incur [punishment &]; catch [a disease, a cold &]; ~ *o v e r kop* head over heels, [rush] headlong [into...], [run] helterskelter; in a hurry; **–ader** (-en en -s) *v* jugular (vein); **–band** (-en) *m* collar; **–boord** (-en) *o* & *m* neckband [of a shirt]; **–brekend** breakneck; **–doek** (-en) *m* neckerchief, scarf; **–ketting** (-en) *m* & *v* neck-chain, necklace; **–lengte** (-n en -s) *v* [win by a] neck; **–misdaad** (-daden) *v* capital crime; **–slagader** (-en en -s) *v* carotid (artery); **–snoer** (-en) *o* necklace

hals'starrig I *aj* headstrong, stubborn, obstinate; **II** *ad* stubbornly, obstinately; **–heid** *v* stubbornness, obstinacy

'halster (-s) *m* halter

'halswervel (-s) *m* cervical vertebra

halt halt; ~ *houden* make a halt, halt, make a stand, stop; ~ *laten houden* ⚔ halt [soldiers]; call a halt [on the march]; *een* ~ *toeroepen aan* [*fig*] check; ~*!* 1 ⚔ halt!; 2 stop!; ~ *...wie daar!* ⚔ stand!, who goes there?; **'halte** (-n en -s) *v* wayside station [of railway]; stopping-place, stop [of tramway or bus]

'halter (-s) *m* dumb-bell, (l a n g) bar-bell

'halve zie *half*; **halve'maan** (-manen) *v* half-moon, crescent; **–tje** (-s) *o* crescent roll; **halvemaan'vormig** semilunar, crescent-shaped; **hal'veren** (halveerde, h. gehalveerd) *vt* halve; **'halverhoogte** halfway up; **hal'vering** (-en) *v* halving; **halver'wege** halfway

ham (-men) *v* ham
'hamel (-s) *m* wether
'hamer (-s) *m* hammer, (v a n h o u t o o k:) mallet; *o n d e r de ~ brengen* bring to the hammer; *onder de ~ komen* come under the hammer, be sold by auction; *t u s s e n ~ en aanbeeld* between the devil and the deep sea; **'hameren** (hamerde, h. gehamerd) *vi* & *vt* hammer; **'hamerhaai** (-en) *m* hammer-head shark; **–slag** 1 (-slagen) *m* blow (stroke) of a hammer, hammer stroke, hammer blow²; 2 *o* hammer-scale, scale
'hamster (-s) *v* hamster; **–aar** (-s) *m* (food-) hoarder; **'hamsteren** (hamsterde, h. gehamsterd) *vi* & *vt* hoard (food)
'hamvraag (-vragen) *v dat is de ~* that is the crux, the crucial question
hand (-en) *v* hand; *de ~en staan hem verkeerd* he is very unhandy; *de vlakke ~* the flat of the hand; *iem. de ~ drukken (geven, schudden)* shake hands with sbd.; *iem. de ~ op iets geven* shake hands on (over) it; *de ~ hebben in iets* have a hand in sth.; *de vrije ~ hebben* have carte blanche; *de ~ houden aan* enforce [a regulation &]; *iem. de ~ boven het hoofd houden* extend one's protection to sbd.; *de ~en ineenslaan* clasp one's hands; *fig* join hands; *de ~en ineenslaan van verbazing* throw up one's hands in wonder; *iem. de vrije ~ laten* leave (give, allow) sbd. a free hand; *de laatste ~ leggen aan het werk* put the finishing touches to the work; *de ~ leggen op* lay hands on; *de ~ lenen tot iets* lend oneself to sth., be a party to sth.; *de ~ lichten met* let oneself off lightly from the labour of ...ing, make light of...; *zijn ~ niet omdraaien voor iets* make nothing of ...ing; *~en omhoog!* hold (stick) them up!; *de ~ opheffen tegen iem.* lift (raise) one's hand against sbd.; *de ~ ophouden* 1 hold out one's hand; 2 *fig* beg; *de ~en aan het werk slaan* set to work; *de ~ aan zich zelf slaan* lay violent hands on oneself; *de ~en uit de mouwen steken* put one's shoulder to the wheel, buckle to; *geen ~ uitsteken om...* not lift (raise, stir) a finger to...; *~en vol geld* **F** heaps (lots) of money; *de ~en vol hebben* have (have got) one's hands full, have one's work cut out; *de ~ vragen van een meisje* ask her hand in marriage; *geen ~ voor ogen kunnen zien* not be able to see one's hand before one; • *a a n de ~ van deze gegevens* on the basis of these data; *aan de ~ van voorbeelden* from examples; *~ aan ~* hand in hand; *iem. iets aan de ~ doen* procure (find, get) sth. for sbd.; suggest [a means] to sbd.; *aan de beter(end)e ~ zijn* zie *beteren*; *wat is er aan de ~?* **F** what is up?; *er is iets aan de ~* there is something going on; *er is niets aan de ~* there's nothing wrong, there's nothing doing; *aan ~en en voeten binden* bind hand and foot; *iets a c h t e r de ~ hebben* have sth. up one's sleeve; *iets (altijd) b ij de ~ hebben* have sth. at hand, ready (to hand), handy; *al vroeg bij de ~* up early; *nog niet bij de ~ zijn* not be stirring; zie ook: *bijdehand*; *met de degen i n de ~* sword in hand; zie ook: *hoed*; *wij hebben dat niet in de ~* these things are beyond (out of) our control; *~ in ~* hand in hand; *in ~en komen (vallen) van...* fall into the hands of...; *iets in ~en krijgen* get hold of sth.; *in andere ~en overgaan* change hands; *iem. iets in ~en spelen* smuggle sth. into sbd.'s hands; *hij heeft zich iets in de ~ laten stoppen* he has been taken in; *iem. in de ~ werken* play the game (into the hands) of sbd.; *iets in de ~ werken* promote sth.; *in ~en zijn van* be in the hands of; *m e t de ~ gemaakt* hand-made, made by hand; *met de ~en in het haar zitten* be at one's wit's (wits') end; *met de ~en in de schoot zitten* sit with folded hands; *met de ~ op het hart* in all conscience; hand on heart [they affirmed]; *met beide ~en aangrijpen* jump at [a proposal], seize [the opportunity] with both hands; *met lege ~en* empty-handed; *met de ~ over het hart strijken* strain a point; *met ~ en tand* tooth and nail; *iem. n a a r zijn ~ zetten* manage sbd. (at will); *niets o m ~en hebben* have nothing to do; *o n d e r de ~* meanwhile; *iets onder ~en hebben* have a work in hand, be at work on sth.; *iem. onder ~en nemen* take sbd. in hand, take sbd. to task; *iets onder ~en nemen* (o p k n a p p e n) take in hand, undertake; clean, overhaul; *iem. o p de ~en dragen* make much of sbd.; *het publiek op zijn ~ hebben* have the audience with one; *op iems. ~ zijn* be on sbd.'s side, side with sbd.; *op ~en zijn* be near at hand, be drawing near; *op ~en en voeten* on all fours; *~ o v e r ~* hand over hand; *~ over ~ toenemen* spread, be rampant; *een voorwerp t e r ~ nemen* take it in one's hands, take it up; *een werk ter ~ nemen* undertake, take (put) it in hand; *iem. iets ter ~ stellen* hand sth. to sbd.; *u i t de eerste (tweede) ~* (at) first (second) hand; *uit de eerste ~* **F** straight from the horse's mouth; *uit de vrije ~* by hand; *uit de ~ geschilderd* painted by hand; *iets uit zijn ~en geven* trust sth. out of one's hands; *(iem.) uit de ~ lopen* get out of hand; *uit de ~ verkopen* sell by private contract; *v a n hoger ~* [a revelation] from on high; [an order] from high quarters, from the government; [hear] on high authority; *iets van de ~ doen* dispose of, part with, sell sth.; *goed van de ~ gaan* sell well; *van de ~ wijzen* refuse [a request], decline [an offer], reject [a proposal]; *van ~ tot ~* from hand to hand; *van de ~ in de tand* from hand to mouth; *v o o r de ~ liggen* be obvious; *het zijn twee ~en op één buik* they are hand in (and) glove; *als de éne ~ de andere wast, worden ze beide schoon* one hand washes another;

veel ~en maken licht werk many hands make light work; **–appel** (-en en -s) *m* eating apple, eater; **–arbeider** (-s) *m* manual worker; **–bagage** [-baga.ʒə] *v* hand-luggage; **–bal** (-len) 1 *m* (b a l) handball; 2 *o* (s p e l) handball; **–bereik** *o binnen ~* within reach; **–bibliotheek** (-theken) *v* reference library; **–boeien** *mv* handcuffs, manacles; **–boek** (-en) *o* manual, handbook, textbook; **–boog** (-bogen) *m* crossbow; **–boor** (-boren) *v* (k l e i n) gimlet, (g r o o t) auger; **–breed** *o*, **–breedte** (-n en -s) *v* hand's breadth; *geen ~ wijken* not budge an inch; **–dienst** (-en) *m* zie *hand-en-spandiensten*; **–doek** (-en) *m* towel; *~ op rol* roller-towel; **–doekenrek** (-ken) *o*, **–doekenrekje** (-s) *o* (l o s) towel-horse, (v a s t) towel-rail; **–druk** (-ken) *m* hand pressure; handshake; *een ~ wisselen* shake hands

1 'handel (-s) *m* 1 trade; commerce; > traffic²; 2 (z a a k) business; *~ en wandel* conduct, life; *~ drijven* do business, trade (with *met*); *in de ~ brengen* put on the market; *in de ~ gaan* (*zijn*) go into (be in) business; *niet in de ~* 1 [goods] not supplied to the trade; 2 privately printed [pamphlets]

2 'handel ['hɛndəl] (-s) *o* & *m* ⚒ handle

'handelaar (-s en -laren) *m* merchant, dealer, trader; > [drug] trafficker; **'handelbaar** tractable, manageable, docile; **'handeldrijvend** trading; **'handelen** (handelde, h. gehandeld) *vi* 1 (d o e n) act; 2 (h a n d e l d r i j v e n) trade, deal; *~ i n hout* deal (trade) in timber; *~ n a a r* (*een beginsel*) act on (a principle); *o p de Levant ~* trade to the Levant; *o v e r een onderwerp ~* treat of (deal with) a subject; **'handeling** (-en) *v* 1 action, act; 2 action [of a play]; *H~en der Apostelen* Acts of the Apostles; *de ~en van dit genootschap* the Proceedings (Transactions) of this Society; *Handelingen van het Engels Parlement* Hansard; **handelingsbe'kwaam** ⚖ competent, capable to contract; **'handelmaatschappij** (-en) *v* trading-company; **'handelsadresboek** (-en) *o* business directory; **–agent** (-en) *m* commercial agent; **–akkoord** (-en) *o* trade agreement; **–artikel** (-en en -s) *o* article of commerce, commodity; **–attaché** [-ʃe.] (-s) *m* commercial attaché; **–balans** (-en) *v* balance of trade, trade balance; *tekort op de ~* trade gap; **–bank** (-en) *v* merchant bank; **–belang** (-en) *o* commercial interest; **–berichten** *mv* commercial news; **–betrekkingen** *mv* commercial relations; **–brief** (-brieven) *m* business letter; **–correspondent** (-en) *m* correspondence clerk; **–correspondentie** [-dɛn(t)si.] (-s) *v* commercial correspondence; **–gebruik** (-en) *o* commercial custom, business practice, trade usage; **–geest** *m* commercial spirit; **–hogeschool** (-scholen) *v* school of economics, school of commerce; **–huis** (-huizen) *o* business house, firm; **–kennis** *v* commercial practice; **–krediet** (-en) *o* trade credit; **–maatschappij** (-en) *v* = *handelmaatschappij*; **–man** (-lieden en -lui) *m* business man; **–merk** (-en) *o* trade mark; **–naam** (-namen) *m* trade name; **–nederzetting** (-en) *v* trading post, trading station; **–onderneming** (-en) *v* commercial enterprise (undertaking), business concern; **–overeenkomst** (-en) *v* commercial agreement, trade agreement; **–politiek** *v* commercial policy; **–recht** *o* commercial law, law merchant; **–register** (-s) *o* commercial register; **–reiziger** (-s) *m* salesman, commercial traveller; **–rekenen** *o* commercial arithmetic; **–school** (-scholen) *v* commercial school; **–stad** (-steden) *v* commercial town; **–tarief** (-rieven) *o* commercial tariff; **–term** (-en) *m* business term; **–verdrag** (-dragen) *o* treaty of commerce, commercial treaty, trade treaty; **–verkeer** *o* trade, business dealings; (i n h e t g r o o t) commerce; **–vloot** (-vloten) *v* merchant fleet; **–vriend** (-en) *m* business friend, correspondent; **–vrijheid** *v* freedom of trade; **–waar** (-waren) *v* commercial articles (goods), merchandise; **–waarde** *v* market (commercial) value; **–weg** (-wegen) *m* trade route; **–wereld** *v* commercial world; **–wet** (-ten) *v* commercial law; **–wetboek** (-en) *o* mercantile code; **–zaak** (-zaken) *v* business concern, business; **'handelwijs, –wijze** (-wijzen) *v* proceeding, method, way of acting

'handenarbeid *m* 1 manual labour; 2 sloyd, manual training, handicraft; **hand- en 'spandiensten** *mv* statute-labour; *~ verlenen aan* (*verrichten voor*) *de vijand* aid and abet the enemy; **'handexemplaar** (-plaren) *o* author's copy; **–gebaar** (-baren) *o* gesture, motion of the hand; **–geklap** *o* hand-clapping, applause; **–geld** *o* earnest-money, handsel; **–gemeen I** *aj ~ worden* come to blows, engage in a hand-to-hand fight, come to handgrips; **II** *o* mêlée, hand-to-hand fight, affray; **–granaat** (-naten) *v* (hand-)grenade; **–greep** (-grepen) *m* 1 (g r e e p) grasp, grip; 2 (h a n d v a t) handle; 3 (h a n d i g h e i d) knack; 4 (t r u c) trick

'handhaven (handhaafde, h. gehandhaafd) **I** *vt* maintain, vindicate [one's rights]; **II** *vr zich ~* hold one's own, keep one's ground

'handicap ['hɛndi.kɛp] (-s) *m* handicap²; **'handicappen** (handicapte, h. gehandicapt) *vt* handicap²

'handig I *aj* handy, clever, skilful, adroit, deft, practical; (s l i m) slick; **II** *ad* cleverly, skilfully, adroitly &; **–heid** (-heden) *v* handiness, skill, adroitness; *~je* trick

'handje (-s) *o* (little) hand; *ergens een ~ van hebben* have a little way of ...ing; *een ~ helpen* lend a (helping) hand; **–vol** *o* handful, fistful; **'handkar** (-ren) *v* barrow, hand-cart, push-cart; **–koffer** (-s) *m* (suit-)case; **–kracht** *v door ~ aangedreven* hand-operated; **–kus** (-sen) *m* kiss on the hand; **–langer** (-s) *m* helper, > accomplice; **–leiding** (-en) *v* manual, guide; **–lichting** (-en) *v* emancipation; **–omdraai** *m in een ~* in a twinkling, off-hand; **–oplegging** *v* imposition (laying on) of hands; **–opsteken** *o bij (door) ~* by (a) show of hands; **–palm** (-en) *m* palm of the hand; **–reiking** (-en) *v* a helping hand, assistance; **–rem** (-men) *v* handbrake; **–schoen** (-en) *m* & *v* glove; gauntlet [📖 & also for driving, fencing &]; *de ~ opnemen* take up the gauntlet; *iem. de ~ toewerpen* throw down the gauntlet (the glove); *met de ~ trouwen* marry by proxy; **–schoenenkastje** (-s) *o*, **–schoenenvakje** (-s) *o* 🚗 glove compartment; **–schrift** (-en) *o* 1 handwriting; 2 manuscript; **–slag** (-slagen) *m* slap (with the hand); *iets op (met, onder) ~ beloven* slap hands upon sth.; **–spaak** (-spaken) *v* handspike, capstan bar; **–spiegel** (-s) *m* hand-mirror, handglass; **–tas** (-sen) *v* handbag; **hand'tastelijk** palpable; evident, obvious [lie]; *~ worden* become agressive; paw [a girl]; **–heden** *mv* assault and battery, blows; **'handtekenen** *o* free-hand drawing; **–ning** (-en) *v* signature; **hand'vaardigheid** *v* dexterity, manual skill; **'handvat** (-vatten) *o*, **'handvatsel** (-s) *o* handle; **–vest** (-en) *o* charter [of the United Nations]; covenant [of the League of Nations]; **–vol** *v* handful; *een ~ geld* **F** a lot of money; **–vuurwapenen** *mv* small arms; **–werk** (-en) *o* 1 trade, (handi)craft; 2 (als produkt) hand-made...; handiwork; *fraaie ~en* fancy-work; *nuttige ~en* plain needlework; **–werken** (handwerkte, h, gehandwerkt) *vi* do needle-work, do fancy-work; **–werkje** (-s) *o* (piece of) fancy-work; **–werksman** (-lieden en -lui) *m* artisan; **–wijzer** (-s) *m* signpost, finger-post; **–woordenboek** (-en) *o* concise dictionary, desk dictionary; **–wortel** (-s) *m* carpus; **–zaag** (-zagen) *v* hand-saw; **–zaam** tractable, manageable; (te hanteren) handy; **–zetter** (-s) *m* (hand) compositor

'hanebalk (-en) *m* purlin, tie-beam; *onder de ~en* in the garret; **–gekraai** *o* cock-crow(ing); **–kam** (-men) *m* 1 cock's comb; 2 ⚘ cocks; comb; 3 (zwam) chanterelle; **'hanengevecht** (-en) *o* cock-fight(ing); **'hanepoot** (-poten) *m* (letter) pot-hook, (slecht schrift) scrawl; **–veer** (-veren) *v* cock's feather

hang *m een ~ naar* a leaning (bent, tendency) to(wards); nostalgy for [the past]

han'g(a)ar [hã'ga:r] (-s) *m* hangar

'hangbrug (-gen) *v* suspension bridge; **'hangen* I** *vt* hang; *ik laat me ~ als...* I'll be hanged if...!; **II** *va* hang; *ik zou nog liever ~* I'll be hanged first; *het was tussen ~ en wurgen* it was a tight squeeze; **III** *vi* hang; *het hangt als droog zand (van leugens) aan elkaar* zie *aaneenhangen*; *aan iems. lippen ~* hang on sbd.'s lips; *aan een spijker ~* be hung from a nail; *aan een touw ~* hang by a rope; *hij is daar blijven ~* he has stuck there; *blijven ~ aan* be caught in [a branch &]; *hij is eraan blijven ~* he was stuck with it; *er zal weinig van blijven ~* very little of it will stick in the memory; *het hoofd laten ~* hang one's head; *de lip laten ~* hang its lip [of a child], pout; *sta daar niet te ~* don't hang about, don't stand idling (lazing) there; zie ook: *draad, klok* &; **–d** hanging; pending [question]; *~e het onderzoek* pending the inquiry; **hang-en-'sluitwerk** *o* locks and hinges; **'hanger** (-s) *m* 1 hanger; 2 ear-drop, pendant; **'hangerig** listless, languid; **'hangijzer** (-s) *o een heet ~* [*fig*] a ticklish question, a knotty question (affair); **–kast** (-en) *v* hanging wardrobe; **–klok** (-ken) *v* hanging clock; **–lamp** (-en) *v* hanging lamp; **–lip** (-pen) *v* hanging lip; **–map** (-pen) *v* suspended filing folder; **–mat** (-ten) *v* hammock; **–oor** (-oren) *o* lop-ear; **–oortafel** (-s) *v* gate-legged table; **'hangop** *m* curds; **'hangplant** (-en) *v* hanging plant; **–slot** (-sloten) *o* padlock; **–snor** (-ren) *v* drooping moustache(s); **–wangen** *mv* baggy cheeks

'hannesen (hanneste, h. gehannest) *vi* 1 (kletsen) **F** yarn; 2 (beuzelen) dawdle, potter

han'sop (-pen) *m* combination night-dress

hans'worst (-en) *m* buffoon

han'teerbaar easy to handle, manageable; **han'teren** (hanteerde, h. gehanteerd) *vt* handle [one's tools], ply [the needle], wield [a weapon, the blue pencil]

'Hanze *v* Hanse, Hanseatic League; **–stad** (-steden) *v* Hanseatic town

hap (-pen) *m* 1 (het happen) bite; 2 (mondvol) bite, morsel, bit; *in één ~* at one bite, at one mouthful

'haperen (haperde, h. gehaperd) *vi* 1 (bij het spreken) falter, stammer, waver; 2 stick; *hapert er iets aan?* anything wrong (the matter)?; *het hapert hem aan geduld* he wants patience; *zonder ~* without a hitch; **–ring** (-en) *v* 1 hitch; 2 hesitation [in repeating one's lesson]

'hapje (-s) *o* bit, bite, morsel; **'happen** (hapte, h. gehapt) *vi* snap; bite; *~ in* bite; *~ naar* snap at; **'happig** (*niet erg*) *~ op iets zijn* (not) be

keen upon a thing, (not) be eager for it
hara'kiri *o* hara-kiri
hard I *aj* hard² [stone, winter, fight, work &]; harsh [punishment, words]; tough [policy, writers]; loud [voice]; hardboiled [eggs]; *het is ~ (voor een mens) als...* it is hard lines upon a man if...; **II** *ad* hard, [treat a person] hardly, harshly; [talk] loud; *...is ~ nodig* ...is badly needed; *het gaat ~ tegen ~* it is a fight to the finish; it is pull devil, pull baker; *zo ~ zij konden, om het ~st,* as hard (loud, fast &) as they could, they... their hardest (loudest &); **–board** ['hartbɔ.rt] *o* hardboard; **–draven** (harddraafde, h. geharddraafd) *vi* run in a trotting-match; run; **–draver** (-s) *m* trotter; **harddrave'rij** (-en) *v* trotting-match; **'harden** (hardde, h. gehard) *vt* harden², temper [steel]; *het niet kunnen ~* **F** not be able to stick it; *het is niet te ~* it's unbearable; zie ook: *gehard*; **hard'handig** rough, harsh; **'hardheid** (-heden) *v* hardness, harshness; **hard'hoofdig** headstrong, obstinate; **–'horend, –'horig** dull (hard) of hearing; **–'leers** dull, unteachable; **hard'lijvig** constipated; **–heid** *v* constipation; **'hardloopwedstrijd** (-en) *m* footrace; **–lopen** *o* running; **–loper** (-s) *m* runner, racer; **hard'nekkig** obstinate, stubborn [people &], persistent; rebellious [diseases]; **–heid** *v* obstinacy, stubbornness, persistency; **hard'op, 'hardop** [dream, read, speak, say] aloud; **'hardrijden** *o* racing; *~ op de schaats* speed-skating; **–rijder** (-s) *m* racer; *~ op de schaats* speed-skater; **hardrijde'rij** (-en) *v* skating-match; **'hardsteen** (-stenen) *o* & *m* freestone, ashlar; **–stenen** *aj* freestone, ashlar; **–stikke** = *hartstikke*; **–vallen** (viel 'hard, is 'hardgevallen) *vt iem. ~ over...* be hard on sbd. for...; zie ook: *vallen* **I**; **hard'vochtig** hard-hearted, callous, flinty
'harem (-s) *m* harem, seraglio
1 'haren *aj* hair [shirt]
2 'haren (haarde, h. gehaard) *vt* sharpen [a scythe]
'harent *te(n) ~* at her home; *~halve* for her sake; *~wege* as for her; *van ~wege* on her behalf, in her name; *om ~wil(le)* for her sake; **'harerzijds** on her part, on her behalf
'harig hairy
'haring (-en) *m* 1 ♓ herring; 2 (v. t e n t) tent-peg; *als ~en in een ton* packed like sardines; **–haai** (-en) *m* porbeagle; **–kaken** *o* curing of herrings; **–sla** *v* herring-salad; **–ton** (-nen) *v* herring-barrel; **–vangst** (-en) *v* 1 herring-fishing; 2 catch of herrings; **–visser** (-s) *m* herring-fisher; **haringvisse'rij** *v* herring-fishery
hark (-en) *v* 1 rake; 2 *~ van een vent* stick; muff;
'harken (harkte, h. geharkt) *vt* & *vi* rake;
'harkerig I *aj* stiff, wooden; **II** *ad* stiffly
harle'kijn, 'harlekijn (-s) *m* harlequin; *fig* buffoon; **harleki'nade** (-s) *v* harlequinade
harmo'nie *v* 1 (-ieën) harmony°; 2 (-s) = *harmonieorkest*; **–leer** *v* theory of harmony; **–orkest** (-en) *o* wood-wind and brass band; **harmoni'ëren** (harmonieerde, h. geharmonieerd) *vi* harmonize (with *met*); **harmoni'eus** = *harmonisch*; **har'monika** ('s) *v* accordion; **–deur** (-en) *v* folding door; **–trein** (-en) *m* corridor-train; **harmoni'satie** [-za.(t)si.] (-s) *v* harmonization; **harmoni'seren** [s = z] (harmoniseerde, h. geharmoniseerd) *vt* harmonize; **–ring** (-en) *v* harmonization; **har'monisch** 1 harmonious; 2 harmonic [progression &]; **har'monium** (-s) *o* harmonium
'harnas (sen) *o* cuirass, armour: *iem. (tegen zich) in het ~ jagen* put sbd.'s back up, set sbd. against oneself; *hen tegen elkaar in het ~ jagen* set them by the ears; *in het ~ sterven* die in harness
harp (-en) *v* 1 ♪ harp; 2 riddle (= sieve); 3 ⚓ shackle; **–enaar** (-s en -naren) *m* harper, harp-player
har'pij (-en) *v* harpy²
har'pist(e) (-en) *m* (*v*) (lady) harpist
har'poen (-en) *m* harpoon; **harpoe'neren** (harpoeneerde, h. geharpoeneerd) *vt* harpoon
'harpspeler (-s) *m* harpist
'harrewarren (harrewarde, h. geharreward) *vi* bicker, wrangle, squabble
hars (-en) *o* & *m* resin, rosin; **–achtig** resinous; **–houdend** resinous, resiniferous
hart (-en) *o* heart²; *het ~ hebben om...,* have the heart to..., have the conscience to...; *niet het ~ hebben om* not have the heart (courage) to, not dare to; *als je het ~ hebt!* if you dare!; *heb het ~ niet* don't you dare, don't you have the cheek; *hij draagt het ~ op de juiste plaats* his heart is in the right place; *het ~ op de tong hebben* wear one's heart upon one's sleeve; *geen ~ hebben voor zijn werk* not have one's heart in the work; *een goed ~ hebben* be kind-hearted; *het ~ klopte mij in de keel* my heart was in my mouth; *zijn ~ luchten* give vent to one's feelings, speak one's mind; *zijn ~ ophalen aan* eat (read &] one's fill of; *iem. een ~ onder de riem steken* hearten sbd.; *iem. een goed ~ toedragen* be well disposed toward sbd.; *het ~ zonk hem in de schoenen* his heart sank (into his boots); *ik hou mijn ~ vast* I have misgivings, I tremble, I expect (fear) the worst; *iem. aan het ~ drukken* clasp sbd. to one's heart (bosom), embosom sbd.; ● *dat zal hem a a n het ~ gaan* it will go to his heart; *hij heeft het aan zijn ~* he has a weak heart, he has (got) heart trouble; *dat is mij na aan 't ~ gebakken* I

hold it dear; *dat ligt mij na aan het* ~ it is very near my heart; *in zijn ~ gaf hij mij gelijk* in his heart (of hearts); *in zijn ~ is hij...* at heart he is...; *hij is een... in ~ en nieren* he is a... to the backbone; *met ~ en ziel* heart and soul; *met een bezwaard (bloedend) ~* with a heavy (bleeding) heart; *hij is een man naar mijn ~* he is a man after my own heart; *het wordt mij wee om het ~* I am sick at heart; *iem. iets op het ~ binden (drukken)* enjoin sth. upon sbd., urge sbd. to... [do sth.]; *iets op het ~ hebben* have sth. on one's mind; *zeggen wat men op het ~ heeft* speak freely, speak one's mind; *hij kon het niet over zijn ~ krijgen om...* he did not have the heart to...; *uw welzijn gaat mij ter ~e* I have your welfare at heart, I'm very concerned about your welfare; *ter ~e nemen* take (sth.) to heart; *dat is mij uit het ~ gegrepen (gesproken)* this is quite after my heart; *uit de grond (het diepst) van zijn ~* from the bottom of his heart; *van zijn ~ geen moordkuil maken* speak freely; *van ~e, hoor!* congratulations!; *van ganser ~e* [love sbd.] with all one's heart; [thank sbd.] whole-heartedly, from one's heart; *waar het ~ van vol is, vloeit de mond van over* out of the abundance of the heart, the mouth speaketh; **–aandoening** (-en) *v* cardiac affection; **–aanval** (-len) *m* heart attack; **–ader** (-en en -s) *v* great artery, aorta; *fig* artery; **–boezem** (-s) *m* auricle (of the heart); **–brekend** heart-breaking, heart-rending; **'hartebloed** *o* heart's blood, lifeblood; **–dief** (-dieven) *m* darling, **S** heart-throb; **–kreet** (-kreten) *m* heartfelt cry; **–lap** (-pen) *m* = *hartedief*; **–leed** *o* grief, heartache; **'hartelijk** hearty, cordial, warm; *de ~e groeten van allen* kindest love (regards) from all; **–heid** (-heden) *v* heartiness, cordiality; **'harteloos** heartless; **–lust** *m naar ~* to one's heart's content; **'harten** (-s) *v* ♢ hearts; *~aas* [hɑrtən-'a.s] &, ace of hearts; **'hartewens** (-en) *m* heart's desire; **'hartgebrek** (-breken) *o* cardiac defect; **hart'grondig** whole-hearted, cordial; **'hartig** 1 salt; 2 hearty [meal]; *een ~ woordje met iem. spreken* have a heart-to-heart talk with sbd.; **–heid** (-heden) *v* 1 saltness; 2 heartiness; **'hartinfarct** (-en) *o* cardiac infarct, coronary thrombosis, **F** coronary; **–je** (-s) *o* (little) heart; *mijn ~!* dear heart!; *in het ~ van Rusland* in the centre of Russia; *in het ~ van de winter* in the dead of winter; *in het ~ van de zomer* in the height of summer; **–kamer** (-s) *v* ventricle (of the heart); **–klep** (-pen) *v* 1 cardiac valve; 2 ⚒ suction-valve; **–klopping** (-en) *v* palpitation (of the heart), heart palpitation; **–kramp** (-en) *v* spasm of the heart; **–kwaal** (-kwalen) *v* disease of the heart, heart disease, heart trouble; **–lap** (-pen) *m* = *hartelap*; **–lijder** (-s) *m*, **–patiënt** [-pa.si.ɛnt] (-en) *m* heart sufferer, cardiac patient; **hart'roerend I** *aj* pathetic, moving; **II** *ad* pathetically; **'hartsgeheim** (-en) *o* secret of the heart; **'hartslag** (-slagen) *m* heart-beat, pulsation of the heart; **–specialist** (-en) *m* cardiologist; **–spier** (-en) *v* heart muscle

'hartstikke ~ *dood* (*doof*) stone-dead (-deaf); ~ *goed* super, smashing; ~ *gek* stark (staring) mad; verder: < **F** awfully [bad, good, nice, rich &]

'hartstocht (-en) *m* passion; **harts'tochtelijk** passionate(ly)

'hartstreek (-streken) *v* cardiac region; **'hartsvanger** (-s) *m* cutlass, hanger; **–vriend(in)** (-(inn)en) *m* (*v*) bosom friend; **'harttoon** (-tonen) *m* heart sound; **–vergroting** (-en) *v* megalocardia, cardiac dilatation, heart enlargement; **hartver'heffend, 'hartverheffend** uplifting, exalting; **'hartverlamming** (-en) *v* paralysis of the heart, heart failure; **hartver'overend** enchanting, ravishing; **–ver'scheurend** heart-rending; **'hartversterking** (-en) *v* cordial, pick-me-up; **–vervetting** (-en) *v* fatty degeneration of the heart; **hartver'warmend** heart-warming; **'hartvormig** heart-shaped; **–zakje** (-s) *o* pericardium; **–zeer** *o* heartache, heart-break, grief

hasj [hɑʃ] *m* **S** hash (= hashish); **–iesj** ['hɑʃi.ʃ] *m* hashish

'haspel (-s en -en) *m* reel; **'haspelen** (haspelde, h. gehaspeld) **I** *vt* reel, wind; **II** *vi* reel, wind; *fig* bungle, potter; *door elkaar ~* mix up, confuse

'hatelijk I *aj* spiteful, invidious, hateful, odious, malicious, ill-natured; **II** *ad* spitefully; **–heid** (-heden) *v* spitefulness, invidiousness, hatefulness, spite, malice; *een ~* a gibe; **'haten** (haatte, h. gehaat) *vt* hate; zie ook: *gehaat*

hausse [ho.s] *v* rise, (sterk, snel) boom; *à la ~ speculeren* buy for a rise, bull; **haussier** [ho.si.'e.] (-s) *m* bull

hau'tain [o.'tɛ̃] haughty

haute-cou'ture [o.tku'ty:r] *v* haute couture

haut-reliëf [o:rəli.'ɛf] (-s) *o* high relief

ha'vannasigaar (-garen) *v* Havana

'have *v* property, goods, stock; ~ *en goed* goods and chattels; *levende ~* livestock, cattle; *tilbare ~* movables, personal property; **–loos** shabby, ragged

'haven (-s) *v* harbour, port[2], (meest *fig*) haven; (bassin en omgeving) docks, dock; *een ~ aandoen* put in at a port; **–arbeider** (-s) *m* dock labourer, docker; **–dam** (-men) *m* mole, jetty, pier

'havenen (havende, h. gehavend) *vt* batter, ill-treat; damage; zie ook: *gehavend*

'havengeld (-en) *o* harbour dues, dock dues; **–hoofd** (-en) *o* jetty, pier, mole; **–kantoor** (-toren) *o* harbour office; **–kwartier** (-en) *o* dockland; **–licht** (-en) *o* harbour light; **–loods** (-en) *m* harbour pilot; **–meester** (-s) *m* harbour master; **–plaats** (-en) *v* (sea)port; **–politie** [-(t)si.] *v* harbour police; **–stad** (-steden) *v* seaport town, port town, port; **–staking** (-en) *v* dock strike; **–werken** *mv* harbour-works

'haver *v* oats; *iem. kennen van ~ tot gort* know sbd. thoroughly (inside out); *iets van ~ tot gort vertellen* tell sth. in great detail; **–klap** *m om de ~* at every moment, on the slightest provocation; **–meel** *o* oatmeal; **–mout** *m* 1 rolled oats; 2 (a l s p a p) (oatmeal) porridge; **–stro** *o* oat-straw; **–zak** (-ken) *m* 1 oat-bag; 2 nose-bag [of a horse]

'havezate (-n) *v* ± manorial estate, manorial farm

'havik (-viken) *m* hawk, goshawk; *~en en duiven* [*fig*] hawks and doves; **'haviksneus** (-neuzen) *m* hawk-nose, aquiline nose; *met een ~* hawk-nosed; **–ogen** *mv met ~* hawk-eyed

ha'zardspel [ha.'za:r-] (-spelen) *o* game of chance (of hazard)

'hazejacht (-en) *v* hare-hunting, hare-shooting

'hazelaar (-s en -laren) *m* hazel(-tree)

'hazeleger (-s) *o* form of a hare; **–lip** (-pen) *v* harelip

'hazelnoot (-noten) *v* (hazel-)nut, filbert; **–worm** (-en) *m* blind-worm, slow-worm

'hazepad *o het ~ kiezen* take to one's heels; **–peper** *m* jugged hare; **–slaap** *m* dog-sleep, cat-nap; **–vel** (-len) *o* hare-skin; **haze'wind** (-en) *m* ⚔ greyhound

'H-bom (-men) *v* H-bomb

h.c. = *honoris causa*

he [he.] hey!, ha!, ah!, oh!, o!, I say!; ⚓ ahoy!

'hebbeding (-en) *o* knick-knack

'hebbelijkheid (-heden) *v* (bad) habit, trick; *hebbelijkheden* ways, idiosyncracies

'hebben* **I** *vt* have; *wij ~ nu aardrijkskunde* we are doing geography now; *ik kan je hier niet ~* I have no use for you here; *daar heb ik je!* I had you there; *daar heb je hem weer!* there he is again!; *daar heb je bijv. XYZ...* there is..., now take...; *daar heb je het nou!* there you are; *hier heb je het* here you are; *dat hebben we weer gehad* that's that; [*hij zong*] *van heb ik jou daar* lustily; *een klap van heb ik jou daar* an enormous blow; zie ook: *dorst, gelijk, nodig, spijt* &; *ik heb 't* I've got it; *het gemakkelijk ~* have an easy time of it; *het goed ~* be well off, be in easy circumstances; *het hard ~* have a hard time of it; *het koud ~* be cold; *hoe heb ik het nou?* well, I'm jiggered!; *hij weet niet hoe hij het heeft* he doesn't know whether he is standing on his head or on his heels; *het rustig ~* be quiet; *het in de buik* (*in de ingewanden*) *~* suffer from intestine troubles; *het over iem.* (*iets*) *~* be talking about sbd. (sth.); *het tegen iem. ~* be talking to sbd.; *hij zal iets aan zijn voet ~* there will be something the matter with his foot; *je hebt er niet veel aan* it is (they are) not much use; *daar hebt u niets aan* 1 it is nothing for you; 2 it will not profit you; *zijn boeken* (*stok* &) *niet bij zich ~* not have... with one; *hij heeft wel iets van zijn vader* he looks (is) somewhat like his father; *hij heeft niets van zijn vader* he is nothing like his father; *het heeft er wel iets van* it looks like it; *hebt u er iets tegen?* have you any objection?; *hij heeft iets tegen mij* he owes me a grudge; *als ma er niets tegen heeft* if ma sees no objection, if ma doesn't mind; *ik heb niets tegen hem* I have nothing against him; *daar moet ik niets van ~* I don't hold with that, I'm not having any; *hij moest niets ~ van...* he didn't take kindly to..., he didn't hold with..., he didn't like...; he wasn't having any (of it), he said; *wat heb je toch?* what is the matter (wrong) with you?; *wat heeft hij toch?* what has come over him?; *wie moet je ~?* whom do you want?; *je moet wat ~* 1 you deserve what for; 2 there must be something the matter with you; *wat heb je eraan?* what is the use (the good) of it?; *daar heb ik niets aan* that's of no use to me; *ik weet niet wat ik aan hem heb* I cannot make him out; *wat zullen we nu ~?* what's up now?; *iets niet kunnen ~* not be able to stand (bear) sth.; *ik moet nog geld van hem ~* he is still owing me; *ik wil* (*moet*) *mijn... ~* I want my...; *ik wil het niet ~* I won't have (allow) it; **II** *va* have; *~ is ~, maar krijgen is de kunst* possession is nine points of the law; **III** *o zijn hele ~ en houden* all his belongings; **'hebberig** = *hebzuchtig*

He'breeuws *aj* & *o* Hebrew

'hebzucht *v* greed, covetousness, avarice; **heb'zuchtig** greedy, grasping, covetous

1 hecht (-en) *o* handle, haft; hilt; zie ook *heft*

2 hecht *aj* solid, firm, strong

'hechtdraad (-draden) *m* basting (tacking) thread); **'hechten** (hechtte, h. gehecht) **I** *vt* 1 (v a s t m a k e n) attach, fasten, affix; 2 (v a s t-n a a i e n) stitch up, suture [a wound]; 2 *fig* attach [importance, a meaning to...]; zie ook: *goedkeuring* &; **II** *vi* & *va ~ aan iets* believe in [a method &]; *erg ~ aan de vormen* be very particular about forms; **III** *vr zich ~ aan iem.* (*iets*) become (get) attached to sbd. (sth.); zie ook: *gehecht*

'hechtenis *v* custody, detention; *in ~ nemen* take into custody, arrest, apprehend; *in ~ zijn* be under arrest; *uit de ~ ontslaan* free from custody

'hechtheid *v* solidity, firmness, strength

'hechting (-en) *v* suture, stitch; **'hechtmachine** [-ma.ʃi.nə] (-s) *v* stapling-machine, stitching-machine; **–pleister** (-s) *v* sticking-plaster, adhesive plaster; **–wortel** (-s) *m* clinging root
hec'tare (-n en -s) *v* hectare
'hectogram (-men) *o* hectogramme; **–liter** (-s) *m* hectolitre; **–meter** (-s) *m* hectometre
'heden I *ad* to-day, this day; *~!* dear me!; *~ over 8 dagen* this day week; *~ over 14 dagen* this day fortnight; *~ ten dage* nowadays; *tot ~* up to the present, to this day; **II** *o het ~* the present; **heden'avond** this evening, tonight; **'hedendaags I** *aj* modern, present, present-day, contemporary; *de ~e dames* the ladies of to-day; **II** *ad* nowadays; **heden'middag** this afternoon; **–'morgen** this morning; **–'nacht** to-night
'hederik (-riken) *m* = *herik*
hedo'nisme *o* hedonism; **hedo'nist** (-en) *m* hedonist; **hedo'nistisch** hedonistic, hedonic
heeft 3e pers. enkelv. tegenw. tijd v. *hebben*
heel I *aj* whole, entire; *dat is een ~ besluit* that is quite a decision; *de hele dag* all day, the whole day; *een ~ getal* a whole number; [*de klok sloeg*] *het hele uur* the hour; *hij is een hele heer* (*held* &) he is quite a gentleman (hero &); *langs de hele oever* all along the bank; *het kost hele sommen* large sums, lots of money; *een ~ spektakel* **F** a regular row; *een hele tijd* a good while, a long time; *hij blijft soms hele weken weg* for weeks together; *er bleef geen ruit ~* not a window was left unbroken (remained intact); *hij liet geen stuk ~ van het meubilair* he smashed all the furniture; [*fig*] *hij liet geen stukje ~ van het betoog* he slated (slashed) the argument to shreds; **II** *ad* quite; *~ en al* wholly, totally, entirely, altogether, quite; *~ niet* not at all; *~ goed* (*mooi* &) very good (fine &); *~ iets anders* quite a different thing; *~ in de verte* far, far away; zie ook: *geheel*
heel'al *o* universe
'heelbaar curable; that can be healed
'heelhuids with a whole skin, unscathed
'heelkunde *v* surgery; **heel'kundige** (-n) *m* surgeon; **'heelmeester** (-s) *m* surgeon; *zachte ~s maken stinkende wonden* desperate ills call for desperate remedies
'heemkunde *v* local history and geography; local lore; **'heemraad** (-raden) *m* 1 (p e r s o o n) dike-reeve; 2 (c o l l e g e) polder authority; **–schap** (-pen) *o* 1 (a m b t) office of a dike-reeve; 2 = *heemraad* 2
heemst *v* ✿ marsh mallow
heen away; *~ en terug* there and back; *~ en weer* to and fro; *~ en weer geloop* coming and going; *~ en weer gepraat* cross-talk, *waar moet dit* (*boek, stoel*) *~?* where does this (book, chair) go?; *waar moet dat ~?* 1 where are you going to?; 2 *fig* what are we coming to?; *waar ik ~ wilde* 1 where I wanted to go to; 2 *fig* what I was driving at; **heen- en te'rugreis** (-reizen) *v* journey there and back, ⚓ voyage out and home; **heen-en-'weer** *o krijg het ~!* go climb a tree; **'heengaan**[1] **I** *vi* go away, leave, go; pass away [= die]; *daar gaan weken mee heen* it will take weeks (to do it), it will be weeks before...; **II** *o* departure [also of a minister &]; ⊙ passing away, death; **–komen** *o een goed ~ zoeken* seek safety in flight; **–lopen**[1] *vi* run away; *ergens over ~* make light of it; scamp one's work &; *loop heen!* **F** get along with you!; **–reis** (-reizen) *v* outward journey, ⚓ voyage out; **–rijden**[1] *vi* ride (drive) away; **–snellen**[1] *vi* run away; **–stappen**[1] *vi* stride off; *over iets ~* 1 *eig* step across sth.; 2 *fig* ignore sth., not mind sth.; *hij stapte over die bezwaren heen* he brushed aside these objections; **–vlieden**[1] *vi* fleet; **–weg** *m* way there; **–zetten**[1] *zich ~ over iets* get over sth.
1 heer (heren) *m* 1 (v. s t a n d) gentleman; 2 (g e b i e d e r) lord; 3 (m e e s t e r) master; 4 (c a v a l i e r) partner; 5 ◊ king; *de Heer* the Lord; *de ~ S.* Mr S.; *de heren Kolff & Co.* Messrs. Kolff & Co.; *die heren* those gentlemen; *Heer der Heerscharen* Lord God of Hosts; *de ~ des huizes* the master of the house; *~ en meester zijn* be master; *de grote ~ uithangen* zie *uithangen*; *met grote heren is het kwaad kersen eten* the weakest always goes to the wall; *zo ~ zo knecht* like master, like man; *nieuwe heren, nieuwe wetten* new lords, new laws; *niemand kan twee heren dienen* nobody can serve two masters
2 heer (heren) *o dat ~* > that gent; *een raar ~* **F** a queer chap, a rum customer
3 heer (heren) *o* (l e g e r) host; **–baan** (-banen) *v* high road; **–leger** (-s) *o* = *3 heer*
'heerlijk I *aj* 1 (p r a c h t i g) glorious; splendid; lovely; 2 (v. s m a a k, g e u r &) delicious, delightful, divine; 3 (v. e. h e e r l i j k h e i d) manorial, seigniorial [rights]; **II** *ad* deliciously; gloriously; **–heid** (-heden) *v* 1 (p r a c h t) splendour, magnificence, glory, grandeur; 2 (e i g e n d o m) manor, seigniory; *al die heerlijkheden* all those good things
heerschap'pij *v* mastery, dominion, rule, lordship, empire; *elkaar de ~ betwisten* contend

[1] V.T. en V.D. van dit werkwoord volgens het model: **'heen**snellen, V.T. snelde **'heen**, V.D. **'heen**gesneld. Zie voor de vormen onder het grondwoord, in dit voorbeeld: *snellen.* Bij sterke en onregelmatige werkwoorden wordt u verwezen naar de lijst achterin.

(struggle) for mastery; ~ *voeren* bear sway, rule, lord it
'heerscharen *mv* hosts; zie ook: 1 *heer*
'heersen (heerste, h. geheerst) *vi* 1 rule, reign; 2 (v. z i e k t e &) reign, prevail, be prevalent; ~ *over* rule (over); **-d** ruling, prevailing, prevalent; *de ~e godsdienst* the prevailing religion; *de ~e smaak* the reigning fashion; *de ~e ziekte* the prevalent (prevailing) disease; **'heerser** (-s) *m*, **heerse'res** (-sen) *v* ruler°; **'heerszucht** *v* ambition for power, lust of power; **heers'zuchtig** imperious, ambitious of power, dictatorial; **-heid** *v* imperious spirit, ambition for power
'heertje (-s) *o* dandy, **S** nut, fop, > gent
'heerweg (-wegen) *m* high road
1 hees hoarse; **-heid** *v* hoarseness
2 hees (hesen) V.T. v. *hijsen*
'heester (-s) *m* shrub
heet I *aj* hot²; torrid [zone]; ~ *van de naald* (*van de pan*) piping hot; ~ *zijn op iets* be hot (keen) on sth.; *in het ~st van de strijd* in the thick of the fight; **II** *ad het zal er ~ toegaan* it will be hot work there; **heetge'bakerd** zie *gebakerd*; **'heethoofd** (-en) *m-v* hothead; *Griekse & ~en* hot-headed Greeks &; **heet'hoofdig** hot-headed; **'heetlopen** (liep 'heet, is 'heetgelopen) *vi* = *warmlopen*; **heet'waterkruik** (-en) *v* hot-water bottle; **-toestel** (-len) *o* (hot-water) heater
hef *v* = *heffe*
'hefboom (-bomen) *m* lever; **-brug** (-gen) *v* lift(ing)-bridge
'heffe *v* dregs; *de ~ [des volks]* the scum [of the people]
'heffen* *vt* raise, lift, levy [taxes on]; **'heffing** (-en) *v* levying; levy; ~ *ineens* capital levy;
'hefschroefvliegtuig (-en) *o* helicopter
heft (-en) *o* = *hecht*; [*fig*] *het ~ in handen hebben* be at the helm (in command)
'heftig vehement, violent; **-heid** *v* vehemence, violence
'heftruck [-trük] (-s) *m* lift truck; **-vermogen** (-s) *o* lifting capacity, lifting power
heg (-gen) *v* hedge; zie ook: *steg*
hegemo'nie *v* hegemony
'hegge (-n) *v* = *heg*; **-rank** (-en) *v* (white) bryony; **'heg(ge)schaar** (-scharen) *v* hedge shears, hedge clippers
1 hei *ij* ho!, hey!, hallo!; ~ *daar!* hey there!, I say!
2 hei (-en) *v* ⚒ rammer; pile-driver
3 hei *v* = *heide*
'heibel *m* = *herrie*
'heibezem (-s) *m* heather broom
'heiblok (-ken) *o* ram, monkey
'heide *v* 1 (v e l d) heath, moor; 2 ✿ heather; **-achtig** heathy, heathery; **-brand** (-en) *m* heath fire; **-grond** *m* heath, moor, moorland; **-honi(n)g** *m* heather honey
'heiden (-en) *m* 1 heathen, pagan; (t e g e n o v e r j o o d) gentile; 2 (z i g e u n e r) gipsy; *aan de ~en overgeleverd zijn* be delivered to the gentiles; **-dom** *o* heathenism, paganism; **'heidens** *aj* heathen, pagan; heathenish; *een ~ leven* **F** an infernal noise
'heideontginning (-en) *v* reclaiming of moorland; **-veld** (-en) *o* heath, moor
'heien (heide, h. geheid) **I** *vt* ram, drive (in) [a pile], pile [the ground]; **II** *o* piling, pile-work
'heiig hazy
'heikneuter (-s) *m* yokel, bumpkin, clodhopper
heil *o* welfare, good; (g e e s t e l i j k) salvation; ~ *u!* hail to thee!; *veel ~ en zegen!* a happy New Year!; *ergens geen ~ in zien* expect no good from, not believe in...; *zijn ~ zoeken bij* seek the support of; *zijn ~ zoeken in* resort to, seek salvation in; *zijn ~ zoeken in de vlucht* seek safety in flight
'Heiland *m* Saviour, Redeemer
'heilbede (-n) *v* prayer for the well-being
'heilbot (-ten) *m* halibut
'heildronk (-en) *m* toast, health; *een ~ instellen* propose a toast
'heilgymnastiek [-gɪm-] *v* Swedish gymnastics
'heilig I *aj* 1 (v. p e r s o n e n & z a k e n) holy; 2 (v. z a k e n) sacred; *de Heilige Elizabeth* St. (Saint) Elizabeth; *het is mij ~e ernst* I am in real earnest; ~ *huisje* [*fig*] sacred cow; *het Heilige Land* the Holy Land; *in de ~e overtuiging dat...* honestly convinced that...; *de Heilige Stad* the Holy City; *niets is hem ~* nothing is sacred to (from) him; *haar wens is mij ~* her wish is sacred with me; *hij is nog ~ bij* he is a paragon (saint) in comparison with; ~ *verklaren* canonize; *het Heilige der Heiligen*² the Holy of Holies²; **II** *ad* sacredly; ~ *verzekeren* assure solemnly; *zich ~ voornemen om...* make a firm resolution to...; **-been** (-deren) *o* sacrum; **-dom** (-men) *o* 1 (p l a a t s) sanctuary; **F** sanctum [= den]; 2 (v o o r w e r p) relic; **-e** (-n) *m-v* saint; *Heiligen der Laatste Dagen* [the Church of Jesus Christ of] Latter-day Saints; zie ook: *heilig* **I**; **'heiligen** (heiligde, h. geheiligd) *vt* sanctify [a place, us]; hallow [God's name]; keep holy [the Sabbath &]; consecrate [the host]; *geheiligd zij Uw naam* hallowed be thy name; zie ook *doel*; **'heiligenbeeld** (-en) *o* image of a saint, holy image; **'heiligheid** *v* holiness, sacredness, sanctity; *Zijne Heiligheid* (*de Paus*) His Holiness; **-schennend** sacrilegious; **-schennis** *v* sacrilege, profanation; **-verklaring** (-en) *v* canonization
'heilloos 1 fatal, disastrous; 2 wicked

'Heilsleger *o* Salvation Army; **'heilsoldaat** (-daten) *m* Salvationist; **–soldate** (-n) *v* Salvationist, **F** Sally Ann
'heilstaat *m* ideal state; **–wens** (-en) *m* congratulation
'heilzaam beneficial, salutary, wholesome; **–heid** *v* beneficial influence, salutariness, wholesomeness
'heimachine [-ma.ʃi.nə] (-s) *v* pile-driver, monkey engine
'heimelijk secret, clandestine; **–heid** (-heden) *v* secrecy
'heimwee *o* homesickness, nostalgia; ~ *hebben* be homesick (for *naar*)
Hein *m* Harry; *magere* ~ the old gentleman with the scythe: Death; *hij is een ijzeren* ~ he is as strong as a horse
'heinde ~ *en ver* far and near, far and wide
'heining (-en) *v* enclosure, fence
'Heintje *m* & *o* Harry; ~ *Pik* Old Scratch
'heipaal (-palen) *m* pile
heir = 3 *heer*
'heisa *ij* huzza!; *wat een* ~ what a lot of fuss
'heitje (-s) *o* = *kwartje*; ~ *karweitje* bob-a-job
'heitoestel (-len) *o* pile-driver, monkey-engine
hek (-ken) *o* 1 [lath, wire] fence; 2 [iron] railing(s); [metal, steel] barrier; [level crossing, entrance] gate; 3 [choir] screen; 4 *sp* hurdle; 5 ⚓ stern; *het* ~ *is van de dam* it is Liberty Hall
'hekel (-s) *m* hackle; *fig* dislike; *ik heb een* ~ *aan* I dislike (hate); I'm allergic to; *een* ~ *krijgen aan* take a dislike to; *over de* ~ *halen* criticize; satirize
'hekeldicht (-en) *o* satire; **–dichter** (-s) *m* satirist; **'hekelen** (hekelde, h. gehekeld) *vt* hackle; *fig* criticize; satirize; **'hekelschrift** (-en), **–vers** (-verzen) *o* satire, diatribe
'hekkesluiter (-s) *m* last comer
heks (-en) *v* witch[2]; *fig* vixen, hag; **'heksen** (hekste, h. gehekst) *vi* use witchcraft, practise sorcery; *ik kan niet* ~ I am no wizard; **'heksendans** (-en) *m* witches' dance; **–jacht** (-en) *v* witch-hunt(ing); **–ketel** (-s) *m* witches' cauldron; *fig* chaos; **–kring** (-en) *m bot* fairy ring; **–proces** (-sen) *o* trial for witchcraft; **–sabbat** (-ten) *m* witches' sabbath; **–toer** (-en) *m het was een* ~ it was a devil of a job; *dat is zo'n* ~ *niet* that's no magic, there's nothing to it; **–werk** *o* sorcery, witchcraft, witchery; *dat is zo'n* ~ *niet* zie *heksentoer*; **hekse'rij** (-en) *v* sorcery, witchcraft, witchery
'hekwerk (-en) *o* railing(s), trellis-work
1 hel *v* hell[2]
2 hel *aj* bright, glaring, blazing
'hela! *ij* hallo!
he'laas *ij* alas!; unfortunately
held (-en) *m* hero; *een* ~ *zijn in* be good at;
'heldendaad (-daden) *v* heroic deed, exploit; **–dicht** (-en) *o* heroic poem, epic, epopee; **–dichter** (-s) *m* epic poet; **–dood** *m* & *v* heroic death; *de* ~ *sterven* die heroically; **–moed** *m* heroism; *met* ~ heroically; **–rol** (-len) *v* heroic part, part of a hero; **–schaar** (-scharen) *v* band of heroes; **–tenor** [-təno:r] (-s) *m* heroic tenor; **–zang** (-en) *m* epic song
'helder I *aj* 1 clear, bright, lucid; serene; 2 clean; **II** *ad* 1 clearly, brightly, lucidly; serenely; 2 cleanly; ~ *rood* bright red; **–denkend** clear-headed; **–heid** *v* 1 clearness &, clarity, lucidity; 2 cleanness; **helder'ziend** 1 clear-sighted; 2 clairvoyant; *een* ~*e* a clairvoyant; **–heid** *v* 1 clear-sightedness; 2 clairvoyance
held'haftig I *aj* heroic; **II** *ad* heroically; **–heid** (-heden) *v* heroism
hel'din (-nen) *v* heroine
'heleboel, hele'boel many, a lot, lots
'helemaal, hele'maal wholly, totally, entirely, quite, altogether; ~ *achterin* right at the back; *kom je* ~ *van A.?* have you come all the way from A.?; ~ *niet* not at all; *niet* ~ not quite, not altogether; ~ *niets* nothing at all
1 'helen (heelde, *vi* is, *vt* h. geheeld) *vi* (& *vt*) (v. w o n d e n) heal
2 'helen (heelde, h. geheeld) *vt* receive [stolen goods]
'heler (-s) *m* receiver; *de* ~ *is net zo goed als de steler* the receiver is as bad as the thief
helft (-en) *v* half; *zijn betere* ~ his better half; *de* ~ *van 10 is 5* the half of 10 is 5; *voor de* ~ *van het geld* for half the money; *de* ~ *ervan is rot* half of it is rotten, half of them are rotten; (*ik verstond niet*) *de* ~ *van wat hij zei* one half (what) he said; *meer dan de* ~ more than one half (of them); *de* ~ *minder* less by half; *maar tot op de* ~ only half
'Helgoland *o* Heligoland
'helhond (-en) *m* hell-hound, Cerberus
'helihaven (-s) *v* heliport; **heli'kopter** (-s) *m* helicopter, **F** chopper
1 'heling (-en) *v* (g e n e z i n g) healing
2 'heling *v* receiving [of stolen goods]
'helium *o* helium
'hellebaard (-en) *v* halberd; **hellebaar'dier** (-en en -s) *m* halberdier
Hel'leen (-lenen) *m* Hellene; **–s** Hellenic
'hellen (helde, h. geheld) *vi* incline, slant, slope, shelve; **–d** slanting, sloping, inclined, zie ook: 1 *vlak* **III**
helle'nisme *o* Hellenism; **–ist** (-en) *m* Hellenist
'hellepijn (-en) *v* torture of hell; **'hellevaart** *v* descent into hell; **'helleveeg** (-vegen) *v* hell-cat, termagant, shrew
'helling (-en) *v* 1 incline, declivity, slope; 2 gradient [of railway]; 3 ⚓ slipway, slips; *op de*

~ ⚓ in dock; *op de ~ nemen* overhaul [education]; **–shoek** (-en) *m* gradient

1 helm *v* ☘ bent-grass

2 helm (-en) *m* 1 helmet; 2 (v. *duiker*) head-piece; 3 (v. *distilleerkolf*) head; 4 (*bij geboorte*) caul; *met de ~ geboren* born with a caul

'helmdraad (-draden) *m* ☘ filament

'helmstok (-ken) *m* ⚓ tiller, helm

'helmteken (-s) *o* ⊘ crest

help *ij* help!; *lieve ~* good gracious; **'helpen* I** *vt* 1 (*hulp verlenen*) help, aid, assist, succour; 2 (*baten*) avail, be of avail, be of use; 3 (*bedienen*) attend to [customers]; *wordt u geholpen?* are you being attended to?; *waarmee kan ik u ~?* what can I do for you?; *zo waarlijk helpe mij God almachtig!* so help me God!; *dat zal u niets ~* that won't be much use, will be of no avail; *wat zal het ~?* of what use will it be?, what will be the good (of it)?; *hij kan het niet ~* it is not his fault; ● *aan iets ~* help to, procure, get; *kunt u me ~ aan* can you oblige me [with a match]?; *er is geen ~ aan* it can't be helped; *iem. (aan) bij zijn sommen ~* help sbd. to do his sums; *iem. in zijn jas ~* help sbd. in his coat; *iem met geld ~* assist sbd. with money; *iem. uit zijn bed ~* help sbd. out of bed; **II** *vi* help; avail, be of avail, be of use; *help!* help!; *het helpt al* it is some good already; *alles helpt* everything is helpful; *het helpt niet* it's no good, it's no use, it is of no avail; *aspirine helpt tegen de hoofdpijn* is good for a headache; **III** *vr zich ~* help oneself; **'helper** (-s) *m*, **'helpster** (-s) *v* helper, assistant

hels I *aj* hellish, infernal, devilish; *iem. ~ maken* **F** drive sbd. wild; *hij was ~* **S** he was in a wax; *een ~ lawaai* a hellish noise (din); *~e machine* infernal machine; *~e pijn* excruciating pain, agony; *~e steen* lunar caustic, argentic (silver) nitrate; **II** *ad* < infernally, devilish(ly)

hem *pers. voornw.* him; *het is van ~* it is his; *hij is ~* he is it; *dat is het ~* that's it; *daar zit het ~ in* that's just it (the case)

hemd (-en) *o* shirt; chemise [of a woman]; *hij heeft geen ~ aan zijn lijf* he has not a shirt to his back; *iem. het ~ van het lijf vragen* pester sbd. with questions; *het ~ is nader dan de rok* charity begins at home; ● *in zijn ~ staan* [*fig*] cut a sorry figure; *iem. in zijn ~ laten staan* make sbd. look foolish; *tot op het ~ toe nat* wet to the skin; *iem. tot op het ~ uitkleden* strip sbd. naked; **'hemdsknoop** (-knopen) *m* shirt-button; **–mouw** (-en) *v* shirt-sleeve; *in zijn ~en* in his shirt-sleeves

'hemel (-en en -s) *m* 1 (*der gelukzaligen*) heaven; 2 (*uitspansel*) sky, firmament, heavens; 3 (*dak*) canopy [of throne]; tester [of bed]; *goeie (lieve) ~!* good heavens!; *de ~ beware ons!* God forbid!; *de ~ geve dat hij...!* would to God he...!; *om 's ~s wil* for heaven's sake; *~ en aarde bewegen* move heaven and earth; *de ~ mag weten* heaven knows, goodness knows; ● *de sterren aan de ~* the stars in the sky; *in de ~* in heaven; *in de ~ komen* go to heaven; *tussen ~ en aarde* between heaven and earth, [hang] in mid-air; *als de ~ valt hebben we allemaal een blauwe hoed* if the sky falls we shall catch larks; zie ook: *bloot, schreien* &; **–bed** (-den) *o* four-poster; **–bestormer** (-s) *m* Titan; **–bol** (-len) *m* celestial globe; **–gewelf** *o* vault of heaven, firmament; **–hoog I** *aj* sky-high, reaching (towering) to the skies; **II** *ad* sky-high, to the skies; *iem. ~ verheffen* exalt (laud) sbd. to the skies; **–lichaam** (-chamen) *o* heavenly body, celestial body; **–opneming** (-en) *v* assumption [of the Virgin Mary]; **–poort** (-en) *v* gate of Heaven; **–rijk** *o* kingdom of Heaven; **'hemels I** *aj* celestial, heavenly [Father &]; *het Hemelse Rijk* the Celestial Empire [China]; **II** *ad* celestially, heavenly; divinely [beautiful &]; **–blauw** sky-blue, azure; **–breed** *een ~ verschil* a big difference; *er is een ~ verschil tussen hen* they are as wide asunder as the poles; *~ 100 km* 100 km as the crow flies; **–breedte** *v* celestial latitude; **–naam** *in 's ~*, zie *godsnaam*; **'hemelstreek** (-streken) *v* 1 climate; 2 point of the compass; 3 zone; **–tergend** crying to heaven, crying; **–tje** *ij* good heavens!; **–vaart** *v* Ascension (of J.C.); **'Hemelvaartsdag** *m* Ascension Day; **'hemelvuur** *o* 1 celestial fire; 2 lightning; **–waarts** heavenward, towards Heaven; **–water** *o* rain

hemi'sfeer (-sferen) *v* hemisphere

hemofi'lie *v* haemophilia

1 hen (-nen) *v* 🐦 hen

2 hen them; *~ die* those who

'hendel (-s) *o* & *m* = 2 *handel*

'henen = *heen*

'hengel (-s) *m* 1 fishing-rod; 2 (v. *microfoon*) boom; **–aar** (-s) *m* angler; **'hengelen I** (hengelde, h. gehengeld) *vi* angle; *naar een complimentje ~* be angling (fishing) for a compliment; **II** *o het ~* angling; **'hengelroe(de)** (-den) *v* fishing-rod; **–snoer** (-en) *o* fishing-line; **–stok** (-ken) *m* fishing rod

'hengsel (-s) *o* 1 handle; 2 hinge [of a door]; **–mand** (-en) *v* hand-basket

hengst (-en) *m* stallion, stud-horse

'hengsten (hengstte, h. gehengst) *vi* = *blokken*

'henna *v* henna

'hennep *m* hemp; **–en** hempen, hemp; **–olie** *v* hempseed oil; **–zaad** (-zaden) *o* hempseed

hens *alle ~ aan dek* ⚓ all hands on deck

her *~ en der* here and there, hither and thither;

van eeuwen ~ ages old; *jaren* ~ ages since
her'ademen[1] *vi* breathe again; **–ming** (-en) *v* *fig* relief
heral'diek I *v* heraldry; **II** *aj* heraldic; **he'raldisch** *aj* heraldic
he'raut (-en) *m* herald[2]
her'barium (-s en -ria) *o* herbarium
'herbebossen (herbeboste, h. herbebost) *vt* reafforest; **–sing** (-en) *v* reafforestation
'herbenoemen (herbenoemde, h. herbenoemd) *vt* reappoint; **–ming** (-en) *v* reappointment
'herberg (-en) *v* inn, public house, **F** pub, tavern; **'herbergen** (herbergde, h. geherbergd) *vt* accommodate, lodge; **herber'gier** (-s) *m* innkeeper, landlord, host; **her'bergzaam** hospitable
'herbewapenen (herbewapende, h. herbewapend) (*zich*) ~ rearm; **–ning** (-en) *v* rearmament; *morele* ~ moral rearmament
her'boren born again, reborn, regenerate
'herbouw *m* rebuilding; **her'bouwen**[1] *vt* rebuild
'herculesarbeid *m* Herculean labour
'herdenken[1] *vt* commemorate, call to remembrance; **her'denking** (-en) *v* commemoration; *ter* ~ *van* in commemoration of; **–szegel** (-s) *m* commemorative stamp
'herder (-s) *m* 1 (v. s c h a p e n) shepherd, (v. v e e) herdsman, (m e e s t i n s a m e n s t.) [swine-]herd; 2 (g e e s t e l i j k e) shepherd, pastor; 3 = *herdershond*; *de Goede Herder* the Good Shepherd; **herde'rin** (-nen) *v* shepherdess; **'herderlijk** pastoral; ~ *ambt* pastorate, pastorship; ~ *schrijven* pastoral (letter); **'herdersambt** (-en) *o* pastorship, pastorate; **–dicht** (-en) *o* pastoral (poem); ~*en* bucolics; **–fluit** (-en) *v* shepherd's pipe; **–hond** (-en) *m* shepherd's dog, sheepdog; *Duitse* ~ Alsatian; **–spel** (-spelen) *o* pastoral (play); **–staf** (-staven) *m* 1 sheep-hook, [shepherd's] crook; 2 [bishop's] crosier; **–tas** (-sen) *v* shepherd's pouch; **–tasje** (-s) *o* ✿ shepherd's-purse; **–uurtje** (-s) *o* lovers' tryst; **–zang** (-en) *m* pastoral (song), eclogue
'herdruk (-ken) *m* reprint, new edition; *in* ~ reprinting; **her'drukken**[1] *vt* reprint
'hereboer (-en) *m* gentleman-farmer
here'miet (-en) *m* hermit
heremijn'tijd [-mə(n)'tɛit] *ij* Good heavens!
'herendienst (-en) *m* forced labour; statute labour; **heren'dubbelspel** (-spelen) *o* men's doubles; **–'enkelspel** (-spelen) *o* men's singles; **'herenhuis** (-huizen) *o* 1 manor-house; 2 gentleman's house
her'enigen (herenigde, h. herenigd) *vt* reunite; **–ging** (-en) *v* reunion; [German] reunification
'herenkleding *v* men's wear; **–leventje** *o een* ~ *hebben* live like a prince, be in clover; **–mode** (-s) *v* (gentle)men's fashion; ~*s* men's wear; *winkelier in* ~*s* (men's) outfitter, clothier
'herexamen (-s) *o* re-examination
herfst *m* autumn, *Am* fall; **–achtig** autumnal; **–aster** (-s) *v* Michaelmas daisy; **–bloem** (-en) *v* autumnal flower; **–dag** (-dagen) *m* autumn day, day in autumn; **–draden** *mv* air-threads, gossamer; **–ig** autumnal, autumn-like; **–maand** (-en) *v* autumn month, September; **–tijd** *m* autumn time; **–tijloos** (-lozen) *v* meadow saffron; **–vakantie** [-(t)si.] (-s) *v* autumn holidays
her'geven[1] *vt* 1 give again; 2 ◊ deal again
'hergroeperen[1] *vt* regroup; **–ring** *v* regrouping
her'haald repeated; ~*e malen* repeatedly, again and again; **–elijk** repeatedly, again and again; **her'halen**[1] **I** *vt* repeat, say (over) again, reiterate; (k o r t) recapitulate; **II** *vr zich* ~ repeat oneself (itself); **her'haling** (-en) *v* repetition; *bij* ~ again and again; repeatedly; *in* ~*en vervallen* repeat oneself; **her'halingscursus** [-züs] (-sen) *m* refresher course; **–oefening** (-en) *v* recapitulatory exercise; ~*en* ⚔ (military) training [of reservists]; **–teken** (-s) *o* repeat
'herijken[1] *vt* regauge
'herik (-riken) *m* charlock
her'inneren (herinnerde, h. herinnerd) **I** *vt aan iets* ~ recall sth.; *iem. aan iets* ~ remind sbd. of sth.; **II** *vr zich* ~ remember, (re)call to mind, recollect, recall; *voor zover ik mij herinner* to the best of my recollection, as far as I can remember; **her'innering** (-en) *v* 1 memory; remembrance, recollection, reminiscence; 2 (a a n d e n k e n) souvenir, memento, keepsake; 3 (g e h e u g e n o p f r i s s i n g) reminder; *iem. iets in* ~ *brengen* remind sbd. of sth.; *ter* ~ *aan* in memory (remembrance) of; **her'inneringsmedaille** [-me.dɑ(l)jə] (-s) *v* commemorative medal; **–vermogen** *o* memory
'herkansing (-en) *v sp* supplementary heat; (s c h o o l) re-examination
'herkauwen[1] *vt* & *vi* ruminate, chew the cud; *fig* repeat (the same thing); **–d** ~ *dier* = *herkauwer*; **'herkauwer** (-s) *m* ♞ ruminant; **–wing** *v* rumination
her'kenbaar recognizable, knowable (by *aan*); **her'kennen**[1] *vt* recognize (by *aan*); know

[1] V.T. en V.D. van dit werkwoord volgens het model: **her'**ademen, V.T. **her'**ademde, V.D. **her'**ademd (**ge-** in het V.D. valt weg). Zie voor de vormen onder het grondwoord, in dit voorbeeld: *ademen*. Bij sterke en onregelmatige werkwoorden wordt u verwezen naar de lijst achterin.

again; *ik herkende hem aan zijn stem* ook: I knew him by his voice; **her'kenning** (-en) *v* recognition; **her'kenningsmelodie** (-ieën) *v* R signature tune; **-teken** (-en en -s) *o* mark of recognition; identification mark, ✍ marking
'herkeuren[1] *vt* examine again, re-examine; **-ring** (-en) *v* (medical) re-examination
her'kiesbaar re-eligible, eligible for re-election; *zich niet ~ stellen* not seek re-election; **her'kiezen**[1] *vt* re-elect; **-zing** (-en) *v* re-election
'herkomst (-en) *v* origin
her'krijgen[1] *vt* get back, recover, regain [one's health, vigour]; **-ging** (-en) *v* recovery
her'leidbaar reducible; **her'leiden**[1] *vt* reduce, convert; **her'leiding** (-en) *v* reduction, conversion; **-stabel** (-len) *v* reduction table, conversion table
her'leven[1] *vi* revive, return to life, requicken, live again; *doen ~* revive, bring to life again; requicken; **-ving** *v* revival, resurgence
her'lezen[1] *vt* re-read, read (over) again; **-zing** (-en) *v* re-reading, second reading
hermafro'diet (-en) *m-v* hermaphrodite
Her'mandad *m* Hermandad; *de heilige ~* [*fig*] the police, the law
herme'lijn 1 (-en) *m* ♘ ermine [white], stoat [red]; 2 *o* (b o n t) ermine; **-en** *aj* ermine
'hermesstaf (-staven) *m* caduceus
her'metisch hermetical
her'nemen[1] *vt* 1 take again [something]; ⚔ retake, recapture [a fortress], take up [the offensive] again; 2 resume, reply; **-ming** *v* retaking, recapture
'hernhutter (-s) *m* Moravian brother [*mv* Moravian brethren]
'hernia ('s) *v* ⚕ (i n z. v. t u s s e n w e r v e l - s c h i j f) slipped disc (disk); (a n d e r s) hernia
her'nieuwen (hernieuwde, h. hernieuwd) *vt* renew; **-wing** (-en) *v* renewal, resurgence
hero'ïek heroic(al); **hero'ïne** *v* heroin; **he'roïsch** heroic(al); **hero'ïsme** *o* heroism
herontdekken (herontdekte, h. herontdekt) *vt* rediscover; **-king** (-en) *v* rediscovery
her'openen[1] *vt* re-open; **-ning** (-en) *v* reopening
'heropvoeding *v* re-education
'heroriëntatie [-(t)si.] (-s) *v* reorientation
'heros (he'roën) *m* hero
her'overen (heroverde, h. heroverd) *vt* reconquer, recapture, retake, recover [from the enemy]; **-ring** (-en) *v* reconquest, recapture
'herrie *v* 1 noise, din, uproar, racket, hullabaloo; 2 **F** row; *~ hebben* **F** have a row, be at odds; *~ krijgen* **F** get into a row; *~ maken, ~ schoppen* **F** kick up a row (a shindy), **S** raise a stink; **-maker** (-s) *m*, **-schopper** (-s) *m* noisy fellow; rowdy
her'rijzen[1] *vi* 1 rise again; 2 rise (from the dead)
her'roepbaar revocable, repealable; **her'roepen**[1] *vt* recall, revoke, rescind [a decision]; recant [a statement], repeal, annul [a law], retract [a promise]; **-ping** (-en) *v* recall, revocation [of the Edict of Nantes], repeal, recantation, retractation, annulment
her'schapen transformed, turned [into]
'herschatten[1] *vt* revalue; **-ting** (-en) *v* revaluation
her'scheppen[1] *vt* recreate, create anew, regenerate, transform, turn (into *in*); **-ping** (-en) *v* recreation, regeneration, transformation
her'scholen[1] *vt* retrain; **'herscholing** *v* retraining
'hersenarbeid *m* brain-work; **-bloeding** (-en) *v* cerebral haemorrhage; **-cel** (-len) *v* brain cell; **-en** *mv de grote ~* the cerebrum; *de kleine ~* the cerebellum; zie *hersens*; **-gymnastiek** [-gɪm-] *v* mental gymnastics; (v r a a g s p e l) quiz; **-loos** brainless; **-ontsteking** (-en) *v* encephalitis; **-pan** (-nen) *v* brain-pan, cranium; **'hersens** *mv* brain [as organ], brains [as matter & intelligence]; *met een prima stel ~* with a first-rate brain; *z'n ~ afpijnigen* cudgel one's brains; *iem. de ~ inslaan* knock sbd.'s brains out, bash sbd.'s brains in; *hoe krijgt hij het i n zijn ~?* how does he get it into his head? *dat zal hij wel u i t zijn ~ laten* he will think twice before doing it; he will not even dare to think of doing such a thing; **'hersenschim** (-men) *v* idle fancy, chimera; **hersen'schimmig** chimerical; **'hersenschors** *v* brain cortex, cerebral cortex; **-schudding** (-en) *v* concussion (of the brain); **-spoeling** *v* brainwashing; **-stam** *m* brain stem; **-trombose** [-bo.zə] *v* cerebral thrombosis; **-tumor** (-s en -moren) *m* tumor of the brain, brain tumor; **-verweking** (-en) *v* softening of the brain; **-vlies** (-vliezen) *o* cerebral membrane; **-vliesontsteking** *v* meningitis; **-weefsel** (-s) *o* brain tissue; **-werk** *o* brain-work; **-winding** (-en) *v* convolution of the brain; **-ziekte** (-n en -s) *v* brain disease
her'stel *o* reparation, repair [of what is broken], recovery [after illness, of business, of prices

[1] V.T. en V.D. van dit werkwoord volgens het model: **her'**ademen, V.T. **her'**ademde, V.D. **her'**ademd (**ge-** in het V.D. valt weg). Zie voor de vormen onder het grondwoord, in dit voorbeeld: *ademen.* Bij sterke en onregelmatige werkwoorden wordt u verwezen naar de lijst achterin.

&], restoration [of confidence, of order, of a building], re-establishment [of sbd.'s health, of the monarchy], $ rally [of shares]; redress [of grievances]; reinstatement [of an official]; **–baar** repairable, reparable, remediable, restorable, retrievable; **–betalingen** *mv* reparations; **her'stellen I** (herstelde, h. hersteld) *vt* repair, mend [shoes &], remedy [an evil]; correct [mistakes], right [a wrong], redress [grievances], set [it] right, make good [the damage, the loss &], retrieve [a loss, an error &]; restore [order, confidence], re-establish [authority]; reinstate [an official]; *in zijn eer ~* rehabilitate; *een gebruik in ere ~* revive a custom; **II** (herstelde, is hersteld) *va* recover [from an illness]; *herstel!* ⚔ as you were!; **III** (herstelde, h. hersteld) *vr zich ~* recover oneself, pull oneself together; recover [from]; **–de** (-n) *m-v* convalescent; **her'steller** (-s) *m* repairer, restorer; **her'stelling** (-en) *v* repairing, repair, restoration, re-establishment, recovery; *~en doen* make repairs; **her'stellingsoord** (-en) *o* (p l a a t s, s t r e e k) health-resort; (i n r i c h t i n g) sanatorium; (t e h u i s v o o r h e r s t e l l e n d e n) convalescent home; **–teken** (-s) *o* ♪ natural (sign); **her'stel(lings)werk** *o* repairs, repair work; **her'stellingswerkplaats** (-en) *v* repair shop

'herstemmen[1] *vi* vote again; **–ming** (-en) *v* second ballot

'herstructureren[1] *vt* restructure; **–ring** (-en) *v* restructuring

hert (-en) *o* deer [*mv* deer]; (m a n n e t j e s~) stag; *vliegend ~* ✾ stag-beetle; **'hertebout** (-en) *m* haunch of venison; **–jacht** (-en) *v* stag-hunting; deer-stalking; **–le(d)er** = *hertsle(d)er*

'hertelling (-en) *v* recount [of votes]

'hertenkamp (-en) *m* deer-park; **'hertevlees** *o* venison

'hertog (-togen) *m* duke; **–dom** (-men) *o* duchy; **her'togelijk** ducal

's-Hertogen'bosch *o* Bois-le-Duc

herto'gin (-nen) *v* duchess

'hertrouwen[1] *vi* remarry, marry again

1 'hertshoorn *o* & *m* (s t o f n a a m) hartshoorn

2 'hertshoorn, –horen (-s) *m* (v o o r w e r p) stag's horn; **'hertsle(d)er** *o* deerskin

hertz *m* hertz

her'vatten[1] *vt* resume, return to [work, a conversation]; **–ting** (-en) *v* resumption

'herverdeling (-en) *v* redistribution [of wealth]

'herverkaveling (-en) *v* re-allocation [of arable land]

'herverzekeren[1] *v* reinsure; **–ring** (-en) *v* reinsurance

her'vinden[1] *vt* find again

her'vormd *aj* reformed; *de ~en* the Protestants; **her'vormen**[1] *vt* reform; **–er** (-s) *m* reformer; **her'vorming** (-en) *v* 1 (v. d. m a a t s c h a p p i j &) reform; 2 (v. d. k e r k) reformation; **Her'vormingsdag** *m* Reformation Day

'herwaarderen[1] *vt* revalue; **-ring** (-en) *v* $ revaluation

'herwaarts hither, this way

her'winnen[1] *vt* regain [one's footing, consciousness]; win back [money]; recover [a loss, lost ground]; retrieve [a battle]

her'zien[1] *vt* revise [a book, a treaty &]; reconsider [a policy]; review [a lawsuit]; **her'ziening** (-en) *v* revision [of a book, a treaty &]; reconsideration [of a policy]; review [of a lawsuit]

hes (-sen) *v* smock

'hesen V.T. meerv. v. *hijsen*

'Hessen *o* Hesse; **–sisch** Hessian

het [hɛt, ət] the, it; he, she; *3 shilling ~ pond* 3 sh. a pound; *3 shilling ~ stuk* 3 sh. each

hete'luchtverwarming (-en) *v* space-heating

1 'heten (heette, h. geheet) *vt* heat [= make hot]

2 'heten* I *vt* 1 name, call; 2 ✎ order, bid [sbd. welcome]; **II** *vi* be called, be named; *hoe heet dat?* what is it called?; *hoe heet hij?* what is his name?; *vraag hem hoe hij heet* go and ask his name; *het heet dat hij... is* it is reported (said) that he...; *zoals het heet* as the saying is; *zo waar ik... heet* as truly as my name is...; *hij heet Jan naar zijn vader* he is called John after his father

'heterdaad *iem. op ~ betrappen* catch sbd. in the act, catch sbd. red-handed

hetero'geen heterogeneous; **heterogeni'teit** *v* heterogeneity

heteroseksu'eel heterosexual

het'geen [hɛt-, ət'ge.n] that which, what; which; **–'welk** which

'hetze (-s) *v* agitation, (smear) campaign; (i n k r a n t) yellow-press campaign

het'zelfde the same

het'zij *cj* 1 (n e v e n s c h i k k e n d) either... or; 2 (o n d e r s c h i k k e n d) whether ... or

heug *tegen ~ en meug* reluctantly, against one's wish

'heugen (heugde, h. geheugd) *het heugt mij* I remember; *dat zal u ~* you won't forget that in a hurry; **–is** *v* remembrance, recollection,

[1] V.T. en V.D. van dit werkwoord volgens het model: **her**'ademen, V.T. **her**'ademde, V.D. **her**'ademd (**ge-** in het V.D. valt weg). Zie voor de vormen onder het grondwoord, in dit voorbeeld: *ademen*. Bij sterke en onregelmatige werkwoorden wordt u verwezen naar de lijst achterin.

memory; **'heuglijk** memorable; joyful, pleasant

heul *o* comfort

'heulen (heulde, h. geheuld) *vi* ~ *met* be in league with, be in collusion with

heup (-en) *v* hip; *hij heeft 't op de ~en* he is in one of his tempers; **–been** (-deren) *o* hip-bone; **–broek** (-en) *v* hipster trousers; **–wiegen** (heupwiegde, h. geheupwiegd) *vi* swing (sway, roll) one's hips; **–zwaai** (-en) *m* (w o r s t e l e n) cross-buttock; (a a n d e r i n g e n) hip roll

⊙ **heur** = 1 *haar*

'heus I *aj* 1 courteous, kind; 2 real, live; **II** *ad* 1 (h o f f e l i j k) courteously, kindly; 2 < really; *ik heb het zelf gezien, ~!* really, truly; *Heus?* really?, have you though?; **–heid** (-heden) *v* courtesy, kindness

'heuvel (-en en -s) *m* hill; **–achtig** hilly; **–landschap** (-pen) *o* hilly landscape; **–rug** (-gen) *m* range of hills; **–tje** (-s) *o* knoll; hillock, mound; **–top** (-pen) *m* hill top

'hevel (-s) *m* siphon; **'hevelen** (hevelde, h. geheveld) *vt* siphon

'hevig I *aj* vehement, violent [storm &], severe, heavy [fighting], intense [heat, pain]; **II** *ad* vehemently; violently; < greatly, badly [bleeding &]; **–heid** *v* vehemence, violence, intensity, severity

he'xameter (-s) *m* hexameter

H.H. = *heren* gentlemen

hi'aat (-aten) *m* & *o* hiatus, gap

hief (hieven) V.T. v. *heffen*

hiel (-en) *m* heel; *iem. op de ~en zitten* be close upon sbd.'s heels; *nauwelijks heb ik de ~en gelicht, of...* no sooner have I turned my back than...; *zijn ~en laten zien* show a clean pair of heels; **–been** (-deren) *o* heel-bone

hield (hielden) V.T. v. *houden*

'hielenlikker (-s) *m* lickspittle, toady

hielp (hielpen) V.T. v. *helpen*

'hielstuk (-ken) *o* counter

hiep, hiep, hoe'ra! *ij* hip, hip, hurrah!

hier *ad* here; ~ *en daar* here and there; *wel ~ en daar!* **F** the deuce!, by Jove!; ~ *en daar over spreken* talk about this and that; ~ *te lande* in this country; ~ *ter stede* in this town; **–aan** to this; by this &; **hier'achter** 1 behind (this); 2 hereafter, hereinafter [in deeds &]

hiërar'chie [hi:rɑr'gi.] (-chieën) *v* hierarchy; **hië'rarchisch** hierarchical

hierbe'neden down here, here below; **'hierbij, hier'bij** 1 herewith, enclosed; 2 hard by; 3 hereby, herewith [I declare]; **hier'binnen** within this place or room, in here, within; **–'boven** up here, above; **–'buiten** outside (this); **'hierdoor, hier'door** 1 (o o r z a a k) by this; 2 through here; **'hierheen, hier'heen** 1 hither, here; 2 this way; **'hierin, hier'in** in here, herein, in this; **'hierlangs** this way, past here; **–me(d)e** with this; **'hierna, hier'na** after this, hereafter; **'hiernaar** after this, from this; **hier'naast** next door; **–'namaals I** *ad* hereafter; *het leven ~* the future life; **II** *o* hereafter, after-world; **–'nevens** enclosed, annexed

hiëro'gliefen [hi:ro.-] *mv* = *hiëroglyfen*; **hiëro'glifisch** = *hiëroglyfisch*; **hiëro'glyfen** [-'gli.-] *mv* hieroglyphics; **hiëro'glyfisch** hieroglyphic

'hierom 1 round this; 2 for this reason; **hierom'heen** round this; **'hieromtrent** 1 about this, on this subject; 2 hereabout(s)

hier'onder 1 underneath, below; 2 at the foot [of the page]; 3 among these; **'hierop** upon this, hereupon; **–over** 1 opposite, over the way; 2 on (about) this subject, about this; **–tegen** against this; **hiertegen'over** opposite; against this; ~ *staat dat* ... on the other hand...; **'hiertoe** for this purpose; *tot ~* thus far, so far; **hier'tussen** between these; **'hieruit** from this, hence; **–van** of this (that), about this, hereof; **–voor** 1 for this, in exchange, in return (for this); 2 [hi.r'vo:r] before (this)

hieuw (hieuwen) V.T. v. *houwen*

hieven V.T. meerv. v. *heffen*

hij he; *is het een ~ of een zij?* a he or a she?

'hijgen (hijgde, h. gehijgd) *vt* pant, gasp (for breath); ~ *naar [fig]* pant for (after)

hijs *m* hoisting, hoist; *een hele ~* quite a job; **–balk** (-en) *m* hoisting beam; **–blok** (-ken) *o* pulley-block; **'hijsen*** *vt* hoist [a sail, a flag &], pull up; run up [a flag]; **'hijskraan** (-kranen) *v* crane; **–toestel** (-len) *o* hoisting apparatus, hoist; **–touw** (-en) *o* hoisting rope

hik (-ken) *m* hiccup, hiccough; **'hikken** (hikte, h. gehikt) *vi* hiccup, hiccough

hilari'teit *v* hilarity

'hinde (-n) *v* hind, doe

'hinder *m* hindrance, impediment, obstacle; *ik heb er geen ~ van* it does not hinder me; it is no trouble to me, it is not in my way; **'hinderen** (hinderde, h. gehinderd) **I** *vt* hinder, impede, incommode, inconvenience, trouble; *het hindert mij bij mijn werk* it hinders me in my work; *dat hinderde hem* that's what annoyed him; **II** *va* hinder, be in the way; *dat hindert niet* it does not matter; **'hinderlaag** (-lagen) *v* ambush, ambuscade; *een ~ leggen* lay an ambush; *in ~ liggen* lie in ambush; *in een ~ lokken* ambush; *in een ~ vallen* be ambushed; **'hinderlijk** annoying, troublesome [persons]; inconvenient [things]; **'hindernis** (-sen) *v* hindrance, obstacle; *wedren met ~sen* obstacle race;

'hinderpaal (-palen) *m* obstacle, impediment, hindrance; *iem. hinderpalen in de weg leggen* put (throw) obstacles in sbd.'s way; *alle hinderpalen uit de weg ruimen* remove all obstacles; **–wet** *v* nuisance act
'Hindoe (-s) *m*, **Hindoes** *aj* Hindu, Hindoo; **hindoe'ïsme** *o* Hinduism
hing (hingen) V.T. v. *hangen*
'hinkelbaan (-banen) *v* hopscotch; **'hinkelen** (hinkelde, h. gehinkeld) *vi* hop, play at hopscotch
'hinken (hinkte, h. gehinkt) *vi* 1 limp, walk with a limp; **F** dot and carry one; 2 *sp* hop, play at hopscotch; ~ *op twee gedachten* halt between two opinions; **'hinkepoot** (-poten) *m* limper, cripple; **hink-stap-'sprong** *m* hop-step-and-jump
'hinniken (hinnikte, h. gehinnikt) *vi* neigh, whinny
hip with-it [girl]; trendy [clothing]; **S** hip [disc jockey], groovy [scene], **F** swinging [town]
'hippie (-s) *m-v* hippie (boy, girl)
'hippisch equestrian
hippo'droom (-dromen) *m* & *o* hippodrome
his'toricus (-ci) *m* historian; **his'torie** (-s en -iën) *v* history, story; zie *geschiedenis*; **–schrijver** (-s) *m* historiographer; **his'torisch I** *aj* historical [novel, materialism &], historic [building, event, monument, procession]; *het is ~!* it actually happened; **II** *ad* historically
1 hit (-ten) *m* 🐎 (i n z. S h e t l a n d) pony, nag
2 hit (-ten) *v* (d i e n s t m e i s j e) **F** slavey; **S** skivvy
3 hit (-s) *m* (s u c c e s) **F** hit, ♪ ook: hit tune; **'hitparade** (-s) *v* hit parade
'hitsig hot-blooded
'hitte *v* heat²; **–bestendig** heat-resistant; **–golf** (-golven) *v* heat-wave
'hittepetit (-ten) *v* **F** chit
H.K.H. = *Hare Koninklijke Hoogheid*
hl = *hectoliter*
H.M. = *Hare Majesteit*
h'm [hüm] *ij* ahem!
ho! *ij* ho!; zie ook: 1 *hei*
H.O. = *hoger onderwijs*, zie *onderwijs*
'hobbel (-s) *m* knob; bump; **'hobbelen** (hobbelde, h. gehobbeld) *vi* 1 rock (to and fro), jolt [in a cart]; 2 ride on a rocking-horse; **'hobbelig** rugged, uneven, bumpy; **'hobbelpaard** (-en) *o* rocking-horse
'hobbezak (-ken) *m* (k l e d i n g s t u k) sack, sacklike dress; (p e r s o o n) jumbo
'hobby [y = i.] ('s) *m* hobby
ho'bo ('s) *m* oboe; **hobo'ïst** (-en) *m* oboist, oboe-player
'hockey ['hɔki.] *o* hockey
hocus-'pocus *m* & *o* hocus-pocus, **F** hanky-panky; ~ *pas!* hey presto!
hoe how; *~! ik mijn huis verkopen* what, I sell my house!; ~ *dan ook* anyhow, anyway; *~ zo?* how so?, what do you mean?; ~ *langer,* ~ *erger* worse and worse; ~ *meer...,* ~ *minder...* the more..., the less...; ~ *rijk hij ook zij* however rich he may be; ~ *het ook zij* however that may be; *zij weet ~ de mannen zijn* she knows what men are like; *ik zou gaarne weten ~ of wat* I should like to know where I stand; *het ~ en wat weet hij niet* he does not know the ins and outs of the case
hoed (-en) *m* 1 (v o o r h e e r) hat; 2 (v o o r d a m e) hat, bonnet; *hoge ~* top-hat, topper; *de ~ afnemen (voor iem.)* raise (take off) one's hat (to sbd.); *daar neem ik mijn (de) ~ voor af* I take off my hat to that; *met de ~ in de hand komt men door het ganse land* cap in hand will take you through the land
'hoedanig how, what; **hoe'danigheid** (-heden) *v* quality; *in zijn ~ van...* in his capacity as..., in his capacity of...
'hoede *v* guard; care, protection; *o n d e r zijn ~ nemen* take under one's protection, take charge of; *(niet) o p zijn ~ zijn* be on (off) one's guard (against *voor*)
'hoededoos (-dozen) *v* hat-box, [lady's] bandbox; **–lint** (-en) *o* hatband
'hoeden (hoedde, h. gehoed) **I** *vt* guard, take care of, tend [flocks], keep, herd, watch, look after [the cattle]; **II** *vr zich ~ voor* beware of, guard against [mistakes]
'hoedenmaakster (-s) *v* milliner; **–maker** (-s) *m* hatter; **–winkel** (-s) *m* hat-shop; **'hoedepen** (-nen) *v* hat-pin; **–plank** (-en) *v* 🚗 parcel shelf
'hoeder (-s) *m* keeper², *fig* guardian; (v. v e e) herdsman; (m e e s t i n s a m e n s t.) [swine-] herd; *mijns broeders ~* **B** my brother's keeper
'hoedje (-s) *o* (little) hat; *onder één ~ spelen met* be in league with; *nu is hij onder een ~ te vangen* **F** he sings small now
hoef (hoeven) *m* hoof; **–blad** *o* coltsfoot; **–dier** (-en) *o* hoofed animal, ungulate; **–getrappel** *o* clatter of hoofs; **–ijzer** (-s) *o* horseshoe, shoe; **–nagel** (-s) *m* horseshoe nail; **–slag** (-slagen) *m* hoofbeat; **–smid** (-smeden) *m* farrier; **–stal** (-len) *m* frame
'hoegenaamd, hoege'naamd ~ *niets* absolutely nothing, nothing whatever, nothing at all
hoe'grootheid *v* quantity, size
hoek (-en) *m* 1 angle [between meeting lines or planes], corner [enclosed by meeting walls]; 2 hook, fish-hook; *dode ~* blind angle; *iem. i n een ~ drijven* corner sbd.; *een jongen in de ~ zetten* put a boy in the cranny; *in alle ~en en gaten* in

every nook and corner; *o m de* ~ round the corner; *ga de* ~ *om* go round the corner; *o n d e r een* ~ *van* at an angle of [40°]; *o p de* ~ at (on) the corner; *hij kan zo aardig u i t de* ~ *komen* he can come out with a joke (witty remark &) quite unexpectedly; *hij kwam flink uit de* ~ **F** he came down handsomely; zie ook: *wind*; **–huis** (-huizen) *o* corner house; **–ig** angular²; *fig* rugged; **–je** (-s) *o* corner, nook; *bij het* ~ *van de haard* at the fireside; *het* ~ *omgaan* **S** kick the bucket; *het* ~ *te boven zijn* have turned the corner; **–kast** (-en) *v* corner cupboard; **–man** (-nen) *m* (b e u r s) jobber; **–plaats** (-en) *v* corner-seat; **–punt** (-en) *o* angular point; **–schop** (-pen) *m sp* corner; **–steen** (-stenen) *m* corner-stone², quoin; **–tand** (-en) *m* canine (tooth), eye-tooth

hoen (-deren en -ders) *o* hen, fowl; **'hoenderachtig** gallinaceous; **–hof** (-hoven) *m* poultry-yard, chicken-yard; **–hok** (-ken) *o* poultry-house, henhouse; **–park** (-en) *o* poultry-farm; **'hoenders** *mv* (barn-door) fowls, poultry, chickens; **'hoenderteelt** *v* chicken breeding (farming); **'hoentje** (-s) *o* chicken, pullet

'hoepel (-s) *m* hoop [of a cask]; **'hoepelen** (hoepelde, h. gehoepeld) *vi* play with a (the) hoop, trundle a hoop; **'hoepelrok** (-ken) *m* hoop-petticoat, crinoline; **–stok** (-ken) *m* hoop-stick

hoer (-en) *v* whore, harlot, prostitute

hoe'ra! *ij* hurrah, hurray; *driemaal* ~ *voor...* three cheers for...

'hoerenkast (-en) *v* brothel, bawdy house; **hoe'reren** (hoereerde, h. gehoereerd) *vi* whore; **hoere'rij** (-en) *v* whoring; fornication; **'hoertje** (-s) *o* floosie, floozie

hoes (hoezen) *v* cover, dust sheet; (v. g r a m m o f o o n p l a a t) sleeve; **–laken** (-s) *o* fitted sheet

hoest *m* cough; **–bui** (-en) *v* fit of coughing; **–drankje** (-s) *o* cough mixture; **'hoesten** (hoestte, h. gehoest) *vi* cough; **'hoestmiddel** (-en) *o* cough remedy; **–pastille** [-pɑsti.jə] (-s) *v* cough lozenge

'hoeve (-n) *v* farm, farmstead, homestead

'hoeveel, hoe'veel how much [money], how many [books]; **hoe'veelheid** (-heden) *v* quantity, amount; **hoe'veelste** *de* ~ *keer?* how many times (have I told you)?; *de* ~ *van de maand hebben wij?* what day of the month is it?; *de* ~ *bent u?* what is your number?

'hoeven (hoefde, h. gehoefd) = *behoeven*

'hoever(re), hoe'ver(re) *in* ~ how far

hoe'wel *cj* although, though

hoe'zee *ij* hurrah, huzza!

hoe'zeer however much

1 hof (hoven) *m* garden

2 hof (hoven) *o* court [of arbitration, cassation &]; *het* ~ *maken* pay one's court (addresses) to, make love to; *aan het* ~ at court; **–bal** (-s) *o* court ball, state ball; **–dame** (-s) *v* court lady, lady-in-waiting, (o n g e h u w d) maid of honour; **–dignitaris** (-sen) *m* court official; **–etiquette** [-e.ti.kɛtə] *v* court etiquette; **'hoffelijk** courteous; **–heid** (-heden) *v* courteousness, courtesy; **'hofhouding** (-en) *v* court, household; **'hofje** (-s) *o* 1 almshouse; 2 court; **'hofjonker** (-s) *m* page; **–kapel** (-len) *v* court chapel; 2 ♪ court band; **–kliek** (-en) *v* court clique; **–kring** (-en) *m in* ~*en* in court circles; **–leverancier** (-s) *m* purveyor to His (Her) Majesty, by appointment (to His Majesty, to Her Majesty); **–maarschalk** (-en) *m* Lord Chamberlain; knight marshall; Master of Ceremonies; **–meester** (-s) *m* ⚓ steward; **hofmeeste'res** (-sen) *v* ⚓ stewardess; **'hofmeier** (-s) *m* major-domo; **–nar** (-ren) *m* court jester, court fool; **–prediker** (-s) *m* court chaplain; **–ste(d)e** (-steden) *v* homestead, farmstead, farm

hoge'drukgebied (-en) *o* high(-pressure) area, high, anticyclone; **'hogelijk** = *hooglijk*; **'hogepriester** (-s) *m* high priest

'hoger higher; **–hand** *v van* ~ zie *hand*; **'Hogerhuis** *o* Upper House, House of Lords; **hoger'op** higher; ~ *willen* have higher aspirations, be ambitious; **hoge'school** (-scholen) *v* university; *a a n de* ~ in the University; *o p de* ~ at college

1 hok (-ken) *o* kennel [for dogs], sty [for pigs], pen [for sheep, poultry], [pigeon-, poultry-] house, cage [for lions], hutch [for rabbits], shed [for coals &]; [*fig*] den [= room]; **S** quod [= prison]; *het* ~ the shop [= one's school]; *een* ~ (*van een kamer*) a poky little room, **F** a hole

2 hok (-ken) *o* (v. g a r v e n, s c h o v e n) shock

'hokje (-s) *o* compartment; pigeon-hole [for papers]; cubicle [of bathing establishment &]; (v i e r k a n t v a k j e) square; (o p i n v u l b i l j e t) box

1 'hokken (hokte, h. gehokt) *vi* come to a standstill; *er hokt iets* there's a hitch somewhere; *het gesprek hokte* the talk hung for a time

2 'hokken (hokte, h. gehokt) *vi* (i n c o n c u b i n a a t l e v e n) **S** shack up; *bij elkaar* ~ huddle together; *zij* ~ *altijd thuis* they are stay-at-homes

'hokkerig poky, cramped

'hokvast *hij is* (*erg*) ~ he is a stay-at-home

1 hol (holen) *o* cave [under ground], cavern; hole [of an animal], den, lair [of wild beast]; *fig* den; **F** hole

2 hol *m op* ~ *raken* (*slaan*) bolt, run away; *iem. het*

hoofd op ~ brengen turn sbd's head; *zijn hoofd is op ~* it has turned his head
3 hol I *aj* hollow² [stalks, cheeks, phrases, tones], empty² [vessels, phrases], cavernous [eyes], concave [lenses]; *~le weg* sunken road; *~le zee* rough sea; *in het ~le (in het ~st) van de nacht* at dead (in the dead) of night; **II** *ad* hollow
'hola hallo!; hold on!, stop!
'holbewoner (-s) *m* cave-dweller, troglodyte
'holderdebolder head over heels, helter-skelter; *~ door elkaar* pell-mell
'holebeer (-beren) *m* cave-bear; **'holemens** (-en) *m* cave-man; **'holenkunde** *v* speleology; **-kunst** *v* cave-art
'holheid *v* hollowness², emptiness²; **-klinkend** hollow(-sounding)
'Holland *o* Holland; **-er** (-s) *m* Dutchman; *vliegende ~* 1 ⚓ Flying Dutchman; 2 *sp* (boy's) racer; *de ~s* the Dutch; **-s I** *aj* Dutch; **II** *o het ~* Dutch; **III** *v een ~e* a Dutchwoman
'hollen (holde, h. gehold) *vi* run; *het is altijd ~ of stilstaan met hem* he is always running into extremes; *een ~d paard* a runaway horse; **'holletje** *o* scamper; *op een ~* at a scamper
'hologig hollow-eyed
holo'grafisch holograph(ic)
'holrond concave
'holster (-s) *m* holster
'holte (-n en -s) *v* hollow [of the hand, in the ground &], cavity [in a solid body], socket [of the eye, of the hip], pit [of the stomach]
hom (-men) *v* milt, soft roe
homeo'paat (-paten) *m* homoeopath
homeopa'thie *v* homoeopathy; **homeo'patisch** homoeopathic(al)
'hommel (-s) *v* 1 (d a r) drone; 2 bumblebee
'hommeles *het is ~ tussen hen* they are at odds, F there is a row
'homo ('s) *m* **F** queer, **S** queen, pansy, sissy; **homo'fiel** homosexual, **F** queer; **homofi'lie** *v* homosexuality
homo'geen homogeneous; **homogeni'teit** *v* homogeneity, homogeneousness
homolo'gatie [-(t)si.] (-s) *v* sanction
homo'niem I (-en) *o* homonym; **II** *aj* homonymous
homoseksuali'teit *v* homosexuality; **homoseksu'eel** homesexual, **F** queer
homp (-en) *v* hunk, lump, chunk [of bread &]
'hompelen (hompelde, h. gehompeld) *vi* hobble, limp
hond (-en) *m* dog², hound²; *jonge ~* puppy, pup; *jij stomme ~!* you mooncalf!; *vliegende ~* flying-fox; *blaffende ~en bijten niet* his bark is worse than his bite; *men moet geen slapende ~en wakker maken* let sleeping dogs lie; *de ~ in de pot vinden* go without one's dinner; *wie een ~ wil slaan, kan licht een stok vinden* it is easy to find a staff to beat a dog; *veel ~en zijn der hazen dood* nobody can hold out against superior numbers;
'hondebaantje (-s) *o* **F** rotten job; **-brood** *o* dog-biscuit; **-hok** (-ken) *o* (dog-)kennel; **-kar** (-ren) *v* cart drawn by dogs; **-ketting** (-en) *m* & *v* dog-chain; **-leven** (-s) *o* dog's life; **-mepper** (-s) *m* doghunter; **'hondenasiel** [s = z] (-en) *o* home for dogs, dogs' home; **-belasting** *v* dog-tax; **-tentoonstelling** (-en) *v* dogshow; **'hondepenning** (-en) *m* dog-licence badge; **-ras** (-sen) *o* breed of dogs
'honderd a (one) hundred; *~en mensen* hundreds of people; *bij ~en* by the hundred; *alles is i n het ~* everything is at sixes and sevens; *alles loopt in het ~* everything goes awry (wrong); *de boel in het ~ laten lopen* make a muddle (a mess) of it; *vijf t e n ~* five per cent.; *~ uit praten* talk nineteen to the dozen; **-duizend** a (one) hundred thousand; *~en* hundreds of thousands; **-jarig** *aj* a hundred years old, centenary, centennial, secular; *~ bestaan, ~ gedenkfeest* centenary; *een ~e* a centenarian; **-ste** hundredth (part); **-tal** (-len) *o* (a, one) hundred, (a) five score; **-voud** *o* centuple; **-voudig** a hundredfold, centuple
'honderiem (-en) *m* dog's leash, slip; **-vlees** *o* dog's meat; **-wacht** *v* ⚓ dog-watch, middle watch; **-weer** *o* **F** beastly weather; **-ziekte** *v* distemper; **-zweep** (-zwepen) *v* dog-whip;
honds I *aj* currish [fellow]; brutal [treatment &]; **II** *ad* brutally; **'hondsdagen** *mv* dog-days; **honds'dolheid** *v* rabies, canine madness; (b i j m e n s) hydrophobia; **'hondsdraf** *v* ground-ivy; **-haai** (-en) *m* dog-fish; **-heid** (-heden) *v* currishness; brutality; zie *honds*; **-roos** *v* dog-rose; **-ster** *v* dog-star; **-vot** (-ten) *v* & *o* rascal, scoundrel, scamp
Hon'duras *o* Honduras
'honen (hoonde, h. gehoond) *vt* jeer at, taunt, insult, fleer; **-d** scornful, jeeringly
Hon'gaar [hõ'ga:r] (-garen) *m*, **Hon'gaars** *aj* & *o* Hungarian; **Honga'rije** *o* Hungary
'honger *m* hunger; *~ hebben* be hungry; *~ krijgen* get hungry; *~ lijden* starve; *van ~ sterven* die of hunger; *~ is de beste kok (saus), ~ maakt rauwe bonen zoet* hunger is the best sauce; **-dood** *m* & *v* death from hunger (starvation); **'hongeren** (hongerde, h. gehongerd) *vi* hunger, be hungry; **'hongerig** hungry; **'hongerkunstenaar** (-s) *m* fasting champion, professional starver; **-kuur** (-kuren) *v* hunger (fasting) cure; **-lijder** (-s) *m* starveling; **-loon** (-lonen) *o* starvation wages, pittance; **'hongersnood** (-noden) *m* famine; **'hongerstaker** (-s) *m* hunger striker; **-staking** (-en) *v*

hunger strike; *in ~ gaan* go on hunger strike
'honi(n)g *m* honey; *iem. ~ om de mond smeren* butter sbd. up; **–bij** (-en) *v* honey-bee; **–dauw** *m* honeydew; **–raat** (-raten) *v* honeycomb; **–zoet** as sweet as honey, honey-sweet[2]; *fig* honeyed, mellifluous [words]
honk (-en) *o* home, *sp* goal, base; *b i j ~ blijven* 1 stay near, stay at home; 2 *fig* keep to the point; *v a n ~ gaan* leave home; *van ~ zijn* be absent, be away from home; **–bal** *o* baseball; **–vast** = *hokvast*
'honnepon (-nen) *v* & *m* sweetie
hon'neurs *mv* honours; *de ~ waarnemen* do the honours [of the house]
hono'rair [-'rɛ:r] honorary
hono'rarium (-s en -ria) *o* fee
hono'reren (honoreerde, h. gehonoreerd) *vt* 1 pay; 2 $ honour [a bill]; *niet ~* $ dishonour [a bill]
ho'noris 'causa [-za.] honorary; *hij werd tot doctor ~ benoemd* the honorary degree was conferred upon him, he was given the honorary degree of doctor of laws &
hoofd (-en) *o* head°; **F** noddle; **S** loaf, knob, nut; chief, leader; principal [of a school, university]; heading [of a paper, an article]; headline(s) [of an article]; *~ van school* headmaster; *een ~ groter* taller by a head; *~ links (rechts)!* ⚔ eyes... left (right)!; *zijn ~ is er mee gemoeid* it may cost him his head; *het ~ bieden aan* make head against, stand up to [sbd.], brave, face [dangers &], meet [a difficulty], cope with, deal with [this situation]; bear up against [misfortunes]; *zich het ~ breken over* rack one's brains over (about) sth.; *een goed ~ hebben voor wiskunde* have a good head for mathematics; *ergens een hard ~ in hebben* have great doubts about sth.; *het ~ vol hebben van...* have one's head full of...; *het ~ boven water houden* keep one's head above water; *het ~ hoog houden* carry (hold) one's head high; *het ~ in de schoot leggen* give in, resign; *mijn ~ loopt om* my head is in a whirl; *het ~ opsteken* raise its head (their heads); *de ~en bij elkaar steken* lay (put) their heads together; *zijn ~ stoten* [*fig*] meet with a rebuff; *het ~ verliezen* lose one's head; *het ~ niet verliezen* keep one's head; *het ~ in de nek werpen* bridle up; • *veel a a n het ~ hebben* have lots of things to attend to; *aan het ~ staan van* be at the head of; be in charge of [a prison &]; *niet wel b ij het (zijn) ~ zijn* not be in one's right mind; *wat ons b o v e n het ~ hangt* what is hanging over our heads; *dat is mij d o o r het ~ gegaan* it has slipped my memory; it has completely gone out of my head; *iets i n zijn ~ halen* get (take) sth. into one's head; *iets in zijn ~ hebben* have sth. in one's mind; *hoe kon hij het in zijn ~ krijgen?* how could he get it into his head?; *zich iets in 't ~ zetten* take (get) sth. into one's head; *zich een gat in het ~ vallen* zie *gat*; *m e t opgeheven ~* with head erect; *met het ~ tegen de muur lopen* run one's head against a wall; *iem. iets n a a r het (zijn) ~ gooien* throw sth. at sbd.'s head; *fig* fling sth. in sbd.'s teeth; *iem. beledigingen naar het ~ slingeren* hurl insults at sbd.; *naar het ~ stijgen* go to one's head; *z'n ~ om de deur steken* pop one's head in; *het zal o p uw ~ neerkomen* be it on your head(s); *iets o v e r het ~ zien* overlook sth.; *3 gulden p e r ~* 3 guilders per head; *u i t ~e van* on account of, owing to; *uit dien ~e* on that account, for that reason; *iets uit zijn ~ kennen (leren, opzeggen)* know (learn, say) sth. by heart; *berekeningen uit het ~ maken* make calculations in one's head; *uit het ~ spelen* play from memory; *v a n het ~ tot de voeten* from head to foot, from top to toe, all over; *van het ~ tot de voeten gewapend* armed cap-a-pie (to the teeth); *iem. van ~ tot voeten opnemen* look sbd. up and down; *iem. v o o r het ~ stoten* rebuff sbd.; *~ voor ~* individually; *zoveel ~en, zoveel zinnen* (so) many men, (so) many minds; **hoofd-** main, principal; chief [engineer, merit &]; **'hoofdagent** (-en) *m* 1 $ general agent; 2 ± police sergeant; **–akte** (-n en -s) *v* headmaster's certificate; **–altaar** (-taren) *o* & *m rk* high altar; **–ambtenaar** (-naren en -s) *m* higher official, senior officer; **–arbeider** (-s) *m* brain-worker; **–artikel** (-en en -s) *o* leading article, leader, editorial; **–assistent** (-en) *m* chief (senior) assistant; **–beginsel** (-en en -s) *o* chief principle; **–bestanddeel** (-delen) *o* main constituent; **–bestuur** *o* managing committee, executive committee, general committee; $ governing (central) board of directors; governing body; **–bewerking** (-en) *v* × elementary operation; **–bewoner** (-s) *m* principal occupier; **–boekhouder** (-s) *m* head bookkeeper; **–breken(s)** trouble, care, worry; **–bron** (-nen) *v* head-spring, chief source; **–buis** (-buizen) *v* main (tube); **–bureau** [-by.ro.] (-s) *o* 1 head-office [of a company]; 2 police headquarters (office); **–commissaris** (-sen) *m* (chief) commissioner (of police); **–deksel** (-s) *o* head-gear; **–deur** (-en) *v* main door, main entrance; **–doek** (-en) *m* kerchief, turban [of a native]; **–doel** *o* main object, principal aim; **–eind(e)** (-en) *o* head [of a bed &]; **'hoofdelijk** per capita; *~e stemming* voting by roll-call; zie ook: *omslag*; **'hoofdfiguur** (-guren) *v* principal figure; **–film** (-s) *m* feature film, main film, big film; **–gebouw** (-en) *o* main building; **–geld** *o* capitation, poll-tax, head-money; **–gerecht** (-en) *o* main course; **–haar** (-haren) *o* hair of the head; **–ingang** (-en) *m*

main entrance; **–inspecteur** (-s) *m* chief inspector; **–kaas** *m* (pork) brawn; **–kantoor** (-toren) *o* head-office, head-quarters; **–kleur** (-en) *v* primary colour; **–knik** (-ken) *m* nod of the head; **–kraan** (-kranen) *v* main cock; **–kussen** (-s) *o* pillow; **–kwartier** (-en) *o* ⚔ headquarters; *het grote* ~ ⚔ general headquarters, G.H.Q.; **–leiding** (-en) *v* 1 general management; 2 (v. gas, water &) main, mains; **–letter** (-s) *v* capital (letter); **–lijn** (-en) *v* main line, trunk-line [of a railway]; *de ~en* the main features; **–man** (-nen en -lieden) *m* chief; **–moot** (-moten) *v* principal part; **–officier** (-en) *m* field-officer; **–onderwijzer** (-s) *m* head-teacher; **–persoon** (-sonen) *m* principal person, central figure; *de hoofdpersonen (van de roman)* the principal characters; **–pijn** (-en) *v* headache; ~ *hebben (krijgen)* have (get) a headache; **–postkantoor** (-toren) *o* ✉ head post office; (in Londen) General Post Office; **–prijs** (-prijzen) *m* first prize [in a lottery]; **–punt** (-en) *o* main point; **–redacteur** (-en en -s) *m* chief editor, editor-in-chief; **–regel** (-en en -s) *m* principal rule; **–rekenen** *o* mental arithmetic; **–rol** (-len) *v* principal part (rôle), leading part; **–schakelaar** (-s) *m* main switch; **–schakeldoos** (-dozen) *v*, **–schakelkast** (-en) *v* service box; **–schotel** (-s) *m* & *v* principal dish; *fig* principal feature; **–schudden** *o* shaking (shake) of the head; **–schuldige** (-n) *m-v* chief culprit; **–slagader** *v* aorta; **–som** (-men) *v* 1 (het totaal) sum total; 2 (het kapitaal) principal; **–stad** (-steden) *v* capital city, capital, metropolis; (v. provincie, graafschap) chief town, county town; **hoofd'stedelijk** metropolitan; **'hoofdstel** (-len) *o* head-stall; **–steun** (-en) *m* head-rest; **–straat** (-straten) *v* principal street, main street, (main) thoroughfare; **–stuk** (-ken) *o* chapter; **–telwoord** (-en) *o* cardinal number; **–toon** (-tonen) *m* 1 main stress; 2 ♪ keynote[2]; **–trek** (-ken) *m* principal trait (characteristic), main feature; *in ~ken* in outline; **–vak** (-ken) *o* principal subject; **–verkeersweg** (-wegen) *m* arterial road; **–verpleegster** (-s) *v* head-nurse, sister in charge; **–weg** (-wegen) *m* main road; main route, highroad; **–wond(e)** (-en) *v* wound in the head, head wound; **–woord** (-en) *o* headword; **–wortel** (-s) *m* ❀ main root, tap-root; **–zaak** (-zaken) *v* main point, main thing; *hoofdzaken* ook: essentials; *in* ~ in the main, on the whole, substantially; **hoofd'zakelijk** principally, chiefly, mainly; **'hoofdzetel** (-s) *m* principal seat, head-quarters; **–zin** (-nen) *m gram* principal sentence; **–zonde** (-n) *v* deadly sin; **–zuster** (-s) *v* head-nurse, sister (in charge)

hoofs courtly; **–heid** *v* courtliness

hoog I *aj* high [favour, hills, jump, opinion, temperature, words &]; tall [tree, glass], lofty [roof]; senior [officers]; *een hoge g* ♪ a top G; *hoge druk* high pressure; *onder hoge druk* at high pressure; *het hoge noorden* the extreme North; ~ *en droog* high and dry; *het is mij te* ~ that is beyond me, above my comprehension; *de sneeuw ligt* ~ the snow lies deep; ~ *staan* be high [of prices]; *hij woont twee (drie* &) ~ two stairs up; **II** *m een hoge* **F** a bigwig, **S** a big shot, a V.I.P.; ⚔ **F** a brass hat; *(hele) hogen* ⚔ **S** (top) brass; *God in den hoge* God on high; *uit den hoge* from on high; **III** *ad* [play, sing] high; highly [paid, placed]; **'hoogachten** (achtte 'hoog, h. 'hooggeacht) *vt* (hold in high) esteem, respect; *~d* yours faithfully, yours truly; **–ting** *v* esteem, respect, regard; *met (de meeste)* ~ yours truly; **'hoogaltaar** (-taren) *o* & *m* high altar; **'hoogbedaagd, –bejaard** very old, aged, advanced in years; **–blond** sandy; **–bouw** *m* high-rise flats, high-rise (office) blocks, multistorey building; **–conjunctuur** *v* boom; **hoog'dravend I** *aj fig* high-sounding, high-flown, highfalutin(g), grandiloquent, pompous; **II** *ad* pompously; **–heid** *v* grandiloquence, pompousness; **'hoogdruk** (-ken) *m* letter-press [printing]; **'Hoogduits** *aj* & *o* (High) German; **'hoogfrequent** [-fre.kvɛnt] high-frequency; **–gaand** high; *~e ruzie hebben* have high words; *~e zee* heavy sea; **–geacht** (highly) esteemed; *H~e heer* Dear Sir; **–gebergte** (-n en -s) *o* high mountains; **–geboren** high-born; **–geëerd** highly honoured; **–geleerd** very learned; **–gelegen** high; **–geplaatst** highly placed, highplaced; **hoogge'rechtshof** *o* Supreme Court [of the USA]; **'hooggeschat** (highly) valued; **–gespannen** high-strung, high; **–gestemd** high-pitched; **hoog'hartig** proud, haughty; *op zijn ~e manier* in his off-hand manner; **–heid** *v* haughtiness; **'hoogheid** (-heden) *v* highness; height; grandeur; *Zijne Koninklijke Hoogheid* His Royal Highness; **–houden** (hield 'hoog, h. 'hooggehouden) *vt* uphold, maintain; **–koor** (-koren) *o* sanctuary; **–land** (-en) *o* highland; **'Hooglanden** *mv* Highlands; **–er** (-s) *m* Highlander; **hoog'leraar** (-s en -raren) *m* (University) professor; **–schap** (-pen) *o* professorship; **'Hooglied** *o het* ~ *van Salomo* the Song of Solomon, the Song of Songs, the Canticles; **'hooglijk** highly, greatly; **–lopend** = *hooggaand*; **–mis** (-sen) high mass; **–moed** *m* pride, haughtiness; ~ *komt voor de val* pride will have a fall; **hoog'moedig** proud, haughty; **'hoogmoedswaan(zin)** *m* = *grootheidswaan(zin)*; **hoog'mogend** *aj* high and mighty;

Hunne Hoogmogenden Their High Mightinesses; **'hoognodig** very (highly) necessary, urgently needed, much-needed; *het ~e* what is strictly necessary; **–oven** (-s) *m* blast-furnace; **–rood** 1 bright red; 2 flushed [face &]; **–schatten** (schatte 'hoog, h. 'hooggeschat) *vt* esteem highly; **–schatting** *v* esteem; **–seizoen** (-en) *o* high season, peak season; **–spanning** *v* high tension; **–spannings...** high-tension...; **–springen** *o sp* high jump

hoogst I *aj* highest, supreme; top [class, prices &]; *op zijn (het) ~ zijn* be at its height [of quarrel, storm &]; *op zijn (het) ~* at (the) most; *ten ~e* 1 at (the) most; 2 highly, greatly, extremely; *een boete van ten ~e £ 5* a fine not exceeding £ 5; **II** *ad* highly, very, greatly, extremely, quite

'hoogstaand of high standing, eminent, distinguished, superior, high-minded

hoogst'aangeslagene (-n) *m-v* highest taxpayer

'hoogstand (-en) *m* handstand

hoogst'biedende (-n) *m* highest bidder

'hoogsteigen *in ~ persoon* in his own proper person; **'hoogstens** at (the) most, at the utmost, at the outside, at best; **'hoogstwaarschijnlijk I** *aj* highly probable; **II** *ad* most probably

'hoogte (-n en -s) *v eig* 1 (h e t h o o g z i j n) height [of a hill &], altitude [of the stars, above the sea-level]; 2 (v e r h e v e n h e i d) height, elevation, eminence; *fig* height; $ highness [of prices]; ♩ pitch [of the voice]; level [in social, moral & intellectual matters]; *de ~ hebben (krijgen)* be (get) tipsy; *geen ~ van iets hebben* not understand sth.; *daar kan ik geen ~ van krijgen* it is above my comprehension, it beats me; *de ~ ingaan* rise[2]; *fig* go up, look up [of prices]; *~ verliezen* ✈ lose altitude; • *i n de ~ steken* cry up [a book &]; *o p de ~ van Gibraltar* ⚓ off Gibraltar; *op dezelfde ~ als...* on a level with, on a par with; *op geringe (grote) ~* [fly] at low (high) altitude; *op de ~ blijven* stay in the picture, keep oneself posted (up); keep abreast of the times; *iem. op de ~ brengen* post sbd. (up); *iem. op de ~ houden* keep sbd. posted (informed); *iem. op de ~ stellen van* inform sbd. of; *zich op de ~ stellen van iets* acquaint oneself with sth.; *op de ~ van zijn tijd zijn* be well abreast of the times; *op de ~ van de Franse taal* familiar with the French language; *goed op de ~ van iets zijn* be well-informed, be in the picture, be well-posted on a subject; *t o t op zekere ~* to a certain extent; *iem. u i t de ~ behandelen* treat sbd. loftily, in an off-hand manner; *uit de ~ neerzien op* look down upon; *uit de ~ zijn* **F** be uppish; **–cirkel** (-s) *m* = *breedtecirkel*; **–lijn** (-en) *v* 1 perpendicular [in a triangle]; 2 contour line [in a map]; **–meter** (-s) *m* altimeter; **–punt** (-en) *o* culminating point[2]; *fig* high point, peak, pinnacle, zenith; *op het ~* at the height (at the flood) [of his glory]; **–record** [-kɔ:r] (-s) *o* ✈ height (altitude) record; **–roer** (-en) *o* ✈ elevator; **–vrees** *v* acrophobia, height fear; *~ hebben* be afraid of heights; **–zon** (-nen) *v* artificial sun(light); (a p p a r a a t) sun-lamp

'hoogtij *~ vieren* reign supreme, run riot, be rampant; **–dag** (-dagen) *m* great day [of the Christian year &], holy day [in Islam's calendar &]

'hooguit = *hoogstens*; **'hoogveen** *o* peat-moot; **–verheven** lofty, exalted, sublime; **–verraad** *o* high treason; **–vlakte** (-n en -s) *v* plateau, tableland; **–vliegend** high-flying, soaring; **–vlieger** (-s) *m* 1 🐦 high-flying pigeon; 2 *fig* genius; **hoog'waardig** venerable, eminent; **hoog'waardigheid** *v* eminence; **–sbekleder** (-s) *m* dignitary; **hoog'water** *o* high water, high tide; **–lijn** (-en) *v* high-water mark, tidemark

hooi *o* hay; *te veel ~ op zijn vork nemen* bite off more than one can chew; have too many irons in the fire; *te ~ en te gras* by fits and starts, occasionally; **–berg** (-en) *m* haystack, hayrick; **–bouw** *m* haymaking, hay harvest; **–broei** *m* overheated hay; **'hooien** (hooide, h. gehooid) *vt* make hay; **–er** (-s) *m* haymaker; **'hooikist** (-en) *v* haybox; **–koorts** *v* hay fever; **–land** (-en) *o* hayfield; **–maand** *v* July; **–mijt** (-en) *v* haystack; **–oogst** *m* hay harvest; **–opper** (-s) *m* haycock; **–schelf** (-schelven) *v* haystack; **–schudder** (-s) *m* tedder; **–schuur** *v* haybarn; **–tijd** (-en) *m* hay(making) time, hay harvest; **–vork** (-en) *v* hayfork; **–wagen** (-s) *m* 1 hay cart; 2 ❀ daddy-long-legs; **–zolder** (-s) *m* hayloft

hoon *m* contumely, insult, taunt, scorn; **–gelach** *o* scornful laughter

1 hoop (hopen) *m* 1 heap[2], pile [of things]; 2 heap, crowd, multitude [of people]; **F** lot [of trouble &]; *de grote ~* the multitude, the masses; *b ij hopen* in heaps; *geld bij hopen* **F** heaps (lots) of money; *t e ~ lopen* gather in a crowd

2 hoop *v* hope, hopes; *weinig ~ geven* hold out little hope; *~ hebben* have a hope, have hopes [of...]; *er is weinig ~ op* there is little hope of this; • *i n de ~ dat* in the hope that, hoping that...; *o p ~ van...* hoping for...; *t u s s e n ~ en vrees* between fear and hope; **hoop'gevend** promising, hopeful; **'hoopvol** hopeful, optimistic

'hoorapparaat (-raten) *o* hearing aid, deaf-aid, ear aid; **–baar** audible; **–col'lege** [-le.ʒə] (-s) *o*

lecture; **–der** (-s) *m* hearer, listener, auditor
1 hoorn (-en en -s) *m* horn [on head of cattle, deer, snail; wind-instrument of the hunter &]; ⚔ bugle; ☎ (luister~) receiver; (spreek~) mouthpiece; ~ *des overvloeds* horn of plenty; **2 hoorn** *o* (stofnaam) horn; **–achtig** horny; **–blazer** (-s) *m* 1 horn-blower; 2 ⚔ bugler; **hoorn'dol** crazy[2]; **'hoorndrager** (-s) *m* horned animal; *fig* cuckold; **'hoornen** *aj* horn; **'hoorngeschal** *o* 1 sound of horns; 2 trumpet sound; **'hoornig** horny; **hoor'nist** (-en) *m* ♪ horn-player; **'hoornsignaal** [-si.ɲa.l] (-nalen) *o* ⚔ bugle call; **–vee** *o* horned cattle, horned beasts
'hoornvlies (-vliezen) *o* cornea; **–ontsteking** (-en) *v* keratitis, inflammation of the cornea; **–transplantatie** [-(t)si.] (-s) *v* corneal graft(ing)
'hoorspel (-spelen) *o* radio play; **–toestel** (-len) *o* = *hoorapparaat*
hoos (hozen) *v* violent whirlwind; *water~* water-spout; **–vat** (-vaten) *o* scoop, bailer
1 hop *v* ✿ hop, hops
2 hop (-pen) *m* 🐦 hoopoe
3 hop! *ij* gee-up
'hopakker (-s) *m* hop-field
'hope *v* = 2 *hoop*; **'hopelijk** *ad* it is to be hoped (that...); **'hopeloos** hopeless, desperate; **'hopen** (hoopte, h. gehoopt) **I** *vt* hope (for); *het beste ~* hope for the best; **II** *vi* hope; *~ op* hope for
'hopje (-s) *o* coffee-flavoured sweet, *Am* coffee candy
'hopman (-s & -lieden) *m* (padvinderij) scoutmaster
'hoppe *v* = 1 *hop*
'hoppen (hopte, h. gehopt) *vt* hop
'hopsa! *ij* hey-day!
'hopsen (hopste, h. gehopst) *vi* jig
hor (-ren) *v* wire-blind, screen
'horde (-n en -s) *v* 1 (vlechtwerk) hurdle; ‖ 2 (troep) horde, troop, band; **'hordenloop** (-lopen) *m* hurdle-race, hurdles
'horecabedrijf (-drijven) *o* 1 hotel, restaurant and catering industry; 2 hotel, restaurant, or café
1 'horen (hoorde, h. gehoord) **I** *vt* 1 hear; 2 (vernemen) hear, learn; *ik heb niets meer van hem gehoord* I have not heard from him, I had no news from him; *heb je nog wat van hem gehoord?* heard [any news] about him?; *gaan ~ wat er is* go and hear what is up; *een geluid laten ~* utter (produce) a sound; *het is niet te ~* it cannot be heard; *ik heb het ~ zeggen* I have heard it said; *ik heb het van ~ zeggen* I had it from hearsay; **II** *vi* & *va* hear; *je krijgt, hoor!* do you hear!; *hoor eens, wat...?* (I) say, what...?; *hoor eens, dat gaat niet!* look here, that won't do!; *~ naar* listen to [advice]; *hij wil er niet van ~* he will not hear of it; *wie niet ~ wil, moet voelen* he who will not be taught must suffer; *~de doof zijn* be like those who having ears hear not, sham deafness; **III** *o het was een leven dat ~ en zien je verging* the noise was deafening; *~ en zien verging ons* we were bewildered
2 'horen (hoorde, h. gehoord) = *behoren* **I**; zie ook: *wat* **II**
3 'horen (-s) *m* = 1 *hoorn*
'horige (-n) *m* 📖 serf, villain
'horizon(t) (-zonnen, -zonten) *m* horizon, sky-line; *aan (onder) de ~* on (below) the horizon; **horizon'taal** horizontal; (bij kruiswoordraadsel) across
'horlepijp (-en) *v* hornpipe
hor'loge [hɔr'lo.ʒə] (-s) *o* watch; *3 uur op mijn ~* by my watch; **–bandje** (-s) *o* watch-strap; **–glas** (-glazen) *o* watch-glass; **–kast** (-en) *v* watch-case; **–ketting** (-en) *m* & *v* watch-chain; **–maker** (-s) *m* watchmaker; **–sleutel** (-s) *m* watch-key
hor'moon (-monen) *o* hormone
horo'scoop (-scopen) *m* horoscope; *iems. ~ trekken* cast sbd.'s horoscope, cast sbd.'s nativity
'horrelvoet (-en) *m* clubfoot
hors d'oeuvre [ɔr'dœ:vrə] (-s) *o* hors d'œuvres
horst (-en) *m* aerie, aery
hort (-en) *m* jerk, jolt, jog, push; *met ~en en stoten* by fits and starts; **'horten** (hortte, h. gehort) *vi* jolt, be jerky[2]; **–d** jerky[2]
hor'tensia [-'tɛnzi.a.] (-s) *v* hydrangea
'hortus (-sen) *m* botanical garden
'horzel (-s) *v* horse-fly, hornet, gad-fly
'hospes (-sen en -pites) *m* landlord; **'hospita** ('s) *v* landlady
'hospitaal (-talen) *o* hospital; **–linnen** *o* waterproof sheeting; **–schip** (-schepen) *o* hospital ship; **–soldaat** (-daten) *m* hospital orderly, aid man
hospi'tant (-en) *m* teacher-trainee; **hospi'teren** (hospiteerde, h. gehospiteerd) *vi* ✎ attend a lesson as a visitor
'hossen (hoste, h. gehost) *vi* jig, jolt
'hostie (-s en -iën) *v* host
'hot *ij* gee-up!; *~ en haar* right and left; *~ en haar door elkaar* higgledy-piggledy
ho'tel (-s) *o* hotel; **–bedrijf** (-drijven) *o* hotel trade, hotel industry, hotel business
hotelde'botel F upset, confused, in a muddle, at sea
ho'telhouder (-s) *m* hotelier, hotel-keeper; **–rat** (-ten) *v* hotel thief; **–schakelaar** (-s) *m* two-way switch; **–school** (-scholen) *v* catering and hotel-management school

'hotsen (hotste, h. gehotst) *vi* jolt, bump, shake
'Hottentot (-ten) *m,* **'Hottentots** *aj* Hottentot
1 hou *ij* stop! ho!
2 hou ~ *en trouw* loyal and faithful
'houdbaar (verdedigbaar) tenable; *boter die (niet) ~ is* butter that will (not) keep; **–heid** *v* 1 tenability; 2 (v. eetwaren) keeping qualities; **'houden*** **I** *vt* 1 (vasthouden) hold; 2 (inhouden) hold, contain; 3 (er op nahouden) keep [pigs, an inn, servants]; 4 (behouden) keep [the change]; 5 (vieren) keep, observe, celebrate [a feast]; 6 (nakomen) keep [a promise]; 7 (uitspreken) make, deliver [a speech &], give [an address]; *hij was niet te ~* he could not be checked, he could not be kept quiet; *houdt de dief!* stop thief!; *5 ik houd er 3* carry three; zie ook: *bed, kamer, steek* &; *'t met een andere vrouw ~* carry on with another woman; • *wij moeten het aan de gang ~* we must keep the thing going; *het aan zich ~* reserve it to oneself; *je moet ze bij elkaar ~* you should keep them together; *hen er buiten ~* keep them out of it; *ik kan u niet in dienst ~* I can't continue you in my service; *in ere ~* zie *eer*; *een stuk (brief &) onder zich ~* keep it (back); *ik kan ze maar niet uit elkaar ~* I can't tell them apart, I can't tell which is which; *u moet die jongens van elkaar ~* keep these boys apart; *ik houd hem voor een vriend* I consider him to be a friend; *ik hield hem voor een Amerikaan* I (mis)took him for an American; *ik houd het voor onvermijdelijk* I regard it as inevitable; *ik houd het voor een slecht teken* I consider it a bad sign; *ik houd het ervoor dat...* I take it that...; *waar houdt u mij voor?* what do you take me for?; *zich ~ voor* consider oneself [a better man]; *iets voor zich ~* keep it [the money &] for oneself; keep it [the secret] to oneself; *hij kan niets vóór zich ~* he can't keep his counsel; **II** *va* & *vi* hold; keep; *links (rechts) ~!* keep (to the) left (right)!; *het zal erom ~ of...* it will be touch and go whether...; *met iets zitten te ~* zie *zitten*; *van iets ~* like sth., be fond of sth.; *veel van iem. ~* be fond of sbd., love sbd.; **III** *vr zich ~ alsof...* make as if..., pretend to...; *zich doof ~* pretend not to hear, sham deafness; *zich goed ~* 1 (v. personen) keep one's countenance, control oneself; 2 (v. zaken) keep [of apples]; wear well [of clothes]; 3 (v. weer) hold; *zich goed ~ (voor zijn leeftijd)* carry one's years well; *hij kon zich niet meer goed ~* he could not help laughing (crying); *hou je goed!* 1 keep well!; 2 never say die!; *zich ver ~ van* hold aloof from [a question &]; *zich ziek ~* pretend to be ill; *zich ~ aan* stick to [the facts &], abide by [a decision], keep [a strict diet, a treaty &]; *zich aan iems. woord ~* take sbd. at his word; *ik weet nu waar ik mij aan te ~ heb* I now know where I stand; zie ook: *been* &; **IV** *o* zie *hebben* **III**; **–er** (-s) *m* holder, keeper, bearer; **'houdgreep** (-grepen) *m,* hold; **'houding** (-en) *v* 1 bearing, carriage, posture, attitude; 2 ⚔ position of "attention"; *de ~ aannemen* ⚔ come to attention; *een (gemaakte) ~ aannemen* strike an attitude; *een dreigende (gereserveerde) ~ aannemen* assume a threatening (guarded) attitude; *zich een ~ geven* assume an air; *om zich een ~ te geven* in order to save his face; *in de ~ staan* ⚔ stand at attention; **'houdstermaatschappij** (-en) *v* holding company
hout *o* wood; timber; piece of wood; *de Haarlemmer Hout* the Haarlem Wood; *alle ~ is geen timmerhout* every reed will not make a pipe; *dat snijdt geen ~* that does not hold good, that cuts no ice; *hij is uit hetzelfde ~ gesneden* he is the same stamp; *hij is uit het goede ~ gesneden* he is of the right stuff; *hij kreeg van dik ~ zaagt men planken* he got a sound threshing; **–aankap** (-pen) *m* 1 felling of trees; 2 timber reserve, lumber exploitation; **–achtig** woody, ligneous; **–bewerker** (-s) *m* woodworker; **–blazer** (-s) *m* woodwind player; **–blok** (-ken) *o* (wood) log; **–duif** (-duiven) *v* wood-pigeon; **'houten** *aj* wooden [shoes, leg &]; ~ *klaas* stick; **'houterig** wooden[2]; **'houtgravure** (-n en -s) *v* wood engraving; **–hakker** (-s) *m* wood-cutter; **–handel** (-s) *m* timber trade; **–handelaar** (-s) *m* timber merchant; **–haven** (-s) *v* timber port; **'houtje** (-s) *o* bit of wood; *op (zijn) eigen ~* on one's own hook, off one's own bat; *we moesten op een ~ bijten* we had nothing (little) to eat; *van 't ~ zijn* be a Roman Catholic; **houtje-'touwtje-jas** (-sen) *m* duffle coat; **'houtlijm** *m* joiner's glue; **–loods** (-en) *v* wood-shed; **–luis** (-luizen) *v* wood-louse; **–mijt** (-en) *v* 1 stack of wood; 2 (brandstapel) pile; **–molm** *m* dry rot; **–pulp** *v* wood pulp; **–rijk** woody, well-wooded; **–schroef** (-schroeven) *v* wood-screw; **–schuur** (-schuren) *v* wood-shed; **'houtskool** *v* charcoal; **–tekening** (-en) *v* charcoal drawing; **'houtsne(d)e** (-sneden) *v* woodcut; **–snijder** (-s) *m* 1 wood-cutter; 2 wood-carver; **–snijkunst** *v* 1 wood-cutting; 2 wood-carving; **–snijwerk** *o* wood carving; **–snip** (-pen) *v* 🐦 woodcock; **–soort** (-en) *v* kind of wood; **–spaander** (-s) *m* chip of wood; **–teer** *m* & *o* wood tar; **–veiling** (-en) *v,* **–verkoping** (-en) *v* timber sale; **–verbinding** (-en) *v* joint, scarf; **–vester** (-s) *m* forester; **houtveste'rij** (-en) *v* forestry; **'houtvezel** (-s) *v* wood-fibre; **–vlot** (-ten) *o* (timber) raft; **–vlotter** (-s) *m* raftsman; **–vrij** free from wood-pulp; **–waren** *mv* wooden ware; **–werk** *o* woodwork; **–wol** *v*

wood-wool; **–worm** (-en) *m* wood-worm; **–zaagmolen** (-s) *m* saw-mill; **–zager** (-s) *m* wood-sawyer; **houtzage'rij** (-en) *v* saw-mill; **'houtzolder** (-s) *m* wood-loft

hou'vast *o* handhold; *fig* hold; *dat geeft ons enig ~* that's something to go by (to go on); *zijn ~ verliezen* loose one's footing

houw (-en) *m* cut, gash; **–degen** (-s) *m* 1 broadsword; 2 *fig* tough fighter, rugged old soldier

hou'weel (-welen) *o* pickaxe, mattock

'houwen* *vi* hew, hack, cut, slash; zie ook: *slaan*

hou'witser (-s) *m* howitzer

ho'vaardig proud, haughty; **hovaar'dij** *v* pride, haughtiness

'hoveling (-en) *m* courtier

'hoven meerv. v. *hof*

hove'nier (-s) *m* gardener

'hozen (hoosde, h. gehoosd) *vi* & *vt* scoop, bail (out), bale

H.S. = *Heilige Schrift*

hs. = *handschrift*

H.T.S = *Hogere Technische School* ± secondary technical school

hu! *ij* 1 (v o o r u i t) gee!; 2 (s t o p) whoa!; 3 (v. a f g r i j z e n) ugh

'hufter (-s) **F** *m* lout, bumpkin

'hugenoot (-noten) *m* Huguenot

'huichelaar (-s) *m*, **–ster** (-s) *v* hypocrite, dissembler; **'huichelachtig** hypocritical; **huichela'rij** (-en) *v* hypocrisy, humbug, dissembling, dissimulation; **'huichelen** (huichelde, h. gehuicheld) **I** *vt* simulate, feign, sham; **II** *vi* dissemble, play the hypocrite

huid (-en) *v* skin [of human or animal body], hide [raw or dressed], fell [with the hair]; *een dikke* (*harde*) *~ hebben* be thick-skinned; *iem. de ~ vol schelden* shower abuse on sbd., slang sbd.; *men moet de ~ van de beer niet verkopen, voordat men hem geschoten heeft* sell not the skin before you have caught the bear, don't count your chickens before they are hatched; *zijn ~ wagen* risk one's life; • *m e t ~ en haar verslinden* swallow whole; *iem. o p zijn ~ geven* (*komen*) **S** tan a person's hide; **–arts** (-en) *m* skin doctor, dermatologist; **–enkoper** (-s) *m* fellmonger

'huidig present [age], modern, present-day [difficulties, knowledge, needs]; *ten ~en dage* nowadays; *tot op de ~e dag* to this day

'huidje (-s) *o* skin, film; **'huidplooi** (-en) *v* crease, fold (in skin); **'huidskleur** (-en) *v* colour of the skin; **'huidspecialist** [-spe.si.a.-] (-en) *m* = *huidarts*; **–transplantatie** [-(t)si.] (-s) *v* skin-grafting; **–uitslag** *m* rash, eruption (of the skin), skin eruption; **–ziekte** (-n en -s) *v* skin disease

huif (huiven) *v* 1 (h o o f d d e k s e l) coif; 2 (v. w a g e n) hood, awning, tilt; **–kar** (-ren) *v* tilt-cart, hooded cart

huig (-en) *v* uvula

'huik (-en) *v* 🕮 hooded cloak; *de ~ naar de wind hangen* (trim to the times and) hang one's cloak to the wind

'huilbui (-en) *v* fit of crying (of weeping); **'huilebalk** (-en) *m* cry-baby, sissy; **'huilebalken** (huilebalkte, h. gehuilebalkt) *vi* blubber, whine; **'huilen** (huilde, h. gehuild) *vi* 1 (s c h r e i e n) cry, weep; 2 (v. d i e r) howl, whine; 3 (v. w i n d) howl; *het is om* (*van*) *te ~* I could cry!; *~ met de wolven in het bos* run with the hare and hunt with the hounds; *het ~ stond hem nader dan het lachen* he was on the verge of tears; **'huilerig** tearful

huis (huizen) *o* house, home; *het ~ des Heren* the House of God; *het Koninklijk ~* the Royal family; *het ~ van Oranje* the House of Orange; *men kan huizen op hem bouwen* one can always depend on him; *er is geen ~ met hem te houden* there is no doing anything with him, he is impossible; • *ik kom veel bij hen a a n ~* I see a good deal of them; *~ aan ~* [go] from door to door; door-to-door [canvassing], house-to-house [visiting]; (*dicht*) *b ij ~* near home; *bezigheden i n ~* activities in the home; *er is geen brood in ~* there is no bread in the house; *wij gaan n a a r ~* we are going home; *naar ~ sturen* send home; ⚔ release [troops]; dissolve [Parliament]; *uit ~ zetten* turn out of [evict from] the house; *t e mijnen huize* at my house; *ten huize van...* at the house of...; *hij is v a n ~* he is away from home; *hij is van goeden huize* he comes of a good family; *van ~ gaan* leave home; *van ~ komen* come from one's house; *nog verder van ~* even worse off; *van ~ tot ~* from house to house; *van ~ uit is hij...* originally he is a...; *van ~ en hof verdreven* driven out of house and home; *elk ~ heeft zijn kruis* there is a skeleton in every cupboard; **–adres** (-sen) *o* home address; **–apotheek** (-theken) *v* (family) medicine chest; **–arrest** *o* confinement in one's home; *~ hebben* 1 ⚔ be confined to quarters; 2 be confined to one's house; **–arts** (-en) *m* family doctor, general practitioner, G.P.; **–baas** (-bazen) *m* landlord; **huis'bakken** home-made; *fig* prosaic, pedestrian; **'huisbediende** (-n en -s) *m-v* domestic servant; **–bel** (-len) *v* street-door bell; **–bewaarder** (-s) *m* care-taker; custodian; **–bezoek** (-en) *o* (v. a r t s) home visit; (v. g e e s t e l i j k e) parochial visit, parish visiting; *op ~ gaan* visit, go visiting; **–brand** *m* domestic fuel; **–brandolie** *v* domestic fuel oil; **–deur** (-en) *o* street-door; **–dier** (-en) *o* domestic animal; **–dokter** (-s) *m*

= *huisarts*; **–eigenaar** (-s en -naren) *m* 1 house-owner; 2 (h u i s b a a s) landlord; **'huiselijk I** *aj* domestic, household; home; homelike, homy; *~e aangelegenheden* family affairs; domestic affairs; *~e kring* domestic circle; *het ~ leven* home life; *een ~ man* a man of domestic habits, a home-loving man; *~e plichten* household duties; **II** *ad* in a homely manner, informally; **–heid** *v* domesticity; **'huisgenoot** (-noten) *m* housemate, inmate; *de huisgenoten* the inmates, the whole family; **–gezin** (-nen) *o* family household; **–goden** *mv* household gods; **–heer** (-heren) *m* 1 landlord; 2 master of the house

'huishoudboek (-en) *o* housekeeping book; **huis'houdelijk** 1 economical, thrifty; 2 domestic, household; *zaken van ~e aard* domestic affairs; *voor ~ gebruik* for household purposes; *~e artikelen* household ware; *~e uitgaven* household expenses; *~e vergadering* private meeting; **'huishouden I** *vi* (hield 'huis, h. 'huisgehouden) keep house; *vreselijk ~* (*onder*) make (play) havoc (with, among); **II** *o* 1 household, establishment, family; 2 housekeeping; *een ~ van Jan Steen* a house where everything is at sixes and sevens; *het ~ doen* keep house; **'huishoudgeld** (-en) *o* housekeeping money; **'huishouding** (-en) *v* 1 housekeeping; 2 household, family; **'huishoudkunde** *v* domestic economy; **–school** (-scholen) *v* domestic science school, school of domestic economy; **–schort** (-en) *v* & *o* overall, apron dress; **–ster** (-s) *v* housekeeper; **–zeep** *v* household soap

'huishuur (-huren) *v* rent; **–industrie** *v* home industry; **'huisje** (-s) *o* 1 small house, cottage; 2 (v. s l a k) shell; 3 (v. b r i l) case; **'huisjesmelker** (-s) *m* rack-renter; **–slak** (-ken) *v* snail; **'huiskamer** (-s) *v* sitting-room, living-room; **–kapel** (-len) *v* 1 private chapel; 2 ♪ private band; **–knecht** (-en en -s) *m* 1 man-servant, footman; 2 boots [of an hotel]; **–krekel** (-s) *m* house-cricket; **'huislijk(-)** = *huiselijk*(-); **'huislook** *o* houseleek; **–middel** (-en) *o* domestic remedy; **–moeder** (-s) *v* mother of a (the) family; **–mus** (-sen) *v* 1 🐦 (house-)sparrow; 2 *fig* stay-at-home; **–naaister** (-s) *v* seamstress who comes to the house; **–nummer** (-s) *o* number (of the house); **–onderwijs** *o* private tuition; **–onderwijzer** (-s) *m* private teacher, tutor; **–orde** (-n) *v* 1 rules of the house; 2 family order [of knighthood]; **–raad** *o* (household) furniture, household goods; **–schilder** (-s) *m* house-painter; **–sleutel** (-s) *m* latchkey, house-key; **–telefoon** (-s) *m* house telephone; **huis-tuin-en 'keuken** common or garden; **'huisvader** (-s) *m* father of a (the) family, pater familias; **'huisvesten** (huisvestte, h. gehuisvest) *vt* house, lodge, take in, put up; **'huisvesting** *v* lodging, accommodation, housing; *~ verlenen* = *huisvesten*; **'huisvestingsbureau** [-by.ro.] (-s) *o* housing office; **'huisvlijt** *v* 1 home industry; 2 (u i t l i e f h e b b e r ij) home handicrafts; **–vredebreuk** *v* disturbance of domestic peace; **–vriend** (-en) *m* family friend; **–vrouw** (-en) *v* housewife; **–vuil** *o* household refuse; **–waarts** homeward(s); *~ gaan* go home; **–werk** *o* 1 (v. b e d i e n d e n) housework; 2 ✎ home tasks, homework; **S** prep; **–zoeking** (-en) *v* house search; *er werd ~ gedaan* the house was searched; **–zwaluw** (-en) *v* (house-)martin

'huiveren (huiverde, h. gehuiverd) *vi* shiver [with cold or fear], shudder [with horror]; *ik huiverde b ij de gedachte* I shuddered to think of it; *hij huiverde er v o o r* he shrank from it; **'huiverig** shivery, chilly; *~ om zo iets te doen* shy of doing such a thing; **'huivering** (-en) *v* shiver(s), shudder; *een ~ voer mij door de leden* a shudder went through me; *fig* hesitation, scruple; **huivering'wekkend** horrible, ghastly

'huizehoog I *aj* mountainous [seas]; **II** *ad ~ springen* (*van vreugde*) jump (leap) out of one's skin; *~ uitsteken boven* rise head and shoulders above; **'huizen** (huisde, h. gehuisd) *vi* house, live; **'huizenblok** (-ken) *o* residential block; **–rij** (-en) *v* row of houses

'hulde *v* homage; tribute; *~ brengen* do (pay) homage [to sbd.]; pay a tribute [to a man of merit]; **–betoon** *o* homage; **–blijk** (-en) *o* tribute, testimonial; **'huldigen** (huldigde, h. gehuldigd) *vt* do (pay) homage to²; hold [an opinion], believe in [a method]; **'huldiging** (-en) *v* homage; **'huldigingseed** (-eden) *m* oath of allegiance

'hullen (hulde, h. gehuld) **I** *vt* envelop, wrap (up); *fig* shroud [in mystery]; **II** *vr zich ~* wrap oneself (up) [in a cloak]

hulp (-en) *v* help, aid, assistance; succour, relief; *eerste ~ bij ongelukken* first aid; *~ in de huishouding* lady help; *~ en bijstand* aid and assistance; *t e ~ komen* come (go) to [sbd.'s] aid, come to the rescue [of the crew &]; *te ~ roepen* call in; *te ~ snellen* hasten (run) to the rescue; *z o n d e r ~* without anyone's help (assistance), unaided, unassisted; **–actie** [-ɑksi.] (-s) *v* relief action, relief measures; **hulpbe'hoevend** helpless, infirm; *hij is ~* ook: he is an invalid; **'hulpbetoon** *o* assistance; **–bisschop** (-pen) *m rk* auxiliary bishop; **–bron** (-en) *v* resource; **–dienst** (-en) *m telefonische ~* telephone emergency service [in Britain: (Telephone) Samaritans]; **–eloos** helpless; **–geroep** *o* cry for help; **–kracht** (-en) *v* & *m* additional (temporary) worker; help(er), assistant; **–kreet** (-kreten) *m* cry for help; **–lijn** (-en) *v* 1 (m e e t k u n d e) auxiliary line; 2 ♪ ledger-line; **–mechanisme** (-n) *o* servo-mechanism; **–middel** (-en) *o* expedient, makeshift; *fotografische ~en* photographic aids; *zijn ~en* ook: his resources; *rijk aan ~* resourceful; **–motor** (-s en -toren) *m* auxiliary motor, auxiliary engine; *rijwiel met ~* motor-assisted bicycle, powered pedal-cycle; **–ploeg** (-en) *v* breakdown gang; **–post** (-en) *m* aid post; **–postkantoor** (-toren) *o* sub-(post)office; **–prediker** (-s) *m* curate; **–stuk** (-ken) *o* ⚒ accessory; (v. s t o f z u i g e r) attachment; (v. b u i z e n) fitting; **–troepen** *mv* ⚔ auxiliaries, auxiliary troops, reinforcements; **hulp'vaardig** willing to help, helpful; **–heid** *v* willingness to help; **'hulpverlening** *v* assistance; relief work; **–werkwoord** (-en) *o* auxiliary (verb)

huls (hulzen) *v* 1 ♣ pod, husk, shell; 2 ⚔ (cartridge-)case; 3 (straw) case [for bottle]; 4 carton

'hulsel (-s) *o* = *ombulsel*

hulst *m* holly

1 hum *o* **F** = *humeur*

2 hum! *ij* = *h'm!*

hu'maan humane; **humani'ora** *mv* humanities; **huma'nisme** *o* humanism; **–ist** (-en) *m* humanist; **–istisch** humanistic; **humani'tair** [-'tɛ:r] humanitarian; **humani'teit** *v* humaneness, humanity

'humbug *m* humbug

hu'meur (-en) *o* humour, mood, temper; *i n zijn ~* in a good humour; *niet in zijn ~, u i t zijn ~* out of humour, in a (bad) temper; **hu'meurig** moody, crabby, grumpy, subject to moods, having tempers; **–heid** (-heden) *v* moodiness

hummel (-s) *m*, **'hummeltje** (-s) *o* (little) tot, mite

hummen (humde, h. gehumd) *vi* hem [to call attention]; clear one's throat

humor *m* humour; **humo'rist** (-en) *m* humorist; **–isch** comic(al), humorous

humus *m* humus, vegetable mould

Hun (-nen) *m* Hun[2]

hun their, them; *het ~ne, de ~nen* theirs

hunebed (-den) *o* [the Borger] Hunebed, ± dolmen, cromlech

hunkeren (hunkerde, h. gehunkerd) *vi* hanker; *~ naar* hanker after; *ik hunker er naar hem te zien* I am longing (anxious) to see him

hunnent *te(n) ~* at their house; *~halve* for their sake(s); *~wege* as for them; *van ~wege* on their behalf, in their name; *om ~wil(le)* for their sake(s); **'hunnerzijds** on their part, on their behalf

'huplakee *ij* whoops!, oops

'huppelen (huppelde, h. gehuppeld) *vi* hop, skip; **'huppen** (hupte, h. gehupt) *vi* hop, skip, jump; **hups** kind; nice; **'hupsakee** *ij* = *huplakee*

'huren (huurde, h. gehuurd) *vt* hire, rent [a house &]; hire, engage [servants]; ⚓ charter [a ship]

1 'hurken *mv op zijn ~* squatting; **2 'hurken** (hurkte, h. gehurkt) *vi* squat (down)

hut (-ten) *v* 1 cottage, hut, hovel, ⊙ cot; 2 ⚓ cabin [of a ship]; **–bagage** [-ga.ʒə] *v* cabin-luggage

'hutje (-s) *o met ~ en mutje* with bag and baggage; *het hele ~mutje* the whole caboodle

'hutkoffer (-s) *m* cabin-trunk

'hutselen (hutselde, h. gehutseld) *vt* shake up, mix up

'hutspot (-ten) *m* hotchpotch[2], hodgepodge[2]; [as Dutch speciality:] mashed potatoes, carrots and onions with meat

huur (huren) *v* 1 rent, rental, hire; 2 (l o o n) wages; 3 (h u u r t i j d) lease; *i n ~* on hire; *auto's t e ~* cars for hire; *huis te ~* house to let; *te ~ of te koop* to be let or sold; *vrij van ~* rent-free; **–auto** [au = ɔu of o.] ('s) *m* hire(d) car; **–bescherming** *v* legal guarantee against eviction from a rented house; **'huurcontract** (-en) *o* lease; **–compensatie** [-za.(t)si.] (-s) *v* (governmental) rent subsidy; **–der** (-s) *m* hirer; (v. h u i s) tenant, lessee; **–huis** (-huizen) *o* rented house, hired house; house to let; **–kazerne** (-s) *v* tenement house, **F** warren; **–koetsier** (-s) *m* hackney-coachman, cabman; **–koop** *m* hire-purchase (system); *in ~* on the hire-purchase system; **–leger** (-s) *o* mercenary army; **–ling** (-en) *m* hireling, mercenary; **–penningen** *mv* rent; **–prijs** (-prijzen) *m* rent; **–rijtuig** (-en) *o* hackney-carriage, cab; **–tijd** (-en) *m* term of lease, lease; **–troepen** *mv* mercenary troops, mercenaries; **–verhoging** (-en) *v* rent increase; **–waarde** (-en) *v* rental (value); **–wet** *v* Rent Act

'huwbaar marriageable; nubile; **–heid** *v* marriageable age; nubility; **'huwelijk** (-en) *o* marriage, matrimony, wedlock, wedding; *een ~ aangaan (sluiten)* contract a marriage; *een goed ~ doen* marry well; *een rijk ~ doen* marry a fortune; *i n het ~ treden* marry; *een meisje t e n ~ vragen* ask a girl in marriage, propose to a girl; **'huwelijksaankondiging** (-en) *v* wedding announcement; **–aanzoek** (-en) *o* proposal, offer (of marriage); **–advertentie** [-tɛnsi.] (-s en -tiën) *v* matrimonial advertisement; **–afkondiging** (-en) *v* 1 public notice of (a) marriage; 2 (k e r k e l i j k) banns; **–belofte**

(-n) *v* promise of marriage; **–bootje** *o* Hymen's boat; *in het ~ stappen* embark on matrimony; **–bureau** [-by.ro.] (-s) *o* matrimonial agency, marriage bureau; **–cadeau** [-do.] (-s) *o* wedding present; **–contract** (-en) *o* marriage settlement, marriage articles; **–feest** (-en) *o* wedding, wedding-feast, wedding-party; **–geluk** *o* wedded happiness; **–gift** (-en) *v*, **–goed** (-eren) *o* marriage portion, dowry; **–inzegening** (-en) *v* marriage (wedding) ceremony; **–leven** *o* married life; **–plicht** (-en) *m* & *v* conjugal duty; **–reis** (-reizen) *v* wedding-trip, honeymoon (trip); **–trouw** *v* conjugal fidelity; **–voorwaarden** *mv* marriage contract; **'huwen** (huwde, *vt* h., *vi* is gehuwd) *vt* & *vi* marry, wed; *~ met* marry; *gehuwd met een Duitser* married to a German

hu'zaar (-zaren) *m* ⚔ hussar; **hu'zarensla** *v* Russian salad

hya'cint [hi.a.'sɪnt] (-en) *v* ✿ hyacinth

hy'bridisch [hi.-] hybrid

'hydra ['hi.-] ('s) *v* hydra

hy'draat [hi.-] (-draten) *o* hydrate

hy'draulica [hi.-] *v* hydraulics; **hy'draulisch** hydraulic(ally)

hydro-dynamica [y = i.] *v* hydrodynamics; **hydro-e'lektrisch** hydro-electric

hy'ena [hi.'e.na.] ('s) *v* hyena

hygi'ëne [hi.gi.'e.nə] *v* hygiene; **hygi'ënisch** hygienic(al)

'hygrometer ['hi.-] (-s) *m* hygrometer

'hymne ['hɪmnə] (-n) *v* hymn

hyper'bolisch [hi.-] hyperbolical; **hyper'bool** (-bolen) *v* hyperbole

'hypergevoelig ['hi.-] hypersensitive; **–modern** hypermodern; **–nerveus** tense; **hyper'tensie** [hi.-] *v* hypertension; **hypertro'fie** *v* hypertrophy

hyp'nose [hɪ.p'no.zə] *v* hypnosis; **hyp'notisch** hypnotic(al); **hypnoti'seren** [s = z] (hypnotiseerde, h. gehypnotiseerd) *vt* hypnotize; **hypnoti'seur** [s = z] (-s) *m* hypnotist; **hypno'tisme** *o* hypnotism

hypo'chonder [hi.-] (-s) *m* hypochondriac; **hypochon'drie** *v* hypochondria; **hypo'chondrisch** hypochondriac(al)

hypo'criet [hi.-] (-en) *m* hypocrite; **hypocri'sie** [s = z] *v* hypocrisy; **hypo'critisch** hypocritical

hypo'fyse [hi.po'fi.zə] (-n) *v* pituitary body (gland), hypophysis

hypote'nusa [hi.po.tə'ny.za.] ('s) *v* hypotenuse

hypothe'cair [hi.po.te.'kɛ:r] *~e schuld* mortgage debt; **hypo'theek** (-theken) *v* mortgage; *met een ~ bezwaard* mortgaged; **–akte** (-n en -s) *v* mortgage deed; **–bank** (-en) *v* mortgage bank; **–bewaarder** (-s) *m* registrar of mortgages; **–gever** (-s) *m* mortgagor; **–houder** (-s) *m*, **–nemer** (-s) *m* mortgagee; **–kantoor** (-toren) *o* mortgage registry; **hypothe'keren** (hypothekeerde, h. gehypothekeerd) *vt* mortgage

hypo'these [hi.po.'te.zə] (-n en -s) *v* hypothesis [*mv* hypotheses]; **hypo'thetisch** hypothetic(al)

hys'terica [hɪs-] ('s), *v* **hys'tericus** (-ci) *m* hysteric; **hyste'rie** *v* hysteria; **hys'terisch** hysterical; *een ~e aanval krijgen* go into hysterics; **F** go off the hooks

I

i [i.] ('s) *v* i
i'a (v. e z e l) hee-haw; **i'aën** (iade, h. geïaad) *vi* hee-haw
ib., ibid. = *ibidem* in the same place
'ibis (-sen) *m* 🦢 ibis
i.c. = *in casu* in this case
i'co(o)n (iconen) *v* icon, ikon
id. = *idem*
ide'aal I *aj* ideal; **II** (idealen) *o* ideal; *een ~ van een echtgenoot* an ideal husband; **ideali'seren** [s = z] (idealiseerde, h. geïdealiseerd) *vt* & *va* idealize; **idea'lisme** *o* idealism; **idea'list** (-en) *m* idealist; **–isch** idealistic(al)
i'dee (ideeën) *o* & *v* idea, thought, notion; *precies mijn ~!* quite my opinion!; *naar mijn ~* in my view; *je hebt er geen ~ van* you have no notion of it; *een hoog ~ hebben van* have a high opinion of; *er niet het minste (flauwste) ~ van hebben* not have the least idea; *ik heb géén ~!* **F** search me!; *ik heb zo'n ~ dat...* I have a notion that...; *naar mijn ~* in my opinion; *op het ~ komen om...* get it into one's head to..., hit upon an idea; **i'deeënbus** (-sen) *v* suggestion box; **idee-'fixe** [-fi.ks] (-n) *o* & *v* fixed idea
'idem the same, ditto, do.
iden'tiek identical
identifi'catie [-(t)si.] *v* identification; **identifi'ceren** (identificeerde, h. geïdentificeerd) **I** *vt* identify; **II** *vr zich ~* prove one's identity
identi'teit *v* identity; **identi'teitsbewijs** (-wijzen) *o*, **–kaart** (-en) *v* identity card; **–plaatje** (-s) *o* identity disk
ideolo'gie (-gieën) *v* ideology; **ideo'logisch** ideological; **ideo'loog** (-logen) *m* ideologue, ideologist
idio'matisch idiomatic(al); **idi'oom** (idiomen) *o* idiom
idi'oot I *aj* idiotic(al), foolish; **II** (idioten) *m* idiot, fool, nitwit; **idio'tisme** (-n) *o* 1 idiocy; 2 *gram* idiom
ido'laat *~ van* infatuated with; **idola'trie** *v* idolatry; **i'dool** (idolen) *o* idol
i'dylle [i.'dɪlə] (-n en -s) *v* idyl(l); **–lisch** idyllic(al)
'ieder every; each; any; *een ~* everyone; anyone; **ieder'een, 'iedereen** everybody, everyone
'iegelijk *een ~* everybody
iel thin, scanty; ethereal
'iemand somebody, someone; anybody, anyone; a man, one; *zeker ~* "Somebody"
'iemker (-s) *m* = *imker*
iep (-en) *m*, **'iepeboom** (-bomen) *m* elm, elm-tree; **'iepen** *aj* elm; **iepziekte** *v* (Dutch) elm disease
Ier (-en) *m* Irishman; *de ~en* the Irish; **–land** *o* Ireland, ⊙ Hibernia, Erin; **–s I** *aj* Irish; **II** *o het ~* Irish; **III** *v een ~e* an Irishwoman
iet zie 1 *niet* **II**; **iets I** *voornw.* something, anything; *er is ~, een zeker ~ in zijn stem dat...* there is (a certain) something in his voice; *is er ~?* is anything the matter?, anything wrong?; *echt ~ voor haar!* how like her!; *er is nog ~* there is something else, there is another thing; [*die jurk*] *is net ~ voor jou!* the very thing for you!; **II** *ad* 1 (b e v e s t i g e n d) somewhat, a little; 2 (v r a g e n d & o n t k e n n e n d) any; **'ietsje** *o een ~* a shade [better]; a thought [shorter]; a trifle [too short, too tough]; *met een ~...* with something of..., with a touch of...; **'ietwat** = *iets* en *ietsje*
'iezegrim (-men en -s) *m* surly fellow, crab, grumbler; **ieze'grimmig** surly, crabbed
'iglo ('s) *m* igloo
i-'grec [-'grɛk] (-s) *v* [the letter] y
'ijdel 1 vain [= empty, useless & conceited]; 2 idle [hope]; **–heid** (-heden) *v* vanity, vainness; *~ der ijdelheden* **B** vanity of vanities; **–tuit** (-en) *v* vain person
ijk (ijken) *m* verification and stamping of weights and measures; **'ijken** (ijkte, h. geijkt) *vt* gauge, verify and stamp; zie ook: *geijkt*; **–er** (-s) *m* gauger; inspector of weights and measures; **'ijkkantoor** (-toren) *o* gauging-office; **–maat** (-maten) *v* standard measure; **–meester** (-s) *m* = *ijker*
1 ijl *v in aller ~* at the top of one's speed, with all speed, in great haste
2 ijl *aj* thin, rare; *~e lucht* rarefied air; *de ~e ruimte* (vacant) space
'ijlbode (-n en -s) *m* courier, express messenger; **'ijlen** *vi* 1 (ijlde, is geijld) hasten, hurry (on), speed; 2 (ijlde, h. geijld) rave, wander, be delirious; *de patiënt ijlt* the patient is wandering in his (her) mind; **'ijlgoed** (-eren) *o* express goods; *als ~* by express delivery
ijl'hoofdig 1 light-headed; delirious; 2 feather-brained, feather-headed
'ijlings hastily, in great haste, post-haste
ijs *o* ice; (o m t e e t e n) ice-cream; *het ~ breken* break the ice; *zich o p glad ~ wagen* tread on dangerous ground, skate over thin ice; *(goed) beslagen t e n ~ komen* be fully prepared (for...); *niet o v e r één nacht ~ gaan* not move in

too hurried a manner, take no risks; **–afzetting** *v* icing; **–baan** (-banen) *v* skating-rink, ice-rink; **–beer** (-beren) *m* polar bear, white bear; **–beren** (ijsbeerde, h. geijsbeerd) *vi* walk (pace) up and down; **–berg** (-en) *m* iceberg; **–bestrijder** (-s) *m* ✈ de-icer; **–bloemen** *mv* frost flowers; **–blokje** (-s) *o* ice-cube; **–breker** (-s) *m* ice-breaker; **–club** (-s) *v* skating-club; **'ijsco** ('s) *m* ice; **–man** (-nen) *m* ice-cream vendor; **'ijselijk** horrible, frightful, shocking, terrible, dreadful; **'ijsfabriek** (-en) *v* ice-factory, ice-works; **–gang** *m* breaking up and drifting of the ice, ice drift; **–glas** *o* frosted glass; **–heiligen** *mv* Ice Saints; **–hockey** [-hɔki.] *o sp* ice-hockey; **–je** (-s) *o* ice, ice-cream; **–kap** (-pen) *v* ice sheet (cap), ice mantle; **–kast** (-en) *v* refrigerator, icebox, **F** fridge; *in de ~ zetten (leggen, bergen)* [*fig*] keep on ice, put in cold storage; **–kegel** (-s) *m* icicle; **–kelder** (-s) *m* ice-house; **–klomp** (-en) *m* lump of ice; **–korst** (-en) *v* crust of ice; **–koud** **I** *aj* cold as ice, icy-cold², icy², frigid²; *ik werd er ~ van* a chill came over me; **II** *ad* icily²; frigidly²; **F** = *doodleuk*; **–kristal** (-len) *o* ice crystal

'IJsland *o* Iceland; **'IJslander** (-s) *m* Icelander; **'IJslands** **I** *aj* Icelandic; *~ mos* Iceland moss (lichen); **II** *o* Icelandic

'ijslolly [y = i.] ('s) *m* iced lollipop, ice lolly; **–machine** [-ma.ʃi.nə] (-s) *v* freezing-machine; **–pegel** (-s) *m* icicle; **–salon** (-s) *m* ice-cream parlour, *Am* soda fountain; **–schol** (-len) *v*, **–schots** (-en) *v* floe (flake) of ice, ice-floe; **–spoor** (-sporen) *o* ice-spur, crampon; **–tijd** (-en) *m* ice-age, glacial age; **–venter** (-s) *m* ice-cream vendor; **–vlakte** (-n en -s) *v* ice-plain, ice-field, sheet of ice; **–vogel** (-s) *m* 🐦 kingfisher; **–vorming** (-en) *v* ice formation; **–vrij** ice-free; **–wafel** (-s) *v* ice-cream wafer; **–water** *o* iced water, ice-water; **–zak** (-ken) *m* ice-bag, ice-pack; **–zee** (-zeeën) *v* polar sea, frozen ocean; *de Noordelijke IJszee* the Arctic (Ocean); *de Zuidelijke IJszee* the Antarctic (Ocean)

'ijver *m* diligence, zeal, ardour; **'ijveraar** (-s en -raren) *m*, **–ster** (-s) *v* zealot; **'ijveren** (ijverde, h. geijverd) *vi* be zealous; *~ t e g e n* declaim against, preach down; *~ v o o r...* be zealous for (in the cause of)...; **–rig** diligent, industrious, zealous, assiduous, fervent; *hij was ~ bezig aan zijn werk* he was intent upon his work; **'ijverzucht** *v* jealousy, envy; **ijver'zuchtig** jealous, envious

'ijzel *m* glazed frost; **'ijzelen** (ijzelde, h. geijzeld) *het ijzelt* there is a glazed frost

'ijzen (ijsde, h. geijsd) *vi* shudder; *ik ijsde er van* it sent a shudder through me

'ijzer (-s) *o* iron [ook = branding-iron & flat-iron for smoothing]; (v. s c h a a t s) runner; zie ook: *hoefijzer, oorijzer*; *oud ~* scrap iron; *men moet het ~ smeden als het heet is* strike the iron while it is hot, make hay while the sun shines; *men kan geen ~ met handen breken* you cannot make a silk purse out of a sow's ear; **–achtig** iron-like, irony; **–draad** (-draden) *o* & *m* (iron) wire; **–en** *aj* iron²; **–erts** (-en) *o* iron ore; **–gaas** *o* (g r o f) wire-netting, (f i j n) wire-gauze; **–garen** *o* two-cord yarn, patent-strong yarn; **ijzergiete'rij** (-en) *v* iron foundry, ironworks; **'ijzerhandel** (-s) *m* iron trade, ironmongery; **–handelaar** (-s en -laren) *m* ironmonger; **–hard** as hard as iron, iron-hard; **–houdend** containing iron, ferruginous [earth, water]; **–hout** *o* ironwood; **–roest** *m* & *o* rust (of iron); **ijzersmede'rij** (-en) *v* forge; **ijzersmelte'rij** (-en) *v* iron-smelting works; **'ijzersterk** strong as iron, iron; **–tijd** *m* iron age; **–vijlsel** *o* iron filings; **–vreter** (-s) *m* fire-eater, swashbuckler; **–waren** *mv* hardware, ironmongery; **–werk** (-en) *o* iron-work; **–winkel** (-s) *m* ironmonger's shop

'ijzig icy; ook = *ijzingwekkend*; **ijzing'wekkend** gruesome, appalling; ook = *ijselijk*

ik I; *het ~* the ego; *zijn eigen ~* his own self; *mijn tweede ~* my other self; **–figuur** (-guren) *v* & *m* first-person narrator [in a novel &]; **–vorm** *m* *in de ~ geschreven* [novel] with a first-person narrator

'Ilias *v* Iliad

ille'gaal underground, clandestine; **illegali'teit** (-en) *v* resistance movement

illumi'natie [-(t)si.] (-s) *v* illumination; **illumi'neren** (illumineerde, h. geïllumineerd) *vt* illuminate

il'lusie [ɪ'ly.zi.] (-s) *v* illusion; *iem. de ~ (zijn ~s) benemen* disillusion(ize) sbd., rob sbd. of his illusions; *zich geen ~s maken over* be under no illusions about, have no illusions about; **illu'soir** [i.ly.'zva:r, -'zo:r] illusory

il'luster illustrious

illu'stratie [-(t)si.] (-s) *v* illustration; **illu'strator** (-s) *m* illustrator; **illu'streren** (illustreerde, h. geïllustreerd) *vt* illustrate

'image [ɪmɪdʒ] *v* & *o* image; **imagi'nair** [-ʒi.-'nɛ:r] imaginary

imbe'ciel [-be.'si.l] (-en) *aj* & *m-v* imbecile; **imbecili'teit** *v* imbecility

imi'tatie [-(t)si.] (-s) *v* imitation; **–le(d)er** *o* imitation leather; **imi'teren** (imiteerde, h. geïmiteerd) *vt* imitate

'imker ['ɪmkər] (-s) *m* beekeeper, apiarist

immateri'eel immaterial, insubstantial

im'mens immense, huge

'immer ever; **–meer** ever, evermore

'immers I *ad ik heb het ~ gezien* I have seen it, haven't I?; *hij is ~ thuis?* he is in, isn't he?; **II** *cj* for; *men moet altijd zijn best doen ~ vlijt alleen kan...* for it is only industry that...
immi'grant (-en) *m* immigrant; **immi'gratie** [-(t)si.] (-s) *v* immigration; **immi'greren** (immigreerde, is geïmmigreerd) *vi* immigrate
immorali'teit *v* immorality; **immo'reel** immoral
immor'telle (-n) *v* immortelle, everlasting
immuni'satie [-'za.(t)si.] *v* immunization; **immuni'seren** [s = z] (immuniseerde, h. geïmmuniseerd) *vt* immunize, make (render) immune; **immuni'teit** (-en) *v* immunity; **im'muun** immune; *~ maken* render immune [from...], immunize [from...]
im'passe (-n en -s) *v* deadlock; *in een ~* at a deadlock; *uit de ~ geraken* solve (break, end) the deadlock
'imperatief, impera'tief I *aj* imperative; **II** *m de ~* the imperative (mood)
imperi'aal (-ialen) *o* & *v* top [for passengers on bus, coach]; roof rack [for luggage]
imperia'lisme *o* imperialism; **imperia'list** (-en) *m* imperialist; **–isch** imperialist(ical); **im'perium** (-s en -ria) *o* empire
imperti'nent impertinent, rude
impli'catie [-(t)si.] (-s) *v* implication; **impli'ceren** (impliceerde, h. geïmpliceerd) *vt* implicate; imply; **impli'ciet** implicit, implied
impondera'bilia *mv* imponderables
impo'neren (imponeerde, h. geïmponeerd) *vt* impress (forcibly), awe; **–d** imposing, impressive
impopu'lair [-'lɛ:r] unpopular
'import (-en) *m* import(ation); **impor'teren** (importeerde, h. geïmporteerd) *vt* import; **impor'teur** (-s) *m* importer
impo'sant [s = z] imposing, impressive
impo'tent impotent; **–ie** [-(t)si.] *v* impotence
impre'sario [-prɛ'sa:ri.o.] ('s) *m* impresario
im'pressie (-s) *v* impression; **impressio'nisme** *o* impressionism; **impressio'nist** (-en) *m* impressionist; **–isch** impressionist [painter, painting], impressionistic
improduk'tief unproductive
improvi'satie [-'za.(t)si.] (-s) *v* improvisation, impromptu; **improvi'sator** (-s en -'toren) *m* improvisator; **improvi'seren** (improviseerde, h. geïmproviseerd) *vt* & *vi* improvise, extemporize, speak extempore; **impro'viste** [ẽpro.'vi.st(ə)] *à l'~* ex tempore; *à l'~ spreken* extemporize
im'puls (-en) *m* impulsion, impulse; ✻ pulse; **impul'sief** [s = z] impulsive, on impulse; **impulsivi'teit** *v* impulsiveness
1 in *prep* in; into; at; on; *~ de commissie zitting hebben* be on the committee; *~ Arnhem* at Arnhem; *~ Londen* in London; *~ Parijs* at Paris, in Paris; *twee plaatsen ~ een vliegtuig* [reserve] two seats on a plane; *goed ~ talen* good at languages; *doctor ~ de medicijnen, de theologie* & doctor of medicine, of theology &; *60 minuten ~ het uur* to the hour; [*er zijn er*] *~ de veertig* forty odd; *hij is ~ de veertig* he is turned forty; *~ geen drie weken* not for three weeks; *dat wil er bij mij niet ~* that won't go down with me; *zij was ~ het zwart (gekleed)* she was (dressed) in black, she wore black; *~ zijn* **F** 1 (in trek) be in; 2 (goed bij) be with it; **2 in...** (in samenstellingen met *aj* of *ad*) very [*~droevig* & very sad(ly) &], intensive(ly), deep(ly)
in ab'stracto in the abstract
in'achtneming *v* observance; *met ~ van* having regard to, regard being had to
inaccu'raat inaccurate
'inademen[1] *vt* breathe (in), inhale, inspire; **–ming** (-en) *v* breathing (in), inhalation, inspiration, intake of breath
inade'quaat [-'kva.t] inadequate
inaugu'ratie [-(t)si.] (-s) *v* inauguration; **inaugu'reel** inaugural [address]; **inaugu'reren** (inaugureerde, h. geïnaugureerd) *vt* inaugurate
'inbaar collectable [bills, debts]
'inbakeren[1] **I** *vt* swaddle [an infant]; **II** *vr zich ~* muffle (wrap) oneself up
'inbedroefd very sad, deeply afflicted
'inbeelden (beeldde 'in, h. 'ingebeeld) *zich ~* imagine, fancy; *zich heel wat ~* rather fancy oneself; **–ding** (-en) *v* 1 imagination, fancy; 2 (verwaandheid) (self-)conceit
'inbegrepen = *met inbegrip van...*; *alles ~* all in, everything included; *niet ~* exclusive of...; **'inbegrip** *met ~ van* including, inclusive of [charges], [charges] included
'inbeitelen[1] *vt* chisel, carve with a chisel
inbe'slagneming (-en) *v* ⚖ seizure, attachment
inbe'zitneming (-en) *v* taking possession [of]; **–stelling** (-en) *v* handing over; ⚖ delivery
'inbijten (beet 'in, is 'ingebeten) *vi* (v. zuur) bite into, corrode; **–d** corrosive
'inbinden[1] **I** *vt* bind [books]; *laten ~* have [books] bound; **II** *vi fig* climb down

[1] V.T. en V.D. van dit werkwoord volgens het model: **'in**ademen, V.T. ademde **'in**, V.D. **'in**geademd. Zie voor de vormen onder het grondwoord, in dit voorbeeld: *ademen*. Bij sterke en onregelmatige werkwoorden wordt u verwezen naar de lijst achterin.

'inblazen[1] *vt* blow into; *fig* prompt, suggest; *nieuw leven* ~ breathe new life into; **–zing** (-en) *v* prompting(s), instigation, suggestion
'inblij very glad, as pleased as Punch
'inblikken (blikte 'in, h. 'ingeblikt) *vt* can, tin
'inboedel (-s) *m* furniture, household effects
'inboeken[1] *vt* book, enter
'inboeten[1] *vt veel aan invloed* ~ lose much in influence; *er het leven bij* ~ pay for it with one's life
'inboezemen (boezemde 'in, h. 'ingeboezemd) *vt* inspire with [courage], strike [terror] into
in 'bonis well-to-do, in easy circumstances
'inboorling (-en) *m* native, aborigine
'inborst *v* character, nature, disposition
'inbouwen[1] *vt* build in, let into, fit
'inbraak (-braken) *v* house-breaking, burglary; **–vrij** burglar-proof
'inbranden[1] *vt* burn (in)
'inbreken[1] *vi* break into a house, commit burglary; *er is bij ons ingebroken* our house has been broken into; **–er** (-s) *m* burglar, house-breaker
'inbreng *m* capital brought in [to undertaking]; *fig* contribution; **'inbrengen**[1] *vt* bring in, gather in [the crops]; bring in [capital]; *je hebt hier niets in te brengen* you have nothing to say here; *daar kan ik niets tegen* ~ 1 I can offer no objection; 2 it leaves me without a reply
'inbreuk (-en) *v* infringement [of rights], infraction [of the law], encroachment [on rights]; ~ *maken op* infringe [the law, rights], encroach upon [rights]
'inburgeren (burgerde 'in, h. en is 'ingeburgerd) *hij is hier helemaal ingeburgerd* he has struck root here, he feels quite at home here; *die woorden hebben zich ingeburgerd* these words have found their way into the language
incar'natie [-(t)si.] (-s) *v* incarnation; **incar'neren** (incarneerde, h. geïncarneerd) *vt* incarnate
incas'seerder (-s) *m* collector; **incas'seren** (incasseerde, h. geïncasseerd) *vt* cash [a bill], collect [debts]; *fig* **F** take [a blow, a hiding]; **incas'sering** (-en) *v* cashing-collection; **–svermogen** *o* resilience
in'casso ('s) *o* collection [of bills, debts &]; **–bureau** [-by.ro.] (-s) *o* collection agency [of debts]; **–kosten** *mv* collecting-charges
in 'casu [s = z] in this case
'incest *m* incest; **incestu'eus** incestuous
inci'dent (-en) *o* incident; **inciden'teel** incidental
in'cluis included; **inclu'sief** [s = z] inclusive of..., including...
in'cognito incognito, **F** incog
incom'pleet incomplete
in con'creto in the concrete
inconse'quent [-'kvɛnt] inconsistent; **–ie** [-(t)si.] (-s) *v* inconsistency
inconstitutio'neel [-(t)si.-] inconstitutional
inconveni'ënt (-en) *o* drawback
incou'rant [ou = u.] unsalable, unmarketable [articles]; unlisted [securities]
incu'batie [-(t)si.] *v* incubation; **–tijd** *m* incubation period, latent period
incu'nabel (-en) *m* early printed book, incunabulum
in'dachtig mindful of...; *wees mijner* ~ remember me
'indammen (damde 'in, h. 'ingedamd) *vt* embank, dam[2]
'indampen[1] *vt* evaporate, boil down
inde'cent indecent, shocking
'indekken[1] *zich* ~ *tegen* safeguard against
'indelen[1] *vt* 1 divide; (i n k l a s s e n) class(ify), group; (i n g r a d e n) graduate; 2 ⚔ incorporate (in, with *bij*); **–ling** (-en) *v* 1 division; classification, grouping; graduation; 2 ⚔ incorporation
'indenken[1] *zich ergens* ~ try to realize it, think oneself into the spirit of...; *zich iets* ~ image sth., conceive sth.
inder'daad indeed, really; **–'haast** in a hurry, hurriedly; **–'tijd** at the time
'indeuken[1] *vt* dent, indent [a hat &]
'index (-en en -dices) *m* index, table of contents; *op de* ~ *plaatsen* place on the index; **–cijfer** (-s) *o* index figure
'India *o* India
Indi'aan (-ianen) *m* (Red) Indian; **–s** *aj* Indian
'Indiaas Indian
indi'catie [-(t)si.] (-s) *v* indication
'Indië *o* 🕮 1 (British) India; 2 the (Dutch) Indies, the East Indies
in'dien if, in case
'indienen[1] *vt* present [the bill, a petition to...]; tender [one's resignation]; bring in, introduce [a bill, a motion]; move [an address]; lodge [a complaint]; make [a protest]; **–ning** *v* presentation [of a petition &]; introduction [of a bill in Parliament]
in'diensttreding *v* entrance upon one's duties; ~ *1 juli* duties (to) commence on July 1
'Indiër (-s) *m* Indian
indi'gestie *v* indigestion

[1] V.T. en V.D. van dit werkwoord volgens het model: **'in**ademen, V.T. ademde **'in**, V.D. **'inge**ademd. Zie voor de vormen onder het grondwoord, in dit voorbeeld: *ademen*. Bij sterke en onregelmatige werkwoorden wordt u verwezen naar de lijst achterin.

'indigo *m* indigo; **–blauw** indigo-blue
'indijken (dijkte 'in, h. 'ingedijkt) *vt* dike, dike (dam) in, embank; **–king** (-en) *v* diking, embankment
'indikken (dikte 'in, *vt* h., *vi* is 'ingedikt) *vt* & *vi* thicken, concentrate
'indirect indirect, oblique
'Indisch Indian
indis'creet indiscreet; **indis'cretie** [-(t)si.] (-s) *v* indiscretion
indivi'du (-en en 's) *o* individual; *een verdacht* ~ a shady character; **individuali'teit** *v* individuality; **individu'eel** individual
'Indo ('s) *m* Eurasian, half-caste
Indo-'China [-'ʃi.-] *o* Indo-China
indoctri'natie [-(t)si.] *v* indoctrination; **indoctri'neren** (indoctrineerde, h. geïndoctrineerd) *vt* indoctrinate
Indo-europe'aan (-eanen) *m* 1 (Indogermaan) Indo-European; 2 (halfbloed) Eurasian; **Indo-euro'pees** 1 (Indogerm.) Indo-European; 2 (v. gemengd bloed) Eurasian; **Indoger'maan** (-manen) *m* Indo-European; **–s** *aj* & *o* Indo-Germanic
indo'lent indolent; **–ie** [-(t)si.] *v* indolence
'indommelen (dommelde 'in, is 'ingedommeld) *vi* = *indutten*
'indompelen[1] *vt* plunge in, dip in, immerse; **–ling** *v* immersion
Indo'nesië [s = z] *o* Indonesia; **Indo'nesiër** (-s) *m*, **Indo'nesisch** *aj* Indonesian
'indopen[1] *vt* dip in(to)
'indraaien[1] *vt* screw in; *zich ergens* ~ worm oneself into a post
'indrijven[1] **I** *vt* drive into; **II** *vi* float into
'indringen[1] **I** *vi* penetrate (into), enter by force; **II** *vr zich* ~ intrude, **S** horn in [on]; *zich* ~ *bij iem.* 1 obtrude oneself upon sbd. (upon sbd.'s company); 2 insinuate onself into sbd.'s favour; **in'dringend** *fig* profound; emphatic; **'indringer** (-s) *m* intruder; **in'dringerig** intrusive, obtrusive
'indrinken[1] *vt* drink (in), imbibe
'indroevig intensely sad, heart-breaking
'indrogen[1] *vi* dry up
'indroppelen = *indruppelen*
'indruisen (druiste 'in, h. en is 'ingedruist) *vi* ~ *tegen* run counter to [all conventions], interfere with [one's interests], clash with [a previous statement], be at variance with [truth], be contrary to [laws, customs &]
'indruk (-ken) *m* impression[2]; imprint; ~ *maken* make an impression; *de* ~ *maken van...* give an impression of...; *onder de* ~ *komen* be impressed (by, with *van*); *hij was nog onder de* ~ he had not got over it yet; **'indrukken**[1] *vt* push in, stave in [something]; impress, imprint [a seal &]; **indruk'wekkend** impressive, imposing
'indruppelen[1] **I** *vi* drip in; **II** *vt* drip in, instil
in 'dubio in doubt
indu'ceren (induceerde, h. geïnduceerd) *vt* induce; **in'ductie** [ɪn'düksi.] (-s) *v* induction; **induc'tief** inductive; **in'ductieklos** (-sen) *m* & *v* induction coil; **–stroom** (-stromen) *m* induced current; **in'ductor** (-'toren) *m* inductor
industriali'satie [-'za.(t)si.] *v* industrialization; **industriali'seren** [s = z] (industrialiseerde, h. geïndustrialiseerd) *vt* industrialize; **–ring** *v* industrialization
indus'trie (-trieën) *v* industry; **–arbeider** (-s) *m* industrial worker; **–centrum** (-s en -tra) *o* industrial centre; **–diamant** (-en) *m* & *o* industrial diamond; **industri'eel I** *aj* industrial; **II** (-iëlen) *m* industrialist, manufacturer; **indus'triegebied** (-en) *o* industrial area; **–school** (-scholen) *v* technical school; **–stad** (-steden) *v* industrial town; **–terrein** (-en) *o* industrial site; industrial estate
'indutten (dutte 'in, is 'ingedut) *vi* doze off, drop off, go to sleep
'induwen[1] *vt* push in, push into, shove in
in'eendraaien[2] *vt* twist together; **–frommelen**[2] *vt* crumple up; **–gedoken** zie *duiken*; **–grijpen**[2] *vi* interlock; **–krimpen**[2] *vi* writhe, shrink, cringe; **–kronkelen**[2] *zich* ~ coil up, curl up; **–lopen**[2] *vi* run into each other [of colours]; communicate [of rooms]
in'eens all at once; ~ *te betalen* payable in one sum
in'eenschuiven[2] *vt* telescope (into each other); **–slaan**[2] *vt* strike together; zie ook: *hand*; **–storten**[2] *vi* collapse[2]; **–storting** (-en) *v* collapse[2]; **–strengelen**[2] *vt* intertwine, interlace; **–vloeien**[2] *vi* flow together, run into each other [of colours]; **–zakken**[2] *vi* collapse
'inenten[1] *vt* vaccinate, inoculate; **–ting** (-en) *v* [smallpox] vaccination, [yellow fever] inoculation
in'faam infamous
'infanterie, infante'rie *v* infantry, foot; **infante'rist** (-en) *m* infantryman
infan'tiel infantile; **infanti'lisme** *o* infantilism
in'farct (-en) *o* (cardiac) infarct
infec'teren (infecteerde, h. geïnfecteerd) *vt* infect[2]; **in'fectie** [-'fɛksi.] (-s) *v* infection[2];

[1,2] V.T. en V.D. volgens het model: 1 **'in**ademen, V.T. ademde **'in**, V.D. **'in**geademd; 2 **in'een**draaien, V.T. draaide **in'een**, V.D. **in'een**gedraaid. Zie voor de vormen onder het grondwoord, in deze voorbeelden: *ademen* en *draaien*. Bij sterke en onregelmatige werkwoorden wordt u verwezen naar de lijst achterin.

–haard (-en) *m* focus of infection; **–ziekte** (-n en -s) *v* infectious disease
inferi'eur *aj* inferior (= lower in rank & of poor quality); *een ~e* one of inferior rank, an inferior, a subordinate; **inferiori'teit** *v* inferiority
infil'trant (-en) *m* infiltrator; **infil'tratie** [-(t)si.] (-s) *v* infiltration; **infil'treren** (infiltreerde, *vt* h., *vi* is geïnfiltreerd) *vi* & *vt* infiltrate
'infinitief (-tieven) *m* infinitive
in'flatie [-(t)si.] (-s) *v* inflation; **infla'toir** [-'tva:r of -'to:r] inflationary
influen'ceren [-fly.ɛn-] (influenceerde, h. geïnfluenceerd) *vt* influence, affect
influ'enza *v* influenza, **F** flu
'influisteren[1] *vt* whisper [in sbd.'s ear], prompt, suggest; **–ring** (-en) *v* whispering, prompting, suggestion
infor'mant (-en) *m* informant; **infor'matie** [-(t)si.] (-s en -tiën) *v* 1 information; 2 inquiry; *~s geven* give information; *~s inwinnen* make inquiries; **–bureau** [-by.ro.] (-s) *o* inquiry-office, information bureau (centre); **informa'tief** informative; **infor'matieverwerking** *v* data processing; **informa'trice** (-s) *v* inquiry clerk; (t e l e f.) information operator
infor'meel informal, unofficial
infor'meren (informeerde, h. geïnformeerd) *vt* inquire [after it], make inquiry (inquiries) [about it]; *~ bij* inquire of [sbd.]
'infrarood infra-red
'infrastructuur *v* infrastructure
in'fusiediertjes [s = z] *mv* infusoria
'ingaan[1] **I** *vi* enter, go (walk) into; *dat artikel zal er wel ~* **F** is sure to catch (take) on; (v. v a k a n t i e, a b o n n e m e n t &) begin; (v a n k r a c h t w o r d e n) date (take effect, run) from; (*dieper*) *~ o p iets* go into the subject, labour a point; *nader ~ op* go further into the matter; *op een aanbod ~* take up an offer; *op een offerte ~* entertain an offer; *op een verzoek ~* comply with (grant) a request; *er niet op ~* take no notice of it, make no comment, let it pass, ignore it; *~ t e g e n* 1 zie *indruisen*; 2 (z i c h v e r z e t t e n) oppose, counter-act, go against; **II** *vt* enter; *de eeuwigheid ~* pass into eternity; *zijn zeventigste jaar ~* enter upon one's seventieth year; *de geschiedenis ~* go down in history; *de wijde wereld ~* go out into the world
'ingang (-en) *m* entrance, way in, entry; *~ vinden* find acceptance, **F** go down (with the public); *met ~ van 6 sept.* (as) from Sept. 6
'ingebeeld 1 imaginary; 2 (v e r w a a n d) (self-)conceited, pretentious, presumptuous; *~e zieke* (*ziekte*) imaginary invalid (illness)
'ingeblikt tinned, *Am* canned [fruit]; canned [sound]
'ingeboren innate, native
'ingebouwd built-in, fitted; installed, mounted
inge'brekestelling *v* notice of default, prompt note
'ingehouden subdued, restrained [force], pent-up [rage]; *met ~ adem* with bated breath
'ingekankerd inveterate [hatred]
'ingelegd 1 inlaid, tessellated, mosaic [floors, table]; 2 = *ingemaakt*
'ingemaakt preserved, potted [foods, vegetables], pickled [pork]
'ingemeen vile
'ingenaaid (v. b o e k) stitched, sewn; *~ etiket* sewed-in label
ingeni'eur [ɪnʒən'jø:r, ɪnge.-] (-s) *m* engineer
ingenieus [-ge.ni.'øs] ingenious
'ingenomen taken; *~ met iets zijn* be taken with sth.; *ik ben er erg mee ~* I am highly pleased with it; *hij is zeer met zichzelf ~* he rather fancies himself; **inge'nomenheid** *v* satisfaction; *~ met zichzelf* self-complacency
ingé'nue [ɛ̃ʒe.'ny.] (-s) *v* ingenue
'ingeroest *fig* inveterate, deep-rooted
'ingeschreven inscribed; *~ leerlingen* pupils on the books (on the rolls); *~ veelhoeken* inscribed polygons; *~e* entrant
'ingesloten enclosed; zie ook: *inbegrepen*
'ingesneden indented [coast-line]
'ingespannen I *aj* strenuous [work]; hard [thinking]; intent [gaze]; **II** *ad* strenuously [working]; [think] hard; intently [listening, looking at]; *goed ~ zijn* be well set-up, have all that is necessary
'ingetogen modest; **inge'togenheid** *v* modest
inge'val in case
'ingevallen hollow [cheeks], sunken [eyes]
'ingeven[1] *vt* administer [medicine]; *fig* prompt, suggest [a thought, a word]; inspire with [an idea, hope &], dictate [by fear]; **–ving** (-en) *v* prompting, suggestion, inspiration; *plotselinge ~* brainwave; *als b ij ~* as if by inspiration; *n a a r de ~ van het ogenblik handelen* act on the spur of the moment
'ingevoerd *goed ~* well established [salesman]
inge'volge in pursuance of, pursuant to, in compliance with, in obedience to
'ingevroren ice-bound, frost-bound, frozen in
'ingewand(en) *o* (*mv*) bowels, intestines, entrails

[1] V.T. en V.D. van dit werkwoord volgens het model: **'in**ademen, V.T. ademde **'in**, V.D. **'in**geademd. Zie voor de vormen onder het grondwoord, in dit voorbeeld: *ademen.* Bij sterke en onregelmatige werkwoorden wordt u verwezen naar de lijst achterin.

'ingewijd initiated; *een ~e* an initiate, an insider
inge'wikkeld intricate, complicated [arrangements, machinery]; complex; sophisticated [machines]; **–heid** *v* intricacy, complexity
'ingeworteld deep-rooted, inveterate
'ingezet set-in, put-in, inserted
'ingezetene (-n) *m-v* inhabitant, resident
'ingezonden sent in; *~ mededeling* paragraph advertisement; *~ stuk* letter to the editor (to the press)
'ingieten[1] *vt* pour in, infuse
'ingooi (-en) *m sp* throw in; **'ingooien**[1] *vt de ruiten ~* smash (break) the windows; zie ook: *glas*
'ingraven[1] *zich ~* ⚔ dig (oneself) in; burrow [of a rabbit]
ingredi'ënt (-en) *o* ingredient
'ingreep (-grepen) *m* ⚕ operation, surgery
'ingriffen[1] *vt* engrave
'ingrijpen[1] *vi* intervene; **in'grijpend** radical, far-reaching [change]
'ingroeien[1] *vi* grow in (into)
'inhaalmanœuvre [-ma.nø.vər] (-s) *v* passing (overtaking) manœuvre; **–strook** (-stroken) *v* overtaking lane; **–verbod** (-boden) *o* overtaking prohibition
'inhaken[1] *vi* hook in(to); link [arms]; *~op* go on from what was said before, follow up (take up) a point
'inhakken[1] **I** *vt* hew in, break open; **II** *vi op de vijand ~* pitch into the enemy; *dat zal er ~* it will run into a lot of money
inha'latie [-(t)si.] (-s) *v* inhalation; **–toestel** (-len) *o* inhaler
'inhalen[1] *vt* 1 (n a a r b i n n e n t r e k k e n) take in [sails]; haul in [a rope]; get in, gather in [crops]; inhale [smoke, air]; 2 (b i n n e n - h a l e n) receive in state [a prince &]; 3 (a c h t e r h a l e n) come up with, overtake, catch up[2]; ⚓ overhaul; 4 (b ij w e r k e n) make up for [lost time]; *de achterstand ~* make up arrears, make up leeway; *~ verboden* 🚗 no overtaking
inha'leren (inhaleerde, h. geïnhaleerd) *vt & va* inhale
in'halig greedy, grasping, covetous; **–heid** *v* greed, covetousness
'inham (-men) *m* creek, bay, bight, inlet
'inhameren[1] *vt* hammer in, hammer home
'inhebben[1] *vt* hold, contain, ⚓ carry
in'hechtenisneming (-en) *v* apprehension, arrest; *bevel tot ~* warrant
in'heems native, indigenous [population, products], home-bred [cattle], home [produce, market], endemic [diseases]
'inheien[1] *vt* drive in [piles]
inhe'rent [-he:-] inherent; *~ zijn aan* inhere in
'inhoud (-en) *m* contents [of a book &]; tenor, purport [of a letter]; content [of a cube], capacity [of a vessel]; *korte ~* abstract, summary; *een brief van de volgende ~* ook: to the following effect; **in'houdelijk** in substance, in content(s); **'inhouden**[1] **I** *vt* 1 (b e v a t t e n) contain, hold; 2 (t e g e n h o u d e n) hold in, rein in [a horse]; hold [one's breath]; check, restrain, keep back [one's anger, tears]; retain [food]; 3 (a f h o u d e n) deduct [a month's salary], stop [allowance, pocket-money]; *dit houdt niet in, dat...* this does not imply that...; *de pas ~* step short; **II** *vr zich ~* contain (restrain) oneself; zie ook *ingehouden*; **–ding** (-en) *v* retention [of food]; stoppage [of wages], deduction [of salary]; **'inhoudsmaat** (-maten) *v* measure of capacity, cubic measure; **–opgaaf, –opgave** (-gaven) *v* table of contents, contents table, contents list
'inhouwen[1] *vt & vi = inhakken*
'inhuldigen[1] *vt* inaugurate, install; **–ging** (-en) *v* inauguration, installation
inhu'maan inhumane
'inhuren[1] *vt* hire again; *opnieuw ~* renew the lease
initi'aal [-(t)si.-] (-ialen) *v* initial
initi'atie [-(t)si.'a(t)si.] (-s) *v* initiation
initia'tief [-(t)si.a.-] (-tieven) *o* initiative; *het particulier ~* private enterprise; *geen ~ hebben* be lacking initiative; *het ~ nemen* take the initiative (the lead); *op ~ van* at (on) the initiative of; *op eigen ~ handelen* act on one's own initiative (of one's own accord)
initi'eel [-(t)si.-] initial [costs]
'injagen[1] *vt* drive in(to); *iem. de dood ~* send sbd. to his death
in'jectie [-'jɛksi.] (-s) *v* injection; **–motor** (-s en -toren) *m* (fuel) injection engine; **–naald** (-en) *v* hypodermic needle; **–spuitje** (-s) *o* hypodermic syringe
'inkankeren[1] *vi* eat into, corrode; become inveterate; zie ook: *ingekankerd*
'inkapselen (kapselde 'in, h. 'ingekapseld) *vt* encyst, encapsulate[2]
'inkeer *m* repentance; *tot ~ komen* repent
'inkepen[1] *vt* indent, notch, nick; **–ping** (-en) *v* indentation, notch, nick
'inkeren[1] *vi tot zich zelf ~* retire into oneself; search one's own heart; repent

[1] V.T. en V.D. van dit werkwoord volgens het model: **'in**ademen, V.T. ademde **'in**, V.D. **'in**geademd. Zie voor de vormen onder het grondwoord, in dit voorbeeld: *ademen*. Bij sterke en onregelmatige werkwoorden wordt u verwezen naar de lijst achterin.

'inkerven[1] *vt* = *inkepen*
'inkijk *m* view, glimpse [into]; **'inkijken**[1] **I** *vi* look in [at the window]; *mag ik bij u ~?* may I look on with you?; **II** *vt* glance over [a letter], browse through (look into) [a book]
'inklaren[1] *vt* $ clear [goods]; **–ring** (-en) *v* $ clearance, clearing
'inkleden[1] *vt* 1 clothe[2] [ook = word]; 2 *rk* give the habit to [a postulant]
'inklemmen[1] *vt* jam in, wedge in
'inklimmen[1] *vi* climb in(to)
'inklinken (klonk 'in, is 'ingeklonken) *vi* set
'inkoken (kookte 'in, *vt* h., *vi* is 'ingekookt) *vt* & *vi* boil down
'inkomen[1] **I** *vi* enter, come in; *~de rechten* import duties; *daar kan ik ~* I can understand that (enter into your feelings), I can see that; *daar komt niets van in* that's out of the question altogether; **II** (-s) *o* income; **–klasse** (-n) *v* income bracket (group); **'inkomensgroep** (-en) *v* income group; **–politiek** *v* income policy
'inkomst (-en) *v* entry; *~en* income [of a person], earnings, gainings, profits; revenue [of a State]; *~en en uitgaven* receipts and expenditure; **–enbelasting** (-en) *v* income tax
'inkoop (-kopen) *m* purchase; *inkopen doen* make purchases, buy things; go (be) shopping; **–organisatie** [-za.(t)si.] (-s) *v* buying organization; **–(s)prijs** (-prijzen) *m* cost price; **'inkopen**[1] **I** *vt* 1 buy, purchase; 2 (t e r u g - k o p e n) buy in; **II** *vr zich ~* (*in een zaak*) buy oneself into a business; **–er** (-s) *m* purchaser, $ buyer [for business house]
'inkoppen[1] *vt* head home [a ball]
'inkorten[1] *vt* shorten, curtail; **–ting** (-en) *v* shortening, curtailment
'in krijgen[1] *vt* get in; *ik kon niets ~* I could not get down a morsel; zie ook: *water*
'inkrimpen[1] **I** *vi* shrink; contract; *het getal... was ingekrompen tot...* had dwindled to...; **II** *vt* (p e r s o n e e l, p r o d u k t i e &) reduce, cut back; **III** *vr zich ~* retrench (curtail) one's expenses; **–ping** (-en) *v* shrinking [of bodies]; contraction [of credit]; dwindling [of numbers]; reduction; curtailment, retrenchment
inkt (-en) *m* ink; *Oostindische ~* Indian ink; **'inkten** (inktte, h. geïnkt) *vt* ink; **'inktfles** (-sen) *v* ink-bottle; **–gom** *m* & *o* ink-eraser; **–koker** (-s) *m* inkstand, ink-well; **–lap** (-pen) *m* penwiper; **–lint** (-en) *o* ink ribbon; **–pot** (-ten) *m* inkpot, ink-well; **–potlood** (-loden) *o* copying-pencil, indelible pencil; **–stel** (-len) *o* inkstand; **–vis** (-sen) *m* ink-fish, cuttle-fish, squid; **–vlek** (-ken) *v* blot of ink, ink-stain
'inkuilen (kuilde 'in, h. 'ingekuild) *vt* ensilage, ensile, clamp [potatoes]
'inkwartieren (kwartierde 'in, h. 'ingekwartierd) *vt* billet, quarter; **–ring** (-en) *v* billeting, quartering; *wij hebben ~* we have soldiers billeted on us
'inlaat (-laten) *m* inlet; **–klep** (-pen) *v* inlet valve
'inladen[1] *vt* 1 load [goods]; ⚓ put on board; ship [goods]; 2 ⚔ entrain [soldiers]
'inlander (-s) *m* native; **'inlands** home, home-grown, home-made [products], home-bred [cattle]; native, indigenous [tribes]; *een ~e* a native woman
'inlas (-sen) *m* insert; **'inlassen**[1] *vt* insert, intercalate; **–sing** (-en) *v* insertion, intercalation
'inlaten[1] **I** *vt* let in, admit; **II** *vr zich ~ met iem.* associate with sbd., have dealings with sbd.; *ik wil er mij niet mee ~* I will have nothing to do with it; *u hoeft u niet met mijn zaken in te laten* you need not concern yourself with (in) my affairs
'inleg *m* 1 (v. r o k) tuck; 2 (a a n g e l d) entrance money [of member]; stake(s) [wagered]; deposit [in a bank]; **–geld** (-en) *o* = *inleg* 2; **'inleggen**[1] *vt* lay in, put in [something]; inlay [wood with ivory &]; preserve [fruit &]; pickle [pork]; deposit [money at a bank]; stake [at cards &]; put on [an extra train]; take in [a dress]; zie ook: *eer*; **–er** (-s) *m* depositor; **'inlegvel** (-len) *o* inset, insert, supplementary sheet; **–werk** *o* inlaid work, marquetry, mosaic
'inleiden[1] *vt* introduce, usher in [a person]; open [the subject]; **–d** introductory, opening, preliminary; **'inleider** (-s) *m* speaker appointed (invited) to introduce the discussion (to open the subject), lecturer of the evening; **'inleiding** (-en) *v* introduction; introductory lecture; preamble, exordium
'inleven[1] *vr zich in iem. ~* put oneself in sbd.'s shoes, imagine oneself in another (someone else's) situation
'inleveren[1] *vt* deliver up [arms]; send in, give in, hand in [documents]; give in [their exercises]; **–ring** *v* delivery; giving in, handing in
'inlichten (lichtte 'in, h. 'ingelicht) *vt* inform; *~ over* (*omtrent*) give information about; **'inlichting** (-en) *v* information; *~en geven* give

[1] V.T. en V.D. van dit werkwoord volgens het model: **'in**ademen, V.T. ademde **'in**, V.D. **'in**geademd. Zie voor de vormen onder het grondwoord, in dit voorbeeld: *ademen*. Bij sterke en onregelmatige werkwoorden wordt u verwezen naar de lijst achterin.

information; *~en inwinnen* gather information, make inquiries; *~en krijgen* get (obtain) information; **–endienst** (-en) *m* intelligence service
'inliggend enclosed
'inlijsten[1] *vt* frame
'inlijven (lijfde 'in, h. 'ingelijfd) *vt* incorporate (in, with *bij*); annex (to *bij*); **–ving** (-en) *v* incorporation; annexation
'inloodsen[1] *vt* pilot in [a ship], take [a ship] into port
'inlopen[1] **I** *vi* 1 (i n g a a n) enter, walk into [a house]; turn into [a street]; drop in [(up)on sbd. *bij iem.*]; 2 (i n h a l e n, w i n n e n) gain (on *op*); *hij zal er niet ~* he is not going to walk into the trap; *iem. er laten ~* fool sbd., take sbd. in; *hij wilde me er laten ~* he wanted to catch me; **II** *vt de achterstand ~* 1 make up arrears; 2 *sp* gain on one's competitors; *een motor ~* ⚒ run in an engine; *schoenen ~* break in shoes
'inlossen[1] *vt* redeem; **–sing** (-en) *v* redemption
'inluiden[1] *vt* ring in[2]; herald (usher in) [a new era]
'inluizen (luisde 'in, *vi* is, *vt* h. 'ingeluisd) **I** *vi* **F** *erin luizen* walk into a trap, get caught straight, be the dupe; **II** *vt iem. ergens ~* double-cross sbd., betray sbd.
'inmaak *m* preservation; *onze ~* our preserves; **–fles** (-sen) *v* preserving-bottle; **–pot** (-ten) *m* preserving-jar; **'inmaken**[1] *vt* 1 preserve, pickle [pork]; 2 *sp* overwhelm [by 5 goals to 0]
'inmenging (-en) *v* meddling, interference, intervention
'inmetselen[1] *vt* wall up, immure
in'middels in the meantime, meanwhile
'innaaien[1] *vt* sew, stitch [books]
'inname *v* taking, capture [of a town];
'innemen[1] *vt* 1 (n a a r b i n n e n h a l e n) take in [chairs, cargo, sails &]; ship [the oars]; 2 (n e m e n, g e b r u i k e n) take [physic, poison]; 3 (b e s l a a n) take (up), occupy [space, place]; 4 (v e r o v e r e n) ⚔ take, capture [a town]; *fig* captivate, charm; 5 (o p z a m e l e n) collect [tickets]; 6 (i n n a a i e n) take in [a garment]; *brandstof (benzine) ~* fuel, fill up; *kolen ~* bunker, coal; *water ~* water; *de mensen tegen zich ~* prejudice people against oneself, antagonize people; *de mensen voor zich ~* prepossess people in one's favour; zie ook: *ingenomen*; **in'nemend** taking, winning, prepossessing, engaging, attractive, endearing [ways]; *~ zijn* have a way with one; **–heid** *v* charm, endearing ways; **'inneming** (-en) *v* taking, capture [of a town]
'innen (inde, h. geïnd) *vt* collect [debts, bills], cash [a cheque], get in [debts]; *te ~ wissel* bill receivable
'innerlijk I *aj* inner [life], inward [conviction], internal [feelings], intrinsic [value]; **II** *ad* inwardly; internally
'innig I *aj* heartfelt [thanks, words], tender [love], close [co-operation, friendship], earnest, fervent; **II** *ad* [love] tenderly, dearly; closely [connected], earnestly, fervently; **–heid** *v* heartfelt affection, tenderness, earnestness, fervour
'inning *v* collection [of debts, bills], cashing [of a cheque]; **–skosten** *mv* collecting-charges
'inoogsten[1] *vt* reap[2]
'inpakken[1] **I** *vt* pack (up), wrap up, parcel up; *zal ik het voor u ~?* shall I wrap it up (do it up) for you?; **II** *vr zich ~* wrap (oneself) up; **III** *va* pack; *hij kan wel ~* **F** he can hop it (pack off)
'inpalmen (palmde 'in, h. 'ingepalmd) *vt* haul in [a rope]; *fig* appropriate [sth.]; *iem. ~* get round sbd.
'inpassen[1] *vt* fit in, fit [conditions] into [the framework of a treaty]
'inpeperen[1] *vt ik zal het hem ~* I'll make him pay for it, I'll take it out of him
'inperken (perkte 'in, h. 'ingeperkt) *vt* 1 fence in; 2 restrict
in 'petto in reserve, in store, up one's sleeve
'inpikken[1] *vt* **F** (z i c h m e e s t e r m a k e n v a n) pinch; 2 (k l a a r s p e l e n) *het (iets) ~* set about it, manage it
'inplakken[1] *vt* paste in
'inplanten[1] *vt* implant[2], *fig* inculcate; **–ting** (-en) *v* implantation[2], *fig* inculcation
in 'pleno plenary [session]
'inpolderen (polderde 'in, h. 'ingepolderd) *vt* reclaim; **–ring** (-en) *v* reclamation
'inpompen[1] *vt* pump into; *lessen ~* cram (lessons)
'inprenten (prentte 'in, h. 'ingeprent) *vt* imprint, impress, stamp, inculcate [sth.] on [sbd.]
'inproppen[1] *vt* cram in(to)
inquisi'teur [ɪŋkvi.zi.'tø:r] (-s) *m* inquisitor;
inqui'sitie [-'zi.(t)si.] *v* inquisition
'inregenen[1] *vi* rain in
'inreisvisum [-züm] (-s en -sa) *o* entry visa
'inrekenen[1] *vt* run in [a drunken man]
'inrichten[1] **I** *vt* 1 (r e g e l e n) arrange; 2 (m e u b i l e r e n) fit up, furnish; *ingericht als...* fitted up as a... [bedroom &]; *een goed ingericht huis* a well-appointed home; *bent u al ingericht?*

[1] V.T. en V.D. van dit werkwoord volgens het model: **'in**ademen, V.T. ademde **'in**, V.D. **'in**geademd. Zie voor de vormen onder het grondwoord, in dit voorbeeld: *ademen*. Bij sterke en onregelmatige werkwoorden wordt u verwezen naar de lijst achterin.

are you settled in yet?; **II** *vr zich* ~ furnish one's house, set up house; **–ting** (-en) *v* 1 (regeling) arrangement; lay-out; 2 (meubilering) furnishing, fitting up; 3 (meubels) furniture; 4 (stichting, instelling) establishment, institution; 5 ⚒ apparatus, appliance, device

'inrijden[1] **I** *vt* ride (drive) into [a town]; break in [a horse]; ⚒ run in [a motor-car]; **II** *vi* ~ *op* run into, crash into [another train]; *op elkaar* ~ collide

'inrit (-ten) *m* way in, entrance; *verboden* ~*!* no entry!

'inroepen[1] *vt* invoke, call in [sbd.'s help]

'inroesten[1] *vi* rust; zie ook: *ingeroest*

'inruil *m* (van gebruikt voor nieuw) trade-in, part-exchange; **'inruilen**[1] *vt* exchange [for...]; (van gebruikt voor nieuw) trade in [one's car]; **'inruilwaarde** *v* trade-in value

'inruimen[1] *vt plaats* ~ make room (for)

'inrukken[1] **I** *vt* ⚔ march into [a town]; **II** *vi* ⚔ march back to barracks; (v. brandweer &) withdraw; *laten* ~ ⚔ dismiss; *ingerukt mars!* ⚔ dismiss!; *ruk in!* **S** hop it!

'inschakelen[1] **I** *vt* ⚒ throw into gear; ※ switch on, (door stekker) plug in [a radiator &]; *fig* bring in [workers], call in [a detective &], include [in the Government]; **II** *va* 🚗 let in the clutch

'inschenken[1] *vt* & *vi* pour (out) [tea &]; fill [a glass]

'inschepen (scheepte 'in, h. 'ingescheept) **I** *vt* embark, ship; **II** *vr zich* ~ (*naar*) embark, take ship (for); **–ping** *v* embarkation, embarking

'inscherpen[1] *vt iem. iets* ~ inculcate, impress sth. upon sbd.

'inscheuren[1] *vt* & *vi* tear; ⚕ *vi* rupture

'inschieten[1] *vt* dash into [a house]; *er geld bij* ~ lose money over it; *er het leven bij* ~ lose one's life in the affair; *dat moest er bij* ~ there was no time left for it

in'schikkelijk obliging, compliant, complaisant, accommodating; **–heid** *v* obligingness, complaisance, compliance; **'inschikken**[1] *vi* close up, sit or stand closer

'inschoppen[1] kick in [a door]; job sbd. [into a well-paid place]; *de wereld* ~ **F** spawn

'inschrift (-en) *o* inscription

'inschrijfgeld (-en) *o* registration fee; **'inschrijven**[1] **I** *vt* inscribe; book, enrol(l), register [items, names &]; enter [names, students, horses]; *zich laten* ~ enrol(l) oneself, enter one's name; **II** *vi* send in a tender; ~ *op aandelen* apply for shares; ~ *op een lening* subscribe to a loan; *voor de bouw van een nieuwe school* ~ tender for a new school; **–er** (-s) *m* subscriber [to a charity, a loan &]; applicant [for shares]; tenderer; *laagste* ~ holder of the lowest tender; **'inschrijving** (-en) *v* 1 enrolment, registration [of names &]; 2 (voor tentoonstelling &) entry; 3 (op lening &) subscription; 4 (op aandelen) application; 5 (bij aanbesteding) (public) tender; *de* ~ *openen* call for tenders; *bij* ~ by tender; **–sbiljet** (-ten) *o* 1 tender [for a work]; 2 $ form of application

'inschuiven[1] **I** *vt* push in, shove in; **II** *vi* = *inschikken*

in'scriptie [-'skrɪpsi.] (-s) *v* inscription

in'sekt (-en) *o* insect; **in'sektenkunde** *v* entomology, insectology; **–poeder** *o* & *m* insect powder; **insekti'cide** (-n) *v* insecticide, pesticide

insemi'natie [-(t)si.] *v kunstmatige* ~ artificial insemination

insge'lijks likewise, in the same manner; *het beste met u! Insgelijks!* (the) same to you!

in'signe [ɪn'si.ɲə] (-s) *o* badge; *de* ~*s*, ook: the insignia (of office)

'insijpelen[1] *vi* trickle in, filter in

insinu'atie [-(t)si.] (-s) *v* insinuation, innuendo; **insinu'eren** (insinueerde, h. geïnsinueerd) *vt* insinuate

'inslaan[1] **I** *vt* 1 (slaan in...) drive in [a nail, a pole]; 2 (stukslaan) beat in, dash in, smash [the windows]; 3 (opdoen) lay in (up) [provisions]; 4 (nemen) take, turn into [a road]; *een vat de bodem* ~ stave in a cask; zie ook: *bodem*; *iem. de hersens* ~ knock sbd.'s brains out; **II** *vi* 1 (v. bliksem, projectiel) strike; 2 *fig* (indruk maken) go home [of a remark, speech &]; make a hit [of a play &]; **'inslag** (-slagen) *m* 1 woof; zie ook: *schering*; 2 ⚔ (van projectiel) striking; 3 *fig* tendency, strain [of mysticism], [her strong practical] streak

'inslapen (sliep 'in, is 'ingeslapen) *vi* fall asleep; *fig* pass away

'inslikken[1] *vt* swallow

'insluimeren (sluimerde 'in, is 'ingesluimerd) *vi* fall into a slumber, doze off

'insluipen[1] *vi* steal in, sneak in; *fig* slip in, creep in; **–ping** *v* stealing in

'insluiten[1] *vt* lock in [oneself, sbd.], lock up [a thief]; enclose [a meadow, a letter]; hem in,

[1] V.T. en V.D. van dit werkwoord volgens het model: **'in**ademen, V.T. ademde **'in**, V.D. **'in**geademd. Zie voor de vormen onder het grondwoord, in dit voorbeeld: *ademen*. Bij sterke en onregelmatige werkwoorden wordt u verwezen naar de lijst achterin.

surround [a field &]; invest [a town]; include, involve, comprise, embrace [the costs for..., everything]; *dit sluit niet in, dat...* this does not imply that...; **–ting** (-en) *v* enclosure, investment; inclusion

'inslurpen[1] *vt* gulp down

'insmeren[1] *vt* grease, smear, oil

'insmijten[1] *vt* throw in, smash, break

'insneeuwen (sneeuwde 'in, is 'ingesneeuwd) *vi* snow in; *ingesneeuwd zijn* be snowed up, be snow-bound

'insnijden[1] *vt* cut into, incise; **–ding** (-en) *v* 1 incision [with a lancet]; 2 indentation [of the coast-line]

'insnoeren[1] *vt* constrict

'insnuiven[1] *vt* sniff in, inhale

insol'vent insolvent; **–ie** [-(t)si.] *v* insolvency

'inspannen[1] **I** *vt* put [the horses] to; *fig* exert [one's strength]; strain [every nerve]; **II** *vr zich* ~ exert oneself, endeavour, do one's utmost [to do sth.]; **in'spannend** strenuous [work]; **'inspanning** (-en) *v* exertion; effort; *met ~ van alle krachten* using every effort

in 'spe prospective, ...to-be

inspeci'ënt [-spe.si.'ɛnt] (-en) *m* stage manager

inspec'teren (inspecteerde, h. geïnspecteerd) *vt* inspect; **inspec'teur** (-s) *m* inspector; **in'spectie** [-'spɛksi.] (-s) *v* inspection; **–reis** (-reizen) *v* tour of inspection; **inspec'trice** (-s) *v* woman inspector, inspectress

'inspelen[1] **I** *vt* play in [an instrument]; **II** *vi sp* warm up; *op elkaar ingespeeld raken* get used to each other's ways

inspici'ënt [-spi.si.'ɛnt] (-en) *m* = *inspeciënt*

inspi'ratie [-(t)si.] (-s) *v* inspiration; **inspi'reren** (inspireerde, h. geïnspireerd) *vt* inspire

'inspraak *v* 1 dictate, dictates [of the heart]; 2 input, consultation; **'inspreken**[1] *vt moed ~* inspire with courage, hearten

'inspringen[1] *vi* 1 (v. h o e k) recess; 2 (v. h u i s) stand back from the street, recede; *voor hem ~* take his place; *doen ~* indent [a line]

'inspuiten[1] *vt* inject; **–ting** (-en) *v* injection

'instaan[1] *vt ~ voor de echtheid* guarantee the genuineness; *voor iem. ~* answer for sbd.; *~ voor iets (voor de waarheid)* vouch for sth. (for the truth)

installa'teur (-s) *m* [central heating] installer; ⚡ electrician; **instal'latie** [-(t)si.] (-s) *v* 1 installation [of a functionary], inauguration, enthronement [of a bishop], induction [of a clergyman]; 2 ⚒ [electric, heating] installation; [radar, stereo] equipment; plant [in industrial process]; **–kosten** *mv* cost of installation, installation costs; **instal'leren** (installeerde, h. geïnstalleerd) *vt* 1 install, instate [an official], enthrone [a bishop], induct [a clergyman], inaugurate [a new governor]; 2 install [electric light]

'instampen[1] *vt* ram in; *het iem. ~* hammer (drum, pound) it into sbd.'s head

in'standhouding *v* maintenance, preservation, upkeep

in'stantie [-(t)si.] (-s) *v* 1 ⚖ instance, resort; 2 (o v e r h e i d s o r g a a n) [education, civil, military &] authority, [international &] agency; *in eerste (laatste) ~* in the first instance (in the last resort)

'instappen[1] *vi* step in(to), get in; *de conducteur roept: ~!* (take your) seats, please!; *wij moesten ~* we had to get in

'insteken[1] *vt* put in; *een draad ~* thread a needle

'instellen[1] *vt* 1 adjust [instruments], focus [a microscope &]; 2 set up [a board]; institute [an inquiry, proceedings &]; establish [a passenger-service]; zie ook: *dronk* &; **–ling** (-en) *v* 1 institution; 2 *fig* & *ps* attitude

'instemmen[1] *vi ~ met* agree with [an opinion]; approve of [a plan]; **–ming** *v* agreement; approval [of a plan]

insti'gatie [-(t)si.] *v* instigation; *op ~ van* at the instigation of

in'stinct (-en) *o* instinct; **instinc'tief, instinct'matig I** *aj* instinctive; **II** *ad* instinctively, by instinct

'instinken (stonk in, is ingestonken) *vi* **F** *erin stinken* get caught, fall into a trap, be the dupe; *iem. ergens laten ~* deceive sbd., double-cross sbd., dupe sbd.

institutio'neel [-(t)si.o.'ne.l] institutional [investor &]; **insti'tuut** (-tuten) *o* 1 institute, institution; 2 boarding-school

'instoppen[1] **I** *vt* tuck in [a child in bed]; stuff [the shawl &] in; *er van alles ~* put in all sorts of things; *de kinderen er eerst ~* pack off the children to bed first; **II** *vr zich ~* tuck oneself up

'instorten[1] **I** *vi* fall (tumble) down, fall in, collapse [of a house]; relapse [of patients]; **II** *vt* pour into; *fig* infuse [the grace of God]; **–ting** (-en) *v* collapse[2], *fig* downfall; relapse [of patient]; infusion [of grace]

'instromen[1] *vt* flow in, stream in, pour in (into)

instruc'teur (-s) *m* instructor, ⚔ drillsergeant; **in'structie** [-ksi.] (-s) *v* 1 instruction [=

[1] V.T. en V.D. van dit werkwoord volgens het model: **'in**ademen, V.T. ademde **'in**, V.D. **'in**geademd. Zie voor de vormen onder het grondwoord, in dit voorbeeld: *ademen*. Bij sterke en onregelmatige werkwoorden wordt u verwezen naar de lijst achterin.

teaching & direction], briefing; 2 ⚖ preliminary inquiry into the case; ~ *geven* instruct, direct [sbd.]; **instruc'tief** instructive; **instru'eren** (instrueerde, h. geïnstrueerd) *vt* 1 instruct; 2 ⚖ prepare [a case]

instru'ment (-en) *o* instrument; **instrumen'taal** instrumental; **instrumen'tarium** (-s en -taria) *o* (set of) instruments; **instrumen'tatie** [-(t)si.] (-s) *v* instrumentation; **instru'mentenbord** (-en) *o* instrument panel, dash-board; **instrumen'teren** (instrumenteerde, h. geïnstrumenteerd) *vt* instrument; **instru'mentmaker** (-s) *m* instrument-maker

'instuderen[1] *vt* practise [a sonata], study [a rôle], rehearse [a play &]; *ze zijn het stuk aan het* ~ the play is in rehearsal

'instuif (-stuiven) *m* open-house party, get-together; informal reception; **'instuiven**[1] *vi* fly in (into), rush in (into)

'instulpen (stulpte 'in, is 'ingestulpt) *vi* (v a n d a r m) invaginate

'insturen[1] *vt* 1 steer in(to); 2 send in(to)

insubordi'natie [-(t)si.] *v* (act of) insubordination

Insu'linde *o* poetical name for the former Dutch East Indies

insu'line *v* insulin

in'sult (-en) *o* ⚕ attack, fit

in'tact intact, unimpaired

'inteelt *v* inbreeding

in'tegendeel on the contrary

in'teger upright, honest, conscientious, incorruptible

inte'graal integral; **-rekening** *v* integral calculus

inte'gratie [-(t)si.] *v* integration; **inte'greren** (integreerde, h. geïntegreerd) *vt* integrate; **inte'grerend** integral

integri'teit *v* integrity

'intekenaar (-s en -naren) *m* subscriber; **'intekenbiljet** (-ten) *o* subscription form; **'intekenen**[1] *vt* subscribe [to a work]; ~ *voor 50 gulden* subscribe 50 guilders (to *op*); **'intekening** (-en) *v* subscription; **-slijst** = *intekenlijst*; **'intekenlijst** (-en) *v* subscription list; **-prijs** *m* subscription price

intel'lect *o* intellect; **intellectua'listisch** intellectualist; **intellectu'eel I** *aj* intellectual; **II** (-uelen) *m* intellectual

intelli'gent intelligent; **intelli'gentie** [-(t)si.] *v* intelligence; **-quotiënt** [-ko.ʃɛnt] (-en) *o* intelligence quotient, I.Q.; **-test** (-s) *m* intelligence test; **intelli'gentsia** *v* intelligentsia

inten'dance [ɪntɛn'dɑ̃s(ə)] (-s) *v* ⚔ Army Service Corps; **inten'dant** (-en) *m* intendant; ⚔ A.S.C. officer

in'tens intense; **inten'sief** [s = z] intensive; **intensi'teit** *v* intensity; **intensi'veren** (intensiveerde, h. geïntensiveerd) *vt* intensify; **-ring** *v* intensification

in'tentie [-(t)si.] (-s) *v* intention

intercontinen'taal intercontinental

inter'dict (-en) *o* interdict

'interen I (teerde 'in, is 'ingeteerd) *vi* eat into one's capital, live on one's fat; **II** (teerde 'in, h. 'ingeteerd) *vt 50 gulden* ~ be 50 guilders to the bad

interes'sant interesting; *het ~e* the interesting part of the case; *iets ~s* something interesting; *veel ~s* much of interest; **inte'resse** (-s) *v* interest; **interes'seren** (interesseerde, h. geïnteresseerd) **I** *vt* interest; *er (zwaar) bij geïnteresseerd* (closely, deeply) interested in it; **II** *vr zich ~ voor iem.* take an interest in sbd., interest oneself in sbd.; *zich voor iets ~* take an interest in sth., be interested in sth.; be curious about sth.; zie ook: *geïnteresseerd*

'interest (-en) *m* interest; *m e t ~ terugbetalen* return with interest[2]; ~ *o p* ~ at compound interest; *op ~ plaatsen* put out at interest; *t e g e n* ~ at interest; **-rekening** (-en) *v* 1 $ interest-account; 2 × calculation of interest

interfe'rentie [-(t)si.] *v* interference [of vibrations, waves]; **interfe'reren** (interfereerde, h. geïnterfereerd) *vi* interfere

interi'eur [ɪntəri.'ør] (-s) *o* interior

inter'kerkelijk interdenominational

inter'landwedstrijd (-en) *m* international contest (match)

inter'linie (-s) *v* (interlinear) space; lead; **interlini'ëren** (interlinieerde, h. geïnterlinieerd) *vt* space lines; lead

interlo'kaal I *aj ~ gesprek* ☏ trunk call; **II** *ad* ☏ by trunk call

inter'mezzo [-'mɛdzo.] ('s en -mezzi) *o* intermezzo[2]

intermit'terend intermittent

in'tern 1 internal [questions, affairs, medicine &]; 2 (i n w o n e n d) resident; *~e leerling* boarder; ~ *onderwijzer* resident teacher; *~e patiënt* in-patient; ~ *zijn* live in; **inter'naat** (-naten) *o* ⚭ boarding-school

internatio'naal [-(t)sjo.-] international; **Internatio'nale** *v* International(e); **internationali'seren** [s = z] (internationaliseerde, h.

[1] V.T. en V.D. van dit werkwoord volgens het model: **'in**ademen, V.T. ademde **'in**, V.D. **'in**geademd. Zie voor de vormen onder het grondwoord, in dit voorbeeld: *ademen*. Bij sterke en onregelmatige werkwoorden wordt u verwezen naar de lijst achterin.

geïnternationaliseerd) *vt* internationalize
inter'neren (interneerde, h. geïnterneerd) *vt* intern; **inter'nering** (-en) *v* internment; **–skamp** (-en) *o* internment camp
inter'nist (-en) *m* specialist in internal medicine
inter'nuntius [-(t)si.üs] (-sen en -tii) *m* internuncio
interpel'lant (-en) *m* interpellator, questioner; **interpel'latie** [-(t)si.] (-s) *v* interpellation, question; **interpel'leren** (interpelleerde, h. geïnterpelleerd) *vt* interpellate, ask a question
interplane'tair [-'tɛ:r] interplanetary
interpo'latie [-(t)si.] (-s) *v* interpolation; **interpo'leren** (interpoleerde, h. geïnterpoleerd) *vt* interpolate
interpre'tatie [-(t)si.] (-s) *v* interpretation; **interpre'teren** (interpreteerde, h. geïnterpreteerd) *vt* interpret
inter'punctie [-ksi.] *v* punctuation
interrum'peren (interrumpeerde, h. geïnterrumpeerd) *vt* interrupt; **inter'ruptie** [-psi.] (-s) *v* interruption
interstel'lair [-'lɛ:r] interstellar
'interval (-len) *o* ♩ interval
interveni'ënt (-en) *m* intervener; $ acceptor for honour; **interveni'ëren** (intervenieerde, h. geïntervenieerd) *vi* intervene; **inter'ventie** [-(t)si.] (-s) *v* intervention
inter'view [-'vju.] (-s) *o* interview; **inter'viewen** (interviewde, h. geïnterviewd) *vt* interview; **–er** (-s) *m* interviewer
interzo'naal interzonal
in'tiem I *aj* intimate; *~e bijzonderheden* inner details; *zij zijn zeer ~ (met elkaar)* they are on very intimate terms; **II** *ad* intimately
in'tijds in good time (season)
intimi'datie [-(t)si.] (-s) *v* intimidation; **intimi'deren** (intimideerde, h. geïntimideerd) *vt* intimidate, browbeat, cow
intimi'teit (-en) *v* intimacy
'intocht (-en) *m* entry; *zijn ~ houden* make one's entry
intole'rantie [-(t)si.] *v* intolerance
'intomen[1] *vt* curb, rein in [one's horse]; *fig* check, restrain
into'natie [-(t)si.] (-s) *v* intonation; **into'neren** (intoneerde, h. geïntoneerd) *vt* intone
intoxi'catie [-(t)si.] (-s) *v* intoxication, poisoning
intransi'tief [s = z] intransitive
'intrappen I (trapte 'in, h. 'ingetrapt) *vt* kick in (open); *een open deur ~* force an open door; **II** *vi* (trapte 'in, is 'ingetrapt) *ergens ~* [*fig*] fall for a trick, walk into a trap
'intrede *v* entrance, entry; beginning [of winter]; **'intreden**[1] *vi* enter; set in [of thaw]; fall [of silence]; *zijn ...ste jaar ~* enter upon one's ...th year; *de dood is onmiddellijk ingetreden* death was instantaneous; **'intree** = *intrede*; **–rede** (-s) *v* inaugural speech (address), maiden speech
'intrek *m zijn ~ nemen* put up at [a hotel], take up one's abode [somewhere]; **in'trekbaar** retractable; **'intrekken**[1] **I** *vt* 1 draw in, retract[2] [claws, horns &]; *fig* withdraw [a grant, a sanction, money], retire [notes, bonds]; revoke [a decree], cancel [a permission]; 2 march into [a town]; **II** *vi* move in [into a house]; zie ook: *zijn intrek nemen*; **–king** *v* withdrawal, cancellation, revocation, retractation
'intrest(-) = *interest(-)*
intri'gant(e) (-en) *m(-v)* intriguer, schemer, plotter, wire-puller; **in'trige** [-ʒə] (-s) *v* 1 intrigue; 2 plot [of a drama]; **intri'geren** (intrigeerde, h. geïntrigeerd) **I** *vi* intrigue, plot, scheme; **II** *vt dat intrigeert mij* that's what puzzles me
intrin'siek intrinsic(al)
introdu'cé (-s) *m* guest; **introdu'ceren** (introduceerde, h. geïntroduceerd) *vt* introduce; **intro'ductie** [-ksi.] (-s) *v* introduction
intro'vert (-en) *m* (& *aj*) introvert
intu'ïtie [Inty.'i.(t)si.] (-s) *v* intuition; **intuï'tief** intuitive
in'tussen 1 meanwhile, in the meantime; 2 (t o c h) yet
inun'datie [-(t)si.] (-s) *v* inundation; **inun'deren** (inundeerde, h. geïnundeerd) *vt* inundate
'inval (-len) *m* 1 invasion [of a country], irruption, incursion [into a place], [police] raid [on a café]; 2 fancy, sally of wit; *een dwaze ~* a whimsy; *een gelukkige ~* a happy thought; *een idiote ~* a brain-storm, a crazy idea; *wonderlijke ~* freak, whim; *het is daar de zoete ~* they keep open house there; *ik kwam op de ~* it occurred to me, the thought flashed upon me; *een ~ doen in* invade [a country]; raid [a café]
inva'lide I *aj* invalid, disabled [soldier]; **II** (-n) *m-v* invalid, disabled soldier; **inva'lidenwagentje** (-s) *o* invalid chair, invalid vehicle; **invalidi'teit** *v* disablement, disability; **invalidi'teitsrente** (-n en -s) *v* disability pension; **–uitkering** (-en) *v* disability benefit; **–wet** (-ten) *v* disability insurance act, disabled

[1] V.T. en V.D. van dit werkwoord volgens het model: **'inademen**, V.T. ademde **'in**, V.D. **'ingeademd**. Zie voor de vormen onder het grondwoord, in dit voorbeeld: *ademen*. Bij sterke en onregelmatige werkwoorden wordt u verwezen naar de lijst achterin.

pensions act
'invallen[1] *vi* 1 (v. huis) collapse, tumble down, fall in; 2 (v. licht) fall; 3 (v. nacht) fall; 4 (v. vorst &) set in; 5 ♪ join in; 6 (bij spel, in het gesprek) cut in; 7 (in dienst) deputize; substitute; 8 (van gedachten) come into one's head; 9 (van wangen) fall in; *het viel mij in* it occurred to me, the thought flashed upon me; *het wou mij niet ~* I could not hit upon it, I could not remember it; *~ in een land* invade a country; *~ voor een collega* substitute for a colleague; *bij ~de duisternis* at dark; *~de lichtstralen* incident rays; **-er** (-s) *m* 1 (vervanger) substitute, *sp* deputizer, reserve, stand-in; 2 (in een land) invader; **'invalshoek** (-en) *m* angle of incidence; **-weg** (-en) *m* access road, approach road
'invaren[1] *vi* sail in (into)
in'vasie [s = z] (-s) *v* invasion
inven'taris (-sen) *m* inventory; *de ~ opmaken* draw up an inventory, take stock; **inventari'satie** [-'za.(t)si.] *v* stock-taking; **inventari'seren** (inventariseerde, h. geïnventariseerd) *vt* draw up an inventory of, take stock of; **inven'tarisuitverkoop** *m* stock-taking sale
inven'tief inventive, ingenious; **inventivi'teit** *v* inventiveness
in'versie [s = z] (-s) *v* inversion
inves'teren (investeerde, h. geïnvesteerd) *vt* $ invest; **inves'tering** (-en) *v* $ investment; **-saftrek** *m* investment allowance
investi'tuur *v* investiture
'invetten (vette 'in, h. 'ingevet) *vt* grease, oil
invi'tatie [-(t)si.] (-s) *v* invitation; **-kaart** (-en) *v* invitation card; **in'vite** [-'vi.t] (-s) *v* ◊ call (for trumps), lead; **invi'té** [ẽ-] (-s) *m* guest; **invi'teren** (inviteerde, h. geïnviteerd) *vt* invite [to dinner &]
'invlechten[1] *vt* plait in, intertwine; entwine; *fig* put in, insert [a few remarks]
'invliegen[1] **I** *vi* fly into; fly in; *er ~* [*fig*] be caught, walk into the trap; **II** *vt* ✈ test [a machine]; **-er** (-s) *m* ✈ test pilot
'invloed (-en) *m* influence; **F** pull; effect [of the war, of the slump], impact [of the war, of western civilization &]; *zijn ~ bij* his influence with; *zijn ~ aanwenden bij* use one's influence with; *~ hebben op* 1 have an influence upon (over), have a hold on; 2 affect [the results]; *~ uitoefenen* exercise (an) influence; *onder de ~ staan van* be influenced by; *onder de ~ zijn van* be under the influence of; *onder de ~ van sterke drank* under the influence of drink; **-rijk** influential; **'invloedssfeer** (-sferen) *v* sphere of influence
'invochten (vochtte 'in, h. 'ingevocht) *vt* damp [the washing]
'invoegen[1] *vt* put in, insert, intercalate; *vi* (bij autorijden) filter in; **-ging** (-en) *v*, **'invoegsel** (-s en -en) *o* insertion
'invoer (-en) *m* import; importation; (de goederen) imports; *de ~ verlagen en de uitvoer verhogen* reduce imports and increase exports; **-artikel** (-en) *o* article of import, importation; *~en* ook: imports; **'invoeren**[1] *vt* 1 $ import; 2 introduce; **'invoerhandel** *m* import trade; **-haven** (-s) *v* import harbour; **'invoering** *v* introduction; **'invoerpremie** (-s) *v* bounty on importation; **-rechten** *mv* import duties; **-stop** (-s) *m* import ban, suspension of imports; **-verbod** (-verboden) *o* import prohibition, import embargo (ban); **-vergunning** (-en) *v* import licence
'invorderen[1] *vt* collect [money]; **-ring** (-en) *v* collection
'invreten (vrat 'in, is 'ingevreten) *vi* eat into, corrode; *~d* corrosive; **-ting** *v* corrosion
'invriezen[1] **I** *vi* be frozen in; **II** *vt* quick-freeze, deep-freeze
in'vrijheidstelling *v* liberation, release
'invulbiljet (-ten), **-formulier** (-en) *o* blank form; **'invullen**[1] *vt* fill up [a ballot-paper]; fill in [a cheque &]; *een formulier ~* complete a form; **-ling** (-en) *v* filling up, filling in, completion [of a form]
'inwaarts I *aj* inward; **II** *ad* inward(s)
'inwachten[1] *vt* await [a reply]; *sollicitaties worden ingewacht* applications are invited
in'wendig I *aj* inward, interior, internal [parts]; inner [man]; home [mission]; *voor ~ gebruik* to be taken interiorly (inwardly); **II** *ad* inwardly, internally; on the inside; **III** *o het ~e* the interior (part, parts)
'inwerken[1] **I** *vi ~ op* act (operate) upon, affect, influence; *op elkaar ~* interact; *op zich laten ~* absorb; **II** *vr zich ~* post oneself (thoroughly) up, work one's way in; read up [on a subject]; **III** *vt* break in [sbd.]; **-king** (-en) *v* action, influence
in'werkingtreding *v* coming into force
'inwerpen[1] *vt* throw in, smash [a window]
'inweven[1] *vt* weave in, interweave
'inwijden[1] *vt* consecrate [a church]; inaugurate [a building]; initiate [adepts]; (voor het eerst gebruiken) **F** break in; *iem. in het*

[1] V.T. en V.D. van dit werkwoord volgens het model: **'in**ademen, V.T. ademde **'in**, V.D. **'inge**ademd. Zie voor de vormen onder het grondwoord, in dit voorbeeld: *ademen*. Bij sterke en onregelmatige werkwoorden wordt u verwezen naar de lijst achterin.

geheim ~ initiate sbd. in(to) the secret, let sbd. in on the secret; **–ding** (-en) *v* consecration [of church &]; inauguration [of a public building &]; initiation [of adepts]
'inwikkelen[1] *vt* wrap (up)
'inwilligen (willigde 'in, h. 'ingewilligd) *vt* grant; **–ging** (-en) *v* granting
'inwinnen[1] *vt inlichtingen* ~ (*omtrent*) gather information, make inquiries (about), apply for information; inquire (of *bij*); zie ook: *raad*
in'wisselbaar exchangeable [for]; convertible [into]; **'inwisselen**[1] *vt* change, convert [foreign currency]; collect, cash in [a cheque]; ~ *voor* exchange for; **–ling** (-en) *v* changing, (ex)change
'inwonen[1] *vi* live in, (van kinderen) live at home; ~ *bij* live (lodge) with; ~*d geneesheer* house-physician, resident physician (surgeon); *een* ~*d onderwijzer* a resident master; **–er** (-s) *m* inhabitant, resident; (huurder) lodger; **'inwoning** *v* 1 lodging; 2 (door woningtekort) sharing of a house; *plaats van* ~ place of residence; zie ook: *kost*
'inworp (-en) *m sp* throw-in
'inwortelen[1] *vi* take root, become deeply rooted
'inwrijven[1] *vt* rub in(to), rub
inz. = *inzonderheid*
'inzaaien[1] *vt* sow
'inzage *v* inspection; ~ *nemen van* inspect, examine [reports &]; *ter* ~ on approval [of books &]; open to inspection [of letters]; *de stukken liggen ter* ~ *ten kantore van...* the reports may be seen at the office of...
in'zake in the matter of, on the subject of, re [your letter], concerning, [crisis] over [Korea &]
'inzakken[1] *vi* sink down, sag, collapse
'inzamelen[1] *vt* collect, gather, ⊙ garner; **–ling** (-en) *v* collection, gathering; *een* ~ *houden* make a collection
'inzegenen[1] *vt* bless, consecrate; **–ning** (-en) *v* blessing, consecration
'inzeilen[1] *vi* sail into, enter [the harbour]
'inzenden[1] *vt* send in; **–er** (-s) *m* contributor, writer [of a letter to the editor]; sender; exhibitor [for an exposition]; **'inzending** (-en) *v* exhibit [for a show]; contribution [to a periodical]; entry [for a competition]; sending in
'inzepen[1] *vt* soap [before washing], lather [before shaving]
'inzet (-ten) *m* 1 stake, stakes [in games]; 2 upset price [at auction]; 3 ♪ start; 4 *fig* employment [of troops, workmen]; devoting [of one's life to a cause], devotion; **–stuk** (-ken) *o* ⚒ insert; **'inzetten**[1] **I** *vt* set in [the sleeves of a frock]; put in [window-panes &]; insert [a piston &]; set [diamonds &]; stake [money at cards &]; start [a house at auction for...]; ♪ start [a hymn]; launch [an attack]; *fig* employ [troops, workmen]; devote [one's energies, one's life, oneself to one's country &]; **II** *vi* & *va* 1 ♪ begin to play (to sing &), strike up; 2 *sp* put down one's stake(s), stake one's money, stake [heavily]; *de zomer zet goed in* summer starts well; **–er** (-s) *m* first bidder
'inzicht (-en) *o* 1 (begrip) insight; 2 (mening) view; 3 (beoordeling) judg(e)ment, opinion; *naar mijn* ~ in my view; *naar zijn* ~*(en) handelen* act according to one's (own) views; **'inzien**[1] **I** *vt* look into, glance over [a newspaper, a letter], skim [a book]; see, realize [the danger, one's error]; *het ernstig* (*optimistisch*) ~ take a grave (an optimistic) view of things; **II** *o bij nader* ~ on reflection, on second thoughts; *mijns* ~*s* in my opinion (view), to my thinking
'inzinken[1] *vi* sink[2] (down); *fig* decline; **–king** (-en) *v* sinking, decline; ⚕ (wederinstorting) relapse; *ps* [mental, nervous] breakdown
'inzitten[1] *vi ik zit er erg mee in* I am in an awful fix; *hij zit er niets mee in* he doesn't bother about that; *hij zat er over in* he was worried about it; *er warmpjes in zitten* be comfortably off; zie ook: *dik* **II**; **in'zittenden** *mv de* ~ the occupants
'inzoet intensely sweet
in'zonderheid especially
'inzouten[1] *vt* salt
'inzuigen[1] *vt* suck in, suck up, imbibe
'inzwachtelen[1] *vt* swathe, bandage
i'on (ionen) *o* ion; **i'onentheorie** *v* ionic theory; **ioni'satie** [-'za.(t)si.] *v* ionization; **ioni'seren** (ioniseerde, h. geïoniseerd) *vt* ionize; **iono'sfeer** *v* ionosphere
i.p.v. = *in plaats van* instead of
Ir. = *ingenieur*
I'raaks Iraqi
I'raans Iranian
I'rak *o* Iraq; **Ira'kees** (-kezen) *m* Iraqi
I'ran [i.'ran, i.'ra.n] *o* Iran; **I'raniër** (-s) *m* Iranian
'iris (-sen) *v* iris
iro'nie *v* irony; **i'ronisch** ironical, wry
irratio'neel [-(t)si.-] irrational
irre'ëel [Ire.'e.l] unreal
irrele'vant irrelevant, not to the point

[1] V.T. en V.D. van dit werkwoord volgens het model: '**in**ademen, V.T. ademde '**in**, V.D. '**in**geademd. Zie voor de vormen onder het grondwoord, in dit voorbeeld: *ademen*. Bij sterke en onregelmatige werkwoorden wordt u verwezen naar de lijst achterin.

irri'gatie [-(t)si.] (-s) *v* irrigation; **irri'gator** (-s en -'toren) *m* irrigator; ⚕ douche, syringe; **irri'geren** (irrigeerde, h. geïrrigeerd) *vt* & *va* irrigate

irri'tant irritating; *fig* galling; **irri'tatie** [-(t)si.] (-s) *v* irritation; **irri'teren** (irriteerde, h. geïrriteerd) *vt* irritate

is 3de pers. enkelv. tegenwoordige tijd v. *zijn*

'ischias *v* sciatica

is'lam [-'la.m] *m de* ~ Islam; **isla'miet** (-en) *m* Islamite; **isla'mitisch** Islamitic, Islamic

'isme (-n en -s) *o* ism

iso'baar [s = z] (-baren) *m* isobar

iso'latie [i.zo.'la.(t)si.] (-s) *v* 1 isolation; 2 ⚡ insulation; **-band, -lint** (-en) *o* insulating tape; **-materiaal** *o* insulating material, insulant; lagging; **iso'lator** (-s en -'toren) *m* insulator; **isole'ment** *o* isolation; **iso'leren** (isoleerde, h. geïsoleerd) *vt* 1 isolate; 2 ⚡ insulate; **-ring** (-en) *v* 1 isolation; 2 ⚡ insulation

iso'therm [s = z] (-en) *m* isotherm

iso'toop [s = z] (-topen) *m* isotope

'Israël *o* Israel; **Isra'ëli** ('s) *m* Israeli; **Israë'liet** (-en) *m* Israelite; **Isra'ëlisch** Israeli; **Israë'litisch** Israelitish

Itali'aan (-ianen) *m* Italian; **-s I** *aj* Italian; **II** *o het* ~ Italian; **III** *v een* ~*e* an Italian woman (lady); **I'talië** *o* Italy

i.v.m. = *in verband met* in connection with

i'voor (ivoren) *m* & *o* ivory; **I'voorkust** *v* Ivory Coast; **i'voren** ivory

I'wriet *o* (modern) Hebrew

J

j [je.] ['s] *v* j
ja I *ad* 1 yes; 2 (v e r s t e r k e n d) indeed, ⊙ nay, ⸸ yea; 3 (a a r z e l e n d) m-yes; ~, ~*!* yes, yes!, well, well!; *is hij uit?, ik meen (van)* ~ did he got out? I think he did; has he gone out? I think he has; ~ *zeggen* say yes [to life]; *hij zei van* ~ he said yes; *op alles* ~ *en amen zeggen* say yes and amen to everything; *met* ~ *beantwoorden* answer in the affirmative; **II** ('s) *o* yes
'jaaglijn (-en) *v* towing-line; **–pad** (-paden) *o* tow-path; **–schuit** (-en) *v* tow-boat
jaap (japen) *m* cut, gash, slash
jaar (jaren) *o* year; *het* ~ *onzes Heren* the year of our Lord, the year of grace; *de jaren dertig, veertig* & the thirties, the forties; *nog vele jaren na dezen!* many happy returns of the day!; *de jaren nog niet hebben om...* not be old enough to...; *eens of tweemaal 's* ~*s* once or twice a year; *het hele* ~ *door* all the year round, throughout the year; *de laatste jaren* of late years, in recent years; ● *i n het* ~ *nul* in the year one; *in het begin van het* ~ at the turn of the year; ~ *in* ~ *uit* year in year out; *m e t de jaren* with the years; *n a* ~ *en dag* after many years; *o m het andere* ~ every other year; ~ *o p* ~ year by year; *op jaren komen* be getting on in years; *op jaren zijn* be well on in years; *o v e r een* ~ in a year; *vandaag over een* ~ this day twelvemonth; *p e r* ~ per annum; *eens per* ~ once a year; *s i n d s* ~ *en dag* for years and years; *v a n* ~ *tot* ~ from year's end to year's end; every year; *een jongen van mijn jaren* a boy my age; **–beurs** (-beurzen) *v* industries fair, trade fair, [Leipzig &] fair; **–boek** (-en) *o* year-book, annual; ~*en* annals; **–cijfers** *mv* annual returns; **–club** (-s) *v* fraternity whose members came up in the same year; **–feest** (-en) *o* annual feast, anniversary; **–gang** (-en) *m* 1 (annual) volume [of a periodical]; 2 vintage [of wine]; **–geld** (-en) *o* 1 pension; 2 annuity; **–genoot** (-noten) *m* someone of the same age as oneself; fellow-student who came up the same year as oneself; **–getij(de)** (-tijden) *o* season; **–kring** (-en) *m* 1 annual cycle [in almanac]; 2 ♣ annual ring [of a tree]; **–lijks I** *aj* yearly, annual; **II** *ad* yearly, annually, every year; **–loon** (-lonen) *o* (annual) salary; **–markt** (-en) *v* (annual) fair; **–rekening** (-en) *v* annual account; **–salaris** *o* annual (yearly) salary; **–stukken** *mv* annual accounts; **–tal** (-len) *o* year [in chronology], date; **–telling** (-en) *v* era; **–vergadering** (-en) *v* annual meeting; **–verslag** (-verslagen) *o* annual report; **–wedde** (-n) *v* (annual) salary; **–wisseling** *v* turn of the year; *bij de* ~ at the turn of the year
ja'bot [ʒa.'bo.] (-s) *m* & *o* jabot, frill
'jabroer (-s) *m* **F** yes-man
1 jacht (-en) *v* hun(ting), shooting, chase; pursuit²; ~ *maken op* hunt [elephants &]; give chase to [a ship], be in pursuit of²; ~ *maken op effect* strain after effect; *op (de)* ~ *gaan* go (out) shooting (hunting); *op* ~ *naar* on the hunt for
2 jacht (-en) *o* ⚓ yacht
'jachtakte (-n en -s) *v* shooting-licence, game-licence; **–bommenwerper** (-s) *m* ✈ fighter-bomber; **–buks** (-en) *v* hunting-rifle; **'jachten** (jachtte, h. gejacht) *vt* & *vi* hurry, hustle; **'jachtgeweer** (-weren) *o* (sporting-)gun; **–grond** (-en) *m* hunting-ground; **–haven** (-s) *v* marina; **–hond** (-en) *m* sporting-dog, hound; **–hoorn** (-s), **–horen** (-s) *m* hunting-horn; **–huis** (-huizen) *o* hunting-lodge, hunting-box; **–ig** hurried, hasty, hard-pressed; **–luipaard** (-en) *o* cheetah; **–opziener** (-s) *m* gamekeeper; **–paard** (-en) *o* hunter; **–partij** (-en) *v* 1 hunting-party, hunt; 2 shooting-party, shoot; **–recht** *o* shooting-rights; **–schotel** *m* & *v* hotpot; **–slot** (-sloten) *o* hunting lodge (seat); **–stoet** (-en) *m* hunting-party; **–terrein** (-en) *o* = *jachtveld*; **–tijd** (-en) *m* shooting-season; **–veld** (-en) *o* hunting-field, hunting-ground; *eeuwige* ~*en* happy hunting-grounds; *particulier* ~ preserve; **–vlieger** (-s) *m* ✈ fighter pilot; **–vliegtuig** (-en) *o* ✈ fighter; **–wet** (-wetten) *v* game-act
'jacketkroon ['dʒækit-] (-kronen) *v* jacket crown
jac'quet [ʒa'kɛt] (-s en -ten) *o* & *v* morning-coat, cut-away (coat)
'jaeger ['je.gər] Jaeger; ~ *ondergoed* Jaeger (woollen) underclothes
'jagen* I *vt* 1 hunt [wild animals, game]; shoot [hares, game]; chase [deer &]; 2 *fig* drive, hurry on [one's servants &]; *zich een kogel d o o r het hoofd* ~ put a bullet through one's head; *iets e r d o o r jagen* rush sth. through; *de vijanden u i t het land* ~ drive the enemy out of the country; **II** *va* & *vi* 1 hunt, shoot; 2 race, rush, tear; *de* ~*de wolken* the scudding clouds; ~ *n a a r eer* hunt after honours; ~ *o p hazen* hunt the hare; zie ook: *lijf, vlucht* &; **'jager** (-s) *m* 1 hunter, sportsman; 2 ⚔ rifleman; 3 ✈ fighter; 4 driver of a towing-horse; *de* ~*s* ⚔ ook: the Rifles; **–meester** (-s) *m* huntsman; zie ook: *opper-*

jager(meester); **'jagerslatijn** *o* tall story (stories); **–taal** *v* sportsman's language; **–tas** (-tassen) *v* game-bag
'jaguar ['ja.gu.ɑr] (-s) *m* jaguar
'jajem ['ja.jəm] *m* S Dutch gin
1 jak (-ken) *o* jacket
2 jak (-ken) *m* 🐄 yak
'jakhals (-halzen) *m* 🐄 jackal
'jakkeren (jakkerde, h. gejakkerd) *vi* tear (along), race, drive furiously
'jakkes! *ij* faugh!, bah!
'jaknikker (-s) *m* 1 (j a b r o e r) **F** yes-man; 2 ⚒ (p o m p) nodding donkey
jako'bijn (-en) *m*, **jako'bijns** *aj* Jacobin
'jakobsladder (-s) *v* Jacob's ladder; bucket chain
ja'loers jealous, envious (of *op*); *iem. ~ maken* **F** put sbd.'s nose out of joint; **–heid** (-heden) *v* jealousy; **jaloe'zie** [ʒa.-] (-zieën) *v* 1 (j a l o e r s h e i d) jealousy; 2 (b l i n d) Venetian blind, (sun-)blind
jam [ʒɛm] *m* & *v* jam
'jambe (-n) *v* iambus, iamb; **'jambisch** iambic
'jammer (-en) *o* & *m* misery; *het is ~* it is a pity; *het is eeuwig ~* it is a thousand pities; *ik vind het ~ (dat)* I regret, I'm sorry; *hoe ~!, wat ~!* what a pity!, what a shame!; **'jammeren** (jammerde, h. gejammerd) *vi* lament, wail; **'jammerhout** (-en) *o* **F** fiddle; **–klacht** (-en) *v* lamentation; **–lijk I** *aj* miserable, pitiable, piteous, pitiful, woeful, wretched; **II** *ad* miserably, piteously, woefully, wretchedly
'jampot ['ʒɛmpɔt] (-ten) *m* jam-jar, jam-pot
Jan *m* John; *~ (en) alleman* all the world and his wife, Jack Everybody; *~ Compagnie* John Company; *~ Klaassen* merry-andrew, Jack Pudding; *~ Klaassen en Katrijn* Punch and Judy; *~, Piet en Klaas* Tom, Dick, and Harry; *~ Rap en zijn maat* ragtag and bobtail; *~ zonder Land* John Lackland; *~ zonder Vrees* John the Fearless; *boven ~ zijn* have got round the corner; **'janboel** *m* muddle, mess; **janboeren-'fluitjes** *op z'n ~* in a slipshod way, in a happy-go-lucky way; **jan'hagel** 1 *o* rabble; 2 *m* kind of biscuit; **jan'hen** (-nen) *m* = *keukenpiet*
'janken (jankte, h. gejankt) *vi* yelp, whine, squeal
jan'klaassen *m* (g e k h e i d) tomfoolery; (d r u k t e) fuss; zie ook: *Jan*; **–spel** (-len) *o* Punch and Judy show
'janmaat (-s) *m* **F** Jack, Jack-tar; **janple'zier** (-en en -s) *m* char-à-banc, charabanc; **jan'salie** (-s) *m* stick-in-the-mud; **'Jantje** *o* **F** Johnnie, Jack; *de j~s* ⚓ the bluejackets; *zich met een j~-van-leiden van iets afmaken* shirk the difficulty; *een ~ Sekuur* a punctilious fellow
janu'ari *m* January
jan-van-'gent (-s) *m* gannet
Ja'pan *o* Japan; **Ja'panner** (-s) *m* Japanese, **F** Jap, *mv* Japanese; **Ja'pans I** *aj* Japanese; **II** *o het ~* Japanese
'japen (jaapte, h. gejaapt) *vt* gash, slash
ja'pon (-nen en -s) *m* dress, gown; **–stof** (-fen) *v* dress material
'jarenlang I *aj* of years, of many years' standing; **II** *ad* for years (together)
jar'gon (-s) *o* jargon
'jarig I *aj* a year old; *zij is vandaag ~* it is her birthday to-day; **II** *m-v de ~e* the person celebrating his (her) birthday
jarre'tel(le) [ʒɑrə'tɛl] (-s) *v* suspender; **–gordel** (-s) *m* suspender-belt
jas (-sen) *m* & *v* coat; (j a s j e) jacket; **–beschermer** (-s) *m* dress guard
jas'mijn (-en) *v* 1 jasmine, jessamine; 2 mock-orange
'jaspanden *mv* coat-tails
'jaspis (-sen) *m* & *o* jasper
'jasschort (-en) *v* & *o* overall, dust-coat
'jassen (jaste, h. gejast) *vt* peel [potatoes]; *piepers ~* **F** bash spuds
'jasses = *jakkes*
'jaszak (-ken) *m* coat-pocket
jat (-ten) *v* **S** *~ten* hands, paws; **'jatten** (jatte, h. gejat) *vt* **S** pinch, swipe
Ja'vaan (-vanen) *m* Javanese, *mv* Javanese; **–s I** *aj* Javanese; **II** *o het ~* Javanese; **III** *v een ~e* a Javanese woman
ja'wel yes; indeed
'jawoord *o* consent, yes; *het ~ geven* say yes
jazz [dʒɛs] *m* jazz; **–band** (-s) *m* jazzband
je I *pers. vnmw.* you; **II** *bez. vnmw.* your; *dat is ~ van hèt* that's absolutely it, it's the thing
jee! [je.] *ij* oh dear!
'jegens *prep* towards, to; [honest] with
Je'hova *m* Jehovah; *~'s getuigen* Jehovah's Witnesses
'jekker (-s) *m* jacket
je'lui = *jullie*
'Jemen *o* (the) Yemen
je'never *m* gin, Hollands, geneva; **–bes** (-sen) *v* juniper berry; **–neus** (-neuzen) *m* bottle-nose; **–stokerij** (-en) *v* gin-distillery
'jengelen (jengelde, h. gejengeld) *vi* whine
'jennen (jende, h. gejend) *vt* **F** needle, tease
jeremi'ade (-s en -n) *v* jeremiad; **jeremi'ëren** (jeremieerde, h. gejeremieerd) *vi* lament
jeugd *v* youth; *tweede ~* **F** Indian summer; **–beweging** (-en) *v* youth movement; **–criminaliteit** *v* juvenile delinquency; **–herberg** (-en) *v* youth hostel; *~vader* youth hosteller; **'jeugdig** youthful; **–heid** *v* youthfulness, youth; **'jeugdleider** (-s) *m* youth leader,

leader of a youthgroup; **–organisatie** [-(t)si.] (-s) *v* youth organization; **'jeugdportret** (-ten) *o* youth portrait; **–puistjes** *mv* acne, pimples; **–sentiment** *o* nostalgia for one's youth; **–verkeersbrigade** (-s) *v* school safety patrol [in U.S.A.], school crossing patrol [in Britain]; **–verkeersbrigadiertje** (-s) *o* patrol member; **–vriend** (-en) *m*, **–vriendin** (-nen) *v* childhood friend, old friend; **–werk** (-en) *o* (v a n k u n s t e n a a r) early work; (i n v e r e n i g i n g s v e r b a n d) youth welfare (work); **–zonde** (-n) *v* youthful transgression (indiscretion)
'jeuig ['ʒø.əx] = *sjeuig*
jeuk *m* itching, itch, pruritus; **'jeuken** (jeukte, h. gejeukt) *vi* itch; *de handen jeukten mij (om)* I was itching (to); *mijn maag jeukt* I feel peckish; **'jeukerig** itchy, itching
jeune pre'mier [ʒœ:n prə'mje:] (jeunes premiers) *m* juvenile (lead)
jezu'ïet (-en) *m* Jesuit; **–enorde** *v* order of Jesuits
'Jezus *m* Jesus; ~ *Christus* Jesus Christ
Jhr. = *jonkheer*
jicht *v* gout; **–ig** gouty; **–knobbel** (-s) *m* chalk-stone; **–lijder** (-s) *m* gouty sufferer (patient); **–pijnen** *mv* gouty pains
'Jiddisch ['jɪdi.ʃ] *o* Yiddish
jij you; **'jijbak** (-ken) *m dat is een* ~ **F** that's stealing sbd.'s thunder; **'jijen** (jijde, h. gejijd) *vt* ~ *en jouwen* behave (speak) (over)familiarly [towards]
jioe-'jitsoe *o* jiu-jitsu
Jkvr. = *jonkvrouw* 2
jl. = *jongstleden*
'jobstijding (-en) *v* (piece of) bad news
joch, 'jochie (-s) *o* **F** boy, kid, sonny
'jockey ['dʒɔki.] (-s) *m* jockey
'jodelen (jodelde, h. gejodeld) *vi* & *vt* yodel
'jodenbuurt (-en) *v* Jewish quarter, Jews' quarter; **–dom** *o* 1 (d e l e e r) Judaism; 2 (d e j o d e n) Jews, Jewry; **–vervolging** (-en) *v* persecution of the Jews, Jew-baiting
jo'dide (-n) *o* iodide
jo'din (-nen) *v* Jewess
'jodium *o* iodine; **–tinctuur** *v* tincture of iodine
jodo'form *o* iodoform
joeg (joegen) V.T. van *jagen*
Joego'slaaf (-slaven) *m* Yugoslav; **Joego'slavië** *o* Yugoslavia; **Joego'slavisch** Yugoslav
'joelen (joelde, h. gejoeld) *vi* shout
'jofel fine, splendid, capital, topping
johan'nieter (-s) *m* Knight of St. John
'jokkebrok (-ken) *m-v* fibber, story-teller; **'jokken** (jokte, h, gejokt) *vi* fib, tell fibs, tell stories; **'jokkentje** (-s) *o* fib, story, white lie; **jokker'nij** (-en) *v* joke, jest
jol (-len) *v* 1 yawl, jolly-boat; 2 (k l e i n e r e) dinghy
'jolig jolly, merry; **–heid** *v* jollity; **jo'lijt** *v* & *o* fun, frolics
'jonassen (jonaste, h. gejonast) *vt* toss [a person] in a blanket
jong I *aj* young; ~*e kaas* new cheese; *van* ~*e datum* of recent date; *de* ~*ste berichten* the latest news; *de* ~*ste gebeurtenissen* recent events; *de* ~*ste oorlog* the late war; ~*ste vennoot* junior partner; **II** *o* young one, [wolf's, bear's &] cub; *de* ~*en* the young ones, the young of...; ~*en krijgen (werpen)* litter; **'jonge** *m* (j e n e v e r) Hollands; **jonge'dame** (-s) *v* young lady; **–'dochter** (-s) *v* 1 girl; 2 spinster; **–'heer** (-heren) *m* young gentleman; **–'juffrouw** (-en) *v* young lady; *een oude* ~ an old maid; **'jongeling** (-en) *m* young man, youth, lad; **jonge'lui** *mv* young people; **–'man** (-nen) *m* young man
1 'jongen (-s) *m* 1 boy, lad; 2 (v r i j e r) boyfriend, sweetheart; ~, ~*!* dear, dear!, oh dear!; *ouwe* ~*!* old boy!; *zware* ~ **F** tough (guy)
2 'jongen (jongde, h. gejongd) *vi* bring forth young (ones), litter, kitten [of cat], pup, whelp [of dog], kid [of goat], calve [of cow], foal [of mare], yean, lamb [of ewe], fawn [of deer], whelp [of lion], pig [of sow]
'jongensachtig boyish; **–gek** (-ken) *v* girl fond of boys; **–jaren** *mv* (years of) boyhood; **–kop** (-pen) *m* (k a p s e l) Eton crop; **–school** (-scholen) *v* boys' school; **–streek** (-streken) *m* & *v* boyish trick
'jonger I *aj* younger, junior; *twee jaar* ~ *dan hij (zij)* ook: two years his (her) junior; **II** *mv de* ~*en* the younger generation; *de* ~*en van Jezus* Jesus' disciples
'jongetje (-s) *o* little boy
jongge'borene (-n) *m-v* new-born baby; **–ge'huwden** *mv de* ~ the newly married couple, **F** the newly-weds; **–ge'zel** (-len) *m* bachelor, single man
jong'leren (jongleerde, h. gejongleerd) *vi* juggle; **jong'leur** (-s) *m* juggler
jong'maatje (-s) *o* 1 apprentice; 2 shipboy; **jong'mens** (jonge'lieden, jonge'lui) *o* young man
jongs *van* ~ *af* from one's childhood up; *ik ken hem van* ~ *af* I know him man and boy
jongst'leden last; *de 12de maart* ~ on March 12th last
jonk (-en) *m* ⚓ junk
'jonker (-s) *m* (young) nobleman; (country-) squire; **'jonkheer** (-heren) *m* "jonkheer"; **'jonkvrouw** (-en) *v* 1 maid; 2 (f r e u l e) honourable miss (lady); **jonk'vrouwelijk** maidenlike, maiden(ish), maidenly

1 jood (joden) *m* Jew
2 jood *o* (j o d i u m) iodine; **–'kali** *m* potassium iodide
Joods 1 Jewish [life &]; 2 Judaic [law]
jool *m* fun, frolic, jollity, jollification; ⚭ [students'] rag
Joost *m dat mag ~ weten* goodness knows
Jor'daan *m de ~* the (river) Jordan; **–s** Jordanian; **Jor'danië** *o* Jordan; **–r** (-s) *m* Jordanian
'Joris *m* George; *~ Goedbloed* **F** softy, nincompoop
'jota ('s) *v* iota
jou you; *is het van ~?* is it yours?; *van heb ik ~ daar* immense, enormous
jour [ʒu:r] (-s) *m* at-home day, at-home; *~ houden* be at home, receive
jour'naal [ʒu:r'na.l] (-nalen) *o* 1 journal [ook $]; 2 ⚓ logbook; 3 (f i l m) newsreel; **journali'seren** [s = z] (journaliseerde, h. gejournaliseerd) *vt* $ journalize; **journa'list** (-en) *m* journalist, newspaperman, pressman; **F** newshawk; **journalis'tiek I** *v* journalism; **II** *aj* journalistic
jouw your
'jouwen (jouwde, h. gejouwd) *vi* hoot, boo
jovi'aal genial; *joviale kerel* **F** blade; **joviali'teit** *v* geniality, bonhomie
'Jozef *m* Joseph[2]; *de ware ~* Mr Right
jr. = *junior*
'jubelen (jubelde, h. gejubeld) *vi* jubilate, be jubilant, exult; *~ van vreugde* shout for joy; **'jubelfeest** (-en) *o* jubilee; **–jaar** (-jaren) *o* jubilee year; **–kreet** (-kreten) *m* shout of joy; **–zang** (-en) *m* paean
jubi'laris (-sen) *m* person celebrating his jubilee; hero of the feast; **jubi'leren** (jubileerde, h. gejubileerd) *vi* 1 jubilate, be jubilant; 2 celebrate one's jubilee; **jubi'leum** [-'le.üm] (-s en -ea) *o* jubilee
'juchtle(d)er *o* Russia leather; **'juchtleren** *aj* Russia leather
'judaskus (-sen) *m* Judas kiss; **–penning** (-en) *m* honesty; **'judassen** (judaste, h. gejudast) *vt* tease, nag, badger
'judo *o* judo; **ju'doka** ('s) *m-v* judoka
juf (-fen en -s) *v* **F** = *juffrouw*; **'juffer** (-s) *v* 1 young lady, miss; 2 ⚓ pole, beam; 3 paving-beetle, rammer; **–shondje** (-s) *o* toy dog; zie ook: *beven*; **'juffertje** (-s) *o* missy; **~-in-'t-'groen** (juffertjes-in-'t-groen) *o* ✿ love-in-a-mist; **'juffrouw** (-en) *v* miss, (young) lady; (a l s a a n s p r e k i n g) 1 miss; 2 madam; *de ~* the young lady; *onze ~* (k i n d e r j u f f r o u w) our nurse; (o n d e r w i j z e r e s) our teacher; *~ van gezelschap* lady-companion
'juichen (juichte, h. gejuicht) *vi* shout, jubilate; *~ over* exult at (in); *de ~de menigte* the cheering crowd; **'juichkreet** (-kreten), **–toon** (-tonen) *m* shout of joy, cheer
juist I *aj* exact, correct, right, proper, precise; *het ~e midden* the happy (golden) mean; *het ~e woord* the right (proper) word; *~, dat is het* right, exactly; *zeer ~* very well; hear! hear! [to an orator]; **II** *ad* just; exactly; correctly; *ik wou ~...* I was just going to...; *zeer ~ gezegd* that's it exactly; *~ wat ik hebben moet* the very thing I want; *~ daarom* for that very reason; *waarom ~ zo'n vent?* why he of all people?; *waarom ~ hier?* why here of all places?; **–heid** *v* exactness, exactitude, correctness, precision
ju'jube [ʒy.'ʒy.bə] (-s) *m* & *v* jujube
juk (-ken) *o* yoke; beam [of balance]; *het ~ afschudden (afwerpen)* shake (throw) off the yoke; *onder het ~ brengen* bring under the yoke
'jukbeen (-deren) *o* cheeck-bone
'juli *m* July
'jullie I *pers. vnmw.* you, **F** you fellows, you people; *is het van ~?* is it yours?; **II** *bez. vnmw.* your
jun. = *junior*
'juni *m* June
'junior (-ioren en -iores) junior; *P. ~*, ook: the younger P.
ju'pon [ʒy:'pòn] (-s) *m* petticoat
ju'reren [ʒy:'re.rə(n)] (jureerde, h. gejureerd) *va* act as a judge or umpire in a competition
ju'ridisch juridical; legal [adviser, aspect, ground]; **juris'dictie** [-'dɪksi.] (-s en -dictiën) *v* jurisdiction; **jurispru'dentie** [-'dɛn(t)si.] *v* jurisprudence; collective body of judgements given; **ju'rist** (-en) *m* 1 jurist, barrister, lawyer; 2 law-student; **juriste'rij** *v* legal quibbling
jurk (-en) *v* frock, dress, gown
'jury ['ʒy:ri.] ('s) *v* jury; **–lid** (-leden) *o* 1 member of the jury, judge; 2 ⚖ juror, juryman, jurywoman; **–rechtspraak** *v* trial by jury
jus [ʒy.] *m* gravy; **–kom** (-men) *v* gravy-boat; **–lepel** (-s) *m* gravy-spoon
jus'titie [-'ti.(t)si.] *v* justice; judicature; *de ~* ook: the law; the police [are after him]; **justiti'eel** judicial
Jut (-ten) *m* Jutlander, Jute; ‖ *hoofd (kop) van ~* try-your-strength machine
'jute *v* jute; **–fabriek** (-en) *v* jute mill; **–zak** (-ken) *m* gunny bag
'jutter (-s) *m* = *strandjutter*
ju'weel (-welen) *o* jewel[2], gem[2]; *een ~ van bouwkunst* an architectural gem; *een ~ van een vrouw* a jewel of a woman; **ju'welen** *aj* jewelled; **ju'welenkistje** (-s) *o* jewel-box, jewel-case; **juwe'lier** (-s) *m* jeweller; **–swinkel** (-s) *m* jeweller's (shop)

K

k [ka.] ('s) *v* k
ka *v* = *kaai*
kaai (-en) *v* quay, wharf; embankment [along river]; **–geld** (-en) *o* quayage, wharfage, pierage
'kaaiman (-s en -nen) *m* cayman, caiman, alligator
'kaaimuur (-muren) *m* quay wall; **–werker** (-s) *m* wharf-labourer, wharf-porter
kaak (kaken) *v* 1 jaw, jaw-bone; 2 gill [of fish]; 3 mandible [of an insect]; *aan (op) de* ~ stellen (put into the) pillory, denounce, expose, show up; *met beschaamde kaken* shamefaced; **–been** (-deren) *o* jaw-bone, mandible
'kaakje (-s) *o* biscuit
'kaakslag (-slagen) *m* slap in the face
kaal *eig* 1 (m e n s) bald; 2 (v o g e l) callow, unfledged; 3 (b o o m) leafless, bare; 4 (k l e r e n) threadbare; 5 (v e l d e n, h e i) barren; 6 (m u r e n) bare, naked; *fig* shabby; *zo ~ als een biljartbal* as bold a a coot; *zo ~ als een rat* as poor as a church mouse; *er ~ afkomen* come away with a flea in one's ear, fare badly; *~ vreten* eat bare; **–geknipt** close-cropped [heads]; **–geschoren** (close-)shaven; shorn [sheep]; **–heid** *v* baldness [of head]; bareness [of wall &]; threadbareness, shabbiness[2] [of a coat]; barrenness [of a tract of land]; **kaal'hoofdig** baldheaded; **–heid** *v* baldness; ⚕ alopecia; **'kaalkop** (-pen) *m* baldpate, baldhead; **–slag** *m* clear-cutting, deforestation
kaam *v*, **'kaamsel** *o* mould
'kaantjes *mv* greaves, cracklings
kaap (kapen) *v* cape, headland, promontory; *de Kaap de Goede Hoop* the Cape of Good Hope; **'Kaapstad** *v* Cape Town
'kaapstander (-s) *m* capstan
'kaapvaarder (-s) *m* privateer; **–vaart** *v* privateering
kaar (karen) *v* basket
'kaard(e) (-en) *v* card; **'kaardebol** (-len) *m* teasel; **–distel** (-s) *m* & *v* teasel; **'kaarden** (kaardde, h. gekaard) *vt* card [wool]; **'kaardwol** *v* carding wool
kaars (-en) *v* 1 [tallow, wax] candle; [wax] taper; 2 ✿ (v. p a a r d e b l o e m) blowball; *in de ~ vliegen* burn one's wings; **'kaarsenfabriek** (-en) *v* candle-factory; **–maker** (-s) *m* candle-maker; **'kaarsepit** (-ten) *v* candle-wick; **–snuiter** (-s) *m* (pair of) snuffers; **'kaarslicht** *o* candlelight; *bij ~* by candlelight; **–recht** straight as an arrow; *~ zitten* sit bolt upright; **–snuiter** = *kaarsesnuiter*; **–vet** *o* tallow
kaart (-en) *v* 1 (s p e e l k a a r t, n a a m k a a r t, v o o r a a n t e k e n i n g e n &) card; 2 (z e e k a a r t) chart; 3 (l a n d k a a r t) map; 4 (t o e g a n g s k a a r t) ticket; *een doorgestoken ~* a put-up job, a trumped-up charge; *groene ~* green card; *goede ~en hebben* have a good hand; *alle ~en op tafel leggen (gooien)* put (throw) all one's cards on the table; *het is een (geen) haalbare ~* it is (not) on the cards; *alle ~en in handen hebben* hold all the cards; *iem. de ~ leggen* tell sbd.'s fortunes from the cards; *de ~ van het land kennen* know the lie of the land; *~ spelen* play (at) cards; *open ~ spelen* lay one's cards on the table; act above-board, be frank; • *in ~ brengen* map [a region], chart [a coast]; *iem. in de ~ kijken* look at sbd.'s cards; *zich in de ~ laten kijken* show one's hand; *in iems. ~ spelen* play into sbd.'s hands, play sbd.'s game; *op ~ brengen* card-index [addresses &]; *alles op één ~ zetten* stake one's all on one (a single) throw, put all one's eggs in one basket; **–avondje** (-s) *o* card-party; **–club** (-s) *v* card(-playing) club; **'kaarten** (kaartte, h. gekaart) *vi* play (at) cards; **'kaartenbakje** (-s) *o* card-tray; **–huis** (-huizen) *o* house of cards; *als een ~ in elkaar vallen* come down like a house of cards; **–kamer** (-s) *v* ⚓ chart-room; **–maker** (-s) *m* cartographer, map maker; **'kaartje** (-s) *o* 1 (n a a m) card; 2 (t r e i n &) ticket; *zijn ~ afgeven (bij)* leave one's card (upon); *een ~ leggen* have a game of cards; **'kaartlegster** (-s) *v* fortune-teller (by cards); **–spel** (-spelen en -len) *o* 1 (h e t s p e l e n) card-playing, cards; 2 (e e n p a r t ij) game at (of) cards; 3 (s o o r t v a n s p e l) card game; 4 (p a k k a a r t e n) pack of cards; **–speler** (-s) *m* card-player; **–systeem** [-si.s-] (-temen) *o* card-index (system); **–verkoop** *m* sale of tickets; *~ van 8 tot 10* box-office open from 8 till 10
kaas (kazen) *m* cheese; *zich de ~ niet van het brood laten eten* stand up for oneself, fight back; *hij heeft er geen ~ van gegeten* he doesn't understand anything about it, he doesn't know the first thing about it; **–achtig** cheesy, cheese-like, caseous; **–bereiding** *v* cheese-making; **–boer** (-en) *m* 1 cheese-maker; 2 (v e r k o p e r) cheesemonger; **–boor** (-boren) *v* cheese-taster; **–doek** (-en) *m* cheese cloth; **–handel** *m* cheese-trade; **–handelaar** (-s en -laren) *m* cheesemonger; **–jeskruid** *o* mallow; **–kop** (-pen) *m* Belgian nickname for a Dutchman;

–koper (-s) *m* cheesemonger; **–korst** (-en) *v* cheese-rind, rind of cheese; **–made** (-n) *v* cheese-maggot; **–maker** (-s) *m* cheese-maker; **–markt** (-en) *v* cheese-market; **–mes** (-sen) *o* 1 cheese-cutter; 2 (m e s j e) cheese-knife; **–pakhuis** (-huizen) *o* cheese-warehouse; **–pers** (-en) *v* cheese-press; **–schaaf** (-schaven) *v* cheese slicer; **–stof** *v* casein; **–stolp** (-en) *v* cheese-cover; **–vorm** (-en) *m* cheese-mould; **–winkel** (-s) *m* cheese-shop

'Kaatje *v* & *o* Kitty, Kate

'kaatsbal (-len) *m* hand-ball; **'kaatsen** (kaatste, h. gekaatst) *vi* play at ball; *wie kaatst moet de bal verwachten* if you play at bowls you must look for rubbers; **'kaatsspel** *o* Dutch tennis

ka'baal *o* noise, din, hubbub, racket; ~ *maken (schoppen, trappen)* kick up a row

'kabbelen (kabbelde, h. gekabbeld) *vi* ripple, babble, purl, lap; **–ling** *v* rippling, babble, lapping, purl

'kabel (-s) *m* ⚓ & ⚡ cable; **–baan** (-banen) *v* cable railway, funicular railway; **–ballon** (-s) *m* captive balloon; **–bericht** (-en) *o* cable-message, cablegram, cable; **–garen** (-s) *o* rope-yarn

kabel'jauw (-en) *m* cod, cod-fish; **–vangst** *v* cod-fishing

'kabellengte (-n en -s) *v* cable's length; **–net** (-ten) *o* grid; **–schip** (-schepen) *o* cable-ship; **–spoorweg** (-wegen) *m* cable-railway; telpher line; **–telegram** (-men) *o* = *kabelbericht*; **–televisie** *v* cable television; **–touw** (-en) *o* cable

kabi'net (-ten) *o* (m e u b e l) cabinet; (k a m e r t j e) closet; (k u n s t v e r z a m e l i n g) picture-gallery, museum, ⚒ cabinet; (r e g e r i n g) cabinet, government; **–formaat** *o* cabinet-size; **kabi'netscrisis** (-sen en -crises) *v* cabinet crisis; **–formateur** (-s) *m* cabinetmaker; **–kwestie** *v* cabinet question; *de ~ stellen* ask for a vote of confidence

ka'bouter (-s) *m* elf, gnome, dwarf, brownie [also = junior girl guide]

'kachel (-s) *v* stove; *elektrisch ~tje* electric fire (heater); **–glans** *m* blacklead; **–hout** *o* kindling, fire-wood; **–pijp** (-en) *v* 1 stove-pipe; 2 **F** chimney-pot hat, stove-pipe; **–smid** (-smeden) *m* stove-maker

ka'daster (-s) *o* 1 land registry; 2 Offices of the Land registry; **kadas'traal** cadastral

ka'daver (-s) *o* (dead) body; ⚕ subject

'kade (-n) *v* quay, wharf; embankment [along a river]; **–geld** (-en) *o* quayage, wharfage; **–muur** (-muren) *m* quay wall

'kader (-s) *o* ⚔ (regimental) cadre, skeleton [of a regiment]; *fig* framework; box [in newspaper &]; *b i n n e n het ~ van* whithin the framework of [this organization]; *i n het ~ van* in connection with [the reorganization, the exhibition]; under [this agreement, a scheme]; **–cursus** [s = z] (-sen) *m* training-course for executives

ka'detje (-s) *o* French roll [of bread]

ka'duuk used up, decrepit; broken

kaf *o* chaff; *het ~ van het koren scheiden* separate chaff from wheat, sift the grain from the husk; *als ~ voor de wind* like chaff before the wind

'kaffer (-s) *m* boor, lout

kaft (-en) *m* & *v* wrapper, cover, jacket

'kaftan (-s) *m* caftan

'kaften (kaftte, h. gekaft) *vt* cover [a book]; **'kaftpapier** *o* wrapping-paper

'kaïk (-en) *m* caique

'Kaïnsteken *o* brand (mark) of Cain

'kajak (-s en -ken) *m* kayak

ka'juit (-en) *v* cabin; **ka'juitsjongen** (-s) *m* cabin-boy; **–poort** (-en) *v* porthole

kak *m* muck, mire, **P** shit, crap; (b l u f) *kale (kouwe) ~* bunkum, baloney, hot air, swank, **S** eyewash

'kakebeen = *kaakbeen*

'kakelbont motley, variegated, chequered

'kakelen (kakelde, h. gekakeld) *vi* cackle[2], *fig* gabble, chatter

kake'ment (-en) *o* jaw(s)

'kaken (kaakte, h. gekaakt) *vt* cure [herrings]

'kaketoe (-s) *m* cockatoo

'kaki *o* khaki

'kakken (kakte, h. gekakt) *vi* **P** shit, crap; *iem. te ~ zetten* ridicule sbd., make a fool of sbd.

'kakkerlak (-ken) *m* cockroach, blackbeetle

kakofo'nie (-nieën) *v* cacophony

ka'lander (-s) *m* ❀ weevil; ‖ *v* ⚒ calender

kal(e)'bas (-sen) *v* calabash, gourd

ka'lender (-s) *m* calendar; **–jaar** (-jaren) *o* calendar year

kalf (kalveren) *o* 1 🐄 calf; 2 (b o v e n d r e m p e l) lintel; 3 *fig* calf; *een ~ van een jongen* a calf, a booby; *als het ~ verdronken is, dempt men de put* after the horse has bolted (is stolen) the stable-door is locked; *het gouden ~ aanbidden* worship the golden calf; zie ook: *mesten*

kal'faten (kalfaatte, h. gekalfaat), **kal'fateren** (kalfaterde, h. gekalfaterd) *vt* ⚓ caulk

'kalfsbiefstuk (-ken) *m* veal steak; **–borst** (-en) *v* breast of veal; **–bout** (-en) *m* joint of veal; **–gehakt** *o* minced veal; **–karbonade** (-s en -n) *v* veal cutlet; **–kop** (-pen) *m* calf's head; **–kotelet** (-ten) *v* veal cutlet; **–lapje** (-s) *o* veal steak; **–le(d)er** *o* calf, calfskin, calfleather; *in kalfsleren band* bound in calf; **–oester** (-s) *v* veal collop; **–schnitzel** [-ʃni.tzəl] (-s) *o* & *m* scallop of veal; **–vlees** *o* veal; **–zwezerik** (-en) *m* sweetbread

'kali *m* potassium
ka'liber (-s) *o* calibre², bore
ka'lief (-en) *m* caliph; **kali'faat** (-faten) *o* caliphate
'kalium *o* potassium
kalk *m* 1 lime; 2 (g e b l u s t e) slaked lime; 3 (o n g e b l u s t e) quicklime; 4 (m e t s e l) mortar; 5 (p l e i s t e r) plaster; **–aarde** *v* calcareous earth; **–achtig** limy, calcareous; **–bak** (-ken) *m* hod; **kalkbrande'rij** (-en) *v* limekiln; **'kalkei** (-eren) *o* preserved egg; **'kalken** (kalkte, h. gekalkt) *vt* 1 lime [skins &]; roughcast, plaster [a wall]; 2 (= schrijven) write, chalk; **'kalkgroeve** (-n) *v* limestone quarry; **–houdend** calcareous, calciferous
kal'koen (-en) *m* 🐦 turkey
'kalkoven (-s) *m* limekiln; **–put** (-ten) *m* lime pit; **–steen** *o* & *m* limestone; **–water** *o* lime water; **–zandsteen** *m* sand-lime bricks
kalm calm, quiet, composed, peaceful, untroubled; ~ *(aan)!* easy!, steady!; *blijf* ~ take it easy; *doe (het)* ~ *aan* go easy (on *met*), **S** cool it; ~ *en bedaard* calm and quiet, cool and collected; **kal'meren I** (kalmeerde, h. gekalmeerd) *vt* calm, soothe, appease, tranquillize; **II** (kalmeerde, is gekalmeerd) *vi* calm down, compose oneself; *~d middel* sedative, tranquillizer, calmative
'kalmoes *m* sweet flag
'kalmpjes calmly; ~ *aan!* easy!, steady!, easy does it!; **'kalmte** *v* calm, calmness, composure; quiet, quietude, repose
ka'lotje (-s) *o* 1 (v. h e e r) skull-cap; 2 (v a n g e e s t e l i j k e) calotte
'kalven (kalfde, h. gekalfd) *vi* calve; **'kalverachtig** calf-like; **'kalveren** meerv. v. *kalf*; **'kalverliefde** (-s) *v* calf-love
kam (-men) *m* comb [for the hair]; crest [of a cock, helmet, hill &]; bridge [of violin]; ⚒ cam, cog [of wheel]; hand [of bananas]; *over één* ~ *scheren* lump (together) with, treat all alike
ka'meel (-melen) *m* camel [also for raising ships]; **–drijver** (-s) *m* camel-driver; **–haar** *o* camel's hair
kamele'on [ka.me.le.'òn] (-s) *o* & *m* chameleon²; **–tisch** chameleontic; *fig* unreliable
kame'nier (-s) *v* (lady's) maid
'kamer (-s) *v* 1 room, chamber; 2 chamber [of a gun]; 3 ventricle [of the heart]; *donkere* ~ dark room; *de Eerste Kamer* the First Chamber; [in Britain] the Upper House; *gemeubileerde ~s* furnished apartments; *de Tweede Kamer* the Second Chamber; [in Britain] the Lower House; *de Kamer van Koophandel* the Chamber of Commerce; *de Kamer der Volksvertegenwoordigers* the [Belgian] Chamber of Deputies; *de* ~ *bijeenroepen* convoke the House; *~s te huur hebben* have apartments (rooms) to let; *zijn* ~ *houden* keep one's room; *de* ~ *ontbinden (openen, sluiten)* dissolve (open, prorogue) the Chamber; *hij woont op ~s* he lives in lodgings; *ik woon hier op ~s* I am in rooms here; *hij is niet op zijn* ~ he is not in his room
kame'raad (-raden) *m* comrade, mate, fellow, companion, **F** chum, pal; **–schap** *v* companionship, (good-)fellowship, comradeship; **kameraad'schappelijk I** *aj* friendly, **F** chummy; **II** *ad* in a friendly manner
'kamerarrest *o* confinement to one's room; ~ *hebben* **J** have to keep one's room; **–bewoner** (-s) *m*, **–bewoonster** (-s) *v* lodger; **–breed** ~ *tapijt* wall-to-wall carpeting; **–debat** (-ten) *o* Parliamentary debate; **–deur** (-en) *v* room-door; **–dienaar** (-s en -naren) *m* 1 valet, man(-servant); 2 (a a n h e t h o f) groom (of the chamber), chamberlain; **–genoot** (-noten) *m* room-mate; **–gymnastiek** [-gɪmnɑsti.k] *v* indoor gymnastics; **–heer** (-heren) *m* chamberlain, gentleman in waiting [at court]; **–huur** *v* room-rent; **–jas** (-sen) *m* dressing-gown; **–lid** (-leden) *o* member of the Chamber, member of Parliament [in Britain]; **–meisje** (-s) *o* chambermaid; **–muziek** *v* chamber music
Kame'roen *o* Cameroon
'kamerontbinding (-en) *v* dissolution of the Chamber(s); **–orkest** (-en) *o* chamber orchestra; **–plant** (-en) *v* indoor plant; **–pot** (-ten) *m* chamber (pot); **–scherm** (-en) *o* draught-screen, folding-screen; **–temperatuur** *v* room temperature; **–verhuurder** (-s) *m*, **–verhuurster** (-s) *v* lodging-house keeper; **–verslag** (-slagen) *o* report of the Parliamentary debates; **–zetel** (-s) *m* seat (in Parliament)
'kamfer *m* camphor; **–boom** (-bomen) *m* camphor-tree; **–spiritus** *m* camphorated spirits
'kamgaren (-s) *o* & *aj* worsted
'kamhagedis (-sen) *v* iguana
'kamig mouldy
ka'mille *v* camomile; **–thee** *m* camomile tea
kami'zool (-zolen) *o* camisole
'kammen (kamde, h. gekamd) **I** *vt* comb; card [wool]; **II** *vr zich* ~ comb one's hair
1 kamp (-en) *o* ⚔ camp²
2 kamp (-en) *m* combat, fight, struggle, contest
3 kamp *aj* ~ *geven* yield, throw up the sponge; *het bleef* ~ the race (the sports &) ended in a tie (in a draw)
kam'panje (-s) *v* ⚓ poop(-deck)
'kampcommandant (-en) *m* camp commandant
kam'peerauto [-ɔuto., -o.to.] ('s) *m*, **–bus** (-sen) *v* camper (van); **–centrum** (-s en -tra) *o*

= *kampeerterrein*; **–der** (-s) *m* camper; **–terrein** (-en) *o* camping ground, camping site; **–wagen** (-s) *m* caravan

kampe'ment (-en) *o* encampment, camp

'kampen (kampte, h. gekampt) *vi* fight, combat, struggle, contend, wrestle; *te ~ hebben met* have to contend with

kam'peren (kampeerde, h. gekampeerd) **I** *vt* (en)camp; **II** *vi* camp, be (lie) encamped, camp out; **III** *o* camping

kamper'foelie (-s) *v* honeysuckle; *wilde ~* woodbine

kampi'oen (-en) *m* champion°; **–schap** (-pen) *o sp* championship

'kamprechter (-s) *m* umpire; **–vechter** (-s) *m* fighter, wrestler; champion

'kampvuur (-vuren) *o* camp-fire; **–wacht** (-en) *v* camp guard

'kamrad (-raderen) *o* cog-wheel; **–vormig** comb-shaped; **–wol** *v* combing-wool

kan (-nen) *v* 1 jug, can, mug, tankard; 2 litre; *het is in ~nen en kruiken* the matter (everything) is settled, fixed (up)

ka'naal (-nalen) *o* 1 (g r a c h t) canal; 2 (v a a r g e u l, *T, fig*) channel; *het Kanaal* the Channel

'Kanaän *o* Canaan; **Kanaä'niet** (-en) *m* Canaanite

kanali'satie [-'za.(t)si.] (-s) *v* canalization; **kanali'seren** (kanaliseerde, h. gekanaliseerd) *vt* canalize

ka'narie (-s) *m* canary; **–geel** canary-yellow; **–kooi** (-en) *v* canary-bird cage; **–piet** (-en) *m* canary; **–zaad** (-zaden) *o* canary-seed

kan'deel *v* caudle

'kandelaar (-s en -laren) *m* candlestick; **kande'laber** (-s) *m* candelabra

kandi'daat (-daten) *m* candidate [for appointment or honour]; applicant [for an office]; *iem. ~ stellen* nominate sbd., put sbd. up; *zich ~ stellen* 1 become a candidate; 2 contest a seat in Parliament, stand for [Amsterdam]; *~ in de letteren* Bachelor of Arts; *~ in de rechten* Bachelor of Laws; **kandi'daatsexamen** (-s) *o* little-go; **kandi'daatstelling** *v* nomination; **kandida'tuur** (-turen) *v* candidature, candidateship, nomination

kan'dij *v* candy; **–suiker** *m* sugar-candy

ka'neel *m* & *o* cinnamon

'kangoeroe (-s) *m* kangaroo

'kanis (-sen) *m* (h o o f d) **F** nut, pate, noddle; *hou je ~* hold your trap; *iem. op z'n ~ geven* tan sbd.'s hide

'kanjer (-s) *m* a big one, **F** spanker, whopper

'kanker *m* ⚕ cancer; ✿ canker; *fig* canker; **–aar** (-s) *m* **F** grouser, grumbler; **–achtig** cancerous, cancroid; **–bestrijding** *v* fight against cancer; **'kankeren** (kankerde, h. gekankerd) *vi* 1 cancer; 2 *fig* canker; 3 **F** grouse, grumble; **'kankergezwel** (-len) *o* cancerous tumour, cancerous growth; **–lijder** (-s) *m* cancer patient; **–onderzoek** *o* cancer research; **–pit** (-ten) *m* grumbler, croaker

kanni'baal (-balen) *m* cannibal; **–s** cannibalistic; **kanniba'lisme** *v* cannibalism

'kano ('s) *m* canoe; **'kanoën** (kanode, h. gekanood) *vi* canoe

ka'non (-nen) *o* gun, cannon; **–gebulder** *o* roar (booming) of guns; **kanon'nade** (-s) *v* cannonade; **kanon'neerboot** (-boten) *m* & *v* gun-boat; **kanon'neren** (kanonneerde, h. gekanonneerd) *vt* cannonade; **ka'nonnevlees** *o* cannon-fodder; **kanon'nier** (-s) *m* gunner; **ka'nonschot** (-schoten) *o* cannon-shot; **ka'nonskogel** (-s) *m* cannon-ball; **ka'nonvuur** *o* gun-fire, cannonade

'kanosport *v* canoeing; **–vaarder** (-s) *m* canoeist

kans (-en) *v* change, opportunity; *iem. een ~ geven* give sbd. a chance; *~ hebben om...* have a chance of...ing; *hij heeft goede ~en* he stands a good change; *weinig ~ hebben om...* stand little chance of...ing; *geen schijn van ~* not the ghost of a chance; *de ~ krijgen om...*get a chance of...ing; *de ~ lopen om...* run the risk of...ing; *~ maken* zie *~ hebben*; *een ~ missen* lose (miss) an opportunity; *de ~ schoon zien om...* see one's chance (opportunity) to...; *de ~ waarnemen* seize the opportunity; *de ~ wagen* take one's chance; *als hij ~ ziet om...* when he sees his chance to..., when he manages to...; *ik zie er geen ~ toe* I don't see my way to do it, I can't manage it; *er is alle ~ dat...* there is every chance (it is very likely) that...; *daar is geen ~ op* there is no chance of it; *de ~ keerde* the (my, his &) luck was turning; *de ~en staan gelijk* the odds are even

'kansel (-s) *m* pulpit

kansela'rij (-en) *v* chancellery; **–stijl** *m* official style, officialese; **kanse'lier** (-s en -en) *m* chancellor

'kanselredenaar (-s) *m* pulpit orator

'kansrekening *v* calculus of probabilities; **–spel** (-spelen) *o* game of chance

1 kant (-en) *m* 1 side [of a road, of a bed &]; border [of the Thames &]; edge [of the water, of a forest]; brink [of a precipice]; margin [of a printed or written page]; 2 (r i c h t i n g) side, direction; 3 aspect [of life, of the matter, of the same idea]; *dat raakt ~ noch wal* that is neither here nor there; *die ~ moet het uit met...* that way... ought to tend; *een andere ~ uitkijken* look the other way; ●. *a a n de ~ van de weg* at the side of the road, by the roadside; *aan de andere*

~ *moeten wij niet vergeten dat...* on the other hand (but then) we should not forget that...; *aan de veilige* ~ on the safe side; *dat is weer aan* ~ that job is jobbed; *de kamer aan* ~ *doen* straighten up (do) the room, put things tidy; *zijn zaken aan* ~ *doen* retire from business; *het mes snijdt aan twee* ~*en* the knife cuts both ways; *aan de* ~ *zetten* cast aside, throw over; *n a a r alle* ~*en* [look, run] in every direction; *een vaatje o p zijn* ~ *zetten* cant (tilt) a cask; *het is een dubbeltje op zijn* ~ zie *dubbeltje*; *veel o v e r zijn* ~ *laten gaan* not be so very particular (about...); *v a n alle* ~*en* on every side, from every quarter; *de zaak van alle (verschillende)* ~*en bekijken* look at the question from all sides (from different angles); *van die* ~ *bekeken...* looked at from that point...; *van vaders* ~ on the paternal (one's father's) side; *van de* ~ *van* on the part of; *van welke* ~ *komt de wind?* from which side does the wind blow?; *iem. van* ~ *helpen (maken)* put sbd. out of the way, do sbd. in; *zich van* ~ *maken* make (do) away with oneself; zie ook: 1 *zijde*

2 kant *m* (s t o f n a a m) lace

3 kant *aj* neat; ~ *en klaar* all ready; cut and dried; ready to hand

kan'teel (-telen) *m* crenel, battlement

'kanteldeur (-en) *v* up-and-over door;

'kantelen I (kantelde, h. gekanteld) *vt* (w e n t e l e n) turn over, overturn; (o p z'n k a n t z e t t e n) cant, tilt; **II** (kantelde, is gekanteld) *vi* topple over, overturn, turn over; ⚓ capsize; *niet* ~*!* this side up

1 'kanten (kantte, h. gekant) **I** *vt* cant, square; **II** *vr zich* ~ *tegen* oppose; zie ook *gekant*

2 'kanten *aj* lace

'kantig angular

kan'tine (-s) *v* canteen; **–wagen** (-s) *m* mobile canteen

'kantje (-s) *o* page, side [of note-paper]; *het was op het* ~ *af* it was a near (close) thing, it was touch and go; *op het* ~ *af geslaagd* got trough by the skin of his teeth; *'t was op het* ~ *van onbeleefd* it was sailing near the wind

'kantklossen *o* pillow lace-making

'kantlijn (-en) *v* 1 marginal line; 2 edge [of a cube &]; *een* ~ *trekken* rule a margin

kan'ton (-s) *o* canton; **–gerecht** (-en) *o* magistrate's court; **–rechter** (-s) *m* ± justice of the peace

kan'toor (-toren) *o* office; ~ *van afzending* forwarding office; ~ *van ontvangst* delivery office; *daar ben je a a n het rechte (verkeerde)* ~ you have come to the right (wrong) shop; *o p een* ~ in an office; *t e n kantore van...* at the office of...; **–bediende** (-n en -s) *m-v* (office) clerk; **–behoeften** *mv* stationery; **–boek** (-en) *o* office book; **–boekhandel** (-s) *m* stationer's (shop); **–boekhandelaar** (-s en -laren) *m* stationer; **–gebouw** (-en) *o* office building; **–klerk** (-en) *m* clerk [in bank, office &]; **–kruk** (-ken) *v* office stool; **–machine** [-ʃi.nə] (-s) *v* office machine; ~*s* ook: office machinery; **–meubelen** *mv* office furniture; **–personeel** *o* office staff, clerical staff, clerks; **–stoel** (-en) *m* office chair; **–tuin** (-en) *m* open-plan (landscaped) office; **–uren** *mv* office hours; **–werkzaamheden** *mv* office work

'kantrechten (kantrechtte, h. gekantrecht) *vt* square

'kanttekening (-en) *v* marginal note

'kantwerk (-en) *o* lace-work; **–ster** (-s) *v* lace-maker

ka'nunnik (-en) *m* canon

kao'lien *o* kaolin

kap (kappen) *v* 1 (h o o f d b e d e k k i n g) cap [of a cloak], hood [of a cowl]; 2 (v. v o e r t u i g) hood; 3 (v. s c h o o r s t e e n) cowl; 4 (v. m o l e n) cap; 5 (v. l a m p) shade; 6 (v. l a a r s) top; 7 (v. h u i s) roof, roofing; 8 (v. m u u r) coping; 9 ⚒ bonnet [of motor-car engine], cowl(ing) [of aircraft engine]; cap, cover

ka'pel (-len) *v* 1 chapel [house of prayer]; 2 ♪ band; 3 ❀ butterfly

kape'laan (-s) *m* chaplain, *rk* curate, assistant priest

ka'pelmeester (-s) *m* (military) bandmaster; conductor; ✎ choirmaster [in a church or chapel]

'kapen (kaapte h. gekaapt) **I** *vi* 1 ⚓ privateer; 2 ✈ hijack; 3 (g a p p e n) filch, pilfer; **II** *vt* 1 ⚓ capture; 2 ✈ hijack [aircraft]; 3 (w e g n e m e n) filch, pilfer; **'kaper** (-s) *m* 1 ⚓ privateer, raider; 2 ✈ hijacker [of aircraft]; *er zijn* ~*s op de kust* 1 the coast is not clear; 2 there are rivals in the field; **–brief** (-brieven) *m* letter of marque (and reprisal); **–schip** (-schepen) *o* privateer, corsair; **'kaping** (-en) *v* ✈ hijacking [of aircraft]

kapi'taal I *aj* capital [letter]; *een* ~ *huis* a fine (substantial) house; **II** (-talen) *o* capital; ~ *en interest* principal and interest; **–belegging** (-en) *v* investment (of capital); **–goederen** *mv* capital goods; **–intensief** requiring large capital assets; **kapitaal'krachtig** substantial [firm], financially strong, backed by sufficient capital; **'kapitaalmarkt** *v* capital market; **–schaarste** *v* shortage of capital; **kapi'taalsoverdrachtbelasting** (-en) *v* capital transfer tax; **kapi'taalvlucht** *v* flight of capital; **–vorming** *v* capital formation; **kapitali'satie** [-'za.(t)si.] (-s) *v* capitalization; **kapitali'seren** (kapitaliseerde, h. gekapitaliseerd) *vt* capitalize; **kapita'lisme** *o* capitalism; **kapita'list** (-en) *m*

capitalist; **–isch I** *aj* capitalist [country, society], capitalistic [production]; **II** *ad* capitalistically
kapi'teel (-telen) *o* capital [of a column]
kapi'tein (-s) *m* ⚔ & ⚓ captain; ⚓ master; *~-luitenant-ter-zee* commander; *~-vlieger* flight-lieutenant
Kapi'tool *o* Capitol
ka'pittel (-s) *o* chapter; **ka'pittelen** (kapittelde, h. gekapitteld) *vt iem. ~* lecture sbd., read sbd. a lecture; **ka'pittelheer** (-heren) *m* canon; **–kerk** (-en) *v* minster
'kapje (-s) *o* 1 little cap; 2 circumflex; 3 heel (crusty end) [of a loaf]
'kaplaars (-laarzen) *v* top-boot
'kapmantel (-s) *m* dressing-jacket
'kapmes (-sen) *o* chopper, cleaver
ka'poen (-en) *m* capon
ka'pok *m* kapok
ka'pot broken, out of order, gone to pieces [of a tool &]; in holes [of a coat &]; *ik ben ~* I am fairly knocked up; *ik ben er ~ van* I am dreadfully cut up by it; *~ gaan* go to pieces; *~ gooien* smash; *~ maken* spoil, put out of order, break
ka'potje (-s) *o* 1 (lady's) bonnet; 2 (c o n d o o m) sheath, **S** French letter
'kappen (kapte, h. gekapt) **I** *vt* 1 chop [wood]; cut (down), fell [trees]; 2 dress [the hair]; **II** *vi* & *va* 1 chop &; 2 dress the hair; **III** *vr zich ~* dress one's hair; **–er** (-s) *m* hairdresser
'kappertjes *mv* capers
'kappersbediende (-n en -s) *m-v* hairdresser's assistant; **–winkel** (-s) *m* hairdresser's (shop)
'kapseizen (kapseisde, is gekapseisd) *vi* ⚓ capsize
'kapsel (-s) *o* coiffure, hairdo, hair-style
'kapsies *mv* **F** *~ maken* recalcitrate, be obstinate
kap'sones *mv* **F** *~ hebben* swagger, give oneself airs
'kapspiegel (-s) *m* toilet-glass; **'kapster** (-s) *v* (lady) hairdresser
'kapstok (-ken) *m* 1 (a a n m u u r) row of pegs; 2 (i n g a n g) hat-rack, hat-stand, hall-stand, coat-rack; 3 (é é n h a a k) peg
'kaptafel (-s) *v* dressing-table
kapu'cijn (-en) *m* Capuchin
kapu'cijner (-s) *m* 🌱 marrowfat (pea)
'kapverbod *o* felling prohibition
kar (-ren) *v* cart [on 2 or 4 wheels]; **F** (f i e t s) bike
kar. = *karaat*
ka'raat (-s en -raten) *o* carat; *18-~s* 18-carat [gold]
kara'bijn (-en) *v* carbine
ka'raf (-fen) *v* 1 water-bottle; 2 decanter [for wine]
ka'rakter (-s) *o* 1 (a a r d) character; nature; 2 (l e t t e r t e k e n) character; **–eigenschappen** *mv* qualities of character; **–fout** (-en) *v* defect of character; **karakteri'seren** [s = z] (karakteriseerde, h. gekarakteriseerd) *vt* characterize;
karakteris'tiek I *aj* characteristic; **II** *ad* characteristically; **III** (-en) *v* characterization;
ka'rakterkunde *v* characterology, ethology; **–loos** characterless; **karakter'loosheid** *v* characterlessness, lack of character; **ka'rakterschets** (-en) *v* characterization; **–speler** (-s) *m* character actor; **–stuk** (-ken) *o* character piece; **–trek** (-ken) *m* trait of character, feature; **–vorming** *v* character-building
kara'mel (-s en -len) *v* caramel
ka'rate *o* karate
kara'vaan (-vanen) *v* caravan
kar'bies (-biezen) *v* shopping basket
karbo'nade (-s en -n) *v* chop, cutlet
kar'bonkel (-s en -en) *m* & *o* carbuncle
kar'bouw (-en) *m* (water) buffalo
kardi'naal (-nalen) **I** *m* cardinal; *tot ~ verheffen* raise to the purple; **II** *aj* cardinal [point, error]; **–schap** *o* cardinalship; **kardinaalshoed** (-en) *m* cardinal's hat
kare'kiet = *karkiet*
'Karel *m* Charles; *~ de Grote* Charlemagne; *~ de Kale* Charles the Bald; *~ de Stoute* Charles the Bold
karia'tide (-n) *v* caryatid
'karig I *aj* scanty, frugal [meal], sparing [use]; (*niet*) *~ zijn met* (not) be chary (sparing) of; **II** *ad* scantily, frugally, sparingly, with a sparing hand; **–heid** *v* scantiness, frugality, sparingness
karikaturi'seren [s = z] (karikaturiseerde, h. gekarikaturiseerd) *vt* caricature; **karika'tuur** (-turen) *v* caricature; **–tekenaar** (-s) *m* caricaturist
kar'kas (-sen) *o* & *v* carcass, carcase, skeleton
kar'kiet (-en) *m* reed-warbler
kar'mijn *o* carmine
karn (-en) *v* churn; **'karnemelk** *v* buttermilk; **'karnen** (karnde, h. gekarnd) *vt* churn; **'karnpols** (-en), **–stok** (-ken) *m* dasher; **–ton** (-nen) *v* churn
Karo'linger (-s) *m*, **Karo'lingisch** *aj* Carlovingian
ka'ros (-sen) *v* coach, state carriage
Kar'paten *mv* Carpathians
'karper (-s) *m* carp
kar'pet (-ten) *o* (square of) carpet
'karren (karde, h. gekard) *vi* (f i e t s e n) pedal, (r i j d e n) drive
'karrepaard (-en) *o* cart-horse; **–spoor** (-sporen) *o* rut, cart track; **–vracht** (-en) *v* cart-load; **'karspoor** = *karrespoor*
1 kar'tel (-s) *o* cartel; syndicate, combine, **F** ring

2 'kartel (-s) *m* (k e r f) notch; **'karteldarm** (-en) *m* colon; **'kartelen** (kartelde, h. gekarteld) *vt* notch; mill [coins]; zie ook: *gekarteld*; **'kartelrand** (-en) *m* milled edge
kar'telvorming *v* formation of cartels
kar'teren (karteerde, h. gekarteerd) *vt* map; (i n z. ⚓) survey; **-ring** *v* mapping; (i n z. ⚓) survey(ing)
kar'ton (-s) *o* cardboard, pasteboard; *een* ~ a cardboard box, a carton; **karton'nagefabriek** [-tò'na.ʒə-] (-en) *v* cardboard factory; **kar'tonnen** *aj* cardboard, pasteboard; **karton'neren** (kartonneerde, h. gekartonneerd) *vt* bind in boards [books]; *gekartonneerd* (in) boards
kar'tuizer (-s) *m* Carthusian (monk)
kar'wats (-en) *v* horsewhip, riding-whip
kar'wei (-en) *v* & *o* job; *op* ~ *gaan* go out jobbing; *op* ~ *zijn* be on the job; **-tje** (-s) *o* job; (*allerlei*) ~*s* odd jobs; *het is me een* ~ it is a nice job
kar'wij *v* caraway
kas (-sen) *v* 1 (t e r i n v a t t i n g) case [of a watch], socket [of a tooth]; 2 (v o o r d r u i v e n &) hothouse, greenhouse, glasshouse; 3 $ cash; pay-office; (pay-)desk; 4 [unemployment &] fund; *kleine* ~ petty cash; *'s lands* ~ the exchequer, the coffers of the State; *de openbare* ~ the public purse; *de* ~ *houden* keep the cash; *de* ~ *opmaken* make up the cash; • *goed b ij* ~ *zijn* be in cash, be in funds, have plenty of money, be heeled; *slecht* (*niet*) *bij* ~ *zijn* be short of cash, be out of funds, be hard up; *geld i n* ~ cash in hand; **-bloem** (-en) *v* hothouse (stove) flower; **-boek** (-en) *o* cashbook; **-druiven** *mv* hothouse grapes; **-geld** (-en) *o* till-money, cash (in hand); **-groente** (-n en -s) *v* hothouse vegetables
'kasjmier *o* cashmere
'kasmiddelen *mv* cash (in hand); **-plant** (-en) *v* hothouse plant; ~*je* [*fig*] delicate person; **-register** (-s) *o* cash-register
'kassa ('s) *v* 1 cash; 2 cash-desk, (pay-)desk; check-out [of supermarket]; box-office [of cinema &]; (t e l m a c h i n e) cash-register, till; *per* ~ net cash
'kassaldo ('s en -di) *o* cash balance; **'kassen** (kaste, h. gekast) *vt* set [in gold &]
kasse'rol = *kastrol*
kas'sier (-s) *m* 1 cashier, (v. b a n k o o k:) teller; 2 banker; **kas'siersboekje** (-s) *o* passbook; **-kantoor** (-toren) *o* banking-office
kast (-en) *v* 1 cupboard [for crockery, provisions &]; wardrobe [for clothes]; chest [for belongings]; book-case [for books]; press [in a wall]; cabinet [for valuables]; 2 **F** diggings: room; **S** quod: prison; 3 case [of a watch &]; *hem i n de* ~ *zetten* **S** put him in quod; *iem. o p de* ~ *jagen* **F** rile, bait, tease sbd.
kas'tanje (-s) *v* chestnut; *wilde* ~ horse-chestnut; *voor iem. de* ~*s uit het vuur halen* pull the chestnuts out of the fire for sbd., be made a cat's-paw of; **-boom** (-bomen) *m* chestnut-tree; **-bruin** chestnut, auburn
'kaste (-n) *v* caste
kas'teel (-telen) *o* 1 castle, ⚔ citadel; 2 *sp* castle, rook [in chess]
'kastegeest *m* spirit of caste, caste-feeling
'kastekort (-en) *o* deficit, deficiency
kaste'lein (-s) *m* innkeeper, landlord, publican
'kastenmaker (-s) *m* cabinetmaker
'kastenstelsel (-s) *o* caste system
kas'tijden (kastijdde, h. gekastijd) *vt* chastise, castigate, punish; **-ding** (-en) *v* chastisement, castigation
'kastje (-s) *o* (small) cupboard; (s i e r l i j k) cabinet; (v. l e e r l i n g, v o e t b a l l e r &) locker; *van het* ~ *naar de muur sturen* send from pillar to post; **'kastlijn** (-en) *v* dash; **-papier** *o* shelf-paper; **-rand** (-en) *m* shelf edging
kas'trol (-len) *v* casserole
kasu'aris [-zy.-] (-sen) *m* cassowary
kat (-ten) *v* 🐾 cat[2], tabby; *de* ~ *de bel aanbinden* bell the cat; *als een* ~ *in een vreemd pakhuis* like a fish out of water; *een* ~ *in de zak kopen* buy a pig in a poke; *als een* ~ *om de hete brij* like a cat on hot bricks; *de* ~ *uit de boom kijken* see which way the cat jumps, sit on the fence; *de* ~ *in het donker knijpen* saint it in public and sin in secret, be a slyboots (a sneak); *als de* ~ *weg is, dansen de muizen* when the cat's away the mice will play; *zij leven als* ~ *en hond* they live like cat and dog; ~ *en muis sp* cat and mouse; **-achtig** catlike, feline[2]
kata'falk (-en) *v* catafalque
kataly'sator [s = z] (-s en -'toren) *m* catalyst; **kataly'seren** (kataliseerde, h. gekatalyseerd) *vt* catalyze
'katapult (-en) *m* catapult
'kater (-s) *m* 1 tom cat, tom; 2 *een* ~ *hebben* **F** have a head, a hang-over
ka'tern (-en) *v* & *o* gathering
ka'theder (-s) *m* chair
kathe'draal I *aj* cathedral; **II** (-dralen) *v* cathedral (church)
ka'thode (-n en -s) *v* cathode; **-straal** (-stralen) *m* & *v* cathode ray
katholi'cisme *o* (Roman) Catholicism; **katho'liek** (-en) *m* & *aj* (Roman) Catholic
'katje (-s) *o* 1 kitten; 2 🌿 catkin; *zij is geen* ~ *om zonder handschoenen aan te pakken* she can look after herself, she is a spitfire; *bij nacht zijn alle* ~*s grauw* in the dark all cats are grey; **'katjesspel** *o* kittenish romps

ka'toen *o* & *m* cotton; *hem van ~ geven* let oneself go, **F** put some vim into it; *hun van ~ geven* give them hell; **–achtig** cottony; **–boom** (-bomen) *m* cotton-tree; **–bouw** *m* cotton-growing; **–drukker** (-s) *m* calico-printer; **katoendrukke'rij** (-en) *v* calico-printing factory; **ka'toenen** *aj* cotton; *~ stoffen* cotton fabrics, cottons; **ka'toenfabriek** (-en) *v* cotton-mill; **–flanel** *o* flannelette; **–fluweel** *o* cotton velvet, velveteen; **–markt** (-en) *v* cotton market; **–plantage** [-ta.ʒə] (-s) *v* cotton plantation; **katoenspinne'rij** (-en) *v* cotton mill; **ka'toentje** (-s) *o* print (dress); *~s* cotton prints

ka'trol (-len) *v* pulley; **–blok** (-ken) *o* pulley-block, tackle-block; **–schijf** (-schijven) *v* sheave

'kattebak (-ken) *m* 1 cat's box; 2 dickey (-seat) [of a carriage]; **–belletje** (-s) *o* (hasty) scribble, scrawl; **–darm** (-en) *m* catgut; **–gespin** *o* cat's purr; *het eerste gewin is ~* first winnings don't count; **–kop** (-pen) *m fig* cat; **–kwaad** *o* naughty (monkey) tricks, mischief; **–mepper** (-s) *m* cat-catcher (-snatcher); **'katten** (katte, h. gekat) *vt* cat; **'katterig S** chippy, **F** having a head (a hangover); **'kattestaart** (-en) *m* 1 ✿ cat's tail; 2 ✿ purple loosestrife; **–vel** (-len) *o* catskin; **–wasje** (-s) *o* a lick and a promise; **'kattig** catty, cattish; **'katuil** (-en) *m* barn-owl; **'katvis** (-vissen) *m* small fry; **–zwijm** *in ~ liggen* be in a fainting fit; *in ~ vallen* faint, swoon

Kau'kasiër (-s) *m*, **Kau'kasisch** *aj* Caucasian

kauw (-en) *v* 🐦 jackdaw, daw

'kauwen (kauwde, h. gekauwd) **I** *vi* chew, masticate; *~ op* chew; **II** *vt* chew, masticate; **'kauwgom** *m* & *o* chewing gum; **–spier** (-en) *v* masticatory muscle

ka'valje (-s) *o* wreck

'kavel (-s) *m* lot, parcel; **'kavelen** (kavelde, h. gekaveld) *vt* lot (out), parcel out, divide into lots

kavi'aar *m* caviar(e)

kaze'mat (-ten) *v* casemate

ka'zerne (-s en -n) *v* barracks, ook: barrack; *in ~s onderbrengen* barrack; **–woning** (-en) *v* tenement house

ka'zuifel (-s) *m* chasuble

K.B. [ka.'be.] = *Koninklijk Besluit*

keef (keven) V.T. van *kijven*

keek (keken) V.T. van *kijken*

keel (kelen) *v* throat; *een zere ~* a sore throat; *een ~ opzetten* set up a cry; *iem. de ~ dichtknijpen* choke (throttle, strangle) sbd.; *iem. b ij de ~ grijpen* seize sbd. by the throat; *angst snoerde hem de ~ dicht* be choked with fear; *het woord bleef mij i n de ~ steken* the word stuck in my throat; *iem. n a a r de ~ vliegen* fly at sbd.'s throat; *het hangt mij de ~ uit* **F** I am fed up with it; **–aandoening** (-en) *v* throat affection; **–amandel** (-en) *v* tonsil; **–gat** (-gaten) *o* gullet; *het kwam in het verkeerde ~* it went down the wrong way; **–geluid** (-en) *o* guttural sound; **–holte** (-n en -s) *v* pharynx; **–klank** (-en) *m* guttural (sound); **keel-, neus- en 'oorarts** (-en) *m* otorhinolaryngologist; **'keelontsteking** (-en) *v* inflammation of the throat, quinsy; **–pijn** (-en) *v* pain in the throat; *~ hebben* have a sore throat; **–spiegel** (-s) *m* laryngoscope

keep (kepen) *v* notch, nick, indentation

'keeper ['ki.pər] (-s) *m* goal-keeper

kẹer (keren) *m* 1 turn; 2 time; *de ziekte heeft een goede (gunstige) ~ genomen* the illness has taken a favourable turn; *(voor) deze ~* this time; *twee ~* twice; *de twee keren dat hij...* the two times that he...; *een ~ of drie* two or three times; *drie ~* three times, thrice; *een enkele ~* once in a while, occasionally; *de laatste ~* (the) last time; *de volgende ~* next time; *i n één ~* at one time, at one go, [kill] at a blow, [drink] at a draught; *in (binnen) de kortste keren* in no time at all, without further delay, before you can say knife (Jack Robinson), lickety-split; *o p een ~* one day (one evening &); *~ op ~* time after time; *v o o r deze ene ~* for this once; **–dam** (-men) *m* barrage, weir; **–koppeling** (-en) *v* reverse gear; **–kring** (-en) *m* tropic; **–punt** (-en) *o* turning-point [in career], crisis; **–weer** (-weren) *m* blind alley; **–zij(de)** (-zijden) *v* reverse (side), back; *fig* seamy side; *de ~ van de medaille [fig]* the other side of the coin (the picture); *aan de ~* on the back

'keeshond (-en) *m* Pomeranian (dog)

keet (keten) *v* shed; *~ maken* **F** make a mess; kick up a row

'keffen (kefte, h. gekeft) *vi* yap[2]; **–er** (-s) *m* yapper[2]

keg (-gen) *v* wedge

'kegel (-s) *m* 1 cone [in geometry]; 2 skittle, ninepin [game]; 3 (ij s k e g e l) icicle; **'kegelaar** (-s) *m* player at skittles; **'kegelbaan** (-banen) *v* skittle-alley, bowling-alley; **–bal** (-len) *m* skittle-ball; **'kegelen** (kegelde, h. gekegeld) *vi* play at skittles, at ninepins; **'kegelsnede** (-n) *v* conic section; **–spel** *o* (game of) skittles, ninepins; **–vlak** (-ken) *o* conical surface; **–vormig** conical, cone-shaped, coniform

'kegge = *keg*

kei (-en) *m* 1 boulder; 2 (t e r b e s t r a t i n g) paving-stone, [round] cobble(-stone); 3 *fig* **F** = *bolleboos*; **–hard** stone-hard; *fig* adamant; *een ~ schot* a fierce shot; *een ~e vrouw* a hard-boiled woman; *de radio stond ~ aan* the radio was full on, was on at full blast

keil (-en) *m* wedge; pin, peg, cotter; **–bout** (-en) *m* cotter bolt

'keileem *o* loam

'keilen (keilde, h. gekeild) *vt* fling, pitch; *steentjes over het water ~* make ducks and drakes

'keislag *m* stone chippings; **–steen** (-stenen) *m* = *kei* 1 & 2

'keizer (-s) *m* emperor; *geef den ~, wat des ~s is* **B** render unto Caesar the things which are Caesar's; *waar niets is verliest de ~ zijn recht* the King looseth his right where nought is to be had; **keize'rin** (-nen) *v* empress; **'keizerlijk** imperial; **–rijk** (-en) *o* empire; **'keizerskroon** (-kronen) *v* imperial crown; **'keizersne(d)e** (-sneden) *v* caesarean operation (section)

'keken V.T. meerv. van *kijken*

'kelder (-s) *m* cellar; vault [of a bank]; *naar de ~ gaan* 1 ⚓ go to the bottom; 2 *fig* go to the dogs; **'kelderen I** (kelderde, h. gekelderd) *vt* lay up, cellar, store (in a cellar); **II** (kelderde, is gekelderd) *vi* slump [of shares]; **'keldergat** (-gaten) *o* air-hole, vent-hole; **–luik** (-en) *o* trap-door, cellar-flap; **–meester** (-s) *m* cellarman; (v. k l o o s t e r) cellarer; **–mot** (-ten) *v* sow-bug; **–raam** (-ramen) *o* cellar-window; **–ruimte** (-n en -s) *v* cellarage; **–trap** (-pen) *m* cellar stairs; **–verdieping** (-en) *v* basement; **–woning** (-en) *v* basement

'kelen (keelde, h. gekeeld) *vt* cut the throat of, kill

kelk (-en) *m* 1 cup, chalice; 2 ⚘ calyx; **–blad** (-bladen) *o* sepal; **–vormig** cup-shaped

'kelner (-s) *m* waiter; ⚓ steward; **kelne'rin** (-nen) *v* waitress

Kelt (-en) *m* Celt; **–isch** Celtic

'kemelshaar *o* camel's hair

'kemphaan (-hanen) *m* 1 🐦 ruff; gamecock, fighting cock; 2 *fig* fighter, bantam

'kenau (-s) *v* virago, tartar, battle-axe

'kenbaar knowable; *~ maken* make known

'kengetal (-tallen) *o* = *netnummer*

Keni'aan (-ianen) *m*, **–s** *aj* Kenyan

'kenmerk (-en) *o* 1 distinguishing mark; 2 characteristic feature; **'kenmerken** (kenmerkte, h. gekenmerkt) **I** *vt* characterize, mark; **II** *vr zich ~ door* be characterized by; **ken'merkend** characteristic (of *voor*)

'kennel (-s) *m* kennel

'kennelijk I *aj* obvious; *in ~e staat van dronkenschap* under the influence of drink, intoxicated, drunk; **II** *ad* clearly, obviously

'kennen (kende, h. gekend) *vt* know, be acquainted with; *dat ~ we!* I've heard that one before!; *ken u zelven* know thyself; *geen... van... ~* not know... from...; *zijn lui ~* know with whom one has to deal; *hij kent geen vrees* he knows no fear; *te ~ geven* give to understand, hint, signify, intimate, express [a wish], declare; *zich doen ~ als...* show oneself a...; *zich laten ~* show oneself in one's true colours; *laat je nou niet ~ aan een gulden* don't give yourself away (don't let yourself down) in the matter of a poor guilder; *iem. leren ~* get acquainted with sbd., come (learn) to know sbd.; *zij wilden hem niet ~* **F** they cut him; ● *ik ken hem a a n zijn gang* (*manieren, stem*) I know him by his gait (manners, voice); *iem. niet i n iets ~* act without sbd.'s knowledge, not consult sbd.; *ze u i t elkaar ~* know them apart; **'kenner** (-s) *m* connoisseur, (good) judge (of *van*); *een ~ van het Latijn* & a Latin & scholar; **–sblik** (-ken) *m* look of a connoisseur; *met ~* with the eye of a connoisseur

'kennis 1 *v* [theoretical or practical] knowledge [of a thing]; acquaintance [with persons & things]; know-how; *oppervlakkige ~* smattering; 2 (kennissen) *m-v* (p e r s o o n) acquaintance; *~ is macht* knowledge is power; *~ dragen van* have knowledge (cognizance) of; *~ geven van* announce, give notice of; *~ hebben aan iem.* be acquainted with sbd.; (*geen*) *~ hebben van* have (no) knowledge of; *~ maken met iem.* make sbd.'s acquaintance; *nader ~ maken met iem.* improve sbd.'s acquaintance; *~ maken met iets* get acquainted with sth.; *~ nemen van* take cognizance (note) of, acquaint oneself with; ● *b ij ~ zijn* be conscious; *weer bij ~ komen* regain consciousness; *b u i t e n ~ zijn* be unconscious, have lost consciousness; *dat is buiten mijn ~ gebeurd* without my knowledge; *met elkaar i n ~ brengen* make acquainted with each other, introduce to each other; *iem. in ~ stellen met* (*van*) acquaint sbd. with, inform sbd. of; *m e t ~ van zaken* with (full) knowledge; *wij zijn o n d e r ~en* we are among acquaintances (friends) here; *iets t e r* (*algemene*) *~ brengen* give (public) notice of sth.; *ter ~ komen van* come to the knowledge of; **–geving** (-en) *v* notice, [official] notification; *voor ~ aannemen* lay [a petition] on the table; *het zal voor ~ aangenomen worden* the Government (the Board &) do not intend (propose) to take notice of it; **–leer** *v* epistemology; **–making** (-en) *v* getting acquainted, acquaintance; *b ij de eerste* (*nadere*) *~* on first (nearer) acquaintance; *o p onze ~!* to our better acquaintance!; *t e r ~* $ on approval; **–neming** *v* (taking) cognizance, examination, inspection; **'kennissenkring** (-en) *m* (circle of) acquaintances; **'kennistheorie** *v* = *kennisleer*

'kenschetsen (kenschetste, h. gekenschetst) *vt* characterize

'kentaur = *centaur*
'kenteken (-s en -en) *o* distinguishing mark, badge, token; (v. a u t o) registration number; **'kentekenbewijs** (-wijzen) *o* registration certificate; **'kentekenen** (kentekende, h. gekentekend) *vt* characterize; **'kentekenplaat** (-platen) *v* registration plate
'kenteren (kenterde, is gekenterd) *vi* turn; **–ring** (-en) *v* 1 turn (of the tide), turning (of the tide); 2 change [of the monsoon(s)]; *er komt een ~ in de publieke opinie* the tide of popular feeling is on the turn
'kenvermogen *o* cognition
'Kenya *o* Kenya
'keper (-s) *m* twill; *op de ~ beschouwen* examine carefully; *op de ~ beschouwd* on close inspection; after all; **'keperen** (keperde, h. gekeperd) *vt* twill
'kepie (-s) *m* kepi
kera'miek = *ceramiek*
ke'ramisch = *ceramisch*
'kerel (-s) *m* fellow, chap
1 'keren (keerde, h. gekeerd) *vt* (v e g e n) sweep, clean
2 'keren I (keerde, h. gekeerd) *vt* 1 (o m k e r e n) turn [a coat, one's face in a certain direction &]; ◊ turn up [a card]; 2 (t e g e n h o u d e n) stem, stop, check, arrest; *hooi ~* make (toss, ted) hay; **II** (keerde, is gekeerd) *vi* turn; *i n zichzelf ~* retire within oneself; *in zichzelf gekeerd* retiring; *beter t e n halve gekeerd, dan ten hele gedwaald* he who stops halfway is only half in error; *per ~de post* by return (of post); **III** *vr zich ~* turn; *zich t e g e n iedereen ~* turn against everybody; *zich t e n goede (kwade) ~* turn out well (badly), take a turn for the better; *zich t o t God ~* turn to God
kerf (kerven) *v* notch, nick; **–stok** (-ken) *m* tally; *hij heeft veel op zijn ~* his record is none of the best
kerk (-en) *v* [established] church; [dissenting] chapel; *de ~ in het midden laten* pursue a give-and-take policy; *hoe laat begint de ~?* at what o'clock does divine service begin?; • *i n de ~* at (in) church; in the church; *n a ~* after church; *n a a r de ~ gaan* 1 (o m t e b i d d e n) go to church; 2 (a l s t o e r i s t) go to the church; **–ban** *m* excommunication; **–bank** (-en) *v* pew; **–bestuur** (-sturen) *o* church government; *het ~ = kerkeraad*; **–bezoek** *o* church attendance; **–boek** (-en) *o* 1 church-book, prayerbook; 2 parish register; **–concert** (-en) *o* church concert; **–dief** (-dieven) *m* church-robber; **–dienst** (-en) *m* divine service, church service, religious service; **'kerkelijk** ecclesiastical; *een ~e begrafenis* a religious burial; *een ~ feest* a church festival; *~e goederen* church property; *een ~ huwelijk* a church (religious) wedding; *het ~ jaar* the Christian year; *~ recht = kerkrecht*; **'kerken** (kerkte, h. gekerkt) *vi* go to church; *waar kerkt hij?* what church does he attend?
'kerker (-s) *m* dungeon, prison
'kerkeraad (-raden) *m* church council; consistory [Lutheran]
'kerkeren (kerkerde, h. gekerkerd) *vt* imprison, incarcerate
'kerkezakje (-s) *o* collection-bag; **'kerkgang** *m* going to church, church-going; **–ganger** (-s) *m* church-goer; **–gebouw** (-en) *o* church (-building); **–genootschap** (-pen) *o* denomination; **–geschiedenis** *v* ecclesiastical history, church history; **–gezang** (-en) *o* 1 (h e t z i n g e n) church-singing; 2 (l i e d) (church)hymn; **–goed** (-eren) *o* church property; **–hervormer** (-s) *m* reformer; **–hervorming** (-en) *v* reformation; **–hof** (-hoven) *o* churchyard; graveyard, cemetery; *op het ~* in the churchyard; *de dader ligt op het ~* the cat has done it; **–klok** (-ken) *v* 1 church-clock; 2 church-bell; **–koor** (-koren) *o* choir; church choir; **–latijn** *o rk* Church Latin; **–leraar** (-raren & -s) *m rk* Doctor of the Church; **–meester** (-s) *m* churchwarden; **–muziek** *v* church music; **–plein** (-en) *o* parvis, church square; **–portaal** (-portalen) *o* church-porch; **–provincie** (-s en -ciën) *v* (church) province; **–raam** (-ramen) *o* church-window; **–rat** *v zo arm als een ~* as poor as a church mouse; **–recht** *o* canon law; **–roof** *m* church-robbery; **kerks F** churchy; **'kerkstoel** (-en) *m* prie-dieu (chair); **–toren** (-s) *m* church-tower, (s p i t s e) church-steeple; **–uil** (-en) *m* barn-owl; **–vader** (-s) *m* Father (of the Church), Church Father; **–vergadering** (-en) *v* church-meeting, synod; **–vervolging** (-en) *v* persecution of the Church; **–volk** *o* church-goers; **–voogd** (-en) *m rk* prelate; *pr* churchwarden; **–vorst** (-en) *m* prince of the church; **–wijding** (-en) *v* consecration of a church; **–zakje** = *kerkezakje*
'kermen (kermde, h. gekermd) *vi* moan, groan
'kermis (-sen) *v* fair; *het is niet alle dagen ~* Christmas comes but once a year; *het is ~ in de hel* it's rain and shine together; *hij kwam van een koude ~ thuis* he came away with a flea in his ear; **–bed** (-den) *o* shakedown; **–gast** (-en) *m* 1 visitor of the fair; 2 (s p u l l e b a a s) showman; **–tent** (-en) *v* booth; **–terrein** (-en) *o* fair ground; **–volk** *o* showmen; **–wagen** (-s) *m* caravan
kern (-en) *v* kernel [of a nut]; stone [of a peach], § [of atom, cell] nucleus [*mv* nuclei]; *fig* substance, heart, core, kernel, pith; *een ~ van*

waarheid a nucleus of truth; *de ~ van de zaak* the heart (substance, core, pith, kernel) of the matter; *de harde ~ van...* the hard core of...; **–achtig** pithy, terse; **–achtigheid** *v* pithiness, terseness; **–bom** (-men) *v* nuclear bomb; **–centrale** (-s) nuclear power-station; **–deling** (-en) *v* nuclear fission; **–energie** [-e.nɛrʒi.] *v* nuclear energy, nuclear power; **–explosie** [s = z] (-s) *v* nuclear explosion; **–fusie** [s = z] (-s) *v* nuclear fusion; **–fysica** [-fi.zi.-] *v* nuclear physics; **–fysicus** (-fysici) *m* nuclear physicist; **–gedachte** (-n) *v* central idea; **–gezond** 1 (v. p e r s o n e n) in perfect good health; 2 (v a n z a k e n) thoroughly sound; **–hout** *o* heartwood, duramen; **–kop** (-pen) *m* ⚔ nuclear warhead; **–lading** (-en) *v* nuclear charge; **–onderzoek** *o* nuclear research; **–probleem** *o* central problem; **–proef** (-proeven) *v* nuclear test; **–punt** (-en) *o* central (crucial) point, crux; **–reactor** (-s en -toren) *m* nuclear reactor, atomic pile; **–splitsing** *v* nuclear fission; **–spreuk** (-en) *v* pithy saying, aphorism; **–stopverdrag** *o* test-ban treaty; **–vak** (-ken) *o* key subject; **–wapen** (-s) *o* nuclear weapon; **–wetenschap** *v* nuclear physics

kero'sine [s = z] *v* kerosene, paraffin oil

'kerrie *m* curry, curry-powder

kers (-en) *v* 1 (v r u c h t) cherry; 2 ♣ cress; *~en op brandewijn* cherry brandy; **'kersebloesem** (-s) *m* cherry blossom; **–bonbon** (-s) *m* cherry chocolate; **–boom** (-bomen) *m* cherry tree; **–boomgaard** (-en) *m* cherry orchard; **–hout** *o* cherry-wood; **'kersentijd** *m* cherry season, cherry time; **'kersepit** (-ten) *v* 1 cherry stone; 2 **F** nob: head

'kerspel (-s en -en) *o* parish

'kerstavond (-en) *m* 1 (2 4 d e c.) Christmas Eve; 2 (2 5 d e c.) Christmas evening; **–boom** (-bomen) *m* Christmas tree; **–dag** (-dagen) *m* Christmas Day; *eerste ~* Christmas Day; *tweede ~* the day after Christmas Day, Boxing Day; *in de ~en* at Christmas, during Christmas time; **'kerstenen** (kerstende, h. gekerstend) *vt* christianize; **–ning** *v* christianization

'kerstfeest (-en) *o* Christmas(-feast); **–geschenk** (-en) *o* Christmas present; **'Kerstkind(je)** *o* Christ child, infant Jesus [in the crib]; **'kerstkribbe** (-n) *v* Christmas crib; **–lied** (-eren) *o* Christmas carol; **–mannetje** (-s) *o het ~* Father Christmas, Santa Claus; **'Kerstmis** *m* Christmas, Xmas; **'kerstnacht** (-en) *m* Christmas night; **–roos** (-rozen) *v* Christmas rose; **–spel** (-spelen) *o* Nativity play; **–tijd** *m* Christmas time, yule (tide); **–vakantie** [-(t)si.] (-s) *v* Christmas holidays; **–versiering** (-en) *v* Christmas decoration; **–week** (-weken) *v* Christmas week; **–zang** (-en) *m* Christmas carol

'kersvers quite new, quite fresh; *~ van school* straight (fresh) from school

'kervel *m* chervil

'kerven* *vt* carve, cut, notch, slash

'ketel (-s) *m* 1 (v o o r k e u k e n) kettle, cauldron, copper; 2 ⚒ boiler; **–bikker** (-s) *m* scaler; **–dal** (-dalen) *o* basin; **–huis** (-huizen) *o* boiler-house, boiler-room; **–lapper** (-s) *m* tinker; **–maker** (-s) *m* boiler-maker; **–muziek** *v* mock serenade with kettles, pans, horns &; **–steen** *o* & *m* (boiler-)scale, fur; **–trom** (-men) *v* kettledrum

'keten (-s en -en) *v* chain[2], *fig* bond; (a a n é é n s c h a k e l i n g) concatenation; *in ~en slaan* chain; **'ketenen** (ketende, h. geketend) *vt* chain, enchain, shackle

'ketsen (ketste, is geketst) *vi* misfire [of a gun]; (b i l j a r t e n) miscue; (a f s c h a m p e n) rebound; **'ketsschot** *o* misfire

'ketter (-s) *m* heretic; *hij zuipt als een ~* he drinks like a fish; *hij vloekt als een ~* he swears like a trooper; **'ketteren** (ketterde, h. geketterd) *vi* swear, rage; **kette'rij** (-en) *v* heresy, misbelief; **'ketterjacht** (-en) *v* heresy hunt; **–jager** (-s) *m* heresy hunter; **–s** *aj* heretical; **–vervolging** (-en) *v* persecution of heretics

'ketting (-en) *m* & *v* 1 chain [of metal links]; 2 warp [in weaving]; **–botsing** (-en) *v* pile-up; **–breuk** (-en) *v* continued fraction; **–brief** (-brieven) *m* chain-letter; **–brug** (-gen) *v* chain-bridge; **–draad** (-draden) *m* warp; **–hond** (-en) *m* watch-dog; **–kast** (-en) *v* gear-case, chain-guard; **–reactie** [-re.ɑksi.] (-s) *v* chain reaction; **–roker** (-s) *m* chain-smoker; **–slot** (-sloten) *o* chain lock; **–steek** (-steken) *m* chain stitch; **–zaag** (-zagen) *v* chain-saw

keu (-s en -en) *v* (billiard-)cue

'keuken (-s) *v* 1 kitchen; 2 (s p i j s b e r e i d i n g) cooking; *Franse ~* French cuisine; *koude ~* cold dishes; **–buffet** [-by.fɛt] (-ten) *o* dresser; **–fornuis** (-fornuizen) *o* kitchen-range; **–gerei** *o* kitchen-utensils, kitchenware; **–kast** (-en) *v* kitchen-cupboard; **–lift** (-en) *m* dumb waiter; **–meid** (-en) *v* cook; *tweede ~* kitchen-maid; *gillende ~ = voetzoeker*; **–meidenroman** (-s) *m* cheap sentimental novel; **–prinses** (-sen) *v* cook; **–rol** (-len) *v* kitchen roll; **–stroop** *v* molasses; **–wagen** (-s) *m* kitchen-car; **–zout** *o* kitchen-salt

'Keulen *o* Cologne; *~ en Aken zijn niet op één dag gebouwd* Rome was not built in a day; **Keuls** Cologne; *~e pot* Cologne jar, stone jar

keur (-en) *v* 1 (k e u s) choice; selection; 2 (m e r k) hallmark; 3 (v e r o r d e n i n g) by-law; *~ van spijzen* choice viands (food); zie ook: 2 *kust*; **–bende** (-n en -s) *v* picked (body of) men; **–collectie** [-kɔlɛksi.] (-s) *v* choice collection; **–der** (-s) *m* = *keurmeester*; **'keuren** (keurde, h. gekeurd) *vt* assay [gold, silver]; [medically] examine [recruits]; inspect [food &]; taste [wine &]; *hij keurde mij geen blik waardig* he didn't deign to look at me

'keurig I *aj* choice, nice, exquisite, trim; **II** *ad* choicely &; *het past u ~* it fits you beautifully; **–heid** *v* choiceness, nicety

'keuring (-en) *v* assay(ing) [of gold &]; (medical) examination; inspection [of food]; **'keuringsdienst** (-en) *m ~ voor waren* food inspection department; **–raad** (-raden) *m* medical board; **'keurkorps** (-en) *o* picked (body of) men; **–meester** (-s) *m* assayer [of gold &]; inspector [of food &]; judge

keurs (-en en keurzen) *o*, **–lijf** (-lijven) *o* bodice; stays; *fig* curb, trammels

'keurstempel (-s) *o*, **–teken** (-s) *o* hallmark, stamp; **–troepen** *mv* picked men; **–vorst** (-en) *m* elector; **–vorstendom** (-men) *o* electorate

keus (keuzen) = *keuze*

'keutel (-s) *m* turd

'keutelaar (-s) *m* trifler, dawdler; **'keutelen** (keutelde, h. gekeuteld) *vi* trifle, potter

'keuterboer (-en) *m* small farmer

keuvela'rij (-en) *v* chat; **'keuvelen** (keuvelde, h. gekeuveld) *vi* chat

'keuze (-n) *v* choice, selection; *een ruime ~* a large assortment, a wide choice; *een ~ doen* make a choice; *u hebt de ~* the choice lies with you; *als mij de ~ gelaten wordt* if I am given the choice; *iem. de ~ laten tussen... en...* leave sbd. to choose between... and...; *een ~ maken* make a choice; ● *b i j ~* by selection; *n a a r ~* at choice; *een leervak naar ~* an optional subject; *een... of een..., naar ~* a(n)... or a(n)... to choice; *naar (t e r) ~ van...* at the option of...; *u i t vrije ~* from choice; **–commissie** (-s) *v* selection committee; **–vak** (-vakken) *o* optional subject

'keven V.T. meerv. van *kijven*

'kever (-s) *m* beetle

kg = *kilogram*

K.I. [ka.'i.] = *kunstmatige inseminatie*

kibbela'rij (-en) *v* bickering(s), wrangle, squabble; **'kibbelen** (kibbelde, h. gekibbeld) *vi* bicker, wrangle, squabble [about]; **'kibbelpartij** (-en) *v* squabble

'kibboets (-en en kibboetsiem) *m* kibbutz [*mv* kibbutzim]

kiek (-en) *m* snap(shot)

'kiekeboe bo-peep; *~!* bo!; *~ spelen* play (at) bo-peep

1 'kieken (-s) *o* 🦢 chicken

2 'kieken (kiekte, h. gekiekt) *vt* snapshot, snap, take.

'kiekendief (-dieven) *m* 🦢 harrier, kite

'kiekje (-s) *o* snap, snapshot; **'kiektoestel** (-len) *o* camera

1 kiel (-en) *m* blouse, smock(-frock)

2 kiel (-en) *v* ⚓ keel; *de ~ leggen van een schip* lay down a ship

'kiele'kiele tickle-tickle!; [*fig*] *het was ~* it was touch-and-go

'kielen (kielde, h. gekield) *vt* ⚓ keel, careen, heave down; **'kielhalen** (kielhaalde, h. gekielhaald) *vt* 1 careen; 2 (a l s s t r a f) keelhaul; **'kielvlak** (-ken) *o* ✈ fin; **–water** *o* ⚓ wake, dead water; **–zog** *o* ⚓ wake; *in iems. ~ varen* follow in sbd.'s wake

kiem (-en) *v* germ²; *in de ~ smoren* nip in the bud; **–blad** (-bladen) *o* cotyledon; **–cel** (-len) *v* germ-cell; **'kiemen** (kiemde, is gekiemd) *vi* germinate²; **–ming** *v* germination; **'kiemkracht** *v* germination capacity; germinative power; **–vrij** germ-free

kien I *ij* ± bingo; **II** *aj* (p i e n t e r, 'b ij') **F** cute, with it; **'kienen** (kiende, h. gekiend) *vi* play at lotto, play bingo; **'kienspel** (-len) *o* lotto, bingo

'kieperen I (kieperde, h. gekieperd) *vt* **F** chuck; **II** (kieperde, is gekieperd) *vi* tumble

kier (-en) *m* & *v* narrow opening; (r e e t) chink; *op een ~ staan (zetten)* be (set) ajar

'kierewiet F touched, crackers

1 kies (kiezen) *v* molar (tooth), tooth, grinder; **2 kies** *o* (s t o f n a a m) pyrites; **3 kies I** *aj* delicate [subject]; considerate [man]; **II** *ad* [treat a subject] with delicacy; [act] considerately

'kiescollege [-le.ʒə] (-s) *o* electoral college; **–deler** (-s) *m* quota; **–district** (-en) *o* constituency, (parliamentary) borough; ward; **–gerechtigd** qualified to vote; *~e leeftijd* voting age

'kiesheid *v* delicacy, considerateness

'kieskauwen (kieskauwde, h. gekieskauwd) *vi* peck at one's food; **–er** (-s) *m* reluctant eater; **kies'keurig** dainty, nice, (over)particular, fastidious, squeamish, choosy

'kieskring (-en) *m* electoral district; **–man** (-nen) *m* elector

'kiespijn *v* toothache

'kiesrecht *o* franchise, suffrage; *algemeen ~* universal suffrage; **–schijf** (-schijven) *v* ☎ dial **–stelsel** (-s) *o* electoral system; **–toon** (-tonen *m* ☎ dialling tone; **–vereniging** (-en) *v* electoral association; **–wet** (-ten) *v* electoral law, ballot act

'kietelen (kietelde, h. gekieteld) *vt* & *vi* tickle

kieuw (-en) *v* gill; **–deksel** (-s) *o* gill-cover; **–holte** (-n) *v* gill-opening; **–spleet** (-spleten) gill-cleft, gill-split

'kievi(e)t (-en) *m* lapwing, pe(e)wit; **'kievi(e)tsei** (-eren) *o* lapwing's egg, **F** plover's egg

1 'kiezel *o* (stofnaam) gravel; **2 'kiezel** (-s) *m* (steentje) pebble; **–aarde** *v* siliceous earth, silica; **–steen** (-stenen) *m* pebble; **–weg** (-wegen) *m* gravelled road; **–zand** *o* gravel; **–zuur** *o* silicic acid

'kiezen* I *vt* choose, select; elect [as a representative]; pick [one's words]; *hij is gekozen tot lid van...* he has been elected a member of...; *kiest Jansen!* vote for J.; zie ook: *hazepad, kwaad, partij, zee* &; **II** *va* 1 choose; 2 vote; *je moet ~ of delen* you must make your choice; **–er** (-s) *m* constituent, voter, elector; **'kiezerskorps** (-en) *o* electorate; **–lijst** (-en) *v* list (register) of voters, poll; **–volk** *o* electorate

kif(t) *v* 1 (afgunst) envy; *dat is de ~!* sour grapes!; 2 (ruzie) squabble, **F** row; **'kiften** (kiftte, h. gekift) *vi* squabble, **F** row

kijf *buiten ~* beyond dispute, indisputably

kijk *m* view, outlook; *mijn ~ op het leven* my outlook on life; *zijn ~ op de zaak* his view of the case; *ik heb daar een andere ~ op* I take a different view of the thing; *hij heeft een goede ~ op die dingen* he is a good judge of such things; *er is geen ~ op* it is out of the question; *hij loopt er mee te ~* he makes a show of it; *te ~ zetten* place on view, display; *het is te ~* it is on show, on view; *tot ~!* see you (again)!, **F** so long!; **–dag** (-dagen) *m* show-day, view-day; *~ twee dagen vóór de verkoop* on view two days prior to sale; **kijk'dichtheid** *v T* viewing figures; **'kijken*** *vi* 1 look, have a look, (glurend) peep; 2 *T* view, watch, look in (at TV); *kijk, kijk!* 1 (bevelend) look (there)!; 2 (ironisch) ah!, indeed!; *kijk eens aan!* look here!; *laat eens ~* let me see; *wij zullen eens gaan ~* we shall go and have a look; *ga eens ~ of...* just go and see if...; *ik zal eens komen ~* I am coming round one of these days; *hij komt pas ~* he is only just out of the shell; *er komt heel wat bij ~* it is rather a bit of a job; *alles wat daarbij komt ~* all that is involved; *staan ~* stand and look; *daar sta ik van te ~* that's a surprise to me; well, I am dashed; ● *~ naar* 1 look at [sth.]; 2 look after [the children]; 3 watch [television, a play, the boat-race]; *laat naar je ~!* be your age!; *kijk naar je eigen!* look at home!; *~ op* look at [his watch &]; *zij ~ op geen gulden of wat* they are not particular about a few guilders; *de... kijkt hem de ogen uit* ...looks through his eyes; *kijk uit!* look out!, watch it!; *~ staat vrij* a cat may look at a king; **–er** (-s) *m* 1 (persoon) looker-on, spectator; *T* (tele)viewer, television viewer; 2 (kijkglas) spy-glass, telescope; opera-glass; (dubbele) binoculars; (veld) fieldglasses; *een paar heldere ~s* a pair of bright eyes (**S** peepers); **'kijkgat** (-gaten) *o* peep-hole, spy-hole; **–geld** *o* television licence fee; **–graag** curious; **–je** (-s) *o* look, glimpse, view; *een ~ gaan nemen* go and have a look, **F** have a dekko; **–kast** (-en) *v* 1 (rarekiek) raree-show, peep-show; 2 *T* **F** box [= television set]; **–spel** (-spelen) *o* 1 (op kermis) show at a fair, booth; 2 (spektakelstuk) show-piece; 3 *T* television play

'kijven* *vi* quarrel, wrangle; *~ op* scold

kik *m hij gaf geen ~* he did not utter a sound; **'kikken** (kikte, h. gekikt) *vi je hoeft maar te ~* you need only say the word, you only have to say so; *je mag er niet van ~* you must not breathe a word of it to anyone

'kikker (-s) *m* 🐸 frog; ⚓ cleat; **–billetje** (-s) *o* frog's leg; **–dril** *o* = *kikkerrit*; **–land** *o* frog-land [= Holland]; **–rit** *o* frog-spawn; **–visje** (-s) *o* tadpole

'kikvors (-en) *m* frog; **–man** (-nen) *m* frogman

1 kil (-len) *v* channel

2 kil *aj* chilly; **–heid** *v* chilliness

'kilo ('s), **'kilogram** (-men) *o* kilogramme; **'kilohertz** *m* kilocycle; **'kilometer** (-s) *m* kilometre; **–teller** (-s) *m* mileage recorder; **–vreter** (-s) *m* road-hog; **'kilowatt** [-*vɑt* of -*vɔt*] (-s) *m* kilowatt; **–uur** (-uren) *o* kilowatt-hour

'kilte *v* chilliness

kim (-men) *v* 1 rim [of a cask]; 2 ⚓ bilge; 3 horizon, sea-line; **–duiking** (-en) *v* dip (of the horizon); **'kimme** = *kim 3*

ki'mono ('s) *m* kimono

kin (-nen) *v* chin

'kina *m* cinchona; **–bast** *m* cinchona, Jesuits' bark; **–boom** (-bomen) *m* cinchona(-tree); **–druppels** *mv* quinine drops; **–wijn** *m* quinine wine

kind (-eren) *o* child, babe, baby, infant, **F** kid; little one; *een ~ krijgen* have a child; *een ~ verwachten* expect a child; *een ~ kan de was doen* it's very easy; *daar ben ik maar een ~ bij* I'm a mere baby to that; *geen ~ aan iem. hebben* he (she) is no trouble at all; *mijn papieren ~eren* my literary babes (infants); *hij is zo onschuldig als een pasgeboren ~* he is as innocent as the babe unborn; *ik ben geen ~ meer* I'm not a kid any longer; *ik ben er als ~ in huis* I am treated like one of the family; *hij is een ~ des doods* he is a dead man; *hij werd het ~ van de rekening* he had to pay the piper; *hij is een ~ van zijn tijd* he is the child of his age; *van ~ af aan* from a child; *het ~ bij zijn naam noemen* call a spade a spade; *~ noch kraai hebben* be alone in the world; ⊙ **'kindeke(n)** (-s) *o* infant; *het ~ Jezus* the infant Jesus; **'kinderachtig I** *aj* childish, babyish; **II** *ad* childishly; **'kinderafdeling** (-en) *v* (in winkel) children's department; (in ziekenhuis) children's ward; **–aftrek** *m* (tax) relief in respect of each child; **–arbeid** *m* child-labour; **–arts** (-en) *m* pediatrician; **–bed** (-den) *o* child's bed, cot; *in het ~ liggen* be in childbed; **–bescherming** *v* protection of children, child protection; **–beul** (-en) *m* bully; **–bewaarplaats** (-en) *v* crèche, day nursery; **–bijslag** *m* family allowance; **–boek** (-en) *o* children's book; **–doop** *m* infant baptism; **–geneeskunde** *v* pediatrics; **–goed** *o* child's clothes, babies' clothes; **–hand** (-en) *v* child's hand; *een ~ is gauw gevuld* small hearts have small desires; **–hoofdje** (-s) *o* (straatsteen) cobble (stone); **–jaren** *mv* (years of) childhood, infancy; **–juffrouw** (-en) *v* nursery-governess, nannie, nanny; **–kaart** (-en) *v* half ticket; **–kamer** (-s) *v* nursery; **–koor** (-koren) *o* children's choir; **–kost** *m* children's food; *dat is geen ~* that is no milk for babes; **–leed** *o* childish grief; **–liefde** *v* 1 love of (one's) children; 2 (voor de ouders) filial love; **'kinderlijk** childlike, childish; filial [love]; **–heid** *v* naïveté; **'kinderloos** childless; **–meel** *o* infants' food; **–meid** (-en) *v*, **–meisje** (-s) *o* nursemaid, nurse-girl; **–moord** (-en) *m* child-murder, infanticide; *de ~ te Bethlehem* the massacre of the Innocents; **–partijtje** (-s) *o* children's party; **–pistooltje** (-s) *o* toy pistol; **–praat** *m* childish talk[2], baby talk[2]; **–psychologie** *v* child psychology; **–rechtbank** (-en) *v* juvenile court; **–rechter** (-s) *m* juvenile court magistrate; **–rijmpje** (-s) *o* nursery rhyme; **–roof** *m* kidnapping; **–schaar** *v* swarm of children; **–schoen** (-en) *m* child's shoe; *de ~en ontwassen zijn* be past a child; *nog in de ~en staan (steken)* be still in its infancy; **–speelgoed** *o* children's toys; **–spel** (-spelen) *o* child's play[2]; childhood game, children's game; **–sprookje** (-s) *o* nursery tale; **–stem** (-men) *v* child's voice; *~men* children's voices; **–sterfte** *v* infant mortality; **–stoel** (-en) *m* baby-chair, high chair; **–taal** *v* children's talk[2]; **–tehuis** (-huizen) *o* children's home; **–uurtje** (-s) *o* (radio) children's hour; **–verlamming** *v* infantile paralysis, poliomyelitis, polio; **–versje** (-s) *o* nursery rhyme; **–verzorging** *v* child welfare; **–verzorgster** (-s) *v* trained children's nurse; **–voedsel** *o* infants' food; **–vriend** (-en) *m* lcver of children; **–wagen** (-s) *m* baby-carriage, perambulator, **F** pram; **–weegschaal** (-schalen) *v* baby-balance; **–wereld** *v* children's world; **–ziekenhuis** (-huizen) *o* children's hospital; **–ziekte** (-n en -s) *v* children's complaint; *~(n)* [*fig*] growing pains, teething trouble; **–zitje** (-s) *v* 🚗 infant carrier; **–zorg** *v* child welfare; **'kindje** (-s) *o* (little) child, baby, babe; *het ~ Jezus* the infant Jesus; **'kindlief** dear child, my child

kinds doting; *~ worden* become childish; *~ zijn* be in one's dotage; **–been** *van ~ af* from a child; **–deel** (-delen), **–gedeelte** (-n en -s) *o* (child's) portion; **–heid** *v* 1 (ouderdom) second childhood, dotage; 2 (jeugd) childhood, infancy; **–kind** (-eren) *o* grandchild; *onze ~eren* our children's children

ki'nine *v* quinine; **–pil** (-len) *v* quinine pill

kink (-en) *v* twist, kink; *er is een ~ in de kabel* there is a hitch somewhere

'kinkel (-s) *m* lout, bumpkin

'kinketting (-en) *m* & *v* curb(-chain)

'kinkhoest *m* (w)hooping-cough

'kinnebak (-ken) *v* jaw-bone, mandible

ki'osk (-en) *v* kiosk

kip (-pen) *v* (levend) hen, fowl; (op tafel) chicken; (agent) **F** cop, copper; *als een ~ zonder kop praten* talk through one's hat, talk nonsense; *er is geen ~ te zien* not a soul to be seen; *~ ik heb je!* got you!; *de ~ met de gouden eieren slachten* kill the goose with the golden eggs; *er als de ~pen bij zijn* be on it like a bird, be quick to...; *met de ~pen op stok gaan* go to bed with the birds

'kipkar (-ren) *v* tip-car(t)

'kiplekker as fit as a fiddle; **'kippeborst** (-en) *v* chicken-breast; *fig* pigeon-breast; **–boutje** (-s) *o* drumstick; **–ëi** (-eren) *o* hen's egg; **–gaas** *o* wire-netting, chicken wire

'kippen (kipte, h. gekipt) *vt* tip up

kippenfokke'rij (-en) *v* 1 poultry farming; 2 poultry farm; **'kippenhok** (-hokken) *o* hen-house; **–loop** (-lopen) *m* chicken-run, fowl-run; **kippenmeste'rij** (-en) *v* broiler house

'kipper (-s) *m* 🚗 tipper

'kippesoep *v* chicken-broth; **–tje** (-s) *o* **F** bird; **–vel** *o fig* goose-flesh, goose-pimples; *ik krijg er ~ van* it makes my flesh creep; **–voer** *o* poultry food

'kippig short-sighted

'kipwagen (-s) *m* tip-car(t)

'kirren (kirde, h. gekird) *vi* coo

'kiskassen (kiskaste, h. gekiskast) *vi* make ducks and drakes

kist (-en) *v* 1 case, chest, box; 2 (doodkist) coffin; **–dam** (-men) *m* coffer-dam; **'kisten** (kistte, h. gekist) *vt* (v. lijk) coffin; **'kistenmaker** (-s) *m* 1 box-maker; 2 coffin-maker; **'kistje** (-s) *o* 1 box [of cigars]; 2 (schoen) **F** beetle-crusher

kit (kitten) *v* & *o* lute [clay or cement]

kits (-en) *v* ⚓ ketch; *alles ~* **F** everything o.k.

'kittelaar (-s) *m* clitoris; **'kittelen** (kittelde, h. gekitteld) *vt* & *vi* tickle, titillate; **'kittelig**

ticklish; **'kitteling** (-en) *v* tickling, titillation; **kitte'lorig** touchy
'kitten (kitte, h. gekit) *vt* lute
'kittig smart, spruce
'klaaggeschrei *o* lamentation; **–lied** (-eren) *o* lament, lamentation; *~eren* lamentations [of Jeremiah]; **–lijk** plaintive, mournful; **'Klaagmuur** *m de ~* the Wailing Wall [of Jerusalem]; **'klaagster** (-s) *v* 1 complainer; 2 ⚖ plaintiff; **'klaagtoon** (-tonen) *m* plaintive tone; *op een ~* ook: in a querulous tone; **–vrouw** (-en) *v* hired mourner, mute; **–zang** (-en) *v* dirge, elegy
klaar I *aj* 1 (h e l d e r) clear; evident; 2 (g e r e e d) ready; (v o l t o o i d) finished; *~!* ready!; done!; *~ is Kees!* that's done!, that job is jobbed; *en ~ is Kees!* and there you are!; *ik ben ~ met ontbijten* (*met eten* &) I have finished (my) breakfast, I have finished eating; *klare jenever* plain (neat, raw) Hollands; *dat is zo ~ als een klontje* that is as clear as daylight; **II** *ad* clearly; *~ wakker* broad awake, wide awake; **klaar'blijkelijk I** *aj* clear, evident, obvious; **II** *ad* clearly &; *~ had hij niet...* he clearly (evidently &) had not...; **'klaarhebben**[1] *vt* have (got) ready; *altijd een antwoord ~* be always ready with an answer; **'klaarheid** *v* clearness, clarity; *tot ~ brengen* clear up; **'klaarkomen**[1] *vi* get ready, get done; (o r g a s m e) **P** come; **–krijgen**[1] *vt* complete, finish, get ready; **–leggen**[1] *vt* put in readiness, lay out
'klaarlicht *op ~e dag* in broad daylight
'klaarliggen[1] *vi* lie ready; **–maken**[1] **I** *vt* get ready, prepare; *een drankje ~* prepare a potion; *iem. ~ voor een examen* coach sbd. for an examination; *medicijn* (*een recept*) *~* make up a prescription; **II** *vr zich ~* get ready; **–spelen**[1] *vt het ~* manage (it), cope; ook: pull it off; **–staan**[1] *vi* be ready; *altijd voor iem. ~* 1 be always ready to oblige sbd.; 2 (o m t e g e h o o r z a m e n) be at sbd.'s beck and call; **–stomen**[1] *vt* cram [pupils]
'klaarte *v* clearness, lucidity
'klaarzetten[1] *vt* lay [dinner &]; set out [the tea-things]
Klaas *m* Nicholas; *~ Vaak* the sandman; *een houten klaas* a stick
kla'bak (-ken) *m* **S** cop, copper
klacht (-en) *v* 1 complaint; lamentation; 2 ⚖ indictment, complaint; *een ~ tegen iem. indienen* lodge a complaint against sbd.; **'klachtenboek** (-en) *o* complaintbook
klad (-den) 1 *v* (v l e k) blot, stain, blotch; 2 *o* (o n t w e r p) rough draught, rough copy; *een ~ op iems. naam werpen* put (cast) a slur upon sbd.; *de ~ erin brengen* spoil the trade; *iem. bij de ~den pakken* catch hold of sbd.; *in het ~ schrijven* make a rough copy; **–blok** (-ken) *o* scribbling-pad; **–boek** (-en) *o* $ waste-book; jotter; **'kladden** (kladde, h. geklad) *vi* 1 stain, blot; 2 *fig* daub; **'kladje** (-s) *o* rough draught; rough copy; **'kladpapier** (-en) *o* scribbling-paper; **–schilder** (-s) *m* dauber; **–schrift** (-en) *o* rough-copybook; **–werk** (-en) *o* 1 rough copy; 2 daub.
'klagen (klaagde, h. geklaagd) *vi* complain; lament; *~ b i j* complain to; *~ o v e r* complain of; *hij heeft geen ~* he has no cause for complaint; zie ook: *nood, steen* &; **–d** plaintive; **'klager** (-s) *m* 1 complainer; 2 ⚖ plaintiff
'klakhoed (-en) *m* crush-hat, opera-hat
'klakkeloos gratuitous
'klakken (klakte, h. geklakt) *vt* clack [one's tongue]
klam clammy, damp, moist
'klamboe (-s) *m* mosquito-net
'klamheid *v* clamminess, dampness, moistness
klamp (-en) *m* & *v* clamp, cleat; **'klampen** (klampte, h. geklampt) *vt* clamp
klan'dizie *v* clientele, custom, goodwill
klank (-en) *m* sound, ring; *zijn naam heeft een goede ~* he enjoys a good reputation; *dat zijn maar ijdele ~en* idle words; **–beeld** (-en) *o* (radio) feature; **–bodem** (-s) *m* sound-board; **–bord** (-en) *o* sound-board, sounding-board; **klank-en-'lichtspel** (-en) *o* son et lumière; **'klankkast** (-en) *v* sound box, sound body, resonance box; **–kleur** (-en) *v* timbre; **–leer** *v* phonetics; **–loos** toneless; **–nabootsing** (-en) *v* onomatopoeia; **–rijk** sonorous, rich [voice]; **–verandering** (-en) *v* sound-change; **–verschuiving** (-en) *v* 1 shifting of sound; 2 permutation of consonants; **–wet** (-ten) *v* phonetic law
klant (-en) *m* customer[2], client; *vaste ~* regular (customer); **'klantenkring** *m* clientele, regular customers; **–service** [-sœ:rvɪs] *m* customer service; after-sales service
klap (-pen) *m* slap, smack, blow, buffet; (g e l u i d) clap; *iem. een ~ geven, iem. ~pen geven* (*om de oren*) strike sbd. a blow, box sbd.'s ears; *iem. een ~ in het gezicht geven* give sbd. a slap in the face[2]; *~pen krijgen* have one's ears boxed, have one's face slapped; *fig* be hard hit, suffer heavy losses; *geen ~* zie (*geen*) *steek*; **–band** (-en) *m* blow-out; **–bankje** (-s) *o* tip-up seat,

[1] V.T. en V.D. van dit werkwoord volgens het model: **'klaar**maken, V.T. maakte **'klaar**, V.D. **'klaar**gemaakt. Zie voor de vormen onder het grondwoord, in dit voorbeeld: *maken*. Bij sterke en onregelmatige werkwoorden wordt u verwezen naar de lijst achterin.

drop seat; **–bes** (-sen) *v* gooseberry; **–deur** (-en) *v* swing-door; **–ekster** (-s) *v* 1 🐦 grey shrike; 2 *fig* gossip; **–hek** (-ken) *o* swing-gate
'klaplopen *vi* sponge (on *bij*), cadge; **–er** (-s) *m* sponger, cadger, parasite; **klaplope'rij** *v* sponging, cadging
klap'pei (-en) *v* gossip; **klap'peien** (klappeide, h. geklappeid) *vi* gossip
'klappen (klapte, h. & is geklapt) **I** *vi* clap, smack; 2 (u i t e l k a a r ~) burst; *i n de handen* ~ clap one's hands; *in de handen* ~ *voor* zie ~ *voor*; *m e t de zweep* ~ crack one's whip; *u i t de school* ~ tell tales; ~ *v o o r* applaud [a player, a speaker &]; **II** *vt zijn hakken tegen elkaar* ~ click one's heels; **III** *o het* ~ *van de zweep kennen* know the ropes
1 'klapper (-s) *m* 1 tattler; telltale; 2 clapper [of a mill]; 3 index; 4 (v u u r w e r k) cracker
2 'klapper (-s) *m* ❀ coco-nut; **–boom** (-bomen) *m* coco-nut tree; **–dop** (-pen) *m* coco-nut shell
'klapperen (klapperde, h. geklapperd) *vi* clack, rattle; chatter [of teeth]; flap [of sails, shutters &]; **'klapperman** (-nen) = *klepperman*
'klappermelk *v* coconut milk; **–noot** (-noten) *v* coco-nut; **–olie** *v* coco-nut oil
'klappertanden (klappertandde, h. geklappertand) *vi hij klappertandt* his teeth chatter
'klappertje (-s) *o* cap [for toy pistol]
'klaproos (-rozen) *v* poppy; **'Klaproosdag** *m* Poppy Day
'klapsigaar (-garen) *m* trick cigar; **–stoel** (-en) *m* folding chair; tip-up seat; **–stuk** (-ken) *o* brisket of beef; *fig* **F** hit; **–tafel** (-s) *v* folding table, drop-leaf table, gate-legged table; **'klapwieken** (klapwiekte, h. geklapwiekt) *vi* clap (flap) the wings; **'klapzoen** (-en) *m* smack
'klare (-n) *m een* ~ a glass of Hollands
'klaren (klaarde, h. geklaard) **I** *vt* 1 clear, clarify, fine [liquids]; 2 clear [goods at the custom-house, ⚓ the anchor]; *hij zal het wel* ~ he'll manage; **II** (klaarde, is geklaard) *vi* clear; *het begint te* ~ the weather begins to clear up
klari'net (-ten) *v* clarinet, clarionet; **klarinet'tist** (-en) *m* clarinettist
kla'roen (-en) *v* clarion; **–geschal** *o* clarion call
klas (-sen) = *klasse*; **–boek** (-en) = *klasseboek*; **–genoot** (-noten) = *klassegenoot*; **–leraar** (-raren) = *klasseleraar*; **–lokaal** (-kalen) = *klasselokaal*
'klasse (-n) *v* 1 class [of animals, goods &]; 2 ✎ class, [in secondary schools] form, [in elementary schools] standard, *Am* grade; [overcrowded] class-room; *alle ~n aflopen* ✎ do all one's classes; *in de* ~ ✎ in class; **–bewust** class conscious; **–boek** (-en) *o* ✎ homework book, class diary; **–genoot** (-genoten) *m* ✎ class mate; **–justitie** [-jüsti.(t)si.] *v* justice based on class bias; **–leraar** (-leraren) *m* ✎ form master; **–lokaal** (-kalen) *o* ✎ class-room
klasse'ment (-en) *o sp* [general] classification, classified results
'klassenhaat *m* class-hatred; **–loos** classless; **–strijd** *m* class-war, class-struggle
'klassepatiënt [-pa.ʃɛnt] (-en) *m* private patient
klas'seren (klasseerde, h. geklasseerd) *vt* classify, class; **–ring** (-en) *v* classification
klas'siek I *aj* classic [simplicity], classical [music]; **II** *ad* classically; **klas'sieken** *mv de* ~ the classics
klassi'kaal I *aj* classical, class; ~ *onderwijs* class-teaching; **II** *ad* in class
'klateren (klaterde, h. geklaterd) *vi* splash [of water]; **'klatergoud** *o* tinsel[2], Dutch gold
'klauteraar (-s) *m* clamberer, climber; **'klauteren** (klauterde, h. en is geklauterd) *vi* clamber, scramble
klauw (-en) *m* & *v* 1 claw [of beast, bird & > man]; talon [of bird of prey]; *fig* clutch, paw; 2 ⚓ fluke [of an anchor]; **'klauwen** (klauwde, h. geklauwd) *vt* & *vi* claw
'klauwhamer (-s) *m* claw-hammer
klau'wier (-s) *m* 🐦 shrike
'klauwplaat (-platen) *v* ⚒ chuck
'klauwzeer *o mond-en-*~ foot-and-mouth disease
klave'cimbel (-s) *m* & *o* harpsichord
'klaver (-s) *v* clover, trefoil, shamrock; zie ook: *klaveren*; **–blad** (-bladen en -bladeren) *o* 1 clover-leaf; 2 *fig* trio; 3 (v o o r v e r k e e r) cloverleaf; **'klaveren** *mv* ◇ clubs; *~aas* & ace & of clubs; **klaver'jassen** (klaverjaste, h. geklaverjast) *vi* ◇ play jass; **klavertje'vier** *o* = *klavervier* 2; **'klaverveld** (-en) *o* clover-field; **klaver'vier** *v* 1 ◇ four of clubs; 2 ❀ four-leaved clover; **'klaverzuring** *v* wood-sorrel
kla'vier (-en) *o* 1 keyboard; 2 piano
'kledder (-s) *m* slush, sludge; **'kledderen** (kledderde, h. gekledderd) = *kliederen*; **'kledderig** slushy, squashy
'kleden (kleedde, h. gekleed) **I** *vt* dress, clothe; *dat kleedt haar* (*niet*) *goed* it is (not) becoming; **II** *vr zich* ~ dress; zie ook: *gekleed*; **'klederdracht** (-en) *v* costume; **kle'dij** *v* clothes
'kleding *v* clothes, dress, attire; **–industrie** *v* clothing industry; **–magazijn** (-en) *o* (ready-made) clothes shop; **–stuk** (-ken) *o* article of clothing, article of dress, garment
kleed *o* 1 (kleden) garment, garb, dress; 2 (kleden) carpet [on the floor]; 3 (kleden) table-cover; *het geestelijk* ~ the cloth; **–geld** (-en) *o* dress-allowance, pin-money; **–hokje** (-s) *o* (dressing-)cubicle; **–je** (-s) *o* rug [on the

floor]; table-centre; **-kamer** (-s) *v* dressing-room; changing-room [for football-players &]
'kleefband *o* adhesive tape; **-middel** (-en) *o* glue, adhesive; **-pleister** (-s) *v* = *hechtpleister*; **-stof** (-fen) *v* glue; gluten
'kleerborstel (-s) *m* clothes-brush; **-hanger** (-s) *m* coat-hanger; (v o o r j a p o n) dress-hanger; **-kast** (-en) *v* wardrobe, clothes-press; **-maker** (-s) *m* tailor; **-makerskrijt** *o* French chalk; **-makerszit** *m in ~* sitting crosslegged; **-mot** (-ten) *v* clothes-moth; **-scheuren** *mv er zonder ~ afkomen* get off with a whole skin (without a scratch)
klef 1 (v. b r o o d) doughy; 2 (v. s n e e u w) sticky; 3 (v. h a n d e n) clammy
klei *v* clay; **-aarde** *v* clay; **-achtig** clayey; **-duif** (-duiven) *v sp* clay pigeon; **-grond** (-en) *m* clay-soil, clay-ground; **-laag** (-lagen) *v* clay-layer; **-masker** (-s) *o* mud pack
klein I *aj* little, small; petty; (v. g e s t a l t e, a f s t a n d) short; (v a n m i n d e r b e l a n g) minor [accident, officials, strike &]; slight [improvement, mistake &]; *een ~ beetje* a tiny bit; *de ~ste bijzonderheden* the minutest details; *een ~e boer* a small farmer; *~e druk* small print; *~e stappen* short steps; *~e uitgaven* petty expenses; *een ~ uur* less than an hour; nearly an hour; *~ maar dapper* small but plucky; *~ maar fijn* small but good; **II** *sb ~ en groot* zie *groot* **III**; *de ~e* the little one, the baby; *in het ~* in a small way, on a small scale; [an ocean] in miniature; $ by retail; *de wereld in het ~* the world in a nutshell; *wie het ~e niet eert, is het grote niet weerd* who will not keep a penny shall never have many; **IV** *ad* small; *zich ~ voelen* feel small; **Klein-'Azië** *o* Asia Minor; **'kleinbedrijf** *o* small-scale industry; *het ~* ook: the small industries; **-beeldcamera** ('s) *v* miniature camera; **-beeldfilm** (-s) *m* miniature film, 35-mm film; **klein'burgerlijk** *fig* narrow-minded, low-brow, parochial, suburban; **'kleindochter** (-s) *v* granddaughter; **Klein'duimpje** *o* Tom Thumb; **klein'duimpje** (-s) *o* hop-o'-my-thumb; **klei'neren** (kleineerde, h. gekleineerd) *vt* belittle, disparage; **-ring** *v* belittlement, disparagement; **klein'geestig** small-minded, narrow-minded; **'kleingeld** *o* (small) change, small coin; **kleinge'lovig** of little faith; **-heid** *v* little faith; **'kleinhandel** *m* retail trade; **-aar** (-s) *m* retail dealer, retailer; **'kleinhandelsprijs** (-prijzen) *m* retail price; **'kleinigheid** (-heden) *v* small thing, trifle; **'kleinkind** (-eren) *o* grandchild; **'kleinkrijgen** (kreeg 'klein, h. 'kleingekregen) *vt iem. ~* bring sbd. to heel, subdue (tame) sbd., break sbd. down, browbeat sbd.; **'kleinkunst** *v* cabaret; **'kleinmaken** (maakte 'klein, h. 'kleingemaakt) *vt* chop small; *een bankbiljet ~* break a banknote; **klein'moedig** faint-hearted, timid, pusillanimous; **'kleinood** (-noden en -'nodiën) *o* jewel[2], gem[2]; **klein'steeds** provincial, parochial; **-heid** *v* provinciality, parochialism; **'kleintje** (-s) *o* little one, baby; *op de ~s passen* [*fig*] take care of the pence; *veel ~s maken een grote* many a little makes a mickle; *voor geen ~ vervaard* not easily frightened (scared); **klein'zerig** squeamish about pain; **klein'zielig** small-minded, petty [excuse &]; *hoe ~!* how shabby!; **'kleinzoon** (-zonen en -s) *m* grandson
'kleitablet (-ten) *o*, **-tafel** (-s) *v* (clay) tablet
klem (-men) **I** *v* 1 (v a l) catch, (man)trap; 2 ⚒ bench-clamp; clip; 3 ⚡ terminal; 4 (z i e k t e) lockjaw; 5 (n a d r u k) stress[2], accent, emphasis; *i n de ~ zitten* zie *knel* **I**; *m e t ~* [speak] emphatically, with great force, urgently; *met ~ van redenen* with cogent reasons; **II** *aj ~ lopen, raken, zijn, zitten* jam, get jammed; *~ zetten* jam; **-haak** (-haken) *m* clip, holdfast; **'klemmen** (klemde, h. geklemd) **I** *vt* pinch [one's finger]; clench, set [one's teeth], tighten [one's lips], clasp [one's arms round..., sbd. to one's breast]; **II** *vi* stick, jam [of a door]; **-d** cogent [reasons]; **'klemschroef** (-schroeven) *v* clamping-screw; **'klemtoon** (-tonen) *m* stress, accent; emphasis; **-teken** (-s) *o* stress-mark
klep (-pen) *v* 1 flap [of a pocket]; 2 ⚔ leaf [of a sight]; 3 peak [of a cap]; 4 ⚒ valve; 5 damper [of a stove]; 6 ♪ key [of a horn]
'klepel (-s) *m* clapper, tongue
'kleppen (klepte, h. geklept) *vi* 1 clack, clap; 2 toll [of a bell]
'klepper (-s) *m* 1 watchman; 2 ♞ steed; *~s* ♪ castanets
'klepperen (klepperde, h. geklepperd) *vi* clack, clap; clatter [of a stork]
'klepperman (-nen) *m* watchman
klepto'maan (-manen) *m* kleptomaniac; **kleptoma'nie** *v* kleptomania
'kleren *mv* clothes; *de ~ maken de man* the tailor makes the man, fine feathers make fine birds; *het raakt mijn koude ~ niet* it leaves me perfectly cold; *het gaat je niet in je koude ~ zitten* it takes it out of you; *iem. in de ~ steken* clothe sbd.; **-hanger** (-s) = *kleerhanger*; **-kast** (-en) = *kleerkast*
kleri'kaal *aj* clerical; *de klerikalen* the clericalists; **klerika'lisme** *o* clericalism
klerk (-en) *m* clerk
1 klets *v* 1 (-en) smack, slap [in the face]; splash [of water]; 2 *fig* **F** rubbish; *~!* **S** rats!, **F** rot!
2 klets! *ij* slap!, flap!, smack!, bang!

'kletsen (kletste, h. gekletst) **I** *vi* 1 splash [against something]; 2 **F** talk rubbish (rot); talk; natter, yap, gossip; **II** *vt iets in het water* ~ dash sth. into the water; **–er** (-s) *m* = *kletskous* & *kletsmeier*; **'kletsica** *v*, **'kletskoek** *m* **F** bosh and nonsense, tommyrot, gup, piffle; **–kous** (-en) *v* chatterbox, tattler; **–meier** (-s) *m* twaddler, blabber; **–nat** soaking wet, sopping wet; **–praat** *m* = 1 *klets* 2; ~ *verkopen* **F** talk rot; ~*jes* gossiping

'kletteren (kletterde, h. gekletterd) *vi* clatter, pelt, patter [of hail, rain]; clash [of arms]

'kleumen (kleumde, h. gekleumd) *vi* feel chilled, shiver

kleur (-en) *v* 1 (i n 't a l g.) colour, hue; 2 (v. g e z i c h t) complexion; 3 ◊ suit; 4 *fig* colour; ~ *bekennen* 1 ◊ follow suit; 2 *fig* show one's colours; *een* ~ *hebben als een bellefleur* have rosy cheeks; *een* ~ *krijgen* colour, blush; *m e t* (*in*) *levendige* (*donkere*) ~*en afschilderen* paint in bright (dark) colours; *v a n* ~ *verschieten* change colour; *politici van allerlei* ~ of all colours; **–boek** (-en) *o* painting-book; **–doos** (-dozen) *v* paint-box, box of paints; **–echt** fast(-dyed), colourfast, colour-proof; **'kleuren** (kleurde, h. gekleurd) **I** *vi* colour, blush; **II** *vt* colour; (f o t o) tone; zie ook: *gekleurd*; **'kleurenblind** colour-blind; **–heid** *v* colour-blindness; **'kleurendia** ('s) *m* colour transparency, colour slide; **–druk** *m* colour-printing; *in* ~ in colour; **–film** (-s) *m* colour film, film in colour; **–foto** ('s) *v* colour photograph; **–fotografie** *v* colour photography; **–gamma** ('s) *v* & *o* colour range; **–leer** *v* chromatics; **–pracht** *v* blaze of colour(s), rich (brilliant) colouring; **–spectrum** (-s en -tra) *o* chromatic spectrum; **–spel** *o* play of colours; **–televisie** [s = z] (-s) *v* colour television; **'kleurfilter** (-s) *m* & *o* colour filter; **–fixeerbad** (-baden) *o* (tone) fixing bath; **kleurge'voelig** colour sensitive; **'kleurhoudend** fast-dyed, colour-fast; **–ig** colourful, gay; **–ing** (-en) *v* colouring, coloration; **–krijt** *o* (coloured) chalk; **–ling** (-en) *m* coloured man; **–loos** colourless[2] [cheeks &]; *fig* drab; **–menging** *v* colour-blending, (-mixture); **–potlood** (-loden) *o* coloured pencil; **–rijk** coloured, colourful; **–schakering** (-en) *v* 1 shade, hue, tinge; 2 colour gradation; **–sel** (-s) *o* colour(ing); **–stof** (-fen) *v* colouring matter, pigment; ~*fen* dye-stuffs; **–tje** (-s) *o* colour

'kleuter (-s) *m* little one, (tiny) tot, todler, **F** kid, kiddy; **–klas(se)** (-klassen) *v* infant class; **–leidster** (-s) *v* infant-school teacher, kindergarten teacher; **–school** (-scholen) *v* infant school, kindergarten; **–zorg** *v* infant care

'kleven (kleefde, h. gekleefd) *vi* stick, adhere, cling; ~ *aan* stick & to; *daar kleeft geen schande aan* no disgrace attaches to it; *daar kleeft een smet op* it is blotted with a stain; **'kleverig** sticky, gluey, viscous; **–heid** *v* stickiness, viscosity

'kliederen (kliederde, h. gekliederd) *vi* dabble, make a mess

kliek (-en) *v* clique, set, coterie, junto; **–geest** *m* cliquishness

'kliekjes *mv* scraps, leavings, left-overs, **F** scran; **–dag** (-dagen) *m* left-over day

klier (-en) *v* 1 gland; 2 = *kliergezwel*; *een* ~ (*van een vent*) **S** a rotter, a cad; **–achtig** 1 glandular; 2 scrofulous; **'klieren** (klierde, h. geklierd) *vi* **F** pester, annoy; **'kliergezwel** (-len) *o* scrofulous tumour; **–ziekte** (-n en -s) *v* scrofulous disease, scrofula

'klieven* *vt* cleave; *de golven* ~ cleave (plough) the waves (the waters)

klif (-fen) *o* cliff

1 'klikken (klikte, h. geklikt) *vi* tell (tales); *van iem.* ~ tell upon sbd.; **2 'klikken** (klikte, h. geklikt) *vi* click [of cameras]; *het klikte meteen tussen hen* they hit it off from the start; **–r** (-s) *m*, **'klikspaan** (-spanen) *v* telltale, **F** sneak

klim *m* climb; *een hele* ~ a bit of a climb

kli'maat (-maten) *o* climate; **–gordel** (-s) *m* climatic zone (belt); **–regeling** *v* air-conditioning; **klimati'seren** [s = z] (klimatiseerde, h. geklimatiseerd) *vt* air-condition; **klimatolo'gie** *v* climatology

'klimijzer (-s) *o* crampon; **'klimmen*** *vi* climb, ascend, mount; *i n een boom* ~ climb (up) a tree; *klim maar o p de canapé* (*op mijn knie*) climb on to the sofa (on to my knee); *b i j het* ~ *der jaren* as we advance in years; **–ming** *v* climbing; **'klimop** *m* & *o* ivy; **'klimpaal** (-palen) *m* climbing-pole; **–partij** (-en) *v* climb; **–plant** (-en) *v* climbing-plant, climber; **–rek** (-ken) *o* climbing frame; wall bars, monkey bars; **–roos** (-rozen) *v* rambler; **–vogel** (-s) *m* climber

kling (-en) *v* blade [of a sword]; *over de* ~ *jagen* put to the sword

'klingelen (klingelde, h. geklingeld) *vi* jingle, tinkle

kli'niek (-en) *v* clinic; **'klinisch** clinical

klink (-en) *v* latch [of door]; *op de* ~ on the latch; *de deur op de* ~ *doen* latch the door; *de deur van de* ~ *doen* unlatch the door

'klinkdicht (-en) *o* sonnet; **'klinken*** **I** *vi* 1 (g e l u i d g e v e n) sound, ring; 2 (a a n s t o t e n) clink (touch) glasses; *een diner dat* (*een stem die*) *klonk als een klok* a number one dinner, a voice as clear as a bell; *bekend* (*in de oren*) ~ sound familiar; **II** *vt* ⚒ rivet, clinch[2]; **–d** sounding; resounding [reply, victory]; ~*e munt* $ hard cash; ~*e naam* a name of great

reputation
'klinker (-s) *m* 1 vowel [sound or letter]; 2 △ clinker, brick; 3 ⚒ riveter; **–pad** (-paden) *o* brick path; **–weg** (-wegen) *m* brick-paved road
'klinkhamer (-s) *m* riveting-hammer
'klinkklaar *dat is klinkklare onzin* it is sheer (broad, pure) nonsense
'klinknagel (-s) *m* rivet
klip (-pen) *v* rock, reef; *tegen de ~pen op (drinken, liegen)* (drink, lie) outrageously; *tussen de ~pen door zeilen* steer clear of the rocks; **–geit** (-en) *v* chamois
'klipper (-s) *m* ⚓ clipper
'klipzout *o* rock-salt
klis (-sen) *v* 1 ⚘ bur(r); 2 tangle; *als een ~ aan iem. hangen* stick to sbd. like a bur(r); **–kruid, –sekruid** *o* burdock
klit (-ten) *v* = *klis*; **'klitten** (klitte, h. geklit) *vi* tangle; *aan elkaar ~* cling (hang) together
K.L.M. = *Koninklijke Luchtvaart-Maatschappij* Royal Dutch Airlines
'klodder (-s) *m* clot [of blood], blob, blotch, daub [of paint]; **'klodderaar** (-s) *m* dauber; **'klodderen** (klodderde, h. geklodderd) *vt* daub [paint]
1 kloek I *aj* brave, stout, bold; *twee ~e delen* two substantial volumes; **II** *ad* bravely, stoutly, boldly
2 kloek (-en) *v* mother hen
'kloekheid *v* bravery, courage, vigour
kloek'moedig stout-hearted, valiant, courageous; **–heid** *v* stout-heartedness, bravery, courage, valour
1 klok *ij* cluck!
2 klok (-ken) *v* 1 (uurwerk) clock; 2 (torenbel) bell; 3 (glazen stolp) bell-jar, bell-glass; *hij heeft de ~ horen luiden, maar hij weet niet waar de klepel hangt* he has heard about it, but he does not know what to make of it; ● *hij hangt alles aan de grote ~* he noises everything abroad; *met de ~ mee* clockwise; *hij kan op de ~ kijken* he can tell the clock; *op de ~ af* to the minute; *tegen de ~ in* anti-clockwise; *een man van de ~* a punctual man; *het is betalen wat de ~ slaat* pay(ing) is the order of the day; **–beker** (-s) *m* bell beaker; **–gelui** *o* bell-ringing, peals, chiming; **–huis** (-huizen) *o* ⚘ core [of an apple]; **–je** (-s) *o* 1 (uurwerk) small clock; 2 ⚘ harebell, bluebell; *het ~ van gehoorzaamheid* time to go to bed; *zoals het ~ thuis tikt, tikt het nergens* there's no place like home; **'klokke ~** *zes* on the stroke of six, at six o'clock precisely; **'klokkeluider** (-s) *m* bell-ringer; **'klokken** (klokte, h. geklokt) *vi* cluck [of hens], gobble [of turkeys], gurgle [of a liquid]; ‖ (tijd noteren) time; (wijd uitlopen) flare; *een ~de rok* a flared skirt; **'klokkengieter** (-s) *m* bell-founder; **klokkengiete'rij** (-en) *v* 1 (het gieten) bell-founding; 2 (werkplaats) bell-foundry; **'klokkenmaker** (-s) *m* clockmaker; **–spel** (-len) *o* 1 carillon, chimes; 2 ♪ (slaginstrument) glockenspiel; **–speler** (-s) *m* carillon player; **'klokketoren** (-s) *m* bell-tower, steeple, belfry; **–touw** (-en) *o* bell-rope
'klokrok (-ken) *m* full skirt; **–sein** (-en), **–signaal** [-sɪɲa.l] (-nalen) *o* bell-signal; **–slag** (-slagen) *m* stroke of the clock; *~ vier uur* on the stroke of four; **–slot** (-sloten) *o* time-lock; **–spijs** *v* bell-metal; **–vormig** bell-shaped
klom (klommen) V.T. van *klimmen*
klomp (-en) *m* 1 (brok) lump; 2 (schoeisel) clog, wooden shoe, sabot; *een ~ goud* a nugget of gold; *nou breekt mijn ~!* **F** that's the limit!, that takes the cake!, that does it!; **'klompendans** (-en) *m* (Dutch folk-)dance on wooden shoes; **–maker** (-s) *m* clogmaker; **'klompschoen** (-en) *m* clog; **–voet** (-en) *m* club-foot, talipes
klonk (klonken) V.T. van *klinken*
klont (-en) *m* & *v* clod [of earth]; lump [of sugar &]; **'klonter** (-s) *m* clot [of blood]; **'klonteren** (klonterde, is geklonterd) *vi* clot; **'klonterig** clotted, clotty; **–heid** *v* clottiness; **'klontje** (-s) *o* lump [of sugar]
1 kloof (kloven) *v* 1 (van de aarde) cleft, chasm, gap; 2 (aan de handen) chap; 3 *fig* gap; *de ~ dempen (overbruggen) tussen hen* bridge (over) the gap (gulf) between them; *de ~ verbreden* widen the gap (gulf)
2 kloof (kloven) V.T. van *klieven* en *kluiven*
'klooster (-s) *o* 1 (in het alg.) cloister; 2 monastery [for men]; 3 convent [for women]; *in het ~ gaan* go into a convent; go into a monastery; **–achtig** cloistral, conventual, monastic; **–broeder** (-s) *m* 1 conventual, friar; 2 lay brother; **–cel** (-len) *v* convent cell; monastery cell; **–gang** (-en) *m* cloister; **–gelofte** (-n) *v* monastic vow; **–kerk** (-en) *v* conventual church, monastic church; **–latijn** *o* Low Latin; **–leven** *o* monastic life, convent life; **–lijk** cloistral, conventual, monastic; **–ling** (-en) *m* monk; *~en* ook: conventuals; **–linge** (-n) *v* nun; **–moeder** (-s) *v* prioress, abbess, Mother (Lady) Superior; **–orde** (-n en -s) *v* monastic order; **–regel** (-s) *m* monastic rule; **–school** (-scholen) *v* monastic school, convent school; **–vader** (-s) *m* prior, abbot, Father Superior; **–wezen** *o* monasticism, monachism; **–zuster** (-s) *v* nun
kloot (kloten) *m* 1 globe; 2 **P** ball, testicle; **–jesvolk** *o* **F** hoi polloi; **–zak** (-ken) *m* 1 *anat* scrotum; 2 **P** duffer, clodhopper

klop (-pen) *m* knock, tap, rap; *iem.* ~ *geven* beat sbd., **F** lick sbd.; ~ *krijgen* be beaten, **F** be licked (by *van*); **–geest** (-en) *m* rapping spirit, poltergeist; **–jacht** (-en) *v* battue; round-up [by police]; **–partij** (-en) *v* scuffle, affray, set-to, **F** scrap; **'kloppen** (klopte, h. geklopt) **I** *vi* & *va* knock, rap [at a door], tap [on the shoulder], pat [on the head]; beat, throb, palpitate [of the heart]; knock [of a motor]; *er wordt geklopt* there is a knock (at the door); *binnen zonder* ~*!* please walk in!; (*het*) *klopt* (it's) right; *de cijfers* ~ *niet* the figures do not balance; *dat klopt niet* [*met*] that does not tally (square, fit in) [with], it doesn't add up [with]; *de boel* ~*d maken* square things; **II** *vt* beat [a carpet]; beat up [eggs]; break [stones]; *iem.* ~ beat sbd., **F** lick sbd.; *geld* ~ *uit* make money out of...; *iem. iets uit de zak* ~ do sbd. out of sth.; **–er** (-s) *m* 1 (door-)knocker; 2 (carpet-) beater; 3 ⚒ sounder; **'klopping** (-en) *v* beat(ing), throb(bing), palpitation, pulsation

'kloris (-sen) *m* **F** beau

klos (-sen) *m* & *v* 1 bobbin, spool, reel; 2 ⚡ coil; *hij is de* ~ **F** he's for it, he is (always) the dupe (loser); **–kant** *m* bobbin lace

'klossen (kloste, h. en is geklost) *vi* clump

klots (-en) *m* ♣ kiss; **'klotsen** (klotste, h. geklotst) *vi* 1 dash [of the waves], slosh; 2 ♣ kiss

'klove (-n) = 1 *kloof*

1 'kloven (kloofde, h. gekloofd) *vt* cleave [diamonds]; chop [wood]

2 'kloven V.T. meerv. van *klieven* en *kluiven*

klucht (-en) *v* farce; **'kluchtig** comical, droll, farcical, odd; **–heid** (-heden) *v* comicalness, drollery, oddness, oddity; **'kluchtspel** (-spelen) *o* farce

kluif (kluiven) *v* bone (to pick); (a l s g e r e c h t) knuckle; *dat is een hele* ~ **F** that is a tough proposition

kluis (kluizen) *v* 1 (v. k l u i z e n a a r) hermitage; cell; 2 (v. b a n k) strong-room, vault, safe-deposit; **–gat** (-gaten) *o* ⚓ hawse-hole

'kluister (-s) *v* fetter, shackle; ~*s* shackles, trammels; **'kluisteren** (kluisterde, h. gekluisterd) *vt* fetter, shackle; *aan het bed gekluisterd* confined to one's bed, bed-ridden; *aan haar stoel gekluisterd* pinned to her chair

1 kluit (-en) *m* & *v* clod, lump; *de hele* ~ **F** the whole lot; *hij is uit de* ~*en gewassen* **F** he is a tall, spanking fellow

2 kluit (-en) *m* 🐦 avocet

'kluitje (-s) *o* (small) clod, lump; *iem. met een* ~ *in het riet sturen* put sbd. off with fair words, fob sbd. off with promises; *op een* ~ [*zitten*] in a heap, huddled

'kluiven* *vt* & *vi* pick, gnaw, nibble; *iets om aan te* ~ something to gnaw; *fig* **F** a tough proposition

'kluiver (-s) *m* ⚓ jib

'kluizenaar (-s en -naren) *m* hermit, recluse; **–sleven** *o* life of a hermit

'klungel (-s) 1 *v* (v o o r w e r p) = *lor*; 2 *m-v* (p e r s o o n) bungler, muff; **'klungelen** (klungelde, h. geklungeld) *vi* 1 (k n o e i e n) bungle (one's task), muff it; 2 (b e u z e l e n) dawdle; **'klungelig** botchy; **'klungelwerk** *o* bungling, bungle

kluns (klunzen) *m* bungler, muff; **'klunzen** (klunsde, h. geklunsd) *vi* = *klungelen*

'klusje (-s) *o* odd job; **–sman** (-nen) *m* odd-job man, handyman

kluts *v de* ~ *kwijt raken* be put out; *de* ~ *kwijt zijn* be at sea, be all abroad

'klutsen (klutste, h. geklutst) *vt* beat up [eggs]

'kluwen (-s) *o* ball [of yarn, wool, string], clew

'klysma [y = ı] ('s) *o* enema, clyster

km = *kilometer*

'knaagdier (-en) *o* rodent

knaak (knaken) *v* **F** = *rijksdaalder*

knaap (knapen) *m* 1 (j o n g e n) boy, lad, youth, youngster, fellow; 2 **F** (k o k k e r d) whopper; **–je** (-s) *o* little boy; clothes hanger

'knabbelen (knabbelde, h. geknabbeld) *vt* (& *vi*) nibble (at *aan*)

'knagen (knaagde, h. geknaagd) *vi* gnaw²; ~ *aan* gnaw (at)²; **–ging** (-en) *v* gnawing; ~*en van het geweten* pangs (qualms, twinges) of conscience

knak (-ken) *m* crack, snap; *fig* blow, injury, damage; *de handel een* ~ *geven* cripple (the) trade; *zijn gezondheid heeft een* ~ *gekregen* his health has received a shock, has suffered a set-back; **'knakken** (knakte, h. en is geknakt) **I** *vi* snap [of a flower]; crack [of the finger-joints]; **II** *vt* break [a flower]; injure, impair, shake [sbd.'s health]; **'knakworst** (-en) *v* frankfurter (sausage)

knal (-len) *m* crack, bang, pop, detonation, report; **–bonbon** (-s) *m* cracker; **'knallen** (knalde, h. geknald) *vi* crack [of a rifle, a whip], bang [of a gun], pop [of corks], fulminate [of gold &], detonate [of gas]; **'knalpot** (-ten) *m* silencer

1 knap (-pen) *m* crack, snap; **2 knap I** *aj* 1 (v. u i t e r l i j k) handsome, comely, good-looking; smart; 2 (v. v e r s t a n d) clever, able, capable; *een* ~ *meisje* a pretty girl; *een* ~*pe vent* 1 a handsome fellow, a good looker; 2 a clever fellow; ~ *in het Engels* well up in English; **II** *ad* 1 cleverly, ably; 2 < pretty; ~ *donker* (*duur*) pretty dark (expensive); **–heid** *v* 1 good looks; 2 cleverness, ability, skill; **–jes** cleverly; *zij kwam* ~ *voor de dag* she was neatly dressed

'knappen (knapte, h. en is geknapt) **I** *vi* crack, go crack; (v. v u u r) crackle; *het touw zal ~* the string will snap; **II** *vt* crack [a bottle]; **–d** crackling [fire]; crunchy, crisp [biscuit]
'knapperd (-s) *m* clever fellow, clever one
'knapperig crisp, crunchy, brittle
'knapzak (-ken) *m* knapsack, haversack
knar (-ren) *m* **F** *ouwe ~* old fogey
'knarpen (knarpte, h. geknarpt) *vi* crunch
'knarsen (knarste, h. geknarst) *vi* creak, grate; grind [also of a door]; *met de tanden ~* gnash one's teeth; **'knarsetanden** (knarsetandde, h. geknarsetand) *vi* gnash one's teeth
knauw (-en) *m* bite; *fig* = *knak*; **'knauwen** (knauwde, h. geknauwd) *vi* gnaw, munch
knecht (-en en -s) *m* man-servant, servant, man; **'knechten** (knechtte, h. geknecht) *vt* enslave; **'knechtschap** *o* servitude
'kneden (kneedde, h. gekneed) *vt* knead[2]; *fig* mould [sbd. like wax]; **'kneedbaar** kneadable, fictile; *fig* pliable; **–bom** (-men) *v* plastic bomb
1 kneep (knepen) *v* 1 *eig* pinch; mark of a pinch; 2 *fig* trick, **F** dodge; *daar zit 'm de ~* that's why, there's the rub; *de knepen van het vak kennen* know the ropes (the tricks of the trade)
2 kneep (knepen) V.T. v. *knijpen*
'knekelhuis (-huizen) *o* charnel-house, ossuary
knel I *v in de ~ zitten* **F** be in a scrape, **S** be up a gum-tree; **II** *aj ~ raken, ~ zitten* jam, get jammed; **'knellen** (knelde, h. gekneld) **I** *vt* pinch, squeeze; **II** *va* & *vi* pinch; **–d** *fig* oppressive; **'knelpunt** (-en) *o* bottle-neck[2]
'knepen V.T. meerv. v. *knijpen*
'knerpen (knerpte, h. geknerpt) *vi* crunch
'knersen (knerste, h. geknerst) *vi* grind, crunch
'knetteren (knetterde, h. geknetterd) *vi* crackle
'knettergek bonkers, crackers, raving mad, barmy
kneu (-en) *v* linnet
'kneusje (-s) *o* misfit
'kneuterig snug
'kneuzen (kneusde, h. gekneusd) **I** *vt* bruise, contuse; **II** *vr zich ~* get bruised; **–zing** (-en) *v* bruise, contusion
'knevel (-s) *m* moustache [of a man]; whiskers [of an animal]
'knevelen (knevelde, h. gekneveld) *vt* 1 (m e t k o o r d e n) pinion, tie; 2 *fig* extort money from [people]; gag, muzzle [the press]
'knibbelaar (-s) *m*, **–ster** (-s) *v* haggler; **'knibbela'rij** (-en) *v* haggling; **'knibbelen** (knibbelde, h. geknibbeld) *vi* 1 haggle; 2 *sp* play at spillikins; **'knibbelspel** (-len) *o sp* spillikins
knie (knieën) *v* knee; *de ~(ën) buigen* bend (bow) the knee(s); ● *d o o r de ~ën gaan* give way, go down, knuckle under (to *voor*); *iets o n d e r de ~ hebben* have mastered sth.; *o p de ~ën vallen* drop on one's knees; *voor iem. op de ~ën vallen* go down on one's knees to sbd.; *een kind o v e r de ~ leggen* lay a child over one's knee; *t o t aan de ~ën* kneedeep [in the water]; **–broek** (-en) *v* knickerbockers, kneebreeches; **–buiging** (-en) *v* genuflexion; *diepe ~* deep knee-bend [in gymnastics]; **–gewricht** (-en) *o* knee-joint; **–holte** (-n en -s) *v* hollow of the knee; **–kous** (-en) *v* knee-stocking
'knielbank (-en) *v* kneeling stool; **'knielen** (knielde, h. en is geknield) *vi* kneel, go down on one's knees, bend the knee; *~ voor* [*fig*] kneel to; *geknield* kneeling, on one's knees; **'knielkussen** (-s) *o* hassock
'kniepees (-pezen) *v* hamstring; **–schijf** (-schijven) *v* knee-cap, knee-pan, patella
'kniesoor (-soren) *m-v* grumbler
'knietje (-s) *o iem. een ~ geven* give sbd. a leg-up; **'knieval** (-len) *m* prostration; *een ~ doen voor* bow the knee before, go down on one's knees to
'kniezen (kniesde, h. gekniesd) *vi* fret, mope; *zich dood ~* fret (mope) oneself to death; *er over ~* fret about it; **–er** (-s) *m* = *kniesoor;* **'kniezerig, 'kniezig** fretful, mopy
knijp (-en) *v* (k r o e g) pub; pinch; *in de ~ zitten* **F** be in a scrape; **–bril** (-len) *m* pince-nez; **'knijpen* I** *vt* pinch[2], *fig* squeeze; *hij kneep mij in mijn neus* he tweaked my nose; *hij kneep het kindje in de wang* he pinched the child's cheek; **II** *vi* & *va* pinch; *hem ~* **F** be in a funk; **–er** (-s) *m* 1 (v o o r w e r p) clip; (v o o r d e w a s) clothes-peg, clothes-pin; 2 (p e r s o o n) niggard, skinflint; **'knijpfles** (-sen) *v* squeeze bottle; **–kat** (-ten), **–lamp** (-en), **–lantaarn** (-s), **–lantaren** (-s) *v* hand-dynamo torch; **–tang** (-en) *v* pincers, nippers
knik (-ken) *m* 1 (b u i g i n g) nod, bob; 2 (b r e u k) crack; 3 (k r o m m i n g) bend; **'knikkebenen** (knikkebeende, h. geknikkebeend) *vi* wobble; **'knikkebollen** (knikkebolde, h. geknikkebold) *vi* nod; doze; **'knikken** (knikte, h. geknikt) *vi* nod; *hij knikte van ja* he nodded assent; *hij knikte van neen* he shook his head; *zijn knieën knikten* his legs gave way, his knees shook
'knikker (-s) *m* marble; *kale ~* bald pate; **'knikkeren** (knikkerde, h. geknikkerd) *vi* play at marbles; zie ook: *baan*; **'knikkerspel** (-len) *o* game of marbles
1 knip (-pen) *m* 1 (i n s n i j d i n g) cut, snip; 2 fillip [with finger and thumb]; flip, flick; *hij is geen ~ voor de neus waard* he is not worth a straw (his salt); **2 knip** (-pen) *v* (v o o r w e r p) catch [of a door]; snap [of a bag, of a bracelet]; trap [to catch birds]; **–beugel** (-s) *m* snap [of a purse]; **–kaart** (-en) *v* card, ticket book; **–mes**

(-sen) *o* clasp-knife, jack-knife; *buigen als een ~* bow and scrape; **–ogen** (knipoogde, h. geknipoogd) *vi* wink, blink; *~ tegen* wink at; **–oogje** (-s) *o* wink (of the eyes); *iem. een ~ geven* wink at sbd.; **–patroon** (-tronen) *o* paper pattern; **'knippen** (knipte, h. geknipt) **I** *vt* 1 cut [the hair]; cut out [a dress]; punch [tickets]; clip [tickets, coupons]; trim [one's beard]; pare [one's nails]; 2 flip, flick (off) [the ashes]; 3 **S** pinch, nab [a thief]; *zich laten ~* have one's hair cut; *je moet mijn haar kort ~* crop my hair short; *het uit de Times ~* cut it from The Times; **II** *va* cut (out); **III** *vi met de ogen ~* blink; *met de vingers ~* snap one's fingers; zie ook: *geknipt*

'knipperbol (-len) *m* flashing (Belisha) beacon; **'knipperen** (knipperde, h. geknipperd) *vi met de ogen ~* blink; **'knipperlicht** (-en) *o* flashing light, winker; **–signaal** [-sɪɲa.l] (-nalen) *o* intermittent signal

'knipsel (-s) *o* cutting(s), clipping(s)

'knisteren (knisterde, h. geknisterd) *vi* crackle, rustle

K.N.M.I. = *Koninklijk Nederlands Meteorologisch Instituut* Royal Dutch Meteorological Institute

'knobbel (-s) *m* bump [on the skull, swelling caused by blow]; knob [at end or surface of a thing]; knot [in animal body], knurl [= knot, knob]; ⚕ tubercle; **–ig** knotty, knobby

knock-'out [nɔk'ɔut] (-s) *aj* & *m* knock-out; *iem. ~ slaan* knock sbd. out

'knoedel (-s) *m* 1 (g e r e c h t) dumpling; 2 (k n o t) knot, bun [of hair]

knoei *m* muddle; *wij zitten in de ~* we are in a fine mess!, **S** we are in the soup!; **–boel** *m* mess; **'knoeien** (knoeide, h. geknoeid) *vi* 1 *eig* mess, make a mess; 2 *fig* bungle, blunder [over one's work]; engage in underhand dealings; *~ a a n iets* meddle (mess) with sth.; *m e t as ~* mess ashes about; *~ met de boter* adulterate butter; **–er** (-s) *m* bungler, dabbler, botcher; swindler; intriguer; **knoeie'rij** (-en) *v eig* messing, mess; *fig* underhand dealings; intrigue(s); jobbery; **'knoeipot** (-ten) *m* messy person; **–werk** *o* bungling, bungle

knoert (-en) *m* **F** *een ~ van een...* a huge..., an enormous...; **–hard** stone-hard; *fig* tough

knoest (-en) *m* knot, gnarl; **–ig** knotty, gnarled, gnarly

knoet (-en) *m* knout

'knoflook *o* & *m* garlic

knok (-ken) = *knook*

'knokig bony

'knokkel (-s) *m* knuckle

'knokken (knokte, h. geknokt) *vi* fight, **F** scrap; **'knokpartij** (-en) *v* fight, tussle; **–ploeg** (-en) *v* strong-arm squad, gang of strong boys

knol (-len) *m* 1 ♣ tuber [of potatoes &]; 2 (k n o l r a a p) turnip; 3 jade [of a horse]; 4 turnip [= watch]; *iemand ~len voor citroenen verkopen* gull a person, take a person in; **–achtig** ♣ tuberous; **–gewas** (-sen) *o* tuberous plant; **'knollentuin** *hij is in zijn ~* he is as pleased as Punch; **'knolraap** (-rapen) *v* Swedish turnip, swede; **–selderij** *m* turnip-rooted celery

knook (knoken) *m* & *v* bone

knoop (knopen) *m* 1 knot; 2 ♣ node, joint; 3 button; stud [of collar &]; *de blauwe ~* the blue ribbon; *de (gordiaanse) ~ doorhakken* cut the (Gordian) knot; *een ~ leggen* tie a knot; *een ~ in zijn zakdoek leggen* make a knot in one's handkerchief; *zoveel knopen lopen* ⚓ run (make) so many knots; *een ~ losmaken* untie (undo) a knot; *daar zit 'm de ~* there's the rub; **–laars** (-laarzen) *v* button-boot; **–punt** (-en) *o* junction; **'knoopsgat** (-gaten) *o* buttonhole; **'knoopsluiting** (-en) *v* button fastening, buttoning

knop (-pen) *m* knob [of a stick, door &]; pommel [of a saddle, a sword]; button, push [of an electric bell]; switch [of electric light]; ♣ bud

'knopehaak (-haken) *m* button-hook; **'knopen** (knoopte, h. geknoopt) *vt* 1 knot, tie, button; 2 make [nets]; *het in zijn oor ~* make a mental note of it

knor (-ren) *m* grunt; *~ren krijgen* get a scolding

'knorhaan (-hanen) *m* 🐟 gurnet, gurnard

'knorren (knorde, h. geknord) *vi* 1 grunt [of pigs]; 2 *fig* grumble, growl; 3 scold; *~ op* scold; **'knorrepot** (-ten) *m* grumbler; **'knorrig** grumbling, growling, grumpy; **–heid** *v* grumbling (growling) disposition, grumpiness

knot (-ten) *v* knot [of silk, hair], ball [of wool]

1 knots (-en) *v* club, bludgeon, *een ~ van een...* a big...

2 knots F mad, crazy; *~gek zijn* have a slate loose (a bee in one's bonnet), be as mad as a March hare

'knotsvormig club-shaped

'knotten (knotte, h. geknot) *vt* 1 pollard [a willow], head down [a tree]; 2 truncate [a cone]; 3 *fig* curtail [power]

'knotwilg (-en) *m* pollard-willow

'knudde F *het is ~* it's a flop, a wash-out

'knuffelen (knuffelde, h. geknuffeld) *vt* hug, cuddle

knuist (-en) *m* & *v* fist, paw; *blijf eraf met je ~en!* paws off!

knul (-len) *m* fellow

'knuppel (-s) *m* 1 cudgel, club, bludgeon; 2 ✈ **F** joy-stick; 3 *fig* lout; *een ~ in het hoenderhok gooien* flutter the dovecotes; **'knuppelen** (knuppelde, h. geknuppeld) *vt* cudgel

knus snug, cosy; **–jes** snugly
'knutselaar (-s) *m* handy-man, potterer; **'knutselen** (knutselde, h. geknutseld) *vi* do handicraft, do small jobs; potter; *in elkaar* ~ put together; **'knutselwerk** *o* amateur handicraft; pottering, trifling work
ko'balt *o* cobalt; **–blauw** *o* & *aj* cobalt-blue
'kobold (-en en -s) *m* gnome, imp, goblin
kocht (kochten) V.T. van *kopen*
'koddebeier (-s) *m* gamekeeper
'koddig I *aj* droll, odd, comical; **II** *ad* drolly
koe (koeien) *v* cow; *heilige* ~ sacred cow; *oude* ~*ien uit de sloot halen* rake up old stories, dust off an old legend; *geen oude* ~*ien uit de sloot halen* let bygones be bygones; *men noemt geen* ~ *bont of er is een vlekje aan* there is no smoke without fire; *de* ~ *bij de horens vatten* (*pakken*) take the bull by the horns, grasp the nettle; *men kan nooit weten hoe een* ~ *een haas vangt* a cow may catch a hare; **–handel** *m* horse-trading, bargaining, jobbery; **–hoorn** (-s), **–horen** (-s) *m* cow's horn; **'koe(ie)huid** (-en) *v* cow's hide; **'koeiekop** (-pen) *m* cow's head; **–letter** (-s) *v met* ~*s* in big lettering; **–oog** (-ogen) *o* cow's eye; **–staart** (-en) *m* cow's tail; **–stal** (-len) *m* cowshed, cowhouse, byre
'koeioneren (koeioneerde, h. gekoeioneerd) *vt* bully
koek (-en) *m* 1 cake; 2 gingerbread; 3 (v. v u i l) cake, crust; *ze gaan als* ~ they sell like hot cakes; *dat is andere* ~*!* that's something else!, now you're talking!; *dat is gesneden* ~ that's mere child's play; *het gaat erin als* ~ they lap it up; *ze zijn* ~ *en ei* they are hand in glove; *iets voor zoete* ~ *opeten* take sth. for gospel; **–bakker** (-s) = *koekenbakker*; **–deeg** cake paste; **'koekebakker** (-s) *m fig* botcher
koeke'loeren (koekeloerde, h. gekoekeloerd) *vi* peer; *zitten* ~ be day-dreaming, sit and stare
'koeken (koekte, is gekoekt) *vi* cake; **'koekenbakker** (-s) *m* pastry-cook; **koek-en-'zopie** (-s) *o* stand, esp. on ice, selling hot milk drinks and cakes; **'koekepan** (-nen) *v* frying-pan; **'koekje** (-s) *o* (sweet) biscuit; **'koektrommel** (-s) *v* biscuit tin
'koekoek (-en) *m* 1 🐦 cuckoo; 2 △ skylight; *het is altijd* ~ *één zang met hem* he is always harping on the same string; **'koekoeksbloem** (-en) *v* ragged robin; red campion; **–klok** (-ken) *v* cuckoo clock
koel I *aj* cool[2], *fig* cold [reception]; *in* ~*en bloede* in cold blood, cold-bloodedly; **II** *ad* coolly; **–bak** (-ken) *m* cooler; **koel'bloedig I** *aj* cool-headed, level-headed, steady, cool; **II** *ad* coolly, steadily; **–heid** *v* cool-headedness, sang froid; **'koelcel** (-len) *v* cold storage; **'koelen I** *vt* (koelde, h. gekoeld) cool; zie ook: *woede* &; **II** *vi* (koelde, is gekoeld) cool (down); **'koelheid** *v* coolness[2]; *fig* coldness; **'koelhuis** (-huizen) *o* cold store, cold-storage depot
'koelie (-s) *m* coolie; **–werk** *o fig* donkey work, drudgery
'koelinrichting (-en) *v* refrigerator, refrigerating plant; **–kamer** (-s) *v* cold store; cooling-room; **–kast** (-en) *v* refrigerator; **–middel** (-en) *o* coolant; **–schip** (-schepen) *o* refrigerator ship; **'koelte** *v* coolness; cool [of the evening]; **'koeltje** (-s) *o* breeze; **'koeltjes** coolly, coldly; **'koelvat** (-en) *o* cooler; **–wagen** (-s) *m* refrigerator car; **–water** *o* cooling water
'koemelk *v* cow's milk
koen I *aj* bold, daring, hardy; **II** *ad* boldly; **–heid** *v* boldness, daring, hardihood
'koeoog (-ogen) = *koeieoog*
'koepel (-s) *m* 1 △ dome, dome-shaped top, arch, cupola; 2 (t u i n h u i s j e) summer-house; **–dak** (-daken) *o* dome-shaped roof, dome; **–gewelf** (-welven) *o* dome-shaped vault, dome; **–graf** (-graven) *o* beehive tomb, tholos; **–kerk** (-en) *v* dome-church; **–vormig** dome-shaped
'koepokinenting (-en) *v* vaccination; **'koepokken** *mv* cowpox; **'koepokstof** *v* vaccine (lymph)
'koeren (koerde, h. gekoerd) *vi* coo
koe'rier (-s) *m* courier
koers (-en) *m* 1 ⚓ course, tack; 2 $ quotation, price; rate (of exchange); 3 *fig* course, line of action; ~ *zetten naar* shape one's course for, make for, steer for; *u i t de* ~ be off course; *uit de* ~ *raken* be driven off one's course; *v a n* ~ *veranderen* change course; **–bericht** (-en) *o* market report; **–daling** (-en) *v* fall in prices
'koersen (koerste, h. gekoerst) *vi* ⚓ = *koers zetten*
'koerslijst (-en) *v* list of quotations; **–notering** (-en) *v* (market) quotation; **–schommeling** (-en) *v* fluctuation in price (exchange); **–verandering** (-en) *v* change of course[2], *fig* new orientation; **–verlies** (-liezen) *o* loss on stock prices, loss on exchange parities; **–verschil** (-len) *o* difference in price; **–waarde** *v* market value; **–winst** (-en) *v* exchange profits; gains
koest quiet; ~*!* down, dog!; *zich* ~ *houden* be (keep) mum, lie low (and say nothing)
'koestaart (-en) = *koeiestaart*; **–stal** (-len) = *koeiestal*
'koesteren (koesterde, h. gekoesterd) **I** *vt* cherish [children, plants, feelings, a design to..., &], entertain [feelings &]; harbour [thoughts]; **II** *vr zich* ~ bask
koet (-en) *m* coot

koeter'waals *o* gibberish, **F** double Dutch
'koetje (-s) *o* (small) cow; *over ~s en kalfjes praten* talk about this and that, about one thing and another, about things in general; *gepraat over ~s en kalfjes* small-talk
koets (-en) *v* coach, carriage; **–huis** (-huizen) *o* coach-house; **koet'sier** (-s) *m* driver, coachman; **'koetswerk** (-en) *o* coachwork
'koevoet (-en) *m* crowbar
'Koeweit *o* Kuwait
'koffer (-s) *m* 1 box [for articles of value], trunk [for travelling], (k l e i n e r) (suit-)case; 2 🚗 (~r u i m t e) boot, trunk; **–grammofoon** (-s en -fonen) *m* portable grammophone; **–ruimte** (-n en -s) *v* boot, trunk; **–schrijfmachine** [-ʃi.nə] (-s) *v* portable typewriter, portable; **–tje** (-s) *o* (suit-)case
'koffie *m* coffee; *~ drinken* 1 take (have) coffee; 2 lunch; *op de ~ komen* come over for coffee; *fig* catch it; *dat is geen zuivere ~* **F** there is something fishy about it, it looks suspicious; **–baal** (-balen) *v* coffee bag; **–bar** (-s) *m* & *v* coffee bar; **–bes** (-sen) *v* coffee-berry; **–boom** (-bomen) *m* coffee-tree; **–boon** (-bonen) *v* coffee-bean; **–brander** (-s) *m* coffee-roaster; **koffiebrande'rij** (-en) *v* coffee-roasting factory; **'koffiebruin** coffee-brown, coffee-coloured; **–cultuur** *v* coffee-growing; **–dik** *o* coffee-grounds; *zo helder als ~* as clear as mud; **–drinken** *o* lunch; **–extract** *o* coffee essence; **–huis** (-huizen) *o* 1 (z o n d e r v e r g u n n i n g) coffee-house; 2 (m e t v e r g u n n i n g) (licensed) café; **–kamer** (-s) *v* refreshment-room; **–kan** (-nen) *v* coffee-pot; **–kopje** (-s) *o* coffee-cup; **–melk** *v* pasteurized, thickened milk; **–molen** (-s) *m* coffee-mill, coffee-grinder; **–pauze** (-n en -s) *v* coffee-break; **–plantage** [-taʒə] (-s) *v* coffee-plantation; **–planter** (-s) *m* coffee-planter; **–poeder** *o* & *m* instant coffee; **–pot** (-ten) *m* coffee-pot; **–room** *m* thin (single) cream; **–servies** (-viezen) *o* coffee-service, coffee-set; **–surrogaat** (-gaten) *o* coffee-substitute; **–tafel** (-s) *v* lunch; **–tijd** *m* coffee-break; lunch time; **–zetapparaat** (-raten) *o* coffee machine, percolater
'kogel (-s) *m* ball [of a cannon & ⚒]; bullet [for small arms]; *de ~ is door de kerk* the die is cast; *de ~ krijgen* be shot; *tot de ~ veroordelen* sentence to be shot; **–baan** (-banen) *v* trajectory; **–flesje** (-s) *o* globe-stoppered bottle; **–gat** (-gaten) *o* bullet hole; **–gewricht** (-en) *o* ball-and-socket joint; **–kussen** (-s), **–lager** (-s) *o* ⚒ ball-bearing; **–regen** *m* shower (hail) of bullets; **–rond** globular, spherical; **–slingeren** *o sp* throwing the hammer; **–stoten** *o sp* putting the weight; **–vanger** (-s) *m* butt; **–vormig** globular, spherical; **–vrij** bullet-proof, shot-proof
ko'hier (-en) *o* register
1 kok (-s) *m* cook; (d i e m a a l t i j d e n u i t z e n d t) caterer; *het zijn niet allen ~s die lange messen dragen* all are not hunters that blow the horn; *veel ~s bederven de brij* too many cooks spoil the broth
2 kok (-ken) coccus
ko'karde (-s) *v* cockade
'koken (kookte, h. gekookt) **I** *vi* boil; *~ van kwaadheid* boil (seethe) with rage; **II** *va zij kan goed ~* she is an excellent cook; *wie kookt voor u?* who does your cooking?; **III** *vt* boil [water &]; cook [food]; **1 'koker** (-s) *m* boiler
2 'koker (-s) *m* case, sheath; tube; quiver [for arrows]
'kokerjuffer (-s) *v* caddis-fly; **–vrucht** (-en) *v* ♣ follicle
ko'ket coquettish
koket'teren (koketteerde, h. gekoketteerd) *vi* coquet(te), flirt[2]; **kokette'rie** (-rieën) *v* coquetry
'kokhalzen (kokhalsde, h. gekokhalsd) *vi* retch, keck, heave; *tegen iets ~* keck at sth.
'kokker(d) (-s) *m* bouncer, **F** spanker, whopper; *een ~ van een neus* **F** a conk
kok'kin (-nen) *v* cook
'kokmeeuw (-en) *v* black-headed gull
'kokosmat (-ten) *v* coco-nut mat; coir matting; **–melk** *v* coco-nut milk; **–noot** (-noten) *v* coco-nut; **–olie** *v* coco-nut oil; **–palm** (-en) *m* coco-nut palm (tree), coco; **–vezel** (-s) *v* coco-nut fibre; **–zeep** *v* coco-soap
'koksjongen (-s) *m* cook's boy; **–maat** (-s) *m* ⚓ cook's mate
kol (-len) 1 *v* (h e k s) witch, sorceress; 2 *m* star [of a horse]
'kolbak (-ken en -s) *m* busby
1 'kolder (-s) *m* (h a r n a s) 🕮 jerkin
2 'kolder *m* 1 (p a a r d e z i e k t e) (blind) staggers; 2 (o n z i n) (wild) nonsense; *hij heeft de ~ in de kop* the temper is on him; he is in a mad frenzy
'kolen *mv* coal, coals; *ik zat op hete ~* I was kept on thorns; *vurige ~ op iems. hoofd stapelen* **B** heap coals of fire upon sbd.'s head; **–bedding** (-en) *v* coal-seam; **–bekken** (-s) *o* coal basin; **–brander** (-s) *m* charcoal-burner; **–damp** *m* carbon monoxide; (i n m i j n e n) white damp; **–dampvergiftiging** *v* carbon-monoxide poisoning; **–drager** (-s) *m* coal-heaver; **–emmer** (-s) *m* coal-scuttle; **–gruis** *o* coal-dust; **–hok** (-ken) *o* coal-hole; (s c h u u r) coal-shed; **–kit** (-ten) *v* coal-scuttle; **–laag** (-lagen) *v* layer (bed) of coals, coal-stratum; **–mijn** (-en) *v* coal-mine, coal-pit, colliery;

–schip (-schepen) *o* collier; **–schop** (-pen) *v* coal-shovel, coal-scoop; **–schuur** (-schuren) *v* coal-shed; **–station** [-sta.(t)ʃòn] (-s) *o* coaling station; **–stof** *o* coal-dust; **–tremmer** (-s) *m* coal-trimmer; **–wagen** (-s) *m* 1 coal-truck; 2 (v. l o c o m o t i e f) tender

kolf (kolven) *v* 1 butt(-end) [of a rifle]; 2 receiver [of a retort]; 3 ♣ spike, cob [of corn]; spadix [*mv* spadices]; **–je** (-s) *o dat is een ~ naar zijn hand* that's the very thing he wants

'kolibrie (-s) *m* humming-bird

ko'liek (-en) *o* & *v* colic

kolk (-en) *m* & *v* 1 pit, pool; abyss, gulf; eddy, whirlpool; 2 chamber [in a canal]; **'kolken** (kolkte, h. gekolkt) *vi* eddy, whirl, swirl

ko'lom (-men) *v* column

kolo'nel (-s) *m* colonel

koloni'aal I *aj* colonial; **II** (-nialen) *m* 🕮 colonial soldier; **kolonia'lisme** *o* colonialism; **–ist** (-en) *m* colonialist; **–istisch** colonialist; **ko'lonie** (-s en -niën) *v* colony, settlement; **koloni'satie** [-'za.(t)si.] (-s) *v* colonization, settlement; **koloni'sator** (-s en -'toren) *m* colonizer; **koloni'seren** (koloniseerde, h. gekoloniseerd) *vt* & *vi* colonize, settle; **kolo'nist** (-en) *m* colonist, settler

kolo'riet *o* coloration, colouring

ko'los (-sen) *m* colossus, leviathan; **kolos'saal I** *aj* colossal; (i r o n i s c h) huge, tremendous; **II** *ad* colossally, < hugely, tremendously

kom (-men) *v* basin, bowl; (v. g e w r i c h t) socket; *de ~ van de gemeente* the centre; *bebouwde ~* built-up area

kom'aan! come!; well!

kom'af *m* descent, origin; *van adellijke ~* of noble birth, highborn; *van goede ~* of a good (respectable) family; *van lage ~* of low birth (descent), low-born

kom'buis (-buizen) *v* caboose, galley, cook's house

komedi'ant (-en) *m* comedian; *hij is een echte ~* he is always acting a part; **ko'medie** (-s) *v* 1 comedy; 2 (g e b o u w) theatre; *het is allemaal maar ~* it's all sham, it's mere make-believe, it is mere acting; *~ spelen* (d o e n a l s o f) put up an act

ko'meet (-meten) *v* comet

'komen* *vi* come; *kom, kom* come now; *och kom!* zie *och*; *ik kom al!* (I'm) coming!; *er komt regen* we are going to have rain; *hij zal er wel ~* he is sure to get there (to succeed); *wij kunnen er niet ~* we cannot make (both) ends meet; *er moge van ~ wat wil* come what may; *hoe komt het dat...?* how comes it that..., how is it that...?; *hoe kom ik daar?* how do I get there?; *hij wist niet hoe het gekomen was* how it had come about; *zo kom je er niet* this is not the right way; *fig* in this way you'll never make it (succeed), this will get you nowhere; *er kwam maar geen geld* no money was forthcoming; *wij moeten maar afwachten wat er ~ zal* await (further) developments; *is het zo ver gekomen dat...?* has it come to this (to such a pass) that...?; *wie eerst komt, eerst maalt* first come, first served; *ik zal hem laten ~* I'll send for him; *ik zal het laten ~* I'll order it; *~ te spreken over* get talking about; *als ik zou ~ te vallen* if I should fall; *fig* if I should (come to) die; *hoe kwam je het boek te verliezen?* how did you happen to lose the book?; *kom ze halen* come and fetch (get) them; *ik kom u vertellen dat...* I have come to tell you that...; *u moet eens ~ kijken* come and see, come and have a look (at things); *hij kwam naast me zitten* he sat down by my side; *hij kwam naast mij te zitten* he happened to have his seat next to mine; *dat zal duur ~* it will come expensive; zie ook: 2 *duur* **II**; *op hoeveel komt dat?* what does it come to?; *hoe duur komt u dat te staan?* what does it cost you?; ● *er mee a a n de deur ~* hawk from door to door, come to the house; *hoe zal ik aan het geld ~?* how am I to come by (get) the money?, how am I to raise the money?; *eerlijk aan iets ~* come by sth. honestly; *kom er niet aan!* don't touch it!; *hoe kom je daaraan?* 1 how have you come by it?; 2 how did you find out?; how did you get knowledge of it?; *a c h t e r iets ~* find sth. out; *zal je b i j me ~?* will you come to me?; *ik kom dadelijk bij je* I'll join you directly; *wij ~ niet meer bij hen* we don't visit at their house any more; *hoe kom je erbij?* what makes you think so?; *bij elkaar ~* come together, meet; *de kleuren ~ niet bij elkaar* the colours don't match; *daarbij komt dat zij...* added to this they...; *dat moest er nog bij ~!* that would be the last straw; *er d o o r ~* get through[2], pass through [a town]; *ik kon niet i n mijn jas ~* I could not get into my coat; *in de kamer ~* come into the room, enter the room; *er een beetje in ~* catch on, get one's hand in, **F** gather speed; *ergens in kunnen ~* understand; *hij kwam n a a r mij toe* he came up to me; *hij komt o m iets* he has come for something or other; *o p hoeveel komt dat beeldje?* how much is that figure?; *het komt op 1£ per persoon* it comes to (works out at) £ 1.00 per head; *ik kon niet op mijn fiets, mijn paard ~* I could not get on to my bicycle, my horse; *ik kan er niet op ~* I cannot think of it, remember it, recall it; zie ook: *gedachte, idee, inval*; *ik kon er niet t o e ~* I could not bring myself to do it; *hoe bent u daartoe gekomen?* how did you come to do it?; *~ t o t [middel, schouder]* come up to; *tot iem. ~* come to sbd.; *tot zichzelf ~* come to one's senses; *tot een regeling ~* come to, arrive at, reach a settlement; *zij ~ u i t een* *dorp* they are from a village; *die woorden ~ uit het Grieks* those words are derived from Greek; *ik kom er niet uit* [*fig*] I can't make it out; *kun jij eruit ~?* what do you make of it?; *dat komt v a n het vele lezen* that comes of reading so much; *van lezen* (*werken* &) *zal vandaag niets ~* there will be no reading (working &) to-day; *wat zal ervan ~?* what is it going to end in?; *als er ooit iets van komt* if it ever comes to anything; *er zal niets van ~* nothing will come of it; *daar komt niets van in* that's out of the question, **F** nothing doing; *dat komt er van* that comes of being..., that's what comes from ...ing; *waar kom jij vandaan?* 1 where do you come from?; 2 where do you hail from, where are you from?

kom'foor (-foren) *o* chafing-dish, brazier; zie ook: *gaskomfoor* en *theelichtje*

kom'fort = *comfort*

1 ko'miek I *aj* comical, funny, droll; **II** *ad* in a comical (funny) way; 2 **ko'miek** (-en) *m* (low) comedian, clown, funny-man

ko'mijn *m* cum(m)in; **-ekaas** (-kazen) *m* cum(m)in-seed cheese

'komisch *aj* comic [film, opera], comical; *het ~e is dat...* the funny part of the matter is that...

kom'kommer (-s) *v* cucumber; **-sla** *v* cucumber salad; **-tijd** *m fig* dull (dead, silly) season; *de ~* ook: the slack

'komma ('s) *v* & *o* comma; *0,5 = nul ~ vijf* decimal five; **komma'punt** (-en) *v* & *o* semicolon

'kommer *m* 1 solicitude; 2 trouble, affliction, sorrow, grief; **-lijk** needy, pitiful; **-loos** free from cares, untroubled; **-nis** (-sen) *v* solicitude, anxiety, concern; **-vol** distressful, wretched

'kommetje (-s) *o* (small) cup, mug

Ko'moren *mv de ~* The Comoro Islands

kom'pas (-sen) *o* compass; **-beugel** (-s) *m* gimbals; **-huisje** (-s) *o* binnacle; **-naald** (-en) *v* needle (of a compass); **-roos** (-rozen) *v* compass-card; **-streek** (-streken) *v* point of the compass, rhumb

'kompel (-s) *m* pitman

kom'plot (-ten) *o* plot, intrigue, conspiracy; **komplot'teren** (komplotteerde, h. gekomplotteerd) *vi* plot, intrigue, conspire

kom'pres I *aj* solid [composition]; **II** *ad* closely [printed]; **III** (-sen) *o* compress

komst *v* coming, arrival; ⊙ advent [of Christ; of the motor-car and the aeroplane]; *op ~ zijn* be coming, be drawing near, be on the way

'komvormig bowl-shaped, basin-shaped

Kon. = *Koninklijk*

kon (konden) V.T. van *kunnen*

kond *~ doen* make known

'konden V.T. meerv. van *kunnen*

kon'fijten (konfijtte, h. gekonfijt) *vt* preserve, candy

'Kongo *o* Congo; **Kongo'lees I** *aj* Congolese; **II** *m* (-lezen) Congolese; *de Kongolezen* the Congolese

'kongsi(e) (-si's en -sies) *v* 1 kongsee, (secret) society; 2 **$** combine, ring, trust; 3 clique

ko'nijn (-en) *o* rabbit, **F** bunny; **ko'nijnehok** (-ken) *o* rabbit-hutch; **-hol** (-holen) *o* burrow; **-jacht** *v* rabbit-shooting; **ko'nijnenberg** (-en) *m* (rabbit-)warren; **ko'nijnevel** (-len) *o* 1 rabbit's skin, rabbit-skin; (a l s b o n t) cony

'koning (-en) *m* king°; *de ~ der dieren* the king of beasts; *hij is de ~ te rijk* he is very happy; **konin'gin** (-en) *v* queen°; *~-moeder* queen mother; *~-regentes* queen regent; *~-weduwe* queen dowager; **konin'ginnedag** (-dagen) *m* the Queen's feast [in the Netherlands]; **koning'innenpage** [-pa.ʒə] (-s) *m* ✾ swallow-tailed butterfly; **'koningsarend** (-en) *m* royal eagle; **'koningschap** *o* 1 royalty, kingship [of Christ &]; 2 [absolute, constitutional] monarchy; **'koningsdochter** (-s) *v* king's daughter; **-gezind** *aj* royalist; *~e* (-en) *m-v* royalist; **koningsge'zindheid** *v* royalism; **'koningshuis** (-huizen) *o* royal house; **-kind** (-eren) *o* royal child; **-kroon** (-kronen) *v* royal crown; **-tijger** (-s) *m* royal tiger; **-titel** (-s) *m* title of king, regal title; **-troon** (-tronen) *m* royal throne; **-varen** (-s) *v* osmund; **-zoon** (-s en -zonen) *m* king's son; **'koninkje** (-s) *o* petty king, kingling, kinglet; **'koninklijk I** *aj* royal, regal, kingly, kinglike; *van ~e afkomst* ook: royally descended; **II** *ad* royally, regally, in regal splendour; in a kingly way; **'koninkrijk** (-en) *o* kingdom; *het ~ Denemarken* the Kingdom of Denmark; *het ~ der hemelen* the Kingdom of Heaven

'konisch conic(al), cone-shaped

'konkelaar (-s) *m* plotter, intriguer, schemer; **konkela'rij** (-en) *v* plotting, intriguing, scheming, machination(s); **'konkelen** (konkelde, h. gekonkeld) *vi* plot, intrigue, scheme; **konkel'foezen** (konkelfoesde, h. gekonkelfoesd) *vi* plot against sbd., scheme

kon'stabel (-s) *m* ⚓ gunner

kont (-en) *v* **P** arse

konter'feiten (konterfeitte, h. gekonterfeit) *vt* portray, picture; **konter'feitsel** (-s) *o* portrait, likeness

kon'vooi (-en) *o* convoy; **konvooi'eren** [-vo.'je:rə(n)] (konvooieerde, h. gekonvooieerd) *vt* convoy

kooi (-en) *v* 1 cage [for birds, lions &]; 2 fold, pen [for sheep]; 3 decoy [for ducks]; 4 ⚓ berth, bunk; *naar ~ gaan* **F** turn in; **-eend** (-en) *v* decoy-duck; **'kooien** (kooide, h.

gekooid) *vt* 1 cage, put into a cage; 2 fold, pen; **'kooiker** (-s) *m* decoy man

kook *v a a n de ~ brengen* bring to the boil; *aan de ~ zijn* be on the boil; *v a n de ~ zijn* 1 be off the boil; 2 *fig* be upset; **–boek** (-en) *o* cook(ery) book; **–cursus** [-kürzəs] (-sen) *m* course of cookery, cooking classes; **–fornuis** (-nuizen) *o* cooking range, kitchen stove, kitchener, cooker; **–hitte** *v* boiling-heat; **–kachel** (-s) *v* cooking-stove; **–kunst** *v* cookery, art of cooking, culinary art; **–les** (-sen) *v* cookery lesson; **–plaat** (-platen) *v* hot-plate, cooking plate; **–punt** (-en) *o* boiling-point; **–ster** (-s) *v* cook; **–toestel** (-len) *o* cooker, cooking-apparatus

1 kool (kolen) *v* ♣ cabbage; *de ~ en de geit sparen* temporize; *iem. een ~ stoven* play sbd. a trick; *het is allemaal ~* **F** it's all gammon

2 kool (kolen) *v* 1 (s t e e n k o o l) coal; 2 (v. h o u t) charcoal; 3 (e l e m e n t) & ✻ carbon; zie ook: *kolen*; **–borstel** (-s) *m* carbon brush

kool'dioxyde [-òksi.də] *o* carbon dioxide; **'koolhydraat** (-draten) *o* carbohydrate

'koolmees (-mezen) *v* great tit(mouse)

kool'monoxyde [-òksi.də] *o* carbon monoxide

'koolraap (-rapen) *v* 1 Swedish turnip, swede; 2 (b o v e n d e g r o n d) kohlrabi, turnip-cabbage; **kool'rabi** ('s) *v* = *koolraap* 2

'koolspits (-en) *v* carbon(-point), crayon

'koolstof *v* carbon; **–houdend** carbonic, carbonaceous, carboniferous; **–verbinding** (-en) *v* carbon compound

'koolstronk (-en) *m* stalk of cabbage

'koolteer *m* & *o* coal-tar

kool'waterstof (-fen) *v* hydrocarbon

'koolwitje (-s) *o* cabbage butterfly

'koolzaad (-zaden) *o* rapeseed

'koolzuur *o* carbonic acid, carbon dioxide; **–houdend** carbonated [water]

'koolzwart coal-black, carbon black

koon (konen) *v* cheek

koop (kopen) *m* purchase; bargain, buy; *een ~ sluiten* strike a bargain; *o p de ~ toe* into the bargain; *t e ~* for sale, on sale; *te ~ bieden* offer (put up) for sale; *te ~ lopen met zijn geleerdheid* show off (air) one's learning; *met zijn gevoelens te ~ lopen* wear one's heart on one's sleeve; *weten wat er in de wereld te ~ is* know what is going on in the world; **–akte** (-n en -s) *v* purchase deed; **–avond** (-en) *m* late shopping night; **–briefje** (-s) *o* bought note; **–contract** (-en) *o* contract of sale; **–handel** *m* trade, commerce; **–je** (-s) *o* (great) bargain, (good) buy; *daaraan heb ik een ~* 1 that's a (real) bargain, that's a good buy; *op een ~* on the cheap; **–jesjager** (-s) *m* bargain-hunter; **–kracht** *v* purchasing power, buying power; (v. h. p u b l i e k) spending power; **koop'krachtig** having great purchasing power, able to buy; **'kooplieden** *mv* van *koopman*; **–lust** *m* inclination (desire) to buy, buying propensity; **koop'lustig** eager to buy, fond of buying; **'koopman** (-lieden en -lui) *m* merchant; dealer; (street) hawker; **'koopmansbeurs** (-beurzen) *v* (commodity) exchange; **–boek** (-en) *o* account book; **'koopmanschap** *v* trade, business; **'kooppenningen** *mv* purchase money; **–prijs** (-prijzen) *m* purchase price; **–som** (-men) *v* purchase money; **–stad** (-steden) *v* commercial town; **–vaarder** (-s) *m* = *koopvaardijschip;* **koopvaar'dij** *v* merchant service; **–schip** (-schepen) *o* merchantman; **–vloot** (-vloten) *v* merchant fleet, merchant navy; **'koopvrouw** (-en) *v* tradeswoman; (vegetable &) woman; **–waar** (-waren) *v* merchandise, commodities, wares; **–ziek** eager to buy; **–zucht** *v* eagerness to buy

koor (koren) *o* 1 (z a n g e r s) choir; 2 (t e g e n-o v e r s o l o; r e i) chorus; 3 (p l a a t s) choir, chancel; *in ~* in chorus; **–bank** (-en) *v* choir-stall

koord (-en) *o* & *v* cord, string, rope; *de ~en van de beurs in handen hebben* hold the purse-strings; *op het slappe ~ dansen* walk (balance) on the slack-rope; **–danser** (-s) *m*, **–danseres** (-sen) *v* rope-dancer, rope-walker; **'koorde** (-n) *v* chord

'koordirigent (-en) *m* choral conductor

'koordje (-s) *o* (bit of) string

'koorgezang (-en) *o* choral song(s), choral singing; **–hek** (-ken) *o* choir-screen; **–hemd** (-en) *o* surplice; **–kap** (-pen) *v* cope; **–knaap** (-knapen) *m* chorister, choirboy

koorts (-en) *v* fever; *de gele ~* yellow fever; *koude ~* ague; *(de) ~ hebben* have (a, the) fever; *de ~ krijgen* be taken with the fever; **–aanval** (-len) *m* attack (fit) of fever; **–achtig I** *aj* feverish[2]; **II** *ad* feverishly[2]; **–droom** (-dromen) *m* feverish dream; *koortsdromen hebben* be delirious with fever; **–gloed** *m* fever-heat; **–ig** feverish; **–lijder** (-s) *m* fever patient; **–middel** (-en) *o* febrifuge; **–thermometer** (-s) *m* fever (clinical) thermometer; **–verwekkend** pyretogenic; **–vrij** free from fever; **–werend** pyretic

'koorzang (-en) *m* = *koorgezang*; **–er** (-s) *m* chorister

koos (kozen) V.T. van *kiezen*

'koosjer = *kousjer*

koot (koten) *v* 1 (v. m e n s) knuckle-bone; 2 (v. p a a r d) pastern

'kootje (-s) *o* phalanx [*mv* phalanges]

kop (-pen) *m* 1 head [of a person, a nail &], **F** pate, **S** nob; *fig* head, brains; heading, headline [of newspaper article]; 2 cup [for coffee, tea]; 3

bowl [of a pipe]; 4 ⚕ cupping-glass; 5 litre; 6 crest [of a wave]; 7 ⚔ war-head [of rocket, torpedo]; ~ *van jut* try-your-strength machine; *een schip met 100 ~pen* with a hundred souls (hands); *een goede ~ hebben* have a good head [for names &]; *geen ~ hebben* have no head; (*hou je*) *~ dicht!* **F** shut up!; *~ op!* **F** don't let it get you down, cheer up!; *iets de ~ indrukken* nip sth. in the bud, stamp out, quell [a rebellion]; scotch [a rumour]; *de ~ nemen sp* take the lead; *zijn ~ tonen* be obstinate; *~pen zetten* cup [a patient]; • *a a n de ~ liggen sp* lead; *o p de ~ af* exactly [five]; *iem. op zijn ~ geven* let sbd. have it; *op zijn ~ krijgen* catch it; *al ging hij op zijn ~ staan* though he should do anything; *de wereld staat op zijn ~* the world has turned topsy-turvy; *iets op de ~ tikken* 1 pick sth. up [at a sale]; 2 **S** nab sth.; *de dingen op hun ~ zetten* stand things on their head; *iem. op z'n ~ zitten* bully sbd.; *hij laat zich niet op zijn ~ zitten* **F** he doesn't suffer himself to be sat upon; *o v e r de ~ gaan* (f a i l l i e t g a a n) **F** go bust; *over de ~ schieten, over de ~ slaan* turn over; *z o n d e r ~ of staart* without either head or tail; without beginning or end; zie ook: *hoofd*; **–bal** (-len) *m sp* header

ko'peke (-n) *m* kopeck

'kopen* I *vt* buy[2], purchase; *wat koop ik er voor?* [*fig*] what good can it do me?, what's the good of that?; **II** *va* buy; *wij ~ niet bij hen* we don't deal with them; **1 'koper** (-s) *m* buyer, purchaser

2 'koper *o* copper; *geel ~* brass; *rood ~* copper; *het ~* ♪ the brass; **–achtig** coppery; brassy; **–blazers** *mv* ♪ brass winds; **–(diep)druk** (-ken) *m* copperplate printing, photogravure; **'koperdraad** (-draden) *o* & *m* brass-wire; **1 'koperen** *aj* copper, brass; **2 'koperen** (koperde, h. gekoperd) *vt* copper; **'kopererts** (-en) *o* copper-ore; **–geld** *o* coppers, copper coin; **kopergiete'rij** (-en) *v* brass-foundry; **'kopergravure** (-s en -n) *v* copperplate; **–groen** *o* verdigris; **–houdend** containing copper, cupreous; **–kleurig** copper-coloured, brass-coloured; **–mijn** (-en) *v* copper-mine; **koperplette'rij** (-en) *v* copper-mill; **'koperslager** (-s) *m* copper-smith, brazier

'kopersmarkt *v* $ buyers' market

'koperwerk *o* brass-ware

'koperwiek (-en) *v* redwing

'kopgroep (-en) *v* leading group

ko'pie (-pieën) *v* copy [of a letter]; replica [of work of art]; *voor ~ conform* a true copy; **–boek** (-en) *o* $ letter-book; **kopi'eerapparaat** (-raten) *o* copying machine, copier; **–inkt** *m* copying-ink; **kopi'ëren** (kopieerde, h. gekopieerd) *vt* copy; engross [a deed]; **kopi' ïst** (-en) *m* transcriber, copyist [of documents]; copying-clerk [in an office &]

ko'pij (-en) *v* copy; *er zit ~ in* it makes good copy, there is a story in it; **–recht** (-en) *o* copyright

'kopje (-s) *o* 1 head; 2 cup; 3 *ZA* kopje [hill]; 4 headline [of an article]; *wat een lief ~!* what a sweet face!; *~ duikelen* turn over and over; *~-onder doen, ~-onder gaan* take a header, get a ducking; *iem. een ~ kleiner maken* behead sbd., **F** chop sbd.'s head off; **'kopklep** (-pen) *v* overhead valve; **–lamp** (-en) *v* headlamp; **–licht** (-en) *o* headlight; **–loper** (-s) *m ~ zijn* take (be in) the lead; **–pakking** *v* cylinder head gasket

1 'koppel (-s) *o* couple [of eggs]; brace [of partridges]; ♪ coupler [of organ]

2 'koppel (-s) *m* belt [of a sword]; leash [for dogs]

'koppelaar (-s) *m* procurer, matchmaker, pimp; **–ster** (-s) *v* matchmaker, procuress; **koppela'rij** (-en) *v* matchmaking, procuring, pimping

'koppelbaas (-bazen) *m* contractor, recruiter

'koppelen (koppelde, h. gekoppeld) *vt* couple [chains &]; dock [of spacecraft]; leash [hounds]; join [words]; (v. m e n s e n) make a match; **'koppeling** (-en) *v* coupling; (v. a u t o o o k:) clutch; (r u i m t e v a a r t) docking; **–spedaal** (-dalen) *o* & *m* clutch (acceleration) pedal

'koppelriem (-en) *m* ⚔ belt

'koppelstang (-en) *v* coupling-rod; connecting-rod [of an engine]; **–teken** (-s) *o* hyphen; **–verkoop** *m* linked transaction; package deal; **–werkwoord** (-en) *o* copula; **–woord** (-en) *o* copulative

'koppen (kopte, h. gekopt) *vt* 1 (v. k o p o n t d o e n) poll, cut back, head; 2 (b i j v o e t b a l) head [the ball]

'koppensnellen *o* head-hunting; **–er** (-s) *m* head-hunter

'koppig I *aj* 1 headstrong, obstinate [people], refractory; 2 heady [of liquors]; **II** *ad* obstinately; **–heid** *v* 1 obstinacy [of people]; 2 headiness [of liquors]

'koppijn *v* **F** a head

'kopra *v* copra

'kopschuw shy; *~ maken* frighten (off); *~ worden* jib; **–spijker** (-s) *m* tack; hobnail [for boots]; **–station** [-sta.(t)ʃòn] (-s) *o* terminus [*mv* termini]; **–stoot** (-stoten) *m* header; **–stem** (-men) *v* head-voice; **–stuk** (-ken) *o* headpiece; *de ~ken van de partij* **F** the big men of the party; **–telefoon** (-s) *m* headphone(s), headset; **–zorg** (-en) *v* worry; *zich ~(en) maken* worry (about *over*)

1 ko'raal (-ralen) *o* ♪ (g e z a n g) chorale
2 ko'raal (-ralen) *o* (d e s t o f) coral; **–achtig** coralline; **–bank** (-en) *v* coral reef; **–dier** (-en) *o* coral polyp; **–eiland** (-en) *o* coral island; **–mos** *o* coral moss, coralline
ko'raalmuziek *v* choral music
ko'raalrif (-fen) *o* coral reef; **–visser** (-s) *m* coral fisher, coral diver; **ko'ralen** *aj* coral, coralline
ko'ran [-'ra.n] *m* Koran, Alcoran
kor'daat determined, resolute, firm
kor'don (-s) *o* cordon [of police &]
Ko'rea *o* Korea; **Kore'aan** (-eanen) *m*, **–s** *aj* Korean
'koren *o* corn, grain; *het is ~ op zijn molen* that is just what he wants, that is grist to his mill; **–aar** (-aren) *v* ear of corn; **–beurs** (-beurzen) *v* corn-exchange; **–blauw** cornflower blue; **–bloem** (-en) *v* cornflower, bluebottle; **–halm** (-en) *m* corn-stalk; **–maat** (-maten) *v* corn-measure; zie ook: 2 *licht*; **–molen** (-s) *m* corn-mill; **–schoof** (-schoven) *v* sheaf of corn; **–schuur** (-schuren) *v* granary²; **–veld** (-en) *o* cornfield; **–wan** (-nen) *v* winnow; **–zolder** (-s) *m* corn-loft, granary
1 korf (korven) *m* basket, hamper; hive [for bees]
2 korf (korven) V.T. van *kerven*
'korhaan (-hanen) *m* black-cock; **–hoen** (-ders) *o* grey-hen; *korhoenders* grouse
1 kor'net (-ten) *m* ⚔ cornet, ensign
2 kor'net (-ten) *v* ♪ cornet
kor'noelje (-s) *v* cornel, dogberry
kor'nuit (-en) *m* comrade, companion, mate, fellow
korpo'raal (-s) *m* ⚔ corporal
korps (-en) *o* (army) corps; zie ook: *muziekkorps, politiekorps, studentenkorps* &; **–geest** *m* esprit de corps
'korpus (-sen) *o* body
'korrel (-s) *m* 1 grain; 2 = *vizierkorrel*; *op de ~ nemen* ⚔ aim at; *fig* snipe at; **'korrelen** (korrelde, h. gekorreld) *vt* grain, granulate; **–lig** granular; **–ling** *v* granulation, graining; **'korreltje** (-s) *o* grain, granule; *met een ~ zout* with a pinch of salt
kor'set (-ten) *o* corset, ↖ (pair of) stays, (l i c h t, z o n d e r b a l e i n e n) girdle
korst (-en) *v* crust [of bread]; rind [of cheese]; scab [on a wound]; **–achtig** crusty; **–deeg** *o* short pastry; **–ig** crusty; scurfy, scabby [wounds]; **–mos** (-sen) *o* ✿ lichen
kort I *aj* short, brief; *~ en bondig* short and concise, short and to the point; clear and succinct; *~ en dik* thick-set, squat; *~ en goed* in a word, in short; *alles ~ en klein slaan* smash everything to atoms; *~ en (maar) krachtig* short and sweet; *om ~ te gaan* to be brief, to make a long story short; *iem. ~ houden* 1 keep sbd. short (on short allowance); 2 keep sbd. on a tight rein; *het ~ maken* make it short; *ik zal ~ zijn* I will be brief; *~ van memorie zijn* have a short memory; *~ van stof zijn* be brief, be shortspoken; ● *i n ~e woorden* in a few words; *n a ~er of langer tijd* sooner or later; *s e d e r t ~* lately, recently; *t e ~ doen aan iems. verdiensten* derogate from sbd.'s merits; *iem. te ~ doen* wrong sbd.; *ik heb hem nooit een stuiver te ~ gedaan* I never wronged him of a penny; *geld te ~ komen* be short of money; *ik kom een paar gulden te ~* I am a few guilders short; *er niet bij te ~ komen* profit by it, get something out of it; *te ~ schieten* fall short of the mark; *te ~ schieten in...* be lacking in..., be deficient in...; *er is 20 gulden te ~* there are twenty guilders short; **II** *o in het ~* in brief, briefly; *tot voor ~* until recently; **III** *ad* briefly, shortly; *~ aangebonden* zie *aangebonden*; *~ daarna (daarop)* shortly after; *het is ~ dag* time is getting short; *om ~ te gaan* the long and the short of it [is]; *~ geleden* lately, recently; **kort'ademig** asthmatic, short of breath, short-winded; **–heid** *v* shortness of breath, asthma, short-windedness; **'kort'af I** *aj* curt; *hij was erg ~ tegen me* he was very short with me; **II** *ad* curtly; **korte'baan** short-distance; **korte'golfontvanger** (-s) *m* short-wave receiver; **–zender** (-s) *m* short-wave transmitter; **'kortelings** a short time ago, not long ago; **'korten I** (kortte, h. gekort) *vt* shorten [a string, the hours]; clip [wings]; deduct from [wage]; beguile [the time]; **II** (kortte, is gekort) *vi* grow shorter; *de dagen ~* the days are shortening (drawing in); **'kortheid** *v* shortness, brevity, succinctness; **kortheids'halve** for the sake of brevity; [called Tom] for short; **'korthoornvee** *o* short-horned cattle, shorthorns; **'korting** (-en) *v* 1 deduction [from wages]; 2 $ discount, rebate, allowance; *~ voor contant* $ cash discount; **'kortlopend** short-term; **'kortom, kort'om** in short, in a word, in fine; **'kortoren** (kortoorde, h. gekortoord) *vt* crop the ears of; **'kortparkeerder** (-s) *m* short-term parker; **–sluiting** *v* ⚡ short-circuit, short-circuiting; **–staart** (-en) *m* bobtail; **'kortstaarten** (kortstaartte, h. gekortstaart) *vt* dock (the tail of); **kort'stondig** of short duration, short-lived; **–heid** *v* shortness, brevity; **'kortweg** curtly, summarily; *~, ik wil niet* to make a long story short, I will not; **'kortwieken** (kortwiekte, h. gekortwiekt) *vt* clip the wings of; [*fig*] *iem. ~* clip sbd.'s wings; **kort'zicht** *o wissel op ~* $ short(-dated) bill; **kort'zichtig** near-sighted, short-sighted²,

purblind; **–heid** *v* near-sightedness, short-sightedness[2]
1 'korven (korfde, h. gekorfd) *vt* put into a basket (baskets); hive [bees]
2 'korven V.T. meerv van *kerven*
kor'vet (-ten) *v* corvette
'korzelig I *aj* crabbed, crusty; **II** *ad* crabbedly; **–heid** *v* crabbedness, crustiness
kosme'tiek *v* cosmetic
'kosmisch cosmic [rays]; **kosmogra'fie** *v* cosmography; **–'naut** (-en) *m* cosmonaut; **–po'liet** (-en) *m* cosmopolite, cosmopolitan; **–po'litisch** cosmopolitan; **'kosmos** *m* cosmos
kost *m* board, food, fare, victuals; livelihood; ~ *en inwoning* board and lodging, bed and board; *degelijke* ~ substantial fare; *dat is oude* ~ that is old news; *slappe* ~ cat-lap; *volle* ~ full board; *zware* ~ heavy food; *fig* strong meat; *geen* ~ *voor kinderen* no food for children; *fig* no milk for babes; *iem. de* ~ *geven* feed sbd.; *de* ~ *verdienen* earn one's keep; • *aan de* ~ *komen* earn one's keep, make a living; (*een jongen*) *in de* ~ *doen* put out (a boy) to board; *bij een leraar in de* ~ boarded out with a teacher; *iem. in de* ~ *nemen* take sbd. in to board; *in de* ~ *zijn bij* be boarding with; *wat doet hij voor de* ~*?* what does he do for a living?; *zonder* ~ without food; zie ook: *koste* & 2 *kosten*
'kostbaar 1 expensive, costly, dear [objects of art]; 2 precious [gems]; 3 valuable [furniture, time]; 4 sumptuous [banquets]; **–heid** (-heden) *v* expensiveness; costliness; sumptuousness; *kostbaarheden* valuables
'kostbaas (-bazen) *m* landlord
'koste *ten* ~ *van zijn gezondheid* at the cost of his health; *zich ten* ~ *van iem. anders vermaken* amuse oneself at the expense of someone else; *ten* ~ *leggen aan* spend [money &] on
'kostelijk I *aj* exquisite, delicious [food]; splendid, glorious; *die is* ~*!* that is a good one!; **II** *ad* splendidly
'kosteloos I *aj* free, gratis; **II** *ad* free of charge, gratis; **1 'kosten** (kostte, h. gekost) *vt* cost; *wat kost het?* how much is it?, what do you charge for it?; *het kan hem zijn betrekking* ~ it is as much as his place is worth; *het zal mij twee dagen* ~ it will take me two days; *al kost het mij het leven* even if it cost my life; *het kostte vijf personen het leven* it cost the lives of five persons; *het zal u veel moeite* ~ it will give you a lot of trouble; *het koste wat het wil* cost what it may, at any cost (price); *tegen de* ~*de prijs* at cost-price; **2 'kosten** *mv* expense(s), cost, ⚖ costs [of a lawsuit]; ~ *maken* go to expense, spend money; ~ *noch moeite sparen* spare neither effort nor expense; *op eigen* ~ at his (her) own expense; *op mijn* ~ at my (own) expense; *iem. op* (*hoge*) ~ *jagen* put sbd. to (great) expense; *op* ~ *van ongelijk* at the loser's risk; *uit de* ~ *komen* break even; **–berekening** (-en) *v* calculation of expense; $ cost-accounting, costing; **–besparing** (-en) *v* economy
'koster (-s) *m* sexton, verger
'kostganger (-s) *m* boarder; **–geld** (-en) *o* board; **–huis** (-huizen) *o* boarding-house
'kostje (-s) *o* **F** chow
'kostjuffrouw (-en) *v* landlady
'kostprijs *m* $ cost-price; prime cost
'kostschool (-scholen) *v* boarding-school; **–houder** (-s) *m* boarding-school master; **–leerling** (-en) *m* boarder
kostu'meren (kostumeerde, h. gekostumeerd) *vt* & *vr* dress up (as a...); *gekostumeerd bal* fancy(-dress) ball; **kos'tuum** (-s) *o* 1 costume [of a lady]; suit [of a man]; 2 (voor gekostumeerd bal) fancy dress; **–naaister** (-s) *v* dressmaker; **–repetitie** [-(t)si.] (-s) *v* dress rehearsal
'kostwinner (-s) *m* bread-winner; **–svergoeding** *v* separation allowance; **'kostwinning** *v* livelihood
kot (-ten) *o* pen [for sheep]; kennel [for dogs]; sty [for pigs]; **S** quod [= prison]
kote'let (-ten) *v* cutlet, chop
'koter (-s) *m* **F** kid
'kotsen (kotste, h. gekotst) *vi* throw up, puke; **'kots'misselijk** sick to death; *ik ben er* ~ *van* I am sick and tired of it
'kotter (-s) *m* ⚓ cutter
kou *v* cold; *een* ~ *in het hoofd* a cold in the head; ~ *vatten* catch (a) cold; **koud I** *aj* cold[2]; frigid [zone]; *het* ~ *hebben* be cold; *ik werd er* ~ *van* it made my blood run cold; *het laat mij* ~ it leaves me cold; *iem.* ~ *maken* (doden) **F** do away with sbd.; **II** *ad* coldly[2]; **III** *cj* (nauwelijks) hardly, scarcely; **–bloedig** cold-blooded[2]; **'koude** *v* = *kou*; **'kou(de)front** (-en) *o* cold front; **'koudegolf** (-golven) *v* cold-wave; **'koudgreep** (-grepen) *v* insulated handle; **'koudheid** *v* coldness; **'koudjes I** *aj* coldish; **II** *ad* coldly; **'koudmakend** cooling; ~ *mengsel* freezing mixture; **koud'vuur** *o* gangrene; **'koukleum** (-en) *m-v* chilly person
kous (-en) *v* stocking; zie ook: *kousje*; *daarmee is de* ~ *af* that settles the matter; *met de* ~ *op de kop thuiskomen* come away with a flea in one's ear; *op zijn* ~*en* in his stockinged feet; **'kouseband** (-en) *m* garter; **'kousenwinkel** (-s) *m* hosier's shop; **'kousevoeten** *mv op* ~ in one's stockinged feet°; **'kousje** (-s) *o* 1 wick [of a lamp]; 2 (incandescent) mantle
'kousjer kosher[2]
kout *m* talk, chat; **'kouten** (koutte, h. gekout) *vi* talk, chat

'kouter (-s) *o* coulter [of a plough]
'kouvatten (vatte 'kou, h. 'kougevat) *vi* catch cold; **'kouwelijk** chilly, sensitive to cold
ko'zak (-ken) *m* Cossack
'kozen V.T. meerv. van *kiezen*
ko'zijn (-en) *o* window-frame
kraag (kragen) *m* collar [of linen, of a coat]; tippet [of fur]; (g e p l o o i d) ruff; *bij de ~ pakken* seize [sbd.] by the collar, collar [sbd.]; **-je** (-s) *o* collaret(te)
kraai (-en) *v* 🦆 crow; *bonte ~* hooded crow; **'kraaien** (kraaide, h. gekraaid) *vi* crow; **'kraaienest** (-en) *o* crow's nest°; **'kraaienmars** *m de ~ blazen* **F** go west, **S** kick the bucket; **'kraaiepootjes** *mv* crow's-feet
kraak (kraken) *m* crack, cracking; **-amandel** (-s en -en) *v* shell-almond; **-been** *o* gristle, cartilage; **-'helder** spotlessly clean, spick-and-span; **-stem** (-men) *v* grating voice; **-'zindelijk** spotlessly clean
1 kraal (kralen) *v* (b o l l e t j e) bead
2 kraal (kralen) *v* (o m s l o t e n r u i m t e) kraal
'kraaloogjes *mv* beady eyes
kraam (kramen) *v* booth, stall, stand; *dat komt niet in zijn ~ te pas* that does not suit his book (his purpose, his game)
'kraambed *o* childbed; *in het ~ liggen* be confined, lie in; **-been** (-benen) *o* white-leg, milk-leg; **-inrichting** (-en) *v* maternity home, maternity hospital; **-kliniek** (-en) *v* maternity (lying-in) hospital; **-koorts** (-en) *v* puerperal fever
'kraampje (-s) *o* booth [at a fair]
'kraamverpleegster (-s) *v* maternity nurse; **-verzorgster** (-s) *v* monthly nurse; **-vrouw** (-en) *v* mother of newly-born child
1 kraan (kranen) *v* 1 (a a n v a t &) tap, cock, *Am* faucet; 2 (o m t e h i j s e n) crane, derrick
2 kraan (kranen) *m* **F** dab; *hij is een ~ in...* he is a dab at...
3 kraan (kranen) *m* 🦆 = *kraanvogel*
'kraanbalk (-en) *m* cat-head; **-drijver** (-s) *m* crane-driver; **-geld** (-en) *o* $ cranage
'kraanvogel (-s) *m* 🦆 crane
'kraanwagen (-s) *m* breakdown lorry
krab (-ben) *v* (s c h r a m) scratch
'krab(be) (krabben) *v* (d i e r) crab
'krabbel (-s) *v* scratch [with the nails]; scrawl, scribble [with a pen]; thumb-nail sketch [by an artist]; doodle [while thinking or listening]; **'krabbelen** (krabbelde, h. gekrabbeld) **I** *vi* scratch; scrawl, scribble; doodle [idly, while thinking or listening]; **II** *vt* scratch; scrawl, scribble [a few lines]; **'krabbelig** scrawled, crabbed [writing]; **'krabbelschrift** *o* crabbed writing; *zijn ~* ook: his scrawl(s); **'krabbeltje** (-s) *o* note, scrawl, word
'krabben (krabde, h. gekrabd) **I** *vi* scratch [with the nails]; **II** *vt* scratch; scrape; *iem. in zijn gezicht ~* scratch sbd.'s face; **III** *vr zich ~* scratch (oneself); *zich achter de oren ~* scratch one's head; **-er** (-s) *m* scratcher, scraper; **'krabijzer** (-s) *o* scraping-iron, scraper
krach (-s) *m* $ crash
kracht (-en) *v* energy, power, strength, force, vigour; (w e r k k r a c h t) employee, worker; *~ en stof* matter and force; *de ~ der gewoonte* the force of habit; *zijn ~en beproeven (aan...)* try one's hand (at...); *~ bijzetten aan...* zie *bijzetten*; *~ van wet hebben* have the force of law; *zijn ~en herkrijgen (herstellen)* regain one's strength; *al zijn ~en inspannen* exert one's utmost strength; *zijn ~en wijden aan* devote one's energy to; • *i n de ~ van hun leven* in their prime, in the prime of life; *m e t alle ~* with might and main; *met halve ~* ⚓ ease her!, half speed; *met vereende ~en* with united efforts; *met volle ~* ful speed [ahead!]; *(weer) o p ~en komen* regain strength, recuperate; *u i t ~ van* in (by) virtue of; *v a n ~* in force; *van ~ worden* come into force; *God geeft ~ naar kruis* God tempers the wind to the shorn lamb; **-bron** (-nen) *v* source of power; **kracht'dadig** strong, powerful, energetic; efficacious; **-heid** *v* energy; efficacy; **'krachteloos** 1 (v. p e r s o o n) powerless, nerveless, impotent; 2 (v. w e t &) invalid; *~ maken* enervate [of the body]; invalidate, annul, make null and void [of laws &]; **krachte'loosheid** *v* 1 powerlessness, impotence; 2 invalidity; **'krachtens** in (by) virtue of; **'krachtig I** *aj* 1 (l i c h a a m) strong, robust; 2 (m i d d e l e n &) strong, powerful, forceful, potent; 3 (m a a t r e g e l e n &) strong, energetic, vigorous; 4 (t a a l, s t i j l) strong, powerful, forcible; 5 (v o e d s e l) nourishing; **II** *ad* strongly, energetically; **'krachtinstallatie** [-(t)si.] (-s) *v* (electric) power plant; **-lijn** (-en) *v* line of force; **-meting** *v* trial of strength, **F** showdown; **-overbrenging** *v* transmission of power; **-patser** (-s) *m* muscle man, strong-arm man; **'krachtseenheid** *v* dynamic unit; **-inspanning** *v* exertion, effort; **'krachtstroom** *m* electric power; **'krachtterm** (-en) *m* strong word (expression), expletive, swear word; *~en* strong language; **-toer** (-en) *m* tour-de-force; **-veld** (-en) *o* field of force; **-verhouding** *v* relative (comparative) strength **-verspilling** *v* waste of energy
krak I *ij* crack; *~ zei het ijs* crack went the ice; **II** (-ken) *m* crack
kra'keel (-kelen) *o* quarrel, wrangle; **kra'kelen** (krakeelde, h. gekrakeeld) *vi* quarrel, wrangle
'krakeling (-en) *m* cracknel
'kraken (kraakte, h. gekraakt) **I** *vi* crack [of the

ice], creak, squeak [of boots]; **II** *vt* crack [nuts, *fig* a bottle, petroleum &]; *fig* **F** slate [an author, a book, a play &]; *huizen* ~ break into and occupy empty houses, squat

krakke'mikkig ramshackle, tumble-down

'kralensnoer (-en) *o* bead necklace

kram (-men) *v* cramp(-iron), staple; clasp [of a bible]

'kramer (-s) *m* pedlar, hawker; **krame'rij** (-en) *v* small wares

'krammen (kramde, h. gekramd) *vt* cramp, clamp; **'krammetje** (-s) *o* clip

kramp (-en) *v* cramp, spasm; *hij kreeg de* ~ he was seized with cramp; **kramp'achtig** spasmodic(al), convulsive, jerky; *zich* ~ *vasthouden aan* cling desparately to; **'kramphoest** *m* spasmodic cough

'kranig I *aj* brave; *een ~e kerel* a smart (dashing) man; *een* ~ *soldaat* a dashing soldier; *dat is een* ~ *stukje* that is a fine feat; **II** *ad* in dashing (gallant) style; ~ *voor de dag komen* make a fine show; *zij hebben zich* ~ *gehouden* they bore themselves splendidly; **–heid** *v* dash

⊙ **krank** sick, ill; ⊙ **–e** (-n) *m-v* sick person, patient; ⊙ **–heid** (-heden) *v* illness, sickness

krank'zinnig I *aj* insane, lunatic, mad, crazy; **II** *ad* exorbitantly [expensive, high]; **–e** (-n) *m-v* lunatic, madman, mad woman, **S** nut-case; **krank'zinnigengesticht** (-en) *o* lunatic asylum; **–verpleegster** (-s) *v* mental nurse; **krank'zinnigheid** *v* insanity, lunacy, madness, craziness

krans (-en) *m* wreath, garland, crown; zie ook: *kransje*; **–je** (-s) *o* (v. p e r s o n e n) club, circle; **–slagader** (-s en -en) *v* coronary artery

krant (-en) *v* (news)paper; **'kranteartikel** (-en) *o* newspaper article; **–bericht** (-en) *o* newspaper report, (newspaper) paragraph; **–knipsel** (-s) *o* press cutting; **'krantenjongen** (-s) *m* newsboy; **–kiosk** (-en) *v* newspaper-kiosk, news-stand; **–koning** (-en) *m* press baron; **–man** (-nen) *m* newsman; **–papier** *o* newsprint, newspaper; **–taal** *v* journalese; **–verkoper** (-s) *m* newsvendor, newsman

1 krap (-pen) *v* 1 (m e e k r a p) madder; || 2 clasp [of a book]

2 krap I *aj* tight, narrow, skimpy; *het geld is* ~ money is tight; **II** *ad* tightly, narrowly, skimpily; *het is* ~ *aan* it's barely enough; *zij hebben het maar* ~ they are in straitened circumstances; ~ *meten* give short measure; *de tijd te* ~ *nemen* cut the time too sharp; *wij zitten hier* ~ we are cramped for room; **–jes** = 2 *krap* **II**

1 kras I *aj* 1 (v. p e r s o o n & m a a t r e g e l) strong, vigorous; 2 (v. b e w e r i n g &) **F** stiff, steep; *dat is* (*wat al te*) ~ **F** that's a bit stiff (steep, thick); *hij is nog* ~ *voor zijn leeftijd* he is still hale and hearty (still going strong); **II** *ad* strongly, vigorously; *dat is nogal* ~ *gesproken* that is strong language

2 kras (-sen) *v* scratch; **'krassen** (kraste, h. gekrast) **I** *vi* scratch; scrape [of a pen, on a violin]; screech [of owl], croak, caw [of raven]; grate [of voice], jar [of sounds, upon sbd.'s ears]; **II** *vt* scratch [a name in soft stone]

krat (-ten) *o* 1 tail-board [of a carriage &]; 2 $ crate, packing case

'krater (-s) *m* crater; **–meer** (-meren) *o* crater-lake; **–vormig** crater-shaped, crater-like

'krauwen (krauwde, h. gekrauwd) *vt* scratch

kre'diet (-en) *o* credit; *op* ~ on credit; **–bank** (-en) *v* credit bank; **–beperking** *v* credit squeeze; **–brief** (-brieven) *m* letter of credit; **–hypotheek** [-hi.po.-] (-theken) *v* equitable mortgage; **–instelling** (-en) *v* credit establishment; **krediet'waardig** *v* solvent, credit-worthy; **–heid** *v* solvency, credit-worthiness

kreeft (-en) *m* & *v* 1 (z o e t w a t e r) crayfish, crawfish; 2 (z e e) lobster; *de Kreeft* ★ Cancer; **'kreeftegang** *m hij gaat de* ~ he is going backward; **–sla** *v* lobster salad; **'kreeftskeerkring** *m* tropic of Cancer

kreeg (kregen) V.T. van *krijgen*

kreek (kreken) *v* creek, cove

1 kreet (kreten) *m* cry, scream, shriek

2 kreet (kreten) V.T. van *krijten*

'kregel(ig) I *aj* peevish; ~ *maken* irritate; **II** *ad* peevishly; **'kregeligheid** *v* peevishness

'kregen V.T. meerv. van *krijgen*

krek exactly, quite (so)

'krekel (-s) *m* (house-)cricket

kreng (-en) *o* carrion; *fig* beast [of a master &], rotter; (v r o u w) bitch; *dat* ~ *van een ding* the blooming thing; *oud* ~ old crock

'krenken (krenkte, h. gekrenkt) *vt* hurt, offend, injure; *iems. gevoelens* ~ wound sbd.'s feelings; *geen haar op uw hoofd zal gekrenkt worden* not a hair of your head shall be touched; *iems. goede naam* ~ injure sbd.'s reputation; *zijn geestvermogens zijn gekrenkt* he is of unsound mind; *op gekrenkte toon* in a hurt tone; **–d I** *aj* injurious, offensive, insulting, wounding; **II** *ad* injuriously, offensively; **'krenking** (-en) *v* injury[2], *fig* mortification

krent (-en) *v* (dried) currant; (a c h t e r s t e) behind, bum; (g i e r i g a a r d) skinflint, miser; **'krenten** (krentte, h. gekrent) *vt* thin out [grapes]; **'krentenbaard** *m* impetigo; **–brood** (-broden) *o* currant-bread; *een* ~ a currant-loaf; **–broodje** (-s) *o* currant-bun; **'krentenkakker** (-s) *m* **S** tightwad, skinflint, niggard; **'krenterig I** *aj* mean, niggardly; **II** *ad* meanly

'Kreta *o* Crete

'kreten V.T. meerv. van *krijten*
Kre'tenzer (-s) *m* Cretan
kreuk (-en), **–el** (-s) *v* crease; **'kreukelen** (kreukelde, *vt* h., *vi* is gekreukeld) *vt* & *vi* crease, rumple, crumple; **'kreukelig** creased, crumpled; **'kreuken** (kreukte, *vt* h., *vi* is gekreukt) = *kreukelen*; **'kreukher'stellend, 'kreukvrij** crease-(wrinkle-)proof, crease-resistant, non-creasing
'kreunen (kreunde, h. gekreund) *vi* moan, groan
'kreupel *aj* lame; ~ *lopen* walk with a limp, limp; *een ~e* a lame person, a cripple
'kreupelbos (-sen) *o* thicket, brake, underwood; **–hout** *o* underwood, undergrowth
'kreupelrijm (-en) *o* doggerel
'krib(be) (kribben) *v* 1 (v o e d e r b a k) manger, crib; 2 (s l a a p s t e e) cot; 3 (w a t e r k e r i n g) groyne
'kribbebijter (-s) *m fig* crosspatch; **–bijtster** (-s) *v* shrew, scratch-cat
'kribbig I *aj* peevish, crabby, testy; **II** *ad* peevishly, testily
'kriebel (-s) *m* itch(ing); *ik krijg er de ~s van* **F** it gives me the jim-jams, it's driving me crazy; **'kriebelen** (kriebelde, h. gekriebeld) *vi* & *vt* tickle; zie ook: *krabbelen*; **'kriebelig** ticklish; *je wordt er ~ van* it is irritating, it gets under your skin; zie ook: *krabbelig*; **'kriebeling** (-en) *v* tickling; **'kriebelschrift** *o* = *krabbelschrift*
'kriegel peevish
kriek (-en) *v* black cherry; zie ook: *lachen*
'krieken (kriekte, h. gekriekt) *vi* chirp; *bij het ~ van de dag* at day-break, at peep of day
kriel 1 *o* small potatoes (apples); small fry; 2 (-en) *m-v* pygmy, midget, small child; **–haan** (-hanen) *m* dwarf-cock; **–hen** (-nen), **–kip** (-pen) *v*, **–kippetje** (-s) *o* dwarf-hen
'krieuwel *m* = *kriebel*; **'krieuwelen** (krieuwelde, h. gekrieuweld) *vi* & *vt* = *krioelen* & *kriebelen*
⊙ **krijg** (-en) *m* war; ~ *voeren* make war, wage war (on *tegen*)
'krijgen* *vt* get [sth.]; receive, obtain [books, money &]; acquire [a reputation]; catch [a thief, measles &]; receive [a hurt]; have [a boy, a girl, a holiday, kittens]; have [a beard] coming; put forth, send out [leaves]; *kan ik een boek ~?* can I have a book?; *hoeveel krijgt u van me?* how much do I owe you?, how much is it?; ~ *ze elkaar?* do they get married (in the end)?; *ik zal je ~!* I'll make you pay for it!; *ik kan het niet dicht* (*open*) ~ I cannot shut it (open it); *het koud* (*warm*) ~ begin to feel cold (hot); *het te horen* (*te zien*) ~ get to hear of it, get to see it; *ik zal trachten hem te spreken te ~* I'll try to see him; *het uit hem ~* get it out of him; draw it from him; *het zijne ~* come by one's own; *er genoeg van ~* have (got) enough of it, get tired of it; *ik kan hem er niet toe ~* I cannot get him to do it, make him do it; *niet meer te ~* not to be had any more; zie ook: *benauwd, gelijk, kwaad, lek, ongeluk, doorkrijgen* &
'krijger (-s) *m* warrior; **–tje** *o* ~ *spelen* play tag; **'krijgsartikelen** *mv* ⚔ articles of war; **–banier** (-en) *v* banner of war; **–dienst** *m* military service; **–gevangene** (-n) *m* prisoner of war; **–gevangenschap** *v* captivity; **krijgs'haftig** martial,warlike; **–heid** *v* martial spirit, warlike appearance; **'krijgskunde** *v* art of war; **krijgs'kundig** *aj* military; *~e* military expert; **'krijgslied** (-eren) *o* warlike (military) song; **–lieden** *mv* warriors, (band of) soldiers; **–list** (-en) *v* stratagem, ruse of war; **–macht** (-en) *v* (military) forces; **–man** (-lieden) *m* warrior, soldier; **–raad** (-raden) *m* 1 council of war; 2 ⚖ court-martial; ~ *houden* hold a council of war; *iem. voor een ~ brengen* ⚖ court-martial sbd.; **–school** (-scholen) *v* military school (college); *hogere ~* staff-college; **–tocht** (-en) *m* military expedition, campaign; **–toneel** (-nelen) *o* seat (theatre) of war; **–tucht** *v* military discipline; **krijgs'tuchtelijk** disciplinary; **'krijgsvolk** *o* soldiers, soldiery, military; **–wet** (-ten) *v* martial law; **–wetenschap** (-pen) *v* military science
krijs (-en) *m* scream, shriek, screech, cry; **'krijsen** (krijste, h. gekrijst) *vi* & *vt* scream, shriek, screech, cry
krijt *o* 1 chalk; 2 (o m t e t e k e n e n) crayon; *i n het ~ staan* (*bij*) be in debt (to); *m e t dubbel ~ schrijven* charge double; **–bakje** (-s) *o* chalk-box; **–berg** (-en) *m* chalk-hill
1 'krijten* I *vi* cry, weep; **II** *vt* cry, scream
2 'krijten (krijtte, h. gekrijt) *vt* ⚘ chalk [one's cue]
'krijtgebergte (-n en -s) *o* chalk-hills; **–je** (-s) *o* piece of chalk; **–rots** (-en) *v* chalk-cliff; **–streep** (-strepen) *v* chalk-line; **–tekening** (-en) *v* crayon drawing; **–wit I** *o* chalk-dust, whiting; **II** *aj* as white as chalk (as a sheet), chalk-white
krikke'mikkig = *krakkemikkig* [Crimean War
Krim *v de ~* the Crimea; **–oorlog** *m de ~* the
krimp *m* shrinking; shrinkage; *geen ~ hebben* be well-off; *geen ~ geven* not yield; bear up, hold out
'krimpen* I *vi* 1 (v. s t o f) shrink; 2 ⚓ (v a n w i n d) back; *van koude ~* shiver with cold; ~ *van de pijn* writhe with pain; **II** *vt* shrink [cloth]; **'krimpvrij** unshrinkable
kring (-en) *m* circle, ring; *blauwe ~en onder de ogen* dark rings under the eyes; *de hogere ~en* the upper circles; *in sommige ~en* in some quarters

'kringelen (kringelde, h. gekringeld) *vi* coil, curl
'kringetje (-s) *o* circlet, ring; *~s blazen* blow rings of smoke; **'kringloop** *m* circular course; (v. o u d p a p i e r) recycling; *fig* circle, cycle [of life and death]
'krinkel (-s) *m* crinkle; **'krinkelen** (krinkelde, h. gekrinkeld) *vi* crinkle
kri'oelen (krioelde, h. gekrioeld) *vi* swarm; *~ van* crawl with, swarm with, bristle with
krip *o* crape
kris (-sen) *v* creese [Malay dagger]
'kriskras criss-cross
kris'tal (-len) *o* crystal; **-achtig** crystalline; **-helder** (as clear as) crystal, crystal-clear; **kris'tallen, kristal'lijnen** *aj* crystal(line); **kristalli'satie** [-'za.(t)si.] (-s) *v* crystallization; **kristalli'seren** (kristalliseerde, h. gekristalliseerd) [s = z] *vt, vi* & *vr* crystallize (into *tot*); **kris'talsuiker** *m* granulated sugar; **-water** *o* water of crystallization
kri'tiek I *aj* critical; *een ~ ogenblik* a critical (crucial) moment; *een ~ punt bereiken* come to a head; **II** (-en) *v* 1 criticism (of *op*); 2 critique [in art or literature], review [of books]; *~ hebben op* be critical of [a plan &]; *~ uitoefenen (op)* pass criticism (on...), criticize...; *beneden ~* below criticism, beneath contempt; **-loos** uncritical; **'kritisch** critical; *~ staan tegenover* be critical of [a plan &]; **kriti'seren** (kritiseerde, h. gekritiseerd) [s = z] *vt* 1 criticize, censure [= criticize unfavourably]; 2 review [books]
krocht (-en) *v* 1 (c r y p t) crypt, undercroft [under a church]; 2 (s p e l o n k) cavern
kroeg (-en) *v* public house, pub; **-baas** (-bazen), **-houder** (-s) *m* publican; **-loper** (-s) *m* pub-loafer
'kroelen (kroelde, h. gekroeld) *vi* pet, make love
kroep *m* croup
1 kroes (kroezen) *m* 1 cup, pot, mug, noggin [for drinking]; 2 crucible [for melting]
2 kroes *aj* frizzled, frizzy, fuzzy, woolly; **-haar** *o* frizzy hair; **-kop** (-pen) *m* curly-pate, curly-head, fuzzy head, frizzly head; **'kroezen** (kroesde, h. gekroesd) *vi* curl, friz(z), crisp; zie ook *gekroesd*
kro'ket = 1 *croquet*
kroko'dil (-len) *m* & *v* crocodile; **kroko'dillele(d)er** *o* crocodile leather; *tas van ~* crocodile bag; **-tranen** *mv* crocodile tears
'krokus (-sen) *m* crocus
'krollen (krolde, h. gekrold) *vi* caterwaul; **krols** (v. k a t t e n) in heat
krom crooked, curved; *~me benen* bandy-legs, bow-legs; *een ~me lijn* a curved line, a curve; *een ~me neus* a hooked nose; *een ~me rug* a crooked back, a crook-back; *~ van de reumatiek* doubled up with rheumatism; **-benig** bandy-legged, bow-legged; **-groeien**[1] *vi* become (get) bent (crooked); **-heid** *v* crookedness; **-hout** (-en) *o* ⚓ knee; **-liggen**[1] *vi* stint (pinch) oneself; **-lopen**[1] *vi* 1 (v. p e r s o o n) walk with a stoop, stoop; 2 (v. w e g &) curve; **'kromme** (-n) *v* curve; **'krommen** (kromde, *vt* h., *vi* is gekromd) *vt* & *vi* bow, bend, curve; **-ming** (-en) *v* bend, curve
kromp (krompen) V.T. van *krimpen*
'krompasser (-s) *m* callipers
'krompen V.T. meerv. van *krimpen*
'krompraten[1] *vi* 1 talk brokenly, murder the King's English; 2 lisp; **-staf** (-staven) *m* crossier, crook; **-trekken**[1] *vi* warp; **-zwaard** (-en) *o* 1 scimitar; 2 (k o r t) falchion
'kronen (kroonde, h. gekroond) *vt* crown[2]; *hem tot koning ~* crown him king
kro'niek (-en) *v* chronicle; *~en* ook: memorials; (i n k r a n t) [sports, theatrical] column, [financial &] news; **-schrijver** (-s) *m* chronicler; (v. e. k r a n t) reporter
'kroning (-en) *v* crowning, coronation; **'kroningsdag** (-dagen) *m* coronation day; **-plechtigheid** (-heden) *v* coronation ceremony
'kronkel (-s) *m* twist, coil; **-darm** (-en) *m* ileum; **'kronkelen** (kronkelde, h. en is gekronkeld) *vi* & *vr* wind, twist; meander [of a river]; **-lig** winding, sinuous, meandering; **-ling** (-en) *v* winding; coil; convolution; **'kronkelpad** (-paden) *o* winding path; *fig* devious (circuitous) way
kroon (kronen) *v* 1 (v. v o r s t) crown; 2 (v. 't h o o f d) crown, top; 3 (l i c h t) chandelier, lustre; 4 ✿ corolla; *de ~ neerleggen* abdicate, resign the crown; *iem. de ~ van het hoofd nemen* rob sbd. of his honour; *iem. de ~ opzetten* crown sbd.; *de ~ spannen* bear the palm; *dat spant de ~* that caps everything; *iem. naar de ~ steken* vie with (rival) sbd.; *de ~ op het werk zetten* crown it all; **-domein** (-en) *o* demesne of the crown, crown land; **-getuige** (-n) *m-v* crown witness, King's (Queen's) evidence; **-juwelen** *mv* crown jewels; **-kolonie** (-s en -iën) *v* crown colony; **-kurk** (-en) *v* crown cork; **-lijst** (-en) *v* cornice; **-luchter** (-s) *m* chandelier; **-pretendent** (-en) *m* pretender to the throne;

[1] V.T. en V.D. van dit werkwoord volgens het model: **'krom**groeien, V.T. groeide **'krom**, V.D. **'krom**gegroeid. Zie voor de vormen onder het grondwoord, in dit voorbeeld: *groeien*. Bij sterke en onregelmatige werkwoorden wordt u verwezen naar de lijst achterin.

–prins (-en) *m* crown prince; **–prinses** (-sen) *v* crown princess; **–sieraden** *mv* regalia; **–tje** (-s) *o* ▨ coronet; **–vormig** crown-shaped
kroop (kropen) V.T. van *kruipen*
kroos *o* ♣ duckweed
kroost *o* offspring, progeny, issue
kroot (kroten) *v* ♣ beetroot
1 krop (-pen) *m* 1 crop, gizzard, craw; 2 (a l s z i e k t e) goitre
2 krop (-pen) *m* head [of cabbage, lettuce]
'kropduif (-duiven) *v* cropper, pouter
'kropen V.T. meerv. van *kruipen*
'kropgezwel (-len) *o* goitre
1 'kroppen (kropte, h. gekropt) *vi* head [of salad]
2 'kroppen (kropte, h. gekropt) *vt* cram [a bird]; *hij kan het niet ~* zie *verkroppen*
'kropsalade, –sla *v* head (cabbage-)lettuce
krot (-ten) *o* hovel, den; *wat een ~!* what a hole!; **–opruiming** *v* slum clearance; **–woning** (-en) *v* slum dwelling
kruid (-en) *o* ♣ herb; *daar is geen ~ voor gewassen* there is no cure for it; **–achtig** herbaceous; **–boek** (-en) *o* herbal; **'kruiden** (kruidde, h. gekruid) *vt* season², spice²; *sterk gekruid* highly seasoned², spicy²; **'kruidenaftreksel** (-s) *o* decoction of herbs; **–azijn** *m* aromatic (herb) vinegar; **–dokter** (-s) *m* herb-doctor, quack
kruide'nier (-s) *m* grocer; **kruide'niersgeest** *m* bigotry, narrow-mindedness; **–vak** *o* grocer's trade; **–waren** *mv* groceries; **–winkel** (-s) *m* grocer's (shop), grocery shop
'kruidenthee *m* herbal tea, herb-tea; **–tuin** (-en) *m* herb garden, herbary; **–wijn** (-en) *m* spiced wine; **kruide'rijen** *mv* spices; **'kruidig** spicy; **kruidje-'roer-mij-niet** (kruidjes-) *o* 1 ♣ sensitive plant; 2 *fig* touch-me-not; **'kruidkoek** (-en) *m* spiced gingerbread; **–kunde** *v* botany; **kruid'kundige** (-n) *m* botanist, herbalist; **'kruidnagel** (-s) *m* clove
'kruien (kruide, h. gekruid) **I** *vi* 1 trundle a wheelbarrow; 2 drift [of ice]; *de rivier kruit* the river is full of drift-ice; **II** *vt* wheel [in a wheelbarrow]; **'kruier** (-s) *m* porter; **–sloon** *o* porterage
kruik (-en) *v* stone bottle, jar, pitcher; *warme ~* hot-water bottle; *de ~ gaat zo lang te water tot zij breekt* so often goes the pitcher to the well that it comes home broken at last
kruim (-en) *v* & *o* crumb [inner part of bread]; **'kruimel** (-s) *m* crumb; **'kruimeldief** (-dieven) *m* petty thief, magpie; **–diefstal** (-len) *m* petty theft, pilferage; **'kruim(el)en** (kruim(el)de, *vt* h., *vi* is gekruim(el)d) *vi* & *vt* crumble; **'kruimelig** crumbly; **'kruimig** floury, mealy [potatoes]
kruin (-en) *v* (v. b e r g, h o o f d &) crown; top

'kruipen* *vi* 1 crawl², creep²; 2 ♣ creep, trail; 3 *fig* cringe [to a person]; **–d** 1 crawling², creeping²; 2 ♣ creeping, trailing; 3 reptile, reptilian; 4 *fig* cringing; *~ dier* reptile, reptilian; **'kruiperig** cringing; **'kruippakje** (-s) *o* crawlers, jumpers
kruis (-en en kruizen) *o* 1 (i n h e t a l g.) cross, 2 (l i c h a a m s d e e l) small of the back, crotch [of man]; croup [of animals], crupper [of horse]; 3 (v. b r o e k) seat; crotch; 4 ♪ sharp; 5 ⚓ (v. a n k e r) crown; 6 *fig* cross [= trial, affliction, nuisance]; *~ of munt* heads or tails; *~en en mollen* ♪ sharps and flats; *iem. het heilige ~ nageven* be glad to see the back of sbd.; *een ~ slaan* make the sign of the cross, cross oneself; **–afneming** (-en) *v* deposition from the Cross, descent from the Cross; **–beeld** (-en) *o* crucifix; **–bes** (-sen) *v* gooseberry; **–beuk** (-en) *m* transept; **kruis'bloemig I** *aj* cruciferous; **II** *mv ~en* cruciferae; **'kruisboog** (-bogen) *m* 🕮 cross-bow; **'kruiselings** crosswise, crossways; **'kruisen** (kruiste, h. gekruist) **I** *vt* 1 cross [the arms]; 2 crucify [a criminal]; 3 cross [animals, plants]; *elkaar ~* cross, cross each other [of letters &]; *gekruist ras* crossbreed; **II** *vi* ⚓ cruise; **III** *vr zich ~* cross oneself; **'kruiser** (-s) *m* cruiser; **'kruisgang** (-en) *m* △ cloister; **–gewelf** (-welven) *o* cross vault; **–gewijs, –gewijze** crosswise, crossways; **–hout** *o* cross-beam; *aan het ~* (up)on the cross; **'kruisigen** (kruisigde, h. gekruisigd) *vt* crucify; **–ging** (-en) *v* crucifixion; **'kruising** (-en) *v* 1 cross-breeding [of animals]; 2 crossbreed; cross [between... and...]; 3 crossing [of roads]; **'kruisje** (-s) *o* (small) cross, obelisk (†); *zij heeft de drie ~s achter de rug* she is turned (of) thirty; **'kruiskerk** (-en) *v* cruciform church; **–net** (-ten) *o* square fishing-net; **–peiling** (-en) *v* cross bearing; **–punt** (-en) *o* 1 (point of) intersection; 2 crossing [of a railway &]; **–ridder** (-s) *m* knight of the Cross; **–snarig** ♪ overstrung [piano]; **–snede** (-n) *v* crucial incision; **–snelheid** *v* cruising speed; **–spin** (-nen) *v* cross-spider; **–standig** decussate(d); **–steek** (-steken) *m* cross-stitch; **–teken** (-s) *o* sign of the cross; **–tocht** (-en) *m* 1 🕮 crusade²; 2 ⚓ cruise; **–vaarder** (-s) *m* 🕮 crusader; **–vaart** (-en) *v* 🕮 crusade; **–verband** (-en) *o* 1 △ cross-bond; 2 ⚕ cross-bandage; **–vereniging** (-en) *v* medical welfare society; **'Kruisverheffing** *v* Exaltation of the Cross; **'kruisverhoor** (-horen) *o* cross-examination; **–vormig** cross-shaped, cruciform; **–vuur** *o* cross-fire²; **–weg** (-wegen) *m* 1 cross-road; 2 *rk* Way of the Cross; *de ~ bidden rk* do the Stations (of the Cross); **–woordraadsel** (-s) *o* crossword puzzle

kruit *o* powder, gunpowder; *hij heeft al zijn ~ verschoten* he has fired his last shot; **–damp** *m* gunpowder smoke; **–hoorn** (-s), **–horen** (-s) *m* powder-horn, powder-flask; **–kamer** (-s) *v* powder-room; **–magazijn** (-en) *o* powder-magazine; **–molen** (-s) *m* powder-mill; **–schip** (-schepen) *o* gunpowder ship; **–vat** *o* (-vaten) powder-keg[2]

'kruiwagen (-s) *m* wheelbarrow; *hij heeft goede ~s* he has powerful patrons (influence, patronage)

kruize'munt *v* ✿ mint

1 kruk (-ken) *v* 1 crutch [for cripples]; 2 handle [of a door]; 3 ⚒ crank; 4 perch [for birds]; 5 stool, tabouret

2 kruk (-ken) *m* bungler; duffer

'krukas (-sen) *v* crank-shaft

'krukken (krukte, h. gekrukt) *vi* 1 (onhandig doen) bungle; 2 (ziek zijn) be ailing; **'krukkig** clumsy

krul (-len) *v* 1 (haar) curl; 2 (hout) shaving; 3 (bij het schrijven) flourish, scroll; *er zit geen ~ in dat haar* the hair doesn't curl; *de ~ is er uit* it is out of curl; *~len zetten* set curls; **–haar** *o* curly hair; **–ijzer** (-s) *o* curling-iron; **'krullebol** (-len), **–kop** (-pen) *m* curly-head, curly-pate; **'krullen** (krulde, h. gekruld) **I** *vi* curl; **II** *vt* curl, crisp, friz(z) [the hair]; **'krullenjongen** (-s) *m* 1 carpenter's apprentice; 2 *fig* factotum; **'krulletter** (-s) *v* flourished letter; **'krullig** curly; **'krulspeld** (-en) *v* curling pin, (hair) curler; **–tang** (-en) *v* curling-tongs

kub. = *kubiek*

ku'biek, 'kubiek cubic; *de ~e inhoud* the cubic content, cubage; **ku'biekwortel** (-s) *m* cube root

ku'bisme *o* cubism; **–istisch** cubist; **'kubus** (-sen) *m* cube

kuch (-en) *m* (dry) cough ‖ *o* & *m* (brood) **S** tommy; **'kuchen** (kuchte, h. gekucht) *vi* cough

'kudde (-n en -s) *v* herd [of cattle], flock [of sheep]; (v. zielenherder) flock; **–dier** (-en) *o fig* herd animal, gregarious animal; **–geest** *m fig* herd-instinct (-mentality); **–mens** (-en) *m* person who follows the crowd

'kuier *m* stroll, walk; **'kuieren** (kuierde, h. en is gekuierd) *vi* stroll, walk

kuif (kuiven) *v* tuft, crest [on a bird's head]; forelock [on a man's head]; **–eend** (-en) *v* tufted duck; **–leeuwerik** (-en) *m* tufted lark

'kuiken (-s) *o* 🐦 chicken; **kuikenmeste'rij** (-en) *v* broiler house

kuil (-en) *m* 1 pit, hole; [potato] clamp; 2 ⚓ waist; *wie een ~ graaft voor een ander, valt er zelf in* those who lay traps for others get caught themselves; harm set, harm get; **'kuilen** (kuilde, h. gekuild) *vt* = *inkuilen*; **'kuiltje** (-s) *o* hole; dimple [in the cheek]; *met ~s in de wangen* with dimpled cheeks; **'kuilvoe(de)r** *o* ensilage

kuip (-en) *v* tub, vat; zie ook: *vlees*

'kuipen (kuipte, h. gekuipt) *vi* intrigue; **–er** (-s) *m* intriguer; **kuipe'rij** (-en) *v* intrigue

'kuipstoel (-en) *m* bucket-seat

kuis chaste, pure; **'kuisen** (kuiste, h. gekuist) *vt* chasten, purify; (v. boek) bowdlerize, expurgate; **'kuisheid** *v* chastity, purity

kuit (-en) *v* 1 calf [of the leg]; 2 🐟 roe, spawn [female hard roe]; *~ schieten* spawn; **–been** (-deren) *o* splint-bone; **'kuitenflikker** (-s) *m een ~ slaan* cut a caper

kukele'ku! cock-a-doodle-doo!

'kukelen (kukelde, is gekukeld) *vi* **F** (vallen) tumble, roll

kul *m flauwe ~* nonsense, **F** rot

'kunde *v* knowledge; **'kundig** able, clever, skilful; **–heid** (-heden) *v* skill, knowledge, learning; *kundigheden* accomplishments

'kunne (-n) *v* sex

'kunnen* **I** *vi* & *vt* be able; *het kan (niet)* it can(not) be done; *dat kan niet* that's impossible; *hij kan tekenen* he can draw; *hij kan het gedaan hebben* he may have done it; *hij kan het niet gedaan hebben* he cannot have done it; *hij kan niet begrijpen hoe...* ook: he fails to understand how...; *hij kan het weten* he ought to know; *hoe kan ik dat weten?* how am I to know?; *tot hij niet meer kon* until he was spent; *zo kon hij uren zitten* thus he would sit for hours; ● *ik kan er niet bij* I cannot reach it; *fig* that's beyond me; *het kan er mee door* it will do, it may pass; *hij kan daar niet tegen* he can't stand it [being laughed at]; it [that food] does not agree with him; *hij kon niet meer terug* [*fig*] he couldn't back out; **II** *o* [technical] prowess

kunst (-en) *v* 1 art; 2 trick; *beeldende ~en* plastic arts; *de schone ~en* the fine arts; *de vrije ~en* the liberal arts; *de zwarte ~* necromancy, the black art; *geen ~en alsjeblieft!* none of your games!; *~en maken* perform feats; *je moet hier geen ~en uithalen!* none of your tricks here!; *zijn ~en vertonen* show what one can do; *hij verstaat de ~ om...* he knows how to..., he has a knack of ...ing; *dat is geen ~* that's not difficult; *dat is nu juist de ~* that's the art of it; *met ~ en vliegwerk* by hook or by crook; *volgens de regelen der ~* skilfully; **–arm** (-en) *m* artificial arm; **–bloem** (-en) *v* artificial flower; **–broeder** (-s) *m* fellow-artist; **–criticus** (-ci) *m* art critic; **–drukpapier** *o* art paper; **'kunstenaar** (-s) *m* artist; **–schap** *o* artistry; **kunstena'res** (-sen) *v* artist; **'kunstenmaker** (-s) *m* acrobat; (goochelaar) juggler; **'kunstgebit** (-ten) *o* set of artificial teeth, denture, dental prothesis;

–geschiedenis (-sen) *v* history of art, art history; **–greep** (-grepen) *m* artifice, trick, knack; **–handel** *m* 1 (-s) picture-shop, print(seller's) shop; 2 dealing in works of art, art trade; **–handelaar** (-s en -laren) *m* art dealer; **–hars** (-en) *o* & *m* synthetic resin; **–historicus** (-ci) *m* art historian, historian of art; **kunsthis'torisch** of art history, [a work] on art history, art-historical [studies]; **'kunstig** ingenious; **'kunstijsbaan** (-banen) *v* (ice) rink; **'kunstje** (-s) *o* trick, knack, **F** dodge; *~s met de kaart* card-tricks; *dat is een koud* (*klein*) *~* there's nothing to it, that's simple; **'kunstkabinet** (-ten) *o* art gallery; **–kenner** (-s) *m* connoisseur; **–koper** (-s) *m* art dealer; **–kritiek** (-en) *v* art criticism; **–le(d)er** *o* artificial leather; leatherette; **–licht** *o* artificial light; **–liefhebber** (-s) *m* lover of art (of the arts), art-lover; **kunst'lievend** art-loving; **'kunstmaan** (-manen) *v* earth satellite; **kunst'matig** artificial; **'kunstmest** *m* artificial manure, fertilizer; **–meststof** (-fen) *v* (artificial) fertilizer; **–middel** (-en) *o* artificial means; **kunst'minnend** art-loving; **'kunstmoeder** (-s) *v* (b r o e d m a c h i n e) incubator; **–nier** (-en) *v* artificial kidney, kidney machine; **kunst'nijverheid** *v* industrial arts, arts and crafts; **'kunstprodukt** (-en) *o* art product, work of art; **–rijden** *o ~ op de schaats* figure-skating; **–rijder** (-s) *m* 1 (t e p a a r d) equestrian, circus-rider, performer; 2 (o p s c h a a t s e n) figure-skater; **–schaats** (-en) *v* figure skate; **–schatten** *mv* art treasures; **–schilder** (-s) *m* painter, artist; **–stof** (-fen) *v* synthetic; **–stuk** (-ken) *o* tour de force, feat, performance; **–taal** (-talen) *v* artificial language; **kunst'vaardig** skilful; **–heid** *v* skill; **'kunstveiling** (-en) *v* art auction (sale); **–verlichting** *v* artificial lighting; **–verzameling** (-en) *v* art collection; **–vezel** (-s) *v* synthetic (man-made) fibre; **–vliegen I** *vi* ✈ stunt; **II** *o* ✈ stunt-flying; **–voorwerp** (-en) *o* work of art, art object; **–vorm** (-en) *m* form of art, art form; **–waarde** *v* artistic value; **–werk** (-en) *o* work of art; (w e g- e n w a t e r- b o u w) constructional work; **–zij(de)** *v* artificial silk, rayon; **kunst'zinnig** artistic; **–heid** *v* artistry

ku'ras (-sen) *o* cuirass; **kuras'sier** (-s) *m* cuirassier

'kuren (kuurde, h. gekuurd) *vi* zie *een kuur doen*

1 kurk *o* & *m* (s t o f n a a m) cork; **2 kurk** (-en) *v* (v o o r w e r p) cork; **–'droog** bone-dry; **–eik** (-en) *m* cork-oak; **1 'kurken** (kurkte, h. gekurkt) *vt* cork; **2 'kurken** *aj* cork; **'kurketrekker** (-s) *m* corkscrew

kus (-sen) *m* kiss; **'kushandje** (-s) *o een ~ geven* kiss one's hand to, blow a kiss to; **1 'kussen** (kuste, h. gekust) *vt* kiss

2 'kussen (-s) *o* cushion; (b e d d e k u s s e n) pillow; *op het ~ zitten* be in office; **–sloop** (-slopen) *v* & *o* pillow-case, pillow-slip

1 kust (-en) *v* coast, shore

2 kust *te ~ en te keur* in plenty, of every description

'kustbatterij (-en) *v* coastal battery, shore battery; **–bewoner** (-s) *m* inhabitant of the coast; **–gebied** (-en) *o* coast(al) region, seaboard; **–licht** (-en) *o* coast-light; **–lijn** (-en) *v* coast-line; **–plaats** (-en) *v* coastal town; **–streek** (-streken) *v* coastal region; **–strook** (-stroken) *v* coastal strip; **–vaarder** (-s) *m* coaster; **–vaart** *v* coasting trade, coastwise trade; **kustvisse'rij** *v* inshore fishery; **'kustvlakte** (-n en -s) *v* coastal plain; **–wacht** *v* coast-guard; **–wachter** (-s) *m* coast-guard(sman)

kut (-ten) *v* **P** cunt

kuur (kuren) *v* 1 whim, freak, caprice; 2 ⚕ cure; *een ~ doen* (*volgen*) take a cure; take (a course of medical) treatment

K. v. K. = *Kamer van Koophandel* Chamber of Commerce

kW = *kilowatt*

kwaad I *aj* 1 (s l e c h t) bad, ill, evil; 2 (b o o s) angry; *dat is* (*lang*) *niet ~* that is not (**S** half) bad; *het te ~ krijgen* feel queer, be on the point of breaking down or fainting; *het te ~ krijgen met*... get into trouble with [the police &]; *iem. ~ maken* make sbd. angry, provoke sbd.; *zich ~ maken, ~ worden* become (get) angry, fly into a passion, throw a fit; *~ zijn op iem.* be angry with sbd.; *hij is de ~ste niet* he is not so bad (such a bad fellow); **II** *ad het niet ~ hebben* not be badly off; *zij ziet er niet ~ uit* she is not bad to look at; **III** (kwaden) *o* 1 (w a t s l e c h t i s) wrong, evil; 2 (n a d e e l, l e t s e l) harm, wrong, injury; *een noodzakelijk ~* a necessary evil; *~ brouwen* brew mischief; *~ doen* do wrong; *niemand zal u ~ doen* nobody will harm you; *het heeft zijn goede naam veel ~ gedaan* it has done his reputation much harm; *dat kan geen ~* there is no harm in that; *hij kan bij haar geen ~ doen* he can do no wrong in her eyes; *ergens geen ~ in zien* see no harm in it; *ten kwade beïnvloed* influenced for evil; zie ook: *duiden*; *van ~ tot erger vervallen* go from bad to worse; *van twee kwaden moet men het minste kiezen* of two evils choose the lesser; **kwaad'aardig** 1 ill-natured, malicious [people, reports]; 2 malignant [growth, tumour], virulent [diseases]; **–heid** *v* 1 malice, ill-nature; 2 malignancy, virulence; **kwaad'denkend** suspicious, distrustful; **'kwaadheid** *v* anger; **–schiks**

unwillingly; zie ook: *goedschiks*; **'kwaadspreken** (sprak 'kwaad, h. 'kwaadgesproken) *vi* talk scandal; ~ *van* speak ill of, slander, throw mud at; **kwaad'sprekend** slanderous, backbiting; **'kwaadspreker** (-s) *m* backbiter, slanderer, scandalmonger; **kwaadspreke'rij** (-en) *v* backbiting, slander(ing), scandal; **kwaad'willig** malevolent, ill-disposed; **–heid** *v* malevolence

kwaal (kwalen) *v* complaint, disease, evil, ill; ~*tjes* aches and pains

kwab (-ben) *v* lobe; dewlap [of cow]

kwa'draat (-draten) **I** *o* square, quadrate; *2 duim in het* ~ 2 inches square; *een ezel in het* ~ a downright ass; **II** *aj* square; **–getal** (-len) *o* square number; **kwa'drant** (-en) *o* quadrant; **kwadra'tuur** *v* quadrature; *de* ~ *van de cirkel* the squaring of the circle

kwa'jongen (-s) *m* mischievous (naughty) boy; **kwa'jongensachtig** boyish, mischievous; **–streek** (-streken) *m* & *v* monkey-trick

kwak I *ij* flop!; **II** (-ken) *m* 1 (g e l u i d) flop, thud; 2 (h o e v e e l h e i d) dab [of soap &]; 3 (k l o d d e r) blob

'kwaken (kwaakte, h. gekwaakt) *vi* quack²; croak [of frogs]

'kwakkelen (kwakkelde, h. gekwakkeld) *vi* be ailing; **'kwakkelwinter** (-s) *m* lingering "off-and-on" winter

'kwakken (kwakte, h. gekwakt) **I** *vt* dump, plump, flop, dash (down); *dicht* ~ slam [the door]; **II** *vi* bump

'kwakzalver (-s) *m* quack (doctor); *fig* charlatan; **kwakzalve'rij** (-en) *v* quackery; charlatanry

kwal (-len) *v* jelly-fish; *een* ~ *van een vent* **S** a rotter

kwalifi'catie [-(t)si.] (-s) *v* qualification; **kwalifi'ceren** (kwalificeerde, h. gekwalificeerd) *vt* qualify

'kwalijk I *aj* bad [joke, thing], ill [effects], evil [consequences], ugly [business]; **II** *ad* 1 ill, amiss; badly [treated]; 2 hardly, scarcely; *iets* ~ *nemen* take sth. amiss, take sth. in bad part, resent sth.; *neem me niet* ~ (I) beg (your) pardon; excuse me; sorry!; *neem het hem niet* ~ don't take it ill of him; *ik kan het hem niet* ~ *nemen* I cannot blame him; *dat zou ik u* ~ *kunnen zeggen* I could hardly tell you; ~ *riekend* evil-smelling; ~ *verborgen* ill-concealed; **kwalijkge'zind** 1 evil-minded; 2 ill-disposed

kwalita'tief qualitative; **kwali'teit** (-en) *v* 1 quality, capacity; *in zijn* ~ *van...* in his capacity of...; 2 $ quality, grade

kwam (kwamen) V.T. van *komen*

kwan'suis for the look of the thing; *hij kwam* ~ *eens kijken* for form's sake; *hij deed* ~ *of hij mij niet zag* he pretended (feigned) not to see me

kwant (-en) *m* fellow, **F** blade

kwantita'tief quantitative; **kwanti'teit** (-en) *v* quantity

kwark *m* curds; **–taart** (-en) *v* cheesecake

kwart (-en) 1 *o* fourth (part), quarter; 2 *v* ♪ (n o o t) crotchet; (i n t e r v a l) fourth; ~ *o v e r vieren* a quarter past four; ~ *v o o r vieren* a quarter to four; **kwar'taal** (-talen) *o* quarter (of a year), three months; *per* ~ quarterly; **–staat** (-staten) *m* quarterly list; **'kwarteeuw** *v* quarter of a century, quarter-century

'kwartel (-s) *m* & *v* quail; **–koning** (-en) *m* landrail, corn-crake

kwar'tet (-ten) *o* quartet(te); **'kwartfinale** (-s) *v* quarter-final; **kwar'tier** (-en) *o* quarter (of an hour, of the moon, of a town); *geen* ~ *geven* give (grant) no quarter; **kwar'tiermaker** (-s) *m* quartermaster; **–meester** (-s) *m* ⚔ & ⚓ quartermaster; ~*-generaal* ⚔ quartermaster-general; **'kwartje** (-s) *o* "kwartje", twenty-five cent piece; **–svinder** (-s) *m* **F** sharper; **'kwartnoot** (-noten) *v* ♪ crotchet; **'kwarto** ('s) *o* quarto; *in* ~ in quarto, 4to

kwarts *o* quartz

'kwartslag (-slagen) *m* quarter turn

'kwartslamp (-en) *v* quartz lamp

1 kwast *m* lemon-squash [a drink]

2 kwast (-en) *m* 1 brush [of a painter]; [dish] mop; tassel [of a curtain, cushion]; 2 knot [in wood]; 3 *fig* fop, fool, coxcomb; **–ig** knotty, gnarled

kwa'trijn (-en) *o* quatrain

'kwebbel (-s) *m-v* chatterbox; **'kwebbelen** (kwebbelde, h. gekwebbeld) *vi* chatter

'kwee (kweeën) *v*, **'kweeappel** (-s en -en) *m* quince

1 kweek (kweken) *v* ♣ couch-grass, quitch

2 kweek (kweken) *m* culture; **–bed** (-den) *o* seed-bed

'kweekgras *o* ♣ couch-grass, quitch

'kweekplaats (-en) *v* nursery²; **–reactor** (-s en -toren) *m* breeder reactor; **–school** (-scholen) *v* training-college (for teachers); *fig* nursery

'kweepeer (-peren) *v* quince

kweet (kweten) V.T. van *kwijten*

'kwekeling (-en) *m*, **–e** (-n) *v* 1 pupil; 2 ✎ pupil-teacher; **'kweken** (kweekte, h. gekweekt) *vt* grow, cultivate² [plants], raise [vegetables]; *fig* foster, breed [discontent]; *gekweekte champignons* cultivated mushrooms; *gekweekte rente* accrued interest; **–er** (-s) *m* grower; nurseryman; **kweke'rij** (-en) *v* nursery

'kwekken (kwekte, h. gekwekt) *vi* 1 quack; 2 (k w e b b e l e n) yap, cackle

'kwelder (-s) *v* land on the outside of a dike

'kwelduivel (-s) *m* = *kweller*
'kwelen (kweelde, h. gekweeld) *vi* & *vt* warble, carol
'kwelgeest (-en) *m* teaser, **F** holy terror; **'kwellen** (kwelde, h. gekweld) **I** *vt* vex, tease, torment, plague, pester, harass; **II** *vr zich* ~ torment oneself; **–er** (-s) *m* tormentor, teaser; **'kwelling** (-en) *v* vexation (of spirit), torment, trouble
'kwelwater *o* seeping water
'kwestie (-s) *v* question, matter; *dat is een andere* ~ that's another question; *een* ~ *van smaak* a matter of taste; *een* ~ *van tijd* a matter (question) of time; *zij hebben* ~ they have a quarrel; *geen* ~ *van!* that's out of the question!; *b u i t e n de* ~ outside the question; *buiten* ~ beyond (without) question; *de zaak i n* ~ the matter in question; the point at issue; **kwesti'eus** doubtful, questionable
'kweten V.T. meerv. van *kwijten*
'kwetsbaar vulnerable; **'kwetsen** (kwetste, h. gekwetst) *vt* injure[2], wound[2], hurt[2], *fig* offend; **kwet'suur** (-suren) *v* injury, wound, hurt
'kwetteren (kwetterde, h. gekwetterd) *vi* 1 (v. v o g e l) twitter; 2 (v. m e n s) chatter
'kwezel (-s) *v* devotee, sanctimonious person; **–achtig** sanctimonious; **kwezela'rij** (-en) *v* sanctimoniousness
kWh = *kilowattuur*
'kwibus (-sen) *m* **F** (odd) character, (queer) fellow; *rare* ~ **F** queer bird
kwiek smart, bright, sprightly, spry
kwijl *v* & *o* slaver, slobber; **'kwijlen** (kwijlde, h. gekwijld) *vi* slaver, slobber, drivel, dribble, **S** drool
'kwijnen (kwijnde, h. gekwijnd) *vi* 1 languish[2], pine [of persons]; wither, droop [of flowers &]; 2 *fig* flag [of a conversation]
kwijt *ik ben het* ~ 1 I have lost it [the address &]; 2 I have got rid of it [my cold &]; 3 it has slipped my memory; *die zijn we lekker* ~ he is (that is) a good riddance; *hij is zijn verstand* ~ he is off his head; ~ *raken* (*worden*) lose; get rid of
'kwijten* *vr zich* ~ *van* acquit oneself of [an obligation, a duty, a task], discharge [a responsibility, a debt]; **–ting** (-en) *v* discharge **'kwijtschelden** (schold 'kwijt, h. 'kwijtgescholden) *vt* remit [punishment, a debt, a fine &]; *iem. het bedrag* ~ let sbd. off the payment of the amount; *voor ditmaal zal ik het u* ~ I will let you off for this once; **–ding** *v* remission [of sins, debts]; (free) pardon, amnesty
1 kwik *o* mercury, quicksilver
2 kwik (-ken) *v* ~*ken en strikken* frills
'kwikbak (-ken) *m* mercury trough; **–barometer** (-s) *m* mercurial barometer; **–kolom** (-men) *v* mercurial column; **–lamp** (-en) *v* mercury lamp
'kwikstaart (-en) *m* wagtail
'kwikthermometer (-s) *m* mercurial thermometer; **–vergiftiging** *v* mercurial poisoning; **–zilver** *o* mercury, quicksilver
kwinke'leren (kwinkeleerde, h. gekwinkeleerd) *vi* warble, carol
'kwinkslag (-slagen) *m* witticism, quip, jest, joke, bon mot
kwint (-en) *v* ♩ fifth
'kwintessens *v* quintessence
kwin'tet (-ten) *o* quintet(te)
kwispe'door (-s en -doren) *o* & *m* spittoon, cuspidor
'kwispel(staart)en (kwispelde, h. gekwispeld; kwispelstaartte, h. gekwispelstaart) *vi* wag the tail
'kwistig lavish, liberal; ~ *met* lavish of [money]; liberal in [bestowing titles]; **–heid** *v* lavishness, prodigality, liberality
kwi'tantie [-(t)si.] (-s) *v* receipt; **–boekje** (-s) *o* receipt book; **kwi'teren** (kwiteerde, h. gekwiteerd) *vt* receipt

L

l [ɛl] ('s) *v* l
1 la ('s) *v* ♪ la
2 la ('s en laas) *v* = *lade*
'laadbak (-ken) *m* 🚗 body, platform; **–boom** (-bomen) *m* ⚓ derrick; **–kist** (-en) *v* (freight) container; **–klep** (-pen) *v* tail-board; **–ruim** (-en) *o* cargo-hold; **–ruimte** (-n en -s) *v* ⚓ cargo-capacity, tonnage; **–stok** (-ken) *m* ⚔ ramrod, rammer; **–vermogen** *o* carrying-capacity
1 laag I *aj* low[2]; *fig* base, mean, low-minded; *lage druk* low pressure; **II** *ad* [sing, fly] low; *fig* basely, meanly; ~ *denken van* think meanly of; ~ *houden* keep down [prices, one's weight]; ~ *neerzien op* look down upon; ~ *vallen* fall low[2]; *fig* sink low; zie ook: 1 *lager*
2 laag (lagen) *v* 1 (d i k t e) layer, stratum [*mv* strata], bed; course [of bricks]; coat [of paint]; 2 (h i n d e r l a a g) ambush, snare; *alle lagen der bevolking* all sections of the population, all walks of life; *alle lagen der samenleving* all strata of society; *de vijand de volle ~ geven* give the enemy a broadside; *iem. de volle ~ geven* let sbd. have it
laag-bij-de-'gronds trite, commonplace; *~e opmerkingen* fatuous remarks; **'laagbouw** *m* △ low building; **–frequent** [-fre.kvɛnt] low-frequency; **–hangend** lowering [sky]; **laag'hartig** base, vile, mean; **'laagheid** (-heden) *v* 1 lowness; 2 *fig* baseness, meanness; *laagheden* mean things
'laagje (-s) *o* thin layer
'laagland (-en) *o* lowland; **–spanning** *v* low tension; **–spannings...** low-tension...; **laagstbe'taalden** *mv* the low-paid; **'laagte** (-n en -s) *v* lowness; *in de ~* down below; **'laagtij** *o* low tide; **–veen** *o* bog; **–vlakte** (-n en -s) *v* low-lying plain; **'laagvormig** stratified; **–vorming** *v* stratification; **laag'water** *o* low tide; *bij ~* at low tide (low water); **–lijn** *v* low-water mark
'laai(e) *in lichte(r) ~* in a blaze, ablaze
'laakbaar condemnable, blamable, blameworthy, censurable, reprehensible
laan (lanen) *v* avenue; *iem. de ~ uitsturen* send sbd. packing; **–tje** (-s) *o* alley
laars (laarzen) *v* boot; **'laarzeknecht** (-en en -s) *m* bootjack; **'laarzenmaker** (-s) *m* bootmaker
laat I *aj* late; *hoe ~?* what time?, at what o'clock?; *hoe ~ is het?* what's the time?, what time is it?, what o'clock is it?; *is 't zo ~?* so that's the time of day!, that's your little game!; *is het weer zo ~?* are you (is he) at it again?; *hoe ~ heb je het?* what time do you make it?; *op de late avond* late in the evening; *de trein is een uur te ~* the train is an hour late (overdue); **II** *ad* late; *te ~ komen* be late; *u komt te ~* 1 you are late [I expected you at noon]; 2 you are too late [to be of any help]; *tot ~ in de nacht* to a late hour; *~ op de dag* late in the day; *beter ~ dan nooit* better late than never; **–bloeiend** late-flowering
laat'dunkend self-conceited, overweening, overbearing, arrogant; **–heid** *v* self-conceit, arrogance
'laatje (-s) *o* (little) drawer; *aan het ~ zitten* handle the cash; *dat brengt geld in het ~* it brings in money
'laatkomer (-s) *m* late comer
laatst I *aj* 1 last, final; 2 (j o n g s t) latest, (most) recent; 3 (v a n t w e e) latter [part of May]; *het ~e artikel* 1 the last article [in this review]; 2 the last-named article [is sold out]; *zijn ~e artikel* 1 his latest [most recent] article; 2 his last article [before his death]; *de ~e dagen* the last few days; *in de ~e jaren* of late (recent) years; *de ~e (paar) maanden* the last few months; *het ~e nieuws* the latest news; *de ~e tijd* of late, recently; *de ~e drie weken* these three weeks; **II** *sb de ~e* the last-named, the latter; *dit ~e* this last, the latter [is always a matter of difficulty]; *de ~en zullen de eersten zijn* **B** the last shall be first; • *o p het ~* at last, finally; *op zijn ~* at (the) latest; *t e n (als) ~e* lastly, last; *t o t het ~* to (till) the last; *v o o r het ~* for the last time; **III** *ad* lately, the other day; *~ op een middag* the other afternoon; **'laatstelijk** last, lastly, finally; **'laatstgeboren** last-born; **–genoemd** *aj* last-named, latter; *~e* the latter; **–leden** = *jongstleden*
lab (-s) *o* **F** lab
'labbekak (-ken) *m* **F** milksop, wet blanket
labber'daan *m* salt cod
labber'doedas (-sen) *m* **F** blow, crack [on the head], punch, lunge
'label ['le.bəl] (-s) *m* label
la'biel unstable
labo'rant (-en) *m* laboratory worker; **labora'torium** (-s en -ria) *o* laboratory; **labo'reren** (laboreerde, h. gelaboreerd) *vi* labour (under *aan*)
laby'rint [la.bi:'rɪnt] (-en) *o* labyrinth, maze
lach *m* laugh, laughter; *in een ~ schieten* burst out

laughing, laugh outright; **–bek** (-ken) = *lachebek*; **–bui** (-en) *v* fit of laughter;
'lachebek (-ken) *m zij is een ~* she laughs very easily; **'lachen* I** *vi* laugh; *in zich zelf ~* laugh to oneself; *~ om iets* laugh at (over) sth.; *ik moet om je ~* you make me laugh; *ik moet erom ~* it makes me laugh; *tegen iem. ~* smile at sbd.; *het is niet om te ~* it is no laughing matter; *ik kon niet spreken van het ~* I could hardly speak for laughing; *hij lachte als een boer die kiespijn heeft* he laughed on the wrong side of his mouth; *wie het laatst lacht, lacht het best* he laughs best who laughs last; *laat me niet ~!* don't make me laugh; **II** *vr zich een aap (bochel, bult, kriek, ongeluk, puist, stuip, tranen, ziek) ~* split one's sides; **–d I** *aj* laughing, smiling; **II** *ad* laughing(ly), with a laugh; **'lacher** (-s) *m de ~s op zijn hand hebben (krijgen)* have the laugh on one's side; **–ig** giggly; **–tje** (-s) *o* joke;
'lachgas *o* nitrous oxide, laughing-gas; **–lust** *m* inclination to laugh, risibility; *de ~ opwekken* provoke (raise) a laugh; **–salvo** ('s) *o* gale of laughter; **–spiegel** (-s) *m* distorting mirror; **–spier** (-en) *v op de ~en werken* provoke (raise) a laugh; **–stuip** (-en) *v* convulsion of laughter; **lach'wekkend** ludicrous, ridiculous, laughable
laco'niek laconic(al)
la'cune (-s) *v* vacancy, void, gap
'ladder (-s) *v* ladder; **'ladderen** (ladderde, h. geladderd) *vi* ladder, run
'lade (-n) *v* 1 drawer; till [of a shop-counter]; 2 stock [of a rifle]
'laden* I *vt* 1 (wagen) load; 2 (schip) load; 3 (vuurwapen) load, charge; 4 ✻ charge; *de verantwoording op zich ~* undertake the responsibility; **II** *vi* & *va* load, take in cargo; *~ en lossen* load and discharge, discharge and load
'ladenkast (-en) *v* chest of drawers; **–lichter** (-s) *m* till-sneak
'lader (-s) *m* loader; **'lading** (-en) *v* 1 cargo; load [of a waggon]; 2 ⚔ & ✻ charge; *~ innemen* take in cargo, load; *het schip is in ~* the ship is (in) loading
'ladykiller ['le.di.kılər] (-s) *m* lady-killer
lae'deren [le.'de.rə(n)] (laedeerde, h. gelaedeerd) *vt* injure
'laesie ['le.zi.] (-s) *v* lesion
laf I *aj* 1 (flauw) insipid[2]; 2 (lafhartig) cowardly, **S** yellow; **II** *ad* 1 insipidly[2]; 2 in a cowardly manner, faint-heartedly; **–aard** (-s) *m* coward, poltroon, **F** chicken; **–bek** (-ken) *m* coward, milksop
'lafenis (-sen) *v* refreshment, comfort, relief
laf'hartig = *laf* 2; **'lafheid** *v* 1 insipidity[2]; 2 cowardice
lag (lagen) V.T. van liggen

1 'lager *aj* lower, inferior; *een ~e ambtenaar* a minor offical; zie ook: *onderwijs*
2 'lager (-s) *o* ⚒ bearing(s)
'lager(bier) *o* lager (beer)
'Lagerhuis *o* House of Commons, Lower House
lager'wal *m* leeshore; [*fig*] *aan ~ raken* go downhill, come down (in the world), go to the dogs (to pot)
la'gune (-n en -s) *v* lagoon
lak (-ken) *o* & *m* 1 (verf) lacquer; lac [produced by insect]; varnish [for the nails]; 2 (zegel~) sealing-wax; 3 (~zegel) seal; *daar heb ik ~ aan!* **F** fat lot I care!; *ik heb ~ aan hem* he can go to the devil
la'kei (-en) *m* footman, lackey, > flunkey
1 'laken (laakte, h. gelaakt) *vt* blame, censure
2 'laken *o* 1 (stof) cloth; 2 (-s) (v. bed) sheet; *dan krijg je van hetzelfde ~ een pak* you will be served with the same sauce; *hij deelt de ~s uit* **F** he runs (bosses) the show; **–fabriek** (-en) *v* cloth manufactory; **–fabrikant** (-en) *m* clothier, cloth manufacturer; **'lakens** *aj* cloth
lakens'waardig objectionable, blameworthy
'lakken (lakte, h. gelakt) *vt* 1 seal [a letter &]; 2 lacquer, varnish, japan; **'lakle(d)er** *o* patent leather
'lakmoes *o* litmus; **–papier** *o* litmus paper
laks lax, slack, indolent
'lakschoen (-en) *m* patent leather shoe
'laksheid *v* laxness, laxity, slackness, indolence
'lakverf (-verven) *v* glossy paint; **–vernis** (-sen) *o* & *m* lac varnish, lacquer; **–werk** *o* 1 lacquer; 2 japanned goods, lacquered ware
1 lam (-meren) *o* lamb; *Lam Gods* Lamb of God
2 lam *aj* 1 (verlamd) paralysed, paralytic; 2 (onaangenaam) tiresome, provoking; *wat is dat ~, (een ~me boel, geschiedenis)!* how provoking!; *wat een ~me vent!* what a tiresome fellow!; *~ leggen* paralyse [an industry, trade &]; *zich ~ schrikken* be frightened (startled) to death; *de handel ~ slaan* paralyse (cripple) trade; *iem. ~ slaan* beat sbd. to a jelly; *zich ~ voelen* feel miserable; *een ~me* a paralytic
1 'lama ('s) *m* lama [priest]
2 'lama ('s) *m* 🐘 llama
lambri'zering (-en) *v* wainscot(ing), panelling; dado
la'mel (-len) *v* lamella
lamen'teren (lamenteerde, h. gelamenteerd) *vi* lament
'lamgelegd paralysed; (door staking) strike-bound; **'lamheid** *v* paralysis; *met ~ geslagen* paralysed
lami'neren (lamineerde, h. gelamineerd) *vi* & *vt* laminate
lam'lendig miserable; **'lammeling** (-en) *m*

miserable fellow; *jij ~!* **P** (you) cad, rotter!; **lamme'nadig** 1 (f u t l o o s) weak, limp, spineless; 2 (n i e t w e l) **F** seedy; 3 (b e r o e r d) wretched
1 'lammeren (lammerde, h. gelammerd) *vi* lamb; **2 'lammeren** meerv. van 1 *lam*; **'lammergier** (-en) *m* lammergeyer; **'lammetje** (-s) *o* little lamb
la'moen (-en) *o* (pair of) shafts, thill
lamp (-en) *v* lamp; ✻ bulb; *R* valve; *lelijk tegen de ~ lopen* get into trouble, come to grief; get caught; **'lampeglas** (-glazen) *o* lamp-chimney; **–kap** (-pen) *v* lamp-shade; **–pit** (-ten) *v* lamp-wick
lam'petkan (-nen) *v* ewer, jug; **–kom** (-men) *v* wash-basin, wash-hand basin
lampi'on (-s) *m* Chinese lantern
'lamplicht *o* lamplight
lam'prei (-en) *v* lamprey
'lampzwart *o* lamp-black, smokeblack
'lamsbout (-en) *m* leg of lamb; **–kotelet** (-ten) *v* lamb cutlet
'lamslaan (sloeg 'lam, h. 'lamgeslagen) *vt* paralyse, cripple [trade]; *iem. ~* beat sbd. to a jelly
'lamstraal (-stralen) *m* **P** cad, rotter
'lamsvlees *o* lamb
lan'ceerbasis [-zis] (-bases en -sissen) *v* launching site; **–inrichting** (-en) *v* launcher; **–platform** (-en en -s) *o* launching pad; **–terrein** (-en) *o* launching site; **lan'ceren** (lanceerde, h. gelanceerd) *vt* launch[2] [a missile, a torpedo, a new enterprise]; set afloat, float [an affair, a rumour]; start [a report]; **–ring** (-en) *v* [missile, space] launching
lan'cet (-ten) *o* lancet; **–visje** (-s) *o* lancelet; **–vormig** lanceolate
land (-en) *o* 1 (t e g e n o v e r z e e) land; 2 (s t a a t) country; nation; 3 (t e g e n o v e r s t a d) country; 4 (a k k e r) field; 5 (l a n d b e z i t) estate; *~ en volk* land and people; *het ~ van belofte* **B** the promised land; *de Lage Landen* the Low Countries; *een stukje ~* a plot, an allotment; *het ~ hebben* 1 be annoyed; 2 have a fit of the blues; *het ~ hebben aan* hate [sbd., sth.]; *ik heb er het ~ over* 1 I am hating myself for it; 2 I cannot stomach it; *het ~ krijgen* become annoyed, **F** get the hump; *het ~ krijgen aan* take a dislike to, come to hate [sbd., sth.]; *iem. het ~ op jagen* **F** give sbd. the hump, rile sbd.; • *a a n ~* ashore, ook: on land; *aan ~ gaan* go ashore; *aan ~ komen* land, come ashore; *iem. aan ~ zetten* put sbd. ashore; *de zomer is i n het ~* summer has come in; *n a a r ~* to the shore; *o p het ~ wonen* live in the country; *o v e r ~* by land, overland; *te ~ en te water* [transportation] by land and sea; *onze strijdkrachten te ~ en te water (ter zee)* our land-forces and naval forces; *de strijdkrachten te ~, ter zee en in de lucht* the armed forces on land, at sea and in the air; *hier te ~e* in this country; *waar zal hij te ~ komen?* what is to become of him?; *een meisje v a n het ~* a country lass; **–aanwinning** (-en) *v* reclamation of land, (land) reclamation; **–aard** *m* 1 national character; 2 nationality; **–adel** *m* country nobility; **–arbeider** (-s) *m* farm worker, agricultural labourer (worker)
'landauer (-s) *m* landau
'landbouw *m* agriculture; **–bedrijf** (-drijven) *o* agricultural enterprise, farm; **–consulent** [s = z] (-en) *m* consulting agriculturist; **–er** (-s) *m* farmer, tiller, agriculturist; **–gereedschappen** *mv* agricultural implements; **–krediet** (-en) *o* agricultural credit; **–kunde** *v* agriculture, husbandry, agronomics; **landbouw'kundig** agricultural; **–e** (-n) *m* agriculturist; **'landbouwmachine** [-ma.ʃi.nə] (-s) *v* agricultural machine; *~s* ook: farm(ing) machinery, agricultural machinery; **–onderneming** (-en) *v* agricultural enterprise; **–onderwijs** *o* agricultural education, agricultural instruction; **–produkten** *mv* agricultural produce (products), farm products (produce); **landbouw'proefstation** [-sta.(t)ʃòn] (-s) *o* agricultural experiment-station; **'landbouwschool** (-scholen) *v* agricultural college; **–tentoonstelling** (-en) *v* agricultural show; **–werktuig** (-en) *o* agricultural implement, farming implement
'landdag (-dagen) *m* diet; *de Poolse ~* the Polish Diet; *een Poolse ~ [fig]* a regular beargarden; **–edelman** (-lieden) *m* country gentleman, squire; **–eigenaar** (-s en -naren) *m* landowner, landed proprietor; **'landelijk** 1 (v. h. p l a t t e l a n d) rustic, rural, country...; 2 (v. h. g e h e l e l a n d) national; **–heid** *v* rusticity; **'landen I** (landde, h. geland) *vt* land, disembark; **II** (landde, is geland) *vi* land; **'landengte** (-n en -s) *v* isthmus; **land- en 'volkenkunde** *v* geography and ethnography; **'landenwedstrijd** (-en) *m* international contest; **land- en 'zeemacht** *v* Army and Navy; **'landerig** blue; **–heid** *v* the blues; **lande'rijen** *mv* landed estates; **'landgenoot** (-noten) *m* (fellow-)countryman, compatriot; **–genote** (-n) *v* (fellow-)countrywoman; **–goed** (-eren) *o* country-seat, estate, manor; **–grens** (-grenzen) *v* land-frontier; **–heer** (-heren) *m* lord of the manor; **–hoofd** (-en) *o* abutment; **–huis** (-huizen) *o* country-house, villa; **land'huishoudkunde** *v* rural economy; **'landhuur** (-huren) *v* land-rent
'landing (-en) *v* 1 landing [of troops &]; 2 disembarkation [from ship]; ✈ landing,

descent; (v. ruimtevaartuig in zee) splash-down; **'landingsbaan** (-banen) *v* runway; **–brug** (-gen) *v* 1 landing-stage; 2 gangway; **–gestel** (-len) *o* (under-)carriage, landing-gear; **–rechten** *mv* landing rights; **–strook** (-stroken) *v* airstrip; **–terrein** (-en) *o* landing-ground; **–troepen** *mv* landing-forces; **–vaartuig(en)** *o* (*mv*) landing-craft

land'inwaarts inland; **'landjonker** (-s) *m* (country-)squire; **–kaart** (-en) *v* map; **–klimaat** *o* continental climate; **–leger** *o* land-forces; **–leven** *o* country-life; **–loper** (-s) *m* vagabond, vagrant, tramp, lay-about; **landlope'rij** *v* vagabondage, vagrancy, tramping; **'landmacht** *v* land-forces; *de* ~ ook: the Army; **–man** (-lieden) *m* countryman; (landbouwer) farmer; **–meten** *o* surveying; **–meter** (-s) *m* surveyor; **–mijn** (-en) *v* landmine

lan'douw (-en) *v* field, region

'landpaal (-palen) *m* boundary mark; **–rat** (-ten) *v* = *landrot*; **–rente** (-n en -s) *v* land-revenue; **–rot** (-ten) *v fig* landlubber; **'landschap** (-pen) *o* landscape; **–schilder** (-s) *m* landscape painter, landscapist; **–schilderkunst** *v* landscape painting; **'landscheiding** (-en) *v* boundary; **–schildpad** (-den) *v* land tortoise; **'landsdienaar** (-s en -naren) *m* public servant; **landsdrukke'rij** (-en) *v* government printing-office, H. M. Stationery Office; **'landsheer** (-heren) *m* sovereign lord, monarch; **–man** (-lieden) *m* (fellow-)countryman; **–taal** (-talen) *v* vernacular (language); **'landstreek** (-streken) *v* region, district, quarter; **'landsverdediging** *v* 1 defence of the country, national defence; 2 *de* ~ the land defences; **–vrouwe** (-n) *v* sovereign lady; **'landtong** (-en) *v* spit of land; **–verhuizer** (-s) *m* emigrant; **–verhuizing** (-en) *v* emigration; **–verraad** *o* high treason; **–verrader** (-s) *m* traitor to one's country; **–volk** *o* country-people; **–voogd** (-en) *m* governor (of a country); **–waarts** landward(s); *meer* ~ more inland; **–weer** *v* ⚔ territorial army; **–weg** (-wegen) *m* 1 (door een land) country-road, rural road, (country-)lane; 2 (over land en niet over zee) overland route; **–wijn** (-en) *m* simple, regional wine; **–wind** (-en) *m* land-wind, land-breeze; **–winning** (-en) *v* = *landaanwinning*; **–zij(de)** *v* land-side

ang I *aj* long; (v. gestalte) tall, high; *hij is 5 voet* ~ he is five feet in height; *de tafel is 5 voet* ~ the table is five feet in length; ~ *en slank* tall and slim; *zo* ~ *als hij was viel hij* he fell at full length; *een* ~ *gezicht* (*zetten*) (pull) a long face; *hij is nogal* ~ *van stof* he is rather long-winded; *het is zo* ~ *als het breed is* it is as broad as it is long, it is six of one and half a dozen of the other; ~ *worden* 1 (v. persoon) grow tall; 2 (v. dag) = *lengen*; **II** *ad* long; *ik heb het hem* ~ *en breed verteld* I've told him the whole thing at great length; *hoe* ~*?* how long [am I to wait]?; *twee jaar* ~ for two years; *zijn leven* ~ al his life; *ben je hier al* ~*?* have you been here long?, zie ook: 2 *al*; *ik ben er nog* ~ *niet* I still have a long way to go; *dat is* ~ *niet slecht* not bad at all; **S** not half bad; ~ *niet sterk genoeg* not strong enough by a long way; ~ *niet zo oud* (*als je zegt*) nothing like so old; *hij is al* ~ *weg* he has been gone a long time; *wat ben je* ~ *weggebleven!* what a time you have been!; *bij* ~ *niet zo...* not nearly so, not by a long way so; *hoe* ~*er hoe beter* 1 the longer the better; 2 better and better; *hoe* ~*er hoe meer* more and more; ● *waarom heb je in zo* ~ *niet geschreven?* why have you not written me for so long?; *ik heb hem in* ~ *niet gezien* I've not seen him for a long time; *op zijn* ~*st* at (the) most; *sedert* ~ for a long time; **lang'dradig** long-winded, prolix, prosy; **–heid** *v* long-windedness, prolixity; **lang'durig** long [illness &], prolonged [applause &], protracted; [connection, quarrel &] of long standing; **–heid** *v* long duration, length; **lange-'afstandsbommenwerper** (-s) *m* long-range bomber; **–loper** (-s) *m sp* long-distance runner; **–race** [-re.s] (-s) *m sp* long-distance race; **–raket** (-ten) *v* long-range rocket; **'langgerekt, langge'rekt** long-drawn(-out) [sound &]; protracted, lengthy [negotiations &]; **'langharig, lang'harig** long-haired; **'langlopend** long-term; **–parkeerder** (-s) *m* long-term parker; **–pootmug** (-gen) *v* crane-fly, daddy-long-legs

langs I *prep* along [the river]; past [the house]; by [this route]; **II** *ad hij ging* ~ he went past, he passed; *iem. er van* ~ *geven* let sbd. have it, **F** give sbd. what for; *er van* ~ *krijgen* catch it, **F** get what for

'langslaper (-s) *m* lie-abed; **–snuitkever** (-s) *m* weevil; **–speelplaat** (-platen) *v* long-play(ing) record, long player, L.P.; **langs'scheeps** ⚓ fore and aft; **'langstlevende, langst'levende** (-n) *m-v* longest liver, survivor

langs'zij(de) alongside

'languit (at) full length; **–verwacht** long-expected; **lang'werpig** oblong; ~ *rond* oval; **–heid** *v* oblong form

'langzaam I *aj* slow[2], tardy, lingering; ~ *maar zeker* slow and sure; **II** *ad* 1 slowly; 2 ⚓ easy [ahead, astern]; ~ *werkend vergif* slow poison; ~ *maar zeker* slowly but surely; ~ *aan!* easy!, steady!; ~ *aan dan breekt het lijntje niet* easy does it; **langzaam-'aan-actie** [-ɑksi.] (-s) *v* go-

slow; **langzamer'hand** gradually, by degrees, little by little
lank'moedig *v* long-suffering, patient; **–heid** *v* long-suffering, patience
lans (-en) *v* lance; *met gevelde ~* lance in rest; *een ~ breken met* break a lance with; *een ~ breken voor* intercede for [sbd.]; advocate [measures &], break a lance for; **lan'sier** (-s) *m* ⚔ lancer; **'lansknecht** (-en) 🕮 lansquenet
lan'taarn (-s) *v* 1 (tot verlichting) lantern; 2 (fiets &) lamp; 3 (lichtkoepel) skylight; **–opsteker** (-s) *m* lamplighter; **–paal** (-palen) *m* lamp-post; **–plaatje** (-s) *o* lantern-slide
'lanterfanten (lanterfantte, h. gelanterfant) *vi* idle, laze (about), loaf, **S** mike; **–er** (-s) *m* idler, loafer
'Laos *o* Laos
Lap (-pen) *m* Lapp, Laplander
lap (-pen) *m* 1 piece [of woven material]; rag, tatter [of cloth, paper]; 2 (om te verstellen) patch; 3 (om te wrijven) cloth; 4 (overgebleven stuk goed) remnant; 5 (stuk) patch [of arable land]; slice [of meat], steak [for frying, stewing &]; 6 (klap) lick, slap; box [on the ears]; 7 *sp* (baanronde) lap; *de leren ~* the shammy (leather); *dat werkt op hem als een rode ~ op een stier* it is like a red rag to a bull; *er een ~ op zetten* put a patch upon it, patch it; *de ~pen hangen erbij* it is in rags (in tatters); *een gezicht van oude ~pen* a sour face
la'pel (-len) *m* lapel
lapi'dair [-'dɛ:r] lapidary
'lapje (-s) *o* (small) patch &, zie *lap*; *~s* (vlees) steaks; *iem. voor het ~ houden* pull sbd.'s leg; **–skat** (-ten) *v* tortoise (shell) cat
'Lapland *o* Lapland; **–er** (-s) *m* Laplander, Lapponian, Lapp; **–s** Lappish, Lapponian
'lapmiddel (-en) *o* palliative, makeshift; **'lappen** (lapte, h. gelapt) *vt* patch, piece; mend [clothes &]; wash [windows]; *hij zal het hem wel ~* he'll do (manage) it; *wie heeft mij dat gelapt?* who has played me that trick?; *dat lap ik aan mijn laars!* **F** fat lot I care!; *een waarschuwing aan zijn laars ~* ignore a warning; *iem. er bij ~* **S** cop a man; *alles er door ~* run through a fortune &; **'lappendeken** (-s) *v* patchwork quilt; **–mand** (-en) *v* remnant basket; *in de ~ zijn* be laid up, be on the sick-list
'lapwerk *o* patchwork[2]; *fig* tinkering
'lapzwans (-en) *m* dud
lar'deerpriem (-en) *m* larding-pin; **lar'deren** (lardeerde, h. gelardeerd) *vt* lard
larf (larven) = *larve*
'larie *v* nonsense, fudge; fiddlesticks!
'lariks(boom) (lariksen, lariksbomen) *m* larch
larmoy'ant [lɑrmvɑ'jɑnt] tearful, maudlin
'larve (-n) *v* larva [*mv* larvae], (ook:) grub [of insects]
1 las (-sen) *v* weld, joint, seam, scarf
2 las (lazen) V.T. van *lezen*
'lasapparaat (-raten) *o* welder
'laser ['le.zər] (-s) *m* laser
'lassen (laste, h. gelast) *vt* weld [iron]; joint [a wire]; scarf [timber]; **–er** (-s) *m* [electric] welder
'lasso ('s) *m* lasso
1 last (-en) *m* 1 (opgeladen vracht) load[2], burden[2]; 2 (zwaartedruk) load[2], burden[2], weight[2]; 3 (lading) load, ⚓ cargo; 4 (overlast) trouble, nuisance; 5 (bevel) order, command; *~en* charges, rates and taxes; *baten en ~en* assets and liabilities; *~ hebben van* be incommoded by [the neighbourhood of...]; be troubled with, suffer from [a complaint], be subject to [fits of dizziness]; *~ veroorzaken* incommode, cause (give) trouble; • *in ~ hebben om...* be charged to...; *op ~ van...* by order of...; *op zware ~en zitten* be heavily encumbered; *ten ~e komen van* be chargeable to; *iem. iets ten ~e leggen* charge sbd. with a thing, lay it to sbd.'s charge; *iem. tot ~ zijn* 1 incommode sbd.; 2 be a burden on sbd.; *zich van een ~ kwijten* acquit oneself of a charge
2 last (-en) *o* & *m* ⚓ last [= 2 tons]
'lastbrief (-brieven) *m* mandate; **–dier** (-en) *o* beast of burden, pack-animal; **–drager** (-s) *m* porter
'laster *m* slander, calumny, defamation; **–aar** (-s en -raren) *m* slanderer, calumniator; **–campagne** [-kɑmpɑɲə] (-s) *v* campaign of calumny (of slander), **F** smear campaign; **'lasteren** (lasterde, h. gelasterd) *vt* slander, calumniate, defame; *God ~* blaspheme (God); **'lasterlijk I** *aj* 1 slanderous; defamatory, libellous; 2 blasphemous; **II** *ad* 1 slanderously; 2 blasphemously; **'lasterpraatjes** *mv* slanderous talk, scandal; **–taal** *v* slander
'lastgever (-s) *m* principal; **–geving** (-en) *v* mandate, commission; **–hebber** (-s) *m* mandatary
'lastig I *aj* 1 (moeilijk uit te voeren) difficult, hard; 2 (moeilijk te regeren) troublesome, unruly; 3 (vervelend) annoying; awkward; 4 (veeleisend) exacting, hard to please; 5 (ongemakkelijk) inconvenient; *wat zijn jullie vandaag weer ~!* what nuisances you are to-day!; *de kinderen zijn helemaal niet ~* the children give no trouble; *een ~ geval* a difficult case; *een ~e vent* a troublesome customer; *~ vallen* importune, molest [sbd.]; *het spijt mij dat ik u ~ moet vallen* I am sorry to be a nuisance, sorry to trouble you; *dat zal u niet ~ vallen* it will not be difficult for

you; **II** *ad* with difficulty; *dat zal ~ gaan* that will hardly be possible; **'lastpak** (-ken) *o* **F** handful, nuisance; **–post** (-en) *m* 1 (v a n z a k e n) nuisance; 2 (v. p e r s o n e n) nuisance; *die ~en van jongens* ook: those troublesome boys

lat (-ten) *v* 1 lath; 2 (v. e. j a l o e z i e) slat; 3 ⚔ **F** skewer; 4 *sp* (d o e l~) cross-bar; (s p r i n g~) bar; *de lange ~ten sp* the skis; *onder de ~ staan sp* keep goal; *op de ~ kopen* **F** buy on tick

'latafel (-s) *v* chest of drawers

'laten* **I** *hulpww.* let; *~ we gaan!* let us go!; *laat ik u niet storen* do not let me disturb you; **II** *zelfst.ww.* 1 (l a t e n i n z e k e r e t o e s t a n d) leave [things as they are]; 2 (n a l a t e n) omit, forbear, refrain from [telling &]; leave off, give up [drinking, smoking]; 3 (t o e l a t e n) let [sbd. do sth.], allow, permit, suffer [sbd. to...]; 4 (t o e w i j z e n) let have; 5 (g e l a s t e n) make, have [sbd. do sth.]; get, cause [sbd. to...]; *~ bouwen* have... built; *wij zullen het ~ doen* we shall have (get) it done; *het laat zich niet beschrijven* it cannot be described, it defies (beggars) description; *het laat zich denken* it may be imagined; *het laat zich verklaren* it can be explained; *laat dat!* don't!; stop it!; *laat (me) los!* let (me) go!; *laat het maar hier* leave it here; *je had het maar moeten ~* you should have left it undone; *hij kan het niet ~* he cannot help it, he cannot desist from it; *als je mij maar tijd wilt ~* if only you allow me time; • *ver a c h t e r zich ~* leave far behind, outdistance; throw into the shade; *wij zullen het hier b ij ~* we'll leave it at that; *hij zal het er niet bij ~* he is not going to let the matter rest, to lie down under it; *ik kan het u niet v o o r minder ~* I can't let you have it for less; *wij zullen dat ~ voor wat het is* we'll let it rest; *ik weet niet waar hij het (al dat eten) laat* I don't know where he puts it; *waar heb ik mijn boek gelaten?* where have I put my book?; *waar heb je het geld gelaten?* what have you been and done with the money?; zie ook: *vallen,* 1 *weten, zien* &

la'tent latent

'later *aj* later; **II** *ad* later; later on

late'raal *aj* lateral

'latertje *o dat wordt een ~* it will be late, it will be well into the small hours [before we are finished]

'latex *o* & *m* latex

'lathyrus ['la.ti:rüs] (-sen) *m* sweet pea

La'tijn *o* Latin; *aan 't eind van z'n ~ zijn* be at the end of one's rope; **–s** Latin; *~-Amerika* Latin America; *~-Amerikaans* Latin-American

la'trine (-s) *v* latrine

'latwerk (-en) *o* lath-work; (v. l e i b o m e n) trellis

lau'rier (-en) *m* laurel, bay; **–blad** (-blaren en -bladeren) *o* laurel-leaf, bay-leaf; **–boom** (-bomen) *m* laurel(-tree), bay(-tree)

lauw lukewarm[2]; tepid; *fig* half-hearted

'lauwer (-en) *m* laurel, bay; *~en behalen* win (reap) laurels; *op zijn ~en rusten* rest on one's laurels; **'lauweren** (lauwerde, h. gelauwerd) *vt* crown with laurels, laurel; **'lauwerkrans** (-en) *m* wreath of laurels

'lava *v* lava

'lavabo ('s) *m* lavabo

'laveloos dead drunk, sozzled

lave'ment (-en) *o* enema, clyster

'laven (laafde, h. gelaafd) **I** *vt* refresh; **II** *vr zich ~* refresh oneself; *zich aan die bron ~* drink from that source

la'vendel *v* lavender

la'veren (laveerde, h. en is gelaveerd) *vi* ⚓ tack[2] (about), beat up against the wind; *fig* manoeuvre

'laving (-en) *v* refreshment

la'waai *o* noise, din, tumult, uproar, hubbub; *~ schoppen* roister; **–bestrijding** *v* noise abatement; **la'waai(er)ig** *aj* noisy, uproarious, loud; **la'waaimaker** (-s) *m,* **–schopper** (-s) *m* blusterer, bounder, roisterer

la'wine (-s en -n) *v* avalanche

'laxans (la'xantia) *o* aperient, laxative; **la'xeermiddel** (-en) *o* = *laxans*; **la'xeren** (laxeerde, h. gelaxeerd) *vi* open (relax) the bowels; **–d** laxative

laza'ret (-ten) *o* lazaretto

'lazarus **P** *~ zijn* be drunk

'lazen V.T. meerv. van *lezen*

'lazer *o* **P** *iem. op z'n ~ geven* give sbd. hell, give sbd. a hiding;

'lazeren **P** **I** (lazerde, h. gelazerd) *vt* (s m i j t e n) *iem. er uit ~* chuck (fling, hurl) sbd. out; **II** (lazerde, is gelazerd) *vi* (v a l l e n) *van de trap ~* pitch down the stairs

'leasen ['li.sə(n)] (leasde, h. geleasd) *vt* lease; **'leasing** *v* leasing

'lebberen (lebberde, h. gelebberd) *vt* lap (up)

leb, 'lebbe (lebben) *v* rennet; **'lebmaag** (-magen) *v* rennet-stomach

'lector (-'toren en -s) *m* ☞ reader; **lecto'raat** (-raten) *o* ☞ readership

lec'tuur *v* reading; reading-matter

'ledematen *mv* limbs

1 'leden V.T. meerv. van *lijden*

2 'leden meerv. van *lid*

'ledenlijst (-en) *v* list (register) of members

'ledenpop (-pen) *v* lay figure, manikin; *fig* puppet

'leder = 3 *leer*; **–en** = 2 *leren*

'ledig (ledigde, h. geledigd) = *leeg*; **'ledigen** (ledigde, h. geledigd) *vt* empty; **'lediggang** *m*

idleness; **–heid** *v* 1 (het ledig zijn) emptiness; 2 (lediggang, nietsdoen) idleness; ~ *is des duivels oorkussen* idleness is the parent of vice
ledi'kant (-en) *o* bedstead
1 leed I *o* 1 (lichamelijk) harm, injury; 2 (v. de ziel) affliction, grief, sorrow; *in lief en* ~ ± for better and for worse; *het doet mij* ~ I am sorry (for it); *iem. zijn* ~ *klagen* pour out one's grief to sbd.; *u zal geen* ~ *geschieden* you shall suffer no harm; **II** *aj met lede ogen* with regret
2 leed (leden) V.T. van *lijden*
'leedvermaak *o* enjoyment of others' mishaps; **–wezen** *o* regret; *met* ~ with regret; regretfully; *tot mijn* ~ *kan ik niet...* I regret not being able to..., to my regret
'leefbaar liveable; **–heid** *v* liveableness; **'leefklimaat** *o* living climate, living conditions; **–regel** (-s) *m* regimen, diet; **–ruimte** *v* living space, lebensraum; **–tijd** (-en) *m* lifetime; age; *op die* ~ at that age; *op hoge* ~ at a great age; *op late(re)* ~ late(r) in life; *op* ~ *komen* be getting on in years; *op* ~ *zijn* be well on in life; *een jongen van mijn* ~ a boy my age; *zij zijn van dezelfde* ~ they are of an age; **'leeftijdgenoot** (-noten) *m* contemporary; **'leeftijdsgrens** (-grenzen) *v* age limit; **–groep** (-en) *v* age group; **–verschil** (-len) *o* difference of age; **'leeftocht** *m* provisions, victuals; **–wijze** *v* manner of life, style of living
leeg 1 (niets inhoudend) empty[2]; vacant[2]; 2 (nietsdoend) idle; **–drinken**[1] *vt* empty, finish [one's glass]; **–gieten**[1] *vt* empty out; **–halen**[1] *vt* clear out; (plunderen) strip; **–heid** *v* emptiness; **–hoofd** (-en) *o* & *m-v* empty-headed person; **–loop** *m* $ downtime; **–lopen**[1] *vi* 1 idle (about), loaf; 2 empty, become empty; go flat [of a balloon, a tyre]; *laten* ~ empty [a cask]; deflate [a balloon, a tyre]; drain [a pond]; **–loper** (-s) *m* idler, loafer; **–maken**[1] *vt* empty; **–pompen**[1] *vt* pump dry; *fig* drain (dry); **–staan**[1] *vi* be empty, stand empty, be uninhabited (unoccupied); **–te** (-n) *v* emptiness[2], *fig* void, blank
1 leek (leken) *m* layman[2]; outsider [in art &]; *de leken* ook: the laity
2 leek (leken) V.T. van *lijken*
leem *o* & *m* loam, clay, mud; **–achtig** loamy; **–groeve** (-n) *v* loam-pit; **–grond** (-en) *m* loamy soil; **–kuil** (-en) *m* loam-pit
'leemte (-n en -s) *v* gap, lacuna [*mv* lacunae], hiatus, deficiency
leen (lenen) *o* 🕮 fief, feudal tenure; *in* ~ *hebben* 1 have it lent to one; 2 🕮 hold in feud; *te* ~ on loan; *mag ik dat van u te* ~ *hebben?* may I borrow this (from you)?; will you favour me with the loan of it?; *te* ~ *geven* lend; *te* ~ *vragen* ask for the loan of; **–bank** (-en) *v* loan-office; **–dienst** (-en) *m* feudal service, vassalage; **–goed** (-eren) *o* feudal estate; **–heer** (-heren) *m* feudal lord, liege (lord); **–man** (-nen) *m* vassal; **–plicht** (-en) *m* & *v* feudal duty; **leen'plichtig** liege; **'leenrecht** *o* feudal right; **leen'roerig** feudal, feudatory; **'leenstelsel** *o* 🕮 feudal system; **'leentjebuur** ~ *spelen* borrow (right and left); **'leenwoord** (-en) *o* loan-word
leep I *aj* sly, cunning, shrewd, longheaded; **II** *ad* slyly, shrewdly, cunningly; **–heid** *v* slyness, cunning
1 leer (leren) *v* (ladder) ladder
2 leer (leren) *v* 1 (leerstelsel) doctrine; teaching [of Christ]; 2 (theorie) theory; 3 (het leerling zijn) apprenticeship; *in de* ~ *doen bij* bind apprentice to; *in de* ~ *zijn* serve one's apprenticeship [with], be bound apprentice [to a goldsmith]
3 leer *o* (stofnaam) leather; ~ *om* ~ tit for tat; *van* ~ *trekken* draw one's sword; go at it (at them); *van een andermans* ~ *is het goed riemen snijden* it is easy to cut thongs out of another man's leather; **–achtig** leathery
'leerboek (-en) *o* text-book; lesson-book; **–dicht** (-en) *o* didactic poem; **–gang** (-en) *m* course, course of lectures; **–geld** *o* premium; ~ *betalen* [*fig*] learn it to one's cost; **–gezag** *o rk* teaching authority (of the Church); **leer'gierig** eager to learn, studious; **–heid** *v* eagerness to learn, studiousness
'leerhuid *v* true skin
'leerjaren *mv* (years of) apprenticeship; **–jongen** (-s) *m* apprentice; **–kracht** (-en) *v* teacher; **–ling** (-en) *m* 1 pupil, disciple; 2 = *leerjongen*; **leerling-ver'pleegster** (-s) *v* student nurse, probationer; **~-'vlieger** (-s) *m* aircraft apprentice
'leerlooien *va* tan; *het* ~ tanning; **–er** (-s) *m* tanner; **leerlooie'rij** (-en) *v* tannery
'leermeester (-s) *m* teacher, master, tutor; **–meisje** (-s) *o* apprentice; **–middelen** *mv* educational appliances; **–opdracht** (-en) *v* teaching assignment, lectureship; **–plan** (-nen) *o* curriculum [*mv* curricula]; **'leerplicht** *m* & *v* compulsory education; **leer'plichtig** liable to compulsory education; **'leerschool** (-scholen)

[1] V.T. en V.D. van dit werkwoord volgens het model: **'leeg**halen, V.T. haalde **'leeg**, V.D. **'leeg**gehaald. Zie voor de vormen onder het grondwoord, in dit voorbeeld: *halen.* Bij sterke en onregelmatige werkwoorden wordt u verwezen naar de lijst achterin.

v school; *een harde ~ doorlopen* learn the hard way, go (pass) through the mill; **leer'stellig** 1 dogmatic; 2 doctrinaire; **'leerstelling** (-en) *v* tenet, dogma; **–stoel** (-en) *m* chair [of Greek History &, in college or university]; **–stof** *v* subject-matter of tuition; **–stuk** (-ken) *o* dogma, tenet; **–tijd** *m* 1 time of learning; pupil(l)age; 2 (term of) apprenticeship
'leertje (-s) *o* ⚒ (v. k r a a n) washer
'leervak (-ken) *o* subject (taught)
'leerwaren *mv* leather goods; **–werk** *o* leatherwork, leather goods
'leerzaam I *aj* 1 (v. p e r s o o n) docile, teachable, studious; 2 (v. b o e k &) instructive; **II** *ad* instructively; **–heid** *v* 1 docility, teachableness [of persons]; 2 instructiveness [of books]
'leesapparaat (-raten) *o* 1 reading aid; 2. (v. c o m p u t e r) optical character reader; **–baar** legible [writing]; readable [novels]; **–beurt** (-en) *v* 1 (o p s c h o o l) turn to read; 2 (l e z i n g) lecture; **–bibliotheek** (-theken) *v* lending-library; **–blindheid** *v* word-blindness, alexia; **–boek** (-en) *o* reading-book, reader; **–bril** (-len) *m* reading-glasses; **–gezelschap** (-pen) *o*, **–kring** (-en) *m* reading-club; **–les** (-sen) *v* reading lesson; **–oefening** (-en) *v* reading exercise; **–onderwijs** *o* instruction in reading; **–portefeuille** [-pɔrtəfœyjə] (-s) *m* book and magazine portfolio [of a reading-club]; **–stof** *v* reading-matter
leest (-en) *v* 1 (v. l i c h a a m) waist; 2 (v a n s c h o e n m a k e r) last; (o m t e r e k k e n) (boot-)tree; *we zullen dat op een andere ~ moeten schoeien* we shall have to put it on a new footing; *op dezelfde ~ schoeien* cast in the same mould; *op socialistische ~ geschoeid* organized on socialist lines; *op de ~ zetten* put on the last. Zie ook: *schoenmaker*
'leestafel (-s) *v* reading-table; **–teken** (-s) *o* punctuation mark, stop; *~s aanbrengen* punctuate; **–wijzer** (-s) *m* book-mark(er); **–woede** *v* mania for reading; **–zaal** (-zalen) *v* reading room; *openbare ~* public library
leeuw (-en) *m* lion²; *de Leeuw* ★ Leo; **–achtig** leonine; **'leeuwebek** (-ken) *m* ✿ snapdragon; **–deel** *o* lion's share; **–kuil** (-en) *m* den of lions; **–manen** *mv* lion's mane; **–moed** *m* courage of a lion; *met ~ bezield* lion-hearted [man]; **'leeuwentemmer** (-s) *m* lion-tamer
'leeuwerik (-en) *m* (sky)lark
leeu'win (-nen) *v* lioness; **'leeuwtje** (-s) *o* 1 little lion; 2 Maltese dog
'leewater *o* water on the knee, synovitis
lef *o* & *m* 1 pluck, courage; 2 swagger; *het ~ hebben iets te doen* have the guts to do sth.; *als je ~ hebt* if you dare; **–doekje** (-s) *o* breast-pocket handkerchief; **–gozer** (-s) *m*, **–schopper** (-s) *m* braggart, swanker, toff
leg *m* egg-laying; *aan de ~* in lay
le'gaal legal
le'gaat (-gaten) 1 *o* legacy, bequest; 2 *m* (v a n p a u s) legate
legali'satie [-'za.(t)si.] (-s) *v* legalization; **legali'seren** (legaliseerde, h. gelegaliseerd) *vt* legalize
lega'taris (-sen) *m* legatee; **lega'teren** (legateerde, h. gelegateerd) *vt* bequeath
le'gatie [-(t)si.] (-s) *v* legation
'legen (leegde, h. geleegd) = *ledigen*
legen'darisch legendary, fabled; **le'gende** (-n en -s) *v* legend; *fig* myth
'leger (-s) *o* 1 ⚔ army²; ✎ & *fig* host; 2 bed; form [of a hare]; lair [of wild animals]; haunt [of a wolf]; *Leger des Heils* Salvation Army; **–aalmoezenier** (-s) *m* army chaplain, **F** padre; **–afdeling** (-en) *v* unit; **–bericht** (-en) *o* army bulletin; **–commandant** (-en) *m* commander-in-chief; **1 'legeren** ['le.gərə(n)] (legerde, h. gelegerd) *vt, vi* & *vr* ⚔ encamp [of troops]
2 le'geren [lə'ge:rə(n)] (legeerde, h. gelegeerd) *vt* alloy [metals]
1 'legering ['le.gərɪŋ] (-en) *v* ⚔ encampment
2 le'gering [lə'ge:rɪŋ] (-en) *v* alloy [of metals]
'legerkamp (-en) *o* army camp; **–korps** (-en) *o* army corps; **–leiding** *v* (army) command; **–plaats** (-en) *v* camp; **–predikant** (-en) *m* army chaplain, **F** padre; **–scharen** *mv* hosts, army
⊙ **'legerstede** (-n) *v* couch, bed
'legertent (-en) *v* army tent; **–trein** (-nen), **–tros** (-sen) *m* baggage (of an army), train (of an army)
'leges *mv* legal charges, fee
'leggen* I *vt* 1 lay, put, place [a thing somewhere]; lay [eggs]; 2 *sp* throw [in wrestling]; **II** *va* lay [of hens]; **–er** (-s) *m* 1 (p e r s o o n) layer; 2 (r e g i s t e r) register, ledger; **'leghen** (-nen) *v* layer, laying hen
'legio numberless, innumerable, no end of [possibilities]; *die zijn ~* their name (number) is legion
legi'oen (-en) *o* legion
legi'tiem legitimate, lawful; **legiti'matie** [-(t)si.] (-s) *v* legitimation; **–bewijs** (-wijzen) *o* identity card; **legiti'meren** (legitimeerde, h. gelegitimeerd) **I** *vt* legitimate; **II** *vr zich ~* prove one's identity
'legkaart (-en) *v* jigsaw puzzle; **–penning** (-en) *m* commemorative coin (medal); **–plaat** (-platen) *v* jigsaw puzzle; **–puzzel** (-s) *m* jigsaw puzzle
legu'aan (-uanen) *m* 🦎 iguana

1 lei (-en) *v* & *o* slate; *met een schone ~ beginnen* start with a clean slate (sheet)

2 lei (**leien**) **F** V.T. van *leggen*

'leiband (-en) *m* leading-string(s); *aan de ~ lopen* be in leading-strings[2]

'leiboom (-bomen) *m* espalier

'leidekker (-s) *m* slater

'Leiden *o* Leyden; *toen was ~ in last* then there was the devil to pay, then we (they &) were in a fix

'leiden (leidde, h. geleid) **I** *vt* lead [a person, a party, a solitary life &]; conduct [visitors, matters, a meeting]; guide [us, the affairs of state &], direct [one's actions, a rehearsal &]; *sp* lead, be in the lead; *zich laten ~ door...* be guided by...; *b ij* (*aan*) *de hand ~* lead by the hand; *leid ons niet i n verzoeking* (*rk in bekoring*) lead us not into temptation; *die weg leidt n a a r...* that road leads (conducts) to...; *dat leidt t o t niets* that leads nowhere (to nothing); **II** *va sp* lead [by ten points &]; zie ook: *geleid*; **-d** leading [persons, principle &]; guiding [motive, ground &]; executive [capacity in business and industry]; **'leider** (-s) *m* leader [of a party, some movement &]; director [of institution &]; [spiritual] guide; [sales, works] manager; **-schap** *o* leadership; **'leiding** (-en) *v* 1 (a b s t r a c t) leadership, conduct, guidance, direction, management; *sp* lead; 2 (c o n c r e e t) conduit, pipe, ⚹ wire; *~ geven aan* lead; *de ~ hebben* be in control; *sp* lead; *de ~* (*op zich*) *nemen* take the lead; *ik vertrouw hem aan uw ~ toe* I entrust him to your guidance; *onder ~ van...* under the guidance of...; [orchestra] conducted by, [a delegation] led by, [a committee] headed by...; **-water** *o* tap water, company's water; **'leidmotief** (-tieven) *o* leitmotiv[2], leading motive[2]

'leidraad (-draden) *m* guide; guide-book

'leidsel (-s) *o* rein; **'leidsman** (-lieden) *m* leader, guide[2]; **1 'leidster** [-stɛr] (-sterren) *v fig* guiding star; ⊙ lodestar; **2 'leidster** [-stər] (-s) *v* (g e l e i d s t e r, l e i d s v r o u w) leader; guide; conductress

1 'leien F V.T. meerv. van *leggen*

2 'leien *aj* slate; *dat gaat van een ~ dakje* it goes smoothly (on wheels, without a hitch); **'lei-groef** (-groeven), **-groeve** (-n) *v* slate quarry; **-kleurig** slate-coloured; **-steen** *o* & *m* slate

lek I (-ken) *o* leak [in a vessel]; leakage, escape [of gas]; puncture [in a bicycle tire]; *een ~ krijgen* spring a leak; *een ~ stoppen* stop a leak[2]; **II** *aj* leaky; *~ke band* punctured tire, flat tyre, **F** a flat; *~ zijn* be leaky, leak; ⚓ make water

'lekebroeder (-s) *m* lay brother

'leken V.T. meerv. van *lijken*

'lekenapostolaat *o* apostolate of the laity, lay apostolate; **-dom** *o* laity; **'lekespel** (-spelen) *o* ± nativity play; **-zuster** (-s) *v* lay sister

lek'kage [lɛ'ka.ʒə] (-s) *v* leakage, leak; **'lekken** (lekte, h. en is gelekt) *vi* leak, be leaky, have a leak; || lick [of flames]; *een ~de* (*waterkraan*) ook: a dripping tap; *de ~de vlammen* ook: the lambent flames

'lekker I *aj* 1 (v. s m a a k) nice, delicious, good; 2 (v. r e u k) nice, sweet; 3 (v. w e e r) nice, fine; *ik vind 't niet ~* I don't like it; *ik ben weer zo ~ als kip* I am as fit as a fiddle; *ik voel me niet ~* I feel out of sorts, I am (feel) under the weather; *iem. ~ maken* 1 butter sbd. up; 2 set sbd. agog; *~, dat je nu ook eens straf hebt!* serve you right!; *~ is maar een vinger lang* what is sweet cannot last long; *geef ons wat ~s* give us something nice (to eat); *het is wat ~s!* a nice job, indeed!; **II** *ad* nicely; *heb je ~ gegeten?* 1 did you enjoy your meal?; 2 did you have a nice meal?; *ik doe het ~(tjes) niet* **F** catch me doing it; *dat heb je nou eens ~(tjes) mis* yah, out you are!; *het is hier ~ warm* it is nice and warm here; **-bek** (-ken) *m* gourmand, epicure, dainty feeder; **-bekje** (-s) *o* fried fillet of haddock; **lekker'nij** (-en) *v* dainty, titbit, delicacy; **'lekkers** *o* sweets, sweetmeats, goodies; **'lekkertje** (-s) *o* sweet[2]

lel (-len) *v* 1 lobe [of the ear]; 2 wattle, gill [of a cock]; 3 uvula [of the throat]; 4 **F** (k l a p) whack, clout; 5 = *lellebel*

'lelie (-s en ⊙ -iën) *v* lily; **-blank** as white as a lily, lily-white; **lelietje-van-'dalen** (lelietjes-) *o* lily of the valley

'lelijk I *aj* ugly[2] [houses, faces, rumours &]; plain [girls]; nasty [smell &]; badly [wounded &]; *~ als de nacht* as ugly as sin; *dat is ~, ik heb mijn sleutel verloren* that's awkward; *dat staat u ~* it does not become you[2]; *dat ziet er ~ uit* things look bad (black), it's a pretty mess, that's a bad outlook; *een ~ gezicht trekken* make a wry face, scowl; *~e woorden zeggen* use bad language; **II** *ad* uglily; badly; *~ vallen* have a bad fall; **-erd** (-s) *m* ugly person; **-heid** *v* ugliness, plainness

'lellebel (-len) *v* slut, hussy

1 'lemen (leemde, h. geleemd) *vt* loam, cover (coat) with loam; **2 'lemen** *aj* loam, mud [hut]; *~ voeten* feet of clay

'lemma (-ta en 's) *o* headword [in a dictionary &]

'lemmer (-s), **'lemmet** (-en) *o* blade [of a knife]

'lende (-n en -nen) *v* loin; **'lendendoek** (-en) *m* loin-cloth; **'lendepijn** (-en) *v* lumbar pain, lumbago; **-streek** *m* small of the back; **-stuk** (-ken) *o* sirloin [of beef]; **-wervel** (-s) *m* lumbar vertebra

'lenen (leende, h. geleend) **I** *vt* (a a n

i e m a n d) lend (to), (v a n i e m a n d) borrow (of, from); **II** *vr zich ~ tot*... lend oneself (itself) to...; **-er** (-s) *m* (a a n i e m a n d) lender, (v a n i e m a n d) borrower

leng (-en) *m* ling; || *o* ⚓ sling

'lengen (lengde, h. & is gelengd) *vi* become longer, lengthen, draw out [of the days]; **'lengte** (-s en -n) *v* 1 length; 2 (v a n p e r s o o n) height; 3 (a a r d r i j k s k.) longitude; *tot i n ~ van dagen* for many years to come; *in de ~ doorzagen* lengthwise, lengthways; *3 m in de ~* 3 metres in length; *in zijn volle ~* (at) full length; **-as** *v* longitudinal axis; **-cirkel** (-s) *m* meridian; **-dal** (-dalen) *o* longitudinal valley; **-graad** (-graden) *m* degree of longitude; **-maat** (-maten) *v* linear measure

'lenig lithe, supple, pliant

'lenigen (lenigde, h. gelenigd) *vt* alleviate, relieve, assuage

'lenigheid *v* litheness, suppleness, pliancy

'leniging *v* alleviation, relief, assuagement

'lening (-en) *v* loan; *een ~ sluiten* contract a loan; *een ~ uitschrijven* issue a loan; *een ~ verstrekken* make a loan

1 lens (lenzen) *v* lens [of a camera &]

2 lens *aj* empty; *de pomp is ~* the pump sucks; *hij is ~* **F** he is cleaned out

'lensvormig lens-shaped, lenticular

'lente (-s) *v* spring[2]; **-achtig** spring-like; **-bode** (-n en -s) *m* harbinger of spring; **-dag** (-dagen) *m* day in spring, spring-day; **-lied** (-eren) *o* vernal song, spring-song; **-maand** (-en) *v* month of spring; March; *de lentemaanden* the spring-months; **-tijd** *m* springtime

'lenzen (lensde, h. gelensd) *vt* empty

'lepel (-s) *m* 1 (o m t e e t e n) spoon; (o m o p t e s c h e p p e n) ladle; 2 (v o l l e l e p e l) spoonful; 3 ear [of a hare]

'lepelaar (-s en -laren) *m* spoonbill

'lepelblad (-bladen) *o* bowl [of a spoon]; **'lepelen** (lepelde, h. gelepeld) **I** *vi* use one's spoon; **II** *vt* spoon; ladle; **'lepelvormig** spoon-shaped

'leperd (-s) *m* slyboots, cunning fellow

'leppen (lepte, h. gelept), **'lepperen** (lepperde, h. gelepperd) *vi* & *vt* sip, lap, lick

'lepra *v* leprosy; **-lijder** (-s), **le'proos** (-prozen) *m* leper

'leraar (-s en -raren) *m* 1 teacher; 2 (g e e s t e l i j k e) minister; *~ in natuur- en scheikunde* science master; **'leraarsambt** *o* mastership; **-kamer** (-s) *v* (masters') common room, staff room; **lera'res** (-sen) *v* (woman) teacher, mistress; *~ in natuur- en scheikunde* science mistress; **1 'leren** (leerde, h. geleerd) **I** *vi* learn; **II** *vt* teach [a person]; learn [lessons &]; *~ lezen* learn to read; *uit 't hoofd ~* memorize; *iem. ~ lezen* teach sbd. to read; *wacht, ik zal je ~!* I'll teach you!

2 'leren *aj* leather

'lering (-en) *v* 1 instruction; 2 = *catechisatie*; *ergens ~ uit trekken* learn from sth.

les (-sen) *v* lesson; *~ geven* give lessons, teach; *~ hebben* be having one's lesson; *de onderwijzer heeft ~* is in class; *we hebben vandaag geen ~* no lessons to-day; *iem. de ~ lezen* lecture sbd.; *~ nemen (bij)*... take lessons (from)...; *onder de ~* during lessons; **-auto** [-ɔuto., -o.to.] ('s) *m* learner car

lesbi'enne (-s) *v*, **'lesbisch** *aj* lesbian

'lesgeld *o* lesson-money, fee, tuition; **'lesgeven** (gaf 'les, h. 'lesgegeven) *vi* teach, instruct; **'lesje** (-s) *o* lesson; *iem. een ~ geven* teach sbd. a lesson; **'leslokaal** (-kalen) *o* class-room; **-rooster** (-s) *m* & *o* time-table

Le'sotho *o* Lesotho

'lessen (leste, h. gelest) *vt* quench, slake [one's thirst]

'lessenaar (-s) *m* desk; reading-desk, writing-desk

lest last; *~ best* the best is at the bottom; *ten langen ~e* at long last

'lestoestel (-len) *o* trainer; **-uur** (-uren) *o* lesson; *per ~ betalen* pay by the lesson; **-vliegtuig** (-en) *o* trainer; **-wagen** (-s) *m* learner car

le'taal lethal

lethar'gie *v* lethargy; **le'thargisch** lethargic

'Letland *o* Latvia; **-s** Latvian

'letsel (-s) *o* injury, hurt, [bodily] harm; damage; *een ~ krijgen* receive an injury; *zonder ~* unharmed

1 'letten (lette, h. gelet) *vi let wel!* mind!, mark you!; *~ op* attend to, mind, pay attention to; take notice of; *op de kosten zal niet gelet worden* the cost is no consideration; *let op mijn woorden* mark my words; *gelet op*... in view of...

2 'letten (lette, h. gelet) *vt wat let me of ik*... what prevents me from ...ing

'letter (-s en -en) *v* letter, character, type; *met grote ~* in big letters; *kleine ~* small letter; *met kleine ~ (gedrukt)* in small type; *i n de ~en studeren* study literature; *n a a r de ~* to the letter; **-dief** (-dieven) *m* plagiarist; **letterdieve'rij** (-en) *v* plagiarism; *~ plegen* plagiarize; **'letteren** (letterde, h. geletterd) *vt* letter, mark; **'lettergieter** (-s) *m* type-founder; **lettergiete'rij** (-en) *v* type-foundry; **'lettergreep** (-grepen) *v* syllable; **-kast** (-en) *v* type-case; **-knecht** (-en) *m* literalist; **letterknechte'rij** *v* literalism; **'letterkorps** (-en) *o* size of type; **-kunde** *v* literature; **letter'kundig** literary; **-e** (-n) *m* man of letters, literary man, bookman; **'letterlijk I** *aj* literal; **II** *ad* literally, to the letter; *zij werden ~ gedecimeerd* they were literally decimated; **'letterraadsel** (-s) *o* word-puzzle; **–schrift** *o* writing in characters; **–slot** (-sloten) *o* letter-lock; **–soort** (-en) *v* (kind of) type; **–specie, –spijs** *v* type-metal; **–teken** (-s) *o* character; **–type** [-ti.pə] (-n en -s) *o* (kind of) type; **–woord** (-en) *o* acronym; **'letterzetten** *o* type-setting; **–er** (-s) *m* compositor, type-setter; **letterzette'rij** (-en) *v* composing room; **–zifte'rij** (-en) *v* hair-splitting

'leugen (-s) *v* lie, falsehood; *dat is een grote (grove) ~* that is a big lie; *al is de ~ nog zo snel, de waarheid achterhaalt haar wel* liars have short memories; **'leugenaar** (-s) *m,* **–ster** (-s) *v* liar; **'leugenachtig** lying, mendacious, untruthful, false; **–heid** *v* mendacity, falseness; **'leugen-campagne** [-kɑmpɑɲə] (-s) *v* lying campaign, smear lying; **–detector** (-s en -toren) *m* lie-detector; **–taal** *v* lying, lies; **–tje** (-s) *o* fib; *~ om bestwil* white lie

leuk *aj* 1 (g r a p p i g) amusing, funny [story], arch [way of telling]; 2 (a a r d i g, p r e t t i g) jolly, pleasant; 3 (o n b e w o g e n) cool, dry, sly [fellow]; *dat zal ~ zijn* that will be great fun, won't it be jolly!; *ik vind het erg ~!* (I think it) fine!; *het was erg ~!* such fun!; *hij vond het niets ~* he did not much like it; *die is ~, zeg!* that's a good one; *zo ~ als wat, zei hij...* with the coolest cheek he said; *het ~ste is dat...* the richest point about the story is that...

leuk(a)e'mie [lœy-, lø.ke.'mi.] *v* leuk(a)emia

'leukerd (-s) *m* **F** funny chap; **'leukweg** dryly

'leunen (leunde, h. geleund) *vi* lean (on *op*; against *tegen*); **'leuning** (-en) *v* 1 rail; banisters, handrail [of a staircase]; parapet [of a bridge]; 2 back [of a chair]; arm(-rest) [of a chair]; **'leunstoel** (-en) *m* arm-chair

'leuren (leurde, h. geleurd) *vi* hawk; *~ met* hawk

leus (leuzen) *v* slogan, catchword, watchword

leut *v* 1 fun; 2 **F** coffee; *voor de ~* for fun

'leuteraar (-s) *m* 1 (k l e t s e r) twaddler, driveller; 2 (t a l m e r) dawdler; **'leuteren** (leuterde, h. geleuterd) *vi* 1 (k l e t s e n) twaddle, drivel; 2 (t a l m e n) dawdle; **'leuter-praat** *m* twaddle, drivel

'leutig jolly

'leuze (-n) = *leus*

Le'vant *m* Levant; **Levan'tijn** (-en) *m* Levantine; **–s** Levantine

'leven (leefde, h. geleefd) **I** *vi* live; *leve...!* three cheers for... [France]; hurrah for... [the holidays &]; *leve de koning!* long live the King!; *~ en laten ~* live and let live; *wie dan leeft, die dan zorgt* sufficient unto the day is the evil thereof; *v a n brood alleen kan men niet ~* we cannot live by bread alone; *van gras ~* live (feed) on grass; *daar kan ik niet van ~* I cannot subsist (live) on that; *alleen v o o r... ~* live only for...; **II** (-s) *o* 1 life; 2 (h e t l e v e n d d e e l) the quick; 3 (r u m o e r) noise; *~ in de brouwerij brengen* liven things up; *er komt ~ in de brouwerij* things are beginning to move (to hum); *daar had je het lieve ~ aan de gang* then there was the devil to pay; *er zit geen ~ in* there is no life (spirit) in it; *wel, al m'n ~!* Well, I never!; *een ander (nieuw) ~ beginnen* begin a new life, turn over a new leaf; *zijn ~ beteren* mend one's ways; *in ~ blijven* keep body and soul together; *~ geven aan* give life to, put life into [a statue], zie ook: *schenken*; *zijn ~ geven voor* lay down (sacrifice) one's life for [one's country]; *geen ~ hebben* lead a wretched life; *iets nieuw ~ inblazen* put new life into sth.; *het ~ erbij inschieten, het ~ laten* lose one's life; *~ maken* make a noise; ● *b i j het ~* (i n h e v i g e m a t e) intensely, with a will; *bij zijn ~* during his life, in his lifetime, in life; *bij ~ en welzijn* if I have life; *nog i n ~ zijn* be still alive; *in ~ notaris te...* in his lifetime; *in het ~ blijven* remain (keep) alive, live; *in het ~ houden* keep alive; *in het ~ roepen* bring (call) into being (existence), create; *zijn ~ lang* all his life; *n a a r het ~ getekend* drawn from (the) life; *iem. naar het ~ staan* seek to kill sbd.; *o m het ~ brengen* kill, do to death; *om het ~ komen* lose one's life, perish; *een strijd o p ~ en dood* a fight to the death, a life-and-death struggle; *zijn ~ op het spel zetten* take one's life in one's hands; *weer t o t ~ brengen* resuscitate; *u i t het ~ gegrepen* taken from life; *v a n mijn ~ heb ik zoiets niet gezien* never in my life; *nooit van mijn ~!* never!; *wel heb je van je ~!* Well, I never!; not on your life!, not for the life of me!; *de kans (de schrik &) van mijn ~* the chance (the fright &) of my life; *v o o r het ~ benoemd (gekozen)* for life; *z o l a n g er ~ is, is er hoop* as long as there is life there is hope; **'levend** alive [a l l e e n p r e d i k a t i e f !]; living; quickset [hedge]; *de ~e talen* the modern languages; *~ maken (worden)* bring (come) to life; *iem. ~ verbranden* burn sbd. alive; **–barend** viviparous; **'levendig I** *aj* lively, animated [discussion], vivid [imagination], green [memories], vivacious [person], keen [interest], $ active [market], brisk [demand]; **II** *ad* in a lively manner; *ik kan mij ~ voorstellen* I can well imagine; **–heid** *v* liveliness, vivacity; **'levenloos** lifeless, inanimate

'levensadem *m* breath of life, life-breath; **–ader** *v* life-blood artery, fountain of life; *fig* life artery, life-line; **–avond** *m* evening of life; **–beginsel** (-en en -s) *o* principle of life; **–behoeften** *mv* necessaries of life; **–behoud** *o* preservation of life; **–belang** *o* vital importance; **–beschouwing** (-en) *v* weltanschauung; **-beschrijving** (-en) *v* biography, life; **-bron** (-nen) *v* source of life, lifespring; **-dagen** *mv al zijn ~* his whole life; *wel heb ik van mijn ~!* Well, I never!, did you ever!, by Jove!; **-doel** *o* aim of life, aim in life; **-drang** *m* life-force, vital force (urge); **-duur** *m* length of life; lifetime; (technisch) service life; life; *vermoedelijke ~* expectation of life; **-elixer** (-s), **-elixir** (-s) *o* elixir of life; **-geesten** *mv* vital spirits; *de ~ weer opwekken bij* resuscitate; *de ~ waren geweken* life was extinct; **-genieter** (-s) *m* epicure; **-gevaar** *o* danger (peril) of life; *in ~* in peril of one's life; *met ~* at the peril (risk) of one's life; **levensge'vaarlijk** dangerous to life, involving risk of life, perilous; **'levensgezel** (-len) *m*, **-gezellin** (-nen) *v* partner for life; **-groot** life-sized, life-size, as large as life; *meer dan ~* larger than life, over life-size; **-houding** (-en) *v* attitude to life; **-kracht** (-en) *v* vital power, vitality; **levens'krachtig** 1 full of life; 2 = *levensvatbaar*; **'levenskwestie** (-s) *v* vital question, question of life and death; **-lang I** *aj* & *ad* for life, lifelong; *tot ~e gevangenschap veroordeeld worden* be sentenced to imprisonment for life, get a life sentence; **II** *sb* (= *levenslange gevangenisstraf*) **F** lifer; **-licht** *o het ~ aanschouwen* be born, see the light; **-loop** *m* course of life, career; **-lust** *m* zest for life, love of live, animal spirits; **levens'lustig** cheerful, vivacious, sprightly, buoyant

'levensmiddelen *mv* provisions, victuals; foodstuffs, food(s); **-bedrijf** (-drijven) *o* grocer's shop

'levensmoe(de) weary of life; **-omstandigheden** *mv* circumstances in life, living conditions; **-onderhoud** *o* livelihood, sustenance; *kosten van ~* cost of living, living costs; **-opvatting** (-en) *v* philosophy of life; **-pad** (-paden) *o* path of life; **-standaard** *m* standard of life, standard of living, living standard; **-teken** (-s en -en) *o* sign of life; *~en vertonen* show life; **levens'vatbaar** viable, capable of living; **-heid** *v* viability, vitality; **'levensverzekering** (-en) *v* life-assurance, life-insurance; *een ~ sluiten* take out a life-policy, insure one's life; **-(s)maatschappij** (-en) *v* life-insurance (life-assurance) company; **'levensvoorwaarde** (-n) *v* condition of life; *fig* vital condition; **-vraag** (-vragen) *v* = *levenskwestie*; **-vreugde** *v* joy of life, delight in life; **-wandel** *m* conduct in life, life; **-weg** *m* path of life; **-werk** *o* life-work; **-wijsheid** (-heden) *v* wisdom of life; **-wijze** (-n) *v* mode of life, way of living; conduct

'leventje *o* life; *dat was me een ~!* 1 what a jolly life we had of it!; 2 (ironisch) what a life!;

'levenwekkend life-giving, vivifying

'lever (-s) *v* liver

leveran'cier (-s) *m* 1 contractor, supplier, purveyor, dealer; 2 provider, caterer; *de ~s* ook: the tradesmen; **leve'rantie** [-'rɑn(t)si.] (-s) *v* supply(ing), purveyance; **'leverbaar** 1 (af te leveren) deliverable, ready for delivery; 2 (te verschaffen) available; *beperkt ~* in short supply; **'leveren** (leverde, h. geleverd) *vt* 1 (afleveren) deliver; 2 (verschaffen) furnish, supply [goods], provide; contribute [an article to a newspaper]; *achterhoedegevechten ~* fight rearguard actions; *er zijn hevige gevechten geleverd* there was heavy fighting, heavy fighting took place; *~ aan* cater for; *(aan) iem. brandstoffen ~* supply sbd. with fuel; *het bewijs ~ dat...* prove that...; *stof ~ voor* provide matter for [discussion, a novel]; *hij heeft prachtig werk geleverd* he has done splendid work; *hij zal het hem wel ~* he is sure to manage it; *wie heeft me dat geleverd?* who has played me that trick?; **-ring** (-en) *v* 1 (aflevering) delivery; 2 (verschaffing) supply; **'leveringscondities** [-kòndi.(t)si.s] *mv* = *leveringsvoorwaarden*; **-contract** (-en) *o* delivery contract; **-datum** (-data en -s) *m* delivery date; **-termijn** (-en) *m* time (term) of delivery; **-tijd** (-en) *m* delivery period, delivery time; **-voorwaarden** *mv* terms of delivery

'leverkleurig liver-coloured; **-pastei** (-en) *v* liver pie

'levertijd (-en) *m* = *leveringstijd*

'levertraan *m* cod-liver oil; **-worst** (-en) *v* liver sausage

le'viet (-en) *m* Levite

lexico'graaf (-grafen) *m* lexicographer; **lexicogra'fie** *v* lexicography; **lexico'grafisch** lexicographical; **'lexicon** (-s) *o* lexicon

'lezen* I *vi* read [ook = give a lecture]; **II** *vt* 1 read [books]; 2 glean, gather [ears of corn]; *het stond op zijn gezicht te ~* it was written on his face, it was depicted in his face; *het boek laat zich gemakkelijk ~* reads easily, makes easy reading; zie ook: *les, mis* &; **levens'waard(ig)** readable, worth reading; **'lezer** (-s) *m*, **leze'res** (-sen) *v* 1 reader; 2 gleaner, gatherer [of grapes &]; **'lezerskring** (-en) *m* readership; circulation; **'lezing** (-en) *v* 1 (v. barometer &) reading; 2 (interpretatie) version; 3 (voorlezing) lecture; *een ~ houden* give a lecture, lecture (on *over*)

li'aan (lianen), **liane** (-n) *v* ♣ liana, liane

liai'son [li.ɛ'zõ] (-s) *v* liaison

'lias (-sen) *v* file

Liba'nees I *aj* Lebanese; **II** (-nezen) *m* Lebanese; *de Libanezen* the Lebanese; **'Libanon** *m*

(the) Lebanon
li'bel (-len) *v* ❀ dragon-fly
libe'raal I *aj* liberal; **II** (-ralen) *m* liberal; **liberali'seren** [s = z] (liberaliseerde, h. geliberaliseerd) *vt* liberalize; **-ring** *v* liberalization; **libera'lisme** *o* liberalism
Li'beria *o* Liberia
liber'tijn (-en) *m* libertine; **-s** licentious; (w u l p s) lascivious
'libido *m* libido
'Libië *o* Libya; **'Libiër** (-s) *m*, **'Libisch** *aj* Libyan
li'bretto ('s en libretti) *o* libretto, book (of words)
li'centie [li.'sɛn(t)si.] (-s) *v* licence; *in ~ vervaardigd* manufactured under licence; **-houder** (-s) *m* licensee
'lichaam (-chamen) *o* body°, frame; *naar ~ en ziel* in body and mind; **'lichaamsarbeid** *m* bodily labour; **-beweging** (-en) *v* physical exercise; **-bouw** *m* build, stature; **-deel** (-delen) *o* part of the body; **-gebrek** (-breken) *o* bodily defect; **-gestel** *o* constitution; **-gewicht** *o* body weight; **-houding** (-en) *v* posture, carriage of the body; **-kracht** (-en) *v* physical strength, force; **-oefening** (-en) *v* bodily exercise; **-temperatuur** (-turen) *v* body temperature, blood-heat; **li'chamelijk I** *aj* corporal [punishment], corporeal [being]; bodily [harm &]; physical [culture, education, work]; **II** *ad* corporally, physically
1 licht I *aj* 1 (n i e t d o n k e r) light² [materials], light-coloured [dresses], bright [day]; fair [hair]; 2 (n i e t z w a a r²) light [weight, bread, work, sleep, troops, step]; slight [wound, repast, cold]; mild [beer, tobacco]; 3 (v a n z e d e n) wanton [woman]; *het wordt al ~* it is getting light; *~ in het hoofd* light-headed; **II** *ad* 1 lightly, slightly; 2 easily; zie ook: *allicht*; *~ gewond* slightly wounded; *het ~ opnemen* make light of it, take it lightly; *men vergeet ~ dat...* one is apt to forget that...; *het wordt ~ een gewoonte* it tends to become a habit; **2 licht** (-en) *o* light²; *fig* luminary; *~ en schaduw* light(s) and shade(s)²; *hij is geen ~* he is no great light (luminary); *je bent me ook een ~!* what a shining light you are!; *er gaat mij een ~ op* now I begin to see light; *er ging mij een ~ op* it dawned on me; *~ geven* give off light; *iem. het ~ in de ogen niet gunnen* grudge sbd. the light of his eyes; *wij zullen eens wat ~ maken* (m e t l u c i f e r s) we'll strike a light; (d o o r l a m p l i c h t) we'll have the lamp(s) lighted; (e l e k t r i s c h) we'll turn (switch) on the light; *het ~ opsteken* light the lamp; *fig* [*bij iem.*] *z'n ~ opsteken* make inquiries, inform oneself [about sth.]; *het ~ schuwen* shun the light; (*een helder*) *~ werpen op* throw (shed) (a bright) light upon; *zijn ~ onder de korenmaat zetten* hide one's light under a bushel; *het ~ zien* see the light; ● *a a n het ~ brengen* bring to light, reveal; *aan het ~ komen* come (be brought) to light; *een boek i n het ~ geven* publish a book; *zichzelf in het ~ staan* stand in one's own light; *iets in een gunstig* (*ongunstig*) *~ stellen* place (put) it in a favourable (unfavourable) light; paint it in bright (dark) colours; *iets in een helder ~ stellen* throw light upon sth.; *iets in een heel ander ~ zien* see sth. in a totally different light; *t e g e n het ~ houden* hold (up) to the light; *t u s s e n ~ en donker* in the twilight; *ga u i t het ~* stand out of my (the) light; **-bak** (-ken) *m* 1 (a l s r e c l a m e) illuminated sign; 2 (v a n s t r o p e r s) light; **-baken** (-s) *o* beacon (light); **-beeld** (-en) *o* lantern view; **-blauw** light (pale) blue; **-blond** light(-blond), fair; **-boei** (-en) *v* light-buoy; **-boog** (-bogen) *m* electric arc; **-bron** (-nen) *v* source of light; **-bruin** light brown; **-bundel** (-s) *m* pencil of rays, beam of light; **-druk** (-ken) *m* phototype; **-echt** fast; **-effect** (-en) *o* effect(s) of light, light-effect(s); **'lichtekooi** (-en) *v* light-o-love, prostitute; **'lichtelijk** somewhat, a little, slightly; **1 'lichten** (lichtte, h. gelicht) *vt* 1 (o p l i c h t e n) lift, raise; 2 ⚓ weigh [anchor]; raise [a sunken ship]; 3 ✉ clear [the letter-boxes]; zie ook: *doopceel, hand, hiel, voet* &; **2 'lichten** (lichtte, h. gelicht) *vi* 1 (l i c h t g e v e n) give light, shine; 2 (l i c h t w o r d e n) get light, dawn; 3 (w e e r l i c h t e n) lighten; *het ~ van de zee* the phosphorescence of the sea; **-d** luminous, shining [example]; phosphorescent; **'lichter** (-s) *m* ⚓ lighter; **'lichte(r)laaie** *in ~ staan* be ablaze; **'lichtfakkel** (-s) *v* ✈ flare; **-filter** (-s) *m* & *o* light (colour) filter; **-gas** *o* illuminating gas, coal-gas; **-geel** light yellow; **lichtge'lovig** credulous; **-heid** *v* credulousness, credulity; **lichtge'raakt** quick to take offence, touchy, huffish; **-heid** *v* touchiness; **'lichtgevend** luminous; **lichtge'voelig** light-sensitive; **'lichtgewapend** light-armed; **-gewicht** (-en) *m* light-weight²; **-grijs** light grey; **-groen** light green; **licht'hartig** light-hearted; **'lichtheid** *v* lightness; easiness; **'lichting** (-en) *v* 1 ✉ collection; 2 ⚔ draft, levy; *de ~ 1955* ⚔ the 1955 class; **'lichtinstallatie** [-(t)si.] (-s) *v* (electric) light-plant; **-jaar** (-jaren) *o* light-year; **-kegel** (-s) *m* cone of light; **-kever** (-s) *m* fire-fly, glow-worm; **-kogel** (-s) *m* Very light, signal flare; **-krans** (-en) *m* 1 wreath of light, halo [round a saint's head, round sun or moon]; 2 [round the sun] corona; **-krant** (-en) *v* illuminated news trailer; **-kroon** (-kronen) *v* chandelier; **-leiding** (-en) *v* (b u i t e n) electric

main, (binnen) electric wire; **–mast** (-en) *m* light standard; **–matroos** (-trozen) *m* ordinary seaman; **–meter** (-s) *m* 1 photometer; 2 (van camera) lightmeter; **–mis** (-sen) *m* libertine, rake, debauchee; **–net** (-ten) *o* (electric) mains; **–prikkel** (-s) *m* luminous stimulus; **–punt** (-en) *o* 1 luminous point; *fig* bright spot; 2 ✵ connection; **–reclame** (-s) *v* illuminated sign(s) (advertising); **–rood** light red, pink; **–schip** (-schepen) *o* lightship; **–schuw** shunning the light[2]; ~ *gespuis* shady characters; **licht'schuwheid** *v* photophobia; **'lichtsein** (-en) *o,* **–signaal** [-sɪɲa.l] (-nalen) *o* light signal; **–sterkte** *v* luminosity, light intensity; *de ~ is...* the candle-power is...; **–straal** (-stralen) *m* & *v* ray of light, beam of light; **licht'vaardig** rash; **'lichtzijde** (-n) *v* bright side; **licht'zinnig** frivolous; **–heid** (-heden) *v* levity, frivolity

lid (leden) *o* 1 (v. lichaam) limb; (van vereniging) member; (v. vinger) phalanx [*mv* phalanges]; (v. wetsartikel) paragraph; (v. vergelijking) term; 2 (gewricht) joint; 3 (v. verwantschap) degree, generation; 4 (deksel) lid [of the eye]; 5 (penis) member, penis; ~ *worden van* join [a club, a party]; become a member of; • *een arm weer in het ~ zetten* reduce an arm; *een ziekte onder de leden hebben* be sickening for something; *over al zijn leden beven* tremble in every limb; *tot in het vierde ~* to the fourth generation; *mijn arm is uit het ~* out (of joint), dislocated; **–cactus** (-sen) *m* crab cactus; **–maat** (-maten) *m* member; **–maatschap** *o* membership; **'lid-staat** (-staten) *m* member state; **'lidwoord** (-en) *o gram* article

lied (-eren) *o* song; [church] hymn; ⊙ lay [of a minstrel]; **–boek** (-en) = *liederboek*

'lieden *mv* people, folks, men

'liederboek (-en) *o* book of songs, songbook; **'liederen** meerv. v. *lied*

'liederlijk I *aj* dissolute, debauched; < wretched, beastly; *~e taal* coarse language; **II** *ad* dissolutely; < abominably, horribly; **–heid** (-heden) *v* dissoluteness, debauchery

'liedje (-s) *o* song, tune, ditty, (street-)ballad; *het is altijd hetzelfde (oude) ~* it is always the same (old) song; *een ander ~ zingen* [*fig*] change one's tune; *het eind van het ~* the end of the matter, the upshot; *het ~ van verlangen zingen* dawdle at bedtime for a few moments' grace [of children]; **–szanger** (-s) *m* ballad-singer

1 lief I *aj* 1 (bemind) dear, beloved; 2 (beminnelijk) amiable; 3 (aanminnig) sweet, pretty; 4 (aardig voor anderen) nice; 5 (vriendelijk) kind; 6 (ironisch) nice, fine; *toen had je het lieve leven gaande* then there was the devil to pay; *maar mijn lieve mensen...* but my dear people...; *dat is erg ~ van hem* very kind (nice) of him; *...meer dan me ~ is* ...more than I care for; **II** *ad* amiably, sweetly, nicely, kindly; ~ *doen* do the amiable; *iets voor ~ nemen* put up with sth.; *ik wou net zo ~...* I would just as soon...; zie ook: *liefst* en *liever*; **2 lief** (lieven) *o* (geliefde) love, sweetheart; *in ~ en leed* in weal and woe

lief'dadig I *aj* charitable; **II** *ad* charitably; **–heid** *v* charity; **lief'dadigheidsinstelling** (-en) *v* charitable institution; **–voorstelling** (-en) *v* charity performance

'liefde (-s en -n) *v* love; ✎ (christelijke) charity; *kinderlijke ~* filial piety; *de ~ voor de kunst* the love of art; ~ *tot God* love of God; *de ~ bedrijven* make love; *uit ~* for (out of, from) love; *een huwelijk uit ~* a love-match; *oude ~ roest niet* old love never dies; **–blijk** (-en) *o* token of love; **–dienst** (-en) *m* act of charity (of kindness); **–gave** (-n) *v* alms, charity; **–leven** *o* love-life; **–loos** loveless, uncharitable; **–rijk I** *aj* charitable; **II** *ad* charitably; **'liefdesbetuiging** (-en) *v* profession of love; **–brief** (-brieven) *m* love-letter; **–geschiedenis** (-sen) *v* 1 love-story; 2 love-affair; **'liefdesmart** (-en) *v* pangs of love; **'liefde(s)verklaring** (-en) *v* declaration (of love); **'liefdevol** full of love, loving; **–werk** (-en) *o* charitable deed, good work; **–zuster** (-s) *v* sister of charity; **liefdoene'rij** *v* demonstrative affection; **'liefelijk I** *aj* lovely, sweet; **II** *ad* in a lovely manner, sweetly; **–heid** *v* loveliness, sweetness; *liefelijkheden* (feline) amenities; **'liefhebben** (had 'lief, h. 'liefgehad) *vt* love, cherish; **–d** loving, affectionate; *uw ~e...* yours affectionately; **'liefhebber** (-s) *m,* **–ster** (-s) *v* 1 amateur, lover; 2 = *gegadigde*; *er zijn veel ~s* there is a keen demand [for it]; *er zijn geen ~s voor* people are not interested; *hij is een ~ van roken* he is fond of smoking; *hij is daar geen ~ van* he doesn't like it; **'liefhebberen** (liefhebberde, h. liefgehebberd) *vi* do amateur work; dabble [in politics &]; **liefhebbe'rij** (-en) *v* hobby; **'liefje** (-s) *o* sweetheart, **F** ducks; **F** dreamboat; **'liefkozen** (liefkoosde, h. geliefkoosd) *vt* caress, fondle; **–zing** (-en) *v* caress; **'liefkrijgen** (kreeg 'lief, h. 'liefgekregen) *vt* get (grow) to like, grow fond of; **'lieflijk(-)** = *liefelijk(-)*; **liefst I** *aj* dearest, favourite; **II** *ad* rather; *wat heb je 't ~?* which do you like best, which do you prefer?; ~ *die soort* preferably [that sort], ...for preference; ~ *niet* rather not; **'liefste** (-n) 1 *m* sweetheart, lover; 2 *v* sweetheart, beloved; **lief'tallig I** *aj* sweet; **II** *ad* sweetly; **–heid** (-heden) *v* sweetness

'liegen* **I** *vi* & *va* lie, tell lies, tell stories; *lieg er nu maar niet om* don't lie about it; *de brief liegt er niet om* the letter is very explicit; *de cijfers ~ er niet om* the figures speak for themselves; *hij liegt alsof het gedrukt is* he is a terrible liar; *als ik lieg, dan lieg ik in commissie* if it is a lie, you have the tale as cheap as I; **II** *vt dat lieg je, je liegt het* that's a lie

liep (**liepen**) V.T. van *lopen*

lier (-en) *v* 1 ♪ lyre; ⚒ (o r g e l t j e) hurdy-gurdy; 2 ⚓ winch; *branden als een ~* burn fiercely

li'ëren (lieerde, h. gelieerd) *vi* connect, unite, join

lies (liezen) *v* groin; **–breuk** (-en) *v* inguinal hernia; **–laars** (-laarzen) *v* thigh boot

liet (**lieten**) V.T. van *laten*

lieve'heersbeestje (-s) *o* ladybird; **'lieveling** (-en) *m* darling, favourite, pet, love; **–sdichter** (-s) *m* favourite poet; **lieve'moederen** *daar helpt geen ~ aan* there is no help for it; **'liever** **I** *aj* dearer; sweeter &; **II** *ad* rather; *ik heb dit huis ~* I like this house better, I prefer this house [to that]; *hij zou ~ sterven dan...* he would rather die than...; *ik zou er ~ niet heengaan* I had rather not go; *je moest maar ~ naar bed gaan* you'd (you had) better go to bed; *je moest daar ~ niet heengaan* you had better not go; *niets ~ verlangen* (*wensen, willen*) *dan...* want nothing better than...; *je kunt stuivers krijgen, als je dat ~ hebt* if you'd rather; *~ niet!* I'd rather not!; **'lieverd** (-s) *m* darling; **–je** (-s) *o je bent me een ~!* you're a nice one!; **'lieverkoekjes** *mv ~ worden niet gebakken* if you don't like it you may lump it; **–lede** *van ~* gradually, by degrees, little by little; **lievevrouwe'bedstro** *o* woodruff; **'lievig** quasi-sweet

'liflafje (-s) *o* fancy dish, trifle

lift (-en) *m* lift, *Am* elevator; *een ~ geven* (*krijgen*) give (get) a lift; *een ~ vragen* thumb a lift; **'liften** (liftte, h. en is gelift) *v* hitch-hike; (m e t v r a c h t a u t o's) lorry-hop; **–er** (-s) *m* hitch-hiker; **'liftjongen** (-s) *m* lift-boy; **–kooi** (-en) *v* cage; **–koker** (-s) *m* lift-shaft

'liga ('s) *v* league

'ligdag (-dagen) *m* ⚓ lay-day; **–geld** (-en) *o* ⚓ 1 dock dues; 2 = *overliggeld*; **'liggen*** *vi* lie [also of troops]; be situated; *de lonen ~ lager* wages are lower; *dat werk ligt me niet* the job does not suit me, it's not in my line; *altijd ~ te zeuren* always be bothering; *blijven ~* remain; *hij zal enige dagen moeten blijven ~* he will have to lie up for a couple of days; *morgen vroeg blijf ik wat* (*langer*) *~* I'll remain in bed a little longer; *hij is gaan ~* 1 he has gone to bed; 2 he has taken to his bed; *ga daar ~* lie down there; *de wind is gaan ~* the wind has abated; *ik heb het geld ~* I have the money ready; *iets nog hebben ~* have sth. in store (on hand); *laat dat ~!* leave it there!, leave it alone!; *hij heeft het lelijk laten ~* he has made a mess of it; ● *die stad ligt a a n een rivier* is situated on a river; *hij ligt al 8 dagen aan* (*met*) *die ziekte* he has been laid up (in bed) with it for a week; *dat ligt nog maar aan u* the issue lies with you; *als het aan mij lag* if I had any say in the matter; *aan mij zal het niet ~* it will be through no fault of mine; *waar ligt het aan, dat...?* what may be the cause (of it)?; *i n zijn bed ~* lie (be) in bed; *het huis ligt o p een heuvel* stands on a hill; *het huis ligt op het oosten* it has an eastern aspect, it faces east; *de wagen ligt vast op de weg* the car holds the road well; *hij lag t e bed* he was in bed; *~ te slapen* lie sleeping; zie ook: *bedoeling* &; **–d** lying, recumbent [position &]; turn-down [collar]; **'ligging** (-en) *v* situation, lie [of a house], [geographical] position; (v. k i n d b i j b a r i n g) presentation; **'lighal** (-len) *v* (open-air) shelter; **–kuur** (-kuren) *v* rest-cure; **–plaats** (-en) *v* ⚓ berth, moorings; **–stoel** (-en) *m* reclining-chair, lounge-chair

li'guster (-s) *m* privet

lij *v* lee; *aan ~* alee, on the lee-side

'lijdelijk passive; **–heid** *v* passiveness, passivity; **'lijden*** **I** *vt* suffer, endure, bear; *dorst ~* suffer thirst; *iem. wel mogen ~* rather like sbd.; *ik mag ~ dat hij...* I wish he may...; **II** *vi* suffer; *nu kan het wel ~* we can afford it now; *~ a a n hoofdpijn* suffer from (be affected with) headaches; *erg ~ aan* ook: suffer a great deal from..., be a martyr to...; *~ o n d e r iets* suffer under sth.; *zij ~ er het meest onder* they are the greatest sufferers; *te ~ hebben van* suffer from; **III** *o* suffering(s); *het ~ van Christus* the Passion of Christ; *n a ~ komt verblijden* after rain comes sunshine; *u i t zijn ~ verlossen* put out of (his) misery; **–d** suffering; *gram* passive; *de ~e partij* the suffering party, the sufferer; *de ~e partij zijn* be the loser; *~ voorwerp* direct object; *de ~e vorm van het werkwoord* the passive voice; **'lijdensgeschiedenis** (-sen) *v* Passion [of Christ]; *het is een hele ~* it is a long tale of misery (of woe); **–kelk** *m* cup of bitterness; **–preek** (-preken) *v* Passion sermon; **–week** (-weken) *v* Holy Week; **–weg** (-wegen) *m* way of the Cross; *fig* [long] martyrdom; **'lijder** (-s) *m* sufferer, patient; **'lijdzaam** patient, meek; **–heid** *v* patience, meekness

lijf (lijven) *o* body; *het a a n den lijve ondervinden* (*voelen*) learn what it feels like, feel it personally; *i n levenden lijve* in the flesh; *hier is hij in levenden lijve* here he is as large as life; *niet veel o m het ~ hebben* be no great matter, amount to very little; *iem. een schrik* (*de koorts*) *o p het ~*

jagen **F** give sbd. a fright (a turn); *iem. op het ~ vallen* unexpectedly drop in on sbd.; take sbd. unawares; *iem. ergens mee op het ~ vallen* spring sth. on sbd.; *o v e r zijn hele ~ beven* tremble in every limb; *iem. t e ~ gaan* go at (for) sbd.; *iem. t e g e n het ~ lopen* run into (up against) sbd.; *zich... v a n het ~ houden* keep... at arm's length; **–arts** (-en) *m* personal physician, physician in ordinary; **–blad** (-bladen) *o* favourite paper; **–eigene** (-n) *m-v* serf, thrall; **–eigenschap** *v* bondage, serfage; **–goed** (-eren) *o* body-linen; **–je** (-s) *o* bodice, corsage; **–knecht** (-en en -s) *m* valet; **–lucht** *v* body odour; **–rente** (-n en -s) *v* (life-)annuity; **'lijfsbehoud** *o* preservation of life; **–gevaar** (-varen) *o* danger of life; **'lijfsieraad** (-raden) *o* personal ornament; **–spreuk** (-en) *v* motto, favourite maxim; **–straf** (-fen) *v* corporal punishment; **–tocht** *m* subsistence; **–wacht** (-en) *m-v* bodyguard, life-guard

lijk (-en) *o* 1 corpse, (dead) body; [anatomical] subject; 2 ⚓ leech [of a sail]; **–auto** [-ɔuto., -o.to.] ('s) *m* hearse, funeral car; **–baar** (-baren) *v* bier; **–bezorger** (-s) *m* undertaker; **–bezorging** (-en) *v* disposal of the dead; **–bidder** (-s) *m* undertaker's man; **–bleek** deathly pale; **–dienst** (-en) *m* funeral service; service for (the burial of) the dead; **–drager** (-s) *m* bearer [at a funeral]; **'lijkegif(t)** *o* ptomaine

1 'lijken* *vt dat zou mij wel ~* that's what I should like

2 'lijken* *vi* 1 be (look) like, resemble; 2 seem, appear; *het lijkt alsof...* it looks as if...; *het lijkt wel dat ze...* it would appear that they...; *hij lijkt wel gek* he must be mad; *ofschoon het heel wat leek* though it made a great show; *zij zijn niet wat zij ~* they are not what they appear (to be); *het is niet zo gemakkelijk als het lijkt* it is not so easy as it looks; *dat lijkt maar zo* it only seems so; *het lijkt er niet naar, dat ze...* there is no appearance of their ...ing; *het lijkt naar niets, het lijkt nergens naar* it is below contempt; *zij ~ op elkaar* they look like each other, they resemble each other; *zij ~ (niet) veel op elkaar* they are (not) very like; *zij ~ op elkaar als twee druppels water* they are as like as two peas; *het begint er naar (op) te ~* that's more like it; *ik lijk wel doof vandaag* I seem (to be) deaf today; *dat portret lijkt goed (niet)* it is a good (poor) likeness

'lijkenhuisje (-s) *o* mortuary; **'lijkkist** (-en) *v* coffin; **–kleed** *o* 1 (-kleden) (o v e r d e k i s t) pall; 2 (-klederen) (k l e d i n g s t u k) shroud, winding-sheet; **–kleur** *v* livid (cadaverous) colour; **–kleurig** livid, cadaverous; **–koets** (-en) *v* hearse; **–opening** (-en) *v* autopsy, dissection; **–plechtigheden** *mv* funeral ceremonies, obsequies; **–rede** (-s en -nen) *v* funeral oration (speech); **–roof** *m* body-snatching; **–schouwer** (-s) *m* coroner; **–schouwing** (-en) *v* post-mortem (examination); **–staatsie** (-s) *v*, **–stoet** (-en) *m* burial procession, funeral procession, funeral; **–verbranding** (-en) *v* cremation; **–wa(de)** (-waden) *v* shroud; **–wagen** (-s) *m* hearse, funeral car; **–zang** (-en) *m* funeral song, dirge

lijm *m* glue, gum; (h a r d w o r d e n d) cement; (v o g e l l i j m) lime; **'lijmen** (lijmde, h. gelijmd) *vt* glue; *iem. ~* talk sbd. over, rope sbd. in; **'lijmerig** 1 sticky, gluey; 2 *fig* drawling [voice]; *~ spreken* speak with a drawl, drawl; **'lijmkwast** (-en) *m* glue-brush; **–pot** (-ten) *m* glue-pot

lijn (-en) *v* 1 line [also of a railway &]; 2 (k o o r d) cord, rope; leash, lead [for dog]; *de ~ trekken* **S** swing the lead; *één ~ trekken* pull together, take the same line; *de harde ~ volgen* adopt a strong policy; *a a n de ~ blijven* (t e l e f o o n) hold on, hold the line; *aan de ~ doen* slim; *honden aan de ~* dogs on the leash; *i n grote ~en* broadly outlined; *dat ligt niet in mijn ~* that is not in my line; *m e t ~ 3* by number 3 bus, (t r a m) by number 3 car; *o m de ~ denken* watch one's figure; *op één ~ met* on a par with; *o p één ~ staan* be on a level; *op één ~ stellen met* bring (put) on a level with; *o v e r de hele ~* all along the line; *fig* all-round, overall [situation]; *v o o r de (slanke) ~* for the figure; **–baan** (-banen) *v* rope-walk; **–boot** (-boten) *m* & *v* liner; **–cliché** [-kli.ʃe.] (-s) *o* line engraving; **–dienst** (-en) *m* regular service; **–draaier** (-s) *m* rope-maker; **'lijnen** (lijnde, h. gelijnd) *vt* rule; *vi* (a a n d e l i j n d o e n) slim

'lijnkoek (-en) *m* linseed cake, oilcake; **–olie** (-oliën) *v* linseed oil

'lijnrecht I *aj* straight, perpendicular, diametrical; *in ~e tegenspraak met* in flat contradiction with; **II** *ad* straightly, perpendicularly, diametrically; *~ staan tegenover* be diametrically opposed to; **–tekenen** *o* geometrical drawing; **–tje** (-s) *o* line; *ik heb hem aan het ~* I have him in my power; *iem. aan het ~ houden* keep sbd. on a string; *met een zacht (zoet) ~* with soothing words; **–toestel** (-len) *o* air-liner; **–trekken** (trok 'lijn, h. 'lijngetrokken) *vi* malinger, shirk duty, **S** swing the lead; **–trekker** (-s) *m* shirker; **lijntrekke'rij** *v* shirking; **'lijnvliegtuig** (-en) *o* airliner; **–waad** (-waden) *o* linen; **–werker** (-s) *m* lineman

'lijnzaad *o* linseed

lijp **P** daft, weak-minded

lijs (lijzen) *m-v* dawdler, slow-coach; *een lange ~* a maypole

lijst (-en) *v* list, register; frame [of a picture]; △ cornice, moulding; *i n een ~ zetten* frame [a

picture]; *op de ~ zetten* place (enter) on the list; **–aanvoerder** (-s) *m* first candidate (of a party) on the list [at elections]; **'lijsten** (lijstte, h. gelijst) *vt* frame [a picture]; **'lijstenmaker** (-s) *m* frame-maker
'lijster (-s) *v* thrush; *grote ~* missel-thrush; *zwarte ~ = merel*; **–bes** (-sen) *v* 1 (v r u c h t) mountain-ash berry, rowan berry; 2 (b o o m) mountain-ash, rowan
'lijstwerk *o* framework; △ moulding
'lijvig corpulent; voluminous, bulky, thick; **–heid** *v* corpulency; voluminousness, bulkiness, thickness
'lijwaarts leeward
'lijzig drawling, slow; **–heid** *v* drawling, slowness
'lijzij(de) *v* leeside
1 lik (-ken) *m* 1 lick [with the tongue]; 2 box on the ears; *~ op stuk geven* give tit for tat
2 lik (-ken) *v* **S** (g e v a n g e n i s) nick, quod
'likdoorn (-s), **–doren** (-s) *m* corn
li'keur (-en) *v* liqueur; **–glaasje** (-s) *o* liqueur glass; **–tje** (-s) *o* glass of liqueur
'likkebaarden (likkebaardde, h. gelikkebaard) *vi* lick (smack) one's lips (one's chops); **'likken** (likte, h. gelikt) *vi* & *vt* lick; **'likmevestje** *...van ~* **F** a twopenny-halfpenny...
lil *o* & *m* jelly, gelatine
'lila lilac
'lillen (lilde, h. gelild) *vi* quiver, tremble
'lilliputachtig Lilliputian; **'lilliputter** (-s) *m* Lilliputian[2]
li'miet (-en) *v* limit; (v. v e i l i n g) reserve (price); **limi'teren** (limiteerde, h. gelimiteerd) *vt* limit; (o p v e i l i n g) put a reserve price on
limo'nade (-s) *v* lemonade
limou'sine [li.mu.'zi.nə] (-s) *v* limousine
'linde (-n) *v* lime-tree, lime, linden, lindentree; **–bloesem** (-s) *m* lime-tree blossom; **–boom** (-bomen) *m = linde*; **–hout** *o* lime-wood; **'lindenlaan** (-lanen) *v* lime-tree avenue, lime avenue
'linea *~ recta* straight [for]; **line'air** [li.ne.'ɛ:r] linear
linge'rie [lɛ̃ʒə'ri.] (-s en -rieën) *v* lingerie
lini'aal (-ialen) *v* & *o* ruler; **'linie** (-s) *v* line; *over de hele ~* on all points; *over de hele ~ zegevieren* carry all (everything) before one; *de ~ passeren* ⚓ cross the line; **lini'ëren** (linieerde, h. gelinieerd) *vt* rule; **'linieschip** (-schepen) *o* ship of the line; **–troepen** *mv* troops of the line
link (s l i m) artful, **F** cute, sharp; (g e v a a r l i j k) risky, dangerous
'linker left; ▨ sinister; **linker'achterpoot** (-poten) *m* near hind-leg; **–'arm** (-en) *m* left arm; **–'been** (-benen) *o* left leg; *met zijn ~ uit bed stappen* get out of bed on the wrong side; **'linkerhand** (-en) *v* left hand; *hij heeft twee ~en* his fingers are all thumbs; **–kant** (-en) *m* left side; *aan de ~* ook: on the left-hand side; *naar de ~* to the left; **–vleugel** (-s) *m* left wing; **linker'voorpoot** (-poten) *m* near foreleg; **'linkerzij(de)** (-zijden) *v* left(-hand) side; *de Linkerzijde* the (parliamentary) Left; **links I** *aj* 1 (t e g e n o v e r r e c h t s, o o k i n d e p o l i t i e k) left; 2 (l i n k s h a n d i g) left-handed; 3 (o n h a n d i g) *fig* gauche, awkward, clumsy; *~ georiënteerd* leftist; *een ~e regering* & a left-wing government &; **II** *ad* 1 to (on, at) the left; 2 *fig* in a gauche way, awkwardly, clumsily; *de... ~ laten liggen* leave the... on the left; *iem. ~ laten liggen* give sbd. the cold shoulder, ignore sbd.; *naar ~* to the left; **'linksaf, links'af** to the left *~ buigen (slaan)* bear to the left, turn left; **links'binnen** (-s) *m sp* inside left; **–'buiten** (-s) *m sp* outside left; **–'handig** left-handed; **'linksheid** *v fig* gaucherie, awkwardness, clumsiness; **links'om** to the left; *~... keert!* ⚔ left... turn!
'linnen *o* & *aj* linen; *~ (boek)band* cloth binding; *in ~ (gebonden)* (in) cloth; **–goed** *o* linen; **–juffrouw** (-en) *v* linen-maid; **–kamer** (-s) *v* linen-room; **–kast** (-en) *v* linen-cupboard
li'noleum [li.'no.leüm] *o* & *m* linoleum, **F** lino; **–druk** (-ken) *m*, **–snede** (-n) *v* linocut
lint (-en) *o* ribbon; **–bebouwing** *v* ribbon development; **'lintje** (-s) *o* ribbon; *een ~ krijgen* obtain an order of knighthood; **–sregen** *m* shower of birthday honours; **'lintworm** (-en) *m* tapeworm; **–zaag** (-zagen) *v* band-saw
'linze (-n) *v* lentil
lip (-pen) *v* lip; *a a n iemands ~pen hangen* zie *hangen*; *zich o p de ~pen bijten* bite one's lips; *het lag mij op de ~pen* I had it on the tip of my tongue; *o v e r iems. ~pen komen* pass sbd's. lips; **lip'bloemig** labiate; *~en* labiates; **'liplezen** *o* lip-reading; **'lippendienst** (-en) *m* lip-service; *~ bewijzen aan* pay lip-service to; **–stift** (-en) *v* lipstick
Ⓜ**'lipssleutel** (-s) *m* Yale key; **–slot** (-sloten) *o* Yale lock
liquida'teur [li.kvi.da.'tø:r] (-s) *m* liquidator; **liqui'datie** [li.kvi.da.(t)si.] (-s) *v* 1 liquidation, winding-up; 2 settlement [on Stock Exchange]; **li'quide** [li.'ki.də] liquid; **liqui'deren** [li.kvi.'de:rə(n)] (liquideerde, h. geliquideerd) **I** *vt* liquidate, wind up [one's affairs]; **II** *vi* go into liquidation; **liquidi'teit** [li.kvi.di.'tɛit] *v* liquidity
'lire (-s) *v* lira
1 lis (-sen) *m* & *o* ✿ iris, blue flag, yellow flag
2 lis (-sen) *v = lus*
'lisdodde (-n) *v* reed-mace

'lispelen (lispelde, h. gelispeld) *vi* lisp
list (-en) *v* 1 (a b s t r a c t) craft, cunning; 2 (c o n c r e e t) trick, stratagem, ruse; **'listig** sly, cunning, crafty, dodgy, wily, subtle; **–heid** (-heden) *v* slyness, cunning, subtlety
lita'nie (-ieën) *v* litany
'liter (-s) *m* litre
lite'rair [li.tə'rɛ.r] literary; **~-his'toricus** [-küs] (-rici) *m* literary historian, historian of literature; **~-his'torisch** of literary history, [a work] on literary history; **lite'rator** (-'toren) *m* literary man, man of letters; **litera'tuur** *v* literature°; **–geschiedenis** (-sen) *v* literary history, history of literature; **–lijst** (-en) *v* reading list; **–wetenschap** *v* study of literature
litho'graaf (-grafen) *m* lithographer; **–gra'feren** (lithografeerde, h. gelithografeerd) *vt* lithograph; **–gra'fie** (-ieën) *v* 1 (k u n s t) lithography; 2 (p l a a t) lithograph
'Litouwen *o* Lithuania; **'Litouwer** (-s) *m*, **'Litouws** Lithuanian
lits-ju'meaux [li.ʒy.'mo.] (-s) *o* double bed, twin beds
'litteken (-s) *o* scar, cicatrice
'littera- = *litera-*
litur'gie (-ieën) *v* liturgy; **li'turgisch** liturgical
li'vrei (-en) *v* livery
l.l. = *laatstleden*
L.O. = *lager onderwijs*
lob (-ben) *v* lobe
'lobbes (-en) *m goeie* ~ good-natured fellow; *een* ~ *van een hond* a big, good-natured dog
lo'catie [-(t)si.] (-s) *v* location
loco $ (on) spot; ~ *Amsterdam* $ ex warehouse Amsterdam; ~ *station* $ free station
loco-burgemeester (-s) *m* deputy mayor
locomo'tief (-tieven) *v* engine, locomotive
lodderig drowsy
1 **'loden I** *aj* lead, leaden[2]; *met* ~ *schoenen* with leaden feet; **II** (loodde, h. gelood) *vt* 1 (i n l o o d v a t t e n) lead; 2 (i n d e b o u w k u n d e) plumb; 3 ⚓ (p e i l e n) sound; **III** (loodde, h. gelood) *va* ⚓ take soundings
2 **'loden I** *m* & *o* (s t o f n a a m) loden; **II** *aj* loden [raincoat]
loeder (-s) *o* & *m* **P** 1 (m a n) bastard; 2 (v r o u w) bitch
loef (loeven) *v de* ~ *afsteken* (*afwinnen*) ⚓ get to windward of; *fig* outdo sbd., steal a march on sbd.; **–waarts** to windward, aweather; **–zij(de)** *v* windward side, weather-side
loeien (loeide, h. geloeid) *vi* 1 low, moo [of cows], bellow [of bulls]; 2 roar [of the wind]; 3 wail [of sirens]
loens squint-eyed; ~ *kijken* squint; **'loensen** (loenste, h. geloenst) *vi* squint
loep (-en) *v* magnifying glass, magnifier, lens; *onder de* ~ *nemen* examine
loer *v op de* ~ *liggen* lie in wait, lie on the look-out, lurk; *iem. een* ~ *draaien* play sbd. a dirty trick
'loeren (loerde, h. geloerd) *vi* peer, spy; ~ *op iem.* lie in wait for sbd.; *op een gelegenheid* ~ watch one's opportunity
'loeven (loefde, h. en is geloefd) *vi* luff; **'loever(t)** *te* ~ to windward
1 **lof** *m* praise, eulogy; *God* ~*!* praise be to God!, thank God!; *zijn eigen* ~ *verkondigen* blow one's own trumpet; *de* ~ *verkondigen* (*zingen*) *van* sing the praises of; *b o v e n alle* ~ *verheven* beyond all praise; *zij spraken m e t veel* ~ *over hem* they were loud in praise of him
2 **lof** *o* ⚘ *Brussels* ~ chicory
3 **lof** (loven) *o rk* benediction, evening service
'lofdicht (-en) *o* panegyric, laudatory poem; **'loffelijk** laudable, commendable, praiseworthy; **'loflied** (-eren) *o* hymn (song) of praise; **–psalm** (-en) *m* psalm (hymn) of praise; **–rede** (-s) *v* laudatory speech, panegyric; **–spraak** *v* praise, commendation; **–trompet** *v de* ~ *steken over* trumpet forth the praises of..., sing (sound) sbd.'s praises; **–tuiting** (-en) *v* praise, commendation; **lof'waardig** = *loffelijk*; **'lofzang** (-en) *m* 1 hymn (song) of praise, panegyric; 2 doxology
1 **log I** *aj* heavy [gait], unwieldy, cumbrous, cumbersome [mass]; **II** *ad* heavily
2 **log** (-gen) *v* ⚓ log
3 **log** *v* ✕ log (= logarithm); **loga'ritme** (-n) *v* logarithm; **loga'ritmentafel** (-s) *v* table of logarithms
'logboek (-en) *o* logbook
'loge ['lɔ:ʒə] (-s) *v* 1 lodge [of freemasons]; 2 box [in a theatre]; (v. p o r t i e r) lodge; *in de* ~ in the masonic hall
lo'gé [lo.'ʒe.] (-s) *m* guest, visitor; *betalend* ~ paying guest; **lo'geerbed** [lo.'ʒe:r-] (-den) *o* spare bed; **–gast** (-en) *m* guest, visitor; **–kamer** (-s) *v* spare (bed)room, visitor's room, guest-room; **loge'ment** [lo.ʒə'mɛnt] (-en) *o* inn, hotel; **–houder** (-s) *m* innkeeper, hotel-keeper
1 **'logen** (loogde, h. geloogd) *vt* steep in lye
2 **'logen** V.T. meerv. van *liegen*
'logenstraffen (logenstrafte, h. gelogenstraft) *vt* give the lie to, belie [hopes, a statement]; falsify [an assumption]
lo'geren [lo.'ʒe:rə(n)] (logeerde, h. gelogeerd) **I** *vi* stay, stop; *ik logeer bij mijn oom* I am staying at my uncle's (with my uncle); *u kunt bij ons* ~ you can stay with us; *ik ben daar te* ~ I am on a visit there; *we hebben mensen te* ~ ook: we have visitors; *ze gaan* ~ *in de Zon* they are going to

put up at the Sun hotel; **II** *vt* put [sbd.] up
'loggen (logde, h. gelogd) *vi* heave the log
'logger (-s) *m* lugger
'logica *v* logic
lo'gies [lo.'ʒi.s] *o* lodging, accommodation; ⚓ quarters; ~ *en ontbijt* bed and breakfast
'logisch I *aj* logical; *dat is nogal* ~ **F** of course, that goes without saying; *het ~e van het geval* the logic of the case; **II** *ad* logically
logis'tiek I *aj* logistic; **II** *v* logistics
logope'die *v* speech-training; **logope'dist** (-en) *m* speech-trainer
lok (-ken) *v* lock, curl; strand [of hair]; *~ken* tresses
lo'kaal I *aj* local; **II** (-kalen) *o* room, hall; **-tje** (-s) *o*, **-trein** (-en) *m* local (train); *Am* shuttle train; **-vredebreuk** *v* ⚖ breach of the peace
'lokaas (-azen) *o* bait, allurement, decoy
lokali'satie [-'za.(t)si.] (-s) *v* localization; **lokali'seren** (lokaliseerde, h. gelokaliseerd) *vt* localize; **lokali'teit** (-en) *v* locality; (v e r t r e k, z a a l) room, hall
'lokartikel (-en) *o* loss-leader; **-duif** (-duiven) *v* 🐦 stool-pigeon; **-eend** (-en) *v* 🐦 decoy(-duck)
lo'ket (-ten) *o* 1 (s t a t i o n) ticket-office, booking-office, ticket-window; 2 (s c h o u w b u r g) (box-)office, (box-office) window; 3 (p o s t - k a n t o o r e.d.) counter; 4 pigeon-hole [of a cabinet]; 5 (safe-deposit) box; *aan het* ~ at the counter, [sell] over the counter; **-beambte** (-n) *m-v* booking-clerk [at railway station], counter clerk [at post office]; **loket'tist(e)** (-en en -es) *m* (*v*) = *loketbeambte*
'lokfluitje (-s) *o* bird-call; **'lokken** (lokte, h. gelokt) *vt* lure, allure, entice, decoy; attract, draw [customers]; **'lokmiddel** (-en) *o* enticement, bait, lure; **-roep** *m* call-note; *fig* lure; **-spijs** (-spijzen) *v* bait, lure; **-stem** (-men) *v* enticing voice, siren voice; **-vogel** (-s) *m* decoy-bird, decoy[2]
lol *v* fun, **F** lark(s); ~ *maken* make fun, lark; *voor de* ~ for fun, for a lark; **'lolletje** (-s) *o* lark; *het was geen* ~ it was no fun; **'lollig I** *aj* jolly, funny; *het was zo* ~*!* it was such fun!; *het is niks* ~ it is not a bit amusing; **II** *ad* funnily
'lolly ['lɔli.] ('s) *m* lollipop, lolly
'lombok *m* red pepper
'lommer *o* 1 shade; 2 foliage
'lommerd (-s) *m* pawnbroker's shop, pawnshop; *in de* ~ in pawn; **S** in pop, at my uncle's; *in de* ~ *zetten* take to the pawnbroker's (to uncle's); **-briefje** (-s) *o* pawn-ticket; **-houder** (-s) *m* pawnbroker
'lommerrijk shady, shadowy
1 lomp (-en) *v* rag, tatter
2 lomp 1 (v a n v o r m) ungainly; 2 (o n h a n - d i g) clumsy, awkwárd, flat-footed; 3 (g r o f) hulking; 4 (v l e g e l a c h t i g) rude, unmannerly
'lompenkoopman (-lieden en -lui) *m* ragman, dealer in rags
'lomperd (-s) *m* boor, lout; **'lompheid** (-heden) *v* 1 ungainliness; 2 clumsiness, awkwardness; 3 rudeness
'Londen *o* London
'lonen (loonde, h. geloond) *vt* pay; *het loont de moeite* (*niet*) it is (not) worth while; **-d** paying, remunerative
long (-en) *v* lung; **-aandoening** (-en) *v* pulmonary affection; **-arts** (-en) *m* lung specialist; **-blaasje** (-s) *o* alveolus; **-kanker** *m* lung cancer; **-kruid** *o* lungwort; **-ontsteking** (-en) *v* pneumonia; **-slagader** (-s en -en) *v* pulmonary artery; **-tering** *v* pulmonary consumption, phthisis
lonk (-en) *m* ogle; *iem. ~jes toewerpen* ogle sbd.; **'lonken** (lonkte, h. gelonkt) *vi* ogle; *naar iem.* ~ make eyes at sbd.
lont (-en) *v* (slow) match, fuse; ~ *ruiken* smell a rat; *de* ~ *in het kruit steken* (*werpen*) put the torch to the powder-magazine; *fig* put the spark to the tinder
'loochenen (loochende, h. geloochend) *vt* deny; **-ning** (-en) *v* denial
lood (loden) *o* 1 lead; 2 (d i e p l o o d) sounding-lead, lead; 3 (s c h i e t l o o d) plumb-line; 4 (g e w i c h t) decagramme; *het is* ~ *om oud ijzer* it is six of one and half a dozen of the other; *i n het* ~ plumb, upright; *glas in* ~, *in* ~ *gevatte ruitjes* leaded lights; *m e t* ~ *in de schoenen* with leaden feet; *u i t het* ~ out of plumb; *hij was uit het* ~ *geslagen* he was taken aback; he was thrown off his balance; **-erts** (-en) *o* lead-ore; **-gieter** (-s) *m* plumber; **-gieterswerk** *o* plumbing; **-glans** *o* lead glance; **-glit** *o* litharge; **-houdend** plumbic; **-je** (-s) *o* 1 small lump of lead; 2 (p l o m b e) lead seal; *de laatste ~s wegen het zwaarst* it is the last straw that breaks the camel's back; *hij moest het* ~ *leggen* he had to pay the piper; he got the worst of it; **-kleur** *v* lead colour, leaden hue; **-kleurig** lead-coloured, leaden; **-lijn** (-en) *v* 1 perpendicular (line); 2 ⚓ sounding-line; *een* ~ *oprichten* (*neerlaten*) erect (drop) a perpendicular; **-mijn** (-en) *v* lead-mine; **-recht** perpendicular
1 loods (-en) *v* shed; (a a n g e b o u w d) lean-to; ✈ hangar
2 loods (-en) *m* ⚓ pilot; **-boot** (-boten) *m* & *v* pilot-boat; **-dienst** *m* pilot-service; pilotage; **'loodsen** (loodste, h. geloodst) *vt* pilot[2]; **'loodsgeld** (-en) *o* pilotage (dues); **-mannetje** (-s) *o* pilot-fish; **-wezen** *o* pilotage

'loodvergiftiging *v* lead poisoning; **-wit** *o* white lead; **-zwaar** heavy as lead, leaden
loof *o* foliage, leaves; [potato] tops, (i n z. g e d r o o g d a l s s t r o) haulm; **-boom** (-bomen) *m* foliage tree; **-hout** *o* handwood; **-hut** (-ten) *v* tabernacle; **Loof'huttenfeest** *o* Feast of Tabernacles; **'loofrijk** leafy; **-werk** *o* △ leaf-work, foliage
1 loog (logen) *v* & *o* lye
2 loog (logen) V.T. van *liegen*
'loogbak (-ken) *m* lye-trough; **-kuip** (-en) *v* steeper; **-water** *o* lye
'looien (looide, h. gelooid) *vt* tan; **-er** (-s) *m* tanner; **looie'rij** (-en) *v* 1 tannery, tan-yard; 2 tanner's trade; **'looikuip** (-en) *v* tan vat; **-stof** (-fen) *v* tannin; **-zuur** *o* tannic acid
look *o* & *m* garlic, leek
loom slow, heavy; languid; *met lome schreden* with heavy feet, with lazy (tardy) steps; **-heid** *v* slackness, dul(l)ness, slowness, heaviness, lassitude, languor
loon (lonen) *o* wages, pay; 2 reward, recompense; *met behoud van* ~ with full pay; *hij kreeg* ~ *naar werken* he got his due; *hij heeft zijn verdiende* ~ it serves him right; **-actie** [-aksi.] (-s) *v* agitation for higher wages; **-arbeid** *m* wagework; **-belasting** (-en) *v* pay-as-you-earn income-tax, P.A.Y.E.; **-beslag** *o* attachment (distraint) of wages; **-briefje** (-s) *o* pay-slip; **-derving** *v* loss of pay (wages); **-dienst** (-en) *m* wage-earning; *personen in* ~ employed persons; *werk in* ~ paid labour; *werk in* ~ *verrichten* work for wages; **-eis** (-en) *m* wage(s) demand, wage claim, pay claim; **loon- en 'prijsbeleid** *o* price and income policy; **'loongeschil** (-len) *o* wage dispute; **-lijst** (-en) *v* pay-list, pay-roll, wage(s) sheet; **-pauze** (-s) *v* temporary wage freeze; **-peil** *o* wage level, level of wages; **-politiek** *v* wages policy, pay (wage) policy; **-ronde** (-n) *v* wage round; **-schaal** *v* wage scale; *glijdende* ~ sliding scale (of wages); **-slaaf** (-slaven) *m* wage-slave, drudge, hack, journeyman; **-standaard** *m* rate of wages, wage rate; **-stelsel** (-s) *o* wage(s) system; **-stop** (-s) *m* wage freeze, pay freeze; *een* ~ *afkondigen* freeze wages; **'loonsverhoging** (-en) *v* rise in wages, pay rise; **-verlaging** (-en) *v* wages reduction; **'loontrekker** (-s) *m* wage-earner; **-wet** *v* [iron] law of wages; **-zakje** (-s) *o* pay-packet, wage-packet
oop (lopen) *m* 1 (h e t l o p e n) run; 2 (g a n g v. p e r s o o n) walk, gait; 3 (v. z a k e n) course; trend, march [of events]; 4 (v a n g e w e e r) barrel; *'s werelds* ~ the way of the world; *het recht moet zijn* ~ *hebben* the law must take its course; *de vrije* ~ *laten aan...* let... take their (own) course; give free course to...; *een andere* ~ *nemen* take a different turn; • *i n de* ~ *van de dag* in the course of to-day, during to-day; *in de* ~ *der jaren* over the years; *in de* ~ *der tijden* in the course of ages (of time); *iets in zijn* ~ *stuiten* arrest (check) ...in its (their) course; *o p de* ~ *gaan* run for it, take to one's heels, **S** cut and run; bolt [also of a horse]; *o p de* ~ *zijn* be on the run; **-baan** (-banen) *v* career; **-brug** (-gen) *v* foot bridge; gangway; **-graaf** (-graven) *v* trench; **-hek** (-ken) *o* playpen; **-je** (-s) *o* 1 run; 2 ♪ run, passage; 3 (k u n s t g r e e p) trick; *met iem. een* ~ *nemen* pull sbd.'s leg; **-jongen** (-s) *m* errand-boy, office-boy; **-kat** (-ten) *v* crab; **-kraan** (-kranen) *v* travelling crane, transporter, **F** jenny; **-neus** (-neuzen) *m* running (dripping) nose; **-pas** *m* double time; *in de* ~ at the double; **-plank** (-en) *v* ⚓ gangway, duckboard; **-rek** *o* playpen
loops in (on, at) heat
'looptijd (-en) *m* $ currency [of a bill]; **-vlak** (-ken) *o* tread [of a tyre]; **-vogel** (-s) *m* walker
loor *te* ~ *gaan* get lost
loos 1 (s l i m) cunning, crafty, wily; 2 (n i e t e c h t) dummy [doors &], false [bottom, alarm]
loot (loten) *v* ✿ shoot; *fig* scion, offspring
'lopen* I *vi* 1 (g a a n) walk; 2 (h a r d l o p e n) run; 3 (z i c h b e w e g e n) go [of machines, clocks &], run [of rivers, wheels &]; 4 (e t t e r e n) run; 5 *fig* run [of a contract, lease &]; ~ *als een haas (een dief)* run like a hare (like mad); *zullen we* ~? shall we walk?; *loop heen!* **F** get along with you!; *die treinen* ~ *niet* these trains are not run; *het liep anders* things turned out differently; *mijn horloge loopt goed* my watch goes well, is a good timekeeper; *de twist liep hoog* the dispute ran high; *gaan* ~ run away [also of visitors]; *zullen we wat gaan* ~? shall we go for a walk?; *hij laat alles maar* ~ he lets things slide (drift); *we zullen hem maar laten* ~ better leave him alone; give him the go-by; *men liet het metaal in een vorm* ~ they ran the metal into a mould; *zijn vingers over de toetsen laten* ~ run one's fingers over the keys; *zij* ~ *te bedelen* they go about begging; • *het loopt i n de duizenden* it runs into thousands; *het loopt in de papieren* zie *papier*; zie ook: *inlopen*; *het loopt n a a r twaalven* it is getting on for twelve o'clock; *hij loopt naar de vijftig* he is getting on for fifty; *de gracht loopt o m de stad* goes round the town; *o p een mijn* & ~ ⚓ strike a mine &; [*de ketting*] *loopt o v e r een katrol* passes over a pulley; *de weg loopt over A.* goes via A.; *die zaken* ~ *over de boekhouder* these affairs are handled by the book-keeper; *ergens tegen a a n* ~ come across sth.; **II** *vt* run; *zich moe* ~ tire oneself out with walking (with running);

III *o een uur* ~ (*s*) an hour's walk; *onder het* ~ while walking; *het op een* ~ *zetten* take to one's heels; **'lopend** running [dogs, boys, bills &]; current [year]; ~*e band* assembly line, conveyor-belt; ~ *commentaar* running commentary; ~*e golf* travelling wave; *de zevende van de* ~*e maand* the seventh inst. (= instant); ~*e patiënt* ambulant patient; ~*e rekening* 1 current account; 2 outstanding (open) claim; ~ *schrift* cursive; *zich als een* ~ *vuurtje verspreiden* spread like wildfire; ~*e schulden* running (outstanding) debts; *de* ~*e zaken* current affairs, the business of the day; *rekeningen* ~*e over de laatste drie jaren* covering the last three years; **'loper** (-s) *m* 1 (in 't alg.) runner; 2 (krantenrondbrenger) newsman; 3 (v. bank &) messenger; 4 (schaakspel) bishop; 5 (tapijt) carpet; 6 (tafelkleedje) table-runner; 7 (sleutel) master-key, pass-key, skeleton-key

lor (-ren) *o* & *v* rag; *het is een* ~ **F** it is a dud; it is mere trash, rubbish; *een* ~ *van een roman* a rubbishy novel; *geen* ~ not a bit (a straw)

lor'dose [s = z] *v* ⚕ lordosis

lorg'net [lɔr'ɲɛt] (-ten) *v* & *o* eye-glasses, [pince-nez

'lorre *m* Poll(y) [= parrot]

'lorrie (-s) *v* lorry, trolley, truck

'lorrig trashy, rubbishy, trumpery

'lorum F *in de* ~ (verward) confused, put out, at a loss; (dronken) tight, drunk

1 los (-sen) *m* lynx

2 los I *aj* loose[2] [screw, dress, money, style, reports &]; detached [sentences]; ~*se aantekeningen* stray notes; ~ *arbeider* casual labourer, odd hand; ~*se bloemen* cut flowers; ~ *kruit* powder; ~*se letters* movable type(s); ~*se nummers* (*v. e. krant*) [I have] occasional (odd) numbers, a few stray copies; single copies [not sold]; ...*wordt niet* ~ *verkocht* ...is not sold loose; ~ *werkman* = ~ *arbeider*; **II** *ad* loosely[2]; ~*!* let go!; *erop* ~ *gaan* go at [them, him]; *erop* ~ *leven* go the pace; live from hand to mouth; *erop* ~ *slaan* hit out, pitch into [them]; **los'bandig** licentious, dissolute, profligate; **–heid** (-heden) *v* licentiousness, dissoluteness, profligacy, libertinism; **'losbarsten**[1] *vi* break out, burst, explode; (v. bui, storm) break; **–ting** (-en) *v* outbreak, burst, explosion; **los'bladig** loose-leaf...; **'losbol** (-len) *m* loose liver, profligate, rake; **'losbranden** (brandde los, h. en is losgebrand) *vt* fire off, discharge; **–breken**[1] *vi* break loose, break away; (van bui, storm) break; **–draaien**[1] *vt* unscrew, loosen [a screw]; **–gaan**[1] *vi* get loose; zie ook: 1 *los* **II**; **–geld** (-en) *o* 1 ransom; 2 $ landing-charges; **–geraakt** undone; **–geslagen** adrift; **–gespen**[1] *vt* unbuckle; **–gooien**[1] *vt* cast off, throw off; **–haken**[1] *vt* unhook; **–hangen**[1] *vi* hang loose; **–hangend** fly-away, loose [hair]; **–jes** loosely; (vluchtig) lightly; **–knopen**[1] *vt* 1 unbutton; 2 untie; **–komen**[1] *vi* 1 get loose [of a person &]; 2 *fig* come out of one's shell, open out; 3 ✈ get off the ground; **–kopen**[1] *vt* buy off, ransom, redeem; **–koppelen**[1] *vt* disconnect; **–krijgen**[1] *vt* 1 get loose; 2 *fig* extract [money, a promise from sbd.]; *geld zien los te krijgen* try to raise money; **–laten**[1] **I** *vt* let loose, let go of [my hand], release, unhand; abandon [a policy, a system]; let slip [a secret]; *hij laat niets los* he is very reticent; *de gedachte laat mij niet meer los* the thought haunts me; **II** *vi* & *va* 1 let go; 2 come off [of paint &]; *laat los!* let go!; *hij laat niet los* he holds on like grim death (like a leech); **–lating** *v* release; **los'lijvig** loose (in the bowels); **los'lippig** indiscreet; **–heid** *v* indiscretion; **'loslopen**[1] *vi* be at liberty; ~*de honden* unattached dogs; ~*d jongmens* unattached young man; *dat zal wel* ~ it is sure to come right; **–maken**[1] **I** *vt* loosen, untie, unbind, undo [a knot]; dislodge [a stone &]; *fig* disengage [moneys]; disjoin [what was united]; **II** *vr zich* ~ disengage (free) oneself; *zich* ~ *van...* dissociate oneself from [a company], break away from; **–plaats** (-en) *v* ⚓ discharging-berth (-place); **–prijs** (-prijzen) *m* ransom[2]; **–raken**[1] *vi* get loose, get undone; **–rukken**[1] **I** *vt* = *losscheuren* **I**; **II** *vr zich* ~ (*van*) = *losscheuren* **II**

löss [lœs] *v* loess

'losscheuren[1] **I** *vt* tear loose; tear (away) from; **II** *vr zich* ~ (*van*) tear oneself away (from), break away (from); **–schieten**[1] *vi* slip; **'lossen** (loste, h. gelost) **I** *vt* 1 (v. goederen) unload; 2 (v. vuurwapen) discharge; fire [a shot at him]; **II** *vi* unload, break bulk; **'losslaan**[1] *vi* ⚓ break adrift; **–springen**[1] *vi* spring loose (open); **–staand** detached [house]; **–stormen**[1] *vi* ~ *op* rush upon; **–tornen**[1] *vt* unsew, rip (open); **–trekken**[1] *vt* pull loose, tear loose; **–weg** casually, off-handedly **'loswerken**[1] **I** *vt* & *vi* work loose; **II** *vr zich* ~ work loose, disengage oneself

lot *o* 1 (noodlot) fate, destiny, lot; 2 (levenslot) lot; 3 (loten) (loterijbriefje) (lottery-)ticket; *dat is een* ~ *uit de loterij* [*fig*] that's a stroke of luck; *iem. aan zijn* ~ *over-*

[1] V.T. en V.D. van dit werkwoord volgens het model: **'los**draaien, V.T. draaide **'los**, V.D. **'los**gedraaid. Zie voor d vormen onder het grondwoord, in dit voorbeeld: *draaien*. Bij sterke en onregelmatige werkwoorden wordt u verwezen naar de lijst achterin.

laten abandon (leave) sbd. to his fate, leave sbd. to his own devices; **'loteling** (-en) *m* conscript; **'loten** (lootte, h. geloot) *vi* draw lots; **lote'rij** (-en) *v* lottery; **–briefje** (-s) *o* lottery-ticket; **'lotgenoot** (-noten) *m* companion in distress; **–geval** (-len) *o* adventure
'Lotharingen ['lo.ta:-] *o* Lorraine
'loting (-en) *v* drawing of lots
lo'tion [lo.'ʃɔn] (-s) *v* lotion
'lotje *van ~ getikt* crackbrained
'lotto ('s) *m* lotto
'lotus (-sen) *m* lotus
louche [lu.ʃ] shady
'louter pure [gold], mere [politeness]; *~ leugens* only (nothing but) lies; *~ onzin* sheer nonsense; **'louteren** (louterde, h. gelouterd) *vt* purify, refine; **–ring** (-en) *v* purification, refining
'louwmaand *v* January
1 'loven (loofde, h. geloofd) *vt* praise, laud, extol, glorify, sing praises of; *~ en bieden* haggle, chaffer, bargain
2 'loven meerv. v. 3 *lof*
'lover (-s) *o* foliage; **–tje** (-s) *o* spangle, sequin
loxo'droom (-dromen) *m* rhumb
lo'yaal [lvɑ'ja.l, lo.'ja.l] loyal; **loyali'teit** *v* loyalty
'lozen (loosde, h. geloosd) *vt* 1 drain, void [water]; 2 heave [a sigh]; 3 get rid of [a person]
LSD [ɛlɛs'de.] *o* LSD [a drug]
'lubben (lubde, h. gelubd) *vt* 1 (c a s t r e r e n) geld, castrate; 2 (s t r i k k e n) inveigle, wheedle [sbd. into doing sth.]
lucht (-en) *v* 1 (g a s) air; 2 (u i t s p a n s e l) sky; 3 (r e u k) smell, scent²; *~ geven aan zijn gevoelens (verontwaardiging)* give vent to one's feelings, vent one's indignation; *de ~ krijgen van iets* get wind (scent) of it, scent it; • *i n de ~* in the air; *dat hangt nog in de ~* it is still (somewhat) in the air; *in de ~ vliegen* explode, be blown up; *het zit in de ~* it is in the air; *in de ~ zitten kijken* stare into the air (into vacancy); *in de open ~* in the open (air); *dat is u i t de ~ gegrepen* it is without any foundation; *uit de ~ komen vallen* drop from the skies, appear out of the blue; **–aanval** (-len) *m* air attack, air raid; **–afweer** *m* 1 = *luchtverdediging*; 2 = *luchtafweergeschut*; **–afweergeschut** *o* anti-aircraft artillery; **–alarm** *o* air-raid warning, alert; **–ballon** (-s) *m* balloon; **–band** (-en) *m* tyre, pneumatic tyre; **–basis** [-zɪs] (-sen en -bases) *v* air base; **–bed** (-den) *o* air-bed, air-mattress; **–bel** (-len) *v* (air-)bubble; **–belwaterpas** (-sen) *o* spirit-level; **–bescherming** *v* air-raid precautions, A.R.P., Civil Defence, C.D; **–bombardement** (-en) *o* aerial bombardment; **–brug** (-gen) *v* (h o g e v o e t b r u g) overhead bridge; 2 ✈ air-lift; **–buis** (-buizen) *v* 1 air-pipe; 2 (l u c h t p i j p) trachea [*mv* tracheae]; **–bus** (-sen) *m* & *v* air-shuttle; **–dicht I** *aj* airtight; **II** *ad* hermetically; **–doelgeschut** *o* anti-aircraft artillery; **–doop** *m ik onderging de ~* it was my first flight; **–druk** *m* 1 atmospheric pressure; 2 air-pressure, blast [of an explosion]; **'luchten** (luchtte, h. gelucht) *vt* air², ventilate²; *fig* vent; *zijn geleerdheid ~* air one's learning; *zijn gemoed (hart) ~* relieve one's feelings, unburden one's mind (heart); *de kamers ~* air the rooms; *ik kan hem niet ~ of zien* I hate the very sight of him
'luchter (-s) *m* 1 chandelier; 2 candlestick
'luchtfilter (-s) *m* & *o* air-filter; **–foto** ('s) *v* air (aerial) photograph, air (aerial) view; **–gat** (-gaten) *o* air hole, vent(-hole); **–gekoeld** air-cooled; **–gesteldheid** *v* 1 condition of the air; 2 climate; **lucht'hartig** light-hearted; **'luchthaven** (-s) *v* airport; **'luchtig I** *aj* 1 well-aired; 2 (d u n, l i c h t) airy² [costumes &]; light [bread]; **II** *ad* airily, lightly; **–heid** *v* airiness, lightness, levity; **'luchtje** (-s) *o* faint air; breath of air; *er is een ~ aan* it smells; *fig* **F** it is a bit fishy; *een ~ scheppen* take an airing; *een ~ gaan scheppen* go out for a breath of air;
'luchtkartering *v* air (aerial) survey; **–kasteel** (-telen) *o* castle in the air, castle in Spain; *luchtkastelen bouwen* build castles in the air; **–klep** (-pen) *v* air valve; **–koeling** *v* air-cooling; *motor met ~* air-cooled engine; **–koker** (-s) *m* air shaft; **–kussen** (-s) *o* air-cushion; **–kussenvoertuig** (-en) *o* Ⓜ hovercraft (ook *mv*); **–kuur** (-kuren) *v* open-air treatment; **–laag** (-lagen) *v* layer of air; **–landing** (-en) *v* air-borne landing; **–landings...** air-borne [troops &];
lucht'ledig I *aj* void of air; *~e ruimte* vacuum; **II** *o* vacuum; **'luchtlijn** (-en) *v* airline; **–macht** *v* air force; **–net** (-ten) *o* air network; **–pijp** (-en) *v* windpipe, trachea [*mv* tracheae]; **–pomp** (-en) *v* air-pump; **–post** *v* air mail; **–postblad** (-bladen) *o* air letter, aerogramme; **–recht** *o* ✉ air-mail postage; **–regeling** *v* air-conditioning; **–reis** (-reizen) *v* voyage by air, air voyage, air journey; **–reiziger** (-s) *m* 1 ✈ air-traveller; 2 ⚒ = *luchtschipper*; **–rooster** (-s) *m* & *o* air grating; **–ruim** *o* 1 atmosphere; [the conquest of the] air; 2 [national, Dutch &] airspace; **–schip** (-schepen) *o* airship; **–schipper** (-s) *m* aeronaut, balloonist; **–schommel** (-s) *m* & *v* swing-boat; **–schroef** (schroeven) *v* airscrew, propeller; **–sluis** (-sluizen) *v* air-lock; **–spiegeling** (-en) *v* mirage, fata morgana; **–spoorweg** (-wegen) *m* elevated (overhead) railway; **–storingen** *mv* atmospherics; **–streek** (streken) *v* climate,

zone; **–strijdkrachten** *mv* air force; **–stroom** (-stromen) *m* air current; **–vaart** *v* aeronautics, aviation; **–vaartmaatschappij** (-en) *v* airline (company), aviation company; **–vaartuig(en)** *o* (*mv*) aircraft; **–verdediging** *v* air defence; **–verkeer** *o* aerial traffic, air traffic; **–verkenning** *v* air reconnaissance, aerial reconnaissance; **–verontreiniging** *v* air pollution; **–verschijnsel** (-en en -s) *o* atmospheric phenomenon; **–verversing** *v* ventilation; **–vervuiling** *v* air pollution; **–vloot** (-vloten) *v* air fleet; **–vracht** *v* air freight; **lucht'waardig** airworthy; **'luchtweerstand** *m* air resistance; **–weg** (-wegen) *m* 1 ✈ air route; 2 air-passage; *~en* bronchia; **–wortel** (-s) *m* aerial root; **–zak** (-ken) *m* air-pocket; **–ziek** airsick; **–ziekte** *v* airsickness

'lucifer (-s) *m* match; **–sdoosje** (-s) *o* match-box

lucra'tief lucrative

lu'diek (in) playful (form)

'lues *v* ⚕ lues, syphilis

lu'guber lugubrious, sinister, lurid

1 lui I *aj* lazy, idle, slothful; *liever ~ dan moe zijn* be born tired; **II** *ad* lazily

2 lui *mv* people, folks

'luiaard (-s) *m* 1 lazy-bones, sluggard; 2 🐾 sloth

luid loud

'luiden (luidde, h. geluid) **I** *vi* sound; *hoe luidt de brief?* how does the letter run?; *het antwoord luidt niet gunstig* the answer is unfavourable; *zoals de uitdrukking luidt* as the phrase has it (goes); **II** *va* sound, ring, peal, chime [for a birth], toll [for a death]; **III** *vt* ring, peal, chime, toll

'luidens *prep* according to

'luidkeels at the top of one's voice; **luid'ruchtig** loud, noisy, boisterous; **'luidspreker** (-s) *m* loud-speaker; **–installatie** *v* (-s) loud-speaker system, public-address system

'luier (-s) *v* (baby's) napkin, nappy, *Am* diaper

'luieren (luierde, h. geluierd) *vi* be idle, idle, laze

'luiermand (-en) *v* 1 baby-linen basket; 2 layette, baby linen, baby clothes

'luierstoel (-en) *m* easy chair

'luifel (-s) *v* penthouse; (glass) porch [at hotel door &], awning [over railway platform]

'luiheid *v* laziness, idleness, sloth

luik (-en) *o* 1 (a a n r a a m) shutter; 2 (i n v l o e r) trapdoor; 3 ⚓ hatch; 4 (v. s c h i l d e r ij) panel

Luik *o* Liège

'luilak (-ken) *m* lazy-bones; **'luilakken** (luilakte, h. geluilakt) *vi* idle, laze

lui'lekkerland *o* land of Cockaigne, Billy Bunterland, land of plenty

luim (-en) *v* 1 humour, mood; 2 whim, caprice; freak; *in een goede (kwade) ~ zijn* be in a good (bad) temper (humour); **–ig** capricious

'luipaard (-en) *m* leopard

luis (luizen) *v* louse [*mv* lice]

'luister *m* lustre, splendour, resplendence, pomp (and splendour); *~ bijzetten* grace, add lustre to

'luisteraar (-s) *m* listener; **'luisterbijdrage** (-n) *v* (listener's) licence fee; **luister'dichtheid** *v* R listening figures; **'luisteren** (luisterde, h. geluisterd) *vi* 1 listen; 2 R listen (in); *wie luistert aan de wand, hoort zijn eigen schand* eavesdroppers hear no good of themselves; *naar iem. ~* listen to sbd.; *~de naar de naam Fox* answering to the name of Fox; *naar het roer ~* ⚓ answer (respond to) the helm; **luister- en 'kijkgeld** *o* radio and t.v. licence fee; **'luisterpost** (-en) *m* listening-post

'luisterrijk I *aj* splendid, magnificent, glorious; **II** *ad* splendidly, magnificently, gloriously

'luistervergunning (-en) *v* radio licence; **–vink** (-en) *m* & *v* eavesdropper; **'luistervinken** (luistervinkte, h. geluistervinkt) eavesdrop, play the eavesdropper

luit (-en) *v* ♪ lute

'luitenant (-s) *m* ⚔ lieutenant; *~-ter zee 2e klasse* ⚓ sub-lieutenant; **~-gene'raal** (-s) *m* ⚔ lieutenant-general; **~-kolo'nel** (-s) *m* ⚔ lieutenant-colonel; ✈ wing commander

'luitjes *mv* people, folks

'luitspeler (-s) *m* lute-player, lutanist

'luiwagen (-s) *m* scrubbing-brush

'luiwammes (-en) *m* = *luilak*

'luizenbaan (-banen) *v* soft job; **–kam** (-men) *m* fine-tooth comb

'lukken (lukte, is gelukt) *vi* succeed; zie *gelukken*; **'lukraak** at random, hit or miss

lul (-len) *m* **P** 1 penis; 2 duffer, clodhopper; **'lullen** (lulde, h. geluld) *vi* **F** gas, ramble; **'lullig F** trivial, twaddling, fiddle-faddle

lumi'neus luminous, brilliant, bright

'lummel (-s) *m* lout, lubber, galoot; **–achtig** loutish, lubberly; **'lummelen** (lummelde, h. gelummeld) *vi* laze (about); **'lummelig** = *lummelachtig*

'lunapark (-en) *o* amusement park, fun fair

lunch [lünʃ] (-en en -es) *m* lunch(eon); **'lunchen** (lunchte, h. geluncht) *vi* lunch, have lunch; **'lunchpakket** (-ten) *o* packed lunch; **–room** [-ru.m] (-s) *m* tea-room(s), tea-shop

luns (lunzen) *v* linchpin

lu'pine (-n) *v* lupin(e)

'lurken (lurkte, h. gelurkt) *vi* suck

lus (-sen) *v* 1 (i n t r a m) strap; 2 (v a n

schoen) tag; 3 (v. touw) noose; 4 (als ornament) loop

lust (-en) *m* 1 inclination, liking, mind; 2 desire, appetite; 3 delight; 4 lust [of the flesh], concupiscence; 5 *ps* pleasure [and displeasure]; *een ~ voor de ogen* a feast for the eyes, a sight for sore eyes; *~ hebben...* have a mind to..., feel inclined to...; *ik heb er geen ~ in* I have no mind to, I don't feel like it; *het is mijn ~ en mijn leven* that is meat and drink to me; *ja, een mens zijn ~ is een mens zijn leven* my mind to me a kingdom is; *zij... dat het een (lieve) ~ is* with a will; **'lusteloos I** *aj* listless, apathetic; $ dull [market]; **II** *ad* listlessly, apathetically; **luste'loosheid** *v* listlessness, apathy, dullness; **'lusten** (lustte, h. gelust) *vt* like; *...gaarne ~* be a lover of...; *zij ~ dat niet* they don't like it; *hij zal ervan ~* he is going to catch it (hot)

'luster (-s) *m* lustre

'lustgevoel (-ens) *o ps* pleasure sensation; **-hof** (-hoven) *m* pleasure-ground; *fig* (garden of) Eden; **-ig I** *aj* merry, cheerful; ⊙ blithe, blithesome; **II** *ad* merrily, cheerfully, ⊙ blithely; < lustily; **-knaap** (-knapen) *m* Ganymede; **-moord** (-en) *m* sex-murder; **-oord** (-en) *o* delightful spot, pleasure-ground

'lustrum (-tra) *o* lustrum, lustre

luthe'raan (-ranen) *m* Lutheran; **'luthers** *aj* Lutheran

'luttel small, little; few

'luwen (luwde, is geluwd) *vi* abate, die down [of a storm, of wind]; calm down, quiet down [of excitement]; cool down [of friendship]; **'luwte** *v* lee

'luxe ['ly.ksə] *m* luxury; **-artikel** (-en) *o* article of luxury; **~en** ook: luxury goods; **-brood** (-broden) *o* fancy bread; **~-editie** [-(t)si.] (-s) *v* de luxe edition; **-hut** (-ten) *v* ⚓ state cabin; **-leven** *o* life of luxury

'Luxemburg *o* Luxembourg; **-s** Luxembourg

luxu'eus [ly.ksy.'ø.s] luxurious, de luxe

ly'ceum [li.'se.üm] (-cea en -s) *o* 1 📖 lyceum; 2 ≈ ± grammar school, *Am* high school

lym'fatisch [lım'fa.ti.s] lymphatic; **'lymf(e)** *v* lymph; **-klier** (-en) *v* lymph gland; **-vat** (-vaten) *o* lymphatic vessel

'lynchen ['lınʃə(n)] (lynchte, h. gelyncht) *vt* lynch

lynx [lıŋks] (-en) *m* lynx

'lyricus ['li.ri.küs] (-ci) *m* lyrist; **ly'riek** *v* 1 lyric poetry, lyrics; 2 lyricism; **'lyrisch I** *aj* lyrical [account, verses], lyric [poetry]; **II** *ad* lyrically

Ⓜ **ly'sol** [li.'zɔl] *o* & *m* lysol

M

m [ɛm] ('s) *v* m
m = *meter*
ma ('s) *v* mamma
maag (magen) *v* stomach; **–bloeding** (-en) *v* haemorrhage from the stomach; ⚕ gastrorrhagia
maagd (-en) *v* maid(en), virgin; *de Maagd* ★ Virgo; *de Heilige Maagd* the (Holy) Virgin; *de Maagd van Orléans* the Maid of Orleans; **'maagdelijk** maidenly; virgin [forest]; **–heid** *v* maidenhood, virginity; **'maagdenpalm** (-en) *m* periwinkle; **–vlies** (-vliezen) *o* hymen
'maagkanker *m* cancer of the stomach; **–kramp** (-en) *v* stomach cramp, spasm of the stomach; **–kwaal** (-kwalen) *v* stomach complaint; **–pijn** (-en) *v* stomach ache; **–sap** (-pen) *o* gastric juice; **–streek** *v* gastric region; **–zuur** *o* gastric acid; **–zweer** (-zweren) *v* gastric ulcer, stomach ulcer
'maaidorser (-s) *m*, **maai'dorsmachine** [-ma.ʃi.nə] (-s) *v* combine, combine harvester; **'maaien** (maaide, h. gemaaid) *vt* & *vi* mow [grass &]; reap [grain]; cut [corn &]; **–er** (-s) *m* mower, reaper; **'maailand** (-en) *o* mowing-field; **–machine** [-ma.ʃi.nə] (-s) *v* mowing-machine; reaper, reaping-machine [for grain]; **–tijd** *m* mowing-time; **–veld** *o* 1 mowing field; 2 ground (surface) level
maak *m* & *v in de* ~ under repair; *ik heb een jas in de* ~ I am having a coat made; **–loon** (-lonen) *o* charge for making, cost of making; **–sel** (-s) *o* make; **–werk** *o* [goods, books &] made to order
1 maal (malen) *v* & *o* (k e e r) time; *een*~ once; zie ook: *eenmaal*; *een enkele* ~ once in a while; *twee*~ twice; *drie*~ three times; *vier*~ four times; zie ook: *keer*
2 maal (malen) *o* (m a a l t i j d) meal
'maalmachine [-ma.ʃi.nə] (-s) *v* masticator, crusher, grinding (crushing) machine
'maalstroom (-stromen) *m* whirlpool, vortex²; maelstrom²
'maalteken (-s) *o* multiplication sign
'maaltijd (-en) *m* [hot] meal, (f o r m e e l) repast
maan (manen) *v* moon; *afnemende* ~ waning moon; *nieuwe* ~ new moon; *volle* ~ full moon; *wassende* ~ waxing moon; *naar de* ~ *gaan* [*fig*] **F** go to the dogs; *loop naar de* ~ **F** go to the devil; *alles is naar de* ~ all is gone (lost); *naar de* ~ *reiken* cry for the moon
maand (-en) *v* month
'maandag (-dagen) *m* Monday; *een blauwe* ~ a very short time; ~ *houden* take Monday off; **–s I** *aj* Monday; **II** *ad* on Mondays; **–ziek** Mondayish
'maandblad (-bladen) *o* monthly (magazine); **'maandelijks I** *aj* monthly; **II** *ad* monthly, every month; **'maandgeld** (-en) *o* monthly pay, monthly wages, monthly allowance; **–staat** (-staten) *m* monthly returns; **–verband** (-en) *o* sanitary towel, *Am* sanitary napkin
'maanfase [s = z] (-s en -n), **–gestalte** (-n) *v* phase of the moon; **–lander** (-s) *m* = *maansloep*; **–landing** (-en) *v* landing on the moon, lunar landing; **–landschap** (-pen) *o* moonscape, lunar landscape; **–licht** *o* moonlight; **–sikkel** (-s) *v* crescent; **–sloep** (-en) *v* lunar module; **–steen** (-stenen) *m* moonstone; **'maansverduistering** (-en) *v* eclipse of the moon, lunar eclipse; **'maanvlucht** (-en) *v* flight to the moon; **–ziek** moon-struck, **B** lunatic
1 maar I *cj* but; **II** *ad* but, only; *je bent* ~ *eens jong* you're only young once; *pas* ~ *op* do be careful; *kon ik het* ~*!* I wish I could; **III** (maren) *o* but; *er komt een* ~ *bij* there is a but; *geen maren!* no buts!; **IV** *ij* but!; ~, ~, *hoe heb ik het nou* dear me!; **2 maar** (maren) *v* = *mare*
'maarschalk (-en) *m* marshal
maart *m* March; **–s** (of) March; *de* ~*e buien* April showers
maas (mazen) *v* mesh [of a net]; stitch [in knitting &]; *hij kroop door de mazen* he slipped through the meshes; **Maas** *v* Meuse; **'maasbal** (-len) *m* darning-ball, darning-egg
1 maat (maten) *v* 1 (a f m e t i n g) measure, size; 2 (w a a r m e e m e n m e e t) measure; 3 ♪ time, measure; (c o n c r e e t) bar; 4 (v e r s k u n s t) metre, measure; *maten en gewichten* weights and measures; *enkele maten rust* ♪ a few bars rest; *de* ~ *aangeven* ♪ mark (the) time; ~ *7 hebben* take size 7; ~ *houden* 1 keep within bounds; 2 ♪ keep time; *geen* ~ *houden* go beyond all bounds; overdo it; *geen* ~ *weten te houden* not be able to restrain oneself; *iem. de* ~ *nemen* (*voor een jas*) measure sbd. (take sbd.'s measure) for a coat; *de* ~ *slaan* ♪ beat time; *dat maakte de* ~ *vol* then the cup was full; **F** that put the lid on; ● *b i j de* ~ *verkopen* sell by measure; *i n de* ~ ♪ in time; *in die mate dat...* to the extent that...; *in gelijke mate* in the same measure, equally; *in hoge mate* in a large measure, highly, greatly, extremely; *in de hoogste mate* highly, exceedingly, to a degree; *in mindere*

mate to a less extent; *in meerdere of mindere mate* more or less; *in ruime mate* in a large measure, to a large extent; largely, amply; *in zekere mate* in a measure; *met mate* in moderation; *alles met mate* there is a measure in all things; *met twee maten meten* apply a double standard; *naar* ~ (*gemaakt*) (made) to measure, made to order; *naar de mate van mijn vermogens* as far as lies within my power; *onder de* ~ *blijven* 1 *eig* be undersized [of conscripts]; 2 *fig* fall short of what is expected (required), not be up to (the) standard; *op* ~ to measure; *op de* ~ *van de muziek* in time to the music; *uit de* ~ ♩ out of time

2 maat (maten) *m* mate, comrade, companion, *sp* partner

'maatafdeling (-en) *v* bespoke department; **–beker** (-s) *m* = *maatglas*; **–gevend** decisive [of], a criterion [of]; **–gevoel** *o* sense of rhythm; **–glas** (-glazen) *o* measuring glass (jug)

1 'maatje (-s) *o* mate; *zij zijn goede* ~*s* they are as thick as thieves; *met iedereen goede* ~*s zijn* be hail-fellow-well-met with everybody

2 'maatje (-s) *o* **F** mammy

3 'maatje (-s) *o* decilitre; **'maatkleding** *v* custom-made clothes, made-to-measure clothes; **'maatregel** (-s en -en) *m* measure; *halve* ~*en* half measures; ~*en treffen* take measures

'maatschap (-pen) *v* partnership; **maat'schappelijk I** *aj* social; ~ *kapitaal* registered capital; ~ *werk* social work, social welfare; ~ *werk(st)er* social worker; **II** *ad* socially; **maatschap'pij** (-en) *v* 1 (samenleving) society; 2 (genootschap) society; 3 $ company; ~ *op aandelen* joint-stock company; *in de* ~ in society; **–leer** *v* civics

'maatschoenmaker (-s) *m* bespoke shoemaker; **–slag** (-slagen) *m* ♩ beat; **–staf** (-staven) *m* measuring-rod, standard[2]; *fig* measure; gauge, criterion; *naar deze* ~ (measured) by this standard; at this rate; *een andere* ~ *aanleggen* apply another standard; **–stok** (-ken) *m* 1 rule; 2 ♩ (conductor's) baton; **–streep** (-strepen) *v* 1 ♩ bar; 2 grade mark; **–werk** *o* goods (shoes, clothes) made to measure (to order)

ma'caber [mɑ'ka.bər] macabre

maca'dam [mɑka.'dɑm] *o* & *m* macadam

maca'roni [mɑka.'ro.ni.] *m* macaroni

machiavel'listisch [mɑki.a.vɛ'lɪsti.s] Machiavellian

machi'naal [ma.ʃi.'na.l] [act] mechanical, automatic(al); ~ *vervaardigd* machine-made; **machi'natie** [ma.ʃi.'na.(t)si.] (-s) *v* machination; **ma'chine** [ma.'ʃi.nə] (-s) *v* engine, machine[2]; *de* ~ 1 the (steam-)engine; 2 the (sewing-)machine; ~*s* ook: machinery; **machine'bankwerker** (-s) *m* engine fitter; **ma'chinebouw** *m* engine building; **–fabriek** (-en) *v* engineering-works; **–geweer** (-weren) *o* machine-gun; **–kamer** (-s) *v* engine-room; **–olie** *v* machine oil; **–park** *o* machinery, mechanical equipment; **machine'rie(ën)** *v* (*mv*) machinery; **ma'chineschrift** *o* typescript; **–schrijven** *o* typewriting; **–tekenaar** (-s) *m* engineering draughtsman; **machi'nist** (-en) *m* engine-driver [of a train], **F** locoman; engineer [of a ship]; 2 scene-shifter [in a theatre]; *eerste* ~ ⚓ chief engineer

macht (-en) *v* power, might; ⚔ force(s); *de hemelse* (*helse*) ~*en* the heavenly (hellish) powers; *vaderlijke* (*ouderlijke*) ~ paternal authority; *de* ~ *der gewoonte* the force of habit; *een* ~ *mensen* **F** a power of people; *geen* ~ *hebben over zichzelf* not be able to control oneself, not be master of oneself; • *hij was de* ~ *over het stuur kwijtgeraakt* 🚗 he had lost control of the car; *ik ben niet bij* ~*e dit te doen* I am not able to do it; it does not lie in my power to do it; *het gaat boven mijn* ~, *het staat niet in mijn* ~ it is beyond my power (control), it is not in my power; *het in zijn* ~ *hebben om...* have the power to... (the power of ...ing); *iem. in zijn* ~ *hebben* have sbd. in one's power, have a hold on sbd., have sbd. at one's mercy; *18 in de 3de* ~ *verheffen* raise 18 to the third power; *met alle* ~ with all his (their) might; *uit alle* ~ all he (she, they) could, to the utmost of their power, [shout] at the top of one's voice; **'machteloos** powerless, impotent [fury]; ~ *staan tegenover...* be powerless against; **machte'loosheid** *v* powerlessness, impotence; **'machthebber** (-s) *m* ruler, man in power; *de* ~*s* ook: those in power; **'machtig I** *aj* 1 powerful, mighty; 2 (zwaar te verteren) rich [food], heavy [dishes]; *iets* ~ *worden* get hold of sth.; *een taal* ~ *zijn* have mastered a language, have a language at one's command; *dat is mij te* ~ that is too much for me; *het werd haar te* ~ she was overcome by her emotions, she broke down; **II** *ad* powerfully; < mightily, **F** mighty; *hij is* ~ *rijk* awfully rich; **'machtigen** (machtigde, h. gemachtigd) *vt* empower, authorize; **–ging** (-en) *v* authorization; **'machtsevenwicht** *o* balance of power; **–middel** (-en) *o* means of power; **–misbruik** *o* abuse of power; **–politiek** *v* power politics; **–positie** (-s) *v* position of power; **–verheffing** (-en) *v* involution; **–vertoon** *o* display of power; **–wellust** *m* lust for power

Mada'gaskar *o* Madagascar

'made (-n) *v* maggot, grub

made'liefje (-s) *o* daisy

ma'dera *m* Madeira

ma'donna ('s) *v* madonna
madri'ga(a)l (-galen) *o* madrigal
maf I *m* **F** sleep; *ik heb zo'n* ~ I am so sleepy; **II** *aj* 1 lazy, slow; 2 dull, tedious, stupid; **'maffen** (mafte, h. gemaft) *vi* sleep, **S** kip; *gaan* ~ hit the hay; **'maffer** (-s) *m* (s t a k i n g s - b r e k e r) blackleg, scab; **'mafkees** (-kezen), **–ketel** (-s) **S** stick-in-the-mud, muff, milksop
mag tegenw. tijd enkelv. v. *mogen*
maga'zijn (-en) *o* 1 warehouse; storehouse; 2 store(s) [= shop]; 3 magazine [of rifle]; **–bediende** (-n en -s) *m* warehouseman; **–meester** (-s) *m* storekeeper
'mager lean[2] [body, frame, person, meat, years]; thin[2] [boy & programme]; gaunt [person]; meagre [fare, soil, wages]; **–heid, –te** *v* leanness, thinness; **–tjes** poorly, scantily
ma'gie *v* magic art, [black, white] magic; **'magiër** (-s) *m* magician
ma'girusladder (-s) *v* extension ladder
'magisch I *aj* magic [power]; **II** *ad* magically
magis'traal masterly [work]; **magis'traat** (-traten) *m* magistrate; **magistra'tuur** *v* magistracy; *de* ~ ook: the robe
mag'naat (-naten) *m* magnate
mag'neet (-neten) *m* magnet; (v. m o t o r) magneto; **–band** (-en) *m* magnetic tape; **–ijzer** *o* magnetic iron; **–kracht** *v* magnetic force; **–naald** (-en) *v* magnetic needle; **mag'nesia** [s = z] *v* magnesia; **mag'nesium** *o* magnesium; **mag'netisch I** *aj* magnetic; **II** *ad* magnetically; **magneti'seren** [s = z] (magnetiseerde, h. gemagnetiseerd) *vt* magnetize; **magneti'seur** (-s) *m* magnetizer; **magne'tisme** *o* magnetism; **magneto'foon** (-s) *m* = *bandrecorder*
mag'nificat [mɑ'ɲi-, mɑg'ni.fi.kɑt] *o* magnificat; **magni'fiek** [mɑɲi.'fi.k] magnificent, splendid
mag'nolia ('s) *v* magnolia
ma'honie(hout) *o* mahogany; **ma'honiehouten** *aj* mahogany
maillot [ma.'jo.] (-s) *o* tights; (v. d a n s e r s, a c r o b a t e n &) leotard
mainte'née [mɛ̃tə'ne.] (-s) *v* kept woman, fancy woman, mistress; **mainte'neren** (mainteneerde, h. gemainteneerd) *vt* keep [a mistress]
maïs [mɑis] *m* maize, Indian corn; **–kolf** (-kolven) *v* corncob; **–meel** *o* corn flour
maiso'nette [mɛ:sɔ'nɛt(ə)] (-s) *v* maisonette, double flat
'maïspap ['mɑis-] *v* mush; **–vlokken** *mv* corn flakes
mai'tresse [mɛ:'trɛsə] (-s en -n) *v* mistress
'majesteit (-en) *v* majesty; *Zijne Majesteit* His Majesty; **–sschennis** *v* lese-majesty; **majestu'eus I** *aj* majestic; **II** *ad* majestically
ma'jeur [j = ʒ] *v* major
ma'jolica *o* & *v* majolica
ma'joor (-s) *m* ⚔ major; ✈ squadron-leader
majo'rette (-s) *v* drum majorette
mak tame, gentle, meek; *fig.* manageable
'makelaar (-s) *m* broker; ~ *in assurantiën* insurance broker; ~ *in effecten* stock-broker; ~ *in huizen* house-agent; ~ *in onroerende* (*vaste*) *goederen* (real) estate agent; **makelaar'dij** *v* brokerage, broking; **'makerlaarsloon** (-lonen) *o*, **–provisie** (-s) *v* brokerage; **makela'rij** *v* = *makelaardij*
make'lij *v* make, workmanship
'maken (maakte, h. gemaakt) *vt* 1 make [boots &]; take [a photograph]; 2 (d o e n z i j n) make, render [happy], drive [mad]; 3 (o p w e r p e n) make, raise [objections &]; 4 (u i t m a k e n) make [a difference]; 5 (d o e n) make [a journey &], do; 6 (r e p a r e r e n) mend, repair; 7 ✎ do [sums, translations &]; 8 (v o r m e n) form [an idea of...]; 9 (i n - n e m e n) make [water]; *hij kan je* ~ *en breken* he can put you in his pocket, he can make matchwood of you; *maak dat je wegkomt!* be off!, get out!; *wat moet ik daarvan* ~*?* what am I to make (think) of it?; *dat maakt zoveel* that amounts to..., that makes...; *niemand kan mij wat* ~ no one can do anything to me; *hoe maak je het?* how are you?, how do you do?; *hij maakt het goed* he is (doing) well; *het goed* ~ (n a r u z i e) make up; *hij zal het niet lang meer* ~ he won't last much longer, he is not long for this world; *hij maakt het er ook naar* he has (only) himself to thank for it; *dat heeft er niets mee te* ~ that is (has) nothing to do with it, it is neither here nor there; *je hebt hier niets te* ~ you have no business here; *ik wil er niets mee te* ~ *hebben* I will have nothing to do with it, I will have no hand in the matter; *ik wil niet met de vent te* ~ *hebben* I will have nothing to say to the fellow; I will have no dealings with that fellow; *ik wil niets meer met hem te* ~ *hebben* I have done with him; *dat maakt niets uit* that does not matter; *hij maakt er maar wat van* he makes a poor job of it; *ik heb hem de thema laten* ~ I've made him do the exercise; *ik ga mij een jas laten* ~ I'm having a coat made; *zij* ~ *mij aan het lachen* they make me laugh; *zich boos* ~ become (get) angry; *die woorden tot de zijne* ~ make those words one's own; *een zienswijze tot de zijne* ~ espouse a view; **–er** (-s) *m* maker, author
'makheid *v* tameness, gentleness, meekness
'makkelijk = *gemakkelijk*
'makker (-s) *m* mate, comrade, companion
'makkie *o* **F** pushover, **S** piece of cake
ma'kreel (-krelen) *m* mackerel
1 mal (-len) *m* model, mould, gauge; stencil

2 mal I *aj* 1 foolish; silly; 2 fond (of *met, op*); *het is een ~le geschiedenis* 1 it is a funny story; 2 that is queer, it is an awkward affair; *ben je ~?* are you mad?; *iem. voor de ~ houden* make a fool of sbd.; **II** *ad* foolishly; *doe niet zo ~* **F** don't be silly (daft); zie ook: *aanstellen*
ma'laise [ma.'lɛ:zə] *v* $ depression, slump
ma'laria *v* malaria; **–lijder** (-s) *m* malaria(l) patient; **–mug** (-gen) *v* malaria mosquito, anopheles
Ma'lawi *o* Malawi
malcon'tent I *aj* discontented; **II** *sb de ~en* the malcontents
Male'diven *de ~* the Maldive Islands, the Maldives
Ma'leier (-s) *m* Malay; **Ma'leis I** *aj* Malay; **II** *o het ~* Malay; **III** *v een ~e* a Malay woman; **Ma'leisië** [s = z] *o* Malaysia; **Ma'leisiër** (-s) *m,* **Ma'leisisch** *aj* Malaysian
1 'malen* *vt* grind [corn, coffee]; *die 't eerst komt het eerst maalt* first come first served; **2 'malen** (maalde, h. gemaald) *vi wat maal ik erom?* what do I care!, who cares?; *daar maalt hij over* that is what his mind is running on; *hij is ~de* he is mad (crazy); zie ook: *zaniken*
'malheid (-heden) *v* foolishness
mal'heur [mɑ'lør] (-en en -s) *o* mishap
'Mali *o* Mali
'maliënkolder (-s) *m* coat of mail, hauberk
'maling *v ~ aan iets hebben* not care (a damn &) about sth.; *iem. in de ~ nemen* make a fool of sbd.
mal'kander = *elkander*
malle'jan (-s) *m* truck; **malle'moer F** *dat gaat je geen ~ aan* it's none of your business; **'mallemolen, malle'molen** (-s) *m* merry-go-round
'mallen (malde, h. gemald) *vi* fool, dally; **'mallepraat** *m* nonsense; fiddlesticks!; **'malligheid** (-heden) *v* foolishness, folly; *allerlei malligheden* foolish things; **mal'loot** (-loten) *m-v* silly, idiot; **mal'lotig** silly, idiotic
mals tender [meat]; soft, mellow [pears &]; *hij is lang niet ~* he is rather severe; **–heid** *v* tenderness; softness, mellowness
'Malta *o* Malta; **Mal'tezer** *aj* & *m* (-s) Maltese
malver'satie [-'za.(t)si.] (-s) *v* malversation
ma'ma ('s) *v* mamma
'mammoet (-en en -s) *m* mammoth
'mammon *m de ~* mammon
man (-nen) *m* 1 man; 2 (e c h t g e n o o t) husband; *een ~ van zijn woord zijn* be as good as one's word; *een ~ van zaken* a business man; *zes ~ en een korporaal* ⚔ six men and a corporal; *duizend ~* ⚔ a thousand troops; *1000 ~ infanterie* ⚔ a thousand foot; *de kleine ~* the little man, the man in the street; *een stuiver de ~* a penny a head; *als één ~* to a man, as one man; *hij is er de ~ niet naar om...* he is not the man to..., it is so unlike him...; *~ en paard noemen* give chapter and verse; *~ en vrouw* husband and wife; *als ~ en vrouw leven* cohabit; *zijn ~ staan* be able to hold one's own; *zijn ~ vinden* meet (find) one's match; • *a a n de ~ brengen* sell [goods]; marry off [daughters]; *m e t ~ en macht werken* work all out, with might and main; *met ~ en muis vergaan* ⚓ go down with all hands (on board); *o p de ~ af* pointblank; *p e r ~* [so much] a head; *een gevecht van ~ t e g e n ~* a hand-to-hand fight; *t o t op de laatste ~* to the last man; *een ~ een ~, een woord een woord* an honest man's word is as good as his bond; zie ook: *mans*
'manager ['mɛnədʒər] (-s) *m* manager; **–ziekte** *v* manager's disease
manche [mɑnʃ] (-s) *v sp* heat [of a contest, match]; game [at whist, bridge]
'manchester, man'chester ['mɛnʃəstər, mɑn'ʃɛstər] *o* (s t o f) corduroy
man'chet [mɑn'ʃɛt] (-ten) *v* 1 cuff; 2 (v a s t) wristband; **–knoop** (-knopen) *m* cuff-link
'manco ('s) *o* $ shortage; short delivery
mand (-en) *v* basket, hamper; *hij viel door de ~* he had to own up
man'daat (-daten) *o* 1 mandate; 2 power of attorney, proxy; 3 warrant to pay; *zijn ~ neerleggen* resign one's seat [in Parliament]
'mandag (-dagen) *m* man-day
manda'rijn (-en) *m* mandarin
manda'rijntje (-s) *o* ♣ tangerine
manda'taris (-sen) *m* mandatary, mandatory
'mandefles (-sen) *v* 1 wicker-bottle; 2 carboy [for acids]; 3 demijohn
mande'ment (-en) *o rk* pastoral letter (from the bishop(s))
'mandenmaken *o* basket-making; **–er** (-s) *m* basket-maker; **'mandewerk** *o* basket-ware, wicker-work; **'mandje** (-s) *o* small basket
mando'line (-s) *v* mandolin(e)
'mandvol *v* basketful, hamperful
ma'nege [ma.'ne.ʒə] (-s) *v* manege, riding-school; **–paard** (-en) *o* riding-school horse
1 'manen (maande, h. gemaand) *vt* dun [a debtor for payment]
2 'manen *mv* mane [of horse]
'maneschijn *m* moonlight; **–straal** (-stralen) *m* & *v* moonbeam
ma'neuver = *manoeuvre*
'manga ['mɑɲga.] ('s) mango
man'gaan [mɑn'ga.n] *o* manganese; **–erts** *o* manganese ore
'mangat (-gaten) *o* manhole
'mangel (-s) *m* mangling-machine, mangle; **'mangelen** (mangelde, h. gemangeld) *vt*

mangle [linen]
'mangelwortel (-s) *m* mangel-wurzel
'mango ['mɑŋgo.] ('s) = *manga*
man'haftig I *aj* manful, manly, brave; **II** *ad* manfully; **–heid** *v* manliness, courage
mani'ak (-ken) *m* 1 maniac; 2 (zonderling) faddist, crank; 3 (op iets verzot) **F** [crossword-puzzle, sex &] fiend; **mania'kaal** maniacal
mani'cure 1 (-n) *m-v* (persoon) manicure, manicurist; 2 *v* (de handeling) manicure; (stel werktuigen) manicure set; **mani'curen** (manicuurde, h. gemanicuurd) *vt* manicure
ma'nie (-nieën) *v* mania, craze, rage, fad
ma'nier (-en) *v* manner, fashion, way; *goede ~en* good manners; *wat zijn dat voor ~en?* where are your manners?; *dat is geen ~ (van doen)* that is not as it should be; *hij kent geen ~en* ook: his manners are bad; • *bij ~ van spreken* in a manner of speaking; *op deze ~* in this manner (way); after this fashion; *op zijn ~* his way, after his fashion; *op de een of andere ~* (in) one way or another; *op alle (mogelijke) ~en* in every possible way; *o, op die ~* ah, I see what you mean
manië'risme [ma.ni:-] *o* mannerism
mani'fest I (-en) *o* manifesto; ⚓ manifest; **II** *aj* manifest, evident, palpable [error]; **manifes'tant** (-en) *m* demonstrator; **manifes'tatie** [-'ta.(t)si.] (-s) *v* demonstration; 2 (v. ziekte, geesten) manifestation; **manifes'teren** (manifesteerde, h. gemanifesteerd) **I** *vi* demonstrate; **II** *vr zich ~* (v. geest, ziekte) manifest itself
ma'nilla ('s) *v* manilla; **–hennep** *m* Manil(l)a hemp
mani'ok *m* manioc
manipu'latie [-'la.(t)si.] (-s) *v* manipulation; **manipu'leren** (manipuleerde, h. gemanipuleerd) *vt* manipulate
'manisch manic; **~-depres'sief** manic-depressive
mank lame, crippled; *~ gaan* limp; *die vergelijking gaat ~* the comparison is faulty; *aan een euvel ~ gaan* have a defect
manke'ment (-en) *o* defect, trouble; **man'keren** (mankeerde, h. gemankeerd) *vi* fail; *hij mankeert nooit* he never fails to put in an appearance; *er ~ er vijf* 1 five are wanting (missing); 2 five are absent; there are five absentees; *dat mankeert er nog maar aan!* that's all we need!; that's the last straw!; *wat mankeert je?* what's the matter with you[2]?; what possesses you?; *er mankeert wat aan* there is something wrong; *ik mankeer niets* I'm all right; *ik zal niet ~ u bericht te zenden* I shall not fail to send you word; *zonder ~* without fail
'mankracht *v* man-power; **–lief F** hubby; **–lijk(heid)** = *mannelijk(heid)*; **man'moedig I** *aj* manful, manly, brave; **II** *ad* manfully; **–heid** *v* manliness, bravery, courage
'manna *o* manna
'mannelijk 1 male; masculine [ook *gram*]; 2 (moedig) manly; **–heid** *v* manliness, masculinity, manhood; (geslachtsdelen) male genitals; **'mannengek** (-ken) *v* flirt; nymphomaniac; **–klooster** (-s) *o* monastery; **–koor** (-koren) *o* 1 male voice choir; 2 male choir, men's choral society; **–kracht** *v* manly strength; **–moed** *m* manly courage; **–stem** (-men) *v* male voice, man's voice; **–taal** *v* manly (virile) language; **–werk** *o* a man's job
manne'quin [mɑnə'kɛ̃] (-s) 1 *v* (vrouw) (fashion) model; 2 *m* (man) (male) model; (pop) mannequin
'mannetje (-s) *o* 1 little man, manikin, 2 male, 🐦 cock; *~ en wijfje* male and female; *~ aan ~ staan* stand packed together (shoulder to shoulder); **'mannetjesbij** (-en) *m* drone; **–eend** (-en) *m* drake; **–ezel** (-s) *m* jackass; **–gans** (-ganzen) *m* gander; **–olifant** (-en) *m* bull-elephant; **–putter** (-s) *m* he-man; (vrouw) strapping wench
ma'noeuvre [ma.'nœ.vrə] (-s) *v* & *o* manoeuvre[2]; **manoeu'vreerbaar** manoeuvrable; **–heid** *v* manoeuvrability; **manoeu'vreren** (manoeuvreerde, h. gemanoeuvreerd) *vi* manoeuvre[2]
'manometer (-s) *m* manometer, pressure gauge
mans *hij is ~ genoeg* he is man enough; *hij is heel wat ~* he is very strong; **'manschappen** *mv* ⚓ (bemanning) crew, ratings; ⚔ men, personnel; **'manshoog** to a man's height; **–kleding** *v* male attire, man's dress; **'manslag** (-slagen) *m* homicide; manslaughter [through negligence]; **'manspersoon** (-sonen) *m* male person, male, man
'mantel (-s) *m* 1 (in 't alg. en kort of zonder mouwen) cloak, mantle; 2 (van vrouwen en lang) coat; 3 $ (v. effect) certificate; 4 ⚒ jacket; *iets met de ~ der liefde bedekken* cover it with the cloak of charity, draw a veil over it; *iem. de ~ uitvegen* scold sbd.; **–jas** (-sen) *m* & *v* cloak with cape; **–meeuw** (-en) *v* black-backed gull, saddle-back; **–organisatie** [-za.(t)si.] (-s) *v* front (organization); **–pak** (-ken) *o* coat and skirt, suit; **–zak** (-ken) *m* coat pocket
man'tille [mɑn'ti.ljə] (-s) *v* mantilla
manu'aal (-ualen) *o* ♪ manual, keyboard
manufac'turen *mv* drapery, soft goods, (linen-) draper's goods; **–zaak** (-zaken) *v* = *manufactuurzaak*; **manufactu'rier** (-s) *m* (linen-)

draper; **manufac'tuurzaak** (-zaken) *v* drapery business
manus'cript (-en) *o* manuscript
'manusje-van-'alles (manusjes-) *o* handy-man
'manuur (-uren) *o* man-hour; **–volk** *o* menfolk, men; **–wijf** (-wijven) *o* virago; **–ziek** man-crazy, nymphomaniac
map (-pen) *v* 1 (omslag voor papieren) folder; 2 (tekenportefeuille) portfolio
ma'quette [ma.'kɛtə] (-s) *v* model
'maraboe (-s) *m* marabou
maras'kijn *m* maraschino
'marathon(loop) (-lopen) *m* marathon
marchan'deren [mɑrʃɑn'de:rə(n)] (marchandeerde, h. gemarchandeerd) *vi* bargain, chaffer, haggle
mar'cheren [mɑr'ʃe:rə(n)] (marcheerde, h. en is gemarcheerd) *vi* march; *goed* ~ [*fig*] go well
marco'nist (-en) *m* wireless operator
⊙ **'mare** (-n) *v* news, tidings, report
marechaus'see [mɑrəʃo.'se.] 1 *v* constabulary; 2 (-s) *m* member of the constabulary
'maretak(ken) *m(mv)* mistletoe
marga'rine *v* margarine
'marge ['mɑrʒə] (-s) *v* margin; **margi'naal** [mɑrgi.'na.l] marginal
mar'griet (-en) *v* ✿ ox-eye (daisy)
Ma'riabeeld (-en) *o* image of the Virgin (Mary); **Maria-'Boodschap** *v* Lady Day, Annunciation Day [March 25th]; **~-'Hemelvaart** *v* Assumption; **~-'Lichtmis** *m* Candlemas; **~-ten-'Hemel-Opneming** *v* Assumption
marihu'ana *v* marijuana, marihuana
mari'nade (-s) *v* marinade
ma'rine *v* navy; *bij de* ~ in the navy; **–blauw** navy blue
mari'neren (marineerde, h. gemarineerd) *vt* marinate; zie ook: *gemarineerd*
ma'rinewerf (-werven) *v* naval dockyard; **mari'nier** (-s) *m* marine
mario'net (-ten) *v* puppet[2], marionette; **mario'nettenregering** (-en) *v* puppet government; **–spel** (-len) *o* puppet show; **–theater** (-s) *o* puppet theatre
mari'tiem naval
marjo'lein *v* marjoram
mark (-en) *m* (munt) mark
mar'kant striking [case], outstanding [example]; **mar'keren** (markeerde, h. gemarkeerd) **I** *vt* mark; *de pas* ~ mark time[2]; **II** *vi* feather, mark [of a dog]
marke'tentster (-s) *v* sutler, camp-follower
1 mar'kies (-kiezen) *m* marquis, marquess
2 mar'kies (-kiezen) *v* (zonnescherm) awning, sunshade
markie'zin (-nen) *v* 1 marchioness; 2 [French] marquise; **marki'zaat** (-zaten) *o* marquisate
markt (-en) *v* 1 market; 2 (plaats) market (place); *aan de* ~ *komen* come into the market; *aan de* ~ *zijn* be upon the market; *naar de* ~ *gaan* go to market; *onder de* ~ *verkopen* sell below market-price, undersell; *op de* ~ [*eig*] in the market place; *op de* ~ *brengen* (*gooien*) put (throw) on the market; *ter* ~ *brengen* put on the market, market; *van alle* ~*en thuis zijn* be an all-round man; **–analyse** [-ɑna.li.zə] *v* market research; **–bericht** (-en) *o* market report; **–dag** (-dagen) *m* market day; **'markten** (marktte, h. gemarkt) *vi* go to market, go marketing; **'marktgeld** *o* market dues; **–koopman** (-lieden en -lui) *m* market trader; **–kraam** (-kramen) *v* & *o* market stall, booth; **–onderzoek** *o* market research; **–plaats** (-en) *v* 1 market place, market; 2 market town; **–plein** (-en) *o* market square; **–prijs** (-prijzen) *m* market price, ruling price; market quotation [of stocks]; **–vrouw** (-en) *v* market-woman; **–waarde** *v* market (marketable) value
marme'lade (-s en -en) *v* marmalade
'marmer *o* marble; **–achtig** marbly; **1 'marmeren** *aj* marble[2] [halls, arms &]; marbly [cheeks]; marble-tiled [floor]; marble-topped [table &]; **2 'marmeren** (marmerde, h. gemarmerd) *vt* marble; **'marmergroef, –groeve** (-groeven) *v* marble-quarry
mar'mot (-ten) *v* 1 marmot; 2 (cavia) guinea-pig
maro'kijn *o* morocco(-leather)
Marok'kaan (-kanen) *m* Moroccan; **–s** Moroccan; **Ma'rokko** *o* Morocco
Mars *m* Mars; ~*bewoner* Martian
1 mars (-en) *v* 1 (v. marskramer) (pedlar's) pack; 2 ⚓ top; *grote* ~ ⚓ maintop; *hij heeft heel wat in zijn* ~ he has brains; *hij heeft weinig in zijn* ~ he is not very bright
2 mars (-en) *m* & *v* ⚔ march; ~, *de deur uit!* begone!; *op* ~ on the (their) march
'marsepein *m* & *o* marchpane, marzipan
'marskramer (-s) *m* pedlar, hawker
'marsorde *v* order of march; **–order** (-s) *v* marching orders
'marssteng (-en) *v* topmast
'marstempo *o* 1 ⚔ rate of march; 2 ♪ march-time; **–tenue** [-təny.] (-s) *o* & *v* marching-kit, marching-order; **mars'vaardig** ready to march
'marszeil (-en) *o* topsail
'martelaar (-s en -laren) *m* martyr; **–schap** *o* martyrdom; **martela'res** (-sen) *v* martyr; **'marteldood** *m* & *v* martyrdom; *de* ~ *sterven* die a martyr; **'martelen** (martelde, h. gemarteld) *vt* torment, torture, martyr; **–ling** (-en) *v*

torture, [one long] martyrdom
'marter (-s) *m* marten
marti'aal [mɑrtsi.'a.l] martial
'Marva ('s) *v* Wren
mar'xisme *o* Marxism; **–ist(isch)** *m* (-en) (& *aj*) Marxist
mas'cara *v* mascara
mas'cotte (-s) *v* mascot
'maser ['me.zər] *m* maser
'masker (-s) *o* mask[2]; *iem. het ~ afrukken* unmask sbd.; *het ~ afwerpen* throw off (drop) the mask; *onder het ~ van vroomheid* under the show of piety; **maske'rade** (-s en -n) *v* masquerade, pageant; **1 'maskeren** (maskerde, h. gemaskerd) *vt* mask; **2 mas'keren** (maskeerde, h. gemaskeerd) *vt* mask
maso'chisme [ma.zo.-] *o* masochism; **–ist** (-en) *m* masochist; **–istisch** masochistic
'massa ('s) *v* 1 mass; crowd; 2 $ bankrupt's estate; *de grote ~* the masses, the many; *bij ~'s* in heaps; *in ~ produceren* mass-produce; *in ~ verkopen* sell by the lump; **mas'saal** mass [attack, unemployment]; wholesale [massacre], massive, in mass; **'massa-artikel** (-en en -s) *o* mass-produced article; **'massabijeenkomst** (-en) *v* mass meeting; **massacommunicatie** [-ka.(t)si.] *v* mass communication; **–middel** (-en) *o* mass medium [*mv* mass media]
mas'sage [mɑ'sa.ʒə] (-s) *v* massage, **F** rubdown
'massagraf (-graven) *o* mass grave, common grave; **–hysterie** [-hıstəri.] *v* mass hysteria; **massali'teit** *v* massiveness; **'massamedium** (-ia) *o* mass medium [*mv* mass media]; **–produktie** [-düksi.] *v* mass production; **–psychologie** [-psi.go.lo.gi.] *v* mass psychology; **–psychose** [-psi.go.zə] *v* mass psychosis
mas'seren (masseerde, h. gemasseerd) *vt* massage; **mas'seur** (-s) *m* masseur; **mas'seuse** [-zə] (-s) *v* masseuse
mas'sief solid [gold, silver], massive [building]
mast (-en) *m* 1 ⚓, ⚒, *RT* mast; 2 ⚡ [power] pylon; 3 (g y m n a s t i e k) pole; *vóór de ~ varen* sail afore the mast; *voor de ~ zitten* have eaten one's fill; **–bok** (-ken) *m* sheers, sheer-legs; **–bos** (-sen) *o* fir-wood; **'masten** (mastte, h. gemast) *vt* ⚓ mast
mas'tiek *m* & *o* mastic
'mastklimmen *o* pole-climbing; **–koker** (-s) *m* mast-hole; **–kraan** (-kranen) *v* = *mastbok*
masto'dont (-en) *m* mastodon
mastur'beren (masturbeerde, h. gemasturbeerd) *vi* masturbate
'mastworp (-en) *m* ⚓ clove-hitch
1 mat (-ten) *v* mat; *zijn ~ten oprollen* **F** pack up
2 mat *aj* tired, faint, weary [patient, voice &]; dead, dull [tone, colour]; mat [gold], spent [cannon-ball]
3 mat *aj* checkmate
4 mat (maten) V.T. van *meten*
mata'dor (-s) *m* matador; *fig* dab (at *in*)
'mate *v* zie 1 *maat*; **–loos I** *aj* measureless, boundless, immense; **II** *ad* immensely
mate'lot [ma.tə'lo.] (-s) *m* sailor-hat, boater
'maten V.T. meerv. van *meten*
materi'aal (-ialen) *o* material(s); *rollend ~* rolling-stock; **materia'lisme** *o* materialism; **–ist** (-en) *m* materialist; **–istisch** materialistic(al); **ma'terie** (-iën en -s) *v* matter; **materi'eel I** *aj* material; **II** *ad* materially; **III** *o* material(s); *rollend ~* rolling-stock
'matglas *o* frosted glass
'matheid *v* weariness, dul(l)ness, languor
mathe'maticus (-ci) *m* mathematician; **mathe'matisch** mathematical; **ma'thesis** [ma.'te.zıs] *v* mathematics
'matig I *aj* 1 moderate [sum, income & smoker]; moderate, temperate, sober, abstemious, frugal [man]; reasonable [prices]; conservative [estimate]; 2 = *middelmatig*; **II** *ad* moderately &; *~ gebruiken* make a moderate use of; *maar ~ tevreden* not particularly pleased; *ik vind het maar ~* I don't think much of it, I'm not too pleased; **'matigen** (matigde, h. gematigd) **I** *vt* moderate, temper, modify; zie ook: *gematigd*; **II** *vr kun je je niet wat ~?* can't you restrain yourself, keep your temper a bit?; **'matigheid** *v* moderation, temperance, soberness, abstemiousness, frugality; **'matiging** *v* moderation, modification
mati'nee (-s) *v* matinée, afternoon performance; **mati'neus** *~ zijn* be an early riser
'matje (-s) *o iem. op het ~ roepen* have sbd. on the carpet, carpet sbd.
ma'tras (-sen) *v* & *o* mattress
matriar'chaat *o* matriarchy
ma'trijs (-trijzen) *v* matrix, mould
'matrix (-trices) *v* matrix
ma'trone [ma.'trɔ:nə] (-s en -n) *v* matron
ma'troos (-trozen) *m* sailor; **ma'trozenlied** (-eren) *o* sailor's song, chanty, shanty; **–pak(je)** (-pakken, -pakjes) *o* sailor suit
'matse (-s) *m* matzo(h)
'matteklopper (-s) *m* carpet-beater; **'matten** (matte, h. gemat) *vt* mat, rush [chairs]; **'mattenbies** (-biezen) *v* bulrush; **–maker** (-s) *m* mat-maker; **mat'teren** (matteerde, h. gematteerd) *vt* frost [glass], mat [cigars, gold]; **'matwerk** *o* matting
Maure'tanië *o* Mauritania
Mau'ritius [-(t)si.üs] *o* Mauritius
mauso'leum [mɔuzo.'leüm] (-ea en -s) *o* mausoleum
'mauve ['mo.və] mauve

'mauwen (mauwde, h. gemauwd) *vi* mew
'Mavo ('s) *m* ± Secondary School
m.a.w. = *met andere woorden* in other words
maxi'maal, 'maximaal maximum;
'maximum (-ma) *o* maximum; **–prijs** *m* maximum price; **–snelheid** *v* 1 speed limit [for motor-cars &]; 2 ⚒ top speed
mayo'naise [ma.jo.'nɛ:zə] *v* mayonnaise
'mazelen *mv* measles
'mazen (maasde, h. gemaasd) *vt* darn
ma'zurka ('s) *m* & *v* mazurka
'mazzel *m* **F** (good) luck
me [mə] (to) me
mecanicien [me.ka.ni.si.'ɛ̃] (-s) *m* mechanic
mece'naat *o* patronage; **me'cenas** (-sen en -'naten) *m* Maecenas
me'chanica *v* mechanics; **mecha'niek** *v* & *o* mechanism; action, works [of a watch];
me'chanisch mechanical; **mechani'seren** [s = z] (mechaniseerde, h. gemechaniseerd) *vt* mechanize; **–ring** *v* mechanization;
mecha'nisme (-n) *o* = *mechaniek*
'Mechelen *o* Mechlin, Malines; **'Mechels** *aj* Mechlin; *~e kant* Mechlin (lace)
me'daille [mə'dɑ(l)jə] (-s) *v* medal;
medail'leur [me.dɑ(l)'jø:r] (-s) *m* medallist;
medail'lon [me.dɑ(l)'jòn] (-s) *o* 1 △ medallion; 2 (h a l s s i e r a a d) locket; 3 (i l l u s t r a t i e) inset
1 'mede *v* = 1 *mee*
2 'mede *ad* = 2 *mee*; **–aansprakelijk** jointly liable (responsible); **–arbeider** (-s) *m* fellow-worker, workmate; **–beslissingsrecht** *o* right of co-determination; **–brengen**[1] = *meebrengen*; **–burger** (-s) *m* fellow-citizen; **mede'deelzaam** communicative, expansive; **–heid** *v* communicativeness; **'mededelen**[1] *vt* announce, state, tell; *iem. iets ~* communicate sth. to sbd., impart sth. to sbd., inform sbd. of sth.; **–ling** (-en) *v* communication, information, announcement, statement; *een ~ doen* make a communication (a statement); **'mededelingenblaadje** (-s) *o* newsletter; **–bord** (-en) *o* notice-board; **'mededingen**[1] *vi* compete; *~ naar* compete for; **–er** (-s) *m* rival, competitor; **'mededinging** *v* competition, rivalry; **'mededirecteur** (-en en -s) *m* joint manager, joint director, co-director; **–dogen** *o* compassion, pity; **–ëigenaar** (-s en -naren) *m* joint owner, part-owner; **–ërfgenaam** (-namen) *m* joint heir; **–ërfgename** (-n) *v* joint heiress; **–firmant** (-en) *m* copartner; **–gaan**[1] = *meegaan*; **–gevangene** (-n) *m-v* fellow-prisoner; **–gevoel** *o* sympathy, fellow-feeling; **–helper** (-s) *m*, **–helpster** (-s) *v* assistant; **–huurder** (-s) *m* co-tenant; **–klinker** (-s) *m* consonant; **–leerling** (-en) *m* school-fellow, fellow-student; **–leven**[1] = *meeleven*; **–lid** (-leden) *o* fellow-member; **–lijden** *o* compassion, pity; *~ hebben met* have (take) pity on, feel pity for, pity; *iems. ~ opwekken* rouse sbd.'s pity; *uit ~* 1 out of pity [for him]; 2 in pity [of his misery]; **mede'lijdend** compassionate;
'medemens (-en) *m* fellow-man; **–minnaar** (-s) *m* rival
1 'Meden *mv de ~* the Medes
2 'meden V.T. meerv. van *mijden*
'medeondertekenaar (-s) *m* co-signatory;
–passagier [-pɑsa.ʒi:r] (-s) *m* fellow-passenger; **mede'plichtig** accessory; *~ aan* accessory to; *hij is eraan ~* he is an accomplice; **–e** (-n) *m-v* accomplice, accessory; **–heid** *v* complicity (in *aan*); **'medereiziger** (-s) *m* fellow-passenger, fellow-traveller; **–schepsel** (-s en -en) *o* fellow-creature; **–schuldeiser** (-s) *m* fellow-creditor; **–schuldige** (-n) *m-v* accomplice; **–slepen**[1] = *meeslepen*; **–speler** (-s) *m* fellow-player, partner; **–stander** (-s) *m* supporter, partisan; **–student** (-en) *m* fellow-student; **–vennoot** (-noten) *m* copartner;
'medewerken[1] = *meewerken*; **–er** (-s) *m* 1 co-operator, co-worker; 2 [author's] collaborator; contributor [to a periodical]; **'medewerking** *v* co-operation; *zijn ~ verlenen* co-operate, contribute; *met ~ van...* with the co-operation of; **–weten** *o* knowledge; *m e t ~ van...* with the knowledge of...; *z o n d e r zijn ~* without his knowledge, unknown to him;
–zeggenschap, mede'zeggenschap *v* & *o* say; participation [in industrial enterprise], (workers') co-management; *~ hebben* have a say [in the matter]
medi'aan (-ianen) *v* median
media'miek mediumistic
medica'ment (-en) *o* medicament, medicine;
medi'cijn (-en) *v* medicine, physic; *~en gebruiken* take physic; *in de ~en studeren* study medicine; *student in de ~en* medical student;
–flesje (-s) *o* medicine bottle; **–kastje** (-s) *o* medicine cupboard; **–man** (-nen) *m* medicine-man, witch doctor; **medici'naal** medicinal;
'medicus (-ci) *m* 1 medical man, physician, doctor; 2 medical student
'medio *~ mei* (in) mid-May; *tot ~ mei* until the middle of May
'medisch medical

[1] V.T. en V.D. van dit werkwoord volgens het model: **'me(d)e**delen, V.T. deelde **'me(d)e**, V.D. **'me(d)e**gedeeld. Zie voor de vormen onder het grondwoord, in dit voorbeeld: *delen*. Bij sterke en onregelmatige werkwoorden wordt verwezen naar de lijst achterin.

medi'tatie [-(t)si.] (-s en -iën) *v* meditation; **medi'teren** (mediteerde, h. gemediteerd) *vi* meditate

'medium (-ia en -s) *o* medium

1 mee *v* 1 (m e e k r a p) madder; 2 (h o n i n g d r a n k) mead

2 mee also, likewise, as well; ~ *van de partij zijn* make one, too; *hij is ~ van de rijksten* he is among the richest; *alles ~ hebben* have everything in one's favour; **'meebrengen**[1] *vt* bring along with one; bring[2]; *fig* entail; carry [responsibilities]

meed (meden) V.T. van *mijden*

'meedelen[1] = *mededelen*; **–dingen**[1] = *mededingen*; **–doen**[1] *vi* join [in the game, in the sport &], take part (in *aan*); *doe je mee?* will you make one?; *ik doe mee* I'm on; *niet ~* stand out; *daar doe ik niet aan mee* I will be no party to that; **mee'dogend** compassionate; **mee'dogenloos** pitiless, merciless, ruthless, relentless; **'meeëter** (-s) *m* comedo [*mv* comedones], blackhead; **'meegaan**[1] *vi* go (along) with [sbd.], accompany [sbd.]; *ik ga met u mee* 1 I'll accompany you; 2 I concur in what you say, I agree with you; *met zijn tijd ~* move with the times; *ga je mee?* are you coming? *deze schoenen gaan lang mee* these shoes last long (wear well); **mee'gaand** yielding, accommodating, pliable, compliant; **–heid** *v* compliance, complaisance, pliability; **'meegeven**[1] **I** *vt* give (along with); **II** *vi* yield, give way, give; **–gevoel** = *medegevoel*; **–helpen**[1] *vi* assist, bear a hand; **–komen**[1] *vi* come along [with sbd.]; *hij kan niet ~* he cannot keep up

'meekrap *v* madder; **–wortel** (-s) *m* madder-root

meekrijgen[1] *vt zij zal veel ~* she will get a fair dowry; *wij konden hem niet ~* he could not be persuaded to join us

meel *o* 1 meal; 2 (g e b u i l d) flour

'meelachen[1] *vi* join in the laugh

'meelachtig mealy, farinaceous; **–biet** (-en) *v* bore; **–dauw** *m* mildew; **–draad** (-draden) *m* stamen

'meeleven[1] **I** *va* enter into the feelings & of..., sympathize with... [you]; **II** *o* sympathy

'meelfabriek (-en) *v* flour mill

'meelij = *medelijden*

'meelkost *m* farinaceous food

'meelopen[1] *vi* walk (run) along with; *het loopt hem altijd mee* he is always lucky (in luck); **–er** (-s) *m* hanger-on; fellow-traveller [of a political party]

'meelspijs (-spijzen) *v* farinaceous food; **–worm** (-en) *m* meal-worm; **–zak** (-ken) *m* flour-sack, meal-sack

'meemaken[1] *vt veel ~* go through a great deal; *hij heeft zes veldtochten meegemaakt* he has been through six campaigns; **–nemen**[1] *vt* take away, take (along) with; *dat is altijd meegenomen* that is so much gained; **–praten**[1] *vi* join in the conversation; *hij wil ook ~* he wants to put in a word; *daar kan ik van ~* I know something about it

1 meer more; *iets ~* something more; *iets ~ dan...* a little upward of..., a little over...; *niemand ~ (dan 100 gulden)?* any advance (on a hundred guilders)?; *niet ~* no more, no longer; *hij is niet ~* he is no more; *wie was er nog ~?* who else was there?; *je moet wat ~ komen* you should come more often; *ik hoop je ~ te zien* I hope to see more of you; *hij kon niet ~ lopen* he could not walk any longer (any further); *zij is niet jong ~* she is not young any longer (any more), she is not so young as she was; *niet ~ dan drie* no more than three; *het is niet ~ dan natuurlijk (billijk)* it is only natural (fair); *niets ~ of niets minder dan...* neither more nor less than...; *er is niets ~* there is nothing left; *te ~ daar...* the more so as...; *een reden te ~* all the more reason, an added (additional) reason; *wat ~ is* what is more; *~ en ~* more and more; *steeds ~* more and more, ever more; *zonder ~* simply, without much ado; zie ook: 1 *dies*, *geen*, *onder*, 2 *woord*, *zonder* &

2 meer (meren) *o* lake

'meerboei (-en) *v* mooring-buoy

'meerder more, greater, superior; *~e* (= v e r s c h e i d e n e) several; *mijn ~en* my betters, ⚔ my superiors; **'meerderen** (meerderde, h. en is gemeerderd) *vi* increase; **'meerderheid** *v* 1 majority; 2 (g e e s t e l i j k) superiority; **meerder'jarig** of age; *~ worden* come of age, attain one's majority; *~ zijn* be of age; **–heid** *v* majority; **–verklaring** (-en) *v* emancipation

'meerekenen[1] *vt* count (in); include (in the reckoning); *...niet meegerekend* exclusive of...; **–rijden**[1] *vi* drive (ride) along with; *iem. laten ~* give sbd. a lift

meer'jarig perennial [plants], long-term [contracts]

meer'keuzetoets (-en) *m* multiple-choice test

'meerkoet (-en) *m* coot

'meermaals, –malen more than once, repeatedly

[1] V.T. en V.D. van dit werkwoord volgens het model: **'me(d)e**delen, V.T. deelde **'me(d)e**, V.D. **'me(d)e**gedeeld. Zie voor de vormen onder het grondwoord, in dit voorbeeld: *delen*. Bij sterke en onregelmatige werkwoorden word u verwezen naar de lijst achterin.

'meerman (-nen) *m* merman; **–min** (-nen) *v* mermaid
'meeropbrengst (-en) *v* $ *wet van de afnemende* ~ law of diminishing returns
'meerpaal (-palen) *m* mooring-mast
'meerschuim *o,* **–en** *aj* meerschaum
'meerstemmig (to be) sung in parts, polyphonic; ~ *gezang* part-singing; ~ *lied* part-song, glee; **–trapsraket** (-ten) *v* multi-stage rocket
'meertros (-sen) *m* ⚓ moorings
'meervoud (-en) *o* plural; **–ig, meer'voudig** plural; ~ *onverzadigde vetzuren* poly-unsaturated fatty acids; **'meervoudsuitgang** (-en) *m* plural ending; **–vorm** (-en) *m* plural form; **–vorming** *v* formation of the plural
'meerwaarde *v* surplus value
mees (mezen) *v* titmouse, tit
'meeslepen[1] *vt* drag (carry) along (with one); *meegesleept door...* carried away by [his feelings &]; **mee'slepend** stirring [speech &]
'meesmuilen (meesmuilde, h. gemeesmuild) *vi* smirk, laugh with one's tongue in one's cheek
'meespelen[1] *vi* 1 play too; 2 join in the game; take a part; *deze acteur speelt niet mee* this actor is not in the cast; **–spreken**[1] *vi* = *meepraten*
meest I *aj* most; *de ~e vergissingen* most mistakes; **II** *sb de ~en* 1 most of them; 2 most people; *hij heeft het* ~ he has got most; *op zijn* ~ at (the) most; **III** *ad* 1 mostly; 2 most[-hated man, widely read book]; *hij schrijft het* ~ he writes most; *waarvan hij het ~ hield* which he liked best; **–al** mostly, usually; **meestbe'gunstigd** most favoured; **meestbe'gunstiging** *v* most-favoured-nation treatment; **–sclausule** [-klɔuzy.lə] *v* most-favoured-nation clause; **meest'biedende** (-n) *m-v* highest bidder
'meester (-s) *m* master°; ~ *timmerman* & master carpenter &; *Meester in de rechten* ± doctor juris, (i n E n g., z o n d e r p r o e f s c h r i f t) LL.B., Bachelor of Laws; *hij is een ~ in dat vak* he is a master (past-master) of his craft (of his trade); *de brand ~ worden* get the fire under control; *de toestand ~ zijn* have the situation (well) in hand; *de bestuurder was de wagen niet meer* ~ the driver had lost control of the car; *hij is het Engels (volkomen)* ~ he has a thorough command of English; *hij is zich zelf geen* ~ he has no control over himself; *zich van iets ~ maken* take possession of a thing; *zijn ~ vinden* meet one's master, meet more than one's match; **meeste'res** (-sen) *v* mistress; **'meesterhand** *v* master('s) hand; **–knecht** (-en en -s) *m* foreman; **–lijk I** *aj* masterly; **II** *ad* in a masterly way; **–schap** *o* mastership, mastery; **'meesterstitel** *m* degree of doctor of law; **'meesterstuk** (-ken) *o* masterpiece; **–werk** (-en) *o* masterpiece
meet *v van ~ af* from the beginning
'meetapparatuur *v* measuring apparatus; **'meetbaar** measurable, mensurable; **–heid** *v* measurableness, mensurability; **'meetband** (-en) *m* = *meetlint*
'meetellen[1] **I** *vt* count (in), include; *...niet meegeteld* exclusive of...; **II** *vi* count; ~ *voor pensioen* count towards pension; *hij telt niet mee* he does not count
'meetinstrument (-en) *o* measuring-instrument; **–kunde** *v* geometry; **meet'kundig** geometrical; **–e** (-n) *m* geometrician; **'meetlat** (-ten) *v* rule, measure, measuring-rod; **–lint** (-en) *o* tape-measure, measuring tape; **–lood** (-loden) *o* plummet, plumb
'meetronen[1] *vt* coax along, lure on
'meetstok (-ken) *m* measuring-rod
meeuw (-en) *v* (sea-)gull, sea-mew
'meevallen[1] *vi* turn out (end) better than was expected, exceed expectations; *het valt niet mee* it is rather more difficult & than one expected; *hij valt erg mee* he improves on acquaintance; **–valler** (-s) *m* piece of good luck, windfall; **–vechten**[1] *vi* join in the fight; **–voelen**[1] *vi met iem.* ~ sympathize with sbd., share sbd.'s feelings; **–voeren**[1] *vt* carry along; **mee'warig** compassionate; **–heid** *v* compassion; **'meewerken**[1] *vi* co-operate; contribute [to a paper]; **–zitten**[1] *vi het zat hem niet mee* luck was against him, he was unlucky
mega'foon (-s en -fonen) *m* megaphone, loud-hailer
mei *m* May; **–boom** (-bomen) *m* maypole
meid (-en) *v* 1 (maid-)servant, servant-girl, maid; 2 girl; *...dan ben je een beste* ~ there's a good girl; *een lekkere* ~ **S** a crumpet
'meidoorn, –doren (-s) *m* hawthorn
'meieren (meierde, h. gemeierd) *vi* **F** bore, nag
'meikers (-en) *v* May cherry; **–kever** (-s) *m* cockchafer, May-bug; **–maand** *v* month of May
mein'edig perjured, forsworn; **–e** (-n) *m-v* perjurer; **'meineed** (-eden) *m* perjury; *een ~ doen* perjure (forswear) oneself, commit perjury; *tot ~ aanzetten* suborn
'meisje (-s) *o* 1 girl; **F** missy; 2 (b e d i e n d e) servant-girl, girl; 3 (v e r l o o f d e) fiancée,

[1] V.T. en V.D. van dit werkwoord volgens het model: **'me(d)e**delen, V.T. deelde **'me(d)e**, V.D. **'me(d)e**gedeeld. Zie voor de vormen onder het grondwoord, in dit voorbeeld: *delen*. Bij sterke en onregelmatige werkwoorden wordt u verwezen naar de lijst achterin.

sweetheart; **'meisjesachtig** girlish; **-gek** (-ken) *m* boy (man) fond of girls; **-naam** (-namen) *m* 1 girl's name; 2 (v. g e t r o u w d e v r o u w) maiden name; **-student** (-en) *v* girl student

'meizoentje (-s) *o* daisy

Mej. = *mejuffrouw*; **me'juffrouw** = *juffrouw*

me'kaar = *elkaar*

meka'niek = *mechaniek*; **meka'nisme** = *mechanisme*

'Mekkaganger (-s) *m* Mecca pilgrim

'mekkeren (mekkerde, h. gemekkerd) *vi* bleat[2]

me'laats leprous; **-e** (-n) *m-v* leper; **-heid** *v* leprosy

melancho'lie *v* melancholy, *ps* melancholia; **-k** melancholy; **melan'cholisch** melancholy

me'lange [me.'lãʒə] (-s) *m* & *o* blend

me'lasse *v* molasses

'melden (meldde, h. gemeld) **I** *vt* mention, make mention of; inform of, state, report; **II** *vr zich ~* report (oneself); *zich ziek ~* report sick; *zich ~ bij de politie* report to the police; zie ook: *gemeld*; **-ding** (-en) *v* mention; *~ maken van* make mention of, mention; report [70 arrests]; **'meldzuil** (-en) *v* = *praatpaal*

mê'leren [mɛ'le:rə(n)] (mêleerde, h. gemêleerd) *vt* 1 mix [goods, ingredients]; blend [coffee, tea &]; 2 ◊ shuffle [cards]

'melig 1 mealy [potatoes]; 2 woolly [pears]; 3 **F** dull, irksome

melk *v* milk; *hij heeft niets in de ~ te brokken* he doesn't command any influence; **-achtig** milky; **-bezorger** (-s) *m* milkman, milk roundsman; **-boer** (-en) *m* = *melkbezorger*; **melkboeren'hondehaar** *o* mousy hair; **'melkbrood** (-broden) *o* milk-loaf; **-bus** (-sen) *v* milk-churn, milk-can; **-chocola(de)** [-ʃo.ko.la.(də)] *m* milk chocolate; **-distel** (-s) *m* & *v* sow-thistle; **-emmer** (-s) *m* milk-pail; **'melken*** *vi* & *vt* milk; **melke'rij** (-en) *v* dairy; dairy-farm; **'melkfles** (-sen) *v* milk-bottle; **-gebit** (-ten) *o* milk-dentition; **-inrichting** (-en) *v* dairy; **-kan** (-nen) *v* milk-jug; **-kar** (-ren) *v* milk-float; milk-cart; **-kies** (-kiezen) *v* milk-molar; **-koe** (-koeien) *v* milch-cow[2], [good, bad] milker; **-koker** (-s) *m* milk-boiler; **-machine** [-ma.ʃi.nə] (-s) *v* milking machine; **-man** = *melkbezorger*; **-meid** (-en) *v*, **-meisje** (-s) *o* milk-maid; **-muil** (-en) *m* milksop, greenhorn, sapling; **-poeder** *o* & *m* powdered milk, milk-powder; **-salon** (-s) *m* & *o* milk bar, creamery; **-slijter** (-s) *m* = *melkbezorger*; **-spijs** (-spijzen) *v* milk-food; **-suiker** *m* milk-sugar, lactose; **-tand** (-en) *m* milk-tooth; **-vee** *o* milch cattle, dairy cattle; **-wagen** (-s) *m* 1 milk-cart; 2 🚗 milk lorry; **'Melkweg** *m* ★ Milky Way, Galaxy; **'melkwegstelsel** (-s) *o* ★ galaxy; **'melkzuur** *o* lactic acid

melo'die (-ieën) *v* melody, tune, ⊙ strain; **melodi'eus, me'lodisch** melodious, tuneful

melo'drama ('s) *o* melodrama; **melodra'matisch** melodramatic(al)

me'loen (-en) *m* & *v* melon

mem'braan (-branen) *o* & *v* membrane; (v a n m i c r o f o o n &) diaphragm

'memo ('s) *o* & *m* memorandum, **F** memo

me'moires [me.'mva:rəs] *mv* memoirs; **memo'randum** (-da en -s) *o* memorandum; **memo'reren** (memoreerde, h. gememoreerd) *vt* recall (to mind); **me'morie** *v* 1 (g e h e u g e n) memory; 2 (-s) (g e s c h r i f t) memorial; *~ van antwoord* memorandum in reply; *~ van toelichting* explanatory memorandum, explanatory statement; *pro ~* pro memoria; **memori'seren** [s = z] (memoriseerde, h. gememoriseerd) *vt* 1 commit to memory; 2 memorize

men one, people, man, a man, they, we, you, **F** a fellow; *~ hoort* we hear; *~ zegt* they say, it is said; *~ zegt dat hij...* he is said to...; *~ heeft het mij gezegd* I was told so; *wat zal ~ ervan zeggen?* what will people (the world) say?; *wat ~ er ook van zegge* in spite of anything people may say; *~ leeft daar zeer goedkoop* it is very cheap living there

menage'rie [me.na.ʒə'ri.] (-ieën en -s) *v* menagerie

me'neer (-neren) *m* = *mijnheer*

'menen (meende, h. gemeend) *vt* 1 (b e d o e l e n) mean (to say); 2 (d e n k e n) think, feel, suppose; *hoe meent u dat?, wat meent u daarmee?* what do you mean (by that)?; *dat zou ik ~!* I should think so!; *zo heb ik het niet gemeend!* no offence (was) meant!, I didn't mean it thus!; *da[t] meen je toch niet?* you're not serious (are you?); *hij meent het* he is in earnest, he is quite serious; *hij meent het goed* he means well; *het goed (eerlijk) met iem. ~* mean well by sbd., be well-intentioned towards sbd.; zie ook: *gemeend*; **'menens** *het is ~* it is serious

'mengbak (-ken) *m* mixing-basin; **'mengeling** (-en) *v* mixture; **'mengelmoes** *o* & *v* medley, hodge-podge, jumble; **-werk** (-en) *o* miscellany; **'mengen** (mengde, h. gemengd) **I** *vt* mix, blend [tea], alloy [metals], mingle, inter-

[1] V.T. en V.D. van dit werkwoord volgens het model: **'me(d)e**delen, V.T. deelde **'me(d)e**, V.D. **'me(d)e**gedeel[d] Zie voor de vormen onder het grondwoord, in dit voorbeeld: *delen*. Bij sterke en onregelmatige werkwoorden wo[rdt] u verwezen naar de lijst achterin.

mingle; **II** *vr zich ~ i n* meddle with, interfere in; *meng u er niet in* don't interfere; *zich in het gesprek ~* join in the conversation; *zich o n d e r de menigte ~* mix with the crowd; zie ook: *gemengd*; **–ging** (-en) *v* mixing, mixture, blending; **'mengkraan** (-kranen) *v* mixer tap; **'mengsel** (-s) *o* mixture; **'mengsmering** *v* [two-stroke] fuel oil

'menie *v* red lead; **'meniën** (meniede, h. gemenied) *vt* paint with red lead

'menig many (a); **–een** many a man, many a one; **–maal** many a time, repeatedly, often; **'menigte** (-n en -s) *v* multitude, crowd; *een ~ feiten* a great number (a host) of facts; **menig'vuldig I** *aj* manifold, frequent, multitudinous; **II** *ad* frequently; **–heid** *v* multiplicity, frequency, abundance

'mening (-en) *v* opinion; *de openbare ~* public opinion; *de openbare ~ in Frankrijk* French opinion; *als zijn ~ te kennen geven dat...* give it as one's opinion that...; *zijn ~ zeggen* 1 give one's opinion; 2 speak one's mind; ● *b ij zijn ~ blijven* stick to one's opinion; *i n de ~ dat...* in the belief that...; *in de ~ verkeren dat...* be under the impression that...; *n a a r mijn ~* in my opinion, to my mind; *naar mijn bescheiden ~* in my humble opinion; *v a n ~ zijn dat...* be of opinion that...; *ik ben van ~ dat...* ook: it is my opinion that..., I feel that...; *van dezelfde ~ zijn* be of the same opinion; *van ~ verschillen* disagree, differ in opinion; *ik ben van een andere ~* I am of a different opinion, I think differently; *zijn ~ niet onder stoelen of banken steken* make no secret of one's opinion, be quite frank [with sbd.]; *zijn ~ voor een betere geven* be open to correction

menin'gitis *v* meningitis

'meningsuiting *v* expression of opinion(s); *vrijheid van ~* freedom of speech (and expression); **–verschil** (-len) *o* difference (of opinion)

me'nist (-en) *m* Mennonite

'mennen (mende, h. gemend) *vt* & *vi* drive

menno'niet (-en) *m* Mennonite

meno'pauze *v* menopause, **F** the change of life

mens (-en) *m* 1 man; 2 *o* > woman; *de ~* man; *een ~* a human being; *~ en dier* man and beast; *half ~, half dier* half human, half animal; *geen ~* nobody, no one, not anybody; *ik ben geen half ~ meer* I am dead beat; *de ~en* people, mankind; *er waren maar weinig ~en* there were but few people; *wij ~en* we men (and women); *leraren zijn ook ~en* even teachers are but human; *wij zijn allemaal ~en* we are all human; *de grote ~en* the grown-ups; *als de grote ~en spreken, moeten de kinderen zwijgen* children should be seen and not heard; *dat ~!* that person!, that creature!; *het arme ~* the poor soul; *het oude ~* the old woman; *zo'n goed ~* such a good soul; *de oude ~ afleggen* put off the old man; *wij krijgen ~en* we are going to have company; *de inwendige ~ versterken* refresh one's inner man; *(niet) onder de ~en komen* (not) mix in society, (not) go into company; **–aap** (-apen) *m* anthropoid (ape); **–dom** *o het ~* mankind; **'menselijk** human; **menselijker'wijs** *~ gesproken* humanly speaking; **'menselijkheid** *v* humanity; **'mensen-eter** (-s) *m* man-eater, cannibal; **–gedaante** (-n en -s) *v* human shape; **–haat** *m* misanthropy; **–hater** (-s) *m* misanthrope; **–heugenis** *v bij (sedert, sinds) ~* within living memory; **–kenner** (-s) *m* judge of men; **–kennis** *v* knowledge of men; **–kind** (-eren) *o* human being; *mensenkinderen!* good heavens; **–leeftijd** (-en) *m* lifetime; **–leven** (-s) *o* span of life; life; *~s redden* save human life; *er zijn geen ~s te betreuren* no lives were lost; **–liefde** *v* philanthropy, love of mankind; **–maatschappij** *v* human society; **–massa** ('s) *v* crowd (of people); **–offer** (-s) *o* human sacrifice; **–paar** (-paren) *o* [the first] human couple; **–ras** (-sen) *o* human race; **–rechten** *mv* human rights; **–schuw** shy, unsociable; **–verstand** *o* human understanding; **–vlees** *o* human flesh; **S** meat; **–vrees** *v* fear of men; **–vriend** (-en) *m* philanthropist; **mens-'erger-je-niet** *sp* ludo; **'mensheid** *v* 1 mankind; 2 human nature; **mens'lievend** philanthropic(al), humane; **–heid** *v* philanthropy, humanity

menson'waardig degrading

menstru'atie [-(t)si.] *v* menstruation, **F** period; **–cyclus** (-sen en -cycli) *m* menstrual cycle; **menstru'eren** (menstrueerde, h. gemenstrueerd) *vi* menstruate, **F** have one's period

mens'waardig fit for a human being; *een ~ loon* a living wage; **'menswording** *v* incarnation

men'taal mental; **mentali'teit** *v* mentality

men'thol *m* menthol

'mentor (-s) *m* mentor

me'nu ('s) *o* & *m* menu, bill of fare

menu'et (-ten) *o* & *m* minuet

mep (-pen) *m* & *v* blow, slap; **'meppen** (mepte, h. gemept) *vt* slap, smack, strike

'merel (-s) *m* & *v* blackbird

'meren (meerde, h. gemeerd) *vt* ⚓ moor [a ship]

'merendeel *o het ~* the greater part, the majority [of countries], the mass [of imports], most of them; **–s** for the greater part, mostly

merg *o* 1 marrow [in bones]; 2 ❀ pith; 3 *fig* pith; *dat gaat d o o r ~ en been* it pierces you to the very marrow, that sets one's teeth on edge; *een vrijhandelaar i n ~ en been* a free-trader to the backbone (the core)

'mergel *m* marl; **–groeve** (-n) *v* marlpit; **–steen** (-stenen) *o* & *m* marlstone
'mergpijp (-en) *v* marrow-bone
meridi'aan (-ianen) *m* meridian; **–shoogte** (-n) *v* meridian altitude
'merinos *o* merino; **–schaap** (-schapen) *o* 🐑 merino
merk (-en) *o* mark; brand [of cigars]; [registered] trade mark; make [of a bicycle, car]; hall-mark [on metals]; *een fijn ~* a choice brand; *fig* **F** a specimen; **–artikel** (-en) *o* proprietary article; *~en* ook: branded goods
'merkbaar perceptible, noticeable, appreciable, marked [difference]; **'merkelijk** considerable; **'merken** (merkte, h. gemerkt) *vt* 1 (m e t e e n m e r k) mark [goods]; 2 (b e m e r k e n) perceive, notice; *je moet niets laten ~* don't let on (let it appear) that you know anything
'merkgaren *o* marking-thread; **–inkt** *m* marking-ink; **–lap** (-pen) *m* sampler; **–naam** (-namen) *m* brand name; **–teken** (-s en -en) *o* mark, sign, token
merk'waardig remarkable, curious; **–heid** (-heden) *v* remarkableness, curiosity
'merrie (-s) *v* mare; **–veulen** (-s) *o* filly
mes (-sen) *o* knife; *het ~ snijdt aan twee kanten* it cuts both ways; *het ~ erin zetten [fig]* take drastic measures, apply the axe; *iem. het ~ op de keel zetten* put a knife to sbd.'s throat
mesalli'ance [me.zɑli.'ãsə] (-s) *v* misalliance
'mesje (-s) *o* (small) knife; blade [of a safety-razor]
me'sjokke F barmy, daft; crackpot [idea]
'mespunt (-en) *o* 1 tip of a knife; 2 pinch [of pepper &]; **'messelegger** (-s) *m* knife-rest; **'messenmaker** (-s) *m* cutler; **–slijper** (-s) *m* knife-grinder
Messi'aans Messianic; **Mes'sias** *m* Messiah
'messing 1 *o* brass; 2 *v ~ en groef* tongue and groove
'messteek (-steken) *m* cut with a knife, knife-thrust
mest *m* dung, manure, dressing, fertilizer; **'mesten** (mestte, h. gemest) *vt* 1 (l a n d) dung, dress, manure; 2 (d i e r e n) fatten; *het gemeste kalf slachten* kill the fattened calf; **'mesthoop** (-hopen) *m* dunghill, muck-heap, manure heap, midden
mes'ties (-tiezen) *m-v* mestizo
'mestkever (-s) *m* dung-beetle; **–put** (-ten) *m* dung-pit; **–stof** (-fen) *v* manure, fertilizer; **–vaalt** (-en) *v* dunghill; **–varken** (-s) *o* fattening pig; **–vee** *o* fat cattle; **–vork** (-en) *v* dung-fork; **–wagen** (-s) *m* dung-cart
met I *prep* with; *(u spreekt) ~ X* ☎ X speaking; *(spreek ik) ~ X?* ☎ is that you, X?; *hoe is het ~ je?* how are you?; *hoe is het ~ je vader?* how is your father?; *~ dat al* for all that; *~ de boot, de post, het spoor* by steamer, by post, by rail; *~ inkt, ~ potlood* [written] in ink, in pencil; *~ de dag* every day; *de man ~ de hoge hoed* the man in the top-hat; *~ de hoed in de hand* hat in hand; *de man ~ de lange neus* he of the long nose; *~ 1 januari* on January 1st; *~ Pasen* at Easter; *~ 10% toenemen* increase by 10%; *~ hoeveel zijn jullie?* how many are you?; *wij waren ~ ons vijven* there were five of us, we were five; *~ ons allen hadden we één...* between us we had one...; **II** *ad* at the same time, at the same moment
me'taal (-talen) 1 *o* metal; 2 *v* = *metaalindustrie*; **–achtig** metallic; **–bewerker** (-s) *m* metal-worker; **–draad** (-draden) *o* & *m* 1 ⚒ metallic wire; 2 ✳ metal filament; **metaalgiete'rij** (-en) *v* foundry; **me'taalglans** *m* metallic lustre; **–industrie** *v* metal (metallurgical) industry; **–moeheid** *v* fatigue of metals, metal fatigue; **–slak** (-ken) *v* slag [*mv* slag], scoria [*mv* scoriae]; **–voorraad** (-raden) *m* bullion; **–waren** *mv* metalware
metabo'lisme *o* metabolism
meta'foor (-foren) *v* metaphor, figure of speech; **meta'forisch** metaphorical
meta'fysica [-'fi.zi.ka.] *v* metaphysics; **meta'fysisch** metaphysical
me'talen *aj* metal; **metalli'seren** [s = z] (metalliseerde, h. gemetalliseerd) *vt* metallize; **metallur'gie** *v* metallurgy
metamor'fose [s = z] (-n en -s) *v* metamorphosis [*mv* metamorphoses]
meta'stase [s = z] (-n) *v* metastasis
me'teen 1 at the same time; 2 at once, immediately; presently; *zo ~* in a minute; *tot ~!* so long!
'meten* **I** *vt* measure, gauge; *hij meet 2 meter* he stands 2 metres; *het schip meet 5000 ton* the ship measures (carries) 5000 tons; zie ook: 1 *maat*; **II** *vr zich met iem. ~* measure one's strength (oneself) against sbd.; *zich niet kunnen ~ met...* be no match for
mete'oor (-eoren) *m* meteor; **–steen** (-stenen) *m* meteoric stone; **meteo'riet** (-en) *m* meteorite; **meteorolo'gie** *v* meteorology; **meteoro'logisch** meteorological; **meteoro'loog** (-logen) *m* meteorologist
1 'meter (-s) *m* 1 metre; 2 (g a s) meter; 3 (p e r s o o n) measurer
2 'meter (-s) *v* godmother
'meteropnemer (-s) *m* meter-reader; **–opneming** (-en) *v*, **–stand** (-en) *m* meter-reading
'metgezel (-len) *m*, **metgezel'lin** (-nen) *v* companion, mate
me'thaangas *o* marsh-gas
me'thode (-n en -s) *v* method; modus

(operandi); **metho'diek** *v* methodology; **me'thodisch** methodical
metho'dist (-en) *m* Methodist
methodolo'gie *v* methodology
mé'tier [me.'tje.] (-s) *o* trade, profession
'meting (-en) *v* measuring, measurement
me'triek I *aj* metric; *het ~e stelsel* the metric system; **II** *v* metrics, prosody; **'metrisch** metrical
'metro ('s) *m* metro; **metro'noom** (-nomen) *m* metronome; **metro'pool** (-polen) *v* metropolis
'metrum (-s en -tra) *o* metre
'metselaar (-s) *m* bricklayer; **'metselen** (metselde, h. gemetseld) **I** *vi* lay bricks; **II** *vt* lay the bricks of, build [a wall &]; **'metselkalk** *m*, **–specie** *v* mortar; **–steen** (-stenen) *o* & *m* brick; **–werk** *o* brickwork, masonry
'metten *mv* matins; *donkere ~ rk* tenebrae; *korte ~ maken met...* make short work of..., give [sbd.] short shrift
metter'daad actually; **–'tijd** in course of time; **–'woon** *zich ~ vestigen* take up (fix) one's abode, establish oneself, settle
'metworst (-en) *v* German sausage
'meubel (-s en -en) *o* piece (article) of furniture; *onze ~en (~s)* our furniture (furnishings); **'meubelen** (meubelde, h. gemeubeld) *vt* furnish; **'meubelfabriek** (-en) *v* furniture factory; **–fabrikant** (-en) *m* furniture manufacturer; **–magazijn** (-en) *o* furniture store; **–maker** (-s) *m* cabinet-maker, furniture-maker, joiner; **meubelmake'rij** (-en) *v* cabinetmaking, furniture-making (works); **'meubelstuk** (-ken) *o* piece (article) of furniture; **meubi'lair** [mø.bi.'lɛ:r] *o* furniture; **meubi'leren** (meubileerde, h. gemeubileerd) *vt* furnish, fit up; **–ring** *v* 1 furnishing; 2 furniture
meug *m* liking; *elk zijn ~* everyone to his taste; zie ook: *heug*
'meute (-n en -s) *v* pack [of hounds]
mevr. = *mevrouw*; **me'vrouw** (-en) *v* 1 lady; 2 (als aanspreking zonder naam) madam; *~ L.* Mrs L.
Mexi'caan(s) Mexican; **'Mexico** *o* Mexico
1 mi ('s) *v* ♪ mi
2 mi *m* (spijs) noodles
m.i. = *mijns inziens* zie *inzien*
mi'auw miaow, mew; **mi'auwen** (miauwde, h. gemiauwd) *vi* miaow, mew, miaul
'mica *o* & *m* mica
mi'crobe (-n) *v* microbe; **'microbiologie** *v* microbiology; **micro'cosmos** *m* microcosm; **'microfilm** (-s) *m* microfilm; **micro'foon** (-s en -fonen) *m* microphone, **F** mike; *voor de ~ spreken* speak on the radio (on the air); **'micron** (-s) *o* & *m* micron; **micro'scoop** (-copen) *m* microscope; **–'scopisch** microscopic(al)
'middag (-dagen) *m* 1 midday, noon; 2 (n a ~) afternoon; *n a de ~* in the afternoon; *v o o r de ~* before noon, in the morning; *'s (des) ~s* 1 at noon; 2 in the afternoon; *om vier uur 's ~s*, ook: at 4 p.m.; **–dutje** (-s) *o* = *middagslaapje*; **–eten** *o* midday-meal, dinner; **–hoogte** *v* meridian altitude; **–maal** (-malen) *o* midday-meal, dinner; **–pauze** (-n en -s) *v* midday break (interval), luncheon break; **–slaapje** (-s) *o* afternoon nap, siesta; **–voorstelling** (-en) *v* afternoon performance
'middel (-s) *o* 1 (v. h. lichaam) waist, middle; 2 (-en) (voor een doel) means, expedient; medium [*mv* media]; 3 (-en) (tot genezing) remedy; *eigen ~en* private means; *ruime ~en* ample funds; *~en van bestaan* means of subsistence (of support); *door ~ van* 1 by means of; 2 through [the post &]; *het ~ is erger dan de kwaal* the remedy is worse than the disease; **'middelaar** (-s en -laren) *m* mediator; **'middelbaar** middle, medium; average; *middelbare grootte* middling size; *van middelbare grootte* medium-sized, middle-sized; *op middelbare leeftijd* in middle life, in middle age; *van middelbare leeftijd* middle-aged; zie ook: *onderwijs* &; **'middeleeuwen** *mv* Middle Ages; **middel'eeuws** medi(a)eval; **middeler'wijl** meanwhile, in the meantime; **middeleven'redige** (-n) *v* the mean proportional; **'middelgewicht** (-en) *m sp* middle weight; **–groot** medium(-sized); **–kleur** *v* intermediate colour; **'Middellandse Zee** *v* Mediterranean; **'middellang** *~e termijn* medium term; **'middellijk** indirect, mediate; **'middellijn** (-en) *v* 1 central line; 2 diameter; **middel'loodlijn** (-en) *v* perpendicular bisector; **'middelmaat** *v* medium size; *de gulden ~* the golden mean; **middel'matig I** *aj* moderate; middling; mediocre, indifferent; **II** *ad* moderately; in a mediocre way; indifferently; **–heid** (-heden) *v* mediocrity; **'middelmoot** (-moten) *v fig* middle group, centre group; **–punt** (-en) *o* centre[2]; **middelpunt'vliedend** centrifugal; **–'zoekend** centripetal; **'middelschot** (-ten) *o* partition [in a room]; **–soort** (-en) *v* & *o* medium (quality, size &); **'middelste** middle, middlemost; **'middelvinger** (-s) *m* middle finger
'midden (-s) **I** *o* middle [of the day, month, of summer], midst [of dangers], centre [of the town]; *het ~ houden tussen... en...* be midway between...; be something between... and...; *iets in het ~ brengen* put sth. forward; *iets in het ~ laten* leave it as it is; give no opinion on sth., leave sth. an open question; *hij is niet meer in ons*

~ he is no longer in our midst; *t e ~ van* 1 in the midst of [pleasures]; 2 among [friends]; *iemand u i t ons ~* one from our own number; one of ourselves; *zij kozen iemand uit hun ~* they selected one from among themselves; **II** *ad ~ in* in the middle of [the room, winter, my work]; **Midden-A'merika** *o* Central America; **'middenberm** (-en) *m* centre strip, *Am* median strip; **midden'door** 1 [go] down the middle; 2 in two, [tear it] across; **'midden- en 'kleinbedrijf** *o* shopkeepers and small entrepreneurs; **Midden-Eu'ropa** *o* Central Europe; **'middengewicht** (-en) = *middelgewicht*; **–golf** *v* medium wave; **midden'in** in the middle; **'middenoorontsteking** (-en) *v* inflammation of the middle ear; **Midden-'Oosten** *o* Middle East; **'middenpad** (-paden) *o* (i n b u s &) gangway; (i n k e r k) aisle; (i n t u i n) central path; **–rif** (-fen) *o* midriff, diaphragm **–schip** (-schepen) *o* nave; **–schot** (-ten) = *middelschot*; **–soort** (-en) = *middelsoort*; **–spel** *o* middle game [at chess]; **–speler** (-s) *m* half-back; **–stand** *m* middle class(es); (w i n k e l i e r s) tradespeople, shopkeepers; **–stander** (-s) *m* middle-class man; (w i n k e l i e r) tradesman, shopkeeper; **–standsvereniging** (-en) *v* traders' association; **–voetsbeentje** (-s) *o* metatarsal bone; **midden'voor** (-s) *m sp* centre forward; **'middenweg** *m* middle course, middle way; *de gulden ~* the golden mean; *de ~ bewandelen* tread the middle way, steer a middle course; **–zwaard** (-en) *o* centre-board

midder'nacht *m* midnight; **–elijk** midnight; **–zon** *v* midnight sun

mid'half [mɪt'ha.f] (-s) *m sp* centre half; **–'scheeps** amidships; **–'voor** (-s) = *middenvoor*

mie (-s) *m* **F** effeminate homosexual, sissy

mier (-en) *v* ant; *rode ~* red ant; *witte ~* white ant, termite

'mieren (mierde, h. gemierd) *vi* (p i e k e r e n) worry; (z e u r e n) bother

'miereneter (-s) *m* ant-eater; **–hoop** (-hopen) *m* ant-hill, ant-heap; **–leeuw** (-en) *m* ant-lion; **–nest** (-en) *o* ants' nest, ant-hill; **'mierezuur** *o* formic acid

'mierik(s)wortel (-s) *m* horseradish

'mieter (-s) *m* **P** body; *hoge ~* big shot; *iem. op z'n ~ geven* give sbd. a drubbing

'mieteren (mieterde, h. en is gemieterd) *vi* **P** 1 (s m i j t e n) fling, throw [down]; 2 (v a l l e n) pitch down; 3 (z e u r e n) nag, bother

'mieters F smashing, stunning, **S** wizard, corking, super

'Mietje *elkaar geen ~ noemen* not beat around the bush, call a spade a spade

'miezerig drizzly [weather]; measly, scanty; (b e d r u k t) dejected

mi'graine [mi.'grɛ:nə] *v* migraine, sick headache

Mij. = *Maatschappij* Company, Co.

mij (to) me; *dat is van ~* it is mine

'mijden* *vt* shun, avoid, fight shy of

mijl (-en) *v* mile (1609 metres); ↖ league; *de ~ op zeven* a roundabout way; **–paal** (-palen) *m* milestone[2], milepost; *fig* landmark

'mijmeraar (-s) *m* (day-)dreamer, muser; **'mijmeren** (mijmerde, h. gemijmerd) *vi* dream, muse; brood (on *over*); **–ring** (-en) *v* musing; day-dream

1 mijn my; *de (het) ~e* mine; *ik en de ~en* I and mine; *ik wil er het ~e van hebben* I want to know what is what; *het ~ en dijn* mine and thine; zie ook: *denken* &

2 mijn (-en) *v* mine; **–ader** (-s) *v* mineral vein; **–bouw** *m* mining; **mijnbouw'kundig** mining; **'mijndetector** (-s) *m* mine detector

'mijnen (mijnde, h. gemijnd) *vt* buy at a public sale

'mijnenlegger (-s) *m* minelayer

'mijnent *te(n) ~* at my house; *~halve* for my sake; *~wege* as for me; *van ~wege* on my behalf, in my name; *om ~wil(le)* for my sake

'mijnenveger (-s) *m* mine sweeper; **–veld** (-en) *o* minefield

'mijnerzijds on my part

'mijngang (-en) *m* gallery of a mine; **–gas** *o* fire-damp

mijn'heer [mə'ne:r] (-heren) *m* 1 gentleman; 2 (a a n s p r e k i n g z o n d e r n a a m) sir; (m e t n a a m) Mr; *is ~ thuis?* is Mr... (your master) at home?

'mijnhout *o* pitwood, pit-props; **–ingenieur** [-ɪnʒəni.ø:r, -ɪnge.ni.ø:r] (-s) *m* mining-engineer; **–lamp** (-en) *v* safety-lamp, Davy; **–schacht** (-en) *v* shaft [of a mine]; **–werker** (-s) *m* miner, pitman; **–wezen** *o* mining; **–worm** (-en) *m* hookworm

1 mijt (-en) *v* mite [insect]

2 mijt (-en) *v* stack [of hay &]

'mijter (-s) *m* mitre

mik (-ken) *v* (b r o o d) loaf

mi'kado ('s) *m* mikado

'mikken (mikte, h. gemikt) *vi* take aim, aim (at *op*)

'mikmak *m* **F** *de hele ~* the whole caboodle; *zich het ~ schrikken* be frightened out of one's wits

'mikpunt (-en) *o* aim; *fig* butt, target; *het ~ van hun aardigheden* their laughing-stock

mild I *aj* 1 (z a c h t) soft, genial [weather &]; 2 (n i e t s t r e n g) lenient [sentence]; 3 (w e l w i l l e n d) charitable [view]; 4 (v r i j g e v i g) liberal, generous, free-handed, open-handed; 5 (o v e r v l o e d i g) bountiful; *de ~e gever* the generous donor; ~ *met* free of, liberal of; *met ~e hand* lavishly; **II** *ad* liberally, generously; **mild'dadig I** *aj* liberal, generous; **II** *ad* liberally, generously; **'mildheid** *v* 1 liberality, generosity; 2 leniency [of a sentence]

mili'eu [mi.l'jø.] (-s) *o* environment, surroundings; **–bescherming** *v* conservation; **–hygiëne** [-hi.gi.e.nə] *v* environmental control; **–verontreiniging** *v* environmental pollution

mili'tair [mi.li.'tɛ:r] **I** *ad* military [profession, service &]; *~e dienst* national service; *~e luchtvaart* & service aviation &; **II** (-en) *m* military man, soldier; Serviceman; *de ~en* the military, the troops; **mili'tant** militant; **milita'risme** *o* militarism; **–istisch** militarist; **mi'litie** [-(t)si.] *v* militia

mil'jard (-en) *o* milliard [= thousand million]; *Am* billion; **miljar'dair** [-'dɛ:r] (-s) *m* multi-millionaire; *Am* billionaire

mil'joen (-en) *o* a (one) million; **mil'joenen-nota** ('s) *v* budget; **–rede** (-s) *v* budget speech; **mil'joenste** millionth (part); **miljo'nair** [-'nɛ:r] (-s) *m* millionaire

mille [mi.l] *o* (a) thousand; **'millibar** *m* millibar; **–gram** (-men) *o* milligramme; **–meter** (-s) *m* millimetre; **–meteren** (millimeterde, h. gemillimeterd) *vt* crop (close)

milt (-en) *v* spleen; **–vuur** *o* anthrax

'Milva ('s) *v* Waac

mi'miek *v* mimicry, mimic art; **'mimisch** mimic

'mimitafeltje (-s) *o* *~s* nest of (small) tables

mi'mosa [s = z] ('s) *v* mimosa

1 ⊙ **min** *v* (l i e f d e) love

2 min (-nen) *v* (z o o g s t e r) nurse, wet-nurse

3 min I *aj* mean, base; *dat is (erg) ~ van hem* that is very mean (shabby) of him; *het examen was ~* a poor performance; *de zieke is (erg) ~* the patient is very low, **F** very poorly; *dat is mij te ~* that's beneath me; *daar moet je niet zo ~ over denken* don't underestimate it, don't belittle it; *hij is mij te ~* beneath contempt for me; *zo ~ mogelijk* as little as possible; **II** *ad* less; *~ of meer* more or less; somewhat; *7 ~ 5,* 7 less 5, 7 minus 5; **'minachten** (minachtte, h. geminacht) *vt* hold in contempt, disdain; **–d** contemptuous, disdainful; **'minachting** *v* contempt, disdain

mina'ret (-ten) *v* minaret

'minder I *aj* less, fewer; inferior [quantity]; *de ~e goden* the lesser gods; *de ~e man* the small man; *dat is ~* that is of less importance; *~ worden* grow less; *de zieke wordt ~* is getting low; *ik heb ze wel voor ~ verkocht* I've sold them for less; *je bent me er niet ~ om* [not withstanding that] I still like you; **II** *ad* less; *~ worden* decrease, fall off, lessen, decline, diminish, grow less; *~ leuk (aardig)* not quite funny (nice), not so funny (nice); *dat doet er ~ toe* that's of less importance; *iets ~ dan een miljoen* just under a million; *~ dan een pond* under a pound; *~ dan een week* within a week; *in ~ dan geen tijd* in less than no time; *niemand ~ dan* no less a person than; *niet ~ dan* no less than; *niets ~ dan* nothing less than, nothing short of; *het zal me er niet ~ om smaken* it will taste none the worse; *hoe ~ je ervan zegt, hoe beter* least said, soonest mended; *kan het niet voor wat ~?* can't you knock off a little from this price?; **–broeder** (-s) *m* Franciscan friar; **–e** (-n) *m* inferior; *hij is de ~ van zijn broer* he is inferior to his brother; *een ~* ⚔ a private; *de ~n* ⚔ the rank and file; **'minderen** (minderde, h. geminderd) 1 *vi* diminish, decrease; 2 *vt* (b i j b r e i e n) decrease; **'minderheid** (-heden) *v* 1 minority; 2 (g e e s t e l i j k) inferiority; **'mindering** (-en) *v* 1 diminution, diminishing, decrease; 2 (b i j b r e i e n) decrease; *in ~ van de hoofdsom* to be deducted from the principal; *in ~ brengen* deduct; **minder'jarig** under age; **–e** (-n) *m-v* one under age, minor; ⚖ infant; **–heid** *v* minority, nonage; ⚖ infancy; **minder'waardig** 1 inferior; *geestelijk ~* mentally deficient; 2 (v e r a c h t e l i j k) base, mean; **–heid** *v* inferiority; **minder'waardig-heidscomplex** (-en) *o* inferiority complex; **–gevoel** (-ens) *o* sense of inferiority

mine'raal (-ralen) *o* mineral; **–water** *o* mineral water; **mineralo'gie** *v* mineralogy; **minera'loog** (-logen) *m* mineralogist

mi'neur *o* ♪ minor; *in ~* in a minor key

'mini(-auto) & mini(car) &; **minia'tuur** (-turen) *v* miniature; **–schilder** (-s) *m* miniature painter; **mi'niem** small, trifling, negligible; **mini'maal** minimum, minimal; **'minimum** (-ma) *o* minimum; *in een ~ van tijd* in (less than) no time; **–loon** *o* minimum wage

mi'nister (-s) *m* minister, secretary; *eerste ~* Prime Minister, Premier; *~ van Binnenlandse Zaken* Secretary of State for Home Affairs, Home Secretary [in Brit.]; Minister of the Interior; *~ van Buitenlandse Zaken* Secretary of State for Foreign Affairs, Foreign Secretary [in Brit.]; Minister for Foreign Affairs, Foreign Minister; [U.S.] Secretary of State; [Australian, Canadian &] Minister of External Affairs; *~ van Defensie* Secretary of State for Defence [in Brit.]; Minister of Defence; *~ van Financiën* Chancellor of the Exchequer [in Brit.]; Minister of Finance; *~ van (Landbouw, Nijverheid en) Handel* President of the Board of Trade [in Brit.]; Minister of (Agriculture, Industry and) Commerce; ~ *van Justitie* Lord High Chancellor [in Brit.]; Minister of Justice; ~ *van Luchtvaart* Minister of Aviation; ~ *van Marine* First Lord of the Admiralty [in Brit.]; Minister of Marine; ~ *van Onderwijs* Minister of Education; ~ *van Oorlog* Secretary of State for War, War Secretary [in Brit.]; Minister of War; ~ *van Staat* Minister of State; ~ *van Waterstaat* First Commissioner of Works [in Brit.]; Minister of Public Works; **minis'terie** (-s) *o* ministry, department, Office; ~ *van Binnenlandse Zaken* Home Office [in Brit.]; Ministry (Department) of Home Affairs (the Interior); ~ *van Buitenlandse Zaken* Foreign Office [in Brit.], [sinds 1968] Ministry of Foreign Affairs; [U.S.] State Department; ~ *van Defensie* Ministry of Defence; ~ *van Financiën* Treasury [in Brit.]; Finance Department; ~ *van (Landbouw, Nijverheid en) Handel* Board of Trade; ~ *van Justitie* Department of Justice; ~ *van Luchtvaart* Ministry of Aviation; ~ *van Marine* Admiralty [in Brit.]; Ministry (Department) of the Navy; ~ *van Onderwijs* Ministry of Education; ~ *van Oorlog* War Office [in Brit.]; Ministry of War; ~ *van Waterstaat* Board of Works [in Brit.]; Ministry of Public Works; *het ~ Drees* the Drees government; *het Openbaar ~* the Public Prosecutor; **ministeri'eel** ministerial; **mi'nister-presi'dent** (ministerspresidenten) *m* prime minister, premier; **mi'nisterraad** (-raden) *m* cabinet council; **–schap** *o* ministry

'minlijk = *minnelijk*

'minnaar (-s en -naren) *m* lover; **minna'res** (-sen) *v* love, mistress

1 'minne *v* = 1 *min*; *het in der ~ schikken* settle the matter amicably

2 'minne (-n) *v* = 2 *min*

'minnebrief (-brieven) *m* love-letter; **–dicht** (-en) *o* love-poem; **–dichter** (-s) *o* love-poet; **–drank** (-en) *m* love-potion, philtre; **–kozen** (minnekoosde, h. geminnekoosd) *vi* bill and coo; **–lied** (-eren) *o* love-song; **–lijk** amicable, friendly; *bij ~e schikking* amicably; **'minnen** (minde, h. gemind) *vt* & *vi* love; **'minnenijd** *m* jealousy

'minnetjes poorly

'minnezang (-en) *m* love-song; **–er** (-s) *m* minstrel, troubadour

minst I *aj* least, fewest; smallest; slightest; *niet de ~e moeite* not the least trouble; **II** *ad* least; *de ~ gevaarlijke plaats* the least dangerous place; **III** *sb de ~e zijn* yield; *het ~(e)* (the) least; *waar men ze het ~ verwacht* where you least expect them; *het ~* the least [you can expect &]; *hij eet het ~* he eats least (of all); • *als u ook maar in het ~ vermoeid bent* if you are tired at all; *in het ~ niet, niet in 't ~* not in the least, not at all, by no means; *op zijn ~* 1 at the least; 2 at least [he might have...]; *ten ~e* at least; **'minstens** at least; at the least; ~ *even... als...* at least as...-as...; ~ *tien* ten at the least; *zij is ~ veertig* she is forty if she is a day; *Moet ik er heen? Minstens!* that's the (very) least (thing) you can do

'minstreel (-strelen) *m* minstrel

'minteken (-s) *o* minus sign

'minus minus

minus'cuul very small, tiny

minuti'eus [mi.ny.(t)si.'ø.s] minute

1 mi'nuut (-nuten) *v* minute; *het is 3 minuten vóór half zeven* it is 27 minutes past six; *het is 3 minuten over half zeven* it is 27 minutes to seven; *op de ~ (af)* to the minute

2 mi'nuut (-nuten) *v* minute [= draft]

mi'nuutwijzer (-s) *m* minute-hand

minver'mogend poor, indigent

'minzaam I *aj* 1 affable, bland, suave; 2 (van aanzienlijk persoon) gracious; **II** *ad* 1 affably; 2 graciously; **–heid** *v* 1 affability, blandness, suavity; 2 graciousness

miracu'leus miraculous; **mi'rakel** (-s) *o* miracle; *een lelijk ~* **F** a nasty woman; **–spel** (-spelen) *o* miracle play

'mirre *v* myrrh

'mirt(e) (-en), **'mirteboom** (-bomen) *m* myrtle

1 mis (-sen) *v rk* mass; *stille ~* low mass; *de ~ bijwonen* attend mass; *de ~ (be)dienen* serve the mass; *de ~ doen* celebrate mass; *de ~ horen* hear mass; *de ~ lezen (opdragen)* read (say) mass, celebrate mass

2 mis *ad* (& *aj*) amiss, wrong; *het ~ hebben* be wrong, be mistaken; *je hebt het ~ als je denkt dat* you are under a mistake; *je hebt het niet zo ver ~* you are not far out; *dat heb je ~!* that's your mistake!; *~ poes!* out you are!; *'t is weer ~* things are going wrong again; *dat is ~* that's a miss; *het schot was ~* the shot went wide; *hij schoot ~* he shot wide; *dat was gisteren niet ~* **S** that was some yesterday; *dat was lang niet ~* **S** that was not half bad

mis'baar *o* uproar, clamour, hubbub; *veel ~ maken* raise an outcry

'misbaksel (-s) *o fig* monster

'misboek (-en) *o* missal

'misbruik (-en) *o* abuse, misuse; ~ *maken van* take (an unfair) advantage of, impose (up)on, abuse [kindness &]; trespass on [sbd.'s time]; ~ *maken van sterke drank* indulge too freely in liquor, drink to excess; ~ *van macht* abuse of power; ~ *van vertrouwen* breach of trust; **mis'bruiken** (misbruikte, h. misbruikt) *vt* abuse [sbd.'s kindness &]; misuse, make a bad

use of [time]; **'misdaad** (-daden) *v* crime, misdeed, misdoing; **mis'dadig** criminal; wicked, outrageous; **'misdadiger** (-s) *m* criminal, malefactor; **mis'dadigheid** *v* criminality; **mis'deeld** *niet ~ zijn van...* not be wanting in...; *~e kinderen* underpriviliged children; *de ~en* the poor, the dispossessed
'misdienaar (-s) *m* server, acolyte, altar-boy
mis'doen (misdeed, h. misdaan) **I** *vi* offend, sin; **II** *vt wat heb ik misdaan?* what wrong have I done?; **mis'dragen** (misdroeg, h. misdragen) *zich ~* misbehave; **'misdrijf** (-drijven) *o* crime, criminal offence; **mis'drijven** (misdreef, h. misdreven) *vt* do wrong; **'misdruk** (-ken) *m* spoilt sheet(s), mackle; **mis'duiden** (misduidde, h. misduid) *vt* misinterpret, misconstrue; *misduid het mij niet* don't take it ill of me
mise-en-'scène [mi.zã'sɛ: nə] *v* setting, staging, get-up
mise'rabel [s = z] **I** *aj* miserable, wretched, rotten; **II** *ad* miserably, wretchedly; **mi'sère** [mi.'zɛ: rə] (-s) *v* misery
'misgaan[1] *vi* go wrong; *het gaat mis met hem* he is going to the dogs; **'misgeboorte** (-n) *v* miscarriage, abortion
'misgewaad (-waden) *o* vestments
'misgewas (-sen) *o* bad crop, failure of crops; **'misgooien**[1] *vi* miss [in throwing]; **'misgreep** (-grepen) *m* mistake, error, slip; **'misgrijpen**[1] *vi* miss one's hold; **mis'gunnen** (misgunde, h. misgund) *vt iem. iets ~* grudge (envy, begrudge) sbd. sth.; **mis'hagen** (mishaagde, h. mishaagd) **I** *vi* displease; **II** *o* displeasure; **mis'handelen** (mishandelde, h. mishandeld) *vt* ill-treat, ill-use, maltreat, mishandle, batter; **–ling** (-en) *v* ill-treatment, ill-usage, battering
'miskelk (-en) *m* chalice
mis'kennen (miskende, h. miskend) *vt* fail to appreciate; *een miskend genie* an unrecognized genius; **–ning** (-en) *v* lack of appreciation; **'miskleun** (-en) *m* **F** blunder, faux pas; **'miskleunen** (kleunde 'mis, h. 'misgekleund) *vi* **F** blunder; **'miskleur** *v* discoloured, off-shade [cigar &]; **–koop** (-kopen) *m* bad bargain; **–kraam** (-kramen) *v* miscarriage, abortion; *een ~ hebben* miscarry; **mis'leiden** (misleidde, h. misleid) *vt* mislead, deceive, impose on; **–d** misleading, deceptive; **'mislopen**[1] **I** *vi* 1 miss one's way; go wrong; 2 *fig* go wrong, fail, miscarry, turn out badly; **II** *vt* miss; *zijn carrière ~* miss one's vocation; *dat ben ik net misgelopen* I just missed it; *zij zijn elkaar misgelopen* they missed each other; **mis'lukkeling** (-en) *m* social misfit, failure; **mis'lukken** (mislukte, is mislukt) *vi* miscarry, fail; *het mislukte haar...* she did not succeed... (in ...ing); *doen ~* wreck [a plan &]; zie ook: *mislukt*; **–king** (-en) *v* failure, miscarriage; **mis'lukt** unsuccessful, abortive [attempt &]; **mis'maakt** misshapen, deformed, disfigured; **–heid** (-heden) *v* deformity; **mis'maken** (mismaakte, h. mismaakt) *vt* deform, disfigure; **mis'moedig I** *aj* discouraged, disheartened, dejected, despondent, disconsolate; *~ maken* discourage, dishearten; **II** *ad* dejectedly, despondently, disconsolately; **–heid** *v* discouragement, despondency, dejection; **mis'noegd I** *aj* displeased, discontented, dissatisfied; *de ~en* the malcontents; **II** *ad* discontentedly; **–heid** *v* discontentedness, dissatisfaction, discontent, displeasure; **mis'noegen** *o* displeasure
'misoffer (-s) *o* sacrifice of the Mass
'misoogst (-en) *m* crop failure, failure of crops
'mispel (-s en -en) *v* medlar
mis'plaatst [thing] out of place; misplaced [faith, confidence], mistaken [zeal]; **mis'prijzen** (misprees, h. misprezen) *vt* disapprove (of), condemn; **'mispunt** (-en) *o* 1 ꝏ miss; 2 (d e u g n i e t) good-for-nothing fellow, **S** rotter; (o n a a n g e n a a m m e n s) beast; **'misraden**[1] *vi* guess wrong; *misgeraden!* your guess is wrong; **'misrekenen**[1] *vi* miscalculate; **mis'rekenen** (misrekende, h. misrekend) *vr zich ~* be out in one's calculations; **'misrekening** (-en) *v* miscalculation
mis'saal (-salen) *o rk* missal
mis'schien perhaps, maybe
'misschieten[1] *vi* miss, miss the mark, miss one's aim, shoot wide; **'misschot** (-schoten) *o* miss
'misselijk I *aj* sick, queasy; *fig* disgusting, sickening; *je wordt er ~ van* it makes you sick; **II** *ad* disgustingly; **–heid** *v* nausea, sickness, queasiness
'missen (miste, h. gemist) **I** *vi* miss; *dat kan niet ~* it is bound to happen, you can't fail to see it, hit it &; **II** *vt* 1 (n i e t h e b b e n) miss; lack [the courage]; 2 (n i e t n o d i g h e b b e n) dispense with, do without; *ik mis mijn boek (mijn bril &)* my book & is missing; *zijn doel ~* zie *doel*; *wij kunnen dat niet ~* 1 we can't spare it; 2 we cannot do without it; *zij kunnen hem ~ als kiespijn* they prefer his room to his company; *zij kunnen het best (slecht) ~* they can

[1] V.T. en V.D. van dit werkwoord volgens het model: **'mis**gooien, V.T. gooide **'mis**, V.D. **'mis**gegooid. Zie voor de vormen onder het grondwoord, in dit voorbeeld: *gooien*. Bij sterke en onregelmatige werkwoorden wordt u verwezen naar de lijst achterin.

well (can't well) afford it; *het kan niet gemist worden* they can't do without it; *de trein* (*de boot*) ~ miss (lose) the train (the steamer); *de boot* ~ [*fig*] miss the bus; *het mist zijn uitwerking* it is ineffective; *het zal zijn uitwerking niet* ~ it will not fail to produce its effect; **–er** (-s) *m* 1 (m i s s c h o t &) miss; 2 (f i a s c o) **F** flop; 3 (f l a t e r) blunder

'missie (-s en -iën) *v* mission; **–huis** (-huizen) *o* mission-house; **–werk** *o* missionary work; **missio'naris** (-sen) *m* missionary; **mis'sive** (-s en -n) *v* missive

'misslaan[1] *vt* & *vi* miss; zie ook: 1 *bal*; **'misslag** (-slagen) *m* miss; *fig* error, fault; **mis'staan** (misstond, h. misstaan) *vi* suit ill, be unbecoming; **'misstand** (-en) *m* abuse; **'misstap** (-pen) *m* wrong step, false step; slip; *fig* lapse; *een ~ begaan* (*doen*) make a false step[2]; **'misstappen**[1] *vi* make a false step, miss one's footing; **'misstelling** (-en) *v* (typographical) error; *herplaatsing wegens* ~ amended notice; **'misstoot** (-stoten) *m* miss; ⚈ miss, miscue; **'misstoten**[1] *vi* miss one's thrust; ⚈ give a miss

mist (-en) *m* fog; (n e v e l) mist; [*fig*] *de ~ ingaan* come to nothing, fail

'mistasten[1] *vi* fail to grasp; *fig* make a mistake

'mistbank (-en) *v* fog bank; **'misten** (mistte, h. gemist) *vi* be foggy, be misty; **'misthoorn, –horen** (-s) *m* fog-horn, siren; **'mistig** foggy, misty; **–heid** *v* fogginess, mistiness; **'mistlamp** (-en) *v* 🚗 fog lamp

mis'troostig dejected, sad; **–heid** *v* dejection, sadness

mis'trouwig distrustful

'misvatting (-en) *v* misconception, misunderstanding, misapprehension; **'misverstaan** (verstond 'mis, h. 'misverstaan) *vt* misunderstand, misapprehend, misconstrue; **'misverstand** (-en) *o* misunderstanding, misapprehension; **mis'vormd** misshapen, deformed, monstrous, disfigured; **mis'vormen** (misvormde, h. misvormd) *vt* deform, disfigure; **–ming** (-en) *v* deformation, disfigurement; **'miswijzing** (-en) *v* magnetic declination; ⚓ compass variation

mi'taine [mi.'tɛ:nə] (-s) *v* mitten, mitt

mi'tella ('s) *v* sling

mitrail'leren [mi.trɑ(l)'je:rə(n)] (mitrailleerde, h. gemitrailleerd) *vt* machine-gun; **mitrail'leur** (-s) *m* machine gun

mits *cj* provided (that); **mits'dien** therefore, consequently; **mits'gaders** together with

m.i.v. = *met ingang van*

'mixen (mixte, h. gemixt) *vt* mix; **–er** (-s) *m* mixer

mm = *millimeter*

m.n. = *met name*

M.O. = *Middelbaar Onderwijs*

mo'biel mobile; ~ *maken* mobilize; **mobili'satie** [-'za.(t)si.] (-s) *v* mobilization; **mobili'seren** (mobiliseerde, h. gemobiliseerd) *vt* & *vi* mobilize; **mobilo'foon** (-s) *m* radio-telephone

mocht (**mochten**) V.T. van *mogen*

mo'daal modal; **modali'teit** *v* modality

'modder *m* mud, mire, ooze; **–bad** (-baden) *o* mud-bath; **'modderen** (modderde, h. gemodderd) *vi* dig in the mud; *fig* muddle; **'modderig** muddy, miry, oozy; **'modderpoel** (-en) *m* slough, quagmire, puddle; **–schuit** (-en) *v* mud-scow, mud-boat; **–sloot** (-sloten) *v* muddy ditch

'mode (-s) *v* fashion; *de ~ aangeven* set the fashion; ~ *worden* become the fashion; • *i n de ~ komen* come into fashion, become the vogue; *in de ~ zijn* be the fashion, be in fashion, be the wear, be in the wear; *het is erg in de* ~ it is all the fashion, it is quite the go; *n a a r de laatste ~ gekleed* dressed in (after) the latest fashion; *u i t de ~ raken* (*zijn*) go (be) out of fashion; **–artikel** (-en en -s) *o* 1 fancy-article; 2 fashionable article; *~en* fancy-goods; **–blad** (-bladen) *o* fashion magazine, fashion-paper; **–gek** (-ken) *m* fop, dandy, coxcomb; **–kleur** (-en) *v* fashionable colour; **–koning** (-en) *m* fashionable dress designer, couturier

mo'del (-len) **I** *o* 1 model, pattern, cut; (v a n p i j p &) shape; (v. s i g a r e t) size; 2 (v a n k u n s t e n a a r) model [posing for sculpture and painting], sitter [for portrait]; **II** *aj* model...; ⚔ regulation...; **–actie** [-ɑksi.] (-s) *v een* ~ a work-to-rule; *een ~ voeren* work to rule; **–boerderij** (-en) *v* model farm; **–flat** [-flɛt] (-s) *m* show-flat; **–kamer** (-s) *v* show-room; **model'leren** (modelleerde, h. gemodelleerd) *vt* model, mould; **model'leur** (-s) *m* modeller; **mo'delwoning** (-en) *v* show-house

'modeontwerper (-s) *m* fashion designer; **–plaat** (-platen) *v* fashion-plate, fashion-sheet; **–pop** (-pen) *v* (v r o u w) doll; (m a n) fop, dandy

mode'ramen (-mina) *o* synodal board, board of moderators; **mode'rator** (-s en -'toren) *m* moderator

mo'dern modern; > modernist;

[1] V.T. en V.D. van dit werkwoord volgens het model: **'mis**gooien, V.T. gooide **'mis**, V.D. **'mis**gegooid. Zie voor de vormen onder het grondwoord, in dit voorbeeld: *gooien.* Bij sterke en onregelmatige werkwoorden wordt u verwezen naar de lijst achterin.

moderni'seren [s = z] (moderniseerde, h. gemoderniseerd) *vt* modernize; **–ring** *v* modernization
'modeshow ['mo.dəʃo.] (-s) *m* fashion parade, dress parade, fashion show, dress show; **–vak** *o* millinery; **–winkel** (-s) *m* milliner's shop; **–woord** (-en) *o* vogue-word, fashionable word, catchword; **–zaak** (-zaken) *v* fashion business, fashion house; **modi'eus I** *aj* fashionable; **II** *ad* fashionably; *~ gekleed* dressed in the height of fashion
modifi'ceren (modificeerde, h. gemodificeerd) *vt* modify
modi'nette (-s) *v* seamstress
mo'diste (-s en -n) *v* milliner, modiste; dressmaker
modu'latie [-'la.(t)si.] (-s) *v* modulation; **modu'leren** (moduleerde, h. gemoduleerd) *vi* & *vt* modulate
1 moe *aj* tired, fatigued, weary; *ik ben ~* I'm tired; *zo ~ als een hond* dog-tired; *ik ben het werken ~* I am tired of work; *ik ben ~ van het werken* I am tired with working; *~ maken* tire, fatigue
2 moe *v* **F** = *moeder*
moed *m* courage, heart, spirit; *de ~ der wanhoop* the courage of desperation; *~ bij elkaar schrapen* muster up courage; *iem. ~ geven* put some heart into sbd.; *goede ~ hebben* be of good heart; *de treurige ~ hebben om...* have the conscience (audacity) to...; *~ houden* keep (a good) heart; *de ~ erin houden* keep up one's courage; *de ~ opgeven, verliezen of laten zinken* lose courage, lose heart; *~ scheppen* (*vatten*) take (pluck up) courage, take heart; *je kunt begrijpen, hoe het mij te ~e was* how I felt; *droef te ~e* sad at heart; *wel te ~e* of good cheer, cheerful; *in arren ~e* in despair; ⚒ in anger
'moede = 1 *moe*; zie ook: *moed*; **'moedeloos** out of heart, heavy-hearted, with a sunken heart; without courage, despondent, dejected; **moede'loosheid** *v* despondency, dejectedness
'moeder (-s) *v* 1 mother; 2 (v. g e s t i c h t) matron; (v. j e u g d h e r b e r g) warden; *~ Natuur* Dame Nature; *de Moeder Gods* Our Lady; *~ de vrouw* **F** the wife, **P** the missus, **S** my old Dutch; **–binding** *v* mother fixation; **–dag** (-dagen) *m* Mother's Day; **–huis** (-huizen) *o* parent house, mother institution; **–kerk** (-en) *v* mother church; **–klok** (-ken) *v* master clock; **–koek** (-en) *m* placenta; **–koren** *o* ergot; **–land** (-en) *o* mother country; **–liefde** *v* maternal love; **–lijk I** *aj* motherly, maternal; **II** *ad* maternally; **–loos** motherless; **–maatschappij** (-en) *v* $ parent company; **–melk** *v* breast milk; **–moord** (-en) *m*, **–moordenaar** (-s) *m* matricide; **–naakt** stark naked; **–schap** *o* motherhood, maternity; **–schip** (-schepen) *o* mother ship, parent ship; **'moederskant** = *moederszijde*; **–kindje** (-s) *o* mother's darling, molly-coddle; **–zijde** *van ~* [related] on the (one's) mother's side; maternal [grandfather];
'moedertaal (-talen) *v* mother tongue, native tongue; **'moedertjelief** *daar helpt geen ~ aan* you cannot get away from that; **'moedervlek** (-ken) *v* mother's-mark, mother-spot, birthmark, mole; **–ziel** *~ alleen* quite alone
'moedig courageous, brave; spirited
'moedwil *m* wantonness; *uit ~* wantonly, wilfully, on purpose; **moed'willig** wanton; **–heid** (-heden) *v* wantonness, wilfulness
'moeheid *v* fatigue, weariness, lassitude
'moeien (moeide, h. gemoeid) *vt* trouble, give trouble; *moei mij er niet in* don't mix me up in it; zie ook: *gemoeid* & *bemoeien*
'moeilijk I *aj* difficult, hard, troublesome; *een ~e taak* a difficult (arduous) task; *~e toestand* trying situation; *~e tijden* hard (trying) times; **II** *ad* with difficulty, hardly; not easily; *het ~ hebben* have a bad time, **F** go through the hoop; *het zal ~ gaan om...* it will be difficult to...; *ik kan ~ anders* I can hardly do otherwise; **–heid** (-heden) *v* difficulty, trouble, scrape; *in ~* (*in moeilijkheden*) *komen* get into trouble; *in moeilijkheden verkeren* be in trouble, be in a scrape, be on the mat; $ be involved; *om moeilijkheden vragen* ask for trouble; **'moeite** (-n) *v* 1 (m o e i l i j k h e i d) trouble; difficulty; 2 (i n s p a n n i n g) trouble, pains, labour; *het is geen ~!* it's no trouble at all!, don't mention it!; *ik had de grootste ~ om...* it was all I could do to..., I had my work cut out to...; *het was vergeefse ~* it was labour lost; *iem. veel ~ bezorgen* cause sbd. a great deal of trouble; *~ doen* take pains, exert oneself, try; *alle ~ doen om...* do one's utmost to...; *doet u maar geen* (*verdere*) *~* don't give yourself any trouble, please don't trouble; *~ geven* (*veroorzaken*) give trouble; *zich ~ geven* 1 take trouble [to do sth.]; 2 take pains, exert oneself, try; *zich* (*veel*) *~ geven om...* trouble (oneself) to...; ook: be at (great) pains to...; *zich de ~ geven om...* take the trouble to...; *zich niet eens de ~ geven om...* not even trouble (bother) to...; *~ hebben met* have difficulty with; *~ hebben te* find it difficult to; *de grootste ~ hebben met* make heavy weather of [sth.]; *~ hebben om te leren* learn with difficulty; *de ~ nemen* = *zich de ~ geven*; • *het gaat i n één ~ door, het is één ~* it is all in the day's work; *hij deed het in één ~ door* he did it at the same time, he took it in his stride; *m e t* (*de grootste*) *~* with (the utmost) difficulty; *z o n d e r veel ~* without much difficulty; zie ook: 3 *waard* &; **–loos** effortless; **–vol** hard;
'moeizaam I *aj* laborious, wearisome, hard;

II *ad* laboriously
'moeke (-s) *o* **F** mammy, mummy
moer (-en) *v* 1 mother, dam [of animals]; 2 ⚒ nut, female screw; 3 lees, dregs, sediment [of liquids]; *geen ~!* **S** nothing!, not a damn!
moe'ras (-sen) *o* marsh, morass[2], swamp, bog, fen; **–bever** (-s) *m* coypu; **–gas** *o* marsh gas; **–koorts** (-en) *v* malaria; **moe'rassig** marshy, swampy, boggy; **–heid** *v* marshiness; **moe'rasveen** *o* peat-bog
'moerbei (-en) *v* mulberry
'moerbout (-en) *m* nut bolt
'moeren (moerde, h. gemoerd) *vt* **S** (s t u k m a k e n) spoil, destroy, ruin
'moerschoef (-schroeven) *v* nut, female screw; **–sleutel** (-s) *m* monkey-wrench, spanner
1 moes *v* **F** = *moesje* 2
2 moes *o* 1 stewed greens or fruit; 2 mash, mush, pulp; *tot ~ maken* squash; *iem. tot ~ slaan* beat sbd. to a jelly (a pulp); **–appel** (-s en -en) *m* cooking-apple
'moesje (-s) *o* 1 patch, beauty-spot [of woman]; spot [on dress materials], polka dot ; 2 (m o e - d e r) **F** mummy, mammy
'moeskruid (-en) *o* greens, pot-herbs, vegetables
'moesson (-s) *m* monsoon
moest (moesten) V.T. van *moeten*
'moestuin (-en) *m* kitchen garden
'moeten* *vi* & *vt* be compelled, be obliged, be forced; *wat moet je?* what do you want?; *ze ~ hem (het) niet* they don't like him (it); *ik moet gaan* I have to go, I must go; *hij moest gaan* 1 he had to go; 2 he should go, he ought to go; *ik zal ~ gaan* I shall have to go; *daar moet ik niets van hebben* I'll have none of it; *ze ~ het wel zien* they can't fail to see it; *we moesten wel lachen* we could not help laughing; *hij moet erg rijk zijn* he is said to be very rich; *hij moet gezegd hebben, dat...* he is reported to have said that...; *daar moet je... voor zijn* it takes a... to...; *als het moet* if it cannot be helped, if there is no help for it, if it has to be done; under pressure of necessity; *het moet!* it has to be done!; *~ is dwang* must is for the king; **'moetje** (-s) *o* **F** *een ~* a shotgun marriage
'moezen (moesde, h. gemoesd) *vt* mash
1 mof (-fen) *v* 1 (v o o r d e h a n d e n) muff; 2 ⚒ sleeve, socket
2 mof (-fen) *m* (s c h e l d n a a m) **F** Jerry
'moffelen (moffelde, h. gemoffeld) *vt* enamel
'moffeloven (-s) *m* muffle-furnace
'mogelijk I *aj* possible; *alle ~e dingen* all sorts of things; *alle ~e hulp* all the assistance possible; *op alle ~e manieren* in every possible way; *alle ~e middelen* all means possible, all possible means; *alle ~e moeite* every possible effort; *dat is best ~* that's quite possible; *met de grootst ~e strengheid* with the utmost possible severity; *zo goed ~* as best as you can, to the best of your ability; *zo slecht ~* as bad as bad can be; *het is mij niet ~* I cannot possibly do it; **II** *sb ik heb al het ~e gedaan* all that is possible; all I can do (could do); **III** *ad* possibly; *zo ~...* if possible; *zo spoedig ~* as soon as possible; *~ weet hij het* it is possible that he knows it; **mogelijker'wijs** *ad* possibly; **'mogelijkheid** (-heden) *v* possibility; eventuality; *de ~ bestaat* there is a possibility; *met geen ~ kunnen wij...* we cannot possibly...
'mogen* I *hulpww.* be allowed, be permitted; *zij ~ komen* they may come; *ze zullen niet ~ komen* they will not be allowed to come; *als zij komen mochten* if they should come, should they come; *hij mag wel uitkijken* he had better watch out; *je had je wel eens mogen wassen* you ought have washed yourself; *dat mag niet* that is not allowed; *ik mag niet van mijn moeder* my mother won't let me; *...het mocht wat!* **F** ... not they!, nothing doing!; **II** *vt* like; *zij ~ hem niet* they don't like him; *ik mag hem gaarne (wel)* I like him very much, I rather like him
'mogendheid (-heden) *v* power; *de grote mogendheden* the Great Powers
mo'gol (-s) *m* Mogul
mo'hair [mo.'hɛ:r] *o* mohair
mohamme'daan(s) (-danen) *m* (& *aj*) Mohammedan
mok (-ken) *v* mug
'moker (-s) *m* maul, sledge; **'mokeren** (mokerde, h. gemokerd) *vt* hammer, strike with a maul
Moker'hei *v* Mook heath; **S** *loop naar de ~* go to blazes!; *ik wou dat hij op de ~ zat* I wish he were at (in) Jericho
'mokka(koffie) *m* Mocha coffee, mocha
'mokkel (-s) *v* & *o* **S** (chubby) girl
'mokken (mokte, h. gemokt) *vi* sulk
1 mol (-len) *m* 🐾 mole
2 mol (-len) *v* ♪ flat; *b-~* B flat
molecu'lair [mo.ləky.'lɛ:r] molecular; **mole'cule** (-n) *v* & *o* molecule
'molen (-s) *m* 1 mill; 2 ⚒ (v o o r b e t o n &) mixer; (v o o r h a r d e m a t e r i a l e n) masticator, crusher; **'molenaar** (-s) *m* miller; **'molenbeek** (-beken) *v* mill-race; **–rad** (-raderen) *o* mill-wheel; **–steen** (-stenen) *m* millstone; **–tje** (-s) *o* 1 little mill; 2 (k i n d e r - s p e e l g o e d) paper wheel; *hij loopt met ~s* he has bats in the belfry; **–wiek** (-en) *v* wing of a mill, sail, vane
mo'lest *o* war risks ‖ *~ aandoen* molest; **moles'tatie** [-(t)si.] *v* molestation; **moles'teren** (molesteerde, h. gemolesteerd) *vt*

molest; **mo'lestverzekering** *v* war-risk insurance
moli'ère [mo.li.'ɛ:rə] (-s) *m* lace-up shoe
molk (molken) V.T. van *melken*
'mollen (molde, h. gemold) *vt* **S** spoil, destroy, ruin
'molleval (-len) *v* mole-trap; **–vel** (-len) *o* moleskin
'mollig 1 plump [arms, legs], chubby [cheeks]; **–heid** *v* plumpness, chubbiness
molm *m* & *o* 1 mould; 2 (v. turf) peat dust
'moloch (-s) *m* Moloch
'molotovcocktail [-kɔkte.l] (-s) *m* Molotov cocktail
'molshoop (-hopen) *m* mole-hill; **'molsla** *v* 1 ✿ dandelion; 2 (als gerecht) dandelion tops
'molton *o* swanskin
Mo'lukken *mv de* ~ the Moluccas
mom (-men) *v* & *o* mask; *onder de (het) ~ van* under the show (mask, cloak) of; **–bakkes** (-en) *o* mask
mo'ment (-en) *o* moment°, instant; **momen'teel I** *aj* momentary; **II** *ad* at the moment; **mo'mentopname** (-n) *v* instantaneous photograph, snapshot
'mommelen (mommelde, h. gemommeld) = *mummelen*
'mompelen (mompelde, h. gemompeld) *vi* & *vt* mutter, mumble
mo'narch (-en) *m* monarch; **monar'chaal** monarchical; **monar'chie** (-ieën) *v* monarchy; **–ist** (-en) *m* monarchist; **–istisch** monarchist [party]
mond (-en) *m* mouth; orifice; muzzle [of a gun]; **F** jaws; *een grote ~ hebben* talk big; *de (zijn) ~ houden* hold one's tongue; *hij kan zijn ~ niet houden* [*fig*] he can't keep his (own) counsel; *hou je ~!* shut up!; *geen ~ opendoen* not open one's lips; *hij durft geen ~ open te doen* he cannot say bo to a goose; *een grote ~ opzetten tegen iem.* give sbd. lip, talk back to sbd.; *zijn ~ roeren* wag one's tongue; *iem. de ~ snoeren* stop sbd.'s mouth, silence sbd.; *zijn ~ voorbijpraten* shoot off one's mouth, commit oneself, put one's foot in; *zijn ~ staat nooit stil* he never stops talking; *iedereen heeft er de ~ vol van* they talk of nothing else, it's the talk of the town; • *bij ~e van* by (through) the mouth of; *iem. woorden in de ~ leggen* put words into sbd.'s mouth; *met open ~ staan kijken* stand open-mouthed, stand gaping (at *naar*); *met de ~ vol tanden staan* have nothing to say for oneself, be dumbfounded; *met twee ~en spreken* say one thing and mean another; *iem. naar de ~ praten* toady to sbd.; *uit zijn eigen ~* from his own mouth; *als uit één ~* unanimously; *iem. de woorden uit de ~ nemen* take the words out of sbd.'s mouth; *iets uit zijn ~ sparen* save sth. out of one's mouth; *van ~ tot ~ gaan* pass from mouth to mouth; *hij zegt alles wat hem voor de ~ komt* he says whatever comes uppermost
mon'dain [mòn'dɛ:n] mundane; fashionable [hotel &]
'mondeling I *aj* oral, verbal; *~e afspraak* verbal agreement; *~ bericht* verbal message; *~ examen* oral examination; *~e getuigen* verbal references; **II** *o mijn ~* my viva voce; **III** *ad* orally, verbally, by word of mouth; **mond- en 'klauwzeer** *o* foot-and-mouth disease; **'mondharmonika** (-s) *v* mouth-organ; **–heelkunde** *v* dental surgery; **–hoek** (-en) *m* corner of the mouth; **–holte** (-n en -s) *v* cavity of the mouth; **–hygiëniste** [-hi.gi.e.] (-n) *v* dental hygienist
mondi'aal over the whole world, world-wide
'mondig of age; zie verder: *meerderjarig*; **–heid** *v* majority; **'monding** (-en) *v* mouth; **'mondje** (-s) *o* (little) mouth; *~ dicht!* mum's the word!; *niet op zijn ~ gevallen zijn* have a ready tongue; have plenty to say for oneself; **'mondjesmaat** *v* scanty measure; *het is ~* we are on short commons; *~ toebedelen* dole out in driblets; **'mondjevol** *o hij kent een ~ Frans* he has a smattering of French; **'mondkost** *m* provisions, victuals; **mond-op-'mondbeademing** *v* mouth-to-mouth resuscitation, mouth-to-mouth method; **'mondorgel** (-s) *o* mouth-organ; **–spoeling** (-en) *v* mouth-wash; **–stuk** (-ken) *o* mouthpiece; chase [of a gun]; tip [of a cigarette]; *met kurken ~* cork-tipped [cigarette]; *zonder ~* plain [cigarette]; **–vol** *m* mouthful; **–voorraad** *m* provisions; **–water** *o* mouth-wash
mone'tair [mo.ne.'tɛ:r] monetary
Mon'gool (-golen) *m* Mongol, Mongolian; **–s** Mongolian; **mon'gooltje** (-s) *o* mongol
'monitor (-s) *m* monitor
'monnik (-en) *m* monk, friar; *gelijke ~en, gelijke kappen* what is sauce for the goose is sauce for the gander; **'monnikenklooster** (-s) *o* monastery; **–orde** (-n en -s) *v* monastic order; **–werk** *o* monkish work; *dat is ~* that's labour lost; *~ doen* flog a dead horse; **'monnikskap** (-pen) *v* 1 cowl, monk's hood; 2 ✿ monk's-hood, aconite; **–pij** (-en) *v* (monk's) frock
mo'nocle [mo.'nɔkəl] (-s) *m* (single) eye-glass, monocle
mono'gaam monogamous; **monoga'mie** *v* monogamy
monogra'fie (-ieën) *v* monograph; **mono'gram** (-men) *o* monogram, cipher
mono'liet (-en) *m* monolith; **mono'lit(h)isch** monolithic[2]

mono'loog (-logen) *m* monologue
mono'maan (-manen) *m* monomaniac; **monoma'nie** *v* monomania
mono'polie (-s en -liën) *o* monopoly; **monopoli'seren** [s = z] (monopoliseerde, h. gemonopoliseerd) *vt* monopolize
monoto'nie *v* monotony; **mono'toon** monotonous
Mon'roeleer [mɔn'ro.-] *v* Monroe Doctrine
monseig'neur [mõsɛ̃'ɲø:r] (-s) *m* monsignor
'monster (-s) *o* 1 monster; 2 $ sample; pattern; ~ *zonder waarde* $ sample of no value (without value); *als ~ verzenden* $ send by sample post; *volgens ~* $ up to sample, as per sample; **'monsterachtig** monstrous; **–heid** *v* monstrosity
'monsterboek (-en) *o* = *stalenboek*; **–briefje** (-s) *o* sampling order
'monsteren (monsterde, h. gemonsterd) *vt* 1 (i n s p e c t e r e n) muster; 2 = *aanmonsteren*; **–ring** (-en) *v* ⚔ muster, review
'monsterlijk monstruous
'monsterrol (-len) *v* 1 ⚔ & ⚓ muster-roll; 2 ⚓ list of the crew, ship's articles
'monsterzakje (-s) *o* sample-bag
mon'strans (-en) *m* & *v* monstrance
mon'tage [mòn'ta.ʒə] (-s) *v* 1 ⚒ mounting, fitting up, erecting, assembly; (v. a u t o's) assemblage; 2 (v. f i l m) editing, (v. d r u k w e r k &) montage, (v. f o t o) composing; zie ook: *montering*; **–bouw** *m* prefabrication, prefabricated house construction; **–hal** (-len) *v* assembly shop (hall); **–lijn** (-en) *v* assembly line; **–wagen** (-s) *m* tower wagon; **–werker** (-s) *m* assembler; **–werkplaats** (-en) *v* assembly room
'monter I *aj* brisk, lively, cheerful; **II** *ad* briskly, cheerfully
mon'teren (monteerde, h. gemonteerd) *vt* mount [a picture]; fit up, erect [apparatus], assemble [a motorcar &]; stage [a play]; **–ring** (-en) *v* mounting [of a picture, a play]; staging [of a play]; zie ook: *montage*; **mon'teur** (-s) *m* erector, fitter [of machine]; (i n g a r a g e &) mechanic
mon'tuur (-turen) *o* & *v* frame, mount; setting [of a jewel]; *bril met hoornen ~* horn-rimmed glasses, glasses with horn rims
monu'ment (-en) *o* monument; **monumen'taal** monumental; **monu'mentenlijst** *v op de ~ plaatsen* register as a national monument; **–zorg** *v* protection of monuments; *onder ~ staan* be under (a) preservation order
mooi I *aj* handsome, fine, beautiful, pretty; *een ~e hand schrijven* write a fair hand; *een ~e jongen!* a fine fellow!; *mijn ~e pak* my Sunday best; *~ zo!* good!; *dat is niet ~ van u* it is not nice of you; *daar ben je ~ mee!* 1 a lot of good that will do you!; 2 that's a pretty pickle you are in!; *ik ben er al weken ~ mee* I have been troubled with it for weeks; *wat ben je ~!* **F** what a beauty (swell) you are!; *wel, nu nog ~er!* well I never!; *dat is wat ~s!* a pretty kettle of fish!, fine doings these!, here is a nice go!; *ze hebben wat ~s van je verteld!* fine things they say of you!; **II** 1 als *m* in: *je bent me een ~e!* you are a nice one!; 2 als *o* in: *het ~ste van alles is...* the best of it all is that...; **III** *ad* handsomely, finely, beautifully; < pretty, badly; *hij heeft u ~ beetgehad* he had you there, and no mistake; *ze hebben hem niet ~ behandeld* he has been unhandsomely treated; *zich ~ maken* prink (smarten) oneself up; *dat staat u niet ~* it does not become you[2]; **–prater** (-s) *m* coaxer, flatterer; **mooiprate'rij** *v* coaxing, flattery; **moois** *o* fine things; *er het ~ afkijken* look too long at it; zie ook: *mooi*; **'mooizitten** (zat 'mooi, h. 'mooigezeten) *vi* (v. h o n d) beg
Moor (Moren) *m* Moor, blackamoor
moord (-en) *m* & *v* murder (of *op*); *~ en brand schreeuwen* cry blue murder; **–aanslag** (-slagen) *m* attempt upon sbd.'s life, attempted murder; **moord'dadig** murderous; **'moorden** (moordde, h. gemoord) *vi* kill, commit murder(s); **'moordenaar** (-s) *m* murderer; **moordena'res** (-sen) *v* murderess; **'moordend** murderous, deadly; *~e concurrentie* cut-throat competition; **'moordgriet** (-en) *v* **S** a nice piece of baggage; **–kuil** (-en) *m* cut-throat place; zie *hart*; **–lust** *m* bloodthirstiness; **–partij** (-en) *v* massacre; **–tuig** *o* instrument(s) of murder; **–wapen** (-s) *o* murderous weapon
Moors Moorish, Moresque
moot (moten) *v* slice [of meat &], fillet [of fish]
1 mop (-pen) *m* = *mopshond*
2 mop (-pen) *v* joke; **F** gag; *een ouwe ~, een ~ met een baard* a stale joke, **F** a hoary chestnut; *dat is nu juist de ~* that's the joke (the funny part) of it; *voor de ~* for a lark; *~pen tappen (vertellen)* gag
3 mop (-pen) *v* 1 blob [of ink]; 2 brick; 3 biscuit
'mopje (-s) *o* ♩ tune
'mopneus (-neuzen) *m* pug-nose
'moppenblaadje (-s) *o* funny paper; **–tapper** (-s) *m* joker
'mopperaar (-s) *m* grumbler, **S** grouser; **'mopperen** (mopperde, h. gemopperd) *vi* grumble, **S** grouse; *zonder ~* without grumbling, without a murmur; **'mopperig** grumbling, grumpy
'moppig funny
'mops(hond) (-en) *m* pug(-dog)

mo'raal *v* 1 (z e d e n l e s) moral; 2 (z e d e n l e e r) morality, ethics; 3 (z e d e l i j k e b e g i n s e l e n) morals; **morali'seren** [s = z] (moraliseerde, h. gemoraliseerd) *vi* moralize, point a moral; **mora'list** (-en) *m* moralist; **morali'teit** *v* morality, principles
mora'torium (-s en -ia) *o* moratorium
mor'bide morbid
mo'reel I *aj* moral; **II** *o* ⚔ morale
mo'rel (-len) *v* morello
mo'rene (-s en -n) *v* moraine
'mores *iem.* ~ *leren* teach sbd.
mor'feem (-femen) *o* morpheme
mor'fine *v* morphine, morphia; **morfi'nist** (-en) *m* morphine addict, morphinomaniac
morfolo'gie *v* morphology
morga'natisch morganatic(al)
1 'morgen (-s) *m* & *o* 2¼ acre [of land]
2 'morgen (-s) *m* morning; *in de vroege* ~ early in the morning; *op een* ~ one morning; *van de* ~ *tot de avond* from morning till night; *'s* (*des*) ~*s* in the morning; zie ook *ochtend*
3 'morgen *ad* to-morrow; ~*avond* to-morrow evening; ~*ochtend* to-morrow morning; ~ *vroeg* early to-morrow morning; ~ *komt er weer een dag* to-morrow is another day; *hij betalen?* ~ *brengen!* **F** nothing doing!, not likely!; ~ *over acht dagen* to-morrow week
'morgengebed (-beden) *o* morning prayer; **–land** *o* Orient; **–rood** *o* red of dawn; **–schemering** *v* morning twilight; **–ster** *v* morning star; **–stond** *m* morning time; *de* ~ *heeft goud in de mond* the early bird catches the worm; **–uur** (-uren) *o* morning hour; **–wijding** (-en) *v* early (radio) service
mo'rille [mo:'ri.ljə] (-s) *v* morel [mushroom]
'mormel (-s) *o* monster
mor'moon(s) (-monen) *m* (& *aj*) Mormon
'morrelen (morrelde, h. gemorreld) *vi* fumble; ~ *aan* monkey with
'morren (morde, h. gemord) *vi* grumble, murmur
'morsdood stone-dead
'morsebel (-len) *v* slut, slattern, drab; **'morsen** (morste, h. gemorst) **I** *vi* mess, make a mess; **II** *vt* spill [tea]; **'morsepot** (-ten) = *morspot*
'morseschrift *o* Morse code; **–sleutel** (-s) *m* Morse key; **–teken** (-s) *o* Morse signal
'morsig dirty, untidy; **'morspot** (-ten) *m* dirty boy (girl &)
'mortel *m* mortar; **–bak** (-ken) *m* hod; **–molen** (-s) *m* mortar mixer
mor'tier (-en) *m* & *o* mortar [vessel & ⚔]; **–stamper** (-s) *m* pestle
mortu'arium (-s en -ia) *o* mortuary
mos (-sen) *o* moss; **–achtig** mossy, moss-like; **–groen** moss-green
mos'kee (-keeën) *v* mosque
'Moskou *o* Moscow; **Mosko'viet** (-en) *m* Muscovite; **Mos'kovisch** Muscovite; ~ *gebak* sponge-cake
'moslem (-s), **'moslim** (-s) *m* Moslem, Muslim
'mosroos (-rozen) *v* moss-rose
'mossel (-s en -en) *v* mussel; **–bank** (-en) *v* mussel-bank, mussel-bed
'mossig mossy
most *m* must
'mosterd *m* mustard; *dat is* ~ *na de maaltijd* it is too late to be of any use; *ik zal je tot* ~ *slaan* I'll beat you to a jelly; zie ook: *weten*; **–pot** (-ten) *m* mustard pot; **–saus** *v* mustard sauce; **–zaad** *o* mustard seed; **B** & *fig* grain of mustard seed; **–zuur** *o* piccalilli
1 mot (-ten) *v* (clothes-)moth; *de* ~ *zit in die japon* that dress is moth-eaten
2 mot *v* **F** tiff, squabble; ~ *hebben met iem.* fall out with sbd.
mo'tel (-s) *o* motel
mo'tet (-ten) *o* motet
'motgaatje (-s) *o* moth-hole; *met* ~*s* moth-eaten
'motie [mo.(t)si] (-s) *v* motion; (a a n g e n o m e n ~) resolution; *een* ~ *indienen* bring forward (move, put in) a motion; *stemmen over een* ~ vote on a motion; *een* ~ *aannemen* carry a motion; *een* ~ *ondersteunen* second a motion; *een* ~ *verwerpen* reject a motion; ~ *van afkeuring* vote of censure; *een* ~ *van vertrouwen aannemen* pass a vote of confidence; ~ *van wantrouwen* vote of no-confidence
mo'tief (-tieven) *o* 1 (r e d e n) motive [= ground]; 2 (i n d e k u n s t) motif; **moti'vatie** [-'va.(t)si.] (-s) *v* motivation; **moti'veren** (motiveerde, h. gemotiveerd) *vt* motivate, motive, state the grounds for, account for
'motor (-s en -'toren) *m* motor; engine; (m o t o r f i e t s) motor cycle, **F** motor-bike; **–agent** (-en) *m* motor-cycle policeman, police motor-cyclist; **–barkas** (-sen) *v* motor-launch; **–boot** (-boten) *m* & *v* motor-boat, motor-launch; **–bril** (-len) *m* motoring goggles; **–defect** (-en) *o* engine trouble; **–fiets** (-en) *m* & *v* motor (bi)cycle, **F** motor-bike; **moto'riek** *v* 1 motor; 2 (sense of) muscular movement; **mo'torisch** motor [nerve &]; **motori'seren** [s = z] (motoriseerde, h. gemotoriseerd) *vt* motorize; **–ring** *v* motorization; **'motorjacht** (-en) *o* motor yacht; **–kap** (-pen) *v* 1 🚗 bonnet, *Am* hood; ✈ cowling, cowl; 2 (h o o f d d e k s e l) motoring helmet; **–pech** *m* engine trouble; **–rijder** (-s) *m* motor-cyclist; **–rijtuig** (-en) *o* motor vehicle
'motregen (-s) *m* drizzling rain, drizzle; **'motregenen** (motregende, h. gemotregend)

vi drizzle, mizzle

'motte(n)bal (-len) *m* moth-ball; **–zak** (-ken) *m* mothproof storage bag

'mottig 1 (pokdalig) pock-marked; 2 (door de mot aangetast) moth-eaten; 3 (van het weer) drizzly

'motto ('s) *o* motto, device

'mouche ['mu.ʃə] (-s) *v* beauty-spot

mousse'line [mu.sə'li.nə] *v* & *o* muslin

mous'seren [mu.'se:rə(n)] (mousseerde, h. gemousseerd) *vi* effervesce; *~de wijn* sparkling (effervescent) wine

mout *o* & *m* malt

mouw (-en) *v* sleeve; *ze achter de ~ hebben* be a slyboots; *iem. iets op de ~ spelden* make sbd. believe sth., gull sbd.; *uit de ~ schudden* knock off, throw off [verses, articles &]; *ergens een ~ aan passen* arrange matters, find a way out; *de handen uit de ~en steken* put one's shoulder to the wheel; **–loos** sleeveless

moza'ïek (-en) *o* mosaic work, mosaic; **–vloer** (-en) *m* mosaic floor

Mozam'bique [-'bi.k] *o* Mozambique

Mr. = *Meester (in de rechten)*

ms. = *manuscript*

mud (-den) *o* & *v* hectolitre; **–vol** chock-full

'muf(fig) musty, fusty

mug (-gen) *v* mosquito, gnat; midge; *van een ~ een olifant maken* make mountains of molehills; **'muggebeet** (-beten) *m* mosquito-bite, gnat-bite; midge-bite; **'muggeziften** (muggeziftte, h. gemuggezift) *vi* split hairs; **–er** (-s) *m* hair-splitter; **muggezifte'rij** (-en) *v* hair-splitting

muil (-en) *m* mouth, muzzle; || *v* (pantoffel) slipper; **–band** (-en) *m* muzzle; **'muilbanden** (muilbandde, h. gemuilband) *vt* muzzle[2]

'muildier (-en) *o* mule; **'muildierdrijver** (-s) *m* muleteer; **'muilezel** (-s) *m* hinny; **'muilezeldrijver** (-s) *m* muleteer

'muilkorf (-korven) *m* muzzle; **'muilkorven** (muilkorfde, h. gemuilkorfd) *vt* muzzle; **'muilpeer** (-peren) *v* box on the ear, cuff, slap

muis (-muizen) *v* mouse [*mv* mice]; || (van hand) ball of the thumb; || (aardappel) kidney potato; **–je** (-s) *o* (little) mouse; *dat ~ zal een staartje hebben* there will be some consequences, the matter will not end there

'muisstil noiseless, perfectly silent

'muiten (muitte, h. gemuit) *vi* mutiny, rebel; *aan het ~ slaan* mutiny; *de ~de troepen* the mutinous troops; **–er** (-s) *m* mutineer, rebel; **muite'rij** (-en) *v* mutiny, rebellion

'muizegat (-gaten), **–hol** (-holen) *o* mouse-hole; **'muizen** (muisde, h. gemuisd) *vi* 1 mouse; 2 *fig* feed; *katjes die ~ mauwen niet* the silent pig is the best feeder; **muizenest** (-en) *o* mouse-nest, *fig* worry; **'muizengif(t)** *o* rat-poison; **'muizenissen** *mv* worries; *haal je geen ~ in het hoofd* don't worry

'muizentarwe *v* rat-poison; **–vanger** (-s) *m* mouser; **'muizeval** (-len) *v* mousetrap

1 mul *aj* loose; sandy

2 mul *v* & *o* mould [= loose earth]

3 mul (-len) *m* red mullet

mu'lat (-ten) *m*, **mulat'tin** (-nen) *v* mulatto

'mulder (-s) *m* miller°

multilate'raal multilateral

'multimiljonair [-mɪljo.nɛ:r] (-s) *m* multi-millionaire.

multipli'cator (-s) *m* multiplier

mum *o in een ~* in no time, in a jiffy

'mummelen (mummelde, h. gemummeld) *vi* mumble

'mummie (-s en -iën) *v* mummy; **mummifi'catie** [-'ka.(t)si.] *v* mummification; **mummifi'ceren** (mummificeerde, h. gemummificeerd) *vt* & *vi* mummify

'München *o* Munich

mundi'aal global

mu'nitie [-(t)si.] *v* (am)munition, munitions; **–wagen** (-s) *m* ammunition wagon

'munster (-s) *o*, **–kerk** (-en) *v* minster

munt (-en) *v* 1 (stuk) coin; (geld) money, coinage, coin(s); [foreign] currency; 2 (gebouw) mint; || 3 mint; *iem. met gelijke ~ betalen* pay sbd. (back) in his own coin, repay sbd. in kind, give sbd. tit for tat; *hij neemt alles voor goede ~ aan* he swallows everything; *~ slaan* coin (mint) money; *~ slaan uit* make capital out of, cash in on; zie ook: *kruis*; **–biljet** (-ten) *o* currency note; **–eenheid** (-heden) *v* monetary unit; **'munten** (muntte, h. gemunt) *vt* coin, mint; *het gemunt hebben op* zie *gemunt*; **'muntenkabinet** (-ten) *o* numismatic cabinet; **munt- en 'penningkunde** *v* numismatics; **'muntloon** (-lonen) *o* mintage; **–meester** (-s) *m* mint-master, Master of the Mint; **–meter** (-s) *m* slot-(gas)meter; **–stelsel** (-s) *o* monetary system; **–stempel** (-s) *o* stamp; die; **–stuk** (-ken) *o* coin; **–vervalsing** (-en) *v* debasement of coinage; **–voet** *m* standard; **–wet** (-ten) *v* coinage act; **–wezen** *o* monetary system, coinage

'murmelen (murmelde, h. gemurmeld) *vi* murmur, purl, gurgle, burble

murmu'reren (murmureerde, h. gemurmureerd) *vi* grumble

murw [mürf] 1 soft, tender, mellow; 2 *fig* softened up [of enemy, person]; *iem. ~ beuken* beat sbd. to a jelly

mus (-sen) *v* sparrow; zie ook: *blij*

mu'seum [my.'ze.üm] (-ea en -s) *o* museum; **–stuk** (-ken) *o* museum piece

musi'ceren [my.zi.'se: rə(n)] (musiceerde, h. gemusiceerd) *vt* make music; **'musici** meerv. van *musicus*; **musicolo'gie** *v* musicology; **musico'logisch** musicological; **–'loog** (-logen) *m* musicologist; **'musicus** [-küs] (-ci) *m* musician
mus'kaat 1 (-katen) *v* ✿ nutmeg; 2 *m* (w i j n) muscatel; **–noot** (-noten) *v* nutmeg
mus'ket (-ten) *o* musket; **muske'tier** (-s) *m* musketeer
mus'kiet (-en) *m* mosquito; **mus'kietengaas** *o* mosquito-netting; **–net** (-ten) *o* mosquito-net
'muskus *m* musk; **–dier** (-en) *o* musk-deer; **–rat** (-ten) *v* musk-rat, musquash; **–roos** (-rozen) *v* musk-rose
'mussehagel *m* dust-shot
mu'tatie [-(t)si.] (-s) *v* mutation; *~s (bij het departement* &) changes; **mu'teren** (muteerde, h. gemuteerd) *vi* mutate
muti'leren (mutileerde, h. gemutileerd) *vt* mutilate
muts (-en) *v* cap; bonnet; *daar staat mij de ~ niet naar* I am not in the vein for it; *er met de ~ naar gooien* have a shot at it
'mutsaard, 'mutserd (-s) *m* faggot; [*fig*] *het riekt naar de ~* it smells of heresy
1 muur (muren) *m* wall; *blinde ~* blank wall; *de muren hebben oren* walls have ears; *tussen vier muren* in prison
2 muur *v* ✿ = *sterremuur*
'muuranker (-s) *o* cramp-iron, brace; **–bloem** (-en) *v* ✿ wallflower; **–bloempje** (-s) *o fig* wallflower; **–kast** (-en) *v* wall cupboard; **–krant** (-en) *v* poster; **–schildering** (-en) *v* mural painting, wall-painting; **–tegel** (-s) *m* wall-tile; **–vast** as firm as a rock; **–verf** (-verven) *v* distemper; **–versiering** (-en) *v* mural decoration; **–vlakte** (-n en -s) *v* wall space
'muze (-n) *v* muse
'muzelman (-nen) *m* Muslim, ↖ Mussulman
mu'ziek *v* music; *~ maken* make music; *op de ~* to the music; *op ~ zetten* set to music; **–avondje** (-s) *o* musical evening; **–boek** (-en) *o* music-book; **–criticus** (-ci) *m* music critic; **–doos** (-dozen) *v* musical box, music-box; **–gezelschap** (-pen) *o* musical society; **–handel** (-s) *m* music-house; **–handelaar** (-s en -laren) *m* music-seller; **–instrument** (-en) *o* musical instrument; **–korps** (-en) *o* band (of musicians); **–kritiek** (-en) *v* music criticism; **–leer** *v* theory of music; **–leraar** (-raren en -s) *m* music-master; **–les** (-sen) *v* music-lesson; **–lessenaar** (-s) *m* music-desk; **–liefhebber** (-s) *m* music-lover; **–noot** (-noten) *v* note; **–onderwijs** *o* musical instruction; **–school** (-scholen) *v* school of music; **–sleutel** (-s) *m* ♪ clef; **–standaard** (-s) *m* music-stand; **–stuk** (-ken) *o* piece of music; **–tent** (-en) *v* band-stand; **–uitvoering** (-en) *v* musical performance; **–vereniging** (-en) *v* musical society, musical club; **–wetenschap** *v* musicology; **–winkel** (-s) *m* music-shop; **–zaal** (-zalen) *v* concert-room; **muzi'kaal** musical; *hij is zeer ~* 1 he has a fine ear for music; 2 he is very fond of music; **muzikali'teit** *v* musicality; **muzi'kant** (-en) *m* musician, bandsman
mv. = *meervoud*
my'oom [mi.'o.m] (myomen) *o* myoma
myri'ade [mi.ri.-] (-n) *v* myriad
mys'terie [mɪs-] (-s en -riën) *o* mystery; **–spel** (-spelen) *o* mystery (play); **mysteri'eus** mysterious
mysti'cisme [mɪsti'sɪsmə] *o* mysticism; **'mysticus** (-ci) *m* mystic; **mys'tiek I** *aj* mystical [body, experience, union], mystic [life, rose, vision, way]; **II** *ad* mystically; **III** *v* mysticism; **IV** *mv de ~en* the mystics
mystifi'catie [mɪsti.fi.'ka.(t)si.] (-s) *v* mystification; **mystifi'ceren** (mystificeerde, h. gemystificeerd) *vt* mystify
'mythe ['mi.tə] (-n) *v* myth; **'mythisch** mythical; **mytholo'gie** (-ieën) *v* mythology; **mytho'logisch** mythological; **–'loog** (-logen) *m* mythologist
myxoma'tose [mɪkso.ma.'to.zə] *v* myxomatosis

N

n [ɛn] ('s) *v* n
N. = *noord*
na I *prep* after; ~ *elkaar* one after the other, in succession; *twee keer* ~ *elkaar* twice running; ~ *u!* After you!; ~ *u heb ik alles aan hem te danken* next to you; ~ *vijven* after five o'clock; **II** *ad* near, ⊙ nigh; *dat lag hem* ~ *aan het hart* zie *hart*; *je moet hem niet te* ~ *komen* 1 you must not come too near him; 2 *fig* you must not offend him; *dat kwam zijn eer te* ~ zie *eer*; *op mijn broer* ~ except my brother, but for my brother; *op één* ~ one excepted; *de laatste op één* ~ the last but one; *op één* ~ *de grootste ter wereld* the second largest in the world; *neem wat pudding* ~ take some pudding to top up with
naad (naden) *m* 1 seam; 2 (v. w o n d) suture; *nylons met* ~ seamed nylons; **-je** (-s) *o hij wil graag het* ~ *van de kous weten* he wants to know the ins and outs of it; **-loos** seamless
naaf (naven) *v* nave, hub; **-dop** (-pen) *m* hub-cap
'naaicursus [-zəs] (-sen) *m* sewing-class; **-doos** (-dozen) *v* sewing-box; **'naaien** (naaide, h. genaaid) **I** *vt* sew; *een knoop aan een...* ~ sew a button on; **P** fuck; **II** *vi* & *va* sew, do needlework; **'naaigaren** (-s) *o* sewing-thread; **-gerei** *o* sewing-things; **-kistje** (-s) *o* sewing-box; **-krans** (-en) *m* sewing-circle; **-machine** [-ma.ʃi.nə] (-s) *v* sewing-machine; **-mand** (-en) *v* work-basket, sewing-basket; **-meisje** (-s) *o* sewing-girl; **-ster** (-s) *v* seamstress, needlewoman; **-werk** *o* needlework
naakt naked², bare²; nude [figure]; **F** in the altogether; ~*e feiten* hard (dry) facts; *de* ~*e waarheid* the bare (naked, plain) truth; *hij werd* ~ *uitgeschud* he was stripped to the skin; **-figuur** (-guren) *v* nude; **-foto** ('s) *v* nude photograph; **-heid** *v* nakedness, bareness [of the walls &], nudity; **-loper** (-s) *m* nudist; **-strand** (-en) *o* nudist beach
naald (-en) *v* needle°; **-boom** (-bomen) *m* conifer; **-bos** (-sen) *o* pine forest, conifer forest; **'naaldenboekje** (-s) *o* needle-book, needle-case; **-koker** (-s) *m* needle-case; **'naaldhak** (-ken) *v* stiletto heel; *schoen met* ~ stiletto-heeled shoe; **-hout** *o* softwood; **-vormig** needle-shaped; **-werk** *o* needlework
naam (namen) *m* name; appellation, designation; *hoe is uw* ~*?* what's your name?; *zijn* ~ *met ere dragen* not belie one's name; *het mag geen* ~ *hebben* it is not worth mentioning; *een goede* ~ *hebben* have a good name, enjoy a good reputation; *een slechte* ~ *hebben* have an ill name (a bad reputation); *hij heeft nu eenmaal de* ~ *van...* he has the name of..., he has a name for [honesty &]; ~ *maken* make a name for oneself; *geen namen noemen* mention no names; • *iem. b i j zijn* ~ *noemen* call sbd. by his name; *i n* ~ *is hij...* in name (nominally) he is...; *in* ~ *der wet* in the name of the law; *noemen m e t* ~ *en toenaam* mention by name; *o n d e r een aangenomen* ~ under an assumed name; *onder een vreemde* ~ in another name, not in their real names; *bekend staan onder de* ~ *(van)...* go by the name of...; *o p een andere* ~ *overschrijven* zie *overschrijven*; *aandelen op* ~ zie *aandeel*; *op* ~ *van* in the name of; *hij heeft tien romans op zijn* ~ *(staan)* he has ten novels to his credit (to his name); *t e goeder* ~ *(en faam) bekend staand* enjoying a good reputation, of good standing and repute; *u i t* ~ *van mijn vader* from my father, on behalf of my father; *iem. v a n* ~ *kennen* know sbd. by name; *een ... van* ~ a distinguished...; *z o n d e r* ~ without a name, nameless. Zie ook: *name*; **-bordje** (-s) *o* name-plate; **-cijfer** (-s) *o* cipher, monogram, initials; **-dag** (-dagen) *m* saint's day, name-day; **-genoot** (-noten) *m* namesake; **-kaartje** (-s) *o* (visiting-)card; **-lijst** (-en) *v* 1 list of names, roll, register; 2 panel [of jury, doctors &]; **-loos** without a name, nameless, anonymous; zie ook: *vennootschap*; **-plaatje** (-s) *o* door-plate, name-plate; **-val** (-len) *m* case; *eerste* ~ nominative; *tweede* ~ genitive; *derde* ~ dative; *vierde* ~ accusative; **-woord** (-en) *o* noun
'naäpen (aapte 'na, h. 'nageaapt) *vi* ape, imitate, mimic; **-er** (-s) *m* ape, imitator, mimic; **naäpe'rij** (-en) *v* aping, imitation
1 naar I *prep* to; according to; after; by; ~ *boven* & zie *boven*; *hij heet* ~ *zijn vader* he is called after his father; ~ *huis gaan* go home; *hij kwam* ~ *me toe* he came up to me; ~ *de natuur schilderen* paint from nature; **II** *ad dat is er* ~ that depends; *ja maar het is er ook* ~ but then it is no better than it should be; *hij is er de man niet* ~ *om...* zie *man*; **III** *cj* ~ *men zegt* it is said
2 naar *aj* disagreeable, unpleasant, sad, dismal; *een nare jongen* an unpleasant (nasty) boy; *die nare jongen!* that wretched boy!; *een nare smaak* a nasty taste; *een nare vent* **F** bleeder, cad; ~ *weer* sour weather; *ik voel me zo* ~ I feel so queer (unwell); *hij is er* ~ *aan toe* he is in a bad way; *ik word er* ~ *van* it makes (turns) me sick
naar'dien since, whereas

naar'geestig dismal, gloomy, sombre
naarge'lang zie *gelang*
'naarling (-en) *m* nasty (beastly) fellow
naar'mate according as, as [we grow older]
'naarstig assiduous, diligent, industrious, sedulous; **–heid** *v* assiduity, diligence, industry, sedulity
naast I *aj* nearest, next; *mijn ~e buurman* my next-door neighbour; *mijn ~e bloedverwant* my nearest relation, my next of kin; *de ~e prijs* $ the lowest price; *de ~e toekomst* the near future; *ten ~e bij* approximately, about; *ieder is zichzelf het ~* near is my shirt, but nearer is my skin; **II** *prep* next (to); *~ elkaar* side by side; *het is niet ~ de deur* it is not next door; *~ God heb ik hem alles te danken* next to God; *bij zat ~ haar* beside her, by her side; *~ ons wonen Fransen* next-door to us; *je bent er ~* you are beside the mark (wrong); **naast'bijzijnd** nearest; **'naaste** (-n) *m-v* neighbour, fellow-creature; **'naasten** (naastte, h. genaast) *vt* 1 nationalize, take over; 2 confiscate, seize; **'naastenliefde** *v* love of one's neighbour, charity; **'naastgelegen** next-door, adjacent; **'naasting** (-en) *v* 1 nationalization; 2 confiscation, seizure
'nababbelen[1] = *napraten* **II**
'nabauwen[1] *vt* repeat [sth.] parrot-like, echo [what one has heard]
'nabeeld (-en) *o* after-image
'nabehandeling (-en) *v* after-treatment, follow-up
'nabeschouwing (-en) *v* commentary; *een ~ houden* consider in retrospect
'nabestaande (-n) *m* relation, relative; *de ~n* ook: the next of kin
'nabestellen (bestelde 'na, h. 'nabesteld) **I** *vt* give a repeat order for, order a fresh supply of; **II** *vi* repeat an order; **–ling** (-en) *v* repeat order, repeat
'nabetalen (betaalde 'na, h. 'nabetaald) *vi* pay afterwards; **–ling** (-en) *v* subsequent payment
'nabeurs *v* $ (bourse of the) closing hours: the Street
na'bij near, close to; *de dag is ~* the day is near at hand; *van ~* from close by; *van ~ bekeken* seen at close quarters; *iem. van ~ kennen* know sbd. intimately; *het raakt ons van ~* it concerns us nearly, it touches us very closely; *de dood ~* near death; **–gelegen** neighbouring, adjacent; **–heid** *v* neighbourhood, vicinity, proximity; *er was niemand in de ~* there was nobody near; **–komen** (kwam na'bij, is na'bijgekomen) *vt* come near to [sbd.'s ideal], come near [the mark], run [sbd.] hard; *wie komt hem nabij in...?* who can approach him in...?, who can touch him at...?; **–zijnd** near-by [place]; forthcoming [event]
'nablijven[1] *vi* 1 remain, stay on; 2 ⚭ be kept in, be detained (at school)
'nabloeden[1] *vi de wond bleef ~* the wound kept on bleeding
'nabloeien[1] *vi* bloom later; **–er** (-s) *m* ⚘ late flowerer; *fig* epigone
'nabob (-s) *m* nabob
'nabootsen (bootste 'na, h. 'nagebootst) *vt* imitate, mimic; **–er** (-s) *m* imitator, mimic; **'nabootsing** (-en) *v* imitation
na'burig neighbouring; **'nabuur** (-buren) *m* neighbour
nacht (-en) *m* night; *'s (des) ~s* [12 o'clock] at night, [work] by night, in the night-time, ⚒ of nights; *de ~ van maandag op dinsdag* the night from Monday to Tuesday; *de hele ~* all night (long), the whole night; *het wordt ~* night is falling; • *bij ~* by night, in the night-time; *bij ~ en ontij* at unseasonable hours; *in de ~* at night, during the night; *van de ~ een dag maken* turn night into day; **–arbeid** *m* night-work; **–asiel** [s = z] (-en) *o* night-shelter; **–bel** (-len) *v* night-bell; **–blind** night-blind; **–blindheid** *v* night-blindness, ⚕ nyctalopia; **–boot** (-boten) *m* & *v* night-boat; **'nachtbraken** (nachtbraakte, h. genachtbraakt) *vi* make a night of it; **–er** (-s) *m* night-reveller; **'nachtclub** (-s) *v* night club, night spot; **–dienst** *m* 1 night-service; 2 night-duty; *~ hebben* be on night-duty
'nachtegaal (-galen) *m* nightingale
'nachtelijk nocturnal [visit], night [attack &], [disorder] by night; *de ~e stilte* the silence of the night; **'nachtevening** (-en) *v* equinox; **–gewaad** (-waden) *o* night-attire; **–goed** *o* night-clothes, night-things, slumber-wear; **–hemd** (-en) *o* night-shirt; **–japon** (-nen) *m* night-dress, night-gown, **F** nightie; **–kaars** (-en) *v* night-light; *als een ~ uitgaan* fizzle out; **–kastje** (-s) *o* pedestal cupboard; **–kluis** (-kluizen) *v* night-safe; **–lampje** (-s) *o* night-lamp; **–leven** *o* night-life; **–lichtje** (-s) *o* night-light; **–merrie** (-s) *v* nightmare; **–mis** (-sen) *v* midnight mass; **–permissie** (-s) *v* night leave; **–pitje** (-s) *o* rushlight, floating wick; **–ploeg** (-en) *v* night-shift; **–pon** (-nen) *m* = *nachtjapon*; **–portier** (-s) *m* night-porter; **–rust** *v* night's rest; **–schade** (-n) *v* nightshade; **–schuit** (-en) *v* night-boat; *met de ~*

[1] V.T. en V.D. van dit werkwoord volgens het model: **'na**babbelen, V.T. babbelde **'na**, V.D. **'na**gebabbeld. Zie voor de vormen onder het grondwoord, in dit voorbeeld: *babbelen.* Bij sterke en onregelmatige werkwoorden wordt u verwezen naar de lijst achterin.

komen be late; **–slot** (-sloten) *o* double lock; *op het ~ doen* double-lock; **–spiegel** (-s) *m* chamber pot, **S** jordan; **–stroom** *m* ※ cheap hours; **–tarief** *o* night rate, night tariff; **–trein** (-en) *m* night-train; **–uil** (-en) *m* screech-owl; **–uiltje** (-s) *o* night-moth; **–vlinder** (-s) *m* (night-)moth; **–vlucht** (-en) *v* night flight; **–vogel** (-s) *m* night-bird[2]; **–voorstelling** (-en) *v* late-night showing [of a film]; **–vorst** (-en) *m* night-frost; **–wacht** (-en) *m* night-watchman; *v* night-watch; *de Nachtwacht (van Rembrandt) v* the Midnight Round, (Rembrandt's) Night Watch; **–waker** (-s) *m* night-watchman; **–werk** *o* night-work, lucubration; *er ~ van maken* make a night of it, burn the midnight oil; **–zoen** (-en) *m* good-night kiss; **–zuster** (-s) *v* night-nurse; **–zwaluw** (-en) *v* nightjar

'nadagen *mv* the latter days [of sbd.'s life], the declining years; the last stage [of a revolution]

na'dat *cj* after [we had seen it]

'nadeel (-delen) *o* disadvantage; injury, harm, hurt; loss; *dat is het ~ van zo'n betrekking* that is the drawback of such a place; *in uw ~* against you; *ten nadele van* at the cost (expense) of, to the detriment (prejudice) of; *hij kan niets te mijnen nadele zeggen* he can say nothing against me; *tot zijn eigen ~* to his cost; **na'delig** disadvantageous; hurtful, detrimental, prejudicial; *~ zijn voor, ~ werken op* be detrimental to; *~ voor* detrimental to, hurtful to, harmful to, injurious to

'nadenken[1] **I** *vi* think [about], reflect [(up)on]; *ik moet er eens over ~* I must think about it; *ergens goed over ~* consider sth. carefully, give sth. serious consideration; **II** *o* reflection; *bij ~* on reflection; *tot ~ brengen* make [sbd.] think (reflect), set [sbd.] thinking; *tot ~ stemmen* furnish food for thought; *zonder ~* without thinking, unthinkingly; **na'denkend I** *aj* pensive, meditative, thoughtful; thinking; **II** *ad* pensively, meditatively

'nader I *aj* nearer [road]; further [information]; *hebt u al iets ~s vernomen?* have you got any further information (news)?; **II** *ad* nearer; *je zult er ~ van horen* you will hear of this; *~ aanduiden* indicate more precisely; *er ~ van horen* hear more of it; *~ op iets ingaan* 1 enter into the details of it; 2 make further inquiries; zie ook: *ingaan*; *ik zal u ~ schrijven* I'll write you more fully; *~ verwant (aan)* more nearly allied (to); zie ook: *inzien, kennis, verklaren* &; **nader'bij** nearer; **'naderen** (naderde, is genaderd) **I** *vi* approach, draw near; *~ tot...* go to [Holy Communion]; **II** *vt* approach, draw near to [of persons, things]; *we ~ het doel* ook: we are nearing the goal; **nader'hand** afterwards, later on; **'nadering** *v* approach

na'dien since

'nadoen[1] *vt* imitate, mimic

'nadorst *m* thirst after drinking to excess

'nadruk (-ken) *m* 1 (klem) emphasis, stress, accent; 2 (het nagedrukte of nadrukken) reprint; pirated copy; piracy; *de ~ leggen op* stress[2], *fig* lay stress on, accentuate emphasize; *~ verboden* all rights reserved; *met ~* emphatically; **na'drukkelijk** emphatic

'nadrukken[1] *vt* reprint; pirate [a book]

'naëten[1] *vt* eat after the others; *wat eten we na?* what are we going to finish with?, what do we have for dessert?

'nafluiten[1] *vt* 1 whistle after; 2 hoot

'nafta *m* naphtha; **nafta'leen** *o* naphthalene

'nagaan (ging 'na, h. en is 'nagegaan) **I** *vt* 1 (volgen) follow; 2 (het oog houden op) keep an eye on, look after; 3 (onderzoeken) trace; *iem.'s gangen ~* keep track of sbd.; *de rekeningen ~* look into (check) the notes; *het verleden ~* retrace the past; *we worden nagegaan* we are watched; *als ik dat naga, dan...* when considering that...; *je kunt ~ hoe...* you can easily imagine how...; *voor zover we kunnen ~* as far as we can ascertain; *dat kan je ~!* you bet!; (absoluut niet) **F** not likely!; **II** *vi* be slow [of a watch]

'nagalm *m* resonance, echo; **'nagalmen**[1] *vi* resound, echo

'nageboorte (-n) *v* afterbirth, placenta

'nagedachtenis *v* memory, remembrance; *gewijd aan de ~ van* sacred to the memory of; *ter ~ aan* in commemoration of

'nagekomen *~ berichten* stop-press news; *~ stukken* subsequent correspondence

'nagel (-s en -en) *m* nail°; (kruidnagel) clove; *dat was een ~ aan zijn doodkist* it was a nail in his coffin

'nagelaten *~ werk* posthumous work

'nagelbed (-den) *o* nail-bed; **'nagelbijten** *o* nail-biting; **–er** (-s) *m* nail-biter; **'nagelborstel** (-s) *m* nail-brush

'nagelen (nagelde, h. genageld) *vt* nail; *aan de grond genageld* rooted to the ground (to the spot)

'nagelkaas (-kazen) *m* clove-cheese

'nagellak *o* & *m* nail-varnish; **–riem** (-en) *m* cuticle; **–schaartje** (-s) *o* nail-scissors; **–vast**

[1] V.T. en V.D. van dit werkwoord volgens het model: **'na**babbelen, V.T. babbelde **'na**, V.D. **'na**gebabbeld. Zie voor de vormen onder het grondwoord, in dit voorbeeld: *babbelen.* Bij sterke en onregelmatige werkwoorden wordt u verwezen naar de lijst achterin.

fixed with nails; *aard- en ~* immovable, clinched and riveted; *alles wat ~ is* the fixtures; **–vijltje** (-s) *o* nail-file
'nagemaakt counterfeit, forged, faked
'nagenoeg almost, nearly, all but
'nagerecht (-en) *o* dessert
'nageslacht *o* posterity, progeny, offspring, issue
'nageven[1] *vt dat moet hem* (*tot zijn eer*) *worden nagegeven* that must be said to his honour (credit); *dat moet ik hem ~* I'll say that for him
'naheffing (-en) *v* additional income tax assessment
'naherfst *m* last days of autumn
'nahollen[1] *vt* run (tear) after
'nahouden[1] *vt* keep in (at school); *er op ~* keep (articles for sale); *fig* hold [theories]; *er geen bedienden op ~* not keep (any) servants
na'ïef naive, artless, ingenuous, simple-minded
'naijlen[1] *vt* hasten after
'naijver *m* 1 envy, jealousy; 2 (w e d ij v e r) emulation; **na'ijverig** envious, jealous, (of *op*)
naïve'teit, naïvi'teit *v* naïvety
'najaar (-jaren) *o* autumn; **–sbeurs** (-beurzen) *v* autumn fair
'najagen[1] *vt* chase[2] [chimeras], pursue[2] [game, a plan, pleasures]; hunt for [a job], hunt (strain) after [effect]
'najouwen[1] *vt* hoot after
'nakaarten[1] *vi fig* hold a post-mortem
'naken (naakte, is genaakt) *vi* approach, come near(er), draw near
'nakie *o* **F** *in zijn ~* in the altogether
'nakijken[1] *vt* = *nazien*
'naklank *m* resonance, echo[2]; **'naklinken**[1] *vi* continue sounding, resound
'nakomeling (-en) *m* descendant; **–schap** *v* posterity, progeny, offspring, issue
'nakomen[1] **I** *vi* come afterwards, come later (on), arrive afterwards, follow; **II** *vt* 1 (v o l g e n) come after, follow; 2 (v o l b r e n g e n) fulfil, make good [a promise], meet, honour [an obligation]
'nakomertje (-s) *o* **F** afterthought
'nakoming *v* performance, fulfilment
'nalaten[1] *vt* 1 (a c h t e r l a t e n, b ij o v e r l ij d e n) leave (behind); 2 (n i e t m e e r d o e n) leave off; 3 (n i e t d o e n) omit, fail; neglect [one's duties]; *ik kan niet ~ te...* I cannot help (forbear, refrain from) ...ing; **na'latenschap** (-pen) *v* inheritance; (b o e d e l) estate
na'latig negligent, neglectful, remiss, careless; *een ~e betaler* a bad payer; **–heid** *v* 1 negligence, remissness, carelessness; 2 dereliction of duty
'naleven[1] *vt* live up to [a principle]; observe [certain rules], fulfil [instructions]
'naleveren[1] *vt* deliver subsequently; **–ring** (-en) *v* subsequent delivery
'naleving *v* living up to [principles &], observance [of rules], fulfilment
'nalezen[1] *vt* 1 peruse, read over; 2 glean[2] [a field &]
'nalopen[1] **I** *vt* run after[2], follow[2]; *ik kan niet alles ~* I can't attend to everything; **II** *vi* be slow [of a watch]; *mijn horloge loopt iedere dag een minuut na* my watch loses one minute a day
nam (namen) V.T. van *nemen*
'namaak *m* imitation, counterfeit, forgery; *wacht U voor ~* beware of imitations; **–sel** (-s) *o* imitation; **'namaken**[1] *vt* 1 copy, imitate [a model]; 2 counterfeit, forge [a signature]
'name *m e t ~* especially, notably; *met ~ noemen* name (mention) expressly; *t e n ~ van* in the name of; **–lijk** namely, viz., that is, videlicet, ✎ to wit; (w a n t, i m m e r s) for; *ik wist ~ niet...* the fact is that I didn't know...; **–loos** nameless, unutterable, unspeakable, inexpressible; zie ook: *naamloos*
'namen V.T. meerv. v. *nemen*
'namens in the name of, on behalf of
'nameten[1] *vt* measure again, check
na'middag (-dagen) *m* afternoon; *des ~s* in the afternoon; *om 3 uur in de ~* ook: at 3 p.m.
'nanacht (-en) *m* latter part of the night
'naogen[1] *vt* follow with one's eyes
'naoorlogs post-war
nap (-pen) *m* cup, bowl, basin, porringer
'napalm *o* napalm
'napijn (-en) *v* after-pain
'napluizen[1] *vt* ferret into, investigate
Napole'ontisch Napoleonic
'nappa(leer) *o* ± dogskin
'napraten[1] **I** *vt* echo [sbd.'s words], repeat [sbd.'s words]; **II** *vi nog wat ~* remain talking, have a talk after the meeting (the session &)
'napret *v* fun after the feast, amusement after the event
nar (-ren) *m* fool, jester
'narcis (-sen) *v* narcissus, daffodil; **nar'cisme** *o ps* narcissism; **nar'cist** (-en) *m* narcissist; **–isch** narcissistic
nar'cose [-'ko.zə] *v* narcosis, anaesthesia; *onder ~ brengen* narcotize, anaesthetize; *onder ~ zijn* be under the (an) anaesthetic; **nar'coticum**

[1] V.T. en V.D. van dit werkwoord volgens het model: **'na**babbelen, V.T. babbelde **'na**, V.D. **'na**gebabbeld. Zie voor de vormen onder het grondwoord, in dit voorbeeld: *babbelen.* Bij sterke en onregelmatige werkwoorden wordt u verwezen naar de lijst achterin.

(-ca) *o* narcotic; *narcotica* narcotics; **nar'cotisch** narcotic; ~ *middel* narcotic; **narcoti'seren** [s = z] (narcotiseerde, h. genarcotiseerd) *vt* narcotize, anaesthetize; **narcoti'seur** (-s) *m* anaesthetist
'nardus *m* nard, spikenard
'narede (-s) *v* epilogue
'narekenen[1] *vt* 1 check; 2 (b e r e k e n e n) calculate
'narennen[1] *vt* run (gallop) after
'narigheid (-heden) *v* trouble, misery
'naroepen[1] *vt* 1 call after; 2 (u i t s c h e l d e n) call names
'narrenkap (-pen) *v* fool's cap, cap and bells; **–pak** (-ken) *o* fool's dress
'narwal (-s en -len) *m* narwhal
na'saal [s = z] I *aj* nasal; **II** *ad* nasally; **III** (-salen) *v* nasal
'naschilderen[1] *vt* copy
'nascholing *v* refresher course
'naschreeuwen[1] *vt* cry (bawl) after; *iem.* ~ hoot at sbd.
'naschrift (-en) *o* postscript; **'naschrijven**[1] *vt* copy [a model], plagiarize [an author]
'naslaan[1] *vt* look up [a word]; consult [a book]; **'nasla(g)werk** (-en) *o* book of reference, reference book, work of reference, reference work
'nasleep *m* train (of consequences); *de* ~ *van de oorlog* war's aftermath; **'naslepen**[1] **I** *vt* drag after; **II** *vi* drag (trail) behind
'nasluipen[1] *vt* steal after
'nasmaak (-smaken) *m* after-taste, tang; *een bittere* ~ *hebben* leave a bitter taste
'nasnellen[1] *vt* run (hasten) after
'nasnuffelen[1] *vt* pry into [a secret]; ferret in [one's pockets]
'naspel (-spelen) *o* 1 (v. t o n e e l s t u k) afterpiece; 2 ♪ (concluding) voluntary; 3 *fig* sequel, aftermath; 4 (s e k s u e e l) afterplay
'naspelen[1] *vt* ♪ replay [by ear]
'naspellen[1] *vt* spell after; spell again
'naspeuren[1] *vt* trace, track, investigate
'nasporen[1] *vt* trace, investigate; **–ring** (-en) *v* investigation; *zijn* ~*en* ook: his researches
'naspreken[1] *vt* repeat [my words]; > echo
'naspringen[1] *vt* leap (jump) after
'nastaren[1] *vt* gaze (stare) after
'nastreven[1] *vt* strive after, pursue [happiness, wealth &]; emulate [sbd.]; *het* ~ the pursuit [of a policy &]
'nasturen[1] *vt* forward [a letter]
'nasynchronisatie [-sıngro.ni.za.(t)si.] (-s) *v* dubbing; **'nasynchroniseren**[1] *vt* dub [a film]; **'nasynkronisatie** [-sınkro.ni.za.(t)si.] (-s) = *nasynchronisatie*; **'nasynkroniseren** = *nasynchroniseren*
nat I *aj* wet; (v o c h t i g) moist, damp; *zo* ~ *als een kat* as wet as a drowned rat; ~ *van transpiratie* wet with perspiration; ~ *maken* wet; **II** *o* wet, liquid; *het is een pot* ~ zie *potnat*
'natafelen[1] *vi* remain at table after dinner is over
'natekenen[1] *vt* copy, draw [from a model]
'natellen[1] *vt* count over, count again, check
'nathals (-halzen) *m* tippler, soaker; **–heid** *v* wetness, moistness, dampness
'natie [-(t)si.] (-s en natiën) *v* nation; **–vlag** (-gen) *v* ⚓ ensign; **natio'naal** [-(t)si.o.-] national; **nationali'satie** [-'za.(t)si.] (-s) *v* nationalization; **nationali'seren** (nationaliseerde, h. genationaliseerd) *vt* nationalize; **nationa'lisme** *o* nationalism; **nationa'list** (-en) *m* nationalist; **–isch** nationalistic [state of mind], [they are very] nationalistic; nationalist [party, press]; **nationali'teit** (-en) *v* nationality; **nationali'teitsbewijs** (-wijzen) *o* certificate of nationality; **–gevoel** *o* national feeling
'natrekken[1] *vt* 1 go after, march after [the enemy &]; 2 trace, copy [a drawing]
'natrillen[1] *vi* continue to vibrate
'natrium *o* sodium; **–lamp** (-en) *v* sodium-vapour lamp
'nattig wet(tish); **–heid** *v* wetness, wet, damp
na'tura *in* ~ in kind
naturali'satie [-'za.(t)si.] (-s) *v* naturalization; **naturali'seren** (naturaliseerde, h. genaturaliseerd) *vt* naturalize; *zich laten* ~ take out letters of naturalization
natura'listisch naturalistic
na'tuur (-turen) *v* 1 nature; 2 (natural) scenery; 3 disposition, temper; *de* ~ *is er erg mooi* the scenery is very beautiful there; *er zijn van die naturen die...* there are natures who...; *dat is bij hem een tweede* ~ *geworden* it has become a second nature with him; *de* ~ *is sterker dan de leer* nature passes nurture; • *i n de vrije* ~ in the open air; *n a a r de* ~ from nature; *o v e r e e n k o m s t i g de* ~ according to nature; *t e g e n de* ~ against nature; *v a n nature* by nature, naturally; **–bad** (-baden) *o* lido; **–behoud** *o* conservancy (conservation) of nature; **–beschermer** (-s) *m* conservationist; **–bescherming** *v* preservation (conservation) of natural beauty; **–boter** *v* natural butter; **–geneeswijze** (-n) *v* treatment by natural

[1] V.T. en V.D. van dit werkwoord volgens het model: **'na**babbelen, V.T. babbelde **'na**, V.D. **'na**gebabbeld. Zie voor de vormen onder het grondwoord, in dit voorbeeld: *babbelen*. Bij sterke en onregelmatige werkwoorden wordt u verwezen naar de lijst achterin.

remedies; **–getrouw** 1 true to nature; 2 true to life; **natuurhis'torisch** natural-historical, natural history [society]; **na'tuurkenner** (-s) *m* naturalist, natural philosopher; **–kennis** *v* natural history; zie ook: *natuurkunde*; **–kracht** (-en) *v* force of nature; **–kunde** *v* physics, (natural) science; **natuur'kundig** physical; ~ *laboratorium* physics laboratory; **–e** (-n) *m-v* natural philosopher, physicist
na'tuurlijk I *aj* natural; *~e aanleg* natural bent; *~e historie* natural history; ~ *kind* 1 natural (artless) child; 2 natural child, child born out of wedlock; **II** *ad* naturally; *~!* of course!; **natuurlijker'wijs, –'wijze** naturally; **na'tuurlijkheid** *v* naturalness, artlessness
na'tuurmens (-en) *m* natural man, child of nature; **–monument** (-en) *o* place of natural beauty; **–onderzoeker** (-s) *m* naturalist; **–ramp** (-en) *v* natural calamity (catastrophe, disaster); **–recht** *o* natural right; **–reservaat** [s = z] (-vaten) *o* nature reserve; **–schoon** *o* (beautiful) scenery; *ons* ~ our beauty spots; **–staat** *m* original state; *in de* ~ in a state of nature; *tot de* ~ *terugkeren* return to a state of nature; **–steen** *o* & *m* natural stone; **–tafereel** (-relen) *o* scene of natural beauty; **–verschijnsel** (-en en -s) *o* natural phenomenon [*mv* natural phenomena]; **–vorser** (-s) *m* naturalist; **–vriend** (-en) *m* lover of nature, nature lover; **–wet** (-ten) *v* law of nature, natural law; **–wetenschap(pen)** *v* (*mv*) (natural) science; **natuurweten'schappelijk** scientific [research]
nauw I *aj* 1 (e n g) narrow [road &]; tight [dress]; 2 *fig* close [friendship &]; **II** *ad* narrowly; tightly; closely [related]; ~ *bij elkaar* close together; ~ *merkbaar* scarcely perceptible; *hij neemt het* (*kijkt*) *zo* ~ *niet* he is not so very particular; **III** *o* 1 ⚓ strait(s); 2 *fig* scrape; *het Nauw van Calais* the Straits of Dover; *in het* ~ *zitten* be in a scrape, be in a (tight) corner, be hard pressed; *iem. in het* ~ *brengen* press sbd. hard, drive sbd. into a corner; *in het* ~ *gedreven* with one's back to the wall, cornered
'nauwelijks scarcely, hardly, barely; ~... *of*... scarcely (hardly)... when...; no sooner... than...
nauwge'zet I *aj* conscientious; painstaking; punctual; **II** *ad* conscientiously; punctually; **–heid** *v* conscientiousness; punctuality
nauw'keurig exact, accurate, close; **–heid** *v* exactness, accuracy
nauw'lettend close, exact, accurate, strict, particular; *~e zorg* anxious care; **–heid** *v* exactness, accuracy
'nauwsluitend close-fitting, skin-tight
'nauwte (-s en -n) *v* ⚓ strait(s), narrows
n.a.v. = *naar aanleiding van* on the occasion of
'navel (-s) *m* navel, § umbilicus; **–breuk** (-en) *v* umbilical hernia; **–streng** (-en) *v* umbilical cord, navel-string
nave'nant zie *naar gelang*
'navertellen (vertelde 'na, h. 'naverteld) *vt* repeat; retell
'naverwant I *aj* closely related; **II** *sb ~en* relations
navi'gatie [-(t)si.] *v* navigation; *Akte van Navigatie* 🕮 Navigation Act; **navi'gator** (-s) *m* navigator [ook ✈]
'navliegen[1] *vt* fly after
NAVO ['na.vo.] *v* = *Noordatlantische Verdragsorganisatie* NATO
na'volgbaar imitable; **'navolgen**[1] *vt* follow, imitate; **na'volgend** following; **navolgens'waard(ig)** worthy of imitation; **'navolger** (-s) *m* follower, imitator; **'navolging** (-en) *v* imitation
'navordering (-en) *v* (v. b e l a s t i n g) additional assessment
'navorsen[1] *vt* investigate, search (into); **–sing** (-en) *v* investigation; *zijn ~en* ook: his researches
'navraag *v* inquiry; $ demand; *er is veel* ~ *naar* $ it is in great demand; ~ *doen naar* inquire after; *bij* ~ on inquiry; **'navragen**[1] *vi* inquire
na'vrant harrowing, poignant
'naweeën *mv* afterpains; *fig* after-effects, aftermath
'nawerken[1] *vi* produce after-effects; **–king** *v* after-effect(s)
'nawijzen[1] *vt* point after (at); zie ook: *vinger*
'nawinter (-s) *m* latter part of the winter
'nawoord (-en) *o* epilogue
'nazaat (-zaten) *m* descendant
'nazeggen[1] *vt* repeat
'nazenden[1] *vt* send (on) after, forward; redirect
'nazetten[1] *vt* pursue, chase
'nazi ['na.zi.] ('s) *m* & *aj* Nazi
'nazien[1] *vt* 1 (n a o g e n) look after, follow with one's eyes [a person]; 2 (k r i t i s c h n a g a a n) examine; ⚒ overhaul [a machine, a bicycle &]; go over [one's lessons]; 3 (v e r b e t e r e n) correct [exercises]; *ik zal het eens* ~ I'll look it up [in the dictionary]
'nazitten[1] *vt* pursue
'nazomer (-s) *m* latter part of the summer; *mooie* ~ Indian summer

[1] V.T. en V.D. van dit werkwoord volgens het model: '**na**babbelen, V.T. babbelde '**na**, V.D. '**na**gebabbeld. Zie voor de vormen onder het grondwoord, in dit voorbeeld: *babbelen*. Bij sterke en onregelmatige werkwoorden wordt u verwezen naar de lijst achterin.

'nazorg *v* after-care
N.B. = *noorderbreedte*; *nota bene*
n. Chr. = *na Christus* A.D.
ndl. = *Nederlands*
neces'saire [ne.sɛ'sɛ:rə] (-s) *m* 1 (met toiletbenodigdheden) dressing-case, toilet-case; 2 (met naaigerei) housewife
necrolo'gie (-ieën) *v* necrology
'nectar *m* nectar
'neder(-) = *neer(-)*
'Nederduits *o, aj* Low German
'nederig I *aj* humble, lowly; **II** *ad* humbly; **-heid** *v* humility, humbleness, lowliness
'nederlaag (-lagen) *v* defeat, reverse, overthrow; *de ~ lijden* suffer defeat, be defeated; *de vijand een zware ~ toebrengen* inflict a heavy defeat upon the enemy
'Nederland *o* the Netherlands; *de ~en* the Netherlands; **'Nederlander** (-s) *m* Dutchman; **-schap** *o* Dutch nationality; **'Nederlands I** *aj* Dutch, Netherlands; *N~e Antillen* (the) Netherlands Antilles; **II** *o het ~* Dutch; **-talig** Dutch-speaking [Belgians]
'nederwaarts = *neerwaarts*
'nederzetting (-en) *v* settlement
nee = *neen*
neef (-s en neven) *m* 1 (broeders- of zusterszoon) nephew; 2 (ooms- of tanteszoon) cousin; *ze zijn ~ en nicht* they are cousins
neeg (negen) V.T. van *nijgen*
neen no; *~ maar!* Well, I never!; *~ zeggen* say no, refuse; *hij zei van ~* he said no; *met ~ beantwoorden* answer in the negative
neep (nepen) V.T.van *nijpen*
neer down
'neerbuigen[2] I *vi* bend (bow) down; **II** *vt* bend down; **III** *vr zich ~* bow (kneel) down; **neer'buigend** condescending, patronizing
'neerdalen[2] *vi* come down, descend; **-ling** (-en) *v* descent
'neerdoen[2] *vt* let down; **-draaien**[2] *vt* turn down; **-drukken**[2] *vt* press down, weigh down, oppress[2]
'neergaan[2] *vi* go down; **-d** downward; *in ~e lijn* on the down grade
'neergooien[2] *vt* throw (fling) down [sth.]; throw up [one's cards, *fig* one's berth]; *de boel er bij ~* **F** chuck the whole thing
'neerhaal (-halen) *m* downstroke [in writing]
'neerhalen[2] *vt* pull down, haul down [a flag], lower; bring down [aircraft]; **-hangen**[2] *vi* hang down, droop; **-hurken** (hurkte 'neer, h. en is 'neergehurkt) *vi* squat (down); **-kijken**[2] *vi* look down [upon]; **-knielen**[2] *vi* kneel down; **-komen**[2] *vi* come down; *~ op een tak* alight on a branch; *daar komt het op neer* it comes (amounts) to this, it boils down to this; *het komt alles op hetzelfde neer* it comes to the same thing, it works out the same in the end; *alles komt op hem neer* all falls on his shoulders (on him); **-kwakken**[2] *vt* dump down, slam down; **-laten**[2] *vt* 1 let down, lower [a blind]; 2 drop [the curtain, a perpendicular, a parachutist]; **-leggen**[2] **I** *vt* lay down, put down; *zijn ambt ~* resign (one's office); *zijn betrekking ~* lay down (vacate) one's office; *het commando ~* relinquish the command; *ik moest 25 gulden ~* I had to put down 25 guilders; *zijn hoofd ~* lay down one's head[2]; *de praktijk ~* retire from practice; *veel vijanden ~* shoot (kill) many enemies; *de wapens ~* lay down one's arms; *het werk ~* 1 (gewoon) cease (stop) work; 2 (bij staking) strike work, strike, down tools; *zoveel stuks wild ~* bring down (kill) so many head of game; *naast zich ~* disregard, ignore, take no notice of; **II** *vr zich bij iets ~* acquiesce in it; accept the fact; *men moet er zich maar bij ~* one has to put up with it, one can only resign oneself to it; *zich ~ bij het vonnis* defer to the verdict; **-liggen**[2] *vi* lie down; **-ploffen**[2] **I** *vt* dash down; **II** *vi* flop down, fall down (come down) with a thud; **-sabelen**[2] *vt* cut down, put to the sword; **-schieten**[2] **I** *vt* shoot down [a bird &]; shoot [a man]; bring down [aircraft]; **II** *vt* dart down, dash down [upon...]; *~ op* ook: pounce upon, swoop down; **-schrijven**[2] *vt* write down; **-slaan**[2] **I** *vt* strike down [a person]; cast down [the eyes]; let down [a flap &]; lower [a hood]; precipitate [a substance]; *fig* dishearten; beat down [resistance]; **II** *vi* 1 be struck down; 2 (in scheikunde) precipitate
neer'slachtig dejected, low(-spirited), depressed; **F** down in the mouth; **-heid** *v* dejection, low spirits, depression of spirits, **F** the blues
'neerslag (-slagen) 1 *m* (regen &) precipitation; 2 *m* & *o* (in de scheikunde) precipitation; precipitate; (bezinksel) deposit; sediment; *radioactieve ~* fall-out
'neersmijten[2] *vt* throw down, fling down, slap down; **-steken**[2] *vt* stab; **-storten**[2] **I** *vi* 1 fall down; 2 ✈ crash; **II** *vt* dump down; **-strijken** (streek 'neer, h. en is 'neergestreken) *vi* alight [on a branch &]; **-stromen**[2] *vi* stream down; **-tellen**[2] *vt* count down; **-trekken**[2] *vt* pull down, draw down; **-tuimelen**[2] *vi* tumble

[2] V.T. en V.D. van dit werkwoord volgens het model: '**neer**dalen, V.T. daalde '**neer**, V.D. '**neer**gedaald. Zie voor de vormen onder het grondwoord, in dit voorbeeld: *dalen.* Bij sterke en onregelmatige werkwoorden wordt u verwezen naar de lijst achterin.

down; **–vallen**[2] *vi* fall down, drop; **–vellen**[2] *vt* fell, strike down; **–vlijen**[2] **I** *vt* lay down; **II** *vr zich* ~ lie down
'neerwaarts I *aj* downward; **II** *ad* downward(s)
'neerwerpen[2] **I** *vt* cast (throw, fling, hurl) down; ✈ drop, parachute; **II** *vr zich* ~ throw oneself down; **–zetten**[2] **I** *vt* set (put) down; **II** *vr zich* ~ 1 sit down; 2 settle [in India &]; **–zien**[2] *vi* look down (upon *op*); **–zijgen**[2], **–zinken**[2] *vi* sink down; ~ *in* sink into [an armchair &]; **–zitten** (zat 'neer, is 'neergezeten) *vi* sit down
neet (neten) *v* nit
nega'tief, 'negatief I *aj* negative; **II** *ad* negatively; **III** (-tieven) *o* negative
1 'negen nine; *alle* ~ *gooien* throw all nine
2 'negen V.T. meerv. v. *nijgen*
'negende ninth (part); **'negenjarig** of nine years, nine-year-old; **–oog** (-ogen) *v* 1 lamprey; 2 carbuncle; **–tal** (-len) *o* nine; **'negentien** nineteen; **–de** nineteenth (part); **'negentig** ninety; **–jarig** of ninety years; *een* ~*e* a nonagenarian; **–ste** ninetieth (part); **'negenvoud** *o* multiple of nine; **–ig** ninefold
'neger (-s) *m* Negro; **–bevolking** *v* Negro population
1 'negeren ['ne.gərə(n)] (negerde, h. genegerd) *vt* bully, hector
2 ne'geren [nə'ge:rə(n)] (negeerde, h. genegeerd) *vt* ignore [sth., sbd.]; cut [sbd.]
nege'rin (-nen) *v* Negress; **'negertaal** (-talen) *v* Negro language
negli'gé [ne.gli.'ʒe.] (-s) *o* undress, négligé; *in* ~ in dishabille
nego'rij (-en) *v* hole [of a place]
ne'gotie [-(t)si.] (-s) *v* trade; *zijn* ~ his wares
'neigen (neigde, h. geneigd) **I** *vi* incline, bend; *ter kimme* ~ decline; *ten val* ~ totter to its ruin; *geneigd tot...* zie *geneigd*; **II** *vt* incline, bend [one's head]; **–ging** (-en) *v* leaning (towards *to*), propensity, tendency, bent, inclination; ~ *voelen om...* feel inclined to...
nek (-ken) *m* back of the neck, nape of the neck; *hij heeft een stijve* ~ he has got a stiff neck; ~ *aan* ~ *sp* neck and neck; *zij zien hem met de* ~ *aan* they give him the cold shoulder; *iem. de* ~ *breken* break sbd.'s neck; *dat zal hem de* ~ *breken* that will be his undoing; *iem. in de* ~ *zien* **S** do sbd. in the eye; **–haar** (-haren) *o* hair of the nape; **'nekken** (nekte, h. genekt) *vt* kill; *een voorstel* ~ **S** kill (wreck) a proposal; *dat heeft hem genekt* that has been his undoing; **'nekkramp** *v* cerebro-spinal meningitis; **–schot** (-schoten) *o* shot in the back of the neck; **–slag** (-slagen) *m* stroke in the neck, rabbit-punch; *fig* deathblow; **–spier** (-en) *v* cervical muscle; **–vel** *o* scruff of the neck
'nemen* *vt* 1 take [sth.]; 2 (b i j s c h a k e n &) take, capture [a piece]; 3 ⚔ take, carry [a fortress]; 4 (s p r i n g e n o v e r) take, negotiate [the hurdles]; 5 (b e s p r e k e n) take, engage, book [seats]; 6 (i e m. v o o r d e g e k h o u d e n) fool [sbd.], pull sbd.'s leg; 7 (b e d o t t e n) take in, cheat, **F** do [sbd.]; *neem wat vruchtesap* have some fruit juice; *dat neem ik niet* I am not having this; *ik zou 't niet* ~ **F** I wouldn't stand for it; *het* ~ *zoals het valt* take things just as they come; ● *iem. b ij de arm* ~ take sbd. by the arm; *iets o p zich* ~ undertake to do sth.; *het bevel op zich* ~ take command; *een taak op zich* ~ shoulder a task; *t o t zich* ~ 1 take [food]; 2 adopt [an orphan]; *een horloge u i t elkaar* ~ take a watch to pieces; *het er goed v a n* ~ do oneself well; zie ook: *aanvang* &
neolo'gisme (-n) *o* neologism
'neon *o* neon; **–buis** (-buizen) *v* neon tube
nep S swindle; fake; **nep-** imitation(-), fake; **'neptent** (-en) *v* **S** clip joint
'Nepal *o* Nepal
'nepen V.T. meerv. van *nijpen*
nepo'tisme *o* nepotism
nerf (nerven) *v* rib, nerve, vein; grain [of wood]
'nergens nowhere; ~ *toe dienen* zie *dienen*; ~ *om geven* care for nothing; *het is* ~ *goed voor* it is good for nothing; ~ *zijn* [*fig*] be nowhere
'nering (-en) *v* $ 1 trade, retail trade; 2 custom, goodwill; ~ *doen* keep a shop; *drukke* ~ *hebben* do a roaring trade; **–doende** (-n) *m* tradesman, shopkeeper
nerts 1 (-en) *m* mink; 2 *o* (b o n t) mink
nerva'tuur (-turen) *v* nervation; **ner'veus I** *aj* nervous, **F** nervy; all of a dither; **II** *ad* nervously; **nervosi'teit** [s = z] *v* nervousness
nest (-en) *o* 1 nest [of birds &]; eyrie [of a bird of prey]; 2 litter [of pups], set [of kittens]; 3 > **F** hole [of a place]; 4 bed; 5 *fig* minx, proud little thing; **–ei** (-eieren) *o* nest-egg
'nestel (-s) *m* shoulder-knot, tag
'nestelen (nestelde, h. genesteld) **I** *vi* nest, make its (their) nest; **II** *vr zich* ~ [*fig*] nestle; *de vijand had zich daar genesteld* ⚔ the enemy had lodged himself there
'nesthaar *o* first hair, down; **–kastje** (-s) *o* nest-box, nesting-box; **–kuiken** (-s) *o* nestling; **–veren** *mv* first feathers, down
1 net (-ten) *o* 1 net [of a fisherman &]; 2 string bag [for shopping]; 3 rack [in railway carriage]; 4 network [of railways], [railway,

[2] V.T. en V.D. van dit werkwoord volgens het model: **'neer**dalen, V.T. daalde **'neer,** V.D. **'neer**gedaald. Zie voor de vormen onder het grondwoord, in dit voorbeeld: *dalen.* Bij sterke en onregelmatige werkwoorden wordt u verwezen naar de lijst achterin.

electricity, telephone &] system; *zijn ~ten uitwerpen* cast one's nets[2]; *a c h t e r het ~ vissen* come a day after the fair, be too late; *zij heeft hem i n haar ~ten gelokt* she has netted (trapped) him; *in het ~ vallen* be netted[2], *fig* fall into the trap

2 net I *aj* 1 (n e t g e m a a k t) neat; 2 (a a r d i g) smart, trim; 3 (p r o p e r) tidy, clean; 4 (f a t s o e n l i j k) decent, nice [girls], respectable [boys, quarters]; **II** *o* fair copy; *in het ~ schrijven* copy fair, make a fair copy of; **III** *ad* 1 neatly, decently; 2 < just; *~ genoeg* just enough; *~ goed!* serves you (him &) right!; *hij is ~ vertrokken* he has just left, he left this minute; *het is ~ zes uur* it is just six o'clock; *zij is ~ een jongen* quite a boy; *dat is ~ wat (iets) voor hem* 1 the very thing for him; 2 that is just like him; *~ zo* in exactly the same manner; *~ zo goed* just as well; *~ zo lang tot...* until (at last)...; *hij is er nog ~ door* he just made it, he has got through by the skin of his teeth; *het kan er ~ in* it just fits in; *ik heb hem ~ nog gezien* I saw him just now

'netel (-s en -en) *v* nettle; **–doek** *o* muslin; **–doeks** muslin; **–ig** thorny, knotty, ticklish [situation]; *~e positie* plight; *~e vraag* **F** floorer; **–roos** *v* nettle rash, hives, ⚕ urticaria

'netheid *v* 1 neatness, tidiness; 2 cleanness; 3 respectability

'netje (-s) *o* net; string-bag

'netjes I *ad* neatly; nicely; *ik moest ~ betalen* there was nothing for it but to pay; *~ eten* eat nicely; *een kamer ~ houden* keep a room tidy (clean); *zich ~ kleden* dress neatly; **II** *aj keurig ~* neat as a pin; *dat is (staat) niet ~* that is not becoming, not good form; *dat is niet ~ van hem* it is not nice of him; zie ook: 2 *net* **I.**

'netmaag (-magen) *v* reticulum

'netnummer (-s) *o* ☎ exchange number, trunk code, *Am* area code

'netschrift (-en) *o* fair copy; ✎ fair-copy book

'netspanning (-en) *v* voltage of the network

'netto net; *~ à contant* net cash; *~ gewicht* net weight; *~ loon* take-home pay; *~-opbrengst (~-provenu)* net proceeds

net'vleugelig net-winged; **'netvlies** (-vliezen) *o* retina; *~ontsteking* retinitis; **'netvormig** reticular; **'netwerk** (-en) *o* network[2]

'neuriën (neuriede, h. geneuried) *vt* & *vi* hum

'neurochirur'gie [-ʃi.rür'ʒi.] *v* neurosurgery; **neurolo'gie** *v* neurology; **neuro'loog** (-logen) *m* neurologist; **neu'rose** [-'ro.zə] (-n en -s) *v* neurosis [*mv* neuroses]; **neu'roticus** (-ci) *m* neurotic; **–tisch** neurotic

neus (neuzen) *m* nose [of man, a ship &]; nozzle [of a spout &]; toe-cap [of boot]; *dat is een wassen ~* that's a blind, it's a mere formality; *een fijne ~ hebben* have a keen nose; *een fijne ~ hebben voor...* have a nose (a flair) for...; *hij ziet niet verder dan zijn ~ lang is* he does not see beyond his nose; *een lange ~ maken tegen iem.* make a long nose at sbd., cock a snook at sbd.; *zijn ~ achternagaan* follow one's nose; *zijn ~ ophalen* sniff; *dat gaat zijn ~ voorbij* that is not for him; *de ~ voor iets ophalen (optrekken)* turn up one's nose at sth., sneer at sth.; *zijn ~ buiten de deur steken* stick one's nose out of doors; *zijn ~ overal in steken* poke (thrust) one's nose into everything; *de ~ in de wind steken* put on airs; *de neuzen tellen* count noses; • *iem. b ij de ~ nemen* take sbd. in, pull sbd.'s leg; *d o o r zijn (de) ~ praten* speak through one's nose; *iem. iets door de ~ boren* cheat sbd. of sth., do sbd. out of sth.; *ik zei het zo l a n g s mijn ~ weg* casually; *hij zit altijd m e t zijn ~ in de boeken* he is always poring over his books; *hij moet overal met zijn ~ bij zijn* he wants to be present at everything; *iem. iets o n d e r zijn (de) ~ wrijven* cast sth. in sbd.'s teeth, rub it in; *o p zijn ~ (staan) kijken* look blank (foolish); *iem. iets v o o r zijn ~ wegnemen* take it away from under his (very) nose; *het ligt v o o r je ~* it is under your (very) nose; *iem. de deur voor de ~ dichtdoen* shut the door in sbd.'s face; *wie zijn ~ schendt, schendt zijn aangezicht* it's an ill bird that fouls his own nest; **–been** (-deren) *o* nasal bone; **–bloeding** (-en) *v* nosebleeding, nosebleed; **–druppels** *mv* nosedrops; **–gat** (-gaten) *o* nostril [of man & beast]; **–geluid** (-en) *o* nasal sound, nasal twang; **–holte** (-n en -s) *v* nasal cavity; **–hoorn, –horen** (-s) *m* rhinoceros; **–je** (-s) *o* (little) nose; *het ~ van de zalm* the pick of the bunch; **–klank** (-en) *m* nasal sound; **–ring** (-en) *m* nose-ring; **–vleugel** (-s) *m* wing of the nose, nostril; **–warmer** (-s) *m* nose-warmer, cutty; **–wijs** conceited, pert, cocky

'neutje (-s) *o* **F** drop, nip, peg

neu'traal neutral; (n i e t s z e g g e n d) non-committal; *~ blijven* remain neutral, **F** sit on the fence; **neutrali'seren** [s = z] (neutraliseerde, h. geneutraliseerd) *vt* neutralize; **neutrali'teit** *v* neutrality

'neutron ['nœy-] *o* neutron

'neutrum ['nœy-] (-tra) *o* neuter

'neuzen (neusde, h. geneusd) *vi* nose

'nevel (-s en -en) *m* 1 mist, haze; 2 ★ nebula [*mv* nebulae]; **–achtig** nebulous[2], misty[2], hazy[2]; **'nevelen** (nevelde, h. geneveld) *vi het nevelt* it is misty; **'nevelig** misty, hazy; **'nevelspuit** (-en) *v* mist spray; **–vlek** (-ken) *v* nebula [*mv* nebulae]

'nevenbedoeling (-en) *v* ulterior motive; **–effect** (-en) *o* side effect; **–functie** [-füŋksi.] (-s) *v* secondary occupation; side-line;

–geschikt co-ordinate; **–industrie** (-ieën) *v* ancillary industry; **'nevens** zie *naast* & *benevens*; **'nevenschikkend** co-ordinative; **–schikking** *v* co-ordination; **'nevensgaand** accompanying, enclosed

Nica'ragua *o* Nicaragua

nicht (-en) *v* 1 (broeders- of zustersdochter) niece; 2 (ooms- of tantesdochter) cousin; 3 *m* (homoseksueel) **F** queer, queen

nico'tine *v* nicotine; **–vergiftiging** *v* nicotine poisoning

'niemand nobody, no one, none; ~ *anders dan*... none other than...; ~ *minder dan*... no less a person than...; ~ *niet?* no one better?; **–sland** *o* no man's land

niemen'dal nothing at all; **–letje** (-s) *o* nothing, trifle

nier (-en) *v* kidney; **–bekkenontsteking** *v* pyelitis; **–lijder** (-s) *m* nephritic patient; **–ontsteking** (-en) *v* nephritis; **–steen** (-stenen) *m* 1 ⚕ renal calculus, stone in the kidney; 2 (geologie) jade; **–vet** *o* kidney-suet; **–vormig** kidney-shaped; **–ziekte** (-n en -s) *v* nephritic disease, renal disease; kidney complaint

'niesbui (-en) *v* sneezing fit; **'niesen** (nieste, h. geniest) = *niezen*; **'nieskruid** *o* hellebore; **–poeder, –poeier** *o* & *m* sneezing-powder

1 niet I *ad* not; ~ *eens* zie *eens*; ~ *langer* no longer; ~ *te veel* not too much, none too many; ~ *dat ik*... not that I...; *geloof dat maar* ~*!* don't you believe it!; *dat is* ~ *onaardig* that's rather nice; **II** 1 *o* nothingness; 2 *m* blank; • *in het* ~ *verzinken* (*vallen*) 1 sink into nothingness; 2 pale (sink) into insignificance (beside *bij*); *om* ~ for nothing, gratis; *om* ~ *spelen* play for love; *te* ~ *doen* nullify, annul, cancel, abolish; dispose of [an argument, a myth]; bring (reduce) to naught [plans, a fortune], dash [sbd.'s hopes], undo [our actions, the good work]; *te* ~ *gaan* be lost, perish; *uit het* ~ *te voorschijn roepen* call up from nothingness; *een* ~ *trekken* draw a blank; *als* ~ *komt tot iet kent iet zichzelve* ~ set a beggar on horseback and he'll ride to the devil

2 niet (-en) *v* ⚒ staple [for papers]

niet-'aanvalsverdrag (-dragen) *o* non-aggression pact

'nieten (niette, h. geniet) *vt* ⚒ staple

'niet-gebonden *pol* non-aligned [countries]

'nietig 1 (niets betekenend) insignificant; 2 (onbeduidend) miserable, paltry [sums]; 3 (ongeldig) (null and) void; ~ *verklaren* declare null and void, annul, nullify; **–heid** (-heden) *v* 1 (onbeduidendheid) insignificance; 2 (ongeldigheid) nullity; *zulke nietigheden* such futilities (nothings, trifles); **–verklaring** (-en) *v* nullification, annulment

'nietje (-s) *o* ⚒ staple

'niet-leden *mv* non-members

'nietmachine [-ma.ʃi.nə] (-s) *v* stapler, stapling machine

niet-'nakoming *v* non-fulfilment

niets I *pron* nothing; ~ *anders dan*... nothing (else) than, nothing (else) but, zie ook: *anders*; ~ *beter dan* no better than; ~ *dan lof* nothing but praise; ~ *minder dan*... nothing less than; ~ *nieuws* nothing new; *het is* ~*!* it is nothing!; ~ *te veel* none too much; *of het zo* ~ *is* without more ado; ...*is er* ~ *bij* ...is nothing to this, ...is not in it; ~ *daarvan!* nothing of the sort!; *het is* ~ *gedaan* it's no good; *om* (*voor*) ~ for nothing; *dat is* ~ *voor jou* that is not in your line; *het is* ~ *voor jou om*... it is not like you to...; *hij had niet voor* ~ *in Duitsland gewerkt* not for nothing had he...; ~ *voor* ~ nothing for nothing; *zij moet* ~ *van hem hebben* she will have none of him; **II** *ad* nothing; ~ *bang* nothing afraid; *het bevalt me* ~ I don't like it at all; *het lijkt er* ~ *op* it's nothing like it; *ik heb er* ~ *geen zin in* I've no mind at all to...; **III** *o* nothingness; **–beduidend, –betekenend** insignificant; **–doen** *o* idleness; **–doend** idle; **–doener** (-s) *m* idler, do-nothing; **–nut** (-ten) *m* good-for-nothing, ne'er-do-well, waster, wastrel; **niets'waardig** worthless; **–'zeggend** meaningless [look], non-committal [words]; inexpressive [features]

niettegen'staande I *prep* in spite of, notwithstanding; **II** *cj* although, though

niette'min nevertheless, for all that

nieuw I *aj* new; fresh [butter, courage, evidence &]; recent [news]; novel [idea]; modern [history, languages &]; ~*ste mode* latest fashion; **II** *ad de* ~ *aangekomene* the new-comer, the new arrival; **'nieuwbakken, nieuw'bakken** new [bread]; *fig* newfangled [theories]; **'nieuwbouw** *m* new building, new construction; new buildings; **'nieuweling** (-en) *m* 1 novice, new-comer; beginner, tyro; 2 🎓 new boy; **nieuwer'wets** new-fashioned, novel, > newfangled; **'nieuwigheid** (-heden) *v* novelty, innovation; **nieuw'jaar, 'nieuwjaar** *o* new year; *een gelukkig* (*zalig*) ~ I wish you a happy New Year; **nieuwjaars'dag** (-dagen) *m* New Year's Day; **nieuw'jaarskaart** (-en) *v* New Year's card; **–wens** (-en) *m* New Year's wish; **'nieuwkomer** (-s) *m* 1 newcomer; 2 novelty; **–lichter** (-s) *m* > modernist, innovator; **nieuw'modisch** new-fashioned, fashionable, stylish

nieuws *o* news, tidings, piece of news; *geen* ~*?* any news?; *dat is geen* ~ that is no news; *dat is* *wat ~!* that's something new (indeed)!; *geen ~ goed ~* no news good news; *iets ~* something new; *het laatste ~* the latest intelligence; *laatste ~* (i n k r a n t) stop-press; *oud ~* ancient history; *wat voor ~?* what's the news?; *het ~ van de dag* the news of the day; *niets ~ onder de zon* nothing new under the sun; *in het ~ komen* hit (make) the headlines; *in het ~ zijn* be in the news; **–agentschap** (-pen) *o* news agency; **–bericht** (-en) *o* news item; **–blad** (-bladen) *o* newspaper; **–dienst** (-en) *m* (radio) news service; **nieuws'gierig** inquisitive, curious (about *naar*); *ik ben ~ te horen...* I am anxious to know...; **–heid** *v* inquisitiveness, curiosity (about *naar*); **'nieuwslezer** (-s) *m RT* newscaster, newsreader; **–tijding** (-en) *v* news, tidings; **–uitzending** (-en) *v RT* newscast

'nieuwtje (-s) *o* 1 novelty; 2 (b e r i c h t) piece of news; *het ~ is eraf* the gilt is off the gingerbread; *als het ~ eraf gaat* when the novelty wears off

Nieuw-'Zeeland *o* New Zealand

'niezen (niesde, h. geniesd) *vi* sneeze

'Niger *o* Niger

Ni'geria *o* Nigeria

'nihil nil; **nihi'lisme** *o* nihilism; **nihi'list** (-en) *m* nihilist; **–isch** *aj* nihilist, nihilistic [style, utterance]

nijd *m* envy

'nijdas (-sen) *m* crosspatch

'nijdig I *aj* angry; *~ worden* get angry, fly into a passion; **II** *ad* angrily; **–heid** *v* anger

'nijdnagel (-s) *m = nijnagel*

'nijgen* *vi* bow, make a bow, drop a curtsy, curtsy; **–ging** (-en) *v* bow, curtsy

Nijl *m* Nile; **–dal** *o* Nile valley

'nijlpaard (-en) *o* hippopotamus

'nijnagel (-s) *m* hang-nail, agnail

'nijpen* *vi* & *vt* pinch; *als het nijpt* when it comes to the pinch; **–d** biting [cold]; dire [poverty]; acute [shortage, crisis]; **'nijptang** (-en) *v* (pair of) pincers

'nijver industrious, diligent; **–heid** *v* industry; **'nijverheidsschool** (-scholen) *v* technical school; **–tentoonstelling** (-en) *v* industrial exhibition

'nikkel *o* nickel; **–en** nickel

'nikken (nikte, h. genikt) *vi* nod

'nikker (-s) *m* (n e g e r) > nigger

niks nothing, nil, **F** = *niets*; *~ hoor!* **F** nothing doing!

'nimbus (-sen) *m* nimbus

nimf (-en) *v* nymph

'nimmer never; **–meer** nevermore, never again

'Nimrod, 'nimrod (-s) *m* Nimrod[2]

'nippel (-s) *m* ⚒ nipple

'nippen (nipte, h. genipt) *vi* sip

'nippertje *o op het ~* in the (very) nick of time, by a narrow margin; *het was net op het ~* it was touch and go, it was a near thing (a close shave, a narrow squeak); *op het ~ komen* cut it fine

nis (-sen) *v* niche; recess [in a wall], embrasure [of a window]

ni'traat (-traten) *o* nitrate

nitroglyce'rine [-gli.sə'ri.nə] *v* nitroglycerine

ni'veau [ni.'vo.] (-s) *o* level; *op hetzelfde ~ als...* on a level with...; *op universitair* & *~* at university & level; **–verschil** (-len) *o* difference in levels; **nivel'leren** (nivelleerde, h. genivelleerd) *vt* level (up, down); **–ring** (-en) *v* levelling

nl. = *namelijk*

n.m. = *(des) namiddag(s)*

N.N. = *Nomen Nescio* anon(ymous)

N.O. = *noordoosten*

n° = *numero, nummer* number

'Noach *m* Noah

'nobel I *aj* noble; **II** *ad* nobly

noch neither... nor

noch'tans nevertheless, yet, still

noc'turne [nɔk'ty:rnə] (-s) *v* ♪ nocturne

'node reluctantly; *van ~ hebben (zijn) = nodig hebben (zijn)*; **–loos** needless

'noden (noodde, h. genood) *vt* invite; *zij laat zich niet ~* she does not need much pressing

'nodig I *aj* necessary, requisite, needful; *~ hebben* be in want of, want, be (stand) in need of, need; *je hebt er niet mee ~* it is no business of yours; *vandaag niet ~* not today [thank you]; *~ maken* necessitate; *~ zijn* be necessary, be needed; *blijf niet langer dan ~ is* than you need, than you can help; *daarvoor is... ~* there needs... for that; *meer dan ~ is* more than is necessary; *er is kracht voor ~ om* it requires strength; *er is heel wat voor ~ om...* it takes a good deal to...; *zo ~* if needs be, if necessary; **II** *ad* necessarily, needs; **III** *o het ~e* what is necessary; the necessaries of life; *het ~e verrichten* $ do the needful; *het éne ~e* the one thing needful

'nodigen (nodigde, h. genodigd) *vt* invite; zie ook: *noden*

'noemen (noemde, h. genoemd) **I** *vt* name: call, style, term, denominate; mention; *zij is naar haar moeder genoemd* she is named after her mother; *hoe noemt u dit?* what do you call this?; *feiten en cijfers ~* cite facts and figures; *om maar eens iets te ~* say [fifty guilders]; just to mention one; zie ook: *kind, naam, genoemd*; **II** *vr zich ~* call oneself; **noemens'waard(ig)** worth mentioning; *niets ~s* nothing to speak of; **'noemer** (-s) *m* denominator [of a fraction]

noen *m* noon; **–maal** (-malen) *o* midday-meal, lunch
noest diligent, industrious; *zijn ~e vlijt* his unflagging industry (diligence); **–heid** *v* diligence, industry
nog yet, still, besides, further; *als het A. ~ was* if it was A. now!; *~ een appel* another apple; [*wil je*] *~ koffie?* more coffee?; *is er ~ koffie?* is there any coffee left?; *hoeveel ~?* how many more?; *hoe lang ~* how much longer?; *hoe ver ~?* how much further?; *~ iemand* somebody else, another one; *er is ~ iets* there is something else; *~ enige* a few more; *~ eens* once more, (once) again; *~ eens zoveel* as much (many) again; *dat is ~ eens een hoed* that's something like a hat, there's a hat for you, **S** some hat!; *~ erger* still worse, even worse; *~ iets?* anything else?; *~ geen maand geleden* less than a month ago; *~ geen tien* not (quite) ten, under ten; *~ (maar) vijf* only five (left); *~ vijftig arbeiders te werk stellen* employ an additional fifty workers; *~ vijftig auto's bestellen* order a further fifty cars; *~ meer* [give me] (some) more; *what ~ meer?* what besides?; *een ~ moeilijker taak* a yet more difficult task; *~ niet* not yet; *~ steeds niet* still not; *~ wat* some more; *wacht ~ wat* stay a little longer; *hij zal ~ wel komen* he is sure to turn up yet; *en ~ wel*... and... too; *en zijn beste vriend ~ wel* and that his best friend; *en dat ~ wel op kerstdag* and that on Christmas of all days; *neem ~ wat* take some more; *dat weet ik ~ zo net niet* I am not quite sure about that; *gisteren (vorige week) ~* only yesterday (last week); *vandaag (vanmiddag) ~* to-day, this very day (this very afternoon); *~ in de 16e eeuw* as late as the 16th century; *tot ~ toe* up to now, so far, as yet
'noga *m* nougat
nog'al, 'nogal rather, fairly; *~ gezet* pretty stout; **'nogmaals** once more, once again
nok (-ken) *v* 1 ridge; 2 ⚓ yard-arm; 3 ⚒ cam; **–balk** (-en) *m* ridge-pole, rooftree; **'nokkenas** (-sen) *v* ⚒ camshaft
'nolens 'volens ['no.lɛns'vo.lɛns] willy-nilly
no'maden *mv* nomads; **–leven** *o* nomadic life; **–stam** (-men) *m* nomadic tribe; **–volk** (-en en -eren) *o* nomad people; **no'madisch** nomadic
nomencla'tuur *v* nomenclature
nomi'naal nominal; **nomi'natie** [-(t)si.] (-s) *v* nomination; *nummer één op de ~* first on the short list; **'nominatief** *m* nominative
non (-nen) *v* nun
'non-acceptatie [nònαksɛp'ta.(t)si.] *v* non-acceptance
non-ac'tief 1 not in active service; 2 [put] on half-pay; **non-activi'teit** *v* being put on half-pay
non-alco'holisch non-alcoholic, soft [drinks]
noncha'lance [nõʃa.'lãsə] *v* nonchalance, carelessness; **noncha'lant** nonchalant, careless
non-combat'tant (-en) *m* non-combatant
non-confor'misme *o* non-conformity; **non-confor'mist** (-en) *m* nonconformist; **–isch** nonconformist
non-'ferrometalen *mv* non-ferrous metals
non-figura'tief non-figurative [painting]
'nonnenklooster (-s) *o* convent, nunnery
'nonnetje (-s) *o* 🦢 smew
non-prolife'ratieverdrag [-(t)si.-] *o* non-proliferation treaty
'nonsens ['nònsɛns] *m* nonsense; **F** rot; *och ~!* fiddlesticks!, rubbish!; **nonsensi'caal** nonsensical, absurd
nood (noden) *m* need, necessity, want, distress; *geen ~!* no fear!; *zijn ~ klagen* disclose one's troubles; complain, lament; *d o o r de ~ gedrongen* compelled by necessity; *i n (geval van) ~* 1 at need, in an emergency; 2 in distress [a ship]; *in de ~ leert men zijn vrienden kennen* a friend in need is a friend indeed; *u i t ~* compelled by necessity; *iem. uit de ~ helpen* get sbd. out of a scrape, help sbd. out; *van de ~ een deugd maken* make a virtue of necessity; *~ breekt wet* necessity has (knows) no law; *~ leert bidden, ~ maakt vindingrijk* necessity is the mother of invention; *als de ~ aan de man komt* in case of need; *als de ~ het hoogst is, is de redding nabij* the darkest hour is before the dawn; **–aggregaat** (-gaten) *o* ☀ stand-by power unit; **–anker** (-s) *o* sheet-anchor; **–brug** (-gen) *v* temporary bridge; **–deur** (-en) *v* emergency door
'nooddruft *m* & *v* 1 necessaries of life; 2 want; 3 indigence, destitution, poverty; **nood'druftig** *aj* needy, indigent, destitute; *de ~en* the needy, the destitute
'noodgang *m met een ~* like greased lightning, at the double-quick, tearing along; **–gebied** (-en) *o* distress area; **–gebouw** (-en) *o* temporary building; **–gedrongen, –gedwongen** compelled by necessity, perforce; **–geval** (-len) *o* (case of) emergency; **–haven** (-s) *v* port of refuge; **–hulp** (-en) *v* 1 (p e r s o o n) emergency worker, temporary help; 2 (z a a k) makeshift, stop-gap; **–klok** (-ken) *v* alarm-bell, tocsin; **–kreet** (-kreten) *m* cry of distress; **–landing** (-en) *v* forced landing, emergency landing; **nood'lijdend** 1 necessitous, distressed [provinces]; 2 indigent, poor, destitute [people]
'noodlot *o* fate, destiny; **nood'lottig** fatal
'noodluik (-en) *o* escape hatch; **–maatregel** (-en en -s) *m* emergency measure; **–mast** (-en) *m* jury-mast; **–oplossing** (-en) *v* temporary

(provisional) solution; makeshift; **–rantsoen** (-en) *o* emergency rations; **–rem** (-men) *v* safety-brake; (in spoorrijtuigen) communication cord; **–schot** (-schoten) *o* distress-gun; **–sein** (-en) *o* distress-signal, distress-call, SOS (message); **–sprong** (-en) *m als* ~ as (in) the last resort; **–toestand** *m* (state of) emergency; **–uitgang** (-en) *m* emergency exit; **–vaart** *v* = *noodgang*; **–verband** (-en) *o* first dressing; **–vlag** (-gen) *v* flag of distress; **–vulling** (-en) *v* temporary filling; **1 'noodweer** *o* heavy weather; **2 'noodweer** *v* self-defence; *uit* ~ in self-defence; **–woning** (-en) *v* temporary house, emergency dwelling

'noodzaak *v* necessity; **nood'zakelijk I** *aj* necessary; **II** *ad* necessarily, of necessity, needs; **–erwijs** of necessity; *daaruit volgt* ~ *dat...* it follows as a matter of course that...; **–heid** (-heden) *v* necessity; *in de* ~ *verkeren om...* be under the necessity of ...ing; **'noodzaken** (noodzaakte, h. genoodzaakt) *vt* oblige, compel, constrain, force; *zich genoodzaakt zien om...* be (feel) obliged to...

nooit never; ~ *ofte* (*en te*) *nimmer* never in all my born days; at no time; never, never [criticize]; *dat* ~! never!; **F** *aan m'n* ~ *niet!* not on my life!; not a bit of it!

Noor (Noren) *m* Norwegian

noord north; **'noordelijk I** *aj* northern, northerly; *de* ~*en* the Northerners; **II** *ad* northerly; **'noorden** *o* north; *op het* ~ with a northern aspect; *ten* ~ *van* (to the) north of...; **noorden'wind** (-en) *m* north wind; **'noorderbreedte** *v* North latitude; **noorder'licht** *o* northern lights, aurora borealis; **'noorderzon** *v met de* ~ *vertrekken* abscond, **S** shoot the moon; **noord'oostelijk I** *aj* north-easterly, north-eastern; **II** *ad* towards the north-east; **noord'oosten** *o* north-east; **'noordpool** *v* north pole; **noord'poolgebied** (-en) *o* arctic regions; **–reiziger** (-s) *m* arctic explorer; **noords** Nordic [race]; **'noordster** *v* North Star, polar star; **–waarts I** *aj* northward; **II** *ad* northward(s); **noord'westelijk I** *aj* north-westerly; **II** *ad* towards the north-west; **noord'westen** *o* north-west; **noord'wester** (-s) *m* north-wester; **'Noordzee** *v* North Sea

'Noorman (-nen) *m* Northman, Norseman, Dane; **Noors** *aj* & *o* Norwegian; **'Noorwegen** *o* Norway

noot (noten) *v* 1 ♣ nut, (walnoot) walnut; ‖ 2 ♪ note; ‖ (aantekening) note; *achtste* ~ ♪ quaver; *halve* ~ ♪ minim; *hele* ~ ♪ semi-breve; *tweeëndertigste* ~ ♪ demi-semiquaver; *zestiende* ~ ♪ semiquaver; *hij heeft veel noten op zijn zang* he is very exacting; **'nootjeskolen** *mv* nuts; **nootmus'kaat** = *notemuskaat*

nop (-pen) *v* burl; pile [of carpet]

'nopen (noopte, h. genoopt) *vt* induce, urge, compel; *zich genoopt zien* be obliged [to...]

'nopens concerning, with regard to

'nopjes *in zijn* ~ *zijn* be in high feather, be as pleased as Punch

'noppen (nopte, h. genopt) *vt* burl

'noppes S nothing; *voor* ~ 1 free, for nothing; 2 in vain

nor (-ren) *v* **S** jug; *in de* ~ in quod

norm (-en) *v* norm, rule, standard; **nor'maal I** *aj* normal; *hij is niet* ~ 1 he is not his usual self; 2 he is not right in his head; **II** *ad* normally; **–spoor** *o* standard gauge; **normali'satie** [-'za.(t)si.] *v* standardization, normalization; regulation [of a river]; **normali'seren** (normaliseerde, h. genormaliseerd) *vt* standardize, normalize; regulate [a river]; **–ring** (-en) *v* standardization, normalization; regulation [of a river]; **nor'maliter** normally

Nor'mandië *o* Normandy; **–r** (-s) *m* Norman; **Nor'mandisch** Norman; *de* ~*e Eilanden* the Channel Islands; *de* ~*e kust* the Normandy coast

nors I *aj* gruff, surly; **II** *ad* gruffly, surlily; **–heid** *v* gruffness, surliness

nostal'gie *v* nostalgia; **nos'talgisch** nostalgic

'nota ('s) *v* 1 [tradesman's] bill, account; 2 [diplomatic] note, [official] memorial; ~ *nemen van* take (due) note of, note

no'tabel I *aj* notable; **II** (-en) *m* ~*e* notable; *de* ~*en* ook: the notabilities, **F** the big (great) guns, bigwigs

nota 'bene nota bene; (ironisch) if you please

notari'aat (-iaten) *o* profession of notary; **notari'eel** notarial; **no'taris** (-sen) *m* notary (public); **–ambt** *o* profession of notary; **–kantoor** (-toren) *o* notary's office; **–klerk** (-en) *m* notary's clerk

no'tatie [-(t)si.] *v* notation

'notawisseling (-en) *v* exchange of notes (memorandums, memoranda)

'noteboom (-bomen) *m* walnut-tree; **–dop** (-pen) *m* 1 nutshell; 2 *fig* ⚓ cockleshell; *in een* ~ [*fig*] in a nutshell; **–hout** *o* walnut; **–houten** *aj* walnut; **–kraker** (-s) *m* 1 (pair of) nutcrackers; 2 🐦 nutcracker; **notemus'kaat** *v* nutmeg

'notenbalk (-en) *m* ♪ staff [*mv* staves], stave

no'teren (noteerde, h. genoteerd) *vt* 1 note, jot (note) down, make a note of [a word &]; put [sbd.] down [for...]; 2 $ quote [prices]; **–ring** (-en) *v* 1 noting &; 2 $ quotation

'notie ['no.(t)si.] (-s) *v* notion; *hij heeft er geen* ~ *van* he has not got the faintest notion of it

no'titie [no.'ti.(t)si.] (-s) *v* 1 (aantekening) note, jotting; entry [in a diary]; 2 (aan-

d a c h t) notice; *geen ~ van iets nemen* take no notice of sth., ignore sth.; **–blok** (-ken) *o* notepad; **–boekje** (-s) *o* notebook, memorandum book
no'toir [no.'to:r, -'twa:r] notorious
'notulen *mv* minutes; *de ~ arresteren* confirm the minutes; *de ~ lezen en goedkeuren* read and approve the minutes; *de ~ maken* take the minutes; *het in de ~ opnemen* enter it on the minutes, place on record; **–boek** (-en) *o* minute-book; **notu'leren** (notuleerde, h. genotuleerd) *vt* take down, minute
nou F = *nu*
nouveau'té [nu.vo.'te.] (-s) *v* novelty; *~s* fancy-goods
Nova 'Zembla *o* Novaya Zemlya
no'veen (-venen) *v* novena
no'velle (-n) *v* novella, short novel *v*
no'vember *m* November
no'vene (-n) = *noveen*
no'vice (-n en -s) *m-v* novice; **novici'aat** (-iaten) *o* novitiate; **no'viet** (-en) *m* ⚭ freshman
'novum *o* novelty
'nozem (-s) *m* lout
nr. = *nummer*
N.S. = *Nederlandse Spoorwegen* Netherlands Railways
N.T. = *Nieuwe Testament*
nu I *ad* now, at present; by this time, by now [he will be ready]; *tot ~ toe* up to now, so far; *van ~ af* from this moment, henceforth; *wat ~?* what next?; *~ eens..., dan weer...* now... now...; at one time... at another...; *~ en dan* now and then, occasionally, at times; *~ niet* not now; *~ nog niet* not yet; *~ of nooit* now or never; **II** *ij ~, hoe gaat het?* well, how are you?; *~ ja!* well!; **III** *cj* now that (soms: now)
nu'ance [ny.'ãsə] (-s en -en) *v* nuance, shade; **nuan'ceren** (nuanceerde, h. genuanceerd) *vt* shade[2]
'nuchter sober[2]; *fig* matter-of-fact, hard-headed [man]; down-to-earth; *hij is nog ~* he has not yet breakfasted; *hij is mij te ~* he is too matter-of-fact for me; *~ kalf* newly born calf; *fig* greenhorn; *op de ~e maag* on an empty stomach; **–heid** *v* sobriety; soberness[2]
nucle'air [ny.kle.'ɛ:r] nuclear
nucle'ïnezuur (-zuren) *o* nucleic acid
nu'dist (-en) *m* nudist
nuf (-fen) *v* affected girl; **–fig** prim
nuk (-ken) *v* freak, whim, caprice; **–kig** freakish, whimsical, capricious
nul (-len) *v* nought, naught, cipher, zero; ☏ O; *hij is een ~ (in het cijfer)* he is a nonentity, a mere cipher, a nobody; *zijn invloed is gelijk ~* is nil; *twee-~ sp* two-nil; *~ komma ~* nil, nothing at all; *~ op het rekest krijgen* meet with a rebuff; *tien graden boven (onder) ~* ten degrees above (below) zero; *op ~* at zero; **nulli'teit** (-en) *v* nullity, nonentity, cipher; **'nulmeridiaan** (-ianen) *m* prime meridian; **–punt** *o* zero; *het absolute ~* the absolute zero; *tot op het ~ dalen* fall to zero[2]
nume'riek numerical; **'numero** ('s) *o* number; **numero'teren** (numeroteerde, h. genumeroteerd) *vt* number; **numero'teur** (-s) *m* numbering stamp; **'numerus** *m* number; *~ clausus, ~ fixus* student stop
'nummer (-s) *o* 1 number; 2 size [in gloves]; 3 item [of programme, catalogue]; turn [of music-hall artist], [circus] act; [sporting] event; 4 lot [at auction]; 5 [Christmas] number, issue [of a newspaper]; *ook een ~!* **F** a fine specimen!; *~ één zijn* ⚭ be at the top of one's form; *sp* be first[2]; *~ honderd* **J** the w.c.; *hij moet op zijn ~ gezet worden* he wants to be put in his place; **–bord** (-en) *o* = *nummerplaat*; **'nummeren** (nummerde, h. genummerd) **I** *vt* number; **–ring** (-en) *v* numbering; **'nummerplaat** (-platen) *v* number plate; **–schijf** (-schijven) *v* ☏ dial
nuntia'tuur [nün(t)si.a.'ty:r] *v* nunciature; **nuntius** ['nün(t)si.üs] (-ii en -iussen) *m* nuncio
nurks I *aj* peevish, pettish; **II** (-en) *m* grumbler
nut *o* use, benefit, profit; usefulness [of an inquiry]; *praktisch ~* practical utility; *t e n ~te van* for the use of; *ten algemenen ~te* for the general good; *tot ~ van (het algemeen)* for the benefit of (the community); *het is tot niets ~* it is good for nothing; *v a n ~ zijn* be useful; *van geen (groot) ~ zijn* be of no (great) use
'nutria 1 ('s) *v* 🐾 coypu, nutria; 2 *o* (b o n t) nutria
'nutsbedrijf (-drijven) *o* public utility; **'nutteloos I** *aj* useless; *zijn... waren ~* his... were in vain; **II** *ad* uselessly; in vain; **'nutten** (nutte, h. genut) *vt* be of use, avail; **'nuttig I** *aj* useful [ook ⚒ effect &], profitable; **II** *ad* usefully, profitably; **'nuttigen** (nuttigde, h. genuttigd) *vt* take, partake of, eat or drink; **'nuttigheid** (-heden) *v* utility, profitableness
N.V. [ɛn've.] = *Naamloze Vennootschap*
N.W. = *noordwesten*
®**'nylon** ['nɛilòn, 'na.jlòn] 1 *o* & *m* nylon; 2 (-s) *v* (k o u s) nylon (stocking)
nymfo'maan [nım-] nymphomaniac; **–'mane** (-n en -s) *v* nymphomaniac

O

1 o [o.] ('s) *v* o.
2 o [o.] *ij* oh!, ah!; ~ *God!* my God!; ~ *jee!* good Heavens!, dear me!; ~ *zo!* aha!
O. = *oost*
o. = *onzijdig*
o.a. = *onder andere(n)* among other things, among others
o'ase [o.'a.zə] (-n en -s) *v* oasis [*mv* oases]
ob'ductie [-'düksi.] (-s) *v* post-mortem, autopsy
obe'lisk (-en) *m* obelisk
'o-benen *mv* bandy-legs, bow-legs; *iem. met* ~ a bandy-legged person, a bow-legged person
'ober (-s) *m* head-waiter; ~*!* waiter!
ob'ject (-en) *o* object, thing; (doel, ook ⚔) objective; **–glas** (-glazen) *o* slide [of a microscope]; **objec'tief I** *aj* objective, detached; **II** (-tieven) *o* (v. verrekijker, camera) object-lens, object-glass; **objectivi'teit** *v* objectivity
o'blie (-s en oblieën) *v* rolled wafer
obli'gaat I *aj* obligatory; ♩ obbligato; **II** (-gaten) *o* ♩ obbligato
obli'gatie [-'ga.(t)si.] (-s) *v* bond, debenture; **–houder** (-s) *m* bondholder; **–lening** (-en) *v* debenture loan; **–schuld** (-en) *v* bonded debt
ob'sceen [-'se.n] obscene; **obsceni'teit** (-en) *v* obscenity
ob'scuur I *aj* obscure; *een* ~ *type* (*zaakje*) a shady character (business); **II** *ad* obscurely
obse'deren (obsedeerde, h. geobsedeerd) *vt* obsess; **–d** obsessive [idea &]
obser'vatie [-'va.(t)si.] (-s) *v* observation; *in* ~ under observation; *ter* ~ *opgenomen* taken in for observation; **–huis** (-huizen) *o* remand home; **–post** (-en) *m* ⚔ observation post; **obser'vator** (-s) *m* observer; **observa'torium** (-ia en -s) *o* observatory; **obser'veren** (observeerde, h. geobserveerd) *vt* watch, observe
ob'sessie (-s) *v* obsession
ob'stakel (-s) *o* obstacle, hindrance
obste'trie *v* obstetrics
obsti'naat obstinate
obsti'patie [-'pa.(t)si.] *v* constipation
ob'structie [-'strüksi.] (-s) *v* obstruction; ~ *voeren* practise obstruction, *pol* stonewall
oc'casie (-s) *v* **F** opportunity, occasion; **occa'sion** [ɔka'ʒɔn] (-s) *v* bargain; **occasio'neel** occasional
oc'cult occult; **occul'tisme** *o* occultism
occu'patie [ɔky'pa(t)si.] (-s) *v* occupation; **occu'peren** (occupeerde, h. geoccupeerd) *vi* & *vt* occupy
oce'aan (-eanen) *m* ocean; *de Grote Oceaan, de Stille Oceaan* the Pacific (Ocean)
och oh!, ah!; ~ *arme* poor woman, poor thing!; ~ *kom!* (bij twijfel) why, indeed!; 2 (bij verbazing) you don't say so!; ~, *waarom niet?* (well,) why not?; ~ *wat!* come on!, nonsense!
'ochtend (-en) *m* morning; *des* ~*s*, *'s* ~*s* in the morning; **–blad** (-bladen) *o* morning paper; **–gloren** *o* dawn, daybreak; **–humeur** *o* morning crossness; **–jas** (-sen) *m* & *v* housecoat, dressing-gown, *Am* robe; **–ziekte** *v* irritability (ill-temper) in the morning
oc'taaf (-taven) *o* & *v* octave
oc'taan *o* octane; **–getal** *o* octane number; *benzine met een hoog* ~ high-octane petrol
oc'tant (-en) *m* octant
oc'tavo ('s) *o* octavo
oc'tet (-ten) *o* ♩ octet
oc'trooi (-en) *o* 1 patent; 2 $ charter; **–brief** (-brieven) *m* 1 letters patent; 2 $ charter; **octrooi'eren** (octrooieerde, h. geoctrooieerd) *vt* 1 patent; 2 $ charter [a company]; **oc'trooigemachtigde** (-n) *m Br* patent agent, *Am* patent attorney; **–raad** *m* patent office
ocu'latie [-'la.(t)si.] *v* inoculation, grafting; **ocu'leren** (oculeerde, h. geoculeerd) *vt* inoculate, graft
'ode (-n en -s) *v* ode
o'deur (-s) *m*, **–tje** (-s) *o* perfume, scent
'odium *o* odium
oecu'mene [œky.'me.nə] *v* oecumenical movement; **–nisch** oecumenical [council, movement]
oe'deem [œy'de.m] (-demen) *o* oedema
'oedipuscomplex ['œydi.püskɔmplɛks] *o* Oedipus complex
oef ugh!
'oefenen (oefende, h. geoefend) **I** *vt* exercise, practise; train [the ear, soldiers &]; zie ook: *geduld, wraak*; **II** *vr zich* ~ practise, train; *zich* ~ *in* practise; **III** *va* practise, train; **–ning** (-en) *v* exercise, practice; *een* ~ an exercise; *vrije* ~*en* free exercises; ~ *baart kunst* practice makes perfect; **'oefenkamp** (-en) *o* training-camp; **–meester** (-s) *m sp* trainer, coach; **–school** (-scholen) *v* training-school; **–terrein** (-en) *o* training-ground; **–vlucht** (-en) *v* practice flight, training-flight; **–wedstrijd** (-en) *m* practice match
Oe'ganda *o* Uganda
oei oh!, ouch!

oe'kaze (-n en -s) *v* ukase
'Oeral *m de* ~ the Ural(s)
'oerge'zond bursting (glowing) with health; **-mens** (-en) *m* primitive man; **-'oud** ancient, age-old; **-'saai** as dull as ditchwater; **-'sterk** strong as a horse; **-tekst** (-en) *m* original text; **-tijd** (-en) *m* primeval age(s); **-vader** (-s en -en) *m* primogenitor; **-vorm** (-en) *m* archetype; **-woud** (-en) *o* primeval forest, virgin forest
'oester (-s) *v* oyster; **-bank** (-en) *v* oyster-bank; **-kweker** (-s) *m* oyster breeder; **-put** (-ten) *m* oyster-pond; **-schelp** (-en) *v* oyster-shell; **-teelt** *v* oyster culture; **-visserij** *v* oyster fishery
'oeuvre ['œ:vrə] *o* [Rembrandt's] works, [an author's] writings
'oever (-s) *m* 1 shore [of the sea]; 2 bank [of a river]; *de river is buiten haar ~s getreden* the river has overflowed its banks; **-loos** unlimited, boundless; *fig* endless, aimless [talks]; **-staat** (-staten) *m* riparian state
of 1 (nevenschikkend) *wit ~ zwart* white or black; *~ hij ~ zijn broer* either he or his brother; *ja ~ neen* (either) yes or no; *een dag ~ drie* two or three days; *een man ~ twee* a man or two; *een minuut ~ tien* ten minutes or so; *een jaar ~ wat* some years; 2 (onderschikkend) if, whether; (vóór onderwerpszinnen) *het duurde niet lang ~ hij...* he was not long in ...ing (vóór voorwerpszinnen) *ik weet niet ~ hij trouweloos is, ~ dom* I don't know whether he is faithless or stupid; (vóór bijv. bijzinnen) *er is niemand ~ hij zal dat toejuichen* there is nobody but (he) will applaud this measure; *hij is niet zo gek ~ hij weet wel wat hij doet* he is not such a fool but (but that, but what) he knows what he is about; (vóór bijw. bijzinnen) *ik kom vanavond ~ ik moet verhinderd zijn* I'll come to-night unless something would prevent me; *ik kan hem niet zien ~ ik moet lachen* I cannot see him without being compelled to laugh; *ik zie hem nooit ~ hij heeft een stok in de hand* I never see him but he has a stick in his hand; (vóór vergelijkingen) *het is net ~ hij mij voor de gek houdt* it is just as if he is making a fool of me; *Hou je daarvan? Nou, ~ ik! En ~!* Rather!; *~ ze 't weten* don't they just know it!; *~ ik 't me herinner?!* Do I remember?
offen'sief I *aj* offensive; **II** *ad* offensively; *~ optreden* act on the offensive; **III** (-sieven) *o* offensive; *tot het ~ overgaan* take the offensive
'offer (-s) *o* 1 offering, sacrifice[2]; 2 (slachtoffer) victim; *een ~ brengen* make a sacrifice; *hij viel als het ~ van zijn driften* he fell a victim to his passions; *zij zijn gevallen als ~ van...* they have been the victims of [their patriotism]; *ten ~ brengen* sacrifice; **-aar** (-s) *m* offerer, sacrificer; **'offerande** (-n en -s) *v* offering, sacrifice, oblation; *rk* offertory; **'offerblok** (-ken) *o*, **-bus** (-sen) *v* alms-box, poor-box, offertory box; **-dier** (-en) *o* sacrificial animal, victim; **'offeren** (offerde, h. geofferd) *vt* offer as a sacrifice, sacrifice, offer up; **'offergave** (-n) *v* offering; **-lam** (-meren) *o* sacrificial lamb, Lamb of God; **-plechtigheid** (-heden) *v* sacrificial ceremony
of'ferte (-s en -n) *v* $ offer
offer'torium (-s en -ia) *o* offertory; **offer'vaardig** willing to make sacrifices; liberal; **-heid** *v* willingness to make sacrifices; liberality
of'ficie [ɔ'fi.si.] (-s) *o* office; **offici'eel** 1 (ambtelijk) official; 2 (plechtig) formal
offi'cier (-en en -s) *m* (military) officer; *eerste ~* ⚓ chief officer; *~ van administratie* paymaster; *~ van de dag* orderly officer; *~ van gezondheid* army (military) surgeon, medical officer; *~ van justitie* Public Prosecutor; *~ van de wacht* ⚓ officer of the watch; **offi'ciersmess** *m* officer's messroom, ⚓ wardroom; **-rang** (-en) *m* officer's rank
offici'eus semi-official
of'freren (offreerde, h. geoffreerd) *vt* offer
of'schoon although, though
'ogen (oogde, h. geoogd) *vi* 1 look [at]; 2 *~ op* aim at; 3 look good
'ogenblik (-ken) *o* moment, instant, twinkling of an eye, **F** mo; *een ~!* one moment!; *heldere ~ken* lucid moments; • *in een ~* in a moment; *in een onbewaakt ~* in an unguarded moment; *op dit ~, op het ~* at the moment, at present, just now; *op het juiste ~* at the right moment; in the very nick of time; *op dit kritieke ~* at this juncture; *een... op het laatste ~* a last-minute...; *voor een ~* for a moment; *voor het ~* for the present, for the time being; *zonder een ~ na te denken* without a moment's thought; zie ook: *ondeelbaar, verloren, zwak*; **ogen'blikkelijk I** *aj* momentary [impression]; immediate [danger]; **II** *ad* immediately, directly, instantly, on (the spur of) the moment
'ogendienst *m* base flattery; **ogen'schijnlijk** apparent; **'ogenschouw** *in ~ nemen* inspect, examine, take stock of, review, survey
o'gief (-gieven) *o* ogive; **ogi'vaal** ogival
o'ho aha!
o.i. = *onzes inziens* in our opinion
o'jief (-jieven) *o* △ ogee
'oker (-s) *m* ochre; **-achtig** ochr(e)ous; **-kleurig** ochr(e)ous
'okkernoot (-noten) *v* walnut
ok'saal (-salen) *o* organ-loft

'oksel (-s) *m* armpit
'okshoofd (-en) *o* hogshead
ok'tober *m* October
ole'ander (-s) *m* oleander
'olie *v* oil; *dat is ~ in het vuur* that is pouring oil on the flames, adding fuel to the fire; **F** *in de ~ zijn* be drunk; *~ op de golven gieten* pour oil on the waters; **–achtig** oily; **–bol** (-len) *m* oil-dumpling; **–bron** (-nen) *v* oil-well; **–carter** (-s) *o* oil-sump; **–'dom** very stupid, asinine; **–druk** *m* oil-pressure; *~meter* oil-pressure gauge; **olie-en-a'zijnstel** (-len) *o* cruetstand, set of castors; **'oliefilter** (-s) *o* oilfilter; **–goed** *o* oilskins, oils; **–houdend** oily, oil-bearing [seeds]; **–jas** (-sen) *m* & *v* oilskin; **–kachel** (-s) *v* oil-stove; **–lamp** (-en) *v* oil-lamp; **–man** (-nen) *m* 1 ⚒ oiler, greaser; 2 (verkoper) oilman; **'oliën** (oliede, h. geolied) *vt* 1 oil; 2 ⚒ lubricate; **'olienootje** (-s) *o* peanut; **–pak** (-ken) *o* oilskins; **–palm** (-en) *m* oil-palm; **–raffinaderij** (-en) *v* oil refinery; **–reservoir** [-re.zɛrvva:r] (-s) *o* oil-tank, sump; **–sel** *o* extreme unction; *het laatste ~ ontvangen (toedienen)* receive (give, administer) extreme unction; **–spuitje** (-s) *o* oil-squirt; **–steen** (-stenen) *m* oilstone; **–stook(inrichting)** *v* oil-heating (apparatus), oil-fired heating (system); **–tanker** [-tɛŋkər] (-s) *m* oil-tanker; **–veld** (-en) *o* oil-field; **'olieverf** (-verven) *v* oil-paint, oil-colour; *in ~* in oils; **–portret** (-ten) *o* oil-portrait; **–schilderij** (-en) *o* & *v* oil-painting; **–vlek** (-ken) *v* 1 oil stain [on dress &]; 2 (veld v. (stook)olie op (zee)water) (oil) slick; **–zaad** (-zaden) *o* oil-seed
'olifant (-en) *m* 🐘 elephant; **'olifantejacht** (-en) *v* elephant-hunt(ing); **'olifantshuid** *v* elephant's skin; *een ~ hebben* be thick-skinned; **–snuit** (-en) *m* elephant's trunk; **–tand** (-en) *m* elephant's tusk;
oligar'chie *v* oligarchy; **oli'garchisch** oligarchic
o'lijf (olijven) *v* olive; **–achtig** olivaceous; **O'lijfberg** *m* Mount of Olives; **o'lijfboom** (-bomen) *m* olive-tree; **–groen** olive-green; **–kleurig** olive-coloured, olive; **–olie** *v* oil of olives, olive-oil; **–tak** (-ken) *m* olive-branch
'olijk waggish, arch; **'olijkerd** (-s) *m* wag
'olim *Lat* formerly; *in de dagen van ~* in the days of yore
olm (-en) *m* elm
O.L.V. = *Onze-Lieve-Vrouw*
olympi'ade [-lɪm-] (-n en -s) *v* 🕮 olympiad;
o'lympisch Olympic [games]
om I *prep* 1 (om... heen) round [his shoulders, the table, the world &]; 2 (omstreeks) about [Easter &]; 3 (te) at [three o'clock]; 4 (periodiek na) every [fortnight &]; 5 (voor, tegen) for [money &]; at [sixpence]; 6 (wegens) for, because of, on account of [the trouble &]; 7 (wat betreft) for [me]; *~ de andere dag* & every other (every second) day; *~ de andere vrijdag* on alternate Fridays; *~ te* in order to, to, so as to; *hij is bereid ~ u te helpen* he is willing to help you; *het was niet ~ uit te houden* you couldn't stand it; *hij is ~ en bij de vijftig* he is round about fifty; *zij schreeuwden ~ het hardst* they cried their loudest; **II** *ad de hoek ~* round the corner; *wij doen dat ~ en ~* turn and turn about; *het jaar is ~* the year is out; *de tijd is ~* time is up; *mijn tijd is ~* my time has expired; *mijn verlof is ~* my leave is up; *eer de week ~ is* before the week is out; *~ hebben* (v. kledingstuk) have on; *'m ~ hebben* be drunk; *dat is wel ~* that is out of the way, a round-about way; *een eindje ~ gaan* take a stroll
o.m. = *onder meer*
'oma ('s) *v* grandmother, **F** grandma, granny
om'armen (omarmde, h. omarmd) *vt* embrace; **–ming** (-en) *v* embrace
'omber *v* umber [pigment]
'ombinden[1] *vt* tie (bind) round; **om'boorden** (omboordde, h. omboord) *vt* border, hem, edge; **om'boordsel** (-s) *o* border, edging
'ombouwen[1] *vt* convert, make alterations, modify
'ombrengen[1] *vt* kill, destroy, dispatch, do to death; *zijn tijd ~* kill one's time
'ombudsman (-nen) *m* Ombudsman
'ombuigen[1] **I** *vt* bend; **II** *vi* bend
om'cirkelen (omcirkelde, h. omcirkeld) *vt* encircle, ring
om'dat because, as
'omdoen[1] *vt* put on [clothes]; put [a cord] round...
'omdopen[1] *vt* rename
'omdraai *m* turn, swing (round); **'omdraaien**[1] **I** *vt* turn (over); *het hoofd ~* turn (round) one's head; *iem. de nek ~* wring sbd.'s neck; *zijn polsen ~* twist his wrists; **II** *va* (v.d. wind) turn; (in politiek &) veer round; *het hart draait mij om in mijn lijf* it makes me sick (to see...); **III** *vr zich ~* 1 (staande) turn round; 2 (liggende) turn over [on one's face &] **–iing** (-en) *v* turning, rotation

[1] V.T. en V.D. van dit werkwoord volgens het model: **'om**bouwen, V.T. bouwde **'om**, V.D. **'om**gebouwd. Zie voor de vormen onder het grondwoord, in dit voorbeeld: *bouwen.* Bij sterke en onregelmatige werkwoorden wordt u verwezen naar de lijst achterin.

'ome (-s) *m* = *oom*; *hoge* ~ bigwig, big noise
'omega ('s) *v* omega
ome'let (-ten) *v* omelet(te)
om'floersen (omfloerste, h. omfloerst) *vt* muffle [a drum]; *fig* veil
'omgaan[1] **I** *vi* 1 (rondgaan) go about, go round; 2 (voorbijgaan) pass; 3 (gebeuren) happen, go on; • *dat gaat buiten mij om* I have nothing to do with it; *er gaat veel om in die zaak* they are doing a roaring business; *er gaat tegenwoordig niet veel om in de handel* there is not much doing in trade at present; *hij kon niet zeggen wat er in hem omging* what were his feelings, what was going on in his mind &; ~ *met* 1 (v. personen) associate with, mix with; keep company with, **F** rub elbows with; 2 (v. gereedschap &) handle; *ik ga niet veel met hen om* I don't see much of them; *vertrouwelijk met iem.* ~ be on familiar terms with sbd.; *ik weet (niet) met hem om te gaan* I (don't) know how to manage him; *met leugens* ~ be a liar; *per* ~*de* by return (of post); **II** *vt een eindje* ~ take a walk, go for a stroll; *een heel eind* ~ go a long way about; *een hoek* ~ turn a corner; zie ook: *hoekje*; **'omgang** (-en) *m* 1 (social, sexual) intercourse, association [with other people]; company; 2 round; procession; 3 (v. wiel) rotation; 4 (v. toren) gallery; ~ *hebben met* zie *omgaan met*; **'omgangstaal** *v* colloquial language; *in de* ~ in common parlance, in everyday speech; **–vormen** *mv* manners
'omgekeerd I *aj* turned, turned up [card], turned upside down [box &]; turned over [leaf]; [coat] inside out; reversed; reverse [order]; inverted [commas &]; inverse [proportion]; *precies* ~ the other way round (on, about), just (quite) the reverse; *in het* ~*e geval* in the opposite case; **II** *o het* ~*e* the reverse; *het* ~*e van beleefd* the reverse of polite; *het* ~*e van een stelling* the converse of a proposition; **III** *ad* reversely, conversely; *en* ~ ...and conversely, vice versa; zie ook: *evenredig*
'omgelegen surrounding, neighbouring
'omgespen[1] *vt* buckle on
om'geven (omgaf, h. omgeven) *vt* surround, encircle, encompass; **–ving** *v* 1 surroundings, environs, environment [of a town]; (nabijheid) neighbourhood; 2 surroundings; entourage [of a person]
'omgooien[1] *vt* 1 knock over, upset, overturn [a thing]; 2 throw on [a cloak &]; 3 ⚒ reverse
om'gorden, 'omgorden (omgordde/gordde om, h. omgord/omgegord) *vt* gird[2]; gird on [a sword]
'omhaal *m* ceremony, fuss; *waartoe al die* ~? 1 why this roundabout?; 2 why all this fuss?; ~ *van woorden* verbiage; *met veel* ~ with much circumstance; *zonder veel* ~ 1 without much ado; 2 straight away
'omhakken[1] *vt* cut down, chop down, fell
'omhalen[1] *vt* pull down [walls]; break up [earth]; pull about [things]
1 'omhangen[1] **I** *vt* 1 put on, wrap round one; 2 hang otherwise; ⚔ sling [arms]; **II** *vi* hang about, loll about
2 om'hangen (omhing, h. omhangen) *vt* hang; ~ *met* hung with
om'heen about, round about
om'heinen (omheinde, h. omheind) *vt* fence in, fence round, hedge in, enclose; **–ning** (-en) *v* fence, enclosure
om'helzen (omhelsde, h. omhelsd) *vt* embrace[2]; **–zing** (-en) *v* embrace; *fig* embracement
om'hoog on high, aloft, up; *de handen* ~! hands up!; *met zijn voeten* ~ feet up; *naar* ~ up(wards); *van* ~ from above; **–gaan**[2] *vi* go up[2]; **–gooien**[2] *vt* throw up; **–heffen**[2] *vt* lift (up); **–houden**[2] *vt* hold up; **–trekken**[2] *vt* pull up; **–zitten**[2] *vi* ⚓ be aground; *fig* be in a fix
'omhouden[1] *vt* keep on
'omhouwen[1] *vt* = *omhakken*
om'hullen (omhulde, h. omhuld) *vt* envelop, wrap round, enwrap; **om'hulsel** (-s) *o* wrapping, wrapper, envelope, cover; *stoffelijk* ~ mortal remains
o'missie (-s) *v* omission
'omkantelen[1] zie *kantelen*
'omkappen[1] *vt* = *omhakken*
'omkeer *m* change, turn; reversal, revolution, about-face; revulsion [of feeling]; *een hele* ~ *teweegbrengen in* ook: revolutionize; **om'keerbaar** reversible [order, motion &]; convertible [terms]; **–heid** *v* reversibility; convertibility; **'omkeren**[1] **I** *vt* turn [a card, one's coat]; turn over [hay, a leaf]; turn up [a card]; turn upside down [a box &]; turn out [one's pockets]; invert [commas &]; reverse [a motion, the order], convert [a proposition]; zie ook: *omgekeerd*; **II** *vi* turn back; **III** *vr zich* ~ turn (round); **–ring** (-en) *v* 1 inversion [of order of words, a ratio]; conversion [of a proposition]; 2 reversal, revolution
'omkiepen, –kieperen[1] *vt* tip over, tilt, upset
'omkijken[1] *vi* look back, look round; ~ *naar iets* 1 turn to look at a thing; 2 look about for a situation; *hij kijkt er niet meer naar om* he wil

[1,2] V.T. en V.D. van dit werkwoord volgens het model: 1 **'om**bouwen, V.T. bouwde **'om**, V.D. **'om**gebouwd; 2 **om'hoog**gooien, V.T. gooide **om'hoog**, V.D. **om'hoog**gegooid. Zie voor de vormen onder het grondwoord, in deze voorbeelden: *bouwen* en *gooien*. Bij sterke en onregelmatige werkwoorden wordt u verwezen naar de lijst achterin.

not so much as look at it, he doesn't care for it any more; *je hebt er geen ~ naar* it does not need any attention, it needs no looking after

1'omkleden[1] *zich ~* change (one's dress)

2 om'kleden (omkleedde, h. omkleed) *vt ~ met* clothe with[2], invest with[2] [power]; *met redenen omkleed* motivated

om'klemmen (omklemde, h. omklemd) *vt* clench, clasp in one's arms, hug (in close embrace), grasp tightly

om'knellen (omknelde, h. omkneld) *vt* clench, hold tight (in one's grasp), hold as in a vice

'omkomen[1] **I** *vi* 1 come to an end [of time]; 2 perish [of people]; *van honger* & *~* perish with (from, by) hunger &; **II** *vt een hoek ~* get (come) round a corner

om'koopbaar bribable, corruptible, venal; **'omkopen**[1] *vt* buy, bribe, corrupt [officials]; **S** grease (oil) the palm; **omkope'rij** (-en) *v* bribery, corruption; **S** oil, grease; **'omkoping** (-en) *v* = *omkoperij*

om'kransen (omkranste, h. omkranst) *vt* wreathe

'omkruipen[1] *vi* creep, drag (on) [of time]

om'laag below, down; *naar ~* down; **-houden** (hield om'laag, h. om'laaggehouden) *vt* keep down

'omleggen[1] *vt* 1 (a n d e r s o m) turn, put about; 2 shift [the helm, railway points]; careen [a ship]; 3 divert [a road, traffic]; 4 apply [a bandage]; **-ging** (-en) *v* diversion [of road, traffic]

'omleiden[1] *vt* divert [traffic, a road]; **-ding** (-en) *v* diversion [of traffic, a road]

'omliggend surrounding

om'lijnen (omlijnde, h. omlijnd) *vt* outline; *duidelijk (scherp) omlijnd* clear-cut; **-ning** (-en) *v* outline

om'lijsten (omlijstte, h. omlijst) *vt* frame; **-ting** (-en) *v* 1 framing; 2 frame, framework[2], mount, *fig* setting

'omloop (-lopen) *m* 1 revolution [of a planet, a satellite]; 2 rotation [of a wheel]; 3 circulation [of the blood; of money]; 4 gallery [round a tower]; 5 ⚕ whitlow; *a a n de ~ onttrekken* withdraw from circulation; *i n ~ brengen* 1 circulate [money], put into circulation; 2 spread [a rumour]; *in ~ zijn* 1 be in circulation [of notes, money]; 2 be abroad, be current [of a story]; **-snelheid** *v* orbital velocity; ⚒ running speed; **-(s)tijd** (-en) *m* time (period) of revolution; **'omlopen**[1] **I** *vi* 1 go (run) round, shift [to the North]; 2 walk about [in a town]; 3 be about [of rumours]; *het hoofd loopt mij om* my head is in a whirl, my head reels; **II** *vt* walk round [the town]; *een straatje ~* go for a stroll

'ommegang (-en) *m* procession; **-keer** = *omkeer*; **-komst** *v* expiration, expiry; **-landen** *mv* environs; **-staand** *zie ~* see overleaf; **-tje** (-s) *o* turn, breather; **-zien** *o in een ~* in a trice, in no time, **F** in a jiffy; **-zij(de)** (-n) *v* back; *aan ~* overleaf; *zie ~* please turn over, P.T.O.; **-zwaai** (-en) *m* volte face

om'muren (ommuurde, h. ommuurd) *vt* wall in

'omnibus (-sen) *m* & *v* omnibus, bus

omni'voor (-voren) *m* omnivorous animal

om'palen (ompaalde, h. ompaald) *vt* fence in, palisade

om'perken (omperkte, h. omperkt) *vt* fence in, enclose

'omploegen[1] *vt* plough (up)

'ompraten[1] *vt* talk round, talk over; *hij wou me ~* he wanted to talk me into doing it (talk me out of it)

om'randen (omrandde, h. omrand) *vt* border, edge

om'ranken (omrankte, h. omrankt) *vt* twine round, encircle

om'rasteren (omrasterde, h. omrasterd) *vt* fence (rail) in; **-ring** (-en) *v* railing

'omrekenen[1] *vt* convert; **-ning** *v* conversion

'omrijden[1] **I** *vt* ride down, knock over; **II** *vi het rijdt om* it is a roundabout way

om'ringen (omringde, h. omringd) *vt* surround, encircle, encompass

'omroep *m* broadcasting; **'omroepen**[1] *vt* cry; *RT* broadcast; **-er** (-s) *m* (town) crier, common crier; *RT* announcer; **-orkest** (-en) *o* broadcasting orchestra; **-ster** (-s) *v* lady announcer; **-vereniging** (-en) *v* broadcasting society

'omroeren[1] *vt* stir [a cup of tea, porridge]

'omrollen[1] **I** *vt* roll over, topple; **II** *vi* roll about; topple (over)

'omruilen[1] *vt* exchange, change, **F** swap

'omrukken[1] *vt* pull down

'omschakelen[1] *vi* & *vt* change over[2]; **-ling** (-en) *v* change-over[2]

'omscholen[1] *vt* retrain; **-ling** *v* transition training

'omschoppen[1] *vt* kick down, kick over

'omschrift (-en) *o* legend [of a coin]

om'schrijven (omschreef, h. omschreven) *vt* 1 (i n t a a l) define; paraphrase; 2 (i n m e e t - k u n d e) circumscribe; 3 (b e s c h r ij v e n)

[1] V.T. en V.D. van dit werkwoord volgens het model: **'om**bouwen, V.T. bouwde **'om,** V.D. **'om**gebouwd. Zie voor de vormen onder het grondwoord, in dit voorbeeld: *bouwen.* Bij sterke en onregelmatige werkwoorden wordt u verwezen naar de lijst achterin.

describe; **–ving** (-en) *v* 1 definition; paraphrase; 2 circumscription; 3 description
om'singelen (omsingelde, h. omsingeld) *vt* surround, encircle; invest [a fortress]; round up [criminals]; **–ling** (-en) *v* encircling; investment [of a fortress]; round-up [of criminals]
'omslaan[1] **I** *vt* 1 (o m v e r) knock down; 2 (n é é r) turn down [a collar &]; turn up [one's trousers]; 3 (o m k e r e n) turn over [a leaf], turn [the pages]; 4 (o m l i c h a a m) throw on [a cloak &], wrap [a shawl] round one; 5 (g e l i j k e l i j k v e r d e l e n) apportion, divide (among *over*); *de hoek* ~ turn (round) the corner; **II** *vi* 1 (o m v a l l e n) be upset, upset, capsize [of a boat]; be blown inside out [of umbrella]; 2 (v e r a n d e r e n) change, break [of the weather]; *links* (*rechts*) ~ turn to the left (to the right); *het rijtuig sloeg om* the carriage was upset; *het weer is omgeslagen* the weather has broken
om'slachtig cumbersome; long-winded [story]; zie ook: *omstandig*; **–heid** *v* cumbersomeness
'omslag (-slagen) *m* & *o* 1 (a a n k l e d i n g) cuff [of a sleeve]; turn-up [of trousers]; 2 (v. b o e k) cover, wrapper, (s t o f~) jacket; envelope [of a letter]; 3 ⚕ compress; 4 ⚒ brace [of a drill]; 5 *m fig* ceremony, fuss, ado; 6 *m* (v.h. w e e r) break (in the weather); 7 *m* (v e r d e l i n g) apportionment; *hoofdelijke* ~ poll-tax; *zonder veel* ~ without much ado; **–boor** (-boren) *v* brace and bit; **–doek** (-en) *m* shawl, wrap; **–verhaal** (-halen) *o* cover story
om'sluieren (omsluierde, h. omsluierd) *vt* veil
om'sluiten (omsloot, h. omsloten) *vt* enclose, encircle, surround; embosom
'omsmelten[1] *vt* remelt, melt down
'omsmijten[1] *vt* knock down, overturn, upset
om'spannen (omspande, h. omspannen) *vt* span
'omspitten[1] *vt* dig (up)
1 'omspoelen[1] *vt* rinse (out), wash
2 om'spoelen (omspoelde, h. omspoeld) *vt* wash, bathe [the shores]
'omspringen[1] *vi* jump about; *laat mij er mee* ~ let me manage it; *...met de jongens* ~ manage the boys...; *royaal* (*zuinig*) *met iets* ~ use something freely (sparingly)
'omstanders *mv* bystanders
om'standig I *aj* circumstantial, detailed; **II** *ad* circumstantially, in detail; **–heid** (-heden) *v* 1 (i n 't a l g.) circumstance; 2 (u i t v o e r i g h e i d) circumstantiality; *zijn omstandigheden* his circumstances in life; *zijn geldelijke omstandigheden* his financial position; *maatschappelijke omstandigheden* ook: social conditions; • *i n alle omstandigheden des levens* in all circumstances of life; *in de gegeven omstandigheden* in (under) the circumstances; *n a a r omstandigheden wel* very well, considering; *o n d e r geen enkele* ~ on no account
'omstoten[1] *vt* overturn, upset, push down
om'stralen (omstraalde, h. omstraald) *vt* shine about; *met luister omstraald* in a glorious halo
om'streden controversial [leader; subject]; disputed [territory]
'omstreeks about [fifty, ten o'clock]; in the neighbourhood of [5000]
'omstreken *mv* environs, neighbourhood
om'strengelen (omstrengelde, h. omstrengeld) *vt* entwine, wind (twine) about, wind [a child] in one's arms
om'stuwen (omstuwde, h. omstuwd) *vt* surround, flock (press) round
'omtrappen[1] *vt* = *omschoppen*
'omtrek (-ken) *m* 1 circumference [of a circle]; contour, outline [of a figure]; 2 neighbourhood, environs, vicinity; *in* ~ in circumference; *in de* ~ in the neighbourhood; *...mijlen in de* ~ for... miles around, within... miles; *in* ~ *schetsen* outline; *in* ~*ken* in outline
'omtrekken[1] *vt* 1 (o m v e r) pull down [a wall]; 2 (o m m a r c h e r e n) ⚔ march about; 3 (o m s i n g e l e n) ⚔ turn, outflank [the enemy]; *een* ~*de beweging* ⚔ a turning movement
om'trent, 'omtrent I *prep* 1 (t e n o p z i c h t e v a n) about, concerning, with regard to, as to; 2 (o n g e v e e r) about; 3 (i n d e b u u r t v a n) about; **II** *ad* about, near
'omtuimelen[1] *vi* tumble down, topple over
om'vademen (omvademde, h. omvademd) *vt* put one's arms round; *fig* encompass
'omvallen[1] *vi* fall down, be upset, upset, overturn; *zij vielen haast om van het lachen* they almost split their sides with laughter; *je valt om van de prijzen* the prices are staggering; ~ *van verbazing* be knocked over (bowled over) with surprise; *ik val om van de slaap* I can hardly stand for sleep, I am ready to drop with sleep
om'vamen (omvaamde, h. omvaamd) = *omvademen*
'omvang *m* girth [of a tree]; extent, compass, circumference, range [of voice], size [of a book]; latitude [of an idea]; ambit [of meaning]
om'vangen (omving, h. omvangen) *vt* surround, encompass

[1] V.T. en V.D. van dit werkwoord volgens het model: **'om**bouwen, V.T. bouwde **'om**, V.D. **'om**gebouwd. Zie voor de vormen onder het grondwoord, in dit voorbeeld: *bouwen*. Bij sterke en onregelmatige werkwoorden wordt u verwezen naar de lijst achterin.

om'vangrijk voluminous, bulky, extensive
1 'omvaren[1] **I** *vi* sail by a round-about way; **II** *vt* sail down
2 om'varen (omvoer, h. omvaren) *vt* sail about, circumnavigate; double, round [a cape]
om'vatten (omvatte, h. omvat) *vt* span; embrace[2]; *fig* comprise, encompass, include; grasp [an idea]; **-d** embracing; ⚔ turning [movement]; *fig* comprehensive
om'ver down, over; **-blazen**[2] *vt* blow down; **-duwen**[2] *vt* push over; **-gooien**[2] *vt* zie *omgooien* 1; **-halen**[2] *vt* pull down **-lopen**[2] *vt* run (knock) [sbd.] over (down); **-praten**[2] *vt* talk down; **-rennen**[2] *vt* run down; **-schieten**[2] *vt* shoot down; **-slaan**[2] **I** *vt* knock over; **II** *vi* fall down; **-stoten**[2] *vt* = *omstoten*; **-trekken**[2] *vt* pull down; **-tuimelen**[2] *vi* = *omtuimelen*; **-waaien**[2] **I** *vt* blow down; **II** *vi* be blown down
om'verwerpen[2] *vt* upset[2] [a glass, a plan] overturn, overset; overthrow [the government]; **-ping** *v* upsetting; *fig* overthrow
'omvliegen[1] *vi* fly about; *fig* fly, fleet
'omvormen[1] *vt* transform, remodel
'omvouwen[1] *vt* fold down, turn down
'omvraag *v* = *rondvraag*
'omwaaien[1] *vt* & *vi* = *omverwaaien*
om'wallen (omwalde, h. omwald) *vt* wall (round), wall in, circumvallate; **-ling** (-en) *v* circumvallation
'omwandelen[1] *vt* & *vi* walk about
'omwaren[1] *vi* walk, haunt a place (a house &) [of ghosts]
'omwassen[1] *vt* wash (up)
'omweg (-wegen) *m* roundabout way, circuitous route; detour; *een hele ~* a long way about; *een ~ maken* go about (a long way), make a detour (a circuit); *langs een ~* by a circuitous route, by a roundabout way; *langs ~en* by devious ways; *zonder ~en* without beating about the bush; point-blank
'omwenden[1] I *vt* turn; **II** *vr zich ~* turn
'omwentelen[1] *vi* revolve, rotate, gyrate; **-ling** (-en) *v* revolution, rotation, gyration; *fig* revolution; *een ~ teweegbrengen in* revolutionize; **'omwentelingsas** (-sen) *v* axis of rotation; **-snelheid** (-heden) *v* velocity of rotation; **-tijd** (-en) *m* time of revolution; **-vlak** (-ken) *o* surface of revolution
'omwerken[1] *vt* remould, remodel, refashion, recast [a book], rewrite [an article &]; **-king** (-en) *v* recast(ing) &
'omwerpen[1] *vt* = *omgooien* 1 & 2
om'wikkelen (omwikkelde, h. omwikkeld) *vt* wrap round
om'winden (omwond, h. omwonden) *vt* entwine, envelop; wind around
'omwisselen[1] *vt* & *vi* change
'omwoelen[1] 1 *vt* turn up, rout [the earth]; rumple [a bed]; 2 (omwoelde, h. omwoeld) *vt* (omwinden) muffle [a bell], wind around
'omwonenden, om'wonenden *mv* neighbours
'omwroeten[1] *vt* root up
'omzagen[1] *vt* saw down
1 'omzeilen[1] = 1 *omvaren*
2 om'zeilen (omzeilde, h. omzeild) *vt* = 2 *omvaren*; *een moeilijkheid ~* evade, get round a difficulty
'omzet (-ten) *m* turnover; sales; *er is weinig ~* there is little doing; *kleine winst bij vlugge ~* small profits and quick returns; **'omzetten**[1] *vt* 1 (anders zetten) arrange (place) differently [of things]; shift [furniture]; transpose [letters, numbers &]; 2 ⚒ reverse [an engine]; 3 $ turn over, sell; *hij kwam de hoek ~* he came (driving &) round the corner; *~ in* convert into; ...*in daden ~* translate... into action; **-ting** (-en) *v* transposition [of a term, a word]; conversion, inversion [of the order of words]; translation [into action]; ⚒ reversal [of an engine]
om'zichtig circumspect, cautious; **-heid** *v* circumspection, cautiousness, caution
1 'omzien[1] *vi* look back; *~ naar* look back at; look out for [another servant]; *niet ~ naar* not attend to [one's business], be negligent of [one's affairs], neglect [the children]; *hij ziet er niet naar om* he doesn't care for it
2 'omzien *o* = *ommezien*
1 'omzomen[1] *vt* hem
2 om'zomen (omzoomde, h. omzoomd) *vt fig* border, fringe
'omzwaai = *ommezwaai*; **'omzwaaien**[1] **I** *vt* swing round, swerve; **II** *vi* (veranderen v. studie &) switch over, change over
om'zwachtelen (omzwachtelde, h. omzwachteld) *vt* swathe, bandage; swaddle [a baby]
'omzwalken[1] *vi* drift about
'omzwemmen[1] *vi* swim about
'omzwenken[1] *vi* swing (wheel) round
om'zwermen (omzwermde, h. omzwermd) *vt* swarm about
'omzwerven[1] *vi* rove (ramble, wander) about; **-ving** (-en) *v* wandering, roving, rambling
om'zweven (omzweefde, h. omzweefd) *vt* hover about, float about
'omzwikken[1] *vi* sprain (wrench) one's ankle

[1,2] V.T. en V.D. van dit werkwoord volgens het model: 1 **'om**bouwen, V.T. bouwde **'om**, V.D. **'om**gebouwd; 2 **om'ver**duwen, V.T. duwde **om'ver**, V.D. **om'ver**geduwd. Zie voor de vormen onder het grondwoord, in deze voorbeelden: *bouwen* en *duwen*. Bij sterke en onregelmatige werkwoorden wordt u verwezen naar de lijst achterin.

onaan'doenlijk impassive, apathetic, stolid; **–heid** *v* impassiveness, apathy, stolidity
on'aangebroken unopened, fresh [bottle], unbroached [cask]
on'aangedaan unmoved, untouched
on'aangekondigd unannounced
on'aangemeld unannounced
on'aangenaam disagreeable, offensive [smell], unpleasant[2]; *fig* unwelcome [truths]; **–heid** (-heden) *v* disagreeableness, unpleasantness; *onaangenaamheden krijgen met iem.* fall out with sbd.
on'aangepast maladjusted; **–heid** *v* maladjustment
on'aangeroerd untouched, intact; ~ *laten* leave untouched[2]; *fig* not touch upon
on'aangetast untouched
on'aangevochten unchallenged
onaan'nemelijk 1 unacceptable [conditions]; 2 (w e i n i g g e l o o f w a a r d i g o f w a a r s c h i j n l i j k) implausible; **–heid** *v* 1 unacceptableness; 2 implausibility
onaan'tastbaar unassailable[2]; inviolable [rights]; **–heid** *v* unassailableness[2]
onaan'trekkelijk unattractive
onaan'vaardbaar unacceptable
onaan'zienlijk inconsiderable; insignificant; **–heid** *v* inconsiderableness; insignificance
on'aardig unpleasant; unkind; *het is ~ van je* it is not nice of you; **–heid** (-heden) *v* unpleasantness; unkindness
on'achtzaam inattentive, negligent, careless; **–heid** (-heden) *v* inattention, negligence, carelessness
on'afgebroken uninterrupted, continuous
on'afgedaan 1 unfinished [work]; 2 unpaid, outstanding [debts]; 3 $ unsold
on'afgehaald unclaimed [goods, prizes]
on'afgewerkt unfinished
onaf'hankelijk independent; **–heid** *v* independence; **onaf'hankelijkheidsbeweging** (-en) *v* liberation movement; **–verklaring** (-en) *v* declaration of independence
onaf'scheidelijk I *aj* inseparable; **II** *ad* inseparably; **–heid** *v* inseparability
onaf'wendbaar not to be averted, inevitable
onaf'zetbaar irremovable
onaf'zienbaar immense, endless
ona'nie *v* onanism
onappe'tijtelijk unappetizing, unattractive
onat'tent inattentive
onbaat'zuchtig disinterested, unselfish; **–heid** *v* disinterestedness, unselfishness, selflessness
onbarm'hartig merciless, pitiless; **–heid** *v* mercilessness
onbe'antwoord unanswered [letters, questions]; unreturned [love]
'onbebouwd uncultivated, untilled [soil]; unbuilt on [spaces], waste [ground]
onbe'daarlijk uncontrollable, inextinguishable [mirth]
onbe'dacht(zaam) thoughtless, rash, inconsiderate; **onbe'dachtzaamheid** (-heden) *v* thoughtlessness, rashness, inconsiderateness
onbe'dekt uncovered, bare, open
onbe'doeld unintended
onbe'dorven unspoiled, unsophisticated, innocent; sound; undepraved, uncorrupted; **–heid** *v* innocence
onbe'dreigd, 'onbedreigd *sp* unchallenged
onbe'dreven, 'onbedreven unskilled, inexperienced; **–heid** *v* inexperience, unskilfulness
onbe'drieglijk unmistakable [signs]; [instinct, memory] never at fault
onbe'duidend I *aj* insignificant [people]; trivial, trifling [sums]; *niet ~* not inconsiderable; **II** *ad* insignificantly; **–heid** (-heden) *v* insignificance; triviality
onbe'dwingbaar I *aj* uncontrollable, indomitable; **II** *ad* uncontrollably, indomitably
'onbeëdigd unsworn
onbe'gaanbaar impassable, impracticable
'onbegonnen, onbe'gonnen *een ~ werk* an endless (hopeless) task
onbe'grensd unlimited, unbounded
onbe'grepen not understood; unappreciated [poet &]; **onbe'grijpelijk I** *aj* inconceivable, incomprehensible, unintelligible; **II** *ad* inconceivably; **'onbegrip** *o* incomprehension
onbe'haaglijk unpleasant, disagreeable; uncomfortable, uneasy; **–heid** *v* unpleasantness &, discomfort
onbe'haard hairless
'onbehagen *o* uneasiness, discomfort
onbe'heerd without an owner, unowned, ownerless; (v. a u t o, f i e t s &) unattended
onbe'heerst, 'onbeheerst uncontrolled, unrestrained, wanton, undisciplined
onbe'holpen awkward, clumsy
onbe'hoorlijk I *aj* unseemly, improper, indecent; **II** *ad* improperly; **–heid** (-heden) *v* unseemliness, impropriety, indecency
1 'onbehouwen unhewn [blocks]; **2 onbe'houwen** *fig* ungainly, unwieldy; rugged, unmannerly
onbe'huisd homeless; *de ~en* the homeless
onbe'hulpzaam unwilling to help, disobliging
onbe'kend unknown, unfamiliar; *dat is hier ~* that is not known here; *ik ben hier ~* I am a stranger here; *hij is nog ~* he is still unknown; *dat was mij ~* it was unknown to me, I was not aware of the fact; *~ met* unacquainted with, unfamiliar with, ignorant of; *~ maakt onbemind*

unknown, unloved; [*fig*] *op ~ terrein* **F** off (out of) one's beat; **–e** (-n) *m-v* stranger; *de ~* ook: the unknown; *het ~* the unknown; *twee ~n* 1 two unknown people, two strangers; 2 two unknowns [in algebra]; **–heid** *v* 1 unacquaintedness, unacquaintance; 2 obscurity; *zijn ~ met...* his unacquaintance (unfamiliarity) with, his ignorance of...
onbe'klant without customers
onbe'klimbaar unclimbable, inaccessible
onbe'kommerd, 'onbekommerd unconcerned; *een ~ leven leiden* lead a care-free life; **–heid** *v* unconcern
onbe'kookt inconsiderate, thoughtless, rash
onbe'krompen I *aj* 1 unstinted, unsparing, lavish; 2 liberal, broad-minded; **II** *ad* 1 unsparingly, lavishly; 2 liberally; *~ leven* be in easy circumstances; **–heid** *v* liberality
onbe'kwaam incapable, unable, incompetent; **–heid** *v* incapacity, inability, incompetence
onbe'langrijk unimportant, insignificant, trifling, inconsequential, immaterial; **–heid** *v* unimportance, insignificance, triflingness
'onbelast 1 unburdened, unencumbered; 2 untaxed; 3 ⚒ withoud load
onbe'leefd I *aj* impolite, uncivil, ill-mannered, rude; **II** *ad* impolitely, uncivilly, rudely; **–heid** (-heden) *v* impoliteness, incivility, rudeness
onbe'lemmerd, 'onbelemmerd unimpeded, unhampered, free
onbe'loond, 'onbeloond unrewarded [pupils &]; unrequited [toil]; *dat zal niet ~ blijven* that shall not go unrewarded
onbe'mand, 'onbemand unmanned [flight, space-craft]
onbe'merkt, 'onbemerkt I *aj* unperceived, unnoticed, unobserved; **II** *ad* without being perceived
onbe'middeld without means
onbe'mind unloved, unbeloved, unpopular
onbe'minnelijk unamiable, unlovely
onbe'noemd unnamed; abstract [number]
'onbenul (-len) *o een ~* a mere cipher, a nobody, a nonentity; **onbe'nullig I** *aj* fatuous, dullheaded; **II** *ad* fatuously; **–heid** (-heden) *v* fatuousness, fatuity
onbe'paalbaar indeterminable; **onbe'paald, 'onbepaald** unlimited; indefinite; uncertain; vague; *voor ~e tijd* indefinitely; *~e wijs* infinitive; **–heid** *v* unlimitedness; indefiniteness; uncertainty; vagueness
onbe'perkt I *aj* unlimited, unrestrained, boundless, unbounded; **II** *ad* unlimitedly
onbe'proefd untried[2]; *niets ~ laten* leave nothing untried, leave no stone unturned
onbe'raden inconsiderate, ill-advised
onberede'neerd I *aj* 1 unreasoned [fear]; 2 inconsiderate [behaviour]; **II** *ad* inconsiderately
onbe'reikbaar inaccessible; *fig* unattainable, unreachable
onbe'rekenbaar incalculable[2], *fig* unpredictable; **onbe'rekend** uncalculated; unequal [to a task]
onbe'rijdbaar impassible [roads]
onbe'rispelijk I *aj* irreproachable, blameless, immaculate, faultless, flawless; **II** *ad* irreproachably, faultlessly
'onberoerd untouched, unmoved
onbe'schaafd 1 ill-bred, unmannerly, uneducated, unrefined, uncultured; 2 uncivilized [nations]; **–heid** (-heden) *v* 1 ill-breeding, unmannerliness; 2 want of civilization
onbe'schaamd I *aj* unabashed, impudent, checky, audacious, impertinent, bold; *~e leugen* barefaced lie; *~e kerel* impudent fellow; **II** *ad* impudently; **–heid** (-heden) *v* impudence, impertinence; *de ~ hebben om...* have the nerve to..., be cheeky enough to...
onbe'schadigd undamaged
'onbescheiden indiscreet, immodest; **–heid** (-heden) *v* indiscretion, immodesty
onbe'schermd unprotected, undefended
onbe'schoft impertinent, insolent, impudent, rude; **–heid** (-heden) *v* impertinence, insolence, impudence, rudeness
'onbeschreven not written upon, blank [paper]; unwritten [laws]; undescribed; **onbe'schrijf(e)lijk I** *aj* indescribable; **II** *ad* indescribably, < very
onbe'schroomd undaunted, fearless
onbe'schut unsheltered, unprotected
'onbeslagen unshod; *~ ten ijs komen* be unprepared (for...)
onbe'slapen, 'onbeslapen not slept-in, undisturbed [bed]
onbe'slecht undecided
onbe'slist undecided; *~ spel* drawn game; *het spel bleef ~* the game ended in a tie, in a draw
'onbesmet undefiled
onbe'spied unobserved
'onbesproken, onbe'sproken undiscussed [subjects]; unbooked, free [seat]; *fig* blameless, irreproachable [conduct]
onbe'staanbaar impossible; *~ met* inconsistent (incompatible) with; **–heid** *v* impossibility; inconsistency, incompatibility [with]
onbe'stelbaar, 'onbestelbaar undeliverable; *een onbestelbare brief* ✉ a dead letter
'onbestemd indeterminate, vague
onbe'stendig unsettled, unstable, inconstant; fickle; **–heid** *v* unsettled state, instability, inconstancy; fickleness
'onbestorven too fresh [meat &]; grass [widow]

onbe'stuurbaar unmanageable, out of control
onbe'suisd I *aj* rash, hot-headed, foolhardy; **II** *ad* rashly; ~ *te werk gaan* go at it boldheaded; **–heid** (-heden) *v* rashness, foolhardiness
onbe'taalbaar 1 unpayable [debts]; 2 *fig* priceless, invaluable; *een onbetaalbare grap* a capital joke; **'onbetaald, onbe'taald** unpaid, unsettled; ~*e rekeningen* outstanding accounts
onbe'tamelijk I *aj* unbecoming, improper, unbefitting, unseemly, indecent; **II** *ad* unbecomingly; **–heid** (-heden) *v* unbecomingness, impropriety, unseemliness, indecency
onbe'tekenend insignificant, unimportant, inconsiderable, trifling
onbe'teugeld unbridled, unrestrained
onbe'treden, 'onbetreden untrodden [paths]
onbe'trouwbaar unreliable; **–heid** *v* unreliability
onbe'tuigd *hij liet zich niet* ~ he rose to the occasion, he was quick to respond; (a a n t a f e l) do justice to a meal
onbe'twist, 'onbetwist undisputed, uncontested; **–baar** indisputable
onbe'vaarbaar innavigable
onbe'vallig ungraceful, inelegant; **–heid** *v* ungracefulness, inelegance
'onbevangen, onbe'vangen 1 unprejudiced, open-minded, unbiassed; 2 unconcerned; **–heid** *v* 1 impartiality; 2 unconcern(edness)
onbe'vattelijk 1 slow [pupil]; 2 incomprehensible [thing]
'onbevestigd unconfirmed [report]
'onbevlekt, onbe'vlekt unstained, undefiled; immaculate; *de Onbevlekte Ontvangenis* the Immaculate Conception
'onbevoegd, onbe'voegd incompetent, unqualified [teacher]; unauthorized [persons, people]; **–e** (-n) *m-v* unauthorized person; **–heid** *v* incompetence
'onbevolkt unpopulated, uninhabited
onbevoor'oordeeld unprejudiced, unbiassed
onbe'vredigd, 'onbevredigd unsatisfied, ungratified
onbe'vredigend unsatisfactory
onbe'vreesd, 'onbevreesd I *aj* undaunted, unafraid, fearless; **II** *ad* undauntedly, fearlessly
onbe'waakt, 'onbewaakt unguarded; zie ook: *ogenblik*, 1 *overweg*
onbe'weegbaar immovable; **onbe'weeglijk I** *aj* motionless, immovable, immobile; **II** *ad* immovably; **–heid** *v* immobility
'onbeweend unwept
onbe'werkt, 'onbewerkt unmanufactured, raw [material]; (n i e t v e r s i e r d) plain
onbe'wezen not proven; **onbe'wijsbaar** unprovable
'onbewimpeld, 'onbewimpeld I *aj* undisguised, frank; **II** *ad* frankly, without mincing matters
onbe'wogen unmoved, untouched, unruffled, impassive, placid
'onbewolkt, onbe'wolkt unclouded, cloudless
onbe'woonbaar uninhabitable [country]; [dwelling] unfit for (human) habitation; ~ *verklaren* condemn; **'onbewoond, onbe'woond** uninhabited [region, place &]; unoccupied, untenanted [house]; ~ *eiland* desert island
'onbewust, onbe'wust unconscious [act]; unwitting [hope]; *mij* ~ *hoe* (*of, waar* &) not knowing how (if &); ~ *van...* unaware of...; *het* ~*e* the unconscious; **–heid** *v* unconsciousness
'onbezeerd unhurt, uninjured
'onbezet, onbe'zet unoccupied [chair], vacant [post]
'onbezield inanimate, lifeless
onbe'zoedeld undefiled, unsullied
onbe'zoldigd unsalaried, unpaid; *een* ~ *baantje* an honorary job; *een* ~ *politieagent* a special constable
onbe'zonnen inconsiderate, thoughtless, unthinking, rash; **–heid** *v* inconsiderateness, thoughtlessness, rashness
'onbezorgd onbe'zorgd I *aj* free from care, care-free [old age]; unconcerned; ✉ undelivered; **II** *ad* care-free; unconcernedly; **–heid** *v* freedom from care; unconcern
onbe'zwaard, 'onbezwaard 1 unencumbered [property]; 2 unburdened [mind]; clear [conscience]
on'billijk unjust, unfair, unreasonable; **–heid** (-heden) *v* injustice, unfairness, unreasonableness
'onbloedig bloodless
on'blusbaar inextinguishable, unquenchable
on'brandbaar incombustible, non-flammable [clothing, materials]; **–heid** *v* incombustibility
on'breekbaar unbreakable
'onbruik *o in* ~ *geraken* go out of use [of words], fall into disuse, into desuetude; **on'bruikbaar** unfit for use, useless, unserviceable [things], ineffective [methods]; impracticable [roads]; inefficient [persons]; **–heid** *v* uselessness, unserviceableness; impracticability; inefficiency
on'buigbaar inflexible; **on'buigzaam** inflexible[2]; *fig* unbending, unyielding, rigid, hard-set, adamant; **–heid** *v* inflexibility, rigidity
on'christelijk [-'krıstələk of -'grıs-] unchristian
oncollegi'aal disloyal, unlike a colleague
oncontro'leerbaar unverifiable
'ondank *m* thanklessness, ingratitude; *zijns* ~*s* in spite of him; ~ *is 's werelds loon* the world's wages are ingratitude; **on'dankbaar** un-

grateful, unthankful, thankless; *een ondankbare rol* an unthankful part; **–heid** (-heden) *v* ingratitude, thanklessness, unthankfulness
'ondanks in spite of, notwithstanding
on'deelbaar indivisible; ~ *getal* prime number; *één ~ ogenblik* **F** one split second; **–heid** *v* indivisibility
ondefini'eerbaar indefinable
on'degelijk unsubstantial, flimsy
on'denkbaar unthinkable, inconceivable
'onder I *prep* 1 under[2], beneath, ⊙ underneath; 2 (te midden van) among; 3 (gedurende) during; ~ *Alexander de Grote* under Alexander the Great; ~ *andere(n)* 1 (v. zaken) among other things; 2 (v. personen) among others; ~ *elkaar* between them [they had a thousand pounds]; [discuss, quarrel, marry] among themselves; ~ *meer* zie ~ *andere(n)*; ~ *ons* between you and me, between ourselves; *'t moet ~ ons blijven* it must not go any further; ~ *ons gezegd* between you and me and the bedpost (gate-post); *iets ~ zich hebben* have sth. in one's keeping; ~ *een glas wijn* over a glass of wine; ~ *het eten* during meals; at dinner; ~ *het lezen* while (he was) reading; ~ *het lopen* as he went; ~ *de preek* during the sermon; ~ *de toejuichingen van de menigte* amid the cheers of the crowd; ~ *de regering van Koningin Wilhelmina* during (in) the reign of Queen Wilhelmina; ~ *vrienden* among friends; ~ *vijanden* amid(st) enemies; ~ *de modder* (*het stof* &) *zitten* be covered with mud (dust &); **II** *ad* below; *de zon is ~* the sun is set (is down); *hoe is hij er ~?* how does he take it?; *er is een kelder ~* underneath there is a cellar; • ~ *aan de bladzijde* at the foot (at the bottom) of the page; ~ *aan de trap* at the foot of the stairs; ~ *in de fles* at the bottom of the bottle; *naar ~(en)* down, below; *ten ~ brengen* subjugate, overcome; *ten ~ gaan* go to rack and ruin, be ruined; *van ~(en)!* below there!; *glad van ~* smooth underneath; *van ~ naar boven* from the bottom upward(s); *van ~ op* from below; *fig* [start] from the bottom (from scratch); *derde regel van ~* 3rd line from the bottom
'onderaan, onder'aan I *prep* at the bottom of; **II** *ad* at the bottom, at (the) foot
'onderaanbesteden (h. onderaanbesteed) *vt* sublet
'onderaandeel (-delen) *o* $ sub-share
'onderaannemer (-s) *m* sub-contractor
onder'aards, 'onderaards subterranean, underground
'onderafdeling (-en) *v* 1 subdivision; 2 subsection
'onderarm (-en) *m* forearm
'onderbaas (-bazen) *m* charge-hand
'onderbelicht, onderbe'licht under-exposed; **–ing** *v* under-exposure
'onderbetalen (h. onderbetaald) *vt* underpay
'onderbevelhebber (-s) *m* second in command
'onderbevolking *v* underpopulation; **onderbe'volkt** underpopulated
'onderbewust subconscious; **onderbe'wuste** *o* subconscious; **'onderbewustzijn** *o* subconscious; subconsciousness
onderbe'zet undermanned, understaffed
'onderbinden[1] *vt* tie on [skates]
'onderbouw *m* substructure, foundation; (van lyceum) basic years
onder'breken (onderbrak, h. onderbroken) *vt* interrupt, break [a journey, holidays]; **–king** (-en) *v* interruption, break
'onderbrengen[1] *vt* shelter, house, accomodate, place[2]
'onderbroek (-en) *v* (pair of) pants, drawers; (*dames*) ~*je* **F** briefs, knickers
'onderbuik (-en) *m* abdomen
'onderdaan (-danen) *m* subject; *onderdanen* nationals [of a country, when abroad]; *mijn onderdanen* **F** my pins [= legs]
'onderdak *o* shelter; *geen ~ hebben* have no shelter (no home, no accommodation); ~ *verschaffen* accomodate
onder'danig I *aj* submissive; humble; *Uw ~e dienaar* Yours obediently; **II** *ad* submissively; humbly; **–heid** *v* submissiveness; humility
'onderdeel (-delen) *o* 1 lower part; 2 part; 3 ⚒ accessory, part; 4 ⚔ unit; *dat is maar een ~* that's only part of it, a fraction; *voor een ~ van een seconde* for a fraction of a second, **F** one split second
'onderdeur (-en) *v* lower half of a door, hatch; ~*tje* [*fig*] undersized person, dwarf
'onderdirecteur (-en en -s) *m* submanager; ✎ second master, vice-principal
'onderdoen[1] **I** *vt* tie on [skates]; **II** *vi niet ~ voor... in...* not yield to... in...; *voor niemand ~ (in)...* be second to none, yield to none in...
'onderdompelen[1] *vt* submerge, immerse; **–ling** (-en) *v* submersion, immersion, **F** ducking
onder'door underneath; *er ~ gaan* [*fig*] succomb, break down; **–gang** (-en) *m* tunnel, subway, underpass
onder'drukken (onderdrukte, h. onderdrukt) *vt*

[1] V.T. en V.D. van dit werkwoord volgens het model: **'onder**dompelen, V.T. dompelde **'onder**, V.D. **'onder**gedompeld. Zie voor de vormen onder het grondwoord, in dit voorbeeld: *dompelen*. Bij sterke en onregelmatige werkwoorden wordt u verwezen naar de lijst achterin.

keep down [one's anger], oppress [a nation]; suppress [a rebellion, a groan, a yawn &], stifle [a sigh], smother [a laugh, a yawn]; quell [a revolt]; **–er** (-s) *m* oppressor [of people]; suppressor [of revolt]; **onder'drukking** (-en) *v* 1 oppression [of the people]; 2 suppression [of a revolt]

'onderduiken[1] *vi* 1 dive, duck [of birds &]; sink below the horizon [of the sun]; 2 (z i c h v e r b e r g e n) go into hiding; *ondergedoken zijn* be in hiding; **–er** (-s) *m* person in hiding

'ondereind(e) (-einden) *o* lower end

'onderen *naar ~, van ~* zie *onder* **II**

1 'ondergaan[1] *vi* 1 (v. s c h i p) go down, sink; 2 (v. z o n) set, go down; 3 (b e z w i j k e n) go down, perish

2 onder'gaan (onderging, h. ondergaan) *vt* undergo [an operation, a change, punishment], suffer, endure [hardship, misery, pain]; *hij onderging zijn lot* he underwent his fate; *gevangenisstraf ~* serve a term of imprisonment; *een verandering ~* undergo (suffer) a change; *wat ik ~ heb* what I have undergone (gone through, suffered)

'ondergang *m* setting [of the sun]; *fig* (down)fall, ruin, destruction; ⊙ doom; *dat was zijn ~* that was the ruin of him, that was his undoing

onderge'schikt subordinate [person]; inferior [rôle]; *van ~ belang* of minor importance; *~ maken aan* subordinate to; **–e** (-n) *m-v* subordinate, inferior; *zijn ~n* those under him, his inferiors; **–heid** *v* subordination, inferiority

'ondergeschoven supposititious; *~ kind* changeling

onderge'tekende (-n) *m-v* undersigned; **J** yours truly; *ik ~ verklaar* I the undersigned declare; *wij ~n verklaren* we the undersigned declare

'onder(ge)wicht *o* short weight

'ondergoed *o* underwear, underclothes

onder'graven (ondergroef, h. ondergraven) *vt* undermine, sap

'ondergrond (-en) *m* subsoil[2]; *fig* foundation; *op een zwarte ~* on (against) a black (back)ground

onder'gronds underground[2] [railway; movement]; subterranean; **–e** *v* 1 underground, **F** tube, *Am* subway; 2 resistance movement, underground

onder'hand meanwhile, in the meantime

onder'handelaar (-s en -laren) *m* negotiator; **onder'handelen** (onderhandelde, h. onderhandeld) *vi* negotiate, treat; **–ling** (-en) *v* negotiation; *in ~ treden met...* enter into negotiations with...; *in ~ met iem. zijn over...* be negotiating with sbd. for...

onder'hands 1 underhand [intrigues]; 2 $ [sale] by private contract; private [arrangement, contract, sale]

onder'havig *in het ~e geval* in the present case

onder'hevig *~ aan* subject to [fits of...]; liable to [error]; admitting of [doubt]

onder'horig dependent, subordinate, belonging to; **–e** (-n) *m-v* subordinate; **–heid** *v* dependence, subordination; (g e b i e d) dependency

'onderhoud *o* 1 (h e t i n s t a n d h o u d e n) maintenance, upkeep [of the roads &], servicing [of a car]; 2 (l e v e n s o n d e r h o u d) maintenance, support, sustenance; 3 (g e s p r e k) conversation, interview, talk; *in zijn (eigen) ~ voorzien* support oneself, be self-supporting, provide for oneself

1 'onderhouden[1] *vt* keep under; *de jongens er ~* keep the boys in hand

2 onder'houden (onderhield, h. onderhouden) **I** *vt* 1 (i n o r d e h o u d e n) keep in repair [a house &]; 2 (a a n d e g a n g h o u d e n) keep up [the firing, a correspondence, one's French &], maintain [a service]; 3 (i n l e v e n h o u d e n) support, provide for [one's family &]; 4 (b e z i g h o u d e n) amuse; entertain [people]; 5 keep [God's commandments]; *iem. ergens over ~* call (bring) sbd. to account for sth., take sbd. to task for sth.; *het huis is goed (slecht) ~* the house is in good (bad) repair; *een goed (slecht) ~ tuin* a well-(badly) kept garden; **II** *vr zich ~* support (provide for) oneself; *zich ~ over...* converse about; **–d** entertaining, amusing; **'onderhoudskosten** *mv* cost of upkeep, maintenance cost(s)

'onderhout *o* underwood, undergrowth, brushwood

'onderhuid *v* true skin

'onderhuids, onder'huids subcutaneous; hypodermic [injection]

'onderhuis (-huizen) *o* lower part of a house; basement

'onderhuren[1] *vt* sub-rent; **'onderhuur** *v* subtenancy; **–der** (-s) *m* subtenant

onder'in at the bottom [of the cupboard]

'onderjurk (-en) *v* (under)slip

'onderkaak (-kaken) *v* lower jaw, mandible

'onderkant (-en) *m* bottom

'onderkast (-en) *v* lower case

onder'kennen (onderkende, h. onderkend) *vt* discern, perceive; (o n d e r s c h e i d e n)

[1] V.T. en V.D. van dit werkwoord volgens het model: **'onder**dompelen, V.T. dompelde **'onder**, V.D. **'onder**gedompeld. Zie voor de vormen onder het grondwoord, in dit voorbeeld: *dompelen.* Bij sterke en onregelmatige werkwoorden wordt u verwezen naar de lijst achterin.

distinguish
'onderkin (-nen) *v* double chin
'onderkleren *mv* = *ondergoed*
onder'koeld supercooled, *fig* cool, unemotional; *~e regen* black ice; **onder'koelen** (onderkoelde, h. onderkoeld) *vi* & *vt* supercool
'onderkomen *o een ~ vinden* find shelter, find accommodation
'onderkoning (-en) *m* viceroy
onder'kruipen (onderkroop, h. onderkropen) *vi* **F** 1 $ undercut, spoil sbd.'s trade; 2 (b ij s t a k i n g) blackleg; **'onderkruiper** (-s) *m* **F** 1 $ underseller; 2 (b ij s t a k i n g) blackleg, scab; 3 = *onderkruipsel*; **'onder'kruiping** (-en) *v* **F** 1 $ undercutting; 2 (b ij s t a k i n g) playing the blackleg; **'onderkruipsel** (-s) *o* dwarf, midget, manikin
'onderlaag (-lagen) *v* substratum [*mv* substrata]
'onderlaken (-s) *o* bottom sheet
onder'langs along the bottom (the foot)
onder'legd *goed ~* well-grounded
'onderlegger (-s) *m* blotting-pad, (writing-)pad
'onderliggen[1] *vi* lie under; *fig* be worsted; *de ~de partij* the underdog
'onderlijf (-lijven) *o* belly, abdomen, lower part of the body
'onderlijfje (-s) *o* (under-)bodice
onder'lijnen (onderlijnde, h. onderlijnd) *vt* underline, underscore
'onderling I *aj* mutual; *~e verzekeringsmaatschappij* mutual insurance company; **II** *ad* 1 mutually; 2 together, between them; *~ verdeeld* divided among themselves
'onderlip (-pen) *v* lower lip
'onderlopen[1] *vi* be flooded, be overflowed, be swamped [of a meadow]; *laten ~* inundate, flood
onder'maans sublunary; *het ~e* the sublunary world; *in dit ~e* here below
onder'mijnen (ondermijnde, h. ondermijnd) *vt* undermine[2], sap[2]; **-ning** *v* undermining[2], sapping[2]
onder'nemen (ondernam, h. ondernomen) *vt* undertake, attempt; **-d** enterprising; **onder'nemer** (-s) *m* 1 undertaker; 2 $ proprietor, owner, entrepreneur, enterpriser; **onder'neming** (-en) *v* 1 undertaking, enterprise; venture; 2 (business) concern; 3 (p l a n t a g e) estate, plantation; **onder'nemingsgeest** *m* (spirit of) enterprise; **-raad** (-raden) *m* works council
'onderofficier (-en en -s) *m* 1 ⚔ non-commissioned officer, N.C.O.; 2 ⚓ petty officer
'onderom round the foot (bottom)
onder'onsje (-s) *o* 1 private business; 2 small sociable party, informal gathering
'onderontwikkeld underdeveloped, depressed [areas]; underdeveloped [negative]
'onderpand (-en) *o* pledge, guarantee, security; *op ~* on security; *in ~ geven* pledge
'onderproduktie [-düksi.] *v* underproduction
'onderrand (-en) *m* lower edge [of a page]
'onderregenen (regende 'onder, is 'ondergeregend) *vi* be swamped with rain
'onderricht *o* instruction, tuition; **onder'richten** (onderrichtte, h. onderricht) *vt* 1 instruct, teach; 2 inform (of *van*); **-ting** (-en) *v* 1 instruction; 2 information
'onderrok (-ken) *m* petticoat
onder'schatten (onderschatte, h. onderschat) *vt* undervalue underestimate, underrate; **-ting** *v* underestimation
'onderscheid *o* difference; distinction, discrimination; *de jaren des ~s* the years of discretion [in England: 14]; *~ maken tussen... en...* distinguish (discriminate) between... and...; *dat maakt een groot ~* that makes all the difference; *allen zonder ~* all without exception; zie ook: *oordeel*; **1 onder'scheiden** (onderscheidde, h. onderscheiden) **I** *vt* distinguish, discern; *fig* distinguish, single out; *hij is ~ met de Nobelprijs* he has been awarded the Nobel prize, the Nobel prize has been awarded to him; *~ i n...* distinguish into...; *~ v a n...* distinguish... from, tell... from; **II** *vr zich ~* distinguish oneself; **2 onder'scheiden** *aj* different, various, distinct; **-lijk** respectively [called A, B, C]; **onder'scheiding** (-en) *v* distinction; *~en* 1 *Br* birthday's honours; 2 [civil, war] decorations; 3 awards [at a show]; **onder'scheidingsteken** (-s en -en) *o* distinguishing mark, badge; **-vermogen** *o* discrimination, discernment
onder'scheppen (onderschepte, h. onderschept) *vt* intercept; **-ping** *v* interception
'onderschikkend *gram* subordinating; **'onderschikking** *v gram* subordination
'onderschrift (-en) *o* 1 subscription, signature [of a letter]; 2 caption, letterpress [under a picture]; **onder'schrijven** (onderschreef, h. onderschreven) *vt het ~* subscribe to that [statement], endorse the statement
'onderschuifbed (-den) *o* fold-away twin bed
onders'hands privately, by private contract
'ondersneeuwen (sneeuwde 'onder, is 'ondergesneeuwd) *vi* be snowed under

[1] V.T. en V.D. van dit werkwoord volgens het model: **'onder**dompelen, V.T. dompelde **'onder**, V.D. **'onder**gedompeld. Zie voor de vormen onder het grondwoord, in dit voorbeeld: *dompelen.* Bij sterke en onregelmatige werkwoorden wordt u verwezen naar de lijst achterin.

'onderspit *o het ~ delven* be worsted, have the worse, get the worst of it
'onderstaand subjoined, undermentioned
'onderstand *m* relief, assistance, maintenance
'onderste lowest, lowermost, undermost, bottom; *wie het ~ uit de kan wil hebben, valt het lid op de neus* much would have more and lost all; **onderste'boven** upside down, wrong side up, topsy-turvy; *~ gooien* overthrow, upset; *~ halen* turn upside down; *ik was ervan ~* it bowled me over, I was bowled over (by it)
'ondersteek (-steken) *m* bed-pan
'onderstel (-len) *o* (under-)carriage, underframe; chassis
onder'stellen (onderstelde, h. ondersteld) *vt* suppose; **-ling** (-en) *v* supposition; hypothesis; zie ook: *veronderstelling*
onder'steunen (ondersteunde, h. ondersteund) *vt* support; **onder'steuning** *v* support, relief; **-sfonds** (-en) *o* relief fund
onder'strepen (onderstreepte, h. onderstreept) *vt* underline[2]
'onderstroom (-stromen) *m* undercurrent
'onderstuk (-ken) *o* lower part, bottom piece
'ondertand (-en) *m* lower tooth
onder'tekenaar (-s en -naren) *m* signer, subscriber; signatory [to a convention]; **onder'tekenen** (ondertekende, h. ondertekend) *vt* sign, affix one's signature to; **-ning** (-en) *v* signature, subscription; (d e h a n d e l i n g) signing; *ter ~* for signature
'ondertitel (-s) *m* sub-title, sub-heading; **-ing** *v* caption, subscript; subtitling [of a film]
'ondertoon (-tonen) *m* overtone, undertone; *met een duidelijke ~ van...* with clear overtones of...
'ondertrouw *m* betrothal; **onder'trouwen** (ondertrouwde, is ondertrouwd) *vi* have their names entered at the registry-office, put up the banns
onder'tussen 1 meanwhile, in the meantime; 2 (t o c h) yet
onder'uit from below; *er niet ~ kunnen* be unable to get (wriggle) out of it; *~ gaan* stumble, tumble down; *~ zakken* sprawl, slouch [in a chair]
onder'vangen (onderving, h. ondervangen) *vt* obviate [criticism], anticipate, meet [objections]
'onderverdelen (verdeelde 'onder, h. 'onderverdeeld) *vt* subdivide; **-ling** (-en) *v* subdivision
'onderverhuren (h. 'onderverhuurd) *vt* sublet; **'onderverhuurder** (-s) *m* sublessor
'onderverzekerd underinsured
onder'vinden (ondervond, h. ondervonden) *vt* experience, meet with [difficulties]; **-ding** (-en) *v* experience; *~ is de beste leermeesteres* experience is the best of all schoolmasters; *bij (door) ~* [know] by (from) experience
onder'voed underfed, undernourished; **-ing** *v* underfeeding, malnutrition
'ondervoorzitter (-s) *m* vice-chairman
onder'vragen (ondervroeg, ondervraagde, h. ondervraagd) *vt* interrogate, examine, question; **-er** (-s) *m* interrogator, examiner; **onder'vraging** (-en) *v* interrogation, examination
'onderwaarderen (h. ondergewaardeerd) *vt* undervalue; **'onderwaardering** (-en) *v* undervaluation
onder'watersport *v* skindiving, underwater-swimming
onder'weg on the way; *hij was ~* he was on his way
'onderwereld *v* underworld
'onderwerp (-en) *o* 1 subject, topic; theme; 2 *gram* subject
onder'werpen (onderwierp, h. onderworpen) **I** *vt* subject, subdue; *~ aan* submit to [an examination], subject to [a test]; **II** *vr zich ~* submit; *zich aan een examen ~* go in for an examination; *zich aan zijn lot ~* resign oneself to one's fate; *zich ~ aan Gods wil* resign oneself to the will of Heaven; **-ping** *v* subjection, submission
'onderwerpszin (-nen) *m* subjective clause
'onderwicht *o* $ short weight
onder'wijl meanwhile, the while
'onderwijs *o* instruction, tuition, schoolteaching; education, schooling; *bijzonder ~* denominational education; *hoofdelijk ~* individual teaching; *hoger ~* university education, higher education; *lager ~* primary (elementary) education; *middelbaar ~* secondary education; *openbaar ~* public education; *technisch ~* technical education; *het ~ in geschiedenis* history teaching, the teaching of history; *~ geven (in)* teach; *bij het ~ zijn* be a teacher; **'onderwijs-** educational, teaching; **'onderwijsinrichting** (-en) *v* educational establishment, teaching institution; **-kracht** (-en) *v* teacher; **onder'wijzen** (onderwees, h. onderwezen) **I** *vt* instruct [persons], teach [persons, a subject]; *het ~d personeel* the teaching staff; **II** *va* teach; **-er** (-s) *m* teacher; **onderwijze'res** (-sen) *v* (woman) teacher; **onder'wijzersakte** (-n en -s) *v* teacher's certificate; **onder'wijzing** (-en) *v* instruction
onder'worpen I *aj* 1 submissive; 2 subject [nation, race]; *~ aan* subject to [stamp-duty &]; **II** *ad* submissively; **-heid** *v* subjection, submission, submissiveness
onder'zeeboot (-boten) *m* & *v*, **onder'zeeër** (-s) *m* submarine; **onder'zees** submarine
'onderzetter (-s) *m* (table) mat, (beer) mat

'onderzij(de) (-zijden) *v* bottom
'onderzoek *o* inquiry, investigation, examination; [scientific] research; ~ *doen naar iets* inquire into sth.; *een ~ instellen* make inquiries, inquire into the matter, investigate; *b ij (nader) ~* upon (closer) inquiry; *de zaak is i n ~* the matter is under investigation (examination); **onder'zoeken** (onderzocht, h. onderzocht) *vt* inquire (look) into, investigate, examine; make [scientific] researches into; ~ *op* test for, examine for; *een ~de blik* a searching look; **-er** (-s) *m* investigator; researcher, research-worker; **onder'zoeking** (-en) *v* exploration [of unknown regions], zie *onderzoek*; **-stocht** (-en) *m* journey (voyage) of exploration, exploring expedition
ondes'kundig inexpert
'ondeugd (-en) *v* 1 (t e g e n o v e r d e u g d) vice; 2 (o n d e u g e n d h e i d) naughtiness, mischief; 3 *m-v* (p e r s o o n) naughty boy (girl); **on'deugdelijk** unsound, faulty, defective; **on'deugend I** *aj* naughty, mischievous [children &]; bad, wicked [people]; vicious [animals]; (g u i t i g) naughty; **II** *ad* naughtily; **-heid** (-heden) *v* naughtiness, mischief
on'dichterlijk unpoetical
'ondienst (-en) *m* bad (ill) service, bad (ill) turn; *iem. een ~ bewijzen* ook: do sbd. a disservice
on'diep shallow; **'ondiepte** *v* 1 ('t o n d i e p z ij n) shallowness; 2 (-n en -s) (o n d i e p e p l a a t s) shallow, shoal
'ondier (-en) *o* brute², monster²
'onding (-en) *o* 1 absurdity; 2 = *prul*
ondoel'matig unsuitable, inexpedient; **-heid** *v* unsuitability, inexpediency
on'doenlijk unfeasible, impracticable
ondoor'dacht inconsiderate, thoughtless, rash
ondoor'dringbaar impenetrable, impervious; ~ *voor...* impervious to...
ondoor'grondelijk inscrutable, unfathomable; **-heid** *v* inscrutability
ondoor'schijnend opaque; **-heid** *v* opacity
ondoor'zichtig untransparent; **-heid** *v* untransparency
on'draaglijk unbearable, not to be borne, intolerable, insupportable, insufferable, beyond bearing
on'drinkbaar undrinkable
ondubbel'zinnig unambiguous, unequivocal
on'duidelijk I *aj* indistinct [utterance, outlines &]; obscure; *het is mij ~* it is not clear to me; **II** *ad* indistinctly; not clearly; **-heid** (-heden) *v* indistinctness; obscurity
on'duldbaar unbearable, intolerable
ondu'leren (onduleerde, h. geonduleerd) *vt* wave [of the hair]
on'echt, 'onecht not genuine; false, imitation [jewellery]; forged, unauthentic [letters], spurious [coin, MS], improper [fractions]; illegitimate [children]; *fig* sham [feelings], mock [sympathy]
on'edel I *aj* ignoble, base, mean; base [metals]; **II** *ad* basely, meanly; **onedel'moedig** ungenerous
on'eens *zij zijn het ~* they disagree, they are at variance; *ik ben het met mezelf ~* I am in two minds about it
'oneer *v* dishonour, disgrace; **on'eerbaar** indecent, immodest; **-heid** (-heden) *v* indecency, immodesty
oneer'biedig disrespectful, irreverent; **-heid** (-heden) *v* disrespect, irreverence
on'eerlijk unfair, dishonest; **-heid** (-heden) *v* dishonesty, improbity
on'eervol, 'oneervol dishonourable
on'eetbaar uneatable, inedible
on'effen uneven, rough, rugged; **-heid** (-heden) *v* unevenness, roughness, ruggedness
on'eigenlijk figurative, metaphorical
on'eindig I *aj* infinite, endless; *het ~e* the infinite; *tot in het ~e* indefinitely; **II** *ad* infinitely; ~ *klein* infinitesimally small; **-heid** *v* infinity
on'enig disagreeing, at variance; **-heid** (-heden) *v* discord, disagreement, dissension; *onenigheden krijgen* fall out
oner'varen inexperienced; **-heid** *v* inexperience
on'even, 'oneven (v. g e t a l) odd; ~ *genummerd* odd numbered
oneven'redig I *aj* disproportionate, out of (all) proportion; **II** *ad* disproportionately, out of (all) proportion; **-heid** (-heden) *v* disproportion
oneven'wichtig unbalanced, unpoised
onfat'soenlijk indecent, improper; **-heid** (-heden) *v* indecency, impropriety
on'feilbaar unfailing, infallible, foolproof [method]; **-heid** *v* infallibility
onfor'tuinlijk unlucky, luckless
on'fris 1 not fresh; 2 *fig* unsavoury, shady [business]; 3 = *onlekker*
ong. = *ongeveer*
on'gaar underdone, not thoroughly cooked
on'gaarne, 'ongaarne unwillingly, reluctantly, with a bad grace
'ongans unwell; *zich ~ eten* overeat oneself, gorge
ongast'vrij inhospitable
'ongeacht I *aj* unesteemed; **II** *prep* irrespective of [race or creed]; in spite of, notwithstanding
'ongebaand, onge'baand unbeaten, untrodden
'ongebleekt, onge'bleekt unbleached [cotton]

'ongeblust unquenched [of fire]; unslaked [of lime], zie ook: *kalk*
'ongebogen not bent, unbent
onge'bonden I *aj* 1 unbound, in sheets; 2 *fig* dissolute, licentious, loose; ~ *stijl* prose; **II** *ad* dissolutely, licentiously; **-heid** *v* dissoluteness, licentiousness
'ongeboren unborn; ~ *vrucht* foetus, fetus
'ongebreideld unbridled, unchecked, uncurbed
'ongebroken unbroken
onge'bruikelijk, 'ongebruikelijk unusual; unorthodox [methods]; **'ongebruikt** unused, unemployed, idle
'ongebuild, onge'build whole [meal]
'ongecompliceerd uncomplicated, simple
onge'daan undone, unperformed; ~ *maken* 1 undo [it]; 2 $ cancel [a bargain]
'ongedagtekend, 'ongedateerd not dated
'ongedeerd unhurt, uninjured, unscathed, whole
'ongedekt uncovered, bare [head]; un-laid [table]; bad [cheque]
'ongedierte *o* vermin
'ongedrukt unprinted [essays &]
'ongeduld *o* impatience; **onge'duldig** impatient; **-heid** *v* impatience
onge'durig inconstant, restless [person]; *hij is een beetje* ~ he is rather fidgety; *zij is erg* ~ she is a regular fidget; **-heid** *v* inconstancy, restlessness
onge'dwongen unconstrained, unrestrained, unforced; natural, easy [manners]; **-heid** *v* unconstraint, abandon
ongeëve'naard unequalled, matchless, unparalleled [success]
ongeëven'redigd I *aj* disproportionate, out of (all) proportion; **II** *ad* disproportionately, out of (all) proportion
ongefortu'neerd without means
'ongefrankeerd ✉ not prepaid, unpaid; unstamped [letter]; $ carriage forward
ongege'neerd [-gəʒə'ne:rt] unceremonious; ~ *weg* without ceremony, in his free-and-easy way; **-heid** *v* unceremoniousness, free-and-easy way
onge'grond groundless, unfounded, without foundation, baseless; **-heid** *v* groundlessness, unfoundedness, baselessness
'ongehavend undamaged
onge'hinderd, 'ongehinderd unhindered, unhampered
onge'hoord, 'ongehoord unheard (of), unprecedented; *iets* ~*s* a thing unheard-of
onge'hoorzaam disobedient; insubordinate; **-heid** (-heden) *v* disobedience; insubordination
'ongehuwd unmarried; *de* ~*e staat* celibacy, single life
ongeïnteres'seerd disinterested; **-heid** *v* disinterestedness
'ongekamd uncombed, unkempt
'ongekend, onge'kend unprecedented
'ongekleed, onge'kleed 1 unclothed, undressed; 2 in undress, in dishabille
'ongekleurd, onge'kleurd uncoloured; plain [picture postcard]
onge'kookt, 'ongekookt unboiled [water], raw [egg, milk]
onge'kroond, 'ongekroond uncrowned
'ongekuist 1 coarse [language]; 2 unexpurgated [edition], unbowdlerized
onge'kunsteld I *aj* artless, ingenuous, unaffected, unsophisticated; **II** *ad* artlessly, ingenuously
'ongeladen ⚔ unloaded [gun]; ⚓ unladen [ships]; ✻ uncharged
on'geldig not valid, invalid; ~ *maken* render null and void, invalidate, nullify; ~ *verklaren* declare null and void, annul; **-heid** *v* invalidity, nullity; **-verklaring** *v* annulment, nullification, invalidation
onge'legen inconvenient, unseasonable, inopportune; *op een* ~ *uur* at an unseasonable hour; *kom ik u* ~? am I intruding?; *het bezoek kwam mij* ~ the visit came at an inopportune moment; **-heid** *v* inconvenience; *geldelijke* ~ pecuniary difficulties; *in* ~ *brengen* inconvenience; *in* ~ *geraken* get into trouble
onge'letterd unlettered, illiterate [savages]
onge'lezen unread
1 'ongelijk, onge'lijk uneven, unequal; ~ *van lengte* of unequal lengths
2 'ongelijk *o* wrong; ~ *bekennen* acknowledge oneself to be wrong; *iem.* ~ *geven, in het* ~ *stellen* put sbd. in the wrong, give it against sbd.; *ik kan hem geen* ~ *geven* I can't blame him; ~ *hebben* be (in the) wrong; ~ *krijgen* be put in the wrong, be proved wrong
ongelijk'benig scalene [triangle]; **onge'lijkheid** (-heden) *v* unevenness; inequality [of surface, rank &]; dissimilarity, disparity; **ongelijk'matig** unequal [climate]; uneven [temper &]; **-heid** (-heden) *v* inequality; unevenness; **ongelijk'namig** not having the same name; [fractions] not having the same denominator; **ongelijk'soortig** dissimilar, heterogeneous; **-heid** *v* dissimilarity, heterogeneity; **ongelijk'vloers** ~*e* (*weg*)*kruising* fly-over; **ongelijk'vormig** dissimilar [triangles]; **-heid** *v* dissimilarity; **ongelijk'zijdig** with unequal sides; ~*e driehoek* scalene triangle
'ongelikt, onge'likt unlicked; *een* ~*e beer* an unlicked cub[2], ook: quite a bear
'ongelinieerd, ongelini'eerd unruled [paper]

onge'lofelijk not to be believed, unbelievable, incredible, beyond belief, past (all) belief; **–heid** *v* incredibility

'ongelogen *het water was ~ een voet gestegen* the water had risen one foot without exaggeration

'ongeloof *o* unbelief, disbelief; **onge'loof-lijk(heid)** = *ongelofelijk(heid)*; **ongeloof-'waardig** not deserving belief, incredible; **onge'lovig I** *aj* unbelieving, incredulous; **II** *ad* incredulously; **–e** (-n) *m-v* unbeliever, infidel; **–heid** *v* incredulity

'ongeluk (-ken) *o* 1 (door omstandigheden) misfortune; 2 (gemoedstoestand) unhappiness; 3 (ongelukkige gebeurtenis) accident, mishap; 4 (toeval) bad luck; *dat ~ van een...* that wretch of a...; *dat was zijn ~* that was his undoing; *dat zal zijn ~ zijn* that will be his ruin; *een ~ begaan aan iem.* do sbd. a mischief; *zich een ~ eten* eat till one bursts; *een ~ krijgen* meet with an accident; *een ~ komt zelden alleen* it never rains but it pours; *een ~ zit in een klein hoekje* great accidents spring from small causes; • *bij ~* by accident, accidentally; *zonder ~ken* without accidents; **onge'lukkig I** *aj* unhappy [marriage]; unfortunate, unlucky; ill-starred [attempt]; *diep ~* miserable, wretched; **II** *ad* unfortunately; [married] unhappily; **–erwijs, –erwijze** unfortunately; **'ongeluksbode** (-n) *m* messenger of bad news; **–dag** (-dagen) *m* 1 ill-fated (fatal) day; 2 unpropitious day, off-day, black-letter day; **–kind** (-eren) *o* unlucky person; **–profeet** (-feten) *m* prophet of woe; **–vogel** (-s) *m fig* unlucky person

'ongemak (-ken) *o* 1 inconvenience, discomfort; 2 (kwaal, gebrek) trouble, infirmity; **onge'makkelijk I** *aj* not easy, uneasy, uncomfortable, difficult [man]; **II** *ad* 1 not easily; uncomfortably; 2 < properly; *ik heb hem ~ de waarheid gezegd* I have given him a piece of my mind; *hij heeft er ~ van langs gehad* he has had a sound thrashing

ongema'nierd unmannerly, ill-mannered, ill-bred; **–heid** (-heden) *v* unmannerliness

onge'meen I *aj* uncommon, singular, extraordinary; **II** *ad* < uncommonly, extraordinarily

onge'merkt, 'ongemerkt I *aj* 1 unperceived [approach]; 2 unmarked [linen]; **II** *ad* without being perceived, imperceptibly, inadvertenly, unawares

ongemeubi'leerd unfurnished

onge'moeid undisturbed, unmolested; *hem ~ laten* leave him alone

'ongemotiveerd (zonder reden) not motived, unwarranted, uncalled for, gratuitous; (zonder drijfveer) unmotivated

onge'naakbaar unapproachable, inaccessible [of mountains &, also of persons]; **–heid** *v* unapproachableness, inaccessibility

'ongenade *v* disgrace, disfavour; *in ~ vallen bij iem.* fall out of favour with sbd.; *in ~ zijn* be in disgrace (with *bij*); **onge'nadig I** *aj* merciless, pitiless; **II** *ad* mercilessly; < severely, tremendously; *hij heeft er ~ van langs gehad* he has been mercilessly thrashed

onge'neeslijk incurable [illness], past recovery; *een ~e zieke* an incurable; **–heid** *v* incurableness

onge'negen disinclined, unwilling; **–heid** *v* disinclination

onge'neigd, 'ongeneigd disinclined, unwilling; **–heid** *v* disinclination

onge'neselijk(heid) = *ongeneeslijk(heid)*

onge'nietbaar 1 indigestible; 2 disagreeable

'ongenoegen (-s) *o* 1 displeasure; 2 tiff; *zij hebben ~* they are at variance; *~ krijgen* fall out

onge'noegzaam insufficient; **–heid** *v* insufficiency

'ongenoemd, onge'noemd unnamed, anonymous; *een ~e* a nameless one, an anonymous person

'ongenood, onge'nood unasked, unbidden, uninvited [guest]

onge'oefend untrained, unpractised, inexperienced; **–heid** *v* want of practice, inexperience

onge'oorloofd unallowed, illicit, unlawful

'ongeopend unopened

'ongepaard unpaired; odd [glove &]

onge'past I *aj* unseemly, improper, indecorous; **II** *ad* improperly, indecorously; **–heid** (-heden) *v* unseemliness, impropriety indecorousness

'ongepeld rough [rice]

ongepermit'teerd not permitted

'ongeraden, onge'raden unadvisable

onge'rechtigheid (-heden) *v* iniquity, injustice; *ongerechtigheden* flaws

'ongerede *in het ~ raken* 1 (zoek) get lost, be mislaid; 2 (onbruikbaar) get out of order, go wrong

onge'regeld I *aj* irregular, disorderly; **II** *ad* irregularly; *~e goederen* unassorted goods; **–heid** (-heden) *v* irregularity; *ongeregeldheden* disorders, disturbances, riots

'ongerekend uncounted; *(nog) ~...* not including..., apart from...

onge'remd, 'ongeremd uninhibited

onge'rept untouched; virgin [forests]; *fig* undefiled, pure

'ongerief *o* inconvenience, trouble; *~ veroorzaken* put to inconvenience; **onge'rief(e)lijk** inconvenient; incommodious; **–heid** (-heden) *v* inconvenience; incommodiousness

onge'rijmd *aj* absurd, preposterous, nonsensical; *het ~e van...* the absurdity (preposterousness) of...; *tot het ~e herleiden* reduce to an absurdity; *uit het ~e bewijzen* prove by negative demonstration; **-heid** (-heden) *v* absurdity
'ongeroepen, onge'roepen uncalled, unbidden
'ongeroerd unmoved, impassive
onge'rust uneasy; *~ over iem.* anxious about sbd.; *zich ~ maken, ~ zijn* be worried, worry (about *over*); *zich ~ maken over iets* be uneasy about sth., become anxious about sth.; **-heid** *v* uneasiness, anxiety
onge'schikt unfit, inapt, unsuitable, improper; *~ maken voor...* render unfit for...; **-heid** *v* unfitness, inaptness, inaptitude, unsuitability, impropriety
'ongeschokt, onge'schokt unshaken [faith]
'ongeschonden, onge'schonden undamaged, inviolate, unviolated
'ongeschoold, onge'schoold untrained [new-comers]; unskilled [labourer]
'ongeschoren, onge'schoren unshaved, unshaven [faces]; unshorn [lambs]
'ongeschreven unwritten
'ongeslachtelijk asexual, vegetative [reproduction]
'ongeslagen *sp* unbeaten
onge'stadig I *aj* unsteady, unsettled, inconstant; **II** *ad* unsteadily; **-heid** *v* unsteadiness, inconstancy
onge'steld indisposed, unwell; *~ zijn* have one's period; **-heid** (-heden) *v* indisposition, illness; menstruation
'ongestempeld unstamped
'ongestoffeerd unfurnished
onge'stoord, 'ongestoord undisturbed
onge'straft, 'ongestraft I *aj* unpunished; *~ blijven* go unpunished; **II** *ad* with impunity
'ongetekend, onge'tekend not signed, unsigned
'ongeteld untold, unnumbered, uncounted
'ongetemd untamed; *~e energie* unbridled energy
'ongetrouwd, onge'trouwd unmarried, single
onge'twijfeld, 'ongetwijfeld undoubtedly, doubtless(ly), without doubt, no doubt
onge'vaarlijk, 'ongevaarlijk harmless, without danger
'ongeval (-len) *o* accident, mishap; **'ongevallenverzekering** (-en) *v* accident insurance; **-wet** *v* workmen's compensation act
'ongeveer, onge'veer about, some, approximately, roughly, something like [ten pounds, five years &]; *zo ~* more or less
'ongeveinsd unfeigned, sincere; **onge'veinsdheid** *v* unfeignedness, sincerity
onge'voeglijk improper, unseemly, unbecoming
onge'voelig unfeeling, impassive, insensible (to *voor*); **-heid** *v* unfeelingness, impassiveness, insensibility
'ongevraagd, onge'vraagd unasked, unasked for, unrequested [things], unsolicited [scripts]; uninvited, unbidden [guests]; uncalled for [remarks &]
onge'wapend, 'ongewapend unarmed
onge'wassen, 'ongewassen unwashed, soiled
'ongewenst, onge'wenst undesirable [person], unwanted [children, pregnancy]
'ongewerveld, onge'werveld invertebrate; *~e dieren* invertebrates
'ongewettigd, onge'wettigd 1 unauthorized [proceedings]; 2 unfounded [claims]
'ongewijd unhallowed, unconsecrated
'ongewijzigd, onge'wijzigd unchanged, unaltered
onge'wild, 'ongewild 1 unintentional; 2 $ not in demand
onge'willig unwilling; **-heid** *v* unwillingness
onge'wis 1 uncertain; 2 capricious; **-se** *o in het ~* uncertain, at loose ends
onge'woon, 'ongewoon unusual, uncommon, unfamiliar, unwonted; *fig* **F** off the beaten track; *iets ~s* something uncommon; *niets ~s* nothing out of the common; **'ongewoonte** *v* unwontedness; *dat is maar ~* it comes from my [your &] not being used (accustomed) to it
'ongezegeld unsealed [letters]; unstamped [paper]
onge'zeglijk unruly, unbiddable, intractable, indocile; **-heid** *v* unruly behaviour, intractability, indocility
onge'zellig I *aj* unsociable; cheerless, not cosy [of a room]; **II** *ad* unsociably; **-heid** *v* unsociableness
'ongezien, onge'zien 1 unseen, unobserved, unperceived; 2 *fig* unesteemed, not respected
'ongezocht unsought; unstudied
onge'zond unhealthy [climate]; unwholesome [food]; insalubrious [air]; **-heid** *v* unhealthiness; unwholesomeness, insalubrity
'ongezouten, onge'zouten I *aj* unsalted, fresh; *~ taal* blunt speaking; **II** *ad iem. ~ de waarheid zeggen* zie *waarheid*
'ongezuiverd unpurified, unrefined
'ongezuurd, onge'zuurd unleavened [bread]
ongods'dienstig irreligious; **-heid** *v* irreligiousness
on'grijpbaar elusive; impalpable
ongrond'wettig unconstitutional
'ongunst *v* disfavour; **on'gunstig I** *aj* unfavourable; adverse [balance, effect on prices]; **II** *ad* unfavourably; adversely [affected]

on'guur sinister [air, countenance, forest]; unsavoury [business, story]; *een ~ type* a bad character, an ugly customer
on'handelbaar unmanageable, intractable, wanton, unruly
on'handig clumsy, awkward [man]; **-heid** (-heden) *v* clumsiness, awkwardness
on'handzaam unwieldy
onhar'monisch inharmonious
on'hartelijk I *aj* not cordial, unkind; **II** *ad* not cordially, unkindly; **-heid** *v* lack of cordiality, unkindness
on'hebbelijk unmannerly, rude; **-heid** (-heden) *v* rudeness
'onheil (-en) *o* calamity, disaster, mischief; *~ stichten* make mischief; **onheil'spellend** ominous
onher'bergzaam inhospitable; **-heid** *v* inhospitality
onher'kenbaar unrecognizable; *tot ~ wordens toe* [change] out of recognition, beyond (all) recognition
onher'roepelijk irrevocable [resolution]; **-heid** *v* irrevocableness
onher'stelbaar I *aj* irreparable, irremediable, past remedy, past redress, irretrievable, irrecoverable [loss]; **II** *ad* irreparably &, [damaged] beyond repair; **-heid** *v* irreparableness &, irreparability
on'heuglijk immemorial; *sedert ~e tijden* from time immemorial, time out of mind
on'heus ungracious, discourteous, disobliging; **-heid** (-heden) *v* ungraciousness, discourtesy, disobligingness
on'hoffelijk = *onheus*; **-heid** (-heden) *v* = *onheusheid*
on'hoorbaar inaudible
on'houdbaar untenable [position, theory]; unbearable; *het onhoudbare van de toestand* the untenable state of affairs; **-heid** *v* untenableness
onhygi'ënisch [-hi.gi.'e.ni.s] insanitary
on'inbaar irrecoverable, bad [debts]
on'ingevuld not filled up, blank
on'ingewijd uninitiated; *de ~en* the uninitiated, the outsiders
'oninteressant uninteresting
on'juist inaccurate, inexact, erroneous, incorrect; **-heid** (-heden) *v* inaccuracy, erroneousness, misstatement, error, incorrectness
on'kenbaar unknowable; zie ook: *onherkenbaar*
on'kerkelijk unchurchly
on'kies indelicate, immodest; **-heid** (-heden) *v* indelicacy, immodesty
on'klaar, 'onklaar 1 (n i e t h e l d e r) not clear; 2 ⚒ out of order; ⚓ fouled [anchor]
on'knap *niet ~* rather pretty (good-looking)
'onkosten *mv* charges, expenses; *algemene ~* overhead charges (expenses), overhead(s); *m e t de ~* charges included; *z o n d e r ~* free of charge; **-nota** ('s) *v* $ note of charges; **-rekening** (-en) *v* expense account; **-vergoeding** *v* expense allowance
on'kreukbaar 1 *fig* unimpeachable; 2 *eig* = *kreukvrij*; **-heid** *v* integrity
'onkruid *o* weeds; *~ vergaat niet* ill weeds grow apace; **-verdelger** (-s) *m* weed-killer
on'kuis unchaste, impure, lewd; **-heid** (-heden) *v* unchastity, impurity, lewdness
'onkunde *v* ignorance; **on'kundig** ignorant; *~ van* ignorant of, not aware of; *iem. ~ laten van* keep sbd. in ignorance of
on'kwetsbaar invulnerable; **-heid** *v* invulnerability
'onlangs the other day, lately, recently; *~ op een middag* the other afternoon
on'ledig *zich ~ houden met* busy oneself with
on'leesbaar I *aj* 1 illegible [writing]; 2 unreadable [novels &]; **II** *ad* illegibly; **-heid** *v* illegibility
on'lekker out of sorts, off colour
on'lesbaar unquenchable [thirst]
onli'chamelijk incorporeal
on'logisch illogical
on'loochenbaar undeniable
onlos'makelijk indissoluble
'onlust (-en) *m* uneasiness, *ps* displeasure; *~en* troubles, disturbances, riots
onmaat'schappelijk antisocial
'onmacht *v* 1 impotence, inability; 2 (b e z w ij m i n g) swoon, fainting fit; *in ~ vallen* faint (away), swoon; **on'machtig** impotent, unable
on'matig immoderate, intemperate; **-heid** *v* immoderateness, intemperance, insobriety
onmede'deelzaam taciturn, tight-lipped
onmee'dogend merciless, pitiless, ruthless
on'meetbaar immeasurable; *onmeetbare getallen* irrationals, surds; **-heid** *v* immeasurableness, incommensurability
'onmens (-en) *m* brute, monster; **on'menselijk** inhuman, brutal; **-heid** (-heden) *v* inhumanity, brutality
on'merkbaar imperceptible
on'metelijk immeasurable, immense; **-heid** *v* immeasurableness, immensity
on'middellijk I *aj* immediate, instant; **II** *ad* directly, immediately, at once, instantly; **-heid** *v* immediacy
'onmin *v* discord, dissension; *in ~ geraken* fall out; *in ~ leven* be at variance
on'misbaar indispensable (to *voor*); **-heid** *v* indispensableness
onmis'kenbaar undeniable, unmistakable

on'mogelijk I *aj* impossible°; *een ~e hoed* (*vent*) an impossible hat (fellow); *het was mij ~ o m...* it was not possible (impossible) for me to...; *het ~e* what is impossible, the impossible; *het ~e vergen* demand an impossibility (impossibilities); **II** *ad* not... possibly; *die plannen kunnen ~ verwezenlijkt worden* these plans cannot possibly be realized; *niet ~* not impossibly; *een ~ lange naam* an impossibly long name; **-heid** (-heden) *v* impossibility
on'mondig = *minderjarig*; **-heid** *v* = *minderjarigheid*
onna'denkend I *aj* thoughtless, inconsiderate, unthinking; **II** *ad* thoughtlessly, inconsiderately, unthinkingly; **-heid** *v* want of thought
onna'speurlijk inscrutable, unsearchable, untraceable; **-heid** (-heden) *v* inscrutableness, unsearchableness, inscrutability, untraceableness
onna'tuurlijk not natural, unnatural; **-heid** (-heden) *v* unnaturalness
onnauw'keurig inaccurate, inexact, lax; **-heid** (-heden) *v* inaccuracy, inexactitude, laxity
onna'volgbaar inimitable
on'neembaar impregnable
on'net 1 *eig* untidy, 2 *fig* improper
on'nodig needless, unnecessary; *~ te zeggen* needless to say
on'noem(e)lijk 1 unmentionable, unnameable, unutterable, inexpressible; 2 (v e e l) innumerable, numberless, countless
on'nozel I *aj* 1 (d o m) silly, simple, stupid; 2 (a r g e l o o s) innocent; 3 (l i c h t g e l o v i g) gullible; *een ~e hals* a simpleton, a gander; *een ~e jongen* a silly boy, a simpleton; *een ~e tien gulden* a paltry ten guilders; **II** *ad* 1 in a silly way, stupidly; 2 innocently; **Onnozele'kinderen(dag)** *m* Innocents' Day, Childermas (Day); **on'nozelheid** (-heden) *v* 1 silliness, simplicity; 2 innocence
'onnut (-ten) *m-v* cipher
onomato'pee (-eeën) *v* onomatopoeia
onom'keerbaar irreversible
onom'koopbaar not to be bribed, incorruptible
onom'stotelijk irrefutable, irrefragable
onom'wonden explicit, plain, without mincing matters, forthright
'ononderbroken = *onafgebroken*
onont'beerlijk indispensable; **-heid** *v* indispensableness, indispensability
onont'bindbaar indissoluble
onont'cijferbaar undecipherable
onont'gonnen uncultivated, unworked [coal], undeveloped [areas]
onont'koombaar ineluctable, inescapable, inevitable
onont'warbaar inextricable
onont'wijkbaar inevitable, unescapable
onont'wikkeld undeveloped; uneducated
on'ooglijk unsightly; **-heid** *v* unsightliness
on'oorbaar improper, indecent
onoordeel'kundig injudicious
on'opgehelderd unexplained, uncleared-up; *de moord bleef ~* the murder remained unsolved
on'opgelost undissolved; *fig* unsolved
on'opgemaakt unmade [bed]; undressed [hair]; *~e drukproef* galley-proof
on'opgemerkt unobserved, unnoticed, unnoted; *dat is niet ~ gebleven* this has not gone unnoted (unremarked)
on'opgesmukt unadorned, uncoloured, unvarnished, plain [tale]; bald [reports &]
on'opgevoed ill-bred
onop'houdelijk incessant
onop'lettend inattentive; **-heid** (-heden) *v* inattention
onop'losbaar insoluble[2] [matter]; unsolvable [problems]; **-heid** *v* insolubility[2]; *fig* unsolvableness
onop'merkzaam unobservant
onop'recht insincere; **-heid** (-heden) *v* insincerity
onop'vallend inconspicuous, unobtrusive
onop'zettelijk unintentional, inadvertent
on'ordelijk in disorder; **-heid** *v* disorderliness
onover'brugbaar insurmountable; *onoverbrugbare kloof* [*fig*] gulf
onover'dekt uncovered
onover'gankelijk intransitive
onover'komelijk insurmountable, insuperable; **-heid** *v* insuperability
onover'trefbaar unsurpassable; **onover'troffen** unsurpassed
onover'win(ne)lijk unconquerable, invincible; **-heid** *v* invincibility; **onover'wonnen** unconquered
onover'zichtelijk badly arranged [matter]; [the position is] difficult to survey
onparlemen'tair [-parləmɛn'tɛ:r] unparliamentary
onpar'tijdig impartial; **-heid** *v* impartiality
'onpas *te ~* ill-timed; *te pas en te ~* at all times, time after time, at every odd moment
on'passelijk sick; **-heid** *v* sickness
onpeda'gogisch unpedagogical
on'peilbaar unfathomable; **-heid** *v* unfathomableness
onper'soonlijk impersonal
onple'zierig unpleasant, disagreeable
on'praktisch unpractical
'onraad *o* trouble, danger; *daar is ~* there is something wrong, I smell a rat
on'raadzaam unadvisable

'onrecht *o* injustice, wrong; *iem. ~ aandoen* wrong sbd., do sbd. an injustice (a wrong); *ten ~e* unjustly, wrongly; *zij protesteren ten ~e* they are wrong to protest (in protesting); **onrecht'matig** unlawful; **–heid** (-heden) *v* unlawfulness; **onrecht'vaardig** unjust; **–heid** (-heden) *v* injustice

on'redelijk unreasonable, undue; **–heid** (-heden) *v* unreasonableness

'onregeerbaar, onre'geerbaar ungovernable [country]

onregel'matig irregular; **–heid** (-heden) *v* irregularity

on'rein unclean, impure; **–heid** (-heden) *v* uncleanness, impurity

onren'dabel non-paying, unremunerative

on'rijp unripe, immature[2]; **–heid** *v* unripeness, immaturity[2]

'onroerend, on'roerend immovable; zie ook: 2 *goed*

'onrust (-en) *m* & *v* 1 restlessness, unrest, disquiet, commotion; 2 restless person, restless child; 3 ⚒ fly, balance [of watches]; **onrust'barend** alarming; **on'rustig I** *aj* restless, unquiet, turbulent; troubled [areas, days, sleep, world]; uneasy [night]; **II** *ad* restlessly; **–heid** *v* restlessness, unrest; **'onruststoker** (-s), **–zaaier** (-s) *m* mischief-maker

1 ons I *pers. vnmw.* us; **II** *bez. vnmw.* our; *~ land* ook: this country; zie ook: *volk*; *de onze* ours; *de onzen* ours

2 ons (-en en onzen) *o* 1 (1 0 0 g r a m) hectogram(me); 2 (E n g e l s g e w i c h t) ounce

on'samenhangend, onsamen'hangend incoherent, disconnected, rambling [talk]; disjointed [speech]; scrappy [discourse]; **–heid** *v* incoherence, disjointedness

on'schadelijk harmless, innocuous, inoffensive; *~ maken* render harmless; *hij werd ~ gemaakt* he was put out of the way; **–heid** *v* harmlessness

on'schatbaar inestimable, invaluable, priceless; *van onschatbare waarde* invaluable

on'scheidbaar inseparable, distasteful; **–heid** *v* inseparability

on'schendbaar inviolable; **–heid** *v* inviolability

on'scherp blurred, vague

'onschuld *v* innocence; *ik was mijn handen in ~* I wash my hands of it; **on'schuldig I** *aj* innocent, guiltless; harmless; *ik ben er ~ aan* I am innocent of it; *zo ~ als een lam* as innocent as a lamb; **II** *ad* innocently

on'smakelijk unsavoury, unpalatable; **–heid** (-heden) *v* unsavouriness &

on'smeltbaar not to be melted, infusible

onso'lide, onso'lied I *aj* not strong [furniture &]; unsubstantial [building]; *fig* unsteady [livers]; unsound [business]; **II** *ad* unsubstantially; unsteadily

on'splinterbaar unsplinterable

onspor'tief unsporting

onsta'biel unstable, unsteady

onstand'vastig unstable, inconstant; **–heid** *v* instability, inconstancy

onstelsel'matig unsystematic

on'sterfelijk immortal; **–heid** *v* immortality

on'stilbaar unappeasable, insatiable

on'stoffelijk immaterial, insubstantial, spiritual

on'stuimig tempestuous; boisterous, turbulent; *fig* impetuous [man]; **–heid** (-heden) *v* tempestuousness; boisterousness, turbulence; *fig* impetuosity

onsympa'thiek [-sɪmpa.'ti.k] uncongenial; soms: unsympathetic [personality]

onsyste'matisch [-sɪste.'ma.ti.s] unsystematic, planless

ont'aard degenerate; unnatural [mother]; **ont'aarden** (ontaardde, is ontaard) *vi* degenerate [into], deteriorate; **–ding** *v* degeneration, degeneracy

on'tactisch tactless

on'tastbaar impalpable, intangible

ont'beren (ontbeerde, h. ontbeerd) *vt* be in want of; do without; *wij kunnen het niet ~* we can't do without it; **–ring** (-en) *v* want, privation; *allerlei ~en* all sorts of hardships

ont'bieden[1] *vt* summon, send for

ont'bijt (-en) *o* breakfast; **ont'bijten**[1] *vi* breakfast (on *met*), have breakfast; **ont'bijtkoek** (-en) *m* ± honey cake; **–spek** *o* streaky bacon

ont'binden[1] *vt* untie, undo [a knot, fetters &]; *fig* disband [troops]; decompose [the body, light, a substance]; dissolve [a marriage, Parliament, a partnership]; resolve [forces &]; separate [numbers into factors]; **–ding** (-en) *v* untying &; *fig* dissolution [of a marriage &]; decomposition; resolution [of forces]; disbandment [of troops]; *in staat van ~* in a state of decomposition; *tot ~ overgaan* become decomposed, decay

ont'bladeren[1] *vt* strip of the leaves, defoliate;

[1] V.T. en V.D. van dit werkwoord volgens het model: **ont**'bladeren, V.T. **ont**'bladerde, V.D. **ont**'bladerd (**ge-** valt dus weg in het V.D.). Zie voor de vormen onder het grondwoord, in dit voorbeeld: *bladeren.* Bij sterke en onregelmatige werkwoorden wordt u verwezen naar de lijst achterin.

ont'bladering *v* defoliation; **–smiddel** (-en) *o* defoliant
ont'bloeien (ontbloeide, is ontbloeid) *vi* effloresce
ont'bloot naked, bare; ~ *van* destitute of, devoid of, without; zie ook: *grond*; **ont'bloten** (ontblootte, h. ontbloot) *vt* bare [the sword]; uncover [the head]; ~ *van* denude of; **–ting** (-en) *v* baring; denudation
ont'boezeming (-en) *v* effusion, outpouring
ont'bolsteren (ontbolsterde, h. ontbolsterd) *vt* shell, husk, hull; *fig* polish [a man]
ont'bossen (ontboste, h. ontbost) *vi* disafforest, deforest; **–sing** *v* disafforestation, deforestation
ont'brandbaar (in)flammable, combustible; **ont'branden** (ontbrandde, is ontbrand) *vi* take fire, ignite; (v. strijd, oorlog) break out; *doen* ~ kindle, ignite; **–ding** (-en) *v* ignition, combustion
ont'breken[1] **I** *vi* 1 be absent; 2 be wanting (missing); *er* ~ *er vijf* 1 five are absent; 2 five are wanting (missing); *er ontbreekt nog wel iets aan* something is wanted still; *dat ontbreekt er nog maar aan* that's the last straw; **II** *onpers. ww. het ontbreekt hem aan geld* he wants money; *het ontbreekt hem aan moed* he is lacking (wanting) in courage; *laat het hem aan niets* ~ let him want for nothing; *het zou mij daartoe aan tijd* ~ time would fail me (to do that); *het* ~*de* the deficiency; the balance; **III** *o* absence
ont'cijferen[1] *vt* decipher [sbd.'s writing]; decode [a telegram]; **–ring** (-en) *v* decipherment; decoding [of a telegram]
ont'daan disconcerted, upset; *geheel* ~ quite taken aback; ~ *van* stripped of [details &]
ont'dekken[1] *vt* discover [a country]; find out [the truth]; detect [an error, a criminal]; **–er** (-s) *m* discoverer; **ont'dekking** (-en) *v* discovery; *tot de* ~ *komen dat*... discover, find (out) that...; **ont'dekkingsreis** (-reizen) *v* voyage of discovery; **–reiziger** (-s) *m* explorer
ont'doen[1] **I** *vt iem.* ~ *van* strip sbd. of; **II** *vr zich* ~ *van* get rid of, dispose of, part with; take off [your coat]
ont'dooien I (ontdooide, is ontdooid) *vi* thaw[2]; *fig* melt; **II** (ontdooide, h. ontdooid) *vt* thaw[2]; defrost [a refrigerator]; *de waterleiding* ~ thaw out the waterpipe(s)
ont'duiken[1] *vt* elude [a blow]; *fig* get round [the regulations], elude [the laws], evade [a difficulty]; dodge [arguments, conditions, a tax &]; **–king** (-en) *v* elusion, evasion; ⚖ fraud
ontegen'sprekelijk, –'zeglijk *aj* incontestable undeniable, unquestionable
ont'eigenen (onteigende, h. onteigend) *vt* expropriate; **–ning** (-en) *v* expropriation
on'telbaar I *aj* countless, innumerable, numberless; **II** *ad* innumerably
on'tembaar untamable, indomitable; **–heid** *v* untamableness, indomitableness
ont'eren[1] *vt* dishonour; rape [a woman]; **–d** dishonouring, ignominious; **ont'ering** (-en) *v* dishonouring
ont'erven *vt* disinherit; **–ving** (-en) *v* disinheritance
onte'vreden discontented; ~ *over* discontented (dissatisfied, displeased) with; *de* ~*en* the malcontents; **–heid** *v* discontent(edness); dissatisfaction (with *over*), displeasure (at *over*)
ont'fermen (ontfermde, h. ontfermd) *vr zich* ~ *over* take pity on, have mercy on; **–ming** *v* pity
ont'futselen (ontfutselde, h. ontfutseld) *vt iem. iets* ~ filch (pilfer) sth. from sbd.
ont'gaan[1] *vi* escape, elude; *het is mij* ~ 1 it has slipped my memory; 2 I have failed to notice it; *de humor ontging hem* the humour was lost (up)on him; *het kampioenschap ontging hem* he missed the championship
ont'gelden[1] *vt het moeten* ~ have to pay (suffer) for it
ont'ginnen* *vt* reclaim [land], break up [a field]; work exploit [a mine], develop [a region]; **–ning** (-en) *v* reclamation; working, exploitation, development
ont'glippen[1] *vi* slip from one's grasp [of an eel &]; slip from one's tongue [of words]
ont'gon (ontgonnen) V.T. van *ontginnen*
ont'gonnen V.T. meerv. en V.D. van *ontginnen*
ont'goochelen[1] *vt* disillusion, undeceive; **–ling** (-en) *v* disillusionment
ont'graten (ontgraatte, h. ontgraat) *vt* bone [a fish]
ont'grendelen[1] *vt* unbolt
ont'groeien[1] *vi* ~ (*aan*) outgrow, grow out of
ont'groenen (ontgroende, h. ontgroend) *vt* ⚭ rag [a fellow-student]; *fig* **S** put [sbd.] wise
ont'haal *o* treat, entertainment; *fig* reception; *een goed* ~ *vinden* meet with a kind reception; **ont'halen**[1] *vt* treat, entertain, feast, regale; ~ *op* treat [sbd.] to, entertain [sbd.] with
ont'hand inconvenienced
ont'harden[1] *vt* soften; **–er** (-s) *m* softener
ont'haren (onthaarde, h. onthaard) *vt* depilate;

[1] V.T. en V.D. van dit werkwoord volgens het model: **ont'**bladeren, V.T. **ont'**bladerde, V.D. **ont'**bladerd (**ge-** valt dus weg in het V.D.). Zie voor de vormen onder het grondwoord, in dit voorbeeld: *bladeren.* Bij sterke en onregelmatige werkwoorden wordt u verwezen naar de lijst achterin.

ont'haring *v* depilation; **–smiddel** (-en) *o* depilatory
ont'heemde (-n) *m-v* displaced person
ont'heffen[1] *vt iem. ~ van zijn ambt* relieve sbd. of his office; *iem. van het commando ~* relieve sbd. of (remove from) his command; *iem. van een verplichting ~* zie *ontslaan*; **–fing** (-en) *v* exemption, dispensation, exoneration; (v a n a m b t, c o m m a n d o) discharge, removal
ont'heiligen[1] *vt* desecrate, profane; **–ging** (-en) *v* desecration, profanation
ont'hoofden (onthoofdde, h. onthoofd) *vt* behead, decapitate; **–ding** (-en) *v* decapitation
ont'houden[1] **I** *vt* 1 (n i e t g e v e n) withhold, keep from; 2 (n i e t v e r g e t e n) remember, bear in mind; *help 't me ~* remind me of it; *onthoud dat wel!* don't forget that!; **II** *vr zich ~ van* abstain from, refrain from; **–ding** (-en) *v* 1 abstinence, abstemiousness; 2 (b ij s t e m m i n g &) abstention
ont'hullen[1] *vt* unveil [a statue]; *fig* reveal, disclose; **–ling** (-en) *v* unveiling; *fig* revelation, disclosure
ont'hutsen (onthutste, h. onthutst) *vt* disconcert, bewilder; **ont'hutst** disconcerted, dismayed, upset
'ontij *m bij nacht en ~* at unreasonable hours, at all hours of the night
on'tijdig I *aj* untimely, premature; **II** *ad* untimely, prematurely
ont'kalken[1] *vi* decalcify
ont'kennen[1] **I** *vt* deny [that it is so &]; **II** *va* deny the charge; **–d I** *aj* negative; **II** *ad* negatively, [reply] in the negative; **ont'kenning** (-en) *v* denial, negation
ont'kerstening *v* dechristianization
ont'ketenen[1] *vt* unchain; activate; let out, let loose; launch [an attack]
ont'kiemen[1] *vi* germinate; **–ming** *v* germination
ont'kleden[1] *vt* & *vr* undress
ont'knopen[1] *vt* unbutton; untie; *fig* unravel; **–ping** (-en) *v* dénouement, unravelling
ont'kolen (ontkoolde, h. ontkoold) *vt* ⚒ decarbonize [a cylinder]
ont'komen[1] *vi* escape; *hij wist te ~* he managed to escape; *daaraan kunnen wij niet ~* we cannot escape that, we cannot get away from that; *zij ontkwamen aan de vervolging* they eluded pursuit; **–ming** *v* escape
ont'koppelen[1] **I** *vt* 1 ⚒ uncouple, ungear, throw out of gear, disconnect; 2 unleash [hounds]; **II** *vi* 🚗 declutch; **ont'koppeling** *v* disconnection; **–spedaal** (-dalen) *o* 🚗 clutch pedal
ont'krachten (ontkrachtte, h. ontkracht) *vt* weaken
ont'kurken (ontkurkte, h. ontkurkt) *vt* uncork
ont'laden[1] *vt* unload; ⚡ discharge; **–ding** (-en) *v* **I** ⚓ unloading; 2 ⚡ discharge
ont'lasten (ontlastte, h. ontlast) **I** *vt* unburden[2]; *iem. van... ~* relieve sbd. of...; **II** *vr zich ~* discharge (itself), disembogue [of a river]; (v a n u i t w e r p s e l e n) relieve oneself; **–ting** (-en) *v* 1 discharge, relief; 2 (u i t w e r p s e l e n) stools; *~ hebben* have a movement, relieve oneself, defecate; *voor goede ~ zorgen* keep the bowels open
ont'leden (ontleedde, h. ontleed) *vt* 1 analyse; 2 (a n a t o m i e) dissect, anatomize; 3 (r e d e k u n d i g) analyse; 4 (t a a l k u n d i g) parse; **–ding** (-en) *v* 1 analysis [*mv* analyses]; 2 (i n d e a n a t o m i e) dissection; 3 (r e d e k u n d i g e) analysis; 4 (t a a l k u n d i g e) parsing; **ont'leedkunde** *v* anatomy; **ontleed'kundig** anatomical; **–e** (-n) *m* anatomist; **ont'leedmes** (-sen) *o* dissecting-knife; **–tafel** (-s) *v* dissecting-table
ont'lenen[1] *vt ~ aan* borrow from, adopt from, derive from, take [one's name] from; **–ning** (-en) *v* borrowing, adoption
ont'loken full-blown [flower, talent]
ont'lokken[1] *vt* draw (elicit, coax) from
ont'lopen[1] *vt* run away from, escape, avoid; *ik tracht hem zoveel mogelijk te ~* I always give him a wide berth; *ze ~ elkaar niet veel* there is not much difference between them
ont'luchten[1] *vt* de-aerate, deventilate; **–ting** *v* ventilation, evacuation
ont'luiken (ontlook, is ontloken) *vi* open, expand; *een ~de liefde* a dawning love; *een ~d talent* a budding talent; zie ook: *ontloken*
ont'luisteren (ontluisterde, h. ontluisterd) *vt* 1 tarnish, dim; 2 **F** debunk [heroism, a myth], take the shine out of
ont'luizen (ontluisde, h. ontluisd) *vt* delouse
ont'maagden (ontmaagdde, h. ontmaagd) *vt* deflower; **–ding** *v* defloration
ont'mannen (ontmande, h. ontmand) *vt* castrate, emasculate; *fig* unman
ont'mantelen (ontmantelde, h. ontmanteld) *vt* dismantle; **–ling** *v* dismantling
ont'maskeren (ontmaskerde, h. ontmaskerd) **I** *vt* unmask[2], *fig* show up, expose; **II** *vr zich ~* unmask; **–ring** *v* unmasking, *fig* exposure
ont'moedigd discouraged, disheartened,

[1] V.T. en V.D. van dit werkwoord volgens het model: **ont'**bladeren, V.T. **ont'**bladerde, V.D. **ont'**bladerd (**ge-** valt dus weg in het V.D.). Zie voor de vormen onder het grondwoord, in dit voorbeeld: *bladeren*. Bij sterke en onregelmatige werkwoorden wordt u verwezen naar de lijst achterin.

dispirited, down-hearted; **ont'moedigen** (ontmoedigde, h. ontmoedigd) *vt* discourage; **–ging** *v* discouragement
ont'moeten (ontmoette, h. ontmoet) *vt* 1 (toevallig) meet with, meet, run into [sbd.]; chance upon [an expression]; 2 (niet toevallig) meet; *fig* encounter [resistance]; **–ting** (-en) *v* 1 meeting; 2 [hostile] encounter
ont'nemen[1] *vt* take (away) from, deprive of
ont'nuchteren (ontnuchterde, h. ontnuchterd) *vt* sober[2]; *fig* disenchant, disillusion; **–ring** (-en) *v fig* disenchantment, disillusionment
ontoe'gankelijk unapproachable, inaccessible; **–heid** *v* unapproachableness, inaccessibility
ontoe'laatbaar inadmissible [evidence], impermissible
ontoe'passelijk inapplicable; **–heid** *v* inapplicability
ontoe'reikend insufficient, inadequate; **–heid** *v* insufficiency, inadequacy
ontoe'rekenbaar not imputable [crimes]; irresponsible [for one's actions]; **–heid** *v* irresponsibility
ontoe'schietelijk aloof, stand-offish, distant
on'toonbaar not fit to be shown [of things], not fit to be seen [of persons]
ont'pitten (ontpitte, h. ontpit) *vt* stone, take the stone out of [cherries]
ont'plofbaar explosive; *ontplofbare stoffen* explosives; **ont'ploffen**[1] *vi* explode, detonate; **–fing** (-en) *v* explosion, detonation; *tot ~ brengen* explode; *tot ~ komen* explode
ont'plooien (ontplooide, h. ontplooid) *vt* & *vr* unfurl, unfold[2]; display, show [initiatives, activities]; develop [one's talents]; **ont'plooiing** *v* unfolding, development
ont'poppen (ontpopte, h. ontpopt) *vr zich ~ als...* turn out to be..., show oneself a...
ont'potting *v* $ dishoarding
ont'raadselen (ontraadselde, h. ontraadseld) *vt* unriddle, unravel
ont'raden[1] *vt* dissuade from, advise against
ont'rafelen[1] *vt* unravel[2]
ont'redderd (put) out of joint, disabled; **ont'redderen**[1] *vt* put out of joint, throw out of gear, disable, shatter; **–ring** *v* disorganization, general collapse [of society]
ont'rieven (ontriefde, h. ontriefd) *vt als ik u niet ontrief* if I don't put you to inconvenience
ont'roeren[1] **I** *vt* move, affect; **II** *vi* be moved; **–ring** (-en) *v* emotion
ont'rollen[1] *vt* & *vr* unroll, unfurl, unfold; *iem. iets ~* pilfer sth. from sbd.
ont'romen[1] *vt* skim, cream [milk]
on'troostbaar not to be comforted, disconsolate, inconsolable; **–heid** *v* disconsolateness
'ontrouw I *aj* unfaithful [husband, wife], disloyal, false [to oneself]; **II** *v* unfaithfulness, disloyalty, [marital] infidelity
ont'roven[1] *vt* rob of, steal from
ont'ruimen[1] *vt* ⚔ evacuate, vacate [the premises, a house], clear [the park &]; **–ming** *v* evacuation, vacation, clearing
ont'rukken[1] *vt* tear from, snatch (away) from, wrest from
ont'schepen (ontscheepte, h. ontscheept) **I** *vt* unship [cargo], disembark [passengers]; **II** *vr zich ~* disembark; **–ping** (-en) *v* disembarkation; unshipping [of cargo]
ont'schieten[1] *vi* slip from; *het is mij ontschoten* it has slipped my memory
ont'sieren[1] *vt* disfigure, deface, mar; **–ring** (-en) *v* disfigurement, defacement
ont'slaan[1] *vt* discharge, dismiss, **F** fire; *~ uit zijn betrekking* discharge, dismiss; *~ uit de gevangenis* release from gaol; *~ van* discharge from, release from, free from; *iem. van een belofte ~* let sbd. off his promise; *iem. van een verplichting ~* relieve sbd. from (absolve sbd. from) an obligation; *we zijn van hem ontslagen* we have got rid of him.; **ont'slag** (-slagen) *o* discharge, dismissal; resignation; release [from gaol]; *iem. zijn ~ geven* discharge (dismiss) sbd., **F** fire sbd.; *zijn ~ indienen (aanvragen)* tender one's resignation, send in (give in) one's papers; *zijn ~ krijgen* be dismissed, **F** be fired; *~ nemen* resign; **–briefje** (-s) *o* discharge certificate
ont'slapen (ontsliep, is ontslapen) *vi* pass away; *in de Heer ~ zijn* sleep in the Lord; **–e** (-n) *m-v de ~* the (dear) deceased, the (dear) departed
ont'sluieren[1] *vt* unveil[2]; *fig* disclose, reveal
ont'sluiten[1] I *vt* unlock; open[2]; **II** *vr zich ~* open; **–ting** (-en) *v* opening up [of new territory]
ont'smetten[1] *vt* disinfect; **ont'smetting** *v* disinfection; **–smiddel** (-en) *o* disinfectant
ont'snappen (ontsnapte, is ontsnapt) *vt* escape, make one's escape; *~ aan* escape from [sbd.]; give [sbd.] the slip; escape [sbd.'s vigilance]; *je kunt er niet aan ~* there is no escape (from it); **–ping** (-en) *v* escape; **ont'snappingsclausule** [-klɔuzy.lə] (-s) *v* let-out clause, contracting-out clause, escape clause; **–luik** (-en) *o* escape hatch
ont'spannen[1] **I** *vt* unbend [a bow, the mind]; relax [the muscles]; release [a spring]; ease [the

[1] V.T. en V.D. van dit werkwoord volgens het model: **ont'**bladeren, V.T. **ont'**bladerde, V.D. **ont'**bladerd (**ge-** valt dus weg in het V.D.). Zie voor de vormen onder het grondwoord, in dit voorbeeld: *bladeren.* Bij sterke en onregelmatige werkwoorden wordt u verwezen naar de lijst achterin.

situation]; **II** *vr zich* ~ unbend, relax; **–er** (-s) *m* (f o t o g r.) release; **ont'spanning** (-en) *v* relaxation[2]; *fig* 1 (v e r m i n d e r d e s p a n n i n g) relief; [international] détente, easing (of the political situation); 2 (u i t s p a n n i n g) diversion, relaxation, recreation; *hij neemt nooit* ~ he never unbends; **ont'spanningslectuur** *v* light reading, escape literature; **–lokaal** (-kalen) *o* recreation hall; **–oord** (-en) *o* [holiday &] resort

ont'sparing *v* $ dissaving, savings outflow

ont'spiegeld 🚗 anti-dazzle [front pane]

ont'spinnen[1] *vi er ontspon zich een belangrijke discussie* this led to an interesting discussion

ont'sporen[1] *vi* run off the metals (rails), be derailed, derail; **–ring** (-en) *v* derailment

ont'springen[1] *vi* rise [of a river]; zie ook: *dans*

ont'spruiten[1] *vi* spring, sprout; [*fig*] ~ *uit* arise from, spring from, proceed from

ont'staan I (ontstond, is ontstaan) *vt* come into existence (into being), originate, start [of a fire]; develop [of a crisis, fever &]; *doen* ~ give rise to, cause, create; start [a fire]; ~ *uit* arise from; **II** *o* origin

ont'steken[1] **I** *vt* kindle, light, ignite, blast off [a rocket]; *iem. in toorn doen* ~ kindle sbd.'s wrath; **II** *vi* become inflamed [of a wound]; *in toorn* ~ fly into a passion (rage); **ont'steking** (-en) *v* 1 kindling [of fire]; ⚹ ignition; blast-off [of a rocket]; 2 (v. w o n d e n) inflammation; **–sschakelaar** (-s) *m* ignition switch

ont'steld alarmed, frightened, dismayed

ont'stelen[1] *vt* steal from; *zij hebben het hem ontstolen* they have stolen it from him

ont'stellen I (ontstelde, h. ontsteld) *vt* startle, alarm, frighten, dismay, stun; **II** (ontstelde, is ontsteld) *vi* be startled, become alarmed; **–d I** *aj* shocking [news]; **II** *ad* terribly, awfully, dreadfully, fearfully; **ont'steltenis** *v* consternation, alarm, dismay

ont'stemd ♪ out of tune; *fig* put out, displeased; **ont'stemmen**[1] *vt* ♪ put out of tune; *fig* put out, displease; **–ming** *v* displeasure, dissatisfaction, soreness

ont'stentenis *v bij* ~ *van* in default of, in the absence of, failing...

ont'stichten[1] *vt* offend, give offence

ont'stoken inflamed [of a wound]

ont'stoppen[1] *vt* clear [a choked pipe &]

ont'takelen[1] *vt* ⚓ unrig, dismantle; **–ling** (-en) *v* ⚓ unrigging, dismantling

ont'trekken[1] **I** *vt* withdraw (from *aan*); *aan het oog* ~ hide; **II** *vr zich* ~ *aan* withdraw from; shirk [a duty]; back out of [an obligation]; **–king** (-en) *v* withdrawal

ont'tronen[1] *vt* dethrone; **–ning** *v* dethronement

'ontucht *v* lewdness, prostitution; **on'tuchtig** lewd

'ontuig *o* riff-raff

ont'vallen[1] *vi* drop (fall) from [one's hands]; *zich geen woord laten* ~ not drop a single word; *het is mij* ~ it escaped me; *zijn kinderen ontvielen hem* he lost his children

ont'vangbewijs (-wijzen) *o* receipt; **–dag** *m* at-home (day); **ont'vangen**[1] **I** *vt* receive°, $ take delivery of [the goods]; *de vijand werd warm* ~ the enemy was given a warm reception; **II** *va* receive; *wij* ~ *vandaag niet* we are not at home to-day

ont'vangenis *v* conception

ont'vanger (-s) *m* 1 recipient, $ consignee; 2 (a m b t e n a a r) tax-collector; 3 (o n t v a n g t o e s t e l) receiver; **–skantoor** (-toren) *o* tax-collector's office; **ont'vangkamer** (-s) *v* reception room; (s a l o n) drawing room, parlour, salon; **ont'vangst** (-en) *v* receipt; reception [of a person & R]; *de* ~*en van één dag* $ the takings of one day; *de* ~ *berichten* (*bevestigen, erkennen*) *van...* acknowledge receipt of...; *de* ~ *weigeren van...* $ refuse to take delivery of...; • *b ij de* ~ *van...* on receiving...; *i n* ~ *nemen* receive, $ take delivery of; *n a* ~ *van...* on receipt of...; **ont'vangstation** [-sta.(t)ʃɔn] (-s) *o* receiving-station; **ont'vangstbewijs** (-wijzen) *o* receipt; **ont'vangtoestel** (-len) *o* receiver, receiving set; **ont'vankelijk** receptive, susceptible; ~ *voor* accessible to, amenable to; *zijn eis werd* ~ *verklaard* he was entitled to proceed with his claim, his claim was admitted; *zijn eis werd niet* ~ *verklaard* it was decided that the action would not lie, his claim was dismissed; **–heid** *v* receptivity, susceptibility

ont'veinzen[1] *vt wij* ~ *het ons niet* we fully realize it; *wij kunnen ons niet* ~ *dat...* we cannot disguise from ourselves the fact that (the difficulty & of...), we are fully alive to the fact that...

ont'vellen (ontvelde, h. ontveld) *vt* graze, **F** bark [one's knee &]; **–ling** (-en) *v* abrasion, excoriation

ont'vetten (ontvette, h. ontvet) *vt* remove the fat (grease) from, degrease [gravy], scour [wool]

ont'vlambaar inflammable; **–heid** *v* inflammableness; **ont'vlammen**[1] *vi* inflame, kindle[2];

[1] V.T. en V.D. van dit werkwoord volgens het model: **ont'**bladeren, V.T. **ont'**bladerde, V.D. **ont'**bladerd (**ge-** valt dus weg in het V.D.). Zie voor de vormen onder het grondwoord, in dit voorbeeld: *bladeren.* Bij sterke en onregelmatige werkwoorden wordt u verwezen naar de lijst achterin.

-ming *v* inflammation
ont'vlekken[1] *vt* remove stains from
⊙ **ont'vlieden**[1] *vi* fly from, flee from;
ont'vluchten[1] **I** *vi* fly, flee, escape, make good one's escape; **II** *vt* fly (from), flee (from); **-ting** (-en) *v* flight, escape
ont'voerder (-s) *m* abductor, kidnapper; **ont'voeren**[1] *vt* carry off, abduct, kidnap; **-ring** (-en) *v* abduction, kidnapping
ont'volken (ontvolkte, h. ontvolkt) *vt* depopulate; **-king** *v* depopulation
ont'voogden (ontvoogdde, h. ontvoogd) *vt* emancipate; **-ding** *v* emancipation
ont'vouwen[1] *vt* & *vr* unfold[2]; **-wing** *v* unfolding[2]
ont'vreemden (ontvreemdde, h. ontvreemd) *vt* steal; **-ding** *v* theft
ont'waarding *v* **$** devaluation
ont'waken (ontwaakte, is ontwaakt) *vi* awake[2], wake up[2], get awake; *uit zijn droom ~* awake from a dream; **-king** *v* awakening
ont'wapenen[1] *vt* & *vi* disarm; **-ning** *v* 1 disarming [of a soldier]; 2 disarmament [movement]
ont'waren (ontwaarde, h. ontwaard) *vt* perceive, descry
ont'warren (ontwarde, h. ontward) *vt* disentangle, unravel; **-ring** *v* disentanglement, unravelling
ont'wassen[1] *vi* = *ontgroeien*
ont'wateren[1] *vt* drain, dewater
ont'weien (ontweide, h. ontweid) *vt* disembowel
ont'wellen[1] *vi* spring from
ont'wennen[1] *vt* zie *afwennen*; **ont'wenningskuur** (-kuren) *v* treatment for curing alcoholics [or drug addicts]
ont'werp (-en) *o* project, plan, (rough) draft, design; (w e t s o n t w e r p) bill; **ont'werpen**[1] *vt* draft, draw up, frame, design, style [a car], project, plan [towns]; **-er** (-s) *m* draftsman [of a document], [fashion] designer, framer, planner, projector
ont'wijden[1] *vt* desecrate, profane, defile; **-ding** *v* desecration, profanation, defilement
on'twijfelbaar indubitable, unquestionable, unquestioned, doubtless
ont'wijken[1] *vt* evade, dodge [a blow]; avoid, shun [a man, a place]; fight shy of [sbd.]; *fig* blink, evade, elude, fence with [a question], shirk [the main point], side-step [a problem]; **-d** evasive; **ont'wijking** (-en) *v* evasion
ont'wikkelaar (-s) *m* (f o t o) developer; **ont'wikkeld** (fully) developed; *fig* educated, well-informed; **ont'wikkelen**[1] **I** *vt* develop; **II** *vr zich ~* develop[2] (into *tot*); **-ling** (-en) *v* development; *algemene ~* general education; *tot ~ brengen* develop; *tot ~ komen* develop;
ont'wikkelingsgebied (-en) *o* development area; **-hulp** *v* development aid; **-land** (-en) *o* developing country; **-leer** *v* theory of evolution; **-tijdperk** (-en) *o* period of development
ont'woekeren[1] *vt ~ aan* wrest from; *ontwoekerd aan de baren* reclaimed from the sea, wrested from the waves
ont'worstelen[1] *vt* wrest from
ont'wortelen (ontwortelde, h. ontworteld) *vt* uproot
ont'wricht dislocated, out of joint; disrupted; **ont'wrichten** (ontwrichtte, h. ontwricht) *vt* dislocate[2], disjoint; disrupt [society; transport]; **-ting** (-en) *v* dislocation[2] [also of affairs]; disruption [of society; of postal services]
ont'wringen[1] *vt* wrest from, extort from
ont'zag *o* awe, respect, veneration; *~ inboezemen* inspire with awe, (over)awe; *~ hebben voor* stand in awe of; **-lijk** awful; enormous, tremendous [quantity], vast [number]; **-lijkheid** *v* enormousness; **ontzag'wekkend** awe-inspiring
ont'zegelen[1] *vt* unseal, break the seal of
ont'zeggen[1] **I** *vt* deny; *mijn benen ~ mij de dienst* my legs fail me; *hij zag zich zijn eis ontzegd* his suit was dismissed; *iem. zijn huis ~* forbid sbd. the house; *ik ontzeg u het recht om...* I deny to you the right to...; *de toegang werd hem ontzegd* he was denied admittance; **II** *vr zich iets ~* deny oneself sth.; **-ging** *v* denial; *~ van het rijbewijs* disqualification from driving, revoking of sbd.'s driving licence
ont'zeilen[1] *vi* sail away from; *de klip van... ~* steer clear of the rock of..., steer clear of...
ont'zenuwen (ontzenuwde, h. ontzenuwd) *vt* 1 enervate, unnerve; 2 *fig* refute [grounds, arguments]; pick holes in [arguments]
1 ont'zet *aj* aghast, appalled; **2 ont'zet** *o* ⚔ relief [of a besieged town]; rescue [of a person]; **ont'zetten**[1] *vt* 1 ⚔ relieve; rescue [by the police]; 2 (a f z e t t e n) dismiss; 3 (m e t o n t z e t t i n g v e r v u l l e n) appal; 4 (o n t w r i c h t e n, v e r b u i g e n) twist, buckle [metal, a wheel], warp [wood]; *iem. uit zijn ambt ~* deprive sbd. of his office; *uit de ouderlijke macht ~* deprive of parental rights; **-d I** *aj* appalling, dreadful, terrible; (*het is*) *~!* it is awful!; **II** *ad* dreadfully, < awfully,

[1] V.T. en V.D. van dit werkwoord volgens het model: **ont'**bladeren, V.T. **ont'**bladerde, V.D. **ont'**bladerd (**ge-** valt dus weg in het V.D.). Zie voor de vormen onder het grondwoord, in dit voorbeeld: *bladeren.* Bij sterke en onregelmatige werkwoorden wordt u verwezen naar de lijst achterin.

terribly; **ont'zetting** (-en) *v* 1 ⚔ relief [of a town]; rescue [of a person]; 2 deprivation [of office], dismissal [of functionary]; 3 horror, dismay; **-sleger** (-s) *o* relieving army
ont'zield inanimate, lifeless
ont'zien[1] **I** *vt* respect, stand in awe of; spare [sbd.], consider (sbd.'s feelings); *hij moet ~ worden* he must be dealt with gently; *geen moeite ~ om...* spare no pains to...; *geen (on)kosten ~d* regardless of expense; **II** *vr zich ~* spare oneself; take care of oneself (of one's health); *zich niet ~ om...* not scruple to...; *hij ontzag zich nota bene niet om...* he had the conscience to [smoke my cigars &]
ont'zilting *v* desalinization
ont'zinken[1] *vi de moed ontzonk mij* my courage gave way
onuit'blusbaar inextinguishable, unquenchable
on'uitgegeven unpublished
on'uitgemaakt unsettled, not settled, open [question]
on'uitgesproken unspoken, unexpressed
onuit'puttelijk inexhaustible, unfailing; **-heid** *v* inexhaustibleness
onuit'roeibaar ineradicable
onuit'spreekbaar unpronounceable; **onuit'sprekelijk I** *aj* unspeakable, inexpressible, unutterable, ineffable [joy]; **II** *ad ~ gelukkig* ook: too happy for words, happy beyond words
onuit'staanbaar insufferable, intolerable, unbearable
onuit'voerbaar impracticable, impossible; **-heid** *v* impracticability
onuit'wisbaar indelible, ineffaceable; **-heid** *v* indelibility
'onvaderlands unpatriotic
on'vast, 'onvast unstable, unsteady [gait, character &]; unsettled, uncertain [state of things]; loose [soil]; light [sleep]; **-heid** *v* instability, unsteadiness &
on'vatbaar *~ voor* immune from [a disease]; insusceptible of [pity]; impervious [to argument], unreceptive [to new ideas]; **-heid** *v* immunity [from disease]; insusceptibility [of pity]
on'veilig unsafe, insecure; *~!* danger!; *~ maken* make unsafe, infest [the roads]; *~ sein* danger signal; *het sein staat op ~* the signal is at danger; **-heid** *v* unsafeness, insecurity
onver'anderbaar unchangeable, immutable; **onver'anderd** unchanged, unaltered; **onver'anderlijk** unchangeable, unalterable, immutable [decision &]; unvarying, invariable [behaviour &]; immovable [feasts as Christmas &]; **-heid** *v* unchangeableness, immutability, invariableness
'onverantwoord 1 (v. h a n d e l i n g) unjustified, unwarranted; 2 (v. g e l d) not accounted for; **onverant'woordelijk** 1 not responsible, irresponsible; 2 unwarrantable, unjustifiable; **-heid** *v* 1 irresponsibility; 2 unwarrantableness, unjustifiableness
onver'beterlijk 1 incorrigible [child &], confirmed [drunkard]
onver'biddelijk relentless, unyielding, inexorable
'onverbindend, onver'bindend not binding
onver'bloemd, 'onverbloemd I *aj* undisguised, unvarnished, plain, frank; **II** *ad* [tell me] in plain terms, bluntly, point-blank, without mincing matters
'onverbogen *gram* undeclined
onver'brandbaar incombustible
onver'breekbaar, 'onverbreekbaar, onver'brekelijk, 'onverbrekelijk indissoluble, irrefrangible
onver'buigbaar, 'onverbuigbaar *gram* indeclinable
onver'dacht, 'onverdacht above suspicion
onver'dedigbaar, 'onverdedigbaar indefensible; **onver'dedigd** undefended
'onverdeelbaar, onver'deelbaar indivisible; **-heid** *v* indivisibility; **onver'deeld, 'onverdeeld** undivided, whole, entire; unqualified [praise, succes]
onver'diend, 'onverdiend I *aj* unearned [money]; undeserved [reproach], unmerited [praise]; **II** *ad* undeservedly; **onver'dienstelijk** *niet ~* not without merit
onver'draaglijk(heid) = *ondraaglijk(heid)*;
onver'draagzaam intolerant; **-heid** *v* intolerance
onver'droten, 'onverdroten I *aj* indefatigable, unwearying, unflagging [zeal]; sedulous [care]; **II** *ad* indefatigably; sedulously
onver'dund, 'onverdund undiluted, neat [drink]
onver'enigbaar not to be united; *onverenigbare begrippen* irreconcilable ideas; *~ met* incompatible with, inconsistent with; **-heid** *v* incompatibility, inconsistency
onver'flauwd, 'onverflauwd undiminished, unabated [energy], unrelaxing [diligence], unremitting [attention], unflagging [zeal]
onver'gankelijk imperishable, undying; **-heid**

[1] V.T. en V.D. van dit werkwoord volgens het model: **ont'**bladeren, V.T. **ont'**bladerde, V.D. **ont'**bladerd (**ge-** valt dus weg in het V.D.). Zie voor de vormen onder het grondwoord, in dit voorbeeld: *bladeren.* Bij sterke en onregelmatige werkwoorden wordt u verwezen naar de lijst achterin.

v imperishableness
onver'geeflijk, onver'gefelijk unpardonable, unforgivable, inexcusable; **-heid** *v* unpardonableness
onverge'lijkelijk I *aj* incomparable, matchless, peerless; **II** *ad* incomparably
onver'getelijk unforgettable
onver'hinderd, 'onverhinderd I *aj* unhindered, unimpeded; **II** *ad* without being hindered
onver'hoeds, 'onverhoeds I *aj* unexpected, sudden; *een ~e aanval* a surprise attack; **II** *ad* unawares, unexpectedly, suddenly; [attack] by surprise
onver'holen, 'onverholen I *aj* unconcealed [disgust], undisguised [contempt]; **II** *ad* frankly, openly, without mincing matters
onver'hoopt, 'onverhoopt unexpected, unlooked-for
'onverhuurd not let, unlet, untenanted
onver'kiesbaar ineligible; **-heid** *v* ineligibility; **onver'kies(e)lijk** undesirable
onver'klaarbaar inexplicable; **-heid** *v* inexplicableness
onver'kocht unsold; *mits ~* $ if unsold; **onver'koopbaar** unsal(e)able, unmarketable
'onverkort unabridged, uncurtailed
onver'kwikkelijk unpleasant, unpalatable, unsavoury [case &]
'onverlaat (-laten) *m* miscreant, vile wretch
onver'let, 'onverlet unhindered, unimpeded
onver'meld unmentioned, unrecorded; *(niet) ~ blijven* (not) go unrecorded
onver'mengd, 'onvermengd unmixed, unalloyed, unqualified, pure
onver'mijdelijk inevitable, unavoidable; *het ~e* the inevitable; **-heid** *v* unavoidableness, inevitability
onver'minderd, 'onverminderd I *aj* undiminished, unabated; **II** *prep* without prejudice to
'onvermoed unsuspected, unthought-of
onver'moeibaar, 'onvermoeibaar indefatigable; unwearying; **-heid** *v* indefatigability; **onver'moeid, 'onvermoeid** unwearied, untired, tireless; **-heid** *v* tirelessness
'onvermogen *o* 1 impotence, inability; 2 impecuniosity; 3 indigence; *~ om te betalen* insolvency; *in staat van ~* insolvent; **-d** 1 (machteloos) unable; 2 (geldeloos) impecunious; 3 (behoeftig) indigent
onver'murwbaar unrelenting, inexorable
onver'nielbaar indestructible
onver'poosd, 'onverpoosd I *aj* uninterrupted, unremitting; **II** *ad* uninterruptedly, unceasingly
'onverricht undone, unperformed; *~er zake* without having attained one's end, [return] without succes
'onversaagd, onver'saagd undaunted, intrepid; **-heid** *v* undauntedness, intrepidity
onver'schillig I *aj* indifferent, careless [person]; [air, tone &] of indifference; *~ door welk middel* no matter by what means; *~ of we... dan wel...* whether... or...; *~ voor...* indifferent to...; *~ wat (wie)* no matter what (who); *het is mij ~* it is all the same (all one) to me; **II** *ad* indifferently, carelessly, insouciantly; **-heid** *v* indifference, insouciance
onver'schrokken(heid) = *onversaagd(heid)*
'onverslapt unflagging; zie ook: *onverflauwd*
onver'slijtbaar, 'onverslijtbaar indestructible, everlasting
'onversneden undiluted, unqualified [wine &]
onver'staanbaar unintelligible; **-heid** *v* unintelligibleness, unintelligibility
'onverstand *o* unwisdom; **onver'standig** unwise; *het ~e ervan* the unwisdom of it
onver'stoorbaar imperturbable; **-heid** *v* imperturbability, phlegm; **onver'stoord, 'onverstoord** undisturbed; *fig* unperturbed
onver'taalbaar untranslatable
onver'teerbaar, 'onverteerbaar indigestible[2]; **'onverteerd** undigested[2]
onver'togen unseemly
onver'vaard, 'onvervaard I *aj* fearless, undaunted; **II** *ad* fearlessly, undauntedly
onver'valst unadulterated, unalloyed, genuine, unsophisticated; *een ~e schurk* an unmitigated blackguard
onver'vangbaar irreplaceable
onver'vreemdbaar inalienable [goods, property], indefeasible [rights]; **-heid** *v* inalienability, indefeasibility
onver'vulbaar unfulfillable; **'onvervuld** unoccupied [place], unaccomplished [wishes], unperformed, unfulfilled [promises]
onver'wacht unexpected, unlooked for; **-s** unexpectedly, unawares
'onverwarmd unheated [room], unwarmed
onver'wijld, 'onverwijld immediate, without delay
onver'woestbaar indestructible; **-heid** *v* indestructibility
onver'zadelijk insatiable; **-heid** *v* insatiability; **onver'zadigbaar** insatiable; **onver'zadigd, 'onverzadigd** 1 unsatiated, unsatisfied; 2 § unsaturated [fatty acid]
'onverzegeld unsealed
onver'zettelijk immovable[2]; *fig* unyielding, inflexible; **-heid** *v* inflexibility
onver'zoenlijk irreconcilable, implacable; **-heid** *v* irreconcilability, implacability
'onverzorgd, onver'zorgd 1 (niet opge-

p a s t) not attended to; 2 (n i e t g e s o i g n e e r d) uncared-for, unkempt [gardens]; untidy [nails]; slovenly [style]; 3 (z o n d e r m i d d e l e n) unprovided for

'onverzwakt, onver'zwakt not weakened; unimpaired; zie ook: *onverflauwd*

on'vindbaar not to be found; *het bleek ~* it could not be found

on'voegzaam indecent, unseemly; **–heid** *v* indecency, unseemliness

onvol'daan unsatisfied, dissatisfied [people]; unpaid, unsettled [bills]; **–heid** *v* dissatisfaction

onvol'doend insufficient; **–e** (-s en -n) *v* ✎ insufficient mark; *hij heeft vier ~s, ~n* he is insufficient in four branches

onvol'dragen immature, unripe

onvol'eind(igd) unfinished, uncompleted

onvol'komen imperfect, incomplete; **–heid** (-heden) *v* imperfection, incompleteness

onvol'ledig incomplete, defective; **–heid** *v* incompleteness, defectiveness

onvol'maakt imperfect, defective; **–heid** (-heden) *v* imperfection, deficiency

onvol'prezen, 'onvolprezen unsurpassed, beyond praise

onvol'tallig incomplete

onvol'tooid 1 unfinished, incomplete; 2 *gram* imperfect [tense]

onvol'voerd unperformed, unfulfilled

onvol'waardig [physically] unfit, [mentally] deficient; *~e arbeidskrachten* partially disabled workers

onvol'wassen half-grown, not full-grown, immature [behaviour]

on'voorbereid unprepared, off-hand

onvoor'delig unprofitable; **–heid** *v* unprofitableness

onvoor'spelbaar unpredictable

onvoor'spoedig unsuccessful

onvoor'stelbaar, 'onvoorstelbaar I *aj* inconceivable, unimaginable [distances]; **II** *ad* inconceivably [remote from], incredibly [low prices]

onvoor'waardelijk unconditional; implicit; *onvoorwaardelijke overgave* unconditional surrender

onvoor'zichtig imprudent; **–heid** (-heden) *v* imprudence

onvoor'zien unforeseen, unexpected; **–baar** unforeseeable; **–s** unexpectedly, unawares

'onvrede *m* & *v* (t w i s t) discord, dissension; (o n b e h a g e n) discontent; *in ~ leven met* be at variance (on bad terms) with

on'vriendelijk unkind; **–heid** (-heden) *v* unkindness; **onvriend'schappelijk I** *aj* unfriendly; **II** *ad* in an unfriendly way

on'vrij not free; *het is hier erg ~* there is no privacy here; **–heid** (-heden) *v* want of freedom, constraint, lack of privacy; **onvrij'willig** involuntary, unwilling

on'vruchtbaar infertile [land]; unfruitful², sterile², barren²; **–heid** *v* infertility, unfruitfulness, sterility, barrenness

on'waar untrue, not true, false; **onwaa'rachtig** *v* insincere, untruthfull; **–heid** (-heden) *v* insincerity

'onwaarde *v* invalidity, nullity; *van ~ verklaren* declare null and void; *van ~ zijn* be null and void; **on'waardig I** *aj* unworthy; undignified [spectacle]; **II** *ad* unworthily; **–heid** *v* unworthiness

on'waarheid (-heden) *v* untruth, falsehood, lie

onwaar'schijnlijk improbable, unlikely; **–heid** (-heden) *v* improbability, unlikeliness

on'wankelbaar unshakable, unwavering [decision], unswerving [resolution]; **–heid** *v* unshakableness

'onwe(d)er (-weren en -weders) *o* thunderstorm, storm; **'onweerachtig** thundery

onweer'legbaar irrefutable, unanswerable, irrefragable; **–heid** *v* irrefutableness

'onweersbui (-en) *v* thunderstorm; **–lucht** (-en) *v* thundery sky

onweer'staanbaar irresistible; **–heid** *v* irresistibility

'onweerswolk (-en) *v* thunder-cloud, storm-cloud

on'wel indisposed, unwell, **F** off-colour

on'welkom unwelcome

onwel'levend discourteous, impolite; **–heid** (-heden) *v* discourteousness, impoliteness

onwel'luidend unharmonious; **–heid** *v* want of harmony

onwel'riekend unpleasant-smelling, malodorous

onwel'voeglijk indecent, improper; **–heid** (-heden) *v* indecency

onwel'willend unkind,uncooperatiev; **–heid** (-heden) *v* unkindness, uncooperativeness

on'wennig *zich ~ voelen* feel strange, feel awkward

'onweren (onweerde, h. geonweerd) *vi het zal ~* there will be a thunderstorm

on'werkelijk unreal; **–heid** *v* unreality

on'werkzaam inactive; **–heid** *v* inaction, inactivity

on'wetend ignorant; *iem. volkomen ~ laten van* leave sbd. in complete ignorance of; **–heid** *v* ignorance

onweten'schappelijk unscientific, unscholarly

on'wettelijk illegal; **on'wettig** unlawful, illegal; (v. k i n d) illegitimate; **–heid** (-heden) *v* unlawfulness, illegality; illegitimacy

on'wezenlijk unreal; **–heid** *v* unreality

on'wijs unwise, foolish; **-heid** (-heden) *v* unwisdom, folly
'onwil *m* unwillingness
onwille'keurig I *aj* involuntary; **II** *ad* involuntarily; *ik moest ~ lachen* I could not help laughing
on'willig I *aj* unwilling, reluctant; *~e manslag* homicide by misadventure; *met ~e honden is het kwaad hazen vangen* one man may lead a horse to water, but fifty cannot make him drink; **II** *ad* unwillingly, with a bad grace; **-heid** *v* unwillingness, reluctance
on'wrikbaar immovable[2], *fig* unshakable [conviction], unflinching; **-heid** *v* immovability[2], unshakableness &
'onyx ['o.nɪks] (-en) *o* & *m* onyx
on'zacht, 'onzacht I *aj* ungentle, rude, rough; **II** *ad* rudely
on'zakelijk unbusinesslike
on'zalig unholy, evil, unhappy
on'zedelijk immoral; **-heid** (-heden) *v* immorality; **on'zedig** immodest; **-heid** *v* immodesty
onzee'waardig ⚓ unseaworthy
on'zegbaar = *onuitsprekelijk*
on'zeker uncertain; insecure [ice, foundation]; unsafe [ice, people]; precarious [income, living]; unsteady [hand, voice, steps]; *het is nog ~* it is still uncertain; *het ~e* what is uncertain; *iem. in het ~e laten* leave sbd. in uncertainty; *in het ~e omtrent iets verkeren (zijn)* be uncertain (in the dark) as to...; **-heid** (-heden) *v* uncertainty; insecurity; *in ~ verkeren* be in uncertainty
onzelf'standig dependent on others; **-heid** *v* dependency on others
onzelf'zuchtig unselfish, self-forgetful; **-heid** *v* unselfishness
Onze-Lieve-'Heer *m* our Lord, the Lord; **onze-lieve-'heersbeestje** (-s) *o* ladybird; **Onze-Lieve-'Vrouw** *v* Our Lady; **onze-lieve-vrouwe'bedstro** *o* woodruff; **Onze-Lieve-'Vrouwekerk** (-en) *v de ~* Our Lady's Church; **'onzent** *te(n) ~* at our house, at our place; *~halve* for our sake(s); *~wege* as for us; *van ~wege* on our behalf, in our names; *om ~wil(le)* for our sake(s); **'onzerzijds** on our part, on our behalf; **onze'vader** (-s) *o* Our Father, Lord's Prayer
on'zichtbaar I *aj* invisible; *onzichtbare inkt* sympathetic ink; **II** *ad* invisibly; *~ stoppen* repair by invisible mending; **-heid** *v* invisibility; **on'zienlijk** invisible
on'zijdig 1 neutral; 2 *gram* neuter; *zich ~ houden* remain neutral; **-heid** *v* neutrality
'onzin *m* nonsense, rubbish; *wat een ~!* the very idea!, bosh!, fiddlesticks!, **S** guff!, what rot!; *~ uitkramen (verkopen)* talk (stuff and) nonsense
on'zindelijk uncleanly, dirty; **-heid** (-heden) *v* uncleanliness, dirtiness
on'zinnig nonsensical, absurd, senseless, piffling; **-heid** (-heden) *v* absurdity, nonsense, senselessness
on'zuiver impure; unjust [scales], ♪ out of tune, false; (b r u t o) gross [profit &]; *~ in de leer* unsound in the faith, heterodox; **-heid** (-heden) *v* impurity
ooft *o* fruit; **-boom** (-bomen) *m* fruit-tree
oog (ogen) *o* 1 eye°; 2 (o p d o b b e l s t e e n &) point, spot; *goede (slechte) ogen* [have] good (bad) eyesight; *geheel ~ zijn* be all eyes; *hij kon er zijn ogen niet afhouden* he could not keep his eyes off it; *een ~ dichtdoen* zie *oogje*; *geen ~ dichtdoen* not sleep a wink [all night]; *het ~ laten gaan over* cast one's eye over; *hij kon zijn ogen niet geloven* he could not believe his eyes; *een ~ op haar hebben* zie *oogje*; *geen ~ voor iets hebben* have no eye for sth.; *een open ~ hebben voor* be (fully) alive to [the requirements of...]; *heb je geen ogen in je hoofd?* have you no eyes (in your head)?; *het ~ wil ook wat hebben* the eye has its claims too; *hij heeft zijn ogen niet in zijn zak* he has all his eyes about him; *het ~ op iets houden* keep an eye on sth.; *ik kan er geen ~ op houden* I can't keep track of them; *een ~ in het zeil houden* keep an eye upon [him, them], keep one's weather-eye open; *zijn ogen de kost geven* look about one; *iem. de ogen openen* open sbd.'s eyes; *grote ogen opzetten* open one's eyes wide, stare; *het ~ slaan op...* cast a look (a glance) at...; *de ogen sluiten voor...* shut one's eyes to...; *een ~ toedoen* zie *oogje*; *geen ~ toedoen* not sleep a wink [all night]; *het ~ treffen* meet the eye; *iem. de ogen uitsteken* zie *uitsteken*; *zijn ~ erop laten vallen* lay eyes on it; cast a glance at it; *mijn ~ viel erop* it caught my eye; • *d o o r het ~ van een naald kruipen* have a narrow escape; *iets i n het ~ houden* keep an eye upon sth.; *fig* not lose sight of sth.; *iem. in het ~ houden* keep an eye on sbd.'s movements; *iets (iem.) in het ~ krijgen* catch sight of sth. (sbd.), spot sth. (sbd.); *in het ~ lopen (vallen)* strike the eye; *in het ~ lopend (vallend)* conspicuous, striking, obvious; *in het ~ springen* zie *springen*; *in mijn ogen, in mijn ~* in my eyes; *in zijn eigen ogen* in his own conceit; *m e t de ogen volgen* follow with one's eyes; *ik zag het met mijn eigen ogen* I saw it with my own eyes; *met open ogen* with one's eyes open; *een man met een open ~ voor onze noden* a man (fully) alive to our needs; *het met schele (lede) ogen aanzien* view it with a jealous eye, with regret; *met het ~ op...* 1 (i e t s t o e k o m s t i g s) with a view to..., with an eye to...; 2 in view of...; *iem. n a a r de ogen zien* read sbd.'s wishes; *zij behoeven niemand*

naar de ogen te zien they are not dependent upon anybody; they can hold up their heads with the best; *~ o m ~, tand om tand* an eye for an eye, a tooth for a tooth; *o n d e r vier ogen* in private, privately; *een gesprek onder vier ogen* a private talk; *iem. iets onder het ~ brengen* point out sth. to sbd., remonstrate with sbd. on sth.; *iem. onder de ogen komen* come under sbd.'s eye, under sbd.'s notice, face sbd.; *kom me niet meer onder de ogen* let me never set eyes on you again; *iets onder de ogen krijgen* set eyes upon sth.; *de dood onder de ogen zien* look death in the face; *de feiten (het gevaar) onder de ogen zien* face the facts (the danger); *de mogelijkheid onder het ~ zien* envisage the possibility; *o p het ~ is het...* when looked at, outwardly, on the face of it; *iets op het ~ hebben* have sth. in view (mind); *iem. op het ~ hebben* have one's eye on sbd. [as a fit candidate]; have sbd. in mind [when making an allusion]; *(ga) u i t mijn ogen!* out of my sight!; *kijk uit je ogen!* look where you are going!; *te lui om uit zijn ogen te kijken* too lazy to open his eyes; *(goed) uit zijn ogen kijken (zien)* use one's eyes, have all one's eyes about one; *uit het ~, uit het hart* out of sight, out of mind; *iets (iem.) uit het ~ verliezen* lose sight of sth. (sbd.); lose track of; *het is alles v o o r het ~* for show; *God voor ogen houden* keep God in view; *iets voor ogen houden* bear sth. in mind; *met dat doel voor ogen* with that object in view, with this in view; *met de dood voor ogen* in the face of certain death, with death staring [him] in the face; *geen hand voor ogen zien* not see one's hand before one's face; *voor het ~ van de wereld* for the world; *het staat mij nog voor ogen* I have a vivid recollection of it; *het ~ van de meester maakt het paard vet* the eye of the master makes the cattle thrive; zie ook *naald;* **–appel** (-s) *m* apple of the eye[2], eyeball; **–arts** (-en) *m* oculist, ophthalmologist, eye specialist; **–badje** (-s) *o* eye-bath; **–bal, –bol** (-len) *m* eye-ball; **–druppelbuisje** (-s) *o* eye-dropper; **–druppels** *mv* eye-drops; **–getuige** (-n) *m-v* eye-witness; **–getuigenverslag** *o* eye-witness's account; *sp* running commentary; **–haar** (-haren) *o* eyelash; **–heelkunde** *v* ophthalmology; **–hoek** (-en) *m* corner of the eye; **–holte** (-n en -s) *v* orbit, socket of the eye, eye-socket; **–hoogte** *v op ~* at eye-level; **–je** (-s) *o* (little) eye, eyelet; *~s geven* make eyes at; *een ~ hebben op* have an eye to [business], have designs on [a girl]; *een ~ houden op* keep an eye on; *een ~ toedoen (dichtdoen)* turn a blind eye (on *voor*), wink at; **–kas** (-sen) *v* = *ooghølte*; **–kleppen** *mv* blinkers; **–lap** (-pen) *m* eye-patch; **–lid** (-leden) *o* eyelid; **–lijder** (-s) *m* eye-patient; **oog'luikend** *~ toelaten* connive at; **'oogluiking** *v* connivance; **–merk** (-en) *o* object in view, aim, intention, purpose; *met het ~ om...* with a view to ...ing; ⚖ with intent to...; **–ontsteking** (-en) *v* inflammation of the eye, ophthalmia; **–opslag** *m* glance, look; *met één ~, bij de eerste ~* at a glance, at the first glance; **–punt** (-en) *o* point of view, view-point; *uit een ~ van...* from the point of view of...; *uit dat ~ beschouwd* viewed from that angle; **–schaduw** *v* eyeshadow; **–spiegel** (-s) *m* ophthalmoscope, fundoscope; **–spier** (-en) *v* muscle of the eye

oogst (-en) *m* harvest[2], crop(s); **'oogsten** (oogstte, h. geoogst) *vt* reap[2], gather, harvest; **'oogstfeest** (-en) *o* harvest home; **–lied** (-eren) *o* harvest-song; **–maand** *v* harvest month = August; **–machine** [-ma.ʃi.nə] (-s) *v* harvester, combine; **–tijd** (-en) *m* reaping-time, harvest time

'oogtand (-en) *m* eye-tooth; **oogver'blindend** dazzling; **'oogvlies** (-vliezen) *o* tunic (coat) of the eye; **–water** (-s) *o* eye-wash; **–wenk** (-en) *m* wink; *in een ~* in no time, **F** in a jiffy, before one can say Jack Robinson; **–wit** *o* white of the eye, sclera; **–zalf** (-zalven) *v* eye-salve; **–zenuw** (-en) *v* optic nerve; **–ziekte** (-n en -s) *v* disease of the eyes, eyetrouble

ooi (-en) *v* ewe

'ooievaar (-s en -varen) *m* stork; **–sbek** (-ken) *m* 1 stork's bill; 2 ♣ crane's-bill

'ooilam (-meren) *o* ewe-lamb

ooit ever; *heb je ~ (van je leven)* did you ever?, well I never!

ook also, too, likewise, as well; *je bent me ~ een groentje!* you are a green one, you are!; *jij bent ~ een leukerd (mooie)!* you are a nice one!; *zij is ~ zo jong niet meer* she is none so young either; *en het gebeurde (dan) ~* and so it happened; *het gebeurde (dan) ~ niet* nor dit it happen; *hij kon het dan ~ niet vinden* nor could he find it, as was to be expected; *ik lees dan ~ geen moderne romans* that's why I don't read modern novels; *maar waarom lees je dan ~ geen moderne romans?* but then why don't you read modern novels?; *Was het dan ~ te verwonderen dat...?* Now was it to be wondered at that...?; *ik houd veel van roeien en hij ~* I am fond of boating and so is he; *ik houd niet van roken en hij (zijn broer) ~ niet* I do not like smoking, neither (no more) does he, nor does his brother either; *wat zei hij ~ weer?* what did he say?; *hoe heet hij ~ weer?* what's his name again?; *zijn er ~ appels?* are there any apples?; *al is het ~ nog zo lelijk* though it be (n)ever so ugly; *kunt u mij ~ zeggen waar...?* can (could) you tell me where...?; zie ook: *waar, wat, wie* &

oom (-s) *m* uncle; *bij ome Jan* **S** at my uncle's, up the spout; *hoge ome* zie *hoog* **II** *(een hoge)*; **–zegger** (-s) *m* nephew; **–zegster** (-s) *v* niece

oor (-oren) *o* ear [ook = handle]; dog's ear [in book]; *het gaat het ene ~ in en het andere uit* it goes in at one ear and out at the other; *geheel ~ zijn* be all ears; *iem. de oren van het hoofd eten* eat sbd. out of house and home; *wel oren naar iets hebben* lend a willing ear to sth.; *ik heb er wel oren naar* I rather like the idea, I don't decline the invitation &; *hij had er geen oren naar* he would not hear of it; *geen ~ hebben voor muziek* have no ear for music; *leen mij het ~* lend me your ears; *het ~ lenen aan* give ear to, lend (an) ear to; *zijn ~ te luisteren leggen* put one's ear to the ground; *zijn oren sluiten voor* turn a deaf ear to; *de oren spitsen* prick (up) one's ears[2]; *fig* cock one's ears; *een open ~ vinden* find a ready ear; *iem. de oren wassen* rebuke sbd.; ● *iem. over iets a a n de oren malen (zaniken, zeuren)* din sth. into sbd.'s ears; *hem aan zijn oren trekken* pull his ears; *m e t een half ~ luisteren* listen with half an ear; *iem. o m zijn (de) oren geven* box sbd.'s ears; *om zijn oren krijgen* have one's ears boxed; *met de hoed o p één ~* his hat cocked on one side; *hij ligt nog op één ~* he is still in bed; *het is op een ~ na gevild* it is almost finished, *het is mij t e r ore gekomen* it has come to (reached) my ear; *t o t over de oren in de schulden* up to his ears in debt; *tot over de oren blozend* blushing up to the cars; *tot over de oren verliefd* over head and ears in love; *ik zit tot over de oren in het werk* up to the eyes; *wie oren heeft om te horen, die hore* **B** he that hath ears to hear let him hear; **–arts** (-en) *m* ear specialist, aurist, ear-doctor

'oorbaar decent, proper; *het ~ achten om...* see (think) fit to...

'oorbel (-len) *v* earring, ear-drop

oord (-en) *o* place, region, [holiday] resort

'oordeel (-delen) *o* 1 ⚖ judgment, sentence, verdict; 2 (m e n i n g) judgment, opinion; *het laatste ~* the last judgment, the day of judgment; *~ des onderscheids* discernment, discrimination; *een leven als een ~* a clamour (noise) fit to wake the dead, a pandemonium; *zijn ~ opschorten* reserve (suspend) one's judgment; *zijn ~ uitspreken* give one's judgment, pass judgment; *een ~ vellen over* pas judgment on; ● *dat laat ik a a n uw ~ over* I leave that to your judgment; *n a a r (volgens) mijn ~* in my opinion (judgment); *v a n ~ zijn dat...* be of opinion that..., hold that...; *v o l g e n s het ~ der kenners* according to the best opinion; **oordeel'kundig** judicious; **'oordeelvelling** (-en) *v* judgment; **'oordelen** (oordeelde, h. geoordeeld) *vi* 1 judge; 2 think, deem [it necessary &]; *te ~ n a a r...* judging from (by); *~ o v e r* judge of; *oordeelt niet, opdat ge niet geoordeeld wordt* **B** judge not that ye be not judged

'oorhanger (-s) *m* ear-pendant, ear-drop; **–heelkunde** *v* otology; **–ijzer** (-s) *o* (gilt, gold, silver) casque, helmet [under a lace cap]; **–klep** (-pen) *v* ear-flap; **–knopje** (-s) *o* ear-drop

'oorkonde (-n) *v* charter, deed, document, instrument [of ratification]; **–nleer** *v* diplomatics

'oorkussen (-s) *o* pillow; zie ook: *ledigheid*

'oorlam (-men) *o* ⚓ allowance of gin, dram

'oorlel (-len) *v* lobe of the ear, earlobe; **–lijder** (-s) *m* ear patient

'oorlog (-logen) *m* war, [naval, aerial, gas &] warfare; *de koude ~* the cold war; *er is ~* there is a war on; *de ~ aandoen* make (declare) war on; *de ~ verklaren* declare war (up)on; *~ voeren* carry on war, make (wage) war; *~ voeren tegen* make (wage) war against (on); ● *i n de ~* in war; *in ~ zijn met* be at war with; *t e n ~ trekken* go to war; **'oorlogsbodem** (-s) *m* = *oorlogsschip*; **–gedenkteken** (-s) *o* war memorial; **–graf** (-graven) *o* war grave; **–haven** (-s) *v* naval port; **–inspanning** (-en) *v* war effort; **–invalide** (-n) *m-v* disabled ex-soldier, war cripple; **–kerkhof** (-hoven) *o* war cemetery; **–kreet** (-kreten) *m* war cry, war whoop; **–lening** (-en) *v* war loan; **–materiaal** *o* war material; **–misdaad** (-daden) *v* war crime; **–misdadiger** (-s) *m* war criminal; **–pad** *o* war path; **–risico** [-ri.zi.ko.] ('s) *o* war risk(s); **–schade** *v* war damage; **–schatting** *v* war contribution; **–schip** (-schepen) *o* man-of-war, war-ship, war-vessel; **–slachtoffer** (-s) *m* war victim; **–sterkte** *v* war strength; **–tijd** *m* time of war, wartime; **–toestand** *m* state of war; **–toneel** (-nelen) *o* theatre (seat) of war; **–tuig** *o* = *oorlogsmateriaal*; **–verklaring** (-en) *v* declaration of war; **–vloot** (-vloten) *v* navy, (war) fleet; **–wapen** (-s) *o* weapon of war; **–winst** (-en) *v* war profit; *~ maken* profiteer; **oorlogs'zuchtig** eager for war, warlike, bellicose; *een ~e geest* a bellicose spirit; **'oorlogvoerend** *aj* belligerent, waging war, at war; *de ~en* the belligerents; **–voering** *v* conduct (prosecution) of the war [against...]; [modern, economic, naval &] warfare

'oormerk (-en) *o* earmark; **'oormerken** (oormerkte, h. geoormerkt) *vt* earmark; **'oorontsteking** (-en) *v* inflammation of the ear, otitis; **–pijn** (-en) *v* ear-ache; **–ring** (-en) *m* ear-ring; **–schelp** (-en) *v* auricle; **–sieraad** (-raden) *o* ear-trinket, ear-jewel; **–smeer** *o* earwax, cerumen; **–spiegel** (-s) *m* otoscope

'oorsprong (-en) *m* origin, fountain-head, source; *zijn ~ vinden in...* have its origin in..., originate in...; **oor'spronkelijk I** *aj* original° [works, remarks, people]; **II** *o het ~e* the original; *Don Quichotte in het ~e* Don Quixote in the orignal; **–heid** *v* originality

'oorsuizing (-en) *v* ringing (singing) in the ears

'oortje (-s) *v* 🕮 farthing; *het is geen ~ waard* it is not worth a fig (a button); *hij ziet er uit of hij zijn laatste ~ versnoept heeft* he looks blue (dejected)

'ooruil (-en) *m* eared owl; **–veeg** (-vegen) *v* box on the ear; **oorver'dovend, 'oorverdovend** deafening, ear-splitting; **'oorvijg** (-en) *v* = *oorveeg*; **–worm, –wurm** (-en) *m* earwig; *een gezicht als een ~ zetten* look glum

'oorzaak (-zaken) *v* cause [and effect], origin [of the fire]; *kleine oorzaken hebben grote gevolgen* little strokes fell great oaks; *ter oorzake van* on account of; **oor'zakelijk** causal; *~ verband* causality, causal relation

oost east; *~, west, thuis best* east, west, home's best, home is home be it (n)ever so homely; **Oost** *v de ~* the East; **'oostelijk** eastern, easterly; *~ van Amsterdam* (to the) east of A; **'oosten** *o* east; *het Oosten* the East, the Orient; *het Nabije Oosten* the Near East; *het Verre Oosten* the Far East; *ten ~ van* (to the) east of; **'Oostenrijk** *o* Austria.; **–er** (-s) *m* Austrian; **–s** *aj* Austrian; *een ~e* an Austrian woman; **oosten'wind** (-en) *m* east wind; **ooster'lengte** *v* east longitude; **'oosterling** (-en) *m* Oriental, Eastern, native of the East; *vreemde ~en* 🕮 foreign Asiatics; **'oosters** *aj* Eastern, Oriental; **'Oosterschelde** *v* East Scheldt; **Oost-Eu'ropa** *o* Eastern Europe; **Oosteuro'pees** Eastern European; **Oost-'Friesland** *o* East Friesland; **'Oostgoten** *mv* Ostrogoths; **Oost'gotisch** Ostrogothic; **Oost-'Indië** *o* the East Indies; **Oost'indisch** East-Indian; *de ~e Compagnie* the East India Company; *~e kers* ⚘ nasturtium; zie ook: *doof, inkt*; **'oostkust** (-en) *v* east coast; **–moesson** (-s) *m* north-east monsoon; **'Oostromeins** Eastern; *het ~e rijk* the Eastern (the Lower) Empire; **Oost-'Vlaanderen** *o* East Flanders; **'oostwaarts I** *aj* eastward; **II** *ad* eastward(s); **Oost'zee** *v de ~* the Baltic; **'oostzij(de)** *v* east side

'ootje *iem. in het ~ nemen* make fun of sbd., chaff sbd.

'ootmoed *m* meekness, humility; **oot'moedig** meek, humble; **–heid** *v* meekness, humility

op I *prep* on, upon, at, in; *~ het dak* (*de tafel* &) on the roof (the table &); *~ het dak klimmen* climb upon the roof; *~ het dak springen* jump on to the roof; *~ een eiland* in an island; *de bloemen ~ haar hoed* the flowers in her hat; *~ Java* in Java; *~ zijn kamer* in his room; *~ pantoffels* in slippers; *~ school* at school, zie ook: *school*; *~ straat* in the street, zie ook: *straat*; *~ de wereld* in the world; *~ zee* at sea, zie ook: *zee*; *~ zijn Engels* 1 in (after) the English fashion; 2 in English; *~ zijn hoogst* at (the) most; *een antwoord ~ een brief* a reply to a letter; *brief ~ brief* letter after letter; *~ een avond* one evening; *twee keer ~ één avond* twice in one evening; *~ zekere dag* one day; *later ~ de dag* later in the day; *~ dit uur* at this hour; *~ mijn horloge* by my watch [it is 6 o'clock]; *~ de kop af* exactly; *één inwoner ~ de vijf* one inhabitant in every five [owns a bicycle]; *één inwoner ~ de vierkante mijl* one inhabitant to the square mile; **II** *ad* up; *~!* up!; *de trap ~* up the stairs; *mijn geduld is ~* my patience is at an end; *zijn geld is ~* his money is spent (all gone); *die jas is ~* that coat is worn (out); *onze suiker is ~* we are out of sugar; *de wijn is ~* the wine is out; *~ is ~!* gone is gone; *hij heeft twee borrels ~* he has had two drinks; *de zon was ~* the sun had risen (was up); *het is ~* there is nothing left, it has all been eaten; *hij is ~* 1 he is out of bed; he is up; 2 he is quite knocked up, done up, spent, finished; *hij is weer ~* (*na zijn ziekte*) he is about again; *óp van de zenuwen zijn* have the jitters; *vraag maar ~!* ask away! *kom ~!* come on!; *~ en af, ~ en neer* up and down

'opa ('s) *m* grandfather, **F** grandad

o'paal (opalen) *m* & *o* opal; **–achtig** opaline

'opbakken[1] *vt* bake again, fry again

'opbaren (baarde 'op, h. 'opgebaard) *vt* place upon a bier; *opgebaard liggen* lie in state

'opbellen[1] *vt* ☎ ring [sbd.] up, **F** give sbd. a ring; (a u t o m a t i s c h) dial

'opbergen[1] *vt* put away, pack up, stow away, store [furniture]; **'opbergmap** (-pen) *v* file, folder

'opbeuren[1] *vt* lift up; *fig* cheer (up), comfort; **–ring** *v* lifting up; *fig* comfort

'opbiechten[1] *vt* confess; *eerlijk ~* make a clean breast of it

'opbieden[1] *vi* make a higher bid; *tegen elkaar ~* try to outbid each other

'opbinden[1] *vt* tie (bind) up

op'blaasbaar inflatable [dinghy]; **'opblazen**[1] *vt* 1 blow up, inflate, insufflate, puff up; 2 blow up [a bridge &]; 3 *fig* magnify, exaggerate [an incident]

'opblijven[1] *vi* sit up, stop up, stay up

'opbloei *m* revival [of interest &]; **'opbloeien**

[1] V.T. en V.D. van dit werkwoord volgens het model: **'op**bellen, V.T. belde **'op**, V.D. **'op**gebeld. Zie voor de vormen onder het grondwoord, in dit voorbeeld: *bellen.* Bij sterke en onregelmatige werkwoorden wordt u verwezen naar de lijst achterin.

(bloeide 'op, is 'opgebloeid) *vi* revive
'opbod *o bij ~ verkopen* sell by auction
'opbollen I (bolde op, is opgebold) *vi* bulge; **II** (bolde 'op, h. 'opgebold) *vt* puff up
'opborrelen[1] *vi* bubble up; **–ling** *v* bubbling up, ebullition
'opborstelen[1] *vt* brush (up), give a brush
'opbouw *m* construction, building up; **'opbouwen**[1] *vt* build up; *weer ~* reconstruct; *~de kritiek* constructive criticism
'opbranden I (brandde op, h. opgebrand) *vt* burn, consume; **II** (brandde op, is opgebrand) *vi* be burnt
'opbreken[1] **I** *vt het beleg ~* raise the siege; *zijn huishouden ~* break up one's home; *het kamp* (*de tenten*) *~* break (strike) camp, strike the tents; *de straat ~* tear up the pavement; *de straat is opgebroken* the street is up (for repair); **II** *vi* & *va* break camp; break up [of a meeting, of the company]; *dat zal je ~!* you shall smart for it
'opbrengen[1] *vt* 1 (o p d o e n) bring in, bring up [dinner]; 2 (i n r e k e n e n) take to the police-station, run in [a thief]; seize [ships]; 3 (a a n b r e n g e n) apply [colours &]; 4 (g r o o t b r e n g e n) bring up, rear; 5 (o p l e v e r e n) bring in [much money], realize, fetch [big sums, high prices], yield [profit]; 6 (b e t a l e n) pay [taxes]; *dat kan ik niet ~* I cannot afford it; **'opbrengst** (-en) *v* yield, produce, proceeds [from the sale of...]
'opbruisen (bruiste 'op, is 'opgebruist) *vt* effervesce, bubble up; **–d** effervescent; *fig* hot-headed
'opcenten *mv* additional percentage
'opdagen[1] *vi* turn up, come along, appear
op'dat that, in order that; *~ niet* lest
'opdelven[1] *vt* dig up; *fig* unearth [a book &]
'opdienen[1] *vt* serve up, dish up
'opdiepen (diepte 'op, h. 'opgediept) *vt fig* unearth, fish out
'opdirken (dirkte 'op, h. 'opgedirkt) **I** *vt* dress up, prink up, bedizen; **II** *vr zich ~* prink oneself up
'opdissen (diste 'op, h. 'opgedist) *vt* serve up[2], dish up[2]
'opdoeken (doekte 'op, h. 'opgedoekt) **I** *vt eig* furl [sails]; **II** *va fig* shut up shop
'opdoemen (doemde 'op, is 'opgedoemd) *vi* loom (up)
'opdoen[1] I *vt* 1 (o p d i s s e n) serve up, bring in [the dinner]; 2 (k r ij g e n) get, gain, acquire, obtain; 3 (i n s l a a n) lay in [provisions]; *kennis & ~* gather, acquire knowledge; *een nieuwtje ~* pick up a piece of news; *een ziekte ~* catch (get, take) a disease; *waar heb je dat opgedaan?* where did you get that (come by that)?, where did you pick it [your English &] up?; **II** *vr zich ~* arise; *als er zich eens wat opdoet* when (if) something turns up
'opdoffen (dofte 'op, h. 'opgedoft) **I** *vt* polish, clean; **II** *vr zich ~* dress up
'opdoffer (-s) *m* thump, punch
'opdokken[1] *vi* & *vt* **S** shell out, fork out, pay up
'opdonder (-s) *m* sock, clout, blow; *iem. een ~ verkopen* clout sbd. on the head, sock it to sbd.; **'opdonderen**[1] *vi* make oneself scarce; *donder op!* get lost!, beat it!, get (the hell) out of here!
'opdraaien[1] **I** *vt* turn up [the lamp]; wind up [a gramophone &]; **II** *vi* in: *dan moet ik ervoor ~* I have to pay the piper (to suffer for it)
'opdracht (-en) *v* 1 (t o e w ij d i n g) dedication; 2 (l a s t) charge, mandate, commission, instruction; mission; 3 (a a n k u n s t e n a a r) commission; *wie heeft u die ~ gegeven?* who has instructed you?; *een kunstenaar een ~ verstrekken* commission an artist [to paint, to write...]; *iets in ~ hebben* be instructed to...; *in ~ van* by order of; **'opdragen**[1] *vt* 1 (o p d i e n e n) serve up, put on the table; 2 (l e z e n) celebrate [mass]; 3 (t o e w ij d e n) dedicate; *iem. iets ~* charge sbd. with sth.; instruct him to...; *ik draag u mijn belangen op* I consign my interests to your care
'opdraven[1] *vi* run up [the stairs]; **F** *iem. laten ~* send for sbd., whistle sbd. up; **F** *komen ~* put in an appearance
'opdreunen[1] *vt* rattle off, chant
'opdrijven[1] *vt* force up [prices]; start [game]; **–ving** *v* inflation [of prices]
'opdringen[1] **I** *vi* press on, press forward; **II** *vt iem. iets ~* thrust, force [a present, goods &] upon (on) sbd., force [one's views] down sbd.'s throat; **III** *vr zich ~* obtrude oneself [upon other people], intrude; *die gedachte drong zich aan mij op* the thought forced itself upon me; **op'dringerig** obtrusive, intrusive; **–heid** *v* obtrusiveness, intrusiveness
'opdrinken[1] *vt* drink (up), empty, finish, drink off
'opdrogen[1] *vt* dry up, desiccate; **–d** *~* (*middel*) desiccative; **'opdroging** *v* desiccation
'opdruk (-ken) *m* overprint, surcharge [on postage stamp]; *met ~* surcharged; **'opdrukken**[1] *vt* (im)print upon
'opduikelen[1] *vt* unearth [a book &], pick up
'opduiken[1] **I** *vi* 1 emerge, turn up, crop up,

[1] V.T. en V.D. van dit werkwoord volgens het model: **'op**bellen, V.T. belde **'op**, V.D. **'op**gebeld. Zie voor de vormen onder het grondwoord, in dit voorbeeld: *bellen.* Bij sterke en onregelmatige werkwoorden wordt u verwezen naar de lijst achterin.

pop up; 2 ⚓ surface; ~ *uit* emerge from; **II** *vt* unearth [a book &]

'opduvel (-s) *m* **F** hit, blow, clout; **'opduvelen** (duvelde 'op, is 'opgeduveld) *vi* **F** beat it, hop it

'opdweilen[1] *vt* mop up

op'een one upon another, together, in a heap

op'eendringen[2] *vi* crowd together

op'eenhopen[2] **I** *vt* heap up, pile up, accumulate; **II** *vr zich* ~ crowd together; **-ping** (-en) *v* accumulation, congestion

op'eenjagen[2] *vt* drive together

op'eenpakken[2] *vt* pack together

op'eens all at once, suddenly

op'eenstapelen[2] **I** *vt* heap up, pile up, accumulate; **II** *vr zich* ~ pile up, accumulate; **-ling** (-en) *v* accumulation

op'eenvolgen[2] *vi* succeed (follow) each other; **-d** successive, consecutive; **op'eenvolging** *v* succession, sequence

op'eisbaar claimable; **'opeisen**[1] *vt* 1 claim; 2 ⚔ summon [a town] to surrender; **-sing** *v* 1 claiming; 2 ⚔ summons to surrender

'open I *aj* open [door &, credit, letter, knee, question, weather, face, heart, carriage, car, city, tuberculosis], vacant [situation]; sore [leg]; sliding [roof]; *een ~ doekje* applause during the action [in the theatre]; *een ~ plek in een bos* a glade; *is de kruidenier nog ~?* is the grocer's open yet?; *het ligt daar ~ en bloot* open to everybody; **II** *ad* openly; ~ *met iem. spreken* be open with sbd.

op- en 'aanmerkingen *mv* critical remarks and observations

open'baar, 'openbaar I *aj* public; ~ *maken* make public, publish, disclose, make known; ~ *lichaam* authority; *de openbare mening* public opinion; *openbare school* non-denominational school; ~ *vervoer* public transport; *openbare weg* public road, the (King's) highway; *openbare werken* public works, public utilities; *in het ~* in public, publicly; **II** *ad* publicly, in public; **-heid** *v* publicity; ~ *aan iets geven* make it public; **-making** *v* publication, disclosure; **open'baren** (openbaarde, h. geopenbaard) **I** *vt* 1 reveal, disclose; divulge; 2 (in hogere zin) reveal; *geopenbaarde godsdienst* revealed religion; **II** *vr zich* ~ reveal itself, manifest itself; **-ring** (-en) *v* revelation, disclosure; *de Openbaring van Johannes* the Apocalypse, Revelations

'openbreken[3] *vt* burst, break (force) open; **-doen**[3] *vt* open [a door, one's eyes]; answer the door; zie ook *mond*; **-draaien**[3] *vt* open, turn on [the gas, the tap]; **'openen** (opende, h. geopend) **I** *vt* open° [a door, the debate, a credit &]; *geopend van... tot...* open from... to...; **II** *vr zich* ~ open; **-er** (-s) *m* [tin-]opener, [bottle-]opener; **'opengaan**[3] *vi* open; **'opengewerkt** open-work [stockings]; **'opengooien**[3] *vt* throw open, fling open;

open'hartig frank, outspoken, open-hearted; **-heid** *v* frankness, outspokenness, open-heartedness; **'openheid** *v* openness, frankness, candour; **'openhouden**[3] *vt* keep open[2], hold open; **'opening** (-en) *v* opening° [also at chess]; gap [in a wall, in a hedge]; aperture; interstice; ~ *van zaken doen* (*geven*) disclose the state of affairs; **'openingsbod** *o* opening bid; **-koers** (-en) *m* opening price; **-rede** (-s) *v* inaugural address; **-zet** (-ten) *m* opening move; **'openkrabben**[3] *vt* scratch open; **-krijgen**[3] *vt* get open, open; **-laten**[3] *vt* leave [a door, the possibility] open; *ruimte ~* leave a blank; **-leggen**[3] *vt* lay open; *fig* disclose, reveal; *de kaarten ~* lay one's cards on the table; **-liggen**[3] *vi* lie open; **'openlijk** open; public; **open'luchtmuseum** [-my.ze.üm] (-ea en -s) *o* (open-air) folk museum; **-spel** *o* 1 (v. kinderen) outdoor game; 2 (-en) (toneelspel) open-air play; **-theater** (-s) *o* open-air theatre; **'openmaken**[3] *vt* open; **-rijten**[3] *vt* rip up[2], tear; **-rukken**[3] *vt* tear open; **-scheuren**[3] *vt* tear open; **-slaan**[3] *vt* open [a book]; *~d* folding [door], [window] opening outwards; French [window, down to the ground]; **-snijden**[3] *vt* cut open; cut [a book]; **-spalken**[3] *vt* dilate [the eyes]; *met opengespalkte kaken* with distended jaws; **-sperren**[3] *vt* open wide, distend; **-springen**[3] *vi* burst (open); crack [of skin], chap [of hands]; **-staan**[3] *vi* be open, be vacant; *voor allen ~* be open to all; *er stond mij geen andere weg open* there was no other way open to me, there was no alternative; ~ *voor argumenten* be accessible to argument; *~de rekening* unpaid account; **-steken**[3] *vt* pick [a lock]; prick [a boil]; **-stellen**[3] *vt* open, throw open [to the public]; **-stelling** *v* opening; **-stoten**[3] *vt* push open

'op-en-top ~ *een gentleman* every inch a gentleman, a gentleman all over; ~ *een gek* a downright fool

'opentrappen[3] *vt* kick in; **-trekken**[3] *vt* open,

•[1,2,3] V.T. en V.D. van dit werkwoord volgens het model: 1 **'op**bellen, V.T. belde **'op,** V.D. **'op**gebeld; 2 **op'een**pakken, V.T. pakte **op'een,** V.D. **op'een**gepakt; 3 **'open**draaien, V.T. draaide **'open,** V.D. **'open**gedraaid. Zie voor de vormen onder het grondwoord, in deze voorbeelden: *bellen, pakken* en *draaien.* Bij sterke en onregelmatige werkwoorden wordt u verwezen naar de lijst achterin.

draw back [the curtains]; uncork, open [a bottle]; **–vallen**[3] *vi* fall open; *fig* fall vacant; **–vouwen**[3] *vt* unfold; **–waaien**[3] *vi* be blown open, blow open; **–werpen**[3] *vt* throw open, fling open; **–zetten**[3] *vt* open [a door]; turn on [the cock]

'opera ('s) *m* opera; (gebouw) opera-house

ope'rabel operable; **opera'teur** (-s) *m* 1 operator; 2 (film~, die opneemt) cameraman; (film~, die vertoont) projectionist; **ope'ratie** [-'ra.(t)si.] (-s) *v* operation²; *een ~ ondergaan* undergo an operation, be operated upon; **–basis** [-zɪs] (-sen en -bases) *v* ⚔ base of operations; **opera'tief I** *aj* operative [surgery]; **II** *ad* [remove a tumor] surgically; *slechts ~ ingrijpen kan...* only a surgical operation can..., only by surgery...; **ope'ratiekamer** (-s) *v* operating room (theatre); **–tafel** (-s) *v* operating table; **–zaal** (-zalen) *v* operating theatre; **–zuster** (-s) *v* surgical nurse; **operatio'neel** [-ra.(t)si.o.-] operational

'operazanger (-s) *m*, **–es** (-sen) *v* opera(tic) singer

ope'reren (opereerde, h. geopereerd) **I** *vi* ⚔ & ⚕ operate; **II** *vt* ⚕ operate on

ope'rette (-s) *v* [Viennese] operetta; musical comedy

'opeten[1] *vt* eat up, eat

'opfleuren (fleurde 'op, *vt* h., *vi is* 'opgefleurd) *vi* & *vt* brighten (up), cheer up

'opflikkeren[1] *vi* flare up, blaze up; **–ring** (-en) *v* flare-up, flicker

'opfokken[1] *vt* breed, rear [cattle]

'opfrissen I (friste 'op, is 'opgefrist) *vi* freshen; *daar zal hij van ~* **F** that will make him sit up; **II** (friste 'op, h. 'opgefrist) *vt* refresh, revive; brighten up [colours]; *iems. geheugen eens ~* refresh (jog, rub up) sbd.'s memory; *zijn kennis wat ~* rub up (brush up, touch up) his knowledge; **III** *vr zich ~* have a wash and brush-up; **–sing** (-en) *v* refreshment

'opgaaf (-gaven) = *opgave*

'opgaan[1] **I** *vi* 1 (de hoogte in) rise [of the sun, a kite, the curtain]; go up [of a clamour, cries]; 2 (geen rest laten) leave no remainder [of a division sum]; 3 (juist zijn) hold (good) [of a comparison]; 4 (voor examen) go up, go in; 5 (opraken) run out, give out; *het eten gaat schoon op* nothing will be left; *dat gaat niet op hier* that won't do here; *hij gaat dit jaar niet op* he is not going to present himself for the exam this year; *7 gaat niet op 34* 7 does (will) not go into 34; *~ in* be merged into [one large organization]; *~ in rook* vanish into smoke; *~ in zijn vrouw* be wrapped up in one's wife; *~ in zijn werk* be absorbed in one's work; **II** *vt* ascend, mount [a hill]; go up [the stairs]; **'opgang** (-en) *m* 1 rise; 2 entrance [of house]; *~ maken* **F** catch on [of a fashion], become popular; *het maakte (veel) ~* it achieved (a great) success, it made a great hit; *het maakte geen ~* it fell flat

'opgave (-n) *v* 1 (mededeling) statement [of reasons], [official] returns; 2 (taak) task; ✎ exercise, problem; *de schriftelijke ~n* the written work, the papers

'opgeblazen blown up; puffed; *fig* bumptious; puffed up, inflated [with pride]; **–heid** *v fig* bumptiousness

'opgebruiken[1] *vt* use up

'opgedirkt prinked up

'opgelaten [feel] embarrassed

'opgeld (-en) *o* $ agio; *~ doen* be in great demand, **F** be in

'opgelegd 1 laid-up [ship]; 2 veneered [table]; 3 marked [faults, changes]; *~ pandoer* **S** a (dead) cert

'opgemaakt made-up [dress &]; made [dish]; dressed [hair]

'opgeprikt dressed up [swell, girl]

'opgepropt *~ met* crammed with

'opgericht raised, erect

'opgeruimd I *aj* in high spirits, cheerful; **II** *ad* cheerfully; **opge'ruimdheid** *v* high spirits, cheerfulness

'opgescheept *met iem. ~ zijn* have sbd. on one's back, be saddled with sbd.; *nu zitten we met dat goed ~* we have the stuff on our hands now

'opgeschoten half-grown [youths]

'opgeschroefd *fig* stilted [language], unnatural [enthusiasm]

'opgesmukt ornate, embellished

'opgetogen delighted, elated [with]; **opge'togenheid** *v* delight, elation

'opgeven[1] **I** *vt* 1 (afgeven) give up [what one holds]; 2 (toereiken) hand up, hand over; 3 (vermelden) give, state [one's name &]; 4 (braken) expectorate, spit [blood]; 5 (als taak) set [a task, a sum]; ask [riddles], propound [a problem]; 6 (laten varen) give up, abandon [hope]; 7 ⚕ give up [a patient]; *mijn benen gaven het op* my legs gave out; *ik geef het op* I give it up; *hij geeft het niet op* he is not going to yield, he will stick it out; **II** *va* expectorate; *hoog (breed) ~ van iets* speak

[1,3] V.T. en V.D. van dit werkwoord volgens het model: 1 **'op**bellen, V.T. belde **'op**, V.D. **'op**gebeld; 3 **'open**draaien, V.T. draaide **'open**, V.D. **'open**gedraaid. Zie voor de vormen onder het grondwoord, in deze voorbeelden: *bellen* en *draaien*. Bij sterke en onregelmatige werkwoorden wordt u verwezen naar de lijst achterin.

highly of something, make much of a thing; **III** *vr zich* ~ enter one's name, apply [for a situation, for membership]

'opgewassen ~ *zijn tegen* be a match for [sbd.], be equal to [the task], rise to [the occasion]

'opgewekt I *aj* 1 (v. p e r s o n e n) cheerful, in high spirits; 2 (v. g e s p r e k k e n &) animated; **II** *ad* cheerfully; **opge'wektheid** *v* cheerfulness, buoyancy, high spirits

'opgewonden excited; heated [debate]; **opge'wondenheid** *v* excitement

'opgezet 1 stuffed [birds]; 2 bloated [face]; 3 swollen [vein]

'opgieten[1] *vt* pour upon

'opgooien[1] *vt* throw up, toss (up); *zullen wij erom ~?* shall we toss (up) for it?

'opgraven[1] *vt* 1 (z a k e n) dig up, unearth; 2 (l ij k e n) disinter, exhume; **–ving** (-en) *v* 1 digging up, excavation [at Pompeii], dig; 2 disinterment, exhumation

'opgroeien[1] *vi* grow up

'ophaal (-halen) *m* upstroke, hair-line [of a letter]; snag [in a stocking]; **–brug** (-gen) *v* drawbridge, lift-bridge; **–dienst** (-en) *m* collecting service

'ophakken[1] *vi* brag; **–er** (-s) *m* braggart, swaggerer; **ophakke'rij** (-en) *v* brag(ging)

'ophalen[1] I *vt* 1 (i n d e h o o g t e) draw up [a bridge], pull up [blinds], raise [the curtain]; hitch up [one's trousers]; weigh [anchor]; shrug [one's shoulders]; turn up [one's nose] (at); 2 (h e r h a l e n) bring up again [a sermon &]; revive (old memories); 3 (i n z a m e l e n) collect [money, rubbish, the books]; 4 (v e r d i e p e n) brush up, rub up [one's French]; *zijn kous ergens aan ~* snag one's stocking; *ladders ~* mend ladders [in a stocking]; *kan ik het nog ~?* can I make good yet?; *u moet zo iets (dat) niet weer ~* let bygones be bygones; **II** *va* regain health (lost ground &)

op'handen at hand; *het ~ zijnde feest* the approaching (coming) festivity

'ophangen[1] **I** *vt* hang [a man, a picture &]; hang out [the washing]; hang up [one's coat &]; suspend [a lamp &]; *de telefoon ~* hang up (replace) the receiver; *een verhaal van iets ~* paint a picture of sth.; *het schilderij werd opgehangen* the picture was hung (put up); *hij werd opgehangen* he was hanged (ook: hung); zie ook: *tafereel*; **II** *vr zich ~* hang oneself; **–ging** (-en) *v* 1 hanging; 2 ⚒ [frontwheel] suspension

'ophebben[1] *vt* have on [one's hat]; have eaten [one's meal]; ⚭ have got to do; *veel ~ met* be taken with [sbd.]; *ik heb niet veel op met...* I can't say I care for (I fancy)..., I don't hold with...

'ophef *m* fuss; *veel ~ van (over) iets maken* make a fuss of (over) sth.

'opheffen[1] *vt* 1 (i n d e h o o g t e) lift (up), raise [something], elevate [the Host]; 2 raise [one's eyes]; 3 (z e d e l ij k) raise, lift up [the mind]; 4 (t e n i e t d o e n) abolish [a law], lift [a ban], do away with [abuses], remove [doubts], close [a school, a meeting], adjourn [a meeting], call off [a strike], discontinue [a branch-office], raise [an embargo, blockade &], annul [a bankruptcy]; *het ene heft het andere op* one neutralizes (cancels) the other; **'opheffing** (-en) *v* 1 elevation, raising; 2 (a f s c h a f f i n g) abolition [of a law], removal [of doubts], closing [of a school], discontinuance [of a branch-office], raising [of an embargo], annulment [of a bankruptcy]; **–suitverkoop** *m* winding-up sale

'ophelderen I (helderde 'op, h. 'opgehelderd) *vt* clear up, explain, elucidate; **II** (helderde 'op, is 'opgehelderd) *vi* = *opklaren* **I**; **–ring** (-en) *v* explanation, elucidation; clearing up

'ophelpen[1] *vt* help up, assist in rising

'ophemelen (hemelde 'op, h. 'opgehemeld) *vt* extol, praise to the skies, cry (write, **F** crack) up

'ophijsen[1] *vt* hoist up, hoist

'ophitsen (hitste 'op, h. 'opgehitst) *vt* set on [a dog]; *fig* set on, stir up, egg on, incite, instigate [people]; **–er** (-s) *m* instigator, inciter; **'ophitsing** (-en) *v* setting on, incitement, instigation

'ophoepelen (hoepelde 'op, is 'opgehoepeld) *vi* **S** beat it, hop it

'ophoesten[1] *vt* cough up[2]

'ophogen (hoogde 'op, h. 'opgehoogd) *vt* heighten, raise

'ophopen (hoopte 'op, h. 'opgehoopt) **I** *vt* heap up, pile up, bank up, accumulate; **II** *vr zich ~* accumulate; **–ping** (-en) *v* accumulation, piling-up

'ophoren[1] *vi er vreemd van ~* be surprised to hear it

'ophouden[1] **I** *vt* 1 (i n d e h o o g t e) hold up [one's head]; 2 hold out [one's hand]; 3 (a f h o u d e n v a n b e z i g h e i d) detain, keep [sbd.]; 4 (t e g e n h o u d e n) hold up; 5 (n i e t a f z e t t e n) keep on [one's hat]; 6 (n i e t v e r k o p e n) withdraw [a house]; 7 *fig* (h o o g h o u d e n) keep up [appearances], uphold [the honour of...]; **II** (hield 'op, is

[1] V.T. en V.D. van dit werkwoord volgens het model: **'op**bellen, V.T. belde **'op**, V.D. **'op**gebeld. Zie voor de vormen onder het grondwoord, in dit voorbeeld: *bellen.* Bij sterke en onregelmatige werkwoorden wordt u verwezer naar de lijst achterin.

'opgehouden) *vi* cease, stop, come to a stop; *houd op!* stop (it)!, chuck it!; **F** cheese it!; ~ *te bestaan* cease to exist; ~ *lid te zijn* discontinue one's membership; ~ *met* cease (from) ...ing, stop ...ing; ~ *met vuren* ⚔ cease fire; ~ *met werken* stop work; **III** *vr zich* ~ stay, live [somewhere]; *zich onderweg* ~ stop on the road; *houd u daar niet mee op, met hem niet op* have nothing to do with it, with him; **IV** *o zonder* ~ continuously, incessantly; *het heeft drie dagen zonder* ~ *geregend* it has been raining for three days at a stretch

o'pinie (-s) *v* opinion; *naar mijn* ~ in my opinion; **–onderzoek** *o* (public) opinion poll, *Am* Gallup-poll; **–onderzoeker** (-s) *m* pollster

'opium *m* & *o* opium; **–kit** (-ten) *v* opium den; **–pijp** (-en) *v* opium pipe; **–schuiver** (-s) *m* opium smoker

'opjagen[1] *vt* rouse [a stag], start [a hare &], flush [birds], spring [a partridge], dislodge [the enemy]; *fig* force up, send up, run up [prices]; *zich niet laten* ~ refuse to be rushed; **–er** (-s) *m* 1 (o p j a c h t) beater; 2 (b ij v e r k o p i n g) runner-up, puffer

'opjuinen (juinde 'op, h. 'opgejuind) *vi* **F** egg on, stir up

'opjutten (jutte 'op, h. 'opgejut) *vt* 1 (h a a s t e n) hustle, hurry; 2 (o p z e t t e n) egg on, incite, urge

'opkalefateren[1] *vt* patch up, fix up

'opkammen[1] *vt* comb (up); *iem.* ~ [*fig*] extol sbd., **F** crack sbd. up; **opkamme'rij** (-en) *v* **F** cracking up

'opkijken[1] *vi* look up; *hij zal er (vreemd) van* ~ he will be surprised, **F** it will make him sit up

'opkikkeren (kikkerde 'op, *vt* h., *vi* is 'opgekikkerd) *vi* & *vt* buck up; **'opkikkertje** (-s) *o* **F** pick-me-up, bracer

'opklapbed (-den) *o* folding bed; **–tafel** (-s) *v* gate-legged table

'opklaren I (klaarde op, is opgeklaard) *vi* clear up, brighten up [of the weather]; *fig* brighten [of the face, prospect]; **II** (klaarde op, h. opgeklaard) *vt* make clear[2] [what we see or what is hidden]; *fig* elucidate [the matter]; **–ring** (-en) *v met tijdelijke ~en* [rainy weather] with bright intervals

'opklauteren[1] *vt* clamber up

'opklimmen[1] *vi* climb (up), mount, ascend; *fig* rise [to be a captain &, to a high position]

'opkloppen[1] *vt* 1 knock up, call up [a person]; 2 beat up [cream, eggs]

'opknabbelen[1] *vt* munch

'opknappen I (knapte 'op, h. 'opgeknapt) *vt* 1 (n e t j e s m a k e n) tidy up [a room]; smarten up [the children]; do up [the garden, an old house]; 2 (b e t e r m a k e n) put right [a patient]; patch up [a thing]; *hij zal het alleen wel* ~ he'll manage it quite well by himself; *hij zal het wel voor je* ~ he will fix it up for you; **II** (knapte op, is opgeknapt) *va* regain strength, recuperate, pick up; *het weer knapt wat op* the weather is looking up; **III** *vr zich* ~ smarten oneself up

'opknopen[1] *vt* tie up; string up, hang [a man]

'opkoken I (kookte 'op, is 'opgekookt) *vi* boil up [of milk]; **II** (kookte 'op, h. 'opgekookt) *vt* reboil [syrup]; cook again

'opkomen[1] *vi* 1 (o p s t a a n) get up (again), recover one's legs; 2 ✿ come up; 3 (u i t k o m e n) come out [of pox]; 4 (r ij z e n) rise [of dough]; 5 (v e r s c h ij n e n) rise [of the sun]; come on [of actor; of thunderstorm; of fever]; present oneself [of candidates]; ⚔ join the colours; ♣ appear; 6 *fig* (z i c h v o o r d o e n) arise, crop up [of questions]; *het getij komt op* the tide is making; *de koning (met zijn gevolg) komt op* enter king (and attendants); *de leden zijn flink opgekomen* the members turned up in (good) force; *het eten zal wel* ~ they are sure to eat it all up; *laat ze maar ~!* let them come on!; ● *die gedachte kwam b ij mij op* that idea crossed my mind (occurred to me); *het komt niet bij mij op* I don't even dream of it; ~ *t e g e n iets* take exception to sth., protest against sth.; *wij konden tegen de wind niet* ~ we could not make head against the wind; ~ *v o o r zijn rechten* make a stand for one's rights; ~ *voor zijn vrienden* stand up for one's friends; **–d** rising[2] [sun, author &]; **'opkomst** *v* 1 rise; 2 (v. v e r g a d e r i n g &) attendance; turn-out [on election day]

'opkopen[1] *vt* buy up; **–er** (-s) *m* buyer-up; second-hand dealer, junk-dealer

'opkrabbelen (krabbelde 'op, is 'opgekrabbeld) *vi* scramble to one's legs (feet); *fig* pick up

'opkrassen (kraste 'op, is 'opgekrast) *vi* 1 (w e g g a a n) **F** skedaddle; make oneself scarce; 2 (d o o d g a a n) **F** peg out

'op krijgen[1] **I** *vt* get on [the head]; *ik kan het niet* ~ I can't eat all that; *veel werk* ~ be set a great task; **II** *vi met iem.* ~ begin to like sbd.

'opkrikken (krikte 'op, h. 'opgekrikt) *vt* jack up

'opkroppen (kropte 'op, h. 'opgekropt) *vt* bottle up [one's anger]; *opgekropte woede* pent-up wrath

[1] V.T. en V.D. van dit werkwoord volgens het model: **'op**bellen, V.T. belde **'op**, V.D. **'op**gebeld. Zie voor de vormen onder het grondwoord, in dit voorbeeld: *bellen.* Bij sterke en onregelmatige werkwoorden wordt u verwezen naar de lijst achterin.

'opkruipen[1] *vi* creep up [of insects]
'opkruisen[1] *vi* ⚓ beat up
'op kunnen[1] **I** *vt ik zou het niet* ~ I could not eat all that; *zijn plezier wel* ~ have a bad (thin) time; **II** *vi niet* ~ *tegen...* be no match for...
'opkweken[1] *vt* breed, bring up, rear, nurse
'opkwikken (kwikte 'op, h. 'opgekwikt) *vt* refresh
'oplaag (-lagen) = *oplage*
'oplaaien (laaide 'op, is 'opgelaaid) *vi* blaze up; *hoog* ~ run high [of excitement, passions &]
'opladen[1] *vt* load
'oplage (-n) *v* impression [of a book]; circulation [of a newspaper]; *de* ~ *is slechts honderd exemplaren* edition limited to 100 copies
'oplappen[1] *vt* patch up[2], piece up[2] [old shoes &, a play], cobble [shoes]; *fig* tinker up [a patient]
'oplaten[1] *vt* fly [a kite, pigeons], launch [a balloon]
'oplawaai (-en) *m* clout, **F** biff, cuff, punch
'oplazer (-s) *m* **S** sock, thwack; **'oplazeren**[1] *vi* **P** bugger off
'opleggen[1] *vt* 1 (leggen op) lay on [hands, paint], impose [one's hands]; 2 (belasten met) charge with [sth.], impose [sth., one's will upon sbd.], set [sbd. a task]; 3 (gelasten) lay [an obligation] upon [sbd.], impose [silence], enjoin [secrecy upon sbd.]; 4 ⚓ (vastleggen) lay up; 5 ⚒ (inleggen met) veneer; *er een gulden* ~ 1 raise the price by one guilder; 2 bid another guilder [at an auction]; *een (grammofoon)plaat* ~ put on a record; *hem werd een zware straf opgelegd* he had a heavy punishment inflicted on him; **–er** (-s) *m* (semi-)trailer [of a tractor]; *truck met* ~ articulated lorry; **'oplegging** *v* laying on, imposition [of hands]; **'oplegsel** (-s) *o* 1 trimming [of a gown]; 2 veneer [of a piece of furniture]
'opleiden[1] *vt fig* train, bring up, educate; *iem. voor een examen* ~ prepare (coach) sbd. for an examination; *voor geestelijke opgeleid* bred for the Church; **–er** (-s) *m* teacher, tutor; **'opleiding** (-en) *v* training; **'opleidingsschip** (-schepen) *o* training-ship, school-ship; **–school** (-scholen) *v* training-school
'oplepelen[1] *vt* ladle out[2]
'opletten[1] *vi* attend, pay attention; **op'lettend** attentive; **–heid** *v* attention, attentiveness
'opleven (leefde 'op, is 'opgeleefd) *vi* revive; *doen* ~ revive
'opleveren[1] *vt* 1 (opbrengen) produce, yield, bring in, realize [big sums]; present [difficulties]; 2 (afleveren) deliver (up) [a house]; **'oplevering** (-en) *v* delivery [of a work]; **–stermijn** (-en) *m* completion date
'opleving *v* revival, upswing, $ upturn
'oplezen[1] *vt* read out
1 'oplichten[1] *vt* lift (up); *fig* 1 (wegvoeren) carry off; 2 (bedriegen) swindle, **S** sharp; *iem.* ~ *voor...* swindle sbd. out of...
2 'oplichten[1] *vi* light up [of face, eyes]
'oplichter (-s) *m* swindler, sharper; **oplichte'rij** (-en) *v* swindle, swindling, fraud; confidence trick
'oploeven (loefde 'op, is 'opgeloefd) *vi* luff up, haul to the wind
'oploop *m* 1 tumult, riot, row; 2 (menigte) crowd; **'oplopen**[1] **I** *vi eig* rise; *fig* 1 (hoger worden) rise, advance [of prices]; mount up [of bills]; add up [nicely]; 2 (opzwellen) swell (up); *samen (een eindje)* ~ go part of the way together; *even komen* ~ *bij iem.* drop in, step round; ~ *tegen* = *aanlopen tegen*; *een rekening laten* ~ run up a bill; **II** *vt straf* ~ incur punishment; *de trap* ~ go up the stairs; *verwondingen* ~ receive injuries; *een ziekte* ~ catch a disease; **–d** rising[2]
op'losbaar soluble [substance]; solvable [problem]; **–heid** *v* solubility [of a substance]; solvability [of a problem]; **'oploskoffie** *m* instant (soluble) coffee; **–middel** (-en) *o* solvent; **'oplossen I** (loste 'op, h. 'opgelost) *vt* dissolve [in a liquid]; resolve [an equation]; solve [a problem, a riddle]; **II** (loste 'op, is 'opgelost) *vi* dissolve; **–sing** (-en) *v* solution [of a solid or gas, of a problem, sum]; resolution [of an equation]; *de juiste* ~ *van het vraagstuk* ook: the right answer to the problem
'opluchten[1] *vt het zal u* ~ you will be relieved [to hear that...]; **–ting** *v* relief
'opluisteren (luisterde 'op, h. 'opgeluisterd) *vt* add lustre to, grace, adorn; **–ring** *v* adornment
'opmaak *m* make-up
'opmaat (-maten) *v* ♩ upbeat
'opmaken[1] **I** *vt* 1 (verteren) use up [one's tea], spend [one's money], < squander [one's money]; 2 (in orde maken &) make [a bed]; trim [hats]; get up[2] [a dress, a programme]; do (up), dress [her hair]; garnish [a dish]; make up [one's face, the type]; make out [a bill], draw up [a report]; *daaruit moeten wij* ~ *dat...* from that we must conclude that..., we gather from this..., we read into this...; **II** *vr zich* ~ 1 set out (for *naar*); 2 make up [of a woman]; *zich* ~ *voor de reis* get ready for the

[1] V.T. en V.D. van dit werkwoord volgens het model: **'op**bellen, V.T. belde **'op**, V.D. **'op**gebeld. Zie voor de vormen onder het grondwoord, in dit voorbeeld: *bellen.* Bij sterke en onregelmatige werkwoorden wordt u verwezen naar de lijst achterin.

journey; **–er** (-s) *m* 1 (v. g e l d) spendthrift; 2 (v. z e t s e l &) maker-up

'opmarcheren[1] [-mɑrʃe:rə(n)] *vi* march (on); *dan kun je* ~ **F** you may beat it, **S** you can hop it; **'opmars** (-en) *m* & *v* ⚔ advance, march (on *naar*)

op'merkelijk I *aj* remarkable, noteworthy; **II** *ad* remarkably; **'opmerken**[1] *vt* 1 (w a a r n e m e n) notice, observe; 2 (c o m m e n t e r e n d z e g g e n) remark, observe; *mag ik hierbij* ~ *dat...?* may I point out to you that...?; *wat heeft u daarover op te merken?* what have you to remark upon that?; **opmerkens'waard(ig)** remarkable, noteworthy; **'opmerker** (-s) *m* observer; **'opmerking** (-en) *v* remark, observation; **–sgave** *v* power of perceiving [of observation], perception; **op'merkzaam** attentive; observant; ~ *maken op* draw attention to; **–heid** *v* attention, attentiveness

'opmeten[1] *vt* 1 measure [one's garden &]; 2 survey [a country &]; **–ting** (-en) *v* 1 measurement; 2 survey

'opmonteren (monterde 'op, h. 'opgemonterd) *vt* cheer up; **–ring** *v* cheering up

'opnaaisel (-s) *o* tuck

'opname (-n) *v* [documentary] record; (h e t o p n e m e n) recording [of music]; shooting [of a film]; *een fotografische* ~ a photo, a view, a picture; (v. f i l m) a shot; zie verder *opneming*; **'opnemen**[1] **I** *vt* 1 (i n h a n d e n n e m e n) take up [a newspaper]; 2 (o p t i l l e n) take up, lift [a weight]; 3 (h o g e r h o u d e n) gather up [one's gown]; 4 (e e n p l a a t s g e v e n) take up, pick up [passengers], insert [an article], include [in a book, in the Government]; take in [guests, straying travellers], admit [patients]; 5 (t o t z i c h n e m e n) take [food], assimilate[2] [material or mental food]; absorb [heat, a liquid]; 6 $ take up [money at a bank], borrow [money]; 7 (o p h a l e n) collect [the papers, votes]; 8 (w e g n e m e n) take up, take away [the carpet]; 9 (o p d w e i l e n) mop up [a puddle]; 10 (m e t e n) take [sbd.'s temperature]; 11 (i n k a a r t b r e n g e n) survey [a property &]; 12 (v o o r g r a m m o f o o n, o p d e b a n d) record; 13 (v o o r b i o s c o o p) shoot [a film, a scene]; 14 (s t e n o g r a f i s c h) take down [a letter, in shorthand]; 15 *fig* receive [sth. favourably]; survey [sbd.], take stock of [sbd.], measure [sbd.] with one's eyes; 16 (b e k ij k e n) take in [details]; 17 (b e g i n n e n) take up [a study]; 18 (h e r v a t t e n) *weer* ~ resume one's work; *contact met iem.* ~ get in touch with sbd., contact sbd.; *het gemakkelijk* ~ take things easy; *u moet het in de krant laten* ~ you must have it inserted; *het kunnen* ~ *tegen iem.* be able to hold one's own against sbd., be a match for sbd.; *het* ~ *voor iem.* stand up for sbd.; *hoe zullen zij het* ~*?* how are they going to take it?; *iem.* ~ *van top tot teen* take stock of sbd.; *hij werd in die orde opgenomen* he was received into that order; *iem.* ~ *in een vennootschap* take sbd. into partnership; *iem.* ~ *in een (het) ziekenhuis* admit sbd. to hospital; *iets goed (slecht)* ~ take sth. in good (bad) part; *iets hoog* ~ resent sth.; *iets verkeerd* ~ take sth. ill (amiss); *de gasmeter* ~ read the gas-meter; *een gevallen steek* ~ take up a dropped stitch; *iems. tijd* ~ time sbd.; **II** *vi* catch on, meet with success; **–er** (-s) *m* (l a n d m e t e r) surveyor; **'opneming** (-en) *v* taking &, zie *opnemen*; (o p m e t i n g) survey; (i n k r a n t) insertion; *zijn* ~ *in het ziekenhuis* his admission to (the) hospital

op'nieuw anew, again, a second time

'opnoemen[1] *vt* name, mention, enumerate; *te veel om op te noemen* too numerous to mention; *en noem maar op* **F** or what have you, and what not; **–ming** (-en) *v* naming, mention, enumeration

'opoe (-s) *v* **F** granny

'opofferen[1] *vt* sacrifice, offer up; **–ring** (-en) *v* sacrifice; *met* ~ *van* at the sacrifice of; **'opofferingsge'zind** self-sacrificing, selfless

'oponthoud *o* stop(page); (g e d w o n g e n) detention; (v e r t r a g i n g) delay

o'possum (-s) *o* opossum

'oppakken[1] *vt* 1 (o p n e m e n) pick up, take up [a book]; 2 (i n r e k e n e n) run in [a thief], round up [collaborators]

'oppas (-sen) *m-v* baby-sitter; **'oppassen**[1] **I** *vt* (v e r z o r g e n) take care of; nurse, tend [a patient]; **II** *vi* take care, be careful; zie ook: *zich gedragen*; *je moet voor hem* ~ be careful of him, beware of him; **op'passend** well-behaved; **–heid** *v* good behaviour; **'oppasser** (-s) *m* 1 (v. d i e r e n t u i n &) keeper, attendant [of a museum]; 2 ⚔ batman; 3 (l ij f k n e c h t) valet; 4 = *ziekenoppasser*; **'oppassing** *v* attendance, nursing, care

'oppeppen (pepte 'op, h. 'opgepept) *vt* pep up

'opper (-s) *m* 1 (hay)cock; 2 *afk.* van *opperwachtmeester*; *aan* ~*s zetten* cock [hay]

'opperbest excellent; *je weet* ~... you know perfectly well...; **–bestuur** *o* supreme direction; *het* ~ ook: the government; **'opperbevel**

[1] V.T. en V.D. van dit werkwoord volgens het model: **'op**bellen, V.T. belde **'op**, V.D. **'op**gebeld. Zie voor de vormen onder het grondwoord, in dit voorbeeld: *bellen*. Bij sterke en onregelmatige werkwoorden wordt u verwezen naar de lijst achterin.

o supreme command, [Russian &] High Command, [British] Higher Command; **–hebber** (-s) *m* commander-in-chief; supreme commander [of the Allied Forces]
'opperen (opperde, h. geopperd) *vt* propose, suggest, put forward, advance [a plan]; raise [objections, a question]
'oppergezag *o* supreme authority; **–heer** (-heren) *m* sovereign, overlord; **–heerschappij** *v* sovereignty; **–hoofd** (-en) *o* chief, head; **–huid** *v* epidermis, cuticle, scarfskin; **–jager(meester)** (-s) *m* Master of Hounds; **–kamerheer** (-heren) *m* Lord Chamberlain
'opperlieden, –lui meerv. van *opperman*
'oppermacht *v* supreme power, supremacy; **opper'machtig** supreme; ~ *heersen* (*regeren*) reign supreme
'opperman (-lui, -lieden en -mannen) *m* hodman
'opperofficier (-en) *m* ⚔ general officer; **–rabbijn** (-en) *m* chief rabbi(n) **–rechter** (-s) *m* chief justice
'oppersen[1] *vt* press [one's trousers &]
'opperst uppermost, supreme; **'opperstalmeester** (-s) *m* (Lord Grand) Master of the Horse; **–toezicht** *o* supervision, superintendence
'oppervlak (-ken) *o* = *oppervlakte*; **opper'vlakkig I** *aj* superficial²; *fig* shallow; **II** *ad* superficially; **–heid** (-heden) *v* superficiality, shallowness; **'oppervlakte** (-n en -s) *v* surface; (g r o o t t e) area, superficies; **–water** *o* surface water
'opperwachtmeester (-s) *m* sergeant-major
'Opperwezen *o* Supreme Being
'oppeuzelen[1] *vt* munch
'oppikken[1] *vt* pick up
'opplakken[1] *vt* paste on; mount [photographs]
'oppoetsen[1] *vt* rub up, clean, polish
'oppoken[1] *vt* poke (up), stir [the fire]
'oppompen[1] *vt* pump up [water]; blow out, inflate [the tyres of a bicycle]
oppo'nent (-en) *m* opponent, objector; **oppo'neren** (opponeerde, h. geopponeerd) *vi* oppose, raise objections
'opporren[1] *vt* stir [the fire]; *fig* shake up, rouse
opportu'nisme *o* opportunism; **opportu'nist** (-en) *m* opportunist; **–isch** opportunist; **opportuni'teit** *v* opportuneness, expediency; **oppor'tuun** opportune, timely, well-timed
oppo'sant [s = z] (-en) *m* opponent; **oppo'sitie** [-'zi.(t)si.] (-s) *v* opposition; **–partij** (-en) *v* opposition party
'oppotten[1] *vt* save, hoard [money]; pot (plants); **–ting** *v* $ hoarding
'opprikken[1] *vt* 1 (v. i n s e k t e n) pin (up); 2 (v. p e r s o n e n) dress up, prink up
'opproppen[1] *vt* cram, fill
'oprakelen[1] *vt* poke (up) [the fire]; *fig* rake up, dig up [old disputes &]; *rakel dat nu niet weer op* don't bring up bygones
'opraken[1] *vi* run low, give out, run out
'oprapen[1] *vt* pick up, take up; *je hebt ze maar voor het* ~ they are as plentiful as blackberries
op'recht I *aj* sincere, straightforward; **II** *ad* sincerely; **–heid** *v* sincerity, straightforwardness
'opredderen[1] *vt* straighten up, tidy up
'oprekken[1] *vt* stretch [gloves]
'oprichten[1] **I** *vt* raise, set up²; erect [a statue]; establish [a business], found [a college]; form [a company]; **II** *vr zich* ~ draw oneself up, sit up [in bed], rise; **'oprichter** (-s) *m* erector [of a statue]; founder [of a business]; **–saandelen** *mv* founder's shares; **'oprichting** (-en) *v* erection [of a statue]; establishment, foundation, formation; **'oprichtingskapitaal** (-talen) *o* foundation capital; **–kosten** *mv* formation expenses
'oprijden[1] *vt* ride (drive) up [a hill]; *het trottoir* ~ mount the pavement [of a motor-car]; ~ *tegen* run (crash) into; **'oprijlaan** (-lanen) *v* drive, sweep
'oprijzen[1] *vi* rise, arise
'oprispen (rispte 'op, h. 'opgerispt) *vi* belch, repeat; **–ping** (-en) *v* belch, eructation
'oprit (-ten) *m* 1 ascent, slope; 2 (l a a n) drive, sweep; 3 (n a a r s n e l w e g) slip-road, *Am* access-road
'oproeien[1] *vi* row up [a river]; zie ook: *stroom*
'oproep *m* summons; *fig* call; **'oproepen**[1] *vt* call up [soldiers]; summon, convoke [members]; conjure up, raise [spirits]; excite [criticism]; call up, evoke [the past &]; **–ping** (-en) *v* call, summons; convocation; ⚔ call-up [of soldiers]; (b i l j e t) notice (of meeting); ⚔ calling-up notice
'oproer (-en) *o* revolt, rebellion, insurrection, mutiny; sedition; (o n g e r e g e l d h e d e n) riot(s); ~ *kraaien* preach sedition; ~ *verwekken* stir up a revolt; **op'roerig** rebellious, mutinous; seditious; **–heid** *v* rebelliousness; seditiousness; **'oproerkraaier** (-s) *m* preacher of revolt, agitator, ringleader; **–ling** (-en) *m* insurgent, rebel; **–politie** [-po.li.(t)si] *v* riot police

[1] V.T. en V.D. van dit werkwoord volgens het model: **'op**bellen, V.T. belde **'op**, V.D. **'op**gebeld. Zie voor de vormen onder het grondwoord, in dit voorbeeld: *bellen.* Bij sterke en onregelmatige werkwoorden wordt u verwezen naar de lijst achterin.

'oproken[1] *vt* smoke [another man's cigars]; finish [one's cigar]; *een half opgerookte sigaar* a half-smoked cigar
'oprollen[1] *vt* roll up[2] [also ⚔]; coil; *fig* break up [a gang, an organization]; *een opgerolde paraplu* a rolled umbrella
'opruien (ruide 'op, h. 'opgeruid) *vt* incite, instigate; *~de artikelen* seditious articles; *~de woorden* inflammatory (incendiary) words; **–er** (-s) *m* agitator, inciter, instigator; **'opruiing** (-en) *v* incitement, instigation; sedition
'opruimen[1] **I** *vt* 1 (w e g r u i m e n) clear away [the tea-things &]; clear [⚔ mines; slum dwellings]; 2 (u i t v e r k o p e n) sell off, clear (off) [stock]; 3 *fig* remove [obstacles]; put [sbd.] out of the way [by poison]; make a clean sweep [of criminals]; *de kamer ~* tidy up the room; *de tafel ~* clear the table; **II** *va* put things straight; *dat ruimt op!* (it, he, she is) a good riddance!; **–ming** (-en) *v* 1 clearing away, clean-up; 2 $ selling-off, clearance(-sale), [January] sales; *~ houden* clear away things; *fig* make a clean sweep (of *onder*)
'oprukken[1] *vi* advance; *je kunt ~!* **S** hop it!; *~ naar* march upon, advance upon [a town]; *~ tegen* march against, advance against [the enemy]
'opscharrelen[1] *vt* ferret (rout) out, rummage out
'opschenken[1] *vt* pour on
'opschepen (scheepte 'op, h. 'opgescheept) *vt* saddle with; zie ook: *opgescheept*
'opscheppen[1] **I** *vt* ladle out, serve out; *de boel ~* **F** 1 kick up a dust; 2 paint the town red; *het geld ligt er opgeschept* they are simply rolling in money; *die heb je maar voor het ~* zie *oprapen*; **II** *vi* boast, brag, **F** swank, shoot a line; **–er** (-s) *m* braggart; **op'schepperig F** swanky; **opscheppe'rij** (-en) *v* bragging, **F** swank
'opschieten[1] *vi* shoot up; *fig* make headway, get on; *schiet op!* 1 (h a a s t j e) hurry up!, do get a move on!; 2 (g a w e g) **S** hop it!; *(goed) met elkaar ~* pull together; *je kan niet met hem ~* you can't get on (along) with him; *schiet het al op?* how is it getting on?; *wat schiet je ermee op?* where does it get you?; *je schiet er niets mee op* it does not get you anywhere, it gets you nowhere
'opschik *m* finery, trappings
1 'opschikken[1] *vi* move up, close up
2 'opschikken[1] **I** *vt* dress up, trick out, prink up; **II** *vr zich ~* prink oneself up
'opschilderen[1] *vt* paint up
'opschommelen[1] *vt* dig up, unearth
'opschorten (schortte 'op, h. 'opgeschort) *vt*, tuck up [one's sleeves] *fig* reserve [one's judgment]; suspend [hostilities, judgment &]; postpone [a decision]; **–ting** (-en) *v* suspension, postponement
'opschrift (-en) *o* heading [of an article &]; inscription [on a coin]; direction [on a letter]; **'opschrijfboekje** (-s) *o* notebook; **'opschrijven**[1] *vt* write down, take down; *wilt u het maar voor mij ~?* will you put that down to me?; *voor hoeveel mogen we u ~?* what may we put you down for?
'opschrikken[1] *vi* start, be startled
'opschroeven[1] *vt* screw up; *fig* cry (puff) up; zie ook: *opgeschroefd*
'opschrokken[1] *vt* bolt, devour, wolf
'opschudden[1] *vt* shake, shake up; **–ding** (-en) *v* bustle, commotion, tumult, upheaval, kick-up, **F** to-do; *~ veroorzaken* create a sensation, cause (make) a stir
'opschuiven[1] **I** *vt* 1 push up; 2 (u i t s t e l l e n) postpone, put off; **II** *vi* move up; **–ving** (-en) *v* moving-up
'opsieren[1] *vt* embellish, adorn; **–ring** (-en) *v* embellishment, adornment
'opslaan[1] **I** *vt* 1 (o m h o o g d o e n) turn up [one's collar &]; put up, raise [the hood of a motor-car]; raise [the eyes]; 2 (o p e n s l a a n) open [a book], turn up [a page]; 3 (o p z e t t e n) pitch [camp, a tent]; 4 (p r ij z e n) put [a penny] on, raise [the price]; 5 (i n s l a a n) lay in [potatoes &]; 6 (i n e n t r e p o t) store, warehouse [goods]; **II** *vi* go up, advance, rise [in price]; *de suiker is een penny opgeslagen* ook: sugar is up a penny; **'opslag** (-slagen) *m* 1 (p r ij s -, l o o n s v e r h o g i n g) advance, rise; 2 facing [of a uniform], cuff [of a sleeve]; 3 (i n p a k h u i s &) storage; 4 ♪ upbeat; *de ~ van de goederen* the storage (storing) of the goods; *het dienstmeisje ~ geven* raise the servant's wages; **–plaats** (-en) *v* storage, building, store, depot, [ammunition] dump; **–ruimte** (-n en -s) *v* storage space (accommodation); **–terrein** (-en) *o* storage yard
'opslokken[1] *vt* swallow, gulp down
'opslorpen[1] *vt* lap up; absorb; **–ping** *v* absorption
'opsluiten[1] **I** *vt* lock (shut) up [things, persons]; confine [a thief &]; ⚔ close [the ranks]; *daarin ligt opgesloten...* it implies... (that...); **II** *vr zich ~* shut oneself up (in one's room); **III** *vi* ⚔ close

[1] V.T. en V.D. van dit werkwoord volgens het model: **'op**bellen, V.T. belde **'op**, V.D. **'op**gebeld. Zie voor de vormen onder het grondwoord, in dit voorbeeld: *bellen.* Bij sterke en onregelmatige werkwoorden wordt u verwezen naar de lijst achterin.

the ranks, close up; **–ting** *v* locking up, confinement, incarceration; *eenzame* ~ solitary confinement

'opslurpen[1] *vt* = *opslorpen*

'opsmuk *m* finery, trappings; **'opsmukken** (smukte 'op, h. 'opgesmukt) *vt* trim, dress up, embellish[2]

'opsnijden[1] **I** *vt* cut up, cut open, cut, carve; **II** *vi fig* brag, **F** swank; **–er** (-s) *m* braggart; **–erig F** swanky; **opsnijde'rij** (-en) *v* bragging, **F** swank

'opsnorren[1] *vt* rout out, ferret out, unearth

'opsnuiven[1] *vt* sniff (up), inhale

'opsodemieteren[1] *vi* **P** bugger off

'opsommen (somde 'op, h. 'opgesomd) *vt* enumerate, sum up; **–ming** (-en) *v* enumeration

'opsouperen[1] [-su.pe: rə(n)] *vt* spend, use up

'opspannen[1] stretch, put on [strings], string [a guitar]; mount [a picture]; ⚒ fix, clamp

'opsparen[1] *vt* save up, lay by, put by

'opspelen[1] *vi* 1 play first, lead [at cards]; 2 *fig* kick up a row, cut up rough

'opsporen[1] *vt* trace, track (down), find out; **'opsporing** (-en) *v* tracing; exploration [of ore &]; ~ *verzocht* wanted by the police; **–sdienst** *m* 1 tracing and search department; criminal investigation department; 2 (v. m ij n e n) prospecting department

'opspraak *v* scandal; *in* ~ *brengen* compromise; *in* ~ *komen* get talked about

'opspreken[1] *vi* speak out; *spreek op!* speak!

'opspringen[1] *vi* jump (leap, start) up, jump to one's feet; (v. b a l) bounce; *van vreugde* ~ leap for joy

'opspuiten[1] **I** *vi* (w a t e r) spout (up), spurt (up), squirt (up); **II** *vt* (v e r f) spray on; (r o o m) squirt on; *fig* (a f r a f f e l e n) spout [Latin verses]; reel of [names]

'opstaan (stond 'op, h. en is 'opgestaan) *vi* 1 get up, rise; 2 (u i t b e d) rise; 3 (i n v e r z e t k o m e n) rise, rebel, revolt (against *tegen*); *het eten staat op* dinner is cooking; *het water staat op* the kettle is on; *als je hem te pakken wil nemen, moet je vroeg(er)* ~ you have to be up early to be even with him; zie ook: *dood, tafel*

'opstal (-len) *m* buildings

'opstand (-en) *m* 1 △ (vertical) elevation; 2 (v. w i n k e l) fixtures; 3 (v e r z e t) rising, insurrection, rebellion, revolt; *in* ~ *komen tegen iets* revolt against (at, from) sth.; *in* ~ *zijn* be in revolt; **–eling** (-en) *m* insurgent, rebel; **op'standig** insurgent, rebel; mutinous; **–heid** *v* mutinousness; **'opstanding** *v* resurrection

'opstapelen[1] **I** *vt* stack (up), heap up, pile up, accumulate; **II** *vr zich* ~ accumulate [dirt, capital &], pile up; bank up [snow]; **–ling** (-en) *v* piling up, accumulation

'opstapje (-s) *o* step; **'opstappen**[1] *vi* go (away); **F** move on, push off, get along, be off

'opsteken I (stak 'op, h. 'opgestoken *vt* 1 (i n d e h o o g t e) hold up, lift [one's hand]; put up [one's hair]; prick up [one's ears]; put up [an umbrella]; 2 (o p e n m a k e n) broach [a cask]; 3 (a a n s t e k e n) light [a cigar &]; 4 (i n s t e k e n) pocket [money]; put up [a sword]; *hij zal er niet veel van* ~ he will not profit much by it; *stemmen met het* ~ *der handen* by show of hands; **II** *va* **F** light up; *wilt u eens* ~*?* **F** will you light up?; have a smoke; **III** (stak 'op, is 'opgestoken) *vi* rise [of a storm]

'opstel (-len) *o* composition, theme, paper; *een* ~ *maken over* write (do) a paper on; **'opstellen**[1] **I** *vt* 1 (o p z e t t e n) set up [a pole]; 2 ⚔ (p l a a t s e n) post, draw up [soldiers]; 3 (i n p o s i t i e b r e n g e n) mount [guns]; 4 (i n e l k a a r z e t t e n) mount [machinery]; 5 *fig* (r e d i g e r e n) draft, draw up [a deed]; frame [a treaty]; redact [a paper]; **II** *vr zich* ~ 1 take up a (one's) position; 2 ⚔ form up, line up; 3 line up [of a football team]; *zich hard* ~ take a hard line on; **–er** (-s) *m* drafter [of a deed], framer [of a treaty]; **'opstelling** (-en) *v* drawing up &; formation, line-up [of a football team]

'opstijgen[1] *vi* ascend, mount, go up, rise; ✈ take off, **F** hop off; ~*!* to horse!; **–ging** (-en) *v* ascent; ✈ take-off

'opstijven I (stijfde 'op, is 'opgesteven) *vi* set; **II** (stijfde, steef 'op, h. 'opgesteven, 'opgestijfd) *vt* starch [linen]

'opstoken[1] *vt* 1 poke (up), stir (up); 2 *fig* set on, incite, instigate; 3 burn [all the fuel]; **–er** (-s) *m* inciter, instigator; **opstoke'rij** (-en) *v* incitement, instigation

'opstomen[1] *vt* steam up [a river]

'opstommelen[1] *vt* stumble up [the stairs]

'opstootje (-s) *o* disturbance, riot

'opstoppen[1] *vt* stop up, fill

'opstopper (-s) *m* cuff, slap

'opstopping (-en) *v* stoppage, congestion [of traffic]; [traffic] block, jam

'opstormen[1] *vt* tear up [the stairs]

'opstrijken[1] *vt* 1 (g l a d s t r ij k e n) iron [clothes]; twirl up [one's moustache]; 2 *fig* pocket, rake in [money]

[1] V.T. en V.D. van dit werkwoord volgens het model: **'op**bellen, V.T. belde **'op**, V.D. **'op**gebeld. Zie voor de vormen onder het grondwoord, in dit voorbeeld: *bellen.* Bij sterke en onregelmatige werkwoorden wordt u verwezen naar de lijst achterin.

'opstropen[1] *vt* tuck up, roll up [sleeves]
'opstuiven[1] *vi* fly up; *fig* fly out, flare up; **F** fly off the handle
'opsturen[1] *vt* forward, send on
'opstuwen[1] *vt* push up, drive up [water]
'optakelen[1] *vt* ⚓ rig up
'optassen[1] *vt* pile up
'optekenen[1] *vt* note (write, jot) down, note, record; **–ning** (-en) *v* notation
'optellen[1] *vt* cast up, add (up), tot up; **–ling** (-en) *v* casting up, addition; **'optelsom** (-men) *v* addition sum
1 'opteren[1] *vt* eat up, consume
2 op'teren (opteerde, h. geopteerd) *vi* ~ *voor* decide in favour of, choose, opt for
'optica *v* optics; **opticien** [ɔpti.si.'ɛ̃] (-s) *m* optician
'optie ['ɔpsi.] (-s) *v* option; *in* ~ *geven* (*hebben*) give (have) the refusal of...
op'tiek *v* = *optica*
'optillen[1] *vt* lift up, raise
opti'maal optimum, optimal
opti'misme *o* optimism; **opti'mist** (-en) *m* optimist; **–isch** optimistic(al), sanguine
'optisch optical
'optocht (-en) *m* procession, [historical] pageant
'optomen (toomde 'op, h. 'opgetoomd) *vt* bridle [a horse]
'optooien[1] *vt* deck out, adorn, decorate; **'optooiing** *v* adornment, decoration
'optornen (tornde 'op, h. en is 'opgetornd) *vi* ~ *tegen* struggle against[2]
'optreden[1] **I** *vi* make one's appearance [as an actor], appear (on the stage), enter; appear [on TV], perform [in night clubs &]; *fig* take action, act; ~ *als* act as...; *hij durft niet* ~ he dare not assert himself; ~ *tegen* take action against, deal with; *voor iem.* ~ act on behalf of sbd.; *strenger* ~ adopt a more rigorous action; **II** *o* appearance [on the stage]; *fig* [military, defensive] action; [disgraceful] proceedings; [reckless, aggressive] behaviour; *eerste* ~ first appearance, debut[2]; *gezamenlijk* ~ joint action
'optrekje (-s) *o* cottage; **'optrekken**[1] **I** *vt* 1 (o m h o o g) draw up [a blind], pull up [a load, ✈ one's machine &]; raise [the curtain, one's eyebrows; the living standard]; turn up [one's nose]; shrug [one's shoulders]; hitch up [one's trousers]; 2 (b o u w e n) raise [a building]; **II** *vr zich* ~ pull oneself up; **III** *vi* 1 (w e g t r e k - k e n) lift [of a fog]; 2 (m a r c h e r e n) march (against *tegen*); 3 (o m g a a n, z i c h b e z i g h o u d e n) take care of, be busy with, tag along with; 4 ⚒ accelerate [of a motor-car]
'optrommelen[1] *vt* drum up
'optuigen (tuigde 'op, h. 'opgetuigd) **I** *vt* ⚓ rig [a ship]; harness [a horse]; **II** *vr zich* ~ rig oneself up
'optutten (tutte 'op, h. 'opgetut) *vt* **F** doll up, posh up
'opvallen[1] *vi* attract attention; *het zal u* ~ it will strike you; *het valt niet op* it is not conspicuous; **op'vallend** striking
'opvangcentrum (-tra en -s) *o* reception centre; **'opvangen**[1] *vt* catch [a ball, a glance, a sound, a thief, the water]; collect [the water]; snap up [a piece of bread]; *R* pick up [a station, a transmission]; absorb [shocks]; receive [the sword-point with one's shield]; meet[2] [an attack, the difference, a loss &]; intercept [a telegram]; overhear [what is said]
'opvaren[1] *vt* ⚓ go up, sail up; *de op'varenden* ⚓ those on board
'opvatten[1] *vt* 1 (o p n e m e n) take up[2] [a book, the pen, the thread of the narrative]; 2 (k r ij g e n) conceive [a hatred against, love for, a dislike to]; 3 (v o r m e n) conceive [a plan]; 4 (b e g r ij p e n) understand, interpret, view, take; *de dingen licht* ~ take things easy; *iets somber* ~ take a gloomy view (of things); *u moet het niet verkeerd* ~ 1 you must not take it in bad part; 2 you must not misunderstand me; *het als een belediging* ~ take it as an insult; *zijn taak weer* ~ resume one's task; **–ting** (-en) *v* view, opinion, conception
'opvegen[1] *vt* sweep, sweep up
'opveren[1] *vi* rise buoyantly [from one's seat]; *fig* perk up
'opverven[1] *vt* paint up
'opvijzelen (vijzelde 'op, h. 'opgevijzeld) *vt* jack up, lever up, screw up; *fig* cry up, **F** crack up; send up, force up [prices]
'opvissen[1] *vt* fish up; fish out; *als ik het kan* ~ if I can unearth it
'opvlammen[1] *vi* flame up, flare up
'opvliegen[1] *vi* fly up; *fig* fly out, flare up; *hij kan* ~*!* he can go to blazes!; **op'vliegend** short-tempered, quick-tempered, irascible, peppery; **–heid** *v* quick temper, irascibility; **'opvlieging** (-en) *v* ⚕ congestion, **F** hot flush
op'voedbaar educable, trainable; *een moeilijk* ~ *kind* a difficult (problem) child; **'opvoeden**[1] *vt* bring up, rear, educate; **–d** educative, pedagogic(al); **'opvoeder** (-s) *m* educator; **'opvoeding** *v* upbringing, bringing-up, education;

[1] V.T. en V.D. van dit werkwoord volgens het model: **'op**bellen, V.T. belde **'op**, V.D. **'op**gebeld. Zie voor de vormen onder het grondwoord, in dit voorbeeld: *bellen.* Bij sterke en onregelmatige werkwoorden wordt u verwezen naar de lijst achterin.

(m a n i e r e n) breeding, manners; *lichamelijke* ~ physical training; **–sgesticht** (-en) *o* approved school; borstal institution; **'opvoedkunde** *v* pedagogy, pedagogics; **opvoed'kundig I** *aj* pedagogic(al) [books]; educative [value]; **II** *ad* pedagogically; **–e** (-n) *m* education(al)ist, pedagogue

'opvoeren[1] *vt* 1 (h o g e r b r e n g e n) carry up; 2 (h o g e r m a k e n) raise, force up [the price, their demands]; (v e r m e e r d e r e n) increase, step up [production]; speed up [an engine]; 3 (t e n t o n e l e v o e r e n) 1 put on the stage; 2 perform, give [a play]; **–ring** (-en) *v* 1 performance [of a play]; 2 raising [of prices], increase, stepping up [of production]

'opvolgen[1] *vt* succeed [one's father, one another]; obey [a command], act upon, follow [advice]; **–er** (-s) *m* successor; *benoemd & als ~ van* in succession to; **'opvolging** (-en) *v* succession

op'vorderbaar claimable; *direct ~* $ on call; **'opvorderen**[1] *vt* claim

op'vouwbaar foldable [music stand], collapsible [boat], folding [bicycle]; **'opvouwen**[1] *vt* fold (up)

'opvragen[1] *vt* 1 call in, withdraw [money from the bank]; 2 claim [letters]

'opvreten[1] **I** *vt* devour, eat up; **II** *vr zich ~* fret away one's life, eat one's heart out

'opvriezen[1] *vi opgevroren wegdek* 1 road surface covered with black ice; 2 road surface damaged by frost

'opvrijen[1] *vt* chat up, play up [to sbd.]

'opvrolijken (vrolijkte 'op, h. 'opgevrolijkt) *vt* brighten, cheer (up), enliven

'opvullen[1] *vt* fill up, fill out; stuff [a cushion], pad; **'opvulsel** (-s) *o* filling, stuffing, padding

'opwaaien[1] **I** *vt* blow up; **II** *vi* be blown up

'opwaarderen[1] *vt* revalue; **–ring** (-en) *v* revaluation

'opwaarts I *aj* upward; **II** *ad* upward(s)

'opwachten[1] *vt* 1 wait for; 2 waylay; **–ting** *v zijn ~ maken bij* pay one's respects to [sbd.], wait upon

'opwarmen[1] *vt* warm up[2], heat up

'opwegen[1] *vi ~ tegen* (counter-)balance

'opwekken[1] *vt* awake[2], rouse[2]; stir up; resuscitate, raise [the dead]; *fig* excite [feelings &], stimulate, provoke [fermentation, indignation &]; generate [electricity]; *iem. tot iets ~* 1 rouse sbd. to something; 2 invite sbd. to do sth.; **op'wekkend** stimulating; *~ middel* tonic, cordial, stimulant; **'opwekking** (-en) *v* excitement, stimulation; generation [of electricity]; resuscitation; **B** raising [of Lazarus]; (a a n s p o r i n g) exhortation

'opwellen[1] *vi* well up; *fig* well up (forth); **–ling** (-en) *v* ebullition, outburst; flush [of joy], access [of anger]; *in de eerste ~* on the first impulse; *in een ~* on impulse

'opwerken[1] **I** *vt* work up; touch up; **II** *vr zich ~* work one's way up; *zich ~ tot...* work oneself up to...

'opwerpen[1] **I** *vt* throw up; put up [barricades]; *een vraag ~* raise a question; zie ook: 1 *dam*; **II** *vr zich ~ tot...* set up for..., constitute oneself the...

'opwinden[1] **I** *vt eig* wind up; *fig* excite; thrill; **II** *vr zich ~* get excited; **–ding** *v eig* winding up; *fig* excitement, agitation, thrill

'opwrijven[1] *vt* rub up, polish

'opzadelen[1] *vt* saddle (up)

'opzamelen[1] *vt* collect, gather; **–ling** (-en) *v* collection

op'zegbaar terminable; *~ kapitaal* capital redeemable at notice; **'opzeggen**[1] *vt* 1 (u i t h e t h o o f d) say, repeat, recite [a lesson]; 2 (i n t r e k k e n) terminate [a contract], denounce [a treaty], recall [moneys]; *iem. de dienst* (*de huur*) *~* give sbd. notice; *de krant ~* withdraw one's subscription; *met drie maanden ~s* at three month's notice; **'opzegging** (-en) *v* termination [of a contract], denunciation [of a treaty]; withdrawal; notice, warning; **–stermijn** (-en) *m* term of notice

'opzeilen[1] *vi* sail up

'opzenden[1] *vt* send, ✉ forward [a letter]; offer (up) [a prayer]

'opzet *m* design, intention; *boos ~* malice (prepense), malicious intent; *m e t ~* on purpose, purposely, intentionally, designedly; *z o n d e r ~* unintentionally, undesignedly; **op'zettelijk I** *aj* intentional, wilful, premeditated; deliberate [lie]; **II** *ad* zie *met opzet*

'opzetten[1] **I** *vt* 1 (z e t t e n o p) put on [one's hat &]; 2 (o v e r e i n d) place upright [a plank], put up, set up [skittles], pitch [a tent], turn up [one's collar]; 3 (o p h e t s p e l z e t t e n) stake [money]; 4 (o p s l a a n) erect [booths]; 5 (o p r i c h t e n) set up, establish [a business], start [a shop]; 6 (d o e n s t a a n) spin [a top]; 7 (s p a n n e n) brace [one's biceps]; 8 (o p e n s p a n n e n) put up, open [an umbrella]; 9 (b r e i w e r k) cast on; 10 (p r e p a r e r e n) stuff [birds, a dead lion &]; 11 *fig* (o p h i t s e n) set on [people]; *de*

[1] V.T. en V.D. van dit werkwoord volgens het model: **'op**bellen, V.T. belde **'op**, V.D. **'op**gebeld. Zie voor de vormen onder het grondwoord, in dit voorbeeld: *bellen.* Bij sterke en onregelmatige werkwoorden wordt u verwezen naar de lijst achterin.

bajonet(ten) ~ ⚔ fix bayonets; *de mensen tegen elkaar* ~ set people against each other, set persons by the ears; *de mensen tegen de regering* ~ set people against the government; **II** (zette 'op, is 'opgezet) *vi* swell; *er komt een onweer* ~ a storm is coming on; *toen kwam hij* ~ then he came along; **III** *vr zich* ~ (v. g y m n a s t) heave oneself up; **–ting** *v* swelling [of a limb &]

'opzicht (-en) *o* supervision; *i n ieder* ~, *in alle* ~*en* in every respect, (in) every way; *in dit* ~ in this respect; *in financieel* ~ financially [a disappointing year]; *in zeker* ~ in a way; *t e dien* ~*e* in this respect; *ten* ~*e van* with respect (regard) to; **–er** (-s) *m* 1 overseer, superintendent; 2 (b o u w~) clerk of the works; **op'zichtig I** *aj* showy, gaudy, loud [dress]; **II** *ad* showily, gaudily, loudly; **–heid** *v* showiness, gaudiness, loudness

opzich'zelfstaand isolated [case]

'opzien[1] **I** *vi* look up [to sbd.]; *tegen iets* ~ shrink from the task, the difficulty &; *ik zie er tegen op* I dread having to do it; *tegen geen moeite* ~ not think any trouble too much; *er vreemd van* ~ be surprised; **II** *o* ~ *baren* make (cause, create) a sensation, make a stir; **opzien'barend** sensational; **'opziener** (-s) *m* overseer, inspector

op'zij aside; ~ *gaan* give way, yield; ~ *leggen* put aside (away); ~ *zetten* put aside; *fig* brush away; ~*!* away!

'opzitten[1] *vt* sit up; mount (one's horse); ~*!* to horse!; ~, *Fidel!* beg!; *er zit niets anders op dan...* there is nothing for it but to...; *er zal een standje voor je* ~ you will be in for a scolding

'opzoeken[1] *vt* 1 (z o e k e n) seek, look for [sth.]; look up [a word]; 2 (b e z o e k e n) call on [sbd.]

'opzouten[1] *vt* salt, pickle; *fig* salt down

'opzuigen[1] *vt* suck (in, up), absorb

'opzwellen[1] *vi* swell, tumefy; *doen* ~ swell, tumefy; **–ling** (-en) *v* swelling, tumefaction, tumescence

'opzwepen[1] *vt* whip up[2], *fig* work up

o'raal oral

o'rakel (-s en -en) *o* oracle[2]; **–achtig** oracular; **o'rakelen** (orakelde, h. georakeld) *vi* talk like an oracle; **o'rakelspreuk** (-en) *v* oracle; **–taal** *v* oracular language

orang-'oetan(g) (-s) *m* orang-utan

o'ranje orange; **–appel** (-s en -en) *m* orange; **–bloesem** *m* ✿ orange blossom; **O'ranjegezind** loyal to the House of Orange; **–gezindheid** *v* (i n U l s t e r) Orangeism; **–huis** *o* House of Orange; **o'ranjekleur** (-en) *v* orange colour; **–marmelade** *v* orange marmalade; **oranje'rie** (-rieën en -s) *v* orangery, greenhouse; **o'ranjesnippers** *mv* candied orange-peel; **Oranje-'Vrijstaat** *m* Orange Free State

o'ratie [-(t)si.] (-s) *v* oration; **ora'torisch** oratorical; **ora'torium** (-ia en -s) *o* ♪ oratorio

orchi'dee *v* (-deeën) orchid

'orde (-n en -s) *v* order°; orderliness; *de* ~ *handhaven* maintain order; *de* ~ *herstellen* restore order; ~ *houden* keep order; ~ *scheppen in de chaos* zie *chaos*; ~ *op zaken stellen* put one's affairs straight, settle one's affairs, set one's house in order; • *a a n de* ~ *komen* come up for discussion; *aan de* ~ *stellen* put on the order-paper; *aan de* ~ *zijn* be under discussion; *aan de* ~ *van de dag zijn* be the order of the day; *dat onderwerp is niet aan de* ~ that question is out of order; *b u i t e n de* ~ out of order; *i n* ~*!* all right!; *in* ~ *brengen* put right, set right; *het zal wel in* ~ *komen* it's sure to come right; *iets in* ~ *maken* zie *in* ~ *brengen*; *het is nu in* ~ it is all right now; *het is niet in* ~ it is out of order; that is not as it should be; *ik ben niet goed in* ~ I don't feel quite well; *in goede* ~ in good order; *we hebben uw brief in goede* ~ *ontvangen* we duly received your letter; *in verspreide* ~ ⚔ in extended order; *wij konden niet o p* ~ *komen* we could not get straight; *als jullie (helemaal) op* ~ *zijn* when you are straight; when you are settled in; *gaat over t o t de* ~ *van de dag* passes to the order of the day; *iem. tot de* ~ *roepen* call sbd. to order; *v o o r de goede* ~ for the sake of good order; **–bewaarder** (-s) *m* attendant [of a museum]; **–broeder** (-s) *m* brother, friar; **–dienst** (-en) *m* guard (ook: *lid v.e.* ~); **–keten** (-s) *v* chain, collar [of an order]; **–kruis** (-en) *o* cross [of an order]; **orde'lievend** orderly; law-abiding [citizens]; **–heid** *v* love of order; **'ordelijk I** *aj* orderly; **II** *ad* in good order; **–heid** *v* orderliness; **'ordelint** (-en) *o* ribbon [of an order]; **–loos** disorderly; **orde'loosheid** *v* disorderliness; **'ordenen** (ordende, h. geordend) *vt* 1 (i n o r d e s c h i k k e n) order, arrange, marshal [facts, data &]; regulate [industry], plan [economy]; 2 (w ij d e n) ordain; **'ordener** (-s) *m* file; **'ordening** (-en) *v* 1 arrangement, regulation [of industry], planning [of economy]; 2 (w ij d i n g) ordination; **or'dentelijk** decent [people]; fair [share &]; **–heid** *v* decency; fairness

'order (-s) *v* & *o* order, command; $ order; *gelieve te betalen aan... of* ~ $ or order; *a a n eigen* ~ $ to my own order; *aan de* ~ *van...* $ to the order of...; *o p* ~ *van...* by order of...; *t o t uw* ~*s*

[1] V.T. en V.D. van dit werkwoord volgens het model: **'op**bellen, V.T. belde **'op**, V.D. **'op**gebeld. Zie voor de vormen onder het grondwoord, in dit voorbeeld: *bellen.* Bij sterke en onregelmatige werkwoorden wordt u verwezen naar de lijst achterin.

at your service; *tot nader* ~ until further orders, until further notice; *wat is er van uw ~s?* what can I do for you?; **–bevestiging** (-en) *v* $ confirmation of sale; **–biljet** (-ten) *o* = *order-briefje;* **–boek** (-en) *o* $ order-book; **–briefje** (-s) *o* $ 1 note (of hand); 2 order form; **–portefeuille** [-pɔrtəfœyjə] (-s) *m* $ order-book

'ordeteken (-s en -en) *o* badge, *mv* ook: insignia; **–verstoring** (-en) *v* disturbance of the peace

ordi'nair [ɔrdi.'nɛ:r] **I** *aj* 1 low, vulgar, common; 2 inferior [quality]; *een ~e vent* a vulgarian; **II** *ad* 1 vulgarly, commonly; 2 inferiorly

'ordner (-s) *m* file

ordon'nans (-en) *m* [officer's] orderly; *~officier* aide-de-camp

ordon'nantie [-(t)si.] (-s en -iën) *v* order, decree, ordinance; **ordon'neren** (ordonneerde, h. geordonneerd) *vt* order, decree, ordain

o'reren (oreerde, h. georeerd) *vi* declaim, hold forth, **F** orate

or'gaan (-ganen) *o* organ²

organ'die *m* & *o* organdie, organdy

organi'satie [-'za.(t)si.] (-s) *v* organization; **organi'sator** (-'toren en -s) *m* organizer; **organisa'torisch** organizational

or'ganisch I *aj* organic; **II** *ad* organically

organi'seren [s = z] (organiseerde, h. georganiseerd) *vt* organize; arrange [an exhibition &]

orga'nisme (-n en -s) *o* organism

orga'nist (-en) *m* organist

or'gasme (-n en -s) *o* orgasm

'orgel (-s) *o* organ; *een (het) ~ draaien* grind an (the) organ; **–concert** (-en) *o* 1 (u i t v o e r i n g) organ recital; 2 (m u z i e k s t u k) organ concerto; **–draaier** (-s) *m* organ-grinder; **'orgelen** (orgelde, h. georgeld) *vi fig* warble; **'orgelmuziek** *v* organ music; **–pijp** (-en) *v* organ-pipe; **–register** (-s) *o* organ-stop, stop of an organ; **–spel** *o* organ-playing; **–speler** (-s) *m* organ-player; **–trapper** (-s) *m* organ-blower

or'gie (-gieën) *v* orgy; *fig* riot [of colours]

oriën'taals oriental; **oriën'tatie** [-(t)si.] *v* orientation; **oriën'teren** (oriënteerde, h. georiënteerd) *zich ~* take one's bearings; *hij kon zich niet meer ~* he had lost his bearings; *internationaal (links &) georiënteerd* internationally (left- &) minded; **oriën'tering** *v* orientation; *te uwer ~* for your information; **–svermogen** *o* sense of direction (locality)

originali'teit [o.ri.gi.-, o.ri.ʒi.-] *v* originality; **ori'gine** [-'ʒi.nə] *v* origin; **origi'neel I** *aj* original; **II** (-nelen) *o* & *m* original

or'kaan (-kanen) *m* hurricane

or'kest (-en) *o* orchestra, band; *klein ~* small orchestra; *groot ~* full orchestra; **–dirigent** (-en), **–leider** (-s) *m* orchestra(l) conductor; **–meester** (-s) *m* leader; **orkes'tratie** [-(t)si.] (-s) *v* orchestration, scoring; **orkes'treren** (orkestreerde, h. georkestreerd) *vt* orchestrate, score

or'naat *o* official robes; (v. g e e s t e l ij k e) pontificals, vestments; *in vol ~* in full pontificals [of a bishop &]; in state [of a king &]; ⚭ in full academicals

orna'ment (-en) *o* ornament; **ornamen'teel** ornamental, decorative; **ornamen'tiek** *v* ornamental art; **orne'ment** (-en) = *ornament*

ornitholo'gie *v* ornithology; **ornitho'logisch** ornithological; **ornitho'loog** (-logen) *m* ornithologist

orthodon'tie [-'(t)si.] *v* orthodontics

ortho'dox orthodox; **orthodo'xie** *v* orthodoxy

orthope'die *v* orthopaedy; **ortho'pedisch** orthopaedic(al)

os (-sen) *m* ox [*mv* oxen], bullock

oscil'leren (oscilleerde, h. geoscilleerd) *vi* oscilate

os'mose [-'mo.zə] *v* osmosis

'ossebloed *o* 1 blood of an ox; 2 (k l e u r) oxblood; **–drijver** (-s) *m* ox-driver, drover; **–haas** (-hazen) *m* fillet of beef; **–huid** (-en) *v* ox-hide; **–kop** (-pen) *m* ox-head; **–staart** (-en) *m* ox-tail; **–stal** (-len) *m* ox-stall; **–tong** (-en) *v* 1 *eig* neat's tongue, ox-tongue; 2 ♣ bugloss; **–vlees** *o* beef; **–wagen** (-s) *m* bullock-cart, (*ZA*) ox-wagon

osten'tatie [-(t)si.] *v* ostentation; **ostenta'tief** ostentatious

osteopa'thie *v* osteopathy

O.T. = *Oude Testament*

'otter (-s) *m* otter

Otto'maans Ottoman; **otto'mane** (-n en -s) *v* ottoman

ou'bollig droll, comical

oud I *aj* 1 (b e j a a r d) old, aged; 2 (v. d. o u d e t ij d) antique [furniture], ancient [history, Rome, writers; bridge]; classical [languages]; 3 (v r o e g e r) former, ex-; *hoe ~ is hij?* how old is he?, what age is he?; *hij is twintig jaar ~* he is twenty (years old), twenty years of age; *we zijn net even ~* we are precisely the same age; *toen ik zo ~ was als jij* when I was your age; *~ maken* age; *~ worden* grow old, age; *hij zal niet ~ worden* he will not live to be old; *~ brood* stale bread; *een ~e firma* an old-established firm; *~ ijzer* scrap iron; *~e kaas* ripe cheese; *~ nummer* back number [of a periodical]; *~ papier* waste paper; *de ~e schrijvers* the ancient writers, the classics; *~e tijden* olden times; *een ~e zondaar* an old sinner, a hardened sinner; *zo ~ als de weg naar Rome* as old as Adam (as the hills); **II** *sb ~ en jong* old and young; *~ en nieuw vieren* see the old year out, see the new year in; *alles bij het ~e laten* leave things as they are [as they were]; *de ~e* **F** 1 the governor [= my father]; 2 the old man [at the office &], the boss; *ik ben weer de ~e* I am my usual (old) self again; *de Ouden* the ancients; *(de) ~en van dagen* the aged, old people; zie ook: *ouder* & *oudst*; **oud-...** former, late, ex-, retired; **'oudachtig** oldish, elderly; **oud'bakken** stale; **oud-burge'meester** (-s) *m* 1 late burgomaster; 2 (in Engeland) ex-mayor; **'oude** (-n) *m* zie *oud* **II**; **oude'dagsvoorziening** (-en) *v* old-age benefit; **oude'heer** (-heren) *m de ~* **S** the (my) governor, the old man; **oude'jaar** *o* last day of the year; **oudejaars'avond** (-en) *m* New Year's Eve; **oude'lui** *mv* old folks; **oude'mannenhuis** (-huizen) *o* old men's home

'ouder I *aj* older; elder; *hij is twee jaar ~* two years older, my elder by two years; *een ~e broer* an elder brother; *hoe ~ hoe gekker* there's no fool like an old fool; *wij ~en* we oldsters; **II** (-s) *m* parent; *van ~ op (tot) ~* from generation to generation; **–avond** (-en) *m* parents' evening; **–commissie** (-s) *v* parent-teacher association

'ouderdom *m* age, old age; *hoge ~* great age; *in de gezegende ~ van...* at the good old age of; **'ouderdomsklachten** *mv* infirmities of old age, geriatric complaints; **–kwaal** (-kwalen) *v* infirmity of old age; **–pensioen** (-en) *o* old-age pension; **–verschijnsel** (-en en -s) *o* symptom of old age; **–verzekering** (-en) *v* old-age insurance, retirement pension; **–wet** *v* old-age insurance act, retirement pension act

'ouderejaars(student) (-studenten) *m* senior student

'ouderhuis *o* parental home; **–liefde** *v* parental love; **–lijk** parental

'ouderling (-en) *m* elder; **–schap** *o* eldership

'ouderloos parentless; **ouder'loosheid** *v* orphanhood; **'ouderpaar** (-paren) *o* parents; **'ouders** *mv* parents; **'ouderschap** *o* parenthood; **–vereniging** (-en) parent-teacher association; **–vreugde** *v* parental joy (bliss)

ouder'wets I *aj* old-fashioned, old-fangled; **II** *ad* in an old-fashioned way

oude'wijvenpraatje (-s) *o* old woman's tale; *~s* gossip

oudge'diende (-n) *m* old campaigner

'oudheid (-heden) *v* antiquity; *de Griekse ~* Greek antiquity; *Griekse oudheden* Greek antiquities; *koopman in oudheden* antique dealer; **–kenner** (-s) *m* antiquarian, antiquary; **–kunde** *v* archaeology; **oudheid'kundig** antiquarian, archaeological; **–e** (-n) *m* antiquarian, antiquary, archaeologist; **'oudheid(s)kamer** (-s) *v* local archaeological museum

'oudje (-s) *o* old man, old woman; *de ~s* the old folks

oud-'leerling (-en) *m* 1 ex-pupil, former pupil; 2 old boy; **–e** (-n) *v* 1 ex-pupil, former pupil; 2 old girl; **'oudoom** (-s) *m* great-uncle; **oud'roest** *o* scrap-iron; **'ouds(her)** *van ~* of old; **oudst** oldest, eldest; *de ~e boeken* the oldest books; *zijn ~e broer* his eldest brother; *~e vennoot* senior partner; **oud-'strijder** (-s) *m* ⚔ veteran, ex-Serviceman; **'oudtante** (-s) *v* great-aunt; **oudtesta'mentisch** (of the) Old Testament; **'oudtijds** in olden times

outil'lage [u.ti.(l)'ja.ʒə] *v* equipment; **outil'leren** [u.ti.'je:rə(n)] (outilleerde, h. geoutilleerd) *vt* equip

ouver'ture [u.vər'ty:rə] (-s en -en) *v* ♪ overture

ou'vreuse [u.'vrø.zə] (-s) *v* usherette

ouwe'hoeren (ouwehoerde, h. geouwehoerd) *vi* **P** tittle-tattle, talk rubbish

'ouwel (-s) *m* 1 wafer [for letter]; communion wafer; rice-paper; 2 ⚕ cachet

'ouwelijk oldish

o'vaal I *aj* oval; **II** (ovalen) *o* oval

o'vatie [-(t)si.] (-s) *v* ovation; *een ~ brengen (krijgen)* give (have) an ovation

'oven (-s) *m* 1 oven, furnace; 2 (kalkoven) kiln; **–want** (-en) *v* oven glove

'over I *prep* 1 (zich bewegende op of langs een oppervlakte) along [a good road we sped...]; 2 (boven) over [the meadow]; 3 (over... heen) over [the brook, the hedge], across [the river]; on top of [his cassock he wore...]; 4 (aan de overzijde van) beyond [the river]; 5 (méér dan) above, upwards of, over [fifty]; 6 (via) by way of, via [Paris]; 7 (na) in [a week &]; 8 (tegenover) opposite [the church &]; *een boek ~ Afrika* a book on (about) Africa; *~ een dag of acht* in a week or ten days; *zondag ~ acht dagen* Sunday week; *~ een maand, een paar jaar* a month, a few years hence; *~ land* zie *land*; *het is ~ vieren* it is past four (o'clock); *hij is ~ de zestig* he is turned sixty; *hij heeft iets ~ zich* he has certain ways, there is something about him (that...); **II** *ad* over; *ik heb er één ~* I have one left; *hij is ~* 1 he has got across; 2 he is staying with us; 3 ✎ he has been removed; *mijn pijn is ~* my pain is over (better); *~ en weer* mutually, reciprocally; *geld (tijd &) te ~* plenty of money (time &)

over'al, 'overal everywhere; *~ waar* wherever

overal(l) [o.və'rɔl] (-s) *m* overalls, dungarees, boiler-suit

'overbekend generally known; notorious
'overbelasten[1] *vt* 1 overburden; 2 ⚒ overload[2]; 3 overtax
'overbeleefd too polite, (over-)officious
'overbelicht over-exposed; **–ing** *v* over-exposure
'overbesteding (-en) *v* overexpenditure
'overbevolking *v* 1 surplus population; 2 overpopulation [and poverty]; overcrowding [in dwellings &]; **overbe'volkt** 1 overpopulated; 2 overcrowded [hospitals &]
'overbezet overcrowded [buses, ⚭ forms]; (d o o r p e r s o n e e l) overstaffed
over'bieden (overbood, h. overboden) *vt* outbid[2], overbid [inz. ◊]
'overblijfsel (-s en -en) *o* remainder, remnant, relic, remains [of animals, plants &], rest; **'overblijven**[1] *vi* be left, remain; *X blijft vannacht over* X remains for the night (will stay the night); *er bleef me niets anders over dan...* nothing was left to me (remained for me) but to..., there was nothing for it but to...; **–d** remaining; *~e plant* perennial (plant); *het ~e* the remainder, the rest; *de ~en* the survivors
'overbloezen (bloesde 'over, h. 'overgebloesd) *vi* blouse
over'bluffen (overblufte, h. overbluft) *vt* bluff; *overbluft* taken aback, dumbfounded
over'bodig superfluous; **–heid** (-heden) *v* superfluity
'overboeken[1] *vt* transfer; **–king** (-en) *v* transfer **over'boord** ⚓ overboard; zie ook: *boord*
'overbrengen[1] *vt* carry [a thing to another place]; transfer, transport, remove [a piece of furniture &]; transmit a disease, news, heat, electricity &]; take [a message]; convey [a parcel, a letter, sound]; translate [into another language], transpose [algebraic values]; repeat [a piece of news, tales]; *de zetel van de regering ~ naar* transfer the seat of government to; **–er** (-s) *m* carrier, bearer, conveyer; *fig* telltale, informer; **–ging** (-en) *v* carrying, transport, conveyance [of goods]; transfer [of a business, sums]; transmission [of power &]; translation [of a document]; [thought] transference
'overbrieven (briefde 'over, h. 'overgebriefd) *vt* tell, repeat [things heard]; **–er** (-s) *m* telltale
over'bruggen (overbrugde, h. overbrugd) *vt* bridge (over), tide over; **–ging** (-en) *v* bridging
'overbuur (-buren) *m* opposite neighbour
'overcompensatie [-(t)si.] (-s) *v* overcompensation
'overcompleet superfluous, surplus
'overdaad *v* excess, superabundance; *in ~ leven* live in luxury; *~ schaadt* too much of a thing is good for nothing; **over'dadig I** *aj* superabundant; excessive; **II** *ad* superabundantly &, to excess
over'dag by day, in the day-time; during the day
over'dekken (overdekte, h. overdekt) *vt* cover (up, in); *overdekt* covered, roofed over, indoor [swimming-pool]
over'denken (overdacht, h. overdacht) *vt* consider, meditate (on); **–king** (-en) *v* consideration, reflection
'overdoen[1] *vt* 1 (n o g e e n s) do [it] over again; 2 (a f s t a a n) part with, make over, sell, dispose of; *het dunnetjes ~* repeat the thing
over'donderen (overdonderde, h. overdonderd) *vt* = *overbluffen*
'overdosis [-zɪs] (-doses en -sen) *v* overdose
over'draagbaar transferable; ⚕ communicable; **'overdracht** (-en) *v* transfer, conveyance; **over'drachtelijk** metaphorical; **'overdragen**[1] *vt* carry over; *fig* convey, make over, hand over, transfer [property], assign [a right]; delegate [power], depute [a task]; *het bestuur (de leiding, de zaak &) ~* hand over
over'dreven I *aj* exaggerated [statements]; excessive, immoderate [claims]; out of proportion; **II** *ad* exaggeratedly; excessively, immoderately
1 'overdrijven[1] *vi* blow over[2]
2 over'drijven (overdreef, h. overdreven) **I** *vt* exaggerate, overdo; **II** *vi* exaggerate; **–ving** (-en) *v* exaggeration
1 'overdruk (-ken) *m* 1 off-print, separate (reprint) [of an article &]; 2 overprint [on postage stamps]; 3 ⚒ overpressure
2 'over'druk *aj* too much occupied, over-busy
'overdrukken[1] *vt* reprint; overprint [stamps]
'over'duidelijk very obvious
over'dwars athwart, across
over'eenbrengen[2] *vt dat is niet overeen te brengen met* it cannot be reconciled with, it is not consistent with; zie ook: *geweten*
over'eenkomen[2] **I** *vi* agree [with sbd, on sth.]; be in keeping [with]; *~ met* agree with; correspond with; **II** *vt* agree on [a price &]; **over'eenkomst** (-en) *v* 1 (g e l ij k h e i d) resemblance, similarity, conformity, agreement; *~ vertonen* resemble; 2 (v e r d r a g) agreement; **overeen'komstig I** *aj* conformable; corresponding, similar [period]; *~e hoeken* corresponding angles; *een ~e som* an equivalent sum; **II** *ad* correspondingly; *~ het bepaalde*

[1,2] V.T. en V.D. van dit werkwoord volgens het model: 1 **'over**boeken, V.T. boekte **'over**, V.D. **'over**geboekt; 2 **over'een**stemmen, V.T. stemde **over'een**, V.D. **over'een**gestemd. Zie voor de vormen onder het grondwoord, in deze voorbeelden: *boeken* en *stemmen*. Bij sterke en onregelmatige werkwoorden wordt u verwezen naar de lijst achterin.

agreeably (conformably) to the provisions; ~ *uw wensen* in accordance with (in compliance with, in conformity with) your wishes; **–heid** (-heden) *v* conformableness, conformity, similarity

over'eenstemmen[2] *vi* agree, concur, harmonize; ~ *met* agree & with, be in accordance (in harmony) with; *dat stemt niet overeen met wat hij zei* that does not tally (is not in keeping) with what he said; **–d** consonant[2], concordant[2], harmonizing[2] [with...]; **over'eenstemming** *v* harmony; consonance; agreement, concurrence; *gram* concord; *in ~ brengen (met)* bring into line (with); *dat is niet in ~ met de feiten* that is not in accordance with the facts; *met iem. tot ~ komen* come to an understanding with sbd.; *in ~ met de omgeving* in harmony with the surroundings; *tot ~ geraken of komen (omtrent)* come to an agreement (about)

over'eind on end, upright, up, erect; *nog ~ staan* be still standing[2]; *hij ging ~ staan* he stood up; ~ *zetten* set up; *hij ging ~ zitten* he sat up; *hij krabbelde ~* he scrambled to his feet

over'erfelijk hereditary, inheritable; **–heid** *v* heredity; **'overerven**[1] **I** *vt* inherit; **II** *vi* be hereditary [of a disease]; **–ving** *v* heredity, inheritance

over'eten (overat, h. overeten) *zich ~* overeat oneself, overeat

'overgaan[1] **I** *vi* 1 (a a n s l a a n) go, ring [of a bell]; 2 (b e v o r d e r d w o r d e n) be removed, get one's remove [at school]; 3 (o p h o u d e n) pass off, wear off [of suffering &]; • *i n iets anders ~* change (develop) into something different; *in elkaar ~* become merged, merge [of colours]; *het woord is overgegaan in het Engels* the word has passed into English; *de leiding gaat over van... o p ...* the leadership passes from... to...; *alvorens wij daarto e ~* before passing on to that; ~ *[van...] t o t...* change over [from one system] to [another]; (let oneself) be converted to [Protestantism &]; *tot daden ~, tot handelen ~* proceed to action; *tot liquidatie ~* go into liquidation; *tot stemming ~* proceed to the vote; **II** *vt* go across, cross [the street &]; **'overgang** (-en) *m* transition, change; change-over [to another system]; conversion [to Roman Catholicism &]; **'overgangsbepaling** (-en) *v* temporary provision; **–examen** (-s) *o* qualifying examination; **–jaren** *mv de ~* the change of life, the menopause; **–leeftijd** (-en) *m* climacteric age; **–maatregel** (-en en -s) *m* transitional measure; **–regeling** (-en) *v* transitional (provisional, temporary) regulation; **–stadium** (-ia en -s) *o* stage (period) of transition, transition(al) stage (phase); **–tijdperk** (-en) *o* transition(al) period; **–toestand** *m* state of transition **over'gankelijk** transitive

'overgave *v* handing over, delivery [of parcels]; giving up; surrender [of fortress, to God's will]

'overgedienstig (over-)officious, obsequious

'overgelukkig most happy, overjoyed

'overgeven[1] **I** *vt* 1 (a a n r e i k e n) hand over, hand, pass [sth.]; 2 (a f s t a a n) deliver up, give over (up), yield, surrender [a town]; 3 (b r a k e n) vomit [blood]; **II** *vi* vomit, be sick; *moet je ~?* do you feel sick?; **III** *vr zich ~* surrender; *zich ~ aan...* abandon oneself to..., indulge in...; *zich aan smart, wanhoop ~* surrender (oneself) to grief, to despair

'overgevoelig, overge'voelig over-sensitive [people]; ⚕ allergic [to pollen]; **–heid** *v* oversensitiveness; ⚕ allergy

1 'overgieten[1] *vt* poor (into *in*), transfuse, decant

2 over'gieten (overgoot, h. overgoten) *vt ~ met* pour on, cover with[2], suffuse with[2]

'overgooier (-s) *m* pinafore (dress), *Am* jumper

'overgordijn (-en) *o* curtain

'overgroot vast [majority], major [part]

'overgrootmoeder (-s) *v* great-grandmother; **–vader** (-s) *m* great-grandfather

over'haast I *aj* rash; hurried, hasty, brash; **II** *ad* rashly, hurriedly, in a hurry; **over'haasten** (overhaastte, h. overhaast) *vt & vr* hurry; **–tig** = *overhaast*; **–ting** *v* precipitation, precipitancy

'overhalen[1] *vt* 1 (m e t v e e r p o n t) ferry over; 2 (o m t r e k k e n) pull [a bell, a switch]; cock [a rifle]; 3 (d i s t i l l e r e n) distil [spirits]; 4 *fig* (o v e r r e d e n) talk (bring) round, persuade, win over

'overhand *v de ~ hebben* have the upper hand (of *op*); predominate (over *op*), prevail; *de ~ krijgen* get the upper hand, get the better (of *op*)

over'handigen (overhandigde, h. overhandigd) *vt* hand (over), present, deliver; **–ging** *v* handing over, presentation, delivery

over'hands overhand

'overhangen[1] *vi* hang over, incline, beetle

'overhebben[1] *vt* have left; *daar heeft hij alles voor over* he is willing to give anything for it; *ik heb er een pond voor over* I am willing to pay a pound for it; *wij hebben iem. over* we have sbd. staying with us

over'heen over, across; [she wore a jumper] on

[1,2] V.T. en V.D. van dit werkwoord volgens het model: 1 **'over**boeken, V.T. boekte **'over**, V.D. **'over**geboekt; 2 **over'een**stemmen, V.T. stemde **over'een**, V.D. **over'een**gestemd. Zie voor de vormen onder het grondwoord, in deze voorbeelden: *boeken* en *stemmen.* Bij sterke en onregelmatige werkwoorden wordt u verwezen naar de lijst achterin.

top; *daar is hij nog niet* ~ he has not (quite) got over it yet
over'heenstappen (stapte over'heen, is over'heengestapt) *vt* step across; *over de moeilijkheden heenstappen* brush aside the difficulties; *er maar* ~ not mind that, ignore it
'overheerlijk delicious, exquisite
over'heersen (overheerste, h. overheerst) **I** *vt* domineer over, dominate; **II** *vi* predominate; **–d** (pre)dominant; **over'heerser** (-s) *m* ruler, tyrant; **over'heersing** *v* rule, domination
'overheid (-heden) *v de* ~ the authorities; the Government; **'overheids...** public [authorities, organizations, services &], government [controls]; **'overheidsambt** (-en) *o* public office; ⚖ magistracy; **–dienst** (-en) *m in* ~ in the Civil Service; **–instelling** (-en) *v* government authority, administrative body; **–personeel** *o* public servants; **–persoon** (-sonen) *m* public officer; ⚖ magistrate; **–wege** *van* ~ by the authorities; *van* ~ *bekendmaken* announce officially
'overhellen[1] *vi* hang over, lean over, incline, ⚓ list, ✈ bank; ~ *naar* [*fig*] incline to(wards), have a leaning to, lean towards; **–ling** *v* inclination[2], leaning[2]; ⚓ list
'overhemd (-en) *o* shirt
'overhevelen[1] *vt* transfer[2]; **–ling** *v* transfer[2]
over'hoeks diagonal
over'hoop in a heap, pell-mell, in a mess, topsyturvy; ~ *halen* turn over, put in disorder; ~ *liggen met* be a variance (at odds) with; ~ *schieten* shoot down; ~ *steken* stab; ~ *werpen* overthrow, upset
over'horen (overhoorde, h. overhoord) *vt* hear [a boy, a lesson]
'overhouden[1] *vt* save [money]; *iets overgehouden hebben* have sth. left
'overig I *aj* remaining; *het ~e Europa* the rest of Europe; **II** *sb het ~e* the remainder; *voor het ~e* for the rest; *de ~en* the others, the rest
'overigens apart from that [all is well, he is quite sane], after all, moreover [I don't know...]; by the way, [he] incidentally [looked quite the gentleman]
over'ijld = *overhaast*; **over'ijlen** (overijlde, h. overijld) *zich* ~ hurry; **–ling** *v* precipitation, precipitancy
over'jarig, 'overjarig last year's, too old, overdue; perennial [plant]
'overjas (-sen) *m* & *v* overcoat, greatcoat, top-coat
'overkalken[1] *vt fig* copy, crib
'overkant *m* opposite side, other side; *aan de* ~ *van* ook: beyond [the river, the Alps], across [the Channel]; *hij woont aan de* ~ he lives over the way (across the road, opposite)
over'kappen (overkapte, h. overkapt) *vt* roof in; **–ping** (-en) *v* roof; zie ook: *luifel*
'overkijken[1] *vt* look over, go through
over'klassen (overklaste, h. overklast) *vt sp* outclass
'overkleed (-klederen en -kleren) *o* upper garment [of a priest &]
'overklimmen[1] *vt* climb over
over'kluizen (overkluisde, h. overkluisd) *vt* vault, overarch
over'koepelen (overkoepelde, h. overkoepeld) *vt* co-ordinate
'overkoken (kookte 'over, is 'overgekookt) *vi* boil over
over'komelijk surmountable
1 'overkomen[1] *vi* come over; *goed* ~ [*fig*] **F** come across [of a joke, message, play]; *ik kan maar eens in de week* ~ I can come to see (him, her, them) but once a week
2 over'komen (overkwam, is overkomen) *vt* befall, happen to; *er is hem een ongeluk* ~ he has met with an accident; *dat is mij nog nooit* ~ I never yet had that happen to me
'overkomst *v* coming, visit
over'kropt overburdened; *haar overkropt gemoed* her overburdened heart
'overlaat (-laten) *m* overflow
1 'overladen[1] *vt* 1 tranship [goods]; transfer [from one train into another]; 2 (o p n i e u w) reload
2 over'laden (overlaadde, h. overladen) *vt* overload[2], overburden[2]; *fig* overstock [the market]; overcrowd; *iem. met geschenken* (*verwijten* &) ~ shower presents upon sbd., heap reproaches upon sbd.; *zich de maag* ~ surfeit one's stomach, overeat (oneself)
1 'overlading *v* 1 transhipment, transfer; 2 reloading
2 over'lading (-en) *v* surfeit [of the stomach]; *fig* overburdening, overloading
'overladingskosten *mv* **$** transhipment charges
over'land by land; **–mail** [-me.l] *v* ✉ overland mail
over'langs I *aj* longitudinal; **II** *ad* lengthwise, longitudinally
over'lappen (overlapte, h. overlapt) *vi* & *vt* overlap
'overlast *m* annoyance, nuisance; ~ *aandoen* annoy; *tot* ~ *van* to the inconvenience of

[1] V.T. en V.D. van dit werkwoord volgens het model: **'over**boeken, V.T. boekte **'over**, V.D. **'over**geboekt. Zie voor de vormen onder het grondwoord, in dit voorbeeld: *boeken*. Bij sterke en onregelmatige werkwoorden wordt u verwezen naar de lijst achterin.

'overlaten[1] *vt* leave; *dat laat ik aan u over* I leave that to you; *laat dat maar aan hem over* let him alone to do it; *aan zich zelf overgelaten* left to himself, left to his own resources; zie ook: *lot*
over'leden deceased, dead; **–e** (-n) *m-v de* ~ the dead (man, woman); *de* ~*(n)* the deceased, the departed, the defunct
'overle(d)er *o* upper leather, vamp
over'leg *o* 1 deliberation, forethought, judg(e)ment, management; 2 (beraadslaging) deliberation, consultation; ~ *is het halve werk* a stitch in time saves nine; ~ *plegen* consult together; ~ *plegen met* consult; *in* ~ *met*... in consultation with...; *met* ~ with deliberation; *zonder* ~ without (taking) thought
1 'overleggen[1] *vt* 1 (aanbieden) hand over, produce [a document]; 2 (besparen) lay by, put by [money]
2 over'leggen (overlegde, h. overlegd) *vt* deliberate, consider; *je moet het maar met hem* ~ you should consult with him about it
1 'overlegging *v* production; *na* (*onder*) ~ *der stukken* upon (against) presentation and surrender of the documents
2 over'legging (-en) *v* consideration, deliberation; **over'legorgaan** (-ganen) *o* consultative body
over'leven (overleefde, h. overleefd) *vt* survive, outlive; **–de** (-n) *m-v* survivor, longest liver
'overleveren[1] *vt* transmit, hand down; ~ *aan* give up to, deliver up to; *overgeleverd aan*... at the mercy of [impostors, swindlers &]; **–ring** (-en) *v* tradition
over'levingskans (-en) *v* chance of survival
'overlezen[1] *vt* read over, go through
'overligdag (-dagen) *m* day of demurrage; **–geld** (-en) *o* demurrage; **'overliggen**[1] *vi* be on demurrage
over'lijden (overleed, is overleden) **I** *vi* die, ⊙ pass away, depart this life, decease; *aan de bekomen verwondingen* ~ die of injuries; **II** *o* death, ⊙ decease, ⚖ demise; *bij* ~ in the event of death; **over'lijdensakte** (-s en -n) *v* death certificate; **–bericht** (-en) *o* announcement of sbd.'s death; obituary (notice); **–datum** (-ta en -s) *m* date of death
'overloop (-lopen) *m* 1 (bij huis) corridor; 2 (van trap) landing; 3 (van rivier) overflow
1 'overlopen[1] **I** *vi* 1 run over, overflow; 2 go over, desert, defect [to the West, to the East]; *naar de vijand* ~ go over to the enemy; *hij loopt over van vriendelijkheid* he is all kindness; **II** *vt* cross [a road]
2 over'lopen (overliep, h. overlopen) *vt* visit too frequently; *je overloopt ons ook niet* we don't see much of you
'overloper (-s) *m* deserter, turncoat, defector [to capitalism, to communism]
over'luid aloud
'overmaat *v* over-measure; *fig* excess; *tot* ~ *van ramp* to make matters (things) worse, on top of all that
'overmacht *v* 1 superior power, superior forces; 2 ⚖ force majeure; 3 ⚓ the Act of God; *voor de* ~ *bezwijken* succumb to superior numbers; **over'machtig** stronger, superior (in numbers)
'overmaken[1] *vt* 1 (opnieuw maken) do over again [one's work]; 2 (overzenden) make over, remit [money]; **–king** (-en) *v* remittance
over'mannen (overmande, h. overmand) *vt* overpower, overcome; *overmand door slaap* overcome by sleep
over'matig excessive
over'meesteren (overmeesterde, h. overmeesterd) *vt* overmaster, overpower, conquer; **–ring** *v* conquest
'overmoed *m* recklessness; (aanmatiging) presumption; **over'moedig** reckless; (aanmatigend) presumptuous
'overmorgen *m* the day after to-morrow
over'naads clinker-built [boat]
over'nachten (overnachtte, h. overnacht) *vi* stop (during the night), pass the night, stay overnight [at a hotel]; **–ting** (-en) *v* overnight stay [at a hotel]
'overname *v* taking over; adoption; purchase; *ter* ~ *aangeboden*... ...for sale; **'overnemen**[1] *vt* take [something] from; take over [a business, command &], adopt [a word from another language], borrow, copy [something from an author]; take up [the refrain]; buy [books &]; *de dienst* (*de wacht, de zaak* &) ~ take over; *gewoonten* ~ adopt habits; **'overnemertje** (-s) *o* cat's cradle
'overoud very old, ancient
'overpad (-paden) o foot-path; *recht van* ~ right of way
'overpakken[1] *vt* 1 pack from one thing into another; 2 repack, pack again
over'peinzen (overpeinsde, h. overpeinsd) *vt* meditate, reflect upon; **–zing** [-en] *v* meditation, reflection

[1] V.T. en V.D. van dit werkwoord volgens het model: **'over**boeken, V.T. boekte **'over**, V.D. **'over**geboekt. Zie voor de vormen onder het grondwoord, in dit voorbeeld: *boeken.* Bij sterke en onregelmatige werkwoorden wordt u verwezen naar de lijst achterin.

'overpennen[1] *vt* copy; crib
'overplaatsen[1] *vt* remove; *fig* transfer [an officer &]; **–sing** (-en) *v* removal; transfer [of an officer]
'overplanten[1] *vt* transplant; **–ting** (-en) *v* transplantation
over'prikkelen overprikkelde, h. overprikkeld) *vt* overexcite; **–ling** (-en) *v* overexcitement
'overproduktie *v* overproduction
over'reden (overreedde, h. overreed) *vt* persuade, prevail upon [sbd.], talk [sbd.] round; *hij wou mij ~ om...* he wanted to persuade met to..., to persuade me into ...ing; *hij was niet te ~* he was not to be persuaded; **–d** persuasive; **over'reding** *v* persuasion; **–skracht** *v* persuasiveness, power of persuasion, persuasive powers
'overreiken[1] *vt* hand, reach, pass
over'rijden (overreed, h. overreden) *vt* run over [a person, a dog]
'overrijp over-ripe
over'rompelen (overrompelde, h. overrompeld) *vt* surprise, take by surprise, catch off-balance; **–ling** (-en) *v* surprise attack, surprise[2]
over'schaduwen (overschaduwde, h. overschaduwd) *vt* shade, overshadow; *fig* throw into the shade, eclipse
'overschakelen[1] *vi* switch over[2], change over[2] [from... to...]; 🚗 change gear; *we schakelen (u) over naar de concertzaal* we are taking you over to the concert hall; *~ op de tweede* 🚗 change into second
over'schatten (overschatte, h. overschat) *vt* overrate, overestimate; **–ting** *v* overestimation, overrating
'overschenken[1] *vt* decant, pour over [in a glass]
'overschepen (scheepte 'over, h. 'overgescheept) *vt* tranship; **–ping** (-en) *v* transhipment
'overscheppen[1] *vt* scoop (ladle) from... into...
'overschieten[1] *vi* remain, be left
1 'overschilderen[1] *vt* 1 paint over, repaint; **2 over'schilderen** (overschilderde, h. overschilderd) paint out [to make it invisible]
'overschoen (-en) *m* overshoe, galosh, golosh
'overschot (-ten) *o* remainder, rest; surplus, overplus; zie ook: *stoffelijk*
over'schreeuwen (overschreeuwde, h. overschreeuwd) **I** *vt* cry down, shout down, roar down; *hij kon ze niet ~* ook: he could not make himself heard; **II** *vr zich ~* overstrain one's voice
over'schrijden (overschreed, h. overschreden) *vt* step across, cross; *fig* overstep [the bounds], exceed [one's powers, the speed limit &]
'overschrijven[1] *vt* write out (fair), copy (out) [a letter &]; $ transfer; *iets op iemands naam laten ~* have a property transferred; *je hebt dat van mij overgeschreven* you have copied that from me; **'overschrijving** (-en) *v* transcription; $ transfer; **–skosten** *mv*, **–rechten** *mv* transfer duties
'overseinen[1] *vt* transmit, telegraph, wire
'overslaan[1] **I** *vt* 1 (g e e n b e u r t g e v e n) pass [sbd.] over; 2 (n i e t l e z e n &) omit, skip [a line], jump [some pages], miss [a performance]; 3 ⚓ tranship [goods]; **II** *vi ...zei zij, terwijl haar stem oversloeg* with a catch in her voice; *~ op* 1 spread to [of a fire]; 2 infect [of laughter &]; **'overslag** (-slagen) *m* 1 (a a n k l e d i n g s t u k) turn-up; 2 (v. e n v e l o p p e) flap; 3 (r a m i n g) estimate; 4 ⚓ transhipment; **–haven** (-s) *v* ⚓ port of transhipment, transhipment harbour
1 over'spannen (overspande, h. overspannen) **I** *vt* span [a river &]; overstrain; **II** *vr zich ~* overexert oneself; **2 over'spannen** *aj* overstrung, overstrained, overwrought [nerves, imagination]; **–ning** (-en) *v* 1 span [of a bridge]; 2 overstrain, overexertion, overexcitement
'oversparen[1] *vt* save, lay aside [money]
'overspel *o* adultery
1 'overspelen[1] *vt* replay [a match]; *een overgespeelde wedstrijd* a replay
2 over'spelen (overspeelde, h. overspeeld) *vt* outclass [a team]
over'spelig adulterous
over'spoelen (overspoelde, h. overspoeld) *vt* flood, overrun
'overspringen[1] **I** *vi* 1 leap over, jump over; 2 ✻ jump over; **II** *vt* jump [ten lines &]
'overstaan *ten ~ van* in the presence of, before
'overstaand opposite
over'stag *~ gaan* ⚓ tack (about), go about, change one's tack[2]
'overstapje (-s), **'overstapkaartje** (-s) *o* correspondence ticket, transfer (ticket); **'overstappen**[1] *vt* 1 cross, step over; 2 change (into another train), transfer [to an open car]
'overste (-n) *m* 1 ⚔ lieutenant-colonel; 2 *rk* prior, Father Superior; *~ v* prioress, Mother Superior
'oversteek (-steken) *m* crossing; **–plaats** (-en) *v*

[1] V.T. en V.D. van dit werkwoord volgens het model: **'over**boeken, V.T. boekte **'over**, V.D. **'over**geboekt. Zie voor de vormen onder het grondwoord, in dit voorbeeld: *boeken.* Bij sterke en onregelmatige werkwoorden wordt u verwezen naar de lijst achterin.

pedestrian crossing, crossing; **'oversteken I** (stak 'over, is 'overgestoken) *vi* cross (over); *gelijk* ~ swap at the same time; **II** (stak 'over, h. 'overgestoken) *vt* cross

over'stelpen (overstelpte, h. overstelpt) *vt* overwhelm²; *we worden overstelpt met aanvragen* we are swamped (inundated, flooded, overrun) with applications

1 'overstemmen¹ **I** *vt* tune again [a piano]; **II** *vi* vote again

2 over'stemmen (overstemde, h. overstemd) *vt* drown [sbd.'s voice]; outvote [sbd.]

'overstort (-en) *m* overflow

1 'overstromen¹ *vi* overflow

2 over'stromen (overstroomde, h. overstroomd) *vt* inundate², flood; *overstroomd door dagjesmensen* overrun by cheap trippers; *de markt ~ met...* flood, glut (deluge) the market with...; **-ming** (-en) *v* inundation, flood

'oversturen¹ = *overzenden*

over'stuur out of order; upset, in a dither; *zij was helemaal ~* she was quite upset, she was all of a dither

over'tallig supernumerary

'overtappen¹ *vt* transfer from one cask to another

1 'overtekenen¹ *vt* redraw [a drawing]; (n a t e k e n e n) copy

2 over'tekenen (overtekende, h. overtekend) *vt* oversubscribe [a loan]

'overtellen¹ *vt* count again, recount

'overtikken¹ *vt* type out

'overtocht (-en) *m* passage, crossing

over'tollig superfluous, redundant; surplus [stock]; **-heid** (-heden) *v* superfluity, superfluousness, redundancy

over'treden (overtrad, h. overtreden) *vt* contravene, transgress, infringe [the law]; break (through) [rules]; **-er** (-s) *m* transgressor, breaker [of rules], trespasser; **over'treding** (-en) *v* contravention, transgression, infringement, breach [of the rules], trespass

over'treffen (overtrof, h. overtroffen) *vt* surpass, exceed, excel, outdo, outvie; *iem. ~* outmatch sbd.; *zich zelf ~* surpass (excel) oneself; *de vraag overtreft het aanbod* demand exceeds supply

'overtrek (-ken) *o* & *m* case, casing, cover

1 'overtrekken¹ **I** *vt* 1 (t r e k k e n o v e r) pull across; 2 (o v e r h a l e n) pull [the trigger]; 3 (g a a n o v e r) cross [a river &]; 4 (n a t r e k k e n) trace [a drawing]; **II** *vi* blow over [of a thunderstorm]

2 over'trekken (overtrok, h. overtrokken) *vt* 1 cover, upholster [furniture]; recover [an umbrella]; 2 $ overdraw [one's account]; 3 (v. v l i e g t u i g) stall; 4 (o v e r d r ijv e n) overdraw, overact

'overtrekpapier *o* tracing-paper

over'troeven (overtroefde, h. overtroefd) *vt* overtrump; *fig* go one better than [sbd.], score off [sbd.]

over'tuigd staunch [supporter], true [socialist]; **over'tuigen** (overtuigde, h. overtuigd) **I** *vt* convince; **II** *vr zich ~* convince oneself, make sure; *zich ~ van* ascertain, see for oneself; **III** *va* carry conviction; **-d** convincing; **over'tuiging** (-en) *v* conviction; *de ~ hebben dat...* be convinced that; *tot de ~ komen dat...* come to the conclusion (conviction) that...; *uit ~* from conviction; *stuk van ~* ⚖ exhibit; **-skracht** *v* force of conviction, convincing power, cogency

'overtypen¹ [-ti.pə(n), -tɑipə(n)] *vt* type out.

'overuren *mv* overtime, hours of overtime; *~ maken* work overtime

'overvaart (-en) *v* passage, crossing

'overval (-len) *m* raid [also by police], hold-up; **over'vallen** (overviel, h. overvallen) *vt* 1 (a a n v a l l e n) raid, assault; 2 (v. o n w e e r &) overtake; 3 (v e r r a s s e n) take by surprise, surprise; *door de regen ~* caught in the rain; **'overvalwagen** (-s) *m* police van

1 'overvaren¹ **I** *vi* cross (over); **II** *vt* cross [a river]; take [a person] across

2 over'varen (overvoer, h. overvaren) *vt* run down [a vessel]

'oververhitten (oververhitte, h. oververhit) *vt* overheat; superheat [steam]

'oververmoeid over-fatigued, overtired; **over'vermoeidheid** *v* over-fatigue

'oververtellen (vertelde 'over, h. 'oververteld) *vt* repeat, tell

'oververven¹ *vt* 1 redye; 2 = *overschilderen*

'oververzadigen (oververzadigde, h. oververzadigd) *vt* 1 supersaturate [a solution]; 2 *fig* surfeit; **-ging** *v* 1 supersaturation; 2 *fig* surfeit

over'vleugelen (overvleugelde, h. overvleugeld) *vt* 1 surpass, outstrip; 2 ⚔ outflank

'overvliegen¹ *vt* fly over; fly across

'overvloed *m* abundance, plenty, profusion; *~ hebben van* abound in; *...i n ~ hebben* have plenty of...; *t e n ~e* moreover, needless to say; **over'vloedig** abundant, plentiful, copious, profuse; lush, rich

'overvloeien¹ *vi* overflow; *~ van* abound in,

¹ V.T. en V.D. van dit werkwoord volgens het model: **'over**boeken, V.T. boekte **'over,** V.D. **'over**geboekt. Zie voor de vormen onder het grondwoord, in dit voorbeeld: *boeken.* Bij sterke en onregelmatige werkwoorden wordt u verwezen naar de lijst achterin.

brim with; swim [with tears]; ~ *van melk en honing* B flow with milk and honey
over'voeden (overvoedde, h. overvoed) *vt* overfeed; **–ding** *v* overfeeding
1 'overvoeren[1] *vt* carry over, transport
2 over'voeren (overvoerde, h. overvoerd) *vt* overfeed; *fig* overstock, glut, flood [the market]
'overvol full to overflowing, chock-full, overcrowded, crowded [house]
'overvracht *v* excess luggage, excess
over'vragen (overvroeg, overvraagde, h. overvraagd) *vt* ask too much, overcharge
'overwaaien[1] *vi* blow over
'overwaarde *v* surplus value
'overwaarderen[1] *vt* overvalue; **–ring** *v* overvaluation
1 'overweg (-wegen) *m* level crossing; *onbewaakte* ~ unguarded level crossing
2 over'weg *met iets ~ kunnen* know how to manage sth.; *ik kan goed met hem* ~ I can get on with him very well; *zij kunnen niet met elkaar* ~ they don't hit it off
1 'overwegen[1] *vt* reweigh, weigh again
2 over'wegen (overwoog, h. overwogen) *vt* consider, weigh, think over, contemplate
over'wegend preponderant; *van ~ belang* of paramount importance; *~ droog weer* dry on the whole; *de bevolking is ~ Duits* predominantly German
over'weging (-en) *v* 1 consideration; 2 (g e d a c h t e) reflection; *iem. iets i n ~ geven* suggest sth. to sbd., recommend sth. to sbd.; *in ~ nemen* take into consideration; *t e r ~* for reflection; *u i t ~ van* in consideration of
'overwegwachter (-s) *m* gateman, crossing keeper
over'weldigen (overweldigde, h. overweldigd) *vt* overpower [a person]; usurp [a throne]; **–d** overwhelming; **over'weldiger** (-s) *m* usurper; **over'weldiging** *v* usurpation
over'welfsel (-s) *o* vault; **over'welven** (overwelfde, h. overwelfd) *vt* overarch, vault; **–ving** (-en) *v* vault
'overwerk *o* extra work, overwork, overtime; **1 'overwerken**[1] *vi* work overtime
2 over'werken (overwerkte, h. overwerkt) *zich* ~ overwork oneself
'overwerktarief (-rieven) *o* overtime rate; **–uren** zie *overuren*
'overwicht *o* overbalance; *fig* preponderance, ascendancy; *het ~ hebben* preponderate
over'winnaar (-s en -naren) *m* conqueror, victor; **over'winnen** (overwon, h. overwonnen) **I** *vt* conquer, vanquish, overcome [the enemy]; *fig* conquer, overcome, surmount [difficulties]; *een overwonnen standpunt* an exploded idea; **II** *va* conquer, vanquish, be victorious; **–d** victorious, conquering; **over'winning** (-en) *v* victory; *de ~ behalen op* gain the victory over; *het heeft mij een ~ gekost* it has been an effort to me
'overwinst (-en) *v* surplus profit, excess profit
over'winteren (overwinterde, h. overwinterd) *vi* winter; hibernate; **–ring** (-en) *v* wintering; hibernation
'overwippen[1] I *vi* pop over; *kom eens* ~ just slip across, step round; *naar A.* ~ pop over to A.; **II** *vt* pop across [the road]
over'woekeren (overwoekerde, h. overwoekerd) *vt* grow over; *overwoekerd* overgrown (*door*, with)
over'wonnene (-n) *m*, **over'wonneling** (-en) *m* vanquished person; *de overwonnenen* the vanquished
over'zees oversea(s)
'overzeilen[1] **I** *vi* sail over, sail across; **II** *vt* sail across, sail [the seas]
'overzenden[1] *vt* send, forward, dispatch; transmit [a message]; remit [money]; **–ding** *v* dispatch; transmission; remittance
'overzetboot (-boten) *m* & *v* ferry-boat; **'overzetten**[1] *vt* 1 (o v e r v a r e n) ferry over, take across; 2 (v e r t a l e n) translate; **–er** (-s) *m* 1 ⚓ ferryman; 2 translator; **'overzetting** (-en) *v* translation
'overzicht (-en) *o* survey, synopsis, [general] view, review [of foreign affairs &]; *beknopt* ~ resumé, summary, abstract; **over'zichtelijk** **I** *aj* clear, neat [arrangement of the matters]; **II** *ad* clearly [arranged]; **–heid** *v* clarity [of the arrangement]
1 'overzien[1] *vt* look over, go through
2 over'zien (overzag, h. overzien) *vt* overlook, survey; *alles met één blik* ~ take in everything at a glance, sum up a situation; *niet te* ~ immense, vast[2]; incalculable [consequences]
'overzij(de) *v* = *overkant*
'overzwemmen[1] *vt* swim across, swim [the Channel]
O'vidius *m* Ovid
ovu'latie [-(t)si.] (-s) *v* ovulation
o'weeër (-s) *m* war-profiteer
oxy'datie [ɔksi.'da.(t)si.] (-s) *v* oxidation; **o'xyde** (-n en -s) *o* oxide; **oxy'deren** (oxydeerde, h. geoxydeerd) *vt* & *vi* oxidize
o'zon, 'ozon *o* & *m* ozone

[1] V.T. en V.D. van dit werkwoord volgens het model: **'over**boeken, V.T. boekte **'over**, V.D. **'over**geboekt. Zie voor de vormen onder het grondwoord, in dit voorbeeld: *boeken.* Bij sterke en onregelmatige werkwoorden wordt u verwezen naar de lijst achterin.

P

p [pe.] ('s) *v* p
p.a. = *per adres*
pa ('s) *m* **F** pa(pa), dad(dy)
'paadje (-s) *o* footpath, walk
paai (-en) *m* gaffer; *ouwe* ~ ook: old fog(e)y
1 'paaien (paaide, h. gepaaid) *vt* appease, soothe
2 'paaien (paaide, h. gepaaid) *vi* spawn [of fish]; **'paaiplaats** (-en) *v* spawning grounds; **–tijd** (-en) *m* spawning season
paal (palen) m 1 pile [driven into ground]; pole [rising out of ground], post [strong pole]; stake, ⚔ palisade; 2 ▨ pale; ~ *en perk* metes and bounds; ~ *en perk stellen aan* check [a disease], put a stop to, stop [abuses], set bounds to; *dat staat als een* ~ *boven water* that's a fact, that is unquestionable; **–bewoner** (-s) *m* lake-dweller; **–dorp** (-en) *o* lake-village, lacustrine settlement; **–tje** (-s) *o* picket, peg; **'–vast** as firm as a rock; **–werk** (-en) *o* pile-work, palisade; **–woning** (-en) *v* pile-dwelling, lake-dwelling
paap (papen) *m* > papist; priest
'paapje (-s) *o* 🐦 whinchat
paaps > papistic(al), popish
paar (paren) *o* pair [of shoes &]; couple, brace [of partridges &]; *een* ~ *dagen* a day or two; a few days; *een* ~ *dingen* one or two things; *een gelukkig* ~ a happy pair (couple); *verliefde paren* couples of lovers; *zij vormen geen* ~ they don't match; ~ *a a n* ~ two together; *b ij paren, bij het* ~ *verkopen* in pairs
paard (-en) *o* 1 🐎 horse; 2 (s c h a a k s p e l) knight; 3 (g y m n a s t i e k) (vaulting-)horse; ~ *en rijtuig houden* keep a carriage; ~ *rijden* ride (on horseback); *(de)* ~*en die de haver verdienen krijgen ze niet* desert and reward seldom keep company; *het beste* ~ *struikelt wel eens* it is a good horse that never stumbles; *men moet een gegeven* ~ *niet in de bek zien* you must not look a gift horse in the mouth; *het* ~ *achter de wagen spannen* put the cart before the horse; ● *o p het* ~ *helpen* [*fig*] give a leg up; *hij wordt hier o v e r het* ~ *getild* he is made too much of here; *t e* ~ on horseback, mounted; *te* ~*!* to horse!; zie ook: *stijgen* &; **'paardebloem** (-en) *v* dandelion; **–dek** (-ken) *o*, **–deken** (-s) *v* horse-cloth; **–haar** *o* horsehair; **–haren** *aj* horsehair; **–hoef** (-hoeven) *m* hoof (of a horse); **–hoofdstel** (-len) *o* headstall; **–horzel** (-s) *v* horse-fly, gad-fly; **–knecht** (-en) *m* groom; **–kracht** (-en) *v* horse-power, h.p.; **–middel** (-en) *o* horse-physic; *fig* kill or cure remedy; **–mop** (-pen) *v* shaggy-dog story; **'paardenfokker** (-s) *m* horse-breeder; **paardenfokke'rij** (-en) *v* 1 horse-breeding; 2 stud; stud-farm; **'paardenhandel** *m* horse-trade; **–koper** (-s) *m* horse-dealer, coper; **–markt** (-en) *v* horse-fair; **–rennen** *mv* races; **–slager** (-s) *m* horse-butcher; **'paardenslage'rij** (-en) *v* horse-butcher's shop; **'paardenspel** (-len) *o* circus; **paardenstoete'rij** (-en) *v* stud; stud-farm; **'paardenvolk** *o* cavalry, horse; **'paarderas** (-sen) *o* breed of horses; **–sport** *v* equestrianism; **–sprong** (-en) *m* knight's move; **–staart** (-en) *m* 1 horse-tail (ook ♣); 2 (h a a r d r a c h t) pony tail; **–stal** (-len) *m* stable; **–toom** (-tomen) *m* bridle; **–tram** [-trεm] (-s), **–trem** (-s) *v* horse-tramway; **–tuig** *o* harness; **–vijg** (-en) *v* ball of horse-dung; ~*en* horse-manure; **–vlees** *o* horseflesh, (a l s g e r e c h t) horse meat; *hij heeft* ~ *gegeten* **J** he has got the fidgets; **–vlieg** (-en) *v* horse-fly; **–voet** (-en) *m* 1 horse's foot; 2 club-foot; **'paardje** (-s) *o* little horse, **F** gee-gee; ~ *spelen* play horses; **'paardmens** (-en) *m* centaur; **–rijden** *o* riding (on horse-back), horse-riding; (a l s k u n s t) horsemanship; *zij gingen* ~ they went out riding; **–rijder** (-s) *m* rider, horseman, equestrian; **–rijdster** (-s) *v* horsewoman, lady equestrian
paarle'moer *o* mother-of-pearl, nacre; **–en** *aj* mother-of-pearl [buttons &]
paars *aj* & *o* (~- r o o d) purple, (~- b l a u w) violet
paarsge'wijs, –ge'wijze in pairs, two and two
'paartijd *m* pairing-time, mating-time
'paartje (-s) *o* couple [of lovers]
'paasbest *o* Easter best, Sunday best; **–brood** (-broden) *o* 1 Easter loaf [of the Christians]; 2 Passover bread [of the Jews]; **–dag** (-dagen) *m* Easter day; **–ei** (-eieren) *o* Easter egg; **'Paaseiland** *o* Easter Island; **'paasfeest** (-en) *o* 1 Feast of Easter; 2 Passover [of the Jews]; **–haas** (-hazen) *m* Easter bunny; **–lam** (-meren) *o* paschal lamb; **Paas'maandag** *m* Easter Monday; **'paasplicht** *m* & *v rk* Easter duties; **–tijd** *m* Easter time; **–vakantie** [-(t)si.] (-s) *v* Easter holidays; **–vuur** (-vuren) *o* Easter bonfire; **–week** *v* Easter week; **Paas'zondag** *m* Easter Sunday
'paatje (-s) *o* **F** daddy
'pacemaker ['pe:sme:kər] (-s) *m* pace-maker, *Am* cardiac pacemaker

pacht (-en) *v* 1 ('t p a c h t e n) lease; 2 (g e l d) rent; *in ~ geven* let out, farm out; *in ~ hebben* hold on lease, rent; *in ~ nemen* take on lease, rent; *vrij van ~* rent-free; zie ook *wijsheid*; **–boer** (-en) *m* tenant farmer; **–contract** (-en) *o* lease; **'pachten** (pachtte, h. gepacht) *vt* rent; ⚒ farm [a monopoly]; **–er** (-s) *m* tenant, tenant farmer [of a farm]; lessee, leaseholder [of a theatre &]; ⚒ farmer [of a monopoly]; **'pachtgeld** (-en) *o* rent; **–hoeve** (-n) *v* farm; **–kamer** (-s) *v* ⚖ court for lend-lease disputes; **–som** (-men) *v* rent; **–termijn** (-en) *m* tenancy; **–vrij** rent-free

pacifi'catie [pɑ.si.fi.'ka.(t)si.] (-s en -iën) *v* pacification; **pacifi'ceren** (pacificeerde, h. gepacificeerd) *vt* pacify; **paci'fisme** *o* pacifism; **–'fist** (-en) *m* pacifist; **–'fistisch** pacifist

pact (-en) *o* pact

1 pad (paden) *o* path² [of virtue &], walk; (t u s s e n z i t p l a a t s e n) gangway, aisle; *op ~ gaan* set out; *op het ~ zijn* be about

2 pad (-den) *v* 🐸 toad

'paddel (-s) = *peddel*

'paddestoel (-en) *m* 1 toadstool; 2 (e e t b a r e) mushroom; *eetbare ~en* ook: edible fungi; *als ~en verrijzen* spring up like mushrooms; **–wolk** (-en) *v* mushroom cloud

'paden meerv. van 1 *pad*

'padie *m* paddy

'padvinder (-s) *m* 1 (boy) scout; 2 (b a a n - b r e k e r) pathfinder; **padvinde'rij** *v* (boy-) scout movement, scouting; **'padvindster** (-s) *v* girl guide

paf *ij* puff!; bang!; *hij stond er ~ van* he was staggered, **F** he was flabbergasted

'paffen (pafte, h. gepaft) *vi* 1 puff [at a pipe]; 2 pop [with a gun]; **'pafferig** puffy, bloated

pag. = *pagina*

pa'gaai (-en) *m* paddle; **pa'gaaien** (pagaaide, h. gepagaaid) *vi* & *vt* paddle

'page ['pa.ʒə] (-s) *m* page, **F** buttons; **–kop** (-pen) *m* bobbed hair

'pagina ('s) *v* page [of a book]; **pagi'neren** (pagineerde, h. gepagineerd) *vt* page, paginate; **–ring** (-en) *v* paging, pagination

pa'gode (-s) *v* pagoda

pail'let [pai'jɛt] (-ten) *v* spangle, sequin

pair [pɛ:r] (-s) *m* peer; **–schap** *o* peerage

pais *v in ~ en vree* amicably, peacefully

pak (-ken) *o* 1 package, parcel, packet [of matches], bundle; [pedlar's] pack; *fig* load; 2 suit [of clothes]; *een ~ slaag* a thrashing, a flogging, a drubbing, **F** a hiding; *een ~ voor de broek* a spanking; *wij kregen een nat ~* we got wet through; *ik ben niet bang voor een nat ~* I don't fear a wetting; *mij viel een ~ van het hart* that was a load off my mind; ● *b ij de ~ken neerzitten* sit down in despair, give it up as a bad job; *m e t ~ en zak* (with) bag and baggage; **–ezel** (-s) *m* pack-mule; **–garen** *o* packthread

'pakhuis (-huizen) *o* warehouse; **–huur** *v* warehouse rent, storage; **–knecht** (-en en -s) *m* warehouseman; **–meester** (-s) *m* warehouse-keeper

'pakijs *o* pack-ice

Paki'staans Pakistani; **'Pakistan** *o* Pakistan; **Paki'stani** ('s) *m* Pakistani

'pakkamer (-s) *v* packing-room; **'pakken** (pakte, h. gepakt) **I** *vt* 1 (g r ij p e n) seize, clutch, grasp, take [sth. up, sbd.'s hands]; 2 (o m h e l z e n) hug, cuddle [a child &]; 3 (i n p a k k e n) pack [one's trunk]; 4 *fig* fetch [one's public], grip [the reader]; *mag ik even mijn zakdoek ~?* may I get my handkerchief?; *pak ze!* sick him!; *het te ~ hebben* have caught a cold; *hij heeft het erg (zwaar) te ~* **F** it's hit him very hard, he has pot it badly; *hij zal het gauw te ~ hebben* he will soon get the trick of it; *je hebt de koorts te ~* you have got fever (on you); *als ik hem te ~ krijg* 1 [I'll tell him] if I can get hold of him; 2 [I'll smash him] if he ever falls into my clutches; *ze kunnen hem niet te ~ krijgen* 1 they can't get hold of him; 2 they can't catch him; *iem. te ~ nemen* 1 make a fool of sbd.; pull sbd.'s leg; 2 take sbd. in; **II** *va* ball, bind [of snow]; *ik moet nog ~* I must pack (up); *het stuk pakt niet* the play does not catch on; *de zaag pakt niet* the saw doesn't bite; **–d** fetching, taking [manner]; gripping [story]; catchy [melodies, songs]; telling [device]; **'pakker** (-s) *m* packer; **'pakker(d)** (-s) *m* **F** hug, squeeze

pak'ket (-ten) *o* parcel, packet; *fig* package; **–boot** (-boten) *m* & *v* packet-boat; **–post** *v* parcel post; **–vaart** *v* packet service

'pakking (-en en -s) *v* ⚒ packing; gasket; **–ring** (-en) *m* ⚒ gasket-ring

'pakkist (-en) *v* (packing-)case; **–knecht** (-en en -s) *m* packer; **–linnen** (-s) *o* packing-cloth, packing sheet, canvas; **–loon** *o* packing-charges; **–mand** (-en) *v* hamper; **–naald** (-en) *v* packing-needle; **–paard** (-en) *o* pack-horse; **–papier** *o* packing-paper; **–schuit** (-en) *v* barge; **–tafel** (-s) *v* packing table, wrapping table; **–touw** *o* twine; **–zadel** (-s) *m* & *o* pack-saddle; **–zolder** (-s) *m* storage loft

1 pal (-len) *m* click, ratchet, pawl [of a watch]

2 pal I *aj* firm; *~ staan* stand firm; **II** *ad* 1 firmly [fixed &]; 2 right [in the middle]; *~ noord* due north

pala'dijn (-en) *m* paladin

palan'kijn (-s) *m* palanquin

pala'taal (-talen) *aj* & *v* palatal

pa'laver (-s) *o* palaver

pa'leis (-leizen) *o* palace; *ten paleize* at the palace; at court; **–revolutie** [-(t)si.] (-s) *v* palace revolution; **–wacht** *v* palace guard
'palen (paalde, h. gepaald) *vi* ~ *aan* confine upon
paleogra'fie *v* palaeography; **paleo'grafisch** palaeographic
Pales'tijn (-en) *m* Palestinian; **–s** Palestinian; **Pales'tina** *o* Palestine
pa'let (-ten) *o* palette, pallet; **–mes** (-sen) *o* palette-knife
palfre'nier (-s) *m* groom
'paling (-en) *m* eel; **–fuik** (-en) *v* eel buck
palis'sade (-n en -s) *v* palisade, paling; **palissa'deren** (palissadeerde, h. gepalissadeerd) *vt* palisade; **–ring** (-en) *v* 1 palisading; 2 palisade
palis'sanderhout *o* rosewood
pal'jas (-sen) *m* 1 clown, buffoon; 2 paillasse, pallet [= straw mattress]
palm (-en) *m* 1 palm [of the hand]; decimetre; 2 (b o o m, t a k) palm; **–blad** (-bladeren en -blaren) *o* palm-leaf; **–boom** (-bomen) *m* palm-tree; **–boompje** (-s) *o* = *palmstruik*; **–bos** (-sen) *o* palm-grove; **–hout** *o* box-wood, box; **–olie** *v* palm-oil; **Palm'paas, Palm'pasen** *m* Palm Sunday; **'palmstruik** (-en) *m* ✿ box-tree; **–tak** (-ken) *m* palm-branch; (s y m b o l i s c h) palm; **–wijn** *m* palm-wine; **Palm'zondag** *m* Palm Sunday
Palts *v* Palatinate [of the Rhine]; **'paltsgraaf** (-graven) *m* count palatine; **–schap** (-pen) *o* palatinate
pam'flet (-ten) *o* lampoon, broadsheet; (b r o c h u r e) pamphlet; **–schrijver** (-s), **pamflet'tist** (-en) *m* lampoonist, pamphleteer
'Pampus *o voor ~ liggen* **F** (m o e d e) be dead-tired (dead-beat); (d r o n k e n) be dead-drunk
pan (-nen) *v* 1 (k e u k e n g e r e i) pan; 2 (v a n d a k) tile; 3 (h e r r i e) **F** row; *wat een ~!* what a go!; *in de ~ hakken* cut up, cut to pieces, wipe out
pana'cee (-ceeën en -s) *v* panacea, cure-all
'Panama *o* Panama; **'panamahoed** (-en) *m* Panama hat, panama; **'Panamakanaal** *o* Panama Canal
'pancreas (-sen) *m* & *o* pancreas
pand (-en) 1 *o* pledge, security, pawn, *sp* forfeit; 2 *o* (h u i s e n e r f) premises; 3 *m* & *o* (v. j a s) flap, tail, skirt; ~ *verbeuren* zie *verbeuren*; *in ~ geven* offer in pawn, give as (a) security; *t e g e n ~* on security; **–brief** (-brieven) *m* mortage bond
pan'decten *mv* pandects
'panden (pandde, h. gepand) *vt* seize, distrain upon; **'pandgever** (-s) *m* pawner; **–houder** (-s) *m* pawnee; **–(jes)huis** (-huizen) *o* pawnshop
'pandjesjas (-sen) *m* & *v* tail-coat
pan'doer *o* & *m* ◇ "pandoer"; *opgelegd ~* a (dead) cert
'pandrecht *o* lien; **–verbeuren** *o* (game of) forfeits
pa'neel (-nelen) *o* panel
pa'neermeel *o* bread-crumbs; **pa'neren** (paneerde, h. gepaneerd) *vt* (bread-)crumb
'panfluit (-en) = *pansfluit*
pa'niek *v* panic; [war] scare; *in ~ geraakt* panic-stricken; *in ~ raken* panic; **pa'niekerig** panicky; **pa'niekstemming** *v* panicky atmosphere; **–toestand** *m* state of panic; **–zaaier** (-s) *m* scare-monger; **'panisch** panic; *~e schrik* panic
'panklaar ready for the frying-pan
'panne (-s) *v* ⚒ breakdown
'pannekoek (-en) *m* pancake; **–lap** (-pen) *m* 1 (o m t e r e i n i g e n) (pot) scourer; 2 (o m a a n t e v a t t e n) pot-holder; **–likker** (-s) *m* dough scraper
pannenbakke'rij (-en) *v* tile-works; **'pannendak** (-daken) *o* tiled roof; **–dekker** (-s) *m* tiler
'pannespons (-en en -sponzen) *v* (pot) scourer
pa'nopticum (-ca en -s) *o* = *wassenbeeldenspel*
pano'rama ('s) *o* panorama
'pansfluit (-en) *v* Pan-pipe, Pandean pipes
panta'lon (-s) *m* [man's] trousers, **F** pants; (s p o r t ~ v o o r d a m e s, h e r e n) slacks; (d a m e s o n d e r k l e d i n g) knickers, panties
'panter (-s) *m* panther
panthe'ïsme *o* pantheism; **panthe'ïst** (-en) *m* pantheist; **–isch** pantheistic(al)
'pantheon (-s) *o* pantheon
pan'toffel (-s) *v* slipper; *onder de ~ staan* (*zitten*) be henpecked (by *van*), be under petticoat government; **–held** (-en) *m* henpecked husband; **–parade** (-s) *v* parade; (n a k e r k) church-parade
panto'mime (-s en -n) *v* pantomime, dumb show
'pantry ['pɛntri.] ('s) *m* pantry
'pantser (-s) *o* 1 (h a r n a s) cuirass, (suit of) armour; 2 (b e k l e d i n g) armour-plating; **–auto** [-o.to. of -ɔuto.] ('s) *m* armoured car; **–dek** (-ken) *o* armoured deck; **–divisie** [-zi.] (-s) *v* tank division; **'pantseren** (pantserde, h. gepantserd) *vt* armour-plate, armour; zie ook: *gepantserd*; **'pantserglas** *o* bullet-proof glass; **–kruiser** (-s) *m* armoured cruiser; **–plaat** (-platen) *v* armour-plate; **–schip** (-schepen) *o* armoured ship, armour-clad; **–wagen** (-s) *m* armoured car
'panty ['pɛnti.] ('s) *m* panty-hose
pap (-pen) *v* 1 (o m t e e t e n) porridge [made

of oatmeal or cereals]; pap [soft food for infants or invalids]; 2 ⚕ poultice; 3 (in de nijverheid) dressing [for textiles]; [paper] pulp; 4 (stijfsel) paste; 5 (v. sneeuw, modder) slush; *een vinger in de ~ hebben* have a finger in the pie

pa'pa ('s) *m* papa

pa'paver (-s) *v* poppy; **-bol** (-len) *m* poppy-head; **-zaad** *o* poppy-seed

pape'gaai (-en) *m* 1 🐦 parrot[2]; 2 *sp* popinjay; **-ziekte** (-s) *v* psittacosis

'papenvreter (-s) *m* anticlerical

pape'rassen *mv* 1 waste paper; 2 > papers, **P** bumf

'paperback ['pe.pərbɛk] (-s) *m* paperback; **-clip** (-s) *m* paper-clip

pa'pier (-en) *o* paper; *~en* papers; *zijn ~en rijzen* his stock is going up[2]; *goede ~en hebben* have good testimonials; *het ~ is geduldig* anything may be put on paper; ● *het zal in de ~en lopen* it will run into a lot of money; *op ~* on paper; *op ~ brengen (zetten)* put on paper; commit to paper; **-binder** (-s) *m* paper-clip; **-en** *aj* paper; *~ geld* paper money, paper currency; **-fabriek** (-en) *v* paper-mill; **-fabrikant** (-en) *m* paper-maker; **-geld** *o* paper money; **-handel** *m* paper-trade; **-handelaar** (-s en -laren) *m* paper-seller; **-industrie** *v* paper-making industry; **-klem** (-men) *v* paper-clip

papier-ma'ché [pa.'pje.ma.'ʃe.] *o* papier mâché

pa'piermand (-en) *v* waste-paper basket; **-molen** (-s) *m* paper-mill; **-tje** *o* bit of paper; **-winkel** *m* stationer's shop; **-wol** *v* paper shavings

pa'pil *v* papilla [*mv* papillae]

papil'lot [pa.pɪl'jɔt] *v* curl-paper; *met ~ten in het haar* with her hair in papers

pa'pisme *o* papistry, popery; **-ist** (-en) *m* papist

'papkindje (-s) *o* mollycoddle; **-lepel** (-s) *m* pap-spoon; *het is hem met de ~ ingegeven* he has sucked it in with his mother's milk

'Papoea, Pa'poea ('s) *m,* **'Papoeaas** *aj* Papuan

'pappen (papte, h. gepapt) *vt* 1 poultice [a wound]; 2 ⚒ dress

'pappenheimers *mv hij kent zijn ~* he knows his people, his men

'papperig soft, pulpy, pappy, mashy, mushy; **'pappig** pappy; **'pappot** (-ten) *m* pap-pot; *bij moeders ~ blijven* be tied to mother's apron-strings

'paprika ('s) *v* paprika

pa'pyrus (-sen en -pyri) *m* papyrus

'papzak (-ken) *m* fats, fatso

pa'raaf (-rafen) *m* initials [of one's name]

pa'raat ready, prepared, in readiness; *parate kennis* ready knowledge; **-heid** *v* readiness, preparedness

pa'rabel (-s en -en) *v* parable

para'bolisch I *aj* 1 parabolical; 2 parabolic [mirror, reflector]; **II** *ad* parabolically; **para'bool** (-bolen) *v* parabola

para'chute [-'ʃy.t] (-s) *m* parachute; **parachu'teren** (parachuteerde, h. geparachuteerd) *vt* parachute; **para'chutesprong** (-en) *m* parachute jump; **-troepen** *mv* parachute troops, paratroops; **parachu'tist** (-en) *m* parachutist, ⚔ paratrooper

pa'rade (-s) *v* 1 ⚔ parade, review; 2 parade, parry [in fencing]; 3 *fig* parade, show; *de ~ afnemen* take the salute; *~ houden* hold a review; *~ maken* parade; **-paard** (-en) *o* state-horse; **-pas** (-sen) *m* parade step, [stiff-legged] goose-step; **-plaats** (-en) *v* parade ground; **para'deren** (paradeerde, h. geparadeerd) *vi* 1 ⚔ parade; 2 *fig* parade, show off

para'digma (-ta en 's) *o* paradigm

para'dijs (-dijzen) *o* paradise[2]; **-achtig** paradisiac(al); **-elijk** paradisiac(al); **-vogel** (-s) *m* bird of paradise

para'dox (-en) *m* paradox; **parado'xaal** paradoxical

para'feren (parafeerde, h. geparafeerd) *vt* initial [a document &]; **-ring** *v* initial(l)ing

paraf'fine *v* & *o* 1 (wasachtige stof) paraffin wax; 2 (bepaalde koolwaterstof) paraffin

para'frase [s = z] (-s en -n) *v* paraphrase; **parafra'seren** (parafraseerde, h. geparafraseerd) *vt* paraphrase

paragno'sie [s = z] *v* extrasensory perception; **para'gnost** (-en) *m* sensitive; **-isch** extrasensory

para'graaf (-grafen) *m* 1 paragraph, section; 2 (teken) section-mark: §

'Paraguay *o* Paraguay

paral'lel *aj,* (-len) *v* parallel; *~ lopen met* run parallel with; *een ~ trekken* draw a parallel; **parallelle'pipedum** (-da en -s) *o* parallelepiped; **parallello'gram** (-men) *o* parallelogram; **paral'lelschakeling** (-en) *v* shunt; **-weg** (-wegen) *m* parallel road

para'medisch paramedical

para'ment (-en) *o* vestment

'paramilitair [-tɛ:r] para-military

para'noia *v* paranoia; **para'noicus** [-'no:i.küs] (-ci) *m* paranoiac; **parano'ïde** paranoiac

'paranoot (-noten) *v* Brazil nut

'paranormaal paranormal

para'plu ('s) *m* umbrella; **-bak** (-ken), **-standaard** (-s), **-stander** (-s) *m* umbrella-stand

'parapsychologie [-psi.go.lo.gi.] *v* parapsychology, [Society for] psychical research; **parapsycho'logisch** parapsychological

para'siet (-en) *m* parasite²; **parasi'tair** [-'tɛ:r] parasitic [disease]; **parasi'teren** (parasiteerde, h. geparasiteerd) *vi* be parasitic(al), sponge [on]; **para'sitisch I** *aj* parasitic(al); **II** *ad* parasytically
para'sol (-s) *m* sunshade, parasol; (t u i n~ &) (beach) umbrella
'paratroepen *mv* paratroops
'paratyfus [-ti.füs] *m* paratyphoid
par'cours [-'ku:r(s)] (-en) *o sp* circuit, course
par'does bang, plump, slap
par'don *o* pardon; ~, *mijnheer!* 1 sorry!, beg pardon, sir!; 2 excuse me, sir, could you...; *zonder* ~ without mercy, inexorably; *geen* ~ *geven* give no quarter
'parel (-s en -en) *v* pearl²; *~en voor de zwijnen werpen* **B** cast pearls before swine; **-achtig** pearly, pearl-like; **-collier** [-kɔlje.] (-s) *m* pearl-necklace, rope of pearls; **-duiker** (-s) *m* 1 (v i s s e r) pearl-diver, pearl-fisher; 2 🦢 black-throated diver; **'parelen** (parelde, h. gepareld) *vi* pearl, sparkle, bead; *het zweet parelde hem op het voorhoofd* the perspiration stood in beads on his brow; **'parelgerst** *v*, **-gort** *m* pearl-barley; **-grijs** pearl-grey; **-hoen** (-ders) *o* guinea-fowl; **parel'moer(-)** = *paarlemoer(-)*; **'pareloester** (-s) *v* pearl-oyster; **-schelp** (-en) *v* pearl-shell; **-snoer** (-en) *o* pearl-necklace, rope of pearls; **-visser** (-s) *m* pearl-fisher; **parelvisse'rij** *v* pearl-fishery, pearling
pare'ment (-en) = *parament*
'paren (paarde, h. gepaard) **I** *vt* pair, couple, match; unite; ...~ *aan* combine... with; **II** *vi* pair, mate, copulate [sexually]; zie ook: *gepaard*
paren'these [-rɛn'te.zə], **pa'renthesis** [-te.zɪs] (-thesen en -theses) *v* parenthesis; *in* ~ within parentheses
pa'reren (pareerde, h. gepareerd) *vt* parry, ward off [a blow]
par'fum (-s) *o* & *m* perfume, scent; **parfu'meren** (parfumeerde, h. geparfumeerd) *vt* perfume, scent; **parfume'rie** (-ieën) *v* 1 perfume, scent; 2 perfumery [shop or trade]
'pari *ad*, ('s) *o* $ par; *a* ~ at par; *b e n e d e n* ~ below par, at a discount; *b o v e n* ~ above par, at a premium; ~ *staan* be at par
'paria ('s) *m-v* pariah
Pa'rijs I *o* Paris; **II** *aj* Parisian, Paris; **Pa'rijzenaar** (-s) *m* Parisian
'paring (-en) *v* mating, pairing, copulation; **'paringsdaad** *v* sexual act, copulation; **-drift** *v* mating instinct, sexual drive
pari'tair [-'tɛ:r] on an equal footing, having equal rights
pari'teit (-en) *v* parity
park (-en) *o* park, (pleasure) grounds; *nationaal* ~ national park
par'keergarage [-ga.ra:ʒə] (-s) *v* parking garage; **-geld** (-en) *o* parking fee; **-haven** (-s) *v* lay-by, parking bay; **-licht** (-en) *o* parking light; **-meter** (-s) *m* parking meter; **-plaats** (-en) *v* car park, parking place; **-schijf** (-schijven) *v* parking disc; **-terrein** (-en) *o* car park; **-verbod** (-boden) *o* parking ban; **-wachter** (-s) *m* traffic warden; **par'keren** (parkeerde, h. geparkeerd) *vi* & *vt* park; *dubbel* ~ double-park; *niet* ~ no parking
par'ket (-ten) *o* 1 parquet; 2 ⚖ (b u r e a u) Public Prosecutor's Office; (a m b t e n a a r) Public Prosecutor; *iem. in een lastig* ~ *brengen* put (place) sbd. in an awkward predicament (position), embarrass sbd.; *hij zat in een lelijk* ~ **F** he was in an awful scrape (fix); **parket'teren** (parketteerde, h. geparketteerd) *vt* parquet; **par'ketvloer** (-en) *m* parquet floor(ing)
par'kiet (-en) *m* parakeet, paroquet
par'koers (-en) = *parcours*
parle'ment (-en) *o* parliament; **parlemen'tair** [-'tɛ:r] **I** *aj* parliamentary; *de ~e vlag* the flag of truce; **II** (-s en -en) *m* bearer of a flag of truce; **parlemen'teren** (parlementeerde, h. geparlementeerd) *vi* (hold a) parley; **parle'mentslid** (-leden) *o* member of parliament, M.P.; **-zitting** (-en) *v* session of parliament
parle'vinken (parlevinkte, h. geparlevinkt) *vi* (k o e t e r e n) jabber, talk gibberish; **-er** (-s) *m* ⚓ bumboat trader
par'mant(ig) *aj* (& *ad*) pert(ly), perky (perkily)
parme'zaan *m* Parmesan cheese
Par'nas, Par'nassus *m de* ~ Parnassus
parochi'aal parochial; **parochi'aan** (-ianen) *m* parishioner; **pa'rochie** (-s en -chiën) *v* parish; **-kerk** (-en) *v* parish church
paro'die (-ieën) *v* parody, travesty, skit; **parodi'ëren** (parodieerde, h. geparodieerd) *vt* parody, travesty, take off; **paro'dist** (-en) *m* parodist
pa'rool (-rolen) *o* 1 (e r e w o o r d) parole; 2 (w a c h t w o o r d) parole, password; 3 *fig* watchword
1 part (-en) *o* part, portion, share; *ik had er* ~ *noch deel aan* I had neither part nor lot in it; *voor mijn* ~ as for me, as far as I am concerned...
2 part *v iem. ~en spelen* play a trick on sbd., play sbd. false
par'terre (-s) *o* & *m* 1 pit [in a theatre]; 2 ground floor [of a house]; 3 (b l o e m p e r k) parterre
partici'pant (-en) *m* participant; **partici'patie** [-(t)si.] (-s) *v* participation; **partici'peren** (participeerde, h. geparticipeerd) *vi* participate
particu'lier I *aj* private; *~e school* private

school; *~e weg* occupation road; *~e woning* private house; **II** *ad* privately; **III** (-en) *m* private person

parti'eel [-(t)si.'e.l] partial

par'tij (-en) *v* 1 party°; 2 game [of billiards &]; 3 $ parcel, lot [of goods]; 4 ♪ part; *beide ~en* both sides, both parties; *een goede ~* a good match; *een ~ doen* make a good match; *een ~ geven* give a party; *~ kiezen* take sides; (b i j s p e l l e t j e s) pick sides; *~ kiezen tegen* take part against, side against; *~ kiezen voor* take part with, side with; *de wijste ~ kiezen* choose the wisest course; *een ~ maken* have a game of billiards [whist &]; *zijn ~ meeblazen* keep one's end up; *zijn ~ spelen* play one's part; *zich ~ stellen* take a side; *~ trekken van* take advantage of; *~ trekken voor* take part with, stand up for; ● *b ij ~en verkopen* sell in lots; *v a n ~ veranderen* change sides; *van de ~ zijn* make one, be in on it; **–bons** (-bonzen) *m* party bigwig;

par'tijdig I *aj* partial, biassed; **II** *ad* in a biassed way; **–heid** *v* partiality, bias;

par'tijganger (-s) *m* partisan; **–geest** *m* party spirit; **–genoot** (-noten) *m* party member; **–leider** (-s) *m* party leader; **–leus, –leuze** (-leuzen) *v* party cry, slogan; **–lid** (-leden) *o* party member; **–loos** non-party; **–man** (-nen) *m* party man, partisan; **–politiek** *v* party politics, [the] party line; **–programma** ('s) *o* party programme, party platform; **–strijd** *m* party battle, party warfare; **–tje** (-s) *o* 1 party; 2 $ lot; 3 (s p e l l e t j e) game; **–zucht** *v* party spirit

parti'tuur (-turen) *v* score

parti'zaan (-zanen) *m* partisan

'partje (-s) *o* slice, section, small piece, segment [of an orange]

'partner (-s) *m* & *v* partner; **–ruil** *m* partner exchange, mate-swopping

parve'nu ('s) *m* parvenu, upstart; **–achtig I** *aj* parvenu... **II** *ad* like a parvenu

1 pas (-sen) *m* 1 (s t a p) pace, step; 2 (b e r g - w e g) pass; defile; 3 (p a s p o o r t) passport; (v r i j g e l e i d e) pass; *gewone ~* quick time; *gewone ~!* quick march!; *de ~ aangeven* set the pace; *iem. de ~ afsnijden* 1 forestall sbd.; 2 cut sbd. short; *daarvoor is mij de ~ afgesneden* I find my way barred to that; *iets de ~ afsnijden* put a stop to sth. [abuses &]; *er de ~ in houden* keep up a smart pace; *er de ~ in zetten* step out; *~ op de plaats maken* mark time[2]; ● *i n de ~* in step; *in de ~ blijven met* keep pace (step) with; *in de ~ komen* catch step; *bij iem. in de ~ zien te komen* curry favour with sbd.; *in de ~ lopen* keep step; *bij iem. in de ~ staan (zijn)* be in sbd.'s good books; *o p tien ~ (afstands)* at ten paces; *u i t de ~ raken* get (fall) out of step, break step; *uit de ~ zijn* be out of step

2 pas *o waar het ~ geeft* where proper; *dat geeft geen ~* that is not becoming; that won't do; ● *een woordje o p zijn ~* a word in season; *t e ~ en te onpas* in season and out of season; *iets te ~ brengen* work in sth. [a quotation &]; *het zal u nog te ~ komen* it will come in handy; *dat komt niet te ~* that is not becoming; that won't do; *er aan te ~ komen* enter into it (the question); *hij moest er aan te ~ komen* he had to step in; *je komt net v a n ~* as if you had been called; *dat kwam mij net van ~* that came in very handy (opportunely)

3 pas *ad* scarcely, hardly; just (now); new-[born], newly-[married]; *~ gisteren* not before (not until) yesterday, only yesterday; *~... of...* zie *nauwelijks*

'pasar (-s) *m* bazaar, market

'pascontrole [-kòntrɔ.lə] (-s) *v* examination of passports, passport check

'Pasen *m* 1 Easter; 2 (b ij d e j o d e n) Passover; *zijn ~ houden rk* take the Sacrament at Easter

'pasfoto ('s) *v* passport photo

'pasgeboren newborn

'pasgeld *o* change, small money

'pasja ('s) *m* pasha

'pasje (-s) *o* transfer (ticket)

'paskamer (-s) *v* fitting-room; **–klaar** ready for trying on; *fig* cut and dried [methods]; *het ~ maken voor...* [*fig*] adapt it to...

pas'kwil (-len) *o* 1 lampoon; 2 *fig* mockery, farce

'paslood (-loden) *o* plummet

'pasmunt *v* change, small money

'paspoort (-en) *o* passport

'paspop (-pen) *v* tailor's dummy

pas'saatwind (-en) *m* trade wind

pas'sabel I *aj* passable; **II** *ad* passably

pas'sage [-ʒə] (-s) *v* 1 (d o o r g a n g) passage; 2 (g a l e r ij) arcade; 3 (g e d e e l t e) passage [of a book]; 4 ⚓ passage; 5 = *passagegeld*; *~ bespreken* book [by the "Queen Mary" &]; *we hebben hier veel ~* we've many people passing here; **–biljet** (-ten) *o* ticket; **–bureau** [-by.ro.] (-s) *o* booking-office; **–geld** *o* passage-money, fare

passa'gier [-'ʒi:r] (-s) *m* passenger;

passa'gieren (passagierde, h. gepassagierd) *vi* ⚓ go on shore-leave; **passa'giersaccommodatie** [-(t)si.] *v* passenger accommodation; **–boot** (-boten) *m* & *v* passenger-ship; **–goed** (-eren) *o* passenger's luggage; **–lijst** (-en) *v* list of passengers, passenger-list; **–trein** (-en) *m* passenger-train; **–vliegtuig** (-en) *o* passenger plane

1 pas'sant (-en) *m* 1 (v o o r b ij g a n g e r) passer-by; 2 (d o o r r e i z e n d e) passing

traveller; 3 (schouderbedekking) shoulderknot
2 pas'sant *en* ~ [ãpɑ'sã] by the way, in passing
passe'ment (-en) *o* passement, passementerie, galloon
'passen (paste, h. gepast) **I** *vi* 1 (v. kleren) fit; 2 (bij kaartspel) pass; *het past me niet* 1 it [the suit &] does not fit; 2 it [the buying &] is not convenient, I can't afford it; 3 it is not for me [to tell him]; *het past u niet om...* it does not become you to..., it is not (not fit) for you to...; *deze kleren ~ mij precies* these clothes fit me to a nicety; • *dat past er niet bij* it does not go (well) with it, it doesn't match it; *kunt u mij zijde geven die bij deze past?* can you match me this silk?; *ze ~ (niet) bij elkaar* they are (not) well matched; *slecht bij elkaar ~* be ill-assorted; *de steel past niet in de opening* the handle doesn't fit the opening; *~ op iets* mind sth., take care of sth.; *op de kinderen ~* look after the children, take care of the children; *die kurk past op deze kruik* that cork [stopper] fits this jar; *op zijn woorden ~* be careful of one's words; *ik pas* I pass; *ik pas er voor* that's what I won't put up with; *~ en meten* cut and contrive; **II** *vt* fit on, try on [a coat]; *kunt u het niet ~?* haven't you got the exact money?; *wanneer kunt u mij ~?* when can you fit me?; zie ook: *gepast*
'passenbureau [-by.ro.] (-s) *o* passport office
'passend suitable, fit; appropriate, fitting [coat]
passe-par'tout [pɑspɑr'tu.] (-s) *m* & *o* passe-partout
'passer (-s) *m* (pair of) compasses; *kromme ~* callipers; **-doos** (-dozen) *v* case of mathematical instruments
pas'seren (passeerde, h. en is gepasseerd) **I** *vi* 1 (voorbijgaan) pass, pass by; 2 (gebeuren, overkomen) happen, occur; *u mag dat niet laten ~* you should not let that pass; **II** *vt* pass [a person, the frontier, the time &]; pass [a dish]; *fig* 1 pass over [sbd. who ought to be promoted]; 2 execute [a deed]; *hij is de vijftig gepasseerd* he has turned fifty
'passie (-s) *v* 1 (hartstocht) passion; 2 (manie) mania, craze; *de Passie* the Passion [of Christ]; zie ook: *vos*; **-bloem** (-en) *v* passion-flower
pas'sief I *aj* passive; *passieve handelsbalans* ook: $ adverse trade balance; **II** *ad* passively; **III** (-siva) *o het ~ en actief* $ the liabilities and assets
'passiespel (-spelen) *o* Passion-play; **-tijd** *m* Passiontide; **-week** (-weken) *v* Passion Week, Holy Week
pas'siva *mv* $ liabilities
passivi'teit *v* passiveness, passivity
'passus (-sen) *m* passage
'pasta ('s) *m* & *o* paste
pas'tei (-en) *v* pie, pasty; **-bakker** (-s) *m* pastry-cook; **-tje** (-s) *o* patty
pas'tel (-s en -len) 1 *o* (krijt; tekening) pastel; 2 *v* ♣ woad; **-schilder** (-s) *m* pastel(l)ist; **-tekening** (-en) *v* pastel drawing; **-tint** (-en) *v* pastel shade
pasteuri'satie [-za.(t)si.] *v* pasteurization; **pasteuri'seren** (pasteuriseerde, h. gepasteuriseerd) *vt* pasteurize
pas'tille [-'ti.jə] (-s) *v* pastille, lozenge
pas'toor (-s) *m* (parish) priest; *ja, ~* yes, Father; **'pastor** (-s) *m* pastor; **pasto'raal I** *aj* pastoral [theology, psychology, Epistles, Council; poetry]; **II** *v rk* pastoral duties
pasto'rale (-s en -n) *v* pastoral; ♩ pastorale
pasto'rie (-ieën) *v* 1 *rk* presbytery; 2 (van dominee) rectory, vicarage, parsonage; [Nonconformist] manse
'pasvorm (-en) *m* fit
1 pat stalemate [in chess]; *~ zetten* stalemate
2 pat (-ten) *v* tab [on uniform]
patates 'frites [patɑt'fri.t] *mv* chips
pâté, patee (-s) *m* pâté, paste
pa'teen (-tenen) *v* paten
1 pa'tent I *aj* capital, first-rate; A 1; *een ~e jongen* **F** a brick; *er ~ uitzien* look (very) fit; **II** *ad* capitally
2 pa'tent (-en) *o* 1 patent [for an invention]; 2 licence [to carry on some business]; *~ nemen op iets* take out a patent for sth.; *~ verlenen* grant a patent; **paten'teren** (patenteerde, h. gepatenteerd) *vt* patent; **pa'tenthouder** (-s) *m* patentee; **-olie** *v* patent oil; **-recht** (-en) *o* patent right; **-sluiting** (-en) *v* patent lock, patent fastening
'pater (-s) *m* father [of a religious order]; *Witte Pater rk* White Father
pater'noster (-s) 1 *o* (gebed) paternoster; 2 *m* (rozenkrans) rosary; *~s* (= handboeien) **F** bracelets
pa'thetisch pathetic(al)
patholo'gie *v* pathology; **patho'logisch** *aj* pathological; **patho'loog** (-logen) *m* pathologist; *~-anatoom* pathologist
'pathos *o* pathos
patience [-si.'ãsə] *o* patience
patiënt [-si.'ɛnt] (-en) *m* patient
'patina *o* patina
'patjakker (-s) *m* scamp, rogue, scoundrel
'patjepeeër (-s) *m* **F** cad, vulgarian
patri'arch (-en) *m* patriarch; **patriar'chaal** patriarchal; **-'chaat** *o* 1 patriarchate; 2 (gezinsverband) patriarchy
patrici'aat *o* patriciate; **pa'triciër** (-s) *m* patrician; **-shuis** (-huizen) *o* patrician mansion; **pa'tricisch** patrician

pa'trijs (-trijzen) *m* & *v* & *o* 🦆 partridge; **-hond** (-en) *m* pointer, setter; **-poort** (-en) *v* port-hole; **pa'trijzejacht** (-en) *v* partridge shooting
patri'ot (-ten) *m* patriot; **-tisch** patriotic; **patriot'tisme** *o* patriotism
patro'naat (-naten) *o* 1 patronage; 2 (Church) club; **patro'nage** [-ʒə] *m* patronage; **patro'nes** (-sen) *v* 1 (h e i l i g e) patron saint; 2 (b e s c h e r m v r o u w) patroness;
1 pa'troon (-s) *m* 1 (b a a s) employer, master, principal; 2 (h e i l i g e) patron saint; 3 (b e s c h e r m h e e r) patron
2 pa'troon (-tronen) *v* cartridge; *losse* ~ blank cartridge; *scherpe* ~ ball cartridge
3 pa'troon (-tronen) *o* pattern, design
pa'troongordel (-s) *m* cartridge-belt; (o v e r s c h o u d e r) bandoleer; **-houder** (-s) *m* cartridge-clip; **-huls** (-hulzen) *v* cartridge-case; **-tas** (-sen) *v* cartridge-box
pa'trouille [-'tru.(l)jə] (-s) *v* patrol; **patrouil'leren** (patrouilleerde, h. gepatrouilleerd) *vi* patrol; ~ *door* (*in*) *de straten* patrol the streets; **pa'trouillevaartuig** (-en) *o* patrol vessel (boat)
pats I (-en) *v* smack, slap; **II** *ij* slap!, bang!
'patser (-s) *m* **F** cad; **-ig** caddish
pauk (-en) *v* kettledrum; *de* ~*en* the timpani; **pauke'nist** (-en) *m* timpanist, kettledrummer; **'paukeslager** (-s) *m* = *paukenist*
'pauper (-s) *m* pauper; **paupe'risme** *o* pauperism
paus (-en) *m* pope; **-dom** *o* papacy; **-elijk** papal; **-gezind** *aj* papistic(al); ~*e* papist; **-schap** *o* papacy
pauw (-en) *m* 🦆 peacock[2]; **-achtig** *fig* peacockish; **'pauweoog** (-ogen) = *pauwoog*; **-staart** (-en) *m* peacock's tail; **-veer** (-veren) *v* peacock's feather; **pau'win** (-nen) *v* 🦆 pea-hen; **'pauwoog** (-ogen) *m* ❀ peacock butterfly; **-staart** (-en) *m* 🦆 fantail
'pauze (-s en -n) *v* 1 pause; 2 interval, wait [between the acts of a play]; ⌔ break; 3 ♩ rest; **pau'zeren** (pauzeerde, h. gepauzeerd) *vi* make a pause, pause, stop; **-ring** (-en) *v* pause, stop; **'pauzeteken** (-s) *o* interval signal
pavil'joen (-en en -s) *o* pavilion
pavoi'seren [-vva'ze:rə(n)] (pavoiseerde, h. gepavoiseerd) *vt* dress [with flags]
pct. = *percent, procent*
pech *m* 1 bad luck; 2 ⚒ trouble; ~ *hebben* be down on one's luck, have a run of bad luck; **-vogel** (-s) *m* unlucky person
pe'daal (-dalen) *o* & *m* pedal [of a piano, bicycle &]
pedago'gie(k) *v* pedagogics, pedagogy; **peda'gogisch I** *aj* pedagogic(al); ~*e academie* (teacher) training-college; **II** *ad* pedagogically; **peda'goog** (-gogen) *m* educationalist
pe'dant I (-en) *m* pedant; **II** *aj* pedantic; **pedante'rie** (-ieën) *v* pedantry
'peddel (-s) *m* paddle; **'peddelen** (peddelde, h. en is gepeddeld) *vi* (f i e t s e n) pedal; || (r o e i e n) paddle
pe'del (-len en -s) *m* mace-bearer, beadle
pedi'ater (-s) *m* p(a)ediatrician; **pedia'trie** *v* p(a)ediatrics
pedi'cure (-s) 1 *m-v* (p e r s o o n) chiropodist, pedicure; 2 *v* (d e h a n d e l i n g) pedicure, chiropody
pedolo'gie *v* 1 (b o d e m k u n d e) pedology; 2 (in the Neth.) study of disturbed children
pee *v* **F** *de* ~ (*in*) *hebben* have the hump; *de* ~ *hebben aan* hate [sth.]
peen (penen) *v* ♣ carrot; *witte* ~ parsnip; **-haar** *o* carroty hair
peep (pepen) V.T. van *pijpen*
peer (-peren) *v* ♣ 1 pear; 2 reservoir [of oil-lamp], [electric] bulb; *iem. met de gebakken peren laten zitten* leave sbd. in the lurch; **-vormig** pear-shaped
pees (pezen) *v* tendon, sinew, string; **-achtig** = *pezig*
peet (peten) *m-v* sponsor, godfather, godmother; **-dochter** (-s) *v* goddaughter; **-oom** (-s) *m* godfather; **-schap** *o* sponsorship; **-tante** (-s) *v* godmother; **-vader** (-s) *m* godfather; **-zoon** (-s en -zonen) *m* godson
'Pegasus *m* Pegasus
'pegel (-s) *m* (ij s~) icicle; (g u l d e n, **F**) guilder
peig'noir [pɛ̃ɲ'va:r] (-s) *m* dressing gown, *Am* robe
peil (-en) *o* gauge, water-mark; *fig* standard, level; *het* ~ *verhogen* raise the level; *b e n e d e n* ~ below the mark, not up to the mark; *beneden* (*boven*) *Amsterdams* ~ below (above) Amsterdam water-mark; *o p* ~ *brengen* level up, bring up to the required standard; *op hetzelfde* ~ *brengen* put on the same level; *op* ~ *houden* keep up (to the mark), maintain [exports, stocks &]; *op een laag zedelijk* ~ *staan* stand morally low; *op hem is geen* ~ *te trekken* he can't be relied upon; **-datum** (-ta en -s) *m* set day, date set [for assessment of benefit claims &]; **'peilen** (peilde, h. gepeild) *vt* gauge[2] [the depth of liquid content, the mind]; sound[2] [the sea, a pond, sbd., sbd.'s sentiments on...], fathom[2] [the sea, depth of water, the heart &]; probe [a wound]; plumb[2] [depth, misery]; *fig* search [the hearts]; **-er** (-s) *m* gauger; **'peil-glas** (-glazen) *o* gauge-glass, (water-)gauge; **'peiling** (-en) *v* gauging; ⚓ sounding; **'peil-lood** (-loden) *o* sounding-lead; **-loos** fathomless, unfathomable; **-schaal** (-schalen) *v* tide-gauge; **-stok** (-ken) *m* 1 gauging-rod; 2

🚗 dip-stick
'peinzen (peinsde, h. gepeinsd) *vi* ponder, meditate, muse (upon *over*); **–d** *aj* meditative, pensive; **'peinzer** (-s) *m* muser
peis *v* = *pais*
pejora'tief *aj*, (-tieven) *m* pejorative
pek *o* & *m* 1 pitch; 2 (cobbler's) wax; *wie met ~ omgaat, wordt er mee besmet* they that touch pitch will be defiled; **–draad** (-draden) = *pikdraad*
'pekel *m* pickle, brine; **'pekelen** (pekelde, h. gepekeld) *vt* brine, pickle [a herring], salt [meat]; **'pekelharing** (-en) *m* salt herring; **–nat** *o* brine; *het ~* ook: **F** the briny [= the sea]; **–vlees** *o* salt(ed) meat; **–zonde** (-n) *v* peccadillo
peki'nees (-nezen) *m* 🐕 pekinese
'pekken (pekte, h. gepekt) *vt* pitch
pel (-len) *v* skin [of fruit]; shell [of an egg], pod [of peas, beans]
pele'rine [pɛlə-] (-s) *v* pelerine
'pelgrim (-s) *m* pilgrim, † palmer; **pelgri'mage** [-ʒə] (-s) *v* pilgrimage; **'pelgrimsgewaad** (-waden), **–kleed** (-kleren) *o* pilgrim's garb; **–staf** (-staven), **–stok** (-ken) *m* pilgrim's staff; **–tas** (-sen) *v* pilgrim's scrip; **–tocht** (-en) *m* pilgrimage
peli'kaan (-kanen) *m* 🐦 pelican
'pellen (pelde, h. gepeld) *vt* peel [an egg, shrimps, almonds]; shell [nuts, peas]; hull, husk [rice]
pelo'ton (-s) *o* 1 ⚔ platoon [= half company]; 2 *sp* (v. w i e l r e n n e r s &) bunch
pels (pelzen) *m* 1 fur, pelt; 2 fur coat, fur; **–dier** (-en) *o* furred animal; **–handelaar** (-s en -laren) *m* furrier; **–jager** (-s) *m* (fur-)trapper; **–jas** (-sen) *m* & *v* fur coat, fur; **–muts** (-en) *v* fur cap; **–werk** *o* furriery; **pelte'rij** (-en) *v* furriery
'peluw (-s en -en) *v* bolster
pen (-nen) *v* 1 (i n h e t a l g.) pen; 2 (l o s s e p e n) nib; 3 (v e r e n p e n) feather, quill; 4 (n a a l d o m t e b r e i e n &) needle; 5 = *pin*; *de ~ voeren* wield the pen; *iem. de ~ op de neus zetten* 1 put pressure on sbd.; 2 ook: pull sbd. up a bit; *het is i n de ~ gebleven* it never came off; *in de ~ geven* dictate; *in de ~ klimmen* take up the pen; *het is in de ~* it is in preparation; *het is mij u i t de ~ gevloeid* it was a slip of the pen; *v a n zijn ~ leven* live by one's pen
pe'nant (-en) *o* pier [between two windows]; **–spiegel** (-s) *m* pier-glass; **–tafel** (-s) *v* pier-table
pe'narie *in de ~ zitten* **F** be in a scrape, be in the soup
pe'naten *mv* penates, household gods
pen'dant [pã'dã] (-en) *o* & *m* pendant, companion picture (portrait, piece), counterpart[2]
'pendelaar (-s) *m* commuter; **'pendeldienst** (-en) *m* shuttle service; **'pendelen** (pendelde, h. gependeld) *vi* commute; shuttle
pen'dule (-s) *v* clock, timepiece
pen-en-'gatverbinding (-en) *v* dowel-joint
pene'trant penetrating
'penhouder (-s) *m* penholder
pe'nibel painful, embarrassing, awkward
penicil'line [pe.ni.si.'li.nə] *v* penicillin
'penis (-sen) *m* penis
peni'tent (-en) *m* penitent; **peni'tentie** [-(t)si.] (-s en -tiën) *v* 1 penance; 2 *fig* vexation, trial
'pennehouder (-s) *m* penholder; **–likker** (-s) *m* quill-driver; **–mes** (-sen) *o* penknife; **'pennen** (pende, h. gepend) *vt* pen, write [a letter]; **'pennenbak** (-ken) *m* pen-tray; **–doos** (-dozen) *v* pen-box; **–koker** (-s) *m* pen-case; **'pennestreek** (-streken) *v* stroke (dash) of the pen; *met één ~* with (by) one stroke of the pen; **–strijd** *m* paper war; **–vrucht** (-en) *v* writing
'penning (-en) *m* 1 penny; 2 medal; 3 (m e t a l e n p l a a t j e) badge; *op de ~ zijn* be close-fisted; **–kruid** *o* moneywort; **–kunde** *v* numismatics; **penning'kundige** (-n) *m* numismatist; **'penningmeester** (-s) *m* treasurer; **–schap** *o* treasurership; **'penningske** (-s) *o het ~ der weduwe* the widow's mite
pens (-en) *v* paunch; (a l s g e r e c h t) tripe
pen'see [pã'se.] (-s) *v* ✿ pansy, heart's-ease
pen'seel (-selen) *o* paint-brush, brush, pencil; **–streek** (-streken) *v* stroke of the brush; **pen'selen** (penseelde, h. gepenseeld) *vt* 1 (a a n s t r i j k e n) pencil; 2 (s c h i l d e r e n) paint
pensi'oen [-'ʃu.n] (-en) *o* (retiring, retirement) pension; ⚔ retired pay; *~ aanvragen* apply for one's pension; *~ krijgen* be pensioned off; ⚔ be placed on the retired list; *~ nemen, met ~ gaan* take one's pension, retire (on (a) pension), ⚔ go on retired pay; **–aanspraak** (-spraken) *v* pension claim; **–bijdrage** (-n) = *pensioensbijdrage*; **–fonds** (-en) *o* pension fund; **–gerechtigd** pensionable, entitled to a pension; *de ~e leeftijd bereiken* reach retiring age; **–sbijdrage** (-n) *v* contribution towards pension
pensi'on [pãsi.'ɔ̃n] (-s) *o* boarding-house; *i n ~ zijn* be living at a boarding-house; *m e t volledig ~* with full board; **pensio'naat** [pɛn-] (-naten) *o* boarding-school; **pensio'nair** [pãsi.ɔ̀'nɛ:r] (-s) *m* boarder [at a school]
pensio'naris (-sen) *m* 📖 pensionary
pensio'neren (pensioneerde, h. gepensioneerd) *vt* pension off, ⚔ place on the retired list; *een gepensioneerd generaal* ⚔ a retired general; **–ring** (-en) *v* retirement, superannuation
pensi'ongast [pãsi.'ɔ̃n-] (-en) *m* boarder;

–houd(st)er (-s) *m* (*v*) boarding-house keeper
'pentekening (-en) *v* pen-drawing
pepen V.T. meerv. van *pijpen*
'peper (-s) *m* pepper; *Spaanse ~* red pepper; **–achtig** peppery; **–bus** (-sen) *v* pepperbox, pepper-castor; **–duur** high-priced, stiff [prices]; **'peperen** (peperde, h. gepeperd) *vt* pepper; zie ook: *gepeperd*; **peper-en-'zout-kleurig** pepper-and-salt; **'peperhuisje** (-s) *o* cornet, screw; **'peperig** peppery; **'peperkoek** (-en) *m* gingerbread; **–korrel** (-s) *m* pepper-corn; **–molen** (-s) *m* pepper mill; **peper'munt** (-en) *v* 1 ⚘ peppermint; 2 = *pepermuntje*; **–je** (-s) *o* peppermint lozenge; **'pepernoot** (-noten) *v* gingerbread cube; **–struik** (-en) *m* pepper plant; **–tuin** (-en) *m* pepper plantation; **–vreter** (-s) *m* toucan
'pepmiddel (-en) *o* stimulant
'peppel (-s) *m* poplar
'peppil (-len) *v* pep pill
per by [train &, the dozen &]; *~ dag* a day, per day; *135 inwoners ~ vierkante kilometer* 135 inhabitants to the square kilometre; *er worden 5000 auto's ~ week gemaakt* ook: motor-cars are being manufactured at the rate of 5000 a week
per'ceel (-celen) *o* 1 plot [of ground]; lot [at auction]; 2 premises; *een lastig ~* **F** rather a handful, a troublesome customer; **–sgewijs, –sgewijze** in lots
per'cent (-en) *o* per cent; *~en* percentage; **percen'tage** [-ʒə] (-s) *o* percentage; **per'centsgewijs, –gewijze** proportionally; **percentu'eel** proportionally
per'ceptie [-'sɛpsi.] (-s en -tiën) *v* perception; **percipi'ëren** (percipieerde, h. gepercipieerd) *vt ps* apperceive
perco'lator (-s) *m* percolator
per'cussie *v* percussion; **percu'teren** (percu-teerde, h. gepercuteerd) *vt* percuss
'pereboom (-bomen) *m* pear-tree
per'fect *aj* perfect; **per'fectie** [-si.] (-s) *v* perfection; *in de ~* perfectly, to perfection; **perfectio'neren** (perfectioneerde, h. geper-fectioneerd) *vt* perfect; **perfectio'nisme** *o* perfectionism
per'fide perfidious
perfo'rator (-s en -toren) *m* perforator, punch; **perfo'reren** (perforeerde, h. geperforeerd) *vt* perforate
peri'feer peripheral; **perife'rie** *v* periphery[2]; fringe(s), outskirts [of a town &]
pe'rikel (-s en -en) *o* adventure, intricacy, difficulty
peri'ode (-s en -n) *v* period; spell [of rain, sunshine &]; *in deze ~* 1 in this period; 2 at this stage; **perio'diek I** *aj* periodical; **II** (-en) *v* & *o* periodical
peri'scoop (-copen) *m* periscope
perk (-en) *o* (flower-)bed; *binnen de ~en blijven* remain within the bounds of decency (of the law); *alle ~en te buiten gaan* go beyond all bounds
perka'ment (-en) *o* parchment, vellum; **–achtig** parchmentlike; **–en** *aj* parchment
perma'nent permanent [wave &], lasting [peace], standing [committee]; **perma'nenten** (permanentte, h. gepermanent) *zich laten ~* have one's hair permed
per'missie *v* 1 permission; 2 ⚔ leave (of absence), furlough [of soldiers]; *met ~* with your leave; **permit'teren** [-mi.-] (permit-teerde, h. gepermitteerd) **I** *vt* permit; **II** *vr zich ~* permit oneself; *dat kan ik mij niet ~* I cannot afford it
'peroxyde [-ɔksi.də] (-n en -s) *o* peroxide; *waterstof~* peroxide of hydrogen
per'plex perplexed, taken aback
per'ron (-s) *o* platform; **–kaartje** (-s) *o* platform ticket
1 pers (-en) *v* press; *hij is b ij de ~* he is on the press; *t e r ~e* at press, in the press; *ter ~e gaan* go to press; *ter ~e zijn* be in the press
2 pers (perzen) *m* (t a p ij t) Persian carpet
3 Pers (Perzen) *m* Persian
'persagentschap (-pen) *o* news agency
per 'saldo after all
'persattaché ['pɛrsataʃe.] (-s) *m* press attaché; **–auto** ('s) *m* press car; **–bericht** (-en) *o* press report; **–bureau** [-by.ro.] (-s) *o* press bureau, news agency; **–campagne** [-kɑmpɑɲə] (-s) *v* press campaign; **–chef** [-ʃɛf] (-s) *m* press and public relations officer; **–communiqué** [-ke.] (-s) *o* press release (handout); **–conferentie** [-kònfərɛn(t)si.] (-s) *v* press conference; **–delict** (-en) *o* press offence
per 'se [pɛr'se.] by all means, [he must] needs [go]; *een... is nog niet ~ een geleerde* is not per se (not on that account, not necessarily) a scholar
'persen (perste, h. geperst) *vt* press, squeeze
'persfotograaf (-grafen) *m* press photographer, cameraman; **–gesprek** (-ken) *o* interview
persi'aner *o* Persian lamb
persi'enne [pɛrsi.'ɛ:nə] (-s) *v* Persian blind
persi'flage [-'fla.ʒə] (-s) *v* persiflage, banter; **persi'fleren** (persifleerde, h. gepersifleerd) *vt* & *vi* banter
'persijzer (-s) *o* (tailor's) goose
'persing (-en) *v* pressing, pressure
'perskaart (-en) *v* press-ticket, (press) pass; **–klaar** ready for (the) press
'persleiding (-en) *v* high-pressure line (pipe); **–lucht** *v* compressed air
'persman (-nen) *m* pressman, journalist
perso'nage [-ʒə] (-s) *o* & *v* personage, person,

character; **perso'nalia** *mv* personal notes; *zijn ~ opgeven* give one's name and birth-date [to a policeman]; **personali'teit** (-en) *v* personality
perso'neel I *aj* personal; *personele belasting* duty or tax on houses, property &; **II** *o* personnel, staff, servants; **perso'neelsbezetting** *v* number of persons employed, manpower; **–chef** [-ʃɛf] (-s) *m* personnel manager; **–raad** (-raden) *m* representation of the personnel; **–zaken** *mv* (afdeling ~) personnel department
per'sonenauto [-o.to. of -ɔuto] ('s) *m* passenger car; **–trein** (-en) *m* passenger train; **–vervoer** *o* passenger traffic
personifi'catie [-'ka.(t)si.] (-s) *v* personification; **personifi'ëren** (personifieerde, h. gepersonifieerd) *vt* personify
per'soon (-sonen) *m* person; *mijn ~* I, myself; *publieke personen* public characters; • *in (hoogst eigen) ~* in (his own) person, personally; *hij is de goedheid in ~* he is kindness personified, he is kindness itself; *...per ~ drie gulden* three guilders a head, three guilders each; **per'soonlijk I** *aj* personal; *ik wil niet ~ worden (zijn)* I don't want to be personal; **II** *ad* personally, in person; **–heid** (-heden) *v* personality; *persoonlijkheden* personal remarks; **per'soonsbewijs** (-wijzen) *o* identity card; **–verheerlijking** *v* personality cult; **–verwisseling** (-en) *v* [case of] mistaken identity; **per'soontje** (-s) *o* (little) person; *mijn ~* I, my humble self, yours truly
'persorgaan (-ganen) *o* organ of the press
perspec'tief (-tieven) *o* perspective[2]; **perspec'tivisch** perspective
'perspomp (-en) *v* force-pump
'perstribune (-s) *v* reporters' gallery, press gallery; **–verslag** (-slagen) *o* press account; **–vrijheid** *v* liberty (freedom) of the press, press freedom
perti'nent I *aj* categorical, positive; *een ~e leugen* a downright lie; **II** *ad* categorically, positively
'Peru *o* Peru; **Peru'aan** (-ruanen) *m* Peruvian; **'perubalsem** *m* balsam of Peru; **Peruvi'aans** Peruvian
per'vers perverse; **–ie** (-s) *v* 1 (handeling) perversion; 2 (aard) perversity; **perversi'teit** (-en) *v* perversity
'Perzië *o* Persia
'perzik (-en) *v* peach; **–(e)boom** (-bomen) *m* peach-tree
'Perzisch I *aj* Persian; **II** *o* Persian
pes'sarium (-ia en -s) *o* pessary, diaphragm
pessi'misme *o* pessimism; **pessi'mist** (-en) *m* pessimist; **–isch** pessimistic
pest *v* plague, pestilence[2]; *fig* pest; *de ~ aan iets hebben* hate and detest sth.; *de ~ in hebben* **S** be in a wax, be mad; *dat is de ~ voor de zenuwen* it plays the devil with (is disastrous for) one's nerves; **–bacil** (-len) *m* plague bacillus; **–bui** (-en) *v*, **–humeur** *o* **F** bad temper, cantankerous mood; **'pesten** (pestte, h. gepest) *vt* tease, nag; **peste'rij** (-en) *v* teasing, nagging; **'pesthaard** (-en) *m* plague spot[2]; **–huis** (-huizen) *o* plague-house
pesti'cide (-n) *o* pesticide, pest killer
pesti'lentie [-(t)si.] (-s en -iën) *v* pestilence, plague; **'pestkop** (-pen) *m* teaser, beast, bully; **–lijder** (-s) *m* plague patient; **–lucht** *v* pestilential air; **–vogel** (-s) *m* waxwing; **–weer** *o* **F** rotten weather; **–ziekte** *v* pestilence, plague
pet (-ten) *v* (v. stof, slap) (cloth) cap, (met klep) peaked cap; (decoratief, stijf) hat; zie ook: *petje*
'petekind (-eren) *o* godchild; **–moei** (-en) *v* godmother; **'peter** (-s) *m* godfather
peter'selie *v* parsley
pe'tieterig teeny-weeny
petit-'four [pəti.'fu:r] (-s) *m* small cream cake
pe'titie [-(t)si.] (-s en -tiën) *v* petition, memorial; **petitio'neren** [-ʃo'ne:rə(n)] (petitioneerde, h. gepetitioneerd) *vt* petition; **petitionne'ment** (-en) *o* petition
'petje (-s) *o* cap; *dat gaat boven mijn ~* it is beyond me, it beats me, that's streets ahead of me
pe'toet *m* ⚔ **S** clink, jug; *in de ~* in quod
Pe'trarca *m* Petrarch
petro'chemisch petrochemical; **pe'troleum** [-le.üm] *m* petroleum, oil; (gezuiverd) kerosene; **–blik** (-ken) *o* oil-tin; **–boer** (-en) *m* kerosene peddler; **–bron** (-nen) *v* oil-well; **–kachel** (-s) *v* oil-stove, oil-heater; **–lamp** (-en) *v* paraffin-lamp; **–maatschappij** (-en) *v* oil company; **–raffinaderij** (-en) *v* oil refinery; **–stel** (-len) *o* oil-stove; **–veld** (-en) *v* oil-field
'Petrus *m* (St.) Peter
'petto *in ~* in store, in the offing; [have sth.] up one's sleeve
peuk (-en) *m* = *peuter* 2 & *peukje*; **–je** (-s) *o* **F** [candle-, cigarette-, cigar-]end, stub
peul (-en) *v* husk, shell, pod; *~en* = *peultjes*; **–(e)schil** (-len) *v* pea-pod; *dat is maar een ~letje voor hem* that is a mere flea-bite to him; that is nothing to him; **–tjes** *mv* podded peas; **–vrucht** (-en) *v* pulse, leguminous plant; *~en* pulse
peur (-en) *v* bob; **–der** (-s) *m* sniggler, bobber [for eels]; **'peuren** (peurde, h. gepeurd) *vi* sniggle, bob [for eels]
'peuter (-s) *m* 1 pipe-cleaner; 2 (klein persoon) hop-o'-my-thumb, tiny tot, chit, **S** nipper

'peuteraar (-s) *m* niggler; **'peuteren** (peuterde, h. gepeuterd) *vi* tinker, fiddle, niggle; *wie heeft daaraan gepeuterd?* who has tampered with it?; *in zijn neus (tanden* &) ~ pick one's nose (teeth); **'peuterig** finical, niggling, **F** pernickety; **'peuterwerk** *o* niggling work

'peuzelen (peuzelde, h. gepeuzeld) *vi* & *vt* munch

'pezen (peesde, h. en is gepeesd) *vi* (h a r d r i j d e n) tear along, run; (h a r d w e r k e n) toil (and moil), sweat; (z i c h p r o s t i t u e r e n) walk the streets

'pezig 1 tendinous, sinewy, wiry; 2 stringy [meat]

P.G. = *Protestantse Godsdienst*; *Procureur-Generaal*

pia'nino ('s) *v* pianino, upright piano, cottage piano; **pia'nist** (-en) *m*, **–e** (-s en -n) *v* pianist; **pi'ano** ('s) *v* piano; ~ *spelen* play the piano; **–begeleiding** *v* piano(forte) accompaniment; **–concert** (-en) *o* 1 (u i t v o e r i n g) piano recital; 2 (m u z i e k s t u k) piano(forte) concerto; **–kruk** (-ken) *v* (revolving) piano-stool; **–leraar** (-s en -raren) *m* piano-teacher; **–les** (-sen) *v* piano-lesson; **~-orgel** (-s) *o* piano-organ; **–spel** *o* piano-playing; **–speler** (-s) *m* pianist; **–stemmer** (-s) *m* piano-tuner

pi'as (-sen) *m* > clown, buffoon

pi'aster (-s) *m* piastre

'piccolo ['pi.ko.-] ('s) *m* 1 ♪ (f l u i t) piccolo; 2 (b e d i e n d e) page, **F** buttons

'picknick (-s) *m* picnic; **'picknicken** (picknickte, h. gepicknickt) *vt* picnic

pick-'up (-s) *m* record player

'picobello F spick and span, super, **S** ritzy

'Picten *mv* Picts

pied-à-'terre [pje.a.'tɛ:r] *o* pied-à-terre

pied de 'poule [pje.də'pu:l] *m* hound's tooth

piëde'stal (-len en -s) *o* & *m* pedestal

pief ~, *paf, poef!* bang, pop!

piek (-en) *v* 1 pike [weapon]; 2 (t o p) peak; *een ~ haar* a wisp of hair; 3 *m* (g u l d e n, **F**) guilder

'piekeren (piekerde, h. gepiekerd) *vi* think, brood, reflect; *hij zat er altijd over te ~* he was worrying it out in his mind

'piekfijn I *aj* smart, tip-top, A 1, spick and span; **II** *ad ~ gekleed* dressed up to the nines

'piekuur (-uren) *o* peak hour

'piemel (-s) *m* **F** penis; **–naakt F** stark-naked

'pienter I *aj* clever, smart, bright; **II** *ad* cleverly &

piep *ij* peep!, chirp, squeak; **'piepen** (piepte, h. gepiept) *vi* peep, chirp, squeak [of birds, mice &]; creak [of a hinge]; **'pieper** (-s) *m* 1 squeaker; 2 **F** spud: potato; **–ig** squeaking, squeaky; **'piepjong** very young; **–klein** tiny, weeny, minute; **–kuiken** (-s) *o* springchicken; **–stem** (-men) *v* reedy (shrill, piping) voice; **–zak** *in de(n)* ~ **F** in a blue funk

1 pier (-en) *m* earthworm; *voor de ~en zijn* be done for; *zo dood als een ~* as dead as mutton (as a doornail)

2 pier (-en) *m* pier, jetty

pierema'chochel (-s) *m* (hired) rowing boat

piere'ment (-en) *o* **F** = *straatorgel*

'pierenbad (-baden) *o* shallow swimming-bath, paddling pool; **–verschrikker** (-s) *m* **F** wet, dram, drink

'pierewaaien (pierewaaide, h. gepierewaaid) *vi* be on the spree; **–er** (-s) *m* rip, rake

pier'rot [pi.ɛ:'ro.] (-s) *m* pierrot

'piesen (pieste, h. gepiest) *vi* **P** piss; **'piespot** (-ten) *m* **P** piss-pot

Piet *m* Peter; ~ *de Smeerpoets* Shock-headed Peter

piet (-en) *m een hele ~* 1 ('n h e l e m e n e e r) **S** a toff; 2 ('n k r a a n) **F** a dab (at *in*); *een hoge (grote) ~* **F** a bigwig; *een rijke ~* **F** a rich Johnnie; *een saaie ~* > a dull dog

pië'teit *v* piety, reverence

piete'peuterig *aj* fussy; **–heid** *v* fussiness

'Pieter *m* Peter

'pieterig puny

'pieterman (-nen) *m* 🐟 weever

pieter'selie = *peterselie*

'Pieterspenning (-en) *m de ~ rk* Peter's pence

pië'tisme *o* pietism; **–ist** (-en) *m* pietist

'pietje (-s) *o* 1 (h o o f d l u i s, **F**) louse; 2 (k a n a r i e, **F**) canary-bird

piet'lut (-ten) *m* & *v* fuss-pot, niggler; **–tig** niggling, pernickety

'pietsje (-s) *o* = *tikkeltje*

pig'ment *o* pigment; **pigmen'tatie** [-(t)si.] *v* pigmentation

pij (-en) *v* frock, habit

'pijjekker (-s) *m* pea-jacket

pijl (-en) *m* arrow; bolt, dart; *fig* shaft; ~ *en boog* bow and arrow; *hij heeft al zijn ~en verschoten* he has shot all his bolts; *als een ~ uit de boog* as swift as an arrow, [be off] like a shot; *meer ~en op zijn boog hebben* have more strings to one's bow; **–(en)bundel** (-s) *m* bundle of arrows

'pijler (-s) *m* pillar, column; (v. e. b r u g) pier

'pijlkoker (-s) *m* quiver; **–kruid** *o* arrow-head; **–punt** (-en) *m* arrow-head; **–snel** (as) swift as an arrow; **'pijlstaart** (-en) *m* 1 🐦 pintail duck; 2 🐟 = *pijlstaartrog*; 3 🦋 = *pijlstaartvlinder*; **–rog** (-gen) *m* sting-ray; **–vlinder** (-s) *m* hawk-moth; **'pijlvormig** arrow-shaped; **–wortel** (-s) *m* arrowroot

1 pijn (-en) *m* 🌿 pine, pine-tree

2 pijn (-en) *v* pain, ache; ~ *doen* zie 1 *zeer (doen)*; *ik heb ~ aan mijn hand* my hand hurts;

ik heb ~ in mijn borst I have a pain in my chest; *ik heb ~ in mijn keel* I have a sore throat
'pijnappel (-s) *m* fir-cone, pine-cone; **-klier** (-en) *v* pineal gland
'pijnbank (-en) *v* rack; *iem. op de ~ leggen* put sbd. to the rack
'pijnboom (-bomen) *m* pine-tree, pine
'pijnigen (pijnigde, h. gepijnigd) *vt* torture, rack, torment; **-er** (-s) *m* torturer, tormentor; **'pijniging** (-en) *v* torture; **'pijnlijk** painful; *het is ~* ook: it hurts; *~e voeten* aching feet, tender feet; **-heid** (-heden) *v* painfulness; **'pijnloos** painless; **-stillend** soothing, anodyne; *~ middel* anodyne, pain-killer
pijp (-en) *v* 1 pipe [for gas, of an organ, for smoking]; 2 nose, nozzle [of bellows]; 3 socket [of a candlestick]; 4 leg [of a pair of trousers]; 5 (b u i s) pipe, tube, spout; funnel [of a steamer]; 6 (p l o o i s e l) flute; 7 ♪ fife; *een ~ lak* a stick of sealing-wax; *naar iem.'s ~en dansen* dance to sbd.'s tune; *een lelijke ~ roken* come in for something unpleasant; **-aarde** *v* pipe-clay; **'pijpekop** (-pen) *m* bowl (of a pipe); **-krul** (-len) *v* ringlet; **'pijpen*** *vi* & *vt* pipe, fife; **'pijpenla(de)** (-laden) *v* 1 pipe-box; 2 *fig* long, narrow room; **-rek** (-ken) *o* pipe-rack; **'pijpepeuter** (-s) *m* pipe cleaner (picker); **'pijper** (-s) *m* piper, fifer; **'pijpesteel** (-stelen) *m* stem (shank) of a tobacco-pipe; *het regent pijpestelen* it is raining in sheets; **'pijpkaneel** *m* & *o* cinnamon (in sticks); **-leiding** (-en) *v* pipe-line; **-orgel** (-s) *o* pipe organ; **-sleutel** (-s) *m* box-spanner, socket spanner; **-tabak** *m* pipe tobacco
1 pik *o* & *m* (s t o f n a a m) = *pek*
2 pik *m* peck; || pique, grudge; *hij heeft de ~ op mij* he owes me a grudge
3 pik (-ken) *v* (h o u w e e l) pick, pickax(e)
4 pik (-ken) *m* (s t e e k) sting, stab; peck
5 pik (-ken) *m* **P** prick, cock
pi'kant piquant, seasoned, spicy, pungent; (g e w a a g d) risqué [story]; *dat gaf het gesprek iets ~s* that added a zest (that's what gave a piquancy) to the conversation; **pikante'rie** (-ieën) *v* piquancy[2]; *fig* spiciness
'pikbroek (-en) *m* **F** (Jack-)tar [sailor]
'pikdonker I *aj* pitch-dark; **II** *o* pitch-darkness
'pikdraad (-draden) *o* & *m* wax-end, waxed end
pi'keren (pikeerde, h. gepikeerd) *vt* nettle; *hij was erover gepikeerd* he was nettled at it; zie ook: *gepikeerd*
pi'ket 1 *o* (k a a r t s p e l) piquet; 2 (-ten) *m* ⚔ picket; **-paal** (-palen) *m* picket
pi'keur (-s) *m* 1 riding-master; 2 (v. c i r c u s) ringmaster; 3 (j a g e r) huntsman
'pikhaak (-haken) *m* ⚓ boat-hook; (b ij k o r e n o o g s t) reaping-hook; **-houweel** (-welen) *o* pickaxe
'pikkedonker = *pikdonker*
1 'pikken (pikte, h. gepikt) *vt* (b e s m e r e n m e t p e k) = *pekken*
2 'pikken (pikte, h. gepikt) **I** *vi* pick, peck; **II** *vt* peck; (p r i k k e n) prick; (s t e l e n, **F**) bag, filch, pilfer; **F** *dat pik ik niet* I am not having this
'pikzwart coal-black, pitch-black
pil (-len) *v* pill; (d i k k e b o t e r h a m) chunk of bread; (d i k b o e k) tome; *~len draaien* roll pills; *een bittere ~ slikken* swallow a bitter pill; *de ~ vergulden* gild the pill
pi'laar (-laren) *m* pillar, post; **-heilige** (-n) *m* stylite; **pi'laster** (-s) *m* pilaster
Pi'latus *m* Pilate; zie ook: *Pontius*
'pillendoos (-dozen) *v* pill-box[2]; **-draaier** (-s) *m* pill-roller
'pilo *o* corduroy
pi'loot (-loten) *m* pilot; *tweede ~* co-pilot
pils *m* & *o* Pilsen(er); lager; *een ~(je)* a pint (of light beer)
pi'ment *o* pimento, allspice
'pimpelaar (-s) *m* boozer, tippler; **'pimpelen** (pimpelde, h. gepimpeld) *vi* tipple
'pimpelmees (-mezen) *v* blue tit(mouse)
'pimpelpaars purple
pin (-nen) *v* peg, pin; zie ook: *pen*
pi'nakel (-s) *m* pinnacle
pi'nas (-sen) *v* pinnace
pince-'nez [pɛ̃s'ne.] (-s) *m* pince-nez
pin'cet (-ten) *o* & *m* (pair of) tweezers
'pinda ('s) *v* peanut; **-kaas** *m* peanut butter; **-man** (-nen) *m* peanut vendor
pi'neut *m* **S** *de ~ zijn* be for it, be the dupe
ping *m* = *pingping*
'pingelaar (-s) *m*, **-ster** (-s) *v* haggler; **'pingelen** (pingelde, h. gepingeld) *vi* 1 haggle; 2 🚗 pink, knock [of engine]
ping'ping *m* **S** lolly [= money], brass
Ⓜ **'pingpong** *o* ping-pong
'pinguïn ['pɪŋgʊɪn] (-s) *m* penguin
1 pink (-en) *m* little finger; zie ook: 1 *pinken*
2 pink (-en) *m* ⚓ pink, fishing-boat
3 pink (-en) *m* 🐄 yearling
1 'pinken *mv bij de ~ zijn* **F** be all there, have one's wits about one
2 'pinken (pinkte, h. gepinkt) **I** *vi* wink, blink; **II** *vt een traan uit de ogen ~* brush away a tear; **'pinkogen** (pinkoogde, h. gepinkoogd) *vi* blink
'Pinksterbeweging *v* Pentecostal movement, Pentecostalism; **'pinksterbloem** (-en) *v* ✿ cuckooflower; **-dag** (-dagen) *m* Whit Sunday; *tweede ~* Whit Monday; **Pinkster'dinsdag, Pinkster'drie** *m* Whit Tuesday; **'Pinksteren** *m* Whitsun(tide), Pentecost; **'pinksterfeest**

(-en) *o* 1 Whitsuntide; 2 [Jewish] Pentecost; **Pinkster'maandag** *m* Whit Monday; **'pinkstertijd** *m* Whitsuntide; **–vakantie** [-(t)si.] (-s) *v* Whitsun(tide) holidays; **–week** (-weken) *v* Whit(sun) week; **Pinkster'zondag** *m* Whit Sunday

'pinnen (pinde, h. gepind) *vt* pin, peg, fasten with pins

pint (-en) *v* pint

pi'oen(roos) (-rozen) *v* peony

pi'on (-nen) *m* pawn [at chess]

pio'nier (-s) *m* pioneer[2]; **pio'nieren** (pionierde, h. gepionierd) *vi* pioneer, break new ground; **pio'nierswerk** *o* pioneering; *fig* spadework

pip *v* pip [disease of birds]; *hij kan de ~ krijgen!* **F** he can go to blazes (go climb a tree, go fly a kite)!

pi'pet (-ten) *v* & *o* pipette

pips 1 having the pip; 2 peaked, drawn

pi'qué [pi.'ke.] *o* piqué

pi'raat (-raten) *m* pirate

pirami'daal pyramidal; *het is ~* it is enormous; **pira'mide** (-s en -n) *v* pyramid

pi'ratenzender (-s) *m* pirate (radio station, transmitter); **pirate'rij** *v* piracy

pirou'ette [pi:ru.'ɛtə] (-s en -n) *v* pirouette; **pirouet'teren** (pirouetteerde, h. gepirouetteerd) *vi* pirouette

pis *m* **P** piss

'pisang (-s) *v* ♣ banana

'pisbuis (-buizen) *v* urethra; **–nijdig F** furious, in a rage; **–paal** *m* **P** scape-goat; **–pot** (-ten) *m* = *piespot*; **'pissebed** (-den) *v* sow-bug; **'pissen** (piste, h. gepist) *vi* **P** 1 piss; 2 *hij is ~* he is gone; **pis'soir** [pi.s'va.r] (-s) *o* & *m* public urinal, *Am* pissoir

pis'tache [pi.s'taʃ(ə)] (-s) *v* 1 ♣ pistachio; 2 (k n a l b o n b o n) cracker

'piste (-s en -n) *v* 1 (v. c i r c u s) ring; 2 (v o o r w i e l r e n n e r s) track

pis'ton (-s) *m* ♩ cornet; **pisto'nist** (-en) *m* ♩ cornetist

pis'tool (-tolen) *o* pistol [weapon]; *iem. het ~ op de borst zetten* clap a pistol to sbd.'s breast; **–schot** (-schoten) *o* pistol-shot

pit (-ten) *o* & *v* 1 kernel [of nut]; pip [of an apple, orange], seed [of apple, cotton, grape, orange, raisin, sunflower], stone [of grapes &]; *fig* pith, spirit; body [of wine, a novel]; 2 wick [of a lamp]; burner [of a gas-cooker]; *er zit geen ~ in hem* he has no grit in him; *rozijnen zonder ~(ten)* seedless raisins; **–loos** seedless, pitless; **–riet** *o* ± rattan

'pitten (pitte, h. gepit) *vi* **F** sleep

'pittig I *aj* pithy[2] [style &], lively, stirring [music]; [beer, wine] of a good body; spicy, savoury [dish]; **II** *ad* pithily; **–heid** *v* pithiness[2]

pitto'resk picturesque

'pitvrucht (-en) *v* ♣ pome

pk [pe.'ka.] = *paardekracht*

plaag (plagen) *v* plague, vexation, nuisance; pest; **–geest** (-en) *m* teaser, tease; **–ziek** fond of teasing, teasing; **–zucht** *v* teasing disposition

plaat (platen) *v* 1 (ij z e r) sheet, plate [also of glass]; 2 (m a r m e r) slab; 3 (w ij z e r p l a a t) dial; 4 (g r a v u r e) picture, engraving, print; 5 (g r a m m o f o o n~) record; 6 (o n d i e p t e) shoal, sands; *de ~ poetsen* bolt, **S** beat it; **–ijzer** *o* sheet-iron; **–je** (-s) *o* 1 (a f b e e l d i n g) picture; 2 (v. ij z e r &) plate; **–koek** (-en) *m* griddle cake

plaats (-en) *v* 1 (i n 't a l g.) place; 2 (r u i m t e) room, place; [enclosed] court, yard; 3 (h o f s t e d e) farm; 4 (z i t p l a a t s) seat; 5 (b e t r e k k i n g) place, situation, post, office; [clergyman's] living; 6 (i n b o e k) place; 7 (t o n e e l) scene [of the crime, of the disaster]; *het is hier niet de ~ om...* the present (this) is not a place for ...ing; *~ bieden aan* admit, seat [200 persons]; *de ~ innemen van...* take the place of...; *neemt uw ~ in* take your places; *een eervolle ~ innemen* hold an honoured place; *het neemt te veel ~ in* it takes up too much room; *~ maken* make room; make way [for others]; give place [to doubt], give way [to hesitation]; *~ nemen* sit down, take a seat; ● *i n de ~ van de heer H., benoemd tot...* in (the) place of...; *in* (*op*) *de allereerste ~* first and foremost; *in* (*op*) *de eerste ~* in the first place, first of all, firstly; primarily [intended for pupils, students &]; *in* (*op*) *de laatste ~* last of all, lastly; *wat had u in mijn ~ gedaan?* in my place; *in uw ~* if I were (had been) in your place; *ik zou niet graag in zijn ~ zijn* I should not like to stand in his shoes; *in ~ van* instead of; *in ~ daarvan* instead; *in de ~ komen van* (*voor*) take the place of; *in de ~ stellen van* substitute for; *o p de ~* (*dood*) *blijven* be killed on the spot; *op de ~ rust!* ⚔ stand easy!; *op alle ~en* in all places, everywhere; *daar is hij op zijn ~* he is in his element there; *dat woord is hier niet op zijn ~* is out of place, is not in place; *iem. op zijn ~ zetten* put sbd. in his (proper) place; *t e r ~e* on the spot; *daar ter ~e* there, at that place; *wij zijn ter ~e* we have reached our destination; *niet v a n de ~ komen* not move from the spot; *de schoenmaker van de ~* the local shoemaker; **–bekleder** (-s) *m* deputy, substitute; *de P~* the Vicar of Christ; **–bepaling** (-en) *v* location; **–beschrijving** (-en) *v* topography; **–bespreking** *v* (advance) booking; **–bewijs** (-wijzen) *o* ticket

'plaatschade *v* bodywork damage

'plaatscommandant (-en) *m* town major;

'plaatselijk *aj* local; **'plaatsen** (plaatste, h. geplaatst) *vt* 1 (z e t t e n) put, place; 2 (e e n p l a a t s g e v e n) seat [guests &]; give employment to [people]; 3 (s t a t i o n e r e n) station, post; 4 (o p s t e l l e n) put up [a machine]; 5 (o p n e m e n) insert [an advertisement]; 6 (a a n d e m a n b r e n g e n) dispose of [articles &]; 7 *sp* place [a horse]; 8 (u i t z e t t e n) invest [money]; *hij heeft zijn zoons goed weten te ~* he has got his sons into good situations; *geplaatst voor een moeilijkheid (het probleem)* faced with a difficulty (the problem); **'plaatsgebrek** *o* want of space; **–grijpen**[1] *vi* take place; **–hebben**[1] *vi* take place; **'plaatsing** (-en) *v* 1 placing &; 2 insertion [of advertisements]; 3 investment [of capital]; 4 appointment [of servants]; **'plaatsje** (-s) *o* 1 place; 2 yard [of a house]; 3 (z i t p l a a t s) seat; *in die kleine ~s* in those small towns; **'plaatskaart** (-en) *v* ticket; **–naam** (-namen) *m* place name; **–opneming** (-en) *v* judicial inspection of the premises; **–ruimte** *v* space, room; *~ aanbieden (hebben) voor* have (provide) accommodation for

'plaatstaal *o* sheet (plate) steel

'plaatsvervangend acting [manager], deputy [commissioner], temporary; **–vervanger** (-s) *m* 1 (i n h e t a l g.) substitute; 2 (m e t v o l m a c h t) deputy; 3 (d o k t e r) locum tenens, deputy; 4 (a c t e u r) understudy; 5 (b i s s c h o p) surrogate; **–vervanging** *v* substitution; **–vervulling** (-en) *v* ⚖ representation; **–vinden**[1] *vi* take place

'plaatwerk (-en) *o* 1 book of pictures (or reproductions); 2 ⚒ plating

pla'centa ('s) *v* placenta

placht (plachten) V.T. van *plegen*

pla'fon(d) [-'fõ] (-s) *o* ceiling; **plafon'neren** (plafonneerde, h. geplafonneerd) *vt* ceil; **plafon'nière** [-fon'jɛrə] (-s) *v* ceiling light

plag (-gen) *v* = *plagge*

'plagen (plaagde, h. geplaagd) **I** *vt* 1 tease; 2 (u i t b o o s a a r d i g h e i d) vex; 3 = *kwellen*; *zij ~ hem ermee* they chaff him about it; *mag ik u even ~?* excuse my disturbing you; **II** *va* tease; **–er** (-s) *m* teaser, tease; **plage'rij** (-en) *v* teasing; vexation; zie *plagen*

'plagge (-n) *v* sod (of turf); **'plaggenhut** (-ten) *v* sod house, turf hut; **–steker** (-s) *m* turf-cutter

plagi'aat (-iaten) *o* plagiarism, plagiary; *~ plegen* commit plagiarism, plagiarize; **plagi'aris** (-sen), **plagi'ator** (-s) *m* plagiarist

plaid [ple.d] (-s) *m* 1 (S c h o t s e m a n t e l) plaid; 2 (r e i s d e k e n) (travelling-)rug

plak (-ken) *v* 1 slice [of ham &]; slab [of cake, chocolate &]; 2 *sp* [gold &] medal; 3 📖 [schoolmaster's] ferule; *onder de ~ van zijn vrouw zitten* be henpecked [by one's wife]; *flink onder de ~ houden* keep a tight hand over

'plakband *o* 1 (v. c e l l o f a a n) adhesive tape, sellotape; 2 (v. p a p i e r) gummed paper; **–boek** (-en) *o* scrap book; **plak'kaat** (-katen) *o* 1 placard, poster; 2 📖 edict; **–verf** *v* poster paint (colour); **'plakken** (plakte, h. geplakt) **I** *vt* paste, stick, glue; **II** *vi* stick, be sticky; *blijven ~ [fig]* stay on and never know when to go away; **'plakker** (-s) *m* 1 paster, sticker[2]; 2 ꕥ gipsymoth; *hij is een echte ~* **F** he is a sticker; **–ig** sticky[2]; **'plakplaatje** (-s) *o* pasting-in picture; **–pleister** (-s) *v* 1 = *hechtpleister*; 2 *fig* (p l a k k e r) sticker; (l i e f j e) sweetheart; **–sel** (-s) *o* paste; **–zegel** (-s) *m* receipt-stamp

pla'muren (plamuurde, h. geplamuurd) *vt* & *vi* fill, stop with filler; **pla'muur** *m* & *o*, **–sel** *o* filler; **–mes** (-sen) *o* stopping-knife

plan (-nen) *o* 1 (v o o r n e m e n) plan, design, project, intention; 2 (v o o r b e r e i d i n g) plan, design, scheme, project; 3 (t e k e n i n g) plan; *dat is zijn ~ niet* that is not his intention, that is not part of his plan; *~nen beramen* make plans, lay schemes; *zijn ~nen blootleggen (ontvouwen)* unfold one's plans; *een ~ ontwerpen (opmaken)* draw up a plan; *het ~ opvatten om...* conceive the project of ...ing; *~nen smeden* forge plots; *zijn ~ vaststellen* lay down one's plan; *een ~ vormen* form a scheme; • *m e t het ~ om...* with the intention to; *o p een hoger ~* on a higher plane, at a higher level; *v a n ~ zijn (om)* intend, mean to, think of...; *we zijn niet van ~ te werken voor anderen* we are not prepared (are not going) to work for others; **–bureau** [-by.ro.] (-s) *o* planning office; **plan de cam'pagne** [-plɑndəkɑm'pɑɲə] *o* plan of action (campaign); **'planeconomie** *v* statism

pla'neet (-neten) *v* planet; **–baan** (-banen) *v* orbit of a planet

pla'neren (planeerde, h. geplaneerd) 1 *vt* planish [metals]; size [paper]; 2 *vi* (v l i e g t u i g, b o o t) glide, plane down

plane'tair [-ne.'tɛ:r] planetary; **plane'tarium** (-ia en -s) *o* planetarium, orrery; **pla'netenstelsel** (-s) *o* planetary system; **planeto'ïde** (-n) *v* planetoid

planime'trie *v* plane geometry

plank (-en) *v* plank [2 to 6 inches thick], board [under 2½ in.]; shelf [in book-case &]; *de ~ misslaan* be beside (wide of) the mark; • *hij komt o p de ~en* he will appear on the stage;

[1] V.T. en V.D. van dit werkwoord volgens het model: **'plaats**grijpen, V.T. greep **'plaats**, V.D. **'plaats**gegrepen. Zie voor de vormen van het grondwoord de lijst van sterke en onregelmatige werkwoorden achterin.

v a n de bovenste ~ A 1, tophole; *hij is er een van de bovenste* ~ he is a first-rate fellow; **'planken** *aj* made of boards, wooden; *een* ~ *vloer* a boarded floor; **–koorts, –vrees** *v* stage-fright; **'plankgas** *o* ~ *geven* step on it, *Am* step up the gas; **plan'kier** (-en) *o* 1 foot-board; 2 platform
'plankton *o* plankton
plan'matig planned [economy]; **'plannen** ['plɛnə(n)] (plande, h. gepland) *vi* & *vt* plan; **'plannenmaker** (-s) *m* planner, schemer, projector; **'planning** ['plɛnɪŋ] *v* planning
'plano *in* ~ in sheets
planolo'gie *v* planning; **plano'logisch** planning [problems &]; **plano'loog** (-logen) *m* planner
plant (-en) *v* plant; **plant'aardig** vegetable; ~ *voedsel* a vegetable diet; **plan'tage** [-ʒə] (-s) *v* plantation, estate; **'planteboter** *v* vegetable butter; **–leven** *o* plant life, vegetable life; *een* ~ *leiden* vegetate; **'planten** (plantte, h. geplant) *vt* plant [potatoes &, the flag]; **'plantenetend** plant-eating, herbivorous; **–groei** *m* vegetation; plant-growth; **–kenner** (-s) botanist; **–kweker** (-s) *m* nurseryman; **planten-kweke'rij** (-en) *v* nursery(-garden); **'plantenleer** *v* botany; **–rijk** *o* vegetable kingdom; **–tuin** (-en) *m* botanical garden; **–wereld** *v* vegetable world; **'planter** (-s) *m* planter; **'plantevezel** (-s) *v* vegetable fibre; **'plante-ziekte** (-s en -n) *v* plant disease, blight; **–nkunde** *v* plant pathology; **plante-ziekten'kundig** of plant pathology; **'plant-kunde** *v* botany; **plant'kundig** botanical; **–e** (-n) *m* botanist; **'plantluis** (-luizen) *v* = *bladluis*
plant'soen (-en) *o* public garden, pleasure grounds, park
plas (-sen) *m* puddle, pool; *de Friese* ~*sen* the Frisian "meers" (lakes); *een* ~ *doen* make water, **F** pee, wee-wee
'plasma *o* [blood] plasma
'plasregen (-s) *m* splashing rain, downpour; **'plasregenen** (plasregende, h. geplasregend) *vi* rain cats and dogs
'plassen (plaste, h. geplast) *vi* 1 splash; 2 (u r i n e r e n) make water, **F** pee, wee-wee; **–er** (-s) **F** *m* penis
'plastic ['plɛstɪk] **I** *o* plastic; **II** *aj* plastic; **1 plas'tiek** (-en) *v* (k u n s t) plastic art; **2 plas'tiek** *o* (k u n s t s t o f) plastic; **–en** *aj* plastic; **plastifi'ceren** (plastificeerde, h. geplastificeerd) *vt* plasticize; **'plastisch I** *aj* 1 plastic [art; materials; nature; surgery]; 2 (a a n s c h o u w e l i j k) graphic [description]; **II** *ad* 1 plastically; 2 graphically [told &]
plas'tron (-s) *o* & *m* plastron
plat I *aj* flat [roof &]; *fig* broad [accent], coarse, vulgar [language]; *een* ~*te beurs* an empty purse; ~*te knoop* ⚓ reefknot; ~ *maken* (*worden*) flatten; **II** *ad* flat; *fig* vulgarly, coarsely; **III** (-ten) *o* 1 flat [of a sword &]; 2 flat, leads [of a roof]; 3 cover [of a book]; *continentaal* ~ continental shelf
pla'taan (-tanen) *m* plane(-tree)
'platbodemd, plat'boomd flat-bottomed; **'platbranden**[1] *vt* burn down; **–drukken**[1] *vt* crush, flatten out, press flat; **'Platduits** *o* Low German
pla'teau [-'to.] (-s) *o* plateau, tableland
'platebon (-nen en -s) *m* record token
pla'teel (-telen) *o* Delft ware, faience; **–bakker** (-s) *m* Delft-ware maker; **–bakkerij** (-en) *v* Delft-ware pottery
'platehoes (-hoezen) *v* record sleeve; **'platen-atlas** (-sen) *m* pictorial atlas; **–speler** (-s) *m* record player; **–wisselaar** (-s) *m* record changer
pla'teren (plateerde, h. geplateerd) *vt* plate [metals]
'platform (-s en -en) *o* 1 platform; 2 ✈ apron, tarmac [of airfield]
'platgetreden downtrodden; *fig* beaten [track]; **'platheid** (-heden) *v* flatness; *fig* coarseness, vulgarity
'platina *o* platinum; **–blond** platinum blonde
plati'tude (-s) *v* platitude, trite (commonplace) remark
'platje (-s) *o* 1 (p l a t d a k j e) flat, leads; 2 (t e r r a s j e) terrace, porch; 3 (p l a t l u i s) crab-louse
'platleggen[1] *vt* (d o o r s t a k i n g) strike; *platgelegd* strikebound; **–liggen**[1] **I** *vi* lie flat; **II** *vt* lie upon, crush; **–lopen**[1] *vt* tread down; zie ook: *deur*; **'platluis** (-luizen) *v* crab-louse
'Plato *m* Plato; **pla'tonisch I** *aj* platonic; **II** *ad* platonically
'platslaan[1] *vt* 1 flatten; 2 beat down
platte'grond (-en) *m* ground-plan [of a building]; plan, map [of the town]; **platte'land** *o* country, countryside; **platte'landsbewoner** (-s) *m* countryman, rural resident; **–vrouw** (-en) *v* countrywoman
'plattrappen[1] *vt* trample (down)
'platvis (-sen) *m* flatfish
plat'vloers banal, low, vulgar; **–heid** (-heden) *v* banality, vulgarity

[1] V.T. en V.D. van dit werkwoord volgens het model: **'plat**branden, V.T. brandde **'plat**, V.D. **'plat**gebrand. Zie voor de vormen van het grondwoord, in dit voorbeeld: *branden*. Bij sterke en onregelmatige werkwoorden wordt u verwezen naar de lijst achterin.

'platvoet (-en) *m* flat-foot; flat-footed person
'platweg flatly
'platzak ~ *zijn* have an empty purse, be hard up
plau'sibel plausible
pla'veien (plaveide, h. geplaveid) *vt* pave; **pla'veisel** (-s) *o* pavement; **pla'veisteen** (-stenen) *m* paving-stone; **pla'vuis** (-vuizen) *m* paving tile, flag (stone)
ple'bejer (-s) *m* plebeian; **ple'bejisch** plebeian; **plebis'ciet** [-en en -s] *o* plebiscite; **plebs** *o* rabble, riff-raff
plecht (-en) *v* fore-deck, after-deck; **-anker** (-s) *o* sheet-anchor[2]
'plechtig I *aj* solemn, ceremonious, stately; formal [opening of Parliament]; *~e communie rk* solemn communion; **II** *ad* solemnly, ceremoniously, in state; formally [opened]; **-heid** (-heden) *v* ceremony, solemnity; *een* ~ ook: a function; **plecht'statig** solemn, stately, ceremonious; **-heid** *v* solemnity, stateliness, ceremoniousness
'plectrum (-tra en -s) *o* plectrum
plee (-s) **F** *m* privy, **P** bog; **-figuur** *o* **F** *een ~ slaan* cut a sorry figure, blunder, make a howler
'pleegbroe(de)r (-s) *m* foster-brother; **-dochter** (-s) *v* foster-daughter; **-gezin** (-nen) *o* foster-family, foster-home; **-kind** (-eren) *o* foster-child; **-moeder** (-s) *v* foster-mother; **-ouders** *mv* foster-parents; **-vader** (-s) *m* foster-father; **-zoon** (zonen en -s) *m* foster-son
'pleegzuster (-s) *v* 1 foster-sister; 2 sick-nurse, nursing sister
pleet *o* electroplate; **-werk** *o* plated articles, plated ware
plegen* *vt* commit, perpetrate; *men pleegt te vergeten dat...* one is apt to forget that...; *hij placht te drinken* he used to drink; *vaak placht hij 's morgens uit te gaan* he often would go out in the morning
plei'dooi (-en) *o* pleading, plea, defence; *een ~ houden voor* make a plea for
plein (-en) *o* square; (r o n d) circus; **-vrees** *v* agoraphobia
1 'pleister (-s) *v* plaster; *een ~ op de wond* a salve for his wounded feelings
2 'pleister *o* plaster, stucco; **1 'pleisteren** (pleisterde, h. gepleisterd) *vt* plaster, stucco
2 'pleisteren (pleisterde, h. gepleisterd) *vi* fetch up, stop [at an inn]; *de paarden laten ~* bait the horses
'pleisterkalk *m* parget
'pleisterplaats (-en) *v* halting-place, pull-up; 🕮 baiting place, stage
'pleisterwerk *o* plastering, stucco
pleit *o* ⚖ plea, (law)suit; *toen was het ~ beslecht (voldongen)* then their fate was decided, then the battle was over; *zij hebben het ~ gewonnen* they have gained the day; **-bezorger** (-s) *m* ⚖ solicitor, counsel; *fig* advocate
'pleite S gone
'pleiten (pleitte, h. gepleit) *vi* ⚖ plead; ~ *tegen u* tell against you; ~ *voor* plead in favour of (for), defend; *fig* advocate; *dat pleit voor je* that speaks well for you, that tells in your favour; **-er** (-s) *m* ⚖ pleader; **'pleitrede** (-s) *v* pleading, plea, defence
Ple'jaden *mv* Pleiades
plek (-ken) *v* 1 (plaats) spot, place; patch; 2 (vlek) stain, spot; *kale ~* bald patch
'plekken (plekte, h. geplekt) *vi* & *vt* stain
'plempen (plempte, h. geplempt) *vt* fill up [with earth, rubbish &]
ple'nair [ple.'nɛːr] plenary, full
'plengen (plengde, h. geplengd) *vt* shed [tears, blood]; pour out [wine]; **'plengoffer** (-s) *o* libation
plens (plenzen) *m* splash; **-bui** (-en) *v* downpour, cloudburst
'plenum *o* full assembly, plenary session, plenum
'plenzen (plensde, h. geplensd) *vi* splash
pleo'nasme (-n) *o* pleonasm; **-'nastisch** *aj* (& *ad*) pleonastic(ally)
'plethamer (-s) *m* flatt(en)ing-hammer; **-molen** (-s) *m* rolling-mill, flatting-mill; **-rol** (-len) *v* flatt(en)ing-roller; **'pletten** (plette, h. geplet) **I** *vt* flatten, roll [metal]; **II** *vi* (van stoffen) crush; **-er** *te ~ slaan* smash; ook = *te ~ vallen* smash, be smashed, crash; **plette'rij** (-en) *v* rolling-mill, flatting-mill
'pleuris *v* & *o* = *pleuritis*; **pleu'ritis** *v* pleurisy
ple'vier (-en) *m* plover
ple'zant = *plezierig*; **ple'zier** *o* pleasure; *veel ~!* enjoy yourself!, have a good time!; *het zal hem ~ doen* it will please him, be a pleasure to him; *iem. een ~ doen* do sbd. a favour; ~ *hebben* have a good time, enjoy oneself, have fun; ~ *hebben in iets* find, take (a) pleasure in sth.; ~ *hebben van iets* derive pleasure from sth.; *hij had niet veel ~ van zijn zoons* his sons never did anything to give him pleasure; ~ *maken* have fun, make merry; *zijn ~ wel opkunnen* have a hard time; ~ *vinden in iets* find, take (a) pleasure in sth.; *met ~!* with pleasure!; *ten ~e van...* to please...; *voor (zijn) ~* for pleasure; **-boot** (-boten) *m* & *v* excursion steamer, pleasure steamer; **ple'zieren** (plezierde, h. geplezierd) *vt* please; **ple'zierig** pleasant; **ple'zierjacht** (-en) *o* ⚓ (pleasure) yacht; **-reis** (-reizen) *v* pleasure trip; **-reiziger** (-s) *m* excursionist; **-tochtje** (-s) *o* pleasure trip, jaunt; **-trein** (-en) *m* excursion train; **-vaartuig(en)** *o* (*mv*) pleasure craft

plicht (-en) *m* & *v* duty, obligation; *zijn ~ doen* do one's duty; play one's part; *zijn ~ verzaken* neglect (fail in) one's duty; *volgens zijn ~ handelen* act up to one's duty; **-besef** *o* sense of duty; **-betrachting** (-en) *v* devotion to duty; **-enleer** *v* deontology; **-getrouw, plicht'matig** dutiful; **'plichtpleging** (-en) *v* compliment; *geen ~en* no ceremony; **'plichtsbesef** = *plichtbesef*; **-betrachting** = *plichtbetrachting*; **-getrouw** = *plichtgetrouw*; **-gevoel** *o* sense of duty; **plichts'halve** from a sense of duty, dutifully; **'plichtsverzuim** *o* neglect of duty; **'plichtvergeten** forgetful of one's duty, undutiful; **-verzuim** = *plichtsverzuim*

'Plinius *m* Pliny

plint (-en) *v* skirting-board [of a room &]; plinth [of a column]

plis'sé [pli.'se.] (-s) *o* pleating; **plis'seren** (plisseerde, h. geplisseerd) *vt* pleat

1 ploeg (-en) *m* & *v* (w e r k t u i g) plough; *de hand aan de ~ slaan* put one's hand to the plough

2 ploeg (-en) *v* (g r o e p) [day, night] shift, gang [of workmen]; [rescue &] party, **F** batch; team[2] [of footballers], crew [of rowing-boat]; **-baas** (-bazen) *m* ganger, foreman

'ploegboom (-bomen) *m* plough-beam; **'ploegen** (ploegde, h. geploegd) *vt* 1 plough; 2 ⚒ groove [a board]

'ploegendienst (-en) *m* shift; **-klassement** (-en) *o sp* team holdings; **-stelsel** *o* shift system; *volgens het ~* on the shift system

'ploeger (-s) *m* ploughman, plougher; **'ploegijzer** (-s), **-kouter** (-s) *o* coulter; **-land** *o* land under the plough, ploughland; **-os** (-sen) *m* plough-ox; **-paard** (-en) *o* plough horse; *werken als een ~* work like a horse; **-rister** (-s) *m* mould-board; **-schaar** (-scharen) *v* ploughshare; **-staart** (-en) *m* plough-tail; **-voor** (-voren) *v* furrow

ploert (-en) *m* cad; *de koperen ~* **S** the sun; **-achtig** = *ploertig*; **'ploertendoder** (-s) *m* bludgeon, life-preserver; **-streek** (-streken) *m* & *v* dirty (scurvy) trick; **'ploertig** caddish; **ploer'tin** (-nen) *v* ⚭ **S** landlady

'ploeteraar (-s) *m* plodder; **'ploeteren** (ploeterde, h. geploeterd) *vi* splash, dabble; *fig* toil (and moil), drudge, plod; *~ aan* plod at

plof I *ij* plop!, flop!, plump!; **II** (-fen) *m* thud; **'ploffen** (plofte, is geploft) *vi* plump (down), flop, plop

'plokworst (-en) *v* coarse beef sausage

'plombe (-s) *v* = *plombeerloodje* & *plombeersel*; **plom'beerloodje** (-s) *o* lead seal, lead; **plom'beersel** (-s) *o* stopping, filling, plug; **plom'beren** (plombeerde, h. geplombeerd) *vt* 1 plug, stop, fill [a tooth]; 2 **$** lead [goods]

plom'bière [-'bjɛ:rə] (-s) *v* icecream with fruit, sundae

1 plomp I *ij* plumb!, flop!; **II** (-en) *m* flop; *in de ~ vallen* fall into the water

2 plomp I *aj* clumsy; 2 (g r o f) rude; **II** *ad* 1 clumsily; 2 rudely

3 plomp (-en) *v* ✿ (white, yellow) waterlily

'plompen (plompte, is geplompt) *vi* plump, flop, plop

'plompheid (-heden) *v* 1 clumsiness; 2 (g r o f - h e i d) rudeness; rude thing

'plompverloren plump; **-weg** = *botweg*

plons I *ij* plop!; **II** (-en en plonzen) *m* splash; **'plonzen** (plonsde, is geplonsd) *vi* 1 flop, plop; 2 splash

plooi (-en) *v* fold, pleat [in cloth]; crease [of trousers]; wrinkle [in the forehead]; *de ~en gladstrijken* [*fig*] smooth matters over; *zijn gezicht i n de ~ zetten* compose one's countenance, put on a straight face; *hij komt nooit u i t de ~* he never unbends; **'plooibaar** pliable, pliant; adaptable; **-heid** *v* pliability, pliancy; **'plooien** (plooide, h. geplooid) *vt* fold, crease; pleat; wrinkle [one's forehead]; *fig* arrange [things]; **'plooiing** (-en) *v* folding; **-sgebergte** (-s en -n) *o* folded mountains; **'plooirok** (-ken) *m* pleated skirt; **'plooisel** (-s) *o* pleating

ploos (plozen) V.T. van *pluizen*

plots *ad* = *plotseling* **II**; **-eling I** *aj* sudden; **II** *ad* suddenly, all of a sudden; **-klaps** all of a sudden

'plozen V.T. meerv v. *pluizen*

pluche [ply.ʃ] *o* & *m* plush; **-n** *aj* plush

plug (-gen) *v* plug

pluim (-en) *v* plume, feather, crest; **plui'mage** [-'ma.ʒə] (-s) *v* plumage, feathers; **'pluimbal** (-len) *m* shuttlecock; **'pluimen** (pluimde, h. gepluimd) *vt* plume; **'pluimpje** (-s) *o* little feather; *fig* compliment; *dat is een ~ voor u* that is a feather in your cap; **'pluimstaart** (-en) *m* bushy tail

'pluimstrijken (pluimstrijkte, h. gepluimstrijkt) *vt* adulate, fawn upon, toady; **-er** (-s) *m* adulator, fawner, toady; **'pluimstrijke'rij** (-en) *v* adulation, fawning, toadyism

'pluimvee *o* poultry; **-houder** (-s) *m* poultry keeper, poultry farmer; **-teelt** *v* poultry farming; **-tentoonstelling** (-en) *v* poultry show

1 pluis (pluizen) *v* & *o* fluff, flue; zie ook: *pluisje*

2 pluis *aj het is er niet ~* it is not as it ought to be, there is sth. wrong; *het is bij hem niet ~* he is not right in his head

'pluisje (-s) *o* bit of fluff; **'pluizen* I** *vi* become fluffy; **II** *vt* pick [oakum]; **'pluizig** fluffy

pluk (-ken) *m* 1 gathering, picking [of fruit];

(b o s j e) tuft, wisp; 2 *fig* handful; **'plukharen** (plukhaarde, h. geplukhaard) *vi* have a tussle, tussle; **'plukken** (plukte, h. geplukt) **I** *vt* pick, gather, cull[2] [flowers &]; pluck [birds]; *fig* fleece [a player, a customer]; **II** *vi* ~ *aan* pick at, pull at; **-er** (-s) *m* picker, gatherer, reaper; **'pluksel** (-s) *o* lint; **'pluktijd** *m* picking-season

plu'meau [-'mo.] (-s) *m* feather-duster, feather-brush

'plunderaar (-s) *m* plunderer, pillager, robber; **'plunderen** (plunderde, h. geplunderd) **I** *vt* plunder, pillage, loot, sack [a town], rifle [a house], rob [a man]; **II** *vi* plunder, pillage, loot, rob; **-ring** (-en) *v* plundering, pillage, looting; sack [of Magdeburg, Rome &]

'plunje (-s) *v* **F** togs; **-zak** (-ken) *m* kit-bag

plu'ralis (-sen en -lia) *m* plural; ~ *majestatis* royal plural; **plura'lisme** *o* pluralism; **plurali'teit** *v* plurality, multiplicity, great number; **pluri'form** pluriform; **pluri-formi'teit** *v* multiplicity, great number

plus plus

plus'four [plüs'fɔ:r] (-s) *m* plus-fours

plus'minus about; **'pluspunt** (-en) *o* advantage, asset; **-teken** (-s) *o* plus sign, addition sign

pluto'craat (-craten) *m* plutocrat; **plutocra'tie** [-'(t)si.] *v* plutocracy; **pluto'cratisch** plutocratic

plu'tonium *o* plutonium

plu'vier (-en) *m* plover

pneu'matisch pneumatic

pneumo'nie *v* pneumonia

po ('s) *m* chamber (pot), **S** jordan

p.o. = *per omgaande* by return (of post)

'pochen (pochte, h. gepocht) *vi* boast, brag; ~ *op* boast of; **-er** (-s) *m* boaster, braggart

po'cheren [pò'ʃe:rə(n)] (pocheerde, h. gepocheerd) *vt* poach [eggs]

poche'rij (-en) *v* boasting, boast, brag(ging)

po'chet [pò'ʃɛt] (-ten) *v* fancy handkerchief

'pochhans (-hanzen) *m* = *pocher*

'pocket (-s) = *pocketboek*; **-boek** (-en) *o* paperback; **-editie** [-e.di.(t)si] (-s) *v* paperback edition

'podagra *o* gout

'podium (-ia en -s) *o* platform, dais, [conductor's] rostrum

'poedel (-s) *m* 1 ♞ poodle; 2 miss [at ninepins]; **'poedelen** (poedelde, h. gepoedeld) **I** *vi* miss [at ninepins]; **II** *vt* ⚒ puddle; **'poedelnaakt** stark naked; **-prijs** (-prijzen) *m* booby prize, consolation prize

'poeder (-s) *o* & *m* & *v* powder; **-dons** (-donzen) *m* & *o* powder-puff; **-doos** (-dozen) *v* powder-box; **'poederen** (poederde, h. gepoederd) *vt* powder, strew with powder; **'poederig** powdery, powderlike; **'poeder-koffie** *m* powdered coffee; **-kwast** (-en) *m* powder-puff; **-sneeuw** *v* powder snow; **-suiker** *m* powdered sugar, icing sugar; **-vorm** *m in* ~ powdered

po'ëet (poëten) *m* poet

poef (-s en -en) *m* pouffe

poe'ha *o* & *m* **F** 1 (drukte) fuss; 2 (o p s c h e p p e r ij) swank; **-maker** (-s) *m* **F** = *opschepper*

'poeier(-) = *poeder*(-)

poel (-en) *m* puddle, pool, slough

poe'let *o* & *m* soup meat

poe'lier (-s) *m* poulterer

'poema ('s) *m* puma

poen (-en) **F** *m* 1 vulgarian, > bounder, cad; 2 **S** *m* & *o* (g e l d) tin, oof, dust; **-ig** vulgar, flashy

poep (-en) **F** *m* (o n t l a s t i n g) dirt, excrement; (w i n d) fart; **'poepen** (poepte, h. gepoept) **F** *vi* relieve oneself, relieve nature; **poepe'rij** **F** *v* *aan de* ~ *zijn* have diarrhea

poer (-en) = *peur*

'poeren (poerde, h. gepoerd) = *peuren*

'Poerim = *Purim*

poes (-en en poezen) *v* cat, puss(y); *hij is voor de* ~ **F** it's all up with him, he's finished; *ze is niet voor de* ~ she is not to be trifled with; *dat is niet voor de* ~*!* **S** that's some!; **-je** (-s) *o* pussy-cat; *mijn* ~*!* my kitten; (l i k e u r t j e) = *pousse-café*; **-lief** bland, suave, sugary; **-mooi** dressed up to the nines, dolled-up; **-pas** *m* 1 (r o m m e l) hotch-potch, hodge-podge; 2 (o m h a a l) fuss

poet **S** *v* loot, swag

po'ëtisch **I** *aj* poetic(al); **II** *ad* poetically

poets (-en) *v* trick, prank, practical joke; *iem. een* ~ *bakken* play a trick upon sbd.

'poetsdoek (-en) *m* polishing cloth, cleaning rag; **'poetsen** (poetste, h. gepoetst) *vt* polish, clean; *'m* ~, *de plaat* ~ bolt, **S** beat it; **-er** (-s) *m* polisher, cleaner; **'poetsgerei, -goed** *o* cleaning things; **-katoen** *o* cotton waste; **-lap** (-pen) *m* polishing cloth, cleaning rag; **-pommade** *v* polishing paste

'poezelig plump, chubby

poë'zie *v* poetry[2]; [bucolic, Latin &] verse

pof *m* thud; *op de* ~ *kopen* **F** buy (go) on tick

'pofbroek (-en) *v* knickerbockers, plus-fours

'poffen (pofte, h. gepoft) *vt* **F** (o p k r e d i e t k o p e n) buy on tick; (k r e d i e t g e v e n) give credit; sell on tick; || roast [chestnuts]

'poffertje (-s) *o* "poffertje" [buttered and sugared tiny pancake]; **-skraam** (-kramen) *v* & *m* & *o* booth where "poffertjes" are sold

'pofmouw (-en) *v* puff sleeve

'pogen (poogde, h. gepoogd) *vt* endeavour, attempt, try; **-ging** (-en) *v* endeavour, attempt, effort; *een ~ doen om...* make an attempt at ...ing; *geen ~ doen om...* make no attempt to...; *een ~ tot moord (zelfmoord)* attempted murder (suicide)

'pogrom (-s) *m* pogròm

pointe [pvɛ̃t] (-s) *v* point [of a joke]

pok (-ken) *v* pock; *zij kregen de ~ken* they got smallpox; *van de ~ken geschonden* pock-marked; **pok'dalig** pock-marked

'poken (pookte, h. gepookt) *vi* poke (stir) the fire

'pokeren (pokerde, h. gepokerd) *vi* play poker

'pokken *mv* smallpox, variola; **–briefje** (-s) *o* vaccination certificate; **'pokstof** *v* vaccine lymph, vaccine

pol (-len) *m* tuft, tussock [of grass]

po'lair [-'lɛ:r] polar; **polari'satie** [-'za.(t)si.] *v* polarization; **polari'seren** [s = z] (polariseerde, h. gepolariseerd) *vt* polarize; **polari'teit** *v* polarity

'polder (-s) *m* polder **–bestuur** (-sturen) *o* polder board; **–dijk** (-en) *m* dike of a polder; **–jongen** (-s) *m* navvy; **–land** *o* polder-land

pole'miek (-en) *v* polemic, controversy; polemics; **po'lemisch** polemic(al), controversial; **polemi'seren** [s = z] (polemiseerde, h. gepolemiseerd) *vi* polemize, carry on a controversy; be engaged in a paper war; *ik wil niet met u ~* I'm not going to contest the point with you; **pole'mist** (-en) *m* polemicist, controversialist; **polemolo'gie** *v* study of the causes of war

'Polen *o* Poland

polichi'nel [-ʃi.'nɛl] (-s en -len) *m* punchinello, Punch

po'liep (-en) *v* 1 (d i e r) polyp; 2 (g e z w e l) polypus [*mv* polypi]

po'lijsten (polijstte, h. gepolijst) *vt* polish, smooth, sand; (m e t a a l) planish; **–er** (-s) *m* polisher

polikli'niek (-en) *v* policlinic, outpatients' department

'polio *v* polio; **poliomye'litis** [-mi.e.'li.tɪs] *v* poliomyelitis

'polis (-sen) *v* (insurance) policy

politicolo'gie *v* political science, politics; **po'liticus** (-ci) *m* politician

po'litie [-(t)si.] *v* police; **–agent** (-en) *m* policeman, constable, police officer; **–bureau** [-by.ro.] (-s) *o* 1 police station; 2 (h o o f d b u r e a u) police headquarters; **politi'eel** [-(t)si.'e.l] police [action, operation &]; **po'litiehond** (-en) *m* police dog

poli'tiek I *aj* 1 political; 2 politic; *de ~e partijen* the political parties; *dat is niet ~* it is bad policy, it would not be politic; **II** *v* 1 (s t a a t k u n d i g e b e g i n s e l e n) politics; 2 (g e d r a g s l i j n) policy, line of policy; 3 (b u r g e r k l e d i n g) plain clothes; *zijn ~* his policy; *i n ~* in plain clothes, in mufti; *in de ~* in politics; *u i t ~* from policy, for political reasons

po'litiekorps (-en) *o* police force; **–macht** *v* body of police, police force; **–man** (-nen) *m* police officer, policeman; **–muts** (-en) *v* ⚔ forage-cap; **–patrouille** [-tru.jə] (-s) *v* police patrol; **–post** (-en) *m* police-station, police post; **–rapport** (-en) *o* police report; **–rechter** (-s) *m* police magistrate; **–spion** (-nen) *m* police informer, **S** nark; **–staat** (-staten) *m* police state; **–toezicht** *o* police supervision; **–verordening** (-en) *v* police regulation; **–wezen** *o het ~* the police; **politio'neel** [-(t)si.] police [action, operation &]

politi'seren [s = z] (politiseerde, h. gepolitiseerd) *vi* talk politics, politicise

poli'toer *o* & *m* (French) polish; **poli'toeren** (politoerde, h. gepolitoerd) *vt* (French-)polish

'polka ('s) *m* & *v* polka; **–haar** *o* bobbed hair

'pollepel (-s) *m* ladle

'polo *o sp* polo; **–hemd** (-en) *o* polo shirt

polo'naise [-'nɛ:zə] (-s) *v* polonaise

1 pols (-en) *m* pole, leaping-pole

2 pols (-en) *m* 1 (a d e r) pulse; 2 (g e w r i c h t) wrist; *iem. de ~ voelen* feel sbd.'s pulse[2]; **–ader** (-s) *v* radial artery, pulse artery; **'polsen** (polste, h. gepolst) *vt iem. ~* sound sbd. (on *over*); **'polsgewricht** (-en) *o* wrist (-joint); **–horloge** [-ʒə] (-s) *o* wrist(let) watch; **–mof** (-fen) *v* wristlet; **–slag** (-slagen) *m* pulsation

'polsstok (-ken) *m* leaping-pole, jumping-pole; **–springen** *o* pole-jump, pole-vault

poly'ester [y = i.] *o* polyester

poly'ether [y = i.] *m* foam plastic

poly'foon [y = i.] polyphonic

poly'gaam [y = i.] polygamous; **polyga'mie** *v* polygamy

poly'glot [y = i.] (-ten) *m* polyglot

Poly'nesië [y = i.; s = z] *o* Polynesia; **–r** (-s) *m*, **Poly'nesisch** *aj* Polynesian

poly'technisch [y = i.] polytechnic; *~e school* polytechnic (school)

polyva'lent [y = i.] polyvalent

pome'rans (-en) *v* 1 ✿ bitter orange; 2 ⚫ (a a n k e u) (cue-)tip; **–bitter** *o* & *m* orange bitters

pom'made (-s) *v* pomade, pomatum; **pomma'deren** (pommadeerde, h. gepommadeerd) *vt* pomade

'Pommeren *o* Pomerania

pomp (-en) *v* pump; *loop naar de ~!* go to blazes!; **–bediende** (-s en -n) *m* (petrol) pump attendant

Pom'peji *o* Pompeii

Pom'pejus *m* Pompey
'pompelmoes (-moezen) *v* pomelo, shaddock; (k l e i n e r) grape-fruit
'pompen (pompte, h. gepompt) *vi* & *vt* pump; ~ *of verzuipen* sink or swim; **–er** (-s) *m* pumper
pomper'nikkel (-s) *m* pumpernickel
pom'peus pompous; **–heid** *v* pompousness, pomposity
pom'poen (-en) *m* pumpkin, gourd
pom'pon (-s) *m* pompon, tuft
'pompstation [-ʃɔn] (-s) *o* 1 pumping station; 2 🚗 filling station; **–water** *o* pump-water
pon (-nen) *m* **F** nighty, night-dress
pond (-en) *o* pound; *het volle ~ eisen* exact one's pound of flesh; *in (Engelse) ~en betalen* ook: pay in sterling; **'pondenbezit** *o* sterling holdings; **–saldo** (-di en 's) *o* sterling balance; **ponds-pondsge'wijs, –ge'wijze** pro rata, proportionally
po'neren (poneerde, h. geponeerd) *vt* state
'ponjaard (-s en -en) *m* poniard, dagger
1 pons *m* (d r a n k) punch
2 pons (-en) *m* ⚒ punch; **–band** (-en) *m* punched tape; **'ponsen** (ponste, h. geponst) *vt* punch; **'ponskaart** (-en) *v* punched card; punch card; **–machine** [-ʃi.nə] (-s) *v* punch(ing) machine, punch(ing) press, puncher
pont (-en) *v* ferry-boat
ponte'neur *o op zijn ~ staan* stand on one's dignity
pontifi'caal pontifical; *in ~* in full pontificals, in full regalia
'Pontius [-(t)si.üs] *m* Pontius; *iem. van ~ naar Pilatus zenden* send sbd. from pillar to post
pon'ton (-s) *m* pontoon; **–brug** (-gen) *v* pontoon-bridge; **ponton'nier** (-s) *m* pontoneer, pontonier
'pontveer (-veren) *o* ferry
'pony ['pɔni.] ('s) *m* 1 🐎 (Shetland) pony; 2 = *ponyhaar*; **–haar** *o* bang, fringe
'pooien (pooide, h. gepooid) *vi* **F** booze
'pooier (-s) *m* **S** pimp, ponce, pander, fancy-man, procurer
pook (poken) *m* & *v* 1 poker; 2 🚗 gear lever; **–je** (-s) **F** *o* gear lever
1 pool (polen) *v* pole
2 pool (polen) *v* pile [of carpet, velvet]
3 pool [pu.l] (-s) *m* (v. k o l e n, s t a a l, v o e t b a l &) pool
4 Pool (Polen) *m* Pole
'poolcirkel (-s) *m* polar circle; **–expeditie** [-(t)si.] (-s) *v* polar expedition; **–gebied** (-en) *o* polar region; **–hond** (-en) *m* Eskimo dog, husky; **–ijs** *o* polar ice; **–licht** *o* polar lights; **–onderzoek** *o* exploration of the polar regions
Pools I *aj* Polish; **II** *o het ~* Polish; **III** *v een ~e* a Polish Woman; zie ook: *landdag*
'poolshoogte *v* ★ elevation of the pole, latitude; *~ nemen* see how the land lies; **'poolster** *v* polar star, pole-star; **–streek** (-streken) *v* polar region; **–tocht** (-en) *m* polar expedition; **–vos** (-sen) *m* arctic fox; **–zee** (-zeeën) *v* polar sea
poon (ponen) *m* 🐟 gurnard
poort (-en) *v* gate, doorway, gateway; **–ader** (-s) *v* portal vein; **–er** (-s) *m* 🕮 citizen, freeman; **–wachter** (-s) *m* gate-keeper
poos (pozen) *v* while, time, interval; **–je** (-s) *o* little while; *een ~*for a while
poot (poten) *m* 1 (v. d i e r) paw, foot, leg; 2 (v. m e u b e l) leg; *wat een ~ schrijft hij!* **F** what a fist he writes!; *zijn ~ stijf houden* refuse to give in, stand firm (fast, one's ground); *iem. een ~ uitdraaien* **S** fleece (soak, skin, pluck) sbd.; *geen ~ aan de grond krijgen* have no chance of success; *geen ~ uitsteken* not stir a finger; *iets op poten zetten* set sth. on foot, set up sth.; *iets weer op poten zetten* set sth. on its feet; *een brief op poten* a sharp (strongly worded) letter; *op hoge poten* up in arms, in high dudgeon; *op zijn ~ spelen = opspelen* 2; *op zijn achterste poten gaan staan* 1 *eig* rear [of a horse]; 2 *fig* (z i c h v e r z e t t e n) jib; (o p s t u i v e n) flare up; *op zijn poten terechtkomen* fall (land) on one's legs; **poot'aan** *~ spelen* work (peg) hard, put one's back into it
'pootaardappel (-s en -en) *m* seed-potato; **–ijzer** (-s) *o* dibble
'pootje (-s) *o* 1 paw; 2 ⚕ podagra, gout; *met hangende ~s* with one's tail between one's legs, crestfallen; zie ook: *poot*; **–baden** *vi* paddle
'pootvijver (-s) *m* nurse-pond; **–vis** *m* fry
1 pop (-pen) *v* 1 doll; puppet [in a show]; [tailor's] dummy; 2 (v. i n s e k t) pupa [*mv* pupae], chrysalis, nymph; 3 (v. v o g e l s) hen; 4 (i n k a a r t s p e l) picture-card, court-card; 5 (k i n d) darling; 6 **F** (g u l d e n) guilder; *toen had men de ~pen aan 't dansen* then there was the devil to pay, the fat was in the fire
2 pop I *m* (= p o p m u z i e k) pop; **II** *aj* pop [art, ♪ group, singer &]
'pope (-s en -n) *m* pope
'popelen (popelde, h. gepopeld) *vt* quiver, throb; *zijn hart popelde* his heart went pit-a-pat; *~ om te zien* be itching to see
pope'line *o* & *m* poplin
'popgroep (-en) *v* pop group; **–muziek** *v* pop music
'poppegezicht (-en) *o* doll's face; **–goed** *o* doll's clothes; **–jurk** (-en) *v* doll's dress; **'poppenhuis** (-huizen) *o* doll's house; **–kast** (-en) *v* Punch-and-Judy show, puppet-show; *fig* tomfoolery; **–kastpop** (-pen) *v* glove puppet; **–spel** (-len) *o* puppet-show; **–speler**

(-s) *m* puppeteer; **–winkel** (-s) *m* doll-shop; **'popperig** dollish, pretty pretty; **'poppetje** (-s) *o* little doll, dolly; *een teer* ~ a delicate child; *~s tekenen* draw figures; **'poppewagen** (-s) *m* doll's carriage, doll's perambulator, doll's pram

popu'lair [-'lɛ.r] popular; **popu'lair-weten'schappelijk** popular-science, popularised; **populari'seren** [s = z] (populariseerde, h. gepopulariseerd) *vt* popularize; **populari-'teit** *v* popularity

popu'lier (-en) *m* poplar

'popzanger (-s) *m* pop singer; **–zender** (-s) *m* pop radio-station

por (-ren) *m* thrust, dig [in sbd.'s side], poke, jab

po'reus porous, permeable; **–heid** *v* porosity

por'fier *o* porphyry

'porie (-iën) *v* pore

porno'graaf (-grafen) *m* pornographer; **pornogra'fie** *v* pornography; **porno'grafisch** pornographic

'porren (porde, h. gepord) *vt* 1 poke, stir [the fire]; 2 prod [sbd.]; jab [sbd. in the leg &]; 3 (w e k k e n) knock up, call up; 4 (a a n-s p o r e n) rouse, urge; **F** *daar is hij wel voor te* ~ he is always game for that

porse'lein *o* china, china-ware, porcelain; **–aarde** *v* china-clay, kaolin; **–bloempje** (-s) *o* London pride; **–en** *aj* china, porcelain; **–fabriek** (-en) *v* china (porcelain) factory; **–kast** (-en) *v* china-cabinet; *voorzichtigheid is de moeder van de* ~ caution is the mother of wisdom; **–winkel** (-s) *m* china shop

1 port (-en) *o* & *m* ℡ postage

2 port *m* = *portwijn*

por'taal (-talen) *o* 1 landing [of stairs]; 2 porch, hall

porte-bri'see [s = z] (-s) *v* folding doors, double door

por'tee *v* meaning, significance, drift [of an argument]

porte'feuille [-'fœyjə] (-s) *m* 1 (v. m i n i s t e r, s c h i l d e r &) portfolio; 2 (v o o r z a k) wallet, pocket-book, note-case; *de* ~ *aanvaarden* accept office; *de* ~ *neerleggen* (*ter beschikking stellen*) resign (office), leave the ministry; *aandelen i n* ~ $ unissued shares; *minister z o n d e r* ~ minister without portfolio; **portemon'naie** [-'ne.] (-s), **–mon'nee** (-s) *m* purse

'portglas (-glazen) *o* port-wine glass

'portie ['pɔrsi.] (-s) *v* portion, share [of sth.]; helping [at meals]; *fig* dose [of patience]; *een* ~ *ijs* an ice

por'tiek (-en) *v* 1 (m e t z u i l e n) portico; 2 (u i t g e b o u w d) porch; 3 (o v e r w e l f d e d e u r t o e g a n g) doorway

1 por'tier (-s) *m* 1 door-keeper; 2 hotel-porter, hall-porter, porter

2 por'tier (-en) *o* (carriage-, car-)door; **portière** [-'tjɛ:rə] (-s) *v* portière, door-curtain; **por'tier-raampje** (-s) *o* (v. t r e i n) carriage window; (v. a u t o) car window

por'tierster (-s) *v* portress; **por'tierswoning** (-en) *v* porter's lodge

'porto (-ti en 's) *o* & *m* postage

porto'foon (-s) *m* walkie-talkie

'portokosten *mv* postage

'Porto 'Rico *o* Puerto Rico

por'tret (-ten) *o* portrait, likeness, photo(graph); *ik heb mijn* ~ *laten maken* I have had my photo taken; **–album** (-s) *o* photograph album; **–lijstje** (-s) *o* photo-frame; **–schilder** (-s) *m* portrait-painter; **–(ten)galerij** (-en) *v* portrait gallery; **portret'teren** (portretteerde, h. geportretteerd) *vt* portray[2], take a photo; **portret'tist** (-en) *m* portraitist

'Portugal *o* Portugal; **Portu'gees** *aj* & *sb* Portuguese; *de Portugezen* the Portuguese

por'tuur (-turen) *v* & *o* match

'portvrij post-paid, free

'portwijn (-en) *m* port(-wine)

'portzegel (-s) *m* postage due stamp

'pose [s = z] (-s en -n) *v* posture, attitude, pose; **po'seren** (poseerde, h. geposeerd) *vi* pose, sit [to a painter]; *fig* pose [as...], attitudinize, strike an attitude; zie ook: *geposeerd*; **po'seur** (-s) *m* poseur

po'sitie [-'zi.(t)si.] (-s) *v* 1 (h o u d i n g &) position; 2 (b e t r e k k i n g) position, situation; 3 (r a n g i n d e m a a t s c h a p p i j) status; *in* ~ *zijn* be pregnant, **F** be expecting; **–bepaling** *v* position-finding, fixing of position, location

posi'tief [s = z] **I** *aj* positive; **II** *ad* 1 decidedly; 2 positively [charged particles]; *dat weet ik* ~ I am quite sure about it; **III** (-tieven) *o* 1 (v a n f o t o) positive; 2 *m gram* positive (degree)

po'sitiekleding [-'zi.(t)si.-] *v* maternity clothes

posi'tieve(n) [s = z] *hij kwam weer bij zijn* ~ he came to his senses; *bij zijn* ~ *zijn* have all one's faculties; *niet wel bij z'n* ~ not right in his head, not in his right mind

po'sitieverbetering [-'zi.(t)si.-] *v* improvement in social position

positi'visme [s = z] *o* positivism; (i. d. s o c i o-l o g i e) Comtism

1 post (-en) *m* post [as support]

2 post (-en) *m* 1 (s t a n d p l a a t s) ⚔ post[2] [also place of duty], station; 2 (b e t r e k k i n g) post; office; 3 ℡ postman; 4 $ item, entry [in a book]; 5 (s c h i l d w a c h t) sentry; 6 (b ij s t a k i n g) picket; ~ *van vertrouwen* position of confidence; ~ *vatten* take up one's station; *de mening heeft ~ gevat, dat...* it is the prevailing opinion that...; *op zijn ~ blijven* ⚔ remain at one's post; *op ~ staan* ⚔ stand sentry; *daar op ~ staand* posted there; *een ~ uitzetten* ⚔ post [sentries]; *op zijn ~ zijn* be (present) at one's post; *ik moet om 4 uur op mijn ~ zijn* I am on at four o'clock

3 post *v* ☏ 1 post, mail; 2 post office, post; *hij is bij de ~* he is in the post office; *met deze, de eerste, laatste ~* by this mail, by first (last) post; *een brief op de ~ doen* post a letter, take a letter to the post; *over (met) de ~* through the post; *per ~* by post, through the post; *per kerende ~* by return of post

4 post *o* note-paper, letter-paper

postacademi'aal, -aca'demisch post-graduate, post-doctoral

'postadres (-sen) *o* postal address; **-agentschap** (-pen) *o* postal agency, sub-post office; **-ambtenaar** (-s en -naren) *m* post-office official; **-auto** [-o.to. of -ɔuto.] ('s) *m* post-office van; **-beambte** (-n) *m-v* post-office servant; **-besteller** (-s) *m* postman; **-bestelling** (-en) *v* postal delivery (round); **-bewijs** (-wijzen) *o* postal order; **-blad** (-bladen) *o* letter-card; **-bode** (-n en -s) *m* postman; **-boot** (-boten) *m* & *v* mail-steamer, mail-boat; **-bus** (-sen) *v* post-office box, box; **-cheque** [-ʃɛk] (-s) *m* postal cheque; **-cheque-en-'girodienst** *m Br* National Giro, postal giro service

postda'teren (postdateerde, h. gepostdateerd) *vt* post-date

'postdienst (-en) *m* postal service; **-directeur** (-en en -s) *m* postmaster; **-duif** (-duiven) *v* carrier-pigeon, homing pigeon

poste'lein *m* purslane

'posten (postte, h. gepost) *vt* 1 ☏ post [a letter]; 2 (bij staking) picket [of workmen]; **'poster** (-s) *m* 1 (bij staking) picketer; ‖ 2 (affiche) ['po.stər] poster

pos'teren (posteerde, h. geposteerd) *vt* post, station

poste-res'tante to be (left till) called for; **poste'rijen** *mv de ~* the Post Office; **'postgirodienst** *m* postal giro service, *Br* National Giro; **-rekening** (-en) *v* (postal) giro account, postal clearing account; **'posthoorn, -horen** (-s) *m* post-horn; **postil'jon** (-s) *m* postilion, post-boy; **'postkantoor** (-toren) *o* post office; **-kwitantie** [-(t)si.] (-s) *v* postal collection order; **-merk** (-en) *o* postmark; *datum ~* date as per postmark; **-order** (-s) *m* mail-order; **-orderbedrijf** (-drijven) *o* mail-order business; **-pakket** (-ten) *o* parcel, postal parcel; *als ~ verzenden* send by parcel post; **-papier** *o* note-paper, letter-paper; **-rekening** (-en) *v* (postal) giro account, postal clearing account

post'scriptum (-ta en -s) *o* postscript

'postspaarbank (-en) *v* post-office savings-bank; **-spaarbankboekje** (-s) *o* P.O. savings-bank book; **-stempel** (-s) *o* & *m* postmark; **-stuk** (-ken) *o* postal article; **-tarief** (-rieven) *o* postal rate(s), postage rates, rates of postage; **-tijd** (-en) *m* post-time, mail-time; **-trein** (-en) *m* mail train

postu'laat (-laten) *o* postulate; **postu'lant** (-en) *m* postulant; **postu'leren** (postuleerde, h. gepostuleerd) *vt* postulate

'postunie *v* postal union

pos'tuum posthumous

pos'tuur (-turen) *o* shape, figure, build; *zich in ~ stellen (zetten)* draw oneself up

'postverbinding (-en) *v* ☏ postal communication; **-verkeer** *o* postal traffic; **-vliegtuig** (-en) *o* mailplane; **-vlucht** (-en) *v* (air-)mail flight; **-wagen** (-s) *m* mail-coach, mail-car, mail-carriage; **-weg** (-wegen) *m* post-road; **-wezen** *o het ~* the Post Office; **-wissel** (-s) *m* postal order, [foreign, international] money-order; **-wisselformulier** (-en) *o* money-order form; **-zak** (-ken) *m* post-bag, mail-bag

'postzegel (-s) *m* (postage) stamp; **-album** (-s) *o* stamp album; **-automaat** [-o.to.- of ɔuto.-] (-maten) *m* stamp machine; **-veiling** (-en) *v* stamp auction; **-verzamelaar** (-s) *m* stamp collector; **-verzameling** (-en) *v* stamp collection

pot (-ten) *m* 1 (om in te maken &) pot; jar [also for tobacco]; 2 (om te drinken) pot, mug; 3 (po) chamber (pot); 4 (inzet) stakes, pool; *~ten en pannen* pots and pans; *een gewone (goede) ~* plain (good) cooking; *het is één ~ nat* it is six of one and half a dozen of the other; *je kan de ~ op!* **F** go fly a kite, go jump into the lake; *de ~ verteren* spend the pool; *u moet voor lief nemen wat de ~ schaft* you must take pot-luck; *de ~ winnen* win the jack-pot; *de ~ verwijt de ketel dat hij zwart is* the pot calls the kettle black; **-as** *v* potash; **-deksel** (-s) *o* pot-lid; **-dicht** tightly closed, close(-shut); *fig* very close; **-doof** stone-deaf

'poteling (-en) *m* sturdy (brawny) fellow

'poten (pootte, h. gepoot) *vt* plant [potatoes &], set [fish]

poten'taat (-taten) *m* potentate

potenti'aal [-(t)si.'a.l] (-ialen) *m* potential; **-verschil** (-len) *o* potential difference

po'tentie [-(t)si.] *v* potency; **potenti'eel I** *aj* potential; **II** *o* potential

'poter (-s) *m* 1 planter; 2 seed-potato

'pothoed (-en) *m* cloche (hat)

'potig strong, robust, strapping

'potje (-s) *o* (little) pot; (kindertaal) **F** potty;

een ~ bier a pint of beer; *een ~ biljarten* have a game of billiards; *hij kan een ~ breken* they connive at his doings; *zijn eigen ~ koken* do one's own cooking; *een ~ maken* lay by something against a rainy day; *kleine ~s hebben grote oren* little pitchers have long ears; *op het ~ zetten* **F** pot [the baby]; **–rol** *o* & *m* & *v* roly-poly; **'potjeslatijn** *o* dog Latin; **'potkachel** (-s) *v* pot-bellied stove; **–kijker** (-s) = *pottekijker*

'potloden (potloodde, h. gepotlood) *vt* black-lead; **'potlood** (-loden) *o* 1 (o m t e s c h r ij v e n) (lead-)pencil; 2 (s m e e r s e l) black lead; **–slijper** (-s) *m* pencil sharpener; **–tekening** (-en) *v* pencil drawing

'potplant (-en) *v* potted plant, pot-plant

'potpourri [-pu.ri.] ('s) *m* & *o* ♪ potpourri, medley[2]

pots (-en) *v* = *poets*

'potscherf (-scherven) *v* potsherd, crock

'potsenmaker (-s) *m* wag, buffoon, clown; **pot'sierlijk I** *aj* ludicrous, comical; **II** *ad* ludicrously, comically

'potspel (-spelen) *o* pool

'pottekijker (-s) *m* (b e m o e i a l) **F** snooper

'potten (potte, h. gepot) **I** *vt* pot [plants]; *fig* hoard (up) [money]; **II** *va* salt down money

'pottenbakken *vi* make pottery, pot; **–bakker** (-s) *m* potter; **pottenbakke'rij** (-en) *v* pottery, potter's workshop; **'pottenwinkel** (-s) *m* earthenware shop; **'potter** (-s) *m* hoarder; **'potverteren** *o* spending of the pool for a treat to all; **'potvis** (-sen) *m* cachalot

pousse-ca'fé [pu.ska'fe.] (-s) *m* pousse-café, chasse

pous'seren [pu.-] (pousseerde, h. gepousseerd) *vt* promote; (v. w a r e n) boost

'pover poor, shabby; **–heid** *v* poorness; **–tjes** poorly

p.p. = *per persoon*; *per procuratie*

Praag *o* Prague

'praaien (praaide, h. gepraaid) *vt* hail, speak [ships]

praal *v* pomp, splendour, magnificence; **–bed** (-den) *o* bed of state; *op een ~ liggen* lie in state; **–graf** (-graven) *o* mausoleum; **–hans** (-hanzen) *m* braggart, boaster; **–koets** (-en) *v* coach of state, state carriage; **–vertoon** *o* pomp, ostentation; **–wagen** (-s) *m* float; **–ziek** fond of display, ostentatious; **–zucht** *v* love of display, ostentation

praam (pramen) *v* ⚓ pram [flat-bottomed boat], lighter

praat *m* talk, tattle; *veel ~s hebben* talk big, be boasting; *iem. aan de ~ houden* hold (keep) sbd. in talk; **–avond** (-en) *m* frank discussion on outstanding problems between members and board of a society; **–graag** = *praatziek*; **–je** (-s) *o* talk; *het is maar een ~, dat zijn maar ~s (voor de vaak)* it's all idle talk; *een ~ maken (met)* have a chat (with); *och wat, ~s!* fiddlesticks! *het ~ gaat dat...* there is some talk of...; *zoals het ~ gaat* as the talk goes; *er liepen ~s (over haar)* people were talking (about her); *u moet niet alle ~s geloven* you should not believe all that is told; *~s rondstrooien* chat, whisper, spread, set afloat [rumours]; *~s vullen geen gaatjes* fair words butter no parsnips; **–jesmaker** (-s) *m* braggart, swaggerer; **–paal** (-palen) *m* roadside emergency telephone; **–s** zie *praat*; **–ster** (-s) *v* talker, chatterer, gossip; **–stoel** *m op zijn ~ zitten* 1 be in the vein for talking; 2 be talking nineteen to the dozen; **–vaar** (-s) *m* great talker; **–ziek** talkative, loquacious, garrulous; **–zucht** *v* talkativeness, loquacity, garrulity

pracht *v* splendour, magnificence, pomp; *~ en praal* pomp and splendour; **–band** (-en) *m* de luxe binding; **–exemplaar** (-plaren) *o* 1 de luxe copy [of a book]; 2 beautiful specimen [of something], beauty; **–ig** magnificent, splendid, superb, sumptuous; *dat zou ~ zijn* that would be grand (splendid); *~, hoor!* marvellous; **–kerel** (-s) *m* splendid fellow; **pracht'lievend** loving splendour (magnificence); **'prachtstuk** (-ken) *o* beauty; **–uitgave** (-n) *v* de luxe edition

'practicum (-ca en -s) *o* practical training; **–cus** (-ci en -sen) *m* practical person

'praeses ['pre.zəs] (-sides en -sen) *m* chairman, president

pragma'tiek pragmatic [sanction]; **prag'matisch** pragmatic

'prairie ['prɛ:ri.] (-iën en -s); *v* prairie; **–brand** (-en) *m* prairie fire; **–hond** (-en) *m* prairie-dog; **–wolf** (-wolven) *m* prairie-wolf, coyote

prak (-ken) *m* mash; *een auto in de ~ rijden* **F** wreck (bang up) a car

prakke'zeren, –ki'zeren (prakkezeerde, h. geprakkezeerd) **I** *vi* think; **II** *vt* contrive

prak'tijk (-en) *v* practice; (v. p e r s o n e e l, l e e r k r a c h t e n &) experience; *kwade ~en* evil practices; *die dokter heeft een goede ~* has a large practice; *de ~ uitoefenen* practise [of a doctor]; • *i n de ~* in practice [not in theory]; *in ~ brengen* put in practice; *z o n d e r ~* [doctor] without practice; briefless [barrister]; **'praktisch I** *aj* practical; *~e bekwaamheid* practical skill; *~e kennis* working knowledge; *~ plan* practicable (workable) plan; **II** *ad* practically, for all practical purposes, virtually; **prakti'zeren** (praktizeerde, h. gepraktizeerd) *vi* practise; be in practice; *~d geneesheer* medical practitioner, general practitioner; *~d katholiek* practising Roman Catholic; **prakti'zijn** (-s) *m* ⚖ legal adviser, *Am* counsel

'pralen (praalde, h. gepraald) *vi* 1 be resplendent, shine, glitter; 2 boast, flaunt; ~ *met* show off...; **-er** (-s) *m* showy fellow, swaggerer; **prale'rij** (-en) *v* ostentation, showing off, show
pra'line (-s) *v* praline
'prangen (prangde, h. geprangd) *vt* press; (benauwen) oppress
prat ~ *gaan* (*zijn*) *op* pride oneself on
'praten (praatte, h. gepraat) *vi* talk, chat; > prate; *u moet hem aan het* ~ *zien te krijgen* 1 make him talk; 2 try to draw him; *hij heeft gepraat* 1 he has talked; 2 he has told tales; *hij kan mooi* ~ he has a smooth tongue; *hij heeft mooi* ~ it is all very well for him to say so; • *er valt met hem te* ~ he is a reasonable man; *er valt niet met hem te* ~ there is no reasoning with him; *er omheen* ~ talk round a subject, beat about the bush; *zij waren over de kunst aan het* ~ they were talking art; *ze zitten altijd over hun vak te* ~ they are always talking shop; *praat me daar niet over* don't talk to me of that; *u moet hem dat uit het hoofd* ~ talk him out of it; *daar weet ik van mee te* ~ zie *meepraten*; **-er** (-s) *m* talker
prauw (-en) *v* prau, outrigger-canoe
pré (-s) *m* preference
'preadvies (-viezen) *o* preliminary advice, report
pream'bule (-s) *v* preamble
pre'bende (-n) *v* prebend
pre'cair [-'kɛːr] precarious
pre'cario ('s) *o* local tax for installations on public ground
prece'dent (-en) *o* precedent
pre'cies I *aj* precise, exact; **II** *ad* precisely, exactly; *om 5 uur* ~ at five precisely (sharp); *ze passen* ~ zie *passen* **I**
preci'eus affected
preci'osa *mv* valuables
preci'seren [s = z] (preciseerde, h. gepreciseerd) *vt* define, state precisely, specify; **pre'cisie-instrument** (-en) *o* precision instrument, instrument of precision
predesti'natie [-(t)si.] *v* predestination; **predesti'neren** (predestineerde, h. gepredestineerd) *vt* predestine
predi'kaat (-katen) *o* 1 (gezegde) predicate; 2 (titel) title; 3 (beoordeling) rating, marks
predi'kant (-en) *m* 1 = *dominee*; (v. leger, vloot, ziekenhuis, gevangenis &) chaplain; 2 *rk* = *kanselredenaar*; **predi'kantsplaats** (-en) *v* living; **-woning** (-en) *v* rectory, vicarage, parsonage; **predi'katie** [-(t)si.] (-iën en -s) *v* sermon, homily
predika'tief predicative
'predikbeurt (-en) *v* turn to preach; preaching-engagement; **'prediken** (predikte, h. gepredikt) *vt* & *vi* preach; **-er** (-s) *m* preacher; *P~* **B** Ecclesiastes; **'predikheer** (-heren) *m* Dominican (friar); **'prediking** *v* preaching; **'predikstoel** (-en) = *preekstoel*
predispo'neren (predisponeerde, h. gepredisponeerd) *vt* predispose; **predispo'sitie** [-'zi.(t)si.] *v* predisposition
preek (preken) *v* sermon [ook >]; **-beurt** (-en) = *predikbeurt*; **-heer** (-heren) = *predikheer*; **-stoel** (-en) *m* pulpit; **-toon** *m* preachy tone
prees (prezen) V.T. van *prijzen*
prefabri'catie [-(t)si.] *v* prefabrication; **prefabri'ceren** (prefabriceerde, h. geprefabriceerd) *vt* prefabricate
pre'fatie [-(t)si.] (-s) *v rk* preface
pre'fect (-en) *m* prefect; **prefec'tuur** (-turen) *v* prefecture
prefe'rent preferential; *~e schuldeiser* preferential creditor; *~e schulden* preferred debts; zie ook: *aandeel*; **prefe'rentie** [-(t)si.] (-s) *v* preference; **prefe'reren** (prefereerde, h. geprefereerd) *vt* prefer (to *boven*)
'prefix (-en) *o* prefix
preg'nant concise, terse
'prehistoricus (-ci) *m* prehistorian; **'prehistorie** *v* prehistory; **prehis'torisch** prehistoric
prei (-en) *v* leek
prejudici'ëren [-si.'e.rə(n)] (prejudicieerde, h. geprejudicieerd) *vi* prejudge; anticipate [on sth.]
'preken (preekte, h. gepreekt) *vi* & *vt* preach[2]; **'prekerig** > preachy
pre'laat (-laten) *m* prelate; **-schap** *o* prelacy
prelimi'nair [-'nɛːr] preliminary, introductory
pre'lude (-s) *v* prelude; *fig* prelude, introduction; **prelu'deren** (preludeerde, h. gepreludeerd) *vi* prelude; ~ *op* [*fig*] prelude, foreshadow
prema'tuur premature
'premie (-s) *v* premium[2]; (boven het loon) bonus; (voor uitvoer) bounty; (van AOW &) contribution; **-heffing** (-en) *v* social insurance contribution; **-lening** (-en) *v* premium (lottery) loan
pre'mier [-mi.'e.] (-s) *m* prime minister, premier
pre'mière [-mi.'ɛːrə] (-s) *v* première, first night [of a play], first run [of a film]; [film, world] première; *in* ~ *gaan* to be premiered
'premiestelsel (-s) *o* premium (bounty) system **-vrij** paid-up [policy], non-contributory [pension]
pre'misse (-n) *v* premise, premiss
prena'taal antenatal
prent (-en) *v* print, engraving, picture; **-briefkaart** (-en) *v* picture postcard; **'prenten**

(prentte, h. geprent) *vt* imprint; *het (zich iets) in het geheugen* ~ imprint it on the memory; **'prentenboek** (-en) *o* picture-book; **–kabinet** (-ten) *o* print-room; **'prentje** (-s) *o* picture; *~s kijken* look at the pictures [in a book]; **'prentkunst** *v* copper engraving
preoccu'patie [-(t)si.] (-s) *v* preoccupation
prepa'raat (-raten) *o* preparation; **prepa'reren** (prepareerde, h. geprepareerd) **I** *vt* 1 prepare; 2 dress [skins]; **II** *vr zich* ~ get ready, make ready, prepare oneself
preroga'tief (-tieven) *o* prerogative
presbyteri'aan(s) [-bi.-] (-ianen) *m* (& *aj*) Presbyterian
pre'senning (-s) *v* ⚓ tarpaulin
1 pre'sent [s = z] (-en) *o* present; ~ *geven* make a present of; ~ *krijgen* get it as a present;
2 pre'sent *aj* present; *~!* here!; **presen'tabel** presentable; **presen'tatie** [-(t)si.] (-s) *v* presentation; **presen'tator** (-s en -'toren) *m*, **presenta'trice** (-s) *v* RT compere; *de ~ van dit programma is...* this programme is presented by...; **presen'teerblad** (-bladen) *o* salver, tray; **presen'teren** (presenteerde, h. gepresenteerd) **I** *vt* offer [sth.]; present [a bill &]; *het geweer* ~ ⚔ present arms; *iets* ~ offer (hand round) some refreshments; **pre'sentexemplaar** (-plaren) *o* presentation copy, complimentary copy, free copy; **pre'sentie** [-(t)si.] *v* presence; **–geld** (-en) *o* attendance money; **–lijst** (-en) *v* list of members present; attendance register
preserva'tief [s = z] (-tieven) *o* contraceptive
presi'dent [s = z] (-en) *m* 1 president [of a meeting, republic, a board], chairman [of a meeting]; 2 foreman [of a jury]; *Mijnheer de* ~ Mr Chairman; **presi'dent-commis'saris** (-sen) *m* chairman of the board [of a company]; **~-direc'teur** (-s en -en) *m* president of the board of directors; **presi'dente** (-n en -s) *v* chairwoman; **presi'dentschap** (-pen) *o* presidency[2], chairmanship; **presi'dentsverkiezing** *v* presidential election; **–zetel** (-s) *m* (presidential) chair; **presi'deren** (presideerde, h. gepresideerd) **I** *vt* preside over, preside at [a meeting]; **II** *va* preside, be in the chair; **pre'sidium** (-ia en -s) *o* 1 presidentship, chairmanship; 2 presidium [of the supreme Soviet of the U.S.S.R.]
'preskop *m* brawn
'pressen (preste, h. geprest) *vt* 1 🕮 ⚔ & ⚓ (im)press (into service); 2 (d w i n g e n) force [to do, into doing sth.]
presse-papier [prɛspa.pi.'e.] (-s) *m* paperweight
pres'seren (presseerde, h. gepresseerd) *vt* press, hurry [sbd.]; **'pressie** *v* pressure; ~ *uitoefenen op* exert pressure on; **–groep** (-en) *v* pressure group
pres'tatie [-(t)si.] (-s) *v* performance [also ⚒, 🐎], achievement [of our industry], [physical &] feat, accomplishment; **pres'teren** (presteerde, h. gepresteerd) *vt* achieve
pres'tige [-'ti.ʒə] *o* prestige; *zijn ~ ophouden* maintain one's prestige; *zijn ~ redden* save one's face; **–kwestie** (-s) *v* matter of prestige
pret *v* pleasure, fun; *dat was me een* ~ it was great fun; *ik heb dolle ~ gehad* I had great fun, I've had a wonderful time; *~ hebben over iets* revel in sth.; ~ *maken* enjoy oneself
preten'dent (-en) *m* pretender [to the throne]; suitor [for girl's hand]; **preten'deren** (pretendeerde, h. gepretendeerd) *vt* pretend; **pre'tentie** [-(t)si.] (-s) *v* 1 pretension; 2 pretension, claim [to merit]; *vol ~s* pretentious; *zonder* ~ modest, unassuming, unpretentious; **–loos** modest, unassuming, unpretentious; **pretenti'eus** [-si.'ø.s] pretentious
'pretje (-s) *o* bit of fun, frolic, **F** lark; *het is me nogal een ~!* a nice job, indeed!; **'pretmaker** (-s) *m* joker
'pretor (-'toren en -s) *m* 🕮 praetor; **pretori'aan** (-ianen) *m* 🕮 praetorian; **–s** 🕮 praetorian [guard]
'pretpark (-en) *o* pleasure ground, amusement park; **'prettig I** *aj* amusing, pleasant, nice, agreeable; likeable [man], comfortable [chair]; *het ~ vinden* like it; **II** *ad* pleasantly, agreeably
preuts prudish, prim, demure, squeamish; **–heid** *v* prudishness, prudery, primness, demureness, squeamishness
preva'leren (prevaleerde, h. geprevaleerd) *vi* prevail, predominate
'prevelen (prevelde, h. gepreveld) *vi* & *vt* mutter, mumble
pre'ventie [-(t)si.] (-s) *v* prevention; **preven'tief** preventive; *in preventieve hechtenis houden* keep [him] under remand; ~ *middel* preventive (means)
'prezen V.T. meerv. van *prijzen*
pri'eel (priëlen) *o* bower, arbour, summerhouse
'priegelen (priegelde, h. gepriegeld) *vi* do detailed (delicate) work
priem (-en) *m* pricker, piercer, awl; **'priemen** (priemde, h. gepriemd) *vt* prick, pierce
'priemgetal (-len) *o* prime number
'priester (-s en -en) *m* priest; **–ambt** *o* priestly office; **~-'arbeider** (-s) *m* worker-priest; **–celibaat** *o rk* clerical celibacy; **prieste'res** (-sen) *v* priestess; **'priestergewaad** (-waden) *o* sacerdotal garments, clerical garb; **–kaste** (-n) *v* priestly caste; **–lijk** priestly; **–schap** *o* priesthood; **–student** (-en) *m rk* clerical student; **–wijding** (-en) *v* ordination

'prietpraat *m* twaddle, tea-table talk
'prijken (prijkte, h. geprijkt) *vi* shine, glitter, blaze; *...prijkte in al zijn schoonheid* ...was in the pride of its beauty
prijs (prijzen) 1 *m* (w a a r d e) price; (k a a r t j e m e t p r i j s a a n d u i d i n g) price ticket (tag); 2 *m* (b e l o n i n g) prize; award [for the best book of the year]; 3 *v* ⚓ (b u i t) prize; *altijd ~!* a sure hit!; *marktprijzen, lopende prijzen* prices current; *speciale prijzen* (i n h o t e l &) special terms [March to May]; *de eerste ~ behalen* win (gain, carry off) the first prize; *~ maken* ⚓ make a prize of [a ship], prize, capture, seize [a ship]; *goede prijzen maken* $ command (fetch) good prices [of things]; obtain (make) good prices [of a seller, for his articles]; *~ stellen op* 1 appreciate, value [your friendship]; 2 be anxious to [do sth.]; *een ~ zetten op iems. hoofd* set a price on sbd.'s head; • *b e n e d e n (o n d e r) de ~ verkopen* $ sell below the market; *o p ~ houden* keep up the price (of...); *o p ~ stellen* appreciate, value; *t e g e n elke ~* at any price²; *tegen lage ~* at a low price, at low prices; *t o t elke ~* at any cost, at all costs, at any price; *v o o r geen ~* not at any price; *voor die ~* at the price; *voor een zacht ~je* cheap; **–afspraak** (-spraken) *v* price agreement; **–beheersing** *v* price control; **–beleid** *o* price policy; **–bepaling** (-en) *v* fixing (fixation) of prices; **prijsbe'wust** price conscious; **'prijsbinding** *v* price maintenance; **–courant** [-ku:rɑnt] (-en) *m* price-list; **–daling** (-en) *v* fall in prices; **–geld** *o* ⚓ prize-money; **–gericht** *o* ⚓ Prize Court; **–geven** (gaf 'prijs, h. 'prijsgegeven) *vt* abandon [to the waves]; give up [a fortress, hope]; commit [to the flames]; yield [ground, a secret]; zie ook: *vergetelheid* &; **prijs'houdend** firm; **'prijsindex** (-en en -dices) *m* price-index; **–kaartje** (-s) *o* price tag; **–kamp** (-en) *m* competition; **–kartel** [-tɛl] (-s) *o* price cartel; **–klas(se)** (-klassen) *v* price-range; **–lijst** (-en) *v* price-list; **–maatregel** (-en en -s) *m* price control order; **–niveau** [-ni.vo.] (-s) *o* price-level; **–notering** (-en) *v* quotation (of prices); **–opdrijving** *v* upward thrust, *Am* price-hike; **–opgaaf, –opgave** (-gaven) *v* quotation; **–peil** *o* price-level; **–politiek** *v* price-policy; **–recht** *o* prize-law; **–schieten** *o* shooting-match; **–spiraal** (-ralen) *v* price spiral; **–stijging** (-en) *v* rise (in prices); **–stop** *m* price stop (freeze); *een ~ afkondigen* freeze prices; **–uitdeling** *v*, **–uitreiking** (-en) *v* distribution of prizes, prize-giving; **–verbetering** (-en) *v* improvement (in prices); **–verhoging** (-en) *v* increase, rise (in prices); **–verlaging** (-en) *v* reduction, markdown; *grote ~!* sweeping reductions; **–vermindering** (-en) *v* = *prijsverlaging*; **–verschil** (-len) *o* difference in price; **–vorming** *v*, **–zetting** *v* price formation (setting); **–vraag** (-vragen) *v* competition; *een ~ uitschrijven* offer a prize [for the best...]; **–winnaar** (-s) *m* prize-winner; **'prijzen*** *vt* 1 ★ (l o v e n) praise, commend, extol; 2 (prijsde, h. geprijsd) $ price; *iem. gelukkig ~* call sbd. happy; *zich gelukkig ~* call oneself lucky, thank (bless) one's lucky star; *zijn waren ~* 1 praise one's wares; 2 price one's wares [in guilders &]; *zich uit de markt ~* $ price oneself out of the market; **'prijzenbeschikking** (-en) *v* price control order; **–hof** *o* ⚓ prize court; **–oorlog** (-logen) *m* price-war; **prijzens'waard(ig)** praiseworthy, laudable, commendable; **'prijzig** expensive, **F** pricey
prik (-ken) *m* 1 prick, stab, sting; 2 (l i m o n a d e, s p u i t w a t e r) **F** fizz, pop; ‖ 𝔖 lamprey; **–actie** [-aksi.] (-s) *v* brief spell of industrial action; **–bord** (-en) *o* billboard, *Br* notice-board; **–je** (-s) *o* prick; *voor een ~* for a song
'prikkel (-s) *m* 1 (p r i k s t o k) goad; 2 (s t e k e l) sting; 3 *fig* stimulus [*mv* stimuli], spur, incentive, impetus; **'prikkelbaar** irritable, excitable, irascible, prickly; **–heid** *v* irritability, excitability; **'prikkeldraad** *o* & *m* barbed wire; **–versperring** (-en) *v* (barbed) wire entanglement; **'prikkelen** (prikkelde, h. geprikkeld) **I** *vt* 1 *eig* prickle; tickle [the palate]; 2 (o p w e k k e n) stimulate, excite, spur on; 3 (i r r i t e r e n) irritate [the nerves], provoke [a person]; *de nieuwsgierigheid ~* pique (prick) one's curiosity; **II** *va* prickle; *fig* stimulate; irritate; **–d** prickling, prickly; *fig* stimulating; irritating; provoking, piquant, racy; **'prikkeling** (-en) *v* prickling; tickling; *fig* stimulation; irritation; provocation; **'prikkellectuur** *v* trashy literature
'prikken (prikte, h. geprikt) *vt* & *vi* prick; (o p f a b r i e k) clock in (out); (o p e e n b o r d) tack; **–er** (-s) *m* pricker; **'prikklok** (-ken) *v* time-clock; **–limonade** (-s) *v* soda(water), **F** fizz, pop; **–sle(d)e** (-sleden, -sleeën) *v* sledge moved by prickers; **–stok** (-ken) *m* pricker; **–tol** (-len) *m* pegtop
pril *in zijn ~le jeugd* in his early youth
'prima I *aj* first-class, first-rate, prime, A 1; **II** ('s) *v* $ first of exchange
1 pri'maat (-maten) *m* primate; **2 pri'maat** *o* primacy [of the pope; of thought]; **–schap** *o* primacy, primateship
prima-'donna ('s) *v* prima donna
pri'mair [-'mɛ:r] primary
pri'meur (-s) *v* (v. k r a n t) scoop; *~s* early fruit, early vegetables; *de ~ van iets hebben* be the first to use sth., to hear sth. &

primi'tief primitive; crude; **primitivi'teit** *v* primitiveness; crudity
'primo in the first place; ~ *januari* on the first of January
'primula ('s) *v* primrose
1 'primus (-sen) *m* first
2 'primus (-sen) *m* (k o o k t o e s t e l) primus
prin'ciep (-en) = *principe*
princi'paal (-palen) *m* master, employer; $ principal
prin'cipe (-s) *o* principle; *i n* ~ in principle; *u i t* ~ on principle; **principi'eel I** *aj* fundamental [differences]; *een* ~ *akkoord* an agreement in principle; *een principiële kwestie* a question of principle; *een* ~ *tegenstander* an opponent on principle; **II** *ad* fundamentally, on principle; ~ *uitmaken* decide the question on principle
prins (-en) *m* prince; *van de* ~ *geen kwaad weten* be as innocent as a newborn babe; *leven als een* ~ lead a princely life; **-dom** (-men) *o* principality; **-elijk** princely; **prin'ses** (-sen) *v* princess; **-senboon** (-bonen) *v* French bean; **prins-ge'maal** *m* Prince Consort; **'prinsgezinde** (-n) *m* 🕮 one loyal to the Prince of Orange; **-heerlijk** pleased as Punch, happy as a king; **-jesdag** *m* third Thursday of September when the Queen of the Netherlands opens Parliament; **prins-re'gent** (-en) *m* Prince Regent
'prior (-s) *m* prior; **prio'raat** *o* priorship, priorate; **prio'res** (-sen) *v* prioress
pri'ori *a* ~ apriori, beforehand, previously
prio'rij (-en) *v* priory
priori'teit *v* priority; **-saandeel** (-delen) *o* preference share
'prisma ('s en -mata) *o* prism; **-kijker** (-s) *m* prism(atic) binoculars; **pris'matisch** prismatic
pri'vaat I *aj* private; **II** (-vaten) *o* privy, w.c.; **-docent** (-en) *m* lecturer; **-les** (-sen) *v* private lesson; **-recht** *o* private law; *internationaal* ~ private international law; **privaat'rechtelijk** under private law; ~ *lichaam* private corporation; **priva'tissimum** (-s en -ma) *o* tutorial
pri'vé private, personal; *voor mijn* ~ for my own account; **-adres** (-sen) *o* private (home) address; **-gebruik** *o* personal use; **-kantoor** (-toren) *o* private office; **-leven** *o* private life, privacy; **-secretaresse** (-n) *v* private (confidential, personal) secretary
privi'lege [-le.ʒə] (-s) *o* privilege; **privilegi'ëren** [-ʒi.'e:rə(n)] (privilegieerde, h. geprivilegieerd) *vt* privilege
pro pro; *het* ~ *en contra* the pros and cons
pro'baat efficacious, approved, sovereign [remedy]
pro'beersel (-s) *o* experiment; **pro'beren** (probeerde, h. geprobeerd) **I** *vt* try [it]; attempt [to do it]; *je moet het maar eens* ~ just try; *dat moet je niet met mij* ~ you must not try it on with me; *we zullen het eens met u* ~ we shall give you a trial; **II** *va* try; *probeer maar!* (just) try!, have a try!
pro'bleem (-blemen) *o* problem; **-gebied** (-en) *o* depressed (distressed) area; **-loos** unproblematic; **-stelling** (-en) *v* formulation of a problem; **problema'tiek** *v* problems; problematic nature; **proble'matisch** problematic
procé'dé (-s) *o* process, procedure; **proce'deren** (procedeerde, h. geprocedeerd) *vi* be at law; go to law [with], proceed against; **proce'dure** (-s) *v* 1 (w e r k w ij z e) procedure; 2 ⚖ (p r o c e s) action, lawsuit, proceedings
pro'cent (-en) *o* per cent; (*voor de volle*) *honderd* ~ **F** a hundred per cent; zie ook: *percent*; **procentu'eel I** *aj* proportional; **II** *ad* in terms of percentage
pro'ces (-sen) *o* 1 ⚖ lawsuit, action; [criminal] trial, [divorce] case, proceedings; 2 (b e w e r k i n g; v e r l o o p) process; *iem. een* ~ *aandoen* bring an action against sbd., take the law of sbd.; *in* ~ *liggen* be engaged in a lawsuit, be at law [with...]; **-kosten** *mv* costs; **-recht** *o* law of procedure
pro'cessie (-s) *v* procession
pro'cesstukken *mv* documents in the case; **proces-ver'baal** (processen-verbaal) *o* 1 (v e r k l a r i n g) (official) report, record (of evidence); minutes [of proceedings]; 2 (b e k e u r i n g) warrant; ~ *opmaken tegen iem.* take sbd.'s name, summons sbd.
procla'matie [-(t)si.] (-s) *v* proclamation; **procla'meren** (proclameerde, h. geproclameerd) *vt* proclaim; *iem. tot...* ~ proclaim sbd.
procu'ratie [-(t)si.] (-s) *v* power of attorney, proxy, procuration; **-houder** (-s) *m* confidential clerk, proxy; **procu'reur** (-s) *m* solicitor, attorney; **~-generaal** (procureurs-generaal) *m* Attorney General
prode'aan (-deanen) *m* ⚖ Poor Person; **pro-'deozaak** (-zaken) *v* Poor Persons' Procedure
produ'cent (-en) *m* producer; **produ'ceren** (produceerde, h. geproduceerd) *vt* produce, turn out; **pro'dukt** (-en) *o* product; ~*en* ook: [natural, agricultural] produce; **pro'duktie** [-si.] *v* production, output; **-apparaat** *o* productive machine (machinery); **produk'tief** productive; *iets* ~ *maken* make it pay; **pro'duktiefactoren** *mv* production factors; **-kosten** *mv* cost(s) of production, production costs; **-middelen** *mv* means of production; capital goods; **-vermogen** *o* (productive) capacity; **produktivi'teit** *v* productivity, productive capacity

proef (proeven) *v* proof [of sth. printed or engraved, of photo]; trial, test, experiment [of sth.]; specimen, sample; *de ~ op de som* the proof[2]; *dat is de ~ op de som* that settles it; *de ~ op de som nemen* put [sth.] to the test; *proeven van bekwaamheid afleggen* give proof of one's ability; *proeven doen* make experiments; *een zware ~ doorstaan* stand a severe test; *er eens een ~ mee nemen* give it a trial (try); *proeven nemen (met)* make experiments (on), experiment (on); • *op ~* [he is there] on probation; $ on trial; on approval, on approbation, **F** on appro; *op de ~ stellen* put to the test, try, tax [one's patience]; *het stelde mijn geduld erg op de ~* my patience was severely tried; **–balans** (-en) *v* $ trial balance; **–ballon** (-s) *m* 1 pilot-balloon; 2 *fig* kite; *een ~ oplaten* throw out a feeler, **F** fly a kite; **–bank** (-en) *v* ⚒ test bench; **–bestelling** (-en) *v* trial order; **–boring** (-en) *v* exploratory drilling, trial boring; **–dier** (-en) *o* laboratory animal, experimental animal, subject; **–draaien I** *vi* run on trial; **II** *o* dummy trial, trial run; **–druk** *m* proof; **–flesje** (-s) *o* trial bottle; **–huwelijk** *o* trial marriage; **–jaar** (-jaren) *o* probationary year; **–je** (-s) *o* sample, specimen; **–konijn** (-en) *o* experimental rabbit; *fig* guinea-pig; **–les** (-sen) *v* test lesson; **–lezer** (-s) *m* proof reader; **–lokaal** (-kalen) *o* pub; **–monster** (-s) *o* $ testing sample; **–nemer** (-s) *m* experimenter; **–neming** (-en) *v* 1 (handeling) experimentation; 2 (afzonderlijk geval) experiment; *~en doen* make experiments, experimentalize; **–nummer** (-s) *o* specimen copy; **proefonder'vindelijk** experimental; **'proeforder** (-s) *v* $ trial order; **–periode** (-n en -s) *v* probationary period; **–persoon** (-sonen) *m* test subject; **–proces** (-sen) *o* ⚖ test case; **–rit** (-ten) *m* trial run, 🚗 (ook:) test drive; **–schrift** (-en) *o* thesis [*mv* theses]; *een ~ verdedigen* uphold a thesis; **–station** [-(t)ʃɔn] (-s) *o* experiment(al) station, research-station; **–steen** (-stenen) *m* touchstone; **–stomen** (proefstoomde, h. proefgestoomd) **I** *vi* ⚓ make a (her) trial trip; *fig* make a trial; **II** *o* trial trip, trials; **–stuk** (-ken) *o* specimen; **–tijd** *m* period (time) of probation, probation, probationary period, apprenticeship, noviciate; **–tocht** (-en) *m* trial trip (run); **–tuin** (-en) *m* experimental garden (plot), test plot; **–vel** (-len) *o* proof (-sheet); **–veld** (-en) *o* trial field, test (experimental) plot; **–vlucht** (-en) *v* trial flight, test flight; **–werk** (-en) *o* ✎ (test) paper; **–zending** (-en) *v* trial consignment

'proesten (proestte, h. geproest) *vi* sneeze, splutter; *~ van het lachen* burst out laughing

'proeve (-n) *v* specimen; **'proeven** (proefde, h. geproefd) **I** *vt* 1 taste [food, drinks &]; 2 $ sample [wine]; *je proeft er niets van* it does not taste; **II** *vi* taste; *proef maar eens* just taste (at) it; **–er** (-s) *m* taster

'prof (-s) *m* **F** 1 professor; 2 *sp* pro (= professional)

pro'faan *aj* profane; **profa'natie** [-(t)si.] (-s) *v* profanation; **profa'neren** (profaneerde, h. geprofaneerd) *vt* profane

'profclub (-s) *v sp* professional sports club

pro'feet (-feten) *m* prophet; *hij is een ~ die brood eet* his prophecies are of no value; *een ~ is niet geëerd in zijn eigen land* a prophet is not without honour save in his own country

pro'fessen (profeste, h. geprofest) *vi* profess

pro'fessie (-s) *v* profession; **professio'neel** professional, specialist

pro'fessor (-s en -'soren) *m* professor; *~ in de...* professor of...; **professo'raal** professorial; **professo'raat** (-raten) *o* professorship

profe'teren (profeteerde, h. geprofeteerd) *vt* prophesy; **profe'tes** (-sen) *v* prophetess; **profe'tie** [-'(t)si.] (-ieën) *v* prophecy; **pro'fetisch** prophetic

pro'ficiat! *ij* congratulations (on *met*)

pro'fiel (-en) *o* profile [esp. of face], half face; side-view, section [of a building]; *in ~* in profile

pro'fijt (-en) *o* profit, gain; **–elijk** profitable

profi'leren (profileerde, h. geprofileerd) *vt* profile

profi'teren (profiteerde, h. geprofiteerd) *vi van iets ~* 1 (gunstig) profit by; 2 (ongunstig) take advantage of; **profi'teur** (-s) *m* profiteer

pro 'forma for form's sake; *~ rekening* $ pro forma account

'profspeler (-s) *m sp* professional sportsman, **F** pro; **–voetbal** *o sp* professional soccer

profy'lactisch [-fi.-] prophylactic, preventive

prog'nose [s = z] (-s) *v* prognosis [*mv* prognoses]

pro'gramma ('s), **pro'gram** (-s) *o* 1 (in 't alg.) program(me); 2 (v. schouwburg) play-bill, bill; 3 (v. partij) platform; 4 ✎ curriculum; syllabus [of a course, of examinations]; *het staat op het ~* it is on the programme[2]; **–blad** (-bladen) *o* radio journal; **program'matisch** programmatic; **programma'tuur** *v* software; **program'meren** (programmeerde, h. geprogrammeerd) *vt* programme; **–ring** *v* programming; **program'meur** (-s) *m* programmer

pro'gressie (-s) *v* progression; **progres'sief I** *aj* progressive, graduated [tax]; forward-looking [policy], advanced [intellectuals]; **II** *ad* progressively; **III** *sb de progressieven* the progressives, the progressists

pro'ject (-en) *o* project, scheme, planning;

projec'teren (projecteerde, h. geprojecteerd) *vt* project; *ps* externalize; **pro'jectie** [-si.] (-s) *v* projection; **projec'tiel** (-en) *o* projectile, missile; **pro'jectielamp** (-en) *v* projector; **–lantaarn, –lantaren** (-s) *v,* **–scherm** (-en) *o,* **–toestel** (-len) *o* projector; **pro'jectleider** (-s) *m* divisional head; **–ontwikkelaar** (-s) *m* project developer

prol (-len) *m* = *proleet*

pro'laps *m* ⚕ prolapse

pro'leet (-leten) *m* cad, vulgarian; **proletari'aat** *o* proletariat; **prole'tariër** (-s) *m* proletarian; **prole'tarisch** proletarian

prolife'ratie [-(t)si.] *v* proliferation

'prollig vulgarian

prolon'gatie [-lòŋ'ga.(t)si.] (-s) *v* continuation; *op ~* $ on security; **–rente** (-n en -s) *v* contango; **prolon'geren** (prolongeerde, h. geprolongeerd) *vt* continue [an engagement, a film]; $ renew [a bill]

pro'loog (-logen) *m* prologue, proem

prome'nade (-s) *v* promenade, walk; **–dek** (-ken) *o* promenade-deck

pro'messe (-n en -s) *v* promissory note, note of hand

pro'mille [-'mi.l] *o* per thousand, per mil(l)(e), pro mille; **promil'lage** [-ʒə] (-s) *o* pro mille content

promi'nent prominent, outstanding, distinguished

pro'motie [-(t)si.] (-s) *v* promotion, rise, advancement, preferment; ≈ graduation (ceremony); $ [sales &] promotion; *~ maken* be promoted; **–diner** [-di.ne.] (-s) *o* ≈ graduation dinner; **–wedstrijd** (-en) *m sp* match deciding promotion; **pro'motor** (-s en -'toren) *m* $ promotor, company promoter; *wie is zijn ~?* ≈ by whom is he going to be presented [for his degree]?; **promo'vendus** (-di) *m* person taking his doctor's degree; **promo'veren I** (promoveerde, is gepromoveerd) *vi* graduate, take one's degree; **II** (promoveerde, h. gepromoveerd) *vt* confer a doctor's degree on

prompt I *aj* prompt [delivery &], ready [answer]; **II** *ad* promptly [paid]; **–heid** *v* promptitude, promptness, readiness

pronk *m* 1 (a b s t r a c t) show, ostentation, pomp; 2 (c o n c r e e t) finery; *te ~ staan* be exposed to view; **–boon** (-bonen) *v* runner bean; **'pronken** (pronkte, h. gepronkt) *vi* strut (about), show off; (v. p a u w) spread its tail; *~ met* make a show of, show off; **'pronker** (-s) *m* showy fellow; beau; **–ig I** *aj* showy, ostentatious; **II** *ad* showily, ostentatiously; **pronke'rij** (-en) *v* show, parade; **'pronkerwt** [-ɛrt] (-en) *v* sweet pea; **–gewaad** (-waden) *o* dress of state, gala dress; **–juweel** (-welen) *o* jewel, gem; **–kamer** (-s) *v* state-room; **–ster** (-s) *v* doll, fine lady; **–stuk** (-ken) *o* show-piece; **–ziek** showy, ostentatious; **–zucht** *v* ostentatiousness, ostentation

pro'nuntius [-(t)si.üs] (-ii) *m* pronuncio

prooi (-en) *v* prey[2]; *ten ~ aan* a prey to; *ten ~ vallen aan* fall a prey to

proos'dij (-en) *v* deanery

1 proost (-en) *m* dean

2 proost *ij* cheers!, your health!, here is to you!, **F** mud in your eye!

prop (-pen) *v* 1 stopple, stop(per) [of a bottle]; 2 cork [of a bottle]; 3 bung [of a cask]; 4 wad [of a gun, of cotton-wool]; 5 gag [for the mouth]; 6 lump [in the throat]; 7 [antiseptic] plug; 8 pellet [made by schoolboys]; 9 *fig* roly-poly, dumpy person; *op de ~pen komen* turn up; *hij durft er niet mee op de ~pen komen* he dare not come out with it

pro'paangas *o* propane

propae'deuse [pro.pe.'dœyzə], **propae'deutica** *v* propaedeutics; **propae'deutisch** [-ti.s] propaedeutic(al), preliminary [examination]

propa'ganda *v* propaganda; *~ maken* make propaganda, propagandize; *~ maken voor* ook: agitate for [shorter hours &], propagate [ideas]; **–doeleinden** *mv* purposes of propaganda; **–middel** (-en) *o* means of propaganda; **propagan'dist** (-en) *m* propagandist; **–isch** propagandist; **propa'geren** (propageerde, h. gepropageerd) *vt* propagate

pro'peller (-s) *m* propeller

'proper tidy, clean; **–heid** *v* tidiness, cleanness; **–tjes** tidily

'propjes F *o* ≈ propaedeutic(al) examination, preliminary examination

propo'nent (-en) *m* postulant, probationer

pro'portie [-si.] (-s) *v* proportion; *buiten ~* out of scale; **proportio'neel** proportional

propo'sitie [-'zi.(t)si.] (-s) *v* proposal

'proppen (propte, h. gepropt) *vt* cram; **'propperig** squat, dumpy; **'proppeschieter** (-s) *m* popgun; **'propvol** crammed, chock-full, cram-full

prose'liet [s = z] (-en) *m* proselyte

'prosit [s = z] *ij* = 2 *proost!*

proso'die [s = z] *v* prosody

pros'pectus (-sen) *o* & *m* prospectus

pros'taat (-taten) *m* prostate gland, prostate

prostitu'ée (-s) *v* prostitute; **prostitu'eren** (prostitueerde, h. geprostitueerd) **I** *vt* prostitute; **II** *vr zich ~* prostitute oneself; **prosti'tutie** [-(t)si.] *v* prostitution

Prot. = *protestants*

pro'tectie [-si.] *v* protection; > patronage, favouritism, interest, influence;

protectio'nisme *o* protectionism; **protectio'nist** (-en) *m* protectionist; **–isch** protectionist; **protecto'raat** (-raten) *o* protectorate; **proté'gé** [-te.'ʒe.] (-s) *m* protégé; **proté'gée** [-te.'ʒe.] (-s) *v* protégée; **prote'geren** [-'ʒe:rə(n)] (protegeerde, h. geprotegeerd) *vt* protect, patronize
prote'ïne (-n) *v* & *m* & *o* protein
pro'test (-en) *o* protest, protestation; ~ *aantekenen tegen...* protest against; *o n d e r* ~ under protest; *u i t* ~ in protest; **protes'tant** (-en) *m* Protestant; **protestan'tisme** *o* Protestantism; **protes'tants** Protestant; **pro'testbetoging** (-en) *v* protest demonstration; **–beweging** (-en) *v* protest movement; **–demonstratie** [-(t)si.] (-s) *v* protest demonstration; **protes'teren** (protesteerde, h. geprotesteerd) **I** *vi* protest, make a protest; ~ *b ij* protest to [the Government]; ~ *t e g e n* protest against; **II** *vt* $ protest [a bill]; **pro'testnota** ('s) *v* note of protest; **–staking** (-en) *v* strike of protest, protest strike
'Proteus [-tœys] *m* Proteus
pro'these [-te.zə] (-n en -s) *v* prosthesis; (c o n c r e e t) artificial part (leg, teeth &)
'prothesis (-theses en -sen) *v gram* prosthesis
pro'thetisch prosthetic
proto'col (-len) *o* protocol; **protocol'lair** [-'lɛ:r] formal, according to protocol
'proton (-'tonen) *o* proton
proto'plasma *o* protoplasm
'prototype [-ti.pə] (-n en -s) *o* prototype
proto'zoën [-'zo.ə(n)] *mv* protozoa
'protsen (protste, h. geprotst) *vi* **F** swank; **'protser** (-s) *m* **F** bounder, vulgarian; **–ig F** swanky, vulgar
prove'nu ('s en -en) *o* proceeds
provi'and *m* & *o* provisions, victuals, stores; **provian'deren** (proviandeerde, h. geproviandeerd) *vt* provision, cater, victual; **–ring** *v* provisioning, catering, victualling; **provi'andschip** (-schepen) *o* store-ship
provinci'aal I *aj* provincial; **II** (-ialen) *m* 1 provincial; 2 *rk* provincial [of a religious order]; **provincia'lisme** *o* provincialism; **pro'vincie** (-s en -iën) *v* province; **–stad** (-steden) *v* provincial town
pro'visie [s = z] (-s) *v* 1 (v o o r r a a d) stock, supply, provisions; 2 $ (l o o n) commission; (v. m a k e l a a r) brokerage; **–basis** [-zɪs] *v op* ~ $ on a commission basis; **–kamer** (-s) *v* pantry, larder; **–kast** (-en) *v* pantry, larder
provisio'neel [s = z] provisional
provo'catie [-(t)si.] (-s) *v* provocation; **provo'ceren** (provoceerde, h. geprovoceerd) *vt* provoke; **–d** provocative
1 pro'voost (-en) *m* provost
2 pro'voost (-en) *v* detention-room
'proza *o* prose; **pro'zaïsch** prosaic; **proza'ïst** (-en) *m*, **'prozaschrijver** (-s) *m* prose-writer
'prude prudish, prim; **prude'rie** (-ieën) *v* prudishness, prudery, primness
pruik (-en) *v* wig, periwig, peruke; (b o s h a a r) shock (of hair); **–enmaker** (-s) *m* wig-maker
'pruilen (pruilde, h. gepruild) *vi* pout, sulk, be sulky; **–er** (-s) *m* sulky person
pruim (-en) *v* 1 ✿ plum; 2 (g e d r o o g d) prune; 3 (t a b a k) quid, plug; **–eboom** (-bomen) *m* plum-tree; **pruime'dant** (-en) *v* prune; **'pruimemondje** (-s) *o een ~ zetten* make a pretty mouth; **'pruimen** (pruimde, h. gepruimd) **I** *vt* chew [tobacco]; **II** *va* 1 chew tobacco; 2 munch [= eat]; **'pruimentaart** (-en) *v* plum-tart; **'pruimepit** (-ten) *v* plum-stone; **'pruimer** (-s) *m* tobacco-chewer; **'pruimtabak** *m* chewing-tobacco
Pruis (-en) *m* Prussian; **'Pruisen** *o* Prussia; **'Pruisisch** Prussian; ~ *blauw* Prussian blue; ~ *zuur* prussic acid
prul (-len) *o* bauble, rubbishy stuff; *het is een* ~ it is trash; *wat een* ~ (*van een vent*)! **F** what a dud!; *allerlei ~len* all sorts of gewgaws; **–dichter** (-s) *m* poetaster, paltry poet; **prul'laria** *mv* rubbish, gewgaws, knick-knacks; **'prulleboel** *m* trashy stuff, trash; **'prullenmand** (-en) *v* waste-paper basket; **'prullerig** = *prullig*; **'prullewerk** = *prulwerk*; **'prullig** rubbishy, trumpery, trashy, cheap; **'prulroman** (-s) *m* trashy novel, Grub-street novel; **–schrijver** (-s) *m* hack, Grub-street writer; **–werk** *o* trash, rubbish
prut *v* (k o f f i e ~) grounds; (s l ij k) slush, sludge
'prutsding (-en) *o* trifle, knick-knack; **'prutsen** (prutste, h. geprutst) *vi* potter, tinker (at, with *aan*), bungle, botch; **–er** (-s) *m* potterer, tinkerer; **prutse'rij** (-en) *v* pottering (work); **'prutswerk** *o* bungled work, botch
'pruttelaar (-s) *m* grumbler; **'pruttelen** (pruttelde, h. geprutteld) *vi* simmer; *fig* grumble; **'pruttelig** grumbling, grumpy
P.S. [pe.'ɛs] = *Postscriptum*
psalm (-en) *m* psalm; **–boek** (-en) *o* psalm-book, psalter; **–dichter** (-s) *m* psalmist; **–gezang** *o* psalm-singing; **psal'mist** (-en) *m* psalmist; **psalmodi'ëren** (psalmodieerde, h. gepsalmodieerd) *vi* sing psalms, psalmodize, intone; **'psalter** (-s) *o* 1 ♪ psaltery; 2 (b o e k) psalter
'pseudo... ['psœydo.] pseudo..., false
pseudo'niem (-en) **I** *o* pseudonym, pen-name; **II** *aj* pseudonymous
pst! *ij* (hi)st!

'psyche *v* psyche
psy'ché [psi.'ge.] (-s) *m* (s p i e g e l) cheval-glass
psyche'delisch [psi.ge.'de.li.s] psychedelic; **psychi'ater** (-s) *m* psychiatrist; **psychia'trie** *v* psychiatry; **psychi'atrisch** psychiatric; ~ *ziekenhuis* mental hospital; **'psychisch** psychic(al); **psychoana'lyse** [-'li.zə] (-n en -s) *v* psychoanalysis; **–'lytisch** psychoanalytic; **psycho'geen** psychogenic; **psycholo'gie** *v* psychology; **–'logisch** psychological; **–'loog** (-logen) *m* psychologist; **–'paat** (-paten) *m* psychopath; **–'pathisch** psychopathic; **–patholo'gie** *v* psychopathology, abnormal psychology; **psy'chose** [-zə] (-n en-s) *v* psychosis [*mv* psychoses]; **psychoso'matisch** psychosomatic; **'psychotechniek** *v* psychotechnics; **psycho'technisch** ~ *onderzoek* testing; **'psychothera'pie** *v* psychotherapy, psychotherapeutics; **psychothera'peutisch** [-'pœyti.s] psychotherapeutic
'puber (-s) *m-v* adolescent; **puber'aal** adolescent; **puber'teit** *v* adolescence, puberty; **–sleeftijd** *m* age of puberty
publi'ceren (publiceerde, h. gepubliceerd) *vt* publish, bring before the public, make public, issue; **publi'cist** (-en) *m* publicist; **publici'teit** *v* publicity; *er ~ aan geven* make it public; **pu'bliek I** *aj* public; ~ *engagement* open engagement; *de ~e opinie* popular verdict (opinion); *iets ~ maken* give publicity to sth., publish sth.; ~ *worden* be made public, be published; **II** *ad* publicly, in public; **III** *o* public; *in het ~* in public, publicly; *het grote ~* the general public; *het stuk trok veel ~* the play drew a full house (a large audience); **–elijk** publicly; **pu'bliekrecht** *o* public law; **publiek'rechtelijk** of public law; ~ *lichaam* public corporation; **publi'katie** [-(t)si.] (-s) *v* publication; **–bord** (-en) *o* notice-board, bill board
'puddelen (puddelde, h. gepuddeld) *vt* ⚒ puddle
'pudding (-en en -s) *m* pudding; **–poeder, –poeier** (-s) *o* & *m* pudding powder; **–vorm** (-en) *m* pudding mould
puf *m ik heb er niet veel ~ in* I don't feel like it
'puffen (pufte, h. gepuft) *vi* puff
pui (-en) *v* lower front of a building, shop front
puik I *aj* excellent, choice, prime, first-rate; **II** *ad* beautifully, to perfection; **III** *o* choice, best, pick (of...); **–je** *o* = *puik* **III**
'puilen (puilde, h. gepuild) *vi* protrude, bulge; *zijn ogen puilden uit hun kassen* his eyes started from his head
'puimen (puimde, h. gepuimd) *vt* pumice; **'puimsteen** (-stenen) *m* & *o* pumice (-stone)
puin *o* rubbish, debris, wreckage, [brick] rubble; ~ *storten* shoot rubbish; *in ~ gooien* (*leggen*) lay in ruins, reduce to rubble; *in ~ liggen* be (lie) in ruins; *in ~ rijden* wreck [a car]; *in ~ vallen* fall into ruins, crumble to pieces; **–hoop** (-hopen) *m* heap of ruins, ruins; heap of rubble, rubble heap, heap of rubbish; [*fig*] *wat een ~!* what a mess (muddle)!
puis'sant [pvi.'sɑnt] exceedingly [rich]
puist (-en) *v* pimple, pustule, tumour; **–achtig, –erig, –ig** full of pimples, pimpled, pimply; **–je** (-s) *o* pimple; *~s* acne
'pukkel (-s) *v* pimple
pul (-len) *v* jug, vase
'pulken (pulkte, h. gepulkt) *vi* pick; *in zijn neus ~* pick one's nose
pull'over [pu.l-] (-s) *m* pullover, jersey
pulp *v* pulp [of beetroots]
puls (-en) *m* ⚕ pulse
pul'seren (pulseerde, h. gepulseerd) *vi* pulsate, throb
⚒ **'pulver** *o* 1 powder, dust; 2 gunpowder; **pulveri'seren** [s = z] (pulveriseerde, h. gepulveriseerd) *vt* pulverize, powder
'pummel (-s) *m* boor, lout, yokel, bumpkin, clodhopper; **–ig** boorish
pu'naise [-'nɛːzə] (-s) *v* drawing-pin
punch [pünʃ] *m* punch
punc'teren (puncteerde, h. gepuncteerd) *vt* puncture, tap; **'punctie** [-ksi.] (-s) *v* puncture, tapping; **punctuali'teit** *v* punctuality; **punctu'atie** [-(t)si.] *v* punctuation; **punctu'eel** punctual
'Punisch Punic
1 punt (-en) *m* 1 point [of a pen, pin &]; 2 tip [of a cravat, the nose &]; corner [of an apron]; 3 toe [of shoe]; 4 top [of asparagus]; 5 wedge [of tart, cake]; 6 ⚓ peak [of anchor]; *daar kan jij een ~(je) aan zuigen* that leaves you nowhere
2 punt (-en) *o* point [of intersection]; *fig* point [of discussion &]; item [on the agenda]; (~ w a a r h e t o m g a a t) nub; ~ *van aanklacht* count [of an indictment]; *hoeveel ~en heb je?* 1 ✐ what marks have you got?; 2 *sp* what's your score?; *10 ~en maken* score ten; • *o p het ~ van...* in point of...; *op het ~ van te...* on the point of ...ing, about to...; *op dit ~ geeft hij niet toe* on this point he will never yield; *op het dode ~* at a deadlock; *op het dode ~ komen* come to a deadlock, reach an impasse; *hen o v e r het dode ~ heen helpen* lift them from the deadlock; *verslaan* (*winnen*) *op ~en sp* beat (win) on points; *een ~ zetten achter* call it a day, put a stop to; *~ v o o r ~* point by point
3 punt (-en) *v* & *o* (l e e s t e k e n) 1 dot [on i]; 2 full stop, period [after sentence]; *dubbele ~* colon; ~ *uit!* enough!, that's that!
'puntbaard (-en) *m* pointed beard, Vandyke

beard; **–boord** (-en) *o* & *m* butterfly collar, wing collar; **–dak** (-daken) *o* pointed roof; **–dicht** (-en) *o* epigram; **–dichter** (-s) *m* epigrammatist; **'punten** (puntte, h. gepunt) *vt* point, sharpen [a pencil]; trim [the hair]
'puntenlijst (-en) *v* terms' report; list of marks
'punter (-s) *m* punt
'punteslijper (-s) *m* pencil sharpener
'puntgaaf perfect, in mint condition
'puntgevel (-s) *m* gable; **–hoofd** *o* **F** *ik krijg er een ~ van* it drives me to the wall (up a tree); **'puntig** pointed, sharp; *fig* pointed; **–heid** (-heden) *v* pointedness², sharpness; **'puntje** (-s) *o* point [of a pencil &]; tip [cigar, nose, tongue]; dot [on i]; *de ~s op de i zetten* dot one's i's and cross one's t's; *als ~ bij paaltje komt* when it comes to the point; *alles was in de ~s* everything was shipshape (in apple-pie order); *hij zag er in de ~s uit* he looked very trim (spick and span); zie ook: 1 *punt*
punt'komma ('s) *v* & *o* semicolon
'puntlassen *vi* spot-weld; **–schoen** (-en) *m* pointed shoe; **–zakje** (-s) *o* cornet, screw
pu'pil (-len) 1 *m* & *v* pupil, ward; 2 *v* pupil [of the eye]
pu'ree *v* purée [of tomatoes &]; (v. a a r d a p p e l e n) mashed potatoes, mash
'puren (puurde, h. gepuurd) *vt* ~ *uit* suck [honey] from; *fig* draw [wisdom] from
pur'gatie [-(t)si.] (-s) *v* purge; **pur'geermiddel** (-en) *o* laxative, purgative; **pur'geren** (purgeerde, h. gepurgeerd) *vi* purge oneself, take a purgative
'Purim ['pu.rɪm] *o* Purim
pu'risme (-n) *o* purism; **pu'rist** (-en) *m* purist; **–isch** puristic
Puri'tein (-en) *m* 🕮 Puritan; **puri'tein** (-en) *m* puritan; **–s** puritanical
purper *o* purple; **–achtig** purplish; **1 'purperen** (purperde, h. gepurperd) *vt* purple; **2 'purperen** *aj* purple; **'purperkleurig** purple; **–rood I** *aj* purple; **II** *o* purple
pus *o* & *m* pus; **'pussen** (puste, h. gepust) *vi* suppurate
put (-ten) *m* 1 (w a t e r p u t) well; 2 (k u i l) pit; *in de ~* [*fig*] in low spirits, under the weather, in the dumps; **–haak** (-haken) *m* bucket-hook; *over de ~ trouwen* marry over the broomstick, jump the besom; **–je** (-s) *o* 1 little hole [in the ground]; 2 dimple [in the chin]; **–jesschepper** (-s) *m* scavenger
putsch [pu.tʃ] (-en) *m* putsch
'puts(e) (putsen) *v* (canvas) bucket
'putten (putte, h. geput) *vt* draw [water, comfort, strength & from...]; *uit zijn eigen ervaringen ~* draw upon one's personal experiences; *waaruit heeft hij dat geput?* what has been his source?; **–er** (-s) *m* 1 wạter-drawer; || 2 🐦 = *distelvink*; **'putwater** *o* well-water
puur I *aj* pure²; (v. s t e r k e d r a n k) neat, raw, short, straight; *pure chocolade* plain chocolate; *het is pure onzin* it is pure (sheer) nonsense; **II** *ad* purely; ~ *uit baldadigheid* out of pure mischief
'puzzel (-s) *m* puzzle; **'puzzelen** (puzzelde, h. gepuzzeld) *vi* solve puzzles; ~ *op* (*over*) puzzle over; **'puzzelrit** (-ten) *m*, **–tocht** (-en) *m* mystery tour; **'puzzle** (-s) = *puzzel*
pyg'mee [pɪg-] (-eeën) *m-v* pygmy
py'jama ['pi.-] ('s) *m* pyjamas, pyjama suit; *een ~* a set of pyjamas; **–broek** (-en) *v* pyjama trousers; **–jasje** (-s) *o* pyjama jacket
Pyre'neeën [pi.-] *mv de ~* the Pyrenees; **Pyre'nees** Pyrenean
py'riet [pi.-] *o* pyrites
pyro'maan [pi.-] (-manen) *m* **F** fire-bug, arsonist, *ps* pyromaniac; **pyroma'nie** *v* pyromania
'pyrometer ['pi.-] (-s) *m* pyrometer
'Pyrrusoverwinning ['pɪr-] (-en) *v* Pyrrhic victory
'python ['pi.tɔn] (-s) *m* python

Q

q [ky.] ('s) *v* q
qua qua, in the capacity of
quadril'joen (-en) *o* quadrillion
qua'drille [ka.'dri.(l)jə] (-s) *m* & *v* quadrille
quadrofo'nie *v* quadrophonics
quali'tate qua officially; bij virtue of one's office
'quantum (-s en -ta) *o* quantum, amount
quaran'taine [ka.rãn'tɛ:nə] (-s) *v* quarantine; **–haven** (-s) *v* quarantine station; **–vlag** (-gen) *v* quarantine flag, **F** yellow Jack
'quasi ['kva.zi.] quasi, seeming [friends], miscalled [improvements], pretended [interest]
quater'temperdag (-dagen) *m* Ember day
quatre-'mains [kɑtrə'mɛ̃] *m* duet (for piano); ~ *spelen* play duets
queru'lant [kve:ry.-] (-en) *m* querulous person, grumbler
queue [kø.] (-s en queueën) *v* queue, line; ~ *maken* stand in a queue, wait in the queue, queue up, line up
quitte [ki.t] quits; *we zijn* ~ we are quits; ~ *spelen* $ break even
qui-'vive [ki.'vi.və] *o op zijn* ~ *zijn* be on the qui vive (on the alert)
quiz (quizzen, quizes) *m* quiz
'quorum (-s) *o* quorum
'quota ('s) *v* quota
quo'tiënt [ko.'ʃɛnt] (-en) *o* quotient
'quotum (-s en -ta) *o* quota, share

R

r [ɛr] ('s) *v* r
ra ('s en raas) *v* ⚓ yard; *grote* ~ ⚓ mainyard
raad (raden) *m* 1 advice, counsel; 2 (r e d m i d d e l) remedy, means; 3 (r a a d g e v e n d l i c h a a m) council; 4 (r a a d g e v e n d p e r s o o n) counsellor, counsel; 5 (l i d v. r a a d g e v e n d l i c h a a m) councillor; *dat is een goede* ~ that is a good piece of advice; *goede* ~ *was duur* we were in a fix; *Hoge Raad* ⚖ Supreme Court; ~ *van beheer* board of directors; ~ *van beroep* board of appeal; ~ *van beroerten* 🕮 council of troubles; ~ *van commissarissen* board of supervisory directors; *de Raad van Europa* the Council of Europe; *Raad van State* Council of State; ~ *van toezicht* supervisory board; *neem mijn* ~ *aan* take my advice; *iem.* ~ *geven* advise sbd.; ~ *inwinnen* ask [sbd.'s] advice; *zij moeten* ~ *schaffen* they must find ways and means; *iems.* ~ *volgen* follow sbd.'s advice; *hij weet altijd* ~ he is sure to find a way (out); *hij wist geen* ~ *meer* he was at his wit's (wits') end; *met zijn... geen* ~ *weten* not know what to do with one's...; *met zijn figuur geen* ~ *weten* be embarrassed; *overal* ~ *voor weten* be never at a loss for an expedient; *daar is wel* ~ *op* I'm sure a way may be found; ● *i n de* ~ *zitten* be on the (town) council; *iem. m e t* ~ *en daad bijstaan* assist sbd. by word and deed; *iem. o m* ~ *vragen* ask sbd.'s advice; *o p zijn* ~ at (on) his advice; *met iem. t e rade gaan* consult sbd.; *iem. v a n* ~ *dienen* advise sbd.; zie ook: *eind*; **–gevend** advisory, consultative [body]; **–gever** (-s) *m* adviser, counsellor; **–geving** (-en) *v* advice, counsel; *een* ~ a piece of advice; **–huis** (-huizen) *o* town hall; **–kamer** (-s) *v* council chamber; **–pensionaris** (-sen) *m* 🕮 Grand Pensionary; **'raadplegen** (raadpleegde, h. geraadpleegd) *vt* consult; **–ging** (-en) *v* consultation; **'raadsbesluit** (-en) *o* 1 decision of the town council; 2 *fig* ordinance, decree [of God]
'raadsel (-s en -en) *o* riddle, enigma; *...is mij een* ~ ...is a mystery to me; *in* ~*en spreken* speak in riddles; *voor een* ~ *staan* be puzzled; **'raadselachtig** enigmatic(al), mysterious; **–heid** (-heden) *v* enigmatic character, mysteriousness
'raadsheer (-heren) *m* 1 (p e r s o o n) councillor; senator; ⚖ justice; 2 (s c h a a k s t u k) bishop; **–lid** (-leden) *o* councillor, town councillor; **–lieden** *mv* advisers, counsellors; **–man** (-lieden) *m* adviser, counsellor; (p r a k t i z ij n) counsel; **–vergadering** (-en) *v* council meeting; **–verkiezing** (-en) *v* municipal election; **–verslag** (-slagen) *o* report of the meeting; **–zaal** (-zalen) = *raadzaal*; **–zetel** (-s) *m* seat on the (town) council; **–zitting** (-en) *v* session of the town council; **'raadzaal** (-zalen) *v* council hall; **'raadzaam** advisable; **–heid** *v* advisableness, advisability
raaf (raven) *v* 🐦 raven; *witte* ~ white crow; zie ook: *stelen*
'raagbol (-bollen) *m* = *ragebol*
'raaigras (-sen) *o* darnel; *Engels* ~ rye-grass
raak telling [blow, effect]; *altijd* ~*!* you can't go wrong there!; *een* ~ *antwoord* a reply that went home; *een rake beschrijving* an effective description; *maar* ~ *kletsen* talk at random; ~ *slaan* hit home; *wat hij zegt, is* ~ what he says gets there; *die was* ~*, zeg!* that shot told!, he had you there!; **–lijn** (-en) *v* tangent; **–punt** (-en) *o* point of contact; **–vlak** (-ken) *o* tangent plane
raam (ramen) *o* 1 (v. h u i s) window; 2 (v a n f i e t s &) frame; *b i n n e n* (*i n*) *het* ~ *van* zie *kader*; *u i t het* ~ *kijken* look out of the window; *er hangen gordijnen v o o r het* ~ curtains hang at the window; *het lag voor het* ~ it was in the window; **–antenne** (-s) *v* frame aerial; **–biljet** (-ten) *o* poster, bill; **–kozijn** (-en) *o* window-frame; **–vertelling** (-en) *v* frame story, „link and frame" story; **–wet** (-ten) *v* skeleton law
raap (rapen) *v* 🌱 1 turnip; 2 rape [for cattle]; **–koek** (-en) *m* rapeseed cake, rape-cake; **–kool** (-kolen) *v* kohlrabi, turnip-cabbage; **–olie** *v* rapeseed oil, colza oil; **–stelen** *mv* turnip-tops; **–zaad** *o* rapeseed
raar I *aj* strange, queer, odd; *een rare* (*Chinees, sijs, snoeshaan*) a queer (rum) customer, a queer fish; *ik voel me zo* ~ I feel so faint, funny; *ben je* ~*?* are you mad?; **II** *ad* strangely
'raaskallen (raaskalde, h. geraaskald) *vt* rave, talk nonsense
raat (raten) *v* honeycomb
ra'barber *v* rhubarb
ra'bat *o* $ reduction, discount, rebate
ra'bauw (-en) *m* ugly customer
'rabbelen (rabbelde, h. gerabbeld) *vi* rattle, chatter
'rabbi ('s) *m*, **rab'bijn** (-en) *m* rabbi, rabbin; **rab'bijns, rabbi'naal** rabbinical; **rabbi'naat** (-naten) *o* rabbinate
race [re.s] (-s) *m* race; **–auto** [-o.to. of -ɔuto.] ('s) *m* racing-car, racer; **–baan** (-banen) *v* race-course, race-track; **–boot** (-boten) *m* & *v* speed-boat; **–fiets** (-en) *m* & *v* racing-bicycle, racer; **'racen** ['re.sə(n)] (racete, h. geracet) *vi*

race; **'racepaard** (-en) *o* race-horse, racer; **–terrein** (-en) *o* race-track, turf; **–wagen** (-s) *m* racing-car, racer
'Rachel *v* Rachel
ra'chitis *v* rachitis, rickets; **ra'chitisch** rickety
ra'cisme *o* racialism, racism; **ra'cist** (-en) *m* racialist, racist; **–isch** racialist, racist
'racket ['rɛkət] (-s) *o sp* racket
1 rad (raderen) *o* wheel; *het ~ van avontuur, het ~ der fortuin* the wheel of fortune; *iem. een ~ voor de ogen draaien* throw dust in sbd.'s eyes; *het vijfde ~ aan de wagen* an unwanted, useless person or thing; *~ slaan* turn cart-wheels
2 rad I *aj* quick, nimble; glib [tongue]; *~ van tong zijn* have the gift of the gab; **II** *ad* quickly, nimbly; glibly
'radar *m* radar; **–installatie** [-(t)si.] (-s) *v* radar installation; **–scherm** (-en) *o* radar screen
'radbraken (radbraakte, h. geradbraakt) *vt* break upon the wheel [a convict]; *fig* murder [a language]; *ik voel me geradbraakt* I am dead-beat
'raddraaier (-s) *m* ringleader
ra'deergum (-men) *o* eraser, india rubber; **–mesje** (-s) *o* eraser, erasing-knife; **–naald** (-en) *v* (etching) needle, point
'radeloos desperate, at one's wit's (wits') end; **rade'loosheid** *v* desperation
'raden* I *vt* 1 (r a a d g e v e n) counsel, advise; 2 (g o e d g i s s e n) guess; *iem. iets ~* advise sbd. to do sth.; *te ~ geven* leave to guess; *laat je ~!* be advised!; *dat zou ik je ~, het is je geraden* you will be well advised to do it; **II** *vi & va* guess; *nou raad eens!* (just) give a guess!; *naar iets ~* guess at (make a guess at) sth.
'raderboot (-boten) *m & v* paddle-boat
1 'raderen meerv. van 1 *rad*
2 ra'deren (radeerde, h. geradeerd) *vt* (m e t g u m) erase; (m e t m e s) scratch (out); **–ring** *v* erasure
'raderwerk (-en) *o* wheels[2], gear mechanism; (v. u u r w e r k) watchwork, clockwork
'radheid *v* quickness, nimbleness; *~ van tong* glibness, volubleness, volubility
radi'aalband (-en) *m* radial (ply) tyre, **F** radial
radia'teur (-s) *m*, **radi'ator** (-s en -'toren) *m* radiator; **–dop** (-pen) *m* radiator cap
radi'caal I *aj* radical; *radicale hervorming* sweeping (root-and-branch, thoroughgoing) reform; **II** *ad* radically; **III** (-calen) *m* radical; **radicali'seren** [s = z] (radicaliseerde, h. geradicaliseerd) *vi* radicalize; **radica'lisme** *o* radicalism
ra'dijs (-dijzen) *v* radish
'radio ('s) *m* radio; (sound) broadcasting; *o v e r de ~* over the radio, over the air; *v o o r, o p de ~* on the radio, on the air
radioac'tief radioactive; **–activi'teit** *v* radioactivity
'radioamateur (-s) *m* radio amateur, amateur radio operator, **F** (radio) ham; **–antenne** (-s) *v* radio aerial; **–baken** (-s) *o* radio beacon; **–bericht** (-en) *o* radio report, radio message; **–bode** (-s) *m* radio journal; **–buis** (-buizen) *v* (radio) valve; **–centrale** (-s) *v* relay exchange, relay company; **–distributie** [-(t)si.] *v* wire broadcasting, wired transmission; **–gids** (-en) *m* radio journal; **–golf** (-golven) *v* radio (broadcast) wave; **radiogra'fie** *v* radiography; **radio'grafisch** radiographic; **radio'gram** (-men) *o* radiogram; radiotelegram; **–kast** (-en) *v* radio cabinet; **–lamp** (-en) *v* (radio) valve; **–monteur** (-s) *m* radio mechanic; **radio'nieuwsdienst** *m* news-cast, radio news; **'radio-omroep** (-en) *m* broadcasting corporation; **'radiopeiling** (-en) *v* (radio) direction-finding; **–praatje** (-s) *o* broadcast talk; **–programma** ('s) *o* radioprogramme, broadcast; **–rede** (-s) *v* broadcast (speech); **–reportage** [-ʒə] (-s) *v* (running) commentary; **–reporter** (-s) *m* (radio) commentator; **–spreker** (-s) *m* broadcaster; **–station** [-sta.-(t)ʃɔ̃n] (-s) *o* radio station; **–technicus** (-ci) *m* radio engineer; **–techniek** *v* radio engineering; **radio'technisch** radio-engineering; **radiotelefo'nie** *v* radiotelephony; **–telegra'fie** *v* radiotelegraphy; **–telegra'fist** (-en) *m* wireless operator; **'radiotelegram** (-men) *o* = *radiogram*; **–telescoop** (-scopen) *m* radiotelescope
radiothera'pie *v* radiotherapeutics, radiotherapy
'radiotoestel (-len) *o* wireless set; **–uitzending** (-en) *v* broadcast, programme; **–zender** (-s) *m* radio transmitter
'radium *o* radium
'radius (-sen en -ii) *m* radius [*mv* radii]
'radja ('s) *m* rajah
'radstand (-en) *m* wheel-base; **–vormig** wheel-shaped
ra'factie [-'fɑksi.] *v* $ allowance for damage
'rafel (-s) *v* ravel; **'rafelen** (rafelde, *vi* is, *vt* h. gerafeld) *vi & vt* fray, unravel, ravel out; **–lig** frayed
'raffia *m & o* raffia, bast
raffinade'rij (-en) *v* refinery; **raffina'deur** (-s) *m* refiner; **raffi'neren** (raffineerde, h. geraffineerd) *vt* refine; zie ook: *geraffineerd*
rag *o* cobweb
'rage ['ra.ʒə] (-s) *v* rage, craze, fad
'ragebol (-len) *m* Turk's head; mop [of hair]; **'ragfijn** gossamer, filmy, fine-spun
'raggen F (ragde, h. geragd) *vi* (w o e s t r ij d e n) drive like mad, tear [along]
'raglan ['rɛglən] (-s) *m* raglan [sleeve]

ra'goût [-'gu.] (-s) *m* ragout
rail [re.l] (-s) *v* rail; *uit de ~s lopen* leave the metals
rail'leren [rɑ(l)'je:rə(n)] (railleerde, h. gerailleerd) **I** *vt* banter, chaff, poke fun at [sbd.]; **II** *va* banter, chaff, poke fun; **raille'rie** [rɑjə'ri.] (-ieën) *v* raillery, banter, chaff
rai'son [rɛ'zõ] *à ~ van* for the price of; *~ d'être* raison d'être
rak (-ken) *o* (v. r i v i e r) reach
'rakelen (rakelde, h. gerakeld) *vt* rake; **'rakelijzer** (-s) *o* rake
'rakelings *de kogel ging mij ~ voorbij* the bullet brushed past me (grazed my shoulder &); *de auto ging ~ langs het hek* the car just cleared the gate
'raken I (raakte, h. geraakt) *vt* 1 (t r e f f e n) hit; 2 (a a n r a k e n) touch; 3 (a a n g a a n) affect; concern; *deze cirkels ~ elkaar* these circles touch; *dat raakt hem niet* 1 (b e t r e f f e n) that does not concern him; 2 (b e k o m m e r e n) he does not care; **II** (raakte, is geraakt) *vi* get; zie *geraken*; *gevangen ~* become a prisoner; ● *~ a a n* touch[2]; *aan de drank ~* take to drink(ing), become addicted to drink; *hoe aan mijn geld te ~* how to come by my money; *aan de praat ~* get talking; *i n oorlog ~ met* become involved in a war with; *u i t de mode ~* go out of fashion; **F** *'m flink ~* eat [drink &] one's fill
1 ra'ket (-ten) *o* & *v sp* 1 racket; 2 battledore; **2 ra'ket** (-ten) *v* ⚔, ⚒ rocket [firework]; **-bal** (-len) *m* shuttlecock; **-basis** [-zɪs] (-sen en -bases) *v* ⚔ rocket base; **-bom** (-men) *v* rocket bomb; **-motor** (-s en -toren) *m* rocket engine; **-spel** *o* (game of) battledore and shuttlecock; **ra'ketten** (rakette, h. geraket) *vi* play at battledore and shuttlecock; **ra'ketvliegtuig** (-en) *o* rocket plane
'rakker (-s) *m* rascal, rogue, scapegrace; *ondeugende ~* jackanapes
'rally ['rɛli.] ('s) *m* rally
ram (-men) *m* 1 🐏 ram, tup; 2 🕮 (battering-) ram; *de Ram* ★ Aries
'ramen (raamde, h. geraamd) *vt* estimate (at *op*); **-ming** (-en) *v* estimate
ram'mei (-en) *v* 🕮 battering-ram; **ram'meien** (rammeide, h. gerammeid) *vt* ram
'rammel (-s) *m* 1 rattle; 2 *een pak ~* a drubbing, a beating; **-aar** (-s) *m* 1 (s p e e l g o e d & p e r s o o n) rattle; 2 (k o n ij n) buck(-rabbit), (h a a s) buck(-hare); **'rammelen** (rammelde, h. gerammeld) **I** *vi* rattle, clatter, clash, clank; *fig* rattle; *~ m e t...* rattle (clatter, clank) ...; *ik rammel v a n de honger* I am ravenous, I have a terrific hunger; **II** *vt iem. door elkaar ~* give sbd. a good shaking; **-ling** (-en) *v* drubbing; **'rammelkast** (-en) *v* rattletrap; ramshackle motor-car &; (p i a n o) old piano
'rammen (ramde, h. geramd) *vt* ram
ramme'nas (-sen) *v* black radish
ramp (-en) *v* disaster, calamity; catastrophe; **-enfonds** *o* [national] disaster fund; **-gebied** (-en) *o* disaster area; **-spoed** (-en) *m* adversity; **ramp'spoedig I** *aj* disastrous, calamitous; **II** *ad* disastrously; **ramp'zalig** 1 miserable, wretched; 2 fatal; **-heid** (-heden) *v* misery, wretchedness
ran'cune (-s) *v* rancour, grudge; **rancu'neus** vindictive, spiteful
rand (-en) *m* brim [of a hat]; rim [of a bowl]; margin [of a book]; [black, grass] border; edge [of a table, a bed, a wood]; edging [of a towel]; brink [of a precipice]; fringe [of a wood]; *fig* verge [of ruin]; **'randen** (randde, h. gerand) *vt* border; mill [coins]; **'randgebergte** (-n en -s) *o* border mountains; **-gemeente** (-n en -s) *v* adjoining town; **-schrift** (-en) *o* legend [of a coin]; **-staat** (-staten) *m* border state; **-stad** *v de ~ Holland* the rim-shaped agglomeration of cities in the western part of the Netherlands; **-verschijnsel** (-en en -s) *o* marginal phenomenom; **-versiering** (-en) *v* ornamental border; **-weg** (-wegen) *m* ring road
rang (-en) *m* rank, degree, grade; *~ en stand* rank and station; *i n ~ staan boven* rank above...; *m e t de ~ van kapitein* holding the rank of a captain; *wij zaten o p de eerste ~* we had seats in the first row (in the stalls); *v a n de eerste ~* first-rate [man], first-class [restaurant]
ran'geerder [-'ʒe:rdər] (-s) *m* shunter, yardman; **ran'geerlocomotief** (-tieven) *v* shunting engine, dummy; **-terrein** (-en) *o* marshalling yard, shunting yard; **-wissel** (-s) *m* shunting switch; **ran'geren** (rangeerde, h. gerangeerd) *vt* & *vi* shunt
'ranggetal (-len) *o* ordinal number; **-lijst** (-en) *v* 1 ⚔ army list [of officers]; ⚓ navy list; 2 list (of candidates); **-nummer** (-s) *o* number; **-orde** *v* order
'rangschikken (rangschikte, h. gerangschikt) *vt* arrange, range [things]; *fig* marshal [the facts]; *~ onder* class with, subsume under [a category]; **-d** *gram* ordinal; **'rangschikking** (-en) *v* arrangement, classification
'rangtelwoord (-en) *o* ordinal number
'ranja *m* orangeade
1 rank (-en) *v* ✿ tendril
2 rank *aj* slender [of persons]; ⚓ crank(y)
'ranken (rankte, h. gerankt) *vi* ✿ twine, shoot tendrils
'rankheid *v* slenderness; ⚓ crank(i)ness
ra'nonkel (-s) *v* ranunculus
rans rancid
'ransel (-s) *m* 1 ⚔ knapsack, pack; 2 (s l a a g)

pak ~ flogging, drubbing
'ranselen (ranselde, h. geranseld) *vt* drub, **F** wallop, whop, thwack
'ransig = *ranzig*
rant'soen (-en) *o* ration, allowance; *op* ~ *stellen* put on rations, ration; **rantsoe'neren** (rantsoeneerde, h. gerantsoeneerd) *vt* ration, put on rations; **–ring** (-en) *v* rationing
'ranzig rancid; **–heid** *v* rancidness, rancidity
rap I *aj* nimble, agile, quick; **II** *ad* nimbly
ra'paille [-'pɑljə] *o* rabble, riff-raff
'rapen (raapte, h. geraapt) *vt* & *vi* pick up, gather; glean [ears of corn]
ra'pier (-en) *o* rapier; foil [to fence with]
rappe'leren (rappeleerde, h. gerappeleerd) *vt* 1 (t e r u g r o e p e n) recall; 2 (h e r i n n e r e n) remind, send a reminder
rap'port (-en) *o* statement, account; report [ook ✉]; ~ *uitbrengen over* report on...; **–cijfer** (-s) *o* report mark; **rappor'teren** (rapporteerde, h. gerapporteerd) *vt* & *vi* report (on *over*); **rappor'teur** (-s) *m* reporter
rapso'die (-ieën) *v* rhapsody
ra'punzel (-s) *o* & *m* rampion
rare'kiek (-en) *m* raree-show, peep-show; **'rarigheid** (-heden) *v* queerness, oddness, oddity, curiosity; **rari'teit** (-en) *v* curiosity, curio; *~en* curios; **'rariteitenkabinet** (-ten) *o*, **–kamer** (-s) *v* museum of curiosities
1 ras (-sen) *o* race [of men]; breed [of cattle]; *gekruist* ~ cross-breed; *van zuiver* ~ thoroughbred
2 ras I *aj* quick, swift, speedy; **II** *ad* soon, quickly
'rasartiest (-en) *m* a natural (true-born) artist; **–discrimi'natie** [-(t)si.] *v* racial discrimination; **–echt** thoroughbred, true-bred; **–hoenders** *mv* pedigree fowls; **–hond** (-en) *m* pedigree dog, true-bred dog; **–kenmerk** (-en) *o* racial characteristic
rasp (-en) *v* grater; [wood] rasp
'raspaard (-en) *o* thoroughbred, bloodhorse
'raspen (raspte, h. geraspt) *vt* grate [cheese]; rasp [wood]
'rassehaat *m* racial hatred, race hatred; **'rassendiscrimi'natie** [-(t)si.] *v* racial discrimination; **–relletjes** *mv* race riots; **–scheiding** *v* racial segregation; apartheid; **–strijd** *m* racial conflict; **–vermenging** *v* mixture of races, racial mixture; **–verschil** (-len) *o* racial difference; **'rassewaan** *m* racism, racialism
'raster (-s) *o* & *m* 1 (l a t) lath; 2 (h e k w e r k) = *rastering*; 3 (n e t w e r k v a n l ij n e n) screen; **raster'diepdruk** *m* photogravure; **'rastering** (-en) *v*, **'rasterwerk** (-en) *o* trellis-work, lattice, grill, railing, grating
'rasverschil (-len) = *rassenverschil*; **–vooroordeel** (-delen) *o* racial prejudice; **–zuiver** thoroughbred, true-bred
rat (-ten) *v* rat; *oude* ~ old hand, old stager; *een oude* ~ *loopt niet zo gemakkelijk in de val* an old bird is not caught with chaff
'rata *naar* ~ in proportion (to *van*), pro rata
'rataplan 1 *o* sound (rub-a-dub) of drums; 2 *m de hele* ~ **F** the whole caboodle (show)
'ratel (-s) *m* rattle[2]; clack [= tongue]; *hou je* ~*!* **F** shut up!; **–aar** (-s) *m* (p e r s o o n) rattler, rattle; **'ratelen** (ratelde, h. gerateld) *vi* rattle; (v. m o t o r) knock; *~de donderslagen* rattling peals of thunder; **'ratelslang** (-en) *v* rattlesnake
ratifi'catie [-'ka.(t)si.] (-s) *v* ratification; **ratifi'ceren** (ratificeerde, h. geratificeerd) *vt* ratify
'ratio [-(t)si.o.] *v* (r e d e, v e r s t a n d) reason, intellect; (v e r h o u d i n g) ratio
rationali'satie [-'za.(t)si.] (-s) *v* rationalization; **rationali'seren** (rationaliseerde, h. gerationaliseerd) *vt* rationalize; **rationa'lisme** *o* rationalism; **rationa'list** (-en) *m* rationalist; **–isch I** *aj* rationalist, rationalistic; **II** *ad* rationalistically; **ratio'neel** rational
'ratjetoe *m* & *o* ⚔ soldiers' hodgepodge; *fig* farrago, hotchpotch
'rato *naar* ~ zie *rata*
rats *v in de* ~ *zitten* have the jitters, be in a funk, have the wind up
'ratteklem (-men) *v* rat-trap; **'rattengif** *o*, **–kruit** *o* arsenic; **–koning** (-en) *m* tangle of rats; **–plaag** (-plagen) *v* rat plague; **–vanger** (-s) *m* rat-catcher; (h o n d) ratter; *de* ~ *van Hameln* the Pied Piper of Hamelin; **–verdelging** *v* destruction of rats; **'ratteval** (-len) *v* rat-trap
rauw raw, uncooked [food]; raucous, hoarse [voice], harsh [of sounds]; *fig* crude [statements]; **–elijks** ⚖ without previous notice; **–heid** (-heden) *v* rawness; *fig* crudity; **–kost** *m* raw food, uncooked food, raw vegetables, vegetable salads
ra'vage [-ʒə] (-s) *v* 1 (v e r w o e s t i n g) ravage [of the war]; havoc, devastations; 2 (o v e r b l ij f s e l e n) wreckage [of a motor-car &], debris, shambles [of a building]; *een* ~ *aanrichten* make havoc (of *onder, in*)
'ravegekras *o* croaking (of a raven); **–zwart** raven-black; *~e haren* raven locks
ra'vijn (-en) *o* ravine
ravitail'leren [-tɑ(l)'je:rə(n)] (ravitailleerde, h. geravitailleerd) *vt* supply; **–ring** *v* supply
ra'votten (ravotte, h. geravot) *vi* romp
ray'on [rɛi'ɔ̀n] (-s) *o* & *m* 1 radius [of a circle]; 2 shelf [of a bookcase]; 3 department [in a shop]; 4 (g e b i e d) area; $ [commercial traveller's]

territory; 5 (s t o f n a a m) rayon [artificial silk]; **–garen** *o* rayon yarn; **–vezel** (-s) *v* rayon staple
'razeil (-en) *o* square sail
'razen (raasde, h. geraasd) *vi* rage, rave; ~ *en tieren* rage and rave, storm and swear; *over de weg* ~ tear along the road; *het water raast in de ketel* the kettle sings; **'razend I** *aj* raving, raging, mad, wild, **F** savage; ~*e honger* ravenous hunger; ~*e vaart* tearing pace; *ben je* ~? are you mad?; *het is om* ~ *te worden* it is enough to drive you mad; *het maakt me* ~ it makes me wild; *je maakt me* ~ *met je...* you drive me mad with your...; *hij is* ~ *op mij* he is furious with me; *hij... als een* ~*e* like mad; **II** *ad hij heeft* ~ *veel geld* he has a mint of money; *wij hebben* ~ *veel plezier gehad* we have enjoyed ourselves immensely; *hij is* ~ *verliefd op haar* he is madly in love with her; **–snel** as quick as lightning; **razer'nij** *v* rage; frenzy, madness
'razzia ['rɑdzi.a.] ('s) *v* razzia, raid, round-up [of suspects]; *een* ~ *houden in een café* raid a café; *een* ~ *houden op verdachten* round up suspects
re *v* ('s) *v* ♪ re
re'aal (realen) *m* real [= silver coin]
re'actie [-si.] (-s) *v* reaction[2] (to *op*); **–motor** (-s en -toren) *m* reaction engine; **–snelheid** (-heden) *v* speed of response; (c h e m i s c h) rate of reaction; **reactio'nair** [-'nɛ:r] *aj* & *m* (-en) reactionary; **re'actor** (-s) *m* reactor
rea'geerbuis (-buizen) *v* test-tube; **–middel** (-en) *o* = *reagens*; **–papier** *o* test-paper; **rea'gens** (-entia) *o* reagent, test; **rea'geren** (reageerde, h. gereageerd) *vi* react (to *op*), *fig* respond (to *op*)
reali'satie [-'za.(t)si.] (-s) *v* realization; **reali'seerbaar** realizable, feasible, practicable; **reali'seren** (realiseerde, h. gerealiseerd) **I** *vt* 1 (i n 't a l g.) realize; 2 $ realize, cash, convert into money, sell; **II** *vi* $ realize, sell; **III** *vr zich* ~ realize [that...]; **rea'lisme** *o* realism; **rea'list** (-en) *m* realist; **–isch I** *aj* realistic; **II** *ad* realistically; **reali'teit** (-en) *v* reality
reani'matie [-(t)si.] *v* ⚕ resuscitation; **reani'meren** (reanimeerde, h. gereanimeerd) *vt* ⚕ resuscitate
re'bel (-len) *m* rebel, mutineer; **rebel'leren** (rebelleerde, h. gerebelleerd) *vi* rebel, revolt [against...]; **rebel'lie** (-ieën) *v* rebellion, mutiny; **re'bels** rebellious, mutinous
'rebus (-sen) *m* rebus, picture-puzzle
recalci'trant recalcitrant
recapitu'latie [-(t)si.] (-s) *v* recapitulation; **recapitu'leren** (recapituleerde, h. gerecapituleerd) *vi* & *vt* recapitulate
recen'sent (-en) *m* reviewer, critic; **recen'seren** (recenseerde, h. gerecenseerd) **I** *vt* review [an author, a book]; **II** *vi* review, write a review; **re'censie** (-s) *v* review, critique, (k o r t) notice; *ter* ~ for review; **–exemplaar** (-plaren) *o* review copy
re'cent recent; **–elijk** recently
rece'pis (-sen) *o* & *v* $ scrip (certificate)
re'cept (-en) *o* 1 (v o o r k e u k e n &) recipe[2], receipt; 2 ⚕ prescription; **–enboek** (-en) *o* 1 (household) recipe book; 2 ⚕ prescription book
re'ceptie [-si.] (-s en -tiën) *v* reception; **recep'tief** receptive; **receptio'nist** [-si.o.'nɪst] (-en) *m* receptionist
receptivi'teit *v* receptivity
recep'tuur *v* dispensing
re'ces (-sen) *o* recess, adjournment; *op* ~ *gaan* (*uiteengaan*) rise, adjourn; *op* ~ *zijn* be in recess
re'cessie *v* $ recession; **reces'sief** recessive
re'cette (-s) *v* takings, receipts
re'chaud [re.'ʃo.] (-s) *m* & *o* hot plate
re'cherche [rə'ʃɛrʃə] *v* detective force, Criminal Investigation Department, C.I.D.; **recher'cheur** (-s) *m* detective; **re'cherchevaartuig** (-en) *o* revenue-cutter
1 recht I *aj* right [side, word, angle &]; straight [line]; *wat* ~ *en billijk is* what is just and fair; *zo* ~ *als een kaars* as straight as an arrow; *in de* ~*e lijn* (*afstammend*) (descended) in the direct line, lineal [descendants]; *de* ~*e man op de* ~*e plaats* the right man in the right place; *te* ~*er tijd* zie *tijd*; **II** *sb ik weet er het* ~*e niet van* I do not know the rights of the case; **III** *ad* rightly; < right, quite; straight; ~ *door zee gaand* straightforward, straight; *hij is niet* ~ *bij zijn verstand* he is not quite right in his head; ~ *op hem af* straight at him; ~ *toe,* ~ *aan* straight on, open and shut
2 recht (-en) *o* 1 (o n g e s c h r e v e n n a t u u r w e t) right; 2 (r e c h t s p r a a k) law, justice; 3 (b e v o e g d h e i d) right, title, claim [to a pension]; 4 (g e h e v e n r e c h t) poundage [on money-orders]; duty, custom [on goods]; [registration] fee; *burgerlijk* ~ civil law; *het gemene* (*gewone*) ~ common law; *het geschreven* ~ statute law; *ongeschreven* ~ unwritten law; *Romeins* ~ Roman law; *verkregen* ~*en* vested rights; ~ *van bestaan* reason for existence; ~ *van eerstgeboorte* (right of) primogeniture; ~ *van gratie* prerogative of pardon; ~ *van initiatief* initiative; ~ *van opstal* building rights; ~ *van opvoering* performing rights; ~ *van spreken hebben* have a right to speak; ~ *van de sterkste* right of the strongest; ~ *van vergadering* right of public meeting; ~*en en plichten* rights and duties; *onze* ~*en en vrijheden* our rights and liberties; ~ *doen* administer justice; *er moet* ~ *geschieden* justice must be done; *iem. het* ~ *geven om...* entitle sbd.

to...; *het ~ hebben om...* have a (the) right to..., be entitled to...; *het volste ~ hebben om...* have a perfect right to...; *~ hebben op iets* have a right to sth.; *op zijn ~ staan* assert oneself; *~en studeren* read for the bar; *het ~ aan zijn zijde hebben* have right on one's side; *zich ~ verschaffen* right oneself; take the law into one's own hands; *iedereen ~ laten wedervaren* do justice to everyone; *iem. ~ laten wedervaren* do sbd. right, give sbd. his due; • *in zijn ~ zijn* be within one's rights, be in the right; *iem. in ~en aanspreken* take legal proceedings against sbd., have (take) the law of sbd., sue sbd. [for damages]; *met ~* rightly, justly; *met welk ~?* by what right?; *tot zijn ~ komen* show to full advantage; *beter tot zijn ~ komen* show to better advantage

recht'aan straight on

'rechtbank (-en) *v* court of justice, law-court, tribunal; *fig* bar [of public opinion]; zie ook: 2 *gerecht*

recht'door, 'rechtdoor straight on; **'rechtdraads** with the grain

'rechte (-n) **I** *v* straight line; **II** *o het ~* the ins and outs [of an affair]

'rechteloos without rights; (vogelvrij) outlawed; **'rechtens** by right(s), in justice;

1 'rechter (-s) *m* judge, justice; *~ van instructie* examining magistrate

2 'rechter *aj* right [hand &], right-hand [corner &]; **–achterpoot** (-poten) *m* off hind leg; **–arm** (-en) *m* right arm; **–been** (-benen) *o* right leg

'rechter-commissaris (rechters-commissarissen) *m* investigating magistrate; (bij faillissement) registrar in bankruptcy

rechter'hand, 'rechterhand (-en) *v* right hand; *fig* right-hand man, right hand; **'rechterkant** (-en) *m* right side

'rechterlijk judicial; *de ~e macht* the judiciary; *leden van de ~e macht* gentlemen of the robe; **'rechter-plaatsvervanger** (-s) *m* deputy judge; **'rechtersambt** *o* judgeship; **'rechterstoel** (-en) *m* judgment seat[2], tribunal[2]

'rechtervleugel (-s) *m* right wing; **–voet** (-en) *m* right foot; **–voorpoot** (-poten) *m* off fore leg; **–zij(de)** *v* right side, right; *de ~* the Right [in Parliament]

'rechtgeaard right-minded, upright, honest; **rechtge'lovig** orthodox; **–heid** *v* orthodoxy

recht'hebbende (-n) *m-v* rightful claimant

'rechtheid *v* straightness; **–hoek** (-en) *m* rectangle; **–hoekig, recht'hoekig** right-angled, rectangular; *~e driehoek* right-angled triangle; *~ op* at right angles to; **'rechthoekszijde** (-n) *v* base or perpendicular; **–lijnig** rectilinear [figure], linear [drawing]; **–maken** (maakte 'recht, h. 'rechtgemaakt) *vt* straighten (out)

recht'matig rightful, lawful, legitimate; **–heid** *v* lawfulness, legitimacy

recht'op upright, erect; **F** *~ en neer* glass of Hollands (gin); **'rechtopstaand** vertical, upright, erect; **recht'over** just opposite

rechts I *aj* 1 right; 2 (rechtshandig) right-handed; 3 of the Right [in politics]; right-wing [parties]; *de ~en, ~* the Right [in politics]; *een ~e regering* a right-wing government; **II** *ad* to (on, at) the right; **'rechtsaf** to the right

'rechtsbedeling *v* administration of justice; judicature; **–begrip** *o* sense of justice; **–bijstand** *m* legal assistance

rechts'binnen (-s) *m sp* inside right; **–'buiten** (-s) *m sp* outside right

recht'schapen upright, honest; **–heid** *v* honesty, rectitude

'rechtscollege [-kɔle.ʒə] (-s) *o* court; **–dwaling** (-en) *v* 1 error in law; 2 [case of] miscarriage of justice; **–dwang** *m* judicial constraint; **–filosofie** *v* jurisprudence; **–gebied** (-en) *o* jurisdiction; **–gebruik** (-en) *o* legal usage, form of law; **–geding** (-en) *o* lawsuit; **rechts'geldig** valid in law, legal; **–heid** *v* validity, legality; **'rechtsgeleerd** *aj* juridical, legal; *~e m* jurist, lawyer; **–heid** *v* jurisprudence; **rechtsge'lijkheid** *v* equality (of rights); **'rechtsgevoel** *o* sense of justice; **–grond** (-en) *m* legal ground

'rechtshandig right-handed

'rechtsherstel *o* rehabilitation; **–ingang** *m ~ verlenen tegen iem.* send sbd. to trial; **–kracht** *v* legal force, force of law; **rechts'kundig** legal [adviser, aid &], juridical; **'rechtsmacht** *v* jurisdiction; **–middel** (-en) *o* legal remedy

'rechtsom, rechts'om to the right; *~!* ⚔ right turn!; *~ ... keert!* ⚔ about ... turn!; **rechtsom-'keer(t)** *~ maken* ⚔ turn about, cut back; *fig* turn tail

'rechtsorde *v* legal order, legal system; **–persoon** (-sonen) *m* corporate body, corporation; **rechtsper'soonlijkheid** *v* incorporation; *~ aanvragen* apply for a charter of incorporation; *~ verkrijgen* be incorporated; **'rechtspleging** (-en) *v* administration of justice; **–positie** [-zi.(t)si.] *v* legal status; **'rechtspraak** *v* jurisdiction, administration of justice; **'rechtspreken** (sprak 'recht, h. 'rechtgesproken) *vi* administer justice; **'rechtsstaat** (-staten) *m* constitutional state; **–taal** *v* legal language

recht'standig perpendicular, vertical

'rechtsterm (-en) *m* law-term; **–titel** (-s) *m* (legal) title

'rechtstreeks I *aj* direct; **II** *ad* [send, order, buy] direct, directly
'rechtsverdraaiing (-en) *v* chicanery, pettifoggery; **-verkrachting** (-en) *v* violation of right; **-vervolging** (-en) *v* prosecution; *van ~ ontslaan* discharge; **-vordering** (-en) *v* action, (legal) claim; **-vorm** (-en) *m* legal form; **-vraag** (-vragen) *v* question of law; **-wege** *van ~* in justice, by right; **-wetenschap** (-pen) *v* jurisprudence; **-wezen** *o* judicature; **-winkel** (-s) *m* citizen's (legal) advice bureau; **-zaak** (-zaken) *v* lawsuit, cause; **-zaal** (-zalen) *v* court-room; **-zekerheid** *v* legal security; **-zitting** (-en) *v* session (meeting) of the court
recht'toe straight on; *~ rechtaan* [*fig*] straightforward, outspoken; **'rechttrekken** (trok 'recht, h. 'rechtgetrokken) *vt* straighten; *fig* put right, correct; **'rechtuit, recht'uit** straight on; *fig* frankly
recht'vaardig righteous, just; **recht'vaardigen** (rechtvaardigde, h. gerechtvaardigd) *vt* justify; **recht'vaardigheid** *v* righteousness, justice; **recht'vaardiging** *v* justification, warranty; *ter ~ van...* in justification of...
'rechtverkrijgende (-n) *m-v* assign
'rechtzetten (zette 'recht, h. 'rechtgezet) *vt* 1 straighten, put straight, adjust [one's hat]; 2 *fig* correct, rectify, put right; **-ting** (-en) *v fig* correction, rectification
recht'zinnig orthodox; **-heid** *v* orthodoxy
reci'dive *v* relapse (into crime), repetition of an offence; **recidi'veren** (recidiveerde, h. gerecidiveerd) *vi* relapse; **recidi'vist** (-en) *m* recidivist, old offender
recipi'ënt (-en) *m* ⚒ receiver; **recipi'ëren** (recipieerde, h. gerecipieerd) *vi* entertain, receive
recita'tief (-tieven) *o* recitative; **reci'teren** (reciteerde, h. gereciteerd) **I** *vt* recite, declaim; **II** *vi* recite
re'clame (-s) *v* 1 (i n k r a n t &) advertising, publicity, advertisement; [advertisement, illuminated] sign; 2 (p r o t e s t) claim; complaint, protest; *een ~ indienen* put in a claim; *~ maken* advertise; *~ maken voor* advertise, publicize, boost, boom, puff; **-aanbieding** (-en) *v* bargain, special offer; **-artikel** (-en en -s) *o* article that is being sold cheap (as an advertisement); **-biljet** (-ten) *o* (advertising) poster; **-boodschap** (-pen) *v RT* commercial (advertisement); **-bord** (-en) *o* advertisement-board; **-bureau** [-by.ro.] (-s) *o* publicity agency; **-campagne** [-kɑmpɑŋə] (-s) *v* advertising (promotion) campaign; **-film** (-s) *m* advertising film, publicity film; **-folder** (-s) *m* handbill, throwaway, advertisement leaflet (folder); **-man** (-nen en -lieden) *m* copywriter, adman; **-plaat** (-platen) *v* (picture) poster; **-plaatje** (-s) *o* advertising picture, show-card; **recla'meren** (reclameerde, h. gereclameerd) **I** *vi* put in a claim; complain (about *over*); **II** *vt* claim;
re'clamespot (-s) *m RT* commercial spot, commercial (advertisement); **-stunt** (-s) *m* publicity stunt; **-tekenaar** (-s) *m* commercial artist, advertising designer; **-tekst** (-en) *m* advertisement text (copy); **-televisie** [s = z] *v* commercial television; **-zuil** (-en) *v* advertising-pillar
reclas'seren (reclasseerde, h. gereclasseerd) *vt* reclaim, assist in finding employment [an offender]; **-ring** *v* after-care of discharged prisoners; *ambtenaar van de ~* probation officer
recomman'datie [-(t)si.] (-s) *v* recommendation; **recomman'deren** (recommandeerde, h. gerecommandeerd) *vt* recommend
recon'structie [-si.] (-s) *v* reconstruction; **reconstru'eren** (reconstrueerde, h. gereconstrueerd) *vt* reconstruct
reconvales'cent (-en) *m* convalescent; **reconvales'centie** [-(t)si.] *v* convalescence
recon'ventie [-(t)si.] *v eis in ~* ⚖ counterclaim
re'cord [rə'kɔ:r] **I** (-s) *o* record; *het ~ slaan* (*verbeteren*) beat (raise) the record; **II** *aj* record [figure, number, speed], bumper [crop, harvest, season], peak [figure, year]; **-houder** (-s) *m* recordholder
recre'atie [-(t)si.] *v* recreation; **recrea'tief** recreational; **recre'atiegebied** (-en) *o* recreation area; **-zaal** (-zalen) *v* recreation hall
rec'taal rectal
rectifi'catie [-(t)si.] (-s) *v* rectification; **rectifi'ceren** (rectificeerde, h. gerectificeerd) *vt* rectify, put right
'rector (-'toren en -s) *m* 1 ✎ headmaster, principal [of a grammar school]; 2 rector [of a religious institution]; *~ magnificus* Vice-Chancellor; **recto'raat** (-raten) *o* rectorship; zie *rector*
re'çu [rə'sy.] ('s) *o* 1 (luggage-)ticket; 2 receipt [for something received]; 3 ✆ certificate
redac'teur (-en en -s) *m* editor; **re'dactie** [-si.] (-s) *v* 1 (v. k r a n t) editorship; editorial staff, editors; 2 (v. z i n &) wording; *onder ~ van* edited by; **-bureau** [-by.ro.] (-s) *o* editorial office; **redactio'neel** editorial; **redac'trice** (-s) *v* editress
'reddeloos I *aj* not to be saved, past recovery, irrecoverable, irretrievable; **II** *ad* irrecoverably, irretrievably; **'redden** (redde, h. gered) **I** *vt* save, rescue, retrieve; *iem. het leven ~* save sbd.'s life; *we zijn gered!* we are safe!; *de geredde* the rescued person; *de geredden* those saved; *iem. uit de nood ~* help sbd. out of distress; *iem. ~*

van... save (rescue) sbd. from; *er was geen ~ aan* saving was out of the question; **II** *vr zich ~* save oneself; *je moet je zelf maar ~* you ought to manage for yourself; *met 50 gulden kan ik me ~* I can manage with 50 guilders, 50 guilders will do (for me); *hij weet zich wel te ~* leave him alone to shift for himself; *niet weten, hoe zich er uit te ~* how to get out of this; **–er** (-s) *m* saver, rescuer, deliverer, preserver; *de R~* the Saviour

'redderen (redderde, h. geredderd) *vt* put in order, arrange, clear, do [a room]

'redding (-en) *v* saving, rescue, deliverance; salvation²; *fig* retrieval [of situation]

'redding(s)actie [-aksi.] (-s) *v* rescue operation(s); **–boei** (-en) *v* lifebuoy; **–boot** (-boten) *m* & *v* lifeboat, rescue boat; **–brigade** (-s en -n) *v* rescue party; **–gordel** (-s) *m* lifebelt; **–lijn** (-en) *v* life-line; **–maatschappij** (-en) *v* Humane Society; Lifeboat Association; **–medaille** [-mədɑljə] (-s) *v* medal for saving (human) life; **–ploeg** (-en) *v* rescue team; **–poging** (-en) *v* attempt at a rescue, rescue attempt; **–toestel** (-len) *o* life-saving apparatus; **–werk** *o* rescue work

1 'rede (-s) *v* 1 (r e d e v o e r i n g) speech, discourse; 2 (d e n k v e r m o g e n) reason, sense; *~ verstaan* listen to reason; *het ligt i n de ~* it stands to reason; *in de ~ vallen* interrupt; *n a a r ~ luisteren* listen to reason; *t o t ~ brengen* bring to reason; *v o o r ~ vatbaar* amenable to reason

2 'rede (-n) *v* ⚓ roads, roadstead; *op de ~ liggen* lie in the roads

'rededeel (-delen) *o gram* part of speech

'redekavelen (redekavelde, h. geredekaveld) *vi* argue, talk, reason; **–ling** (-en) *v* reasoning

'redekunde *v* rhetoric; **rede'kundig** zie *ontleden* en *ontleding*; **'redekunst** *v* rhetoric; **rede'kunstig** rhetorical; *~e figuur* figure of speech, trope

'redelijk I *aj* 1 (m e t r e d e b e g a a f d) rational [being]; [be] reasonable; 2 (n i e t o v e r d r e v e n) reasonable, moderate [charges, prices]; 3 (t a m e l ij k) passable, **F** middling; **II** *ad* 1 reasonably, in reason; 2 (a l s g r a a d a a n d u i d i n g) moderately; passably; **–erwijs, –erwijze** reasonably, in reason; **–heid** *v* reasonableness; **'redeloos** irrational, void of reason; *~ dier* brute beast, brute; *de redeloze dieren* the brute creation; **rede'loosheid** *v* irrationality

redempto'rist (-en) *m* Redemptorist

1 'reden *v* 1 (-en en -s) reason, cause, motive, ground; 2 (-s) (v e r h o u d i n g) ratio; *~ van bestaan* reason for existence; *~ hebben om...* have reason to...; *daar had hij ~ voor* he had his reasons; • *i n ~ van 1 tot 5* in the ratio of one to five; *in omgekeerde* (*rechte*) *~* in inverse (direct) ratio; *o m ~ dat...* because...; *om ~ van* by reason of, on account of; *om die ~* for that reason; *z o n d e r* (*enige*) *~* without reason

2 'reden V.T. meerv. van *rijden*

'redenaar (-s) *m* orator; **–stalent** (-en) *o* oratorical talent

rede'natie [-(t)si.] (-s) *v* reasoning; **rede'neertrant** *m* way of reasoning; **rede'neren** (redeneerde, h. geredeneerd) *vt* reason, argue (about *over*); discourse; **–ring** (-en) *v* reasoning

'redengevend *gram* causal

'reder (-s) *m* (ship-)owner; **rede'rij** (-en) *v* ship-owners' society, shipping company; *de ~* the shipping trade

'rederijker (-s) *m* 1 🕮 rhetorician; 2 member of a dramatic club; **'rederijkerskamer** (-s) *v* 1 🕮 society of rhetoricians, "rhetorical chamber"; 2 dramatic club; **–kunst** *v* rhetoric

rede'rijvlag (-gen) *v* house-flag

'redetwist (-en) *m* dispute; **'redetwisten** (redetwistte, h. geredetwist) *vi* dispute (about *over*)

'redevoeren (redevoerde, h. geredevoerd) *vi* orate, speak; **–ring** (-en) *v* oration, speech, address, harangue; *een ~ houden* make a speech

redi'geren (redigeerde, h. geredigeerd) *vt* 1 edit, conduct [a paper]; 2 draw up, redact [a note]

'redmiddel (-en) *o* remedy, expedient, resource; *als laatste ~* in the (as the) last resort

redou'bleren [re.du.'ble:rə(n)] (redoubleerde, h. geredoubleerd) *vt* & *vi* ◊ redouble

re'dres *o* redress; **redres'seren** (redresseerde, h. geredresseerd) *vt* redress, right

redu'ceren (reduceerde, h. gereduceerd) *vt* reduce; **re'ductie** [-si.] (-s) *v* reduction; **–bon** (-nen en -s) *m* money-off coupon

'redzaam handy, efficient

1 ree (reeën) *v* & *o* 🦌 roe, hind

2 ree (reeën) *v* ⚓ = 2 *rede*

'reebok (-ken) *m* 🦌 roebuck; **–bout** (-en) *m* haunch of venison; **–bruin** fawn-coloured

reed (reden) V.T. van *rijden*

reeds already; *~ in...* as early as...; *~ de gedachte...* the mere idea; zie verder: 2 *al*

re'ëel [re.'e.l] 1 real [value]; 2 $ sound [business]; 3 (n u c h t e r) reasonable

reef (reven) *o* ⚓ reef; *een ~ inbinden* take in a reef²

reeg (regen) V.T. van *rijgen*

'reegeit (-en) *v* 🦌 roe; **–kalf** (-kalveren) *o* 🦌 fawn

reeks (-en) *v* 1 series, sequence [of things]; train [of consequences &]; 2 progression [in mathematics]

reel (-s) = *rail*
reep (repen) *m* rope, line, string; strip; *een ~ chocolade* a bar of chocolate; **-je** (-s) *o* sliver
'reerug (-gen) *m* saddle (loin) of venison
rees (rezen) V.T. van *rijzen*
1 reet (reten) *v* cleft, crack, chink, crevice; **P** (a c h t e r w e r k) arse, ass; *het kan me geen ~ schelen* **P** I don't care a damn
2 reet (reten) V.T. van *rijten*
re'factie [-si.] *v* $ allowance for damage
refec'torium (-s en -ia) *o* refectory
refe'raat (-raten) *o* report
referen'daris (-sen) *m* referendary
refe'rendum (-s en -da) *o* referendum
refe'rent (-en) *m* reviewer, critic; speaker; expert, consultant
refe'rentie [-(t)si.] (-s en -tiën) *v* (i n l i c h t i n g) reference, (p e r s o o n) referee; **-kader** (-s) *o* frame of reference; **refe'reren** (refereerde, h. gerefereerd) *vt* (b e r i c h t e n) report, tell; (v e r w ij z e n) refer; *~de aan uw schrijven* referring to your letter &
re'ferte (-s) *v* reference; *Onder ~ aan mijn schrijven van...* Referring to...
reflec'tant (-en) *m* = *gegadigde*; **reflec'teren** (reflecteerde, h. gereflecteerd) **I** *vt* (w e e r k a a t s e n) reflect; **II** *vi ~ op* consider [an application]; answer [an advertisement]; entertain [an offer, a proposal]; *er zal alleen gereflecteerd worden op...* only... will be considered; **re'flectie** [-si.] (-s) *v* reflection; **re'flector** (-s en -'toren) *m* reflector
re'flex (-en) *m* reflex; *voorwaardelijke ~* conditioned reflex; **-beweging** (-en) *v* reflex action, reflex; **refle'xief** reflexive [verb]
refor'matie [-(t)si.] (-s) *v* reformation; **reforma'torisch** reformatory, reformative
re'formhuis (-huizen) [ri.-] *o* health-food shop
re'frein (-en) *o* burden [of a song], chorus, refrain
'refter (-s) *m* refectory
re'gaal (-galen) *o* 1 rack [for books &]; 2 ♩ vox humana [of organ]; 3 (regalia) royal prerogative
re'gatta ('s) *v* regatta
re'geerakkoord (-en) *o* coalition agreement; **-der** (-s) *m* ruler; **-kunst** *v* art of governing
'regel (-s en -en) *m* 1 (l ij n) line; 2 *fig* rule; *de ~ van drieën* the rule of three; *geen ~ zonder uitzondering* no rule without exception; *nieuwe ~!* new line!; • *i n de ~* as a rule; *t e g e n alle ~ in, in strijd m e t de ~* against the rule(s), contrary to all rules; *zich t o t ~ stellen* make it a rule; *t u s s e n de ~s* between the lines; *v o l g e n s de ~* according to rule; *volgens de ~en der kunst* in the approved manner; **-aar** (-s) *m* regulator, control; **-afstand** (-en) *m* line space, spacing; **-baar** adjustable; **'regelen** (regelde, h. geregeld) **I** *vt* 1 arrange, order, settle [things]; 2 control [the traffic]; **II** *vr zich ~ naar* be regulated (ruled) by, conform to; zie ook: *geregeld*; **-ling** (-en) *v* 1 arrangement, settlement; [pension &] scheme; order; 2 regulation, adjustment; **'regelknop** (-pen) *m* regulator, control
'regelmaat *v* regularity; **regel'matig** regular; **-heid** *v* regularity
'regelrecht straight; **'regeltje** (-s) *o* line; *schrijf me een ~* write (drop) me a line
1 'regen (-s) *m* rain; *n a ~ komt zonneschijn* sunshine follows the rain, every cloud has a silver lining; *v a n de ~ in de drop komen* fall out of the frying pan into the fire
2 'regen V.T. meerv. van *rijgen*
'regenachtig rainy, wet; **-bak** (-ken) *m* cistern, tank; **-boog** (-bogen) *m* rainbow; **-boogvlies** (-vliezen) *o* iris; **-bui** (-en) *v* shower of rain; **-dag** (-dagen) *m* rainy day; day of rain, rain day; **-droppel** (-s), **-druppel** (-s) *m* drop of rain, raindrop; **'regenen** (regende, h. geregend) *onp. ww.* rain; *het regent dat het giet (bakstenen, oude wijven)* it is pouring, it is raining cats and dogs; *het regende klappen op zijn hoofd* blows rained upon his head
'regenjas (-sen) *m* & *v* raincoat, mackintosh; **-kapje** (-s) *o* rain-hood; **-kleding** *v* rainwear; **-mantel** (-s) *m* rain-cloak, waterproof; **-meter** (-s) *m* rain-gauge, pluviometer; **-pijp** (-en) *v* down-pipe; **-put** (-ten) *m* cistern; **-schade** *v* damage done by the rain; **-scherm** (-en) *o* umbrella
re'gent (-en) *m* 1 (v. v o r s t) regent; 2 (v a n i n r i c h t i n g) governor; (v. w e e s h u i s &) trustee; **regen'tes** (-sen) *v* 1 (v. v o r s t) regent; 2 (v. i n r i c h t i n g) lady governor
'regentijd (-en) *m* rainy season; **-ton** (-nen) *v* water-butt
re'gentschap (-pen) *o* regency
'regenval *m* rainfall, fall of rain; **-vlaag** (-vlagen) *v* gust of rain; **-water** *o* rain-water; **-weer** *o* rainy weather; **-wolk** (-en) *v* rain-cloud; **-worm** (-en) *m* earthworm
re'geren (regeerde, h. geregeerd) **I** *vt* reign over, rule, govern; control, manage [a horse &] **II** *vi* & *va* reign, rule, govern; *~ over* reign over; **re'gering** (-en) *v* reign [of Queen Victoria], rule, [the British, the Kennedy &] government; *a a n de ~ komen* come to the throne [of a king &]; come into power [of a cabinet &]; *o n d e r de ~ van* in (during) the reign of; **-loos** anarchical; **regering'loosheid** *v* anarchy; **re'geringsalmanak** (-ken) *m* Government Year-book; **-beleid** *o* (government) policy; **-besluit** (-en) *o* decree, ordi-

nance; **–commissaris** (-sen) *m* government commissioner; **–crisis** [-zɪs] (-crises en -sen) *v* government(al) crisis; **–kringen** *mv* government circles; **–leider** (-s) *m* prime-minister, premier; **–partij** (-en) *v* party in power, governing party; **–stelsel** (-s) *o* system of government; **–troepen** *mv* government troops; **–verklaring** *v* declaration of intent of a newly formed government; **–vorm** (-en) *m* form of government; **–wege** *van* ~ from the government, officially; **–zaak** (-zaken) *v* affair of the government

re'gie [re.'ʒi.] (-s en -ieën) *v* 1 régie, state monopoly [of tobacco, salt &]; 2 stage-management [in a theatre], staging [of a play]; direction [of a film]

re'gime [re.'ʒi.m] (-s) *o* regime, régime; regimen [= diet]

regi'ment [re.ʒi.-, re.gi.-] (-en) *o* regiment; **–svaandel** (-s) *o* regimental colours

'regio ('s en regi'onen) *v* region; **regio'naal** regional; **regi'onen** *mv eig* regions; *in de hogere ~ der diplomatie* in the higher reaches of diplomacy

regis'seren [re.ʒi.-] (regisseerde, h. geregisseerd) *vt* stage [a play]; direct [a film]; **regis'seur** (-s) *m* stage-manager; [film] director

re'gister (-s) *o* 1 (b o e k & v. s t e m) register; 2 (i n d e x) index [of a book]; 3 ♩ (organ-)stop; *~ van de burgerlijke stand* register of births, marriages and deaths; *alle ~s uithalen* pull out all the stops[2]; **–accountant** [-əkɔ.untənt] (-s) *m* chartered accountant; **–ton** (-nen) *v* ⚓ register ton; **regi'stratie** [-(t)si.] *v* registration; **–kantoor** (-toren) *o* registry office; **–kosten** *mv* registration fee; **regi'streren** (registreerde, h. geregistreerd) *vt* register, record

regle'ment (-en) *o* regulation(s), rules; *~ van orde* standing orders; **reglemen'tair** [-'tɛ:r] **I** *aj* regulation, prescribed; **II** *ad* according to the regulations; **reglemen'teren** (reglementeerde, h. gereglementeerd) *vt* regulate; **–ring** (-en) *v* regulation

re'gres *o* recourse; **–recht** *o* right of recourse

re'gressie (-s) *v* regression; **regres'sief** regressive

regu'lair [-'lɛ:r] regular, usual, ordinary; **regulari'satie** [-'za.(t)si.] (-s) *v* regularization; **regulari'seren** (regulariseerde, h. geregulariseerd) *vt* regularize; **regula'teur** (-s) *m* 1 (u u r w e r k) regulator; 2 ⚒ (r e g e l a a r) governor, regulator; **regu'leren** (reguleerde, h. gereguleerd) *vt* regulate, adjust; **regu'lier** **I** *aj rk* regular [clergy]; **II** (-en) *m rk* regular [monk &]

rehabili'tatie [-(t)si.] (-s) *v* rehabilitation; $ discharge [of bankrupt]; **rehabili'teren** (rehabiliteerde, h. gerehabiliteerd) **I** *vt* rehabilitate; $ discharge [a bankrupt]; **II** *vr zich ~* rehabilitate oneself

rei (-en) *m* 1 chorus; 2 (round) dance; **–dans** (-en) *m* round dance

'reiger (-s) *m* heron

'reiken (reikte, h. gereikt) **I** *vi* reach, stretch, extend; *zover het oog reikt* as far as the eye can reach; *zover reikt mijn inkomen niet* I cannot afford it; *ik kan er niet a a n ~* I can't reach (up to) it, it is beyond my reach; *~ n a a r* reach (out) for; **II** *vt* reach; *de hand ~ aan* extend one's hand to; *iem. de (behulpzame) hand ~* lend sbd. a helping hand; *elkaar de hand ~* join hands; **'reikhalzen** (reikhalsde, h. gereikhalsd) *vi ~ naar* long for; **'reikwijdte** *v* reach [of the arm]; range [of a gun]; coverage [of a radio station]

'reilen *vi zoals het reilt en zeilt* with everything belonging thereto; lock, stock, and barrel

rein **I** *aj* pure, clean, chaste; *dat is je ~ste onzin* that is unmitigated (rank) nonsense; *in het ~e brengen* set right; **II** *ad* purely, cleanly, chastely

'Reinaert *m ~ (de Vos)* Reynard the Fox

reïncar'natie [-(t)si.] (-s) *v* reincarnation

reine-'claude [rɛ.nə'klo.də] (-s) *v* greengage

'reincultuur (-turen) *v* pure culture; **–heid** *v* purity, cleanness, chastity; **'reinigen** (reinigde, h. gereinigd) *vt* clean, cleanse, purify; **'reiniging** *v* cleaning, cleansing, purification; **'reinigingsdienst** *m* sanitary department; **–middel** (-en) *o* detergent, cleanser

'Reintje *o ~ (de Vos)* Reynard the Fox

reis (reizen) *v* journey [by land or by sea, by air]; voyage [by sea, by air]; [pleasure] trip, tour [round the world]; *Gullivers reizen* Gulliver's travels; *goede ~!* a pleasant journey!; *een ~ maken* make a journey; *een ~ ondernemen* undertake a journey; *op ~* on a journey, on a voyage; *op ~ gaan* go (away) on a journey, set out on one's journey; *op ~ gaan naar* be leaving for; *hij is op ~* he is (away) on a journey; *als ik op ~ ben* when (I am) on a journey; **–agent** (-en) *m* travel agent; **–apotheek** (-theken) *v* portable medicine case; **–avontuur** (-turen) *o* travel adventure; **–benodigdheden** *mv* travel necessaries; **–beschrijving** (-en) *v* book of travel(s), itinerary, account of a journey (voyage); **–beurs** (-beurzen) *v* travel grant; **–biljet** (-ten) *o* ticket; **–bureau** [-by.ro.] (-s) *o* travel agency, tourist agency; **–cheque** [-ʃɛk] (-s) *m* traveller's cheque; **–deken** (-s) *v* travelling rug, *Am* lap robe; **–doel** *o* destination, goal; **reis- en ver'blijfkosten** *mv* hotel and travelling expenses; **'reisexemplaar** (-plaren) *o* dummy copy; **–geld** *o* travelling-money; fare; **–gelegenheid** (-heden) *v* means of conveyance; **–genoot** (-noten) *m* travelling-companion; **–gezelschap** (-pen) *o* party of travellers, travelling party; *mijn* ~ my fellow-traveller(s), my travelling-companion(s); **–gids** (-en) *m* 1 guide, guide-book; **–goed** *o* luggage, *Am* baggage; **–koffer** (-s) *m* (travelling-)trunk; **–kosten** *mv* travelling-expenses; **reiskre'dietbrief** (-brieven) *m* circular letter of credit; **'reislectuur** *v* reading matter for a journey; **–leider** (-s) *m* tour-conductor, courier; **–lust** *m* love of travel(ling); **reis'lustig** fond of travelling; **'reismakker** (-s) *m* travelling-companion; **–necessaire** [-ne.sɛsɛ:rə] (-s) *m* dressing-case; **–pas** (-sen) *m* passport; **–plan** (-nen) *o* itinerary; travelling-plan; **–route** [-ru.tə] (-s) *v* route (of travel), itinerary; **–seizoen** *o* travelling season; **–tas** (-sen) *v* travelling-bag, holdall; **reis'vaardig** ready to set out; **'reisvereniging** (-en) *v* travel association; **–verhaal** (-halen) *o* = *reisbeschrijving*; **–wekker** (-s) *m* travel alarm; **–wieg** (-en) *v* carry-cot; **'reizen** (reisde, h. en is gereisd) *vi* travel, journey; **'reiziger** (-s) *m* traveller; (i n z i t t e n d e) passenger; **–sverkeer** *o* passenger traffic

1 rek *m* (i n e l a s t i e k) elasticity, spring; *een hele* ~ a long distance

2 rek (-ken) *o* 1 rack; 2 (v. k l e r e n) clothes-horse; 3 (v. h a n d d o e k) towel-horse; 4 (v. k i p p e n) roost; 5 (i n g y m n a s t i e k) horizontal bar

'rekbaar elastic², extensible; **–heid** *v* elasticity², extensibility

'rekel (-s) *m* dog; *die kleine* ~*!* the little rascal!

'rekenaar (-s) *m* reckoner, calculator, arithmetician; **'rekenboek** (-en) *o* arithmetic book; **–centrum** (-tra en -s) *o* computing centre; **–eenheid** (-heden) *v* unit of account; **'rekenen** (rekende, h. gerekend) **I** *vi* count, cipher, calculate, reckon, ⊜ do sums; *reken maar!* you bet!; • *we* ~ *hier m e t guldens* we reckon by guilders here; ~ *o p* depend upon [sbd.]; count upon [good weather]; *je kunt er vast op* ~ you may rely (depend) on it; **II** *vt* reckon, count; charge; • *alles b ij elkaar gerekend* all in all, all things considered; *d o o r elkaar gerekend* on an average; *we* ~ *hen o n d e r onze vrienden* we reckon them among our friends; *wij* ~ *het aantal o p...* we compute the number at...; *iem.* ~ *t o t de grote schrijvers* rank sbd. among the great writers; *wat* ~ *ze er v o o r?* what do they charge for it?; **'rekenfout** (-en) *v* mistake (error) in (the) calculation

'rekening (-en) *v* 1 (c o n c r e e t) bill, account; 2 (a b s t r a c t) calculation, reckoning, computation; ~ *en verantwoording* [treasurer's] accounts; ~ *en verantwoording afleggen* (*doen*) render an account [of one's deeds]; ~ *houden met* take into account; take into consideration; *geen* ~ *houden met* take no account of; • *i n* ~ *brengen* charge; *o p* ~ *kopen* buy on credit; *op* ~ *ontvangen* receive on account; *op nieuwe* ~ *overbrengen* (*boeken*) carry forward (to new account); *het op* ~ *stellen van* put it down to the account of; *fig* impute it to, ascribe it to, put it down to [negligence &]; *zet het op mijn* ~ charge it in the bill, put it down to my account; *v o o r* ~ *van...* for account of; *voor eigen* ~ on one's own account; *wanneer zal hij voor eigen* ~ *beginnen?* when is he going to set up for himself?; *voor gezamenlijke* (*halve*) ~ on joint account; *dat is voor mijn* ~ put that down to my account; *dat laat ik voor* ~ *van de schrijver* I leave the author responsible for that; *dat neem ik voor mijn* ~ 1 I'll make myself answerable for that; 2 I undertake to negotiate that, I'll account for that; **rekening-cou'rant** [-ku.'rɑnt] (rekeningen-courant) *v* $ account current; *in* ~ *staan met* have a current account with; **'rekeninghouder** (-s) *m* current account customer, account holder

'rekenkamer (-s) *v* Government audit office; **–kunde** *v* arithmetic; **reken'kundig** arithmetical; **'rekenlat** (-ten) *v* slide-rule; **–les** (-sen) *v* arithmetic lesson; **–liniaal** (-ialen) *v* & *o* slide-rule; **–machine** [-ma.ʃi.nə] (-s) *v* calculator, [electronic] computer; **–munt** (-en) *v* money of account; **–schap** *v* account; ~ *geven van* render an account of, account for; *zich* ~ *geven van* realize..., form an idea of...; *iem.* ~ *vragen* call sbd. to account; **–schrift** (-en) *o* sum book; **–som** (-men) *v* problem (sum) in arithmetic

re'kest (-en) *o* petition; *een* ~ *indienen* file (lodge) a petition [with sbd.]; *nul op het* ~ *krijgen* get a denial (refusal); **rekes'trant** (-en) *m* petitioner; **rekes'treren** (rekestreerde, h. gerekestreerd) *vi* petition, file (lodge) a petition

'rekkelijk elastic, extensible; *fig* pliable, compliant; **'rekken I** (rekte, h. gerekt) *vt* 1 (v. d r a a d) draw out; 2 (v. g o e d) stretch [cloth]; 3 *fig* draw out [one's words]; spin out [a speech]; prolong [a visit]; protract [the proceedings, the time]; **II** (rekte, is gerekt) *vi* stretch [of boots &]; **III** (rekte, h. gerekt) *vr zich* ~ stretch oneself; zie ook: *gerekt*; **–r** (-s) *m* stretcher

rekru'teren (rekruteerde, h. gerekruteerd) *vt* recruit [soldiers, sailors]; *nieuwe leden* ~ *uit* draw new members from [all classes]; **–ring** *v* recruitment; **re'kruut** (-kruten) *m* recruit

'rekstok (-ken) *m* horizontal bar

'rekverband (-en) *o* ⚕ extension bandage
re'kwest- = *rekest-*
rekwi'reren (rekwireerde, h. gerekwireerd) *vt* 1 requisition, commandeer; 2 ⚖ demand [a sentence of...]; **rekwi'siet** [s = z] (-en) *o* (stage-)property; **rekwisi'teur** (-s) *m* property-man, property-master, **F** props; **rekwi'sitie** [-(t)si.] (-s) *v* requisition; **rekwisi'toor** (-toren) = *requisitoir*
rel (-len) *m* **F** row
re'laas (-lazen) *o* account, story, tale, narrative
re'lais [rə'lɛ] *o* ✠ relay
re'latie [-(t)si.] (-s) *v* relation, connection; *goede ~s* good connections; *~s aanknopen met* enter into relations with; **rela'tief** relative, comparative; **re'latiegeschenk** (-en) *o* advertising (business) gift, give-away; **relati'veren** (relativeerde, h. gerelativeerd) *vt* moderate, modify; **relativi'teit** (-en) *v* relativity; **-sthe-orie** *v* theory of relativity, relativity theory
re'laxen [ri.'lɛksə(n)] (relaxte, h. gerelaxt) *vi* relax, take it easy
relay'eren [re.la.'je:rə(n)] (relayeerde, h. gerelayeerd) *vt R* relay
rele'vant relevant (to), pertinent (to), bearing ((up)on); **rele'veren** (releveerde, h. gereleveerd) *vt* call attention to, point out
reli'ëf [rəli.'ɛf] (-s) *o* relief; *en* [ã] *~* in relief, embossed; **-kaart** (-en) *v* relief map
re'liek (-en) *v* & *o* relic; **-schrijn** (-en) *o* & *m* reliquary
re'ligie (-s en -giën) *v* religion; **religi'eus I** *aj* religious; **II** *sb de religieuzen* the religious, the nuns
reli'kwie (-ieën) *v* relic; **-ënkastje** (-s) *o* reliquary
'reling (-en en -s) *v* ⚓ rail(s)
'relletje (-s) *o* disturbance, riot, **F** row; **-smaker** (-s) *m* rioter, rowdy
'relmuis (-muizen) *v* dormouse
rem (-men) *v* brake[2], drag[2]; *fig* (i n z. p s y c h i s c h) inhibition; **F** *op de ~(men) gaan staan* jam on one's brakes; **-afstand** (-en) *m* stopping distance; **-bekrachtiging** *v* servo-assistance unit; **-blok** (-ken) *o* brake-block, drag, skid, sprag
rem'bours [rɑm'bu:rs] *o* cash on delivery; *onder ~* cash on delivery, C.O.D.
'remcircuit [-sɪrkvi.] (-s) *o* braking unit
re'medie (-s) *v* & *o* remedy
reminis'centie [-'sɛn(t)si.] (-s) *v* reminiscence, memory
re'mise [s = z] (-s) *v* 1 $ remittance; 2 *sp* draw, drawn game; 3 (k o e t s h u i s) coach-house; [engine] shed; [tramway] depot
remit'tent (-en) *m* remitter; **remit'teren** (remitteerde, h. geremitteerd) *vt* remit
'remkabel (-s) *m* brake cable; **-licht** (-en) *o* stop light (signal); **'remmen** (remde, h. geremd) **I** *vt* brake [a train &]; *fig* (i n z. p s y c h i s c h) inhibit; *iem. wat ~* check sbd.; *hij is niet te ~* there is no holding him; *hij is erg geremd* he is very inhibited; *hij wordt geremd door die gedachte* that thought restrains him; *de produktie ~* put a brake on production; *het remt* (= *werkt remmend op*) *de produktie* it acts as a brake on production; **II** *vi* & *va* put on the brake(s); *fig* go slow; zie ook: *geremd*; **-er** (-s) *m* brakesman; **'remming** (-en) *v fig* inhibition
remon'toir [-'tva:r] (-s) *o* keyless watch
re'mous [-'mu(s)] *m* bumpiness; *er was veel ~* it was bumpy there, there were many air pockets
'rempaardekracht *v* brake horse-power, b.h.p.; **-pedaal** (-dalen) *o* & *m* brake (pedal), foot brake
rempla'çant [rɑmpla.'sɑnt] (-en) *m* substitute
'remraket (-ten) *v* retro-rocket; **-schijf** (-schijven) *v* brake disc; **-schoen** (-en) *m* brake-shoe, drag, skid; **-spoor** (-sporen) *o* skid mark; **-systeem** [-si.s-] (-stemen) *o* braking system; **-toestel** (-len) *o* brake(s); **-vermogen** *o* stopping power; **-voering** *v* brake lining; **-weg** (-wegen) *m* 1 braking path; 2 (l e n g t e) braking distance
1 ren *m* race, run, gallop, trot; *in volle ~* (at) full gallop, (at) full speed
2 ren (-nen) *v* chicken-run, fowl-run
renais'sance [rənɛ'sãsə] *v* Renaissance, renascence, revival
'renbaan (-banen) *v* race-course, race-track; **-bode** (-n en -s) *m* courier
ren'dabel profitable, paying, remunerative; **rende'ment** (-en) *o* yield, output; ⚒ efficiency, output; **ren'deren** (rendeerde, h. gerendeerd) *vi* pay (its way); **-d** paying, remunerative
rendez-'vous [rãde.'vu.] (rendez-vous) *o* rendezvous; *elkaar ~ geven* make an appointment
'rendier (-en) *o* reindeer; **-mos** *o* reindeer-moss
rene'gaat (-gaten) *m* renegade
re'net (-ten) *v* rennet
'rennen (rende, h. en is gerend) *vi* race, run, gallop; **-er** (-s) *m* racer
renom'mee *v* reputation, fame
re'nonce [rə'nõsə] *v* revoke; **renon'ceren** (renonceerde, h. gerenonceerd) *vi* revoke
reno'vatie [-(t)si.] (-s) *v* renovation; **reno'veren** (renoveerde, h. gerenoveerd) *vt* renovate
'renpaard (-en) *o* race-horse, runner; **-sport** *v* (horse-)racing, the turf; **-stal** (-len) *m* racing-stable
rentabili'teit *v* profitability, remunerativeness;

'rente (-n en -s) *v* interest; ~ *op* ~ at compound interest; *op* ~ *zetten* put out at interest; *van zijn* ~*n leven* = *rentenieren*; **–berekening** *v* calculation of interest; **–gevend** interest-bearing; **–kaart** (-en) *v* insurance card; **–loos** bearing no interest; idle [capital]; ~ *voorschot* interest-free loan; **'renten** (rentte, h. gerent) *vt* yield interest; ~*de 5%* bearing interest at 5%; **rente'nier** (-s) *m* rentier, man of (independent) means, retired tradesman; **rente'nieren** (rentenierde, h. gerentenierd) *vi* live upon the interest of one's money, live on one's means; **rente'spaarbrief** (-brieven) *m* mortgage bond; **'rentestandaard** *m* rate of interest, interest rate; **–trekker** (-s) *m* (van ouderdomsrente) (retirement) pensioner; **–vergoeding** *v* interest payment; **–verlaging** *v* lowering of the rate of interest; **–verlies** *o* loss of interest; **–verschil** (-len) *o* difference in the rate of interest, interest difference; **–voet** *m* rate of interest, interest rate; **–zegel** (-s) *m* insurance stamp

'rentmeester (-s) *m* steward, (land) agent, bailiff; **–schap** *o* stewardship

'renwagen (-s) *m* racing car, racer

reorgani'satie [-'za.(t)si.] (-s) *v* reorganization; **reorgani'seren** (reorganiseerde, h. gereorganiseerd) *vt* reorganize

reo'staat (-staten) *m* rheostat

rep *alles was in* ~ *en roer* the whole town & was in a commotion; *in* ~ *en roer brengen* throw into confusion

repara'teur (-s) *m* repairer; **repa'ratie** [-(t)si.] (-s) *v* repair(s), reparation; *in* ~ *zijn* be under repair; **–kosten** *mv* cost of repair; **repa'reren** (repareerde, h. gerepareerd) *vt* repair, mend

repatri'ëren I (repatrieerde, is gerepatrieerd) *vi* repatriate, go (return) home; **II** (repatrieerde, h. gerepatrieerd) *vt* repatriate; **–ring** *v* repatriation

'repel (-s) *m* ripple; **'repelen** (repelde, h. gerepeld) *vt* ripple [flax]

reper'cussie (-s) *v* (v. geluid) repercussion; (tegenmaatregel) retaliation; (reactie) reaction

reper'toire [-'tva:r] (-s) *o* repertoire, repertory; **–stuk** (-ken) *o* stock-piece, stock-play

reper'torium (-ia) *o* repertory

repe'teergeweer (-weren) *o* repeating rifle, repeater; **repe'tent** (-en) *m* period; **repe'teren** (repeteerde, h. gerepeteerd) *vt* repeat [a word &]; go over [lessons]; coach [sbd. for an exam]; rehearse [a play]; ~*de breuk* recurring decimal; **repe'titie** [-(t)si.] (-s) *v* 1 repetition [of a word, a sound &]; 2 ⚭ test-paper(s); 3 (van een stuk &) rehearsal [of a play]; *algemene* ~ full rehearsal; *generale* ~ final rehearsal [of a concert]; dress rehearsal [of a play]; **–horloge** [-ʒə] (-s) *o* repeater; **repe'titor** (-s en -'toren) *m* private tutor, coach

'replica ('s) *v* replica, facsimile; **repli'ceren** (repliceerde, h. gerepliceerd) *vt* & *vi* rejoin, reply, retort

re'pliek (-en) *v* counter-plea, rejoinder; *van* ~ *dienen* rejoin, retort

repor'tage [-ʒə] (-s) *v* reporting, reportage; *RT* commentary; **–wagen** (-s) *m* recording van; **re'porter** (-s) *m* reporter; *RT* commentator

'reppen (repte, h. gerept) **I** *vi* ~ *van* mention, make mention of; *er niet van* ~ not breathe a word of it; **II** *vr zich* ~ bestir oneself, hurry, scurry, scutter

repre'saille [-'zɑjə] (-s) *v* reprisal; ~*s nemen* make reprisals, retaliate (upon *tegen*); **–maatregel** (-en) *m* reprisal, retaliatory measure

represen'tant (-en) *m* representative; **represen'tatie** [-(t)si.] (-s) *v* representation, official entertainment; ~*kosten* entertainment expenses, expense funds; **representa'tief** representative (of *voor*); *representatieve verplichtingen* social duties; *hij heeft een* ~ *voorkomen* he has an imposing appearance; **represen'teren** (representeerde, h. gerepresenteerd) **I** *vt* represent; **II** *vi* entertain

re'pressie (-s) *v* repression; **repres'sief** repressive

repri'mande (-s) *v* reprimand, rebuke

re'prise (-s) *v* 1 revival [of a play]; 2 ♪ repeat

reprodu'ceerbaar reprocucible; **reprodu'ceren** (reproduceerde, h. gereproduceerd) *vt* reproduce; duplicate; **repro'duktie** [-'düksi.] (-s) *v* reproduction

reprogra'fie *v* duplication, multiplication, reprography

rep'tiel (-en) *o* reptile

repu'bliek (-en) *v* republic[2]; **republi'kein(s)** (-en) *m* (& *aj*) republican

repu'tatie [-(t)si.] (-s) *v* reputation, name; *een goede* ~ *genieten* have a good reputation; *hij heeft de* ~ *van... te zijn* he has a reputation for... [courage &], he is reputed to be... [brave &]

'requiem ['re.kvi.ɛm] (-s) *o* requiem; **–mis** (-sen) *v* requiem mass

requisi'toir [re.kvi.zi.'to:r] (-s en -en) *o* ⚖ requisitory

res'contre (-s) *v* $ settlement

re'search [ri.'sœ:tʃ] *m* research; **–afdeling** (-en) *v* research department; **–centrum** (-s en -tra) *o* research centre; **–team** [-ti:m] (-s) *o* research team; **–werk** *o* research work

'reseda ('s) *v* mignonette

reser'vaat (-vaten) *o* [Indian &] reservation, reserve [for wild animals], [bird] sanctuary

re'serve (-s) *v* $ reserve; ⚔ reserve (troops),

reserves; *~s hebben* have reservations; *in ~ hebben (houden)* hold in reserve, keep in store; *onder ~ iets aannemen* accept it with some reserve; **–band** (-en) *m* spare tyre; **–deel** (-delen) *o* spare part, spare; **–fonds** (-en) *o* reserve fund; **–kapitaal** (-talen) *o* reserve capital; **–officier** (-en) *m* reserve officer; **–onderdeel** (-delen) *o* spare part, spare; **–potje** (-s) *o* reserve fund, reserves; **–rekening** (-en) *v* reserve account; **reser'veren** (reserveede, h. gereserveerd) *vt* reserve; **–ring** (-en) *v* [room, table] reservation; **re'servetroepen** *mv* reserve troops, reserves; **–wiel** (-en) *o* spare wheel; **reser'vist** (-en) *m* reservist; **reser'voir** [-'vva:r] (-s) *o* reservoir, tank, container

resi'dent (-en) *m* resident; **resi'dentie** [-(t)si.] (-s) *v* (royal) residence, court-capital; **resi'deren** (resideerde, h. geresideerd) *vi* reside

resi'du ('s en -en) *o* residue, residuum, rest, remainder

reso'lutie [-(t)si.] (-s) *v* resolution

reso'luut resolute, determined

reso'nantie [-(t)si.] (-s) *v* resonance; **reso'neren** resoneerde, h. geresoneerd) *vi* resound

resor'beren (resorbeerde, h. geresorbeerd) *vt* resorb; **re'sorptie** [-si.] *v* resorption

resp. = *respectievelijk*

res'pect *o* respect; **respec'tabel** respectable; **respec'teren** (respecteerde, h. gerespecteerd) *vt* respect

respec'tief respective, several; **respec'tievelijk** respective; or

res'pijt *o* respite, delay; **–dag** (-dagen) *m* day of grace

respon'deren (respondeerde, h. gerespondeerd) *vi* answer; **res'pons** *v* & *o* response; **respon'sorie** (-iën) *v* responsory, response

ressenti'ment *o* resentment

res'sort (-en) *o* jurisdiction, department, province; *in het hoogste ~* in the last resort; **ressor'teren** (ressorteerde, h. geressorteerd) *vi ~ onder* come within, fall under

rest (-en) *v* rest, remainder; *het laatste ~je* the last bit (shred); *~jes* scraps, left-overs, pickings; **res'tant** (-en) *m* & *o* remainder, remnant

restau'rant [rɛsto:'rã] (-s) *o* restaurant; **restaura'teur** (-s) *m* 1 restaurateur, restaurant keeper; 2 restorer [of monuments &]; **restau'ratie** [-(t)si.] (-s) *v* 1 (herstel) restoration, renovation; 2 (eethuis) restaurant; refreshment room [of railway station]; **–wagen** (-s) *m* restaurant car, dining-car; **restau'reren** (restaureerde, h. gerestaureerd) *vt* restore, renovate

'resten (restte, h. gerest), **res'teren** (resteerde, h. geresteerd) *vi* remain, be left; *mij rest alleen...* it only remains for me to...

restitu'eren (restitueerde, h. gerestitueerd) *vt* repay: return; **resti'tutie** [-(t)si.] (-s) *v* restitution, repayment

res'torno ('s) *m* ⚓ return of premium

re'strictie [-ksi.] (-s) *v* restriction

'restwaarde *v* residual value

resul'taat [s = z] (-taten) *o* result, outcome; *geen ~ hebben* fail; *tot een ~ komen* arrive at a result; *zonder ~* without result, to no effect; **resul'tante** (-n) *v* resultant; **resul'teren** (resulteerde, h. geresulteerd) *vi* result

resu'mé [s = z] (-s) *o* résumé, summary, abstract, précis, synopsis; ⚖ summing-up; **resu'meren** (resumeerde, h. geresumeerd) *vt* sum up, summarize

'resusaap [-züs] (-apen) *m* Rhesus monkey; **–factor** *m* Rhesus factor

'reten V.T. meerv. van *rijten*

reti'cule [-'ky.l] (-s) *m* reticule

reti'rade (-s) *v* w.c., lavatory; **reti'reren** (retireerde, is geretireerd) *vi* retire, retreat

'retor (-s en -'toren) *m* rhetorician; **re'torica** *v* rhetoric; **reto'riek** *v* rhetoric; **re'torisch** rhetorical

re'tort (-en) *v* & *o* retort

retou'cheren [-tu.'ʃe:rə(n)] (retoucheerde, h. geretoucheerd) *vt* retouch, touch up

re'tour [-'tu:r] (-s) *o* return; *op (zijn &) ~* past one's prime; **–biljet** (-ten) *o* return ticket; **–kaartje** (-s) *o* return ticket; **retour'neren** (retourneerde, h. geretourneerd) *vt* return; **re'tourtje** [-'tu:r-] (-s) *o* = *retourbiljet*; **re'tourvlucht** (-en) *v* ✈ return flight; **–vracht** (-en) *v* return freight; **–wissel** (-s) *m* $ redraft; **–zending** (-en) *v* return

re'traite [-'trɛ.tə] (-s) *v rk* retreat

retrospec'tief retrospective [exhibition]

reu (-en) *m* 🐕 (male) dog

reuk *m* (zintuig) olfactory sense, sense of smell; (geur) smell, odour, scent; *de ~ van iets hebben* get wind of sth., smell a rat; *in een goede (slechte) ~ staan* be in good (bad) odour; *in de ~ van heiligheid* in the odour of sanctity; **'reukeloos** odourless; **'reukflesje** (-s) *o* smelling-bottle; **–gras** *o* ♣ vernal grass; **–loos** = *reukeloos*; **–orgaan** (-ganen) *o* organ of smell, olfactory organ; **–verdrijvend** deodorant, deodorizing; **–water** *o* perfumed water; **–werk** (-en) *o* perfume(s); **–zenuw** (-en) *v* olfactory nerve; **–zin** *m* (sense of) smell

'reuma *o* rheumatism; **reuma'tiek** *v* rheumatism; **reu'matisch** rheumatic

reü'nie *v* reunion, rally; **–diner** [-di.ne.] (-s) *o*

reunion dinner
reus (reuzen) *m* giant, colossus; **reus'achtig I** *aj* gigantic, huge, colossal; **II** *ad* gigantically; < hugely, enormously, awfully; zie ook: *reuze* & *reuzen-*; **–heid** *v* gigantic stature (size)
'reutelen (reutelde, h. gereuteld) *vi* rattle; *hij reutelde* there was a rattle in his throat; *~de ademhaling* stertorous breathing; *het ~ van de dood* the death-rattle
'reutemeteut *m* **F** *de hele ~* the whole caboodle (lot)
'reuze (-s) super, great, smashing, topping; *het was ~!* it was awfully funny!
'reuzel (-s) *m* lard
'reuzen- ['rø.zə(n)] giant..., monster..., mammoth...; **'reuzenarbeid** *m* gigantic task; **–gestalte** (-n) *v* gigantic stature; **–kracht** *v* gigantic strength; **–letters** *mv* mammoth letters; **–rad** (-raden en -raderen) *o* Ferris wheel, giant wheel; **–schrede** (-n) *v* giant's stride; *met ~n vooruitgaan* advance with giant strides; **–slalom** (-s) *m* giant slalom; **–slang** (-en) *v* python, boa constrictor; **–strijd** *m* battle of giants, gigantomachy; **–taak** (-taken) *v*, **–werk** (-en) *o* gigantic task; **–zwaai** (-en) *m* grand circle; **reu'zin** (-nen) *v* giantess
revali'datie [-(t)si.] *v* rehabilitation; **revali'deren** (revalideerde, h. gerevalideerd) *vt* rehabilitate
revalu'atie [-(t)si.] *v* revaluation; **revalu'eren** (revalueerde, h. gerevalueerd) *vt* revalue
re'vanche [-'vãʃə] *v* revenge; *~ nemen* have (take) one's revenge; **–partij** (-en) *v sp* return match; **revan'cheren** (revancheerde, h. gerevancheerd) *zich ~ sp* get one's revenge
re'veil [-'vɛij] *o* revival [of religious feeling]
re'veille [-vɛijə] *v* reveille; *de ~ blazen* sound the reveille
'reven (reefde, h. gereefd) *vt* reef [a sail]
rever'beeroven (-s) *m* reverberatory
revé'rence [-'rãsə] (-s) *v* curtsy
re'vers [-'vɛ:r] *m* revers, facing, lapel
revi'deren (revideerde, h. gerevideerd) *vt* revise
revindi'catie [-(t)si.] (-s) *v* ⚖ trover; **–proces** (-sen) *o* ⚖ action of trover
revi'seren [s = z] (reviseerde, h. gereviseerd) *vt* ⚒ overhaul [engines]; **re'visie** (-s) *v* 1 (in 't alg.) revision; 2 ⚖ review [of a sentence]; 3 (v. drukwerk) revise; 4 ⚒ overhaul(ing) [of engines]; **re'visor** (-s en -'soren) *m* reviser
revo'lutie [-(t)si.] (-s) *v* revolution; **–bouw** *m* 1 ('t bouwen) jerry-building; 2 ('t gebouwde) jerry-built houses; **revolutio'nair** [-(t)si.o.'nɛ:r] (-en) *m* & *aj* revolutionary
re'volver (-s) *m* revolver; **–draaibank** (-en) *v* turret lathe, capstan lathe
re'vue [-'vy.] (-s) *v* 1 ⚔ review²; 2 (op toneel) revue; *de ~ passeren* pass in review; *de ~ laten passeren* pass in review²
'rezen V.T. meerv. van *rijzen*
Rho'desië *o* Rhodesia
ri'ant splendid, grand
rib (-ben) *v* 1 rib [in body, of a leaf &]; 2 edge [of a cube]; *de valse (ware) ~ben* the false (true) ribs
'ribbel (-s) *v* rib; **'ribbelen** (ribbelde, h. geribbeld) *vt* rib
'ribbenkast (-en) *v* **F** body, carcass; **'ribbestuk** (-ken) = *ribstuk*
'ribfluweel *o* corduroy
'ribstuk (-ken) *o* rib (of beef)
'richel (-s) *v* ledge, border, edge
'richten (richtte, h. gericht) **I** *vt* direct, aim, point; ⚔ dress [ranks]; *zijn schreden ~ naar* direct (turn, bend) one's steps towards; *zijn oog ~ op* fix one's eye upon; *aller ogen waren gericht op hem* all eyes were turned towards him; *het kanon ~ op* aim (point) the gun at; *de motie was gericht tegen...* the motion was directed against (aimed at)...; *een brief ~ tot...* address a letter to...; **II** *vr zich ~ naar iem.* take one's cue from sbd.; *zich ~ tot iem.* address oneself to sbd.
'richter (-en) *m* judge; *het boek der Richteren* **B** the book of Judges; **'richtig** right, correct, exact
'richting (-en) *v* 1 direction, trend; 2 persuasion, creed, orientation, views, line; *in de goede ~* in the right direction; *van onze ~* 1 of our school of thought; 2 of our persuasion; **–aanwijzer** (-s) *m* direction indicator, traffic indicator; **–bord** (-en) *o* 1 (v. verkeer) signpost; 2 (v. autobus &) destination board (sign), route plate; **–gevend** directive, guiding; **'richtlijn** (-en) *v* directive, line of action; **–prijs** (-prijzen) *m* basic (guiding) price; recommended price; **–snoer** (-en) *o* line of action
ri'cinusolie *v* castor-oil
rico'cheren [-'ʃe.rə(n)] (ricocheerde, h. gericocheerd) *vi* ricochet; **rico'chetschot** [-'ʃɛt-] (-schoten) *o* ricochet (shot); **ricochet'teren** (ricochetteerde, h. gericochetteerd) *vi* ricochet
'ridder (-s) *m* knight; *dolende ~* knight errant; *~ van de droevige figuur* knight of the rueful countenance; *~ van de Kouseband* knight of the Garter; *tot ~ slaan* dub [sbd.] a knight, knight [sbd.]; **'ridderen** (ridderde, h. geridderd) *vt* knight; (met onderscheiding) decorate
'riddergoed (-eren) *o* manor, manorial estate; **–kruis** (-en) *o* cross of an order of knighthood; **'ridderlijk I** *aj* knightly, chivalrous; **II** *ad* chivalrously; **–heid** *v* chivalrousness, chivalry; **'ridderorde** *v* 1 (-n) order of knighthood; 2 (-s) decoration; **–roman** (-s) *m*

romance (novel) of chivalry; **–schap** *v* & *o* knighthood; **–slag** (-slagen) *m* accolade; *de ~ ontvangen* be dubbed a knight; be given the accolade; **–spel** (-spelen) *o* tournament; **–spoor** (-sporen) *v* ♣ larkspur; **–stand** *m* knighthood; **–tijd** *m* age of chivalry; **–verhaal** (-halen) *o* tale of chivalry; **–wezen** *o* chivalry; **–zaal** (-zalen) *v* hall (of the castle); *de R~* the Knights' Hall [of the Binnenhof Palace at the Hague]

ridi'cuul ridiculous, absurd

ried (rieden) V.T. van *raden*

riek (-en) *m* three-pronged fork

'rieken* *vi* smell; = *ruiken*

riem (-en) *m* 1 (v. l e e r) strap; 2 (o m 't l ij f) belt, girdle; sling [of a rifle]; 3 (v o o r h o n d) leash, lead; 4 (r o e i r i e m) oar; 5 (p a p i e r) ream; *de ~en binnenhalen* ⚓ ship the oars; *de ~en strijken* ⚓ back the oars, back water; **–pje** (-s) *o* leather thong; **–schijf** (-schijven) *v* belt pulley; **–slag** (-slagen) *m* ⚓ stroke of oars

riep (riepen) V.T. van *roepen*

riet *o* 1 ♣ reed, (b a m b o e) cane; 2 ♣ (b i e s) rush; 3 (v. d a k e n) thatch; 4 ♪ reed; **–dekker** (-s) *m* thatcher; **–en** *aj* 1 reed [pipe]; 2 thatched [roof]; 3 cane [chair, furniture, trunk], wicker [basket]; **–fluit** (-en) *v* reed pipe, reed; **–je** (-s) *o* 1 (s t o k) cane; 2 (o m t e d r i n k e n) (drinking) straw; **–mat** (-ten) *v* reed mat, rush mat; **–suiker** *m* cane-sugar; **–tuin** (-en) *m* cane-field; **–veld** (-en) *o* 1 reed-land; 2 (v. s u i k e r r i e t) cane-field; **–voorn, –voren** (-s) *m* rudd; **–zanger** (-s) *m* reed-warbler

1 rif (-fen) *o* 1 (r o t s) reef, skerry; 2 (g e r a a m t e) carcass, skeleton

2 rif (reven) *o* ⚓ (v. z e i l) = *reef*

rigou'reus [-*gu*-] rigorous, severe

rij (-en) *v* row, range, series, file, line, queue [of shoppers, visitors &]; *a a n ~en* in rows; *i n de ~ staan* queue, be (stand) in the queue; *in de ~ gaan staan* queue up; *m e t één ~* (*twee ~en*) *knopen* single-(double-)breasted [coat]; *o p een ~* in a row

'rijbaan (-banen) *v* 1 (v o o r v o e r t u i g e n) carriage-way; (a l s s t r o o k v a n d e r ij b a a n) lane; 2 (v o o r s c h a a t s e n r ij - d e r s) skating-rink; **–bevoegdheid** *v* driving licence; **–bewijs** (-wijzen) *o* (driving) licence; **–broek** (-en) *v* riding-breeches; **'rijden* I** *vi* ride [on horseback, on a bicycle]; drive [in a carriage, in a car]; travel [at 50 miles an hour, of a car &]; *een ~de auto* a moving car; *een ~de tentoonstelling* a mobile exhibition; *een ~de trein* a running train; *St.-Nicolaas heeft goed gereden* St. Nicholas has brought lots of presents; (*te*) *hard ~* 🚗 speed; *gaan ~* 1 go (out) for a ride (for a drive); 2 go by carriage (by car &); *ik zal zelf wel ~* I'm going to drive myself; ● *d o o r rood* (*licht*) *~*, *door het stoplicht ~* jump the lights; *o p een paard ~* ride a horse, ride on horseback; *hoe lang rijdt de trein er o v e r?* how long does it take the train?; **II** *vt* drive [sbd. to a place]; wheel [sbd. in a chair, a child in a perambulator]; *een paard kapot ~* override a horse, ride a horse to death; **III** *va 'm ~* (b a n g z ij n) have the wind up; **–er** (-s) *m* 1 rider, horseman; 2 skater;. **'rijdier** (-en) *o* riding-animal, mount; **–draad** (-draden) *m* ⚡ (overhead) contact-wire

'rijen (rijde, h. gerijd) *zich ~* form a row, line up, follow

'rijexamen (-s) *o* driving-test

'rijgdraad (-draden) *m* tacking-thread, basting-thread; **'rijgen*** *vt* lace [shoes, stays]; string [beads], thread [on a string]; tack [with pins]; baste [a garment]; file [papers]; *hem aan de degen ~* run him through with one's sword; **'rijggaren** *o* tacking thread; **–laars** (-laarzen) *v* lace-up boot; **–naald** (-en), **–pen** (-nen) *v* bodkin; **–schoen** (-en) *m* laced shoe; **–snoer** (-en) *o* (shoe) lace; **–steek** (-steken) *m* tack

'rijhandschoenen *mv* riding-gloves; **–instructeur** (-s) *m* driving-instructor

1 rijk I *aj* rich[2], wealthy [people], affluent [countries], copious [meals]; *hij is geen cent ~* he is not worth a red cent; *~ aan* rich in [gold &]; *~ maken* enrich; *de ~en* the rich; **II** *ad* richly

2 rijk (-en) *o* empire[2], kingdom[2], realm[2], *het Rijk* (d e S t a a t) the State; *het ~ der verbeelding* the realm of fancy; *zijn ~ is uit* his reign is at an end; *we hebben nu het ~ alleen* we have it (the place) all to ourselves now

'rijkaard (-s) *m* rich man; **'rijkdom** (-men) *m* 1 riches, wealth[2]; 2 *fig* abundance, copiousness, richness; *natuurlijke ~men* natural resources [of a country]; **'rijke** (-n) *m* zie 1 *rijk* **I**; **'rijkelijk I** *aj* zie 1 *rijk* **I**; **II** *ad* richly, copiously, amply, abundantly; < rather [late &]; *~ voorzien van...* abundantly provided with...; **rijke'lui** *mv* rich people, rich folks; **'rijkheid** *v* richness

'rijkleding *v* riding clothes; **–knecht** (-s en -en) *m* groom; **–kostuum** (-s) *o* riding-suit, riding-dress

'rijksadel *m* nobility of the Empire; **–adelaar** (-s) *m* imperial eagle; **–advocaat** (-caten) *m* ± counsel for the Government; **–ambtenaar, rijks'ambtenaar** (-s en -naren) *m* government official, civil servant; **'rijksappel** (-s) *m* orb, globe; **–archief, rijksar'chief** (-chieven) *o* Public Record Office, State Archives; **'rijksarchivaris** (-sen) *m* Master of the Rolls; **–betrekking** (-en) *v* government office; **rijks'daalder** (-s) *m* "rijksdaalder", two and a half guilder piece; **'rijksdag** (-dagen) *m* diet;

🕮 Reichstag [in Germany]; **–deel** (-delen) *o* ± dominion, [overseas] territory, e.g. the Netherlands Antilles; **–gebied** (-en) *o* territory (of the empire); **–genoot** (-noten) *m* inhabitant of Dutch overseas territory; **–gezag** *o* 1 imperial authority; 2 sovereignty; **–grens** (-grenzen) *v* frontier (of the empire); **–instelling** (-en) *v* government institution; **–kanselier** (-s) *m* Chancellor of the Empire; **–merk** (-en) *o* government stamp; **–munt, rijks'munt** (-en) *v* coin of the realm; *de Rijksmunt* the Mint; **rijks'opvoedingsgesticht** (-en) *o* approved school; **'rijkssubsidie** (-s) *v* & *o* government grant, state aid; **–wapen** (-s) *o* ⊘ government arms; **–weg** (-wegen) *m* national highway; **–wege** *van* ~ by the government, government(al)

'rijkunst *v* horsemanship; **–laars** (-laarzen) *v* riding-boot; **–les** (-sen) *v* 1 riding-lesson; 2 (a u t o~) driving-lesson

1 rijm *m* hoar-frost, ⊙ rime

2 rijm (-en) *o* rhyme [in verse]; *slepend* (*staand*) ~ feminine (masculine) rhyme; *op* ~ in rhyme; *op* ~ *brengen* put into rhyme; **–elaar** (-s) *m* paltry rhymer, poetaster; **rijmela'rij** (-en) *v* doggerel; **'rijmelen** (rijmelde, h. gerijmeld) *vt* write doggerel; **'rijmen** (rijmde, h. gerijmd) *vi* rhyme; ~ *met* (*op*) rhyme with, rhyme to; *deze woorden* ~ *niet met elkaar* these words do not rhyme; *dat rijmt niet met wat u anders altijd zegt* that does not tally with what you are always saying; **II** *vt* rhyme; *hoe is dat te* ~ *met...?* how can you reconcile that with...?; **–er** (-s) *m* rhymer, rhymester; zie ook: *rijmelaar*; **'rijmklank** (-en) *m* rhyme; **–kunst** *v* art of rhyming; **–loos** rhymeless, blank; **–pje** (-s) *o* short rhyme; **–prent** (-en) *v* poster with a poem on it; **–woord** (-en) *o* rhyme, rhyming word

Rijn *m* Rhine; **'rijnaak** (-aken) *m* & *v* ⚓ Rhine barge; **'Rijnland** *o* Rhineland; **–s** Rhineland; **Rijns** Rhenish; **'rijnsteen** (-stenen) *m* rhinestone; **'Rijnvaart** *v de* ~ navigation on the Rhine; **'rijnwijn** *m* Rhine-wine, hock

rij-'op-rij-af roll-on roll-off

1 rijp *m* hoar-frost, ⊙ rime

2 rijp *aj* ripe, mature; *na* ~ *beraad* (*overleg*) after careful deliberation (reflexion); *de tijd is er nog niet* ~ *voor* the time is not yet ripe for it; ~ *maken,* ~ *worden* ripen, mature; *vroeg* ~ *vroeg rot* soon ripe, soon rotten

'rijpaard (-en) *o* riding-horse, mount

'rijpelijk *iets* ~ *overwegen* consider sth. fully;

1 'rijpen (rijpte, *vt* h., *vi* is gerijpt) *vi* & *vt* ripen[2], mature[2]

2 'rijpen (rijpte, h. gerijpt) *vi het heeft vannacht gerijpt* there was a hoar-frost last night

'rijpheid *v* ripeness, maturity; **'rijpwording** *v* ripening, maturation

rijs (rijzen) *o* twig, sprig, osier; **–bezem** (-s) *m* birch-broom

'rijschool (-scholen) *v* 1 riding-school; 2 (a u t o~) driving-school, school of motoring

'rijshout *o* osiers, twigs, sprigs

'rijsnelheid *v* driving (running) speed

'Rijssel *o* Lille

rijst *m* rice; **–bouw** *m* cultivation of rice, rice-growing; **'rijstebloem** *v,* **–meel** *o* rice flour; **rijste'brij** *m,* **'rijstepap** *v* rice-milk; **rijste'brijberg** *m zich door een* ~ *heen eten* [*fig*] plough one's way through [a mound of papers]; **'rijstkorrel** (-s) *m* grain of rice, rice-grain; **–land** (-en) *o* rice-plantation, rice-field; **–oogst** *m* rice-crop; **–papier** *o* rice-paper; **rijstpelle'rij** (-en) *v* rice-mill

'rijstrook (-stroken) *v* (traffic) lane, carriage way

'rijsttafel (-s) *v* Indonesian "rice-table", ± tiffin; **'rijsttafelen** (rijsttafelde, h. gerijsttafeld) *vi* ± take tiffin; **'rijstveld** (-en) *o* rice-field, paddy-field; **–vogel** (-s) *m* rice-bird; **–water** *o* rice-water

'rijswerk (-en) *o* banks of osier and earth

'rijten* *vt* tear

'rijtest (-s) *m* driving test; **–tijd** (-en) *m* (running)time; mileage; ~*en* (v. c h a u f f e u r) drivers' hours; **–toer** (-en) *m* drive, ride; *een* ~ *doen* take a drive (a ride), go for a drive (a ride)

'rijtuig (-en) *o* carriage; *een* ~ *met vier* (*zes*) *paarden* a coach-and-four (six); *een* ~ *nemen* take a cab; **–fabriek** (-en) *v* coach-builder's workshop; **–maker** (-s) *m* coach-builder; **–verhuurder** (-s) *m* livery-stable keeper

rij'vaardigheid *v* driving ability, efficient driving; **–sbewijs** (-wijzen) *o* driving license; **'rijverkeer** *o* vehicular traffic; **rij'waardigheid** *v* roadworthiness; **'rijweg** (-wegen) *m* carriage-way, road-way

'rijwiel (-en) *o* bicycle, cycle, **F** bike; **–hersteller** (-s) *m* cycle repairer; **–pad** (-paden) *o* cycle-track; **–stalling** (-en) *v* bicycle shed (shelter, store)

'rijzen* *vi* 1 (v. p e r s o n e n &, d e z o n, h e t w a t e r &) rise; 2 (v. d e e g, b a r o m e t e r &) rise; 3 (v. p r ij z e n) rise, go up; 4 (v. m o e i l ij k h e d e n &) arise; ~ *en dalen* rise and fall

'rijzig tall

'rijzweep (-zwepen) *v* horsewhip, riding-whip

'rik(ke)kikken (rik(ke)kikte, h. gerik(ke)kikt) *vt* croak [like a frog]

'rikketik *van* ~ pit-a-pat; *in zijn* ~ *zitten* have one's heart in one's mouth

riks (-en) *m* **F** = *rijksdaalder*

'riksja ('s) *m* rickshaw, jinricksha

'rillen (rilde, h. gerild) *vt* shiver [with], shudder [at]; *ik ril ervan, het doet me* ~ it gives me the shudders; **'rillerig** shivery; **'rilling** (-en) *v* shiver, shudder

'rimboe (-s) *v* jungle; bush; *we zitten in de* ~ *hier* [*fig*] we're off the map here

'rimpel (-s) *m* wrinkle [of the skin], (d i e p) furrow; ruffle [of water]; **'rimpelen** (rimpelde, *vt* h., *vi* is gerimpeld) *vi* & *vt* wrinkle [the skin]; ruffle [water, the brow]; pucker [a material, the brow, a seam]; *het voorhoofd* ~ ook: knit one's brow; **–lig** wrinkled, wrinkly; **–ling** (-en) *v* ripple, ruffle [especially of water]; wrinkling, puckering

'rimram *m* balderdash, **F** rubbish

ring (-en) *m* ring; **–baard** (-en) *m* fringe (of whisker); **–band** (-en) *m* ring binder; **–dijk** (-en) *m* ring-dike, circular embankment; **–(el)duif** (-duiven) *v* ring-dove; **–elmus** (-sen) *v* tree-sparrow

'ringeloren (ringeloorde, h. geringeloord) *vt* bully, order about

'ringelrups (-en) *v* = *ringrups*; **'ringen** (ringde, h. geringd) *vt* 1 ring [a pig, migratory birds]; 2 girdle [a tree]; **'ringetje** (-s) *o* little ring; *je kan hem wel door een* ~ *halen* he looks as if he came out of a bandbox; **'ringlijn** (-en) *v* circular railway (line); **–mus** (-sen) *v* tree-sparrow; **–muur** (-muren) *m* ring-wall, circular wall; **–rijden** *vi* tilt at the ring; **–rups** (-en) *v* ring-streaked caterpillar; **–slang** (-en) *v* ring-snake, grass-snake; **–steken** *vi* tilt at the ring; **–vaart** (-en) *v* circular canal; **–vinger** (-s) *m* ring-finger; **–vormig** ring-shaped, annular; **–weg** (-wegen) *m* ringroad; **–werpen** *o* quoits; **–worm** (-en) *m* 1 ⚕ ringworm; 2 annelid

'rinkelbel (-len) *v* 1 (globular) bell; 2 (r a m - m e l a a r) rattle, coral; **–bom** (-men) *v* tambourine; **'rinkelen** (rinkelde, h. gerinkeld) *vi* jingle, tinkle, chink; ~ *met* jingle [one's money]; rattle [one's sabre]; **rin'kinken** (rinkinkte, h. gerinkinkt) *vi* tinkle, jingle

ri'noceros (-sen) *m* rhinoceros

rins sourish

ri'olenstelsel (-s) = *rioolstelsel*; **rio'leren** (rioleerde, h. gerioleerd) *vt* sewer; **–ring** (-en) *v* sewerage; **ri'ool** (riolen) *o* & *v* sewer, drain; **–buis** (-buizen) *v* sewer-pipe; **–journalistiek** [-ʒu.r-] *v* gutter press journalism; **–stelsel** (-s) *o* sewerage; **–water** *o* sewage; **–werker** (-s) *m* sewerman

ripos'teren (riposteerde, h. geriposteerd) *vi* riposte²

rips *o* rep; **–fluweel** *o* corduroy

ris (-sen) = *rist*

ri'see [s = z] *v* laughing-stock

'risico [s = z] ('s) *o* & *m* risk, hazard; ~ *lopen* run risks; *eigen ~bedrag* franchise; *op uw* ~ at your risk; *op* ~ *van* at the risk of; **ris'kant** risky, hazardous; **ris'keren** (riskeerde, h. geriskeerd) *vt* risk, hazard

'rissen (riste, h. gerist) *vt* = *risten*; **rist** (-en) *v* bunch [of berries]; rope, string [of onions]; *fig* string; **'risten** (ristte, h. gerist) *vt* string [onions]

'rister (-s) *o* mouldboard [of a plough]

1 rit (-ten) *m* ride, drive; run

2 rit *o* (v. k i k k e r s) frog-spawn

'rite (-s en -n) *v* rite

'ritje (-s) *o* ride, drive; run; *een* ~ *maken* take a ride (a drive), go for a ride (a drive)

'ritme (-n) *o* rhythm

'ritmeester (-s) *m* cavalry captain

rit'miek *v* rhythmics; **'ritmisch** rhythmic(al); ~*e gymnastiek* callisthenics

rits (-en) *v* = *ritssluiting*

'ritselen (ritselde, h. geritseld) **I** *vi* rustle; ~ *van de fouten* teem with mistakes; **II** *vt* **S** (v o o r e l k a a r k r ij g e n) fix; **–ling** (-en) *v* rustle, rustling

'ritsig ruttish; in (on, at) heat

'ritssluiting (-en) *v* zip (fastening, fastener)

ritu'aal (-ualen) *o* ritual; **ritu'eel I** *aj* (& *ad*) ritual(ly); **II** (-uelen) *o* ritual; **'ritus** (-sen en riten) *m* rites

ri'vaal (-valen) *m* rival; **rivali'seren** [s = z] (rivaliseerde, h. gerivaliseerd) *vi* rival; **rivali'teit** *v* rivalry

ri'vier (-en) *v* river; *aan de* ~ on the river; *de* ~ *op* (*af*) *varen* go up (down) the river; **–arm** (-en) *m* branch of a river; **–bedding** (-en) *v* river-bed; **–klei** *v* river-clay; **–kreeft** (-en) *m* & *v* crayfish; **–mond** (-en) *m* river-mouth; *grote* ~ estuary; **–oever** (-s) *m* riverside, bank; **–schip** (-schepen) *o* river-vessel; *mv* ook: river-craft; **–vis** (-sen) *m* river-fish; **–water** *o* river-water

r.k., R.K. = *rooms-katholiek*

'roastbeef = *rosbief*

rob (-ben) *m* 🐾 seal

'robbedoes (-doezen) *m-v* romping boy (girl), (v. m e i s j e) hoyden, tomboy

'robbejacht *v* seal-hunting, sealing

'robber (-s) *m* rubber [at whist, bridge]

'robbetraan *m* seal-oil; **–vel** (-len) *o* sealskin

'robe ['rɔ:bə] (-s) *v* robe, gown

'Robert *m* Robert, **F** Bob

ro'bijn (-en) *m* & *o* ruby; **–en** *aj* ruby

'robot (-s) *m* robot

ro'buust robust

'rochel (-s) *m* phlegm

'rochelen (rochelde, h. gerocheld) *vi* 1 expectorate; 2 = *reutelen*

roco'co *o* rococo

'roddel (-s) *m* (piece of) gossip; **–aar** (-s) *m* talker, gossip; **'roddelen** (roddelde, h. geroddeld) *vi* talk, gossip
'rode (-n) *m* 1 (s c h e l d w o o r d) ginger; 2 red [= socialist]; **rode'hond** *m* ⚕ (E u r o p e s e) German measles; **–'kool** (-kolen) *v* red cabbage; **Rode 'Kruis** *o* [International] Red Cross
'rodelbaan (-banen) *v* toboggan slide; **'rodelen** (rodelde, h. gerodeld) *vi* toboggan
rodo'dendron (-s) *m* ❀ rhododendron
roe (-s) = *roede*
'roebel (-s) *m* rouble
'roede (-n) *v* 1 rod; 2 wand [of a conjurer]; 3 birch [for flogging]; 4 verge [as emblem of office]; 5 (l e n g t e m a a t) decametre; *met de ~ krijgen* be birched; *wie de ~ spaart, bederft zijn kind* spare the rod and spoil the child
'roedel (-s) *o* herd [of deer]
'roedeloper (-s) *m* dowser, water-diviner
roef (roeven) *v* ⚓ deck-house; cuddy [of a barge]
roef, 'roef helter-skelter, hurry-scurry
'roeibaan (-banen) *v* rowing course; **–bank** (-en) *v* thwart, bench; **–boot** (-boten) *m* & *v* rowing-boat, row-boat; **–dol** (-len) *m* thole (-pin); **'roeien** (roeide, h. en is geroeid) *vi* & *vt* 1 ⚓ row, pull; 2 (p e i l e n) gauge; *men moet ~ met de riemen die men heeft* one must cut one's coat according to one's cloth; **–er** (-s) *m* 1 ⚓ oarsman, rower; (g e h u u r d e ~) boatman; 2 (p e i l e r) gauger; **'roeiklamp** (-en) *m* & *v* rowlock; **–pen** (-nen) *v* thole(-pin); **–riem** (-en) *m*, **–spaan** (-spanen) *v* oar, scull; **–sport** *v* rowing, boating; **–stok** (-ken) *m* gauging-rod; **–tochtje** (-s) *o* row; *een ~ gaan maken* go for a row; **–vereniging** (-en) *v* rowing-club; **–wedstrijd** (-en) *m* rowing-match, boat-race
roek (-en) *m* 🐦 rook
'roekeloos rash, reckless; **roeke'loosheid** (-heden) *v* rashness, recklessness
roe'koeën (roekoede, h. geroekoed) *vi* coo
roem *m* glory, renown, fame; *~ behalen* reap glory; *eigen ~ stinkt* self-praise is no recommendation
Roe'meen (-menen) *m* Rumanian, Roumanian; **–s** *aj* Rumanian, Roumanian
'roemen (roemde, h. geroemd) **I** *vt* praise; **II** *vi* boast; *~ op iets* boast of sth.; *onze stad kan ~ op...* our town can boast...
Roe'menië *o* Rumania, Roumania
'roemer (-s) *m* (g l a s) rummer
'roemloos inglorious; **'roemrijk, roem'rucht(ig), 'roemvol** illustrious, famous, famed, glorious, renowned; **'roemzucht** *v* vainglory; **roem'zuchtig** vainglorious
roep (-en) *m* call, cry; (n a a m) repute; **–bereik** *o binnen ~* within call, within cooee; **'roepen*** **I** *vi* call, cry; shout; *~ o m* cry (call) for [help, somebody]; *iedereen roept er o v e r* everybody is praising it; *het is nu niet om er (zo) over te ~* it is no better than it should be; **II** *vt* call; *een dokter ~* call in (send for) a doctor; *wie heeft mij laten ~?* who has sent for me?; *u komt als geroepen* you come as if you had been sent for; *ik voel me niet geroepen om...* I don't feel called upon to...; *velen zijn geroepen, maar weinigen uitverkoren* **B** many are called, but few are chosen; **–de** *m de stem des ~n in de woestijn* the voice of one crying in the wilderness; **'roeper** (-s) *m* 1 (p e r s o o n) crier; 2 (v o o r w e r p) speaking-trumpet; megaphone; **'roeping** (-en) *v* call, calling, vocation; *hij heeft zijn ~ gemist* he has mistaken his vocation; *ik voel er geen ~ toe om...* I don't feel called upon to...; *~ voelen voor* feel a vocation for [...teaching &]; *zijn ~ volgen* follow one's vocation; *een toneelspeler uit ~* an actor by vocation; **'roepnaam** (-namen) *m zijn ~ is Jack* they call him Jack; **–stem** (-men) *v* call, voice
roer (-en en -s) *o* 1 ⚓ (b l a d) rudder, (s t o k) helm, (r a d) wheel; 2 (v. p ij p) stem; 3 ⚔ (g e w e e r) firelock; *het ~ omleggen* ⚓ shift the helm; *het ~ recht houden* manage things well; *hou je ~ recht* keep straight, steady!; *aan het ~ komen* take the reins (of government); *aan het ~ staan* be at the helm[2]
'roerdomp (-en) *m* bittern
'roereieren *mv* scrambled eggs; **'roeren** (roerde, h. geroerd) **I** *vi* stir; (r a k e n a a n) touch; **II** *vt* stir [one's tea &], *fig* stir, touch [the heart]; move [sbd. to tears]; *zijn mondje ~* be talking away; *de trom ~* beat the drum; **III** *vr zich ~* stir, move; *hij kan zich goed ~* he is well off; **–d** moving, touching [words &]
'roerganger (-s) *m* helmsman, man at the helm, man at the wheel
'roerig 1 active, stirring, lively; 2 unruly; > turbulent; **–heid** *v* activity, liveliness [of a person]; > unrest [among the population]; **'roering** (-en) *v* (b e w e g i n g) motion, stir;
1 'roerloos motionless; *fig* impassive
2 'roerloos ⚓ rudderless
'roerpen (-nen) *v* tiller, helm
'roersel (-en en -s) *o* motive; *de ~en des harten* ⊙ the stirrings of the heart
'roerspaan (-spanen) *v* stirrer; spatula
'roervink (-en) *m* & *v* 1 🐦 decoy-bird; 2 *fig* ringleader
1 roes (roezen) *m* drunken fit, intoxication[2]; *fig* ecstasy, frenzy; *~ der vrijheid* intoxication of liberty; *hij is in een ~* he is intoxicated; *in de eerste ~* in a fit [of enthousiasm], in an ecstasy

[of delight]; *zijn ~ uitslapen* sleep oneself sober, sleep it off
2 roes *m in (bij) de ~* in the lump
1 roest (-en) *m* & *o* perch, roost [of birds]
2 roest *m* & *o* rust; *~ in het koren* rust, blight, smut; *oud ~* zie *oudroest*; **–bruin** rust-brown, russet
1 'roesten (roestte, h. geroest) *vi* perch, roost [of birds]
2 'roesten (roestte, is geroest) *vi* rust; **'roestig** rusty; **–heid** *v* rustiness; **'roestkleurig** rust-coloured; **–vlek** (-ken) *v* rust-stain; (in wasgoed) iron-mould; **–vorming** (-en) *v* corrosion, rust formation; **–vrij** rust-proof, stainless [steel]; **–werend** rust-resistant, anti-corrosive
roet *o* soot; *~ in het eten gooien* spoil the game; **–achtig** sooty; **–deeltjes** *mv* particles of soot; **–ig** sooty; **–kleur** *v* sooty colour; **–kleurig** of a sooty colour
'roetsjbaan (-banen) *v* slide, chute
'roetvlek (-ken) *v* smut; **–zwart** sooty black
'roezemoezen (roezemoesde, h. geroezemoesd) *vi* bustle, buzz, hum; **'roez(emoez)ig** noisy; *~e stemmen* the hum of many voices
'roffel (-s) *m* ⚔ roll [of drums]; **'roffelen** (roffelde, h. geroffeld) *vi* ⚔ roll [the drum]; **'roffelvuur** *o* ⚔ drum-fire
rog (-gen) *m* ray, thornback
'rogge *v* rye; **–brood** (-broden) *o* rye-bread, black bread; **–meel** *o* rye-flour; **–veld** (-en) *o* rye-field
rok (-ken) *m* (onderrok) underskirt; skirt; petticoat; (heren) tail-coat, dress-coat; *in ~* in (white tie and) tails
ro'kade (-s) *v* castling [in chess]
'rokbroek (-en) *v* divided skirt, culottes
1 'roken (rookte, h. gerookt) **I** *vi* smoke; **II** *vt* 1 smoke [tobacco]; 2 smoke [ham &]
2 'roken V.T. meerv. van *rieken* en *ruiken*
'roker (-s) *m* smoker
ro'keren (rokeerde, h. gerokeerd) *vi* castle [in chess]
'rokerig smoky; **roke'rij** (-en) *v* smoke house; **'rokertje** (-s) *o* **F** smoke
'rokkostuum (-s) *o* dress-coat, white tie and tails; **–overhemd** (-en) *o* boiled shirt
1 rol (-len) *v* 1 (in het alg.) roll; 2 ⚒ roller, cylinder; 3 (v. deeg) rolling-pin; 4 (van toneelspeler) part, role, rôle, character; 5 ⚖ calendar, (cause-)list; *~ papier of perkament* scroll; *de ~len van de Dode Zee* the Dead Sea Scrolls; *de ~len zijn omgekeerd* the tables are turned; *een ~ spelen* act (play) a part; *een voorname (grote) ~ spelen* play an important part; *de ~len verdelen* assign the parts; ● *in zijn ~ blijven* follow out the character; *op de ~ staan* ⚖ appear in the calendar for trial; *uit de ~ vallen* act out of character
2 rol *m aan de ~ gaan (zijn)* be on the spree, be on the loose, go on a pub-crawl
'rolberoerte F *v* fit; *een ~ krijgen* have a fit; **–blind** (-en) *o* = *rolluik*; **–dak** (-daken) *o* sliding-roof; **–film** (-s) *m* roll film; **–gordijn** (-en) *o* roller-blind; **–handdoek** (-en) *m* roller-towel; **–jaloezie** [-ʒa.lu.zi.] (-ieën) *v* rolling-shutter; **–kraag** (-kragen) *m* roll collar, polo neck, turtle-neck; **rol'lade** (-s en -n) *v* collared beef, rolled roast, collar of brawn &; **–lager** (-s) *o* roller-bearing; **'rollebollen** (rollebolde, h. gerollebold) *vi* roll head over heals, turn summersaults; **'rollen I** (rolde, h. en is gerold) *vi* roll; (vallen) tumble; *~d materieel* rolling stock; *~ met de ogen* roll one's eyes; *van de trappen ~* tumble down the stairs; **II** (rolde, h. gerold) *vt* roll [paper &]; pick [a man's pockets]; **'rollenspel** *o* sociodrama; **'rolletje** (-s) *o* 1 (los) (small) roll [of paper, of sovereigns, tobacco &], wad [of bank-notes]; 2 (onder iets) roller [of roller-skate]; castor, caster [of leg of a chair]; *het ging als op ~s* it all went on wheels, without a hitch; **'rolluik** (-en) *o* rolling-shutter; **–mops** *m* collared herring; **–pens** (-en) *v* minced beef in tripe; **–prent** (-en) *v* [cinema] film; **–roer** (-en) *o* ✈ aileron; **–schaats** (-en) *v* roller-skate; **–schaatsbaan** (-banen) = *rolschaatsenbaan*; **–schaatsen** *o* roller-skating; **–schaatsenbaan** (-banen) *v* (roller-)skating rink; **–split** *o* loose chippings *mv*; **–stoel** (-en) *m* wheel-chair, Bath chair; **–tabak** *m* twist (tobacco); **–trap** (-pen) *m* escalator, moving staircase; **–vast** letter-perfect [of an actor]; **–veger** (-s) *m* carpet-sweeper; **–verdeling** (-en) *v* cast [of a play]; casting; **–wagen** (-s) *m* truck
Ro'maans 1 Romance [languages, philology], Romanic; 2 Romanesque [architecture, sculpture]
ro'man (-s) *m* 1 novel; 2 *fig* & 🕮 romance [of the Rose]; *een ~netje, o* > a novelette; *~s* ook: fiction; **ro'mance** [-'mãsə] (-s en -n) *v* romance; **romanci'er** [-mãsi.'e.] (-s) *m* novelist; **romanci'ère** [-mãsi.'ɛ:rə] (-s) *v* (lady, woman) novelist; **ro'mancyclus** [-si.klüs] (-cli en -sen) *m* cycle of novels, saga, roman-fleuve; **roma'nesk** *aj* (& *ad*) romantic(ally); **ro'manheld** (-en) *m* book hero, novel hero
romani'seren [s = z] (romaniseerde, h. geromaniseerd) *vt* romanize; **roma'nist** (-en) *m* Romanist, Romanicist; **romanis'tiek** *v* study of Roman languages
ro'mankunst *v* art of fiction; **–lezer** (-s) *m* novel reader, fiction reader; **–lit(t)eratuur** *v* (prose) fiction; **–schrijfster** (-s) *v* (lady,

woman) novelist, fiction writer; **–schrijver** (-s) *m* novelist, fiction writer; **–ticus** (-ci) *m* romanticist; **roman'tiek** *v* 1 (k u n s t r i c h t i n g) romanticism; 2 ('t r o m a n t i s c h e) romance; **ro'mantisch** romantic; **romanti'seren** [s = z] (romantiseerde, h. geromantiseerd) *vt* romanticize; **ro'manwereld** *v* fictional world

'Rome *o* Rome; **ro'mein** *v* Roman type; **Ro'mein(s)** (-en) *m* (& *aj*) Roman

'romen I (roomde, h. geroomd) *vt* cream, skim; **II** (roomde, is geroomd) *vi* cream

'romer (-s) = 2 *roemer*

'romig creamy

'rommel *m* lumber, rubbish, litter, jumble; *de hele* ~ the whole lot; *ouwe* ~ (old) junk; *koop geen* ~ don't buy trash; *maak niet zo'n* ~ don't make such a mess; **'rommelen** (rommelde, h. gerommeld) *vi* 1 rumble [of the thunder]; 2 rummage [among papers &]; **'rommelhok** (-ken) *o* glory hole; **'rommelig** untidy, disorderly; **'rommeling** (-en) *v* rumbling; **'rommelkamer** (-s) *v* lumber-room; **–markt** (-en) *v* flea market, junk market; **–winkel** (-s) *m* junk shop; **–zo(oi)** (-zooien) *v* = *rommel*

romp (-en) *m* 1 trunk [of the body]; 2 ⚓ hull; 3 ✈ fuselage; **–parlement** *o* 📖 Rump (parliament)

'rompslomp *m* bother

rond I *aj* round; rotund; circular; *een* ~ *jaar* a full year; ~*e som* round sum; ~*e vent* straight fellow; *de* ~*e waarheid* the plain truth; *de zaak is* ~ the case is completed, the matter is settled; **II** *ad* = *ronduit* **II**; zie ook: *ongeveer, uitkomen*; **III** *prep* round [the table &]; **IV** *o* round; *in het* ~ around, round about; **–achtig** roundish; **'rondbazuinen**[1] *vt* trumpet forth, blazon abroad; **'rondboog** (-bogen) *m* △ round arch; **rond'borstig I** *aj* candid, frank, open-hearted; **II** *ad* candidly, frankly; **–heid** *v* candour, frankness, open-heartedness; **'rondbrengen**[1] *vt* take round; *de kranten* ~ ook: deliver the papers; **–brieven** (briefde 'rond, h. 'rondgebriefd) *vt* rumour about; **–dansen**[1] *vi* dance about; **–dartelen**[1] *vi* romp around, rollick, scamper; **–delen**[1] *vt* distribute, hand round; **–dienen**[1] *vt* serve round [tea &], hand round [cakes &]; **–dobberen**[1] *vi* drift about; **–dolen**[1] *vi* wander about, rove about; **–draaien**[1] **I** *vi* turn, turn about, turn round, rotate, gyrate; **II** *vt* turn (round); **–draaiend** rotary, rotatory; **–draven**[1] *vi* trot about; **–drentelen**[1] *vi* lounge about; **–drijven**[1] *vi* float about, drift about; **–dwalen**[1] *vi* wander, roam (about); **'ronde** (-n en -s) *v* 1 round; 2 ⚔ round; 3 [postman's &] round; beat [of policeman]; 4 *sp* round [in boxing &]; lap [in cycle-racing]; *de* ~ *doen* 1 make (go) one's rounds; 2 *fig* go round [of rumours]; *het verhaal doet de* ~ the story goes the round; *het verhaal deed de* ~ *door het dorp* the story went the round of the village; **–dans** (-en) *m* round dance

ron'deel (-delen) *o* 1 rondeau, rondel [song]; 2 ⚔ round bastion

'ronden (rondde, h. gerond) *vt* round, make round; round off; **ronde-'tafelconferentie** [-(t)si.] (-s) *v* round-table conference; **'rondfladderen**[1] *vi* flutter about; **'rondgaan**[1] *vi* go about (round); *laten* ~ hand about, send (pass) [the hat] round, circulate; **–d** ~*e brief* circular letter; **'rondgang** (-en) *m* circuit, tour; *een* ~ *maken door de fabriek* make a tour of the factory; **'rondgeven**[1] *vt* pass round, hand about; **–hangen**[1] *vi* hang (stand, lounge) about; **'rondheid** *v* roundness, rotundity; *fig* frankness, candour; **–hout** (-en) *o* 1 round timber, logs; 2 ⚓ spar; **–ing** (-en) *v* 1 rounding, curve; 2 ⚓ camber; **–je** (-s) *o* round; *hij gaf een* ~ he stood drinks (all round); **'rondkijken**[1] *vi* look about; **–komen**[1] *vi* make do [with], manage [with], get along [with], make (both) ends meet; **'rondleiden**[1] *vt* lead about; *iem.* ~ show sbd. over the place, take sbd. round; **–leiding** (-en) *v* guided tour; **'rondlopen**[1] *vi* walk about, **F** knock about, gad about; *de dief loopt nog rond* is still at large; *hij loopt weer rond* he is about again [after recovery]; *loop rond!* **F** get along with you; ~ *met plannen* go about with plans; **–neuzen**[1] *vi* nose (poke) about

'rondo ('s) *o* rondeau, rondel

rond'om, 'rondom I *ad* round about, all round; ~ *behangen met*... hung round with...; **II** *prep* round about [the house &], around [us]; **'rondreis** (-reizen) *v* (circular) tour, round trip; **–biljet** (-ten) *o* circular ticket; **'rondreizen**[1] *vi* travel about; ~*d* strolling, itinerant [player], touring [company]; **–rijden**[1] **I** *vi* ride about, drive about; **II** *vt* drive [sbd.] about; tour [the town &]; **–rit** (-ten) *m* tour; **–scharrelen**[1] *vi* potter (poke) about; ~ *in*... poke about in..., rummage in...; **–schrift** *o* round hand; **–schrijven** *o* circular, circular letter

'rondsel (-s) *o* ⚒ pinion

'rondslenteren[1] *vi* lounge (saunter) about; **–slingeren**[1] **I** *vt* fling about; **II** *vi* lie about, lie around [of books &]; **–sluipen**[1] *vi* steal

[1] V.T. en V.D. van dit werkwoord volgens het model: **'rond**bazuinen, V.T. bazuinde **'rond**, V.D. **'rond**gebazuind. Zie voor de vormen onder het grondwoord, in dit voorbeeld: *bazuinen.* Bij sterke en onregelmatige werkwoorden wordt u verwezen naar de lijst achterin.

(prowl) about; **–snuffelen**[1] *vi* nose (poke) about; **–spoken**[1] *vi* move about, walk around; **–springen**[1] *vi* jump about; **–strooien**[1] *vt* strew about; *fig* put about; **–tasten**[1] *vi* grope about, grope one's way; *in het duister* ~ grope one's way in the dark; *fig* be in the dark (about *omtrent*); **'rondte** (-n en -s) *v* circle, circumference; *in de* ~ *draaien* turn round, zie ook: *rond* **IV** & *ronde*; **'rondtollen**[1] *vi* spin around; **'rondtrekken**[1] *vi* go about, wander about; **–d** = *rondreizend*; **'ronduit I** *aj* frank, plain-spoken; **II** *ad* roundly, bluntly, frankly, plainly; *spreek* ~ speak your mind; *hem* ~ *de waarheid zeggen* tell him some home truths; ~ *gezegd*... frankly..., to put it bluntly...; **'rondvaart** (-en) *v* = *rondreis,* ook: (circular) cruise; **–vaartboot** (-boten) *m* & *v* [Amsterdam] canal touring boat, tourist motor-boat; **'rondventen**[1] *vt* hawk (about); **–er** (-s) *m* hawker; **'rondvertellen (vertelde** 'rond, h. 'rondverteld) *vt* spread [it]; *je moet het niet* ~ ook: you must not tell; **–vliegen**[1] *vi* fly about, fly round; ~ *boven* circle over [a town]; **–vlucht** (-en) *v* sight-seeing flight; circuit flight; **–vraag** *v bij de* ~ when questions are (were) invited; **–wandelen**[1] *vi* walk about; **–waren**[1] *vi* walk (about); *er waren hier spoken rond* ook: the place is haunted; **1 'rondweg** *ad* roundly; zie ook: *ronduit* **II**; **2 'rondweg** (-wegen) *m* by-pass (road), ring-road; **'rondwentelen**[1] *vi* revolve; **–zenden**[1] *vt* send round, send out; **–zien**[1] *vi* look around; **–zwalken**[1] *vi* 1 drift about, scour the seas; 2 = *rondzwerven*; **–zwerven**[1] *vi* wander (roam, rove) about

'ronken (ronkte, h. geronkt) *vi* 1 snore; 2 (v a n m a c h i n e) snort, whirr, hum, drone

'ronselaar (-s) *m* crimp; **–sbende** (-n en -s) *v* press-gang; **'ronselen** (ronselde, h. geronseld) *vi* & *vt* crimp [sailors &]

'röntgenapparaat ['rœntgən-] (-raten) *o* X-ray apparatus; **'röntgenen** (röntgende, h. geröntgend) *vt* X-ray; **'röntgenfoto** ('s) *v* X-ray photograph, radiograph; **–laborant** (-en) *m* X-ray assistent; **röntgenolo'gie** *v* roentgenology; **röntgeno'loog** (-logen) *m* X-ray specialist, radiographer; **'röntgenonderzoek** *o* X-ray examination; **–stralen** *mv* X-rays; **–therapie** *v* roentgenotherapy, X-ray therapy

rood I *aj* red; ~ *maken* make red, redden; ~ *worden* grow red, redden, blush; *zo* ~ *als een kreeft* as red as a lobster; **II** *o* red; zie ook: *lap*; **–aarde** *v* ruddle; **–achtig** reddish, ruddy; **–bont** red and white; **–borstje** (-s) *o* (robin) redbreast, robin; **–bruin** reddish brown, russet; bay [horse]; **–gloeiend** red-hot; **–harig** red-haired; **–heid** *v* redness; **–hout** *o* redwood, Brazil wood; **–huid** (-en) *m* redskin, red Indian; **Rood'kapje** *o* Little Red Riding-hood; **rood'koper** *o* copper; **–en** *aj* copper; **'roodrok** (-ken) *m* 🕮 redcoat [British soldier]; **–sel** *o* ruddle; **–staartje** (-s) *o* redstart; **–vonk** *v* & *o* scarlet fever, scarlatina; **–wangig** red-cheeked, ruddy; **–wild** *o* red deer

1 roof (roven) *v* scab, slough [on wound]

2 roof *m* robbery, plunder; *op* ~ *uitgaan* 1 go plundering; 2 (v. d i e r) go in search of prey; **–achtig** rapacious; **–bouw** *m* excessive cultivation, exhaustion of the soil; ~ *plegen op iem.'s gezondheid* ruin one's health; **–dier** (-en) *o* beast of prey, predator; **roof'gierig** rapacious; **–heid** *v* rapacity; **'roofhol** (-holen) *o,* **–nest** (-en) *o* den of robbers, robbers' den; **–je** (-s) *o* scab, slough, eschar; **–moord** (-en) *m* & *v* murder with robbery; **–overval** (-len) *m* hold-up; **–ridder** (-s) *m* robber baron, robber knight; **–schip** (-schepen) *o* pirate ship; **–tocht** (-en) *m* predatory expedition; **–vis** (-sen) *m* predatory fish, fish of prey; **–vogel** (-s) *m* predatory bird, bird of prey; **–ziek** rapacious; **–zucht** *v* rapacity; **roof'zuchtig** = *roofziek*

'rooien (rooide, h. gerooid) *vt* lift, dig (up) [potatoes]; pull up [trees]

'rooilijn (-en) *v* building-line, alignment; *op de* ~ *staan* range with the street [of a house]

1 rook (roken) *v* (hay)stack

2 rook (**roken**) V.T. van *rieken* en *ruiken*

3 rook *m* smoke; *geen* ~ *zonder vuur* no smoke without fire; *onder de* ~ *van*... in the immediate neighbourhood; **–bom** (-men) *v* smoke-bomb; **–coupé** [-ku.pe.] (-s) *m* smoking-compartment, **F** smoker; **–gat** (-gaten) *o* smoke-hole; **–gerei** *o* smoking requisites; **–gordijn** (-en) *o* smoke-screen; **–kamer** (-s) *v* smoking-room; **–kanaal** (-nalen) *o* flue; **–loos** smokeless; **–lucht** *v* smoky smell; **–pluim** (-en) *v* wreath of smoke; **–salon** (-s) *m* & *o* smoking-room; **–scherm** (-en) *o* smoke screen; **–signaal** [-sıɲa.l] *o* smoke signal; **–spek** *o* smoked bacon; **–tabak** *m* smoking-tobacco; **–tafeltje** (-s) *o* smoker's table; **–vang** (-en) *m* flue [of a chimney]; **–verdrijver** (-s) *m* 1 (g e k) (chimney) cowl; 2 (k a a r s) smoke consumer; 3 (s c h o o r s t e e n v e g e r) chimney-sweep; **rook'vlees** *o* smoked beef; **'rookwolk** (-en) *v* cloud of smoke, smoke cloud; **–worst** (-en) *v*

[1] V.T. en V.D. van dit werkwoord volgens het model: **'rond**bazuinen, V.T. bazuinde **'rond**, V.D. **'rond**gebazuind. Zie voor de vormen onder het grondwoord, in dit voorbeeld: *bazuinen*. Bij sterke en onregelmatige werkwoorden wordt u verwezen naar de lijst achterin.

smoked sausage
room *m* cream[2]; **–achtig** creamy; **–boter** *v* (dairy) butter; **–hoorn, –horen** (-s) *m* cream horn; **–ijs** *o* ice-cream; **–kaas** (-kazen) *m* cream cheese; **–kannetje** (-s) *o* cream-jug
rooms Roman, Roman Catholic; *de ~en mv* the Roman Catholics; **roomsge'zind** papistic; **rooms-katho'liek** Roman Catholic; *de ~en mv* the Roman Catholics
'roomsoes (-soezen) *v* cream puff; **–taart** (-en) *v* cream tart; **–vla** *v* cream custard
roos (rozen) *v* 1 ✿ rose; 2 (op hoofd) dandruff; 3 (huidziekte) erysipelas; 4 ⚔ bull's-eye [of a target]; 5 ⚓ (compass-)card; *rozen op de wangen hebben* have a complexion of milk and roses; • *in de ~ treffen* score a bull's-eye; *onder de ~* under the rose, in secret; *op rozen zitten* be on a bed of roses; *hij wandelt niet op rozen* his path is not strewn with roses; *geen rozen zonder doornen* no rose without a thorn; **–achtig** rose-like; **–kleur** *v* rose colour; **–kleurig, roos'kleurig** rose-coloured[2], rosy[2]; *fig* bright [of prospects, the future &]; zie ook: *bril*
'rooster (-s) *m* & *o* 1 (om te braden) gridiron, grill; 2 (in de kachel) grate; 3 (afsluiting) grating; 4 (lijst) rota; *~ van werkzaamheden* time-table, time-sheet; *volgens ~ aftreden* go out by rotation; **'roosteren** (roosterde, h. geroosterd) *vt* broil, roast, grill; toast [bread]; *geroosterd brood* toast; **'roosterwerk** *o* grating
'roosvenster (-s) *o* rose-window
root (roten) *v* retting-place [for flax]
1 ⊙ **ros** (-sen) *o* steed [= horse]
2 ros *aj* reddish [hair], ruddy [glow]; *~se buurt* red-light district
ro'sarium [s = z] (-s) *o* rosary
'rosbief *m* & *o* roast beef
'rose = *roze*
'rosharig red-haired
'roskam (-men) *m* curry-comb; **'roskammen** (roskamde, h. geroskamd) *vt* 1 curry; 2 *fig* criticize severely
rosma'rijn = *rozemarijn*
'rossig reddish, sandy [hair], ruddy [glow]
1 rot (-ten) *o* ⚔ file [consisting of two men], squad [of soldiers]; *een ~ geweren* a stack of arms; *de geweren werden aan ~ten gezet* ⚔ the arms were stacked; *met ~ten rechts (links)* ⚔ right (left) file
2 rot I *aj* rotten, putrid, putrefied; bad [fruit, tooth &]; *wat ~!* **F** how provoking!; **II** *ad zich ~ vervelen* **F** be bored to death; **III** *o* rot
3 rot (-ten) *v* = *rat*
'rotan *o* & *m* rattan
ro'tatiepers [-(t)si.-] (-en) *v* rotary press
'roten (rootte, h. geroot) *vt* ret [flax]
ro'teren (roteerde, h. geroteerd) *vi* rotate
'rotgans (-ganzen) *v* brent-goose
'rothumeur *o* **F** lousy mood
'rotje (-s) *o* (vuurwerk) squib; **F** *zich een ~ lachen* laugh one's head off
ro'tonde (-n en -s) *v* 1 △ rotunda; 2 (verkeersplein) roundabout
'rotor (-s en -'toren) *m* rotor
rots (-en) *v* 1 rock; 2 cliff [= high steep rock]; **–achtig** rocky; **–achtigheid** *v* rockiness; **–blok** (-ken) *o* boulder; **–duif** (-duiven) *v* rock-pigeon; **–eiland** (-en) *o* rocky island; **'Rotsgebergte** *het ~* the Rocky Mountains; **'rotskloof** (-kloven) *v* chasm; **–partij** (-en) *v* rockery; **–plant** (-en) *v* rock-plant; **–schildering** (-en) *v* cave-painting; **–tekening** (-en) *v* cave-drawing; **–tuin** (-en) *m* rock garden, rockery; **–vast** firm as a rock; **–wand** (-en) *m* rock-face; precipice; bluff [of coast]; **–woning** (-en) *v* rock-dwelling
'rotten (rotte, is gerot) *vi* rot, putrefy; **'rottig** = 2 *rot* **I**; **1 'rotting** *v* putrefaction
2 'rotting (-en) *m* cane
'rotvent (-en) *m*, **–zak** (-ken) *m* **S** rotter; **P** bastard, stinker; **–zooi** *v* mess
'rouge ['ru.ʒə] *m* & *o* rouge
rou'lade [ru.-] (-s) *v* roulade
rou'latie [ru.'la.(t)si.] *v in ~ brengen* put into (general) circulation [a film]; **rou'leren** [ru.-] (rouleerde, h. gerouleerd) *vi* 1 circulate, be in circulation; 2 rotate, take turns
rou'lette [ru.-] (-s) *v* roulette; **–tafel** (-s) *v* roulette-table
'route ['ru.-] (-s en -n) *v* route, way
rou'tine [ru.-] *v* 1 (gewone gang) routine; 2 (bedrevenheid) experience
rouw *m* mourning; *lichte (zware) ~* half (deep) mourning; *de ~ aannemen* go into mourning; *~ dragen (over)* mourn (for); • *in de ~ gaan* go into mourning; *in de ~ zijn* be in mourning; *uit de ~ gaan* go out of mourning; **–band** (-en) *m* mourning-band; **–beklag** *o* condolence; *verzoeke van ~ verschoond te blijven* no calls of condolence; **–brief** (-brieven) *m* notification of death; **–dienst** (-en) *m* memorial service; **–drager** (-s) *m* mourner; **'rouwen** (rouwde, h. gerouwd) *vi* go into (be in) mourning, mourn (for *over*); zie ook: *berouwen*; **'rouwfloers** *o* crape; **–gewaad** (-waden) *o* mourning garb; **–ig** sorry; *ik ben er helemaal niet ~ om* I am not at all sorry; **–jaar** (-jaren) *o* year of mourning; **–kamer** (-s) *v* funeral parlour; **–klacht** (-en) *v* lamentation; **–kleed** (-kleden, -klederen en -kleren) *o* mourning-dress; *rouwkleren* mourning-clothes; **–koets** (-en) *v* mourning-coach; **–koop** *m* smart-money; *~ hebben* repent one's

bargain; **–rand** (-en) *m* mourning-border, black edge; **–sluier** (-s) *m* crape veil, weeper; **–stoet** (-en) *m* funeral procession; **–tijd** *m* period of mourning

'roven (roofde, h. geroofd) **I** *vi* rob, plunder; **II** *vt* steal; **'rover** (-s) *m* robber, brigand; **–bende** (-n en -s) *v* gang of robbers; **–hoofdman** (-nen) *m* robber-chief; **rove'rij** (-en) *v* robbery, brigandage; **'roversbende** (-n en -s) = *roverbende*; **–hol** (-holen) *o* den of robbers, robbers' den; **–hoofdman** (-nen) = *rover-hoofdman*; **'rovertje** *o* ~ *spelen* play cops and robbers

ro'yaal [rva-, ro.-] **I** *aj* liberal [man, tip &]; free-handed, open-handed, munificent [man]; handsome, generous [reward &]; *hij is erg* ~ (*met zijn geld*) he is very free with his money; **II** *ad* liberally; **roya'list(isch)** (-en) *m* (& *aj*) royalist; **royali'teit** (-en) *v* liberality, munificence, generosity

roye'ment [rvaja-, ro.jə] (-en) *o* expulsion [from a party]; cancellation [of a contract]; **ro'yeren** (royeerde, h. geroyeerd) *vt* remove from (strike off) the list; expel [from a party]; cancel [a contract]

'roze ['rɔ:zə] pink

'rozeblad (-bladen, -bladeren en -blaren) *o* 1 (v a n d e s t r u i k) rose-leaf; 2 (b l o e m - b l a d) rose-petal; **–boom** (-bomen) *m* rose-tree; **–bottel** (-s) *v* rose-hip; **–geur** *m* scent of roses; *het is* (*was*) *niet alles* ~ *en maneschijn* life is not a bed of roses, not all cakes and ale (beer and skittles); **–hout** *o* rosewood; **–knop** (-pen) *m* rose-bud; **–laar** (-s) *m* rose-bush, rose-tree

rozema'rijn *m* rosemary

'rozenbed (-den) *o* bed of roses; **–hoedje** (-s) *o* *rk* chaplet; **–krans** (-en) *m* 1 garland of roses; 2 *rk* rosary; *zijn* ~ *bidden* tell one's beads; **–kruiser** (-s) *m* Rosicrucian; **–kweker** (-s) *m* rose-grower; **–olie** *v* oil (attar) of roses; **–tuin** (-en) *m* rose-garden, rosary; **–water** *o* rose-water; **'rozerood** rose-red; **–stek** (-ken) *m* rose-cutting; **–struik** (-en) *m* rose-bush;

ro'zet (-ten) *v* rosette

'rozig rosy, roseate

ro'zijn (-en) *v* raisin

'rubber *m* & *o* rubber; **–boot** (-boten) *m* & *v* (rubber) dinghy; **–hak** (-ken) *v* rubber heel; **–handschoen** (-en) *m* rubber glove; **–laars** (-laarzen) *v* rubber boot

rubri'ceren (rubriceerde, h. gerubriceerd) *vt* classify, file

ru'briek (-en) *v* heading, head; column, section [of newspaper]

'ruche ['ry.ʃə] (-s) *v* ruche, frill(ing), furbelow

'ruchtbaar ~ *maken* make public, make known, spread abroad; ~ *worden* become known, get abroad, be noised abroad; **–heid** *v* publicity; ~ *geven aan* make public, disclose, divulge

rudi'ment (-en) *o* rudiment; **rudimen'tair** [-'tɛ:r] rudimentary

rug (-gen) *m* 1 back; 2 ridge [of mountains]; 3 back [of a book]; 4 bridge [of the nose]; *ik heb een brede* ~ I have broad shoulders; *iem. de* ~ *toedraaien* (*toekeren*) turn one's back (up)on sbd.; • ~ *a a n* ~ back to back; *hij deed het a c h t e r mijn* ~ behind my back²; *de veertig achter de* ~ *hebben* be turned forty; *dat hebben wij goddank achter de* ~ thank God it's finished, it's over now; *de vijand i n de* ~ (*aan*)*vallen* attack the enemy in the rear, from behind; *iem. m e t de* ~ *aanzien* give sbd. the cold shoulder; *hij stond met de* ~ *naar ons toe* he stood with his back to us; *met de* ~ *tegen de muur staan* have one's back to the wall; *met de handen op de* ~ one's hands behind one's back

'rugby ['rügbi] *o* Rugby (football), **F** rugger

'rugcrawl [-krɔ.l] *m* back-crawl; **–dekking** *v* backing; **'ruggegraat** (-graten) *v* vertebral column, backbone², spine; **–sverkromming** (-en) *v* deformity of the spine; **'ruggelings** backward(s); back to back; **'ruggemerg** *o* spinal marrow; **'ruggemergsontsteking** *v* myelitis; **–tering** *v* tabes dorsalis, dorsal tabes; **–zenuw** (-en) *v* spinal nerve; **'ruggen** (rugde, h. gerugd) *vt* back; **'ruggespraak** *v* consultation; ~ *houden met iem.* consult sbd.; **–steun** *m* backing, support; **–streng** (-en) *v* spine; **–wervel** (-s) = *rugwervel*; **'rugleuning** (-en) *v* back [of a chair]; **–nummer** (-s) *o* *sp* (player's) number; **–pand** (-en) *o* back; **–pijn** (-en) *v* back-ache, pain in the back; **–schild** (-en) *o* carapace; **–slag** *m* back-stroke [in swimming]; **–sluiting** *v* *met* ~ fastened at the back; **'rugsteunen** (rugsteunde, h. gerugsteund) *vt* back (up), support; **'rugstuk** (-ken) *o* back, back-piece; **–titel** (-s) *m* back title; **–vin** (-nen) *v* dorsal fin; **–waarts** **I** *aj* backward; **II** *ad* backward(s); **–wervel** (-s) *m* dorsal vertebra [*mv* dorsal vertebrae]; **–zak** (-ken) *m* rucksack; **–zwemmen** *vi* swim back-stroke

rui *m* moulting(-time); **'ruien** (ruide, h. en is geruid) *vi* moult

ruif (ruiven) *v* rack

ruig 1 hairy, shaggy [beard]; 2 rough [cloth, sea]; rugged [country]; **–harig** shaggy; wire-haired [dog]; **–heid** *v* 1 hairiness; shagginess; 2 roughness; ruggedness; **–te** (-n en -s) *v* roughness, ruggedness; (s t r u i k g e w a s) brush (-wood)

'ruiken* **I** *vt* smell, scent; *hij ruikt wat, hij ruikt lont* he smells a rat; *dat kon ik toch niet* ~? how could I know?; **II** *vi* smell; *het ruikt goed* it smells good; *ze* ~ *lekker* they have a sweet (nice) smell; • *ruik er eens a a n* smell (at) it; *hij zal er niet aan ~* he won't even get a smell of it; *daar kan hij niet aan ~* he cannot touch it; *het (hij) ruikt n a a r cognac* it (he) smells of brandy; *dat ruikt naar ketterij* that smells of heresy

'ruiker (-s) *m* nosegay, bouquet, bunch of flowers

ruil (-en) *m* exchange, barter; *een goede ~ doen* make a good exchange; *in ~ voor* in exchange for; **-artikel** (-en en -s) *o* article for barter; **'ruilen** (ruilde, h. geruild) **I** *vt* exchange, barter, **F** swop; *~ tegen* exchange [it] for; *~ voor* exchange for, barter for, **F** swop for; **II** *va* & *vi* exchange; *ik zou niet met hem willen ~* I wouldn't be in his shoes; *zullen we van plaats ~?* shall we (ex)change places?; **'ruilhandel** *m* (trade by) barter; **'ruiling** (-en) *v* exchange, barter; **'ruilmiddel** (-en) *o* medium of exchange; **-object** (-en) *o* object in exchange, bartering object; **-verkaveling** *v* re-allotment; **-verkeer** *o* exchange; **-waarde** *v* exchange value

1 ruim I *aj* large, wide, spacious, roomy, capacious; ample; *zijn ~e blik* his breadth of outlook; *een ~ gebruik van iets maken* use sth. freely; *een ~ geweten* easy (lax) conscience; *~e kamer* spacious room; *in ~e kring* in wide circles; *het ~ sop* the open sea; *~e voorraad* ample stores; *het niet ~ hebben* be in straitened circumstances, not be well off; **II** *ad* largely, amply, plentifully; *~ 30 jaar geleden* a good thirty years ago; *hij is ~ 30 jaar* he is past thirty; *~ 30 pagina's* well over thirty pages; *~ 40 pond* upwards of £ 40; *hij sprak ~ een uur* he spoke for more than an hour; *~ meten* measure liberally; *~ uit elkaar* well apart; *~ voldoende* amply sufficient; *~ voorzien van...* amply provided with...

2 ruim (-en) *o* ⚓ hold [of a ship]

ruim'denkend broad-minded, liberal, tolerant

'ruimen I (ruimde, h. geruimd) *vt* 1 empty, evacuate; 2 clear (away) [the snow, rubble &]; zie *veld* &; **II** (ruimde, is geruimd) *vi* ⚓ veer aft, veer [of wind]

'ruimschoots *fig* amply, largely, plentifully; *~ de tijd hebben* have ample (plenty of) time; *~ zeilen* ⚓ sail large

'ruimte (-n en -s) *v* room, space, capacity; *de ~* ⚓ the offing; *de oneindige ~* (infinite) space; *~ van beweging* elbow-room; *~ van blik* breadth of outlook; *iem. de ~ geven* give sbd. full play; *dat neemt teveel ~ in* that takes up too much room; *in de ~ kletsen* talk at random; *dit laat geen ~ voor twijfel* this leaves no room for doubt; *~ maken* make room; *~ openlaten* leave space, leave a blank [for the signature]; **-besparend** space-saving; **-cabine** (-s) *v* space-cabin; **-capsule** (-s) *v* space-capsule; **-lijk** spatial; *~e ordening* area planning; **-gebrek** *o* lack of room (of space); **-maat** (-maten) *v* measure of capacity; **-onderzoek** *o* exploration of space, space research; **-pak** (-ken) *o* spacesuit; **-raket** (-ten) *v* space rocket; **-schip** (-schepen) *o* spaceship; **-sonde** (-s) *v* space probe; **-station** [-sta.(t)ʃòn] (-s) *o* space station; **-vaarder** (-s) *m* space traveller, spaceman, astronaut, [Soviet] cosmonaut; **-vaart** *v* space travel, astronautics; **-vaartuig(en)** *o (mv)* spacecraft; **-vlucht** (-en) *v* space flight; **-vrees** *v* agoraphobia

ruin (-en) *m* gelding

ru'ïne (-s en -n) *v* ruins; *het gebouw is een ~* the building is a ruin; *hij is een ~* he is a mere wreck; **ruï'neren** (ruïneerde, h. geruïneerd) **I** *vt* ruin; *hij is geruïneerd* ook: he is a ruined man; **II** *vr zich ~* 1 (f i n a n c i e e l) ruin oneself, bring ruin on oneself; 2 (f y s i e k) make a wreck of oneself; **ruï'neus** ruinous

ruis *m* (b ij g e l u i d) noise; **'ruisen** (ruiste, h. geruist) *vi* rustle; murmur [of a stream]; **-sing** *v* rustle; murmur [of a stream]

'ruisvoorn, -voren (-s) *m* rudd

ruit (-en) *v* 1 diamond; lozenge; rhomb [in mathematics]; 2 pane [of a window]; 3 square [of draught-board]; 4 ✿ rue; zie ook: *ruitje*

1 'ruiten (ruitte, h. geruit) *vt* chequer; zie ook: *geruit*

2 'ruiten (-s) *v* ◊ diamonds; *ruiten'zes* six of diamonds

'ruiter (-s) *m* rider, horseman; *Spaanse (Friese) ~s* chevaux-de-frise; **-bende** (-n en -s) *v* troop of horse; **ruite'rij** *v* cavalry, horse; **'ruiterlijk** *aj* frank; **'ruiterpad** (-paden) *o* bridle-path, bridle-way; **-sabel** (-s) *m* sabre, cavalry-sword; **-sport** *v* horse-riding, equestrian sport; **-standbeeld** (-en) *o* equestrian statue; **-stoet** (-en) *m* cavalcade; **-tje** (-s) *o* tag, tab

'ruitesproeier (-s) *m* windscreen washer; **-wisser** (-s) *m* (wind)screen wiper

'ruitijd (-en) *m* moulting-time, moulting-season

'ruitje (-s) *o* 1 (v. r a a m) pane; 2 (o p g o e d) check; **'ruitjesgoed** *o* chequered material, check; **-papier** *o* squared paper; **'ruitvormig** lozenge-shaped, diamond-shaped

ruk (-ken) *m* pull, tug, jerk, wrench; **'rukken** (rukte, h. en is gerukt) **I** *vt* pull, tug, jerk, snatch; *iem. iets uit de handen ~* snatch sth. out of sbd.'s hands; *een gezegde uit het verband ~* wrest (tear) a phrase from its context; **II** *vi* pull, tug, jerk; *aan iets ~* pull at sth., give sth. a tug; **'rukwind** (-en) *m* gust of wind, squall

rul loose [soil], sandy [road]

rum *m* rum; **-boon** (-bonen) *v* rum bonbon

ru'moer (-en) *o* noise, uproar; *~ maken*

(*verwekken*) make a noise; **ru'moeren** (rumoerde, h. gerumoerd) *vi* make a noise; **–rig** noisy, tumultuous, uproarious
1 run *v* (gemalen schors) tan, bark
2 run (-s) *m* run [on the bank; in cricket &]
rund (-eren) *o* cow, ox; [*fig*] *wat* *. n* ~*!* what a blockhead; **'runderlapje** (-s) *o* beefsteak; **–pest** *v* cattle-plague; **–stal** (-len) *m* stable (shed) for cattle; **'rundleer** *o* cowhide, neat's leather; **–vee** *o* (horned) cattle; **–veestam-boek** (-en) *o* herd-book; **–vet** *o* beef suet; (gesmolten) beef dripping; **–vlees** *o* beef
'rune (-n) *v* rune, runic letter; **–nschrift** *o* runic writing
'runmolen (-s) *m* tan-mill
'runnen (runde, h. gerund) *vt* run [a business]; **–er** (-s) *m* runner°
rups (-en) *v* caterpillar; **–band** (-en) *m* caterpillar; *met ~en* tracked [vehicles]; **–wiel** (-en) *o* caterpillar wheel
Rus (-sen) *m* Russian; *r~* **S** (rechercheur) tec, cop; **–land** *o* Russia; **Rus'sin** (-nen) *v* Russian lady (woman); **'Russisch I** *aj* Russian; *~ leer* Russia leather; **II** *o het ~* Russian; **III** *v een ~e* a Russian woman (lady)
rust *v* 1 rest, repose [after exertion], quiet, tranquillity [of mind], calm; 2 ♪ rest; 3 *sp* half-time, interval; (*op de plaats*) *~!* ⚔ stand easy!; *~ en vrede* peace and quiet; *~ geven* give a rest, rest; *zich geen ogenblik ~ gunnen* not give oneself a moment's rest; *geen ~ hebben vóórdat...* not be easy till...; *hij is een van die mensen die ~ noch duur hebben* who cannot rest for a moment; *hij moet ~ houden* take a rest; *hij is de eeuwige ~ ingegaan* he has entered into his rest; *wat ~ nemen* take a rest, rest oneself; *~ roest* rest makes rusty; • *predikant in ~e = rustend*; *al in diepe ~ zijn* be fast asleep; *iem. met ~ laten* leave sbd. in peace, leave (let) sbd. alone; *zich ter ~e begeven* go to rest, retire for the night; *tot ~ brengen* set at rest, quiet; *tot ~ komen* quiet down, settle down, subside; **–altaar** (-taren) *o* & *m* wayside altar; **–bank** (-en) *v*, **–bed** (-den) *o* couch; **–dag** (-dagen) *m* day of rest, holiday; **–eloos** *aj* restless; **'rusten** (rustte, h. gerust) *vi* rest, repose; *hier rust...* here lies...; *hij ruste in vrede* may he rest in peace; *zijn as(se) ruste in vrede* peace (be) to his ashes; *wel te ~!* good night!; *ik moet wat ~* I must take a rest; *laten ~* let rest²; *de paarden laten ~* rest one's horses; *we zullen dat punt* (*die zaak*) *maar laten ~* drop the point, let the matter rest; *er rust geen blaam op hem* no blame attaches to him; *zijn blik rustte op...* his gaze rested on...; *op u rust de plicht om...* on you rests the duty to...; *de verdenking rust op hem* it is on him that suspicion rests, suspicion points to him; **–d** retired [official]; *~ predikant* emeritus minister; **'rustgevend** restful, soothing; **–huis** (-huizen) *o* home of rest, rest home
rus'tiek rustic [bridge &]; rural [simplicity &]
'rustig I *aj* quiet, still, tranquil, restful, reposeful, placid, calm; **II** *ad* quietly, calmly; **–heid** *v* quietness, stillnes, restfulness, tranquillity, placidity, calmness, calm; **–jes** quietly
'rusting (-en) *v* (suit of) armour
'rustkuur (-kuren) *v* rest-cure; **–oord** (-en) *o* retreat; **–pauze** (-n en -s) *v* rest, break; **–plaats** (-en) *v* resting-place; *iem. naar zijn laatste ~ brengen* lay sbd. to rest; **–poos** (-pozen) *v* rest, breathing-space; (rustige tijd) lull, slack; **–punt** (-en) *o* rest, pause; stopping place; **–stand** *m* position of rest; *sp* score at half-time; **–stoel** (-en) *m* rest-chair; **–teken** (-s) *o* ♪ rest; **–tijd** (-en) *m* (time of) rest, resting-time; **–uur** (-uren) *o* hour of rest; **–verstoorder** (-s) *m* disturber of the peace, peace-breaker; **–verstoring** (-en) *v* disturbance, breach of the peace
rut F broke, cleaned out, penniless
ruw I *aj* 1 raw [materials, silk], rough [diamonds &], crude [oil]; 2 (grof) rough, coarse², crude², rude²; 3 (oneffen) rugged; *~ ijzer* pig-iron; *in het ~e* in the rough, roughly; **II** *ad* roughly²
'ruwaard (-s) *m* 🕮 regent, governor
'ruwen (ruwde, h. geruwd) *vt* roughen; (kaarden) card, tease; **'ruwharig** shaggy, wire-haired [terrier]; **'ruwheid** (-heden) *v* roughness, coarseness, rudeness, ruggedness, crudity; **–weg** roughly
'ruzie (-s) *v* quarrel, brawl, squabble, fray; *~ hebben* be quarrelling, be at odds; *~ hebben over...* quarrel about...; *~ krijgen* quarrel, fall out (over *over*); *~ maken* quarrel; *~ stoken* make mischief, make trouble; *~ zoeken* pick a quarrel, look for trouble; **–maker** (-s) *m* brawler, quarrelsome fellow
'Rwanda *o* Rwanda

S

s [ɛs] (s's en s'en) *v* s
1 saai *o* & *m* serge
2 saai I *aj* dull, slow, tedious; **II** *ad* tediously
'saaien *aj* serge
saam = *samen*; **saam'horigheid** *v* solidarity, unity
'sabbat (-ten) *m* Sabbath; **–dag** (-dagen) *m* Sabbath-day; **'sabbat(s)schender** (-s) *m* Sabbath-breaker; **–stilte** *v* silence of the Sabbath; **'sabbatviering** *v* observance of the Sabbath
'sabbelen (sabbelde, h. gesabbeld) *vi* suck; ~ *op* suck [a pencil], suck at [one's pipe]
1 'sabel *o* sable
2 'sabel (-s) *m* ⚔ sabre, sword; **–bajonet** (-ten) *v* sword-bayonet
'sabelbont *o* sable (fur); **–dier** (-en) *o* sable
'sabelen (sabelde, h. gesabeld) *vt* hack, cut; **'sabelgekletter** *o* sabre-rattling²; **–houw** (-en) *m* 1 sabre-thrust, cut (stroke) with a sabre; 2 sabre-cut [wound]; **–kling** (-en) *v* blade of a sword; **–koppel** (-s) *m* & *v* sword-belt; **–kwast** (-en) *m* sword-knot; **–schede** (-n) *v* scabbard; **–schermen** *o* sword exercise; **–tas** (-sen) *v* sabretache
Sa'bijnen *mv* Sabines; **Sa'bijns** Sabine; *de ~e maagdenroof* the rape of the Sabine women
sabo'tage [-ʒə] *v* sabotage; **–daad** (-daden) *v* act of sabotage; **sabo'teren** (saboteerde, h. gesaboteerd) *vt* sabotage; **sabo'teur** (-s) *m* saboteur
sacha'rine *v* saccharin
sache'rijnig cheerless, dismal, glum
sa'chet [-ʃɛt] (-s) *o* sachet
sa'craal sacral, holy
sacra'ment (-en) *o* sacrament; *de laatste ~en toedienen rk* administer the last sacraments; **sacramen'teel** sacramental; **Sacra'mentsdag** *m* Corpus Christi
sacris'tein (-en) *m* sacristan, sexton; **sacris'tie** (-ieën) *v* sacristy, vestry
sa'disme *o* sadism; **sa'dist** (-en) *m* sadist; **–isch** sadistic
sa'fari ('s) *v* safari
'safeloket ['se.f-] (-ten) *o* safe-deposit box
saffi'aan *o* = *marokijn*
'saffie S (-s) *o* fag
saf'fier (-en) *m* & *o*, **–en** *aj* sapphire
saf'fraan *m* saffron; **–geel** saffron
'saga ('s) *v* [Icelandic &] saga
'sage (-en) *v* legend, tradition, myth
'sago *m* sago; **–meel** *o* sago-flour, sago-meal; **–palm** (-en) *m* sago-palm
sai'llant [-'jant] **I** *aj* salient²; **II** (-en) *m* & *o* ⚔ salient
sa'jet *m*, **–ten** *aj* worsted
sakker'loot = *sapperloot*
Saks (-en) *m* Saxon; **'Saksen** *o* Saxony; **'Saksisch** Saxon; ~ *porselein* Dresden china
sa'lade = *sla*
sala'mander (-s) *m* salamander
salari'ëren (salarieerde, h. gesalarieerd) *vt* salary, pay
sa'laris (-sen) *o* salary, pay; **–regeling** (-en) *v* scale of salary (pay); **–verhoging** (-en) *v* (pay) rise, salary increase, pay increase; **–verlaging** (-en) *v* cut, salary reduction
sal'deren (saldeerde, h. gesaldeerd) *vt* $ balance
'saldo ('s en -di) *o* balance; *batig* ~ credit balance, surplus, balance in hand, balance in one's favour; *nadelig* ~ deficit; ~ *in kas* balance in hand; *per* ~ on balance²; *fig* in the end, after all
sa'letjonker (-s) *m* beau, fop, carpet-knight
sali'cylzuur [-'si.l-] *o* salicylic acid
'salie *v* ♣ sage
salmi'ak *m* sal-ammoniac
sa'lon (-s) *m* & *o* 1 drawing-room; 2 [hair-dresser's] saloon; **–ameublement** (-en) *o* drawing-room furniture; **–boot** (-boten) *m* & *v* saloon-steamer; **–communist** (-en) *m* drawing-room red, arm-chair communist; **–held** (-en) *m* = *saletjonker*; **–muziek** *v* salon music, drawing-room music; **–tafeltje** (-s) *o* coffee table; **–vleugel** (-s) *m* baby grand; **–wagen** (-s) *m* saloon-car
sal'peter *m* & *o* saltpetre, nitre; **–(acht)ig** nitrous; **–zuur** *o* nitric acid
'salto ('s) *m* somersault
salu'eren (salueerde, h. gesalueerd) *vi* & *vt* salute; **sa'luut** (-luten) *o* ⚔ salute; greeting; *~!* goodbye!; *het ~ geven* 1 ⚔ give the salute, salute; 2 ⚓ fire a salute; **–schot** (-schoten) *o* salute; *er werden 21 ~en gelost* a salute of 21 guns was fired
'salvo ('s) *o* volley, round, salvo; **–vuur** *o* volley-firing
Samari'taan (-tanen) *m* Samaritan; *de barmhartige ~* the Good Samaritan; **–s** *aj* Samaritan

'samen together; **–ballen**[1] *vi* mass together, concentrate, contract; (v. w o l k e n) gather; **–binden**[1] *vt* bind together; **–brengen**[1] *vt* bring together; **'samenbundeling** *v* gathering, collection; **'samendoen**[1] I *vt* put together; **II** *vi* be partners, act in common, go shares

samen'drukbaar compressible; **'samendrukken**[1] *vt* press together, compress

'samenflansen[1] *vt* knock (patch) together, patch up; **–gaan**[1] *vi* go together[2], *fig* agree; ~ *met* go with[2]; *niet ~ met* [*fig*] be incompatible with

'samengesteld compound [leaf, interest &]; complex [sentence]; **samenge'steldheid** *v* complexity

'samengroeien[1] *vi* grow together; **–iing** *v* growing together

'samenhang *m* 1 (i n 't a l g.) coherence, cohesion, connection; 2 (v. z i n) context; **'samenhangen**[1] *vi* cohere, be connected; *dat hangt samen met* that is connected with; **–d** coherent [discourse &]; connected [text, whole &]

'samenhokken[1] *vi* herd together; **F** shack up (with *met*)

'samenhopen[1] *vt* accumulate, heap up, pile up; **–ping** *v* accumulation

samen'horigheid = *saamhorigheid*; **'samenklank** *m* concord

'samenklemmen[1] *vt* squeeze together; **–klinken**[1] **I** *vi* ♪ chime together, harmonize; **II** *vt* ⚒ rivet together; **–knijpen**[1] *vt* press (squeeze) together, squint [one's eyes]; **–knopen**[1] *vt* tie together

'samenkomen[1] *vi* 1 meet, assemble, get together, gather, ⊙ forgather [of persons]; 2 meet [of lines]; **'samenkomst** (-en) *v* meeting

'samenkoppelen[1] *vt* couple

'samenleving *v* society

'samenlijmen[1] *vt* glue together

'samenloop *m* concourse [of people], confluence [of rivers], concurrence; ~ *van omstandigheden* coincidence, conjunction of circumstances; **'samenlopen**[1] *vi* meet, converge [of lines]; concur [of events]

'samenpakken[1] **I** *vt* pack up (together); **II** *vr zich* ~ gather [of a storm]

'samenpersen[1] *vt* press together, compress; **–sing** *v* compression

'samenplakken I (plakte 'samen, h. 'samengeplakt) *vt* paste together; **II** (plakte 'samen, is 'samengeplakt) *vi* stick

'samenraapsel (-s) *o* hotchpotch; ~ *van leugens* pack of lies

'samenroepen[1] *vt* call together, convoke, convene [a meeting]; **–ping** *v* convocation

'samenrollen[1] *vt* roll up

'samenscholen (schoolde 'samen, h. 'samengeschoold) *vi* assemble, gather; **–ling** (-en) *v* (riotous, unlawful) assembly, gathering

'samenschraapsel (-s) *o* scrapings; **'samenschrapen**[1] *vt* scrape together

'samensmeden[1] *vt* forge together

'samensmelten[1] *vt* & *vi* melt together; *fig* amalgamate; **–ting** (-en) *v* melting together; *fig* amalgamation

'samensnoeren[1] *vt* tie (lace) together; *fig* choke, stifle [with fear]

'samenspannen[1] *vi* conspire, plot; **–ning** (-en) *v* conspiracy, plot, collusion

'samenspel *o* 1 ♪ ensemble playing; 2 ensemble acting; 3 *sp* team-work

'samenspraak (-spraken) *v* conversation, dialogue

'samenstel *o* structure, system, fabric [logical &], framework, make-up; **'samenstellen**[1] *vt* put together, compose, compile, make up; *~d* component [parts]; **–er** (-s) *m* compiler, composer; **'samenstelling** (-en) *v* composition [of forces]; arrangement *gram* compound word, compound

'samenstemmen[1] *vt* harmonize, chime together

'samenstromen[1] *vi* flow together; *fig* flock together [of people]; **–ming** (-en) *v* 1 confluence; 2 *fig* concourse [of people]

'samentrekken[1] **I** *vt* knit [one's brow]; ⚔ concentrate [troops]; (s a m e n v o e g e n) gather, draw together, unite; **II** *vr zich* ~ contract; ⚔ concentrate, brew (up), gather [of a storm]; **III** *vi* contract; **–d** astringent, constringent; **'samentrekking** (-en) *v* contraction; ⚔ concentration [of troops]

'samenvallen[1] **I** *vi* coincide [of events, dates, triangles]; **II** *o het* ~ the coincidence

'samenvatten[1] *vt* take together; *fig* sum up; **–ting** (-en) *v* résumé, précis, summing up

'samenvlechten[1] *vt* (h a a r) plaid, braid together; (b l o e m e n &) bind, wreathe together

'samenvloeien[1] *vi* flow together, meet; **–iing** (-en) *v* confluence

'samenvoegen[1] *vt* join, unite; **–ging** (-en) *v* junction

'samenvouwen[1] *vt* fold up [a newspaper], fold

[1] V.T. en V.D. van dit werkwoord volgens het model: **'samen**ballen, V.T. balde **'samen**, V.D. **'samen**gebald. Zie voor de vormen onder het grondwoord, in dit voorbeeld: *ballen*. Bij sterke en onregelmatige werkwoorden wordt u verwezen naar de lijst achterin.

[one's hands]
'samenweefsel (-s) *o* texture, web, tissue; *fig* tissue [of lies]
'samenwerken[1] *vi* act together, work together, co-operate; **–king** *v* 1 co-operation; 2 concerted action; *in ~ met* in co-operation with
'samenwonen[1] **I** *vi* live together; (o n g e - h u w d) cohabit, **S** shack up [with]; (w e g e n s w o n i n g s c h a a r s t e) share a house; **II** *o* cohabitation; **–ning** *v* living together; (w e g e n s w o n i n g s c h a a r s t e) shared accommodation
'samenzang *m* community singing
'samenzijn *o* meeting, gathering
'samenzweerder (-s) *m* conspirator, plotter; **'samenzweren**[1] *vi* conspire, plot; **–ring** (-en) *v* conspiracy; *een ~ smeden* lay a plot
Samo'jeed (-jeden) *m* Samoyed
sam'sam F *~ doen* go fifty-fifty
sana'torium (-s en -ia) *o* sanatorium [*mv* sanatoria], health-resort
'sanctie ['sɑŋksi.] (-s) *v* sanction; **sanctio'neren** [sɑŋksi.-] (sanctioneerde, h. gesanctioneerd) *vt* sanction
san'daal (-dalen) *v* sandal
'sandelhout *o* sandalwood
'sandwich ['sɛntvɪtʃ] (-es) *m* sandwich
sa'neren (saneerde, h. gesaneerd) *vt* reorganize [the finances], reconstruct [a company], redevelop, clean up [a part of the town]; **sa'nering** *v* reorganization, redevelopment; **–splan** (-nen) *o* redevelopment plan
san'guinisch [-'gvi.ni.s] sanguine
'sanhedrin *o* sanhedrim, sanhedrin
sani'tair [-'tɛ:r] **I** *aj* sanitary; **II** *o* sanitary fittings, sanitation, plumbing
'Sanskriet *o* Sanskrit
san'té [sã'te.], **'santjes!** your health!
'santenkraam *v de hele ~* the whole lot (caboodle)
Sa'oedi-A'rabië *o* Saudi-Arabia
sap (-pen) *o* sap [of plants]; juice [of fruit]
'sappel F *zich te ~ maken* worry
'sappelen (sappelde, h. gesappeld) *vi* drudge, toil, slave
sapper'loot *ij* good gracious, good heavens
'sappig sappy; juicy, succulent [fruit]; **–heid** *v* juiciness, succulence; **'saprijk** = *sappig*
sapris'ti *ij* by Jove!, bless my soul!
Sara'ceen (-cenen) *m*, **–s** *aj* Saracen
sar'casme *o* sarcasm, vitriol; **sar'castisch** sarcastic, pungent
sarco'faag (-fagen) *m* sarcophagus [*mv* sarcophagi]
sar'dientje (-s) *o* = *sardine*; **sar'dine** (-s) *v* sardine
sar'donisch sardonic
'sarong (-s) *m* sarong
'sarren (sarde, h. gesard) *vt* tease, bait
sas *in zijn ~ zijn* be in good humour
'sassen (saste, h. gesast) *vi* **P** piss
'satan (-s) *m* Satan, devil; **sa'tanisch, 'satans** satanic, diabolical; **–kind** (-eren) *o* Satan's brood
satel'liet (-en) *m* satellite[2]; **–staat** (-staten) *m* satellite country; **–stad** (-steden) *v* satellite town
'sater (-s) *m* satyr
sa'tijn *o* satin; **'–achtig** satiny; **–en** *aj* satin; **–hout** *o* satinwood; **sati'neren** (satineerde, h. gesatineerd) *vt* satin, glaze; *gesatineerd papier* glazed paper; **sati'net** *o* & *m* satinet(te), sateen
sa'tire (-s en -n) *v* satire; *een ~ maken op* satirize; **sa'tiricus** (-ci) *m* satirist; **sati'riek, sa'tirisch** satiric(al)
sa'traap (-trapen) *m* satrap
satur'naliën *mv* saturnalia; **Sa'turnus** *m* Saturn
sau'cijs [so.'sɛis] (-cijzen) *v* sausage; **sau'cijzebroodje** (-s) *o* sausage-roll
'sauna ('s) *m* sauna
saus (-en en sauzen) *v* 1 sauce[2]; 2 (v o o r t a b a k) flavour, flavouring; 3 (v o o r m u r e n &) (white)wash, distemper; **'sausen** (sauste, h. gesaust) **I** *vt* flavour [tobacco]; (white)wash, distemper [ceilings]; sauce[2] [food &]; **II** *vi* (r e g e n e n) rain; **'sauskom** (-men) *v* sauce-boat; **–lepel** (-s) *m* sauce-ladle
sau'veren [so.-] (sauveerde, h. gesauveerd) *vt* protect, shield, screen
'sauzen (sausde, h. gesausd) = *sausen*
sa'vanne (-n en -s) *v* savanna(h)
sa'vooi(e)kool (-kolen) *v* savoy (cabbage)
savou'reren [-vu.-] (savoureerde, h. gesavoureerd) *vt* savour, relish
'sawa ('s) *m* paddy-field, rice-field
saxofo'nist (-en) *m* saxophonist; **saxo'foon** (-s en -fonen) *v* saxophone
sca'breus scabrous, indecent; risky [joke]
'scala ('s) *v* & *o* scale [ook ♪]; range; variety; *het hele ~ van gevoelens* the whole gamut of feelings
scalp (-en) *m* scalp; **scal'peermes** (-sen) *o* scalping knife; **scal'peren** (scalpeerde, h. gescalpeerd) *vt* scalp, cut the scalp off
scan'deren (scandeerde, h. gescandeerd) *vt* scan [verses]

[1] V.T. en V.D. van dit werkwoord volgens het model: **'samen**ballen, V.T. balde **'samen**, V.D. **'samen**gebald. Zie voor de vormen onder het grondwoord, in dit voorbeeld: *ballen*. Bij sterke en onregelmatige werkwoorden wordt u verwezen naar de lijst achterin.

Scandi'navië *o* Scandinavia; **–r** (-s) *m* Scandinavian; **Scandi'navisch** Scandinavian
scapu'lier (-s en -en) *o* & *m rk* scapulary, scapular
sce'nario [se.-] ('s) *o* scenario; (i n z. v. f i l m) script; **–schrijver** (-s) *m* scenarist, scenario writer; (i n z. v. f i l m) script-writer
'scène ['sɛ:nə] (-s) *v* 1 scene; 2 [unpleasant] scene; *in ~ zetten* mount, stage [a play]; undertake, get up
'scepsis ['s(k)ɛp-] *v* scepticism
'scepter ['s(k)ɛp-] (-s) *m* sceptre; *de ~ zwaaien* wield (sway) the sceptre, bear (hold) sway; **F** rule the roost
scepti'cisme [s(k)ɛp-] *o* scepticism; **'scepticus** (-ci) *m* sceptic; **'sceptisch** sceptical
scha = *schade*
schaaf (schaven) *v* 1 plane; 2 [cucumber] slicer; **–bank** (-en) *v* joiner's (carpenter's) bench; **–beitel** (-s) *m*, **–mes** (-sen) *o* plane-iron; **–sel** *o* shavings, scobs; **–wond(e)** (-wonden) *v* graze, gall, chafe, abrasion
schaak *o* check; *~ geven* check; *~ spelen* play (at) chess; *~ staan (zijn)* be in check; **–bord** (-en) *o* chess-board; **–club** (-s) *v* chess-club; **–kampioen** (-en) *m* chess-champion; **–kampioenschap** (-pen) *o* chess-championship; **–klok** (-ken) *v* chess-clock; **schaak'mat** checkmate; *hij werd ~ gezet* 1 *sp* he was mated; 2 *fig* he was checkmated; **'schaakmeester** (-s) *m* chess master, master of chess; **–partij** (-en) *v* game of chess; **–spel** (-len) *o* 1 (game of) chess; 2 chess-board and men; **–speler** (-s) *m* chess-player; **–stuk** (-ken) *o* chess-man, chess-piece; **–toernooi** (-en) *o* chess-tournament; **–wedstrijd** (-en) *m* chess-match
schaal (schalen) *v* 1 (v. s c h a a l d i e r) shell; 2 (d o p) shell [in one piece], valve [as half of a shell]; 3 (s c h o t e l) dish, bowl; 4 (o m r o n d t e g a a n) plate [at church]; 5 (v. w e e g - s c h a a l) scale, pan; 6 (w e e g s c h a a l) (pair of) scales; 7 (v e r h o u d i n g) scale; 8 *fig* scale; *dat doet de ~ overslaan* that's what turns the scale; *met de ~ rondgaan* make a plate-collection; *op ~ tekenen* draw to scale; *op grote (kleine) ~* on a large (small) scale; *op grote ~* ook: large-scale [map, campaign &]; wholesale [arrests, slaughter &]; extensively [used &]; [...] writ large; zie ook: *gewicht*; **–dier** (-en) *o* crustacean; **–model** (-len) *o* scale model; **–tje** (-s) *o* (small) dish; **–verdeling** (-en) *v* graduation-scale; **–vergroting** (-en) *v* scaling-up
'schaamachtig shamefaced, bashful, coy; **–heid** *v* bashfulness, coyness, shame; **'schaambeen** (-deren) *o* pubis; **–delen** *mv* privy (private) parts, privates; **–haar** *o* pubic hair(s); **–heuvel** (-s) *m* mons pubis (veneris); **–luis** (-luizen) *v* crab louse; **–rood I** *aj* blushing with shame; *zij werd ~* she blushed with shame; **II** *o* blush of shame; *iem. het ~ op de kaken jagen* put sbd. to the blush; **–streek** *v* pubic (pudendal) region, pubes; **'schaamte** *v* shame; *alle ~ afgelegd hebben* have lost all sense of shame; **–gevoel** *o* sense of shame; *geen ~ hebben* have lost all sense of shame; **–loos** shameless, barefaced, impudent, brazen, unblushing; **schaamte'loosheid** *v* shamelessness, impudence, brazenness
schaap (schapen) *o* sheep[2]; *verdoold ~* stray(ing) (lost) sheep[2]; *het zwarte ~* the black sheep; *het arme ~* the poor thing; *de schapen van de bokken scheiden* separate the sheep from the goats; *er gaan veel makke schapen in één hok* heart-room makes house-room; *als er één ~ over de dam is volgen er meer* one sheep follows another; **'schaapachtig** sheepish[2]; **–heid** *v* sheepishness[2]; **'schaapherder** (-s) *m* shepherd; **–in** (-nen) *v* shepherdess; **'schaapje** (-s) *o* (little) sheep; *zijn ~s op het droge hebben* have made one's pile; **'schaapskooi** (-en) *v* sheep-fold, (sheep) cote; **–kop** (-pen) *m* sheep's head; *fig* blockhead, mutton-head, mutt; **–le(d)er** = *schapele(d)er*; **–vacht** (-en) = *schapevacht*
1 schaar (scharen) *v* 1 (o m t e k n i p p e n) scissors, pair of scissors; 2 (o m t e s n o e i e n) shears, pair of shears; 3 (v a n p l o e g) share; 4 pincer, nipper, claw [of a lobster]
2 schaar (scharen) *v* (m e n i g t e) = *schare*
3 schaar (scharen) *v* (k e r f) = *schaard(e)*; **'schaard(e)** (schaarden) *v* nick, notch [in a saw, a knife &]
schaars I *aj* scarce, scanty; infrequent [visit]; **II** *ad* 1 scarcely, scantily; 2 seldom; **–heid** *v* scarcity, scantiness, dearth; **–te** *v* scarcity [of teachers &], dearth [of money &], shortage, famine [in glass]
schaats (-en) *v* skate; **'schaatsen** (schaatste, h. geschaatst) *vi* skate; **'schaatsenrijden I** (reed 'schaatsen, h. 'schaatsengereden) *vi* skate; **II** *o* skating; **–er** (-s) *m* skater; **'schaatsriem** (-en) *m* skating strap; **–schoen** (-en) *m* skating boot;
scha'blone, scha'bloon = *sjablone, sjabloon*
schacht (-en) *v* shank [of an anchor]; leg [of a boot]; stem [of an arrow]; quill [of a feather]; shaft [of a mine, an oar]; ✿ scape; △ well (-hole); **–opening** (-en) *v* pit-head
'schade *v* damage, harm; detriment; *materiële ~* material damage; *~ aanrichten (doen)* cause (do) damage, do harm; *zijn ~ inhalen* make up for sth., compensate for; *~ lijden* sustain damage, be damaged; suffer a loss, lose; *~ toebrengen* do damage to, inflict damage on; zie ook: *verhalen*; *d o o r ~ en schande wordt men wijs* live and learn;

t o t ~ van zijn gezondheid to the detriment (to the prejudice) of his health; **–lijk** harmful, hurtful, injurious, detrimental, noxious [fumes, insects, substances]; (o n v o o r d e l i g) unprofitable; **'schadeloos** *iem. ~ stellen* indemnify (compensate) sbd.; *zich ~ stellen* indemnify (⚖ recoup) oneself; **–stelling** *v* indemnification, compensation, ⚖ recoupment; **'schaden** (schaadde, h. geschaad) **I** *vt* damage, hurt, harm; **II** *va* do harm, be harmful; **'schadepost** (-en) *m* unexpected loss; **–regeling** *v* adjustment of claims; settlement of damages; **–vergoeding** (-en) *v* indemnification, compensation; *~ eisen* (*van iem.*) claim damages (from sbd.), ⚖ sue (sbd.) for damages; **–verhaal** (-halen) *o* redress; **–vordering** (-en) *v* claim (for damages)

'schaduw (-en) *v* 1 (z o n d e r b e p a a l d e o m t r e k) shade; 2 (m e t b e p a a l d e o m t r e k) shadow [of a man &]; *een ~ van wat hij geweest was* the shadow of his former self; *de ~ des doods* the shadow of death; *iem. als zijn ~ volgen* follow a man like his shadow; *zijn ~ vooruitwerpen* announce itself; *een ~ werpen op* cast (throw) a shadow on; *fig* cast a shadow (a gloom) over; *in de ~ lopen* walk in the shade; *je kunt niet in zijn ~ staan* you are not fit to hold a candle to him; *in de ~ stellen* put in (throw into) the shade, eclipse; **–beeld** (-en) *o* silhouette; **'schaduwen** (schaduwde, h. geschaduwd) *vt* shade; *fig* shadow, follow [a criminal]; **'schaduwkabinet** (-ten) *o* shadow cabinet; **–kant** (-en) *m* shady side [of the road]; **–rijk** shady, shadowy; **–zijde** (-n) *v* shady side; *fig* drawback

'schaffen (schafte, h. geschaft) *vt* give, procure; *zij geeft haar moeder heel wat te ~* she gives her mother a lot of trouble

schaft (-en) *v* = *schacht*; || = *schafttijd*; **'schaften** (schaftte, h. geschaft) *vi* eat; *de werklui zijn gaan ~* have gone (home) for their meal; *ik wil niets met hem te ~ hebben* I will have nothing to do with him; **'schaftje** (-s) *o* diet tin, diet can; **'schaftlokaal** (-kalen) *o* canteen; **–tijd** (-en) *m*, **–uur** (-uren) *o* lunch hour, lunch(time)

'schakel (-s) *m* & *v* link[2]; *de ontbrekende ~* the missing link; **'schakelaar** (-s) *m* switch; **'schakelarmband** (-en) *m* chain bracelet; **–bord** (-en) *o* switch-board; **'schakelen** (schakelde, h. geschakeld) *vt* link; ⚡ connect, switch; (v. v e r s n e l l i n g) shift gear; **–ling** (-en) *v* linking; ⚡ connection; **'schakelkast** (-en) *v* switch box; **–ketting** (-en) *v* ⚒ link chain; **–meubelen** *mv* unit construction furniture; **–net** (-ten) *o* trammel(-net)

1 'schaken (schaakte, h. geschaakt) *vi sp* play (at) chess

2 'schaken (schaakte, h. geschaakt) *vt* run away with, abduct [a girl]; **–er** (-s) *m* (v r o u w e n - r o v e r) abductor; || (s c h a a k s p e l e r) chess-player

scha'keren (schakeerde, h. geschakeerd) *vt* grade, variegate, chequer; **–ring** (-en) *v* grade, variegation, nuance, shade

'schaking (-en) *v* elopement, abduction

schalk (-en) *m* wag, rogue; **–s** roguish, waggish

'schallen (schalde, h. geschald) *vi* sound, resound; *laten ~* sound [the horn]

schalm (-en) *m* link

schal'mei (-en) *v* shawm

'schamel poor, humble; **–heid** *v* poverty, humbleness

'schamen (schaamde zich, h. zich geschaamd) *zich ~* be (feel) ashamed, feel shame; *zich dood ~, zich de ogen uit het hoofd ~* not know where to hide for shame; *schaam u wat!* for shame!; *je moest je ~* you ought to be ashamed of yourself; • *zich ~ o v e r* be ashamed of; *zich ~ v o o r iem.* 1 be ashamed for sbd.; 2 be ashamed in the presence of sbd.

'schampen (schampte, h. en is geschampt) *vt* graze

'schamper scornful, sarcastic; contemptuous; **'schamperen** (schamperde, h. geschamperd) *vi* sneer, say scornfully; **'schamperheid** (-heden) *v* scorn, sarcasm; contempt

'schampschot (-schoten) *o* grazing shot, graze

schan'daal (-dalen) *o* scandal, shame, disgrace; (o p s c h u d d i n g) row; **–pers** *v* scandal (yellow) press, gutter press; **schan'dalig I** *aj* disgraceful, scandalous, shameful; *~, zeg!* for shame!, shame!; **II** *ad* scandalously; disgracefully, shamefully; < shockingly [bad, dear]; **'schanddaad** (-daden) *v* infamous deed, infamy, outrage, atrocity; **'schande** *v* 1 shame, disgrace, infamy, ignominy; 2 scandal; *het is* (*bepaald*) *~!* it is a (downright) shame!; *~ aandoen* bring shame upon, disgrace; *er ~ over roepen* cry shame upon it; • *m e t ~ overladen* utterly disgraced; *t e ~ maken* 1 disgrace [a person]; 2 = *logenstraffen*; *het zal u t o t ~ strekken* it will be a disgrace to you; *tot mijn ~...* to my shame [I must confess]; **'schandelijk I** *aj* shameful, disgraceful, infamous, outrageous, ignominious; **II** *ad* shamefully &, < scandalously, disgracefully, infamously, outrageously; **–heid** (-heden) *v* shamefulness, ignominy, infamy; **'schandknaap** (-knapen) *m* catamite; **–merk** (-en) *o* mark of infamy, stigma, brand; **–paal** (-palen) *m* pillory, cucking-stool; **–vlek** (-ken) *v* stain, blemish, stigma; *de ~ der familie* the disgrace of the family; **'schandvlekken** (schandvlekte, h. geschandvlekt) *vt* disgrace, dishonour

schans (-en) *v* ⚔ entrenchment, field-work, redoubt; (s k i~) (ski) jump; **–graver** (-s) *m* trencher, entrenchment worker; **–korf** (-korven) *m* gabion
schap (-pen) *o* & *v* shelf
'schapebout (-en) *m* leg of mutton; **–hok** (-ken) *o* sheep-fold, (sheep-)pen, *Br* (sheep)cote; **–kaas** (-kazen) *m* sheep-cheese; **–kop** (-pen) *m* sheep's head; *fig* blockhead, mutton-head, mutt; **–le(d)er** *o* sheepskin; **–melk** *v* sheep's milk; **'schapenfokker** (-s) *m* sheep-farmer; **schapenfokke'rij** (-en) *v* 1 sheep-farming; 2 sheep-farm; **'schapen-scheerder** (-s) *m* sheep-shearer, clipper; **'schaper** (-s) = *scheper*; **'schapestal** (-len) *m* sheep-fold; (sheep-)pen, *Br* (sheep)cote; **–vacht** (-en) *v* fleece; **–vel** (-len) *o* sheepskin; **–vet** *o* mutton fat; **–vlees** *o* mutton; **–wei(de)** (-den) *v* sheep-walk, sheep-run; **–wol** *v* sheep's wool; **–wolkjes** *mv* fleecy clouds
'schappelijk fair, tolerable, moderate, reasonable [prices &]; decent [fellow]
schapu'lier (-s en -en) = *scapulier*
schar (-ren) *v* 🐟 dab, flounder
⊙ **'schare** (-n) *v* crowd, multitude; **'scharen** (schaarde, h. geschaard) **I** *vt* range, draw up; **II** *vr zich ~* range oneself; *zich ~ a a n de zijde van...* range oneself on the side of, range oneself with...; *zich o m de tafel ~* draw round the table; *zich om de leider ~* rally round the chief; *zich o n d e r de banieren ~ van* range oneself under the banners of...
'scharensliep (-en), **–slijper** (-s) *m* knife (scissors) grinder
schar'laken I *aj* scarlet; **II** *o* scarlet; **–rood** scarlet
schar'minkel (-s) *o* & *m* scrag, skeleton
schar'nier (-en) *o* hinge; **–gewricht** (-en) *o* hinge-joint
'scharrel *m* flirtation; **'scharrelaar** (-s) *m* 1 potterer [on skates &]; bungler; 2 $ petty dealer; **'scharrelen** (scharrelde, h. en is gescharreld) *vi* scrape, rout [among debris &]; potter about [on skates]; bungle; fumble [at a thing]; (v r ij e n) have a flirtation; *b ij elkaar ~* get together; *er d o o r ~* muddle through; *~ i n* rummage in [a drawer &]; *fig* deal in [second-hand books &]
schat (-ten) *m* treasure; (l i e v e l i n g) **F** dreamboat, ducks; *mijn ~!* my darling!; *een ~ van kennis* a wealth of information; **–bewaarder** (-s) *m* treasurer, bursar
'schateren (schaterde, h. geschaterd) *vi ~ van 't lachen* roar with laughter; **'schaterlach** *m* loud laugh, burst of laughter, peals of laughter; **'schaterlachen** (schaterlachte, h. geschaterlacht) *vt* roar with laughter
'schatgraver (-s) *m* treasure-seeker; **'schatje** (-s) *o* = *liefje*; = *snoes*; **'schatkamer** (-s) *v* treasure-chamber, treasury; *fig* treasure-house, storehouse; **'schatkist** (-en) *v* (public) treasury, exchequer; **–biljet** (-ten) *o* exchequer bill; **–promesse** (-n en -s) *v* treasury bill; **schat'plichtig** tributary; **'schatrijk** very rich, wealthy; **'schattebout** (-en) *m* **F** sweatheart, honey, popsy
'schatten (schatte, h. geschat) *vt* appraise, assess, value [for taxing purposes]; estimate, value; gauge [distances]; *hoe oud schat je hem?* how old do you take him to be?; *op hoeveel schat u het?* what is your valuation?; *ik schat het geheel op een miljoen* I value (estimate) the whole at a million; *(naar waarde) ~* appreciate; *hij schat het niet naar waarde* he does not estimate it at its true value; *te hoog ~* overestimate, overvalue; *te laag ~* underestimate, undervalue; **–er** (-s) *m* appraiser, valuer [of furniture &]; assessor (of taxes)
'schattig sweet
'schatting (-en) *v* 1 valuation, estimate, estimation; 2 (c ij n s) tribute, contribution; *naar ~* at a rough estimate; an estimated [three million birds a year]
'schaven (schaafde, h. geschaafd) *vt* plane [a plank]; *zijn knie ~* graze one's knee; *zijn vel ~* abrade (graze) one's skin
scha'vot (-ten) *o* scaffold
scha'vuit (-en) *m* rascal, rogue, knave; **–enstuk** (-ken) *o* roguish trick
'schede (-n) *v* sheath, scabbard [of a sword]; ✿ sheath; (v a g i n a) vagina; *i n de ~ steken* sheathe [the sword]; *u i t de ~ trekken* unsheathe
'schedel (-s) *m* skull, cranium, brain-pan; *hij heeft een harde ~* he is thick-skulled; **–basis-fractuur** [-zɪs-] *v* fracture of the skull base, fractured skull; **–boor** (-boren) *v* trepan, trephine; **–breuk** (-en) *v* fractured skull, fracture of the skull; **–holte** (-n en -s) *v* brain (cranial) cavity; **–leer** *v* craniology; (~ v a n G a l l) phrenology; **–naad** (-naden) *m* cranial suture
schee (scheeën) = *schede*
scheed 'uit (scheden uit) V.T. v. *uitscheiden*
scheef I *aj* on one side; oblique [angle]; slanting, sloping [mast]; wry [neck, face]; *hij is wat ~ (gebouwd)* he is a little on one side; *scheve positie* false position; *de scheve toren van Pisa* the leaning tower of Pisa; *scheve verhouding* false position; *scheve voorstelling* misrepresentation; **II** *ad* obliquely &; awry, askew; *iets ~ houden* slant sth.; *zijn hoofd ~ houden* hold the head sidewise; *zijn schoenen ~ lopen* wear one's boots on one side; *de zaken ~ voorstellen* misrepresent things;

–heid *v* obliqueness, wryness; **–hoekig** skew, with oblique angles; **–ogig** slant-eyed; **–te** *v* = *scheefheid*
scheel squinting, squint-eyed, cross-eyed, boss-eyed; *schele hoofdpijn* migraine, bilious headache; ~ [*divergent*] *oog* wall-eye; *iets met schele ogen aanzien* look enviously at sth.; *schele ogen maken* excite envy; *zich* ~ *ergeren* be beside oneself with annoyance; ~ *van de honger* ravenous; ~ *zien* squint; *hij ziet erg* ~ he has a fearful squint; ~ *zien naar* squint at; **–heid** *v* squint(ing); **–ogig** = *scheel*; **–oog** (-ogen) *m-v* squint-eye, squinter; **–zien I** *o* squint(ing); **II** (zag 'scheel, h. 'scheelgezien) *vi* squint
1 scheen (schenen) *v* shin
2 scheen (schenen) V.T. van *schijnen*
'scheenbeen (-deren) *o* shin-bone, tibia; **–beschermer** (-s) *m* shin guard (pad)
scheep ~ *gaan* go on board, embark, take ship; **'scheepsagent** (-en) *m* shipping agent; **–agentuur** (-turen) *v* shipping agency; **–arts** (-en) *m* ship's doctor (surgeon); **–behoeften** *mv* ship's provisions; **–bemanning** *v* ship's crew; **–berichten** *mv* shipping intelligence; **–beschuit** (-en) *v* ship's biscuit, hard-tack; **–bevrachter** (-s) *m* charterer, freighter; **–bouw** *m* ship-building; **–bouwkunde** *v* naval architecture; **scheepsbouw'kundige** (-n) *m* naval architect; **'scheepsbouwmeester** (-s) *m* ship-builder, naval architect; **–dokter** (-s) *m* ship's doctor (surgeon); **–geschut** *o* naval guns; **–helling** (-en) *v* slip(s), slipway, ship-way; **–jongen** (-s) *m* ship-boy, cabin-boy; **–journaal** [-ʒu:rna.l] (-nalen) *o* log(-book), ship's journal; **–kapitein** (-s) *m* (ship-)captain; **–kok** (-s) *m* ship's cook; **–kompas** (-sen) *o* ship's compass; **–lading** (-en) *v* shipload, cargo; **–lantaarn, –lantaren** (-s) *v* ship's lantern; **–lengte** (-n en -s) *v* ship's length; **–maat** (-s) *m* shipmate; **–makelaar** (-s en -laren) *m* ship-broker, shipping agent; **–motor** (-s en -toren) *m* marine-engine; **–papieren** *mv* ship's papers; **–raad** (-raden) *m* council of war (on board a ship); **–ramp** (-en) *v* shipping disaster; **–recht** *o* maritime law; *driemaal is* ~ to be allowed to try three times running is but fair; **–roeper** (-s) *m* speaking-trumpet, megaphone; **–rol** (-len) *v* = *monsterrol*; **–ruim** (-en) *o* ship's (cargo) hold; **–ruimte** *v* tonnage, shipping (space); **–tijdingen** *mv* shipping intelligence; **scheeps'timmerman** (-lui en -lieden) *m* 1 shipcarpenter; 2 (b o u - w e r) shipwright, *Am* shipfitter; **–werf** (-werven) *v* 1 ship-building yard; ship-yard; 2 (v. d. m a r i n e) dockyard; **'scheepsvolk** *o* 1 ship's crew; 2 sailors; **–vracht** (-en) *v* ship-load; **–werf** (-werven) *v* = *scheepstimmerwerf*;
'scheepvaart *v* navigation; shipping; **–maatschappij** (-en) *v* shipping company
'scheerapparaat (-raten) *o elektrisch* ~ electric shaver, electric razor; **–bakje** (-s) *o*, **–bekken** (-s) *o* shaving basin (bowl); **–crème** *v* shaving-cream; **–der** (-s) *m* 1 barber; 2 [sheep] shearer; **–gereedschap, –gerei** *o* shaving-tackle, shaving things; **–kop** (-pen) *m* shaving head; **–kwast** (-en) *m* shaving-brush; **–lijn** (-en) *v* guy-rope [of a tent]
'scheerling (-en) *v* ✿ hemlock
'scheerlings = *rakelings*; **–mes** (-sen) *o* razor; **–mesje** (-s) *o* blade [of a safety-razor]; **–riem** (-en) *m* (razor-)strop; **–spiegel** (-s) *m* shaving mirror; **–staaf** (-staven) *v* shaving-stick; **–steentje** (-s) *o* shaving-block; **–water** *o* shaving-water; **–winkel** (-s) *m* barber's shop; **–wol** *v* shorn wool; **–zeep** *v* shaving-soap
1 scheet (scheten) **P** *m* fart, wind; *een* ~ *laten* fart
2 scheet (scheten) P V.T. van *schijten*
scheg (-gen) *v* ⚓ cutwater; **–beeld** (-en) *o* figurehead; **'schegge** (-n) = *scheg*
'scheidbaar divisible, separable°; (v a n b e g r i p p e n) differentiable, distinguishable; **–heid** *v* separability°; (v. b e g r i p p e n) distinguishability; **'scheiden* I** *vt* 1 (i n 't a l g.) separate, divide, sever, disconnect, disjoin, disunite, sunder; 2 (h e t h a a r) part; 3 (v. h u w e l ij k) divorce; *het hoofd van de romp* ~ sever the head from the body; *de vechtenden* ~ separate the combatants; *hij liet zich van haar* ~ he divorced her; **II** *vi* part; *als vrienden* ~ part friends; *u i t het leven* ~ depart this life; *zij konden niet* (*v a n elkaar*) ~ they could not part (from each other); *zij konden niet van het huis* ~ 1 they could not take leave of the house; 2 they could not part with the house; *hier* ~ (*zich*) *onze wegen* here our roads part; *b ij het* ~ *van de markt* towards the end; **'scheiding** (-en) *v* 1 separation, division, disjunction; 2 partition [between rooms]; 3 parting [of the hair]; 4 divorce [of a married couple]; ~ *van kerk en staat* separation of Church and State, disestablishment; **'scheidingslijn** (-en) *v* dividing line; (g r e n s l ij n) boundary line, demarcation line, line of demarcation; **–wand** (-en) *m* partition(-wall), dividing wall; **'scheidsgerecht** (-en) *o* court of arbitration; *aan een* ~ *onderwerpen* refer to arbitration; **–lijn** (-en) = *scheidingslijn*; **–man** (-lieden) *m* arbiter, arbitrator; **–muur** (-muren) *m* partition(-wall), dividing wall; *fig* barrier; **–rechter** (-s) *m* 1 arbiter, arbitrator; 2 *sp* umpire, referee; **scheids'rechterlijk I** *aj* arbitral; ~*e uitspraak* arbitral award; **II** *ad* by arbitration
'scheikunde *v* chemistry; **schei'kundig**

chemical; ~ *ingenieur* chemical engineer; ~ *laboratorium* chemistry laboratory; **–e** (-n) *m* & *v* chemist
1 schel (-len) *v* bell; *de ~len vielen hem van de ogen* the scales fell from his eyes
2 schel I *aj* 1 (v. geluid) shrill, strident; 2 (v. licht) glaring; **II** *ad* 1 shrilly, stridently; 2 glaringly
'Schelde *v* Scheldt
'schelden* *vi* call names, use abusive language; ~ *als een viswijf* scold like a fishwife; ~ *op* abuse, revile; **'scheldkanonnade** (-s) *v* diatribe, torrent of abuse; **–naam** (-namen) *m* nickname, sobriquet; (bijnaam) by-name; **–partij** (-en) *v* scolding, exchange of abuse; **–woord** (-en) *o* term of abuse, invective; *~en* ook: abusive language, abuse
'schelen (scheelde, h. gescheeld) *vt* 1 (verschillend zijn) differ; 2 (ontbreken) want; *zij ~ niets* they don't differ; *dat scheelt veel* that makes a great difference; *zij scheelden veel in leeftijd* there was a great disparity of age between them; *wat scheelt eraan (u)?* what is the matter (with you?), what's wrong?; *hij scheelt wat aan zijn voet* there is something the matter with his foot; *het scheelde maar een haartje* it was a near thing; *het scheelde niet veel of hij was in de afgrond gestort* he had a narrow escape from falling into the abyss, he nearly fell, he almost fell into the abyss; *wat kan dat ~?* what does it matter?; *wat kan hun dat ~?* what do they care?; *wat kan u dat ~?* what's that to you?; *wat kan het je ~?* who cares? *het kan me niet ~* 1 I don't care; 2 I don't mind; *het kan me geen snars ~* I don't care a damn
schelf (schelven) *v* stack, rick [of hay]
'schelheid *v* 1 (v. geluid) shrillness; 2 (van licht) glare; **–klinkend** shrill, strident
'schelkoord (-en) *o* & *v* bell-rope, bell-pull
'schellak *o* & *m* shellac
'schellen (schelde, h. gescheld) *vi* ring the bell, ring; zie *bellen*
'schellinkje (-s) *o het ~* the gallery, **F** the gods; *op het ~* **F** among the gods
schelm (-en) *m* rogue, knave, rascal; **–achtig** roguish, knavish, rascally; **–enroman** (-s) *m* picaresque novel; **schelme'rij** (-en) *v* roguery, knavery; **schelms** roguish[2]; **'schelmstuk** (-ken) *o* piece of knavery, roguish trick
schelp (-en) *v* 1 shell, valve [of a mollusc]; 2 (bij diner) scallop; **–dier** (-en) *o* shell-fish, testacean; **–envisser** (-s) *m* shell fisher; **–kalk** *m* shell-lime
'scheluw (v. hout) warped
'schelvis (-sen) *m* haddock; **–ogen** *mv* fishy eyes
'schema ('s en -mata) *o* diagram, skeleton, outline(s); pattern, scheme; **sche'matisch** schematic; in diagram, in outline; *~e voorstelling* diagram; **schemati'seren** [-'ze:-] (schematiseerde, h. geschematiseerd) *vt* system(at)ize, schematize
'schemer *m* twilight; dusk; **–achtig** dim[2], dusky; **–avond** (-en) *m* twilight; **–donker** *o*, **–duister** *o* twilight; **'schemeren** (schemerde, h. geschemerd) *vi* 1 dawn [in the morning]; grow dusk [in the evening]; 2 sit without a light; 3 glisten, gleam [of a light]; *er schemert mij zo iets voor de geest* I have a sort of dim recollection of it; *het schemerde mij voor de ogen* my eyes grew dim, my head was swimming; **'schemerig** dim[2], dusky; **'schemering** (-en) *v* twilight[2], dusk, gloaming; *in de ~* at twilight; **'schemerlamp** (-en) *v* shaded lamp, (kleine, op tafel) table-lamp; (grote, staande) standard lamp, *Am* floor-lamp; **–licht** *o* 1 twilight; 2 dim light; **–tijd** *m* twilight; **–toestand** *m ps* twilight state; **–uurtje** (-s) *o* twilight (hour)
'schendblad (-bladen) *o* scandal sheet; **'schenden*** *vt* disfigure [one's face &]; damage [a book]; deface [a statue &]; *fig* violate [one's oath, a treaty, a law, a sanctuary]; vitiate [a contract]; outrage[2] [law, morality]; break [a promise]; **–er** (-s) *m* violator, transgressor; **'schendig** sacrilegious; **'schending** (-en) *v* disfigurement, defacement; *fig* violation, infringement
'schenen V.T. meerv. van *schijnen*
'schenkblaadje (-s) *o*, **–blad** (-bladen) *o* tray
'schenkel (-s) *m* 1 shank, femur; 2 = *schenkelvlees*; **–vlees** *o* shin of beef
'schenken* I *vt* 1 (gieten) pour; 2 (geven) give, grant, present with; donate [to the Red Cross]; *ik schenk u het lesgeld* I let you off the fee; *iem. het leven ~* grant sbd. his life; *een kind het leven ~* give birth to a child; *ik schenk u de rest* never mind the rest, I'll excuse you the rest; *wilt u (de) thee ~?* will you kindly pour out the tea?; *wijn ~* 1 retail wine; 2 serve wine; *ze schonk hem twee zonen* she bore him two sons; **II** *va* serve drinks; **–er** (-s) *m* 1 (die inschenkt) cupbearer; 2 (die geeft) donor; **'schenking** (-en) *v* donation, gift; benefaction; **'schenkkan** (-nen) *v* flagon, tankard; **–kurk** (-en) *v* cork for pouring out
'schennis *v* violation; outrage
schep (-pen) 1 *v* (werktuig) scoop, shovel; 2 *m* (hoeveelheid) spoonful, shovelful; *een ~ geld* **F** heaps of money; **–bord** (-en) *o* floatboard, float
'schepel (-s) *o* & *m* bushel, decalitre
'schepeling (-en) *m* member of the crew [of a ship]; sailor; *de ~en* the crew

1 'schepen (-en) *m* sheriff, alderman
2 'schepen meerv. van *schip*
'scheper (-s) *m prov* shepherd
'schepnet (-ten) *o* landing-net; **1 'scheppen*** *vt* scoop, ladle; shovel [coal, snow]; *vol ~* fill; *leeg ~* empty (out), ladle out; *de auto schepte het kind* the car hit the child; zie ook: *adem, luchtje* &
2 'scheppen* *vt* create, make; **–d** creative; **'schepper** (-s) *m* 1 (voortbrenger) creator, maker; || 2 (werktuig) scoop; **'schepping** (-en) *v* creation; **'scheppingsdrang** *m* creative urge; **–geschiedenis** *v* history of creation; **–kracht** *v* creative power; **–verhaal** (-halen) *o* history of creation, Genesis; **–vermogen** *o* creative power; **–werk** *o* (work of) creation
'scheprad (-raderen) *o* paddle-wheel
'schepsel (-s en -en) *o* creature
'schepvat (-vaten) *o* scoop, bail
'scheren* I *vt* shave [men]; shear [sheep & cloth]; clip [a hedge]; skim [stones over the water, the waves]; ⚓ reeve [a rope]; ⚒ warp [linen &]; *fig* fleece [customers]; **II** *vr zich ~* shave; *zich laten ~* get shaved, have a shave; *scheer je weg!* be off!, begone!, get you gone!; **III** *vi ~ langs* graze (shoot) past; *de zwaluwen ~ over het water* the swallows skim (over) the water
scherf (scherven) *v* potsherd [of a pot]; fragment, splinter [of glass, of a shell]; *scherven* flinders
'schering (-en) *v* 1 shearing [of sheep]; 2 warp [of cloth]; *~ en inslag* warp and woof; *dat is hier ~ en inslag* that is customary, that is quite the usual thing (practice)
scherm (-en) *o* 1 screen [for the hearth, for moving or televised pictures]; 2 curtain [on the stage]; 3 ❀ umbel [of a flower]; 4 awning [of a shop &]; *achter de ~en* in the wings, behind the scenes; *fig* behind the scenes; *wie zit er achter de ~en?* who is at the back of it, who is the wire-puller?; **–bloem** (-en) *v* umbellifer; **scherm'bloemigen** *mv* umbellate (umbelliferous) plants
'schermdegen (-s) *m* foil; **'schermen** (schermde, h. geschermd) *vi* fence; *in het wild ~* talk at random; *met de armen in de lucht ~* flourish one's arms; *met woorden ~* fence with words; **–er** (-s) *m* fencer; **'schermhandschoen** (-en) *m* & *v* fencing-glove; **–kunst** *v* art of fencing, swordsmanship; **–masker** (-s) *o* fencing-mask; **–meester** (-s) *m* fencing-master; **–school** (-scholen) *v* fencing-school
scher'mutselen (schermutselde, h. geschermutseld) *vi* skirmish; **–ling** (-en) *v* skirmish
'schermvormig umbellate
'schermzaal (-zalen) *v* fencing-room, fencing-hall
scherp I *aj* sharp[2] [in de meeste betekenissen]; keen[2] [eyes, smell, intellect &]; trenchant[2] [sword, language]; acute[2] [angles, judgement]; poignant[2] [taste, hunger]; *gram* hard [consonant]; hot [spices]; *fig* pungent [pen]; keen [competition]; sharp-cut [features]; acrid [temper]; caustic [tongue]; tart [reply]; brisk [trot]; live [cartridge]; strict, close, searching [examination]; *~ maken* sharpen; **II** *ad* sharply, keenly &; [watch them] closely; *~er kijken* look closer; **III** *o* edge [of a knife]; *met ~ schieten* ⚔ use ball ammunition; *zonder ~ schieten* ⚔ run dry; *een paard op ~ zetten* calk a horse;
'scherpen (scherpte, h. gescherpt) *vt* sharpen[2] [a pencil, faculties, the appetite &]; **'scherpheid** (-heden) *v* sharpness, keenness, acuteness, pungency, trenchancy; **–hoekig** acute-angled; **scherpom'lijnd** sharp-cut, sharp-edged; **'scherprechter** (-s) *m* executioner; **–schutter** (-s) *m* sharpshooter, [good] marksman; (verdekt opgesteld) sniper; **–slijper** (-s) *m* precisian, literalist, bigot; **–snijdend** sharp, keen-edged; **–te** (-s en -n) *v* sharpness[2], edge; **–ziend** sharp-sighted, keen-sighted, eagle-eyed, hawk-eyed, penetrating; **scherp'zinnig I** *aj* acute, sharp (-witted); **II** *ad* acutely, sharply; **–heid** (-heden) *v* acumen, penetration, keen perception
scherts *v* pleasantry, raillery, banter; jest, joke; *in ~* in jest, jokingly; *het is maar ~* he is only joking; *~ terzijde* joking apart; *hij kan geen ~ verstaan* he cannot take a joke; **'schertsen** (schertste, h. geschertst) *vi* jest, joke; *~d* in jest, jokingly; *met hem valt niet te ~* he is not to be trifled with; **schertsender'wijs, –'wijze** jokingly, jestingly, by way of a joke, in jest, facetiously, jocularly; **'schertsfiguur** (-guren) *v* wash-out, nonentity, joke; **–vertoning** (-en) *v* wash-out, joke
'schervengericht *o* ostracism
'scheten P V.T. meerv. van *schijten*
schets (-en) *v* sketch, draught, (sketchy) outline; *een ruwe ~ geven van* draw (sketch) in outline; **–boek** (-en) *o* sketch-book; **'schetsen** (schetste, h. geschetst) *vt* sketch, outline; *wie schetst mijn verbazing* imagine my amazement; **–er** (-s) *m* sketcher; **'schetskaart** (-en) *v* sketch-map; **schets'matig** sketchy; **'schetstekening** (-en) *v* sketch
'schetteren (schetterde, h. geschetterd) *vi* 1 (v. trompet &) bray, blare; 2 (opsnijden) brag, swagger
scheur (-en) *v* tear, rent [in clothes], slit, split, crack, cleft; **S** (mond) trap; *hou je ~!* shut your trap; **–buik** *m* & *o* scurvy; **'scheuren I** (scheurde, h. gescheurd) *vt* 1 (aan

s t u k k e n) tear up [a letter]; rend [one's garments]; 2 (e e n s c h e u r m a k e n i n) tear [a dress &]; break up, plough up [grass-land]; *in stukken* ~ tear to pieces; **II** (scheurde, is gescheurd) *va* & *vi* tear; (v. ij s) crack; (*met een auto*) *door de stad* ~ tear through the town; *het scheurt licht* it tears easily; **–ring** (-en) *v* breaking up [of grass-land]; *fig* rupture, split, disruption, schism; **'scheurkalender** (-s) *m* tear-off calendar; **–maker** (-s) *m* schismatic; **–papier** *o* waste-paper

scheut (-en) *m* 1 ☘ shoot, sprig; 2 (k l e i n e h o e v e e l h e i d) dash [of vinegar &]; 3 (v a n p ij n) twinge, shooting pain

'scheutig I *aj* open-handed, liberal; (*niet*) ~ *met*... (not) lavish of...; **II** *ad* liberally; **–heid** *v* open-handedness, liberality

'scheutje (-s) *o* = *scheut*

schibbo'let [ʃɪbo.'lɛt] (-s) = *sjibbolet*

schicht (-en) *m* dart, bolt, flash [of lightning]

'schichtig I *aj* shy, skittish; ~ *worden* shy (at *voor*); **II** *ad* shyly

schie'dammer *m* Schiedam, Hollands [gin]

'schielijk quick, rapid, swift, sudden; **–heid** *v* quickness, rapidity, swiftness, suddenness

schiep (schiepen) V.T. van 2 *scheppen*

schier almost, nearly, all but; **–eiland** (-en) *o* peninsula

'schietbaan (-banen) *v* rifle-range, range;

'schieten* I *vi* fire [with a gun]; shoot [of persons, pain & ☘]; (s n e l b e w e g e n) dash, rush; • *dat schoot mij d o o r het hoofd* (*i n de gedachte*) it flashed across my mind (upon me); *in de aren* ~ come into ear, ear; *de bomen* ~ *in de hoogte* the trees are shooting up; *hij schoot in de kleren* he slipped (huddled) on his clothes; *de tranen schoten hem in de ogen* the tears started (in)to his eyes; *er n a a s t* ~ miss the mark; *o n d e r een brug door* ~ shoot a bridge; *onder iems. duiven* ~ poach on sbd.'s preserves; ~ *o p* fire at; *u i t de grond* ~ spring up; *iem. laten* ~ **F** drop sbd., give sbd. the go-by; *iets laten* ~ let sth. go; let slip [a chance]; *een touw laten* ~ let go (slip) a rope, pay out a rope; *een kerel om op te* ~ a dreadful (annoying) fellow; *het is om op te* ~ it is hideous (frightful), it is not fit to be seen; **II** *vt* shoot [an animal]; *geld* ~ provide funds; *netten* ~ shoot nets; *een plaatje* ~ take a snapshot; *een schip in de grond* ~ send a ship to the bottom; *vuur* ~ shoot (flash) fire; *de zon* ~ take the sun's altitude; *zich voor de kop* ~ blow out one's brains; **–er** (-s) *m* 1 shooter; 2 ⚒ bolt [of a lock]; 3 peel [for the oven]; **'schietgat** (-gaten) *o* ⚔ loop-hole; **–gebed** (-beden) *o* little prayer; **–geweer** (-weren) *o* gun, fire-arm, **F** shooter; **–graag F** trigger-happy, quick on the draw; **–katoen** *o* & *m* gun-cotton; **–lood** (-loden) *o* plummet, plumb; **–oefeningen** *mv* ⚔ target-practice; ⚓ gunnery practice; **–partij** (-en) *v* shooting; **–schijf** (-schijven) *v* target, mark; **–school** (-scholen) *v* 1 ⚔ musketry school; 2 ⚓ gunnery school; **–spoel** (-en) *v* shuttle; **–stoel** (-en) *m* ✈ ejector seat; **–tent** (-en) *v* shooting-gallery; **–terrein** (-en) *o* practice-ground, range; **–wedstrijd** (-en) *m* shooting-match, shooting-competition

'schiften I (schiftte, h. geschift) *vt* sort, separate; (z o r g v u l d i g o n d e r z o e k e n) sift; **II** (schiftte, is geschift) *vi* curdle; **–ting** *v* 1 sorting; (z o r g v u l d i g o n d e r z o e k) sifting; 2 curdling [of milk]; zie ook: *geschift*

schijf (schijven) *v* 1 slice [of ham &]; 2 (v a n d a m s p e l) man; 3 (s c h i e t s c h ij f) target; 4 (v. w i e l &) disc, disk; 5 ⚒ sheave [of a pulley]; 6 (v. t e l e f o o n &) dial; *dat loopt over veel schijven* there are wheels within wheels; **–je** (-s) *o* thin slice [of meat &]; round [of lemon &]; **–rem** (-men) *v* disc brake; **–schieten I** *o* target-practice; **II** (schijfschoot, h. schijfgeschoten) *vi* fire at a target; **–vormig** disc-shaped, discoid; **–wiel** (-en) *o* disc-wheel

schijn *m* shine, glimmer; *fig* appearance [and reality]; semblance [of truth]; show, pretence, pretext; *het was alles maar* ~ it was all show; *geen* ~ *van kans* not the ghost of a chance; *zonder* ~ *of schaduw van bewijs* without a shred of evidence; ~ *en wezen* the shadow and the substance; ~ *bedriegt* appearances are deceptive; *de* ~ *is tegen hem* appearances are against him; *het heeft de* ~ *alsof*... it looks as if...; *de* ~ *aannemen* pretend, affect; *de* ~ *redden* save appearances; *de* ~ *wekken* create the appearance; • *i n* ~ in appearance, seemingly; *n a a r alle* ~ to all appearance; *o n d e r de* ~ *van* under the pretence (pretext) of; *v o o r de* ~ for the sake of appearances; **–aanval** (-len) *m* feigned attack, feint; **–baar** seeming, apparent; **–beeld** (-en) *o* phantom; **–beweging** (-en) *v* feint; **–dood I** *aj* apparently dead, in a state of suspended animation; **II** *m* & *v* apparent death, suspended animation; **'schijnen*** *vi* 1 (l i c h t g e v e n) shine; glimmer; 2 (l ij k e n) seem, look; *naar het schijnt* it would seem, it appears, to all appearance; **'schijngeleerde** (-n) *m* would-be scholar; **–geleerdheid** *v* would-be learning; **–geluk** *o* false happiness; **–gestalte** (-n) *v* phase (of the moon); **–gevecht** (-en) *o* mock (sham) fight, mock (sham) battle; **schijn'heilig** hypocritical; **–e** (-n) *m-v* hypocrite; **–heid** *v* hypocrisy; **'schijnsel** (-s) *o* glimmer; **'schijntje** (-s) *o een* ~ **F** very little, a trifle; **'schijnvertoning** (-en) *v* sham, make-believe; farce, mockery [of a trial]; **–vriend**

(-en) *m* sham friend, fairweather friend; **-vroom** sanctimonious; **-vroomheid** *v* sanctimony; **-vrucht** (-en) *v* accessory (spurious) fruit, pseudocarp; **-wereld** *v* make-believe world; **-werper** (-s) *m* searchlight, spotlight, projector

schijt P *m* & *o* shit; *ik heb ~ aan hem* he can go to hell (blazes, the devil); *daar heb ik ~ aan* I couldn't care less, I don't care a hoot; **'schijten* P** *vi* shit, crap; **schijte'rij P** *v* diarrhoea, **F** the trots; **'schijtlaars** (-laarzen) *m* = *schijtlijster*; **-lijster** (-s) **P** *m* scaredy-cat, funk

'schijvengeheugen (-s) *o* disk (disc) storage

schik *m* *~ hebben* amuse oneself, enjoy oneself; *veel ~ hebben* enjoy oneself immensely; have great fun; *in zijn ~ zijn* be pleased, be in high spirits; *in zijn ~ zijn met iets* be pleased (delighted) with sth.; *niet erg in zijn ~ met* (*over*) not too pleased with (at)

'schikgodinnen *mv de ~* the Fates, the fatal Sisters

'schikkelijk = *schappelijk*

'schikken I (schikte, h. geschikt) *vt* arrange, order [books &]; *we zullen het wel zien te ~* we'll try and arrange matters; *de zaak ~* settle the matter; **II** (schikte, h. geschikt) *onpers. ww.* in: *het schikt nogal!* pretty middling; *als het u schikt* when it is convenient to you; *het schikt me niet* it is not convenient; *zodra het u schikt* at your earliest convenience; **III** (schikte, is geschikt) *vi wil je wat deze kant uit ~?* move up a little; **IV** (schikte, h. geschikt) *vr zich ~* come right; *het zal zich wel ~* it is sure to come right; • *zich in alles ~* resign oneself to everything; *hoe schikt hij zich in zijn nieuwe betrekking?* how does he take to his new berth?; *zich in het onvermijdelijke ~* resign oneself to the inevitable; *zich naar iem. ~* conform to sbd.'s wishes; *zich om de tafel ~* draw up round the table; zie ook *geschikt*; **-king** (-en) *v* arrangement, settlement; *een ~ treffen* come to an arrangement (with *met*); *~en treffen* make arrangements

schil (-len) *v* peel [of an orange]; skin [of a banana or potato]; rind [of a melon]; bark [of a tree]; *~len* (als afval) parings [of apples], peelings [of potatoes]; *aardappelen met de ~* potatoes in their jackets

schild (-en) *o* 1 shield[2]; buckler; 2 ⊘ escutcheon; 3 (v. schildpad) shell; 4 (van insekt) = *dekschild*; *iets in het ~ voeren* aim at (drive at) sth.; *ik weet niet wat hij in zijn ~ voert* I don't know what he's up to; **-drager** (-s) *m* 1 shield-bearer; 2 ⊘ supporter

'schilder (-s) *m* 1 (kunstenaar) painter, artist; 2 (ambachtsman) (house-)painter; **'schilderachtig** picturesque; *een ~e figuur, een ~ type* a colourful character; **-heid** *v* picturesqueness; **1 'schilderen** (schilderde, h. geschilderd) **I** *vt* paint[2]; *fig* ook: picture, portray, delineate, depict; *naar het leven ~* paint from life; **II** *va* paint

2 'schilderen (schilderde, h. geschilderd) *vt* ⚔ do sentry-go, stand sentry; *ik heb hier al een uur staan ~* I've been cooling my heels for an hour

schilde'res (-sen) *v* paintress, woman painter

'schilderhuisje (-s) *o* ⚔ sentry-box

schilde'rij (-en) *o* & *v* painting, picture; **schilde'rijenkabinet** (-ten) *o* picture-gallery; **-tentoonstelling** (-en) *v* art exhibition; **'schildering** (-en) *v* painting, depiction, picture, portrayal; **'schilderkunst** *v* (art of) painting; **-les** (-sen) *v* painting-lesson; *~ krijgen* take lessons in painting; **-school** (-scholen) *v* school of painting; **'schildersezel** (-s) *m* (painter's) easel; **-kwast** (-en) *m* paintbrush; **-stok** (-ken) *m* maulstick; **'schilderstuk** (-ken) *o* painting, picture; **'schilderswerkplaats** (-en) *v*, **-winkel** (-s) *m* house-painter's workshop; **'schilderwerk** (-en) *o* painting

'schildklier (-en) *v* thyroid gland; **-knaap** (-knapen) *m* 1 🕮 squire, shield-bearer; armour-bearer; 2 *fig* lieutenant; **-luis** (-luizen) *v* scale insect; **-pad** 1 (-den) *v* tortoise; (zeedier) turtle; 2 *o* (stofnaam) tortoise-shell; [dark] turtle-shell; **-padden** *aj* tortoise-shell; **-padsoep** *v* turtle soup

schild'vleugeligen *mv* sheath-winged insects, coleoptera; **'schildvormig** shield-shaped; **-wacht** (-en en -s) *m* sentinel, sentry; *op ~ staan* stand sentry; **-wachthuisje** (-s) *o* sentry-box

'schilfer (-s) *m* scale; flake; *~s op het hoofd* dandruff; **'schilferachtig** scaly; **-heid** *v* scaliness; **'schilferen** (schilferde, h. en is geschilferd) *vi* scale (off), peel (off), flake (off); **-rig** scaly, scurfy

'schillen (schilde, h. geschild) **I** *vt* pare [apples &]; peel [oranges, potatoes &]; **II** *vi* peel

'schillerhemd ['ʃi.lər-] (-en) *o* open-necked shirt; **-kraag** (-kragen) *m* Byronic collar

'schilmesje (-s) *o* paring-knife, peeling-knife

schim (-men) *v* shadow, shade; ghost; *Chinese ~men* Chinese shades; **-achtig** shadowy, ghostly

1 'schimmel (-s) *m* (paard) grey (horse)

2 'schimmel (-s) *m* (uitslag) mould, must; (op leer, papier) mildew; **-achtig** mouldy; **'schimmelen** (schimmelde, is geschimmeld) *vi* grow mouldy; **-lig** mouldy

'schimmenrijk *o het ~* the land of shadows; **-spel** *o* shadow-play (pantomime); **'schimmetje** (-s) **F** *o* trifle; *hij verdient maar een ~* he

earns a mere pittance
schimp *m* contumely, taunt, scoff; **–dicht** (-en) *o* satire; **'schimpen** (schimpte, h. geschimpt) *vi* scoff; ~ *op* scoff at, revile; **'schimpscheut** (-en) *m* gibe, taunt, jeer
'schinkel (-s) = *schenkel*
schip (schepen) *o* 1 ⚓ ship, vessel; [canal] barge, boat; 2 nave [of a church]; *het ~ van staat* the ship of state; *schoon ~ maken* make a clean sweep (of it); settle accounts; *zijn schepen achter zich verbranden* burn one's boats; *een ~ op strand een baken in zee* ± one man's fault is another man's lesson; *als het ~ met geld komt* when my ship comes home; *een ~ met zure appelen* a coming rainshower; a fit of weeping; **–breuk** (-en) *v* shipwreck; ~ *lijden* 1 be shipwrecked; 2 *fig* fail; *zijn plannen hebben ~ geleden* his plans have miscarried, his plans were wrecked; **–breukeling** (-en) *m* shipwrecked person, castaway; **–brug** (-gen) *v* bridge of boats, floating-bridge; **–per** (-s) *m* bargeman, boatman; (g e z a g v o e r d e r) master
'schipperen (schipperde, h. geschipperd) *vi* skipper; *fig* compromise, give and take
'schippersbaard (-en) *m* Newgate frill (fringe); **–beurs** *v* shipping-exchange; **–boom** (-bomen) *m* barge-pole; **–haak** (-haken) *m* boat-hook; **–kind** (-eren) *o* bargeman's child; *~eren* ook: barge children, boat children; **–knecht** (-en en -s) *m* bargeman's mate
'schisma ('s en -mata) *o* schism; **schisma'tiek** schismatic; *de ~en* the schismatics
'schitteren (schitterde, h. geschitterd) *vi* shine [of light], glitter [of the eyes], sparkle [of diamonds]; ~ *door afwezigheid* be conspicuous by one's absence; **–d** *fig* brilliant, glorious, splendid; **'schittering** (-en) *v* glittering, sparkling; radiance; lustre; splendour
schizo'freen (-frenen) *aj* & *m-v* schizophrenic; **schizofre'nie** *v* schizophrenia
'schlager ['ʃla.gər] (-s) *m* hit
schle'miel [ʃlə-] (-en) **F** *m* unlucky devil, *Am* **S** s(c)hlemiel, schlemihl
schmink [ʃmi.ŋk] *m* grease-paint; make-up; **'schminken** (schminkte, h. geschminkt) *vt* & *vr* make up
'schnabbel ['ʃna-] (-s) **F** *m* odd job, casual job; **'schnabbelen** (schnabbelde, h. geschnabbeld) *vi* earn on the side
'schnitzel ['ʃni.tzəl] (-s) *m* schnitzel, scallop
'schobbejak (-ken) *m* scamp, rogue, scallywag
schobberde'bonk *op de ~ lopen* sponge on [sbd.], cadge from [sbd.]
'schoeien (schoeide, h. geschoeid) *vt* shoe; zie ook: *leest*; **'schoeisel** (-s) *o* shoes, **$** foot-wear
'schoelje (-s) *m* rascal, scamp
schoen (-en) *m* 1 (i n 't a l g. & l a a g) shoe; 2 (h o o g) boot; *de stoute ~en aantrekken* pluck up courage; • *b u i t e n de ~en gaan lopen* (*van verwaandheid*) get (grow) too big for one's boots; *iem. iets i n de ~en schuiven* lay sth. at sbd.'s door, impute sth. to sbd., to pin sth. on sbd., *ik zou niet graag in zijn ~en staan* I should not like to be in his shoes; *vast in zijn ~en staan* stand firm in one's shoes; *het hart zonk hem in de ~en* his spirtis sank, his courage failed him; *m e t loden ~en* zie *loden*; *n a a s t zijn ~en lopen* suffer from a swelled head; *o p z'n laatste ~en lopen* be on one's last legs; *op een ~ en een slof* 1 [do sth.] on a shoe-string; 2 (a r m o e d i g) beggarly; *wie de ~ past, trekke hem aan* whom the cap fits, let him wear it; *men moet geen oude ~en weggooien vóór men nieuwe heeft* one should not throw away old shoes before one has got new ones; *weten waar de ~ wringt* know where the shoe pinches; *daar wringt 'm de ~!* that's the rub!; **–borstel** (-s) *m* shoe-brush, blacking-brush; **–crème** *v* shoe polish (cream); **'schoenenfabriek** (-en) *v* = *schoenfabriek*; **–winkel** (-s) *m* = *schoenwinkel*
'schoener (-s) *m* schooner; **–brik** (-ken) *v* brigantine
'schoenfabriek (-en) *v* shoe factory; **–gesp** (-en) *m* & *v* shoe-buckle; **–hoorn, –horen** (-s) *m* shoe-horn, shoe-lift; **–lapper** (-s) *m* cobbler; **–le(d)er** *o* shoe-leather; **–leest** (-en) *v* (shoe-) last; **–lepel** (-s) *m* = *schoenhoorn*; **–maker** (-s) *m* shoemaker; ~ *blijf bij je leest* let the cobbler stick to his last; **–makersknecht** *m* shoemaker's mate; **–poets** *m* = *schoensmeer*; **–poetser** (-s) *m* (o p s t r a a t) shoe-black, boot-black; (i n h o t e l) boots; **–riem** (-en) *m* strap of a shoe; *niet waard zijn om iems. ~en te ontbinden* (*los te binden*) not be worthy to (un)tie sbd.'s shoe-strings; **–smeer** *o* & *m* shoe-polish, shoe-black, blacking; **–veter** (-s) *m* shoe-lace, boot-lace; **–winkel** (-s) *m* shoe-shop; **–zool** (-zolen) *v* sole of a shoe
schoep (-en) *v* 1 paddle-board, paddle; 2 blade [of a turbine]
'schoffel (-s) *v* hoe; **'schoffelen** (schoffelde, h. geschoffeld) *vt* hoe
schof'feren (schoffeerde, h. geschoffeerd) *vt* dishonour, rape
'schoffie (-s) *o* street arab
1 schoft (-en) *m* scoundrel, rascal, scamp, cad
2 schoft (-en) *v* withers [of a horse]
'schoftachtig = *schofterig*; **'schofterig** scoundrelly, blackguardly, caddish
schok (-ken) *m* 1 (i n 't a l g.) shock; 2 (v a n r ij t u i g) jolt, jerk; 3 (h e v i g) impact; concussion, convulsion; *het heeft hem een ~ gegeven* it has shaken his health; *een ~ krijgen* receive a

shock[2]; **–beton** *o* vibrated concrete; **–breker** (-s) *m* shock-absorber; **–buis** (-buizen) *v* percussion-fuse; **–effect** (-en) *o* shock effect; **'schokken** (schokte, h. geschokt) **I** *vt* 1 shake[2], convulse[2], jerk; jolt; 2 **S** (b e t a l e n) fork out, shell out; *zijn krediet (vertrouwen) is geschokt* his credit (faith) is shaken; *de zenuwen ~* shatter the nerves; *een ~de gebeurtenis* a startling event; **II** *vi* 1 shake, jolt, jerk; 2 **S** (b e t a l e n) fork out, cough up; **'schokschouderen** (schokschouderde, h. geschokschouderd) *vi* shrug one's shoulders; **schoksge'wijs** by jerks, by fits and starts, intermittently; **'schokvrij** shock-proof

schol (-len) 1 *m*; ⚘ plaice; || 2 *v* floe [of ice]

scholas'tiek 1 *v* scholastic theology, scholasticism; 2 (-en) *m rk* scholastic

schold (**scholden**) V.T. van *schelden*

'scholekster (-s) *v* oyster-catcher

1 'scholen (schoolde, h. geschoold) *vi* shoal [of fish]; flock together; || *vt* train; zie ook: *geschoold*

2 'scholen V.T. meerv. van *schuilen*

'scholengemeenschap (-pen) *v* comprehensive school; **scho'lier** (-en) *m* pupil, schoolboy; **'scholing** *v* training

'schollevaar, 'scholver(d) (-s) *m* 🦢 cormorant

'schommel (-s) *m* & *v* swing; **'schommelen** (schommelde, h. geschommeld) **I** *vi* 1 (o p s c h o m m e l) swing; 2 (v. s l i n g e r) swing, oscillate; 3 (o p s c h o m m e l s t o e l) rock; 4 (v. s c h i p) roll; 5 (m e t h e t l i c h a a m) wobble, waddle; 6 *fig* (v. p r ij z e n) fluctuate; *met de benen ~* swing one's legs; **II** *vt* swing, rock [a child]; **–ling** (-en) *v* swinging, oscillation, fluctuation; **'schommelstoel** (-en) *m* rocking-chair

schond (**schonden**) V.T. van *schenden*

'schone (-n) zie 1 *schoon* **II**

schonk (**schonken**) V.T. van *schenken*

'schonkig bony, big-boned, large-boned

1 schoof (schoven) *v* sheaf; *aan schoven zetten, in schoven binden* sheave

2 schoof (**schoven**) V.T. van *schuiven*

'schooien (schooide, h. geschooid) *vi* beg; **–er** (-s) *m* 1 ragamuffin; 2 beggar, tramp, vagrant; *~!* rascal!

1 school (scholen) *v* 1 school; academy, college; 2 shoal [of herrings]; *de ~* ook: the schoolhouse; *bijzondere ~* 1 private school; 2 denominational school; *lagere ~* primary school; *middelbare ~* secondary school; *militaire ~* military academy (college); *neutrale ~* secular (unsectarian) school; *openbare ~* State primary school; *de Parijse (schilder)~* the school of Paris; *~ met de Bijbel* denominational school for orthodox Protestants; *~ gaan* go to school; *toen ik nog ~ ging* when I was at school; *we hebben geen ~ vandaag!* no school to-day!; *~ houden* keep in [a pupil]; *een ~ houden* keep a school; *~ maken* find a following, gain followers; • *n a a r ~ gaan* go to school; *o p ~* at school; *waar ben je op ~?* where are you going to school?; *een jongen op ~ doen* put a boy to school; *daarvoor moet je bij hem t e r ~ gaan* for that you have to go to school to him; *u i t de ~ klappen* let out a secret, blab; *v a n ~ gaan* leave school

2 school (**scholen**) V.T. van *schuilen*

'schoolagenda ('s) *v* prep book; **–arts** (-en) *m* school doctor, school medical officer; **–atlas** (-sen) *m* school atlas; **–bank** (-en) *v* form [long, without back]; desk [for one or two, with back]; **–behoeften** *mv* school necessaries; **–bestuur** (-sturen) *o* (board of) governors; **–bezoek** *o* 1 (v. d. l e e r l i n g e n) school attendance; 2 (v. d. o v e r h e i d) inspection, visit; **–bibliotheek** (-theken) *v* school library; **'schoolblijven** (bleef 'school, is 'schoolgebleven) *vi* stay in (after hours), be kept in; *het ~* detention; *twee uur ~* two hours' detention; **'schoolboek** (-en) *o* school-book, class-book; **–bord** (-en) *o* blackboard; **–bus** (-sen) *m* & *v* school-bus; **–dag** (-dagen) *m* school-day; **–engels** *o* schoolboy English; **–examen** (-s) *o* school examination; **–feest** (-en) *o* school festivity (fête); **–frik** (-ken) *m* pedagogue, pedantic schoolteacher; **'schoolgaan** (ging 'school, h. 'schoolgegaan) *vi* go to school, be at school; **'schoolgebouw** (-en) *o* school-building; **–gebruik** *o voor ~* for use in schools; **–geld** (-en) *o* school fee(s), tuition; **–geleerde** (-n) *m* 1 schoolman, scholar; 2 > pedant, schoolmaster; **–geleerdheid** *v* book-learning; **–hoofd** (-en) *o* head of a school, headmaster; **'schoolhouden** (hield 'school, h. 'schoolgehouden) *vt* keep in [a pupil]; **'schooljaar** (-jaren) *o* scholastic year, school-year; *in mijn schooljaren* in my school-days (school-time); **–jeugd** *v* the school-children; **–jongen** (-s) *m* schoolboy; **–juffrouw** (-en) *v* school-mistress, teacher; **–kameraad** (-raden) *m* = *schoolmakker*; **–kennis** *v* school (scholastic) knowledge; **–kind** (-eren) *o* school-child; **–klas** (-sen) *v* class, form; **–lokaal** (-kalen) *o* classroom; **–makker** (-s) *m* school-fellow, schoolmate; **–meester** (-s) *m* schoolmaster; *fig* pedant, pedagogue; **–meesterachtig** pedantic; **–meesterachtigheid** *v* pedantry; **–meisje** (-s) *o* schoolgirl; **–onderwijs** *o* school-teaching; **–opziener** (-s) *m* school-inspector; **–plein** (-en) *o* school yard, play ground; **–plicht** *m* & *v* compulsory school attendance; **school'plichtig** *~e leeftijd* compulsory school age; *verhoging van de ~e* *leeftijd* raising of the school-leaving age; **'schoolradio** *m* school radio programme; **–reisje** (-s) *o* school journey; **–s** scholastic; *~e geleerdheid* book-learning; **–schip** (-schepen) *o* = *opleidingsschip;* **–schrift** (-en) *o* exercise-book; **–slag** *m* breast-stroke [in swimming]; **–tas** (-sen) *v* satchel, schoolbag; **–televisie** [-zi.] *v* school (educational) television; **–tijd** *m* school-time; *b u i t e n ~* out of school; *n a ~* when school is over; *o n d e r ~* during lessons; *s i n d s mijn ~* since my school-days; **–toezicht** *o* school inspection; **–tucht** *v* school-discipline; **–tuin** (-en) *m* school-garden; **–uur** (-uren) *o* school-hour, lesson, period, class; *buiten de schooluren* &, zie *schooltijd*; **–vak** (-ken) *o* subject; **–vakantie** [-(t)si.] (-s) *v* holidays; **–verlater** (-s) *m* school-leaver; **–verzuim** *o* non-attendance, absenteeism; **–voorbeeld** (-en) *o* classic example, typical example, textbook case; **–werk** *o* task for school, home tasks; **–wezen** *o* public education; **–ziek**: *~ zijn* sham illness; **–ziekte** *v* sham illness, feigned illness

1 schoon I *aj* 1 (z i n d e l ij k) clean; pure; neat; 2 (m o o i) beautiful, handsome, fair, fine; **II** *sb een schone* a belle, a beauty, a fair one, a beautiful woman &; *het schone* the beautiful; **III** *ad* 1 clean(ly); 2 beautifully; *het is ~ op* it is all gone, clean gone; *je hebt ~ gelijk* you are quite right; zie ook: *genoeg*

2 schoon *cj* though, although

'schoonbroeder, –broer (-s) *m* brother-in-law; **–dochter** (-s) *v* daughter-in-law

'schoonheid (-heden) *v* beauty; (m o o i e v r o u w) beauty, belle [of the ball], **S** beaut; **'schoonheidsfoutje** (-s) *o fig* flaw, hitch, snag; **–gevoel** *o* = *schoonheidszin*; **–instituut** (-tuten) *o* beauty parlour; **–koningin** (-nen) *v* beauty queen; **–leer** *v* aesthetics; **–middel** (-en) *o* cosmetic; **–salon** (-s) *m* & *o* beauty parlour; **–specialist(e)** (-en) *m* (*v*) beauty specialist, beautician; **–wedstrijd** (-en) *m* beauty competition, beauty contest; **–zin** *m* aesthetic sense, sense of beauty; **'schoonhouden**[1] *vt* keep clean; **'schoonklinkend** fine-sounding; **'schoonmaak** *m* clean-up, (house-)cleaning; (*de*) *grote ~* (*in het voorjaar*) spring-cleaning; *grote ~ houden* 1 *eig* spring-clean; 2 *fig* make a clean sweep; **–bedrijf** (-drijven) *o* cleaners; **–ster** (-s) *v* cleaning woman; **–tijd** *m* cleaning-time; **'schoonmaken**[1] *vt* clean

'schoonmoeder (-s) *v* mother-in-law; **–ouders** *mv* parents-in-law

'schoonrijden *o* (o p s c h a a t s e n) figure-skating; **–schijnend** specious, plausible; **–schrift** (-en) *o* 1 calligraphic writing; 2 copy-book; **–schrijfkunst** *v* calligraphy; **–schrijver** (-s) *m* calligrapher, penman; **–springen** *o* (v. z w e m m e r s) (fancy) diving

'schoonvader (-s) *m* father-in-law

'schoonvegen[1] *vt* sweep clean; clear [the streets, by the police]; **–wassen**[1] *vt* wash; *fig* whitewash

'schoonzoon (-s en -zonen) *m* son-in-law; **–zuster** (-s) *v* sister-in-law

1 schoor (schoren) *m* △ buttress, stay, strut, prop, support

2 schoor (**schoren**) V.T. van *scheren*

'schoorbalk (-en) *m* summer

'schoorsteen (-stenen) *m* 1 chimney, (chimney-) stack [of a house]; 2 funnel [of a steamer]; *daar kan de ~ niet van roken* that won't keep the pot boiling; **–brand** (-en) *m* chimney-fire; **–kanaal** (-nalen) *o* (chimney) flue; **–kap** (-pen) *v* chimney-cap; **–loper** (-s) *m* (mantel-piece) runner; **–mantel** (-s) *m* mantelpiece; **–plaat** (-platen) *v* hearth-plate; **–veger** (-s) *m* chimney-sweeper, sweep

'schoorvoetend reluctantly, hesitatingly

1 schoot (schoten) *m* 1 lap; *fig* womb; 2 ⚓ sheet [of a sail]; 3 ⚒ bolt [of a lock]; 4 ✿ shoot, sprig; *de ~ der Kerk* the bosom of the Church; *de handen i n de ~ leggen* give up [a task, as hopeless]; *het hoofd in de ~ leggen* give in, submit; *niet met de handen in de ~ zitten* not be idle; *het wordt hun in de ~ geworpen* it is lavished upon them; *in de ~ der aarde* in the bowels of the earth; *zij had een boek o p haar ~* she sat with a book on her lap; *het kind op moeders ~* the child in its mother's lap

2 schoot (**schoten**) V.T. van *schieten*

'schoothondje (-s) *o* lap-dog, toy dog; **–kindje** (-s) *o* 1 baby; 2 favourite child, pet

'schootsafstand (-en) *m* ⚔ range, gunshot

'schootsvel (-len) *o* leather(n) apron

'schootsveld (-en) *o* ⚔ field of fire; **schoots'verheid** *v* ⚔ range; **'schootvrij** shot-proof, bomb-proof; *fig* proof (against *voor*)

1 schop (-pen) *v* 1 shovel, spade; 2 (v. k o r e n &) scoop

2 schop (-pen) *m* kick; *vrije ~ sp* free kick; **1 'schoppen** (schopte, h. geschopt) **I** *vi* kick; *~ naar* kick at; *het ver ~* go far [in the world]; **II** *vt* kick; *herrie* (*lawaai*) *~* kick up a row; *iem. een standje ~* zie *standje*

[1] V.T. en V.D. volgens het model: **'schoon**maken, V.T. maakte **'schoon**, V.D. **'schoon**gemaakt. Zie voor de vormen onder het grondwoord, in dit voorbeeld: *maken.* Bij sterke en onregelmatige werkwoorden wordt u verwezen naar de lijst achterin.

2 'schoppen (schoppen en -s) *v* ◊ spades; *~aas* ace of spades
'schopstoel *m op de ~ zitten* be in an insecure position, not be sure of keeping one's job &
schor hoarse, husky
'schorem I *o* = *schorr(i)emorrie*; **II** *aj* shabby
1 'schoren (schoorde, h. geschoord) *vt* shore (up), buttress, support, prop (up)
2 'schoren V.T. meerv. van *scheren*
'schorheid *v* hoarseness
schorpi'oen (-en) *m* 🦂 scorpion; *de Schorpioen* ★ Scorpio
'schorr(i)emorrie *o* rabble, riff-raff, ragtag and bobtail
schors (-en) *v* bark
'schorsen (schorste, h. geschorst) *vt* suspend [the sitting, an official], suspend [a lawyer] from pratice
schorse'neel (-nelen) *v*, **schorse'neer** (-neren) *v* black salsify, scorzonera
'schorsing (-en) *v* suspension [of a meeting, an official
schort (-en) *v* & *o* apron, [child's] pinafore; **–eband** (-en) *m* apron-string
'schorten (schortte, h. geschort) *onp. ww.* in: *wat schort eraan?* what is the matter?
schot *o* 1 (schoten) shot, report [of a gun]; 2 (-ten) partition [in room]; ⚓ bulkhead; *een ~ voor de boeg* a shot across the bows; *fig* a serious warning; *een ~ in de roos* a bull's eye; *er komt ~ in* we are making headway; *een ~ doen* fire a shot; *~ geven* veer [a cable]; *~ en lot betalen* pay scot and lot; ● *b i n n e n ~* within range; *b u i t e n ~* out of range; *trachten buiten ~ te blijven* try to keep out of harm's way; *o n d e r ~ krijgen* get within range; *ze zijn onder ~* they are within range; *geen ~ kruit waard* not worth powder and shot
Schot (-ten) *m* Scotchman, Scotsman, Scot; *de ~ten* the Scotch, the Scots
'schotel (-s) *m* & *v* dish; *vliegende ~* flying saucer; **–tje** (-s) *o* 1 (v o o r k o p) saucer; 2 (e t e n) dish
1 'schoten V.T. meerv. van *schieten*
2 'schoten meerv. v. *schot*
'Schotland *o* Scotland, ⊙ Caledonia
1 schots (-en) *v* floe [of ice]
2 schots *~ en scheef door elkaar* higgledy-piggledy
Schots I *aj* Scotch, Scottish; **II** *o het ~* Scotch, Scots; **III** *v een ~e* a Scotchwoman
'schotschrift (-en) *o* libel, lampoon
'schotvrij = *schootvrij*; **–wond(e)** (-en) *v* shot-wound, bullet-wound
'schouder (-s) *m* shoulder; *breed van ~s* broad-shouldered; *de ~s ophalen* shrug one's shoulders, give a shrug; *~ a a n ~ staan* stand shoulder to shoulder; *iem. o v e r de ~ aanzien* give sbd. the cold shoulder; **–band** (-en) *m*, **–bandje** (-s) *o* shoulder-strap; **–bedekking** (-en) *v* ⚔ shoulder-strap; **–blad** (-bladen) *o* shoulder-blade, § scapula [*mv* scapulae]; **–breedte** (-n en -s) *v* breadth of shoulders; **'schouderen** (schouderde, h. geschouderd) *vt het geweer ~* shoulder the gun, ⚔ shoulder arms; **'schoudergewricht** (-en) *o* shoulder-joint; **–klep** (-pen) *v* ⚔ shoulder-strap; **–klopje** (-s) *o* pat on the back; **–mantel** (-s) *m* cape; **–ophalen** *o* shrug (of the shoulders); **–stuk** (-ken) *o* 1 ⚔ shoulder-strap; 2 (v a n h e m d &) yoke; 3 (v. v l e e s) shoulder [of lamb &]; **–tas** (-sen) *v* shoulder-bag
schout (-en) *m* 🕮 bailiff, sheriff
schout-bij-'nacht (-s en schouten-bij-nacht) *m* rear-admiral
1 schouw (-en) *v* chimney
2 schouw *m* inspection, survey
3 schouw (-en) *v* ⚓ scow
'schouwburg (-en) *m* theatre, playhouse; **–bezoeker** (-s) *m* theatre-goer; **–publiek** *o* theatre-going public
'schouwen (schouwde, h. geschouwd) *vt* inspect; ⊙ view, behold; *een lijk ~* hold an inquest; **–wing** (-en) *v* inspection
'schouwspel (-spelen) *o* spectacle, scene, sight, view; **–toneel** (-nelen) *o* stage, scene, theatre
1 'schoven (schoofde, h. geschoofd) *vt* sheave
2 'schoven V.T. meerv. van *schuiven*
schraag (schragen) *v* trestle; support; **–pijler** (-s) *m* buttress
schraal I *aj* 1 (p e r s o n e n) thin, gaunt; 2 (i n k o m e n) slender [salary]; lean [purse]; 3 (s p ij s &) meagre [diet], poor, scanty, spare, slender; 4 (g r o n d) poor; 5 (w i n d) bleak; *een schrale troost* cold comfort; **II** *ad* poorly, scantily; **–hans** (-hanzen) *m hier is ~ keukenmeester* we are on short commons here; **–heid** *v* poverty, thinness, scantiness &; **–tjes** poorly, scantily, thinly, slenderly
'schraapachtig scraping, stingy, covetous; **–ijzer** (-s) *o*, **–mes** (-sen) *o* scraper; **–sel** (-s) *o* scrapings; **–zucht** *v* stinginess, covetousness; **schraap'zuchtig** scraping, stingy, covetous
schrab (-ben) *v* scratch; **'schrabben** (schrabde, h. geschrabd) *vt* scratch, scrape [carrots]; **–er** (-s) *m*, **'schrabijzer** (-s) *o*, **–mes** (-sen) *o* scraper
'schragen (schraagde, h. geschraagd) *vt* support, prop (up), stay
schram (-men) *v* scratch, graze; **'schrammen** (schramde, h. geschramd) **I** *vt* scratch, graze; **II** *vr zich ~* scratch oneself, graze one's skin
'schrander I *aj* clever, intelligent, smart, bright, sagacious; **II** *ad* cleverly, intelligently, smartly, sagaciously; **–heid** *v* cleverness,

intelligence, sagacity
'schransen (schranste, h. geschranst) *vi* gormandize, gorge; *zij waren aan het ~* they were cramming; **–er** (-s) *m* glutton;
'schranzen (schransde, h. geschransd) = *schransen*; **–er** (-s) *m = schranser*
1 schrap (-pen) *v* scratch; *er een ~ door halen* strike it out
2 schrap *ad zich ~ zetten* take a firm stand, brace oneself
'schrapen (schraapte, h. geschraapt) *vt* scrape; (*zich*) *de keel ~* clear one's throat; **'schraper** (-s) *m* scraper; **–ig** scraping, stingy, covetous
'schrapijzer (-s) *o = schrabijzer*; **–je** (-s) *o* skin test; **–mes** (-sen) *o = schrabmes*; **'schrappen** (schrapte, h. geschrapt) *vt* scrape [carrots &]; scale [fish]; strike out [a name]; cancel [a debt]; delete [a name, a passage]; *iem. van de lijst ~* strike sbd. off the list; **–er** (-s) *m = schrabber*; **'schrapping** (-en) *v* striking out [of a name]; deletion [of a passage, word]; cancellation [of a debt]; **'schrapsel** (-s) *o* scrapings
'schrede (-n) *v* pace, step, stride; *de eerste ~ doen* take the first step; *zijn ~n wenden naar...* turn (bend) one's steps to...; *met rasse ~n* with rapid strides, fast; *op zijn ~n terugkeren* (*terugkomen*) go back on (retrace) one's steps; **schreed (schreden)** V.T. van *schrijden*
1 schreef (schreven) *v* line, scratch; *buiten* (*over*) *de ~ gaan* go over the line, exceed the bounds; *hij heeft een ~je vóór* he is the favourite
2 schreef (schreven) V.T. van *schrijven*
'schreefloos sanserif
schreeuw (-en) *m* cry, shout, screech; *een ~ geven* give a cry; **'schreeuwen** (schreeuwde, h. geschreeuwd) *vi* cry, shout, bawl; *~ als een mager varken* squeal like a (stuck) pig; (*er*) *om ~* ook: clamour for it; *hij schreeuwt voordat hij geslagen wordt* he cries out before he is hurt; *zich hees ~* cry oneself hoarse; **–d** crying[2] [injustice]; *~e kleuren* loud (glaring) colours;
'schreeuwer (-s) *m* bawler; *fig* braggart; **–ig** screaming [voice &]; *fig* clamorous [persons]; loud [colours]; vociferous [speeches];
'schreeuwlelijk (-en) *m* 1 bawler; 2 (huilebalk) cry-baby
'schreien (schreide, h. geschreid) *vi* weep, cry; *~ om...* weep for...; *ten hemel ~* cry (aloud) to Heaven; *tot ~s toe bewogen* moved to tears; *~ van...* weep for [joy]; **–er** (-s) *m* weeper, crier
'schreven V.T. meerv. van *schrijven*
schriel I *aj* (gierig) stingy, mean, niggardly; **II** *ad* stingily, meanly, niggardly; zie ook: *schraal*; **–heid** *v* (gierigheid) stinginess, meanness, niggardliness; zie ook: *schraalheid*
schrift (-en) *o* 1 (het geschrevene) writing; [Arabic, Latin] script; 2 (schrijfboek) exercise-book; (voor schoonschrift) copy-book; *op ~* in writing; *op ~ brengen* put [it] in writing; **Schrift** *v de* (*Heilige*) *~* Holy Writ, (Holy) Scripture, the Scriptures;
'schriftelijk I *aj* written, in writing; *~e cursus* correspondence course; **II** *ad* in writing; by letter; **III** *o het ~* the written work [of an examination]; **'schriftgeleerde** (-n) *m* scribe; **–kunde** *v* 1 graphology; 2 (oude handschriften) pal(a)eography;
schrift'kundige (-n) *m* 1 graphologist; 2 pal(a)eographer; **'schriftlezing** *v* Bible reading; **–uitleg** *m* exposition of the Scriptures; **schrif'tuur** (-turen) *v* & *o* writing, document; *de S~* Scripture; **–lijk** scriptural
'schrijden* *vi* stride
'schrijfbehoeften *mv* writing-materials, stationery; **–blok** (-ken) *o* writing-block, writing-pad; **–boek** (-en) *o = schrift* 2; **–bureau** [-by.ro.] (-s) *o* desk, writing-table; **–fout** (-en) *v* clerical error, slip of the pen; **–gerei** *o* writing-materials; **–inkt** *m* writing-ink; **–kramp** *v* writer's cramp; **–kunst** *v* art of writing, penmanship; **–les** (-sen) *v* writing-lesson; **–lessenaar** (-s) *m* desk, writing-table; **–letter** (-s) *v* written character; *~s* script; **–machine** [-ma.ʃi.nə] (-s) *v* typewriter; **–machinelint** (-en) *o* typewriter ribbon; **–machinepapier** *o* typewriting paper; **–map** (-pen) *v* writing-case; **–papier** *o* writing-paper; **–ster** (-s) *v* (woman) writer, authoress; **–taal** *v* written language; **–tafel** (-s) *v* writing-table; **–trant** *m* manner (style) of writing; **–voorbeeld** (-en) *o* copy-book heading; **–werk** *o* clerical work, writing; **–wijs, –wijze** (-wijzen) *v* 1 spelling [of a word]; 2 manner (style) of writing; **–woede** *v* mania for scribbling
'schrijlings astride [his father's knee], astraddle (of *op*)
⚒ **schrijn** (-en) *o* & *m* chest, cabinet; (van relikwieën) shrine
'schrijnen (schrijnde, h. geschrijnd) *vt* graze, abrade [the skin]; *~d leed* bitter grief; *~de pijn* smarting pain; *~de tegenstelling, ~d verhaal* poignant contrast (story)
'schrijnwerker (-s) *m* joiner
'schrijven* I *vt* write; *dat kan je op je buik ~* you may whistle for it; **II** *vi* & *va* write; • *~ aan* write to; *hij schrijft in de krant* he writes in a paper (for the papers); *~ op een advertentie* answer an advertisement; *hij schrijft over de oorlog* he writes about the war; *hij heeft over Byron geschreven* he has written on Byron; *niets om over naar huis te ~* nothing to write home about; *er staat geschreven* it is written; **III** *vr zich ~* sign oneself [John Jones]; **IV** *o ons laatste ~*

our last letter; *uw ~ van de 20ste* your letter, your favour of the 20th inst.; **–er** (-s) *m* writer [of a letter, books &]; author [of a treatise, books &]; clerk, copyist [in an office]; **schrijve'rij** (-en) *v* writing, scribbling

schrik *m* fright, terror; *met ~ en beven* with fear and terror; *de ~ van het dorp* the terror of the village; *iem. ~ aanjagen, iem. de ~ op het lijf jagen* give sbd. a fright, terrify sbd.; *er met de ~ afkomen* get off with a fright; *er de ~ inbrengen* put the fear of God into them; *een ~ krijgen* get a fright; *de ~ sloeg mij om 't hart* it gave me quite a turn; ● *met ~ vervullen* fill with fright (scare), strike terror into; *met ~ wakker worden* start from one's sleep; *met ~ tegemoet zien* dread; *tot mijn ~* to my dismay (horror); *het van ~ besterven* be frightened to death; **–aanjagend** terrifying; **–achtig** easily frightened, **F** jumpy; **–achtigheid** *v* jumpiness; **schrik'barend** frightful, fearful, dreadful, **F** awful; **'schrikbeeld** (-en) *o* dreadful vision, terror, bogy; (gedrocht) incubus; **–bewind** *o* (reign of) terror; **–draad** (-draden) *m* & *o* electric (wire) fence

'schrikkeldag (-dagen) *m* intercalary day; **–dans** *m* ladies' choice (turn); **–jaar** (-jaren) *o* leap-year; **–maand** (-en) *v* leap-month (February)

'schrikken* **I** *vi* be frightened; (op~) start, give a start; *iem. doen ~* give sbd. a fright, frighten sbd., startle sbd.; *~ van* start at, be startled by [sbd., a noise]; *hij ziet eruit om van te ~* his looks simply frighten you; *~ voor...* take fright at; **II** *vr zich dood (een aap &) ~* be frightened to death (out of one's wits); **schrik'wekkend** terrifying, terrific, appalling

schril **I** *aj* shrill, strident [sounds]; glaring [light, colours, contrast]; **II** *ad* shrilly, stridently; glaringly

'schrobben (schrobde, h. geschrobd) *vt* scrub, scour [the floor]; **–er** (-s) *m* scrubbing-brush, scrubber

schrob'bering (-en) *v* scolding, **F** dressing-down

'schrobnet (-ten) *o* trawl-net

'schrobzaag (-zagen) *v* compass saw

schroef (schroeven) *v* 1 screw; 2 (bank~) vice; 3 ⚓ screw, (screw) propeller; 4 ✈ airscrew, propeller; 5 ♪ peg [of a violin]; *~ van Archimedes* Archimedean screw; *~ zonder eind* endless screw; *~ en moer* male and female screw; *de ~ wat aandraaien* turn the screw[2]; *alles staat op losse schroeven* everything is unsettled; **–as** (-sen) *v* ⚓ propeller-shaft; **–bank** (-en) *v* vice-bench; **–blad** (-bladen) *o* propeller-blade; **–boor** (-boren) *v* screw-auger; **–bout** (-en) *m* screw-bolt; **–deksel** (-s) *o* screw-cap; **–dop** (-pen) *m* screw-cap; **–draad** (-draden) *m* screw-thread; **–duik** *m* spin; **–gang** (-en) *m* thread (worm) of a screw; **–lijn** (-en) *v* helix [*mv* helices]; **–moer** (-en) *v* nut, female screw; **–sgewijs, –sgewijze** spirally; **–sleutel** (-s) *m* monkey-wrench, spanner; **–sluiting** (-en) *v* screw-cap; *fles met ~* screw-topped bottle; **–turbine** (-s) *v* propeller turbine; **–vliegtuig** (-en) *o* propeller plane; **–vormig** screw-shaped, spiral

'schroeien **I** (schroeide, h. geschroeid) *vt* scorch [the grass &]; singe [one's dress, one's hair]; scald [a pig]; cauterize [a wound]; **II** (schroeide, is geschroeid) *vi* get singed

'schroevedraaier (-s) *m* screwdriver; **'schroeven** (schroefde, h. geschroefd) *vt* screw

1 schrok (-ken) *m* glutton

2 schrok (schrokken) V.T. van *schrikken*

'schrokken (schrokte, h. geschrokt) **I** *vi* eat gluttonously, bolt (wolf down) one's food, guzzle; **II** *vt het naar binnen ~* bolt it down; **–er(d)** (-s) *m* glutton; **'schrokk(er)ig I** *aj* gluttonous, greedy; **II** *ad* gluttonously, greedily; **–heid** *v* gluttony, greediness; **'schrokop** (-pen) *m* glutton, gourmand

'schromelijk **I** *aj* gross [exaggeration &], < frightful, awful; **II** *ad* grossly [exaggerated &], greatly, grievously, sorely [mistaken], < frightfully, awfully

'schromen (schroomde, h. geschroomd) *vt* fear, dread, hesitate

'schrompelen (schrompelde, is geschrompeld) *vi* shrivel (up); **–lig** shrivelled, wrinkled

schroom *m* diffidence, shyness, scruple; **schroom'vallig** shy, diffident, timorous; **–heid** *v* diffidence, timidity, timorousness

schroot *o* 1 grape-shot; case-shot; 2 ⚒ (ijzerafval) scrap; **–hoop** (-hopen) *m* scrap-yard, scrap-heap

'schub(be) (schubben) *v* scale [of a fish]; **'schubben** (schubde, h. geschubd) *vt* scale [a fish]; **'schubbig** scaly

'schuchter timid, timorous, shy, bashful; **–heid** *v* timidity, timorousness, shyness, bashfulness

'schuddebollen (schuddebolde, h. geschuddebold) *vi* nod; **'schudden** (schudde, h. geschud) **I** *vt* shake [one's head, a bottle, hands with sbd.]; shuffle [the cards]; *iem. door elkaar ~* shake sbd. up, give sbd. a good shaking; **II** *vi* 1 (in 't alg.) shake; 2 (v. rijtuig) jolt; *~ vóór het gebruik* to be shaken before taking it; *hij schudde met het hoofd (van neen)* he shook his head; *dat deed het hele huis ~* it shook the house; *hij schudde van het lachen* he was convulsed with laughter; *het gebouw schudde op zijn grondvesten* the building shook to its foundations; **–ding** (-en) *v* shaking, concussion

'schuier (-s) *m* brush; **'schuieren** (schuierde, h. geschuierd) *vt* brush

schuif (schuiven) *v* slide; sliding-lid [of a box]; bolt [of a door]; slide [of a magic lantern &]; damper [of a stove]; **–blad** (-bladen) *o* extra leaf [of a table]; **–dak** (-daken) *o* sliding-roof; **–deur** (-en) *v* sliding-door

'schuifelen (schuifelde, h. en is geschuifeld) *vi* 1 shuffle, shamble; 2 (v. s l a n g) hiss

'schuifklep (-pen) *v* slide-(valve); **–knoop** (-knopen) *m* running knot, slipknot; **–ladder** (-s) *v* extending ladder, extension ladder; **–la(de)** (-laden) *v* drawer; **–maat** (-maten) *v* slide-rule, vernier cal(l)ipers; **–potlood** (-loden) *o* sliding-pencil; **–raam** (-ramen) *o* sash-window; **–speldje** (-s) *o* bobby-pin, hair-slide; **–tafel** (-s) = *uittrektafel*; **–trompet** (-ten) *v* trombone

'schuiladres (-sen) *o* cover address, accomodation address; **'schuilen*** *vi* 1 take shelter, shelter (from *voor*); 2 hide; *daar schuilt wat a c h t e r* there is something behind it; *de moeilijkheid schuilt in...* the difficulty lies (consists, rests) in...; **'schuilevinkje** (-s) *o* hide-and-seek; ~ *spelen* play at hide-and-seek; **'schuilgaan** (ging 'schuil, is 'schuilgegaan) *vi* hide [of the sun]; **'schuilhoek** (-en) *m* hiding-place; **'schuilhouden** (hield 'schuil, h. 'schuilgehouden) *zich* ~ hide, be in hiding, keep in the shade, lie low; **'schuilkelder** (-s) *m* underground shelter; **–kerk** (-en) *v* clandestine church; **–naam** (-namen) *m* (i n z. v a n s c h r ij v e r) pen-name, pseudonym; (v a n s p i o n &) assumed name; **–plaats** (-en) *v* hiding-place, hide-out; shelter; refuge, asylum; *bomvrije* ~ ⚔ dug-out; bombproof shelter; *een* ~ *zoeken bij...* take shelter (refuge) with, flee for shelter to...

schuim *o* foam [of liquid in fermentation or agitation, of saliva or perspiration]; froth [of liquid, beer &]; lather [of soap]; dross [of metals]; scum[2] [of impurities rising to the surface in boiling]; *fig* offscourings, scum, dregs [of the people]; *het* ~ *staat hem op de mond* he foams at the mouth; **–achtig** foamy, frothy; **–bad** (-baden) *o* foam bath; **'schuimbekken** (schuimbekte, h. geschuimbekt) *vi* foam at the mouth; ~*d van woede* foaming with rage; **'schuimblusser** (-s) *m* foam extinguisher; **'schuimen** (schuimde, h. geschuimd) **I** *vi* 1 foam [of water, the mouth &]; froth [of beer]; lather [of soap]; 2 (k l a p l o p e n) sponge; *op zee* ~ scour the seas; **II** *vt* skim [soup &]; **–mig** foamy, frothy; **'schuimklopper** (-s) *m* whisk; **–kop** (-pen) *m* crest [of waves]; **–pje** (-s) *o* meringue; **–plastic** [-plɛsti.k] *o* foam(ed) plastic; **–rubber** *m* & *o* foam rubber; **–spaan** (-spanen) *v* skimmer; **–vlok** (-ken) *v* (foam) flake

schuin I *aj* slanting, sloping [wall &]; oblique [bearing, course, line, winding &]; inclined [plane]; bevel [edge]; *fig* broad, obscene, ribald [stories, songs, jokes], blue [film, joke, talk], dirty [postcard]; ~ *geknipt* cut on the bias; *de* ~*e zijde* (*van een driehoek*) the hypotenuse; **II** *ad* aslant, slantingly &; awry, askew, on the skew; ~ *aanzien* look askance at[2]; *het* ~ *houden* tilt it, slant it, slope it; ~ *toelopen* flue; ~ *tegenover* nearly opposite, diagonally opposite; **'schuinen** (schuinde, h. geschuind) *vt* ⚒ bevel, chamfer, splay; **'schuinheid** *v* obliqueness, obliquity; *fig* obscenity; **schuins** = *schuin*; **'schuinschrift** *o* sloping (slanting) writing; **'schuinsmarcheerder** [-ʃe:rdər] (-s) *m* debauchee, rake; **'schuinte** (-n) *v* obliquity, slope; *in de* ~ aslant

schuit (-en) *v* boat, barge; zie ook: *schuitje*; **'schuitehuis** (-huizen) *o* boat-house; **–voerder** (-s) *m* bargeman, bargee; **'schuitje** (-s) *o* 1 ⚓ (little) boat; 2 (v. b a l l o n) car, basket; 3 ⚒ pig, sow [of tin]; *we zitten in het* ~ *en moeten meevaren* in for a penny, in for a pound; *we zitten allemaal in hetzelfde* ~ we are all in the same boat; **–varen** *vi* boat, be boating; **'schuitvormig** boat-shaped

'schuiven* I *vt* shove, push [a chair &]; slip [a ring off one's finger]; *opium* ~ smoke opium; *de grendel o p de deur* ~ shoot the bolt; *de schuld op een ander* ~ lay the guilt at another man's door, lay the blame on someone else; *iets v a n zijn hals* ~ shift the responsibility & upon another man's shoulders, rid oneself of something; **II** *vi* slide, slip; *laat hem maar* ~*!* he knows what's what!, he knows his stuff!; **'schuiver** (-s) *m* lurch; *een* ~ *maken* give a lurch; zie ook: *opiumschuiver*; **–tje** (-s) *o* pusher

schuld (-en) *v* 1 (i n g e l d) debt; 2 (f o u t) fault, guilt; *achterstallige* ~ arrears; *kwade* ~*en* bad debts; *lopende* ~ outstanding (running, current) debt; *het is mijn* ~ (*niet*) it is (not) my fault, the fault is (not) mine; *wiens* ~ *is het?* whose fault is it?, who is to blame?; *het weer was* ~ *dat...* it was owing to the weather that...; ~ *bekennen* plead guilty; ~ *belijden* confess one's guilt; *iem. de* ~ *van iets geven* lay (throw) the blame on sbd., blame sbd. for sth.; ~ *hebben* 1 (s c h u l d i g z ij n) be guilty; 2 (v e r s c h u l d i g d z ij n) owe (money); *wie heeft* ~*?* who is to blame?; ~ *hebben aan iets* be a party to sth.; *gewoonlijk krijg ik de* ~ usually I am blamed, I get the blame; ~*en maken* contract debts, run into debt; *de* ~ *op zich nemen* take the blame upon oneself; *vergeef ons onze ~en* **B** forgive us our trespasses; • *buiten mijn ~* through no fault of mine; *door uw ~* through your fault; **–bekentenis** (-sen) *v* 1 confession of guilt; 2 $ I O U, bond; **–belijdenis** *v* confession of guilt; **–besef** *o* sense of guilt, consciousness of (his, her) guilt; **–bewijs** (-wijzen) *o* = *schuldbekentenis* 2; **schuldbe'wust** guilty; **'schuldbrief** (-brieven) *m* debenture; **–delging** (-en) *v* debt redemption; **–eiser** (-s) *m* creditor; **'schuldeloos** guiltless, innocent; **schulde'loosheid** *v* guiltlessness, innocence; **'schuldenaar** (-s en -naren) *m* debtor; **'schuldenlast** *m* burden of debts; encumbrance(s) [on real estate]; **'schuldgevoel** *o* guilt feeling, feeling of guilt; **'schuldig I** *aj* guilty (of *aan*), culpable; *zijn ~e plicht* his bounden duty; *~ zijn* 1 (schuld hebben) be guilty; 2 (te betalen hebben) owe; *ik ben u nog wat ~* I owe you a debt; *ik ben niemand iets ~* I owe no one any money; *ik ben u nog enige lessen ~* I still owe you for a few lessons; *het antwoord ~ blijven* not make an answer; *het antwoord niet ~ blijven* be ready with an answer; *het bewijs ~ blijven* fail to prove that...; *zich ~ maken aan* render oneself guilty of; *hij is des doods ~* he deserves death; *het ~ uitspreken over* condemn, find [sbd.] guilty; **II** *sb de ~e* the guilty party, the culprit; **'schuldvergelijking** (-en) *v* compensation, set-off; **–vernieuwing** (-en) *v* renewal of a debt; **–vordering** (-en) *v* claim; **–vraag** *v de ~ opwerpen* raise the question of guilt

schulp (-en) *v* shell; *in zijn ~ kruipen* draw in one's horns; **'schulpen** (schulpte, h. geschulpt) *vt* scallop

'schunnig mean, shabby, shady, scurvy, ribald

'schuren (schuurde, h. geschuurd) **I** *vt* 1 scour [a kettle &]; (met schuurpapier) sand, sandpaper; 2 chafe [the skin]; **II** *va* scour; **III** *vi ~ langs* graze; *over het zand ~* grate over the sand

schurft *v* & *o* scabies, itch [of man]; scab [of sheep]; mange [of cats, dogs, horses]; **S** *de ~ aan iem. (iets) hebben* hate sbd. (sth.) like poison; **S** *ergens de ~ over inhebben* be peeved at sth.; **–ig** scabby, mangy, scurfy; **–mijt** (-en) *v* itch-mite

'schuring *v* friction; **–sgeluid** (-en) *o gram* fricative

schurk (-en) *m* rascal, rogue, scoundrel, scamp, knave, villain; **'schurkachtig** rascally, scoundrelly, knavish, villainous; **–heid** (-heden) *v* rascality, villainy, knavishness

'schurken (schurkte, h. geschurkt) *vi* rub, scratch

'schurkenstreek (-streken) *m* & *v*, **schurke'rij** (-en) *v* roguery, (piece of) villainy, piece of knavery, knavish trick

schut (-ten) *o* (scherm) screen; (schutting) fence; (schot) partition; *voor ~ lopen* look a sight; *voor ~ staan* look a fool; *iem. voor ~ zetten* make a fool of sbd.; *voor ~ zitten* look a fool; **–blad** (-bladen) *o* 1 (v. boek) fly-leaf; endpaper; 2 ♣ bract; **–deur** (-en) *v* lock-gate, floodgate; **–geld** *o* 1 (voor vee) poundage; 2 (voor schepen) lockage; **–kleur** (-en) *v* protective coloration, protective colouring; **–kolk** (-en) *m* & *v* lock-chamber; **'schutsengel** (-en) *m* guardian angel; **–heer** (-heren) *m* patron; **'schutsluis** (-sluizen) *v* lock; **'schutspatroon** (-tronen) *m*, **–patrones** (-sen) *v* patron saint; **'schutstal** (-len) *m* pound; **'schutsvrouw** (-en) *v* patroness; **'schutten** (schutte, h. geschut) *vt* 1 (van vee) pound; 2 (v. schepen) lock (through)

'schutter (-s) *m* 1 marksman; ⚔ [air-, machine-] gunner; 2 🕮 soldier of the Civic guard; *de Schutter* ★ Sagittarius

'schutteren (schutterde, h. geschutterd) *vi* act akwardly (clumsily); **–rig** awkward

schutte'rij (-en) *v* 🕮 National guard, Civic guard

'schutting (-en) *v* fence; hoarding [in the street, for advertisement]; **–woord** (-en) *o* four-letter word, dirty word

schuur (schuren) *v* 1 barn [for corn]; 2 shed; **–deur** (-en) *v* barn-door, shed-door

'schuurlinnen *o* emery-cloth; **–middel** (-en) *o* abrasive, scourer; **–papier** *o* emery-paper, sandpaper; **–poeder** *o* & *m* scouring powder; **–spons** (-en en -sponzen) *v* scourer; **–zand** *o* scouring-sand

schuw shy, timid, bashful; **F** (erg) awful; **'schuwen** (schuwde, h. geschuwd) *vt* shun [a man, bad company &]; eschew [action, kind of food &]; *iets ~ als de pest* shun (avoid) sth. like the plague; **'schuwheid** *v* shyness, timidity, bashfulness

schwung [ʃvu.ŋ] *m* verve, drive

scle'rose [skle.'ro.zə] *v* sclerosis; *multiple ~* multiple sclerosis, disseminated sclerosis

'scooter ['sku.-] (-s) *m* (motor) scooter; **–rijder** (-s) *m* scooterist

'score (-s) *m* score; **–bord** (-en) *o* score-board; **'scoren** (scoorde, h. gescoord) *vi* & *vt* score

'scrabbelen ['skrɛbələ(n)] (scrabbelde, h. gescrabbeld) *vi* play scrabble

scri'bent (-en) *m* scribbler

'scriptie ['skrɪpsi.] (-s) *v* ⇔ special paper, ± essay

scrofu'leus scrofulous; **scrofu'lose** [-'lo.zə] *v* scrofula

scru'pule (-s) *v* scruple; **scrupu'leus** scrupulous

'Scylla ['skɪla.] *tussen ~ en Charybdis* between Scylla and Charybdis
se'ance [se.'ãsə] (-s) *v* séance
sec dry°
'secans (-en en -canten) *v* secant
secon'dair [-'dɛ:r] secondary
secon'dant (-en) *m* 1 assistant master [in a boarding-school]; 2 second [in a duel]; 3 bottle-holder [at a prize-fight]; **-e** (-s) *v* assistant teacher
se'conde (-n) *v* second
secon'deren (secondeerde, h. gesecondeerd) *vt* second
se'condewijzer (-s) *m* second(s) hand
secre'taire [-tɛ:rə] (-s) *m* writing-desk, secretary; **secreta'resse** (-n) *v* (lady) secretary; **secretari'aat** (-iaten) *o* secretaryship, secretariat; **secreta'rie** (-ieën) *v* town clerk's office; **secre'taris** (-sen) *m* 1 (in 't alg.) secretary; 2 (v. d. gemeente) town clerk; **secre'tarisgene'raal** (secretarissen-generaal) *m* 1 permanent under-secretary [of a ministry]; 2 secretary-general [of UNO &]
se'cretie [-(t)si.] (-s en -tiën) *v* secretion
'sectie ['sɛksi.] (-s) *v* 1 section; 2 (v. lijk) dissection, post-mortem (examination); 3 ⚔ platoon
'sector (-s en -'toren) *m* sector
secu'lair [-'lɛ:r] secular; **seculari'satie** [-'za.(t)si.] (-s en -tiën) *v* secularization; **seculari'seren** (seculariseerde, h. geseculariseerd) *vt* secularize; **secu'lier I** *aj* secular; **II** (-en) *m* secular
se'cunda ('s) *v* $ second of exchange
secun'dair [-'dɛ:r] secondary
securi'teit *v* security; *voor alle ~* to be on the safe side, for safety's sake; **se'cuur I** *aj* accurate, precise; **II** *ad* accurately, precisely; *het ~ weten* know it positively
se'dan (-s) *m* sedan
se'deren (sedeerde, h. gesedeerd) *vt* calm by means of sedatives; administer a sedative
'sedert = *sinds*; **sedert'dien** = *sindsdien*
sedi'ment (-en) *o* sediment
seg'ment (-en) *o* segment
segre'gatie [-(t)si.] *v* segregation
se'grijn *o* shagreen; **-en** *aj* shagreen; **-le(d)er** *o* shagreen
sein (-en) *o* signal; sign; *het ~ geven* give the signal; *dat was het ~ tot...* that was the signal for...; *~en geven* make signals; *iem. een ~ geven* sign to sbd., give sbd. a warning look; *hun het ~ geven om stil te houden* signal to them to stop; **'seinen** (seinde, h. geseind) *vt & vi* 1 (seinen geven) signal; 2 ⚡ telegraph, **F** wire; **-er** (-s) *m* signaller, signalman; **'seinfluit** (-en) *v* signal-whistle; **-fout** (-en) *v* ⚡ telegraphic error; **-huisje** (-s) *o* signal-box; **-paal** (-palen) *m* signal-post, semaphore; **-post** (-en) *m* signal-station; **-station** [-sta.-(t)ʃɔn] (-s) *o* signalling-station; **-tje** (-s) *o* signal; *iem. een ~ geven* give sbd. a warning (a hint), tip sbd. off; **-toestel** (-len) *o* 1 signalling-apparatus; 2 ⚡ transmitter; **-vlag** (-gen) *v* signal(ling)-flag; **-wachter** (-s) *m* signalman
'seismisch seismic; **seismo'graaf** (-grafen) *m* seismograph
sei'zoen (-en) *o* season; **-arbeider** (-s) *m* seasonal worker; **-kaart** (-en) *v* season ticket; **-opruiming** (-en) *v* clearance sales
se'kreet (-kreten) *o* **P** (w.c.) privy; (scheldwoord) **P** bastard, son of a bitch
seks *m* sex; **-bom** (-men) *v* **F** sexspot; **-e** (-n) *v* sex; *de (schone) ~* the fair sex; **'seksen** (sekste, h. gesekst) *vt* sex [chickens]; **'seksloos** sexless; **-maniak** (-ken) *m* **F** sex fiend; **seksuali'teit** *v* sexuality, sex; **seksu'eel I** *aj* sexual [organs]; sex [education, factor, life, problem]; **II** *ad* sexually; **seksuolo'gie** *v* sexology; **seksuo'loog** (-logen) *m* sexologist
sek'tariër (-s) *m* sectarian; **sek'tarisch** sectarian; **sekta'risme** *o* sectarianism; **'sekte** (-n) *v* sect; **-geest** *m* sectarianism
se'kwester (-s) 1 *m* sequestrator; 2 *o* sequestration; **sekwes'tratie** [-(t)si.] (-s) *v* sequestration; **sekwes'treren** (sekwestreerde, h. gesekwestreerd) sequester, sequestrate
'selderie, 'selderij *m* celery
se'lect select, choice; **selec'teren** (selecteerde, h. geselecteerd) *vt* select; **se'lectie** [-'lɛksi.] (-s) *v* selection; **selec'tief** selective; **selectivi'teit** *v* selectivity
sema'foor (-foren) *m* semaphore
seman'tiek *v* semantics; **se'mantisch** semantic
se'mester (-s) *o* semester
Se'miet (-en) *m* Semite
semi'narie (-s) *o* 1 seminary; 2 🎓 seminar; *groot (klein) ~ rk* major (minor) seminary; **semina'rist** (-en) *m* seminarist
Se'mitisch Semitic
se'naat (-naten) *m* 1 senate; 2 🎓 committee of senior students
se'nang *zich ~ voelen* feel well, comfortable
se'nator (-s en -'toren) *m* senator
'Senegal *o* Senegal
se'niel senile; *~e aftakeling* senile decay
'senior senior
sen'satie [-'za.(t)si.] (-s) *v* sensation, stir [among audience &]; [personal] thrill; *~ maken (veroorzaken)* create a sensation, cause a stir; *op ~ belust* sensation-hungry; **-blad** (-bladen) *o* tabloid; **-pers** *v* yellow press, gutter press; **-roman** (-s) *m* sensational novel, shocker,

thriller, penny-dreadful, yellow-back; **–stuk** (-ken) *o* sensational play, thriller; **sensatio'neel** [-'za.(t)si.o.-] sensational; **F** front-page [news]
sen'sibel [-'zi.-] (g e v o e l i g) sensitive; (w a a r n e e m b a a r) perceptible; **sensibili'teit** *v* (g e v o e l i g h e i d) sensibility; (w a a r n e m i n g) perception
sensu'eel [-zy-] sensual
sentimentali'teit *v* sentimentality; **sentimen'teel** sentimental; ~ *doen over* slobber over
sepa'raat *aj* (& *ad*) separate(ly)
'sepia *v* (d i e r & k l e u r) sepia
sep'tember *m* September
sep'tet (-ten) *o* septet(te)
sep'tiem (-en), **sep'time** (-s) *v* ♪ seventh; ~ *akkoord* seventh chord
'seraf (-s), **sera'fijn** (-en) *m* seraph [*mv* seraphim]
se'rail [-'raj] (-s) *o* seraglio
se'reen serene
sere'nade (-s) *v* serenade; *iem. een ~ brengen* serenade sbd.
'serge [-ʒə] *v* serge
ser'geant [-'ʒɑnt] (-en en -s) *m* sergeant; **'~-ma'joor** (-s) *mv* sergeant-major; **–sstrepen** *mv* sergeant's stripes
'serie (-s en -iën) *v* 1 (i n h e t a l g.) series; 2 ⚇ break; 3 *RT* serial; **–bouw** *m* series production; **–nummer** (-s) *o* serial number; **–schakeling** (-en) *v* series connection, sequence circuit
seri'eus *aj* (& *ad*) serious(ly); *serieuze aanvragen* genuine inquiries; **séri'eux** [se.ri'ø] *au ~ nemen* take seriously
se'ring (-en) *v* lilac; **–eboom** (-bomen) *m* ✿ lilac-tree
ser'moen (-en) *o* sermon², *fig* lecture
ser'pent (-en) *o* serpent; *fig* shrew
serpen'tine (-s) *v* (paper) streamer
'serre ['sɛ:rə] (-s) *v* 1 (l o s s t a a n d o f u i t g e b o u w d) conservatory; hothouse, greenhouse; 2 (a l s a c h t e r k a m e r) closed veranda(h)
'serum (-s en sera) *o* serum
ser'veerboy [-bòj] (-s) *m* serving trolley, dinner-wagon; **ser'veerster** (-s) *v* waitress; **ser'veren** (serveerde, h. geserveerd) *vt* serve
ser'vet (-ten) *o* napkin, table-napkin, [paper] serviette; *te groot voor ~ en te klein voor tafellaken* at the awkward age; **–ring** (-en) *m* napkin ring, serviette ring
ser'veuse [-zə-] (-s) *v* waitress
'servicebeurt ['sœ:rvəs-] (-en) *v een ~ laten geven* have [one's car] serviced
'Serviër (-s) *m* Serbian
ser'vies (-viezen) *o* 1 dinner-set; 2 tea-set
'Servisch *aj* & *o* Serbian
servi'tuut (-tuten) *o* easement, charge
'sessie (-s) *v* session
sex'tant (-en) *m* sextant
sex'tet (-ten) *o* ♪ sextet(te)
Sey'chellen *mv de ~* the Seychelles
sfeer (sferen) *v* 1 [celestial, social] sphere; 2 [cordial, cosy, home] atmosphere; *dat ligt b u i t e n mijn ~* that is out of my domain (my province); *hij was i n hoger sferen* he was in the clouds; **'sferisch** spherical; **sfero'ïde** (-n) *v* spheroid
sfinx (-en) *m* sphinx
shag [ʃɛg] *m* shag, cigarette tobacco
shampo'neren [ʃɑm-] (shamponeerde, h. geshamponeerd) *vt* shampoo; **'shampoo** *m* shampoo
'shantoeng ['ʃɑn-] *o* & *m* shantung
'sherry ['ʃɛri.] *m* sherry
shock [ʃɔk] (-s) *m* shock; **–behandeling** (-en) *v* shock treatment; **sho'ckeren** [ʃɔ'ke.-] (shockeerde, h. geshockeerd) *vt* shock; **'shocktherapie** *v* shock therapy
'showen ['ʃo.və(n)] (showde, h. geshowd) *vt* show [fashion]
sí ('s) *v* ♪ si
Sia'mees I *aj* Siamese; **II** *m* Siamese; *de Siamezen* the Siamese; **III** *o het ~* Siamese; **IV** *v een Siamese* a Siamese woman
Si'berisch Siberian
si'bille (-n) *v* sibyl
sicca'tief (-tieven) *o* siccative
Sicili'aan(s) (-ianen) *sb* & *aj* Sicilian
'sidderaal (-alen) *m* electric eel; **'sidderen** (sidderde, h. gesidderd) *vi* quake, shake, tremble, shudder; *~ van...* quake & with; **–ring** (-en) *v* shudder, trembling; **'sidderrog** (-gen) *m* electric ray
'siepelen (siepelde, h. en is gesiepeld) *vi* ooze, trickle, seep (through)
'siepogen *mv* watery eyes
sier *v goede ~ maken* make good cheer; **–aad** (-raden) *o* ornament²; **–bestrating** *v* ornamental paving (pavement); **'sieren** (sierde, h. gesierd) **I** *vt* adorn, ornament, decorate; **II** *vr zich ~* adorn oneself; **'sierheester** (-s) *m* ornamental shrub; **–kunst** *v* decorative art; **–lijk** graceful, elegant; **–lijkheid** *v* gracefulness, elegance; **–lijst** (-en) *v* (v. a u t o) styling strip, belt-moulding; **–palm** (-en) *m* ornamental palm; **–plant** (-en) *v* ornamental plant; **–strip** (-s en -pen) *m* = *sierlijst*; **–vis** (-sen) *m* toy fish
si'ësta ('s) *v* siesta, nap
si'fon (-s) *m* siphon
si'gaar (-garen) *v* cigar; **si'gareaansteker** (-s)

m cigar-lighter; **–as** *v* cigar-ash; **–bandje** (-s) *o* cigar-band; **–knipper** (-s) *m* cigar-cutter; **si'garenfabriek** (-en) *v* cigar-factory, cigar-works; **–handelaar** (-s en -laren) *m* tobacconist, dealer in cigars; **–kistje** (-s) *o* 1 cigar-box; 2 (s c h o e n) **F** beetle-crusher; **–koker** (-s) *m* cigar-case; **–magazijn** (-en) *o* cigar-store; **–maker** (-s) *m* cigar-maker; **–winkel** (-s) *m* tobacconist's shop, cigar-shop; **si'gare-pijpje** (-s) *o* cigar-holder
siga'ret (-ten) *v* cigarette; **–teaansteker** (-s) *m* cigarette-lighter; **siga'rettenautomaat** (-maten) *m* cigarette-machine; **–doos** (-dozen) *v* cigarette-box; **–koker** (-s) *m* cigarette-case; **–papier** *o* cigarette-paper; **–tabak** *m* cigarette-tobacco; **–vloei** *o* cigarette-paper; **siga'rettepeukje** (-s) *o* fag-end; **–pijpje** (-s) *o* cigarette-holder
sig'naal [si.'ɲa.l] (-nalen) *o* 1 (i n 't a l g.) signal; 2 ⚔ bugle-call, call; 3 ⚓ pipe, call
signale'ment [si.ɲa.-] (-en) *o* description; **signa'leren** (signaleerde, h. gesignaleerd) *vt* call attention to, point out [a fact]; describe, give a description of [sbd. wanted by the police]
signa'tuur [si.ɲa.-] (-turen) *v* signature;
sig'neren (signeerde, h. gesigneerd) *vt* sign; autograph [copies of one's book, one's photo];
sig'net (-ten) *o* signet, seal
'sijpelen (sijpelde, h. en is gesijpeld) *vi* ooze, trickle
sijs (sijzen) *v* 🐦 siskin; **'sijsjeslijmer** (-s) **F** *m* stick-in-the-mud, milksop
sik (-ken) *v* 1 (d i e r) goat; 2 (b a a r d) goat's beard [of a goat]; goatee, chin-tuft [of a man]
1 'sikkel (-s) *v* sickle, reaping-hook
2 'sikkel (-s en -en) *m* shekel [Jewish weight & silver coin]
sikke'neurig peevish, grumpy
'sikkepit *v* **F** bit; *geen* ~ not the least bit
si'lene (-n en -s) *v* campion
silhou'et [si.lu.'ɛt] (-ten) *v* & *o* silhouette; **silhouet'teren** (silhouetteerde, h. gesilhouetteerd) *vt* silhouette
sili'caat (-caten) *o* silicate; **sili'conen** *mv* silicones; **sili'cose** [-'ko.zə] *v* silicosis
'silo ('s) *m* silo; (g r a a n p a k h u i s) elevator
'simmen (simde, h. gesimd) **F** *vi* snivel, blubber
simo'nie *v* simony
'simpel simple, mere; (o n n o z e l) silly; **–heid** *v* simplicity; silliness; **sim'plistisch** (over-) simplified
simu'lant (-en) *m* simulator; ⚔ malingerer; **simu'latie** [-(t)si.] (-s) *v* simulation; ⚔ malingering; **simu'leren** (simuleerde, h. gesimuleerd) **I** *vt* simulate; **II** *va* simulate; ⚔ malinger
simul'taan simultaneous; **–seance** [-se.ãsə] (-s) *v* simultaneous game
'sinaasappel (-s en -en) *m* orange; **–kist** (-en) *v* orange box; **–sap** *o* orange juice
sinds I *prep* since; ~ *enige dagen* for some days (past); ~ *mijn komst* since my arrival; **II** *ad* since; **III** *cj* since; **sinds'dien** since
sine'cure (-s en -n) *v* sinecure
Singa'lees (-lezen) *aj* & *m* Cingalese, Sin(g)halese
'singel (-s) *m* 1 (v o o r p a a r d) girth; surcingle; 2 *rk* girdle [of priest's alb]; 3 (o m s t a d) moat; ook: 4 ± boulevard; ~*s* (w e e f s e l) webbing
'singelen ['sɪŋgələ(n)] (singelde, h. gesingeld) *vt* girth; **F** (t e n n i s) play a singles match
'singlet ['sɪŋlɛt] (-s) *m* vest
si'nister sinister, disastrous, calamitous
sin'jeur (-s) *m* > fellow
si'nopel ▨ vert
sint (-en) *m* saint; *de goede* ~ St. Nicholas [Dec. 6th]; **sint-'bernardshond** (-en) *m* St. Bernard dog
'sintel (-s) *m* cinder; **–baan** (-banen) *v sp* cinder track (path); (v o o r m o t o r f i e t s e n) dirt track
sint-'elmsvuur *o* St. Elmo's fire
Sinter'klaas St. Nicholas [Dec. 6th]; **sinter-klaas'avond** (-en) *m* St. Nicholas' Eve [Dec. 5th]
Sint-'Jan *m* 1 St. John; 2 (f e e s t d a g) Midsummer (day); **sint-'jut(te)mis** *met* ~ (*als de kalveren op het ijs dansen*) tomorrow come never; **Sint-'Maarten** *m* 1 St. Martin; 2 (f e e s t d a g) Martinmas; **Sint-'Nicolaas** *m* St. Nicholas; **sint-'veitsdans, sint-'vitus-dans** *m* St. Vitus's dance
'sinus (-sen) *m* sine
sinu'sitis [-'zi.-] *v* sinusitis
'Sion *o* Zion
sip ~ *kijken* look blue (glum)
'Sire sire, your Majesty
si'rene *v* 1 (-n) siren, syren; 2 (-s en -n) (f l u i t) siren, [factory] hooter; **–nzang** (-en) *m* siren song
'sirih *m* sirih, betel
si'rocco ('s) *m* sirocco
si'roop (-ropen) *v* = *stroop*
'sisal ['si.zɑl] *m* sisal
'sisklank (-en) *m* hissing sound, hiss, sibilant; **'sissen** (siste, h. gesist) *vi* hiss; sizzle [in the pan]; **–er** (-s) *m* (v u u r w e r k) squib; *met een* ~ *aflopen* blow over
sits (-en) *o*, **'sitsen** *aj* chintz
situ'atie [-(t)si.] (-s) *v* situation; **–tekening** (-en) *v* lay out (plan); **situ'eren** (situeerde, h. gesitueerd) *vt* situate, locate; zie ook: *gesitueerd*

Six'tijns Sixtine
sjaal (-s) *m* 1 shawl; 2 scarf
'sjabbes F (-en) *m* Sabbath
sja'blone, sja'bloon (-blonen) *v* stencil
sja'brak (-ken) *v* & *o* housing, saddle-cloth, caparison
'sjachelaar (-s) = *sjacheraar*; **'sjachelen** = *sjacheren*; **'sjacheraar** (-s) *m* barterer, huckster; **'sjacheren** (sjacherde, h. gesjacherd) *vi* barter
sjah [ʃa.] (-s) *m* shah
'sjakes F *zich ~ houden* keep mum
sja'ko ('s) *m* shako
sja'lot (-ten) *v* shallot
sjamber'loek (-s) *m* dressing-gown
'sjanker (-s) *m* chancre
sjans *v* **F** *~ hebben* get a (sbd.'s) glad eye; **'sjansen** (sjanste, h. gesjanst) *vi* flirt
sjees (sjezen) *v* gig
sjeik (-s) *m* sheik(h)
sjerp (-en) *m* sash
'sjeuïg ['ʃøəx] juicy
'sjezen (sjeesde, h. en is gesjeesd) *vi* **F** (h a r d l o p e n) race, speed; (z a k k e n) be plucked [in an examination]
sjib'bolet (-s) *o* shibboleth
'sjilpen (sjilpte, h. gesjilpt) *vi* chirp, cheep; **'sjirpen** (sjirpte, h. gesjirpt) *vi* chirr
'sjoege F *geen* (*lou*) *~* [*van iets*] *hebben* know nothing about; *geen ~ geven* not answer, not react
'sjoelbakspel (-len) *o* shovelboard
'sjoemelen (sjoemelde, h. gesjoemeld) **F** *vi* cheat, juggle (with)
'sjofel shabby, **F** seedy, flea-bitten; **–heid** *v* shabbiness, **F** seediness; **–tjes** shabbily, **F** seedily
'sjokken (sjokte, h. en is gesjokt) *vi* trudge, jog
'sjorren (sjorde, h. gesjord) *vt* ⚓ lash, seize
sjouw (-en) *m* job, **F** grind; **'sjouwen** (sjouwde, h. gesjouwd) **I** *vt* carry; **II** *vi* (z w a a r w e r k e n) toil and moil; **'sjouwer** (-s), **–man** (-lieden en -lui) *m* porter; dock-hand
skald (-en) *m* scald
ske'let (-ten) *o* skeleton
'skelter (-s) *m* (go-)kart; **'skelteren** (skelterde, h. geskelterd) *vi* (go-)kart
ski [ski., ʃi.] ('s) *m* ski; **–binding** (-en) *v* ski-binding; **'skiën I** (skiede, h. en is geskied) *vi* ski; **II** *o* skiing; **–ër** (-s) *m* skier
skiff (-s) *m* single sculler, skiff; **skif'feur** (-s) *m* sculler
'skileraar ['ski.-, 'ʃi.-] (-s) *m* ski-instructor; **–lift** (-en) *m* ski-lift; **–lopen I** (liep 'ski, h. en is 'skigelopen) *vi* ski; **II** *o* skiing; **–loper** (-s) *m* ski-runner, skier; **–pak** (-ken) *o* ski-suit; **–schoen** (-en) *m* ski-boot; **–sok** (-ken) *v* ski-sock; **–sport** *v* skiing; **–springen** *o* ski-jumping; **–terrein** (-en) *o* ski-run; **–was** *m* & *o* ski-wax
sla *v* (g e r e c h t) salad; (p l a n t e s o o r t) lettuce
Slaaf (Slaven) *m* Slav
slaaf (slaven) *m* slave, bondman, thrall; **slaafs** *aj* slavish [copy of...], servile; **–heid** *v* slavishness, servility
slaag *m een pak ~* a beating; *~ krijgen* get the stick; **–s** *~ raken* come to blows; ⚔ join battle; *~ zijn* be fighting; **slaan* I** *vt* 1 (b ij h e r h a l i n g) beat[2]; 2 (é é n e n k e l e m a a l) strike; 3 (l e g g e n) put [one's arm round...]; pass [a rope round...]; 4 (v e r s l a a n) beat [the enemy]; 5 (b ij d a m m e n) take, capture; 6 (v. k l o k) strike [the hours, twelve]; *een brug ~* build a bridge; *een gedenkpenning ~* strike a medal; *hij heeft mij geslagen* he has struck (hit) me; *u moet mij* (*die schijf*) *~* you ought to take me (to capture that man); *olie ~* make oil; *touw ~* lay (make) ropes; *de trommel ~* beat the drum; *vuur ~* strike fire (a light); *daar slaat het tien uur!* there goes ten o'clock!, it is striking ten; zie ook: *klok*; ● *hem a a n het kruis ~* nail him to the cross; *a c h t e r o v e r ~* whip off [a snorter]; *zich er d o o r heen ~* fight one's way through[2], *fig* pull through, carry it off; *hij sloeg de spijker i n de muur* he drove the nail into the wall; *in elkaar ~* smash, knock to pieces [sth.]; beat up [sbd.]; *hij sloeg zich o p de borst* he beat his breast; *hij sloeg zich op de dijen* he slapped his thighs; *hij sloeg de armen* (*benen*) *o v e r elkaar* he crossed his arms (legs); zie ook: *acht, alarm, beleg* &; **II** *vi* 1 strike [of a clock]; 2 beat [of the heart]; 3 warble, sing [of a bird], jug [of a nightingale]; 4 kick [of a horse]; 5 flap [of a sail]; ● *a a n het muiten ~* zie *muiten*; *de bliksem sloeg i n de toren* the steeple was struck by lightning; *m e t de deuren ~* slam the doors; *hij sloeg met de vuist op tafel* he struck his fist on the table; *hij sloeg n a a r mij* he struck (hit out) at me; *dat slaat o p u* that refers to you, that's meant for you; *dat slaat nergens op* that is neither here nor there; *erop ~* hit out, lay into them; *de golven sloegen o v e r de zeewering* the waves broke over the sea-wall; *het water sloeg t e g e n de dijk* the water beat against the embankment; *hij sloeg tegen de grond* he fell down with a thud; *de vlammen sloegen u i t het dak* the flames burst from the roof; **–d** *~e ruzie hebben* be at loggerheads, have a blazing row
slaap (slapen) *m* 1 (h e t s l a p e n) sleep; 2 (v a n h e t h o o f d) temple; *~ hebben* be (feel) sleepy; *zijn ~ uit hebben* have slept one's fill; *~ krijgen* get sleepy; *ik heb de ~ niet kunnen vatten* I could not get to sleep; *in ~ vallen* fall asleep, drop off; *in ~ wiegen* rock asleep; *fig* put

[doubts] to sleep, lull [suspicions] to sleep; *zich in ~ wiegen* lull oneself to sleep; *uit de ~ houden* keep awake; **–bank** (-en) *v* sofa-bed; **–been** (-deren) *o* temporal bone; **–coupé** [-ku.pe.] (-s) *m* sleeping-compartment; **–drank** (-en) *m* sleeping-draught; **–dronken** hardly able to keep one's eyes open; **–gelegenheid** (-heden) *v* sleeping-accommodation; **–kamer** (-s) *v* bedroom; **–kop** (-pen) *m* sleepy-head, lie-abed; **–liedje** (-s) *o* lullaby; **–middel** (-en) *o* opiate, soporific; **–muts** (-en) *v* 1 night-cap; 2 = *slaapkop*; **–mutsje** (-s) *o* 1 (b o r r e l) night-cap; 2 ✿ California poppy; **–pil** (-len) *v* sleeping-pill; **–plaats** (-en) *v* sleeping-place, sleeping-accommodation; **–stad** (-steden) *v* dormitory suburb, *Am* bedroom town; **–ste(d)e** (-steden, -steeën) *v* doss-house; **–ster** (-s) *v* sleeper; *de schone ~* the Sleeping Beauty; **–tablet** (-ten) *v* & *o* sleeping-tablet; **–vertrek** (-ken) *o* sleeping-apartment; **–wagen** (-s) *m* sleeping-car, sleeper; **–wandelaar** (-s) *m* sleep-walker; **–wandelen** *o* sleep-walking, walking in one's sleep; **slaap'wekkend** soporific; **'slaapzaal** (-zalen) *v* dormitory; **–zak** (-ken) *m* sleeping-bag; **–ziekte** (-s en -n) *v* 1 sleeping-sickness [of Africa]; 2 [European] sleepy sickness

'slaatje (-s) *o* salad; [*fig*] *ergens een ~ uit slaan* get something out of it

slab (-ben) *v* bib

'slabak (-ken) *m* salad-bowl

sla'bakken (slabakte, h. geslabakt) *vi* slacken (in one's zeal), slack off; idle; dawdle

'slabbetje (-s) *o* bib

'slaboontjes *mv* French beans

'slachtbank (-en) *v* butcher's board, shambles[2]; *ter ~ leiden* lead to the slaughter; **–beest** (-en) *o* beast to be killed; *~en* ook: stock for slaughter, slaughter cattle; **'slachten** (slachtte, h. geslacht) *vt* kill, slaughter; **–er** (-s) *m* butcher[2]; **slachte'rij** (-en) *v* butcher's shop; **'slachthuis** (-huizen) *o* abattoir, slaughterhouse; **'slachting** (-en) *v* slaughter, butchery; massacre; *een ~ aanrichten* (*houden*) *onder* slaughter, make a massacre of; **'slachtmaand** *v* November; **–offer** (-s) *o* victim; *het ~ worden van* fall a victim (victims) to; **–plaats** (-en) *v* butchery, shambles; **–vee** *o* slaughter cattle

sla'dood *m een lange ~* a tall lanky individual

1 slag (slagen) *m* 1 (m e t s t o k &) blow, stroke, hit; 2 (m e t h a n d) blow, slap, cuff, box [on the ears]; 3 (m e t z w e e p) stroke, lash, cut; 4 (v. h a r t) beat, beating, pulsation; 5 (v. k l o k) stroke; 6 (v. r o e i e r, z w e m m e r) stroke; 7 (i n h a a r) wave; 8 (v. v o g e l s) warble [of birds], jug [of nightingale]; 9 (v. d o n d e r) clap; 10 (g e l u i d) bang; crash, thump; thud; 11 ⚒ stroke [of piston], turn [of wheel]; 12 (w i n d i n g) turn [of a rope]; 13 ⚓ (b ij l a v e r e n) tack; 14 ◊ trick; 15 (v e l d s l a g) battle; 16 (a a n z w e e p) lash; 17 *fig* blow [of misfortune]; knack [of doing something]; *vrije ~* free style [in swimming]; *het is een ~* it is only a knack; *een zware ~ voor hem* a heavy blow to him; *een ~ in het gezicht* a slap in the face[2]; *de ~ aangeven bij het roeien* stroke the boat; *hij heeft geen ~ gedaan* he has not done a stroke of work; *alle ~en halen* ◊ make all the tricks; *~ van iets hebben* have the knack of sth.; *de ~ van iets beethebben* **F** have got the hang of it; *een ~ van de molen hebben* **F** have a tile off; *~ houden* keep stroke; *een ~ om de arm houden* not commit oneself, make reservations; *de ~* (*van iets*) *kwijt zijn* have lost the knack of it; *~ leveren* ⚔ give battle; *zijn ~ slaan* seize the opportunity; make one's coup; *een goede ~ slaan* do a good stroke of business; *hij sloeg er maar een ~ naar* he had (made) a shot at it, he had a wack at it; *iem. een ~ toebrengen* (*geven*) deal (strike, fetch) sbd. a blow; *de ~ winnen* 1 ◊ make the trick; 2 ⚔ gain the battle[2]; ● *a a n de ~ gaan* get going, get busy, set (get) to work, **F** wire in; *ik kon niet meer aan ~ komen* ◊ [having no hearts] I could not regain the lead; *b ij de eerste ~* at the first blow (stroke); *m e t één ~* at one (a) stroke, at one (a) blow; *met één ~ van zijn zwaard* with one stroke of his sword; *met de Franse ~ iets doen* do sth. perfunctorily, do sth. with a lick and a wash, do sth. in a slap-dash manner; *o p ~* at once; *op ~ gedood* killed on the spot, outright, instantly; *op ~ van drieën* on the stroke of three; *ik kon niet op ~ komen* I could not get my hand in; *~ op ~* blow upon blow, at every stroke; *de klok is v a n ~* the clock is off strike; *de roeiers waren van ~* the oarsmen were off their stroke; *iem. een ~ v ó ó r zijn* **F** be one upon sbd.; *z o n d e r ~ of stoot* without (striking) a blow

2 slag *o* kind, sort, class, description; *het gewone ~ mensen* the common run of people; *iem. van dat ~* sbd. of that kidney; *mensen van allerlei ~* all sorts and conditions of men

'slagader (-s en -en) *v* artery; *grote ~* aorta; **–breuk** (-en) *v* rupture of an artery; **–lijk** arterial

'slagbal *o* rounders; **–boom** (-bomen) *m* barrier[2]

'slagen (slaagde, is geslaagd) *vi* succeed; *ben je goed geslaagd?* have you succeeded in finding what you wanted?; *hij slaagde er`i n om...* he succeeded in ...ing, he managed to...; *hij slaagde er niet in...* ook: he failed to...; *hij is v o o r* (*zijn*) *Frans geslaagd* he has passed his French examination; zie ook: *geslaagd*

'slagen meev. v. *slag*
'slager (-s) *m* butcher; **slage'rij** (-en) *v* 1 butcher's shop; 2 butcher's trade; **'slagersjongen** (-s) *m* butcher's boy; **–knecht** (-s) *m* butcher's man; **–mes** (-sen) *o* butcher's knife; **–winkel** (-s) *m* butcher's shop
'slaghamer (-s) *m* mallet; **–hoedje** (-s) *o* percussion-cap; **–hout** (-en) *o sp* bat; **–instrument** (-en) *o* percussion instrument; **–kruiser** (-s) *m* ⚓ battle-cruiser; **–linie** (-s) *v* line of battle; **–orde** (-n) *v* order of battle, battle-array; *in ~ geschaard* drawn up in battle-array; **–pen** (-nen) *v* quill-feather; **–pin** (-nen) *v* ⚔ firing pin; **–regen** (-s) *m* downpour, heavy shower, driving rain; **–roeier** (-s) *m* stroke; **–room** *m* 1 whipping cream; 2 whipped cream; **–schaduw** (-en) *v* cast shadow; **–schip** (-schepen) *o* battleship; **–tand** (-en) *m* 1 (v. olifant, walrus, wild zwijn) tusk; 2 (v. wolf &) fang
slag'vaardig ready for battle; *fig* quick at repartee, quick-witted; **–heid** *v* readiness for battle; *fig* quickness at repartee, quick-wittedness
'slagveer (-veren) *v* 1 ⚒ main spring; 2 🐦 flight feather; **–veld** (-en) *o* battle-field, field of battle; **–werk** (-en) *o* 1 striking-parts [of a clock], striking-work; 2 ♩ percussion instruments; **–werker** (-s) *m* percussionist, percussion player, (inz. v. jazz) drummer; **–zee** (-zeeën) *v* = *stortzee*; **–zij(de)** *v* ⚓ list; ✈ bank; *~ maken* ⚓ list; ✈ bank; **–zin** (-nen) *m* slogan; **–zwaard** (-en) *o* broadsword
slak (-ken) *v* 1 snail [with a shell]; 2 slug [without a shell]; ‖ 3 ⚒ slag [*mv* slag], scoria [*mv* scoriae] [of metal]
'slaken (slaakte, h. geslaakt) *vt iems. boeien ~* loosen sbd.'s fetters; *een kreet ~* utter a cry; *een zucht ~* heave (utter) a sigh
'slakkegang *m met een ~ gaan* go at a snail's pace, go snail-slow; **–huis** (-huizen) *o* 1 snail-shell; 2 § cochlea [of the ear]; **'slakkenmeel** *o* basic slag
'slakom (-men) *v* salad bowl
'slalom (-s) *m* slalom
slam'pampen (slampampte, h. geslampampt) *vi* gad about; **–er** (-s) *m* good-for-nothing
1 slang (-en) *v* 1 (dier) snake, serpent; 2 hose [of a fire-engine]; (rubber) tube; worm [of a still]; 3 *fig* serpent, viper
2 slang [slæŋ] *o* slang, argot
'slangachtig snaky, serpentine, anguine; **'slangebeet** (-beten) *m* snake-bite; **–gif(t)** *o* snake-poison; **–kruid** *o* viper's bugloss; **–leer** *o* snake skin; **–mens** (-en) *m* contortionist; **'slangenbezweerder** (-s) *m* snake-charmer; **'slangetong** (-en) *v* 1 serpent's tongue; 2 ⚘ adder's-tongue; **–vel** (-len) *o* snake-skin; (afgeworpen) slough
slank I *aj* slender, slim; *~ blijven* keep slim; *aan de ~e lijn doen* watch one's figure, slim; **II** *ad* slenderly, slimly; **–heid** *v* slenderness, slimness
'slaolie *v* salad-oil
slap I *aj* soft [nib, collar], supple [limbs], flaccid [flesh]; slack[2] [rope, tire, season, trade], limp[2] [binding of a book, cravat, rhymes], flabby[2] [cheeks, character, language]; thin[2] [brew, style]; unsubstantial [food]; *fig* lax [discipline]; weak-kneed [attitude]; spineless [fellow]; $ dull [market], weak [market, tea]; **II** *ad* flabbily, limply; *~ neerhangen* flag, droop
'slapeloos sleepless; **slape'loosheid** *v* sleeplessness, insomnia; **'slapen* I** *vi* sleep, be asleep[2]; *mijn been slaapt* I've pins and needles in my leg; *gaan ~* go to bed, go to sleep; *zit je weer te ~?* are you asleep again?; *ik zal er nog eens op ~* I'll sleep upon (over) it; *~ als een os* sleep like a log; *~ als een roos* sleep like a top; **II** *vt* sleep; *de slaap des rechtvaardigen ~* sleep the sleep of the just; **–d** *fig* unawakened, dormant; **'slaper** (-s) *m* 1 (slapend persoon) sleeper; 2 (slaapgast) lodger; **–ig** sleepy, drowsy
'slapheid *v* slackness, weakness &, zie *slap*
'slapie (-s) ⚔ room-mate
'slapjes I *aj* slack, dull; weak; **II** *ad* slackly; **'slappeling** (-en) *m* weakling, spineless fellow, **F** jellyfish; **'slapte** *v* slackness [of a rope]; $ slack
'slasaus (-en en -sauzen) *v* salad dressing
'slaven (slaafde, h. geslaafd) *vi* drudge, slave, toil; *~ en zwoegen* toil and moil; **'slavenarbeid** *m* slavery, slave labour; *fig* drudgery; **–armband** (-en) *m* closed-forever bracelet; **–drijver** (-s) *m* slave-driver[2], overseer; **–handel** *m* slave trade; **–handelaar** (-s en -laren) *m* slave-trader; **–houder** (-s) *m* slave-owner; **–jacht** (-en) *v* slave-hunt; **–juk** *o* yoke of bondage; **–ketenen** *mv* slave's chains; **–leven** *o* slavery, life of toil; **–markt** (-en) *v* slave-market; **–opstand** (-en) *m* slave rebellion; **–schip** (-schepen) *o* ⚓ slave-ship, slaver; **slaver'nij** *v* slavery, bondage, servitude; **sla'vin** (-nen) *v* (female) slave, bondwoman
'Slavisch *aj* & *o* Slav, Slavic, Slavonic; **sla'vist** (-en) *m* Slavicist, Slavist
slecht I *aj* bad; evil [thoughts]; < wicked [person]; poor [quality, stuff &]; *hij is ~ van gezicht* his eye-sight is bad; *de zieke is ~er vandaag* the patient is worse to-day; *op zijn ~st* at one's (its) worst; **II** *ad* badly; ill[-tempered &]; **–aard** (-s) *m* miscreant, villain, scoundrel
'slechten (slechtte, h. geslecht) *vt* level (with the ground, to the ground), raze (to the ground), demolish

slechtgema'nierd ill-mannered; **'slechtheid, 'slechtigheid** (-heden) *v* badness; (v a n k a r a k t e r) ook: < wickedness; **slecht'horend** hard of hearing
'slechting (-en) *v* levelling, demolition
slechts only, but, merely, nothing but
slecht'ziend weak-sighted, poor-sighted
'slede (-n) *v* 1 (v o e r t u i g) sledge, sleigh; sled [for dragging loads]; 2 ⚓ (v. s l e e p h e l l i n g) cradle; **'sleden** (sleedde, h. en is gesleed) *vi* & *vt* sledge; **'sledetocht** (-en) *m* sleigh-ride, sledge-drive; **slee** (sleeën) = *slede*; *'n ~ (van een auto)* a big car, **F** a swell car
'sleedoorn, -doren (-s) *m* blackthorn, sloe
'sleeën (sleede, h. en is gesleed) = *sleden*
1 sleep (slepen) *m* train; *fig* train [of followers &]; string [of children]
2 sleep (slepen) V.T. van *slijpen*
'sleepboot (-boten) *m* & *v* tug(-boat); **-dienst** (-en) *m* towing-service; **-drager** (-s) *m* train-bearer; **-helling** (-en) *v* ⚓ slipway; **-japon** (-nen) *m* train-gown; **-kabel** (-s) *m* towing-line; (v. b a l l o n) drag-rope; **-loon** (-lonen) *o* 1 cartage; 2 ⚓ towage; **-net** (-ten) *o* drag-net, trailnet; **-touw** (-en) *o* 1 ⚓ tow-rope; 2 guide-rope [of a balloon]; *op ~ hebben* have in tow²; *op ~ houden* keep [sbd.] on a string; *op ~ nemen* take in tow²; **-tros** (-sen) *m* tow-rope, hawser; **-vaart** *v* towing-service; **-voeten** (sleepvoette, h. gesleepvoet) *vi* drag one's feet, shuffle
1 sleet *v* wear and tear
2 sleet (sleten) V.T. van *slijten*
'sleetje (-s) *o* 1 small sledge; 2 (v e r s l e t e n p l e k) worn spot, thin spot; **'sleetocht** (-en) *m* = *sledetocht*
sleets wearing out one's clothes (things) very quickly
'sleg(ge) *v* (sleggen) *v* maul
slem *o* & *m* ◇ slam; *groot (klein) ~ maken* make a grand (a little) slam
sle'miel (-en) *m* = *schlemiel*
slemp *m* saffron milk
'slempen (slempte, h. geslempt) *vi* carouse, feast, banquet; **-er** (-s) *m* carouser, feaster; **slempe'rij** (-en) *v* carousing, feasting, carousal; **'slempmaal** (-malen) *o*, **-partij** (-en) *v* carousal
slenk (-en) *v* gully; *geol* fault, trough
'slenteraar (-s) *m* saunterer, lounger; **'slenteren** (slenterde, h. en is geslenterd) *vi* saunter, lounge; *langs de straat ~* knock about the streets; **'slentergang** *m* sauntering gait, saunter
1 'slepen (sleepte, h. gesleept) **I** *vi* drag; trail; *zijn ~de gang* his shuffling gait; *een ~de ziekte* a lingering disease; *iets ~de houden* keep sth. dragging; *hij sleept met zijn voeten* he drags his feet; *~d rijm* feminine rhyme; **II** *vt* 1 drag, haul; 2 ⚓ tow; *er b i j ~* [*fig*] drag in; *dat zal lelijke gevolgen n a zich ~* bring... in its train, draw on; **III** *vr zij moesten zich naar een hut ~* they had to drag themselves along to a hut
2 'slepen V.T. meerv. van *slijpen*
'sleper (-s) *m* 1 carter; 2 ⚓ tug(-boat); **slepe'rij** (-en) *v* carter's business; **'sleperspaard** (-en) *o* dray-horse; **-wagen** (-s) *m* dray
slet (-ten) *v* slut, trollop
'sleten V.T. meerv. van *slijten*
sleuf (sleuven) *v* groove, slot, slit
sleur *m* routine, rut; *de oude ~* the old humdrum way; *met de ~ breken* get out of the old groove; **'sleuren** (sleurde, h. gesleurd) *vt* & *vi* trail, drag; **'sleurmens** (-en) *m* slave to routine; **-werk** *o* routine work
'sleutel (-s) *m* 1 key² [of a door, watch &; to success]; 2 regulator, damper, register [of a stove]; 3 ♪ clef; **-baard** (-en) *m* key bit; **-been** (-deren) *o* collarbone, clavicle; **-bloem** (-en) *v* primula, cowslip, primrose; **-bos** (-sen) *m* bunch of keys; **'sleutelen** (sleutelde, h. gesleuteld) **F** *vi* tinker (with *aan*); **'sleutelgat** (-gaten) *o* keyhole; **-geld** *o* key money; **-industrie** (-ieën) *v* key industry; **-kind** (-eren) *o* latch-key kid; **-positie** [-zi.(t)si.] (-s) *v* key position; **-ring** (-en) *m* key-ring; **-roman** (-s) *m* roman à clef
slib *o* ooze, slime, mud, silt
'slibberen (slibberde, h. en is geslibberd) *vi* slip, slither; **'slibberig** slippery; **-heid** *v* slipperiness
sliep ('sliepen) V.T. van *slapen*
slier (-en) *m* = *sliert*; **'slieren** (slierde, h. en is geslierd) *vi* drag, trail; slide; **sliert** (-en) *m* string [of words, children &]
slijk *o* mud, mire, dirt; ooze; *aards ~* filthy lucre; *iem. door het ~ sleuren* drag sbd.('s name) through the mud (through the mire); *zich in het ~ wentelen* wallow in the mud; **-erig** muddy, miry
slijm *o* & *m* [nasal] mucus, phlegm; slime [of snail &]; (p l a n t a a r d i g) mucilage; **-bal** (-len) *m*, **-erd F** (-s) *m* creep, bootlicker, toady; **-erig** slimy; **-jurk** (-en) *m* = *slijmbal*; **-klier** (-en) *v* mucous gland; **-vlies** (-vliezen) *o* mucous membrane
'slijpen* *vt* grind, whet, sharpen; cut [glass], polish [diamonds]; *een potlood ~* sharpen a pencil; **-er** (-s) *m* 1 (m e s s e n &) grinder; 2 (v. g l a s) cutter, (v. d i a m a n t) polisher; **slijpe'rij** (-en) *v* grinding-shop; **'slijpmachine** [-ma.ʃi.nə] (-s) *v* grinding-machine; **-middel** (-en) *o* abrasive; **-molen** (-s) *m* grinding-mill; **-plank** (-en) *v* knife-board;

–sel *o* 1 (s l ij p m i d d e l) abrasive; 2 (a f v a l) grinding grit, abrasive dust; **–steen** (-stenen) *m* grindstone, whetstone; **–zand** *o* abrasive sand

'slijtachtig = *sleets*; **slij'tage** [-'ta.ʒə] *v* wear (and tear), wastage; **'slijten*** **I** *vi* wear out, wear away[2]; *dat goed slijt niet gauw* that stuff wears well; *dat leed zal wel ~* it will soon wear off; **II** *vt* 1 wear out [clothes]; 2 sell over the counter, retail [spirits &]; 3 spend [days, time]; *zijn dagen ~* pass one's days; **–er** (-s) *m* 1 retailer, retail dealer; 2 (v. d r a n k e n) licensed victualler; **slijte'rij** (-en) *v* licensed victualler's shop

slik = *slijk*

'slikken (slikte, h. geslikt) **I** *vt* swallow[2] [food, insults, stories &]; **F** lump [it]; *dat belief ik niet te ~* I'm not having this; *heel wat moeten ~* have to put up with a lot; **II** *vi* swallow

'sliknat soaking (sopping) wet

slim 1 astute; sly; 2 *prov* bad; 3 (p i e n t e r) clever, bright, smart; *hij was mij te ~ af* he was one too many for me, he outmanoeuvred me; **–heid** (-heden) *v* slyness; **'slimmerd** (-s) *m*, **'slimmerik** (-riken) *m* slyboots, sly dog, smart aleck; **'slimmigheid** (-heden) *v* piece of cunning, dodge

'slinger (-s) *m* 1 (v. u u r w e r k) pendulum; 2 (z w e n g e l) handle; 3 (d r a a g b a n d) sling; 4 (w e r p t u i g) sling; 5 (g u i r l a n d e) festoon; **–aap** (-apen) *m* spider-monkey; **–beweging** (-en) *v* oscillation, oscillating movement; (v. s c h i p) roll; **'slingeren** (slingerde, h. geslingerd) **I** *vi* 1 (v. s l i n g e r) swing, oscillate; 2 (a l s e e n s l i n g e r) swing, dangle, oscillate; 3 (v. s c h i p) roll; 4 (v. r ij t u i g) lurch; 5 (v. d r o n k a a r d) reel; 6 (v. p a d) wind; 7 (o r d e l o o s l i g g e n) lie about; *laten ~* leave about; **II** *vt* fling, hurl; *heen en weer ~* toss to and fro; **III** *vr zich ~* 1 fling oneself [of a person]; 2 wind [of a river &]; **–ring** (-en) *v* swinging, oscillation; **'slingerplant** (-en) *v* climber, trailer; **–uurwerk** (-en) *o* pendulum-clock

'slinken* *vi* shrink; *in het koken ~* boil down; *tot op... ~* dwindle down to...; **–king** *v* shrinkage; dwindling

slinks I *aj* crooked, artful, cunning; *door ~e middelen* by underhand means; *op ~e wijze* in an underhand way; **II** *ad* crookedly, artfully, cunningly; **–heid** (-heden) *v* crookedness, false dealings

1 slip (-pen) *v* lappet; tail, flap [of a coat]

2 slip (-s) *m* (v o o r m a n n e n) briefs; (v o o r v r o u w e n) panties

3 slip (-s) *m* (h e t s l i p p e n) skid [of a car &]; **–gevaar** *o* danger of skidding; *weg met ~* slippery road

'slipjacht (-en) *v* drag hunt, drag

'slipjas (-sen) *m* & *v* tailcoat

slip-'over (-s) *m* slip-over

'slippedrager (-s) *m* pall-bearer

'slippen (slipte, h. en is geslipt) *vi* 1 (v a n p e r s o n e n) slip; 2 (v. a u t o) skid; **–ertje** (-s) *o* extramarital escapade; *een ~ maken* have an escapade; **'slipschool** (-scholen) *v* skidding-school; **–spoor** (-sporen) *o* skid marks; **–stroom** *m* slipstream

'slissen (sliste, h. geslist) *vi* lisp

'slobber *m* 1 (s p o e l s e l) swill, pigwash; 2 (s n e e u w) sludge, slush; **'slobberen** (slobberde, h. geslobberd) *vi* drink (eat) noisily; (v. k l e r e n) bag, hang loosely; **–erig** baggy, loose

'slobkousen *mv* 1 gaiters; 2 spats [= short gaiters]

'slodderen (slodderde, h. geslodderd) *vi* 1 (m o r s e n) slop; 2 (r u i m a f h a n g e n) bag, hang loosely; **'slodderig** slovenly, sloppy; **'slodderkous** (-en) *v*, **–vos** (-sen) *m* sloven, slattern

'sloeber (-s) *m arme ~* poor beggar

sloeg (**sloegen**) V.T. van *slaan*

sloep (-en) *v* (ship's) boat, sloop, shallop; **'sloependek** (-ken) *o* boat-deck; **–rol** *v* ⚓ boat-drill

'sloerie (-s) *v* slut, trollop

slof (-fen) *m* 1 slipper, mule; 2 ♪ nut [of a violin bow]; 3 (v. s i g a r e t t e n) carton; 4 (v a n a a r d b e i e n) basket; *ik kan het o p mijn ~fen (slofjes) af* I have plenty of time for it; *zich het vuur u i t de ~fen lopen* run one's legs off [for sth.]; *uit zijn ~ schieten* bestir oneself, make a sudden display of energy; **'sloffen** (slofte, h. en is gesloft) *vi* shuffle, shamble; (n a l a t i g z ij n) *iets laten ~* neglect sth.; **'sloffig** slack, careless, negligent; **'slof(fig)heid** *v* slackness, carelessness, negligence

slok (-ken) *m* draught, swallow, drink, mouthful; *in één ~* at a draught, at one gulp; **–darm** (-en) *m* gullet, oesophagus

'sloken V.T. meerv. van *sluiken*

'slokje (-s) *o* 1 (small) draught; 2 (b o r r e l) dram, drop, nip; **'slokken** (slokte, h. geslokt) *vi* guzzle, swallow; **–er** (-s) *m* guzzler, glutton; *arme ~* poor devil; **'slokop** (-pen) *m* gobbler, glutton

slonk (**slonken**) V.T. van *slinken*

slons (slonzen) *v* slut, sloven, slattern; **–achtig** slovenly; **'slonzig** slovenly; **–heid** *v* slovenliness

sloof (sloven) 1 (v o o r s c h o o t) apron; 2 (p e r s o o n) drudge

slook (**sloken**) V.T. van *sluiken*

sloom slow, dull, **F** dim
1 sloop (slopen) *v* & *o* (v. k u s s e n) pillow-slip, pillow-case
2 sloop *m* (v. h u i s) demolition, pulling down; (v. m a c h i n e, s c h i p) breaking down; *een schip voor de ~ verkopen* sell a ship for scrap
3 sloop (**slopen**) V.T. van *sluipen*
'sloopwerk (-en) *o* demolition (work)
1 sloot (sloten) *v* ditch; *hij loopt in geen zeven sloten tegelijk* he always lands on his feet
2 sloot (**sloten**) V.T. van *sluiten*
'slootje (-s) *o* 1 (s l o t) snap; || 2 small ditch; **–springen** *vi* leap over ditches; **'slootkant** (-en) *m* side of a ditch, ditch-side; **–water** *o* ditch-water; *fig* bilge-water
slop (-pen) *o* (d o o d l o p e n d) blind alley; 2 (a r m o e d i g) slum; *in het ~ raken* fall into neglect
1 'slopen (sloopte, h. gesloopt) *vt* demolish [a fortification], pull down [a house], break up [a ship]; *fig* sap, undermine [health &]
2 'slopen V.T. meerv. van *sluipen*
'sloper (-s) *m* 1 ship-breaker; 2 house-breaker, demolisher; **slope'rij** (-en) *v* breaking-up yard; **'sloping** (-en) *v* demolition
'sloppenbuurt (-en) *v* slums *pl*
'slordig I *aj* slovenly, sloppy, careless; untidy [hair]; *een ~e duizend pond* a cool thousand pounds; **II** *ad* carelessly
'slorpen (slorpte, h. geslorpt) *vt* sip, gulp, lap; suck [an egg]
slot (sloten) *o* 1 (a a n d e u r &) lock; 2 (a a n b o e k &) clasp; 3 (a a n a r m b a n d &) snap; 4 (k a s t e e l) castle; 5 (b e s l u i t, e i n d) conclusion, end; *batig ~* $ credit balance, surplus; *~ volgt* to be concluded; *iem. een ~ op de mond doen* shut sbd.'s mouth; • *a c h t e r ~ houden* keep under lock and key; *achter ~ en grendel* under lock and key; *de deur o p ~ doen* lock the door; *p e r ~ van rekening* in the end, ultimately; *per ~ van rekening is hij nog zo'n kwaje vent niet* he is not a bad fellow after all; *t e n ~te* 1 finally, lastly; in the end, eventually; 2 (t o t b e s l u i t) to conclude, in conclusion; *z o n d e r ~ noch zin* without rhyme or reason; **–akkoord** (-en) *o* ♪ final chord; **–alinea** ('s) *v* concluding paragraph; **–bedrijf** (-drijven) *o* final act; **–bewaarder** (-s) *m* governor (of a castle); **–couplet** [-ku.plɛt] (-ten) *o* final stanza
'sloten V.T. meerv. van *sluiten*
'slotenmaker (-s) *m* locksmith;
'slotfase [-zə] (-n en -s) *v* end-game; **–gracht** (-en) *v* moat, foss(e); **–klinker** (-s) *m* final vowel; **–koers** (-en) *m* $ closing price; **–notering** (-en) *v* $ closing price; **–opmerking** (-en) *v* final remark (obsevation); **–poort** (-en) *v* castle-gate; **–rede** (-s) *v* peroration, conclusion; **–regel** (-s) *m* final line; **–som** *v* conclusion, result; *tot de ~ komen dat...* come to the conclusion that...; **–toneel** (-nelen) *o* closing scene, final scene; **–toren** (-s) *m* donjon, keep; **–voogd** (-en) *m* governor (of a castle); **–woord** (-en) *o* last word, concluding words; **–zang** (-en) *m* concluding song, last canto; **–zitting** (-en) *v* final meeting (session)
Slo'veen (-venen) *m* Slovene, Slovenian; **–s** Slovenian
'sloven (sloofde, h. gesloofd) *vi* drudge, toil, slave
Slo'waak(s) (-waken) *m* (& *aj*) Slovak
'sluier (-s) *m* 1 veil[2]; 2 (o p f o t o) fog; *de ~ aannemen* take the veil; **'sluieren** (sluierde, h. gesluierd) *vt* veil; zie ook: *gesluierd*
sluik lank [hair]
'sluiken* *vi* & *vt* smuggle; **'sluikhandel** *m* smuggling; *~ drijven* smuggle
'sluikharig lank-haired
'sluimeren (sluimerde, h. gesluimerd) *vi* slumber[2], doze; *fig* lie dormant; **–d** slumbering[2]; *fig* dormant; **'sluimering** *v* slumber, doze; **'sluimerrol** (-len) *v* bolster, pillow roll
'sluipen* *vi* steal, slink, sneak; slip; **–er** (-s) *m* sneak(er); **'sluipjacht** *v* stalk (hunt), (deer) stalking, still-hunting; **–moord** (-en) *m* & *v* assassination; **–moordenaar** (-s en -naren) *m* assassin; (g e h u u r d e ~) bravo; **–schutter** (-s) *m* sniper; **–weg** (-wegen) *m* secret path; *fig* secret means, indirection, **F** dodge; **–wesp** (-en) *v* ichneumon(-fly)
sluis (sluizen) *v* sluice, lock; *de sluizen des hemels* the floodgates of heaven; *de sluizen der welsprekendheid* the floodgates of eloquence; **–deur** (-en) *v* lock-gate, floodgate; **–geld** (-en) *o* lock dues, lockage; **–kolk** (-en) *v* lock-chamber; **–wachter** (-s) *m* lock-keeper
'sluitboom (-bomen) *m* 1 (v. d e u r &) bar; 2 (v. e e n s p o o r w e g) gate; **'sluiten* I** *vt* 1 (d i c h t d o e n) shut [the hand, the eyes, a book, a door &]; 2 (o p s l o t d o e n) lock [a door, a drawer &]; 3 (t ij d e l ij k g e s l o t e n v e r k l a r e n) close [a shop, the Exchange]; 4 (v o o r g o e d g e s l o t e n v e r k l a r e n) shut up [a shop], close down [a factory, school]; 5 (b e ë i n d i g e n) conclude [speech]; close [a controversy]; 6 (t o t s t a n d b r e n g e n) close, strike [a bargain], conclude [an alliance], contract [a marriage, a loan]; make [peace]; effect [an insurance]; *de gelederen ~* ⚔ close the ranks; *een kind in zijn armen ~* clasp a child in one's arms; **II** *va* shut; lock up (for the night), close [for a week]; *de begroting sluit niet* the budget doesn't balance; *de deur sluit niet* the door does not shut; *de jas sluit goed* is an

exact fit; *de redenering sluit niet* the argument halts; *die rekening sluit met een verlies van...* the account shows a loss of...; *wij moeten (tijdelijk of voorgoed)* ~ we must close down; **III** *vr zich* ~ close [of a wound]; ❀ shut [of flowers]; **–d** tight-fitting [coat &]; balanced [budget]; *niet ~e begroting* unbalanced budget; *de begroting ~ maken* balance the budget; **'sluiter** (-s) *m* (i n f o t o g r a f i e) shutter; **'sluiting** (-en) *v* 1 shutting, closing, locking; 2 lock, fastener, fastening; **'sluitingstijd** (-en) *m* closing time; *na* ~ after hours; **–uur** (-uren) *o* closing hour, closing time; **'sluitmand** (-en) *v* hamper; **–nota** ('s) *v* covering note; **–rede** (-s) *v* syllogism; **–ring** (-en) *m* ⚒ washer; **–spier** (-en) *v* sphincter; **–steen** (-stenen) *m* keystone, coping-stone, capstone; **–stuk** (-ken) *o* ⚔ breech-block [of a gun]; **–zegel** (-s) *m* poster stamp

'slungel (-s) *m* lout, hobbledehoy; **–achtig** loutish, gawky; **'slungelen** (slungelde, h. geslungeld) *vi* slouch; *wat loop je hier te ~?* what are you mooning about for?; **–lig** loutish, gawky

slurf (slurven) *v* 1 trunk [of an elephant]; 2 proboscis [of insects]

'slurpen (slurpte, h. geslurpt) = *slorpen*

sluw sly, cunning, crafty, astute; **–heid** (-heden) *v* slyness, cunning, craftiness, astuteness

smaad *m* revilement, contumely, obloquy, opprobrium; ⚖ libel; **–rede** (-s) *v* diatribe; **–schrift** (-en) *o* lampoon, libel; **–woord** (-en) *o* opprobrious word

smaak (smaken) *m* 1 taste², relish; savour, flavour; 2 (z i n) liking; *ieder zijn* ~ everyone to his taste; *er is geen ~ aan* it has no taste (no relish); *de ~ van iets beethebben* have a liking for sth.; *een fijne ~ hebben* 1 (v. s p ij z e n &) taste deliciously; 2 (v. p e r s o n e n) have a fine palate; *fig* have a fine taste; ● *ijs i n zes smaken* six flavours of ice-cream; *dat viel niet in zijn ~* that was not to his taste (not to his liking); *algemeen in de ~ vallen* hit the popular fancy; *erg in de ~ vallen bij* be much liked by, appeal strongly to, make a strong appeal to; *m e t ~* 1 with gusto²; 2 tastefully; *met ~ eten* eat with great relish; *met ~ uitgevoerd* done in good taste, tastefully executed; *dit is niet n a a r mijn ~* this is not to my liking; *naar de laatste ~* after the latest fashion; *o v e r de ~ valt niet te twisten* there is no accounting for tastes; *een man v a n ~* a man of taste; *z o n d e r ~* tasteless; **–je** (-s) *o er is een ~ aan* it has a taste (a tang); **–loos** = *smakeloos*; **–papil** (-len) *v* taste bud; **–stof** (-fen) *v* flavouring; **–vol I** *aj* tasteful, in good taste; **II** *ad* tastefully, in good taste; **–zenuw** (-en) *v* gustatory nerve

'smachten (smachtte, h. gesmacht) *vi* languish; ~ *naar* pine after (for), yearn for; **–d** yearning

'smadelijk opprobrious, contumelious, ignominious, scornful; ~ *lachen om* sneer at; **–heid** (-heden) *v* contumeliousness, ignominy, scorn; **'smaden** (smaadde, h. gesmaad) *vt* revile, defame, vilipend

1 smak (-ken) *m* 1 smacking [of the lips]; 2 heavy fall, thud, thump

2 smak (-ken) *v* ⚓ (fishing-)smack

'smakelijk I *aj* savoury, tasty, toothsome; **II** *ad* savourily, tastily; ~ *eten* enjoy one's meal; ~ *eten!* good appetite!; ~ *lachen* have a hearty laugh; **'smakeloos I** *aj* 1 tasteless²; 2 *fig* lacking taste, in bad taste; **II** *ad* tastelessly; **'smaken** (smaakte, h. gesmaakt) **I** *vi* taste; *hoe smaakt het?* how does it taste?; *dat smaakt goed* it tastes good, it's delicious; *smaakt het (u)?* do you like it?, is it to your taste?; *het eten smaakt mij niet* I cannot relish my food; *die erwtjes ~ lekker* these peas taste nice; *het ontbijt zal mij ~* I shall enjoy my breakfast; *zich de maaltijd laten ~* enjoy one's meal; *het smaakt als...* it tastes (eats, drinks) like...; ~ *naar* taste of, have a taste of, have a smack of [the cask &], smack of²; *naar de kurk ~* taste of the cork; *dat smaakt naar meer* it tastes so good as to make one want more (of it); **II** *vt genoegens ~* enjoy pleasures

'smakken (smakte, h. en is gesmakt) **I** *vi* 1 fall with a thud; 2 smack; *met de lippen ~* smack one's lips; **II** (smakte, h. gesmakt) *vt* dash, fling; **'smakzoen** (-en) *m* buss, smack

smal narrow; (m a g e r) thin; **–bladig** ❀ narrow-leaved; **–deel** (-delen) *o* ⚓ squadron

'smalen (smaalde, h. gesmaald) *vi* rail; ~ *op* rail at; **–d** scornful, contumelious

'smalfilm (-s) *m* cine-film, 8 (double-8) film; **–heid** *v* narrowness; **–letjes** smallish; *er ~ uitzien* look peaky; **–spoor** (-sporen) *o* narrow-gauge (line)

smalt *v* smalt

'smalte *v* narrowness

sma'ragd (-en) *o* & *m* emerald; **–en** *aj* emerald; **–groen** emerald-green

smart (-en) *v* pain, grief, sorrow; *hevige ~* anguish; *gedeelde ~ is halve ~* a sorrow shared is a sorrow halved; *wij verwachten u met ~* we have been anxiously waiting for you; **–egeld** (-en) *o* smart-money, compensation; **–(e)kreet** (-kreten) *m* cry of pain (sorrow); **'smartelijk** painful, grievous; **–heid** *v* painfulness; **'smarten** (smartte, h. gesmart) *vt* give (cause) pain, grieve; *het smart mij* it pains me, it is painful to me; **'smartlap** (-pen) *m* sentimental ballad (song), **F** tear-jerker

1 'smeden (smeedde, h. gesmeed) *vt* forge,

weld; *fig* forge [a lie], coin [new words]; devise, contrive [a plan]; lay [a plot]; zie ook: *ijzer*; **2 'smeden** meerv. van *smid*; **'smeder** (-s) *m* forger[2], *fig* deviser; **smede'rij** (-en) *v* smithy, forge; **'smeedbaar** malleable; **'smeedijzer** *o* wrought iron; **–werk** *o* wrought iron

'smeekbede (-n) *v* supplication, entreaty, appeal, plea; **–schrift** (-en) *o* petition

smeer *o* & *m* grease, fat, tallow; *om der wille van de ~ likt de kat de kandeleer* from love of gain; **–boel** *m* beastly mess; **–der** (-s) *m* greaser; **–geld** (-en) *o* bribe, illicit commission, **F** grease; *~en* ook: payola; **–kaas** *m* cheese spread; **–kuil** (-en) *m* lubrication pit, inspection pit; **–lap** (-pen) *m* 1 (o o r s p r o n k e l i j k) greasing-clout; 2 *fig* dirty fellow; blackguard, skunk, **S** blighter; **smeerlappe'rij** (-en) *v* dirt, filth; **'smeermiddel** (-en) *o* lubricant; **–olie** *v* lubricating oil; **–pijp** (-en) *v* 1 dirty fellow; 2 (l e i'd i n g) waste-water; **–poe(t)s** (-en) *v* dirty person; messy child; **–punt** (-en) *o* lubrication point; **–sel** (-s) *o* 1 ointment, unguent; 2 (v l o e i b a a r) embrocation, liniment; 3 (v. b o t e r h a m) paste

smeet (**smeten**) V.T. van *smijten*

'smekeling (-en) *m* suppliant; **'smeken** (smeekte, h. gesmeekt) *vt* entreat, beseech, supplicate, implore; *ik smeek er u om* I beseech you; **–er** (-s) *m* suppliant; **'smeking** (-en) *v* supplication, entreaty

'smeltbaar *v* fusible, meltable; **–heid** *v* fusibility, meltability; **'smelten* I** *vi* melt, fuse; *fig* melt [into tears]; *ze ~ in je mond* they melt in your mouth; *~de muziek* mellow music; **II** *vt* melt, fuse; smelt [ore]; *gesmolten boter* melted butter; *gesmolten lood* molten lead; **smelte'rij** (-en) *v* smelting-works; **'smelting** (-en) *v* melting, fusion; smelting; **'smeltkroes** (-kroezen) *m* melting-pot[2], crucible; **–middel** (-en) *o* flux; **–oven** (-s) *m* smelting-furnace; **–punt** (-en) *o* melting-point; **–stop** (-pen) *m* ⚹ fuse; **–water** *o* snow water, melt-water

'smeren (smeerde, h. gesmeerd) *vt* grease, oil; lubricate; smear [with paint &]; spread [butter]; *(zich) een boterham ~* butter one's bread; *iem. de handen ~* grease sbd.'s palm; *de keel ~* wet one's whistle; *de ribben ~* thrash; *'m ~* **S** bolt, clear out, cut along; *smeer 'm!* scram!, beat it!, be off!; *het gaat als gesmeerd* it runs on wheels; *als de gesmeerde bliksem* like greased lightning

'smerig I *aj* greasy, dirty; messy, squalid; grubby; *fig* dirty, nasty; sordid [trick]; *een ~e jongen* a dirty boy; *~ weer* rotten (dirty, foul) weather; **II** *ad* dirtily; **–heid** (-heden) *v* dirtiness, dirt, filth

'smering (-en) *v* greasing, oiling; lubrication

'smeris (-sen) *m* **S** cop

smet (-ten) *v* spot, stain[2]; blot[2]; taint[2]; *fig* blemish; slur; *iem. een ~ aanwrijven* cast a slur on sbd.

'smeten V.T. meerv. van *smijten*

'smetstof (-fen) *v* infectious matter, virus; **'smetteloos** stainless, spotless, immaculate[2]; **'smetten** (smette, *vt* h., *vi* is gesmet) *vt* & *vi* stain, soil

'smeuïg smooth; vivid, lively [story]

'smeulen (smeulde, h. gesmeuld) *vi* smoulder[2]; *er smeult iets* there is some mischief smouldering

smid (smeden) *m* blacksmith, smith; **–se** (-n) *v* forge, smithy; **–sknecht** (-s en -en) *m* blacksmith's man

smiecht (-en) *m* scamp, rascal, rip

smient (-en) *v* 🦆 widgeon

'smiezen *mv* **F** *iem. in de ~ hebben* have sbd. taped, twig sbd.; *dat loopt in de ~* that will attract notice, that is conspicuous

'smijdig malleable, supple

'smijten* I *vt* throw, fling, dash, hurl; **II** *vi met het (zijn) geld ~* throw (one's) money about; *met de deur ~* slam the door

'smikkelen (smikkelde, h. gesmikkeld) *vi* do oneself well, tuck in

'smis(se) (smissen) = *smidse*

smoel (-en) *m* **F** (g e z i c h t) phiz, mug; (m o n d) *hou je ~* keep your big mouth (your trap) shut

'smoesje (-s) *o* **F** dodge, pretext, poor excuse; *~s, zeg!* **F** all eyewash, it's all dope; *een ~ bedenken* find a pretext; *dat ~ kennen we!* we know that stunt

'smoezelig dingy, smudgy, grimy

'smoezen (smoesde, h. gesmoesd) *vi* whisper; talk

'smoken (smookte, h. gesmookt) *vi* & *vt* smoke; **'smoking** (-s) *m* dinner-jacket, *Am* tuxedo

'smokkelaar (-s) *m* smuggler; **smokkela'rij** (-en) *v* smuggling; **'smokkelen** (smokkelde, h. gesmokkeld) **I** *vt* smuggle; **II** *vi* & *va* smuggle; cheat [at play &]; **'smokkelhandel** *m* smuggling, contraband trade; **–waar** (-waren) *v* contraband (goods)

'smokken (smokte, h. gesmokt) *vi* smock; **'smokwerk** *o* smock work, smocking

smolt (**smolten**) V.T. van *smelten*

smook *m* smoke

smoor F *de ~ in hebben* be annoyed, have the hump; **–heet** sweltering, suffocating, broiling; **–hitte** *v* sweltering heat; **–klep** (-pen) *v* throttle(-valve); **–verliefd** over head and ears in love, madly in love; **'smoren I** (smoorde, is gesmoord) *vi* stifle; *om te ~* stifling hot;

II (smoorde, h. gesmoord) *vt* smother, throttle, suffocate; ⚒ throttle (down) [the engine]; stew [meat]; *fig* smother up [the discussion]; smother [a curse]; stifle [a sound, the voice of conscience]; choke [the revolution in blood]; *met gesmoorde stem* in a strangled voice
smous (-en en smouzen) *m* (h o n d) schnauzer
smout *o* grease, lard
'smoutwerk *o typ* job printing, jobbing work
smuk *m* finery
'smukken (smukte, h. gesmukt) *vt* trim, adorn, deck out
'smulbaard (-en), **–broer** (-s) *m* free liver, gastronomist, gastronomer, epicure; **'smullen** (smulde, h. gesmuld) *vi* feast (upon *van*), banquet; *zij smulden ervan* (*toen ze 't hoorden*) they simply "ate it"; **–paap** (-papen) *m* = *smulbaard*; **–partij** (-en) *v* banquet
'smurrie *v* **F** mess, muck, sludge, slush
'Smyrna ['smɪrna.] *o* Smyrna; **'smyrnatapijt** (-en) *o* Turkey (Turkish) carpet
'snaaien (snaaide, h. gesnaaid) *vt* **F** snatch away, pilfer
snaak (snaken) *m* wag; *een rare* ~ a queer fellow, a queer chap; **snaaks I** *aj* droll, waggish; **II** *ad* drolly, waggishly; **–heid** (-heden) *v* drollery, waggishness
snaar (snaren) *v* string, chord; *een gevoelige* ~ *aanroeren* touch upon a tender string; *je hebt de verkeerde* ~ *aangeroerd* you did not sound the right chord; **–instrument** (-en) *o* stringed instrument
'snabbel (-s) *m* = *schnabbel*
'snackbar ['snɛkbar] (-s) *m* & *v* snack-bar
'snakerig = *snaaks*; **snake'rij** (-en) *v* drollery, waggishness
'snakken (snakte, h. gesnakt) *vi* ~ *naar adem* pant for breath, gasp; ~ *naar een kop thee* be dying for a cup of tea; ~ *naar lucht* gasp for air; ~ *naar het uur van de...* yearn (languish) for the hour of...
'snaphaan (-hanen) *m* 🕮 firelock
'snappen (snapte, h. gesnapt) **I** *vt* snap, snatch, catch; *snap je het?* **F** do you get me?, do you follow me?, see?; *hij snapte er niets van* he did not grasp it, he did not understand it at all, he was baffled; *hij zal er toch niets van* ~ 1 **F** he will never get the hang of it [e.g. mathematics]; 2 **F** he will never twig [our doings]; *hij snapte het meteen* he tumbled to it at once, he grasped it at once; *men heeft hem gesnapt* he has been caught; *ik snapte dadelijk dat hij geen Hollander was* I spotted him at once as being no Dutchman; **II** *vi* chat, tattle, prattle
'snarenspel *o* string music
snars *geen* ~ not a bit; *daar begrijp ik geen* ~ *van* zie verder: (*geen*) *steek*
'snater (-s) *m hou je* ~*!* **S** hold your jaw!; **F** shut up!; **–aar** (-s) *m* chatterer; **'snateren** (snaterde, h. gesnaterd) *vi* chatter
snauw (-en) *m* snarl; **'snauwen** (snauwde, h. gesnauwd) *vi* snarl; ~ *tegen* snarl at, snap at; **–erig** snarling, snappish
'snavel (-s) *m* bill, (k r o m) beak
sneb (-ben) *v* bill, neb, nib, beak
'snede (-n) *v* 1 (s n ij w o n d) cut [with a knife]; 2 (s c h ij f) slice [of bread], rasher [of bacon]; 3 (s c h e r p) edge [of a knife, razor &]; 4 (i n d e p r o s o d i e) caesura, section [of a verse]; 5 *de gulden* ~ the golden section; *ter* ~ to the point, just to the purpose
'sneden V.T. meerv. van *snijden*
'snedig witty; *een* ~ *antwoord* a smart reply; *een* ~*e opmerking* a wisecrack; **–heid** (-heden) *v* smartness [of repartee]
snee (sneeën) = *snede*
sneed (**sneden**) V.T. van *snijden*
sneeuw *v* snow; *als* ~ *voor de zon verdwijnen* disappear like snow before the sun; **–achtig** snowy; **–bal** (-len) *m* 1 snowball; 2 ✿ snowball, guelder rose; *met* ~*len gooien* throw snowballs; *iem. met* ~*len gooien* pelt sbd. with snowballs; **'sneeuwballen** (sneeuwbalde, h. gesneeuwbald) *vi* throw snowballs, snowball; **'sneeuwbank** (-en) *v* snow-bank; **–blind** *v* snow-blind; **–blindheid** *v* snow blindness; **–bril** (-len) *m* snow-goggles; **–bui** (-en) *v* snow-shower, snow-squall; **'sneeuwen** (sneeuwde, h. gesneeuwd) *onpers. ww.* snow; *het sneeuwde bloempjes* flowers were snowing down [from the tree]; *het sneeuwde briefkaarten* there was a shower of postcards; **'sneeuwgrens** *v* snow-line; **–hoen** (-ders) *o* white grouse, ptarmigan; **–jacht** *v* snow-drift, driving snow; **–ketting** (-en) *m* & *v* non-skid chain; **–klokje** (-s) *o* snowdrop; **–lucht** *v* snowy sky; **–man** (-nen) *m de Verschrikkelijke S*~ the Abominable Snowman, yeti; **–ploeg** (-en) *m* & *v* snow-plough; **–pop** (-pen) *v* snowman; **–ruimer** (-s) *m* snow-plough; **–schoen** (-en) *m* snow-shoe; **–storm** (-en) *m* snowstorm, (h e v i g e ~) blizzard; **–uil** (-en) *m* snow-owl, snowy owl; **–val** *m* 1 snowfall, fall(s) of snow; 2 (l a w i n e) avalanche, snow-slide; **–vlaag** (-vlagen) *v* snow-shower; **–vlok** (-ken) *v* snowflake, flake of snow; **–wit** snow-white, snowy white; **Sneeuw'witje** *o* Little Snow White
snel swift, quick, fast, rapid, speedy; **–binder** (-s) *m* carrier straps; **–blusser** (-s) *m* fire extinguisher; **–buffet** [-byfɛt] (-ten) *o* snack-bar; **–dicht** (-en) *o* epigram; **–dienst** (-en) *m* quick service, express service; **–filter** (-s) *m* & *o* (coffee) filter

'snelheid (-heden) *v* swiftness, rapidity, speed, velocity; *met een ~ van* ook: at the rate of... [50 miles an hour]; **'snelheidsbeperking** *v zone met ~* restricted area; **–maniak** (-ken) *m* roadhog; **–meter** (-s) *m* tachometer, speedometer; **–record** [-rəkɔ:r] (-s) *o* speed record
'snelkoker (-s) *m* quick heater; **–kookpan** (-nen) *v* pressure-cooker
'snellen (snelde, is gesneld) *vi* hasten, rush; zie ook: *koppensnellen*
'snellopend fast [horse, steamer &]; **–schaken** *o* lightning chess; **–schrift** *o* shorthand, stenography; **–tekenaar** (-s) *m* quick-sketch artist, lightning sketcher; **–trein** (-en) *m* fast train, express (train); **–treinvaart** *v in ~* hurry-scurry; *iets er in ~ doorjagen* rush sth. through; **–varend** fast; **–verband** *o* first (aid) dressing; **–verkeer** *o* high-speed traffic, fast traffic; **–voetig** swift-footed, nimble, fleet; **–vuur** *o* rapid fire; **–vuurkanon** (-nen) *o* quick-firing gun; **–wandelen** *o* walking race, walk; **–weg** (-wegen) *m* speedway, motorway; **–weger** (-s) *m* weighing-machine; **–werkend** rapid, speedy [poison]; **–zeilend** fast-sailing, fast; **–zeiler** (-s) *m* fast sailer
snep (-pen) = *snip*
'snerpen (snerpte, h. gesnerpt) *vi* bite, cut; *een ~de koude* a biting cold; *een ~de wind* a cutting wind
snert *v* pea-soup; *fig* trash; **–kerel** (-s), **–vent** *m* good-for-nothing, **S** rotter
sneu disappointing, mortifying; *~ kijken* look disappointed, look glum
'sneuvelen (sneuvelde, is gesneuveld), **'sneven** (sneefde, is gesneefd) *vi* be killed (in action, in battle), be slain, perish, fall
'snib(be) (snibben) *v* shrew, vixen
'snibbig snappish
'snijbiet (-en) *v* beet greens; **–bloemen** *mv* cut flowers; **–boon** (-bonen) *v* ⚘ French bean, haricot bean; *een rare ~* a queer fish; **–brander** (-s) *m* ⚒ [oxygen, acetylene] cutter, oxy-acetylene torch; **'snijden* I** *vi* 1 cut; 2 🚗 cut in; 3 ♢ finesse; **II** *vt* 1 cut [one's bread, hair &]; cut (up), carve [meat]; carve [figures in wood, stone &]; 2 *fig* (a f z e t t e n) fleece [customers]; *ze ~ je daar lelijk* ook: they make you pay through the nose; *die lijnen ~ elkaar* those lines cut each other, they intersect; *je kon de rook wel ~* the smoke could be cut with a knife; *het snijdt je door de ziel* it cuts you to the heart (to the quick); *aan (in) stukken ~, stuk~* cut to pieces, cut up; **III** *vr zich ~* cut oneself; *ik heb mij in mijn (de) vinger gesneden* I have cut my finger (with a knife); *je zult je (lelijk) in de vingers ~* you'll burn your fingers; **–d** 1 cutting[2], *fig* sharp, biting, piercing; 2 (i n d e m e e t k u n d e) secant; **'snijder** (-s) *m* 1 cutter, carver; 2 tailor; **–vogel** (-s) *m* tailor-bird; **'snijding** (-en) *v* 1 cutting, section; 2 (i n p r o s o d i e) caesura; 3 (i n d e m e e t k u n d e) intersection; **'snijkamer** (-s) *v* dissecting-room; **–lijn** (-en) *v* secant, intersecting line; **–machine** [-ma.ʃi.nə] (-s) *v* 1 cutting-machine; cutter; [bread, vegetable &] slicer; 2 (v. b o e k b i n d e r) guillotine, plough; **–punt** (-en) *o* (point of) intersection; **–tafel** (-s) *v* dissecting table; **–tand** (-en) *m* incisor, cutting tooth; **–vlak** (-ken) *o* cutting surface (face); **–werk** *o* carved work, carving; **–wond(e)** (-wonden) *v* cut, incised wound; **–zaal** (-zalen) *v* dissecting room
1 snik (-ken) *m* gasp, sob; *laatste ~* last gasp; *tot de laatste ~* to one's dying day; *de laatste ~ geven* zie *geest*
2 snik *aj hij is niet goed ~* he is not quite right in his head, **F** a bit cracked
'snikheet suffocatingly hot, stifling
'snikken (snikte, h. gesnikt) *vi* sob
snip (-pen) *v* 🦆 snipe; **–pejacht** *v* snipe shooting
'snipper (-s) *m* cutting, clipping; scrap, shred, snip, snippet, chip; **–dag** (-dagen) *m* extra day off; **'snipperen** (snipperde, h. gesnipperd) *vt* snip, shred; **'snipperjacht** *v* paper-chase; **–mand** (-en) *v* waste-paper basket; **–tje** (-s) *o* scrap, shred, snippet, chip; **–uurtje** (-s) *o* spare hour, leisure hour; *in mijn ~s* at odd times; **–werk** *o* triffling work
'snipverkouden suffering from a bad cold
snit *m & v* cut [of grass, a coat]; *het is naar de laatste ~* it is after the latest fashion
snob (-s) *m* snob; **sno'bisme** [snɔ-] *o* snobbishness, snobbery; **sno'bistisch** snobbish
'snoeien (snoeide, h. gesnoeid) *vt* lop [trees]; prune [fruit-tree]; 2 clip [money, a hedge]; **–er** (-s) *m* lopper, pruner [of trees]; clipper [of coin, hedges]; **'snoeimes** (-sen) *o* pruning-knife, bill; **–schaar** (-scharen) *v* pruning-shears, secateurs; **–sel** (-s) *o* clippings, loppings, brash; **–tijd** *m* pruning-time
snoek (-en) *m* pike; *een ~ vangen* (b ij r o e i e n) catch a crab; **–baars** (-baarzen) *m* pike-perch; **–sprong** (-en) *m* pike dive, jack-knife dive
snoep *m* = *snoeperij*; **–achtig** fond of eating sweets; **–centje** (-s) *o* tuck-money; **'snoepen** (snoepte, h. gesnoept) *vi* eat sweets; *wilt u eens ~?* have a sweet?; *wie heeft van de suiker gesnoept?* who has eaten of (who has been at) the sugar?; **'snoeper** (-s) *m een ~ zijn* have a sweet tooth; **–ig I** *aj* lovely, pretty, sweet; **II** *ad* prettily, sweetly; **snoepe'rij** (-en) *v* sweets, sweetmeats, **F** tuck; **'snoepertje** (-s) *o* **F** duck of a child; **'snoepgoed** *o* = *snoeperij*; **'snoepje** (-s)

o sweet; **'snoepkraam** (-kramen) *v* & *o* sweet-stall; **–lust** *m* craving for sweets; **–reisje** (-s) *o* pleasure trip, *Am* junketing; **–winkel** (-s) *m* sweet-shop, tuck-shop; **–zucht** *v* fondness of eating sweets
snoer (-en) *o* 1 string [of beads]; 2 cord; 3 line [for fishing]; 4 ※ flex; **'snoeren** (snoerde, h. gesnoerd) *vt* string, tie, lace; zie ook: *mond*
snoes (snoezen) *m-v* darling, **F** duck
'snoeshaan (-hanen) *m een vreemde* ~ **F** a queer customer; zie ook *raar*
snoet (-en) *m* snout, muzzle [of an animal]; *zijn* ~> **S** his mug; **–je** (-s) *o een aardig* ~ a pretty face
'snoeven (snoefde, h. gesnoefd) *vi* brag, boast, bluster; ~ *op...* brag (boast) of..., vaunt; **–er** (-s) *m* boaster, braggart, blusterer; **snoeve'rij** (-en) *v* boast, brag(ging), braggadocio
'snoezig I *aj* sweet; **II** *ad* sweetly
snol (-len) *v* **F** = *prostituée*
snood I *aj* base [ingratitude]; heinous [crime]; wicked, sinister, nefarious [practices]; **II** *ad* basely; **–aard** (-s) *m* villain, rascal, miscreant; **–heid** (-heden) *v* baseness, wickedness
snoof (snoven) V.T. van *snuiven*
snoot (snoten) V.T. van *snuiten*
1 snor (-ren) *v* moustache; [of a cat] whiskers
2 snor *ad* **F** *dat zit wel* ~ that's all right
'snorbaard (-en) *m* moustache; *een oude* ~ an old soldier
'snorder (-s) *m* crawler [plying for customers], crawling taxi
'snorkel (-s) *m* s(ch)norkel
'snorken (snorkte, h. gesnorkt) *vi* 1 snore; 2 *fig* brag, boast; **–er** (-s) *m* 1 snorer; 2 *fig* braggart, boaster; **snorke'rij** (-en) *v* bragging, brag, boast
'snorrebaard (-en) = *snorbaard*
'snorren (snorde, h. en is gesnord) *vi* 1 drone, whir [of engine]; purr [of cat]; roar [of stove]; whiz [of bullet]; 2 (o m e e n v r a c h t j e) crawl, ply for hire; *het rijtuig snorde langs de weg* the carriage whirred along the road
snorrepijpe'rij (-en) *v* knick-knack, trifle
snot *o* & *m* mucus, **S** snot; **–aap** (-apen), **–jongen** (-s) *m* **F** whipper-snapper; *vervelende* ~*!* snot-nosed little bastard!
'snoten V.T. meerv. van *snuiten*
'snotje *o* **F** *iets in het* ~ *hebben* be wise to sth.; *iets in het* ~ *krijgen* twig sth., get wise to sth.; **'snotneus** (-neuzen) *m* 1 snivelling nose; 2 *fig* = *snotaap*; **'snotteren** (snotterde, h. gesnotterd) *vi* snivel, blubber; **–rig** snivelling
'snoven V.T. meerv. van *snuiven*
'snuffelaar (-s) *m* ferreter, Paul Pry; **'snuffelen** (snuffelde, h. gesnuffeld) *vi* nose, ferret, browse, rummage [in something]
'snufje (-s) *o het nieuwste* ~ the latest thing; *een nieuw technisch* ~ a new gadget; *een* ~ *zout* a pinch of salt
'snugger bright, clever, sharp, smart
snuif *m* snuff; **–doos** (-dozen) *v* snuff-box; **–je** (-s) *o* pinch of snuff; pinch [of salt]; **–tabak** *m* snuff
snuiste'rij (-en) *v* knick-knack
snuit (-en) *m* snout, muzzle; trunk [of an elephant]; proboscis [of insects]; *zijn* ~ **S** his mug
'snuiten* I *vt* snuff [a candle]; *zijn neus* ~ blow one's nose; **II** *va* blow one's nose; **–er** (-s) *m* 1 = *kaarsesnuiter*; 2 **F** *een rare* ~ a queer customer
'snuitje (-s) *o* = *snoetje*
'snuiven* *vi* 1 sniff, snuffle, snort; 2 take snuff; ~ *van woede* snort with rage
'snurken (snurkte, h. gesnurkt) *vi* snore
'sober I *aj* sober, frugal, scanty; austere [life, building]; **II** *ad* soberly, frugally, scantily; [live] austerely; **–heid** *v* soberness, sobriety, frugality, scantiness; austerity [of life]; **–tjes** = *sober* **II**
soci'aal I *aj* social; *sociale verzekering* social insurance, *Am* social security; *sociale voorzieningen* social welfare; ~ *werk* social work; *sociale werkster* social worker; *sociale wetenschappen* social sciences; **II** *ad* socially; **sociaal-demo'craat** (-craten) *m* social democrat; **~-demo'cratisch** social democratic; **~-eco'nomisch** socio-economic; **sociali'satie** [-'za.(t)si.] *v* socialization; **sociali'seren** (socialiseerde, h. gesocialiseerd) *vt* socialize; **socia'lisme** *o* socialism; **socia'list** (-en) *m* socialist; **–isch I** *aj* socialist [party], [be just as] socialistic; **II** *ad* socialistically
socië'teit [so.si.e.'tɛit] (-en) *v* club-house, club; *de Sociëteit van Jezus rk* the Society of Jesus
sociolo'gie *v* sociology; **socio'logisch** sociological; **socio'loog** (-logen) *m* sociologist
'soda *m* & *v* soda; **–water** *o* soda-water
sode'mieter (-s) **P** *m* bugger, bastard; *iem. op z'n* ~ *geven* give sbd. hell; *als de* ~ like hell
sode'mieteren *vi* **P** 1 (sodemieterde, is gesodemieterd) fall; 2 *vt* (sodemieterde, h. gesodemieterd) throw; *sodemieter op!* bugger off!
sodo'mie *v* sodomy, p(a)ederasty, **P** buggery; ~ *bedrijven* **P** bugger; **–t** (-en) *m* sodomite, **P** bugger
'soebatten (soebatte, h. gesoebat) *vi* & *vt* implore
'Soedan *m de* ~ the S(o)udan; **Soeda'nees** *sb* (-nezen) & *aj* S(o)udanese, *mv* S(o)udanese
soe'laas *o* solace, comfort; relief, alleviation
'Soenda *o* Sunda; **~-eilanden** *mv de* ~ the Sunda Islands; **Soenda'nees I** (-nezen) *m* Sundanese, *mv* Sundanese; **II** *aj* Sundanese; **III** *o* Sundanese

soep (-en) *v* soup; broth; *het is niet veel ~s* it is not up to much; *in de ~ rijden* smash up; *in de ~ zitten* **S** be in the soup; **–balletje** (-s) *o* force-meat ball; **–been** (-benen) *o* soupbone; **–bord** (-en) *o* soup-plate

'soepel supple, flexible; **–heid** *v* suppleness, flexibility

'soeperig soupy[2]; **'soepgroente** (-n en -s) *v* vegetables for the soup; **–jurk** (-en) *v* loose hanging (baggy) dress; **–ketel** (-s) *m* soup-kettle; **–kip** (-pen) *v* boiler (chicken); **–kom** (-men) *v* soup-bowl; **–kommetje** (-s) *o* porringer; **–lepel** (-s) *m* soup-ladle; **–terrine** (-s) *v* soup-tureen; **–vlees** *o* meat for the soup

1 soes (soezen) *v* (cream) puff

2 soes (soezen) *m* 1 (h a n d e l i n g) doze; 2 (p e r s o o n) dotard

'soesa *m* bother; trouble(s), worry, worries

soeve'rein I *aj* sovereign; *~e minachting* supreme contempt; **II** (-en) *m* 1 sovereign; 2 sovereign [coin]; **soevereini'teit** *v* sovereignty

'soezen (soesde, h. gesoesd) *vi* doze; **'soezerig** dozy, drowsy; **–heid** *v* drowsiness

sof *m* wash-out, **F** flop

'sofa ('s) *m* sofa, settee, *Am* davenport

so'fisme (-n) *o* sophism; **so'fist** (-en) *m* sophist; **sofiste'rij** (-en) *v* sophistry; **so'fistisch I** *aj* sophistic(al); **II** *ad* sophistically

soig'neren [*sva*'ɲe.-] (soigneerde, h. gesoigneerd) *vt* groom

soi'ree [*sva*.'re.] (-s) *v* evening party, soirée

soit! [*svα*] *ij* let it be!, let it pass!, all right!

'soja *m* soy; **–boon** (-bonen) *v* soya bean

sok (-ken) *v* 1 sock; 2 ⚒ socket; 3 *fig* (old) fog(e)y; *er de ~ken in zetten* run; *een held op ~ken* a coward; *iem. van de ~ken rijden* knock sbd. down; *van de ~ken gaan* faint

'sokkel (-s) *m* socle

'sokophouder (-s) *m* sock-suspender

sol (-len) *v* ♪ sol

so'laas = *soelaas*

sol'daat (-daten) *m* ⚔ soldier; *gewoon ~* private (soldier); *de Onbekende Soldaat* the Unknown Warrior; *~ eerste klasse* lance-corporal; *een fles ~ maken* crack a bottle; *~ worden* become a soldier, enlist; **–je** (-s) *o* little soldier; sippet; *~ spelen* play (at) soldiers; **sol'datenleven** *o* military life; **solda'tesk** soldier-like

sol'deer *o* & *m* solder; **–bout** (-en) *m* soldering-iron; **–lamp** (-en) *v* soldering-lamp, blow-lamp; **–sel** (-s) *o* solder; **–tin** *o* tin-solder; **–water** *o* soldering-water; **sol'deren** (soldeerde, h. gesoldeerd) *vt* solder

sol'dij (-en) *v* ⚔ pay

so'leren (soleerde, h. gesoleerd) *vi* perform a solo

sol'fège [-'fɛ:ʒə] *m* ♪ solfege, solfeggio

'solfer = *sulfer*

soli'dair [-'dɛ:r] solidary; *~ aansprakelijk* jointly and severally liable; *zich ~ verklaren met* solidarize with; **solidari'teit** *v* 1 solidarity; 2 $ joint liability; *uit ~* in sympathy; **solidari'teitsgevoel** *o* feeling of solidarity; **–staking** (-en) *v* sympathetic strike

so'lide 1 (v. d i n g) solid, strong, substantial; 2 *fig* (v. p e r s o o n) steady; 3 $ respectable [dealers, firms]; sound, safe [investments]; **solidi'teit** *v* 1 solidity; 2 steadiness; 3 $ solvability, solvency, stability; soundness; **so'lied** = *solide*

so'list (-en) *m*, **–e** (-n en -s) *v* soloist

soli'tair [-'tɛ:r] **I** *aj* solitary; **II** (-en) *m* 1 solitary; 2 (s p e l & s t e e n) solitaire

'sollen (solde, h. gesold) **I** *vt* toss; **II** *vi ~ met* 1 romp with; 2 *fig* make a fool of; *hij laat niet met zich ~* he doesn't suffer himself to be trifled with

sollici'tant (-en) *m* candidate, applicant; **sollici'tatie** [-(t)si.] (-s) *v* application; **–brief** (-brieven) *m* (letter of) application; **sollici'teren** (solliciteerde, h. gesolliciteerd) *vi* apply (for *naar*)

'solo ('s) *m* & *o* solo; **–vlucht** (-en) *v* solo (flight); **–zanger** (-s) *m* solo vocalist

'solsleutel (-s) *m* ♪ G clef, treble clef

so'lutie [-(t)si.] (-s) *v* solution

sol'vabel solvent; **solvabili'teit** *v* ability to pay, solvency; **sol'vent** solvent; **sol'ventie** [-(t)si.] *v* solvency

som (-men) *v* 1 (t o t a a l b e d r a g) sum, total amount; 2 (v r a a g s t u k) sum, problem; *een ~ geld(s)* a sum of money; *een ~ ineens* a lump sum; *~men maken* do sums

So'malië *o* Somalia

so'matisch somatic

'somber I *aj* gloomy, sombre[2]; *fig* cheerless, sad, dark, black; **II** *ad* gloomily; **–heid** *v* gloom[2], sombreness[2], cheerlessness

'somma *v* sum total, total amount

som'matie [-(t)si.] (-s) *v* summons; **som'meren** (sommeerde, h. gesommeerd) *vt* summon, call upon; ⚖ summon

'sommige some; *~n* some

somnam'bule (-s) *m* & *v* somnambulist

soms sometimes; *~ goed* &, *~ slecht* & now..., now..., at times..., at other times...; *kijk eens of hij daar ~ is* if he is there perhaps; *hij mocht ~ denken dat...* he might think that...; *als je hem ~ ziet* if you should happen to see him; **'somtijds, –wijlen** sometimes; zie ook: *soms*

so'nate (-s en -n) *v* sonata; **sona'tine** (-s) *v* sonatina

'sonde (-s) *v* probe; **son'deren** (sondeerde, h.

gesondeerd) *vt* sound, probe
'sonisch sonic
son'net (-ten) *o* sonnet; **-tenkrans** (-en) *m* sonnet sequence
so'noor sonorous; **sonori'teit** *v* sonority
Sont *v de* ~ The Sound
soort (-en) *v* & *o* 1 (in 't alg.) sort, kind; 2 (biologie) species; *zo'n* ~ *ding* some such thing, *hij is een goed* ~ he is a good sort; ~ *zoekt* ~ like draws to like, birds of a feather flock together; *zo'n* ~ *schrijver* he is a kind (a sort) of author, an author of sorts; *enig in zijn* ~ zie *enig*; *mensen van allerlei* ~ people of all kinds, all sorts and conditions of men; *van dezelfde* ~ of the same kind, of a kind, $ of the same description; **-elijk** specific; ~ *gewicht* specific gravity; **soorte'ment** *o* **F** *een* ~ (*van*) a sort of, a kind of [dog]; **'soortgelijk** similar, suchlike; **-genoot** (-noten) *m* member of the same species, congener; *zijn soortgenoten* the likes of him; **-naam** (-namen) *m* 1 *gram* common noun; 2 ♣ ♞ generic name
soos *v* **F** club
sop (-pen) *o* 1 broth; 2 (v. zeep) suds; *het ruime* ~ the open sea, the offing; *het ruime* ~ *kiezen* zie *zee* (*kiezen*); *laat hem in zijn eigen* ~ *gaar koken* leave sbd. to his own devices; *met hetzelfde* ~ *overgoten* tarred with the same brush; *het* ~ *is de kool niet waard* the game is not worth the candle (not worth powder and shot); **'soppen** (sopte, h. gesopt) *vt* sop, dip, dunk, steep, soak; **-erig** sloppy, soppy
so'praan (-pranen) *v* soprano, treble; **-stem** (-men) *v* soprano voice; **-zangeres** (-sen) *v* soprano singer
'sorbet (-s) *m* sorbet, sherbet
sor'dino ('s) *v* = *sourdine*
'sores *mv* **F** troubles
sor'teerder (-s) *m* sorter; **sor'teren** (sorteerde, h. gesorteerd) *vt* (as)sort; *onze winkel is goed gesorteerd* our shop is well-stocked; zie ook: *effect*; **-ring** (-en) *v* sorting; assortment
sor'tie (-s) *v* 1 (mantel) opera-cloak; 2 (controlebiljet) pass-out check
S.O.S.-bericht [εso.'εs-] (-en) *o* S.O.S.-message, S.O.S.-call
sou [su.] (-s) *m* **F** *hij heeft geen* ~ he has not a penny (to his name), he has not a penny to bless himself with
'souche ['su.ʃə] (-s) *v* counterfoil
souf'fleren [su.-] (souffleerde, h. gesouffleerd) *vi* & *vt* prompt; **souf'fleur** (-s) *m* prompter; **-shok** (-ken) *o* prompter's box
sou'per [su.'pe.] (-s) *o* supper; **sou'peren** (soupeerde, h. gesoupeerd) *vi* sup, take supper
sour'dine [su.r-] (-s) *v* ♩ mute
sous'bras [su.'bra] (sousbras) *m* dress shield
sous'pied [su.'pje.] (-s) *m* strap
sou'tache [su.'tɑʃə] *v* braid
sou'tane [su.-] (-s) *v rk* soutane
soute'neur [su.-] (-s) *m* pimp, pander
'souterrain ['su.tεrĩ] (-s) *o* basement(-floor)
souve'nir [su.və'ni:r] (-s) *o* souvenir, keepsake
'sovjet, 'sowjet (-s) *m* sovjet; **'Sovjetunie, 'Sowjetunie** *v* (the) Soviet Union
spa ('s) = *spade*
1 spaak (spaken) *v* spoke; *een* ~ *in het wiel steken* put a spoke in the wheel
2 spaak ~ *lopen* go wrong
'spaakbeen (-deren) *o* radius
spaan (spanen) *v* 1 chip [of wood]; 2 scoop [for butter]; *geen* ~ [*fig*] not a bit; **-der** (-s) *m* chip; **-plaat** (-platen) *v* chipboard
Spaans I *aj* Spanish; ~ *riet* rattan; ~*e vlieg* cantharides, Spanish fly; **II** *o het* ~ Spanish; **III** *v een* ~*e* a Spanish woman (lady)
'spaarbank (-en) *v* savings-bank; **-bankboekje** (-s) *o* savings-bank book, deposit book; **-brander** (-s) *m* economical burner; **-brief** (-brieven) *m* saving certificate; **-der** (-s) *m* saver; (inlegger) depositor; **-duitjes** *mv* savings; **-geld** *o* savings; **-kas** (-sen) *v* savings-bank; **-pot** (-ten) *m* money-box; *een* ~*je maken* lay by (some) money; **-rekening** (-en) *v* savings account; **-tegoed** (-en) *o* savings balance; **-varken** (-s) *o* piggy bank; **-zaam I** *aj* 1 saving, economical, thrifty; 2 = *schaars* **I**; ~ *zijn met* be economical of; be chary of [praise &]; be sparing of [information, words]; **II** *ad* 1 economically; 2 = *schaars* **II**; **-zaamheid** *v* economy, thrift; **-zegel** (-s) *m* savings-stamp; **-zin** *m* thrift spirit
spaat *o* spar
'spade (-n) *v* spade; *de eerste* ~ *in de grond steken* cut the first sod
spa'gaat *m* splits [in ballet &]
spa'lier (-en) *o* espalier, lattice-work
spalk (-en) *v* ⚕ splint; **'spalken** (spalkte, h. gespalkt) *vt* ⚕ splint, put in splints
span (-nen) 1 *v* (v. hand) span; 2 *o* (dieren) yoke [of bullocks]; team [of oxen]; pair, set [of horses]; *een aardig* ~ a nice couple
'spanbeton *o* pre-stressed concrete; **-dienst** *m* 📖 form of statute labour; **-doek** (-en) *o* & *m* banner
'spanen *aj* chip
spang (-en) *v* clasp, buckle, agraffe
'spaniël ['spεɲəl] (-s) *m* spaniel
'Spanjaard (-en) *m* Spaniard; **'Spanje** *o* Spain
spanjo'let (-ten) *v* espagnolette [bolt for French window]
'spankracht *v* tensile force; tension, expanding

force [of gases]; *fig* elasticity, resilience
⊙ **'spanne** (-n) *v* span; *een ~ tijds* a brief space of time, a brief while, a (short) spell
'spannen* **I** *vt* stretch [a cord]; tighten [a rope]; draw, bend [a bow]; strain[2] [every nerve; the attention]; brace [a drum]; span [a distance]; spread [a net]; lay [snares]; put [a horse] to [a carriage &]; *de haan ~* cock a gun; zie ook: *boog* &; **II** *vr zich ervóór ~* zie *voorspannen*; **III** *vi* be (too) tight [of clothes]; *als het er spant* when it comes to the pinch; *het zal er ~* there will be hot work; *het begint te ~* things are getting lively; *het heeft er om gespannen* it was a near thing; zie ook: *gespannen*; **–d** 1 (n a u w) tight; 2 (b o e i e n d) exciting [scene], thrilling [story], fast-moving [play], tense [moment]; **'spanning** (-en) *v* stretching; tension[2], strain[2]; span [of bridge]; ⚒ stress; ☀ tension, voltage; pressure [of steam]; *fig* tension, strain, suspense; *in angstige ~* in anxious suspense; *iem. in ~ houden* keep sbd. in suspense; **–smeter** (-s) *m* ☀ voltmeter; 🚗 tyre gauge
'spanraam (-ramen) *o* tenter
'spanrups (-en) *v* looper, geometrid caterpillar
spant (-en) *o* 1 △ rafter; 2 ⚓ frame, timber
'spanwijdte (-n) *v* span
spar (-ren) *m* 1 ♣ spruce-fir; 2 (v. d a k) rafter; **–appel** (-s) *m* fir-cone
'sparen (spaarde, h. gespaard) **I** *vt* 1 save, collect [money]; 2 (o n t z i e n) spare [a friend, no pains]; *spaar mij uw klachten* spare me your complaints; *u kunt u die moeite ~* you may save yourself the trouble; spare yourself the effort; *moeite noch kosten ~* spare neither pains nor expense; *zij zijn gespaard gebleven voor de vernietiging* they have been spared from destruction; **II** *vr zich ~* spare oneself, husband one's strength; **III** *vi* save, economize, lay by [money]
'sparreboom (-bomen) *m* spruce-fir; **–hout** *o* fir-wood; **–kegel** (-s) *m* fir-cone; **'sparrenbos** (-sen) *o* fir-wood
Spar'taan(s) (-tanen) *m* (& *aj*) Spartan
'spartelen (spartelde, h. gesparteld) *vi* sprawl, flounder; **–ling** (-en) *v* sprawling, floundering
'spastisch spastic
spat (-ten) *v* 1 (v l e k) spot, speck, stain; 2 (v. p a a r d) (bone-)spavin; **–ader** (-s en -en) *v* varicose vein; **–bord** (-en) *o* splash-board [of vehicle]; mudguard [of motor-car, bicycle], 🚗 wing
'spatel (-s) *v* spatula, slice
'spatie [-(t)si.] (-s) *v* space; **spati'ëren** (spatieerde, h. gespatieerd) *vt* space; **–ring** (-en) *v* spacing
'spatlap (-pen) *m* mud-flap; **'spatten I** (spatte, is gespat) *vi* splash, spatter [of liquid]; spirt [of a pen]; *uit elkaar ~* zie *uiteenspatten*; **II** (spatte, h. gespat) *vt vonken ~* emit sparks, spark
spe [spe.] *in ~* future, to be, prospective
spece'rij (-en) *v* spice; spices; **–enhandel** *m* spice-trade
specht (-en) *m* woodpecker; *blauwe ~* nuthatch; *bonte ~* pied woodpecker; *groene ~* green woodpecker
speci'aal special, particular; **–zaak** (-zaken) *v* one-line shop, special (specialty) shop; **speciali'satie** [-'za.(t)si.] (-s) *v* specialization; **speciali'seren** (specialiseerde, h. gespecialiseerd) *vt* specialize; **–ring** *v* specialization; **specia'lisme** (-n) *o* specialism, speciality; **specia'list** (-en) *m* specialist; **speciali'té** (-s) *v* branded product; **speciali'teit** (-en) *v* 1 (i e t s s p e c i a a l s) speciality; 2 (p e r s o o n) specialist ...*is onze ~* we specialize in..., ...a speciality;
'specie (-s en -iën) *v* 1 $ specie, cash, ready money; 2 △ mortar; **specifi'catie** [-'ka.(t)si.] (-s) *v* specification; **specifi'ceren** (specificeerde, h. gespecificeerd) *vt* specify; **speci'fiek I** *aj* specific; *~ gewicht* specific gravity; **II** *ad* specifically; **'specimen** (-s en -mina) *o* specimen
spectacu'lair [-ky.'lɛ:r] spectacular
spec'traal spectral; **'spectrum** (-s en -tra) *o* spectrum
specu'laas *m* & *o* kind of sweet spicy biscuit
specu'lant (-en) *m* $ speculator, bull [à la hausse], bear [à la baisse]; **specu'latie** [-(t)si.] (-s) *v* $ speculation, stock-jobbing; **specula'tief** *speculative;* **specu'leren** (speculeerde, h. gespeculeerd) *vi* $ speculate; *~ op* trade upon; hope for...
speech [spi.tʃ] (-es en -en) *m* speech; **'speechen** (speechte, h. gespeecht) *vi* speechify
'speeksel *o* spittle, saliva, sputum; **–klier** (-en) *v* salivary gland
'speelautomaat [-o.to.- en ɔuto.-] (-en) *m* fruit machine; **–bal** (-len) *m* playing ball; *fig* plaything, toy, sport; *een ~ van de golven zijn* be at the mercy of the waves; **–bank** (-en) *v* gambling (gaming) house, casino; **–doos** (-dozen) *v* musical box; **–duivel** *m* demon of gambling; **–duur** *m* (v. s p o r t w e d s t r ij d, f i l m &) length, duration; (v. g r a m m. p l a a t) playing time; (v. t o n e e l s t u k) run; **–film** (-s) *m* fiction film, (l a n g) feature film; **–genoot** (-noten) *m* playmate, playfellow; **–goed** *o* toys, playthings; **–goedwinkel** (-s) *m* toyshop; **–hol** (-holen) *o* gambling-den; **–huis** (-huizen) *o* gambling-house; **–kaart** (-en) *v* playing-card; **–kamer** (-s) *v* 1 play-room [for children]; 2 card-room [of a club]; **–kameraad** (-raden en -s) *m* = *speelmakker*; **–kwartier** (-en) *o* ✎ break; **–makker** (-s) *m* playmate, playfellow; **–man** (-lui en -lieden) *m*

musician, fiddler; **–pakje** (-s) *o* playsuit; **–plaats** (-en) *v* playground; **–ruimte** *v* ⚒ play; *fig* elbowroom, scope, latitude, margin; **speels** playful, sportive; **'speelschuld** (-en) *v* gaming-debt; **–seizoen** (-en) *o* theatrical season; **–sheid** *v* playfulness, sportiveness; **–tafel** (-s) *v* 1 (in huis) card-table; 2 (in speelhol) gaming-table; 3 ♪ (v. orgel) console; **–terrein** (-en) *o* playground, recreation-ground, playing-field; **–tijd** (-en) *m* playtime; **–tuig** (-en) *o* ♪ (musical) instrument; **–tuin** (-en) *m* recreation-ground; **–uur** (-uren) *o* play-hour, playtime; **–veld** (-en) *o* playing-field; **–zaal** (-zalen) *v* gaming-room, gambling-room; **–zucht** *v* passion for gambling

speen (spenen) *v* teat, nipple; (fopspeen) comforter; **–kruid** (-en) *o* pilewort; **–varken** (-s) *o* sucking-pig

speer (speren) *v* spear; *sp* javelin; **–drager** (-s) *m* spearman; **–punt** (-en) *v* spearhead; **–werpen** *o sp* javelin throwing

speet V.T. van *spijten*

spek *o* 1 (gezouten of gerookt) bacon; 2 (vers) pork [of swine]; blubber [of a whale]; *dat is geen ~ voor jouw bek* that is not for you; *met ~ schieten* draw the long bow; *voor ~ en bonen meedoen* sit mum; **–bokking** (-en) *m* fat bloater; **–glad** slippery; **'spekken** (spekte, h. gespekt) *vt* lard [meat]; *een welgespekte beurs* a well-lined purse; zie ook: *doorspekken*; **'spekkig** fat, plump; **'speknek** (-ken) *m* fat neck; **–pannekoek** (-en) *m* larded pancake; **–slager** (-s) *m* pork-butcher; **–steen** *o* & *m* soap-stone, steatite

spek'takel (-s) *o* racket, hubbub; *~ maken* make a noise, kick up a row; **–stuk** (-ken) *o* show-piece

'spekvet *o* bacon dripping; **–zool** (-zolen) *v* (thick) crepe sole

spel (spelen) *o* 1 (tegenover werk) play; 2 (volgens regels) game; 3 (om geld) gaming, gambling; 4 (-len) pack [of cards], set [of dominoes]; 5 (-len) (kaarten van één speler) hand; 6 (-len) (tent) booth, show; *het ~ van deze actrice* the acting of this actress; *zijn (piano)~ is volmaakt* his playing is perfect; *gewonnen ~ hebben* have the game in one's own hands; *vrij ~ hebben* enjoy free play, have free scope; *iem. vrij ~ laten* allow sbd. full play [to...], allow sbd. a free hand; *dubbel ~ spelen* play a double game; *eerlijk ~ spelen* play the game; *een gewaagd ~ spelen* play a bold game; • *buiten ~ blijven* remain out of it; *u moet mij buiten ~ laten* leave me out of it; *er is een dame in het ~* there is a lady in it; *als... in het ~ komt* when... comes into play; *op het ~ staan* be at stake; *op het ~ zetten* stake, risk; *alles op het ~ zetten* stake one's all, risk (stake) everything; **–bederver** (-s), **–breker** (-s) *m* spoil-sport, kill-joy, wet blanket

speld (-en) *v* pin; *er was geen ~ tussen te krijgen* 1 you could not get in a word edgeways; 2 there was not a single weak spot in his reasoning; *men had een ~ kunnen horen vallen* you might have heard a pin drop; **'speldeknop, –kop** (-pen) *m* pin's head, pin-head; **'spelden** (speldde, h. gespeld) *vt* pin; zie ook: *mouw*; **'speldendoos** (-dozen) *v* pin-box; **–geld** *o* pin-money; **–kussen** (-s) *o* pin-cushion; **'speldeprik** (-ken) *m* pin-prick[2]; **'speldjesdag** (-dagen) *m* ± flag-day

1 'spelen (speelde, h. gespeeld) **I** *vi* 1 (in 't alg.) play; 2 (gokken) gamble; *het geschut laten ~* play the guns; *dat speelt hem door het hoofd* that is running through his head; *het stuk speelt in Parijs* the scene (of the play) is laid in Paris; *de roman (het verhaal) speelt in...* the novel (the story) is set in...; *iem. iets in handen ~* play sth. in sbd.'s hands; *in de loterij ~* play in the lottery; *met iem. ~* [*fig*] play with sbd.; *hij laat niet met zich ~* he is not to be trifled with, he will stand no nonsense; *met de gedachte ~* play with the idea; *met zijn gezondheid ~* trifle with one's health; *met vuur ~* play with fire; *zij speelde met haar waaier* ook: she was trifling (toying) with her fan; *om geld ~* play for money; *een glimlach speelde om haar lippen* a smile was playing about her lips; *~ tegen sp* play [a team]; *uit het hoofd ~* play by heart; *voor bediende ~* act the servant; *hij speelt meestal voor Hamlet* he plays the part of Hamlet; **II** *vt* play; *de baas ~* lord it [over sbd.]; *de beledigde ~* play the injured one; *biljart* & *~* play (at) billiards &; *krijgertje ~* play tag; *mooi weer ~* do the grand; *open kaart ~* be frank; *viool ~* play (on) the violin; *kun je dat allemaal naar binnen ~?* **F** can you put away all that?, can you polish off all that?; **2 'spelen** meerv. v. *spel*; **'spelenderwijs, –wijze** 1 in sport; 2 without effort; *~ vechten* play at fighting

speleolo'gie *v* speleology, pot-holing; **speleo'logisch** speleological; **speleo'loog** (-logen) *m* speleologist, pot-holer

'speler (-s) *m* player, fiddler, musician, performer, actor; gamester, gambler; **'spelevaren I** (spelevaarde, h. gespelevaard) *vi* be boating; **II** *o* boating

'spelfout (-en) *v* spelling-mistake

'speling (-en) *v* 1 ⚒ play; margin; 2 *~ der natuur* freak (of nature); *~ hebben* have play; zie ook: *speelruimte*

'spelkunst *v* orthography

'spelleider (-s) *m* 1 *sp* games-master; 2 (van hoorspel) drama producer; (v. quiz)

quizmaster
'spellen (spelde, h. gespeld) *vt* & *vi* spell
'spelletje (-s) *o* game; *het is het oude ~* they are still at the old game; *een ~ doen* have a game; *hetzelfde ~ proberen* (*uit te halen*) try the same game
'spelling (-en) *v* spelling, orthography
spe'lonk (-en) *v* cave, cavern, grotto
'spelregel (-s) *m sp* rule of the game²; || *gram* spelling-rule
spen'deren (spendeerde, h. gespendeerd) *vt* spend [on], **F** blow [on]
'spenen (speende, h. gespeend) *vt* wean; zie ook: *gespeend*
'sperma *o* sperm, semen
'sperren (sperde, h. gesperd) *vt* bar, block up; **'spertijd** (-en) *m* curfew; **–vuur** *o* barrage
'sperwer (-s) *m* sparrow-hawk
'sperzieboon (-bonen) *v* French bean
'speten meerv. van *spit*
'spetter (-s) *m* speck, spot; **'spetteren** (spetterde, h. gespetterd) *vi* spatter, splash
'speurder (-s) *m* detective, sleuth, **S** tec; **–sroman** (-s) *m* detective novel, **F** whodunit; **'speuren** (speurde, h. gespeurd) *vt* trace, track; **'speurhond** (-en) *m* tracker dog, sleuth(-hound)²; **–tocht** (-en) *m* search [for rare books, truth]; **–werk** *o* 1 (v a n r e c h e r c h e u r) detective work; 2 (o p w e t e n s c h a p p e l ij k g e b i e d) research (work); **–zin** *m* flair
'spichtig lank, weedy; *een ~ meisje* a wisp (a slip) of a girl
spie (spieën) *v* 1 ⚒ pin, peg, cotter; 2 **S** [Dutch] cent;
'spieden (spiedde, h. gespied) *vi* & *vt* spy
'spiegel (-s) *m* 1 mirror, looking-glass, glass; 2 ⚕ [doctor's] speculum; 3 ⚓ stern; escutcheon [with name]; 4 surface; *b o v e n de ~ van de zee* above the level of the sea; *i n de ~ kijken* look (at oneself) in the mirror; **–beeld** (-en) *o* (reflected) image, reflection; **–blank** as bright as a mirror; **–ei** (-eren) *o* fried egg, sunny side up; **'spiegelen** (spiegelde, h. gespiegeld) *zich ~* look in a mirror; *zich ~ aan* take warning from, take example by; *die zich aan een ander spiegelt, spiegelt zich zacht* one man's fault is another man's lesson; zie ook: *weerspiegelen*; **'spiegelgevecht** (-en) *o* sham fight; **–glad** as smooth as a mirror, slippery [road]; **–glas** (-glazen) *o* plate-glass; **–hars** *o* & *m* colophony; **–ing** (-en) *v* reflection; **–kast** (-en) *v* mirror wardrobe; **–ruit** (-en) *v* plate-glass window; **–schrift** *o typ* reflected face (type)
'spieken (spiekte, h. gespiekt) *vi* & *vt* crib; **'spiekpapiertje** (-s) *o* crib
spier (-en) *v* 1 muscle [of the body]; 2 ✿ shoot, blade [of grass]; 3 ⚓ boom, spar; *geen ~* not a bit; zie ook: *vertrekken* **II**; **–ballen** *mv* **F** (k r a c h t) beef; **–bundel** (-s) *m* muscular bundle
'spiering (-en) *m* 🐟 smelt; *een ~ uitwerpen om een kabeljauw te vangen* throw a sprat to catch a whale
'spierkracht *v* muscular strength, muscle, **F** beef; **–kramp** (-en) *v* muscular spasm; **–maag** (-magen) *v* gizzard, muscular stomach; **–naakt** stark naked; **–pijn** (-en) *v* muscular pain(s), muscular ache; **–stelsel** (-s) *o* muscular system, musculature; **–verrekking** (-en) *v* sprain; **–vezel** (-s) *v* muscle fibre; **–weefsel** (-s) *o* muscular tissue; **–wit** as white as a sheet, snow-white
spies (-en), **spiets** (-en) *v* spear, pike, javelin, dart; **'spietsen** (spietste, h. gespietst) *vt* spear [fish]; pierce [a man]; impale [a criminal]
'spijbelaar (-s) *m* truant; **'spijbelen** (spijbelde, h. gespijbeld) *vi* play truant
'spijgat (-gaten) *o* = *spuigat*
'spijker (-s) *m* nail; *zo hard als een ~* hard as nails; *de ~ op de kop slaan* hit the nail on the head, hit it; *~s met koppen slaan* get down to brass tacks; *~s op laag water zoeken* try to pick holes in sbd.'s coat, split hairs; **F** *een ~ in zijn kop hebben* have a splitting headache; **–bak** (-ken) *m* nail-box; **–broek** (-en) *v* (blue) jeans; **'spijkeren** (spijkerde, h. gespijkerd) *vt* nail; **'spijkergat** (-gaten) *o* nail-hole; **–hard** hard as nails; **–schrift** *o* cuneiform characters (writing); **–tje** (-s) *o* tack; **–vast** = *nagelvast*
spijl (-en) *v* spike [of a fence]; bar [of a grating]; banister, baluster [of stairs]
spijs (spijzen) *v* 1 food; 2 almond paste; *~ en drank* meat and drink; *de spijzen* the viands, the dishes, the food; **–kaart** (-en) *v* menu, bill of fare; **–vertering** *v* digestion; *slechte ~* indigestion, dyspepsia; **'spijsverteringskanaal** (-nalen) *o* alimentary canal, digestive tract; **–stoornis** (-sen) *v* indigestion, digestive trouble
spijt *v* regret; *~ hebben van iets* be sorry for sth., regret sth.; *t e n ~ van* in spite of, notwithstanding; *t o t mijn* (*grote*) *~* (much) to my regret; I am sorry...; **'spijten*** *het spijt me* (*erg*) I am (so) sorry; *het spijt mij, dat...* I am sorry..., I regret...; *het speet me voor de vent* I felt sorry for the fellow; *het zal hem ~* he will be sorry for it, he will repent it; **–tig** 1 sad, pityful; 2 (w r o k k i g) spiteful; *het is ~ dat...* it is a pity that...
'spijzen (spijsde, h. gespijsd) **I** *vi* eat; dine; **II** *vt* feed, give to eat; **'spijzigen** (spijzigde, h. gespijzigd) *vt* feed, give to eat; **–ging** *v* feeding
'spikkel (-s) *m* speck, speckle, spot; **'spikkelen** (spikkelde, h. gespikkeld) *vt* speckle;

–lig speckled
'spiksplinternieuw = *splinternieuw*
1 spil (-len) *v* 1 ⚒ spindle, pivot; (in uurwerk) fusee; 2 axis, axle; 3 *sp* (bij voetbal) centre half; *de ~ waarom alles draait* the pivot on which everything hinges (turns)
2 spil (-len) *o* ⚓ capstan
'spillebeen (-benen) *o* spindle-leg
'spilleleen (-lenen) *o* apron-string tenure (hold)
'spillen (spilde, h. gespild) *vt* spill, waste; **'spilziek** wasteful, prodigal; **–zucht** *v* prodigality, extravagance
spin (-nen) *v* spider; *zo nijdig als een ~* as cross as two sticks
spi'nazie *v* spinach
spi'net (-ten) *o* spinet
'spinhuis (-huizen) *o* 📖 spinning-house, house of correction
'spinklier (-en) *v* spinneret
'spinmachine [-ma.ʃi.nə] (-s) *v* spinning-machine, spinning-jenny
'spinnekop (-pen) *v* spider; (bits meisje) cat
'spinnen* **I** *vi* 1 (op de spinmachine) spin; 2 purr [of cats]; **II** *vt* spin; **–er** (-s) *m* spinner; **spinne'rij** (-en) *v* spinning-mill
'spinneweb (-ben) *o* cobweb
'spinnewiel (-en) *o* spinning-wheel
'spinnig catty, cattish; **'spinnijdig** irate, cross, (as) cross as two sticks; **–rag** *o* cobweb
'spinrokken (-s) *o* distaff; **'spinsel** (-s) *o* 1 (v. spinnerij) spun yarn; 2 (v. zijderups) cocoon
spint *o* ⚘ 1 (houtlaag) sap-wood, alburnum; 2 (planteziekte) red-spider mite
spi'on (-nen) *m* 1 (persoon) spy; (politie-~) informer; 2 (spiegeltje) (Dutch) spy-mirror, window-mirror; **spio'nage** [-ʒə] *v* spying, espionage; **–net** (-ten) *o* espionage net, spy (espionage) ring; **spio'neren** (spioneerde, h. gespioneerd) *vi* spy, play the spy; **spio'nitis** *v* spy mania; **spi'onne** (-n) *v* woman spy; **–tje** *o* = *spion* 2
spi'raal (-ralen) *v* spiral; **–lijn** (-en) *v* spiral line; **–matras** (-sen) *v* & *o* wire mattress; **–sgewijs, –sgewijze** spirally; *zich ~ bewegen* spiral; **–tje** (-s) *o* **F** coil [intra-uterine device]; **–veer** (-veren) *v* coil-spring; **–vormig** spiral; **–winding** (-en) *v* spire
spi'rant (-en) *m* fricative
spi'rea ('s) *m* spiraea, meadow-sweet
spiri'tisme *o* spiritualism; **spiri'tist** (-en) *m* spiritualist; **–isch** spiritualistic; **spiritu'aliën** *mv* spirits, spirituous liquors; **spirituali'teit** *v* spirituality; **spiritu'eel** spiritual; **spiritu'osa** = *spiritualiën*; **'spiritus** *m* methylated spirit; **–lampje** (-s) *o* spirit-lamp; **–lichtje** (-s) *o* etna

spit *o* 1 (-ten en speten) (stang) spit; 2 (pijn) lumbago; *aan het ~ steken* spit; **–draaier** (-s) *m* turnspit
1 spits *aj* 1 pointed, sharp, peaky; 2 (scherpzinnig, pienter) clever, **F** cute; *~e baard* pointed beard; *~ gezicht* peaky face; *~e toren* steeple; *~ maken* point, sharpen; zie ook: *toelopen*
2 spits *de* (*het*) *~ afbijten* bear the brunt (of the battle, of the onset); *de vijanden de* (*het*) *~ bieden* make head against the enemy
3 spits (-en) *v* point [of a sword]; spire [of a steeple]; ⚔ vanguard [of an army], [armoured] spear-head; peak, top, summit [of a mountain]; *sp* striker, forward; *aan de ~ van het leger* at the head of the army; *aan de ~ staan* [*fig*] hold pride of place; *het op de ~ drijven* push things to extremes; *op de ~ gedreven* carried to an extreme
4 spits (-en) *m* 🐕 spitz [dog]
'Spitsbergen *o* Spitzbergen
'spitsboef (-boeven) *m* rascal, rogue; **–boog** (-bogen) *m* pointed arch; **'spitsen** (spitste, h. gespitst) **I** *vt* point, sharpen [a pencil &]; prick[2] (up) [one's ears]; **II** *vr zich ~ op* set one's heart on, look forward to; **'spitsheid** *v* 1 sharpness, pointedness; 2 (pienterheid) cleverness; **–hond** (-en) *m* = 4 *spits*; **–muis** (-muizen) *v* shrew-mouse, shrew; **–neus** (-neuzen) *m* pointed nose; **–roede** (-n) *v door de ~n lopen* run the gauntlet; **–speler** (-s) *m sp* striker, forward; **–uur** (-uren) *o* rush hour, peak hour; **spits'vondig** subtle; **–heid** (-heden) *v* subtleness, sublety; *spitsvondigheden* subtleties
'spitten (spitte, h. gespit) *vt* & *vi* dig, spade [the ground]; **–er** (-s) *m* digger
1 spleet (spleten) *v* cleft, chink, crack, fissure, crevice, slit
2 spleet (**spleten**) V.T. van *splijten*
'spleethoevig cloven-hoofed, fissiped; **–ogig** slit-eyed
'spleten V.T. meerv. van *splijten*
'splijtbaar 1 cleavable [rock, wood]; 2 (in de kernfysica) fissionable, fissile; **'splijten*** **I** *vi* split; **II** *vt* split, cleave; **'splijting** (-en) *v* 1 cleavage; *fig* scission; 2 (in de kernfysica) fission; **–sprodukt** (-en) *o*, **'splijtprodukt** (-en) *o* fission product; **–stof** (-fen) *v* fissionable (fissile) material; **–zwam** (-men) *v* fission fungus; *fig* disintegrating influence
'splinter (-s) *m* splinter, shiver; *~s* flinders; *de ~ zien in het oog van een ander, maar niet de balk in zijn eigen oog* see the mote in one's brother's eye and not the beam in one's own; **'splinteren** (splinterde, h. en is gesplinterd) *vi* splinter, shiver, go to shivers; **–rig** splintery; **'splintergroep** (-en) *v* splinter group, faction; **–nieuw**

brand-new; **–partij** (-en) *v* splinter party
split (-ten) *o* 1 (o p e n i n g) slit; 2 (v. j a s) slit; 3 (v. v r o u w e n r o k) placket; **–erwten** [-ɛr-tə(n)] *mv* split peas; **–pen** (-nen) *v* split pin, cotter-pin
'splitsen (splitste, h. gesplitst) **I** *vt* 1 split (up) [a lath, peas &], divide; 2 ⚓ splice [a rope]; **II** *vr zich* ~ split (up), divide; bifurcate [of a road]; **–sing** (-en) *v* 1 splitting (up), division, fission [of atoms]; bifurcation [of a road]; *fig* split, disintegration; 2 ⚓ splicing [of a rope]
spoed *m* 1 (h a a s t) speed, haste; 2 ⚒ pitch [of screw]; ~*!* immediate [on letter]; ~ *bijzetten* hurry up; ~ *maken* make haste; ~ *vereisen* be urgent; *met* (*bekwame*) ~ with all (due) speed; *met de meeste* ~ with the utmost speed; full speed; zie ook: *haastig* **I**; **–behandeling** *v* 1 speedy despatch [of a business]; 2 ⚕ emergency treatment; **–bestelling** (-en) *v* 1 ✉ express delivery; 2 $ rush order; **–cursus** [-züs] (-sen) *m* intensive course, crash course; **–eisend** urgent; ~*e gevallen* emergency cases; **'spoeden I** (spoedde, is gespoed) *vi* speed, hasten; **II** (spoedde zich, h. zich gespoed) *vr zich* ~ make haste; speed, hasten (to *naar*); **'spoedgeval** (-len) *o* emergency; ⚕ emergency case; **'spoedig I** *aj* speedy, quick; early; **II** *ad* speedily, quickly, soon, before long; **'spoed-opdracht** (-en) *v* urgent (rush) order; **–operatie** [-(t)si.] (-s) *v* emergency operation; **–order** (-s) *v* & *o* $ rush order; **–stuk** (-ken) *o* urgent document; **–vergadering** (-en) *v* emergency meeting; **–zending** (-en) *v* express parcel
spoel (-en) *v* spool, bobbin, shuttle; ⚡ coil; reel [of magnetic tape, for photographic film]; **–bak** (-ken) *m* washing-tub, rinsing-tub; **1 'spoelen** (spoelde, h. gespoeld) *vt* spool [yarn]; **2 'spoelen** (spoelde, h. gespoeld) *vt* wash, rinse; *iem. de voeten* ~ ⚓ make sbd. walk the plank; **–ling** (-en) *v* 1 (v o o r v a r k e n s) hog-wash, draff; 2 (v o o r h e t h a a r) rinse; 3 (v a n W.C.) flush; **'spoelkom** (-men) *v* slop-basin; **–tje** (-s) *o* spool, bobbin, shuttle; **–water** *o* slops, wash; **–worm** (-en) *m* eel-worm
spog *o* spittle
'spogen V.T. meerv. van *spugen*
'spoken (spookte, h. gespookt) *vi* haunt, walk [of ghosts]; *het spookt in het huis* the house is haunted; *je bent al vroeg aan het* ~ you are stirring early; *het kan geducht* ~ *in de Golf van Biscaje* the Bay of Biscay is apt to be rough at times; *het heeft vannacht weer erg gespookt* the night has been boisterous
1 spon (-nen) *v* bung
2 spon (**sponnen**) V.T. van *spinnen*

⊙ **'sponde** (-n) *v* couch, bed, bedside
spon'dee (-deeën) = *spondeus*; **spon'deus** [-'de.üs] (-deeën) *m* spondee
'spongat (-gaten) *o* bung-hole
'sponnen V.T. meerv. van *spinnen*
'sponning (-en) *v* rabbet, groove, slot; (v a n s c h u i f r a a m) runway
spons (-en en sponzen) *v* sponge; [*fig*] *de* ~ *halen over* pass the sponge over; **–achtig** spongy; **'sponsen** (sponste, h. gesponst) *vt* sponge, clean with a sponge; **'sponsenvisser** (-s) *m* sponge-fisher
'sponsor [-zɔr] (-s) *m* sponsor; **'sponsoren** [-zərə(n)] (sponsorde, h. gesponsord) *vt* sponsor
'sponsrubber *m* & *o* sponge rubber; **–visser** (-s) *m* sponge-fisher
spon'taan I *aj* spontaneous; **II** *ad* spontaneously, on the spur of the moment; **spon-taneï'teit** *v* spontaneity
'sponzen (sponsde, h. gesponsd) *vt* = *sponsen*; **'sponzenvisser** (-s) *m* = *sponsvisser*; **'sponzig** spongy, spongelike
spoog (**spogen**) V.T. van *spugen*
spook (spoken) *o* ghost, phantom, spectre[2]; **F** spook; *zo'n* ~*!* the minx!; **–achtig** spooky, ghostly; **–dier(tje)** (-dieren, -diertjes) *o* tarsier; **–geschiedenis** (-sen) *v* ghost-story; **–huis** (-huizen) *o* haunted house; **–schip** (-schepen) *o* ghost-ship; **–sel** (-s) *o* spectre, ghost, phantom; **–verschijning** (-en) *v* apparition, phantom, ghost, spectre
1 spoor (sporen) *v* 1 spur (of a horseman); 2 ✿ spur [of a flower]; 3 = *spore*; *de sporen geven* spur, clap (put) spurs to, set spurs to; *hij heeft zijn sporen verdiend* he has won his spurs
2 spoor (sporen) *o* 1 foot-mark, trace, track, trail; slot [of deer]; spoor [of an elephant]; prick [of a hare]; scent [of a fox]; 2 (v a n w a g e n) rut; 3 (o v e r b l ij f s e l) trace, vestige, mark; 4 (t r e i n) track, rails, railway; 5 (s p o o r w ij d t e) gauge; 6 (v. g e l u i d s-b a n d) track; *dubbel* ~ double track; *enkel* ~ single track; *niet het minste* ~ *van...* not the least trace (vestige) of...; *het* ~ *kwijtraken* get off the track; *sporen nalaten* leave traces; *het* ~ *volgen* follow the track (trail); ● *b ij het* ~ *zijn* be a railway employee; *als alles weer i n het rechte* ~ *is* in the old groove again; *o p het* ~ *brengen* put on the scent; *de dief op het* ~ *zijn* be on the track of the thief; *het wild op het* ~ *zijn* be on the track of the game; *het toeval bracht ons op het rechte* ~ put us on to the right scent (track); *op het verkeerde* ~ *zijn* be on the wrong track; *fig* bark up the wrong tree; *p e r* ~ by rail(way); *u i t het* ~ *raken* run (get) off the metals; *iem. v a n het* ~ *brengen* put sbd. off the track, throw

sbd. off the scent; **–baan** (-banen) *v* railway, track; (b a a n b e d) permanent way; **–boekje** (-s) *o* (railway) time-table, railway guide; **–boom** (-bomen) *m* barrier; **–brug** (-gen) *v* railway bridge; **–dijk** (-en) *m* railway embankment; **–kaartje** (-s) *o* railway ticket; **–lijn** (-en) *v* railway (line); **–loos I** *aj* trackless; **II** *ad* without leaving a trace, without (a) trace; ~ *verdwijnen* vanish into thin air

'spoorraadje (-s) *o* rowel [of a spur]; **–slag** *m* spur, incentive, stimulus; **–slags** straight away, immediately, at full speed

'spoorstaaf (-staven) *v* rail; **–student** (-en) *m* commuter student; **–trein** (-en) *m* train, railway train; **–verbinding** (-en) *v* railway connection; **–wagon** (-s) *m* railway carriage

'spoorweg (-wegen) *m* railway; **–beambte** (-n) *m* railway official, railway employee; **–kaart** (-en) *v* railway map; **–knooppunt** (-en) *o* (railway) junction; **–maatschappij** (-en) *v* railway company; **–net** (-ten) *o* railway system, network of railways; **–ongeluk** (-ken) *o* railway accident; **–overgang** (-en) *m* level crossing; **–personeel** *o* railwaymen; **–station** [-sta.(t)ʃɔn] (-s) *o* railway-station; **–verkeer** *o* railway traffic

'spoorwijdte (-n en -s) *v* gauge; **'spoorzoeken** *vi* track, scent after

spoot (**spoten**) V.T. van *spuiten*

spo'radisch sporadic(al)

'spore (-n) *v* ✿ spore

1 'sporen (spoorde, h. en is gespoord) *vi* go (travel) by rail

2 'sporen (spoorde, h. gespoord) *vi* (v a n w i e l e n) track, run in alignment

'sporenelement (-en) *o* trace element; **'sporeplant** (-en) *v* cryptogam

1 sport (-en) *v* sport

2 sport (-en) *v* rung [of a chair, ladder &]; *tot de hoogste ~ in de maatschappij opklimmen* climb up (go) to the top of the social ladder

'sportartikelen *mv* sports goods; **–berichten** *mv* sporting news; **–blad** (-bladen) *o* sporting paper; **–club** (-s) *v* sports club; **–colbert** [-bɛ:r] (-s) *o* & *m* sports jacket; **'sporten** (sportte, h. gesport) *vi* go in for sports; **'sporthal** (-len) *v* gymnasium; **–hart** (-en) *o* athlete's heart; **–hemd** (-en) *o* sports shirt; **spor'tief** sporting, sportsmanlike; **sportivi'teit** *v* sportsmanship; **'sportkleding** *v* sportswear; **–kostuum** (-s) *o* sports suit, sporting dress; **–kousen** *mv* knee socks; **–leider** (-s) *m* sports instructor; **–leraar** (-s en -raren) *m* sports instructor, games-master; **–man** (-nen en -lieden) *m* sporting man; **–nieuws** *o* sporting news; **–pak** (-ken) *o* sports suit; **–pantalon** (-s) *m* slacks; **–redacteur** (-s en -en) *m* sports-editor; **–rubriek** (-en) *v* sports column; **–terrein** (-en) *o* sports ground; **–trui** (-en) *v* sports jersey (vest); **–uitslagen** *mv* sporting results; **–veld** (-en) *o* (sports) grounds; **–vlieger** (-s) *m* amateur pilot; **–vliegtuig** (-en) *o* private plane; **–wagen** (-s) sports car; **–winkel** (-s) *m*, **–zaak** (-zaken) *v* sports shop

1 spot *m* mockery, derision, ridicule; *de ~ drijven met* mock at, scoff at, make game of

2 spot (-s) *m* *RT* spot

'spotachtig mocking, scoffing; **–dicht** (-en) *o* satirical poem, satire

'spoten V.T. meerv. van *spuiten*

'spotgoedkoop dirt-cheap; **–lach** *m* jeering laugh, jeer, sneer; **–lust** *m* love of mockery; **–naam** (-namen) *m* nickname, sobriquet; **–prent** (-en) *v* caricature, [political] cartoon; **–prijs** (-prijzen) *m* nominal price; *voor een ~* at a ridiculously low price, dirt-cheap; **–schrift** (-en) *o* lampoon, satire; **'spotten** (spotte, h. gespot) *vi* mock, scoff; *~ met* mock at; scoff at, ridicule, deride; make light of; *dat spot met alle beschrijving* it beggars description; *~ met het heiligste* trifle with what is most sacred; *hij laat niet met zich ~* he is not to be trifled with; **'spottenderwijs, –wijze** mockingly; **'spotter** (-s) *m* mocker, scoffer; **spotter'nij** (-en) *v* mockery, derision, taunt, jeer(ing); **'spotvogel** (-s) *m* 🦢 mocking-bird; *fig* mocker, scoffer; **–ziek** mocking, scoffing; **–zucht** *v* love of scoffing

spouw (-en) *v* space between two cavity walls; **–muur** (-muren) *m* cavity wall

spraak *v* speech, language, tongue; zie ook: *sprake*; **–gebrek** (-breken) *o* speech-defect; **–gebruik** *o* usage; *in het gewone ~* in common parlance; **–geluid** (-en) *o* speech-sound; **–klank** (-en) *m* speech-sound; **–kunst** *v* grammar; **–leer** *v* grammar; **–leraar** (-s en -raren) *m* speech therapist; **–orgaan** (-ganen) *o* organ of speech; **–vermogen** *o* power of speech; **–verwarring** (-en) *v* confusion of tongues, babel; **–waterval** (-len) *m* torrent (flood) of words; **–zaam** loquacious, talkative; **–zaamheid** *v* loquacity, talkativeness

sprak (**spraken**) V.T. van *spreken*

'sprake *v er was ~ van* there has been some talk of it; *als er ~ is van betalen, dan...* when it comes to paying...; *...waarvan in het citaat ~ is* ...referred to in the quotation; *geen ~ van!* not a bit of it!, that's out of the question; *ter ~ brengen* moot, raise [a subject]; *ter ~ komen* come up for discussion, be mentioned, be raised; **–loos** speechless, dumb, tongue-tied; **sprake'loosheid** *v* speechlessness

'spraken V.T. meerv. v. *spreken*

sprank (-en) *v* spark; **–el** (-s) *v* spark, sparkle;

'sprankelen (sprankelde, h. gesprankeld) *vt* sparkle; **'sprankje** (-s) *o* spark[2]
'spreekbeurt (-en) *v* lecturing engagement; *een ~ vervullen* deliver a lecture; **–buis** (-buizen) *v* speaking-tube; *fig* mouthpiece; **–cel** (-len) *v* call-box; **–gestoelte** (-s en -n) *o* pulpit, (speaker's) platform, tribune, rostrum; **–hoorn, –horen** (-s) *m* ear-trumpet; **–kamer** (-s) *v* 1 parlour [in a private house]; 2 consulting-room, surgery [of a doctor]; 3 parlour [in a convent]; **–koor** (-koren) *o* chorus, chant; *spreekkoren vormen* shout slogans; **–oefening** (-en) *v* conversational exercise; **–taal** *v* spoken language; **–trant** *m* manner of speaking; **–trompet** (-ten) *v* speaking-trumpet; *fig* mouthpiece; **–uur** (-uren) *o* consulting hour [of a doctor]; office-hour [of a headmaster &]; *~ houden* ⚕ take surgery; *op het ~ komen* ⚕ attend surgery; **spreek'vaardig** elocutionary; **'spreekverbod** (-boden) *o* ban on public pronouncements; **–wijs, –wijze** (-wijzen) *v* phrase, locution, expression, saying; **–woord** (-en) *o* proverb, adage; **spreek'woordelijk** proverbial; *zijn onwetendheid is ~* he is ignorant to a proverb
spreeuw (-en) *m* & *v* starling
sprei (-en) *v* bedspread, counterpane, coverlet
'spreiden (spreidde, h. gespreid) *vt* spread°; disperse [industry]; stagger [holidays]; *een bed ~* make a bed; **–ding** *v* spread [of payments]; dispersal [of industry]; staggering [of holidays] **'spreidsprong** (-en) *m* split jump; **–stand** *m in ~ staan* straddle, stand with one's legs wide apart
'spreken* **I** *vt* speak, say [a word]; *wij ~ elkaar iedere dag* we see each other every day; *wij ~ niet meer met elkaar* we are no longer on speaking terms; *wij ~ elkaar nog wel, ik zal je nog wel ~!* I'll have it out with you!; *Frans ~* talk (speak) French; *ik moet mijnheer X ~, kan ik mijnheer X ~?* 1 I want to see Mr X, can I see Mr X?; 2 ☏ can I speak to Mr X?; *kan ik u even ~?* can I have a word with you?; *als je nog een woord spreekt, dan...* if you say another word; *een woordje ~* speak a word; say something, make a speech; **II** *vi* & *va* speak, talk; *dat spreekt (vanzelf)* it goes without saying, that is a matter of course, of course; *dat spreekt als een boek* that's a matter of course; *in het algemeen gesproken* generally speaking; *...niet te na gesproken* with all due deference to...; ● *met iem. ~* speak to sbd., talk to sbd. (with sbd.); *met wie spreek ik?* 1 (tegen onbekende) whom have I the honour of addressing?; 2 ☏ is that... [X]?; *spreekt u mee* ☏ speaking; *spreek op!* speak out!; say away!; *wij ~ over u* we are talking of you (about you); *daar wordt niet meer over gesproken* there is no more talk about it; *zij spraken over de kunst* they were talking art; *is mijnheer te ~?* can I see Mr X?; *hij is slecht over u te ~* he has not a good word to say for you; *~ tot iem.* speak to sbd.; *tot het hart ~* appeal to the heart; *daar uit sprak de vrouw* that spoke the woman; *van... gesproken* talking of..., what about...?; *om nog maar niet te ~ van...* to say nothing of..., not to speak of..., not to mention...; *u moet van u af ~* speak out for yourself; *hij heeft van zich doen ~* he has made a noise in the world; *~ voor...* speak for...; *goed voor iem. ~* go bail for sbd.; *voor zich zelf ~* speak for oneself (themselves); **III** *o ~ is zilver, zwijgen is goud* speech is silvern, silence is golden; *onder het ~* while talking; **–d** speaking; *een ~ bewijs* eloquent evidence; a telling proof; *~e film* talking film; *~e gelijkenis* speaking likeness; *~e ogen* talking eyes; *sterk ~e trekken* (strongly) marked features; *~ voorbeeld* striking example; *het lijkt ~* it is a speaking (striking) likeness; *hij lijkt ~ op zijn vader* he is the very image of his father; **'spreker** (-s) *m* 1 (in het alg.) speaker; 2 (redenaar) orator
'sprenkelen (sprenkelde, h. gesprenkeld) *vt* sprinkle [with water]; **–ling** (-en) *v* sprinkling
spreuk (-en) *v* saying; apophthegm, aphorism, maxim, (wise) saw; (zinspreuk) motto; *het Boek der Spreuken* **B** the Book of Proverbs
spriet (-en) *m* 1 ⚓ sprit; 2 ♣ blade [of grass]; 3 ❀ feeler [of an insect]; 4 🐦 landrail; **–ig** 1 spiky [hair]; 2 = *spichtig*; **–zeil** (-en) *o* spritsail
'springader (-s) *v* spring, fountainhead; **–bak** (-ken) *m* 1 *sp* (jumping) pit; 2 (v. bed) spring-box; **–bok** (-ken) *m* 1 🐾 *ZA* springbok; 2 (in de gymnastiek) vaulting-buck; **–bron** (-nen) *v* spring, fountain; **–concours** [-ku:r(s)] (-en) *o* & *m* show jumping; **'springen*** *vi* 1 spring, jump, leap; bound [also of a ball]; skip, gambol; 2 (v. granaat &) explode, burst; 3 (v. snaren) snap; 4 (v. huid) chap; 5 (van glas) crack; 6 (v. luchtband, leidingbuis) burst; 7 (v. fontein) spout; 8 *fig* $ go smash; *het huis (hij) staat op ~* $ it (he) is on the verge of bankruptcy; *de bank laten ~* break the bank; *de bruggen laten ~* blow up the bridges; *de fonteinen laten ~* let the fountains play; *een mijn laten ~* spring (explode) a mine; *een rots laten ~* blast a rock; *of je hoog springt of laag* whether you like it or not; ● *het springt in het oog* it leaps to the eye; *de tranen sprongen hem in de ogen* tears started to his eyes; *hij sprong in het water* he jumped into the water; *op het paard ~* vault on to his horse, jump (vault) into the saddle; *over een heg ~* leap over a hedge; *over een hek ~* take a fence; *over een sloot ~* clear a ditch; *~ van vreugde* jump (leap) for joy; **–er** (-s) *m* jumper,

leaper; **'springerig** springy; curly [hair]; **'spring-in-'t-veld** (-en en -s) *m* harum-scarum, madcap; **'springkever** (-s) *m* spring-beetle; **–lading** (-en) *v* explosive charge; **–levend** fully alive, alive and kicking; **–matras** (-sen) *v* & *o* 1 *sp* mat; 2 (v. b e d) spring-mattress; **–net** (-ten) *o* jumping net; **–oefening** (-en) *v* jumping-exercise; **–paard** (-en) *o* 1 *sp* jumper, fencer; 2 (i n d e g y m n a s t i e k) vaulting-horse; **–plank** (-en) *v* spring-board; **–schans** (-en) *v* ski-jump; **–stof** (-fen) *v* explosive; **–stok** (-ken) *m* jumping-pole, leaping-pole; **–tij** (-en) *o* spring-tide; **–touw** (-en) *o* skipping-rope; **–veer** (-veren) *v* spiral metallic spring; **–vloed** (-en) *m* = *springtij*; **–vorm** (-en) *m* (b a k v o r m) springform; **–zeil** (-en) *o* jumping-sheet, life-net

'sprinkhaan (-hanen) *m* grasshopper, locust; **–hanenplaag** *v* plague of locusts, locust plague

sprint (-en en -s) *m* sprint; **'sprinten** (sprintte, h. gesprint) *vi* sprint; **–er** (-s) *m* sprinter; **'sprintwedstrijd** (-en) *m* sprint race

sprits (-en) *v* (butter) shortbread

'sproeien (sproeide, h. gesproeid) *vt* sprinkle, water; (i n l a n d- e n t u i n b o u w) spray; **–er** (-s) *m* sprinkler [on the lawn]; rose [of watering-can]; ⚒ jet [of carburettor], nozzle; **'sproeimachine** [-ma.ʃi.nə] (-s) *v* spraying machine; **–middel** (-en) *o* spray; **–wagen** (-s) *m* water(ing)-cart, sprinkler, water-wagon

sproet (-en) *v* freckle; **–erig, –ig** freckled

'sproke (-n) *v* tale

'sprokkel (-s) *m* dry stick; **–aar** (-s) *m* gatherer of dry sticks; **'sprokkelen** (sprokkelde, h. gesprokkeld) *vi* gather dry sticks; **'sprokkelhout** *o* dead wood, dry sticks; **–maand** (-en) *v* February

1 sprong (-en) *m* spring, leap, jump, bound, caper, gambol; ♪ skip; *een ~ doen* take a leap (a spring); *een ~ in het duister doen* take a leap in(to) the dark; *de ~ wagen* [*fig*] take the plunge; *i n* (*met*) *één ~* at a leap; *m e t een ~* with a bound; *met ~en* by leaps and bounds

2 sprong (sprongen) V.T. van *springen*

'sprongsgewijs by jumps

'sprookje (-s) *o* fairy-tale[2], nursery tale; **'sprookjesachtig** fairy-like; **–boek** (-en) *o* book of fairy-tales; **–land** *o* dreamland; wonderland, fairyland; **–prinses** (-sen) *v* fairy-tale princess; **–wereld** *v* fairy-tale world, dreamworld

sproot (sproten) V.T. van *spruiten*

sprot (-ten) *m* sprat

1 spruit (-en) *v* sprout, sprig, offshoot; scion

2 spruit (-en) *m-v* (a f s t a m m e l i n g(e)) sprig, offshoot; scion; *een adellijke ~* a sprig of the nobility; *mijn ~en* my offspring; **'spruiten*** *vi* sprout; *uit een oud geslacht gesproten* sprung from an ancient race

'spruitjes *v*, **'spruitkool** *v* (Brussels) sprouts

'spruitstuk (-ken) *o* ⚒ tee, manifold

spruw *v* ⚕ thrush; *Indische ~* sprue

'spugen* *vi* & *vt* = *spuwen*

spui (-en) *o* sluice; **'spuien** (spuide, h. gespuid) **I** *vi* sluice[2]; blow off [steam]; *wij moeten eens ~* ventilate; **II** *vt* unload [goods, shares &]; **'spuigat** (-gaten) *o* ⚓ scupper, scupper-hole; *het loopt de ~en uit* it goes beyond all bounds

spuit (-en) *v* 1 syringe, squirt; 2 (b r a n d- s p u i t) fire-engine; 3 (v o o r l a k, v e r f &) sprayer, gun; 4 (d r u g i n j e c t i e) **F** shot, **S** fix; **–bus** (-sen) *v* aerosol dispenser; **'spuiten*** *vi* & *vt* 1 spirt, spurt, spout, squirt; 2 spray [the paint on a surface]; 3 (v. w a l v i s) blow; 4 (z i c h i n s p u i t e n) **F** shoot; *~ met* **S** fix [amphetamines]; **'spuitfles** (-sen) *v* siphon; **–gast** (-en) *m* hoseman; **–je** (-s) *o iem. een ~ geven* give sbd. an injection; **–water** *o* aerated water, soda-water

spul (-len) *o* 1 (g o e d j e) stuff; 2 (k e r m i s- s p e l) booth, show; 3 (e q u i p a g e) turn-out; 4 (l a s t) trouble; *dat is goed ~* good stuff that!; *zijn ~len* his things, **F** his traps; *zondagse ~len* **F** Sunday togs; **'spullebaas** (-bazen) *m* showman; **'spulletjes** *mv* (m e u b e l t j e s &) sticks, **F** traps

'spurrie *v* spurry

spurt (-en en -s) *m* spurt; **'spurten** (spurtte, h. gespurt) *vi* spurt

'sputteren (sputterde, h. gesputterd) *vi* sputter, splutter [of speakers]

'sputum *o* sputum

'spuug *o* spittle, saliva; **–bakje** (-s) *o* vomiting basin (pan); **–lelijk** ghastly, ugly as sin, monstrous; **–lok** (-ken) *v* **F** cowlick; **–misselijk** queasy, sick, *fig* disgusted; **–zat** *iets ~ zijn* be fed up with sth., be sick of sth.

'spuwbak (-ken) *m* spittoon, ⚕ sputum cup; **'spuwen** (spuwde, h. gespuwd) *vi* & *vt* 1 (u i t s p u w e n) spit; 2 (b r a k e n) vomit; zie ook: *vuur*

s(s)t! hush!, sh!

St. = *Sint*

staaf (staven) *v* 1 (v a n ij z e r) bar; 2 (v a n g o u d) ingot; 3 (n i e t v a n m e t a a l) stick; **–antenne** (-s) *v* rod (flagpole) aerial; **–batterij** (-en) *v* torch battery; **–goud** *o* gold in bars, bar-gold; **–ijzer** *o* bar-iron, iron in bars; **–lantaarn, –lantaren** (-s) *v* (electric) torch; **–magneet** (-neten) *m* bar-magnet; **–zilver** *o* bar-silver, silver in bars

staag = *gestadig*

staak (staken) *m* stake, pole, stick
staakt-het-'vuren *o* cease-fire
1 staal (stalen) *o* (m o d e l) sample, pattern, specimen
2 staal *o* 1 (m e t a a l) steel[2]; 2 ⚕ (m e d i c ij n) steel; ~ *innemen* take steel; **–achtig** like steel, steely; **–blauw** steely blue
'staalboek (-en) *o* = *stalenboek*
'staalborstel (-s) *m* wire brush; **–draad** (-draden) *o* & *m* steel-wire; **–draadtouw** *o* steel wire-rope; **–drank** *m* ⚕ tonic; **–fabriek** (-en) *v* steelworks; **–gravure** (-s en -n) *v* steel-engraving; **–grijs** steely grey; **–hard** (as) hard as steel
'staalkaart (-en) *v* sample-card, pattern-card
'staalkabel (-s) *m* wire rope (cable); **–kleurig** steel-coloured
'Staalmeesters *mv de* ~ the Syndics [by Rembrandt]
'staalpil (-len) *v* iron pill; **–plaat** (-platen) *v* steel plate; **–smederij** (-en) *v* steelworks
'staaltje (-s) *o* sample[2] [of goods &; of his proceedings]; specimen[2] [of the mass, of his skill]; *fig* piece [of impudence]; *een* ~ *van zijn kunnen* a proof (mark) of his ability; *dat is niet meer dan een* ~ *van uw plicht* it is your duty
'staalwaren *mv* steel goods; **–werk** *o* steelwork; **–werker** (-s) *m* steelworker; **–wijn** *m* steel wine; **–wol** *v* steel-wool, wire-wool
staan* I *vi* 1 stand, be [of persons, things]; sleep [of a top]; 2 (p a s s e n) become; 3 (z ij n) be; *staat!* ⚔ (eyes) front!; *wat staat daar (te lezen)?* what does it say?; *er stond een zware zee* there was a heavy sea on; *het koren staat dun* is thin; *de hond staat* the dog points; *het staat goed* it is very becoming, it looks well; *zwart staat haar zo goed* black suits her so well; *dat staat niet* it is not becoming; *hiermee staat of valt de zaak* with this the matter will stand or fall; *dat staat te bewijzen (te bezien)* it remains to be proved (to be seen); *wat mij te doen staat* what I have to do; (m e t i n f i n i t i e f) *zij* ~ *daar te praten* they are talking there; *sta daar nu niet te redeneren* don't stand arguing there; (o n p e r s. w.w.) *hoe staat het ermee?* how are things?; *hoe staat het met je geld?* how are you off for money?; *hoe staat het met ons eigen land?* what about our own country?; *als het er zo mee staat* if the matter stands thus; (n a i n f i n i t i e v e n) *blijven* ~ 1 remain standing; 2 stop; *de stoel blijft zo niet* ~ will not stand; *dat moet zo blijven* ~ the passage must stand; *zeg hem dat hij moet gaan* ~ tell him to get (stand) up; *ergens gaan* ~ (go and) stand somewhere, take one's stand somewhere; *komen* ~ come and stand, stand [here]; *te* ~ *komen* run up [against a difficulty]; (n a l a t e n) *alles laten* ~ leave everything on the table &; *zijn baard laten* ~ grow a beard; *zijn eten laten* ~ not touch one's food; *hij kan niet eens..., laat* ~... let alone...; *laat (dat)* ~ leave it alone!; *weten waar men* ~ *moet* know one's place; *de zon staat hoog a a n de hemel* the sun is high in the sky; *het staat aan u om...* it lies with you to..., it is for you to...; *ga er maar aan* ~*!* brace yourself!, set your teeth!, pull up your socks!; ~ *a c h t e r* stand (be) behind, support, back; *hij* staat b o v e n mij he is above me in rank, he is my superior; *het staat zo i n de Bijbel* it says so in the Bible; *het staat in de krant* it is in the paper; *iem. n a a r het leven* ~ seek sbd.'s life, seek to kill sbd.; *daar staat mijn hoofd niet naar* I am in no mood for it (to do it); *hij staat o n d e r de kapitein* he is under the captain; *de klok staat o p...* the clock shows..., stands at..., points to...; *de thermometer staat op...* the thermometer stands at..., marks...; *op instorten* & ~ be about to fall down &; *daar staat boete op* it is liable to a fine; *daar staat de doodstraf op* it is punishable with (by) death; *daar staat drie jaar op* it is liable to three years' imprisonment; *zij* ~ *erop dat je komt* they insist upon your coming; *3 staat t o t 9 als 4 tot 12* 3 is to 9 as 4 is to 12; *de machine tot* ~ *brengen* bring the machine to a stand (to a halt); *de vijand tot* ~ *brengen* check the progress of the enemy, stop the enemy; *het is tot* ~ *gekomen* it has come to a stand; *het staat er goed v o o r* it looks promising; *hij staat er goed voor* all is well with him; *wij* ~ *voor een crisis* we are faced with a crisis; *hij staat voor niets* he sticks (stops) at nothing; **II** *vt hem* ~ stand up to him; **–d** standing [person, army]; stand-up [collar]; upright [writing]; ~*e boord* stand-up collar; ~*e hond* setter, pointer; ~*e klok* 1 mantelpiece clock; 2 grandfather clock; ~*e lamp* standard lamp; ~*e de vergadering* pending the meeting; *op* ~*e voet* on the spot, then and there; *iem.* ~*e houden* stop sbd. [in the street]; ~*e houden* maintain, assert; *zich* ~*e houden* keep on one's feet[2]; *fig* hold one's own; *zich* ~*e houden tegen* bear up against; **'staangeld** *o* 1 (o p m a r k t) stallage; 2 (w a a r b o r g) deposit; **–plaats** (-en) *v* stand; (k a a r t j e v o o r e e n ~) standing ticket; ~*(en)* standing-room
staar *v* cataract; *grauwe* ~ cataract
staart (-en) *m* tail [of an animal, a kite, a comet]; *met de* ~ *tussen de benen weglopen* go off with one's tail between one's legs; **–been** (-deren) *o* coccyx; **–deling** (-en) *v* long division; **–je** (-s) *o* (r e s t j e) rest, left-over; (e i n d) end; zie ook *muisje*; **–mees** (-mezen) *v* long-tailed tit; **–riem** (-en) *m* crupper; **–ster** (-ren) *v* comet; **–stuk** (-ken) *o* 1 rump [of an ox]; 2 ♪ tailpiece [of a violin]; **–vin** (-nen) *v* tail-fin; **–vlak** (-ken) *o* ✈ tail-plane

staat (staten) *m* 1 (t o e s t a n d) state, condition; 2 (r a n g) rank, status; 3 (g e o r d e n d e g e m e e n s c h a p) state; 4 (l ij s t) statement, list; *burgerlijke ~* civil status; *de gehuwde ~* matrimony, married state; *de ~ van beleg afkondigen, in ~ van beleg verklaren* ⚔ proclaim martial law, proclaim a state of siege [in a town]; *~ van dienst* record (of service); *de ~ van zaken* the state of affairs (things); *~ maken op*... rely on..., depend upon...; *een grote ~ voeren* live in state; *iem. tot iets in ~ achten* think sbd. capable of sth.; *iem. in ~ stellen om*... enable sbd. to...; *iem. in ~ van beschuldiging stellen* indict [sbd.]; *in ~ zijn om*... be able to..., be capable of ...ing, be in a position to...; *niet in ~ om*... not able to..., not capable of ...ing, not in a position to...; *hij is tot alles in ~* he is capable of anything; he sticks at nothing; *ik was er niet toe in ~* I was not able to do it; *in goede ~* in (a) good condition; *in treurige ~* in a sad condition; *in ~ van oorlog* in a state of war; *een stad in ~ van verdediging brengen* put a town into a state of defence; *in alle staten zijn* be in a great state

staat'huishoudkunde *v* political economy; **staathuishoud'kundige** (-n) *m* political economist

'staatkunde *v* 1 (p o l i t i e k e l e e r) politics; 2 (b e p a a l d p o l i t i e k b e l e i d) policy; *in de ~* in politics; **staat'kundig** political; *~ evenwicht* balance of power; **–e** (-n) *m* politician

'staatloos stateless; *staatlozen* stateless persons; **'staatsalmanak** (-ken) *m* state directory; **–ambt** (-en) *o* public office; **–ambtenaar** (-s en -naren) *m* public servant; **–bankroet** (-en) *o* state bankruptcy, national bankruptcy; **–begrafenis** (-sen) *v* state funeral; **–bedrijf** (-drijven) *o* government undertaking; **–begroting** (-en) *v* budget; **–beheer** *o* state management; **–belang** (-en) *o* interest of the state; **–beleid** *o* policy; **–bemoeiing** (-en) *v* state interference, controls; **–bestel** *o* régime; **–bestuur** (-sturen) *o* government of the state; **–betrekking** (-en) *v* government office; **–bewind** *o* = *staatsbestuur*; **–bezoek** (-en) *o* state visit; **–blad** (-bladen) *o* official collection of the laws, decrees &; Statute-Book; **staats'bosbeheer** *o* Forestry Commission; **'staatsburger** (-s) *m* subject; citizen; national [of a country, when abroad]; **–burgerschap** *o* citizenship; **–commissie** (-s) *v* government commission; **–courant** [-ku: rɑnt] (-en) *v* Gazette; **–dienaar** (-s en -naren) *m* servant of the state; *hoge staatsdienaren* high officials; **–domein** (-en) *o* state demesne; **–drukkerij** (-en) *v* government printing office, *Br* Her Majesty's Stationary Office; **–eigendom** (-men) 1 *o* state property; 2 *m* state ownership [of the means of production]; **–examen** (-s) *o* government examination; *het ~* matriculation (for such as have not gone through a grammar-school curriculum); **–exploitatie** [-ɛksplʋɑta.(t)si.] *v* government exploitation; **–geheim** (-en) *o* state secret; **–gelden** *mv* public funds; **staatsge'vaarlijk** subversive [activities]; **'staatsgevangene** (-n) *m* state prisoner; **–gevangenis** (-sen) *v* state prison; **–greep** (-grepen) *m* coup (d'état); **–hoofd** (-en) *o* Chief of a (the) state; **–hulp** *v* state aid, state grant

'staatsie *v* state, pomp, ceremony; *met ~* in (great) state, with great pomp; **–bed** (-den) *o* bed of state; **–kleed** (-kleren en -klederen) *o* robes of state, court-dress; **–koets** (-en) *v* state coach, state carriage; **–trap** (-pen) *m* grand staircase

'staatsinkomsten *mv* public revenue; **–inmenging** *v* government interference; **–inrichting** *v* 1 polity, form of government; 2 = *staatswetenschappen*; **–instelling** (-en) *v* public institution; **–kas** *v* public treasury (exchequer); **–kerk** *v* established church, state church; **–lening** (-en) *v* government loan; **–lichaam** (-chamen) *o* body politic; **–loterij** (-en) *v* state lottery, national lottery; **–man** (-mannen en -lieden) *m* statesman; **–manschap** *v* & *o* statesmanship; **–manswijsheid** *v* statesmanship, statecraft; **–monopolie** (-s en -iën) *o* state monopoly; **–papieren** *mv* government stocks; **–pensioen** (-en) *o* old-age benefit; **–raad** (-raden) *m* 1 (i n s t e l l i n g) council of state, Privy Council; 2 (p e r s o o n) Councillor of state, Privy Councillor; **–recht** *o* constitutional law; **staats'rechtelijk** constitutional; **'staatsregeling** (-en) *v* constitution; **–schuld** (-en) *v* national debt, public debt; **–secretaris** (-sen) *m* minister of state; **–spoorweg** (-wegen) *m* state railway; **–toezicht** *o* government supervision; **–uitgaven** *mv* government(al) (state, public) expenditure(s), government spending; **–vijand** (-en) *m* public enemy; **–vorm** (-en) *m* form of government; **–wege** *van ~* from the government, by authority, [organized] by the State; **–wet** (-ten) *v* law of the country; **–wetenschappen** *mv* political science; **–zaak** (-zaken) *v* affair of state, state affair; **–zorg** (-en) *v* government care

sta'biel stable; **stabili'satie** [-'za.(t)si.] (-s) *v* stabilization; **–tor** (-s en -'toren) *m* stabilizer; **stabili'seren** (stabiliseerde, h. gestabiliseerd) *vt* stabilize; **stabili'teit** *v* stability, stableness, firmness

stac'cato staccato

stad (steden) *v* 1 (i n 't a l g.) town; 2 (b i s s c h o p s z e t e l o f g r o t e s t a d) city;

de ~ Londen the town of London, London town; *de ~ door* through the town; *de hele ~ door* it is all over the town; *in de ~* 1 (door of tot bewoner gezegd) in town; 2 (door vreemdeling) in the town; *naar ~* to town; *naar de ~* to the town; *hij is uit de ~* he is out of town; *de ~ uit* out of town; **–bewoner** (-s) = *stadsbewoner*

'stade *v te ~ komen* be serviceable, be useful, come in handy, stand [sbd.] in good stead

'stadgenoot (-noten) = *stadsgenoot*

'stadhouder (-s) *m* stadtholder; **–lijk** stadtholder's; **–schap** *o* stadtholdership

stad'huis (-huizen) *o* town hall; **–bode** (-n en -s) *m* town's beadle; **–taal** *v* official language; **–woord** (-en) *o* official term

'stadion (-s) *o* stadium

'stadium (-s en -ia) *o* stage, phase; *in dit (een later) ~* at this (a later) stage; *in het eerste ~* in the first stage

stads- town..., > townish; **'stadsbeeld** *o* townscape; **–bestuur** (-sturen) *o het ~* the municipality; **–bewoner** (-s) *m* town-dweller, city-dweller; **–bus** (-sen) *v* metropolitan (city) bus; **–genoot** (-noten) *m* fellow-townsman; *is hij een ~ van je?* is he a townsman of yours? **–genote** (-n) *v* fellow-townswoman, townswoman; **–gesprek** (-ken) *o* local call; **–gewest** (-en) *o* conurbation; **–gezicht** (-en) *o* town-view, townscape; **–gracht** (-en) *v* 1 🕮 city moat; 2 town canal; **–guerilla** [-gɛri.lja.] (-s) *m* urban guer(r)illa; **–kern** (-en) *v* town-centre, city-centre; **–leven** *o* town-life; **–licht** 🚗 (-en) *o* sidelight, fenderlight; **–mensen** *mv* townsfolk, city dwellers; **–muur** (-muren) *m* town-wall; **–nieuws** *o* town-news; **–omroeper** (-s) *m* town-crier; **–park** (-en) *o* town-park; **–planning** [-plɛnɪŋ] *v* town planning; **–poort** (-en) *v* city gate; **–reiniging** *v* municipal scavenging; **–school** (-scholen) *v* municipal school; **stads'schouwburg** (-en) *m* municipal theatre; **'stadstoren** (-s) *m* steeple (tower) of the town; **–tuin** (-en) *m* town-garden; **–uitbreiding** (-en) *v* town development; **–waag** (-wagen) *v* town weighing-house; **–wal** (-len) *m* rampart; **–wapen** (-s) *o* city-arms, arms of a town; **–wijk** (-en) *v* part of the town, quarter; **'stadwaarts** towards the town, in the direction of the town, townward(s)

staf (staven) *m* staff°; mace [= staff of office]; *de generale ~* ⚔ the general staff; *de ~ breken over* condemn; *bij de ~* ⚔ on the staff; **–drager** (-s) *m* mace-bearer, verger

'staffelen (staffelde, h. gestaffeld) *vt* grade, gradate; **'staffelsgewijs** by graduation (gradation)

'staffunctionaris [-fŭŋksi.o.-] (-sen) *m* staff employee; **–kaart** (-en) *v* ordnance map; **–lid** (-leden) *o*, **–medewerker** (-s) *m* staff member, employee; **–muziek** *v* regimental band; **–muzikant** (-en) *m* bandsman; **–officier** (-en) *m* staff-officer; **–rijm** (-en) *o* alliteration; **–vergadering** (-en) *v* staff meeting

stag (stagen) *o* ⚓ stay

stag'natie [-(t)si.] (-s) *v* stagnation; [traffic] hold-up; **stag'neren** (stagneerde, h. gestagneerd) *vi* stagnate

'sta-in-de(n)-weg *m* obstacle, impediment

stak (**staken**) V.T. van *steken*

1 'staken (staakte, h. gestaakt) **I** *vt* suspend, stop [payment]; discontinue [one's visits]; strike [work]; cease [fire]; *een ~ van het vuren* ⚔ a cease-fire; *wij zullen het werk ~* 1 (om te rusten) cease work, knock off; 2 (in economische strijd) we are going to strike, we shall go on strike; **II** *vi* & *va* 1 cease, leave off, stop; 2 go on strike, strike; be out (on strike); *de stemmen ~* the votes are equally divided

2 'staken V.T. meerv. van *steken*

'staker (-s) *m* striker, man out on strike

sta'ket (-ten) *o*, **–sel** (-s) *o* fence, railing

'staking (-en) *v* 1 stoppage, cessation [of work]; suspension [of payment, hostilities]; discontinuance [of a suit, visits &]; 2 strike; industrial action; *wilde ~* lightning (wild-cat, unofficial) strike; *bij ~ van stemmen* in case of equality (of votes); *in ~ gaan (zijn)* go (be out) on strike; **–breker** (-s) *m* strike-breaker, **F** blackleg, scab, rat; **'stakingscomité** (-s) *o* strike committee; **–golf** (-golven) *v* wave of strikes; **–kas** (-sen) *v* strike fund; **–leider** (-s) *m* strike-leader; **–recht** *o* right to strike; **–uitkering** (-en) *v* strike pay

'stakker(d) (-s) *m* poor wretch; poor thing

1 stal (-len) *m* stable [for horses, less usual for cattle]; cowshed, cowhouse [for cattle]; sty [for pigs]; mews [round an open yard]; *de koninklijke ~len* the royal mews; *op ~ zetten* stable [horses]; house [cattle]; *hij werd op ~ gezet* he was shelved; *van ~ halen* trot out again [old arguments]; dig out [retired generals &]; *te hard van ~ lopen* rush matters, overdo it

2 stal (**stalen**) V.T. van *stelen*

stalac'tiet (-en) *m* stalactite

stalag'miet (-en) *m* stalagmite

'stalbezem (-s) *m* stable broom, besom; **–deur** (-en) *v* stable door

1 'stalen *aj* steel; *fig* iron [constitution, nerves, will]; steely [glance]; *~ gebouwen* steel-framed buildings; *met een ~ gezicht* with a pokerface, dead pan; *een ~ voorhoofd* a brazen face

2 'stalen (staalde, h. gestaald) *vt* steel²

3 'stalen V.T. meerv. van *stelen*
'stalenboek (-en) *o* sample book, pattern-book; **-koffer** (-s) *m* sample case
'stalgeld (-en) *o* stabling-money; **-houder** (-s) *m* stablekeeper, jobmaster; **stalhoude'rij** (-en) *v* livery-stable; **'staljongen** (-s) *m* stable-boy; **-knecht** (-s en -en) *m* stableman, groom; **-lantaarn, -lantaren** (-s) *v* stable lantern
'stallen (stalde, h. gestald) *vt* stable [horses &]; house [cattle]; put up [a motor-car]
'stalles *mv* stalls [in theatre]
'stalletje (-s) *o* [market] stall, stand; bookstall
'stalling (-en) *v* 1 (het stallen) stabling &, zie *stallen*; 2 (de plaats) stable, stabling; [motor] garage, [bicycle] shelter
'stalmeester (-s) *m* riding master; (van de koningin) master of the horse; **-mest** *m* stable dung (manure); **-voe(de)r** *o* fodder
stam (-men) *m* (in 't alg.) stem[2] [of a tree, shrub, verb]; trunk, bole [of a tree]; 2 (afstamming) stock, race, tribe, *Sc* clan; *de twaalf ~men* the twelve tribes [of Israel]; *wilde ~men* wild tribes; **-boek** (-en) *o* 1 (van personen) book of genealogy, register; 2 (v. paarden, honden &) stud-book; 3 (v. vee) herd-book; **-boekvee** *o* pedigree cattle; **-boom** (-bomen) *m* family tree, pedigree; **-café** (-s) *o v* favourite pub, habitual haunt, *Am* **S** hangout
'stamelen (stamelde, h. gestameld) **I** *vi* stammer; **II** *vt* stammer (out); **-ling** *v* stammering [of a child]
'stamgast (-en) *m* regular (customer), habitué; **-genoot** (-noten) *m* congener, tribesman, clansman; **-hoofd** (-en) *o* tribal chief, chieftain; **-houder** (-s) *m* son and heir; **-huis** (-huizen) *o* dynasty; **-kapitaal** (-talen) *o* $ original capital; **-kroeg** (-en) *v* = *stamcafé*; **-land** (-en) *o* country of origin, mother country; **'stammen** (stamde, is gestamd) *vi ~ van* zie *afstammen*; *dit stamt nog uit de tijd toen...* it dates from the time when...; **'stammoeder** (-s) *v* progenitrix, ancestress; **-ouders** *mv* ancestors, progenitors
stamp (-en) *m* stamp [of the foot]
stam'pei *v* **F** *~ maken* kick up a row, kick up dust
'stampen (stampte, h. gestampt) **I** *vi* 1 (met voeten) stamp, stamp one's feet; 2 ⚓ (van schip) pitch, heave and set; 3 (v. machine) thud; **II** *vt* pound [chalk &]; crush [ore]; *fijn~* ook: bray; *zich iets in het hoofd ~* drum sth. into one's brains; *gestampte aardappelen* mashed potatoes; *gestampte pot* = *stamppot*; **-er** (-s) *m* 1 ⚒ stamper; rammer [of a gun]; zie ook: *straatstamper*; pounder, pestle [of a mortar]; [potato] masher; 2 ✿ pistil; **'stamppot** *m* mashed food, hotchpotch (of potato, cabbage and meat); **'stampvoeten** (stampvoette, h. gestampvoet) *vi* stamp one's foot (feet); **'stampvol** crowded, chock-full
stamroos (-rozen) *v* standard rose; **-slot** (-sloten) *o* ancestral castle, family seat; **-tafel** (-s) *v* 1 genealogical table; 2 table (in a pub) reserved for regulars; **-vader** (-s) *m* ancestor, progenitor; **-verwant** (-en) **I** *aj* cognate; **II** *m* congener; **-verwantschap** *v* racial or tribal affinity; **-woord** (-en) *o* primitive word, stem
1 stand (-en) *m* 1 (houding) attitude, posture; pose [before a sculptor &]; stance [in playing golf, billiards]; 2 (hoogte) height [of the barometer]; rate [of the dollar]; 3 (ligging) position [of a shop &]; 4 (maatschappelijk) status, social status, standing, position, station [in life]; 5 (toestand) situation, position, condition, state [of affairs]; 6 *sp* score; *de betere ~* the better-class people; (*het bureau van*) *de burgerlijke ~* the registrar's office; *de hogere* (*lagere*) *~en* the higher (lower) classes; *de drie ~en* the (three) estates; *de ~ van zaken* the state of affairs; *zijn ~ ophouden* keep up one's rank, live up to one's station; • *een meisje beneden zijn ~* a girl below his social position; *beneden zijn ~ trouwen* marry beneath one; *boven zijn ~ leven* live beyond one's means; *in ~ blijven* last; *in ~ houden* maintain, keep up [a custom]; keep going [a business]; *een winkel op goede ~* a shop in a good situation; *tot ~ brengen* bring about, accomplish, achieve; effect [a sale]; negotiate [a treaty]; *tot ~ komen* be brought about; *een... uit de gegoede ~* a better-class...; *mensen van ~* people of a good social position, people of high rank; *van lage ~* of humble condition; *iemand van zijn ~* a man of his social position
2 stand [stɛnt] (-s) *m* (op tentoonstelling) booth, stand
'standaard (-s) *m* standard [= flag; support; model]; **-afwijking** (-en) *v* standard deviation; **standaardi'satie** [-'za.(t)si.] *v* standardization; **standaardi'seren** (standaardiseerde, h. gestandaardiseerd) *vt* standardize; **'standaardloon** (-lonen) *o* standard wage; **-maat** (-maten) *v* standard size; **-uitvoering** (-en) *v* standard type (model, design); **-werk** (-en) *o* standard work
'standbeeld (-en) *o* statue
'stander (-s) *m* stand [for umbrellas &]; clotheshorse; tripod, stand [of a camera &]; △ post, upright [of a roof]
'standhouden (hield 'stand, h. 'standgehouden) *vi* ⚔ 1 make a stand; 2 stand firm, hold one's own, hold out; *zij hielden dapper stand* they made a gallant stand; *het hield geen*

stand it did not last
'standhouder ['stɛnt-] (-s) *m* exhibitor
'standing ['stɛn-] *v een zaak van* ~ a respectable firm
'standje (-s) *o* 1 (b e r i s p i n g) scolding, **F** wigging; 2 (h e r r i e) **F** row, shindy; *een* ~ *krijgen* get a scolding; *iem. een* ~ *maken* (*schoppen*) scold sbd.; *het is een opgewonden* ~ he (she) is quick-tempered
'standplaats (-en) *v* 1 standing-place, stand; 2 (v. a m b t e n a a r) station, post; *zij keerden naar hun* ~ *terug* they returned to their stations; **–punt** (-en) *o* standpoint, point of view, attitude (towards, to *tegenover*); *een duidelijk* ~ *innemen* take a clear stand [on this issue]; *een nieuw* ~ *innemen ten opzichte van...* take a new attitude towards...; *zij stellen zich op het* ~, *dat...* they take the view that...; *van zijn* ~ from his point of view; **–recht** *o* ⚔ summary justice
'standsbesef *o* class-consciousness; **–verschil** (-len) *o* class distinction; **–vooroordeel** (-delen) *o* class prejudice
stand'vastig steadfast, firm, constant
'standvogel (-s) *m* non-migratory bird
'standwerker (-s) *m* ± barker
stang (-en) *v* 1 ⚒ bar, rod; 2 bit [for horses]; *iem. op* ~ *jagen* tease, exasperate [sbd.]
stani'ol = *stanniool*
stank (-en) *m* bad smell, stench, stink; *hij kreeg* ~ *voor dank* he was rewarded with ingratitude; **–afsluiter** (-s) *m* air trap
stanni'ool *o* tinfoil
'stansen (stanste, h. gestanst) *vt* punch
'stante 'pede right away, instantly
stap (-pen) *m* step, pace; *fig* step, move; *dat is een* ~ *achteruit* (*vooruit*) that is a step backward (forward); *dat is een gewaagde* ~ that is a risky (rash) step (to take); *dat is een hele* ~ *tot...* that is a long step towards...; *een stoute* ~ a bold step; *het is maar een paar* ~*pen* it is but a step; *de eerste* ~ *doen* (*tot*) take the first step (towards); ~*pen doen bij de regering* approach the Government; ~*pen doen om...* take steps to...; *geen verdere* ~*pen doen* take no further action; *dat brengt ons geen* ~ *verder* that does not carry us a step farther; *een* ~ *verder gaan* go a step further[2]; *grote* ~*pen nemen* (*maken*) take great strides; [*ergens*] *geen* ~ *voor verzetten* not lift a hand to..., not stir a finger to...; ● *b ij de eerste* ~ at the first step; *bij elke* ~ at every step; *i n twee* ~*pen* in two strides; *m e t één* ~ at a (one) stride; *met afgemeten* ~*pen* with measured steps; *o p* ~ *gaan* set out; ~ *v o o r* ~ step by step; *zich hoeden voor de eerste* ~ beware of the thin end of the wedge
1 'stapel (-s) *m* 1 pile, stack, heap; 2 ⚓ stocks; 3 ♪ sounding-post [of a violin]; 4 (s t a p e l - p l a a t s) staple; *a a n* ~*s zetten* pile; *o p* ~ *staan* ⚓ be on the stocks[2]; *op* ~ *zetten* ⚓ put on the stocks[2]; *v a n* ~ *lopen* ⚓ leave the stocks, be launched; *goed van* ~ *lopen* [*fig*] go off well; *te hard van* ~ *lopen* rush matters, overdo it; *van* ~ *laten lopen* ⚓ launch [a ship]
2 'stapel *aj ben je* ~*?* are you crazy?; are you cracked?; zie ook: *stapelgek*
'stapelartikel (-en) *o* staple commodity; **'stapelen** (stapelde, h. gestapeld) *vt* pile, heap, stack
'stapelgek F stark (raving) mad, loopy, cracked, off one's onion, raving bonkers
'stapelgoederen *mv* staple goods; **–plaats** (-en) *v* staple-town, emporium; **–recht** *o* staple-right; **–stoel** (-en) *m* stacking chair; **–vezel** (-s) *v* staple fibre; **–wolk** (-en) *v* cumulus [*mv* cumuli]
'stappen (stapte, h. en is gestapt) *vi* step, stalk; *deftig* ~, *trots* ~ strut; *i n het vliegtuig* & ~ board the plane &; *o p zijn fiets* ~ mount one's bike; ~ *u i t* zie *uitstappen*; ~ *v a n* zie *afstappen*; **–er** (-s) *m* **F** shoe; **'stapvoets** 1 at a foot-pace, at a walk; 2 step by step
1 ⊙ **star** (-ren) *v* = *ster*
2 star *aj* stiff; fixed [gaze]; rigid [prejudices, system]
'staren (staarde, h. gestaard) *vi* stare, gaze (at *naar*)
'starheid *v* stiffness; fixedness [of gaze]; rigidity [of a system]
'starogen ['stɑr-] (staroogde, h. gestaroogd) *vi* stare
start (-s) *m* start, ✈ ook: take-off; *staande (valse, vliegende)* ~ *sp* standing (false, flying) start; *van* ~ *gaan* start; *goed van* ~ *gaan* zie (*goed*) *starten*; **–baan** (-banen) *v* ✈ runway; **–blok** (-ken) *o* 1 *sp* starting block; 2 ✈ chock; **'starten** (startte, h. en is gestart) *vi* start, ✈ ook: take off; start up [a car]; *goed* ~ *sp* get away (off) to a good start[2]; **–er** (-s) *m* ⚒ & *sp* starter; **'startklaar** ready to start; **–knop** (-pen) *m* ⚒ starter button; **–lijn** (-en) *v sp* starting line; **–motor** (-toren en -s) *m* starter (starting) motor, starter; **–pistool** (-tolen) *o* starting gun, starting pistol, starter pistol; **–punt** (-en) *o* start(ing place), take-off point; **–schot** (-schoten) *o* starting shot; *het* ~ *lossen* fire the starting gun; **–teken** (-s) *o* starting signal
'statenbijbel (-s) *m* Authorized Version [of the Bible]; **–bond** (-en) *m* confederation (of States); **Staten-Gene'raal** *mv* States General
'statica *v* statics
'statie ['sta.(t)si.] (-s en -iën) *v rk* Station of the Cross
sta'tief (-tieven) *o* stand, support, tripod
'statiegeld [-(t)si.-] *o* deposit
'statig I *aj* stately, grave; **II** *ad* in a stately

manner, gravely; **–heid** *v* stateliness, gravity
stati'on [sta.'(t)ʃõn] (-s) *o* (railway) station; ~ *van afzending* forwarding station
statio'nair [sta.ʃõ'nɛ:r] stationary; ~ *draaien* ⚒ tick over, idle
'stationcar ['ste:sjənkɑr] (-s) *m* estate car, *Am* station-wagon
statio'neren [sta.(t)ʃõ-] (stationeerde, h. gestationeerd) *vt* station, place
stati'onschef [sta.'(t)ʃõnʃɛf] (-s) *m* stationmaster; **–hal** (-len) *v* station hall; **–kruier** (-s) *m* railway porter
'statisch static
sta'tist (-en) *m* supernumerary, walker-on, **S** super; **sta'tisticus** (-ci) *m* statistician, statist; **statis'tiek** (-en) *v* statistics; *de* ~ ook: the returns; *de* ~ *opmaken van...* take statistics of...; *Centraal Bureau voor de Statistiek* Central Statistical Office; **sta'tistisch** statistical
'status *m* status; **~-'quo** [-'kwo.] *m* & *o* status quo; **'statussymbool** [sɪm-] (-bolen) *o* status symbol
statu'tair [-'tɛ:r] statutory
sta'tuur *v* stature, size
sta'tuut (-tuten) *o* statute; *de statuten van een maatschappij (vereniging)* $ the articles of association of a trading-company; the regulations, the constitution of a society
sta'vast *een man van* ~ a resolute man
1 'staven meerv. v. *staf*
2 'staven (staafde, h. gestaafd) *vt* substantiate [a charge, claim], support, bear out [a statement]; **–ving** *v* substantiation; *tot* ~ *van* in support of
stea'rine *v* stearin; **–kaars** (-en) *v* stearin candle
⊙ **'stede** (-n) *v* stead, place, spot; *te dezer* ~ in this town; *in* ~ *van* instead of
'stedebouw(kunde) *m* (*v*) town (and country) planning; **stedebouw'kundig** town-planning...; **–e** (-n) *m* town-planner, town-planning consultant
'stedehouder (-s) *m* vicegerent, governor, lieutenant; ~ *Christi* Vicar of Christ
'stedelijk municipal, of the town, town...; **'stedeling** (-en) *m* townsman, town-dweller; *~e* townswoman; *~en* townspeople; **'stedemaagd** (-en) *v* town-patroness; **'steden** meerv. van *stad*
stee (steeën) *v* stead, place, spot; zie ook: *stede*
1 steeds *ad* always, for ever, ever, continually; *nog* ~ still; ~ *meer* more and more
2 steeds *aj* (s t a d s) town..., > townish
steef (steven) V.T. van *stijven*
1 steeg (stegen) *v* lane, alley, alleyway, passage
2 steeg (stegen) V.T. van *stijgen*
steek (steken) *m* 1 stitch [of needlework]; stab [of a dagger]; thrust [of a sword]; sting [of a wasp]; stitch, twinge [of pain]; 2 three-cornered hat, cocked hat; 3 bed-pan; 4 (b ij s p i t t e n) spit; 5 ⚓ hitch; *halve* ~ half-hitch; 6 *fig* (sly) dig; *een* ~ *in de zijde* a stitch in the side; *dat was een* ~ *(onder water) op mij* that was a dig at me; ~ *houden* hold water; *die regel houdt geen* ~ that rule does not hold (good); *een* ~ *laten vallen* drop a stitch; *een* ~ *opnemen* take up a stitch; *hij heeft er geen* ~ *van begrepen* he hasn't understood one iota of it; *het kan me geen* ~ *schelen* I don't care a rap (a fig, a pin); *ze hebben geen* ~ *uitgevoerd* they have not done a stroke of work; *je kan hier geen* ~ *zien* you can't see at all here; *hij kan geen* ~ *meer zien* he is stone-blind; *hij heeft ons in de* ~ *gelaten* he has left us in the lurch, he deserted us; *zijn geheugen & liet hem in de* ~ his memory & failed him; *zij hebben het werk in de* ~ *gelaten* they have abandoned the work; **–beitel** (-s) *m* paring-chisel; **–hevel** (-s) *m* pipette; **–houdend** valid, sound [arguments]; ~ *zijn* hold water; **–partij** (-en) *v* knifing; **–passer** (-s) *m* (pair of) dividers; **–penning** (-en) *m* bribe, illicit commission; *~en* ook: payola; **–proef** (-proeven) *v* sample taken at random; *steekproeven nemen* test at random; **–sleutel** (-s) *m* (double-ended) spanner; **–spel** (-spelen) *o* 🕮 tournament, tilt, joust; **–vlam** (-men) *v* 1 ⚒ blow-pipe flame; 2 (b ij o n t p l o f f i n g) flash; **–wond(e)** (-wonden) *v* stab-wound; **–zak** (-ken) *m* slit pocket
steel (stelen) *m* stalk [of a flower, fruit]; stem [of a flower, a wine-glass, a pipe]; handle [of a tool]; *de* ~ *naar de bijl werpen* throw the helve after the hatchet; **–pan** (-nen) *v* saucepan
steels stealthy [look]; **–(ge)wijs, –(ge)wijze** stealthily, by stealth
'steelzucht *v* kleptomania
1 steen (stenen) *m* 1 (i n 't a l g.) stone [for building, playing dominoes &, of fruit, hail &]; 2 (b a k s t e e n) brick; *een* ~ *des aanstoots* **B** a stone of stumbling; *fig* a stumbling-block; *de* ~ *der wijzen* the philosopher's stone; *er bleef geen* ~ *op de andere* no stone remained upon another; *iem. stenen voor brood geven* give sbd. a stone for bread; ~ *en been klagen* complain bitterly; *de eerste* ~ *leggen* lay the foundation-stone; *de eerste* ~ *op iem. werpen* cast the first stone at sbd.; *al moet de onderste* ~ *boven* come hell or high water; *met stenen gooien (naar)* throw stones (at); **2 steen** *o* & *m* (s t o f n a a m) 1 (i n 't a l g.) stone; 2 (b a k s t e e n) brick; **–achtig** stony; **–arend** (-en) *m* golden eagle; **–bakker** (-s) *m* brick-maker; **steenbakke'rij** (-en) *v* brick-works, brick-yard; **'steenbok** (-ken) *m* 𓃵 1 ibex; 2 *de Steenbok* ★ Capricorn; **–bokskeerkring** *m* tropic of Capricorn; **–boor** (-boren) *v* rock-drill; stone bit; **–breek**

(-breken) *v* saxifrage; **-druk** (-ken) *m* lithography; **-drukker** (-s) *m* lithographer; **steendrukke'rij** (-en) *v* lithographic printing-office; **'steenfabriek** (-en) *v* brickworks; **-goed I** *o* stoneware **II** *aj* super, splendid; **-groef, -groeve** (-groeven) *v* quarry, stone-pit; **-grond** (-en) *m* stony ground; **-gruis** *o* stone-dust; **-hard** stone-hard, stony, as hard as (a) stone (as rock), flinty; **-hoop** (-hopen) *m* heap of stones (bricks); **-houwen** *o* stone-cutting; **-houwer** (-s) *m* stone-cutter, stone-mason; **steenhouwe'rij** (-en) *v* stone-cutter's yard; **'steenklomp** (-en) *m* lump of stone, rock; **-klopper** (-s) *m* stone breaker; **-kolenengels** *o* ± pidgin English; **-kolenmijn** (-en) & = *kolenmijn* &; **-kool** (-kolen) *v* pit-coal, coal; **-koud** stone-cold; **-marter** (-s) *m* stone-marten; **-oven** (-s) *m* (brick-)kiln; **-puist** (-en) *v* boil, furuncle; **-rijk** immensely rich, rolling in money; **-rood** brick-red; **-rots** (-en) *v* rock; **-slag** *o* broken stones, rubble, (fijn) (stone-)chippings, road-metal; **-tijd** *m* stone age; **-tijdperk** *o* stone age; **-tje** (-s) *o* (small) stone, pebble; flint [for a lighter]; *ook een ~ bijdragen* contribute one's mite; **-uil** (-en) *m* little owl; **-valk** (-en) *m* & *v* stone-falcon, merlin; **-vrucht** (-en) *v* stone-fruit, drupe; **-weg** (-wegen) *m* paved road, high road; **-wol** *v* rock wool; **-worp** (-en) *m* stone's throw; **-zwaluw** (-en) *v* swift

'steevast I *aj* regular; **II** *ad* regularly; invariably

steg *m over heg en ~* up hill and down dale, across country; *weg (heg) noch ~ weten* zie 1 *weg*

'stegen V.T. meerv. van *stijgen*

'steiger (-s) *m* 1 (aan huis) scaffolding, scaffold, stage; 2 ⚓ pier, jetty, landing-stage; *in de ~s* in scaffolding [of a building]; **-balk** (-en) *m* scaffolding-beam

'steigeren (steigerde, h. gesteigerd) *vi* rear, prance [of a horse]; *fig* boggle at

'steigerpaal (-palen) *m* scaffold(ing)-pole; **-werk** *o* scaffolding

steil 1 (naar boven) steep; 2 (naar beneden) bluff; 3 (loodrecht) sheer; 4 (loodrecht en vlak) precipitous; 5 *fig* rigid [Calvinist]; **-heid** *v* steepness; **-schrift** *o* upright writing; **-te** (-n) *v* steepness; (steile kant) precipice

stek (-ken) *m* 1 ❀ slip, cutting; 2 (aangestoken fruit) bruised (specked) fruit

'stekeblind stone-blind[2]

'stekel (-s) *m* prickle, prick, sting [of a thistle; an insect &]; spine, quill [of a hedgehog]; **-achtig** = *stekelig*; **-baars** (-baarzen) *m* stickleback, minnow; **-brem** *m* needle-furze; **'stekelig** prickly, spinous, spiny, thorny; poignant[2]; *fig* stinging, sarcastic, barbed [discussion, words]; **-heid** (-heden) *v* prickliness, poignancy[2]; *fig* sarcasm; **'stekelrog** (-gen) *m* thornback; **-tje** (-s) *o* = *stekelbaars*; **-varken** (-s) *o* porcupine

'steken* I *vi* 1 sting [of insects], prick [of nettle &]; 2 smart [of a wound]; 3 burn [of the sun]; *blijven ~* stick [in the mud], get stuck; *in zijn rede blijven ~* break down in one's speech; ● *daar steekt iets (wat) achter* there is something behind it, there is something at the back of it, there is something at the bottom of it; *daar steekt meer achter* more is meant than meets the eye; *in de schuld ~* be in debt; *de sleutel steekt in het slot* the key is in the lock; *daar steekt geen kwaad in* there is no harm in it; *hij stak naar mij* he thrust (stabbed) at me; zie ook: *wal, zee*; **II** *vt* 1 (iem.) sting, prick [with a pin, sting &]; thrust [with a sword]; stab [with a dagger]; 2 (iets ergens in) put [...in one's pocket]; stick [a pencil behind one's ear]; poke [a finger in water, one's nose into sbd.'s affairs]; 3 (ergens uit) put, stick [one's head out of the window]; *aal ~* spear eels; *asperges ~* cut asparagus; *gaten ~* prick holes; *monsters ~ uit* sample; *plaggen (zoden) ~* cut sods; *de bij stak mij* the bee stung me; *dat steekt hem* that sticks in his throat, he is nettled at it; ● *hij wilde de ring aan haar vinger ~* he was going to put the ring on her finger; *steek die brief bij je* put that letter in your pocket; *steek je arm door de mijne* (slip) put your arm through mine; *geld in een onderneming ~* put (invest, sink) money in an undertaking; *iem. in de kleren ~* clothe sbd.; **III** *vr zich in gala ~* put on full dress; *zich in schulden ~* run into debt; zie ook: *stokje* &; **-d** stinging

'stekken (stekte, h. gestekt) *vt* ❀ slip

'stekker (-s) *m* ✳ plug

'stekkie (-s) *o* **F** spot, place

stel (-len) *o* set [of cups, fire-irons &]; *het is me een ~* **F** a nice lot they are!; *jullie zijn me een ~* you're a nice pair; *op ~ en sprong* immediately, rightaway

'stelen* I *vt* steal[2] [money &, a kiss, sbd.'s heart]; *een kind om te ~* a sweet child; *hij kan me gestolen worden!* he may go to blazes!; *zij ~ wat los en vast is* they steal all they can lay their hands on; **II** *va* steal, pick and steal; *~ als de raven* steal like magpies; **-er** (-s) *m* stealer, thief

'stelkunde *v* algebra; **stel'kundig** algebraic(al)

stel'lage [-ʒə] (-s) *v* scaffolding, scaffold, stage

'stellen (stelde, h. gesteld) **I** *vt* 1 (plaatsen) place, put; 2 ⚒ (regelen) adjust; [a telescope]; 3 (redigeren) compose; 4 (veronderstellen) suppose; 5 $ (vaststellen) fix [prices]; 6 (beweren, verklaren) state; *stel eens dat...* put the case that...; suppose he...; *het goed kunnen ~* be in easy circumstances; *het goed kunnen ~ met* get on with; *een rustig gesteld pleidooi* a calmly worded plea; *strafbaar* (*verplichtend* &) ~ make punishable (obligatory &); *ik heb heel wat te ~ met die jongen* he is rather a handful; • ...~ *b o v e n rijkdom* place (put)... above riches; *ik kan het b u i t e n* (*zonder*) *u ~* I can do without you; *de prijs ~ o p...* fix the price at; *iem. v o o r een voldongen feit ~* present sbd. with an accomplished fact; *iem. voor de keus ~* put sbd. to the choice; *voor de keus gesteld...* faced with the choice of... [they...]; **II** *vr zich ~* put oneself; • *stel u i n mijn plaats* put yourself in my place; *zich iets t o t plicht ~* make it one's duty to...; *zich iets tot taak ~* make it one's task to..., set oneself the task; zie ook: *borg, kandidaat* &; **III** *va* compose; *hij kan goed ~* he is a good stylist; **–er** (-s) *m* writer, author; *~ dezes* the present writer

'stellig I *aj* positive [answer &]; explicit [declaration]; **II** *ad* 1 (v. v e r k l a r i n g) positively; explicitly; 2 (a l s v e r z e k e r i n g) positively, decidedly; *u kunt er ~ op aan* you may be quite sure as to that; *hij zal ~ ook komen* he is sure to come too; *kom je? ~!* surely!; *je moet ~ komen* come by all means; *dat weet ik ~* I am quite positive as to that; **–heid** (-heden) *v* positiveness

'stelling (-en) *v* 1 (s t e l l a g e) scaffolding; 2 (o p s t e l l i n g) ⚔ position; 3 (b e w e r i n g) theorem, thesis [*mv* theses]; 4 × (e n l o g i c a) proposition; *een sterke ~ innemen* ⚔ take up a strong position; *~ nemen* take up a position [regarding a question]; *~ nemen tegen* make a stand against; *in ~ brengen* ⚔ place in position; **–name** *v* position, attitude; view, comment; **–oorlog** (-logen) *m* war of positions

'stelpen (stelpte, h. gestelpt) *vt* sta(u)nch [the bleeding], stop [the blood]

'stelregel (-s) *m* maxim, precept; **–schroef** (-schroeven) *v* set(ting) screw, adjusting screw

'stelsel (-s) *o* system; **–loos** unsystematic, unmethodical; **stelsel'loosheid** *v* want of system (method); **stelsel'matig** systematic; **–heid** *v* systematicalness

stelt (-en) *v* stilt; *op ~en lopen* go (walk) upon stilts; *alles op ~en zetten* throw everything in (a state of) confusion, throw everything upside down; **–loper** (-s) *m* stilt, stilt-bird

stem (-men) *v* 1 voice; 2 (b ij s t e m m i n g) vote; 3 ♩ part [of a musical composition]; *eerste* (*tweede*) *~* ♩ first (second) part; *er waren 30 ~men vóór* there were 30 votes in favour; *de ~ eens roependen in de woestijn* **B** a voice crying in the wilderness; *de meeste ~men gelden* the majority have it; *iem. zijn ~ geven* vote for sbd.; *~ in het kapittel hebben* have a voice in the matter; *hij had de meeste ~men* he (had) polled most votes; *zij is haar ~ kwijt* she has lost her voice; *de ~men opnemen* collect the votes; *zijn ~ uitbrengen* record one's vote; *zijn ~ uitbrengen op...* vote for...; *bijna alle ~men op zich verenigen* receive nearly all the votes; *zijn ~ verheffen* raise one's voice (against *tegen*); *de tweede ~ zingen* ♩ sing a second; • *b ij ~ zijn* ♩ be in (good) voice; *m e t algemene ~men* unanimously; *met luider ~* in a loud voice; *met één ~ tegen* with one dissentient vote; *met de ~men van... tegen* [rejected] by the adverse votes of...; *met tien ~men voor en vier tegen* by ten votes to four; *v o o r drie ~men* ♩ [song] in three parts; **–banden** *mv* vocal cords; **–biljet** (-ten) *o*, **–briefje** (-s) *o* voting-paper, ballot-paper; **–buiging** (-en) *v* modulation, intonation; **–bureau** [-by.ro.] (-s) *o* 1 (l o k a a l) polling-booth, polling-station; 2 (p e r s o n e n) polling-committee; **–bus** (-sen) *v* ballot-box; *ter ~ gaan* go to the poll; **–geluid** *o* sound of [one's] voice, voice

'stemgember *m* stem ginger

stemge'rechtigd entitled to a (the) vote, qualified to vote, enfranchised; **'stemhamer** (-s) *m* tuning-hammer; **–hebbend,** voiced [consonant]; **–hokje** (-s) *o* cubicle; **–lokaal** (-kalen) *o* polling-booth, polling-station; **–loos** dumb, mute, voiceless; *stemloze medeklinker* voiceless consonant; **'stemmen** (stemde, h. gestemd) **I** *vt* 1 vote [a candidate]; 2 ♩ tune [a violin &], key [the strings], voice [organ-pipes]; (*op*) *links ~* vote Left; **II** *va* 1 vote, poll; 2 ♩ tune up [of performers]; be in tune; *ze zijn aan het ~* ♩ they are tuning up; **III** *vi* vote, poll; *er is druk gestemd* voting (polling) was heavy; • *~ o p iem.* vote for sbd.; *~ o v e r* vote upon; divide on... [in Parliament]; *we zullen er over ~* we'll put it to the vote; *~ t e g e n* vote against; *~ t o t dankbaarheid* & inspire one to gratitude; *~ tot vrolijkheid* dispose the mind to gaiety; *~ v ó ó r iets* vote for (in favour of) sth.; *ik stem vóór* I'm for it; zie ook: *gestemd*; **'stemmencijfer** (-s) *o* poll; **–werver** (-s) *m* canvasser; **'stemmer** (-s) *m* 1 voter; 2 ♩ tuner

'stemmig I *aj* demure, sedate, grave [person, manner]; sober, quiet [colours, dress]; **II** *ad* demurely, sedately, gravely; soberly, [dressed] quietly; **–heid** *v* demureness, sedateness, gravity; sobriety, quietness

'stemming (-en) *v* 1 voting, vote; ballot; division [in Parliament]; 2 ♩ tuning; 3 *fig* (v. é é n p e r s o o n) frame of mind, mood; (v. p u b l i e k) feeling; (v. o m g e v i n g) atmosphere; $ (v. b e u r s &) tone; *~ houden* ♩ keep in tune; *~ maken tegen* rouse popular feeling against; *~ verlangen* challenge a division; • *het* a a n ~ *onderwerpen* put it to the vote; *b ij* ~ on a division; *bij de eerste* ~ at the first ballot; *iets i n* ~ *brengen* put sth. to the vote; *in de beste* ~ *zijn* be in the very best of spirits; *ik ben niet in een* ~ *om...* I am in no mood for ...ing, not disposed to...; *in* ~ *komen* be put to the vote; *z o n d e r* ~ [motion carried] without a division; **stemmingmake'rij** *v* attempt to manipulate public opinion; **'stemmingsbeeld** (-en) *o* description of a certain atmosphere

'stemomvang *m* vocal register, range of the voice; **–opnemer** (-s) *m* 1 polling-clerk, scrutineer; 2 teller [in House of Commons]; **–opneming** (-en) *v* counting of votes

'stempel (-s) 1 *m* (w e r k t u i g) stamp; die [for striking coins]; 2 *o* & *m* (a f d r u k) stamp[2] [on document]; impress, imprint; hallmark [of gold and silver]; ✉ postmark; 3 *m* ✿ stigma; *de* ~ *dragen van...* bear the stamp (hallmark) of...; *de* ~ *der waarheid dragen* bear the impress of truth; *zijn* ~ *drukken op* put one's stamp on...; *van de oude* ~ of the old stamp; **–band** (-en) *m* cloth binding; **'stempelen** (stempelde, h. gestempeld) *vt* stamp[2], mark; hallmark [gold and silver]; ✉ postmark; *hem tot een verrader* ~ stamp him (as) a traitor; **II** *vi* (v a n w e r k l o z e n) sign on (for the dole), be (go) on the dole; **–ling** (-en) *v* stamping; **'stempelinkt** *m* ink for rubber stamps; **–kussen** (-s) *o* stamp pad

'stemplicht *m* & *v* compulsory voting; **–recht** *o* right to vote; suffrage, franchise; $ voting rights [of shareholders]; *het* ~ ook: the vote; *algemeen* ~ universal suffrage; *aandelen zonder* ~ $ non-voting shares; **–sleutel** (-s) *m* tuning-key; **–spleet** (-spleten) *v* glottis; ~... glottal; **–verheffing** *v* raising of the voice; **–vork** (-en) *v* tuning-fork; **–vorming** *v* voice production; **–wisseling** (-en) *v* breaking of the voice

'stencil ['stɛnsəl] (-s) *o* & *m* stencil; **'stencilen** (stencilde, h. gestencild) *vt* stencil, duplicate, mimeograph; **'stencilmachine** [-ma.ʃi.nə] (-s) *v* stencil machine, duplicator, mimeograph; **–papier** *o* stencil paper, **F** flong

1 'stenen (steende, h. gesteend) *vi* (k r e u n e n) moan, groan

2 'stenen *aj* of stone, stone; (b a k s t e n e n) brick; *een* ~ *hart* a heart of stone

'stengel (-s) *m* stalk, stem [of plants]; *zoute* ~ pretzel

'stenig stony; **'stenigen** (stenigde, h. gestenigd) *vt* stone (to death); **–ging** (-en) *v* stoning

'stennis *m* **F** noise, fuss; ~ *maken* kick up a row

'steno *v* = *stenografie*; **steno'graaf** (-grafen) *m* stenographer, shorthand writer; **stenogra'feren** (stenografeerde, h. gestenografeerd) **I** *vi* write shorthand; **II** *vt* take down in shorthand; **stenogra'fie** *v* stenography, shorthand; **steno'grafisch** stenographic(al), in shorthand; **steno'gram** (-men) *o* shorthand writer's notes, shorthand report; **stenoty'pist(e)** [-ti.-] (-en, *v* ook -es) *m(-v)* shorthand typist

'stentorstem *v* stentorian voice

step (-pen en -s) *m* step; (a u t o p e d) scooter

step-'in (-s) *m* girdle, roll-on

'steppe (-n) *v* steppe; **–bewoner** (-s) *m* inhabitant of the steppe; **–hoen** (-ders) *o* Pallas's grouse; **–wolf** (-wolven) *m* coyote

ster (-ren) *v* star[2]; *met* ~*ren bezaaid* starry; ⊙ star-spangled; *zijn* ~ *rijst* his star is in the ascendant; **–appel** (-s en -en) *m* star apple

'stère ['stɛ:rə] (-s en -n) *v* stère, cubic metre

stereofo'nie *v* stereophony; **stereo'fonisch** stereophonic; **stereome'trie** *v* solid geometry; **'stereoplaat** (-platen) *v* stereo record; **stereo'scoop** (-scopen) *m* stereoscope; **stereo'scopisch** stereoscopic; **stereo'tiep** stereotype; *fig* stereotyped, stock [phrase, saying], stereotype [fathers, sons]; **stereoty'peren** [-ti.-] (stereotypeerde, h. gestereotypeerd) *vt* stereotype; **stereoty'pie** (-ieën) *v* stereotype printing

'sterfbed (-den) *o* death-bed; **–dag** (-dagen) *m* day of sbd.'s death, dying day; **–datum** (-s en -data) *m* date of death; **'sterfelijk** mortal; **–heid** *v* mortality; **'sterfgeval** (-len) *o* death; *wegens* ~ owing to a bereavement; **–huis** (-huizen) *o* house of the deceased; **–kamer** (-s) *v* death-room, death-chamber; **–lijk(heid)** = *sterfelijk(heid)*; **'sterfte** *v* mortality; **–cijfer** (-s) *o* (rate of) mortality, death-rate; **'sterfuur** (-uren) *o* dying-hour, hour of death

ste'riel sterile, barren; **sterili'satie** [-'za(t)si.] *v* sterilization; **–tor** (-s en -toren) *m* sterilizer; **sterili'seertrommel** (-s) *v* autoclave; **sterili'seren** (steriliseerde, h. gesteriliseerd) *vt* sterilize; **sterili'teit** *v* sterility, barrenness, infertility

sterk I *aj* 1 strong[2]; powerful [microscope]; $ sharp [rise, fall]; 2 (r a n z i g) strong; *een* ~ *geheugen* a retentive memory; *een* ~ *verhaal* **F** a tall story; ~*e werkwoorden* strong verbs; *dat is* ~, *zeg!* **F** that's what I call steep!; *ik maak me* ~ *dat...* I'm sure that...; *een leger 100.000 man* ~ an army 100.000 strong; *hij is* ~ *in het Frans* he is strong (well up) in French; *daarin is hij* ~ that's his strong point; *daar ben ik niet* ~ *in* I am not good at that; *hij (zijn zaak) staat* ~ he has a strong case; *zo* ~ *als een paard* as strong as a horse; **II** *ad* strongly; *dat is* ~ *gezegd* that is a strong thing to say; ~ *overdreven* wildly exaggerated; ~ *vergroot* much enlarged; **'sterken** (sterkte, h. gesterkt) *vt* strengthen,

fortify, invigorate
'sterkers *v* = *sterrekers*
'sterking *v* strengthening; **'sterkstroom** *m* strong current; **'sterkte** (-n en -s) *v* 1 strength; 2 (f o r t) fortress; **sterk'water** *o* nitric acid, aqua fortis; *op ~ zetten* put into spirits
'sterling sterling; *pond ~* pound sterling; **–gebied** (-en) *o* sterling area
'stermotor (-s en -en) *m* radial (engine)
stern (-s) *v* (common) tern
'sterrebaan (-banen) *v* orbit of a star; **–jaar** (-jaren) *o* sideral year; **–kers** *v* garden cress; **–kijker** (-s) *m* telescope; **–muur** *v* chickweed; **'sterrenbeeld** (-en) *o* constellation; **–hemel** *m* starry sky; **–kaart** (-en) *v* star-map; **–kijker** (-s) *m* star-gazer, astrologer; **–kunde** *v* astronomy; **sterren'kundige** (-n) *m* astronomer; **'sterrenlicht** *o* star-light, light of the stars; **–loop** *m* course (motion) of the stars; **–regen** (-s) *m* meteoric shower; **–wacht** (-en) *v* (astronomical) observatory; **–wichelaar** (-s) *m* astrologer; **sterrenwichela'rij** *v* astrology; **'sterretje** (-s) *o* 1 little star; 2 star, asterisk (*); 3 [film] starlet; *een klap dat je de ~s voor de ogen dansen* a blow that will make you see stars; **'sterrit** (-ten) *m* [Monte Carlo] rally
'sterveling (-en) *m* mortal; *geen ~* not a (living) soul; *gelukkige ~!* happy mortal!; **'sterven*** **I** *vi* die; *ik mag ~ als...* I wish I may die if; *~ a a n een ziekte* die of a disease; *v a n honger ~* die of hunger; *~ van ouderdom* die of old age; *~ van verdriet* die of a broken heart; *o p ~ na dood* all but dead; *op ~ liggen* be dying, be at the point of death; **II** *vt duizend doden ~* taste death a thousand times; *een natuurlijke dood ~* die a natural death; **–d** *aj* dying, moribund; *de ~e* the dying person; **'stervensuur** (-uren) *o* dying-hour
'stervormig star-shaped
stetho'scoop (-scopen) *m* stethoscope
steun (-en) *m* support², prop², *fig* stay; *de ~ van zijn oude dag* the support of his old age; *hij was ons een grote ~* he was a great help to us; *~ en toeverlaat* anchor; *de enige ~ van de kandidaat* the only support (backing) of the candidate; *(van de) ~ trekken* draw unemployment relief, be on the dole (on the bread-line); *~ verlenen aan* support; *m e t ~ van...* aided by...; *t o t ~ van...* in support of...; **–balk** (-en) *m* supporting beam, girder; **–beer** (-beren) *m* buttress; **–comité** (-s) *o* relief committee
1 'steunen (steunde, h. gesteund) *vi* moan, groan
2 'steunen (steunde, h. gesteund) **I** *vt* support, prop (up); *fig* support [a cause, an institution, a candidate]; back (up); countenance [a movement]; uphold [a practice, a person]; second [a motion]; **II** *vi* lean; *~ o p* lean on; *fig* lean upon [a person]; *waarop steunt dat?* what is it founded on?, what does it rest upon?; *~ t e g e n* lean against; **'steunfonds** (-en) *o* relief fund; **–muur** (-muren) *m* supporting wall; **–pilaar** (-laren) *m* pillar²; **–punt** (-en) *o* 1 point of support; 2 ⚒ fulcrum [of a lever]; 3 ⚔ base; **–sel** (-s) *o* stay, prop, support; **–tje** (-s) *o* rest; **–trekker** (-s) *m* recipient of (unemployment) relief; **–zender** (-s) *m* booster transmitter; **–zool** (-zolen) *v* arch support
steur (-en) *m* sturgeon
1 'steven (-s) *m* prow, stem; *de ~ wenden* go about; *de ~ wenden naar* head for..., make for...
2 'steven V.T. meerv. van *stijven*
'stevenen (stevende, is gestevend) *vi* steer, sail; *~ naar* steer for; make for
'stevig I *aj* 1 (v. z a k e n) solid, strong [furniture, ropes &]; substantial [meal &]; firm [post]; 2 (v. p e r s o o n) strong, sturdy; *een ~e bries* a stiff breeze; *een ~e eter* a hearty eater; *een ~ glaasje* a stiff glass; *een ~e handdruk* a firm shake of the hand; *~e kost* substantial food; *een ~e meid* a strapping lass; *een ~ uur* a stiff hour, one solid hour; **II** *ad* solidly &; *~ doorstappen* walk at a stiff pace; *~ geboeid* firmly fettered; *~ gebouwd* firmly built [houses]; well-knit [lads]; *hem ~ vasthouden* hold him tight; **–heid** *v* solidity, substantiality, firmness, sturdiness
stewar'dess [stju.ər'dɛs] (-en) *v* ✈ air hostess, stewardess
sticht (-en) *o* bishopric; *het Sticht* 🕮 (the bishopric of) Utrecht
'stichtelijk I *aj* edifying; *een ~ boek* a devotional book; **II** *ad* edifyingly; *dank je ~!* thank you very much!; **–heid** *v* edification; **'stichten** (stichtte, h. gesticht) **I** *vt* 1 found [a business, colonies, a hospital, a church, a religion, an empire &]; establish [a business]; raise [a fund]; 2 edify [people at church]; *vrede ~* make peace; *hij is er niet over gesticht* zie 2 *gesticht*; zie ook: *brand, onheil*; **II** *va* edify; **–er** (-s) *m* founder; **'stichting** (-en) *v* 1 (o p r i c h t i n g) foundation; 2 (i n r i c h t i n g) institution, foundation, almshouse; 3 (i n d e k e r k &) edification
'stiefbroe(de)r (-s) *m* step-brother; **–dochter** (-s) *v* step-daughter
'stiefelen (stiefelde, h. en is gestiefeld) *vi* stride, **F** foot it
'stiefkind (-eren) *o* step-child²; **–moeder** (-s) *v* step-mother²; **stief'moederlijk** step-motherly; *wij zijn altijd ~ bedeeld geweest* we have always been the poor cousins; *de natuur heeft hem ~ bedeeld* nature has not lavished her gifts upon him; **'stiefvader** (-s) *m* step-father;

–zoon (-s en -zonen) *m* step-son; **–zuster** (-s) *v* step-sister

'stiekem I *aj* underhand; **II** *ad* on the sly, on the quiet, secretly; ~ *weglopen* sneak away, steal away; *zich ~ houden* lie low; **–erd** (-s) *m* sneak

stiep (-en) *v* stereotypy

stier (-en) *m* bull; *de Stier* ★ Taurus; **'stieregevecht** (-en) *o* bull-fight; **–nek** (-ken) *m* bull neck; **'stierenvechter** (-s) *m* bull-fighter

stierf (**stierven**) V.T. van *sterven*

'stierkalf (-kalveren) *o* bull-calf

'stierlijk *ad* ~ *het land hebben* have the hump, be terribly annoyed; ~ *vervelend* frightfully boring; *zich ~ vervelen* be bored to death

'stierven V.T. meerv. van *sterven*

stiet (**stieten**) V.T. van *stoten*

1 stift (-en) *v* pin; (v. v u l p o t l o o d) pencil-lead

2 stift (-en) *o* = *sticht*

'stifttand (-en) *m* pivot tooth

'stigma ('s en -ta) *o* stigma; **stigmati'satie** [-'za(t)si.] (-s) *v* stigmatization; **stigmati'seren** (stigmatiseerde, h. gestigmatiseerd) *vt* stigmatize

stijf I *aj* stiff[2] [collar, leg, neck, breeze; manners, attitude, bow]; rigid [balloon]; *fig* starchy; *zo ~ als een paal* as stiff as a poker; ~ *van de kou* stiff with cold; *u moet het ~ laten worden* leave it to stiffen (to set); **II** *ad* stiffly; *iets ~ en strak volhouden* stoutly maintain it; ~ *dicht* firmly (tightly) closed; **'stijfheid** *o* stiffness[2], rigidity, starch; **stijf'hoofdig, –'koppig I** *aj* obstinate, headstrong; **II** *ad* obstinately; **stijf'hoofdigheid, –'koppigheid** *v* obstinacy; **'stijfkop** (-pen) *m* obstinate person, *Am* bullet-head

'stijfsel *m* & *o* 1 starch [from corn, for stiffening]; 2 paste [of the bill-sticker]; **–achtig** starchy; **'stijfselen** (stijfselde, h. gestijfseld) *vt* starch; **'stijfselkwast** (-en) *m* paste-brush; **–pap** (-pen) *v* paste

'stijfte *v* stiffness

'stijgbeugel (-s) *m* stirrup; **'stijgen*** *vi* 1 (i n d e h o o g t e) rise, mount [of a road], mount [of blood], ☞ ook: climb; 2 (h o g e r w o r d e n) rise [of a river, prices, of the barometer], go up, advance [of prices]; *n a a r het hoofd ~* go to one's head [of wine &]; mount (rush) to one's head [of the blood]; *t e paard ~* mount one's horse; *v a n het paard ~* alight from one's horse, dismount; *in ~de lijn* on the up-grade; **'stijgijzer** (-s) *o* crampon, climbing iron; **'stijging** (-en) *v* rise[2], rising, advance; **'stijgwind** (-en) *m* upwind, updraught

stijl (-en) *m* 1 △ post [of door &]; 2 ✂ style; 3 (s c h r ij f w ijz e, t r a n t) style; 4 (t ij d - r e k e n i n g) style; *oude ~* old style; *in verheven ~* in elevated style; **–bloempje** (-s) *o* flower of speech; **–figuur** (-guren) *v* figure of speech; **–kamer** (-s) *v* period room; **–leer** *v* stylistics; **–loos** devoid of style, styleless; *fig* in bad taste; **–oefening** (-en) *v* stylistic exercise; **–vol** stylish

'stijven* I *vt* 1 stiffen [the back of a book &]; 2 starch [linen]; *de kas ~* swell the fund (the treasury); *iem. in het kwaad ~* egg sbd. on, set sbd. on; **II** *vi* stiffen; **–ving** *v* 1 stiffening; 2 starching [of linen]; *tot ~ van de kas* to swell the fund

stik! *ij* **F** hell!, hang!, blast!; **–donker I** *aj* pitch-dark; **II** *o* pitch-darkness; **–gas** *o* (i n m ij n e n) choke-damp; **–heet** stifling hot;

1 'stikken (stikte, is gestikt) *vi* stifle, be stifled, choke, be suffocated, suffocate; *ik stik!* I am choking; *ze mogen voor mijn part ~* they may go to hell!; *als ik jou was liet ik de hele boel ~* I should cut the whole concern; *het was om te ~* 1 it was suffocatingly hot; 2 it was screamingly funny; ~ *van het lachen* split one's sides with laughter; *hij stikte van woede* he choked with rage

2 'stikken (stikte, h. gestikt) *vt* stitch [a garment &]; *gestikte deken* quilt; **–er** (-s) *m* stitcher; **'stiknaald** (-en) *v* stitching-needle; **'stiksel** (-s) *o* stitching; **'steksteek** (-steken) *m* back-stitch

'stikstof *v* nitrogen; **–houdend** nitrogenous; **–verbinding** (-en) *v* nitrogen compound

'stikvol crammed, chock-full

'stikwerk *o* stitching

stil I *aj* still, quiet; silent; *~!* hush!; ~ *daar!* silence there!; *tabak ~* $ tobacco quiet; *een ~le drinker* a secret drinker; ~ *spel* stage business, by-play [of actor]; *de Stille Week* Holy Week; *zo ~ als een muis(je)* as silent as a mouse; *zo ~ als de muisjes* as mum as mice; zie ook: *vennoot* &; **II** *ad* quietly; silently; ~ *leven* have retired from business; ~ *toeluisteren* listen in silence

sti'leren (stileerde, h. gestileerd) *vt* & *vi* 1 compose [a letter &]; 2 stylize [a dress], conventionalize [flowers &]

sti'let (-ten) *o* stiletto

sti'letto ('s) *m* flick-knife

'stilheid *v* stillness, quiet, silence; **'stilhouden**[1] **I** *vi* stop, come to a stop; *de wagen hield stil voor*

[1] V.T. en V.D. van dit werkwoord volgens het model: **'stil**zetten, V.T. zette **'stil**, V.D. **'stil**gezet. Zie voor de vormen onder het grondwoord, in dit voorbeeld: *zetten*. Bij sterke en onregelmatige werkwoorden wordt u verwezen naar de lijst achterin.

de deur pulled (drew) up at the door; **II** *vt iets ~* keep sth. quiet (dark), hush sth. up; **III** *vr zich ~* 1 keep quiet, be quiet, keep still; 2 keep silent

sti'list (-en) *m* stylist

'stille (-n) *m* **F** plain-clothes man; **'stilleggen**[1] *vt* stop [work]; close down, shut down [a factory]; **'stillen** (stilde, h. gestild) *vt* quiet, hush [a crying child]; still [fears &]; allay, alleviate [pain]; appease [one's hunger]; quench [one's thirst]; **'stilletje** (-s) *o* close-stool, night-stool; **'stilletjes** 1 silently; 2 secretly, on the quiet; **'stilleven** (-s) *o* still life [painting]; **'stilliggen**[1] *vi* lie still [in bed &]; lie idle [a harbour]; have closed down [a factory]; *de handel ligt stil* trade is at a standstill; **'stilling** *v* stilling &, alleviation, appeasement &, zie *stillen*; **'stilstaan**[1] *vi* stand still; stop; *hij bleef ~* he stopped; *de handel staat stil* trade is at a standstill; *de klok staat stil* the clock has stopped; *de klok laten ~* stop the clock; *daar heb ik niet bij stilgestaan* I didn't stop at the thought; *er wat langer bij ~* dwell on it a little longer; zie ook: *mond, verstand*; **–d** standing, stagnant [waters]; standing, stationary [train]; **'stilstand** *m* standstill; cessation; stagnation, stagnancy [of business]; stoppage [in factory, of work]; *tot ~ komen* come to a standstill; **'stilte** (-n en -s) *v* stillness, quiet, silence; [*er viel een*] *doodse ~* deathlike hush, sudden hush; *de ~ voor de storm* the lull before the storm; *in ~* silently; secretly, privately [married]; *in ~ lijden* suffer in silence; *de menigte nam twee minuten ~ in acht* the crowd stood in silence for two minutes; **'stilzetten**[1] *vt* = *stopzetten*; **–zitten**[1] *vi* sit still; *fig* do nothing [of a minister &]; *we hebben niet stilgezeten* we have not been idle

'stilzwijgen *o* silence; *het ~ bewaren* keep (preserve, observe, maintain) silence; be (keep) silent (about *over*); **–d I** *aj* silent, taciturn [person]; tacit [agreement]; implied [condition]; **II** *ad* tacitly [understood]; [pass over] in silence; **stil'zwijgendheid** *v* silence, taciturnity

'stimulans (-'lansen en -'lantia) *m* stimulant; *fig* stimulus [*mv* stimuli], boost; **stimu'leren** (stimuleerde, h. gestimuleerd) *vt* stimulate, boost; **'stimulus** (-li) *m* = *stimulans*

'stinkbom (-men) *v* stink-bomb; **–dier** (-en) *o* 🐾 skunk; **'stinken*** *vi* stink, smell, reek (of *naar*); *erin ~* **F** get caught, walk into the trap; **–d** stinking, reeking, fetid; *~e gouwe* ⚘ greater celandine; **F** *~ rijk* stinking rich; **'stinkstok** (-ken) *m* **F** cheap cigar; **–zwam** (-men) *v* stinkhorn

stip (-pen) *v* point, dot (on the i); (o p s c h e r m) blip

sti'pendium (-s en -ia) *o* stipend, ⇔ scholarship

'stippel (-s) *v* speck, dot; **'stippelen** (stippelde, h. gestippeld) *vt* dot, speckle, stipple; **'stippellijn** (-en) *v* dotted line; **'stippen** (stipte, h. gestipt) *vt* point, prick

stipt punctual, precise; *~ eerlijk* strictly honest; *~ op tijd* punctually to time; **'stiptheid** *v* punctuality, precision; **–sactie** [-ɑksi.] (-s) *v* work-to-rule; *een ~ voeren* work to rule

'stobbe (-n) *v* stump [of a tree]

'stoeien (stoeide, h. gestoeid) *vi* romp, have a game of romps; **stoeie'rij** (-en) *v* romp(ing); **'stoeipartij** (-en) *v* romping, romp, game of romps; **–ziek** romping

stoel (-en) *m* 1 (m e u b e l) chair; 2 (v. p l a n t) stool; *de Heilige Stoel* the Holy See; *neem een ~* take a seat; • *het niet o n d e r ~en of banken steken* make no secret of it, make no bones about it; *t u s s e n twee ~en in de as zitten* have come down between two stools; *v o o r ~en en banken spelen* (*spreken*) play (lecture) to empty benches; **'stoelen** (stoelde, h. gestoeld) *vi fig ~ op* be founded on, be rooted in; **'stoelendans** (-en) *m* "musical chairs"; **–maker** (-s) *m* chair-maker; **–matter** (-s) *m* chair-bottomer; **'stoelgang** *m* movement, stool(s); zie verder: *ontlasting*; **–kussen** (-s) *o* chair-cushion; **–tjeslift** (-en) *m* chair-lift

stoep (-en) *m* & *v* 1 (flight of) steps; 2 (t r o t t o i r) pavement, footpath; **stoe'pier** [-'pje.] (-s) *m* ± barker; **'stoeprand** (-en) *m* kerbstone

stoer sturdy, stalwart, stout; **–heid** *v* sturdiness

stoet (-en) *m* cortege, procession; train, retinue

stoete'rij (-en) *v* stud(-farm)

'stoethaspel (-s) *m* clumsy fellow; **'stoethaspelen** (stoethaspelde, h. gestoethaspeld) *vi* fumble, bungle, botch

1 stof *o* dust; *~ afnemen* dust; *~ opjagen* make a dust; *dat heeft heel wat ~ opgejaagd* that has raised a good deal of dust; *het ~ van zijn voeten schudden* shake the dust off one's feet; (*zich*) *i n het ~ vernederen* humble (oneself) to the dust (in the dust); *iem. u i t het ~ verheffen* raise sbd. from the dust

2 stof (-fen) *v* 1 matter[2]; 2 (z e l f s t a n d i g h e i d) [radioactive] substance; 3 *fig* subject-matter, theme [of a book, for an essay]; 4 (g o e d) [dress] material, stuff, [silk, woollen]

[1] V.T. en V.D. van dit werkwoord volgens het model: **'stil**zetten, V.T. zette **'stil**, V.D. **'stil**gezet. Zie voor de vormen onder het grondwoord, in dit voorbeeld: *zetten*. Bij sterke en onregelmatige werkwoorden wordt u verwezen naar de lijst achterin.

fabric; ~ *en geest* matter and mind; *dat geeft ~ tot nadenken* that will give food for reflection (thought)

'stofblik (-ken) *o* dustpan; **–bril** (-len) *m* goggles; **–dicht** dust-proof; **–doek** (-en) *m* duster

stof'feerder (-s) *m* upholsterer; **stoffeerde'rij** (-en) *v* upholstery (business)

'stoffel (-s) *m* blockhead, duffer, ninny

'stoffelijk material, concrete; *~e belangen* material interests; *~e bijvoeglijke naamwoorden* names of materials used as adjectives; *zijn ~ overschot* his mortal remains; **–heid** *v* materiality, corporality

1 'stoffen (stofte, h. gestoft) *vt* (s t o f a f - n e m e n) dust

2 'stoffen (stofte, h. gestoft) *vi* (b l u f f e n) boast (of *op*)

3 'stoffen *aj* cloth [shoes]; **–winkel** (-s) *m* draper's (shop), drapery store

'stoffer (-s) *m* brush; ~ *en blik* (dust)pan and brush

stof'feren (stoffeerde, h. gestoffeerd) *vt* upholster, furnish; **–ring** (-en) *v* upholstering, furnishings; *inclusief* ~ with curtains and drapes

'stoffig dusty; ~ *worden* gather dust; **–heid** *v* dustiness

'stofgoud *o* gold-dust; **–hoek** (-en) *m* dusty corner; **–hoop** (-hopen) *m* heap of dust; **–jas** (-sen) *m* & *v* dust-coat, overall; **–je** (-s) *o* speck of dust; || = 2 *stof* 4; **–kam** (-men) *m* fine-tooth comb; **–longziekte** *v* silicosis; **–mantel** (-s) *m* dust-cloak

'stofnaam (-namen) *m gram* name of a material

'stofnest (-en) *o* dust-trap; **–omslag** (-slagen) *m* & *o* dust jacket; **–regen** *m* drizzling rain, drizzle; **'stofregenen** (stofregende, h. gestofregend) *vi* drizzle; **'stofvrij** free from dust

'stofwisseling *v* metabolism

'stofwolk (-en) *v* dust cloud, cloud of dust

'stofzuigen (stofzuigde, h. gestofzuigd) *vi* & *vt* vacuum; **–er** (-s) *m* (vacuum) cleaner

stoï'cijn (-en) *m* stoic; **–s I** *aj* stoical [serenity], stoic [doctrines]; **II** *ad* stoically; **stoï'cisme** *o* stoicism; **'stoïsch** = *stoïcijns*

stok (-ken) *m* 1 (i n 't a l g.) stick; 2 (w a n d e l - s t o k) walking-stick, cane, stick; 3 (z i t s t o k) perch, roost [for birds]; 4 (b ij b a t o n n e r e n) quarterstaff; 5 (v. a g e n t) truncheon, baton; 6 (v. d i r i g e n t; b ij e s t a f e t t e l o o p) baton; 7 (v. v l a g) pole; 8 ⚓ stock [of anchor]; *de ~ achter de deur* the big stick; *het met iem. a a n de ~ hebben* be at loggerheads with sbd.; *het met iem. aan de ~ krijgen* get into trouble with sbd.; *hij is met geen ~ hierheen te krijgen* wild horses won't drag him here; *o p ~ gaan* go to roost[2]; *op ~ zijn* be at roost; **–brood** (-broden) *o* French stick; **–doof** stone-deaf

'stokebrand (-en) *m* firebrand

'stoken (stookte, h. gestookt) **I** *vt* burn [coal, wood]; stoke [a furnace &], fire [a boiler, an engine &]; distil [spirits]; *fig* stir up [trouble]; brew [mischief]; *het vuur ~* feed the fire; *een vuurtje ~* I make a fire; 2 *fig* blow the coals, stir up trouble; **II** *vi* & *va* make a fire, have a fire [in a room]; stoke; *fig* blow the coals, stir up trouble; **–er** (-s) *m* 1 stoker, fireman [of steam-engine]; 2 distiller [of spirits]; 3 *fig* firebrand; **stoke'rij** (-en) *v* distillery

'stokje (-s) *o* (little) stick; *daar zullen wij een ~ voor steken* we shall stop it; *van zijn ~ vallen* **F** faint, swoon; zie ook: *gekheid*; **'stokken** (stokte, is gestokt) *vi* cease to circulate [of the blood]; break down [in a speech]; flag [of conversation]; *haar adem stokte* her breath failed her; *zijn stem stokte* there was a catch in his voice; **'stokk(er)ig** woody; *fig* stiff, rigid; **'stokoud** very old; **–paardje** (-s) *o* hobby-horse; *fig* fad; *op zijn ~ zitten* (*zijn*) be on one's hobby-horse, one's pet subject; **–roos** (-rozen) *v* hollyhock; **–slag** (-slagen) *m* stroke with a stick; **–snijboon** (-bonen) *v* runner bean; **–stijf** as stiff as a poker; ~ *volhouden* maintain obstinately; **–stil** stock-still; **–vis** *m* (g e - d r o o g d) stockfish, dried cod; **–voering** *v* ♪ bowing (technique)

'stola ('s) *v* stole

'stollen (stolde, is gestold) *vi* (ook: *doen ~*) congeal, coagulate, curdle, clot, fix, set; *het bloed stolde mij in de aderen* my blood froze (ran cold); *het doet het bloed ~* it makes one's blood run cold, it curdles one's blood; **'stolling** *v* congelation, coagulation; **–sgesteente** (-n en -s) *o* extrusive rocks

stolp (-en) *v* cover, glass bell, bell-glass, shade; **–plooi** (-en) *v* box pleat

'stolsel (-s) *o* clot

stom I *aj* 1 (n i e t s z e g g e n d) dumb, mute, speechless; silent [film, part]; 2 (d o m) stupid, dull; 3 (n i e t v e r s t a n d i g) foolish; ~ *geluk* the devil's luck; *een ~me h* a mute h; *~me idioot!* **F** utter fool!, **S** big stiff!; *~me personen* mutes; *hij sprak* (*zei*) *geen ~ woord* he never said a word; ~ *van verbazing* speechless with amazement; **II** *ad* 1 mutely; 2 stupidly; zie ook: *stomme*; **–dronken** dead drunk

'stomen I (stoomde, h. en is gestoomd) *vi* steam; *de lamp stoomt* the lamp is smoking; **II** (stoomde, h. gestoomd) *vt* 1 steam [rice &]; 2 (c h e m i s c h r e i n i g e n) dry-clean; **stome'rij** (-en) *v* dry-cleaning establishment; *mijn pak is in de ~* my suit is at the (dry-) cleaner's

'stomheid *v* 1 dumbness; 2 (-heden) stupidity;

met ~ geslagen struck dumb; **–kop** (-pen) *m* = *stommerik*; **'stomme** (-n) *m-v* dumb person; *de ~n* the dumb

'stommelen (stommelde, h. gestommeld) *vi* clatter

'stommeling (-en) *m*, **'stommerik** (-riken) *m* blockhead, dullard, duffer; bullhead, numskull; (*jij*) *~!* **F** you stupid!; **'stommetje** *wij moesten ~ spelen* we had to sit mum; **'stommigheid** (-heden), **stommi'teit** (-en) *v* 1 (a b s t r a c t) stupidness, stupidity; 2 (c o n c r e e t) stupidity, blunder, howler

1 stomp (-en) *m* thump, punch, push, dig

2 stomp (-en) *m* stump [of a tree &]

3 stomp *aj* 1 blunt [pencil], dull; 2 *fig* obtuse; *~e hoek* obtuse angle; *~e neus* flat nose

'stompen (stompte, h. gestompt) *vt* pummel, thump, punch, push

'stompheid *v* bluntness, dullness; *fig* obtuseness; **–hoekig** obtuse-angled

'stompje (-s) *o* stump [of branch, tree, limb, cigar, pencil], stub [of dog's tail, of a cigarette, of a pencil]; **'stompneus** (-neuzen) *m* 1 snub nose; 2 snub-nosed person

stomp'zinnig obtuse; **–heid** (-heden) *v* obtuseness

'stomtoevallig by sheer chance; **–verbaasd** stupefied; **–vervelend** awfully slow; **–weg** simply, without thinking

1 stond (-en) *m* time, hour, moment; *t e dezer ~* at this moment (hour); *terzelfder ~* at the same moment; *v a n ~en aan* henceforward, from this very moment

2 stond (stonden) V.T. van *staan*

stonk (stonken) V.T. van *stinken*

1 stoof (stoven) *v* foot-warmer, foot-stove

2 stoof (stoven) V.T. van *stuiven*

'stoofappel (-en en -s) *m* cooking-apple; **–pan** (-nen) *v* stew-pan; **–peer** (-peren) *v* cooking-pear, stewing-pear

'stookgat (-gaten) *o* fire hole; **–gelegenheid** (-heden) *v* fireplace; **–olie** *v* oil fuel, liquid fuel; **–oven** (-s) *m* furnace; **–plaats** (-en) *v* 1 fireplace, hearth; 2 ⚒ stoke-hold, stoke-hole

stool (stolen) *m* stole

stoom *m* steam; *we hebben ~ op* steam is up; *~ houden* keep up steam; *~ maken* get up (raise) steam; *het gaat m e t (volle) ~* it goes full steam; *o n d e r ~* ⚓ with steam up; *onder eigen ~* ⚓ under her own steam; **–bad** (-baden) *o* steam bath; **–barkas** (-sen) *v* steam launch; **–boot** (-boten) *m* & *v* steamboat, steamer, steamship; **–bootmaatschappij** (-en) *v* steam navigation company, steamship company; **–cursus** [-züs] (-sen) *m* intensive course, short course, crash course; **–druk** *m* steam-pressure; **–fluit** (-en) *v* steam-whistle; **–gemaal** (-malen) *o* steam pumpingstation; **–ketel** (-s) *m* steam-boiler, boiler; **–klep** (-pen) *v* steam-valve; **–kraan** (-kranen) *v* 1 (h e f t o e s t e l) steam-crane; 2 steam-cock; **–kracht** *v* steam-power; **–machine** [-ma.ʃi.nə.] (-s) *v* steam-engine; **–pijp** (-en) *v* steam-pipe; **–schip** (-schepen) *o* steamship, steamer; **–tractie** [-trɑksi.] *v* steam traction; **–tram,** *m* [-trɛm], **–trem** (-s en -men) *m* steam-tram; **–vaart** *v* steam navigation; **–vaartlijn** (-en) *v* steamship line; **–vaartmaatschappij** (-en) *v* steam navigation company, steamship company; **–wals** (-en) *v* steam-roller; **stoomwasse'rij** (-en) *v* steam-laundry

'stoornis (-sen) *v* disturbance, disorder; **'stoorzender** (-s) *m* jamming transmitter, jamming station

stoot (stoten) *m* 1 push [with the elbow &]; punch [in boxing]; thrust [with a sword]; lunge [in fencing]; stab [with a dagger]; shot, stroke [at billiards]; impact [of colliding bodies]; kick [of a rifle]; gust (of wind); 2 blast [on a horn]; *de (eerste) ~ tot (aan) iets geven* give the impulse to sth.; *wie heeft er de eerste ~ aan (toe) gegeven?* who has been the prime mover?; *dat heeft hem een lelijke ~ gegeven* that has dealt him a severe blow; *wie is aan ~?* ⚇ who is in play?; **–blok** (-ken) *o* buffer; (v. l o c o m o t i e f) fender; ⛵ chock; **–je** (-s) *o* push; *hij kan wel een ~ hebben* he is not easily hurt, **F** he can take it; **–kant** (-en) *m* protection strip; **–kussen** (-s) *o* buffer, fender; **–plaat** (-platen) *v* guard [of sword]; **–troepen** *mv* shock-troops

stop (-pen) *m* 1 stopper [of a bottle]; darn [in a stocking]; ✻ (s t e k k e r) plug; ✻ (s m e l t s t o p) fuse; (v. b a d k u i p &) plug; 2 (v a n h u u r, l o o n, p r ij z e n) freeze; **–bal** (-len) *m* darning egg (ball); **–bord** (-en) *o* stop sign; **–contact** (-en) *o* (power-)point; (c o n t a c t d o o s) socket; **–fles** (-sen) *v* stoppered bottle, (glass) jar; **–garen** *o* darning cotton, mending cotton; **–horloge** [-ʒə] (-s) *o* stop-watch; **–lap** (-pen) *m* sampler; *fig* stop-gap; **–licht** (-en) *o* traffic light; zie ook *rijden* **I**; **–mes** (-sen) *o* putty-knife; **–naald** (-en) *v* darning-needle; **stop'page** [-ʒə] (-s) *v* invisible mending

'stoppel (-s en -en) *m* stubble; *~s* stubble; **–baard** (-en) *m* stubbly beard; **–ig** stubbly; **–land** (-en) *o* stubble-field

1 'stoppen (stopte, h. gestopt) **I** *vt* 1 (d i c h t m a k e n) stop [a hole, a leak &]; darn [stockings]; 2 (d i c h t h o u d e n) stop [one's ears]; 3 (v o l s t o p p e n) fill [a pipe &]; 4 (i n b r e n g e n, w e g b e r g e n) put [something in a box, one's fingers in one's ears &]; *een bal ~* ⚇ pocket a ball; *iem. de handen ~* grease sbd.'s palm, bribe sbd.; *de kinderen i n bed*

~ I put the children to bed; 2 bundle the children off to bed; *iem. iets in de handen* ~ foist sth. off upon sbd.; *hij laat zich alles in de hand(en)* ~ you can foist (palm off) anything upon him; *het in zijn mond (zak)* ~ put it in one's mouth (pocket); *de kleine er lekker o n d e r* ~ tuck the baby up in bed; *iem. onder de grond* ~ put sbd. to bed with a shovel; **II** *va* (v. v o e d s e l) bind the bowels, be binding, cause constipation

2 'stoppen I (stopte, is gestopt) *vi* stop, come to a stop, halt; *de trein stopt hier niet* the train does not stop here; *de trein gaat door tot A. zonder* ~ without a stop; **II** (stopte, h. gestopt) *vt* stop

'stopperspil (-len) *m sp* centre half

'stopplaats (-en) *v* stopping-place, stop; **–sein** (-en) *o* stop signal; **–teken** (-s) *o* stop signal; **–trein** (-en) *m* stopping train; **–verbod** *o* [*hier geldt een*] ~ no stopping, no waiting; **–verf** *v* (glazier's) putty; **–wol** *v* darning-wool; **–woord** (-en) *o* expletive

'stopzetten (zette 'stop, h. 'stopgezet) *vt* stop; close down, shut down [a factory]; shut (cut) off [the engine]; **–ting** *v* stoppage; closing down &

'stopzij(de) *v* darning silk

store [stɔ:r] (-s) *v* Venetian blind

'storen (stoorde, h. gestoord) **I** *vt* disturb, derange, interrupt, interfere with; *R* jam [broadcasts]; *stoor ik (u) soms?* am I intruding?, am I in the way?; **II** *vr hij stoort zich aan alles* he minds everything; *hij stoort zich aan niets* he does not mind (care); *waarom zou ik mij daaraan ~?* why should I mind?; *zonder zich te ~ aan wat zij zeiden* heedless (regardless) of what they said; **–d** annoying, irritating; **'storing** (-en) *v* disturbance, interruption, ⚒ trouble, failure, breakdown; *R* interfence; ⚕ disorder; (v a n w e e r) depression; **–sdienst** (-en) *m* fault-clearing service

storm (-en) *m* storm[2] [also of applause, cheers, indignation]; tempest, gale; *een ~ in een glas water* a storm in a tea-cup; **–aanval** (-len) *m* ⚔ assault; **–achtig** stormy, tempestuous, tumultuous, boisterous; **–bal** (-len) *m* storm-ball, storm-cone; **–band** (-en) *m* ⚔ chin-strap; **–dek** (-ken) *o* hurricane deck; **'stormen** (stormde, h. en is gestormd) *vi* storm; *het stormt* it is blowing a gale; *het zal er ~* [*fig*] **F** there will be ructions; *hij kwam uit het huis ~* he came tearing (dashing, rushing) out of the house; **stormender'hand** ⚔ by storm; ~ *innemen* take by storm[2]; **'stormklok** (-ken) *v* alarm-bell, tocsin; **–ladder** (-s) *v* ⚔ scaling-ladder; **–lamp** (-en) *v* hurricane lamp; **–loop** (-lopen) *m* rush[2]; ⚔ assault; **'stormlopen** (liep 'storm, h. 'stormgelopen) *vi ~ op (tegen)* storm, rush, assault [a fortified town]; [*fig*] *het loopt storm* there's a run [on]; **'stormpas** (-sen) *m* ⚔ double-quick step; *in de* ~ at the double-quick; **–ram** (-men) *m* battering-ram; **–schade** *v* damage caused by storm; **–sein** (-en) *o* storm-signal; **–troepen** *mv* ⚔ storm-troops; **–vogel** (-s) *m* stormy petrel; **–we(d)er** *o* stormy (tempestuous) weather; **–wind** (-en) *m* storm-wind, gale

'stortbad (-baden) *o* shower-bath; **–bak** (-ken) *m* 1 ⚒ shoot; 2 (v. W.C.) cistern; **–bui** (-en) *v* heavy shower, downpour; **'storten** (stortte, h. gestort) **I** *vt* spill [milk]; shed [tears, blood]; shoot, dump [rubbish]; pour [concrete]; pay in [money]; contribute [towards one's pension]; *elk 10 gulden* ~ deposit 10 guilders each; *het geld moet gestort worden bij een bank (op een rekening)* the money must be paid into a bank (into an account); **II** *vr zich ~ in de armen van...* throw oneself into the arms of...; *de rivier stort zich in zee bij...* falls (pours itself) into the sea near...; *zich in een oorlog* ~ plunge into a war; *zich ~ op* fall upon, throw oneself upon, swoop down on [the enemy]; **III** *vi* & *va het stort* it is pouring; **'stortgoederen** *mv* bulk cargo, bulk goods; **'storting** (-en) *v* 1 spilling, shedding, pouring [of a liquid]; 2 payment, deposit, contribution [of money]; **'stortingsbewijs** (-wijzen) *o* paying-in slip, deposit slip; **–termijn** (-en) *m* term for paying in; **'stortkar** (-ren) *v* tip-cart; **–koker** (-s) *m* chute, shoot; **–plaats** (-en) *v* dumping-ground, (rubbish) shoot, (rubbish) tip; **–regen** (-s) *m* heavy shower (of rain), pouring rain, downpour; **'stortregenen** (stortregende, h. gestortregend) *vi* pour (with rain), rain cats and dogs; **'stortvloed** (-en) *m* flood, torrent, deluge; *fig* shower; **–zee** (-zeeën) *v* sea, surge, roller; *wij kregen een flinke* ~ we shipped a heavy sea

'stoten* I *vi* 1 (i n 't a l g.) push; 2 (m e t h o r e n s) butt; 3 (v. g e w e e r) recoil, kick; 4 (v. s c h i p) touch the ground; 5 (v. s p o o r t r e i n) bump; 6 ⚇ play; *a a n iets* ~ push sth., give sth. a push; ~ *n a a r* thrust at; *o p iets* ~ stumble upon sth., come across sth.; meet with [difficulties]; *het schip stootte op een ijsberg* struck an iceberg; *t e g e n iets* ~ bump against sth. [a wall &]; push [the table]; *tegen elkaar* ~ bump (knock) against each other; **II** *vt* 1 (a a n k o m e n t e g e n) stub [one's toes]; bump [one's head against a wall]; nudge [sbd. with one's elbow]; 2 (d u w e n) push [me &]; poke [a hole in a thing]; thrust [sbd. from his rights]; 3 (f ij n s t a m p e n) pound; 4 *fig* shock, scandalize [people]; *iem. v a n zich* ~ repudiate sbd.; *iem. v o o r het hoofd* ~ offend sbd.; zie ook: *bezit*

&; **III** *vr zich* ~ bump against sth.; *zich aan iems. gedrag* ~ be shocked at sbd.'s conduct; **–d** pushing, thrusting; *fig* shocking, offensive

'stotteraar (-s) *m* stammerer, stutterer; **'stotteren** (stotterde, h. gestotterd) *vt* stammer, stutter

1 stout *m* & *o* (b i e r) stout

2 stout I *aj* 1 (m o e d i g) bold, daring, audacious [behaviour]; sanguine [expectations]; 2 (o n d e u g e n d) naughty; **II** *ad* 1 boldly; 2 naughtily; **'stouterd** (-s) *m* naughty child (boy, girl); **'stoutheid** *v* 1 (m o e d) boldness, audacity; 2 (-heden) (o n d e u g e n d h e i d) naughtiness; **stout'moedig** bold, daring, undaunted; **–heid** *v* courage, daring, boldness

stou'wage [-ʒə] = *stuwage*; **'stouwen** (stouwde, h. gestouwd) *vt* ⚓ stow [goods]

1 'stoven (stoofde, h. gestoofd) **I** *vt* stew; **II** *vr zich* ~ bask [in the sun]

2 'stoven V.T. meerv. van *stuiven*

1 straal (stralen) *m* & *v* 1 ray, beam [of light], gleam, ray [of hope]; flash [of lightning]; 2 spout, jet [of water &]; 3 radius [*mv* radii] [of a circle]

2 straal *ad* **F** (v o l k o m e n) completely, through and through

'straalaandrijving *v* jet propulsion; *met* ~ jet-propelled; **–bommenwerper** (-s) *m* jet bomber; **–breking** (-en) *v* refraction; **–dier** (-en) *o* radiolarian; **–jager** (-s) *m* jet fighter; **–kachel** (-s) *v* electric (reflector) heater; **–motor** (-s en -toren) *m* jet engine; **–pijp** (-en) *v* jet nozzle, ✈ jet exhaust; **–sgewijs, –sgewijze** radially; **–turbine** (-s) *v* turbojet (engine); **–vliegtuig** (-en) *o* jet(-propelled) plane, jet; ~*(en)* ook: jet aircraft; **–zender** (-s) *m* ray (beam) transmitter

straat (straten) *v* 1 (v. s t a d) street; 2 (z e e - s t r a a t) straits; *l a n g s de* ~ *slingeren* knock (gad) about the streets; *o p* ~ in the street(s); *op* ~ *lopen* walk (run) about the streets; *op* ~ *staan* be on the streets; *iem. op* ~ *zetten* turn sbd. into the street; *hij is niet v a n de* ~ *opgeraapt* he was not picked out of the gutter; **–arm** very poor, as poor as a church-mouse; **–beeld** (-en) *o* streetscape; **–collecte** (-s en -en) *v* street collection; **–deun** (-en) *m* street-song, street-ballad; **–deur** (-en) *v* street-door, front door; **–fotograaf** (-grafen) *m* street photographer; **–gevecht** (-en) *o* street fight; ~*en* street fighting; **–handel** *m* street sale, street vending (hawking); **–handelaar** (-s en -laren) *m* street trader; **–hond** (-en) *m* mongrel, cur; **–jongen** (-s) *m* street-boy; **–kei** (-en) *m* cobble(-stone); **–lantaarn, –lantaren** (-s) *v* street-lamp; **–lied(je)** (-liederen en -liedjes) *o* street-song, street-ballad; **–maker** (-s) *m* road-maker, paviour; **–muzikant** (-en) *m* street-musician; **–naam** (-namen) *m* street-name; **–naambordje** (-s) *o* street-sign; **–orgel** (-s) *o* street-organ, barrel-organ; **–roof** *m* street-robbery; **–rover** (-s) *m* street-robber; **straatrove'rij** (-en) *v* street-robbery

'Straatsburg *o* Strasbourg

'straatschender (-s) *m* street rough, hooligan; **straatschende'rij** (-en) *v* disorderliness in the street(s), hooliganism; **'straatslijpen** *va* loaf about the streets; **–er** (-s) *m* street-lounger, loafer; **'straatstamper** (-s) *m* paviour's beetle, rammer; **–steen** (-stenen) *m* paving-stone; *iets aan de straatstenen niet kwijt kunnen* not be able to sell sth. for love or money; **–taal** *v* language of the street; **–veger** (-s) *m* (m a n; m a c h i n e) road-sweeper, street-sweeper; **–venter** (-s) *m* street-vendor, hawker; **–verlichting** *v* street-lighting; **–vuil** *o* street-refuse; **–weg** (-wegen) *m* high road; **–werker** (-s) *m* road-maker, paviour; **–zanger** (-s) *m* street-singer, busker

1 straf (-fen) *v* punishment, penalty; ~ *krijgen* be (get) punished; *het brengt zijn eigen* ~ *mee* it carries its own punishment; *voor (zijn)* ~ as a punishment, for punishment, by way of punishment; *de* ~ *volgt op de zonde* punishment follows sin

2 straf I *aj* severe, stern [looks]; stiff [drink]; strong [tea]; **II** *ad* [look] severely, sternly

'strafbaar punishable; penal [offences]; *als* ~ *beschouwen* criminate; **–bankje** (-s) *o* dock; **–bepaling** (-en) *v* penal provision; penalty clause [in contract]; **–blad** (-bladen) *o* = *strafregister*; **–exerceren** *o* ⚔ pack drill; **–expeditie** [-(t)si.] (-s) *v* ⚔ punitive expedition; **'straffe** *op* ~ *van* on penalty of; *op* ~ *des doods* upon pain of death; **–loos** unpunished, with impunity; **straffe'loosheid** *v* impunity; **'straffen** (strafte, h. gestraft) *vt* punish; *met boete* ~ punish by a fine; *met de dood* ~ punish with death; **'strafgericht** *o* punishment, judgement [of God]; **–gevangenis** (-sen) *v* (convict) prison; **–inrichting** (-en) *v* penal establishment; **–kolonie** (-s en -iën) *v* penal (convict) settlement, penal (convict) colony; **–maat** *v* sentence, degree of penalty (punishment); **–maatregel** (-s en -en) *m* punitive measure; **–middel** (-en) *o* means of punishment; **–oefening** (-en) *v* execution; **–port** *o* & *m* additional postage, extra postage, surcharge; **–preek** (-preken) *v* lecture, **F** talking-to; **–proces** (-sen) *o* criminal procedure (proceedings); **–punt** (-en) *o een mededinger 10* ~*en geven* penalize a competitor 10 points; **–recht** *o* criminal law; **straf'rechtelijk** of criminal law, criminal; **'strafrechter** (-s) *m* criminal judge; **–regels** *mv* ✎ lines; **–register** (-s) *o* ⚖ police record, criminal record; *een schoon ~ hebben* have a clean record; **–schop** (-pen) *m* penalty kick; **–schopgebied** (-en) *o* penalty area; **–tijd** *m* term of imprisonment; **–vervolging** *v* prosecution, criminal action; **–vordering** (-en) *v* criminal procedure (proceedings); **–werk** *o* ✎ imposition, detention work; **–wet** (-ten) *v* penal law; **–wetboek** (-en) *o* penal code; **–wetgeving** *v* penal legislation; **–zaak** (-zaken) *v* criminal case

strak I *aj* tight, taut, stiff; *fig* fixed [looks], set [face]; *een ~ touw* a taut (tight) rope; **II** *ad ~ aanhalen* tighten, tauten [a rope]; *~ aankijken* look fixedly at; **–heid** *v* tightness, stiffness; fixedness [of his gaze]

'strak(je)s 1 presently, by and by; 2 just now, a little while ago; *tot ~!* so long!

'stralen (straalde, h. gestraald) *vi* beam, shine, radiate[2]; **'stralenbundel** (-s) *m* pencil of rays, beam; **'stralend** radiant; **'stralenkrans** (-en) *m* aureole, nimbus, halo; **'straling** (-en) *v* radiation; **'stralingsgevaar** *o* radiation danger; **–gordel** (-s) *m* radiation belt; **–ziekte** *v* radiation illness

stram stiff, rigid; **–heid** *v* stiffness, rigidity

stra'mien *o* canvas

strand (-en) *o* beach; (k u s t) shore; *spelende kinderen op het ~* children playing on the sand(s); *op het ~ lopen* run aground; *op het ~ zetten* run ashore, beach; **–boulevard** [-bu.lə-va:r] (-s) *m* marine parade, (beach) promenade, sea-front; **–dief** (-dieven) *m* = *strandjut(ter)*; **'stranden** (strandde, is gestrand) *vi* strand, run aground; *fig* come to grief (upon *op*); **'strandgoed** (-eren) *o* wrecked goods, wreck, jetsam, flotsam; **–hotel** (-s) *o* sea-front hotel; **–ing** (-en) *v* ⚓ stranding, grounding; **–jut(ter)** (-jutten en -jutters) *m* wrecker, beachcomber; **–kleding** *v* beach wear; **–loper** (-s) *m* 🐦 sanderling; **–piama, –pyjama** ('s) *m* beach pyjamas; **–schoenen** *mv* sand-shoes; **–stoel** (-en) *m* beach chair, (g e v l o c h t e n) beehive chair; **–vond** *m* = *strandgoed*; **–vonder** (-s) *m* receiver of wreck, wreck-master

stra'patsen *mv* antics; *~ maken* [*fig*] be extravagant

stra'teeg (-tegen) *m* strategist; **strate'gie** [-'ʒi., -'gi.] (-ieën) *v* strategy, strategics; **stra'tegisch** strategic(al)

'stratemaker (-s) *m* roadman, pavier, paviour

stratifi'catie [-'ka.(t)si.] *v* stratification

strato'sfeer *v* stratosphere

'streber (-s) *m* careerist, go-getter

streed (streden) V.T. van *strijden*

'streefcijfer (-s) *o* target figure, target; **–datum** (-s en -data) *m* target date

1 streek (streken) 1 *v* stroke [with the pen, of the bow on a stringed instrument &]; tract; district, region, part of the country; point [of the compass]; 2 *m* & *v* (l i s t, p o e t s) trick; *dat is net een ~ voor hem* it is just like him; *gekke streken* foolish pranks, tomfoolery; *een gemene (smerige) ~* a dirty trick; *een stomme ~* a stupid move; *we zullen hem die streken wel afleren* we shall teach him; *lange streken maken (bij het schaatsen)* skate with long strokes; *een ~ uithalen* play a trick; • *i n deze ~* in this region, in these parts; *in de ~ van de lever* in the region of the liver; *weer o p ~ komen* get into one's stride again; *goed op ~ zijn* be in splendid form; *morgen zijn we weer op ~* to-morrow we shall be in the old groove again; *hij was helemaal v a n ~* he was quite upset; *mijn maag is van ~* my stomach is out of order; *dat heeft hem van ~ gebracht* that's what has upset him

2 streek (streken) V.T. van *strijken*

'streekplan (-nen) *o* regional plan; **–roman** (-s) *m* regional novel; **–taal** (-talen) *v* dialect

streep (strepen) *v* stripe, streak, stroke, dash, line; *A—* [g e l e z e n: A ~] A— A dash; *dat was voor hem een ~ door de rekening* there he was out in his calculations; *er loopt bij hem een ~ door* he has a tile loose; *er maar een ~ door halen* strike it out, cancel it[2]; *ergens een ~ onder zetten* let bygones be bygones, have done with sth.; *op zijn strepen staan* pull rank on sbd.; **–je** (-s) *o* dash; *een ~ vóór hebben* be the favourite; **'streepjesbroek** (-en) *v* striped trousers; **–goed** *o* striped material

'strekdam (-men) *m* breakwater

'streken V.T. meerv. van *strijken*

'strekken (strekte, h. gestrekt) **I** *vi* stretch, reach, extend; *per ~de meter* per running meter; *~ om...* serve to...; *~de tot het welslagen van de onderneming* tending (conducive) to the succes of the enterprise; zie ook: *eer, schande* &; **II** *vt* stretch, extend; **III** *vr zich ~* stretch oneself [in the grass &]; **–king** *v* tendency, purport, drift; *de ~ hebbend om...* purporting to...; *van dezelfde ~* of the same tenor; in the same vein

streks *aj ~e steen* stretcher

'strekspier (-en) *v* (ex)tensor

'strelen (streelde, h. gestreeld) *vt* stroke, caress; *fig* flatter; *dat streelt zijn ijdelheid* it tickles his vanity; *de zinnen ~* gratify the senses; **–d** *fig* flattering; **'streling** (-en) *v* stroking, caress

'stremmen I (stremde, is gestremd) *vi* congeal, coagulate [of blood]; curdle [milk]; **II** (stremde, h. gestremd) *vt* 1 congeal, coagulate; curdle; 2 stop, obstruct, block [the traffic]; **–ming** (-en) *v* 1 congelation, coagulation; curdling; 2 obstruction, stoppage; **'stremsel** *o* (v. k a a s) rennet

1 streng (-en) *v* strand [of rope], skein [of yarn];

trace [for horse]

2 streng I *aj* 1 (i n 't a l g.) severe [look, discipline, sentence, master, winter &]; 2 (v a n u i t e r l ij k) severe, stern [countenance], austere [mien]; 3 (o p v a t t i n g) stern [ruler, treatment, rebuke, virtue, father]; rigid [justice, Catholics]; strict [parents, masters, discipline]; stringent [rules]; austere [morals]; rigorous [winter, execution of the law, definition]; close [examination]; **II** *ad* severely &; strictly [scientific]; closely [guarded]

'strengel (-s) *m* strand [of hair]

'strengelen (strengelde, h. gestrengeld) *vt* & *vr* twine, twist [about, round]; **–ling** (-en) *v* twining, twisting

'strengheid *v* severity, rigour, sternness

'strepen (streepte, h. gestreept) *vt* stripe, streak

'streven (streefde, h. gestreefd) **I** *vi* strive; *~ naar* strive after (for), strain after, aim at, aspire after (to); *er naar ~ om...* strive to..., endeavour to...; *opzij ~* emulate; **II** *o zijn ~* his ambition, his study, his endeavours; *het zal mijn ~ zijn om...* it will be my study (my endeavour) to...

'stribbeling (-en) = *strubbeling*

striem (-en) *v* stripe, wale, weal; **'striemen** (striemde, h. gestriemd) *vt* lash[2]

strijd (-en) *m* fight, combat, battle, conflict, contest, struggle; contention, strife; *inwendige ~* inward struggle; *de ~ om het bestaan* the struggle for life; *de ~ aanbinden met* join issue with; *de ~ aanvaarden* (*met*) accept battle, join issue (with); *dat heeft een zware ~ gekost* it has been a hard fight; *de ~ opgeven* abandon the contest, throw up the sponge; *~ voeren* (*tegen*) wage war (against); ● *i n ~ met de afspraak* (*met de regels*) contrary to our agreement (the rules); *in ~ met de waarheid* at variance with the truth; *die verklaringen zijn met elkaar in ~* these statements clash; *o m ~ boden zij hun diensten aan* they vied with each other as to who should be the first to...; *t e n ~e trekken* go to war; *op, ten ~e!* on!; *z o n d e r ~* without a fight, without a struggle; **–baar** capable of bearing arms, warlike; *fig* fighting, militant [spirit]; **–baarheid** *v* fighting spirit, militancy; **–bijl** (-en) *v* battle-axe, broad-axe; *de ~ begraven* bury the hatchet; **'strijden* I** *vi* fight, combat, battle, struggle, contend; *~ m e t* fight against (with); *fig* clash with, be contrary to...; *~ t e g e n* fight against; *~ v o o r* fight for; **II** *vt de goede strijd ~* fight the good fight; **–d** fighting, contending; *de ~e kerk* the church militant; **'strijder** (-s) *m* fighter, combatant, warrior; **'strijdgenoot** (-noten) *m* brother in arms; **–gewoel** *o* turmoil of battle; **–ig** conflicting[2], *fig* discrepant, contradictory, contrary; *~ met* contrary to, incompatible with; **–igheid** (-heden) *v* contrariety; **–krachten** *mv* armed forces; **–kreet** (-kreten) *m* war-cry, war-whoop, slogan; **–leus, –leuze** (-leuzen) *v* battle-cry; zie ook: *strijdkreet*; **–lied** (-eren) *o* battle song, battle hymn; **–lust** *m* combativeness, pugnacity; **strijd'lustig** combative, pugnacious, militant; **'strijdmakker** (-s) *m* comrade in arms; **–middel** (-en) *o* weapon; **–perk** (-en) *o* lists, arena; *in het ~ treden* enter the lists; **–ros** (-sen) *o* war-horse, battle-horse; **–schrift** (-en) *o* controversial (polemic) pamphlet; **strijd'vaardig** ready to fight; **–heid** *v* readiness to fight; **'strijdvraag** (-vragen) *v* question at issue, issue; **–wagen** (-s) *m* chariot

strijk *~ en zet* every moment, again and again; invariably [at 7 o'clock]; **strij'kage** [-ʒə] (-s) *v* bow; *~s maken* bow and scrape (to *voor*); **'strijkbout** (-en) *m* heater; **–concert** (-en) *o* concert for strings; **–deken** (-s) *v* ironing-cloth, ironing-blanket; **–elings** = *rakelings*; **'strijken* I** *vi ~ l a n g s...* brush past...; skim [the water]; *hij is m e t alle koopjes* (*prijzen*) *gaan ~* he has snapped up all the bargains, the prizes were all scooped up by him; *hij is met de winst gaan ~* he has scooped up the profits; *wij hebben gekaart, hij is alweer met de winst gaan ~* he has swept the board; *de wind streek o v e r de velden* the wind swept the fields; *hij streek met de hand over het voorhoofd* he passed his hand across his brow; **II** *va* iron; **III** *vt* smooth [cloth]; iron [linen]; stroke [with the hand]; *een boot ~* lower (get out) a boat; *de vlag ~* strike (lower) the flag (one's colours); zie ook: *riem* & *vlag*; *een zeil ~* lower a sail; *de zeilen ~* strike sail; *het haar n a a r achteren ~* smooth back one's hair; *hij streek haar o n d e r de kin* he chucked her under the chin; *kalk o p een muur ~* spread plaster on a wall; *kreukels u i t het papier ~* smooth out creases; **–er** (-s) *m de ~s* ♪ the strings; **'strijkgeld** (-en) *o* lot money, premium; **–goed** *o* linen (clothes) to be ironed, [a pile of] ironing; **–ijzer** (-s) *o* flat-iron, iron; *elektrisch ~* electric iron; **–instrument** (-en) *o* stringed instrument; *voor ~en* ook: for strings; **–je** (-s) *o* string band; **–kwartet** (-ten) *o* string(ed) quartet(te); **–licht** *o* floodlight; **–muziek** *v* string-music; **–orkest** (-en) *o* string orchestra, string band; **–plank** (-en) *v* ironing-board; **–stok** (-ken) *m* 1 ♪ bow, fiddlestick; 2 (b ij m a t e n) strickle, strike; *er blijft heel wat aan maat- en ~ hangen* much sticks to the fingers [of the officials]

strik (-ken) *m* 1 (o m t e v a n g e n) snare[2], noose, gin [to catch birds]; 2 (o p j a p o n & v a n l i n t) knot, bow; (i n s i g n e) favour; 3 (d a s j e) bow(-tie); *een ~ maken* make a knot;

~ken spannen lay snares[2]; *iem. een ~ spannen* lay a snare for sbd.; *in zijn eigen ~ gevangen raken* be caught in one's own trap; *hij haalde bijtijds zijn hoofd uit de ~* he got his head out of the noose in time; **–das** (-sen) *v* bow(-tie); **–je** (-s) *o* bow; (*allerlei*) *~s en kwikjes* gewgaws, fal-lals; **'strikken** (strikte, h. gestrikt) *vt* 1 tie; 2 (v a n g e n) snare[2] [birds, gullible people]

strikt I *aj* strict, precise, rigorous; **II** *ad* strictly; *~ genomen* strictly speaking; **–heid** *v* strictness, precision

'strikvraag (-vragen) *v* catch

strip (-pen en -s) *m* strip; ✈ strip, tract; (b e e l d v e r h a a l) comic strip; **–boek** (-en) *o* comic (strip), picture-book; **'strippen** (stripte, h. gestript) *vt* strip, stem [tobacco]; **F** strip, do a striptease act; **'stripverhaal** (-halen) *o* picture strip, comic strip

stro *o* straw; **–achtig** strawy; **–bed** (-den) *o* straw-bed; **–bloem** (-en) *v* immortelle; **–blond** flaxen; **–bos** (-sen) *m* bundle of straw

strobo'scoop (-scopen) *m* stroboscope; **strobo'scopisch** stroboscopic

'strobreed *iem. geen ~ in de weg leggen* not put the slightest obstacle in sbd.'s way; **–dak** (-daken) *o* thatched roof; **–dekker** (-s) *m* thatcher

stroef I *aj* stiff[2] [hinge, piston & translation]; harsh [features]; stern [countenance]; jerky [verse]; **II** *ad* stiffly[2]; **–heid** *v* stiffness, harshness &

'strofe (-n) *v* strophe; **'strofisch** strophic

'strogeel straw-yellow, straw-coloured; **–halm** (-en) *m* straw; *zich aan een ~ vasthouden* catch at a straw; **–hoed** (-en) *m* straw hat, straw; **–huls** (-hulzen) *v* straw case; **–karton** *o* straw-board

'stroken (strookte, h. gestrookt) *vi ~ met* be in keeping with

'strokenproef (-proeven) *v* galley-sheet, galley-proof

'strokleurig straw-coloured; **–leger** (-s) *o* bed of straw; **–man** (-nen) *m* man of straw, dummy; **–mat** (-ten) *v* straw mat; **–matras** (-sen) *v* & *o* straw mattress

'stromen (stroomde, h. en is gestroomd) *vi* stream, flow; *~ van de regen* teem with rain; *~ naar* [*fig*] flock to; *het stroomt er naar toe* they are flocking to the place; *de tranen stroomden haar over de wangen* the tears streamed down her cheeks; **–d** streaming [rain], running [water]; **'stroming** (-en) *v* current[2], *fig* trend

'strompelen (strompelde, h. en is gestrompeld) *vi* stumble, hobble, totter

stronk (-en) *m* 1 (v. b o o m) stump, stub; 2 (v. k o o l) stalk; 3 (v. a n d ij v i e) head

stront *m* **P** 1 excrement, muck; shit; 2 (r u z i e) quarrel, squabble

'strontium ['stròntsi.üm] *o* strontium

'strontje (-s) *o* sty, stye

'strooibiljet (-ten) *o* handbill, leaflet, throw-away; **–bus** (-sen) *v* dredger, sprinkler, castor

1 'strooien *aj* straw; *een ~ hoed* a straw hat

2 'strooien (strooide, h. gestrooid) **I** *vt* strew, scatter [things], sprinkle [salt], dredge [sugar &]; **II** *va* throw [nuts, apples &] to be scrambled for [on St. Nicholas' Eve]; **–er** (-s) *m* (v o o r w e r p) dredger, sprinkler, castor; **'strooisel** *o* litter; **'strooisuiker** *m* castor sugar

strook (stroken) *v* strip [of cloth, paper, territory]; slip [of paper]; band, flounce [of a dress]; counterfoil [of receipt &]; label [indicating address]; ✆ tape [of recording telegraph]

stroom (stromen) *m* 1 (h e t s t r o m e n) stream[2], current [of a river]; 2 ⚡ current; 3 (r i v i e r) stream, river; 4 *fig* flow [of words]; *een ~ van mensen* (*tranen*) a stream of people (tears); *de ~ van zijn welsprekendheid* the tide of his eloquence; • *b ij stromen* in streams, in torrents; *m e t de ~ meegaan* go with the stream; *o n d e r ~* ⚡ live [wire], charged; *niet onder ~* ⚡ dead; *o p ~ liggen* ⚓ be in mid-stream; *t e g e n de ~ inroeien* row against the stream; *vele gezinnen zaten z o n d e r ~* many homes were without power; **stroom'af(waarts)** down the river, downstream; **'stroombed** (-den) *o* river-bed; **–draad** (-draden) *m* electric wire; **–gebied** (-en) *o* (river-)basin, water shed; **–kabel** (-s) *m* electric (power) cable; **–kring** (-en) *m* circuit; **–levering** *v* current supply; **–lijn** (-en) *v* streamline; **'stroomlijnen** (stroomlijnde, h. gestroomlijnd) *vt* streamline; **stroom'op(waarts)** up the river, upstream; **'stroomsterkte** (-n en -s) *v* ⚡ strength of current; **–verbruik** *o* consumption of current, current consumption; **–versnelling** (-en) *v* rapid; **–wisselaar** (-s) *m* commutator

stroop (stropen) *v* 1 (d o n k e r) treacle; 2 (l i c h t) syrup; *iem. ~ om de mond smeren* butter sbd. up; **–achtig** 1 treacly; 2 syrupy; **–je** (-s) *o* syrup; **–kwast** (-en) *m met de ~ lopen* butter up people; **'strooplikken** *va* toady; **–er** (-s) *m* lickspittle, toady; **strooplikke'rij** *v* toadyism

'stroopnagel (-s) *m* hang nail, agnail

'strooppot (-ten) *m* treacle-pot; *met de ~ lopen* butter up people

'strooptocht (-en) *m* predatory incursion, raid

'stroopwafel (-s) *v* treacle waffle

'strootje (-s) *o* 1 straw; 2 straw cigarette [in the East]; *~ trekken* draw straws; *over een ~ vallen* stumble at a straw

strop (-pen) *m* & *v* 1 (o m i e m a n d o p t e h a n g e n) halter, rope; 2 (v o o r w i l d) snare; 3 (aan laars) strap; 4 ⚓ strop; grummet; *dat is een ~* (geldelijk nadeel) it is a bad loss, a bad bargain; ('n tegenvaller) bad luck!; *iem. de ~ om de hals doen* put the halter round sbd.'s neck; *hij werd veroordeeld tot de ~* he was condemned to be hanged, he was sentenced to death by hanging

'stropapier *o* straw-paper

'stropdas (-sen) *v* 1 (ouderwets) stock; 2 (zelfbinder) knotted tie

'stropen (stroopte, h. gestroopt) **I** *vi* (v. wilddieven) poach; 2 (v. andere dieven) maraud, pillage; **II** *vt* 1 strip [a branch of its leaves, a tree of its bark]; skin [an eel, a hare]; 2 poach [game]; **–er** (-s) *m* 1 poacher [of game]; 2 marauder

'stroperig treacly², syrupy²

strope'rij (-en) *v* 1 poaching [of game]; 2 marauding

'stropop (-pen) *v* = *stroman*

'stroppen (stropte, h. gestropt) *vt* snare

'strosnijder (-s) *m* straw-cutter

strot (-ten) *m* & *v* throat; *hij heeft zich de ~ afgesneden* he has cut his throat; **–klepje** (-s) *o* epiglottis; **–tehoofd** (-en) *o* larynx

'strovuur *o* 1 straw fire; 2 *fig* flash in the pan; **–wis** (-sen) *v* wisp of straw; **–zak** (-ken) *m* straw mattress, pallet

'strubbeling (-en) *v* difficulty, trouble; *dat zal ~en geven* there will be trouble

structu'reel structural; **structu'reren** (structureerde, h. gestructureerd) *vt* structure; **–ring** (-en) *v* structuring; **struc'tuur** (-turen) *v* structure [of organism]; texture² [of skin, a rock, a literary work]; **–formule** (-s) *v chem* structural formula

struif (struiven) *v* 1 contents of an egg; 2 omelet(te)

struik (-en) *m* bush, shrub

'struikelblok (-ken) *o* stumbling-block, obstacle; **'struikelen** (struikelde, h. en is gestruikeld) *vi* stumble, trip²; *wij ~ allen wel eens* we are all apt to trip; *~ over een steen* be tripped up by a stone; *~ over zijn eigen woorden* stumble over one's own words; *iem. doen ~* trip sbd. up²; **–ling** (-en) *v* stumbling, stumble

'struikgewas *o* shrubs, bushes, brushwood, scrub; **–hei(de)** *v* ✿ ling; **–rover** (-s) *m* highwayman; **struikrove'rij** (-en) *v* highway robbery

1 struis *aj* robust, sturdy

2 struis (-en) *m* 🐦 = *struisvogel*; **–veer** (-veren) *v* ostrich feather, ostrich plume; **–vogel** (-s) *m* ostrich; **–vogelpolitiek** *v* ostrich policy

'struma *o* & *m* goitre

⊙ **stru'weel** (-welen) *o* shrubs

strych'nine [strɪx-] *v* en *o* strychnine

stuc [sty.k] *o* stucco

stu'deerkamer (-s) *v* study; **–lamp** (-en) *v* reading-lamp; **–vertrek** (-ken) *o* = *studeerkamer*; **stu'dent** (-en) *m* student, undergraduate; **stu'dentenbond** (-en) *m* student's association; **–corps** [-kɔ:r] (-corpora) *o* ± students' society, fraternity; **–grap** (-pen) *v* students' prank; **–haver** *v* nuts and raisins; **–jaren** *mv* college years; **–korps** (-en) = *studentencorps*; **–leven** *o* college life; **–lied** (-eren) *o* students' song; **–pastor** (-s) *m* college chaplain, student pastor; **–sociëteit** [-so.si.e.tɛit] (-en) *v* students' club; **–tijd** *m* student days, college days; **studenti'koos** student-like; **stu'deren** (studeerde, h. gestudeerd) *vi* 1 study; read [for an examination, a degree]; be at college; 2 ♪ practise; *heeft hij aan de universiteit gestudeerd?* is he a University man?; *hij heeft in Winchester en Oxford gestudeerd* he was educated at W. and O.; *wij kunnen hem niet laten ~* we cannot send him to college; (*in*) *talen ~* study languages; (*in de*) *rechten* (*wiskunde* &) *~* study law (mathematics &); *erop ~ om...* study to...; *op de piano ~* practise the piano; **'studie** (-s en -iën) *v* 1 (in 't alg.) study [also in painting & ♪]; 2 ⊜ preparation [of lessons]; *~ maken van* make a study of...; *in ~ nemen* study [a proposal]; put [a play] in rehearsal; *op ~ zijn* ⊜ be at college (at school); *een man van ~* a man of studious habits, a student; **–beurs** (-beurzen) *v* scholarship, bursary, exhibition, grant; **–boek** (-en) *o* text-book; **–cel** (-len) *v* carrel; **–commissie** (-s) *v* research committee, study group; **–fonds** (-en) *o* foundation; **–groep** (-en) *v* study group; working party; **–jaar** (-jaren) *o* year of study; *ik ben in het eerste ~* I am in the first standard (form); **–kop** (-pen) *m* 1 [painter's] study of a head; 2 head for learning; **–kosten** *mv* college expenses; **–reis** (-reizen) *v* study tour; **–richting** (-en) *v* subject, branch of science; **–tijd** *m* years of study, college days; **–toelage** (-n) *v* = *studiebeurs*; **–vak** (-ken) *o* subject [of study]; **–verlof** *o* leave; **–vriend** (-en) *m* student (college) friend

'studio ('s) *m* studio

stuf *o* (india-)rubber, [ink-]eraser; **'stuffen** (stufte, h. gestuft) *vt* erase, rub out

stug I *aj* 1 stiff; 2 surly; **II** *ad* 1 stiffly; 2 surlily; **–heid** *v* 1 stiffness; 2 surliness

'stuifmeel *o* pollen; **–sneeuw** *v* flurry of snow; **–zand** *o* drift sand; **–zwam** (-men) *v* puff-ball

stuip (-en) *v* convulsion, fit; *fig* whim; *~en* fits of infants; *zich een ~ lachen* be convulsed with laughter; *iem. de ~en op het lijf jagen* give sbd. a fit; **–achtig** convulsive; **'stuiptrekken** (stuiptrekte, h. gestuiptrekt) *vi* be (lie) in

convulsions; **–d** convulsive; **'stuiptrekking** (-en) *v* convulsion, twitching
'stuit(been) (stuiten, -beenderen) *v* (*o*) coccyx
'stuiten I (stuitte, h. gestuit) *vt* 1 stop, check, arrest, stem; 2 *fig* shock, offend; *het stuit me* (*tegen de borst*) it goes against the grain with me; **II** (stuitte, is gestuit) *vi* bounce [of a ball]; ~ *o p moeilijkheden* meet with difficulties; ~ *t e g e n een muur* strike a wall; **–d** offensive, shocking
'stuiter (-s) *m* big marble, taw
'stuiven* *vi* fly about; dash, rush; *het stuift* there is a dust; *hij stoof de kamer in* he dashed into the room; *hij stoof de kamer uit* he ran out of the room
'stuiver (-s) *m* five cent piece, ⚒ penny; ⚒ stiver; *ik heb geen* ~ I have not got a stiver; *hij heeft een aardige* (*mooie*) ~ *verdiend* he has earned a pretty penny; **–sroman** (-s) *m* yellowback, penny-dreadful, *Am* dime novel; **–stuk** (-ken) *o* five cent piece; **–tje** (-s) *o* five cent piece; ~ *wisselen* (play) puss in the corner
stuk (-ken en -s) **I** *o* 1 (v. g e h e e l) piece, part, fragment; 2 (l a p) piece; 3 (v u u r m o n d) gun, piece (of ordnance); 4 (s c h a a k s t u k) piece, (chess-)man; 5 (d a m s c h ij f) (draughts)man; 6 (s c h r i f t s t u k) paper, document; article [in a periodical]; $ security; 7 (t o n e e l s t u k) play, piece; 8 (s c h i l d e r - s t u k) piece, picture; 9 (a a n t a l) head [of cattle]; 10 **S** (m e i s j e) bint, crumpet; *ingezonden* ~ zie *ingezonden*; *een stout* ~ a bold feat; *een* ~ *artiest* a bit of an artist; *een* ~ *neef van me* a sort of cousin of mine; *een mooi* ~ *werk* a fine piece of work; *een* ~ *wijn* a piece of wine; *een* ~ *zeep* a piece (a cake) of soap; *een* ~ *of vijf* (*tien*) four or five; nine or ten; *een* (*heel*) ~ *ouder*, ~*ken ouder* a good deal older; *een* ~ *verder* well ahead; *een* ~ *beter* much better; ~*ken en brokken* odds and ends; *vijf gulden het* ~ five guilders apiece; five guilders each; *vijftig* ~*s* fifty; *vijftig* ~*s vee* fifty head of cattle; *een* ~ *in zijn kraag hebben* be in one's cups; *zijn* ~*ken inzenden* send in one's papers; ● *a a n één* ~ of one piece; *uren aan één* ~ (*door*) for hours at a stretch, on end; *aan het* ~ in the piece; *aan* ~*ken breken* (*scheuren* &) break (tear) to pieces; *b ij* ~*ken en brokken* piecemeal, bit by bit, piece by piece; *i n één* ~ *dóór* at a stretch; *het schip sloeg in* ~*ken* was dashed to pieces; *o p* ~ *werken* work by the piece; *op geen* ~*ken na* not by a long way; *het is op geen* ~*ken na genoeg om te...* it is nothing like enough to...; *op het* ~ *van politiek* in point of (in the matter of) politics; *op* ~ *van zaken* after all; when it came to the point; *op zijn* ~ *blijven staan* keep (stick) to one's point; *zoveel p e r* ~ so much apiece, each; *per* ~ *verkopen* sell by the piece (singly, in ones); *u i t één* ~ of one piece; *hij is een man uit één* ~ he is a plain, downright fellow; *iem. v a n zijn* ~ *brengen* upset sbd.; *van zijn* ~ *raken* be upset; *hij is klein van* ~ he is of a small stature, short of stature; ~ *v o o r* ~ one by one; **II** *aj* broken; out of order, in pieces, gone to pieces
stuka'door (-s) *m* plasterer, stucco-worker; **–swerk** *o* plastering, stucco(-work); **stuka'doren** (stukadoorde, h. gestukadoord) **I** *vt* plaster, stucco; **II** *vi* & *va* work in plaster
'stukbreken[1] *vt* break [it] to pieces; **–gaan**[1] *vi* break, go to pieces
'stukgoederen *mv* 1 $ [textile] piece-goods; 2 ⚓ (l a d i n g) general cargo
'stukgooien[1] *vt* smash
'stukje (-s) *o* bit; *een kranig* ~ a fine feat; *van* ~ *tot beetje vertellen* tell in detail
'stuklezen[1] *vt* read to pieces (to shreds)
'stukloon (-lonen) *o* piece-wage, task-wage
'stukmaken[1] *vt* break, smash; **–scheuren**[1] *vt* tear to pieces, tear up
'stuksgewijs, –gewijze piecemeal
'stukslaan[1] *vt* smash, knock to pieces; *veel geld* ~ make the money fly; **–smijten**[1] *vt* smash; **–trappen**[1] *vt* kick to pieces; **–vallen**[1] *vi* fall to pieces
'stukwerk *o* piece-work; **–er** (-s) *m* piece-worker
stulp (-en) *v* hut, hovel; zie ook: *stolp*
'stulpen (stulpte, h. gestulpt) *vt* turn inside out
'stumper (-s) = *stumperd*; **–achtig** = *stumperig*; **'stumperd** (-s) *m arme* ~*!* poor wretch; poor thing; **'stumperig** 1 bungling; 2 wretched
'stuntelen (stuntelde, h. gestunteld) *vi* fumble, muff, bungle; **'stuntelig I** *aj* clumsy; **II** *ad* clumsily
'stuntvliegen *o* stunt-flying, aerobatics; **–er** (-s) *m* stunt man
stu'pide stupid; **stupidi'teit** (-en) *v* stupidity
'sturen (stuurde, h. gestuurd) **I** *vt* 1 (z e n d e n) send; 2 (b e s t u r e n) steer [a ship, a motor-car], drive [a car]; *iem. o m iets* ~ send sbd. for sth.; *een kind de kamer u i t* ~ order a child out of the room; *een speler uit het veld* ~ *sp* send (order) a player off the field; **II** *vi* & *va* ⚓ steer; drive; *wij stuurden n a a r Engeland* we steered (our course) for England; *o m de dokter* ~ send for the doctor; *ik zal er om* ~ I'll send for it
stut (-ten) *m* prop, support[2], stay[2]; **'stuthout** *o*

[1] V.T. en V.D. van dit werkwoord volgens het model: **'stuk**maken, V.T. maakte **'stuk**, V.D. **'stuk**gemaakt. Zie voor de vormen onder het grondwoord, in dit voorbeeld: *maken*. Bij sterke en onregelmatige werkwoorden wordt u verwezen naar de lijst achterin.

sprag; **'stutten** (stutte, h. gestut) *vt* prop, prop up, shore (up), support, buttress up, underpin[2]
stuur (sturen) *o* 1 helm, rudder [of a ship]; 2 handle-bar [of a bicycle]; 3 wheel [of a motor-car]; *links* (*rechts*) ~ 🚗 left-hand (right-hand) drive; **–as** (-sen) *v* ⚒ steering shaft; **–bekrachtiging** *v* power steering; **–boord** *o* starboard; zie ook: *bakboord*; **–groep** (-en) *v* steering committee; **–huis** (-huizen) *o* ⚓ wheel-house; (v. a u t o) steering box; **–hut** (-ten) *v* ✈ cockpit; **–inrichting** (-en) *v* steering-gear; **–knuppel** (-s) *m* control stick, control column; **–kolom** (-men) *v* steering column; **–kunde** *v* cybernetics; **–loos** out of control; **–man** (-lui en -lieden) *m* ⚓ 1 steersman, mate [chief, second]; man at the helm; 2 coxswain [of a boat], *sp* cox [of a racing boat]; *de beste stuurlui staan aan wal* bachelors' wives and maidens' children are well taught; **–manskunst** *v* (art of) navigation; **–mechanisme** (-n) *o* homing device; **–rad** (-raderen) *o* steering-wheel; **–reep** (-repen) *m* tiller-rope
stuurs surly, sour; **–heid** *v* surliness, sourness
'stuurslot (-sloten) *o* steering (column) lock; **–stang** (-en) *v* 1 (v. f i e t s) handlebar; 2 🚗 drag link; 3 ✈ **S** joy-stick; **–stoel** (-en) *m* ✈ pilot's seat; **–wiel** (-en) *o* steering wheel
stuw (-en) *m* weir, dam, barrage
stuwa'door (-s) *m* ⚓ stevedore
stu'wage [-ʒə] *v* ⚓ stowage
'stuwbekken (-s), **–meer** (-meren) *o* storage lake; **–dam** (-men) *m* = *stuw*; **'stuwen** (stuwde, h. gestuwd) *vt* 1 ⚓ stow [the cargo]; 2 (v o o r t b e w e g e n) propel; 3 (t e g e n h o u d e n) dam up [the water]; **–er** (-s) *m* ⚓ stower, stevedore; **'stuwing** (-en) *v* congestion; **'stuwkracht** (-en) *v* propulsive (impulsive) force; *fig* driving power
'subagent ['süpa.gɛnt] (-en) *m* sub-agent
subal'tern **subaltern**
'subcommissie (-s) *v* subcommittee
'subcontinent (-en) *o* subcontinent
'subdiaken (-s) *m* subdeacon
su'biet I *aj* sudden; **II** *ad* suddenly; at once
'subject (-en) *o* subject; **subjec'tief** subjective; **subjectivi'teit** *v* subjectivity
su'bliem sublime
subli'maat (-maten) *o* 1 sublimate; 2 mercury chloride; **subli'meren** (sublimeerde, h. gesublimeerd) *vt* sublimate
subsidi'air [-'ɛ:r] in the alternative, with the alternative of
sub'sidie (-s) *v* & *o* subsidy, subvention, grant; **subsidi'ëren** (subsidieerde, h. gesubsidieerd) *vt* subsidize; **–ring** *v* subsidization
sub'sonisch subsonic
sub'stantie [-(t)si.] (-s) *v* substance; **substanti'eel** [-si.'e:l] substantial; **'substantief** (-tieven) *o* substantive, noun
substitu'eren (substitueerde, h. gesubstitueerd) *vt* substitute; **substi'tutie** [-(t)si.] (-s) *v* substitution; **substi'tuut** (-tuten) *o* substitute; ⚖ *m* Deputy Prosecutor; *~-griffier* ⚖ Deputy Clerk
sub'straat (-straten) *o* substrate, substratum
sub'tiel subtle; **subtili'teit** (-en) *v* subtlety
'subtropen *mv* subtropics; **sub'tropisch** subtropical
subver'sief subversive
suc'ces [sük'sɛs] (-sen) *o* success; *veel ~!* good luck!; *~ hebben* score a success, be successful; *geen ~ hebben* meet with no success, be unsuccessful, fail, fall flat; *veel ~ hebben* score a great success, be a great success; *met ~* with good success, successfully; **–nummer** (-s) *o* hit
suc'cessie (-s) *v* succession; **–belasting** (-en) *v* = *successierechten*; **succes'sief** successive; **suc'cessieoorlog** (-logen) *m* war of succession; **–rechten** *mv* death duties, *Am* inheritance tax; **succes'sievelijk** successively
suc'cesstuk (-ken) *o* hit; **–vol** successful
succu'lent (-en) *m* succulent
'sudderen (sudderde, h. gesudderd) *vi* simmer; *laten ~* simmer
su'ède [sy.'ɛ.də] *o* & *v* suède
suf dazed [in the head]; muzzy [look]; dull, sleepy [boys]; **'suffen** (sufte, h. gesuft) *vt* doze; *zit je daar te ~?* are your wits wool-gathering?; **'suffer(d)** (-s) *m* duffer, muff, dullard; **'sufferig** doting; **'sufheid** *v* dullness
sugge'reren (suggereerde, h. gesuggereerd) *vt* suggest [something]; **sug'gestie** (-s) *v* suggestion; **sugges'tief** suggestive
'suiker *m* sugar; *gesponnen ~* candy floss, spun sugar; *~ doen in* sugar, sweeten; **–achtig** sugary; **–bakker** (-s) *m* confectioner; **–biet** (-en) *v* sugar-beet; **–boon** (-bonen) *v* 1 ✿ French bean; 2 (s n o e p) sugar-plum; **–brood** (-broden) *o* (sugar-)loaf; **–cultuur** *v* sugar-culture; **'suikeren** (suikerde, h. gesuikerd) *vt* sugar, sweeten; **'suikererwt** [-ɛrt] (-en) *v* ✿ sugar-pea; **–fabriek** (-en) *v* sugar factory; **–gehalte** *o* sugar content; **–glazuur** *o* icing [of cakes &]; **–goed** *o* confectionery, sweetmeats; **–houdend** containing sugar; **–ig** sugary; **–klontje** (-s) *o* sugar cube, lump of sugar; **–lepeltje** (-s) *o* sugar-spoon; **–meloen** (-en) *m* & *v* sweet melon; **–oogst** *m* sugar-crop; **–oom** (-s) *m* rich uncle, sugar daddy; **–patiënt** [-si.ɛnt] (-en) *m* diabetic; **–plantage** [-ʒə] (-s) *v* sugar-plantation, sugar-estate; **–pot** (-ten) *m* sugar-basin, sugar-bowl; **–produktie** [-si.] *v* sugar output; **–raffinaderij** (-en) *v* sugar-refinery; **–raffinadeur** (-s) *m* sugar-refiner; **–riet** *o* sugar-cane; **–schepje** (-s) *o*

sugar-spoon; **–spin** (-nen) *v* candy floss, spun sugar; **–strooier** (-s) *m* sugar-caster; **–stroop** *v* molasses; **–tang** (-en) *v* sugar-tongs; **–tante** (-s) *v* rich aunt; **–tje** (-s) *o* sugar-plum; **–water** *o* sugar and water; **–werk** (-en) *o* sweetmeats, sweets, confectionery; **–zakje** (-s) *o* sugar-bag; **–ziek** diabetic; **–zieke** (-n) *m-v* diabetic; **–ziekte** *v* diabetes; *lijder aan ~* diabetic; **–zoet** as sweet as sugar; sugary[2]

'suite ['svi.tə] (-s) *v* 1 suite (of rooms); 2 ◊ sequence [of cards]; 3 ♪ suite

'suizebollen (suizebolde, h. gesuizebold) *vi de klap deed hem ~* the blow made his head reel

'suizelen (suizelde, h. gesuizeld) *vi* 1 rustle [of trees]; 2 (d u i z e l e n) = *suizebollen*; **–ling** (-en) *v* rustling; (d u i z e l i n g) fit of giddiness

'suizen (suisde, h. gesuisd) *vi* buzz, sough; sing, ring, tingle [of ears]; whisk (along, past &) [of motor-cars]; **–zing** (-en) *v* buzzing, tingling; *~ in de oren* singing (ringing) in the ears

su'jet [sy.'ʒɛt] (-ten) *o* individual, person, fellow; *een gemeen ~* a scallywag, a mean fellow

su'kade *v* candied peel

'sukkel (-s) 1 *m* simpleton; crock; 2 *v* poor soul; *aan de ~ zijn* be ailing; *arme ~!* poor wretch!; **–aar** (-s) *m* 1 (t.o.v. g e z o n d h e i d) valetudinarian; 2 = *sukkel*; **–draf** *m op een ~je* at a jog-trot; **'sukkelen** (sukkelde, h. en is gesukkeld) *vi* 1 be ailing; 2 (l o p e n) jog (along); *hij was al lang aan het ~* he had been in indifferent health for a long time; *hij sukkelde a c h t e r zijn vader aan* he pottered in his father's wake; *~ m e t zijn been* suffer from his leg; *die jongen sukkelt met rekenen* that boy is weak in arithmetic; **–d** ailing; **'sukkelgangetje** *o* jog-trot; *het gaat zo'n ~* we are jogging along

sul (-len) *m* noodle, muff, simpleton, dunce, dolt, ninny, **F** softy, soft Johnny, juggins, flat

sul'faat (-faten) *o* sulphate

'sulfer *o* & *m* sulphur, brimstone

'sullen (sulde, h. gesuld) *vi* slide; **'sullig** soft, goody-goody; **–heid** *v* softness

'sultan (-s) *m* sultan; **sulta'naat** (-naten) *o* sultanate; **sul'tane** (-s) *v* sultana, sultaness

sum'mier summary, brief

'summum *o dat is het ~* zie *toppunt*

'superbenzine *v* high-grade petrol; *Am* high-octane petrol (gasoline); **superi'eur I** *aj* superior; **II** (-en) *m* superior; *~e v* Mother Superior [of a convent]; *zijn ~en* his superiors; **superiori'teit** *v* superiority; **'superlatief** (-tieven) *m* superlative; **'supermarkt** (-en) *v* supermarket; **super'sonisch** supersonic; **super'visie** [-zi.] *v* supervision, superintendence

supple'ment (-en) *o* supplement; **sup'pleren** (suppleerde, h. gesuppleerd) *vt* supplement, make up the deficiency; **sup'pletie** [-(t)si.] *v* supplementary payment; completion; **supple'toir** [-'to:r, -'twa.r], **supple'toor** *~toire begroting* supplementary estimates

sup'poost (-en) *m* usher; attendant [of a museum]

sup'porter (-s) *m sp* supporter

supranatio'naal [-(t)si.] supra-national

suprema'tie [-'(t)si.] *v* supremacy

surnume'rair [sy:rny.mə'rɛ:r] (-s) *m* supernumerary

Suri'name *o* Surinam

sur'plus [sy:r'ply.s] *o* surplus, excess; $ margin, cover

sur'prise [-zə] (-s) *v* 1 surprise; 2 surprise present, surprise packet

surrea'lisme [sy:r-] *o* surrealism; **surrea'list** (-en) *m* surrealist; **–isch** surrealist

surro'gaat [sy:r-] (-gaten) *o* substitute

sursé'ance [sy:rse.'ãnsə] (-s) *v* delay, postponement; *~ van betaling* $ letter of licence, moratorium

surveil'lance [sy:rvɛi'ãnsə] *v* surveillance, supervision; (b ij e x a m e n) invigilation; **–wagen** (-s) *m* patrol car, *Am* prowl car, squad car; **surveil'lant** (-en) *m* 1 overseer; 2 ✎ master on duty; (b ij e x a m e n) invigilator; **surveil'leren** (surveilleerde, h. gesurveilleerd) **I** *vt* keep an eye on, watch (over) [boys, students]; **II** *va* be on duty; (b ij e x a m e n) invigilate; (d o o r p o l i t i e) patrol (the roads)

sus'pect suspect(ed), suspicious

suspen'deren (suspendeerde, h. gesuspendeerd) *vt* suspend [clergymen, priests]; **sus'pensie** (-s) *v* suspension; **suspen'soir** [-'swa:r] (-s) *o* suspensory bandage, suspensor

'sussen (suste, h. gesust) *vt* hush [a child], soothe [a person]; *fig* hush up [an affair], pacify [one's conscience]

suze'rein (-en) *m* suzerain; **suzereini'teit** *v* suzerainty

'swastika ('s) *v* swastika, fylfot

'Swaziland *o* Swaziland

'syfilis ['si.-] *v* syphilis

syl'labe [sɪl-] (-n) *v* syllable

'syllabus ['sɪl-] (-sen en -bi) *m* syllabus

symbi'ose [sɪmbi.'o.zə] *v* symbiosis

symbo'liek [sɪm-] (-en) *v* symbolism; **sym'bolisch I** *aj* symbolic(al); *~e betaling* token payment; **II** *ad* symbolically; **symboli'seren** [-'ze.-] (symboliseerde, h. gesymboliseerd) *vt* symbolize; **symbo'lisme** *o* symbolism; **sym'bool** (-bolen) *o* symbol, emblem

symfo'nie [sɪm-] (-ieën) *v* symphony; **–concert** (-en) *o* symphony concert; **–orkest** (-en) *o* symphony orchestra; **sym'fonisch** symphonic

symme'trie [sɪm-] symmetry; **sym'metrisch** symmetric(al)
sympa'thetisch [sɪm] sympathetic [ink]; **sympa'thie** (-ieën) *v* fellow-feeling; sympathy (with *voor*); *~ën en antipathieën* ook: likes and dislikes; **sympa'thiek I** *aj* congenial [surroundings]; likable [fellow], nice [man], attractive [woman]; engaging [trait]; soms: sympathetic; *hij was mij dadelijk ~* I took to him at once; *hij werd mij ~* I came to like him; **II** *aj* sympathetically; **sympathi'sant** [-'zɑnt] (-en) *m* sympathizer; **sym'pathisch** sympathetic [nervous system]; **sympathi'seren** [-'ze.-] (sympathiseerde, h. gesympathiseerd) *vi* sympathize; *~ met* sympathize with, be in sympathy with
sympto'matisch [sɪm-] symptomatic (of *voor*); **symp'toom** (-tomen) *o* symptom
syna'goge, syna'goog [si.-] (-gogen) *v* synagogue
synchroni'satie [sɪŋgro.ni'za.(t)si.] (-s) *v* synchronization; **synchroni'seren** (synchroniseerde, h. gesynchroniseerd) *vt* synchronize; **syn'chroon** synchronous; **-klok** (-ken) *v* synchronous electric clock
synco'peren [sɪn-] (syncopeerde, h. gesyncopeerd) *vt* ♪ syncopate; **syn'copisch** ♪ syncopated
syndi'caat [sɪn-] (-caten) *o* syndicate, pool
syn'droom [sɪn-] (-dromen) *o* syndrome
synkroni'satie (-s) = *synchronisatie*; **synkroni'seren** = *synchroniseren*; **syn'kroon(-)** = *synchroon*(-)
sy'node [si.-] (-n en -s) *v* synod
syno'niem I *aj* synonymous; **II** (-en) *o* synonym
sy'nopsis [si.-] (-sen) *v* synopsis [*mv* synopses]
syn'tactisch [sɪn-] syntactic; **syn'taxis** *v* syntax
syn'these [sɪn'te.zə] (-s) *v* synthesis [*mv* syntheses]; **syn'thetisch I** *aj* synthetic [rubber, food &]; **II** *ad* synthetically
'Syrië *o* Syria; **'Syrisch I** *aj* Syrian; **II** *o* Syriac
sys'teem [si.s-] (-temen) *o* systeem; **-analist** (-en) *m* system analist; **-bouw** *m* system-building, prefabrication; **-kaart** (-en) *v* index card, filing card; **systema'tiek** *v* systematics; **syste'matisch** systematic; **systemati'seren** [-'ze.rə(n)] (systematiseerde, h. gesystematiseerd) *vt* systematize, codify

T

t [te.] ('s) *v* t

Taag *m* Tagus

taai tough [beefsteak, steel, clay &]; (v a n v l o e i s t o f f e n) viscous, sticky, gluey; *fig* tough [fellow], tenacious [memory], dogged [determination]; (s a a i) dull; *het is een ~ boek* it is dull reading; *hij is ~* 1 he is a wiry fellow; 2 he is a tough customer; *hou je ~!* 1 keep hearty!; 2 bear up!, never say die!; *een ~ gestel* a tough constitution; *het is een ~ werkje* it is a dull job; *zo ~ als leer* as tough as leather; **–heid** *v* toughness; wiriness; *fig* tenacity

taai'taai *m* & *o* ± gingerbread

taak (taken) *v* task; *een ~ opleggen* (*opgeven*) set [sbd.] a task; *zich iets tot ~ stellen* zie *stellen* **II**; **–omschrijving** (-en) *v* terms of reference; **–verdeling** *v* assignment (allotment) of duties

taal (talen) *v* language, speech, tongue; *~ noch teken* neither word nor sign; *hij gaf ~ noch teken* he neither spoke nor moved; *zonder ~ of teken te geven* without (either) word or sign; *wel ter tale zijn* be a fluent speaker; **–barrière** [-bɑr-jɛ:rə] (-s) *v* language barrier; **–beheersing** *v* command (mastery) of language; **–boek** (-en) *o* language-book, grammar; **–eigen** *o* idiom; **–fout** (-en) *v* grammatical error; **–gebied** (-en) *o* speech (linguistic) area; **–gebruik** *o* [English &] usage; **–geleerde** (-n) *m* philologist, linguist; **–gevoel** *o* feeling (flair) for language, linguistic instinct; **–grens** (-grenzen) *v* language boundary; **–groep** (-en) *v* language group (family); **–kaart** (-en) *v* language (linguistic, dialect) map; **–kenner** (-s) *m* linguist; **–kunde** *v* philology, linguistics; **taal'kundig I** *aj* grammatical, philological; *~e ontleding* parsing; **II** *ad ~ juist* grammatically correct; *~ ontleden* parse; **–e** (-n) *m* linguist, philologist; **'taaloefening** (-en) *v* grammatical exercise; **–onderwijs** *o* language teaching; **–regel** (-s) *m* grammatical rule; **–schat** *m* vocabulary; **–strijd** *m* language conflict; **–studie** (-s en -diën) *v* study of language(s); **–tje** (-s) *o* lingo, jargon, gibberish; **–wet** (-ten) *v* linguistic law; **–wetenschap** *v* science of language, linguistics, philology; **–zuiveraar** (-s) *m* purist; **–zuivering** *v* purism

taan *v* tan; **–kleur** *v* tan-colour, tawny colour; **–kleurig** tan-coloured, tawny

taart (-en) *v* fancy cake, tart; **–enbakker** (-s) *m* confectioner; **–(e)schaal** (-schalen) *v* tart-dish; **–(e)schep** (-pen) *v* tart-server; **–je** (-s) *o* pastry, tartlet; *~s* ook: fancy pastry

ta'bak (-ken) *m* tobacco; [*fig*] *ergens ~ van hebben* **F** be fed up with sth.; **ta'baksblad** (-bladen, -bladeren en -blaren) *o* tobacco-leaf; **–bouw** *m*, **–cultuur** *v* tobacco-culture, tobacco-growing; **–doos** (-dozen) *v* tobacco-box; **–fabriek** (-en) *v* tobacco-factory; **–handel** *m* tobacco-trade; **–handelaar** (-s en -laren) *m*, **–koper** (-s) *m* tobacco-dealer, tobacconist; **–onderneming** (-en) *v* tobacco-plantation; **–pijp** (-en) *v* tobacco-pipe; **–plant** (-en) *v* tobacco-plant; **–plantage** [-ʒə] (-s) *v* tobacco-plantation; **–planter** (-s) *m* tobacco-planter; **–pot** (-ten) *m* tobacco-jar; **–pruim** (-en) *v* quid; **–regie** [-re.ʒi.] *v* (tobacco) régie, tobacco monopoly; **–veiling** (-en) *v* sale of tobacco; **–verkoper** (-s) *m* tobacconist; **–zak** (-ken) *m* tobacco-pouch

'tabbaard, 'tabberd (-en en -s) *m* tabard, gown, robe

ta'bel (-len) *v* table, schedule, index, list; **tabel'larisch I** *aj* tabular, tabulated; **II** *ad* in tabular form

taber'nakel (-s en -en) *o* & *m* tabernacle; *het feest der ~en* the Feast of Tabernacles; *ik zal je op je ~ komen, je krijgt op je ~* **F** I'll dust your jacket

ta'bleau [-'blo.] (-s) *o* 1 scene; 2 (g e s c h o t e n w i l d) bag; *~!* tableau!, curtain!; *~ vivant* [-'vã] living picture

ta'blet (-ten) *v* & *o* 1 (p l a k) tablet; 2 (k o e k j e) lozenge, square

ta'boe *aj*, *o* & *m* (-s) taboo; *~ verklaren* taboo

taboe'ret (-ten) *m* tabouret, stool; (v o o r d e v o e t e n) footstool

'tachtig eighty; ook: four score [years]; **–er** (-s) *m* octogenarian, man of eighty; *de Tachtigers* the writers of the eighties; **–jarig** of eighty years; *de Tachtigjarige Oorlog* the Eighty Years' War; **–ste** eightieth (part)

tact *m* tact; **'tacticus** (-ci) *m* tactician; **tac'tiek** *v* tactics

tac'tiel tactile, tactual

'tactisch I *aj* tactical; **II** *ad* tactically; **'tactloos** tactless, gauche; **–vol** tactful

taf (-fen) *m* & *o* taffeta

'tafel (-s en -en) *v* table [ook = index]; ⊙ board; *de groene ~* 1 *sp* the green table, the gaming-table; 2 (b e s t u u r s t a f e l) the board-table; *hij deed de hele ~ lachen* he set the table in a roar; *de Ronde T~* the Round Table; *de T~ des Heren* the Lord's Table; *de ~s* (*van vermenigvuldiging*) the multiplication tables; *de*

~en der wet the tables of the law; *de ~ afnemen* (*afruimen*) clear the table, remove the cloth; *de ~ dekken* lay the cloth, set the table; *een goede ~ houden* keep a good table; *van een goede ~ houden* like a good dinner; *open ~ houden* keep open table; • *a a n ~ gaan* go to table; *aan ~ zijn* (*zitten*) be at table; *aan de ~ gaan zitten* sit down at the table; *n a ~* after dinner; *o n d e r ~* during dinner; *iem. onder de ~ drinken* drink sbd. under the table; *iets t e r ~ brengen* bring sth. on the carpet (on the tapis), introduce sth.; *ter ~ liggen* lie on the table; *t o t de ~ des Heren naderen rk* go to Communion; *v a n ~ opstaan* rise from table; *gescheiden* (*scheiding*) *van ~ en bed* separated (separation) from bed and board; *v ó ó r ~* before dinner; **–appel** (-s en -en) *m* dessert apple; **–bel** (-len) *v* table-bell, hand-bell; **–berg** (-en) *m* table mountain; **–blad** (-bladen) *o* 1 table-leaf; 2 (o p p e r v l a k) table-top; **–buur** (-buren) *m* neighbour at table; **–dame** (-s) *v* partner (at table); **–dans** *m* table-tipping, table-turning; **–dekken** *o het ~* laying the table; **–dienen** *o* waiting at table; **–drank** (-en) *m* table-drink; **'tafelen** (tafelde, h. getafeld) *vi* sit (be) at table; **'tafelgast** (-en) *m* dinner guest; **–geld** (-en) *o* table-money, messing-allowance; **–gerei** *o* tableware, dinner-things; **–gesprek(ken)** *o* (*mv*) table-talk; **–goed** *o* table-linen, ⸸ napery; **–heer** (-heren) *m* partner (at table); **–kleed** (-kleden) *o* table-cover; **–la(de)** (-laden, -laas, -la's) *v* table-drawer; **–laken** (-s) *o* table-cloth; **–land** (-en) *o* table-land, plateau; **–linnen** *o* (table) linen; **–loper** (-s) *m* (table-)runner; **–matje** (-s) *o* table-mat; **–poot** (-poten) *m* table-leg; **'Tafelronde** *v de ~* the Round Table; **'tafelschel** (-len) *v* table-bell; **–schikking** (-en) *v* seating order (at table); **–schuier** (-s) *m* table-brush, crumb-brush; **–schuimer** (-s) *m* sponger; **–tennis** *o* table-tennis; **–toestel** (-len) *o* ☎ desk telephone; **–water** *o* table-water; **–wijn** (-en) *m* table-wine; **–zilver** *o* plate, silverware; **–zout** *o* table-salt; **–zuur** *o* pickles

tafe'reel (-relen) *o* picture, scene; *een... ~ van iets ophangen* give a... picture of it, paint in... colours

'taffen *aj* taffeta; **'tafzij(de)** *v* taffeta silk

tai'foen (-s) = *tyfoon*

'taille ['tɑ(l)jə] (-s) *v* waist; **–band** (-en) *m* waistband; **tail'leren** (tailleerde, h. getailleerd) *vt* fit [a coat] at the waist (to the figure); *getailleerd* ook: well-cut, waisted; **tail'leur** (-s) *m* 1 (p e r s o o n) tailor; 2 (k o s t u u m) tailored dress; **'taillewijdte** (-n en -s) *v* waist (measurement)

tak (-ken) *m* 1 (v. b o o m) bough; branch[2] [of a tree springing from bough; also of a river, of science &]; 2 (v. g e w e i) tine; *~ van dienst* branch of (the) service; *~ van sport* sport

'takel (-s) *m* & *o* pulley, tackle; **take'lage** [-ʒə] *v* tackle, rigging; **'takelblok** (-ken) *o* tackle; **'takelen** (takelde, h. getakeld) *vt* 1 ⚓ rig; 2 (o p h ij s e n) hoist (up); **'takelwagen** (-s) *m* breakdown lorry; **–werk** *o* tackling, rigging

'takje (-s) *o* twig, sprig; **'takkenbos** (-sen) *m* faggot; **'takkig** branchy

1 taks (-en) *m* 🐕 (German) badger-dog, dachshund

2 taks (-en) *m* & *v* share, portion

tal *o* number; *zonder ~* numberless, countless, without number; *~ van* a great number of, numerous

'talen (taalde, h. getaald) *vi hij taalt er niet naar* he does not show the slightest wish for it

'talenkenner (-s) *m* linguist, polyglot; **–kennis** *v* knowledge of languages; **–knobbel** *m* bump of languages; **–practicum** (-s en -ca) *o* language laboratory

ta'lent (-en) *o* talent [= gift & weight, money]; **–enjacht** (-en) *v* talent scouting; **–loos** talentless; **–vol** talented, gifted

talg *m* sebum; **–klier** (-en) *v* sebaceous gland

'talhout (-en) *o* firewood; *zo mager als een ~* all skin and bones

'talie (-s) *v* tackle

'taling (-en) *m* teal

'talisman (-s) *m* talisman

talk *m* 1 (d e l f s t o f) talc; 2 (s m e e r) tallow; **–achtig** 1 talcous; 2 tallowy, tallowish; **–poeder, –poeier** *o* & *m* talcum powder; **–steen** *o* talc

'talloos numberless, countless, without number

'talmen (talmde, h. getalmd) *vi* loiter, linger, dawdle, delay; **–er** (-s) *m* loiterer, dawdler; **talme'rij** (-en) *v* lingering, loitering, dawdling, delay

'talmoed, 'talmud [-mu.t] *m* Talmud

ta'lon (-s) *m* talon; counterfoil [of cheque]

'talrijk numerous, multitudinous; **–heid** *v* numerousness

'talstelsel (-s) *o* notation

ta'lud [-'lyt] (-s) *o* slope

tam I *aj* tame, tamed, domesticated, domestic; *fig* tame; *~ maken* domesticate [wild beast], tame[2] [a wild beast, a person]; **II** *ad* tamely[2]

tama'rinde (-n en -s) *v* tamarind

tama'risk (-en) *m* tamarisk

tam'boer (-s) *m* ⚔ drummer; **tam'boeren** (tamboerde, h. getamboerd) *vi ~ op iets* insist on sth. being done; lay stress on a fact; **tamboe'rijn** (-en) *m* ♪ tambourine, timbrel; **tam'boer-ma'joor** (-s) *m* drum-major

'tamelijk I *aj* fair, tolerable, passable; **II** *ad*

fairly, tolerably, passably; ~ *wel* pretty well
'tamheid *v* tameness[2]
tam'pon (-s) *m* tampon, plug; **tampon'neren** (tamponneerde, h. getamponneerd) *vt* tampon, plug
tam'tam (-s) *m* tomtom; *met veel* ~ with a great fuss, with a lot of noise
tand (-en) *m* tooth [of the mouth, a wheel, saw, comb, rake]; cog [of a wheel]; prong [of a fork]; *de ~ des tijds* the ravages of time; *~en krijgen* cut (its) teeth, be teething; *de ~en laten zien* show one's teeth; • *iem. a a n de ~ voelen* put sbd. through his paces; interrogate sbd. [a prisoner, a suspect]; *m e t lange ~en eten* trifle with one's food; *t o t de ~en gewapend zijn* be armed to (up to) the teeth; zie ook: *hand, mond* &; **–arts** (-en) *m* dentist, dental surgeon; **–artsassistente** (-n) *v* dental surgery assistant; **–bederf** *o* dental decay, caries; **–been** *o* dentine; **–eloos** toothless [old woman]
'tandem ['tɛndəm] (-s) *m* tandem
'tanden (tandde, h. getand) *vt* ⚒ tooth, indent, cog; **'tandenborstel** (-s) *m* tooth-brush; **–geknars** *o* gnashing of teeth; **'tandenknarsen** (tandenknarste, h. getandenknarst) *vi* gnash one's teeth; **'tandenkrijgen** *o* dentition, teething; **–stoker** (-s) *m* toothpick; **'tandformule** (-s) *v* dental formula; **–heelkunde** *v* dental surgery, dentistry; **tandheel'kundig** dental; **–e** (-n) *m* dentist, dental surgeon; **'tanding** *v* perforation [in philately]; **'tandkas** (-sen) *v* socket (of a tooth); **–pasta** ('s) *m* & *o* tooth-paste; **–pijn** (-en) *v* toothache; **–prothese** [-te.zə] (-n) *v* 1 (v e r v a n g i n g v. e c h t e t a n d e n d o o r k u n s t t a n d e n) dental prosthesis; 2 (-n en -s) (k u n s t t a n d) denture; **–rad** (-raderen) *o* cog-wheel, toothed wheel; **–radbaan** (-banen) *v* rack-railway, cog-railway; **–steen** *o* & *m* scale, tartar; **–stelsel** (-s) *o* dentition; **–technicus** (-ci) *m* dental technician; **–verzorging** *v* dental care; **–vlees** *o* gums; **–vulling** (-en) *v* filling, stopping, plug; **–wiel** (-en) *o* cog-wheel, toothed wheel; **–wortel** (-s) *m* root of a tooth; **–zenuw** (-en) *v* dental nerve
'tanen I (taande, is getaand) *vi* tan; *fig* fade, pale, tarnish, wane; *aan het ~ zijn* be fading, [renown] on the wane; *doen ~* tarnish; **II** (taande, h. getaand) *vt* tan
tang (-en) *v* 1 (pair of) tongs; 2 (k n ij p t a n g) pincers; nippers; 3 ⚕ forceps; *wat een ~!* what a shrew!; *dat slaat als een ~ op een varken* there's neither rhyme nor reason in it, that's neither here nor there; *ze ziet eruit om met geen ~ aan te pakken* you wouldn't touch her with a barge-pole; **–beweging** *v* ⚔ pincer movement
'tangens ['tɑŋgɛns] (-en en -genten) *v* tangent
'tango ['tɑŋgo.] ('s) *m* tango
'tangverlossing (-en) *v* ⚕ forceps delivery
'tanig tawny
tank [tɛŋk] (-s) *m* tank°; **–auto** [-o.to. of ɔuto.] ('s) *m* tank-car, tanker; **'tanken** (tankte, h. getankt) *vi* fill up; **'tanker** (-s) *m* ⚓ tanker; **'tankgracht** (-en) *v* antitank ditch; **–schip** (-schepen) tank-steamer, tanker; **–station** [-sta.(t)ʃɔn] (-s) *o* filling station; **–val** (-len) *v* tank trap; **–wagen** (-s) *m* 🚗 tanker, tanker lorry
tan'nine *v* & *o* tannin
'tantalusbeker (-s) *m* Tantalus cup; **–kwelling** (-en) *v* torment of Tantalus; tantalization
'tante (-s) *v* aunt; *een oude* ~ > an old woman; *och wat, je ~!* **S** rats!
tanti'ème [-ti.'ɛ.mə] (-s) *o* bonus, royalty, percentage
Tanza'nia *o* Tanzania; **Tanzani'aan(s)** (-ianen) *m* (& *aj*) Tanzanian
tap (-pen) *m* 1 (k r a a n) tap; 2 (s p o n) bung; 3 ⚒ tenon; 4 ⚔ & ⚒ trunnion [of a gun, in steam-engine]; 5 = *tapkast*
'tapdans ['tɛp-] *m* tap-dance; **–er** (-s) *m* tap-dancer
'tapgat (-gaten) *o* 1 ⚒ tap-hole; mortise; 2 bung-hole
ta'pijt (-en) *o* carpet; *op het ~ brengen* bring on the tapis (carpet); **–werker** (-s) *m* carpet-maker
tapi'oca *m* tapioca
'tapir ['ta.pi:r] (-s) *m* tapir
tapisse'rie [-pi.sə-] (-ieën) *v* tapestry
tapissi'ère [-pi.si.'ɛ:rə] (-s) *v* furniture-van, pantechnicon
'tapkast (-en) *v* buffet, bar
'tappelings ~ *lopen langs* trickle down
'tappen (tapte, h. getapt) **I** *vt* tap [beer, rubber]; draw [beer]; *aardigheden (moppen)* ~ crack jokes; **II** *va* keep a public house; **–er** (-s) *m* publican; **tappe'rij** (-en) *v* public house, ale-house
taps tapering, conical; ~ *toelopen* taper
'taptemelk *v* skim-milk
'taptoe (-s) *m* ⚔ tattoo; *de ~ slaan* beat the tattoo
ta'puit (-en) *m* wheatear, chat
'tapverbod (-boden) *o* prohibition
ta'rantula ('s) *v* tarantula
'tarbot (-ten) *m* turbot
ta'rief (-rieven) *o* tariff; rate; (legal) fare [for cabs]; **–muur** (-muren) *m* tariff wall; **–werk** *o* piece-work; **ta'rievenoorlog** *m* tariff war, war of tariffs
'tarra *v* $ tare
tar'taar, tar'tare *m* (b i e f s t u k) chopped raw beef
Tar'taar(s) (-taren) *m* (& *aj*) Tartar

'tarten (tartte, h. getart) *vt* challenge, defy; *het tart alle beschrijving* it beggars description; **-d** defiant

'tarwe *v* wheat; **-bloem** *v* flour of wheat; **-brood** (-broden) *o* wheaten bread; *een* ~ a wheaten loaf; **-meel** *o* wheaten flour

1 tas (-sen) *m* (s t a p e l) heap, pile

2 tas (-sen) *v* bag, pouch, satchel

'tassen (taste, h. getast) *vt* heap (up), pile (up)

tast *m op de* ~ *zijn weg zoeken* grope one's way; **'tastbaar** tangible, palpable [lie]; **-heid** *v* palpableness, palpability, tangibleness, tangibility; **'tasten** (tastte, h. getast) **I** *vi* feel, grope, fumble (for *naar*); *in het duister* ~ be in the dark; *in de zak* ~ put one's hand into one's pocket, dive into one's pocket; *fig* dip into one's purse; **II** *vt* touch; *iem. in zijn eer* ~ 1 cast a slur on sbd.'s honour; 2 appeal to sbd.'s sense of honour; *iem. in zijn gemoed* ~ work on sbd.'s feelings; *iem. in zijn zwak* ~ zie *zwak* **III**; **-er** (-s) *m* feeler; **'tastorgaan** (-ganen) *o* tentacle; **-zin** *m* (sense of) touch

Ta'taar(s) (-taren) = *Tartaar(s)*

'tater (-s) *m* **F** *hou je* ~ stop chattering

tatoe'ëerder (-s) *m* tattooer, tattooist; **tatoe'ëren** (tatoeëerde, h. getatoeëerd) *vt* tattoo; **-ring** (-en) *v* 1 (h a n d e l i n g) tattooing; 2 (h e t g e t a t o e ë e r d e) tattoo

tautolo'gie (-ieën) *v* tautology; **tauto'logisch** tautological

taxa'meter (-s) *m* taximeter

taxa'teur (-s) *m* (official) appraiser, valuer; **ta'xatie** [-(t)si.] (-s en -tiën) *v* appraisement, appraisal, valuation; **-prijs** (-prijzen) *m* valuation price; *tegen* ~ at a valuation; **-waarde** *v* appraised value; **ta'xeren** (taxeerde, h. getaxeerd) *vt* appraise, assess, value (at *op*)

'taxi ('s) *m* taxi-cab, taxi; **-chauffeur** [-ʃo.fø:r] (-s) *m* taxi-driver

'taxiën (taxiede, h. en is getaxied) *vi* taxi

'taxistandplaats (-en) *v* cab-stand

'taxus(boom) (taxussen, -bomen) *m* yew-tree

t.b.c. [te.be.'se.] = *tuberculose*

T.B.R. [te.be.'ɛr] = *terbeschikkingstelling van de regering* preventive detention

te [tə] 1 (v ó ó r p l a a t s n a a m) at, in; 2 (v ó ó r b ij v. n a a m w.) too; 3 (v ó ó r i n f i n i t i e f) to; ~ *A.* at A.; ~ *Londen* in London; ~ *middernacht* at midnight; zie verder *bed, des* &

'teakhout ['ti.k-] *o* teak(-wood)

team [ti.m] (-s) *o* team; **-geest** *m* team spirit; **-work** *o* team-work

te'boekstellen (stelde te'boek, h. te'boekgesteld) *vt* record

'technicus (-ci) *m* 1 technician; 2 (v o o r b e p a a l d v a k) engineer; **tech'niek** (-en) *v* 1 (w e t e n s c h a p) technology, technics; 2 (b e d r e v e n h e i d) technique [of an artist, of piano-playing &]; 3 (m a n i e r, w e r k w ij z e) technique, method [of illustrating, printing]; 4 (a l s t a k v a n n ij v e r h e i d) [heat, illuminating, refrigerating &] engineering; **'technisch I** *aj* technical; technological [achievement, advance, know-how]; *een prachtige* ~*e prestatie* ook: a magnificent engineering achievement; ~*e hogeschool* college (institute) of technology; *hogere* ~*e school* technical college; *lagere* ~*e school* technical school; *middelbaar* ~*e school* senior technical school, polytechnic; **II** *ad* technically; technologically [advanced]; **techno'craat** (-craten) *m* technocrat; **technocra'tie** [-'(t)si.] *v* technocracy; **technolo'gie** *v* technology; **techno'logisch** technological; **techno'loog** (-logen) *m* technologist

'teckel (-s) *m* 🐕 dachshund

'teddybeer [-di.-] (-beren) *m* teddy bear

'teder = 1 *teer*; **-heid** *v* tenderness; delicacy

Te-'Deum [te.'de.üm] (-s) *o* Te Deum

teef (teven) *v* (v. h o n d) bitch

teek (teken) *v* tick

'teelaarde *v* (vegetable) mould; **-bal** (-len) *m* testis, testicle

teelt *v* cultivation, culture; breeding [of stock]; **-keus** *v* 🦢 selective breeding; ⚘ selective growing (cultivation)

1 teen (tenen) *v* osier, twig, withe

2 teen (tenen) *m* toe; *grote (kleine)* ~ big (little) toe; *op de tenen lopen* walk on tiptoe; tiptoe; *iem. op de tenen trappen* tread on sbd.'s toes[2] (*fig* corns); *hij is gauw op zijn tenen getrapt* he is quick to take offence, he is touchy; *hij was erg op zijn tenen getrapt* he was very much huffed; **-ganger** (-s) *m* digitigrade; **-tje** (-s) *o een* ~ *knoflook* a clove of garlic

1 teer I *aj* tender [heart, subject], delicate [child, question]; **II** tenderly; ~ *bemind* dearly loved

2 teer *m* & *o* tar; **-achtig** tarry

teerge'voelig I *aj* tender, delicate, sensitive; **II** *ad* tenderly; **-heid** *v* tenderness, delicacy, sensitiveness; **teer'hartig** tender-hearted; **-heid** *v* tender-heartedness; **'teerheid** *v* = *tederheid*

'teerkwast (-en) *m* tar-brush

'teerling (-en) *m* die; *de* ~ *is geworpen* the die is cast

'teerpot (-ten) *m* tar-pot; **-ton** (-nen) *v* tar-barrel; **-water** *o* tar-water; **-zeep** (-zepen) *v* tar-soap

'tegel (-s) *m* tile; **-bakker** (-s) *m* tile-maker; **-bakkerij** (-en) *v* tile-works

tege'lijk at the same time, at a time, at once; together; *niet allemaal* ~ not all together; *hij is*

~ *de ...ste en de ...ste* ook: he is both the ...st and the ...st; **tegelijker'tijd** at the same time, zie ook: *tegelijk*

'tegeltje (-s) *o* (small) tile; *blauwe ~s* Dutch tiles; **'tegelvloer** (-en) *m* tiled pavement, tiled floor; **-werk** *o* tiles

tege'moetgaan[1] *vt* go to meet; *zijn ondergang (ongeluk) ~* be heading for ruin (disaster)

tege'moetkomen[1] *vt* come to meet; *fig* meet (half-way); *~ aan* cater for [a certain taste]; **-d** accommodating; **tege'moetkoming** (-en) *v* 1 accommodating spirit; 2 concession; 3 compensation, allowance

tege'moetlopen[1] *vt* go to meet; **-treden**[1] *vt* 1 go to meet; 2 meet [difficulties &]; **-zien**[1] *vt* look forward to [the future with confidence], await [your reply]

'tegen I *prep* 1 *eig* & *fig* against [the door &, the law &]; 2 (o m s t r e e k s) towards [the close of the week, evening &]; by [nine o'clock]; 3 (v o o r) at [the price]; 4 (i n r u i l v o o r) for; 5 (t e g e n o v e r) to, against; 6 (c o n t r a) ⚖ & *sp* versus; *het is goed ~ brandwonden* it is good for burns; *er is ~ dat...* there is this against it that...; *wie is er ~?* who is against it?; *zijn ouders waren er ~* his parents were opposed (were hostile) to it; *hij spreekt niet ~ mij* he does not speak to me; *tien ~ één* ten to one; *5000 ~ verleden jaar 500* 5000 as against 500 last year; *~... in* against...; zie ook: *hebben*; **II** *aj* in: *(ik ben) ~* I'm against it; *de wind is ~* the wind is against us; *ze zijn erg ~ bescherming* they are strongly opposed to protection; **III** *ad de wind ~ hebben* have the wind against one; **IV** *o het vóór en ~* the pros and cons; **tegen'aan** against; **'tegenaanval** (-len) *m* counter-attack; *een ~ doen* counter-attack; **-beeld** (-en) *o* 1 antitype; 2 counterpart, pendant; **-bericht** (-en) *o* message to the contrary, $ advice to the contrary; *als wij geen ~ krijgen* unless we hear to the contrary, $ if you don't advise us to the contrary; **-beschuldiging** (-en) *v* counter-charge, recrimination; **-bevel** (-velen) *o* counter-order; **-bewijs** (-wijzen) *o* counter-proof, counter-evidence; **-bezoek** (-en) *o* return visit, return call; *een ~ brengen* return a visit (a call); **-bod** *o* counter-bid; **-deel** *o* contrary; **tegen'draads** against the grain; **'tegendruk** *m* counter-pressure; reaction; **-eis** (-en) *m* counter-claim

'tegeneten[2] *zich iets ~* begin to loathe some food by eating too much of it; **-gaan**[2] *vt* go to meet; *fig* oppose, check

'tegengesteld *aj* opposite, contrary; *het ~e* the opposite, the contrary, the reverse; **-gewicht** (-en) *o* counter-weight; **-gif(t)** (-giffen, -giften) *o* antidote[2]; **-hanger** (-s) *m* counterpart[2]

'tegenhouden[2] *vt* stop, hold up [a horse &], arrest, retard, check [the progress of]; **-kammen**[2] *vt* backcomb, tease [hair]

'tegenkandidaat (-daten) *m* rival candidate, candidate of the opposition; *zonder ~* unopposed; **-kanting** (-en) *v* opposition; *~ vinden* meet with opposition; **-klacht** (-en) *v* counter-charge

'tegenkomen[2] *vt* meet [a person]; come across [a word &], encounter [a difficulty &]; **-lachen**[2] *vt* smile upon, smile at

'tegenlichtopname (-n) *v* against-the-light photograph, exposure against the sun, contre-jour picture; **-ligger** (-s) *m* ⚓ meeting ship; 🚗 oncoming car, approaching vehicle

'tegenlopen[2] *vt* go to meet; *alles loopt hem tegen* everything goes against him

'tegenmaatregel (-en en -s) *m* countermeasure

'tegenmaken[2] *vt iem. iets ~* put sbd. off sth.

'tegenmijn (-en) *v* ⚔ countermine; **tegenna'tuurlijk** against nature, contrary to nature; unnatural; **'tegenoffensief** (-sieven) *o* counter-offensive; **-offerte** (-s en -n) *v* counter-offer; **tegen'op** *ergens ~ rijden* drive against sth.; *er niet ~ kunnen* not be able to cope; *daar kan niemand ~* nobody can match that; *(ergens) ~ zien* dread, fear, shrink from, be reluctant; **'tegenorder** (-s) *v* & *o* counter-order

tegen'over opposite (to), over against, facing [each other, page 5]; vis-à-vis; *onze plichten ~ elkander* our duties towards each other; *~ mij [gedraagt hij zich fatsoenlijk]* with me; *hier ~* opposite, over the way; *schuin ~*, zie *schuin* **II**; *vlak (recht, dwars) ~...* right opposite...; **-gelegen** opposite, [house] facing [ours]; **-gesteld** *aj* opposed [characters]; opposite [directions]; *zij is het ~e* she is the opposite; *precies het ~e* quite the contrary; **-liggend** = *tegenovergelegen*; **tegen'overstaan** (stond tegen'over, h. tegen'overgestaan) *vi daar staat tegenover, dat...* on the other hand..., but then...; **-d** opposite; **tegen'overstellen** (stelde tegen'over, h. tegen'overgesteld) *vt* set [advantages] against [disadvantages]

'tegenpartij (-en) *v* antagonist, adversary, opponent, other party, other side; **-paus** (-en) *m* antipope; **-pool** (-polen) *v* antipole, opposite pole

[1],[2] V.T. en V.D. van dit werkwoord volgens het model: 1 **tege'moet**gaan, V.T. ging **tege'moet**, V.D. **tege'moet**gegaan. 2 **'tegen**kammen, V.T. kamde **'tegen**, V.D. **'tegen**gekamd. Zie voor de vormen onder het grondwoord, in dit voorbeeld: *gaan* en *kammen*. Bij sterke en onregelmatige werkwoorden wordt u verwezen naar de lijst achterin.

'tegenpraten[2] *vi* contradict, answer back
'tegenprestatie [-(t)si.] (-s) *v* (service in) return
'tegenpruttelen[2] *vi* grumble
'tegenrekening (-en) *v* contra account; **–slag** (-slagen) *m* reverse, set-back
'tegenspartelen[2] *vi* struggle, kick; *fig* jib; **–ling** (-en) *v* resistance
'tegenspeler (-s) *m* opponent; *fig* opposite number; **–spoed** *m* adversity; bad luck; **–spraak** *v* contradiction; *b ij de minste* ~ at the least contradiction; *i n* ~ *met...* in contradiction with; *in* ~ *komen met zichzelf* contradict oneself; *in* ~ *zijn met* collide (with); *z o n d e r* ~ 1 without (any) contradiction; 2 incontestably, indisputably
'tegenspreken[2] **I** *vt* 1 contradict; 2 answer back; *het bericht wordt tegengesproken* the report is contradicted; *elkaar* ~ contradict each other, be contradictory; **II** *vr zich* ~ contradict oneself; **–sputteren**[2] *vi* protest; **–staan**[2] *vt het staat mij tegen* I dislike it, I have an aversion to it; *fig* it is repugnant to me
'tegenstand *m* resistance, opposition; ~ *bieden* offer resistance, resist; *geen* ~ *bieden* make (offer) no resistance; **–er** (-s) *m* opponent, antagonist, adversary
'tegenstelling (-en) *v* contrast, antithesis, contradistinction, opposition; *in* ~ *met* as opposed to, as distinct from, in contrast with, contrary to [his habit, received ideas]
'tegenstem (-men) *v* 1 dissentient vote, adverse vote; 2 ♪ counterpart; **'tegenstemmen**[2] *vi* vote against; **–er** (-s) *m* voter against [a motion &]
'tegenstreven[2] **I** *vt* resist, oppose; **II** *vi* resist; **–stribbelen**[2] *vi* struggle, kick; *fig* jib
tegen'strijdig contradictory [reports, feelings]; conflicting [emotions, opinions]; clashing [interests]; **–heid** (-heden) *v* contrariety, contradiction, discrepancy
'tegenstroom (-stromen) *m* 1 counter-current; 2 ✻ reverse current
'tegenvallen[2] *vi* not come up to expectations; *het zal u* ~ you will be disappointed; you may find yourself mistaken; *je valt me lelijk tegen* I am sorely disappointed in you; **–er** (-s) *m* disappointment, come-down
'tegenvergif(t) (-giffen, -giften) *o* = *tegengif(t)*; **–voeter** (-s) *m* antipode[2]; **–voorstel** (-len) *o* counter-proposal; **–vordering** (-en) *v* counterclaim; **–vraag** (-vragen) *v* counter-question; **–waarde** *v* equivalent, counter-value; **–weer** *v* defence, resistance
'tegenwerken[2] *vt* work against, counteract, oppose, cross, thwart; **–king** (-en) *v* opposition
'tegenwerpen[2] *vt* object; **–ping** (-en) *v* objection
'tegenwicht (-en) *o* counterpoise[2], counterweight[2], counterbalance[2]; *een* ~ *vormen tegen...* counterbalance...; **–wind** *m* adverse wind, head wind
tegen'woordig **I** *aj* present; present-day [readers &], [the girls] of to-day; ~ *zijn bij...* be present at...; *onder de ~e omstandigheden* under existing circumstances; **II** *ad* at present, nowadays, these days; **–heid** *v* presence; ~ *van geest* presence of mind; *in* ~ *van...* in the presence of...
'tegenzang (-en) *m* antiphony; **–zet** (-ten) *m* counter-move; **–zin** *m* antipathy, aversion, dislike (of, for *in*); *een* ~ *hebben in...* dislike...; *een* ~ *krijgen in* take a dislike to; *met* ~ with a bad grace, reluctantly
'tegenzitten[2] *vi het zat me tegen* luck was against me, I was unlucky
te'goed (-en) **I** *o* $ [bank] balance; **II** *ad* ~ *hebben* have an outstanding claim [against sbd.]; *ik heb nog geld* ~ money is owing me; *ik heb nog geld van hem* ~ he owes me money
te'huis (-huizen) *o* home
teil (-en) *v* basin, pan, tub
teint [tĩ.] *v* & *o* complexion
'teisteren (teisterde, h. geteisterd) *vt* harass, ravage, visit
te'keergaan (ging te'keer, is te'keergegaan) *vi* **F** go on, take on, raise the roof; storm (at sbd. *tegen iem.*)
'teken (-s en -en) *o* 1 sign, token, mark; symptom [of a disease]; 2 (s i g n a a l) signal; *het* ~ *des kruises* the sign of the cross; *een* ~ *des tijds* a sign of the times; *een* ~ *aan de wand* the writing on the wall; *een slecht* ~ a bad omen; *iem. een* ~ *geven om...* make sbd. a sign to..., motion sbd. to...; ~ *van leven geven* give a sign of life; • *i n het* ~ *van...* ★ in the sign of [Gemini]; *alles komt in het* ~ *van de bezuiniging te staan* retrenchment is the order of the day; *de organisatie staat in het* ~ *van de vrede* the keynote of the organization is peace; *o p een* ~ *van...* at (on) a sign from...; *t e n* ~ *van...* in token of..., as a token of... [mourning, respect &]
'tekenaap (-apen) *m* pantograph; **'tekenaar** (-s) *m* drawer, designer, draughtsman; (v a n s p o t p r e n t e n) cartoonist; **'tekenacademie** (-s en -iën) *v* drawing-academy;

[2] V.T. en V.D. van dit werkwoord volgens het model: **'tegen**kammen, V.T. kamde **'tegen**, V.D. **'tegen**gekamd. Zie voor de vormen onder het grondwoord, in dit voorbeeld: *kammen.* Bij sterke en onregelmatige werkwoorden wordt u verwezen naar de lijst achterin.

–achtig graphic, picturesque; **–behoeften** *mv* drawing-materials; **–boek** (-en) *o* drawing-book, sketch-book; **–bord** (-en) *o* drawing-board; **–doos** (-dozen) *v* box of drawing-materials; **'tekenen** (tekende, h. getekend) **I** *vt* 1 (n a t e k e n e n) draw², delineate²; 2 (o n d e r t e k e n e n) sign; 3 (i n t e k e n e n) subscribe; 4 (m e r k e n) mark; *dat tekent hem* that's characteristic of him, that's just like him; *fijn getekende wenkbrauwen* delicately pencilled eyebrows; **II** *vi* & *va* 1 draw; 2 sign; *n a a r het leven* ~ draw from (the) life; *v o o r gezien* ~ visé, visa; *voor zes jaar* ~ ⚔ sign for six years; *voor de ontvangst* ~ sign for the receipt (of it); *voor hoeveel heb je getekend?* how much have you subscribed?; **III** *vr zich* ~ sign oneself [X]; *ik heb de eer mij te* ~ I remain, yours respectfully, X; **–d** characteristic (of *voor*); **'tekenfilm** (-s) *m* cartoon (picture, film); **–gereedschap** (-pen) *o* drawing-instruments; **–haak** (-haken) *m* (T-)square; **–ing** (-en) *v* 1 (v o o r l o p i g e s c h e t s) design [for a picture, of a building]; 2 (e i g e n a a r d i g e s t r e p i n g &) marking(s) [of a dog], pattern; 3 (g e t e k e n d b e e l d, l a n d s c h a p &) drawing; 4 (h e t o n d e r t e k e n e n) signing [of a letter &]; 5 (o n d e r t e k e n i n g) signature; *het hem ter* ~ *voorleggen* submit it to him for signature; *er begint* ~ *in te komen* things are taking shape; **–inkt** (-en) *m* drawing-ink; **–kamer** (-s) *v* drawing-office; **–krijt** *o* crayon, drawing-chalk; **–kunst** *v* art of drawing; **–leraar** (-s en -raren) *m* drawing-master; **–les** (-sen) *v* drawing-lesson; **–papier** *o* drawing-paper; **–pen** (-nen) *v* 1 (h o u d e r) crayon-holder, ✎ portcrayon; 2 (p e n) drawing-nib; **–plank** (-en) *v* drawing-board; **–portefeuille** [-fœyjə] (-s) *m* drawing-portfolio; **–potlood** (-loden) *o* drawing-pencil; **–school** (-scholen) *v* drawing-school; **–tafel** (-s) *v* drawing-table; **–voorbeeld** (-en) *o* drawing-copy; **–werk** *o* drawing

'tekkel (-s) *m* 🐕 dachshund

te'kort (-en) *o* shortage (of *aan*), [budget] deficit, deficiency, [budget, dollar &] gap; *een* ~ *aan werklieden* a shortage of hands; *een* ~ *aan werklieden hebben* ook: be short of hands; *het* ~ *op de handelsbalans* the trade gap; *een maandelijks* ~ *van* £... *blijft* a monthly gap of £... remains; **–koming** (-en) *v* shortcoming, failing, deficiency, imperfection

tekst (-en) *m* 1 text; (s a m e n h a n g) context; 2 letterpress [to a print, an engraving]; 3 ♪ words; 4 *RT* script; 5 (v. r e c l a m e) copy; 6 wording [on a packet of cigarettes]; ~ *en uitleg geven* give chapter and verse (for *van*); *b ij de* ~ *blijven* stick to one's text; *v a n de* ~ *raken* lose the thread of one's speech &; **–boekje** (-s) *o* libretto, book (of words); **–kritiek** (-en) *v* textual criticism; **–schrijver** (-s) *m* 1 (v a n r e c l a m e) copy writer; 2 *RT* script writer; **–uitgave** (-n) *v* original text edition; **–verdraaiing** (-en) *v* false construction (put) upon a text; **–verklaring** (-en) *v* textual explanation; **–vervalsing** (-en) *v* falsification of a text

tel (-len) *m* count; *de* ~ *kwijt zijn* have lost count; *niet i n* ~ *zijn* be of no account; *hij is niet meer in* ~ he is out of the running now; *in twee* ~*len* in two ticks, **F** in a jiffy; *o p zijn* ~*len passen* mind one's p's and q's; *als hij niet op zijn* ~*len past* if he is not careful

te'laatkomen (kwam te'laat, is te'laatgekomen) *vi* be late (for); **–er** (-s) *m* late-comer

te'lastelegging (-en) *v* = *tenlastelegging*

'telbaar numerable, countable

'telecamera ('s) *v* telecamera

'telecommuni'catie [-(t)si.] *v* telecommunication

telefo'nade (-s) *v* (lengthy) phone call; **telefo'neren** (telefoneerde, h. getelefoneerd) *vt* & *vi* telephone, **F** phone; make a call, ring [sbd.], speak (be) on the telephone, call; **telefo'nie** *v* telephony; **tele'fonisch I** *aj* telephonic; telephone [bookings, calls &]; **II** *ad* telephonically, by (over the) telephone; **telefo'nist** (-en) *m* telephonist, telephone operator; **–e** (-n en -s) *v* telephone operator, telephone girl, switchboard girl, (female) telephonist; **tele'foon** (-s en -fonen) *m* telephone, **F** phone; *wij hebben* ~ we are on the telephone; *de* ~ *aannemen* answer the telephone; *de* ~ *aan de haak hangen* hang up the receiver; *de* ~ *neerleggen* lay down the receiver; *de* ~ *van de haak nemen, de* ~ *opnemen* take off (unhook) the receiver; • *a a n de* ~ [she is] on the telephone; *aan de* ~ *blijven* hold the line, hold on; *p e r* ~ by telephone, over the telephone; **–aansluiting** (-en) *v* telephonic connection; **–beantwoorder** (-s) *m* answer-phone machine; **–boek** (-en) *o* telephone directory, telephone book; **–cel** (-len) *v* call-box, telephone kiosk; **–centrale** (-s) *v* (telephone) exchange; **–dienst** *m* telephone service; **–district** (-en) *o* local exchange area; **–draad** (-draden) *m* telephone wire; **–gesprek** (-ken) *o* telephone call; conversation over the telephone, telephone conversation; **–gids** (-en) *m* = *telefoonboek*; **–juffrouw** (-en) *v* = *telefoniste*; **–net** (-ten) *o* telephone system (network); **–nummer** (-s) *o* telephone number; **–paal** (-palen) *m* telephone pole; **–tje** (-s) *o* (telephone) call; **–toestel** (-len) *o* telephone set; **–verbinding** (-en) *v* telephone connection;

(v e r k e e r t u s s e n l a n d e n &) telephone communication; **–verkeer** *o* telephone communication
'telefoto ('s) *v* telephotograph; **telefotogra'fie** *v* telephotography
telege'niek [-ʒe.'ni.k] telegenic
tele'graaf (-grafen) *m* telegraph; *per ~* by wire; **–draad** (-draden) *m* telegraph wire; **–kabel** (-s) *m* telegraph cable; **–kantoor** (-toren) *o* telegraph office; **–net** (-ten) *o* telegraph system; **–paal** (-palen) *m* telegraph pole; **–toestel** (-len) *o* telegraphic apparatus; **telegra'feren** (telegrafeerde, h. getelegrafeerd) *vt* & *vi* telegraph, wire, cable; **telegra'fie** *v* telegraphy; **tele'grafisch I** *aj* telegraphic; **II** *ad* telegraphically, by wire; **telegra'fist(e)** (-fisten) *m(-v)* telegraphist, (telegraph) operator
tele'gram (-men) *o* telegram, wire, cablegram; *~ met betaald antwoord* reply-paid telegram; **–adres** (-sen) *o* telegraphic address; **–besteller** (-s) *m* telegraph messenger, telegraph boy; **–formulier** (-en) *o* telegram form, telegraph form; **–stijl** *m* telegraphese
teleki'nese [s = z] *v* telekinese
'telelens (-lenzen) *v* telelens
'telen (teelde, h. geteeld) *vt* 1 breed, rear, raise [animals]; 2 grow, cultivate [plants]
tele'paat (-paten) *m* telepathist; **telepa'thie** *v* telepathy; **tele'pathisch** telepathic
'teler (-s) *m* 1 (v. v e e) breeder; 2 (v. p l a n - t e n) grower
tele'scoop (-scopen) *m* telescope; **tele'scopisch** telescopic
te'leurstellen (stelde te'leur, h. te'leurgesteld) *vt* disappoint [a person, hope &]; *teleurgesteld over* disappointed at (with); **–ling** (-en) *v* disappointment (at, with *over*)
tele'visie [s = z] *v* television, **F** telly; *op de ~, per ~, voor de ~* on television; *per ~ overbrengen* (*uitzenden*) televise; **–antenne** (-s) *v* television aerial (antenna); **–beeld** (-en) *o* television picture; **–camera** ('s) *v* television camera; **–kanaal** (-nalen) *o* television channel; **–kijker** (-s) *m* television viewer, televiewer; **–mast** (-en) *m* television mast; **–omroeper** (-s) *m* television announcer; **–programma** ('s) *o* television programme, *Am* telecast; **–scherm** *o* television screen; **–spel** (-spelen) *o*, **–stuk** (-ken) *o* television play; **–toestel** (-len) *o* television set; **–uitzending** (-en) *v* television broadcast, telecast; **–zender** (-s) *m* television transmitter; television broadcasting station
'telex (-en) *m* 1 (t o e s t e l) teleprinter; 2 (d i e n s t, n e t) telex
telg (-en) *m-v* descendant, scion, shoot; *zijn ~en* ook: his offspring
'telgang *m* ambling gait, amble; **–er** (-s) *m* ambling horse
'teling *v* 1 breeding [of animals]; 2 growing, cultivation [of plants]
'telkenmale = *telkens*; **'telkens** 1 (v o o r t - d u r e n d) again and again, at every turn; 2 (i e d e r e k e e r) every time, each time; *~ als, ~ wanneer* whenever, every time
'tellen (telde, h. geteld) **I** *vt* 1 count; 2 (t e n g e t a l e z i j n v a n) number; *dat telt hij niet* he makes no account of it; *iets licht ~* make little account of sth., make light of sth.; *hij kijkt of hij geen tien kan ~* he looks as if he could not say bo to a goose; *wij ~ hem onder onze vrienden* we count (number, reckon) him among our friends; *hij wordt niet geteld* he doesn't count; *zijn dagen zijn geteld* his days are numbered; **II** *vi* & *va* count; *dat telt niet* that does not count; that goes for nothing; *dat telt b ij mij niet* that does not count (weigh) with me; *t o t 100 ~* count up to a hundred; *v o o r twee ~* count as two; **–er** (-s) *m* 1 (p e r s o o n) counter, teller; 2 (v. b r e u k) numerator; **'telling** (-en) *v* count(ing); **'telmachine** [-ʃi.nə] (-s) *v* adding machine
te'loorgaan (ging te'loor, is te'loorgegaan) *vi* be lost, get lost
'telpas *m* amble
'telraam (-ramen) *o* counting-frame, abacus; **–woord** (-en) *o* numeral
'tembaar tamable; **–heid** *v* tamability
te'meer *ad* all the more
'temen (teemde, h. geteemd) *vi* drawl, whine; **'temerig** drawling, whining; **teme'rij** *v* drawling, whining
'temmen (temde, h. getemd) *vt* tame[2]; **–ming** *v* taming
'tempel (-s en -en) *m* temple, ⊙ fane; **–bouw** *m* building of a (the) temple; **–dienst** (-en) *m* temple service; **tempe'lier** (-s en -en) *m* Knight Templar, templar; *hij drinkt als een ~* he drinks like a fish; **'tempelridder** (-s) *m* Knight Templar
'tempera *v* tempera, distemper
tempera'ment (-en) *o* temperament, temper; **–vol** temperamental
tempera'tuur (-turen) *v* temperature; *zijn ~ opnemen* take his temperature; **–verhoging** (-en) *v* rise of temperature; **–verschil** (-len) *o* difference in temperature
'temperen (temperde, h. getemperd) *vt* 1 (m a t i g e n) temper[2] [the heat, one's austerity &]; deaden[2] [the sound, brightness]; damp[2] [fire, zeal]; soften [light, colours]; tone down[2] [the colouring, an expression]; 2 (d e b r o s - h e i d o n t n e m e n) temper [steel]; **–ring** (-en) *v* tempering, softening; **'tempermes**

(-sen) *o* palette-knife; **–oven** (-s) *m* tempering-furnace
'tempo ('s) *o* 1 (ook: tempi) ♪ time; 2 pace, tempo; *in een snel ~* at a quick rate; *in zes ~'s* ♪ in six movements; *het ~ aangeven* set the pace, mark the running; **tempo'reel** temporal; (t ij d e l ij k) temporary; **tempori'seren** [s = z] (temporiseerde, h. getemporiseerd) *vt* temporize
temp'tatie [-(t)si.] (-s en -tiën) *v* 1 (v e r z o e k i n g) temptation; 2 (k w e l l i n g) vexation; **temp'teren** (tempteerde, h. getempteerd) *vt* 1 (i n v e r z o e k i n g b r e n g e n) tempt; 2 (p l a g e n) vex
ten at, to &; *~ zesde, ~ zevende* & sixthly, in the sixth place, seventhly, in the seventh place &; zie verder *aanzien, bate* &
ten'dens (-en) *v* tendency, trend; **–roman** (-s) *m* novel with a purpose; **ten'dentie** [-(t)si.] (-s) *v* tendency; **tendenti'eus** [-si.'ø.s] tendentious
'tender (-s) *m* tender
ten'deren (tendeerde, h. getendeerd) *vi* tend, incline, show a tendency (to, toward)
'tenderlocomotief (-tieven) *v* tank-engine
ten'einde *cj* in order to
'tenen *aj* osier, wicker [basket]
te'neur *m* drift, tenor
'tengel (-s) *m* 1 lath; 2 **S** (h a n d) paw
'tenger slight, slender; *~ gebouwd* slightly built; **–heid** *v* slenderness
te'nietdoen (deed te'niet, h. te'nietgedaan) *vt* nullify, annul, cancel, abolish; undo; bring (reduce) to naught, dash [sbd.'s hopes]; **–ing** (-en) *v* nullification, annulment; **te'nietgaan** (ging te'niet, is te'nietgegaan) *vi* come to nothing, perish
ten'lastelegging (-en) *v* charge, indictment
ten'minste at least
'tennis *o* (lawn-)tennis; *een partijtje ~* a tennis game; **–arm** (-en) *m* tennis elbow (arm); **–baan** (-banen) *v* tennis-court; **–bal** (-len) *m* tennis-ball; **–racket** [-rɪkət] (-s) *o* & *v* tennis racket; **–schoen** (-en) *m* tennis shoe; **'tennissen** (tenniste, h. getennist) *vi* play (lawn-)tennis; **'tennisspeler** (-s) *m* tennis player; **–veld** (-en) *o* tennis-court(s); **–wedstrijd** (-en) *m* tennis match
te'nor [tə'no:r] (-s en -noren) *m* ♪ tenor; **–stem** (-men) *v* tenor voice, tenor; **–zanger** (-s) *m* tenor(-singer)
tent (-en) *v* 1 (⚔ & v a n I n d i a n e n &) tent; 2 (o p k e r m i s) booth; 3 ⚓ awning [on a ship]; 4 (v. r ij t u i g) tilt; 5 **F** (c a f é, d a n c i n g &) joint; *de ~en opslaan* pitch tents; *ergens zijn ~en opslaan* pitch one's tent somewhere; *in ~en (ondergebracht)* ook: under canvas; *hem uit zijn ~ lokken* draw him
ten'takel (-s) *m* tentacle
ten'tamen (-s en -mina) *o* preliminary examination; **F** prelim; **tentami'neren** (tentamineerde, h. getentamineerd) *vt* examine, give an examination
'tentbewoner (-s) *m* tent dweller; **–dak** (-daken) *o* pavilion roof; **–doek** (-en) *o* & *m* canvas, tent-cloth; **–enkamp** (-en) *o* camp of tents, tented camp
ten'teren (tenteerde, h. getenteerd) = *tentamineren*
'tentharing (-en) *m* tent-peg; **–luifel** (-s) *v* tent-fly
ten'toonspreiden (spreidde ten'toon, h. ten'toongespreid) *vt* display; **–ding** *v* display; **ten'toonstellen** (stelde ten'toon, h. ten'toongesteld) *vt* exhibit, show; **ten'toonstelling** (-en) *v* exhibition, show; **–sterrein** (-en) *o* exhibition ground(s)
'tentpaal (-palen) *m,* **–stok** (-ken) *m* tent-pole; **–wagen** (-s) *m* tilt-cart; **–zeil** *o* canvas
te'nue [tə'ny.] (-s en -uën) *o* & *v* dress, uniform; *in groot ~* in full dress, in full uniform; *in klein ~* in undress
ten'uitvoerbrenging, –legging (-en) *v* execution
'tenzij unless
'tepel (-s) *m* nipple; (v. z o o g d i e r) dug; teat [of udder]
ter at (in, to) the; zie ook: *aarde* &
ter'aardebestelling (-en) *v* burial, interment
terbe'schikkingstelling (-en) *v* ⚖ preventive detention (under the Mental Health Act, in *Br*)
ter'dege, ter'deeg properly, thoroughly, vigorously; well [aware of the fact]
ter'doodbrenging *v* execution
te'recht rightly, justly, with justice; *zij protesteren ~* they are right (they are correct) to protest (in protesting); *~ of ten onrechte* rightly or wrongly; *~ zijn* be found; *het is weer ~* it has been found; *ben ik hier ~?* am I right here?; *ben ik hier ~ bij X?* does X live here?; **te'rechtbrengen**[1] *vt het ~* arrange matters; *ik kan hem niet ~* I cannot 'place' him; *een zondaar ~* reclaim a sinner; *er niets van ~* make a mess of it; *er (heel) wat van ~* make a success of it; **–helpen**[1] *vi* help on, set right; **–komen**[1] *vi* be found (again); *het zal wel ~* it is sure to come

[1] V.T. en V.D. van dit werkwoord volgens het model: **te'recht**stellen, V.T. stelde **'terecht**, V.D. **te'recht**gesteld. Zie voor de vormen onder het grondwoord, in dit voorbeeld: *stellen.* Bij sterke en onregelmatige werkwoorden wordt u verwezen naar de lijst achterin.

right; *het zal van zelf wel* ~ it is sure to right itself; *het boek zal wel weer* ~ the book is sure to turn up some day; *de brief is niet terechtgekomen* the letter has not come to hand; *wat de betaling betreft, dat zal wel* ~ never mind about the payment, that will be all right; *hij zal wel* ~ he will make his way (in the world); he is sure to 'make good' after all; *in een moeras* ~ land in a bog; ~ *in de zakken van...* go to the pockets of...; *er komt niets van hem terecht* he will come to no good; *daar komt niets van terecht* it will come to nothing; **–staan**[1] *vi* be committed for trial, stand (one's) trial, be on (one's) trial

te'rechtstellen[1] *vt* execute; **–ling** (-en) *v* execution

te'rechtwijzen[1] *vt* 1 set right [sbd. who has lost his way]; 2 reprimand, reprove [a naughty child &]; **–zing** (-en) *v* reprimand, reproof

te'rechtzitting (-en) *v* session, sitting

1 'teren (teerde, h. geteerd) *vt* tar

2 'teren (teerde, h. geteerd) *vi achteruit* ~ be eating into one's capital; ~ *op* live on; *op eigen kosten* ~ pay one's way

'tergen (tergde, h. getergd) *vt* provoke, irritate, aggravate, tease, torment; **–d** provocative, provoking &; exasperating

ter'handstelling *v* handing over, delivery

'tering *v* 1 (u i t g a v e n) expense; 2 (z i e k t e) (pulmonary) consumption, phthisis; *de* ~ *hebbend* in consumption, consumptive; *de* ~ *krijgen* go into consumption; *de* ~ *naar de nering zetten* cut one's coat according to one's cloth; zie ook: *vliegend*; **–achtig** consumptive; **–lijder** (-s) *m* consumptive

ter'loops in passing, incidentally; ~ *gemaakte opmerkingen* incidental (off-hand) remarks

term (-en) *m* term [= limit & word]; *er zijn geen* ~*en voor* there are no grounds for it; *i n de* ~*en vallen om* be liable to...; *in bedekte* ~*en* in veiled terms; *v o l g e n s de* ~*en van de wet* within the meaning of the law

ter'miet (-en) *m* & *v* termite, white ant; **–enheuvel** (-s) *m* termite hill

ter'mijn (-en) *m* 1 (t ij d r u i m t e) term; 2 (a f b e t a l i n g s s o m) instalment; *de uiterste* ~ $ the latest time, the latest date (for delivery, for payment); *een* ~ *vaststellen* fix a time; • *b i n n e n de vastgestelde* ~ within the time fixed; *i n* ~*en betalen* pay by (ook: in) instalments; *o p* ~ $ [securities] for the account; [goods] for future delivery; *op korte* ~ $ at short notice; *krediet op korte* (*lange*) ~ short (long)-term credit; **–affaires** [-fɛ:rəs] *mv* $ futures; **–betaling** (-en) *v* = *afbetaling*; **–handel** *m* $ (dealing in) futures; **–markt** (-en) *v* $ futures market

terminolo'gie (-ieën) *v* terminology, nomenclature; **termino'logisch** terminological

ter'nauwernood scarcely, barely, hardly, [escape] narrowly

ter'ne(d)er *ad* down; **ter'neerdrukken** (drukte ter'neer, h. ter'neergedrukt) *vt* depress, sadden; **ter'neergeslagen** cast down, dejected, low-spirited; **ter'neerslaan** (sloeg ter'neer, h. ter'neergeslagen) *vt* cast down, dishearten, depress

terp (-en) *m* mound, hill

terpen'tijn *m* 1 (h a r s) turpentine; 2 (o l i e) oil of turpentine, turpentine, **F** turps

'terra terra-cotta; **terra'cotta I** *v* & *o* terra cotta; **II** *aj* terra-cotta

ter'rarium (-s en -ia) *o* terrarium

ter'ras (-sen) *o* 1 terrace; 2 (v. c a f é) pavement; **–bouw** *m* terrace cultivation; **–vormig** terraced

ter'rein (-en) *o* ground, plot [of land]; (building-)site; ⚔ terrain; *fig* domain, province, field; *open* ~ open ground; *het* ~ *kennen* be sure of one's ground; *het* ~ *verkennen* ⚔ reconnoitre; *fig* see how the land lies; ~ *verliezen* lose ground; ~ *winnen* gain ground[2]; *op bekend* ~ *zijn* be on familiar ground; *daar was je op gevaarlijk* ~ you were on dangerous ground; *op internationaal* ~ in the international field; **–gesteldheid** *v* state, condition of the ground; **–rit** (-ten) *m* cross country; **–verkenning** *v* reconnoitring, preliminary survey; **–wedstrijd** (-en) *m* (v o o r m o t o r e n) motocross; **–winst** (-en) *v* gain of ground

ter'reur *v* (reign of) terror; *de T*~ the (Reign of) Terror; *daden van* ~ acts of terrorism, terrorist acts

'terriër (-s) *m* 🐕 terrier

ter'rine (-s) *v* tureen

terri'toir [-'twa:r] (-s) *o*, **–'toor** (-toren) *o* = *territorium*; **territori'aal** territorial; **terri'torium** (-s en -ia) *o* territory

terrori'satie [-'za.(t)si.] (-s) *v* terrorization; **terrori'seren** (terroriseerde, h. geterroriseerd) *vt* terrorize; **terro'risme** *o* terrorism; **–ist(isch)** (-en) *m* (& *aj*) terrorist

ter'sluik(s) stealthily, by stealth, on the sly

ter'stond directly, immediately, at once, forthwith

'tertia [-tsi.a.] ('s) *v* $ third of exchange

terti'air [tɛrtsi.'ɛ:r] tertiary

[1] V.T. en V.D. van dit werkwoord volgens het model: **te'recht**stellen, V.T. stelde **'terecht**, V.D. **te'recht**gesteld. Zie voor de vormen onder het grondwoord, in dit voorbeeld: *stellen.* Bij sterke en onregelmatige werkwoorden wordt u verwezen naar de lijst achterin.

terts (-en) *v* ♪ third; *grote* (*kleine*) ~ ♪ major (minor) third
te'rug back, backward; ~*!* stand back!, back there!; *30 jaar* ~ thirty years back, thirty years ago; *ik heb het* (*boek*) ~ I've got it (the book) back; *heb je van een gulden* ~*?* can you change a guilder?; *ik heb niet* ~ (*van een gulden*) I've no change (out of a guilder); *daar had hij niet van* ~ [*fig*] he did not know what to say to that; *hij kan niet meer* ~ he can't go back on it; *ik moet het* (*boek*) ~ I want it (the book) back; *ze zijn* ~ they have returned, they are back (again); **–begeven** (begaf te'rug, h. te'rugbegeven) *zich* ~ return; **–bekomen**[1] *vt* get back; **–bellen**[1] *vt* ☎ ring back
te'rugbetaalbaar repayable; **te'rugbetalen**[1] *vt* pay back, repay, refund; **–ling** (-en) *v* repayment [to a person]; withdrawal [from a bank]
te'rugblik *m* look(ing) backward, retrospective view, retrospection; retrospect; *een* ~ *werpen op* look back on; **te'rugblikken**[1] *vi* look back (on, to *op*)
te'rugbrengen[1] *vt* bring (take) back; *tot op...* ~ reduce to...; **–deinzen**[1] *vi* shrink back; (*niet*) ~ *voor...* (not) shrink from...; *voor niets* ~ ook: stick (stop) at nothing; **–denken**[1] **I** *vi* ~ *aan* recall (to mind); **II** *vr zich* ~ *in die toestand* think oneself back into that state; **–doen**[1] *vt iets* ~ do sth. in return; **–draaien**[1] *vt* turn back, put back; **–drijven**[1] *vt* drive back, repulse, repel; **–dringen**[1] *vt* drive back, push back, repel; force back [tears]; **–eisen**[1] *vt* reclaim, demand back
te'ruggaaf = *teruggave*
te'ruggaan[1] *vi* 1 go back, return; 2 recede, go down [prices]; *enige jaren* ~ go back a few years; **te'ruggang** *m* 1 going back; 2 (v e r v a l) decay; 3 $ fall [in prices]
te'ruggave *v* return, restitution
te'ruggetrokken retiring, keeping oneself to oneself, retired [life]; **–heid** *v* retirement
te'ruggeven[1] **I** *vt* give back, return, restore; **II** *va kunt u van een gulden* ~*?* can you let me have my change out of a guilder?; **–grijpen**[1] *vi* ~ *op* revert to, hark back to; **–groeten**[1] *vt* & *vi* return a salute (salutation, greeting); acknowledge sbd.'s bow; ⚔ acknowledge (return) a salute; **–halen**[1] *vt* fetch back
te'rughouden[1] *vt* retain, hold back [wages]; *iem. van iets* ~ restrain sbd. (hold sbd. back) from doing sth.; **terug'houdend** reserved, restrained; **–heid** *v* reserve, restraint; **te'rughouding** *v* reserve
te'rugjagen[1] *vt* drive back [a person &]
te'rugkaatsen[1] **I** *vt* strike back [a ball &]; throw back, reflect [sound, light, heat]; reverberate [sound, light]; (re-)echo [sound]; **II** *vi* rebound [of a ball]; be thrown back, be reflected; reverberate; (re-)echo; **–sing** (-en) *v* reflection, reverberation
te'rugkeer *m* coming back, return; **te'rugkeren**[1] *vi* return, turn back; *op zijn schreden* ~ retrace one's steps
te'rugkomen[1] *vi* return, come back; ~ *o p iets* return to the subject; ~ *v a n een besluit* go back on a decision; *ik ben ervan teruggekomen* I don't hold with it any longer; **te'rugkomst** *v* coming back, return
te'rugkoop *m* 1 buying back, repurchase; 2 (i n l o s s i n g) redemption; **te'rugkopen**[1] *vt* 1 buy back, repurchase; 2 (i n l o s s e n) redeem
te'rugkoppeling *v* ✲ feed-back
te'rugkrabbelen (krabbelde te'rug, is te'ruggekrabbeld) *vi* go back on it (on the bargain), back out of it, cry off, back-pedal, draw in one's horns; **–krijgen**[1] *vt* get back; **–lopen**[1] *vi* 1 (i n 't a l g.) run (walk) back; 2 (v. w a t e r) run (flow) back; 3 $ (v. p r ij z e n &) recede, fall; 4 ⚔ (v. k a n o n) recoil
te'rugmarcheren[1] [-marʃe:rə(n)] *vi* march back; **te'rugmars** *m* & *v* march back, march home
te'rugnemen[1] *vt* take back; *fig* withdraw, retract; *zijn woorden* ~ ook: eat one's words
te'rugreis (-reizen) *v* return-journey, journey back, ⚓ return-voyage, ⚓ voyage back; **te'rugreizen**[1] *vi* travel back, return
te'rugrijden[1] *vi* ride (drive) back
te'rugroepen[1] *vt* call back, recall; *teruggeroepen worden* 1 (i n 't a l g.) be called back; 2 (v a n a c t e u r) get a 'recall'; *in het geheugen* ~ recall (to mind), recapture [the past]; **–ping** *v* recall
te'rugschakelen[1] *vi* 🚗 change down [from fourth to third]; **–schrijven**[1] *vi* & *vt* write in reply, write back; **–schrikken**[1] *vi* start back, recoil; (*niet*) ~ *voor* (not) shrink from
te'rugslaan[1] **I** *vi* 1 strike (hit) back; 2 ⚒ backfire [of an engine]; **II** *vt* strike back, return [the ball &]; beat back, repulse [the enemy]; **te'rugslag** *m* 1 repercussion [after impact]; 2 back-fire [of an engine]; back-stroke [of a piston]; 3 *fig* reaction, revulsion, repercussion, set-back
te'rugsnellen[1] *vi* hasten (hurry) back; **–spoelen**[1] *vt* rewind; **–springen**[1] *vi* start back, leap back [of person]; recoil, rebound

[1] V.T. en V.D. van dit werkwoord volgens het model: **te'rug**blikken, V.T. blikte **'terug**, V.D. **te'rug**geblikt. Zie voor de vormen onder het grondwoord, in dit voorbeeld: *blikken*. Bij sterke en onregelmatige werkwoorden wordt u verwezen naar de lijst achterin.

[after impact]; recede [of chin, forehead &]
te'rugstoot (-stoten) *m* rebound, recoil; ⚔ recoil [of a gun], kick [of a rifle]
te'rugstorten[1] *vt* (g e l d) refund
te'rugstoten[1] **I** *vt* push back; *fig* repel; **II** *vi* ⚔ recoil [of a gun], kick [of a rifle]; **–d** repellent, repulsive, forbidding
te'rugstromen[1] *vi* flow back; **–stuiten**[1] *vi* rebound, recoil
te'rugtocht *m* 1 retreat; 2 = *terugreis*
te'rugtrappen[1] **I** *vi* 1 kick [him] back; 2 back-pedal [on bike]; **II** *vt* kick back;
te'rugtraprem (-men) *v* back-pedalling brake [of a bicycle]
te'rugtreden[1] *vi* step back
te'rugtrekken[1] **I** *vt* pull back, draw back, withdraw[2] [one's hand, troops, a candidature, a remark]; retract[2] [its claws, a promise]; **II** *va* ⚔ retire, retreat, withdraw; **~** *op* ⚔ fall back on; **III** *vr zich* **~** retire [also: from business], withdraw; **–king** *v* retirement [from business], withdrawal [of troops]; retraction [of claws]; *fig* retractation [of a promise]
te'rugvallen[1] *vi* fall back[2]; **–varen**[1] *vi* sail back, return; **–verlangen**[1] **I** *vi* long to go back [to India &]; **II** *vt* want back; **–vinden**[1] *vt* find again, find; **–vliegen**[1] *vi* fly back; **–vloeien**[1] *vi* flow back; **–voeren**[1] *vt* carry back
te'rugvorderen[1] *vt* claim back, ask back; **–ring** (-en) *v* reclamation
te'rugvragen[1] *vt* ask back, ask for the return of
te'rugweg *m* way back
te'rugwerken[1] *vi* react; **–d** retroactive, reacting; *~e kracht* retrospective (retroactive) effect; *een bepaling ~e kracht verlenen* make a provision retroactive; *salarisverhogingen ~e kracht verlenen* back-date salary increases; **te'rugwerking** (-en) *v* reaction, retroaction
te'rugwerpen[1] *vt* throw back[2]; **–wijken**[1] *vi* 1 (i n 't a l g.) recede; 2 ⚔ retreat, fall back; **–wijzen**[1] *vt* refer back [the reader to page...]; zie ook: *afwijzen*; **–winnen**[1] *vt* win back, regain; **–zenden**[1] *vt* send back [a person, thing], return [a book &]; **–zetten**[1] *vt* put back; **–zien**[1] **I** *vi* look back [to the past, on my youth]; **II** *vt* see again [a lost friend &]; **–zwemmen**[1] *vi* swim back
ter'wijl **I** *cj* 1 (v. t ij d) while, whilst; as; 2 (t e g e n s t e l l e n d) whereas; **II** *ad* meanwhile
ter'zake zie *zaak*
ter'zet [tɛr'tsɛt] (-ten) *o* ♪ terzetto
ter'zijde (-s) *o* aside; **–stelling** *v* putting aside, neglect, disregard; *met ~ van* putting aside; in disregard of
test (-en) *v* 1 chafing-dish; 2 (h o o f d) **S** nob, nut, **F** noddle; ‖ (-s) *m* (p r o e f) test, trial
testa'ment (-en) *o* 1 will, last will (and testament); 2 Testament; *het Oude en Nieuwe T~* the Old and New Testament; *zijn ~ maken* make one's will; ● *b ij ~ vermaken aan* bequeath to, will away to; *iem. i n zijn ~ zetten* remember sbd. in one's will; *z o n d e r ~ na te laten* intestate; **testamen'tair** [-'tɛ:r] testamentary; **testa'teur** (-s) *m* testator; **testa'trice** (-s) *v* testatrix
'testbeeld (-en) *o* (t e l e v i s i e) test pattern; **'testen** (testte, h. getest) *vt* test (for *op*)
tes'teren (testeerde, h. getesteerd) *vt* 1 (g e t u i g e n) state; 2 (v e r m a k e n) bequeath
tes'tikel (-s) *m* testicle
testi'monium (-s en -ia) *o* testimonial, 🎓 testamur; **'testpiloot** (-loten) *m* test pilot
'tetanus *m* tetanus, **F** lockjaw
tête-à-'tête [tɛ:ta.'tɛ:t] (-s) *o* tête-à-tête
'tetteren (tetterde, h. getetterd) *vi* 1 blare; 2 (l u i d s p r e k e n) **F** yap, cackle
teug (-en) *m* & *v* draught; pull; *in één ~* at a draught; *m e t volle ~en* taking deep draughts
'teugel (-s) *m* rein, bridle; *de ~s van het bewind in handen hebben* (*nemen*) hold (assume, seize, take over) the reins of government; *de ~ strak houden* hold the rein tight, keep him (them) on a tight rein; *de vrije ~ geven* (*laten*) give [a horse] the reins; give free rein, give rein (the reins) to [one's imagination]; *de ~s aanhalen* tighten the reins; *de ~ vieren* give full rein to; *met losse ~* with a loose rein; *met strakke ~* with tightened rein(s); **'teugelen** (teugelde, h. geteugeld) *vt* bridle [a horse]; **'teugelloos** unbridled, unrestrained; **teugel'loosheid** *v* unrestrainedness, unbridled passion
'teugje (-s) *o* sip; *met ~s drinken* sip
'teunisbloem (-en) *v* evening primrose
1 teut (-en) *m-v* slow-coach, dawdler
2 teut **F** *aj* (d r o n k e n) tight
'teutachtig dawdling; **'teuten** (teutte, h. geteut) *vi* dawdle; **'teutkous** (-en) *v* dawdler, slow-coach
Teu'toon (-tonen) *m* Teuton; **–s** Teutonic
te'veel *o* surplus
'tevens at the same time; *de ...ste en ~ de ...ste* both the ...st and the ...st
tever'geefs in vain, vainly, for nothing
te'voren zie 2 *voren*
te'vreden **I** *aj* 1 (p r e d i k a t i e f) content; 2 (a t t r i b u t i e f) contented; **~** *m e t* content

[1] V.T. en V.D. van dit werkwoord volgens het model: **te'rug**blikken, V.T. blikte **'terug**, V.D. **te'rug**geblikt. Zie voor de vormen onder het grondwoord, in dit voorbeeld: *blikken*. Bij sterke en onregelmatige werkwoorden wordt u verwezen naar de lijst achterin.

with; ~ *zijn o v e r* be satisfied with; **II** *ad* contentedly; **–heid** *v* contentedness, contentment, content, satisfaction; *t o t zijn* (*volle*) ~ to his (entire) satisfaction; *een boterham met* ~ bread and scrape; **te'vredenstellen** (stelde te'vreden, h. te'vredengesteld) **I** *vt* content, satisfy; **II** *vr zich* ~ *met* content oneself with
te'waterlating (-en) *v* launch, launching
te'weegbrengen (bracht te'weeg, h. te'weeggebracht) *vt* bring about, cause
te'werkstellen (stelde te'werk, h. te'werkgesteld) *vt* engage, employ; **–ling** (-en) *v* employment
tex'tiel I *aj* textile; **II** *m* & *o* textiles; **–industrie** (-ieën) *v* textile industry
te'zamen together
'Thailand *o* Thailand
thans at present, now; by this time
the'ater (-s) *o* theatre; **thea'traal I** *aj* theatrical, stag(e)y, histrionic; **II** *ad* theatrically, stagily, histrionically
The'baan(s) (-banen) *m* (& *aj*) Theban; **'Thebe** *o* Thebes
thee *m* tea; ~ *drinken* have (take) tea, tea; *ze zijn aan het* ~ *drinken* they are at tea; *komt u op de* ~*?* will you come to tea (with us)?; *kunnen we op de* ~ *komen?* can you have us to tea?; **–blad** 1 (-bladeren en -blaren) *o* ♣ tea-leaf; 2 (-bladen) *o* tea-tray; **–builtje** (-s) *o* tea-bag; **–busje** (-s) *o* tea-caddy, tea-canister; **–cultuur** *v* tea-culture, tea-growing; **–doek** (-en) *m* tea-towel, tea-cloth; **–ëi** (-eren) *o* tea infuser, tea-egg (-ball); **–fabriek** (-en) *v* tea-works, tea-factory; **–gerei, –goed** *o* tea-things; **–handel** *m* tea-trade; **–handelaar** (-s en -laren) *m* tea-merchant, tea-dealer; **–huis** (-huizen) *o* tea-house; **–ketel** (-s) *m* tea-kettle; **–kist** (-en) *v* tea-chest; **–kistje** (-s) *o* tea-caddy; **–kopje** (-s) *o* teacup; **–land** (-en) *o* tea-plantation, tea-estate; **–lepeltje** (-s) *o* 1 teaspoon; 2 teaspoonful; **–lichtje** (-s) *o* spirit-stove; **–lood** *o* tea-lead
Theems *v* Thames
'theemuts (-en) *v* tea-cosy; **–oogst** (-en) *m* tea-crop; **–pauze** (-s en -n) *v* tea break; **–plantage** [-ta.ʒə] (-s) *v* tea-plantation, tea-garden; **–pot** (-ten) *m* teapot; **–roos** (-rozen) *v* tea-rose; **–salon** (-s) *m* & *o* tea-room(s), tea-shop; **–schoteltje** (-s) *o* saucer; **–servies** (-viezen) *o* tea-service, tea-set; **–stoof** (-stoven) *v* tea-kettle stand; **–tafel** (-s) *v* tea-table; **–tante** (-s) *v* gossip; **–tuin** (-en) *m* (u i t s p a n n i n g & p l a n t a g e) tea-garden; **–visite** [s = z] (-s) *v* five o'clock visit; tea-party; **–wagen** (-s) *m* tea-trolley; **–water** *o* water for tea; *hij is boven zijn* ~ he is in his cups; **–zakje** (-s) *o* tea-bag; **–zeefje** (-s) *o* tea-strainer
the'ïsme *o* theism; **the'ïst** (-en) *m* theist; **–isch I** *aj* theistic(al); **II** *ad* theistically
'thema ('s) 1 *v* & *o* ⚭ exercise; 2 *o* theme; **the'matisch** thematic
theo'craat (-craten) *m* theocrat; **theocra'tie** [-'(t)si.] *v* theocracy; **theo'cratisch I** *aj* theocratic; **II** *ad* theocratically
theolo'gie *v* theology; **theo'logisch** theological; **theo'loog** (-logen) *m* 1 theologian; 2 student of theology, divinity student
theo'rema ('s) *o* theorem
theo'reticus (-ci) *m* theorist; theoretician; **theo'retisch I** *aj* theoretical; **II** *ad* theoretically, in theory; **theoreti'seren** [s = z] (theoretiseerde, h. getheoretiseerd) *vi* theorize; **theo'rie** (-ieën) *v* theory; ⚔ theoretical instruction
theoso'fie *v* theosophy; **theo'sofisch** theosophical; **theo'soof** (-sofen) *m* theosophist
thera'peut [-'pœyt] (-en) *m* therapeutist; **–isch** therapeutic(al); **thera'pie** (-ieën) *v* 1 (o n d e r d e e l d e r g e n e e s k u n d e) therapeutics; 2 (b e h a n d e l i n g) therapy
ther'maal thermal; **'thermen** *mv* thermal springs, baths; **ther'miek** *v* thermal current, updraught of warm air; **'thermisch** thermal, thermic; **thermody'namica** [-di.'na.-] *v* thermodynamics; **thermo'geen** thermogenic, thermogenetic; **'thermometer** (-s) *m* thermometer; **thermo'metrisch** thermometric(al); **thermonucle'air** [-kle.'ɛ:r] thermonuclear
Ⓜ **'thermosfles** (-sen) *v* thermos (flask); **thermo'staat** (-staten) *m* thermostat
thesau'rie [te.zo:'ri.] (-ieën) *v* treasury; **the'saurier** (-s) *m* treasurer
'these ['te.zə] (-n en -s) *v* thesis [*mv* theses]; **'thesis** (-sissen en -ses) *v* thesis [*mv* theses]
'Thomas *m* Thomas; *ongelovige* ~ doubting Thomas; ~ *van Aquino* St. Thomas Aquinas
thuis I *ad* at home; (n a a r h u i s) home; ~ *blijven* (*zijn*) stay (be) at home; *is...* ~*?* ook: is... in?; *ergens goed* ~ *in zijn* be at home with (on) a subject; *doe of je* ~ *bent* make yourself at home; *handen* ~*!* hands off!; *niemand* ~ nobody at home, nobody in; *niet* ~ *geven* not be at home [to visitors]; **II** *o* home; **–bezorgen** (bezorgde 'thuis, h. 'thuisbezorgd) *vt* send to sbd.'s house; **–blijven**[1] *vi* stay at home, stay in;

[1] V.T. en V.D. van dit werkwoord volgens het model: **'thuis**horen, V.T. hoorde **'thuis**, V.D. **'thuis**gehoord. Zie voor de vormen onder het grondwoord, in dit voorbeeld: *horen.* Bij sterke en onregelmatige werkwoorden wordt u verwezen naar de lijst achterin.

-brengen[1] *vt* 1 see home [a friend]; 2 *fig* place [a man]
'thuisclub (-s) *v* home team, home side; **-front** *o* home front; **-haven** (-s) *v* home port
'thuishoren[1] *vi daar* ~ belong there; *die opmerkingen horen hier niet thuis* are out of place; *ik geloof dat ze in Haarlem* ~ I think they belong to H; **-houden**[1] *vt* keep [sbd.] at home, keep [sbd.] in(doors); **-komen**[1] *vi* come (get) home
'thuiskomst *v* home-coming, return (home)
'thuiskrijgen[1] *vt* get home, get delivered; zie ook *trek*
'thuislading *v* return (homeward) cargo; **-reis** (-reizen) *v* homeward journey, journey home; ⚓ homeward passage, voyage home; *op de* ~ homeward bound; **-vlucht** *v* ✈ flight home
'thuisvoelen[1] *zich* ~ feel at home
'thuiswedstrijd (-en) *m* at home game, home match; **-werker** (-s) *m* home-worker, outworker
ti'ara ('s) *v* tiara
'Tiber *m* Tiber
Tibe'taan(s) (-tanen) *m* (& *aj*) Tibetan
tic [ti. k] (-s) *m* tic
'tichel (-s) *m* tile, brick; **-bakker** (-s) *m* tile-maker, brick-maker; **tichelbakke'rij** (-en) *v* brick-works; **'ticheloven** (-s) *m* tile-kiln; **-steen** (-stenen) *m* tile, brick
tien ten
tiend (-en) *m* & *o* tithe
'tiendaags of ten days, ten-days'; **'tiende I** *aj* tenth; **II** (-n) 1 *o* tenth part, tenth; 2 *m* & *o* tithe; *de ~n heffen* levy tithes; **'tiendelig** consisting of ten parts; decimal [fraction]
'tiendheffer (-s) *m* tithe-gatherer, tither; **-heffing** (-en) *v* tithing; **-pachter** (-s) *m* farmer of tithes; **tiend'plichtig** tithable; **tiendrecht** *o* right to levy tithes
'tiendubbel tenfold; **-duizend** ten thousand; *~en* tens of thousands
'tiendverpachting (-en) *v* farming out of tithes
'tiener (-s) *m* teen-ager; **'tienhoek** (-en) *m* decagon; **-jarig** 1 decennial; 2 of ten years, ten-year-old; **-kamp** *m* decathlon; **-tal** (-len) *o* (number of) ten, decade; *het* ~ the ten (of them); *twee ~len* two tens; **-tallig** decimal; **-tje** (-s) *o* 1 (b e d r a g) ten guilders; (g o u d e n) gold ten-guilder piece; (p a p i e r e n) ten-guilder note; 2 *rk* decade (of the rosary); 3 tenth of a lottery-ticket; **-voud** (-en) *o* decuple; **-voudig** tenfold; **-werf** ten times
tierelan'tijntje (-s) *o* flourish; *~s* scrolls and flourishes
tiere'lieren (tierelierde, h. getierelierd) *vi* warble, sing
1 'tieren (tierde, h. getierd) *vi* (w e l i g g r o e i e n) thrive [of a plant, a tree]; *fig* flourish; *de ondeugd tiert daar* vice is rampant (rife) there
2 'tieren (tierde, h. getierd) *vi* (r a z e n) rage, rave, storm bluster, zie ook: *razen*
'tierig thriving, lively, lush
tierlan'tijntje (-s) = *tierelantijntje*
tiet (-en) *v* **P** tit
tij (-en) *o* tide; zie ook: *getij*
tijd (-en) *m* 1 (i n 't a l g.) time; 2 (p e r i o d i e k) period; season; 3 *gram* tense [of a verb]; *de goede oude* ~ the good old times, the good old days *de hele* ~ all the time; *een hele* (*lange*) ~ (*was hij ziek*) for a long time, for ages; *dat is een hele* ~ that's quite a long time; *wel, lieve ~!* dear me!; *middelbare* ~ mean time; *plaatselijke* ~ local time; *vrije* ~ leisure (time), spare time; *het zal mijn ~ wel duren* it will last my time; *het is* ~ time is up; *het is hoog* ~ it is high time; *er was een ~ dat...* time was when...; *het wordt ~ om...* it is getting time to...; (*geen*) ~ *hebben* have (no) time; *alles heeft zijn* ~ there is a time for everything; *het heeft de* ~ there is no hurry; *ik heb de ~ aan mijzelf* my time is my own; *hij heeft zijn ~ gehad* he has had his day; *als men maar ~ van leven heeft* if only one lives long enough; *de ~ niet klein weten te krijgen* have time on one's hands; ~ *maken* make time; *er de ~ voor nemen* take one's time (over it); ~ *winnen* gain time; ~ *trachten te winnen* ook: play for time; • *wij zijn a a n geen ~ gebonden* we are not tied down to time; *b ij ~ en wijle* 1 in due time; 2 now and then; *bij ~en* at times, sometimes; occasionally; *bij de ~ brengen* update [the Church &]; *g e d u r e n d e de ~ dat...* during the time that..., while, whilst; *i n ~ van nood* in time of need; *in ~ van oorlog* in times of war; *in de ~ van een maand* in a month's time, within a month; *in de ~ toen (dat)...* at the time when; *in een ~ dat...* at a time when...; *in mijn* ~ in my time (day); *in mijn jonge* ~ in my young days; *in geen ~ heb ik...* I have not... for ever so long; *in de laatste* ~ of late; *in lange* ~ for a long time past; *in minder dan geen* ~ in (less than) no time; *in onze* ~ in our days; *in de goede oude* ~ in the good old times (days); *in vroeger* ~ in former times; *m e t de* ~ as time goes (went) on, with time; *met zijn ~ meegaan* zie *meegaan*; *n a die* ~ after that time; *na korter of langer* ~ sooner or later;

[1] V.T. en V.D. van dit werkwoord volgens het model: **'thuis**horen, V.T. hoorde **'thuis**, V.D. **'thuis**gehoord. Zie voor de vormen onder het grondwoord, in dit voorbeeld: *horen.* Bij sterke en onregelmatige werkwoorden wordt u verwezen naar de lijst achterin.

morgen om deze ~ this time to-morrow; *omtrent deze* ~ about this time; *op* ~ in time [for breakfast, for the train]; [the train is] on time; *hij kwam net op* ~ in the nick of time; *de trein kwam precies op* ~ punctually to (schedule) time; *op* ~ *kopen* $ buy for forward delivery; *een woord op* ~ a word in season; *op de bepaalde* ~ at the appointed time, at the time fixed; *op gezette* ~*en* at set times; *alles op zijn* ~ all in good time; *op welke* ~ *ook* (at) any time; *hij is over zijn* ~ he is behind (his) time; *het schip* (*de trein, de baby*) *is over* (*zijn*) ~ the ship (the train, the baby) is overdue; *sedert die* ~ from that time, ever since; *te allen* ~*e* at all times; *te bekwamer* ~ in due time; *te dien* ~*e* at the time; *te eniger* ~ at some time (or other); *zo hij te eniger* ~... if at any time he...; *te gelegener* (*rechter*) ~ in due time; *te zijner* ~ in due time; *ten* ~*e dat*... at the time when...; *ten* ~*e van* at (in) the time of...; *terzelfder* ~ at the same time; *tegen die* ~ by that time; *tot* ~ *en wijle dat*... till...; *dat is uit de* ~ it is out of date, it has had its day; *hij is uit de* ~ he has had his day; *dichters van deze* (*van onze*) ~ contemporary poets; *van de laatste* (*nieuwere*) ~ recent; *van die* ~ *af* from that time forward; *van* ~ *tot* ~ from time to time; *voor de* ~ *van 6 maanden* for a period of six months; *voor de* ~ *van het jaar* for the time of year; *dat was heel mooi voor die* ~ as times went; *voor enige* ~ 1 for some time; for a time; 2 some time ago; *voor korte* (*lange*) ~ for a short (long) time; *vóór de* ~ [repay a loan] ahead of time; *vóór zijn* ~ (*werd hij oud*) prematurely, before his time; ~ *is geld* time is money; *de* ~ *zal het leren* time will show (tell); *de* ~ *is de beste heelmeester* time heals all; *andere* ~*en, andere zeden* other times other manners; *komt* ~, *komt raad* with time comes counsel; *er is een* ~ *van komen en een* ~ *van gaan* to everything there is a season and a time to every purpose; **–aanwijzing** (-en) *v* indication of time; **–affaire**[-fɛːrə] (-s) *v* time bargain; **–bal** (-len) *m* ⚓ time-ball; **–bepaling** (-en) *v gram* 1 determination of time; 2 adjunct of time; **tijdbe'sparend** time-saving [measures]; **'tijdbesparing** *v* saving of time; **–bom** (-men) *v* delayed-action bomb, time bomb; **'tijdelijk I** *aj* temporary; (wereldlijk) temporal; *het* ~*e met het eeuwige verwisselen* depart this life; **II** *ad* temporarily; **'tijdeloos** timeless

'tijdens *prep* during

'tijdgebrek *o* lack of time; **–geest** *m* spirit of the age (of the time); **–genoot** (-noten) *m* contemporary; **'tijdig I** *aj* timely [help &], early, seasonable; **II** *ad* in good time, betimes; **–heid** *v* timeliness, seasonableness

'tijding(en) *v* (*mv*) tidings, news, intelligence

'tijdje (-s) *o* (little) while; **'tijdlang** *m een* ~ for some time, for a while; **–maat** (-maten) *v* time; **–melding** (-en) *v* ☏ speaking clock; (via de radio) time-check; **–meter** (-s) *m* chronometer, time-keeper; **–nood** *m* time shortage, time trouble [of a chess-player]; *in* ~ *verkeren* be short of (rushed for) time, be hard-pressed, be under time pressure; **–opname** (-n) *v* 1 *sp* timing; 2 (foto) time exposure; **–opnemer** (-s) *m sp* timekeeper, timer; **–passering** (-en) *v* = *tijdverdrijf*; **–perk** (-en) *o* period; [stone &] age; [a new] era; **–rekening** (-en) *v* chronology; [Christian] era; [Julian &] calendar; **–rit** (-ten) *m sp* race against time; **–rovend** time-consuming, taking up much time; **–ruimte** (-n) *v* space of time, period

'tijdsbeeld (-en) *o* image of the time; **–bepaling** (-en) = *tijdbepaling*; **–bestek** *o* space of time, period

'tijdschakelaar (-s) *m* time switch; **–schema** ('s) *o* time-table; **–schrift** (-en) *o* periodical, magazine, review; **–schriftenzaal** (-zalen) *v* periodicals room; **–schrijver** (-s) *m* time-keeper [of workmen]; **'tijdsduur** *m* length of time, period, duration, term; **'tijdsein** (-en) *o* time-signal; **'tijdsgewricht** *o* period; **'tijdsignaal** [-sɪɲa.l] (-nalen) *o* time-signal; **'tijdslimiet** (-en) *v* time-limit, deadline; **'tijdsluiter** (-s) *m* delayed-action shutter; **'tijdsorde** *v* chronological order; **–ruimte** (-n) = *tijdruimte*; **'tijdstip** (-pen) *o* moment; date; **'tijdsverloop** *o* course of time; *na een* ~ *van*... after a lapse of...; **–verschil** (-len) *o* time difference, difference in time; **'tijdtafel** (-s) *v* chronological table; **–vak** (-ken) *o* period; **–verdrijf** *o* pastime; *tot* (*uit*) ~ as a pastime; **–verlies** *o* loss of time; **–verspilling** *v* waste of time; **–winst** *v* gain (saving) of time; *dat is een* ~ *van 2 uur* that saves two hours

⊙ **'tijgen*** *vi* go; *aan het werk* ~ set to work; *ten oorlog* ~ go to war

'tijger (-s) *m* tiger; **–achtig** tig(e)rish; **tijge'rin** (-nen) *v* tigress; **'tijgerjacht** (-en) *v* tiger-hunt(ing); **–kat** (-ten) *v* tiger-cat; **–lelie** (-s en -liën) *v* tiger-lily; **–vel** (-len) *o* tiger's skin

'tijhaven (-s) *v* tidal harbour

tijk 1 (-en) *m* tick; 2 *o* (de stof) ticking

'tijloos (-lozen) *v* = *herfsttijloos*

tijm *m* thyme

tik (-ken) *m* touch, pat, rap, flick; *een* ~ *om de oren* a box on the ears; **–fout** (-en) *v* typist's error, slip of the typewriter; **–je** (-s) *o* 1 (klapje) pat, tap; 2 (beetje) bit; *fig* dash, tinge, touch [of malice &]; *een* ~ *arrogantie* a touch of arrogance; *een* ~ *beter* a shade better; *een* ~ *korter* a thought shorter; **'tikkeltje** (-s) *o* touch; zie verder *tikje*; **'tikken** (tikte, h. getikt) **I** *vi* tick [of a clock], click; *a a n de deur* ~ tap at the door; *aan zijn pet* ~ touch one's cap; *iem. o p de schouder* ~ tap sbd. on the shoulder; *iem. op de vingers* ~ rap sbd. over the knuckles; **II** *va* type(write); **III** *vt* 1 touch [a person]; 2 type(write) [a letter &]; **'tikker** (-s) *m* ticker [ook: = watch]; **–tje** (-s) *o* 1 ticker [= watch]; 2 **F** (h a r t) ticker; 3 (s p e l) tag; **'tiktak** 1 *m* (g e l u i d) tick-tack; 2 *o* (s p e l) backgammon

til 1 *m* lift; 2 (-len) *v* = *duiventil*; *op ~ zijn* be drawing near, be at hand; *er is iets op* ~ ook: there is something in the wind

'tilbaar movable

'tilbury [-büri.] ('s) *m* tilbury, gig

'tilde (-s) *v* tilde, swung dash

'tillen (tilde, h. getild) *vt* lift, heave, raise; *zwaar ~ aan* [*fig*] make heavy weather of

'timbre ['tε̃brə] (-s) *o* timbre

'timen ['taimə(n)] (timede, h. getimed) *vt* time

ti'mide timid, shy, bashful

'timmeren (timmerde, h. getimmerd) **I** *vi* carpenter; *hij timmert niet hoog* he will not set the Thames on fire; *er op* ~ pitch into him (into them), lay about one; *men moet er op blijven* ~ one ought to keep harping on the subject; **II** *vt* construct, build, carpenter; *in elkaar* ~ (s t u k s l a a n) smash, knock to pieces; *iets vlug in elkaar* ~ knock sth. together; zie ook: *weg*; **'timmergereedschap** (-pen) *o* carpenter's tools; **–hout** *o* timber; **–man** (-lieden en -lui) *m* carpenter; **–mansbaas** (-bazen) *m* master carpenter; **–werf** (-werven) *v* (carpenter's) yard; **–werk** *o* carpentry, carpenter's work; carpentering

tim'paan (-panen) *o* tympanum

tin *o* tin, (l e g e r i n g v a n t i n e n l o o d) pewter; (t i n n e n a r t i k e l e n) tinware

tinc'tuur (-turen) *v* tincture

'tinerts *o* tin-ore; **–foelie** *v* (tin-)foil

'tingelen (tingelde, h. getingeld) *vi* tinkle, jingle; **tinge'ling(e'ling)** ting-a-ling(-a-ling); **'tingeltangel** (-s) *m* café-chantant

'tinkelen (tinkelde, h. getinkeld) *vi* tinkle

'tinmijn (-en) *v* tin-mine

'tinne (-n) *v* battlements, crenel

'tinnegieter (-s) *m* tinsmith, pewterer; *politieke* ~ pot-house politician, political upholsterer; **'tinnen** *aj* pewter; **'tinpest** *v* tin disease, tin pest; **–schuitje** (-s) *o* pig of tin

tint (-en) *v* tint, tinge, hue, shade, tone

'tintel *m* tingling [of the fingers]; **'tintelen** (tintelde, h. getinteld) *vi* twinkle; ~ *van* 1 sparkle with [wit]; 2 tingle with [cold]; **–ling** (-en) *v* 1 twinkling; sparkling; 2 tingling

'tinten (tintte, h. getint) *vi* tinge, tint; *getint papier* toned paper; *blauw getint* tinged with blue; **'tintje** (-s) *o* tinge[2]

'tinwerk *o* tinware; **–winning** *v* tin-mining

1 tip (-pen) *m* tip [of finger]; corner [of a handkerchief &]; *een ~ van de sluier oplichten* lift a corner of the veil

2 tip (-s) *m* tip [information]; **–gever** (-s) *m* (a a n p o l i t i e) informer

'tippel *m* tramp; *een hele* ~ quite a walk; *op de* ~ on the trot; **–aarster** (-s) *v* **F** street-walker; **'tippelen** (tippelde, h. getippeld) *vi* trot, tramp; **F** (v. p r o s t i t u é e s) walk the streets; *ergens in* ~ take the bait, walk into the trap

'tippen (tipte, h. getipt) **I** *vt* clip, trim; **II** *vi* *...kan er niet aan* ~ ...cannot touch it, **F** ...is not a patch on it

'tiptop first-rate, A1, **F** tiptop

ti'rade (-s) *v* tirade

tirail'leren [ti.rɑ(l)'je:rə(n)] (tirailleerde, h. getirailleerd) *vi* ⚔ skirmish; **tirail'leur** (-s) *m* ⚔ skirmisher

ti'ran (-nen) *m* tyrant, *fig* bully; **tiran'nie** (-ieën) *v* tyranny; **–k** tyrannical; **tiranni'seren** [s = z] (tiranniseerde, h. getiranniseerd) *vt* tyrannize over, *fig* bully

ti'taan *o* titanium

'titan (-s en -'tanen) *m* Titan; **ti'tanisch** titanic

'titel (-s) *m* title [of a poem, book &, of a person]; heading [of a column, chapter]; **–blad** (-bladen) *o* title-page; **–gevecht** (-en) *o* title-fight; **–houder** (-s) *m sp* holder of the title; **–plaat** (-platen) *v* frontispiece; **–rol** (-len) *v* title-role, title-part, name-part; **–woord** (-en) *o* headword

'titer *m* titre; **ti'treren** (titreerde, h. getitreerd) *vt* titrate

'tittel (-s) *m* tittle, dot; *geen ~ of jota* not one jot or tittle

titu'lair [-'lɛ:r] titular; *majoor* ~ brevet major; **titu'laris** (-sen) *m* holder (of an office, of a title); office-bearer; incumbent [of a parish]; **titula'tuur** (-turen) *v* style, titles; forms of address; **titu'leren** (tituleerde, h. getituleerd) *vt* style, title; *hoe moet ik u ~?* what is your style (and title)?

tja! *cj* well!

tjalk (-en) *m* & *v* (sailing) barge

tjee *cj* oh dear!

'tjiftjaf (-fen en -s) *m* chiff-chaff

'tjilpen (tjilpte, h. getjilpt) *vi* chirp, cheep, twitter

'tjokvol chock-full, cram-full, crammed

'tjonge *cj* well!, have you ever!

T.L.-buis [te.'ɛl-] (-buizen) *v* = *fluorescentielamp*

'tobbe (-s en -n) *v* tub

'tobben (tobde, h. getobd) *vi* toil, drudge; *m e t iem.* ~ have a lot of trouble with sbd.; *o v e r iets* ~ worry about sth., brood over sth.; **'tobber**

(-s) *m* 1 toiler, drudge; 2 worrier; **–ig** worried, broody; **tobbe'rij** (-en) *v* 1 trouble, difficulty; 2 worrying

toch 1 (n i e t t e g e n s t a a n d e d a t) yet, still, for all that, in spite of (all) that, nevertheless; 2 (w e r k e l ij k) really; 3 (z e k e r) surely, to be sure; 4 (o n g e d u l d u i t d r u k k e n d) ever; 5 (v e r z o e k e n d, g e b i e d e n d) do..., pray...; 6 (i m m e r s) *je bent ~ ziek?* you are ill, aren't you?; *hij doet ~ zijn best* he is doing what he can, doesn't he?; *je hebt er ~ nog een* you have another, haven't you?; 7 (n i e t v e r t a a l d) in: *wat is het ~ jammer!* what a pity it is!; *je moest nu ~ klaar zijn* you should be ready by this time; *het is ~ te erg* it really is too bad; *je komt ~?* you are coming, to be sure?; *een ...is ~ een mens* a ... is a man for all that; *wat wil hij ~?* what ever does he want?; what does he want?; *wie kan het ~ zijn?* who ever can it be?; *welke Jan bedoel je ~?* which ever John do you mean?; *maar Jan ~!* I say, John!, John! Really, you know!; *wat mankeert hij ~?* what is the matter with him, anyhow?; *hoe (waar, waarom, wanneer) ~?* how (where, why, when) ever...?; *wij gaan morgen – Neen ~?* Not really?, you don't say!; *waar zou hij ~ zijn?* 1 (n i e u w s g i e r i g) where may he be?; 2 (v e r b a a s d) where can he be?; 3 (o n g e d u l d i g) where ever is he?; *wees ~ stil!* do be quiet, please!; *ja ~, nu herinner ik het me* yes indeed, now I remember; *het is ~ al moeilijk* it is difficult as it is (anyhow); *hij komt ~ niet* he surely won't come, he will not turn up for sure; *antwoord ~ niet* (pray) don't answer; *hij is ~ wel knap* he is a clever fellow though

tocht (-en) *m* 1 (r e i s) journey, march, expedition, voyage [by sea]; 2 (t r e k w i n d) draught; *op de ~ zitten* sit in a draught; **–band** (-en) *o* & *m* weather-strip; **–deken** (-s) *v* draught-rug; **–deur** (-en) *v* swing-door; **'tochten** (tochtte, h. getocht) *vi het tocht hier* there is a draught here; **'tochtgat** (-gaten) *o* vent-hole, air-hole; **–genoot** (-noten) *m* fellow-traveller, companion; **'tochtig** (w a a r h e t t o c h t) draughty; **–heid** *v* draughtiness; **'tochtje** (-s) *o* excursion, trip; **'tochtlat** (-ten) *v* weather-strip; **F** (b a k k e b a a r d) mutton-chop, whisker; **–raam** (-ramen) *o* double window; **–scherm** (-en), **–schut** (-ten) *o* (draught-screen; **–strip** (-s en -pen) *m* weather-strip

tod (-den) *v* rag, tatter

toe to; *~, jongens, nu stil!* I say, boys, do be quiet now!; *~ dan!* come on!; *~ dan maar* well, all right; *~, kom nou toch!* Oh, do come!; *~ maar!* 1 (a a n m o e d i g e n d t o t d a a d) go it!; 2 (a a n m. t o t s p r e k e n) fire away!; 3 (u i t i n g v. v e r w o n d e r i n g) never!, good gracious!; *deur ~!* shut the door!; *de deur is ~* the door is shut; *~ nou!* do, now!; *ik ben er nog niet aan ~* I've not got so far yet; *hij is aan vakantie ~* he (badly) needs a holiday; *nu weet ik waar ik aan ~ ben* now I know where I am (where I stand); *hij is er slecht aan ~* 1 he is badly off; 2 he [the patient] is in a bad way; *dat is tot daar aan ~* ... for one thing [for another ...]; *naar de stad ~* 1 in the direction of the town; 2 to (the) town; *wat hebben we ~?* what's for sweet? (for afters?); **–bedelen** [-bəde.lə(n)] (bedeelde 'toe, h. 'toebedeeld) *vt* allot, assign, apportion, deal out, dole (parcel, mete) out; **–behoren** (behoorde 'toe, h. 'toebehoord) **I** *vi* belong to; **II** *o met ~* with appurtenances, with accessories

'toebereiden[1] *vt* prepare; **–ding** (-en) *v* (k l a a r m a k e n) preparation [of food]; **'toebereidselen** *mv* preparations; *~ maken voor...* make preparations for, get ready for

'toebijten[1] **I** *vi* bite[2]; *hij zal niet ~* he won't take the bait; **II** *vt „weg", beet hij mij toe* he snarled (snapped) at me; **–binden**[1] *vt* bind (tie) up; **–blijven**[1] *vi* remain shut; **–brengen**[1] *vt* inflict [a wound, a loss, a defeat upon]; deal, strike [sbd. a blow], do [harm]; **–bulderen**[1] *vt* shout (roar) at; **–dekken**[1] *vt* cover (up) [something]; tuck in [a child in bed]; **–delen**[1] *vt* = *toebedelen*; **–denken**[1] *vt iem. iets ~* destine sth. for sbd., intend sth. for sbd.; **–dichten**[1] *vt* ascribe, impute [sth. to sbd.]

'toedienen *vt* administer [remedies, the sacraments]; give, deal [a blow]; **–ning** *v* administration [of remedies, sacraments]

1 'toedoen[1] *vt* shut; zie ook: *oog(je)*

2 'toedoen *o het geschiedde b u i t e n mijn ~* I had no part in it; *d o o r zijn ~* through him; *z o n d e r uw ~ zou ik niet...* but for you

'toedraaien[1] *vt* close (by turning), turn off [a tap]; zie ook: *rug*

'toedracht *v de ~* the way it happened; *de (ware) ~ der zaak* how it all came to pass, the ins and outs of the affair; **'toedragen**[1] **I** *vt achting ~* esteem, hold in esteem; *iem. een goed hart ~* be kindly disposed towards sbd., wish sbd. well; *iem. geen goed hart ~* be ill-affected towards sbd.; *ze dragen elkaar geen goed hart toe* there is no love

[1] V.T. en V.D. van dit werkwoord volgens het model: **'toe**dekken, V.T. dekte **'toe**, V.D. **'toe**gedekt. Zie voor de vormen onder het grondwoord, in dit voorbeeld: *dekken*. Bij sterke en onregelmatige werkwoorden wordt u verwezen naar de lijst achterin.

lost between them; **II** *vr zich* ~ happen; *hoe heeft het zich toegedragen?* how did it come to pass?

'toedrinken[1] *vt iem.* ~ drink sbd.'s health; **-drukken**[1] *vt* close, shut; **-duwen**[1] *vt* push [a door] to; *iem. iets* ~ slip sth. into sbd.'s hands

'toeëigenen (eigende 'toe, h. 'toegeëigend) *vt zich iets* ~ appropriate sth.; **-ning** *v* appropriation

'toefje (-s) *o* 1 (d o t, p l u k) tuft; 2 (k l e i n b o s j e b l o e m e n) posy, nosegay

'toefluisteren[1] *vt iem. iets* ~ whisper sth. in sbd.'s ear, whisper sth. to sbd.

'toegaan[1] *vi* 1 (d i c h t g a a n) close, shut; 2 (z i c h t o e d r a g e n) happen, come to pass; *het gaat er raar toe* there are strange happenings there; *zo is het toegegaan* thus the matter went

'toegang (-en) *m* 1 entrance, way in; ingress; approach [to a town]; 2 access, entrance; 3 admission, admittance; *verboden* ~ private, no admittance; trespassers will be prosecuted; *vrije* ~ admission free; *vrije* ~ *hebben tot* ook: have the run of [a library &]; be free of [the house]; ~ *geven tot* give access to [another room]; *iem.* ~ *verlenen* admit sbd.; *zich* ~ *verschaffen tot* get into, force an entrance into [a house]; *de* ~ *weigeren* deny [sbd.] admittance; **'toegangsbewijs** (-wijzen) *o,* **-biljet** (-ten) *o,* **-kaart** (-en) *v* admission ticket; **-poort** (-en) *v* entrance gate; *fig* gateway; **-prijs** (-prijzen) *m* (charge for) admission; **-weg** (-wegen) *m* approach, access road, access route; **toe'gankelijk** accessible, approachable, get-at-able; *moeilijk* ~ [sources] difficult of access; *hij is voor iedereen* ~ he is a very approachable man; *niet* ~ *voor het publiek* not open to the public; **-heid** *v* accessibility

'toegedaan *ik ben hem zeer* ~ I am very much attached to him; *ik ben die mening* ~ I hold that opinion; *de vrede oprecht* ~ *zijn* be sincerely devoted to peace

toe'geeflijk indulgent; **-heid** *v* indulgence; **toe'gefelijk(-)** = *toegeeflijk*(-)

'toegenegen affectionate, devoted to; *Uw* ~ *X* Yours affectionately X; **-heid** *v* affectionateness, affection

'toegepast applied

'toegeven[1] **I** *vt* give into the bargain; *fig* concede, admit, grant; *dat geef ik u toe* I grant you that; *toegegeven dat u gelijk hebt* granting you are right; *de zangeres gaf nog wat toe* gave an extra; *ze geven elkaar niets toe* they are well matched; *men moet kinderen wat* ~ children should be humoured (indulged) a little; *zij geeft hem te veel toe* she is too indulgent; **II** *vi* give in [to a person], give way [to grief, one's emotions &], yield; *hij wou maar niet* ~ he could not be made to yield the point; *zoals iedereen* ~ *zal* as everybody will readily admit; ~ *a a n zijn hartstochten* indulge one's passions; *je moet maar niet i n alles* ~ not give way in everything; **toe'gevend** indulgent; *gram* concessive; **-heid** *v* indulgence

'toegewijd devoted [friend], dedicated [fighter]

'toegift (-en) *v* make-weight; extra; *als* ~ into the bargain

'toegooien[1] *vt* throw to, slam [a door]; fill up [a hole]; throw [me that book]; **-grijpen**[1] *vi* make a grab [at a thing]; **-halen**[1] *vt* draw closer, draw tighter; **-happen**[1] *vi* snap at it; swallow the bait[2]; *gretig* ~ jump at a proposal (an offer)

'toehoorder (-s) *m* auditor, hearer, listener; **'toehoren**[1] *vi* 1 listen to; 2 = *toebehoren*

'toehouden[1] *vt* 1 (t o e r e i k e n) hand to; 2 (d i c h t h o u d e n) keep shut

'toejuichen[1] *vt* applaud, cheer; *fig* welcome [a measure &]; **-ching** (-en) *v* applause, shout, cheer

'toekan (-s) *m* toucan

'toekennen[1] *vt* adjudge, award [a prize, punishment]; give [marks in examination &]; *een grote waarde* ~ *aan...* attach great value to...; **-ning** (-en) *v* granting, award

'toekeren[1] *vt* turn to; zie ook: *rug*

'toekijken[1] *vi* look on; *wij mochten* ~ we were left out in the cold; **-er** (-s) *m* looker-on, onlooker, spectator

'toeknikken[1] *vt* nod to [a person]; **-knopen**[1] *vt* button up

'toekomen[1] *vi zij kunnen niet* ~ they can't make (both) ends meet; *dat komt ons toe* that is our due, it is due to us, we have a right to it; *iem. iets doen* ~ send sbd. sth.; *zult u er mee* ~*?* will that be sufficient?; *ik kan er lang mee* ~ it goes a long way with me; ~ *op* zie *afkomen op*; **-d** future, next; ~*e tijd gram* future tense, future; *het hem* ~*e* his due

'toekomst *v* future; *in de* ~ in (the) future; *in de* ~ *lezen* look into the future; **-droom** (-dromen) *m* dream of the future; **toe'komstig** future; **'toekomstmuziek** *v fig*

[1] V.T. en V.D. van dit werkwoord volgens het model: **'toe**dekken, V.T. dekte **'toe**, V.D. **'toe**gedekt. Zie voor de vormen onder het grondwoord, in dit voorbeeld: *dekken.* Bij sterke en onregelmatige werkwoorden wordt u verwezen naar de lijst achterin.

dreams of the future; **–plan** (-nen) *o* plan for the future

'toekrijgen[1] *vt* 1 get shut, succeed in shutting; 2 get into the bargain

'toekruid (-en) *o* seasoning, condiment

'toekunnen[1] *vt het kan niet toe* you can't shut it; *zult u er mee ~?* will that be sufficient?; *ik kan er lang mee toe* it goes a long way with me

toe'laatbaar admissible; **–heid** *v* admissibility

'toelachen[1] *vt* smile at; *fig* smile on; *het lacht me niet toe* it doesn't appeal to me, it doesn't commend itself to me

'toelage (-n) *v* allowance, gratification; grant [for students]; bonus; extra pay (salary, wages)

'toelaten[1] *vt* 1 (d u l d e n) permit, allow, suffer, tolerate; 2 (t o e g a n g v e r l e n e n) admit; 3 (d ó ó r l a t e n) pass [a candidate]; *...kunnen niet toegelaten worden* no... admitted; *het laat geen twijfel (geen andere verklaring) toe* it admits of no doubt (of no other interpretation); **'toelating** *v* 1 permission, leave; 2 admission, admittance; **–sexamen** (-s) *o* 1 entrance examination; eleven-plus [for secondary education]; 2 matriculation [at the university]

'toeleg *m* attempt, design, purpose, intention, plan; **'toeleggen**[1] **I** *vt* cover up; *er geld op ~* be a loser by it; *er 10 gulden op ~* be ten guilders out of pocket; *het erop ~ om...* be bent upon ...ing; *het op iems. ondergang ~* be out to ruin sbd.; **II** *vr zich ~ op de studie van...* apply oneself to [mathematics &]

'toeleveren[1] *vt* supply, effect ancillary supplies for; **'toeleveringsbedrijven** *mv* service industries, ancillary suppliers

'toelichten[1] *vt* clear up, elucidate, explain; *het met voorbeelden ~* illustrate it; **–ting** (-en) *v* explanation, elucidation

'toelonken[1] *vt* ogle [a girl]

'toeloop *m* concourse; **'toelopen**[1] *vi* come running on; *u moet maar ~* you just walk on; *op iem. ~* go up to sbd.; *hij kwam op mij ~* 1 he came up to me; 2 he came running towards me; *spits ~* taper, end in a point

'toeluisteren[1] *vi* listen; **–maken**[1] *vt* close, shut [a door &]; fold up [a letter]; button up [one's coat]; **–meten**[1] *vt* measure out, mete out

toen I *ad* then, at that time; *van ~ af* from that time, from then; **II** *cj* when, as

'toenaam (-namen) *m* 1 surname, nickname; 2 family name, surname

'toenadering *v* rapprochement; *~ zoeken* try to get closer [to sbd.]; **–spoging** (-en) *v ~en* advances

'toename *v* increase, rise

'toendra ('s) *v* tundra

'toenemen[1] *vi* increase, grow; **–ming** *v* increase, rise

'toenmaals then, at the (that) time; **toen'malig** then, of the (that) time; *de ~e voorzitter* the then president; **toenter'tijd** at the (that) time

toe'passelijk apposite, appropriate, suitable, bearing upon the matter; *~ op* applicable to, pertinent to, relevant to; **–heid** *v* applicability; appropriateness, relevancy

'toepassen[1] *vt* apply [rules & to]; **–sing** (-en) *v* application; *i n ~ brengen* put into practice; *dat is ook v a n ~ op...* it is also applicable to..., it also applies to...

toer (-en) *m* 1 (o m d r a a i i n g) turn [of a wheel &], revolution [of an engine, of a long-play record]; 2 (t o c h t) tour, trip; 3 (w a n d e - l i n g, r i t j e) turn [= stroll, drive, run, ride]; 4 (k u n s t s t u k) feat, trick; 5 (v a n k a p s e l) front [of false hair]; 6 (v. h a l s s n o e r) string [of pearls]; 7 (b ij h e t b r e i e n) round; 8 *op de Russische & ~* **F** on the Russian & tack; *~en doen* perform tricks; do stunts; *het is een hele ~* it is quite a job; *het is zo'n ~ niet* there is nothing very difficult about it; *de fabriek draait o p volle ~en* zie *draaien* **I**; *op (volle) ~en (laten) komen* ⚒ run up, rev up [of an engine]; *o v e r zijn ~en zijn* be overwrought (overstrung); **–auto** [-o.to. of -ɔuto.] ('s) *m* touring-car; **–beurt** (-en) *v* turn; *bij ~* by (in) rotation; by turns

'toereiken[1] **I** *vt* reach, hand [sth. to sbd.]; **II** *vi* suffice, be sufficient; **toe'reikend** sufficient, enough; *~ zijn* ook: suffice

toe'rekenbaar accountable, responsible [for one's actions]; **–heid** *v* accountability, responsibility; **toerekenings'vatbaar** responsible, compos mentis; *niet ~* of unsound mind, not responsible for one's actions

'toeren (toerde, h. getoerd) *vi* take a drive (a ride &)

'toerental *o* number of revolutions; **–teller** (-s) *m* revolution-counter, speed indicator

toe'risme *o* tourism; tourist industry; **toe'rist** (-en) *m* tourist; **toe'ristenindustrie** *v* tourist industry; **–klas(se)** *v* tourist class; **–seizoen** *o* tourist season; **toe'ristisch** tourist [traffic &]

toer'nooi (-en) *o* tournament, tourney, joust; **toer'nooien**[1] (toernooide, h. getoernooid) *vi* tilt, joust; **toer'nooiveld** (-en) *o* tilt-yard, tilting-ground

'toeroepen[1] *vt* call to, cry to

[1] V.T. en V.D. van dit werkwoord volgens het model: **'toe**dekken, V.T. dekte **'toe**, V.D. **'toe**gedekt. Zie voor de vormen onder het grondwoord, in dit voorbeeld: *dekken.* Bij sterke en onregelmatige werkwoorden wordt u verwezen naar de lijst achterin.

'toertje (-s) *o* turn [in the garden]; drive, run [in motor-car], spin [on bicycle]; ride [on horseback]; *een ~ gaan maken* go for a walk (a drive, a spin; a ride)

'toerusten (rustte 'toe, h. 'toegerust) **I** *vt* equip, fit out; **II** *vr zich ~ voor* equip oneself for, prepare for; **-ting** (-en) *v* equipment, fitting out, preparation

toe'schietelijk 1 friendly; 2 (i n s c h i k k e l ij k) obliging; **-heid** *v* 1 friendliness; 2 obligingness

'toeschieten[1] *vi* (t o e s n e l l e n) dash forward; *~ op* rush at [sbd.]; pounce upon [its prey]; **-schijnen**[1] *vi* seem to, appear to

'toeschouwer (-s) *m* spectator, looker-on, onlooker, observer

'toeschreeuwen[1] *vt* cry to; **-schrijven**[1] *vt* ascribe, attribute, impute [it] to, put [it] down to; **-schuiven**[1] *vt* close (by pushing), draw [the curtains]; *iem. iets ~* push sth. over to sbd.; *iem. stiekem iets ~* give sbd. sth. secretly; **-slaan**[1] **I** *vi* 1 (d i c h t s l a a n) slam (to) [of a door]; 2 (e r o p s l a a n) lay about one, hit out; 3 (e e n s l a g t o e b r e n g e n) strike; *sla toe!* 1 pitch into them!, go it!; 2 (b ij k o o p) shake (hands on it)!; **II** *vt* 1 (d i c h t s l a a n) slam, bang [a door]; shut [a book]; 2 (b ij v e i l i n g) knock down to

'toeslag (-slagen) *m* 1 (i n g e l d) extra allowance (pay); [war] bonus; (p r ij s v e r m e e r d e r i n g) extra charge; extra fare, excess fare [on railways &]; 2 (b ij v e i l i n g) knocking down; **-biljet** (-ten) *o* extra ticket

'toesmijten[1] *vt* = *toegooien*; **-snauwen**[1] *vt* snarl at; **-snellen**[1] *vi* rush forward; *~ op* rush to; **-spelden**[1] *vt* pin up

'toespelen[1] *vt elkaar de bal ~* play into each other's hands; **-ling** (-en) *v* allusion, insinuation, hint; *een ~ maken op* allude to, hint at

'toespijs (-spijzen) *v* 1 side-dish; 2 dessert

'toespitsen[1] **I** *vt* drive to extremes, exacerbate [the position, relations &]; **II** *vr zich ~* grow worse [of a situation]

'toespraak (-spraken) *v* speech, talk, address, harangue, allocution; *een ~ houden* give an address, make a speech; **'toespreken**[1] *vt* speak to [a person]; address [a meeting]

'toespringen[1] *vi* spring forward; *komen ~* come bounding on; *~ op* spring at

'toestaan[1] *vt* 1 (t o e l a t e n) permit, allow; 2 (v e r l e n e n) grant, accord, concede

'toestand (-en) *m* 1 state of affairs, position, situation, condition, state; 2 (o p s c h u d d i n g) commotion; 3 (z a a k, g e v a l) affair; *wat een ~!* what a muddle!; *in hachelijke ~* in a precarious situation; in a sorry plight

'toesteken[1] *vt iem. de hand ~* put (hold) out one's hand to sbd.; *de toegestoken hand* the proffered hand

'toestel (-len) *o* appliance, contrivance, apparatus; ✈ machine; [wireless, TV] set; (f o t o~, f i l m~) camera; *~ 13* ☎ extension 13

'toestemmen[1] **I** *vt dat wil ik u gaarne ~* I readily grant you that; **II** *vi* consent; *~ in* consent to, agree to; grant; accede to; **-d I** *aj* affirmative; **II** *ad* [reply] in the affirmative, affirmatively; *hij knikte ~* he nodded assent; **'toestemming** (-en) *v* consent, assent; *met (zonder) ~ van* with (without) the permission of

'toestoppen[1] *vt* stop up [a conduit]; stop [one's ears]; tuck in [a child]; *iem. iets ~* slip sth. into sbd.'s hand; **-stromen**[1] *vi* flow (stream, rush) towards, flock in, come flocking to [a place]; **-sturen**[1] *vt* send, forward; remit [money]

toet (-en) *m* 1 **F** (g e z i c h t) face; 2 (h a a r) bun, knot of hair

'toetakelen[1] **I** *vt* 1 (u i t d o s s e n) dress up, rig out; 2 (m i s h a n d e l e n) **F** knock about [a person]; damage [a thing]; *hij werd lelijk toegetakeld* **F** he was awfully knocked about; **II** *vr zich (gek) ~* dress up, rig oneself out; *wat heb jij je toegetakeld!* what a sight you are!; **-tasten**[1] *vi* help oneself, fall to [at dinner]

'toeten (toette, h. getoet) *vi* toot(le), hoot; *hij weet van ~ noch blazen* he doesn't know the first thing about it; **-er** (-s) *m* 🚗 horn, hooter; (a n d e r s) tooter; **'toeteren** (toeterde, h. getoeterd) *vi* toot, hoot; sound the (one's) horn

'toetje (-s) *o* 1 sweet, dessert; **F** afters; 2 bun, knot [of hair]; 3 pretty face

'toetreden[1] *vi o p iem. ~* walk up to sbd.; *~ t o t* join [a club, union &], accede to [a treaty]; **-ding** (-en) *v* accession, joining; *~ tot de E.E.G.* entry into the E.E.C.

toets (-en) *m* 1 (p e n s e e l s t r e e k) touch; 2 (p r o e f) test[2], assay; 3 key [of a piano; of a typewriter]; also: note [of a piano]; fingerboard [of guitar, violoncello &]; *de ~ (der kritiek) kunnen doorstaan* stand the test, pass muster; **'toetsen** (toetste, h. getoetst) *vt* try, test, put to the test [a person, thing, quality]; assay [metals]; *~ a a n* test by [the original]; *~ o p* test for [reliability]; **'toetsenbord** (-en) *o* keyboard; **'toetsinstrument** (-en) *o* ♪ keyboard instrument; **-naald** (-en) *v* touchneedle; **-steen** (-stenen) *m* touchstone[2];

[1] V.T. en V.D. van dit werkwoord volgens het model: **'toe**dekken, V.T. dekte **'toe**, V.D. **'toe**gedekt. Zie voor de vormen onder het grondwoord, in dit voorbeeld: *dekken*. Bij sterke en onregelmatige werkwoorden wordt u verwezen naar de lijst achterin.

–wedstrijd (-en) *m* test-match
'toeval (-len) 1 *o* accident, chance; 2 *m* & *o* ⚕ fit of epilepsy; *het ~ wilde dat*... it so happened that..., it chanced that...; *a a n ~len lijden* be epileptic; *b ij ~* by chance, by accident, accidentally; *bij louter ~* by sheer chance; *bij ~ ontmoette ik hem* ook: I happened to meet him; *d o o r een gelukkig ~* by some lucky chance
'toevallen[1] *vi* fall to; *hem ~* fall to his share; accrue to him [of interest]
toe'vallig I *aj* accidental, casual, fortuitous; *een ~e ontmoeting* ook: a chance meeting; **II** *ad* by chance, by accident, accidentally; *~ zag ik het* ook: I happened to see it; *wat ~!* what a coincidence!; **–erwijs, –erwijze** = *toevallig* **II**; **–heid** (-heden) *v* 1 (a b s t r a c t) casualness, fortuitousness, fortuity; 2 (c o n c r e e t) fortuity, coincidence, accident; **'toevalstreffer** (-s) *m* lucky shot
'toeven (toefde, h. getoefd) *vi* stay, ⊙ tarry
'toeverlaat *m* refuge, shield
'toevertrouwen (vertrouwde'toe, h. 'toevertrouwd) *vt iem. iets ~* entrust sbd. with sth., entrust sth. to sbd.; confide sth. [a secret] to sbd.; commit (consign) sth. to sbd.'s charge; *dat is hun wel toevertrouwd* trust them for that
'toevliegen[1] *vi ~ op* fly at
'toevloed *m* influx, inflow, flow
'toevloeien[1] *vi* flow to; accrue to; **–iing** *v* = *toevloed*
'toevlucht *v* refuge; recourse; *zijn ~ nemen tot* have recourse to, resort to; **–soord** (-en) *o* (haven of) refuge
'toevoegen[1] *vt* 1 add, join [something] to, subjoin [a subscript]; 2 address [words] to; *„zwijg!" voegde hij mij toe* 'silence!' he said to me; *wat heeft u daaraan toe te voegen?* what have you to add to that?; **–ging** *v* addition; **'toevoegsel** (-s) *o* supplement, additive
'toevoer (-en) *m* supply; **–buis** (-buizen) *v* supply-pipe; **'toevoeren**[1] *vt* supply; **'toevoerlijn** (-en) *v* supply line
'toevouwen[1] *vt* fold up; **–vriezen**[1] *vi* freeze over (up); **–wenden**[1] *vt* = *toekeren*; **–wenken**[1] *vt* beckon to; **–wensen**[1] *vt* wish; **–werpen**[1] *vt* cast [a glance &] at, throw, fling [it] to; *de deur ~* slam the door
'toewijden[1] **I** *vt* consecrate, dedicate [a church & to God]; dedicate [a book to a friend]; devote [one's time & to]; **II** *vr zich ~ aan* devote oneself to; **–ding** *v* devotion [to duty]
'toewijzen[1] *vt* allot, assign, award [a prize to...], allocate [sugar, fats &]; knock down [to the highest bidder]; **–zing** (-en) *v* allotment, assignment, award, allocation [for sugar, fats &]
'toewuiven[1] *vt* wave to; *zich koelte ~ met zijn strooien hoed* fan oneself with one's straw hat
'toezeggen[1] *vt* promise; **–ging** (-en) *v* promise
'toezenden[1] *vt* send, forward; remit [money]; **–ding** *v* sending, forwarding; remittance [of money]
'toezicht *o* surveillance, supervision, superintendence, inspection; *~ houden op de jongens* keep an eye on (look after) the boys; *wie moet ~ houden?* who is charged with the surveillance?; *het ~ uitoefenen over*... be charged with the supervision over..., supervise..., superintend...; *onder ~ van*... under the supervision of...; **'toezien**[1] *vi* 1 (t o e k ij k e n) look on; 2 (o p p a s s e n) take care, be careful; *ergens op ~* be careful; see to it that...; *~ op* zie *toezicht houden op, het toezicht uitoefenen over*; *~d voogd* co-guardian
'toezingen[1] *vt* sing to; *iem. een welkom ~* welcome sbd. with a song; **–zwaaien**[1] *vt* wave to; *lof ~* praise
tof S fine, swell
'toffee [-fe., -fi.] (-s) *m* toffee
'toga ('s) *v* gown, robe, toga; *~ en bef* bands and gown
'togen V.T. meerv. v. *tijgen*
'Togo *o* Togo
toi'let [tvɑ'lɛt] (-ten) *o* 1 toilet; dress; 2 toilet-table, dressing-table; 3 (W.C.) lavatory, **F** loo; *Am* washroom; (d a m e s~) ladies' room, (h e r e n~) men's room; *~ maken* make one's toilet, dress; *een beetje ~ maken* smarten oneself up a bit; *in groot ~* in full dress; **–artikelen** *mv* toilet articles, toiletries; **–benodigdheden** *mv* toilet requisites; **–doos** (-dozen) *v* dressing-case; **–emmer** (-s) *m* slop-pail; **–juffrouw** (-en) *v* lavatory (cloakroom) attendant; **–papier** *o* toilet-paper; **–poeder** *o* & *m* toilet powder; **–spiegel** (-s) *m* toilet-mirror; cheval-glass; **–tafel** (-s) *v* toilet-table, dressing-table; **–tas** (-sen) *v* dressing-case, sponge bag; **–zeep** *v* toilet soap
'tokkelen (tokkelde, h. getokkeld) **I** *vt* pluck, touch [the strings], touch [the harp &], twang [a guitar], thrum [a banjo]; **II** *va* thrum; **'tokkelinstrument** (-en) *o* plucked (string) instrument
'tok-tok (v a n h e n) cluck-cluck!
tol (-len) *m* 1 (s p e e l g o e d) top; ‖ 2 (s c h a t t i n g) toll[2], tribute; (b ij i n- e n u i t v o e r)

[1] V.T. en V.D. van dit werkwoord volgens het model: **'toe**dekken, V.T. dekte **'toe**, V.D. **'toe**gedekt. Zie voor de vormen onder het grondwoord, in dit voorbeeld: *dekken*. Bij sterke en onregelmatige werkwoorden wordt u verwezen naar de lijst achterin.

customs, duties; (b ij d o o r t o c h t) toll; 3 (t o l b o o m) turnpike; 4 (t o l h u i s) toll-house; ~ *betalen* pay toll; *hij betaalde de* ~ *aan de natuur* he paid the debt of (to) nature; ~ *heffen van...* levy toll on; **–baas** (-bazen), **–beambte** (-n en -s) *m* toll-collector, tollman; **–boom** (-bomen) *m* turnpike, toll-bar; **–brug** (-gen) *v* toll-bridge

tole'rant 1 tolerant; 2 (m o d e r n) permissive [age,society]; **tole'rantie** [-(t)si.] 1 (v e r d r a a g z a a m h e i d) tolerance; 2 (g o d s d i e n s t i g) toleration; 3 (g e r i n g e a f w ij k i n g) allowance; **tole'reren** (tolereerde, h. getolereerd) *vt* tolerate

'tolgaarder (-s) *m* toll-gatherer; **–geld** (-en) *o* toll; **–hek** (-ken) *o* toll-gate; **–huis** (-huizen) *o* toll-house

tolk (-en) *m* interpreter; *fig* mouthpiece

'tolkantoor (-toren) *o* = *tolhuis*

'tollen (tolde, h. getold) *vi* 1 (m e t t o l) spin a top, play with a top; 2 (r o n d d r a a i e n) whirl, go round and round; *in bed* ~ tumble into bed; ~ *van de slaap* reel (stagger) with sleep; *in het rond* ~ tumble about; *iem. in het rond doen* ~ send sbd. spinning

'tollenaar (-s en -naren) *m* **B** publican; **'tolmuur** (-muren) *m* tariff wall; **tol'plichtig** subject to toll; **'tolunie** (-s) *v*, **–verbond** *o* customs union

'tolvlucht *v* ✈ spin

'tolvrij toll-free, free of duty, duty-free; **–weg** (-wegen) *m* toll-road, *Am* turnpike (road)

to'maat (-maten) *v* tomato; **to'matenpuree** *v* tomato purée (pulp); **–soep** *v* tomato-soup; **to'matesap** *o* tomato juice

'tombe (-s en -n) *v* tomb

'tombola ('s) *m* tombola

'tomeloos unbridled, unrestrained, ungovernable; **tome'loosheid** *v* licentiousness

'tomen (toomde, h. getoomd) *vt* bridle[2], *fig* curb, check

ton (-nen) *v* 1 (v a t) cask, barrel; 2 (m a a t) ton; 3 ⚓ buoy; 4 a hundred thousand guilders

to'naal tonal; **tonali'teit** *v* tonality

'tondel *o* tinder; **–doos** (-dozen) *v* tinder-box

ton'deuse [s = z] (-s) *v* (pair of) clippers

to'neel (-nelen) *o* 1 stage; 2 scene [of an act]; 3 drama [as branch of literature of a country or period], theatre [= plays and acting]; 4 *fig* theatre, scene; *het* ~ *van de oorlog* the theatre (seat) of war; ~ *spelen* act[2]; • *b ij het* ~ on the stage; *bij het* ~ *gaan* go on the stage; *o p het* ~ *verschijnen* appear on the stage, come on; *fig* appear on the scene[2]; *t e n tonele voeren* put upon the stage; *v a n het* ~ *verdwijnen* make one's exit[2], disappear from the stage[2], make one's bow[2]; **–aanwijzing** (-en) *v* stage-direction; **–achtig** theatrical, stagy; **–benodigdheden** *mv* stage-properties; **–bewerking** (-en) *v* stage version; **–criticus** (-ci) *m* dramatic critic; **–effect** (-en) *o* stage-effect; **–gezelschap** (-pen) *o* theatrical company; **–held** (-en) *m* stage-hero; **–kapper** (-s) *m* theatre hairdresser; **–kijker** (-s) *m* opera-glass, binoculars; **–knecht** (-s) *m* stage-hand, flyman; **–kritiek** (-en) *v* dramatic criticism; **–kunst** *v* dramatic art, stage-craft; **–laars** (-laarzen) *v* buskin; **toneel'matig** theatrical; **to'neelmeester** (-s) *m* property master, stage manager; **–opvoering** (-en) *v* (theatrical) performance; **–scherm** (-en) *o* 1 (g o r d ij n) (stage-)curtain, (act-)drop; 2 (c o u l i s s e) side-scene; **–schikking** (-en) *v* setting of a (the) play; **–school** (-scholen) *v* school of acting, academy of dramatic art; **–schrijver** (-s) *m* playwright, dramatist; **–speelster** (-s) *v* (stage-)actress; **–spel** *o* 1 acting; 2 (-spelen) = *toneelstuk*; **–speler** (-s) *m* (stage-)actor, player; **–stuk** (-ken) *o* (stage-)play; **–voorstelling** (-en) *v* theatrical performance; **–zolder** (-s) *m* flies;

tone'list (-en) *m* actor

'tonen (toonde, h. getoond) **I** *vt* show; **II** *vr zich* ~ show oneself; **III** *va* make a show; *zó* ~ *ze meer* they make a better show

tong (-en) *v* 1 tongue; 2 𝔖 sole [a fish]; *hij heeft een gladde* ~ he has got a glib tongue; *een kwade* ~ *hebben* have an evil tongue; *hij heeft een lange (scherpe)* ~ he has a long (a sharp) tongue; *zijn* ~ *laten gaan (roeren)* be talking away; *zijn* ~ *uitsteken* put out (stick out) one's tongue (at *tegen*); *steek uw* ~ *uit* put out your tongue, show me your tongue; *zijn* ~ *slaat dubbel* he speaks thickly; *o p de* ~ *rijden, o v e r de* ~ *gaan* be the talk of the town; **–been** (-deren) *o* tongue-bone

'tongewelf (-welven) *o* barrel vault

'tongklank (-en) *m* lingual; **–klier** (-en) *v* lingual gland; **–riem** *m* string of the tongue; *goed van de* ~ *gesneden zijn* have a ready tongue; **–spier** (-en) *v* lingual muscle; **–val** (-len) *m* 1 accent; 2 dialect; **–vormig** tongue-shaped; **–wortel** (-s) *m* root of the tongue; **–zenuw** (-en) *v* lingual nerve

'tonic ['tònɪk] *m* tonic, tonic water

'tonicum (-s en -ca) *o* tonic [medicine]

to'nijn (-en) *m* tunny

ton'nage [-'na.ʒə] *v* tonnage; **'tonnegeld** (-en) *o* tonnage; **'tonneninhoud** *m*, **–maat** *v* tonnage; **'tonrond** tubby

ton'sil (-len) *v* tonsil

ton'suur [s = z] (-suren) *v* tonsure

1 toog (togen) *m* cassock [of a priest]

2 toog (togen) V.T. van *tijgen*

'toogdag (-dagen) *m* rally

tooi *m* attire, array, trimmings; **'tooien** (tooide, h. getooid) **I** *vt* adorn, decorate, array, (be)deck; **II** *vr zich* ~ adorn & oneself; **'tooisel** (-s) *o* finery, ornament

toom (tomen) *m* bridle, reins; *een* ~ *kippen* a brood of hens; *in* ~ *houden* keep in check, check², *fig* bridle, curb [one's tongue &]

toon (tonen) *m* 1 tone; 2 (t o o n h o o g t e) pitch; 3 (k l a n k) sound; 4 (k l e m t o o n) accent, stress; 5 *fig* tone [of a letter, debate &, also of a picture &]; *de goede* ~ good form; *de* ~ *aangeven* give the tone²; *fig* ook: set the tone; set the fashion; *een* ~ *aanslaan* strike a note; *fig* take a high tone; *u hoeft tegen mij niet zo'n* ~ *aan te slaan* you need not take this tone with me; *een andere* ~ *aanslaan* change one's tone; *in zijn brieven slaat hij een andere* ~ *aan* his letters are in a different strain; *een hoge* ~ *aanslaan* take a high tone; (*goed*) ~ *houden* keep tune [of singer]; keep in tune [of instrument]; *de juiste* ~ *treffen* strike the right note; ● *o p bevelende* (*gebiedende*) ~ in a tone of command; *op hoge* (*zachte*) ~ in a high (low) tone; *op de tonen van de muziek* to the strains of the music; *het is t e g e n de goede* ~ it is bad form; **-aangevend** leading; **-aard** (-en) *m* ♪ key [major or minor]; **-afstand** *m* ♪ interval; **-baar** presentable, fit to be shown, fit to be seen; **-bank** (-en) *v* counter; **-beeld** (-en) *o* model, pattern, paragon; *een* ~ *van*... the very picture of...; **-demper** (-s) *m* ♪ mute; **-der** (-s) *m* $ bearer; *betaalbaar aan* ~ (*dezes*) $ payable to bearer; **-dichter** (-s) *m* ♪ (musical) composer; **-gevend** leading; **-hoogte** (-n en -s) *v* ♪ pitch; **-kamer** (-s) *v* show-room; **-kunst** *v* ♪ music; **-kunstenaar** (-s) *m*, **-kunstenares** (-sen) *v* ♪ musician; **-ladder** (-s) *v* ♪ gamut, scale; ~*s spelen* practise scales; **-loos** 1 toneless [voice]; 2 unaccented, unstressed [syllable]; **-schaal** (-schalen) *v* scale, gamut; **-soort** (-en) *v* ♪ key; mode; **-teken** (-s) *o gram* accent, stressmark; **-tje** (-s) *o een* ~ *lager zingen* climb down, **F** sing small; *iem. een* ~ *lager doen zingen* make sbd. sing another tune, take sbd. down a peg or two, knock sbd. off his perch; **-vast** ♪ keeping tune; **-zaal** (-zalen) *v* show-room; **-zetter** (-s) *m* ♪ (musical) composer; **-zetting** (-en) *v* ♪ (musical) composition

toorn *m* anger, wrath, choler, ⊙ ire; **'toornen** (toornde, h. getoornd) *vi* be angry (wrathful); **'toornig I** *aj* angry, wrathful, irate; **II** *ad* angrily, wrathfully

toorts (-en) *v* 1 torch, link; 2 ⚘ mullein; **-drager** (-s) *m* torch-bearer; **-licht** (-en) *o* torch-light

toost (-en) *m* toast [to the health of...]; *een* ~ *instellen* (*uitbrengen*) give (propose) a toast; **'toosten** (toostte, h. getoost) *vi* give (propose) a toast

1 top (-pen) *m* 1 top, summit [of a mountain]; 2 tip [of the finger]; 3 apex [of a triangle]; *de* ~ *van de mast* the mast-head; *met de vlag i n* ~ the flag flying at the mast-head; *t e n* ~ to extremes; *ten* ~ *stijgen* rise to a climax; *v a n* ~ *tot teen* from top to toe, from head to foot

2 top *ij* 1 done!, it's a go!, I'm on!; 2 (b ij w e d - d e n s c h a p) taken!

to'paas (-pazen) *m* & *o* topaz

'topartiest (-en) *m* (all) star, top-liner; **-conditie** [-(t)si.] *v* = *topvorm*; **-conferentie** [-(t)si.] (-s) *v* summit meeting, summit conference; **-functie** [-ksi.] (-s) *v* leading (top) function; **-functionaris** (-sen) *m* leading (senior) executive; **-hoek** (-en) *m* vertical angle

topi'namboer (-s) *m* Jerusalem artichoke

'topjaar (-jaren) *o* peak year; **-licht** (-en) *o* mast-head light

topo'graaf (-grafen) *m* topographer; **topogra'fie** (-ieën) *v* topography; **topo'grafisch** topographic(al)

'toppen (topte, h. getopt) *vt* top [a tree]

'topprestatie [-(t)si.] (-s) *v* record; ⚒ maximum performance; maximum output [of a factory]; **-punt** (-en) *o* 1 (i n 't a l g.) top², summit²; 2 (i n m e e t k u n d e) vertex, apex; 3 (i n s t e r r e n k u n d e) culminating point; 4 *fig* top, culminating point, acme, pinnacle, zenith, climax; *dat is het* ~! **F** that's the limit!, that puts the lid on!, that beats all!; *het* ~ *van mijn eerzucht* the top of my ambition; *het* ~ *van onbeschaamdheid* the height of insolence; *het* ~ *van volmaaktheid* the summit (the acme) of perfection; *het* ~ *bereiken* reach its acme, reach a climax; *op het* ~ *van zijn* (*haar*) *roem* at the height of his (her) fame; **-salaris** (-sen) *o* top salary; **-snelheid** *v* top speed; **-speler** (-s) *m* top player, first-rate player; **-vorm** *m in* ~ *zijn* be at the top of one's form, be in top form; **-zwaar** top-heavy²

'toque [tɔ.k] (-s) *v* toque

tor (-ren) *v* beetle

'toren (-s) *m* tower [not tapering]; steeple [with a spire]; turret [for guns]; *hoog van de* ~ *blazen* boast, bag; **-flat** [-flɛt] (-s) *m* tower-block of flats, multi-storey flat; **-garage** [-ʒə] (-s) *v* multi-storey car park; **-hoog** as high as a steeple, towering; **-klok** (-ken) *v* 1 tower-clock, church-clock; 2 church-bell; **-kraan** (-kranen) *v* tower-crane; **-spits** (-en) *v* spire; **-springen** *o* (v. z w e m m e r s) high diving; **-tje** (-s) *o* turret; *van* ~*s voorzien* turreted; **-uil** (-en) *m* = *kerkuil*; **-valk** (-en) *m* & *v* kestrel, windhover; **-wachter** (-s) *m*

watchman on a tower; **–zwaluw** (-en) *v* = *gierzwaluw*
torn (-en) *v* seam come undone (unstitched)
tor'nado ('s) *v* tornado
'tornen I (tornde, h. getornd) *vt* rip (up); **II** (tornen, is getornd) *vi* come unsewed; *daar valt niet aan te ~* that is irrevocable, unshakable; *niet ~ aan* not meddle with, not tamper with [rights]; **'tornmesje** (-s) *o* ripper
torpe'deren (torpedeerde, h. getorpedeerd) *vt* torpedo[2]; **tor'pedo** ('s) *v* torpedo; **–boot** (-boten) *m* & *v* torpedo-boat; **–jager** (-s) *m* (torpedo-boat) destroyer; **–lanceerbuis** (-buizen) *v* torpedo-tube
tors (-en) *m* = *torso*
'torsen (torste, h. getorst) *vt* carry [a bag, on the back], bear [a heavy burden]
'torsie [s = z] *v* torsion
'torso ('s) *m* torso
'tortel (-s) *m* & *v* turtle-dove; **–duif** (-duiven) *v* turtle-dove; **'tortelen** (tortelde, h. getorteld) *vi* bill and coo
Tos'caan(s) (-canen) *m* (& *aj*) Tuscan; **Tos'cane** *o* Tuscany
'tossen (toste, h. getost) *vi* toss (up) for
tot I *prep* 1 (v. afstand) to, as far as; 2 (van tijd) till, until, to; 3 (bij bepaling van gesteldheid) as, for & onvertaald; *benoemd ~ gouverneur* appointed governor; *~ vriend kiezen* choose [sbd.] for (as) a friend; *die woorden ~ de zijne maken* make those words his own; *~ 1848* till (up to) 1848; [go] as far back as 1848; *van 8 ~ 12* from 8 to (till) twelve o'clock; *~ de laatste cent* to the last farthing; *~ dan toe* until then, up to then; *~ hier(toe)* thus far; *~ nu toe (nog toe)* till now, up to now; so far; *~ en met...* up to and including [May 15], as far as [page 50] inclusive; • *~ aan de armen* up to their arms; *~ aan de borst (de knieën)* breast-high, knee-deep; *~ aan de top* as high as the top; up to the top; *~ boven 32°* to above 32°; *~ in de dood (getrouw)* (faithful) (un)to death; *~ in zijn laatste regeringsjaar* down to the last year of his reign; *~ op de bodem* down to the bottom; as low down as the bottom; *~ op een stuiver* to within a penny; *~ voor enkele jaren* up to a few years ago; **II** *cj* till,until
to'taal I *aj* total, all over; **II** (-talen) *o* total (amount), sum total; *in ~* in all, altogether, totalling [1500 persons]; **–bedrag** *o* sum total, total amount; **–beeld** *o* overall picture; **–indruk** *m* general impression
totali'sator [s = z] (-s) *m* totalizator, **F** tote
totali'tair [-'tɛ:r] totalitarian; **totalita'risme** *o* totalitarianism
totali'teit *v* entirety, totality
tot'dat till, until

'totebel (-len) *v* 1 *eig* square net; 2 *fig* slattern; *ouwe ~* old frump
'totem (-s) *m* totem; **–paal** (-palen) *m* totem pole
'toto *m* 1 (sport~, voetbal~) pool; 2 (bij wedren) = *totalisator*
tot'standkoming *v* realization, completion
tou'cheren [tu:'ʃe.rə(n)] (toucheerde, h. getoucheerd) *vt* 1 touch°; 2 ⚕ examine [rectally, vaginally]
tou'peren [tu:-] (toupeerde, h. getoupeerd) *vt* tease, backcomb; **tou'pet** (-s en -ten) *m* toupet, toupee
'touringcar ['tu:rɪŋka:r] (-s) *m* & *v* (motor-) coach
tour'nee [tu:r'ne.] (-s) *v* tour (of inspection); *een ~ maken (in)* tour; *op ~ gaan* go on tour
tourni'quet [tu:rni.'kɛ(t)] (-s) *o* & *m* turnstile
touw (-en) *o* 1 (voorwerp) rope [over one inch thick]; cord [= thin rope]; string [= thin cord]; 2 (stof) rope; *~ pluizen* pick oakum; *er is geen ~ aan vast te knopen* you can make neither head nor tail of it; *ik ben de hele dag in ~ geweest* I have been in harness all day; *op ~ zetten* undertake [something]; get up [a show]; engineer [a war]; launch [a scheme]; **–klimmen** *o* rope-climbing; **–ladder** (-s) *v* rope-ladder; **–slager** (-s) *m* rope-maker; **–slagerij** (-en) *v* rope-walk; **–tje** (-s) *o* (bit of) string; *de ~s in handen hebben, aan de ~s trekken* pull the strings; **–tjespringen I** *vi* skip; **II** *o* skipping; **–trekken** *o* tug-of-war[2]; **–werk** *o* 1 cordage, ropes; 2 ⚓ rigging
t.o.v. = *ten opzichte van* zie *opzicht*
'tovenaar (-s en -naren) *m* sorcerer, magician, wizard, enchanter; **tovena'res** (-sen) *v* sorceress, witch; **tovena'rij** (-en) *v* = *toverij*; **'toverachtig I** *aj* fairy-like, magic(al); charming, enchanting; **II** *ad* magically; **–beker** (-s) *m* magic cup; **–boek** (-en) *o* conjuring-book; **–cirkel** (-s) *m* magic circle; **–drank** (-en) *m* magic potion; **'toveren** (toverde, h. getoverd) **I** *vi* 1 practise sorcery; 2 (goochelen) conjure; *ik kan niet ~* I am no wizard; **II** *vt* conjure (up)[2]; *een ei uit een hoed ~* conjure an egg out of a hat; **'toverfluit** (-en) *v* magic flute; **–formule** (-s) *v*, **–formulier** (-en) *o* magic formula, spell, charm, incantation; **–godin** (-nen) *v* fairy; **–hazelaar** (-s) *m* wych-hazel, witch-hazel; **–heks** (-en) *v* witch; **tove'rij** (-en) *v* sorcery, witchcraft, magic; **'toverkol** (-len) *v* witch, hag; **–kracht** *v* witchcraft, spell; **–kunst** (-en) *v* sorcery, magic (art); *~en* magic tricks, tricks of magic, witchcraft; **–lantaarn, –lantaren** (-s) *v* magic lantern; **–middel** (-en) *o* charm, spell, magic means; **–paleis** (-leizen) *o* enchanted palace;

–ring (-en) *m* magic ring; **–roede** (-n) *v* magic wand; **–slag** *m als bij* ~ as if (as) by magic; **–spiegel** (-s) *m* 1 (in sprookje) magic mirror; 2 (op kermis) distorting mirror; **–spreuk** (-en) *v* incantation, spell, charm, abracadabra; **–staf** (-staven) *m* magic wand; **–woord** (-en) *o* magic word, spell, charm

'toxisch toxic

traag I *aj* slow, tardy, indolent, sluggish, slothful, inert; ~ *van begrip* slow-witted; **II** *ad* slowly, tardily &; **–heid** *v* 1 (in 't alg.) slowness, indolence, inertness, sluggishness, slothfulness; 2 (in natuurkunde) inertia

1 traan (tranen) *m* & *v* tear, tear-drop; *de tranen stonden hem in de ogen* tears were in his eyes, his eyes brimmed with tears; *hij zal er geen* ~ *om laten* he will not shed a tear over it; *tranen met tuiten schreien, hete tranen schreien* cry one's heart out, cry bitterly, shed hot tears; *tot tranen geroerd zijn* be moved to tears

2 traan *m* train-oil; **–achtig** = *tranig*

'traanbuis (-buizen) *v* tear-duct; **–gas** *o* tear-gas; **–gasbom** (-men) *v* tear-gas bomb; **–klier** (-en) *v* lachrymal gland

'traankoker (-s) *m* train-oil boiler; **traan-koke'rij** (-en) *v* try-house; *drijvende* ~ ⚓ factory-ship

'traanogen (traanoogde, h. getraanoogd) *vi* have watery eyes; **–vocht** *o* lachrymal fluid; **–zak** (-ken) *m* lachrymal sac

tra'cé (-s) *o* (ground-)plan, trace; **tra'ceren** (traceerde, h. getraceerd) *vt* trace, trace out [a plan]

'trachten (trachtte, h. getracht) *vt* try, attempt, endeavour; ~ *naar* = *streven naar*

'tractie ['traksi.] *v* traction, haulage; **'tractor** ['trak-, 'trɛk-] (-s en -'toren) *m* tractor

trad (traden) V.T. van *treden*

tra'ditie [-'di.(t)si.] (-s) *v* tradition; **–getrouw** true to tradition (custom); **traditiona'listisch** traditionalist; **traditio'neel** traditional; time-honoured; customary

tra'gedie (-s en -iën) *v* tragedy; **tra'giek** *v* tragedy [of life]; **tragiko'medie** (-s) *v* tragi-comedy; **tragi'komisch** tragi-comic; **'tragisch I** *aj* tragic(al); **II** *ad* tragically

'trainen ['tre.nə(n)] (trainde, h. getraind) **I** *vt* train, coach; **II** *vr zich* ~ train; **–er** (-s) *m* trainer, coach

trai'neren [trɛ'ne:rə(n)] (traineerde, h. getraineerd) **I** *vi* hang fire, drag (on); ~ *met* delay; **II** *vt* drag one's feet over [a matter]

'training ['tre.-] *v* training; **'trainingsbroek** (-en) *v* track-suit trousers; **–pak** (-ken) *o* track suit

trait d'union [trɛdy.ni.'õ] (-s) *o* & *m* hyphen

traite [trɛ.t] (-s) *v* $ draft

tra'ject (-en) *o* way, distance, stretch; section [of railway line]; stage [of bus &]

trak'taat (-taten) *o* treaty; **–je** (-s) *o* tract

trak'tatie [-(t)si.] (-s) *v* treat

trakte'ment (-en) *o* salary, pay; **trakte'mentsdag** (-en) *m* pay-day; **–verhoging** (-en) *v* rise, increase (of salary)

trak'teren (trakteerde, h. getrakteerd) **I** *vt* (onthalen) treat, regale [one's friends]; *hen op een fles* ~ stand them a bottle, treat them to a bottle, regale them with a bottle; **II** *va* & *vi* stand treat, stand drinks; *ik trakteer!* my treat!, this is on me!

'tralie (-s en -iën) *v* bar; ~*s* ook: lattice, trellis, grille; *achter de* ~*s* behind (prison) bars, under lock and key, **F** inside; **–deur** (-en) *v* grated door; **'traliën** (traliede, h. getralied) *vt* grate, lattice, trellis; **'tralievenster** (-s) *o* 1 (met tralies, v. gevangenis &) barred window; 2 (van latwerk) lattice-window; **–werk** *o* lattice-work, trellis-work

tram [trɛm] (-s en -men) *m* tram, tram-car; **–bestuurder** (-s) *m* motorman; **–conducteur** (-s) *m* tramconductor; **–halte** (-s) *v* stopping-place, (tram-)stop; **–huisje** (-s) *o* (tram) shelter; **–kaartje** (-s) *o* tramway ticket, tram ticket; **–lijn** (-en) *v* tramline

tramme'lant *o* & *m* row, to-do, rumpus

'trammen ['trɛmə(n)] (tramde, h. en is getramd) *vi* go by tram

trampo'line (-s) *v* trampoline

'tramwagen (-s) *m* tram-car; **–weg** (-wegen) *m* tramway

trance [trãs] (-s) *v* trance

tranche [tranʃ] (-s) *v* $ instalment [of a loan]; **tran'cheren** [-'ʃe.rə(n)] (trancheerde, h. getrancheerd) *vt* carve

'tranen (traande, h. getraand) *vi* water; ~*de ogen* watering eyes; **'tranendal** *o* vale of tears; **–vloed** *m* flood of tears

'tranig like train-oil, train-oil...

'trans (-en) *m* 1 (omgang v. toren) gallery; 2 (rand) battlements

trans'actie [-'aksi.] (-s) *v* transaction, deal

transat'lantisch transatlantic

transcenden'taal transcendental

transcri'beren (transcribeerde, h. getranscribeerd) *vt* transcribe [i n z. ♪]; transliterate [Russian names &]

tran'scriptie [-skrɪpsi-] (-s) *v* transcription [i n z. ♪]; transliteration [of Russian names &]

tran'sept (-en) *o* transept

transfor'matie [-(t)si.] (-s) *v* transformation; **transfor'mator** (-s en -'toren) *m* ✳ transformer; **transfor'meren** (transformeerde, h. getransformeerd) *vt* transform

trans'fusie [-zi.] (-s) *v* transfusion

tran'sistor [-'zɪs-] (-s) *m* transistor; **transistori'seren** [-'ze.rə(n)] (transistoriseerde, h. getransistoriseerd) *vt* transistorize; **tran'sistorradio** ('s) *m* transistor radio; **–toestel** (-len) *o* transistor set

'transitief [s = z] transitive

tran'sito [s = z] *m* transit; **–handel** *m* transit-trade; **–magazijn** (-en) *o* transit store, entrepot

transi'toir [-zi.'tva: r] transitory

transla'teur (-s) *m* translator

trans'missie (-s) *v* transmission

transpa'rant I *aj* transparent; **II** (-en) *o* 1 transparency [picture]; 2 black lines [for writing]

transpi'ratie [-(t)si.] *v* perspiration; **transpi'reren** (transpireerde, h. getranspireerd) *vi* perspire

transplan'taat (-taten) *o* ⚕ transplant, graft; **transplan'tatie** [-(t)si.] (-s) *v* ⚕ transplant(ation), graft(ing); **transplan'teren** (transplanteerde, h. getransplanteerd) *vt* ⚕ transplant, graft

transpo'neren (transponeerde, h. getransponeerd) *vt* transpose

trans'port (-en) *o* 1 (v e r v o e r) transport, conveyance, carriage; 2 (i n r e k e n i n g e n) amount carried forward; *per ~* $ carried forward (over); **–band** (-en) *m* ⚒ conveyor belt; **transpor'teren** (transporteerde, h. getransporteerd) *vt* 1 transport, convey; 2 $ carry forward [in book-keeping]; **transpor'teur** (-s) *m* 1 (p e r s o o n) transporter; 2 (i n s t r u m e n t) protractor; **trans'portfiets** (-en) *m* & *v* carrier cycle; **–kabel** (-s) *m* telpher; **–kosten** *mv* cost of transport, carriage; **–middelen** *mv* means of transport (conveyance); **–schip** (-schepen) *o* transport(-ship), ⚔ troop-ship; **–vliegtuig** (-en) *o* transport plane; *~(en)* ook: transport aircraft; **–wezen** *o* transport

transsubstanti'atie [-stɑnsi.'a.(t)si.] *v* transubstantiation

trant *m* manner, way, fashion, style; *i n de ~ van* after the manner of; *n a a r de oude ~* in the old style

1 trap (-pen) *m* 1 (s c h o p) kick; 2 (t r e d e) step; 3 (g r a a d) degree, step; 4 (v. r a k e t) stage; *de ~pen van vergelijking* the degrees of comparison; *stellende ~* positive (degree); *vergrotende ~* comparative (degree); *overtreffende ~* superlative (degree); *iem. een ~ geven* give sbd. a kick; *op een hoge ~ van beschaving* at a high degree of civilization; *op de laagste ~ van beschaving* on the lowest plane of civilization

2 trap (-pen) *m* 1 (h e t g e h e e l v a n t r e d e n) stairs, staircase, flight of stairs; 2 (t r a p l a d d e r) step-ladder, (pair of) steps; *de ~ af* down the stairs, downstairs; *de ~ op* up the stairs, upstairs; *~ op, ~ af* up and down the stairs, upstairs and downstairs; *iem. van de ~pen gooien* kick sbd. downstairs

tra'peze (-s) *v* trapeze; **tra'pezium** (-s en -zia) *o* 1 (m e e t k u n d e) trapezium; 2 (g y m n a s t i e k) trapeze

'trapgans (-ganzen) *v* bustard

'trapgat (-gaten) *o* (stair)well; **–gevel** (-s) *m* stepped gable; **–ladder** (-s), **–leer** (-leren) *v* step-ladder, (pair of) steps; **–leuning** (-en) *v* banisters, handrail; **–loper** (-s) *m* stair-carpet

'trap(naai)machine [-ʃi.nə] (-s) *v* treadle sewing-machine

'trappehuis (-huizen) *o* staircase, well

'trappelen (trappelde, h. getrappeld) *vi* trample, stamp [with impatience]

'trappen (trapte, h. getrapt) **I** *vi* 1 kick (at *naar*); 2 (o p f i e t s) pedal; *erin ~* [*fig*] fall for it, swallow (take) the bait; *~ op* step (tread) on; **II** *vt* tread; kick; *het orgel ~* blow the organ; *ik laat me niet ~* I won't suffer myself to be kicked; *ze moesten zulke... eruit ~* they ought to kick them out of the service; *hij werd eruit getrapt* he got the boot, **F** he was fired [from his billet]; ⚭ **F** he was chucked out; zie ook: 2 *teen*; **–er** (-s) *m* treadle [of organ, lathe, bicycle &]; pedal [of bicycle]

trap'pist (-en) *m* Trappist; **–enklooster** (-s) *o* Trappist monastery

'trapportaal (-talen) *o* landing; **–roe(de)** (-roes, -roeden) *v* stair-rod; **–sgewijs, –sgewijze I** *aj* gradual; **II** gradually, by degrees; **–tre(d)e** (-treden en -treeën) *v* stairstep

tras'saat (-saten) *m* $ drawee; **tras'sant** (-en) *m* $ drawer; **tras'seren** (trasseerde, h. getrasseerd) *vi* $ draw

'trauma ('s en -ta) *v* & *o* trauma; **trau'matisch** traumatic; **traumati'seren** [s = z] (traumatiseerde, h. getraumatiseerd) *vt* traumatize, shock

tra'vee (-veeën) *v* trave

tra'verse [s = z] (-n) *v* (d w a r s b a l k) crossbeam; (d w a r s v e r b i n d i n g) traverse

traves'teren (travesteerde, h. getravesteerd) *vt* travesty; **traves'tie** (-ieën) *v* 1 (l a c h w e k k e n d e v o o r s t e l l i n g) travesty; 2 (v e r k l e d i n g a l s h e t a n d e r e g e s l a c h t) transvestism; **traves'tiet** (-en) *m* & *v* transvestite

tra'want (-en) *m* satellite², *fig* > henchman

'trechter (-s) *m* 1 funnel; 2 (v. m o l e n) hopper; 3 (v. g r a n a a t) crater; **–vormig** funnel-shaped

tred (treden) *m* tread, step, pace; *gelijke ~ houden met* keep step (pace) with; *met vaste ~* with a firm step; **'trede** (-n) *v* 1 (b ij 't l o p e n) step, pace; 2 (v. t r a p, r ij t u i g) step; 3 (v a n l a d d e r) rung; 4 (t r a p p e r) treadle [of a sewing-machine]; **'treden* I** *vi* tread, step, walk; *daarin kan ik niet* ~ I cannot accede to that; I can't fall in with the proposal; *in bijzonderheden* ~ enter into detail(s); *in dienst* ~ & zie *dienst* &; *nader* ~ approach; *naar voren* ~ come to the front; ~ *uit* withdraw from [a club], leave [the Church, a party &]; **II** *vt* tread; **'tredmolen** (-s) *m* treadmill[2]; *fig* jogtrot; **tree** = *trede*

treeft (-en) *v* trivet

'treeplank (-en) *v* foot-board [of railway carriage]

tref *m* chance; *wát een* ~*!* how lucky!; *het is een* ~ *als je...* it is a mere chance if...; **'treffen* I** *vt* 1 (r a k e n) hit, strike[2]; *fig* touch, move; (s t e r k ~) shock; 2 (a a n t r e f f e n) meet (with); *het doel* ~ hit the mark[2]; *hij is door een ongeluk getroffen* he met with an accident; *hem treft geen schuld* no blame attaches to him; *regelingen* ~ make arrangements; *personen die door dit verbod getroffen worden* persons affected by this prohibition; *u heeft de gelijkenis goed getroffen* you have hit off the likeness; *je treft het, dat...* lucky for you that...; *je treft het niet* bad luck for you; *we hebben het goed getroffen* we have been lucky; *dat treft u ongelukkig* bad luck for you; *ik heb het die dag slecht getroffen* I was very unlucky that day; *iem. thuis* ~ find sbd. at home; *waar kan ik je* ~*?* where can I find you?; *we troffen hem toevallig te S.* we came across him (chanced upon him) at S.; **II** *vi dat treft goed* nothing could have happened better, that's lucky; **III** *o* encounter, engagement, fight; **-d** striking [resemblance]; touching [scene]; well-chosen [words]; **'treffer** (-s) *m* ⚔ hit[2]; *fig* lucky hit; **'trefkans** (-en) *v* hit probability; **-punt** (-en) *o* 1 ⚔ point of impact; 2 (v. p e r s o n e n) meeting place; **-woord** (-en) *o* entry, headword; **tref'zeker** sure [hit]; precise; sound [player]; **-heid** *v* sureness; precision; soundness

treil (-en) *m* 1 tow-line; 2 trawl(-net); **'treilen** (treilde, h. getreild) *vt* 1 tow; 2 trawl [with a net]; **-er** (-s) *m* ⚓ trawler

trein (-en) *m* 1 (railway) train; 2 retinue, suite; 3 ⚔ train; **-beambte** (-n) *m* railway official; **-botsing** (-en) *v* train collision, train crash; **-conducteur** (-s) *m* (railway) guard; **-enloop** *m* train-service; **-personeel** *o* train staff; **-ramp** (-en) *v* train disaster; **-reis** (-reizen) *v* train journey; **-stel** (-len) *o* train unit, coach

'treiteraar (-s) *m* tease, teaser, pesterer; **'treiteren** (treiterde, h. getreiterd) *vt* vex, nag, tease, pester

trek (-ken) *m* 1 (r u k) pull, tug, haul; 2 (a a n p ij p) pull; 3 (v. s c h o o r s t e e n) draught; 4 (t o c h t) draught; 5 (h e t t r e k k e n) migration [of birds]; (*ZA*) trek [journey by ox-wagon]; 6 (h a a l m e t d e p e n &) stroke; dash; 7 ◊ trick; 8 (i n g e w e e r l o o p) groove; 9 (g e l a a t s t r e k) feature, lineament; 10 (k a r a k t e r t r e k) trait; 11 (l u s t) mind, inclination; 12 (e e t l u s t) appetite; *een paar* ~*ken* (*aan zijn pijp*) *doen* have a few whiffs; *alle* ~*ken halen* ◊ make all the tricks; (*geen*) ~ *hebben* have an (no) appetite; ~ *hebben in iets* have a mind for sth.; *ik zou wel* ~ *hebben in een kop thee* I should not mind a cup of tea; (*geen*) ~ *hebben om te...* have a (no) mind to..., (not) feel like ...ing; *zijn* ~*ken thuis krijgen* have the tables turned on one, have one's chickens come home to roost; *er is geen* ~ *in de kachel* the stove doesn't draw; ● *a a n zijn* ~(*ken*) *komen* [*fig*] come into one's own; *i n* ~ *zijn* be in demand (request); *ze zijn erg in* ~ *bij* they are in great request with, very popular with; *in brede* ~*ken* in broad outline; *in korte* ~*ken* in brief outline, briefly; *in vluchtige* ~*ken* in broad outline; *in grote* ~*ken aangeven* outline [a plan]; *m e t één* ~ (*van de pen*) with one stroke; *o p de* ~ *zitten* sit in a draught; **-automaat** [-o.to. of -ɔuto-] (-maten) *m* slot-machine; **-bal** (-len) *m* ⚇ twister; **-bank** (-en) *v* ⚒ draw-bench; **-beest, -dier** (-en) *o* draught-animal; **-haak** (-haken) *m* towing-hook; **-hond** (-en) *m* draught-dog

'trekje (-s) *o* (a a n e e n s i g a r e t &) puff, drag

'trekkebekken (trekkebekte, h. getrekkebekt) *vi* bill and coo

'trekken* I *vi* 1 (r u k k e n) draw, pull, tug; 2 (v. s c h e e r m e s) pull; 3 (g a a n, r e i z e n) go, march; *sp* hike; *ZA* trek [of people]; migrate [of birds]; 4 (k r o m t r e k k e n) warp, become warped; 5 (v a n t h e e &) draw; 6 (v a n s c h o o r s t e e n &) draw; 7 *fig* draw [customers &]; *het trekt hier* there is a draught here; *er op uit* ~ set out, ⊙ set forth; *zij* ~ *heen en weer* they go up and down the country; *de thee laten* ~ let the tea draw; *de thee staat te* ~ the tea draws; ● ~ *a a n* pull (tug, tear) at; pull, tug; *aan de bel* ~ pull the bell; *aan zijn haar* ~ pull one's hair; *hij trok aan zijn pijp, maar zijn pijp trok niet* he pulled at his pipe, but his pipe didn't draw; *aan zijn sigaret* ~ draw on one's cigarette; *m e t zijn linkerbeen trekt hij* he has a limp in his left leg; *met de mond trekt hij* his mouth twitches; *zij trokken n a a r het westen* they moved (marched) west; *o p iem.* ~ $ draw on sbd.; *u i t dit huis* ~ move out of this house; *zij* ~ *v a n de ene plaats naar de andere* they move from place to place; *als dat niet trekt, trekt niemendal* if that doesn't fetch them, I don't

know what will; **II** *vt* 1 draw² [a load, a line, a revolver, his sword, many people, customers &]; rule [lines]; take out [a gun]; pull [something]; tow [a ship, motorcar]; 2 force [plants]; *een bal* ~ ⚽ twist a ball; *draad* ~ draw wire; *een prijs* ~ draw a prize; *een mooi salaris* & ~ draw a handsome salary &; *een tand* ~ draw a tooth; *een tand laten* ~ have a tooth drawn; *een wissel* ~ (*op*) $ draw a bill (on); ● *hij trok mij a a n mijn haar* he pulled my hair; *hij trok mij aan mijn mouw* he pulled (at) my sleeve; *iem. aan de* (*zijn*) *oren* ~ pull sbd.'s ears; *hij trok zijn hoed i n de ogen* he pulled his hat over his eyes; *hem o p zij* ~ draw him aside; *zich de haren u i t het hoofd* ~ tear one's hair; *iem. uit het water* ~ draw (pull, haul) sbd. out of the water; *een les* ~ *uit* draw a lesson from; *we moesten hen v a n elkaar* ~ we had to pull them apart; *zij trokken hem de kleren van het lijf* they tore the clothes from his back; **–er** (-s) *m* 1 drawer [of a bill]; 2 *sp* hiker; 3 trigger [of fire-arms]; 4 tab, tag [of a boot]; 5 (v a n W.C.) (pull) chain; 6 (t r a c t o r) tractor; **'trekking** (-en) *v* 1 (i n 't a l g.) drawing; 2 (v. l o t e r ij) drawing, draw; 3 (i n s c h o o r s t e e n) draught; 4 (v. z e n u w e n) twitch, convulsion; **'trekkingslijst** (-en) *v* list of prizes; **–rechten** *mv* $ drawing rights; **'trekkracht** (-en) *v* tractive power; **–net** (-ten) *o* drag-net, seine; **–paard** (-en) *o* draught-horse; **–pen** (-nen) *v* drawing-pen; **–pleister** (-s) *v* vesicatory; *fig* attraction, draw; **–pot** (-ten) *m* tea-pot; **–proef** *v* ⚒ tension test, pull test; **–schakelaar** (-s) *m* pull switch; **–schroef** (-schroeven) *v* tractor screw; **–schuit** (-en) *v* tow-boat; **–sel** (-s) *o* infusion, brew [of coffee]; **–sluiting** (-en) *v* zip-fastener, zip(per); **–tijd** (-en) *m* migration time; **–tocht** (-en) *m sp* hike; *een* ~ *maken* hike; **–vaart** (-en) *v* ship-canal; **–vast** *aj* ⚒ tension-proof; **trek'vastheid** *v* tensile strength; **'trekvogel** (-s) *m* migratory bird, migrant, bird of passage²; **–zaag** (-zagen) *v* ⚒ crosscut saw; whip-saw
trem (-s) = *tram*
'trema ('s) *o* diaeresis [*mv* diaereses]
'tremel (-s) *m* (mill-)hopper
'tremmen (tremde, h. getremd) *vt* trim [coals]; **–er** (-s) *m* trimmer
trend (-s) *m* trend
trens (-trenzen) *v* 1 (a a n b i t) snaffle; 2 (l u s) loop
trepa'natie [-(t)si.] (-s) *v* trepanning; **trepa'neerboor** (-boren) *v* trepan; **trepa'neren** (trepaneerde, h. getrepaneerd) *vt* & *vi* trepan
tres (-sen) *v* braid
'treurboom (-bomen) *m* weeping tree [weeping beech &]; **–dicht** (-en) *o* elegy; **'treuren** (treurde, h. getreurd) *vi* be sad, grieve; *fig* languish [of plants &]; ~ *o m* mourn for, mourn over [a loss²]; ~ *o v e r* grieve over, mourn for; **'treurig** sad, sorrowful, mournful, pitiful; **–heid** (-heden) *v* sadness; **'treurjaar** (-jaren) *o* year of mourning; **–kleed** (-klederen) *o* mourning-dress; **–lied** (-eren) *o* elegy, dirge; **–mare** (-n) *v* sad news (tidings); **–mars** (-en) *m* & *v* funeral march, dead march; **–muziek** *v* funeral music; **–spel** (-spelen) *o* tragedy; **–speldichter** (-s) *m* tragic poet; **–spelspeler** (-s) *m* tragedian; **–wilg** (-en) *m* weeping willow; **–zang** (-en) *m* elegy, dirge
'treuzel, –aar (-s) *m* slow-coach, dawdler, loiterer, slacker; **–achtig** dawdling; **'treuzelen** (treuzelde, h. getreuzeld) *vi* dawdle, loiter, linger
tri'angel (-s) *m* ♩ triangle
'trias *v* triad
tribu'naal (-nalen) *o* tribunal, court of justice
tri'bune (-s) *v* tribune, rostrum, [speaker's] platform; [reporters' &] gallery; *sp* (grand)stand; *publieke* ~ public gallery, [in House of Parliament] strangers' gallery
tri'buun (-bunen) *m* tribune
tri'chine (-n) *v* trichina; **trichi'neus** trichinous; **trichi'nose** [s = z] *v* trichinosis
'tricot ['tri.ko.] 1 *o* tricot [woollen fabric], stockinet; 2 (-s) *m* & *o* jersey [for children &]; tights [for acrobats &]; **trico'tage** [-ʒə] (-s) *v* knitwear
trien (-en) *v* loutish girl, woman
Trier *o* Treves
'triest(ig) dreary, dismal, melancholy, sad
trigonome'trie *v* trigonometry; **trigono'metrisch** trigonometric(al)
'trijntje *van wijntje en* ~ *houden* love wine, women and song
trijp *o* mock-velvet; **–en** *aj* mock-velvet
trijs (-en) *m* ⚒ whip
'triktrak *o* backgammon; **–bord** (-en) *o* backgammon board; **'triktrakken** (triktrakte, h. getriktrakt) *vi* play at backgammon
'trilbeton *o* vibrated concrete; **–gras** *o* quaking-grass; **–haar** (-haren) *o* cilium, *mv* cilia
tril'joen (-en) *o* trillion [1000.000³]
'trillen (trilde, h. getrild) *vi* 1 (v. p e r s o n e n, s t e m &) tremble; 2 (v. s t e m) vibrate, quaver, quiver; 3 (v. g r a s) quake, dither; 4 (i n d e n a t u u r k u n d e) vibrate; ~ *van* tremble with [anger]; **–er** (-s) *m* ♩ trill, shake; **'trilling** (-en) *v* vibration, quivering, quiver; **–sgetal** (-len) *o* ♩ frequency (of oscillations)
trilo'gie (-ieën) *v* trilogy
tri'mester (-s) *o* term, three months
'trimmen (trimde, h. getrimd) **I** *vt* trim [a dog];

II *vi* jog, do keep-fit exercises; **III** *o* jogging
'trio ('s) *o* trio[2]
trio'let (-ten) *v* & *o* triolet
tri'omf (-en) *m* triumph; *~en vieren* achieve great triumphs; *in ~* in triumph; **triom'fantelijk I** *aj* triumphant; triumphal [entry]; **II** *ad* triumphantly; **triom'fator** (-s en -toren) *m* triumpher; **tri'omfboog** (-bogen) *m* triumphal arch; **triom'feren** (triomfeerde, h. getriomfeerd) *vi* triumph (over *over*); **tri'omflied** (-eren) *o* triumphal song, paean; **–poort** (-en) *v* triumphal arch; **–tocht** (-en) *m* triumphal procession; **–wagen** (-s) *m* triumphal car (chariot); **–zuil** (-en) *v* triumphal column
tri'ool (triolen) *v* ♩ triplet
trip (-s) *m* [hallucinogenic] trip
'triplexhout *o* three-ply wood, plywood
'triplo *in ~* in triplicate
'trippelen (trippelde, h. en is getrippeld) *vi* trip (along); **'trippelpas** (-sen) *m* tripping-step, trip
'trippen (tripte, h. en is getript) *vi* 1 (met kleine pasjes lopen) trip; 2 (hallucinogene middelen gebruiken) trip
trip'tiek (-en) *v* 1 triptych; 2 triptyque [for international travel]
'tritonshoorn, –horen (-s) *m* triton
trits (-en) *v* set of three, triad, trio, triplet
triumvi'raat (-raten) *o* triumvirate
trivi'aal trivial, trite, banal; **triviali'teit** (-en) *v* triviality, triteness, banality
tro'chee (-cheeën) *m*, **tro'cheus** [-'ge.üs] (-cheeën) *m* trochee
'troebel troubled, turbid, thick, cloudy; **–en** *mv* disturbances; **–heid** *v* troubled condition, turbidity, turbidness, thickness, cloudiness; **troe'bleren** (troebleerde, h. getroebleerd) *vt* disturb; zie ook: *getroebleerd*
troef (troeven) *v* trump, trumps; *harten is ~* hearts are trumps; *~ bekennen* follow suit; *~ maken* declare trumps; *~ uitspelen* play a trump, play trumps; *zijn ~ uitspelen* play one's trump card; *zijn laatste ~ uitspelen* play one's last trump; *~ verzaken* fail to follow suit; zie ook: *armoe(de)*; **troef'aas** (-azen) *m* & *o* ace of trumps; **'troefkaart** (-en) *v* trump-card[2]; **–kleur** (-en) *v* trumps
troel (-en) *v* 1 (scheldwoord) bitch, broad; 2 (liefkozend) sweetie (pie)
troep (-en) *m* troupe [of actors], (theatrical) company; band, gang [of robbers]; flock [of cattle]; herd [of sheep, geese]; drove [of cattle]; pack [of dogs, wolves]; troop [of people]; > pack [of kids: children]; ⚔ body of soldiers; *~en* ⚔ troops, forces; *bij ~en* in troops; *een ~* (= een rommel, janboel, rotzooi) a mess, a muddle, a clutter; *de hele ~* the whole crowd, the whole lot, the whole caboodle; **'troepenconcentratie** [-(t)si.] (-s) *v* concentration of troops, troop concentration; **–macht** (-en) *v* force; **–vervoer** *o* transport of troops; **'troepsgewijs, –gewijze** in troops
'troetelen (troetelde, h. getroeteld) *vt* pet, coddle; **'troetelkind** (-eren) *o* darling, pet; **–naam** (-namen) *m* pet name
'troeven (troefde, h. getroefd) **I** *vt* trump, overtrump; **II** *vi* play trumps
trof (troffen) V.T. van *treffen*
tro'fee (-feeën) *v* trophy
'troffel (-s) *m* trowel
'troffen V.T. meerv. van *treffen*
trog (-gen) *m* trough
troglo'diet (-en) *m* troglodyte, cave-dweller
trois-'pièces [trvɑ'pjɛs] (-pièces) *v* & *o* three-piece (suit)
Tro'jaan (-janen) *m* Trojan; **–s** Trojan; *het ~e paard binnenhalen* drag the Trojan horse within the walls; **'Troje** *o* Troy
'trojka ('s) *v* troika
trok (trokken) V.T. van *trekken*
'trolleybus [-li.-] (-sen) *m* & *v* trolley-bus
trom (-men) *v* drum; *de grote ~ roeren* beat the big drum[2]; *kleine ~* ⚔ snare-drum; *de Turkse ~* the big drum; *met slaande ~ en vliegende vaandels* ⚔ with drums beating and colours flying; *met stille ~* ⚔ with silent drums; *met stille ~ vertrekken* slip away
trom'bone [-'bɔ:nə] (-s) *v* trombone; **trombo'nist** (-en) *m* trombonist
trom'bose [s = z] *v* thrombosis
'tromgeroffel *o* roll of drums; **'trommel** (-s) *v* 1 ♩ drum; 2 ⚒ drum; barrel; 3 box, case, tin; **–aar** (-s) *m* drummer; **'trommelen** (trommelde, h. getrommeld) *vi* 1 drum [on a drum, table &]; 2 strum, drum [on a piano]; **'trommelholte** (-n en -s) *v* tympanic cavity; **–rem** (-men) *v* drum brake; **–slag** (-slagen) *m* drumbeat, beat of drum; *bij ~* by beat of drum; **–slager** (-s) *m* drummer; **–stok** (-ken) *m* drumstick; **–vel** (-len) *o* drumhead; **–vlies** (-vliezen) *o* tympanum, ear-drum, tympanic membrane; **–vliesontsteking** *v* tympanitis; **–vuur** *o* ⚔ drum fire
tromp (-en) *v* 1 mouth, muzzle [of a fire-arm]; 2 trunk [of an elephant]
trom'pet (-ten) *v* trumpet; *(op) de ~ blazen* blow (sound) the trumpet; **–blazer** (-s) *m* trumpeter; **–geschal** *o* sound (flourish, blast) of trumpets; **–signaal** [-si.ɲa.l] (-nalen) *o* trumpet-call; **trom'petten** (trompette, h. getrompet) *vi* trumpet; **–er** (-s) *m* trumpeter; **trompet'tist** (-en) *m* trumpet-player, trumpeter; **trom'petvogel** (-s) *m* trumpeter; **–vormig** trumpet-shaped

1 'tronen (troonde, h. getroond) *vi* sit enthroned, throne
2 'tronen (troonde, h. getroond) *vt* allure, entice
'tronie (-s) *v* face, **F** phiz, **P** mug
tronk (-en) *m* stump [of a tree]
troon (tronen) *m* throne; *de ~ beklimmen* mount (ascend) the throne; *o p de ~ plaatsen* enthrone, place on the throne; *v a n de ~ stoten* dethrone; **-hemel** (-s) *m* canopy, baldachin; **-opvolger** (-s) *m* heir to the throne; **-opvolging** *v* succession to the throne; **-pretendent** (-en) *m* pretender to the throne; **-rede** (-s) *v* speech from the throne, King's (Queen's) speech, royal speech; **'troonsafstand** *m* abdication; **-bestijging** *v* accession to the throne; **'troonstoel** (-en) *m* chair of state; **-zaal** (-zalen) *v* throne-room
troop (tropen) *m* trope
troost *m* comfort [= consolation & person who consoles], consolation, solace; *een kommetje ~* **J** a cup of coffee; *dat is tenminste één ~* that's a (one, some) comfort; *een schrale ~* cold comfort; *dat zal een ~ voor u zijn* it will afford you some consolation; *~ vinden in...* find comfort in...; *zijn ~ zoeken bij...* seek comfort with...; **-brief** (-brieven) *m* consolatory letter; **-eloos** disconsolate, cheerless, desolate; **-eloosheid** *v* disconsolateness; **'troosten** (troostte, h. getroost) **I** *vt* comfort, console; **II** *vr zich ~* console oneself; *zich ~ met de gedachte dat...* take comfort in the thought that...; **-er** (-s) *m* comforter; **trooste'res** (-sen) *v* comforter; **'troostprijs** (-prijzen) *m* consolation prize; **-rijk, -vol** comforting, consoling, consolatory; **-woord** (-en) *o* word of comfort
'tropen *mv* tropics; **-helm** (-en) *m* sun-helmet, topee; **-kleding** *v* tropical clothes (wear); **-kolder** *m* tropical frenzy; **-uitrusting** (-en) *v* tropical outfit; **'tropisch** tropical
tropo'sfeer *v* troposphere
tros (-sen) *m* 1 bunch [of grapes]; cluster [of fruits]; string [of currants]; (b l o e i w ij z e) raceme; 2 ⚔ train; 3 ⚓ hawser; *aan ~sen* in bunches, in clusters; **-vormig** *aj* ✿ racemed, racemose
trots I *m* pride; *ten ~ van* = **II** *prep* in spite (defiance) of, notwithstanding; *~ de beste* with the best; **III** *aj* proud, haughty; *~ zijn op* be proud of; *zo ~ als een pauw* as proud as a peacock (as Lucifer); **IV** *ad* proudly, haughtily; **-aard** (-s) *m* proud person
trot'seren (trotseerde, h. getrotseerd) *vt* defy, set at defiance, dare, face, brave [death]; **-ring** *v* defiance
'trotsheid *v* pride, haughtiness
trot'toir [trɔ'twa:r] (-s) *o* pavement, footpath, *Am* sidewalk; **-band** (-en) *m* kerb(stone), curb(stone); **-tegel** (-s) *m* paving stone
trouba'dour [tru.ba.'du:r] (-s) *m* troubadour
trou'vaille [tru.'vɑjə] (-s) *v* 1 happy find; 2 *fig* bright idea
trouw I *aj* 1 (v. m e n s & d i e r) faithful; 2 (v. o n d e r d a n e n) loyal; 3 (v. v r i e n d e n) true, trusty; *een ~ afschrift* a true copy; *~ bezoeker* regular attendant; *~ aan* loyal to, ook: true to; **II** *ad* faithfully, loyally; **III** *v* (g e t r o u w h e i d) loyalty, fidelity, faithfulness, faith; *beproefde ~* tried faithfulness, staunch loyalty; *goede (kwade) ~* good (bad) faith; *te goeder ~* bona fide, in good faith; *~ zweren aan* swear fidelity (allegiance) to; ● *i n ~e* in faith, honestly; *t e goeder (kwader) ~* in good (bad) faith; *te goeder (kwader) ~ zijn* be quite sincere (insincere); **IV** *m* (h u w e l i j k) marriage
'trouwakte (-n en -s) *v* marriage certificate; **-belofte** (-n) *v* promise of marriage; **-boekje** (-s) *o* marriage certificate annex family record [issued to newly married couples]; **-breuk** *v* breach of faith; **-dag** (-dagen) *m* 1 wedding-day; 2 (v. h u w e l ij k) wedding-anniversary
'trouweloos faithless, disloyal, perfidious; **trouwe'loosheid** (-heden) *v* faithlessness, disloyalty, perfidy, perfidiousness
'trouwen I (trouwde, is getrouwd) *vi* marry, wed; *~ met* marry; *getrouwd met een Duitser* married to a German; **II** (trouwde h. getrouwd) *vt* marry; *hij heeft veel geld getrouwd* he has married a fortune; *je bent er niet aan getrouwd* you are not wedded to it; *zo zijn we niet getrouwd* **J** that was not in the bargain; *wanneer zijn ze getrouwd?* when were they married?, when did they get married?
'trouwens for that matter, apart from that, by the way
trouwe'rij (-en) *v* wedding, marriage; **'trouwfeest** (-en) *o* wedding, wedding-feast; **-gewaad** (-waden) *o* wedding-dress
trouw'hartig true-hearted, candid, frank; **-heid** *v* true-heartedness, candour
'trouwjapon (-nen) *m*, **-jurk** (-en) *v* wedding-dress; **-kamer** (-s) *v* wedding-room; **-pak** (-ken) *o* wedding-suit; **-partij** (-en) *v* wedding-party; **-plannen** *mv* marriage plans; **-plechtigheid** (-heden) *v* wedding-ceremony; **-ring** (-en) *m* wedding-ring; **-zaal** (-zalen) *v* wedding-room
truc [try.k] (-s) *m* trick, stunt, **F** dodge
truck (-s) *m* truck
'truffel (-s) *v* truffle
truf'feren (truffeerde, h. getruffeerd) *vt* stuff with truffles; *getruffeerd* truffled
trui (-en) *v* jersey, sweater

trust (-s) *m* $ trust; **–vorming** *v* $ trustification, formation of trusts
'trut (-ten) *v* **P** (v r o u w) square, drag
tsaar (tsaren) *m* Czar, Tsar; **tsa'rina** ('s) *v* Czarina, Tsarina; **tsa'ristisch** Tsarist
'tseetseevlieg (-en) *v* tsetse fly
Tsjaad *o* Chad
Tsjech (-en) *m* Czech; **–isch I** *aj* Czech; **II** *o* Czech; **Tsjechoslo'waak(s)** (-waken) *m* (& *aj*) Czechoslovak; **Tsjechoslowa'kije** *o* Czechoslovakia
'tsjilpen (tsjilpte, h. getsjilpt), **'tsjirpen** (tsjirpte, h. getsjirpt) cheep, twitter, chirp, chirrup
'tuba ('s) *m* ♪ tuba
'tube (-n en -s) *v* (collapsible) tube
tubercu'leus tuberculous, tubercular, consumptive; **tubercu'lose** [s = z] *v* tuberculosis, T.B.; **–bestrijding** *v* fight against tuberculosis; **–lijder** (-s) *m* tubercular patient; **tu'berkel** (-s) *m* tubercle; **–bacil** (-len) *m* tubercle bacillus
'tuberoos (-rozen) *v* ✿ tuberose
'tubifex (-en) *m* live food for aquarium fishes
tucht *v* discipline; *onder* ~ *staan* be under discipline; **–college** [-ʒə] (-s) *o* disciplinary board (committee); **–eloos** 1 undisciplined, indisciplinable, insubordinate; 2 dissolute; **tuchte'loosheid** *v* 1 insubordination; indiscipline; 2 dissoluteness; **'tuchthuis** (-huizen) *o* house of correction; **–boef** (-boeven) *m* convict, jail-bird; **–straf** (-fen) *v* imprisonment; **'tuchtigen** (tuchtigde, h. getuchtigd) *vt* chastise, punish; **–ging** (-en) *v* chastisement, punishment; **'tuchtmiddel** (-en) *o* means of correction; **–recht** *o* disciplinary law; **–roede** (-n) *v* rod, birch; **–school** (-scholen) *v* ± reformatory; (i n E n g e l a n d) approved school
tuf *o* tuff
'tuffen (tufte, h. en is getuft) *vi* motor, chug
'tufsteen (-stenen) *o* & *m* tuff
'tuier (-s) *m* tether
tuig (-en) *o* 1 (g e r e e d s c h a p) tools; 2 fishing-tackle; 3 ⚓ rigging [of a ship]; 4 harness [of a horse]; 5 ~ (*van goed*) stuff, trash, rubbish; ~ (*van volk*) riff-raff, rabble, vermin; **tui'gage** [-ʒə] *v* ⚓ rigging; **'tuigen** (tuigde, h. getuigd) 1 ⚓ rig; 2 harness [a horse]; **'tuighuis** (-huizen) *o* arsenal
tuil (-en) *m* 1 bunch [of flowers], nosegay; 2 posy [of verse]
'tuimelaar (-s) *m* 1 (p e r s o o n) tumbler; 2 🐦 (d u i f) tumbler; 3 (b r u i n v i s) porpoise; 4 ⚒ tumbler [of a lock]; 5 (g l a s) tumbler; **'tuimelen** (tuimelde, h. en is getuimeld) *vi* tumble, topple, topple over; **–ling** (-en) *v* tumble; *een* ~ *maken* have a spill [from one's bicycle, horse]; **'tuimelraam** (-ramen) *o* tilting window, balance window
tuin (-en) *m* garden; *hangende ~en* hanging gardens [of Babylon]; *iem. om de* ~ *leiden* hoodwink (deceive, mislead) sbd.; **F** lead sbd. up the garden-path; **–aarde** *v* vegetable mould; **–ameublement** *o* set of garden-furniture; **–architect** [-ɑrgi.-, -ɑrʃi.-] (-en) *m* landscape gardener; **–architectuur** *v* landscape gardening; **–baas** (-bazen) *m* gardener, head-gardener; **–bank** (-en) *v* garden-seat, garden-bench; **–bed** (-den) *o* garden-bed; **–bloem** (-en) *v* garden-flower; **–boon** (-bonen) *v* broad bean
'tuinbouw *m* horticulture; **–leraar** (-s en -raren) *m* horticultural teacher; **–school** (-scholen) *v* horticultural school; **–tentoonstelling** (-en) *v* horticultural show
'tuincentrum (-centra en -s) *o* garden centre
'tuinder (-s) *m* horticulturist, market-gardener; **tuinde'rij** (-en) *v* market-garden
'tuindeur (-en) *v* garden-door; (d u b b e l e ~) French windows; **–dorp** (-en) *o* garden suburb, garden city; **–feest** (-en) *o* garden-party, garden-fête; **–fluiter** (-s) *m* 🐦 garden-warbler; **–gereedschap** (-pen) *o* garden(ing) tools; **–gewassen** *mv* garden-plants; **–hek** (-ken) *o* (o m h e i n i n g) garden fence; (t o e g a n g) garden gate; **–huis** (-huizen) *o* summer-house
tui'nier (-s) *m* gardener; **tui'nieren** (tuinierde, h. getuinierd) *vi* garden; **tui'niersvak** *o* gardening
'tuinkabouter (-s) *m* pixy, gnome; **–kamer** (-s) *v* room that looks on a garden; **–kers** *v* garden-cress; **–kruiden** *mv* pot-herbs; **–man** (-lieden, -lui) *m* gardener; **–manswoning** (-en) *v* gardener's lodge; **–meubelen** *mv* garden furniture; **–muur** (-muren) *m* garden wall; **–pad** (-paden) *o* garden path; **–parasol** (-s) *m* (garden) umbrella; **–plant** (-en) *v* garden plant; **–schaar** (-scharen) *v* garden shears, secateurs; **–schuurtje** (-s) *o* garden-shed, potting-shed; **–slak** (-ken) *v* garden-slug; **–slang** (-en) *v* garden-hose; **–sproeier** (-s) *m* garden syringe; **–stad** (-steden) *v* garden-city; **–stoel** (-en) *m* garden-chair; **–tje** (-s) *o* garden-plot; **–vrucht** (-en) *v* garden-fruit; **–werk** *o* garden-work, gardening
tuit (-en) *v* spout, nozzle
'tuitelen (tuitelde, h. getuiteld) *vi* totter; **'tuitelig** tottering, shaky, rickety
'tuiten (tuitte, h. getuit) *vi* tingle
'tuithoed (-en) *m* poke-bonnet
tuk *aj* ~ *op* keen on, eager for

'tukje (-s) *o* nap; *een ~ doen* take a nap
'tulband (-en) *m* 1 turban; 2 sponge-cake
'tule *v* tulle; **–n** *aj* tulle
tulp (-en) *v* tulip; **–ebol** (-len) *m* tulip-bulb; **'tulpenbed** (-den) *o* bed of tulips; **–kweker** (-s) *m* tulip-grower
'tumbler (-s) *m* tumbler
'tumor (-s en -'moren) *m* tumour
tu'mult (-en) *o* tumult; **tumultu'eus** tumultuous, uproarious
Tu'nesië [s = z] *o* Tunisia; **Tu'nesiër** (-s) *m*, **Tu'nesisch** *aj* Tunisian
'tunica ('s) *v* tunic; *rk* tunicle; **tu'niek** (-en) *v* tunic
'tunnel (-s) *m* 1 (in 't alg.) tunnel; 2 (van station, onder straat) subway
tur'bine (-s) *v* turbine; **–straalmotor** (-s en -toren) *m* turbojet engine; **–straalvliegtuig(en)** *o* (*mv*) turbojet aircraft
'tureluur (-s en -luren) *m* 🐦 redshank
ture'luurs wild, mad; *het is om ~ te worden* it's enough to drive you mad
'turen (tuurde, h. getuurd) *vi* peer; *~ naar* peer at
turf (turven) *m* peat; ook: (dry) turf; *een ~* a block (a square, a lump) of peat; (van een boek) a tome; **–achtig** peaty; **–graver** (-s) *m* peat-digger; **–molm** *m* en *o* peat dust; **–schip** (-schepen) *o*, **–schuit** (-en) *v* peat-boat; **–steker** (-s) *m* peat-cutter; **–strooisel** *o* [peat-litter
Tu'rijn *o* Turin
Turk (-en) *m* Turk[2]; **Tur'kije** *o* Turkey
tur'koois (-kooizen) *m* & *o* turquoise; **tur'kooizen** *aj* turquoise
Turks I *aj* Turkish; **II** *o het ~* Turkish; **III** *v een ~e* a Turkish woman
'turnen (turnde, h. geturnd) *vi* do gymnastics; **–er** (-s) *m* gymnast; **'turnvereniging** (-en) *v* gym(nastic) club
'turven (turfde, h. geturfd) *vi* score, mark in fives
'tussen 1 between; 2 (temidden van) among [of more than two]; *dat blijft ~ ons* that is between you and me, between ourselves; *er is iets ~ gekomen* something has come between; *iem. er ~ nemen* pull sbd.'s leg; *ze hebben je er ~ genomen* they had you there, you have been had; **tussen'beide** between-whiles; *~ komen* intervene, interpose, step in, **F** put one's oar in; *er is iets ~ gekomen* something has come between
'tussendek (-ken) *o* between-decks, 'tween-decks; (voor passagiers) steerage; **tussen'deks** *ad* between-decks, 'tween-decks; *de reis ~ maken* go (travel) steerage; **'tussendekspassagier** [-ʒi.r] (-s) *m* steerage passenger
'tussendeur (-en) *v* communicating door; **–ding** (-en) *o* [not a..., and not a..., but] something between the two; **–gas** *o ~ geven* **F** blip the throttle; **–gelegen** intermediate; **–gerecht** (-en) *o* entremets, side-dish; **–gevoegd** interpolated, inserted; **–handel** *m* intermediate trade, commission business; **–handelaar** (-s) *m* commission-agent, intermediary, middleman; **–haven** (-s) *v* intermediate port; **tussen'in** (*er ~*) in between; **'tussenkleur** (-en) *v* intermediate colour, middle tint; **–komst** *v* intervention, interposition, intercession, intermediary, agency; *door ~ van* through; **–laag** (-lagen) *v* intermediate layer, interlayer; **–landing** (-en) *v* ✈ stop, intermediate landing; *zonder ~(en)* non-stop [flight]; **–landingsplaats** (-en) *v* staging-post; **–liggend** intermediate, in-between; **–maat** (-maten) *v* medium size, intermediate size; **–muur** (-muren) *m* partition-wall; **–persoon** (-sonen) *m* agent, intermediary, middleman; go-between; *tussenpersonen komen niet in aanmerking* $ only principals dealt with; **–poos** (-pozen) *v* interval, intermission; *bij tussenpozen* at intervals, now and then; *met vaste tussenpozen* at regular intervals; **–regering** (-en) *v* interregnum; **–ruimte** (-n en -s) *v* interspace, spacing, interstice, interval, intervening space; **–schakel** (-s) *m* & *v* intermediate (connecting) link, interlink; **–schakeling** *v* ※ interconnection, interconnexion, insertion; **–schot** (-ten) *o* 1 partition; 2 & septum [of the nose &]; **–soort** (-en) *v* medium sort; **–spel** (-spelen) *o* interlude; **–stand** (-en) *m sp* intermediate score; **–station** [-sta.(t)ʃɔn] (-s) intermediate station; **–stuk** (-ken) *o* ⚒ adapter, -tor; **–tijd** (-en) *m* interim, interval; *in die ~* in the meantime, meanwhile; **–tijds, tussen'tijds I** *aj* interim [dividend]; *~e verkiezing* by-election; **II** *ad* between times; **tussen'uit** *er ~ gaan* zie *uitknijpen* **II**; **'tussenuur** (-uren) *o* intermediate hour, odd hour; **–verdieping** (-en) *v* mezzanine
'tussenvoegen (voegde 'tussen, h. 'tussengevoegd) *vt* intercalate, insert, interpolate; **–ging** (-en) *v* intercalation, insertion, interpolation; **'tussenvoegsel** (-s en -en) *o* insertion, interpolation
'tussenvorm (-en) *m* intermediate form; **–wand** (-en) *m* partition; **–weg** (-wegen) *m fig* middle course; **–wervelschijf** (-schijven) *v* intervertebral disc; **–werpsel** (-s) *o gram* interjection; **–zin** (-nen) *m* parenthetic clause, parenthesis [*mv* parentheses]
tut (-ten) *v* **P** dull and awkward woman, girl
tutoy'eren [ty.twa'je:rə(n)] (tutoyeerde, h. getutoyeerd) *vt* be on familiar terms with, use

the more intimate form
tu'tu ('s) *m* tutu
t.w. = *te weten* zie *weten* **IV**
twaalf twelve; **–de** twelfth (part); **–delig** of twelve parts; × duodecimal; **–hoek** (-en) *m* dodecagon; **–tal** (-len) *o* twelve, dozen; **–tallig** duodecimal; **twaalf'toonmuziek** *v* twelve-note (twelve-tone, serial, dodecaphonic) music; **twaalf'uurtje** (-s) *o* lunch; **'twaalfvingerig** *~e darm* duodenum; *van de ~e darm* duodenal [ulcer]; **–vlak** (-ken) *o* dodecahedron; **–voud** (-en) *o* multiple of twelve; **–voudig** twelvefold
twee (tweeën) *v* two; *sp* deuce; *~ a's* two a's; *met ~ a's* [to be written] with double a; *~ aan ~* two and two, by (in) twos; *met z'n ~ën* the two of us [you, them]; *~ naast elkaar* two abreast; *~ weten meer dan één* two heads are better than one; *in ~iën snijden* cut in halves, in half, in two; **–armig** two-armed; **–baansweg** (-wegen) *m* two-lane(d) road; **–benig** two-legged; **–daags** of two days, two-days'...; **–de** second; *maar ... dat is een ~* that is another matter; *ten ~* secondly; zie ook: *eerst* **I**; **tweede'hands** second-hand; **'tweedejaars** *m* second-year student, *Am* sophomore; **'tweedekker** (-s) *m* ✈ biplane; **–delig** 1 bipartite; 2 (v. kleding) two-piece [(bathing-)suit]; **tweede'rangs** second-rate; **'tweedraads** two-ply; **–dracht** *v* discord; *~ zaaien* sow dissension; **–ërhande, –ërlei** of two kinds; **–gesprek** (-ken) *o* duologue; **–gevecht** (-en) *o* duel, single combat; **–handig** two-handed; **–honderdjarig** two hundred years old; *~e gedenkdag* bicentenary; **–hoofdig** two-headed; **–hoog** *ad* two flights up; **–huizig** ✿ dioecious, unisexual; **–jarig** two-year, biennial; two-year-old [child]; **–kamp** (-en) *m* duel; **–klank** (-en) *m* diphthong; **–ledig** double, binary, binomial; twofold [purpose]; **–lettergrepig** dissyllabic; *~ woord* dissyllable; **–ling** (-en) *m* twin, pair of twins; *de Tweelingen* ★ Gemini; **–lingbroe(de)r** (-s) *m*, **–zuster** (-s) *v* twin-brother, twin-sister; **–maal** twice; **–maandelijks** bimonthly; *een ~ tijdschrift* a bimonthly; **–master** (-s) *m* two-masted ship; **–motorig** twin-engined; **–ogig** two-eyed; **–persoons** for two; double [bed, room]; *~auto* two-seater; **–pitsstel** (-len) *o* two-burner stove; **–regelig** of two lines; *~ vers* distich, couplet; **–rijig** double-breasted [coat]
tweern *m* twine; **'tweernen** (tweernde, h. getweernd) *vt* twine
'tweeslachtig 1 amphibious; 2 bisexual; **–snarig** two-stringed; **–snijdend** two-edged, double-edged; **–spalt** *v* discord, dissension, split; **–span** (-nen) *o* two-horse team, twosome; **–spraak** (-spraken) *v* duologue; **–sprong** (-en) *m* cross-road(s); *fig* watershed; *op de ~* at the cross-roads; **–stemmig** for two voices; **–strijd** *m* inward struggle; *in ~ staan* be in two minds; **–taktmotor** (-s en -toren) *m* two-stroke engine; **–tal** (-len) *o* two, pair; **–talig** bilingual; **–tallig** binary; **–term** (-en) *m* binomial; **–tongig** two-tongued; *fig* double-tongued; **–vleugelig** two-winged; dipterous [insects]; **–voetig** two-footed; *~ dier* biped; **–voud** (-en) *o* double; *in ~* in duplicate (twofold); **–voudig** twofold, double; **–waardig** bivalent; **–wegskraan** (-kranen) *v* two-way cock; **–werf** twice; **–zijdig** two-sided, bilateral
'twijfel (-s) *m* doubt; *zijn bange ~* his misgivings; *~ koesteren* have one's doubts [about...], entertain doubts [as to...]; *het lijdt geen ~ (of...)* there is no doubt (that...); *iems. ~ wegnemen* remove sbd.'s doubts; *~ wekken* create doubts (a doubt); *daar is geen ~ aan* there is no doubt of it; *er is geen ~ aan of hij...* there is no doubt that he...; • *het is aan geen ~ onderhevig* that admits of no doubt, it is beyond doubt; *het is boven alle ~ verheven* it is beyond all doubt; *hij is buiten ~...* he is without doubt (doubtless, undoubtedly) the...; *in ~ staan (zijn)* doubt, be in doubt [whether...]; be in two minds about the matter; *in ~ trekken* call in question, question; *zonder ~!* without (any) doubt; *hij is zonder ~...* he is undoubtedly (doubtless)...; **–aar** (-s) *m* doubter, sceptic; **–achtig, twijfel'achtig I** *aj* doubtful, dubious, questionable; **II** *ad* doubtfully, dubiously, questionably; **–heid** *v* doubtfulness, dubiousness, questionableness; **'twijfelen** (twijfelde, h. getwijfeld) *vi* doubt; *~ aan* doubt (of); *ik twijfel er niet aan* I have no doubt about it, I make no doubt of it; *wij ~ of...* we doubt whether (if)...; *wij ~ niet of...* we do not doubt (but) that...; **'twijfelgeval** (-len) *o* dubious case; moot question; **'twijfeling** (-en) *v* 1 hesitation; 2 (twijfel) doubt; **twijfel'moedig** vacillating, wavering, irresolute; **–heid** *v* irresolution; **'twijfelzucht** *v* doubting disposition; **twijfel'zuchtig** of a doubting disposition
twijg (-en) *v* twig
twijn *m* twine, twist; **–der** (-s) *m* twiner, twister; **twijnde'rij** (-en) *v* twining-mill; **'twijnen** (twijnde, h. getwijnd) *vt* twine, twist
'twintig twenty; **–er** (-s) *m* person of twenty (years); **–jarig** of twenty years, twenty-year-old [girl]; **–ste** twentieth (part); **–tal** (-len) *o* twenty, score; **–voud** (-en) *o* multiple of twenty; **–voudig** twentyfold
1 twist (-en) *m* 1 (concreet) quarrel, dispute,

altercation, brawl; 2 (a b s t r a c t) dispute, discord, ⊙ strife; *binnenlandse ~en* internal strife; *een ~ beslechten* (*bijleggen*) settle a dispute; *~ krijgen* fall out; *~ stoken* (*tussen*) stir up strife, make mischief (between); *~ zaaien* sow discord, sow (stir up) dissension; *~ zoeken* pick a quarrel

2 twist *o* twist [kind of yarn]

3 twist *m* twist [dance]

'twistappel (-s) *m* apple of discord, bone of contention; **1 'twisten** (twistte, h. getwist) *vi* quarrel, dispute; *m e t iem. ~* quarrel (wrangle) with sbd., dispute with sbd.; *~ o m iets* quarrel about sth.; *daar kunnen we nog lang o v e r ~* that is a debatable point; *ik wil niet met u daarover ~* I'm not going to contest the point with you

2 'twisten (twistte, h. getwist) *vi* (d a n s e n) twist

'twistgeding (-en) *o* lawsuit; **–geschrijf** *o* controversy, polemics; **–gesprek** (-ken) *o* dispute, disputation; **–punt** (-en) *o* (point at) issue, disputed point, controversial question; **–stoker** (-s) *m* firebrand, mischief-maker; **–vraag** (-vragen) *v* (question at) issue, controversial question; **–ziek** quarrelsome, cantankerous, contentious, disputatious; **–zoeker** (-s) *m* quarrelsome fellow; **–zucht** *v* quarrelsomeness, cantankerousness, contentiousness

ty'feus [y = i.] typhoid, typhous; *tyfeuze koorts* = *tyfus* 1

ty'foon [y = i.] (-s) *m* typhoon

'tyfus [y = i.] *m* 1 (b u i k) typhoid (fever), enteric fever; 2 (v l e k) typhus (fever); **–lijder** (-s) *m* typhoid patient

'type [y = i.] (-n en -s) *o* type [also in printing]; character [in novels of Dickens]; *zij is 'n ~* **F** she is quite a character; *wat een ~!* **F** what a specimen!

'typekamer [y = i.] (-s) *v* typing pool; **'typen** (typte, h. getypt) *vt* type(write); *het document beslaat wel 300 getypte pagina's* the document runs to 300 pages of typescript

ty'peren [y = i.] (typeerde, h. getypeerd) *vt* characterize, typify; *~d voor* typical of..., characteristic of...; **–ring** (-en) *v* characterization, typification

'typeschrift [y = i.] *o* typescript; **–werk** *o* typing

'typisch [y = i.] typical

ty'pist(e) [y = i.] (-pisten) *m*(-*v*) typist

typo'graaf [y = i.](-grafen) *m* typographer; **typogra'fie** *v* typography; **typo'grafisch** typographical

typolo'gie [y = i.] *v* typology

Ty'roler [y = i.] (-s) *m* Tyrolean, Tyrolese; **Ty'rools** *aj* Tyrolean, Tyrolese

Tyr'rheens [y = ı] Thyrrhenian; *de ~e Zee* the Tyrrhenian Sea

t.z.t. = *te zijner tijd* in due time (course)

U

1 u [y] ('s) *v* u
2 U, u *pron* you
über'haupt *ad* at all
'uchtend = *ochtend*
ui (-en) *m* 1 ✿ onion; 2 *fig* (g r a p) joke; **'uien-saus** (-en) *v* onion-sauce; **–soep** *v* onion soup
'uier (-s) *m* udder
'uiig I *aj* funny, facetious; **II** *ad* funnily, facetiously
uil (-en) *m* 1 🐦 owl; 2 🦋 moth; 3 *fig* = *uilskuiken*; *~en naar Athene dragen* carry owls to Athens; *elk meent zijn ~ een valk te zijn* everyone thinks his own geese swans; **–achtig** owlish; **'uilebal** (-len) *m* pellet; **–bril** (-len) *m* **F** horn-rimmed glasses, horn-rims; **'Uilen-spiegel** *m* Owlglass; **'uilig** owlish; **'uilskuiken** (-s) *o* goose, dolt, ninny; **'uiltje** (-s) *o* 1 🐦 owlet; 2 🦋 moth; *een ~ knappen* (*vangen*) **F** take forty winks
uit I *prep* 1 (p l a a t s e l ij k) out of, from; 2 (e m o t i o n e e l) from, out of, for [joy &]; 3 (o o r z a k e l ij k) from; *~ achteloosheid* ook: through carelessness; *mensen ~ Amsterdam* people from Amsterdam; *~ ervaring* by (from) experience; *de goedheid sprak ~ haar gelaat* goodness spoke in her face; zie ook: *armoede, ervaring* &; **II** *ad* out; *het is ~ met zijn meisje* his engagement is off; *het boek is ~* 1 the book is out (has appeared); 2 I have finished the book; *als de kerk ~ is* when church is over; *Mijnheer X is ~* Mr X is out, has gone out; *hier is het verhaal ~* here the story ends; *het vuur is ~* the fire is out; *daarmee is het ~* there's an end of the matter; *en daar was het mee ~!* and that was all; *en daarmee ~!* so there!; *het moet nu ~ zijn met die ruzies* these quarrels must stop; *er ~!* out with him (with you)!, get out!; *ik ben er een beetje ~* I'm rather out of it, my hand is out; *er eens helemaal ~ willen zijn* want to get away from it all; *hij is er op ~ om...* he is bent (intent) upon ...ing; *zij is op mijn geld ~* she is after my money; *~ en thuis* out and home; *~ en terna* zie *uit-en-te(r)-na*
'uitademen[1] **I** *vi* & *va* expire; **II** *vt* expire, breathe out[2], exhale[2]; **–ming** (-en) *v* expiration, breathing out, exhalation
'uitbaggeren[1] *vt* dredge; **'uitbakenen**[1] *vt* peg out, mark out; **'uitbakken**[1] *vt* fry (render) the fat out of; **'uitbalanceren**[1] *vt* balance
uitbannen[1] *vt* 1 banish[2] [fear &], expel [people]; 2 exorcise [spirits]; **–ning** *v* 1 banishment; 2 exorcism
'uitbarsten[1] *vi* burst out, break out, explode; erupt [of volcano]; *in lachen ~* burst out laughing; *in tranen ~* burst into tears; **–ting** (-en) *v* eruption [of volcano], outburst[2] [of feeling], outbreak[2] [of anger]; explosion[2], burst[2] [of flame, anger &]; *het zal wel tot een ~ komen* there will be an explosion
'uitbazuinen[1] *vt* trumpet forth
'uitbeelden (beeldde 'uit, h. 'uitgebeeld) *vt* personate, represent; **–ding** (-en) *v* personation, representation
'uitbeitelen[1] *vt* 1 (i n s t e e n &) chisel (out); 2 (i n h o u t) carve; **'uitbenen** (beende 'uit, h. 'uitgebeend) *vt* bone; *fig* exploit; **'uitbe-steden**[1] *vt* 1 put out to nurse [a child], put out to board, board out, farm out; 2 (v. w e r k) put out to contract
'uitbetalen[1] *vt* pay (down), pay out; **–ling** (-en) *v* payment
'uitbijten I (beet 'uit, h. 'uitgebeten) *vt* bite out; corrode; **II** (beet 'uit, is 'uitgebeten) *vi* corrode; **'uitblazen**[1] I *vt* blow out [a candle]; puff out [smoke]; *de laatste adem ~* breathe one's last, expire; **II** *va even ~* breathe, have a breathing-spell; *laten ~* breathe [a horse], give a breathing-spell; **'uitblijven**[1] *vi* stay away; stop out [all night]; hold off [of rain &]; *een verklaring bleef uit* a statement was not forthcoming; *het kan niet ~* it is bound to come (happen, occur &)
'uitblinken[1] *vi* shine, excel; *~ boven zijn mede-dingers* outshine (eclipse) one's rivals; **–er** (-s) *m* one who excels, **F** ace
'uitbloeden I (bloedde 'uit, is 'uitgebloed) *vi* cease bleeding; *een wond laten ~* allow a wound to bleed; **II** (bloedde uit, h. uitgebloed) *vt* bleed [cattle]; **'uitbloeien** (bloeide 'uit, is 'uitgebloeid) *vi* cease blossoming; *uitgebloeid zijn* ✿ be out of flower; **'uitblussen**[1] *vt* extinguish, put out; *uitgeblust* [*fig*] dead [look], spent [man]; **'uitboenen**[1] *vt* scrub (scour) out; **'uitbombarderen**[1] *vt* bomb out.; **uitboren**[1] *vt* bore out, drill; **'uitborstelen**[1] *vt* brush; **'uitbotten** (botte 'uit, 'is uitgebot) *vi* bud

[1] V.T. en V.D. van dit werkwoord volgens het model: **'uit**ademen, V.T. ademde **'uit**, V.D. **'uit**geademd. Zie voor de vormen onder het grondwoord, in dit voorbeeld: *ademen.* Bij sterke en onregelmatige werkwoorden wordt u verwezen naar de lijst achterin.

(forth), put forth buds
'uitbouw (-en) *m* 1 annex(e) [to a building]; 2 extension[2]; **'uitbouwen**[1] *vt* enlarge, extend
'uitbraak *v* escape, break-out; **–poging** (-en) *v* attempted escape
'uitbraaksel (-s) *o* vomit
'uitbraden[1] fry (render) the fat out of; **'uitbraken**[1] *vt* vomit[2] [one's food, fire, smoke]; *fig* belch forth [smoke &, blasphemous or foul talk]; disgorge [waters, people]; **'uitbranden I** (brandde 'uit, h. 'uitgebrand) *vt* 1 burn out; 2 cauterize [a wound]; **II** (brandde 'uit, is 'uitgebrand) *vi* be burnt out; *het huis was geheel uitgebrand* the house was completely gutted; *een uitgebrande vulkaan* an extinct volcano
'uitbrander (-s) *m* scolding, **F** wigging; *ik kreeg een ~ van hem* **F** he gave it me hot
'uitbreiden (breidde 'uit, h. 'uitgebreid) **I** *vt* 1 spread [one's arms]; 2 enlarge [the number of..., a business, a work &], increase [the staff]; extend [a domain]; **II** *vr zich ~* 1 (v. oppervlakte) extend, expand; 2 (v. ziekten of brand) spread; zie ook *uitgebreid*; **'uitbreiding** (-en) *v* 1 spreading[2], *fig* spread; 2 enlargement, extension, expansion; **–splan** (-nen) *o* plan for the extension
'uitbreken[1] **I** *vi* 1 break out [of disease, a fire, war &]; 2 break out (of prison); *het koude zweet brak hem uit* a cold sweat came over him; the cold sweat started on his brow; *er een dagje ~* manage to have a holiday (a day off); **II** *vt* break out [a tooth &]; **III** *o het ~* the outbreak; **–er** (-s) *m* prison-breaker
'uitbrengen[1] *vt* bring out [words], emit [a sound]; disclose, divulge, reveal [a secret]; ⚓ run out [a cable], get out [a boat]; *advies ~ over...* report on...; *...bracht hij stamelend uit* ook: ...he faltered; *wie heeft het uitgebracht?* who has told about it?; zie ook: *rapport, stem, toost* &; **'uitbroeden**[1] *vt* hatch[2] [birds, a plot]; **'uitbrullen**[1] *vt* roar (out); *het ~ (van lachen, pijn)* roar (with laughter, with pain); **'uitbuigen**[1] *vt* bend out(wards)
'uitbuiten (buitte 'uit, h. 'uitgebuit) *vt* exploit, take advantage of; **–ting** (-en) *v* exploitation
'uitbulderen I (bulderde 'uit, h. 'uitgebulderd) *vt* bellow (out), roar (out); **II** (bulderde 'uit, is 'uitgebulderd) *vi* cease blustering
uit'bundig I *aj* exuberant; **II** *ad* exuberantly; **–heid** (-heden) *v* exuberance, excess
'uitcijferen[1] *vt* calculate, compute
'uitclub (-s) *v sp* visiting team
'uitdagen[1] *vt* challenge[2], *fig* defy; *~ tot een duel* challenge (to a duel); **uit'dagend I** *aj* defiant; **II** *ad* defiantly; **'uitdager** (-s) *m* challenger; **'uitdaging** (-en) *v* challenge
'uitdampen I (dampte 'uit, is 'uitgedampt) *vi* evaporate; **II** (dampte 'uit, h. 'uitgedampt) *vt* evaporate [water], exhale [fumes]; air [linen]; **–ping** *v* evaporation, exhalation
'uitdelen[1] *vt* distribute, dispense, dole (deal) out [money &]; measure out, mete out [punishment]; deal [blows]; give out, hand out, share out; **–er** (-s) *m* distributor; dispenser; **'uitdeling** (-en) *v* 1 distribution; 2 (bij faillissement) dividend; **–slijst** (-en) *v* notice of dividend
'uitdelven[1] *vt* dig out, dig up; **'uitdenken**[1] *vt* devise, contrive, invent; **'uitdeuken**[1] *vt* flatten, bump out; **'uitdienen**[1] **I** *vt* serve [one's time]; **II** *vi dat heeft uitgediend* that has had its day; **'uitdiepen** (diepte 'uit, h. 'uitgediept) *vt* deepen
'uitdijen (dijde 'uit, is 'uitgedijd) *vi* expand, swell (to *tot*); **'uitdijing** *v* expansion, swelling
'uitdoen[1] *vt* 1 (uitdoven) put out, extinguish [a light]; 2 (wegmaken) take out [a stain]; 3 (doorhalen) cross out [a word]; 4 (afleggen) put (take) off [a coat]; **'uitdokteren**[1] *vt* **F** devise, work out, invent, excogitate; **'uitdossen** (doste 'uit, h. 'uitgedost) **I** *vt* attire, array, dress up; **II** *vr zich ~* attire oneself
'uitdoven I (doofde 'uit, h. 'uitgedoofd) *vt* extinguish[2] [fire, faculty]; quench, put out [a fire, light]; **II** (doofde 'uit, is 'uitgedoofd) *vi* go out; *een uitgedoofde vulkaan* an extinct volcano; **–ving** *v* extinction
'uitdraaien[1] **I** *vt* turn out [the gas], switch off [the electric light]; *er zich netjes ~* wriggle (shuffle) out of it; **II** *vi op niets ~* come to nothing; *waar zal dat op ~?* what is it to end in?
'uitdragen[1] *vt* carry out; *fig* propagate; **–er** (-s) *m* second-hand dealer, old-clothes man; **uitdrage'rij** (-en) *v*, **'uitdragerswinkel** (-s) *m* second-hand shop, junk shop
'uitdrijven[1] *vt* drive out, expel [people]; cast out [of devils]; **–ving** (-en) *v* expulsion [of people]; casting out [of devils]
'uitdringen[1] *vt* push out, crowd out; **'uitdrinken**[1] *vt* drink off, empty, finish [one's glass]
'uitdrogen[1] **I** *vi* dry up, become dry; **II** *vt* dry up, desiccate; **–ging** *v* desiccation
'uitdruipen[1] *vi* drain, drip [dry]

[1] V.T. en V.D. van dit werkwoord volgens het model: **'uit**ademen, V.T. ademde **'uit**, V.D. **'uit**geademd. Zie voor de vormen onder het grondwoord, in dit voorbeeld: *ademen*. Bij sterke en onregelmatige werkwoorden wordt u verwezen naar de lijst achterin.

uit'drukkelijk I *aj* express, explicit, formal; **II** *ad* expressly, explicitly; **–heid** *v* explicitness; **'uitdrukken**[1] **I** *vt* squeeze out, press out, express [juice &]; *fig* express [feelings]; **II** *vr zich* ~ express oneself; **–king** (-en) *v* 1 expression, term, locution, phrase; 2 expression, feeling; *tot ~ komen* find expression; *vol ~* expressive; *zonder ~* expressionless
'uitduiden[1] *vt* point out, show; **–ding** (-en) *v* explanation
'uitdunnen[1] *vt* thin (out)
'uitduwen[1] *vt* push out, shove out
uit'een asunder, apart; **–drijven**[2] *vt* disperse; **–gaan**[2] *vi* part, separate, disperse; *de vergadering ging om 5 uur uiteen* the meeting rose at five, broke up at five; **–houden**[2] *vt* 1 (o n d e r s c h e i d e n) tell apart, distinguish (between); 2 (g e s c h e i d e n h o u d e n) keep apart (separately); **–jagen**[2] *vt* disperse
uit'eenlopen[2] *vi* diverge[2], *fig* differ; **–d** divergent[2]
uit'eenrukken[2] *vt* tear asunder; **–slaan**[2] *vt* disperse [the crowd &]; **–spatten**[2] *vi* burst (asunder); *fig* break up; **–stuiven**[2] *vi* scatter, fly apart; **–vallen**[2] *vi* fall apart, fall to pieces; *fig* break up; **–vliegen**[2] *vi* fly apart, scatter
uit'eenzetten[2] *vt* explain, expound, set out; **–ting** (-en) *v* explanation, exposition
'uiteinde (-n) *o* end[2], extremity
uit'eindelijk I *aj* ultimate, final [aim &], eventual [ruin]; **II** *ad* ultimately, in the end, finally, eventually, in the event
'uiten (uitte, h. geuit) **I** *vt* utter, give utterance to, express; **II** *vr zich ~* express oneself
'uit-en-te(r)-na *ad* 1 (g r o n d i g) thoroughly; 2 (d i k w ij l s) over and over again
uiten'treuren continually, for ever, endlessly [debated]
uiter'aard naturally
'uiterlijk I *aj* outward, external; **II** *ad* 1 outwardly, externally; looked at from the outside; 2 at the utmost, at the latest; **III** *o* (outward) appearance, aspect, exterior, looks; *hij doet alles voor het ~* for the sake of appearance; **–heid** (-heden) *v* exterior; *uiterlijkheden* externals
uiter'mate extremely, excessively
'uiterst I *aj* utmost, utter, extreme; *uw ~e prijzen* $ your lowest prices, your outside prices; zie ook: *wil* &; **II** *ad* in the extreme, extremely, highly; *een ~ rechtse partij* an extreme right-wing party; **–e** (-n) *o* extremity, extreme; *de vier ~n* the four last things; *de ~n raken elkaar* extremes meet; • *i n ~ vervallen* rush to extremes; *o p het ~ liggen* be in the last extremity; *t e n ~* in the extreme, exceedingly; *t o t het ~* to the utmost (of one's power); [go &] to the limit; *tot het ~ brengen* drive to distraction; *tot het ~ gaan* go to the limit, carry matters to an extreme, go (to) all lengths; *zich tot het ~ verdedigen* defend oneself to the last; *v a n het ene ~ in het andere vervallen* rush from one extreme to the other, rush (in)to extremes; zie ook: *drijven*
'uiterwaard (-en) *v* foreland
'uiteten I (at 'uit, is 'uitgegeten) *vi* finish eating; **II** (at 'uit, h. 'uitgegeten) *vt iem. ~* give sbd. a farewell dinner; **'uitflappen**[1] *vt* blurt out [everything, the truth], blab [a secret]; **'uitfluiten**[1] *vt* hiss, catcall [an actor]; **'uitfoeteren**[1] *vt iem. ~* fly out at sbd., storm at sbd., scold sbd.
'uitgaaf (-gaven) *v* 1 (g e l d) expenditure, expense; 2 (v. b o e k &) publication; [first &] edition
'uitgaan[1] *vi* go out [of persons, light, fire]; *het gebouw ~* leave (go out of) the building; *de kerk gaat uit* church is over; *die schoenen gaan makkelijk uit* these shoes come of easily; *de vlekken gaan er niet uit* the spots won't come out; *wij gaan niet veel uit* we don't go out (go into society) much; *vrij ~* be free from blame; • *er o p ~ om...* set out to...; *~ op een klinker* end in a vowel; *het gaat uit v a n...* it originates with..., it emanates from...; *hij gaat uit van het idee dat...* his starting point is that...; *~de van...* starting from... [this principle &]; *er gaat niet veel van hem uit* he is not a man of light and leading; **–d** theatre-going, concert-attending, café-frequenting [public]; outward [cargo], outward-bound [ships]; *~e rechten* export duties; *~e stukken* outgoing letters (correspondence); **'uitgaansdag** (-dagen) *m* day out, off-day, outing; **–verbod** (-boden) *o* curfew
'uitgalmen[1] *vt* sing out, bawl out
'uitgang (-en) *m* 1 (v. h u i s &) exit, way out, issue, outlet, egress; 2 (v. w o o r d) ending, termination; **–spunt** (-en) *o* starting point
'uitgave (-n) = *uitgaaf*
'uitgebreid I *aj* extensive, comprehensive, wide [knowledge, powers, choice]; *~e voorzorgsmaatregelen* elaborate precautions; **II** *ad* extensively, comprehensively; **uitge'breidheid** (-heden) *v* extensiveness, extent

[1],[2] V.T. en V.D. van dit werkwoord volgens het model: 1 **'uit**ademen, V.T. ademde **'uit**, V.D. **'uit**geademd; 2 **uit'een**rukken, V.T. rukte **uit'een**, V.D. **uit'een**gerukt. Zie voor de vormen onder het grondwoord, in deze voorbeelden: *ademen* en *rukken*. Bij sterke en onregelmatige werkwoorden wordt u verwezen naar de lijst achterin.

'uitgediend ⚔ time-expired; (n u t t e l o o s g e w o r d e n) past use, having done its time
'uitgedroogd dried up[2], shrivelled
'uitgehongerd famished, starving, ravenous
'uitgekookt *fig* shrewd, crafty, thorough-paced
'uitgelaten elated; exuberant; rollicking [fun]; ~ *van vreugde* elated with joy; **uitge'latenheid** *v* elation; exuberance
'uitgeleefd decrepit, worn out
'uitgeleerd ~ *zijn* 1 (v. l e e r j o n g e n) have served one's apprenticeship; 2 (v. s c h o l i e r) have done learning; *men is nooit* ~ live and learn
'uitgeleide *o* ~ *doen* show [sbd.] out; see [sbd.] off [the premises, by the Mauretania]; give [sbd.] a send-off
'uitgelezen 1 (g e l e z e n) read, finished [books]; 2 (u i t g e z o c h t) select [party of friends]; choice [cigars]; picked [troops]; **uitge'lezenheid** *v* choiceness, excellence
'uitgeloot drawn
'uitgemaakt *dat is een ~e zaak* that's a settled thing; that is an established truth; ook: that's a foregone conclusion
'uitgerammeld ~ *van de honger* ravenous
'uitgerekend calculating [man, woman]; ~ *vandaag* today of all days [it rained]; ~ *jij* you of all people
'uitgescheiden V.D. van *uitscheiden*
'uitgeslapen *fig* wide-awake, long-headed, knowing
'uitgesloten *dat is* ~ it is out of the question, it is quite impossible
'uitgesproken I *aj fig* downright, avowed [purpose, fascist &]; obvious [success]; **II** *ad fig* avowedly [democratic]; frankly [schizoid]
'uitgestorven extinct [animals]; deserted [of a place]
'uitgestreken smug, demure; *met een* ~ *gezicht* smooth-faced
'uitgestrekt extensive, vast; **uitge'strektheid** (-heden) *v* extensiveness, extent; expanse, stretch, reach [of water &]
'uitgestudeerd 1 having finished one's studies; 2 *fig* cunning, sly
'uitgeteerd emaciated, wasted
'uitgeven[1] **I** *vt* 1 (a f g e v e n) give out, distribute [provisions]; 2 (v e r t e r e n) spend [money on...]; 3 (u i t v a a r d i g e n) issue [a proclamation]; 4 (p u b l i c e r e n) publish [a book &]; 5 $ issue [bank-notes &]; 6 (v o o r d e d r u k b e z o r g e n) edit [memoirs &]; *een boek* ~ *bij Harpers* publish a book with H.; **II** *vr zich* ~ *voor...* give oneself out as [a medium &]; pass oneself off as (for) [a...], set up for a...; **-er** (-s) *m* publisher; **uitgeve'rij** (-en) *v* publishing business; **'uitgeversfirma** ('s) *v* publishing firm; **-maatschappij** (-en) *v* publishing business
'uitgewekene (-n) *m-v* refugee
'uitgewerkt 1 elaborate [plan]; 2 worked [example]; 3 extinct [volcano]
'uitgewoond pauperized, decaying [dwellings], [house] in disrepair
'uitgezocht excellent; zie ook: *uitgelezen* 2
'uitgezonderd except, excepted, barring, save; *dat* ~ barring this; *niemand* ~ not excepting anybody, nobody excepted
'uitgieren[1] *vt het* ~ scream with laughter; **'uitgieten**[1] *vt* pour out
'uitgifte (-n) *v* issue
'uitgillen[1] *vt* scream out; *het* ~ *van pijn* scream with pain; **'uitglijden**[1] *vi* slip; lose one's footing; ~ *over* slip on; **'uitgommen**[1] *vt* erase, rub out; **'uitgooien**[1] *vt* throw out; throw off [clothes]
'uitgraven[1] *vt* dig out, dig up, disinter; exhume [a corpse]; excavate [a buried city &]; deepen [a ditch]; **-ving** (-en) *v* excavation
'uitgroeien[1] *vi* grow, develop (into *tot*); *hij is er uitgegroeid* he has outgrown it; **'uitgummen**[1] = *uitgommen*; **'uithakken**[1] *vt* cut out, hew out; **'uithalen**[1] I *vt* 1 pull out, draw out [sth.]; root out [weeds]; ♪ draw out [a tone]; 2 (s c h o o n m a k e n) clean [a pipe]; gut [fish]; turn out [a room]; 3 (u i t v o e r e n) do [some devilry], play [pranks]; be up [to something]; *nestjes* ~ go bird('s)-nesting; *het zal niet veel* ~ it will not be of much use; *dat haalt niets uit* that will be no use (no good); *er* ~ *zoveel als men kan* use it for all it is worth; get as much as possible out of it; *fig* make the most of it; **II** *vi* (u i t w i j k e n) pull out (swerve) [to the left]
'uithangbord (-en) *o* sign-board, (shop) sign; **'uithangen**[1] I *vt* hang out [the wash, a flag &]; *de grote heer* ~ show off; *de brave Hendrik* ~, *de vrome* ~ play the saint; **II** *vi waar zou hij* ~? where can he hang out?
'uithebben[1] *vt* have finished
uit'heems foreign [produce]; exotic [plants]
'uithelpen[1] *vt* help out
'uithoek (-en) *m* remote corner, out-of-the-way corner
'uithoesten I (hoestte 'uit, h. 'uitgehoest) *vt* expectorate, cough up; **II** (hoestte 'uit, is 'uitgehoest) *vi ben je uitgehoest?* have you

[1] V.T. en V.D. van dit werkwoord volgens het model: **'uit**ademen, V.T. ademde **'uit**, V.D. **'uit**geademd. Zie voor de vormen onder het grondwoord, in dit voorbeeld: *ademen.* Bij sterke en onregelmatige werkwoorden wordt u verwezen naar de lijst achterin.

finished coughing?; *eens goed* ~ have a good cough
'uithollen (holde 'uit, h. 'uitgehold) *vt* 1 hollow (out), scoop out, excavate; 2 *fig* erode [a policy]; **-ling** (-en) *v* 1 hollowing (out), excavation; 2 (h o l t e) hollow, excavation; 3 *fig* erosion
'uithongeren[1] *vt* famish, starve (out); **-ring** *v* starvation
'uithoren[1] *vt* draw, pump [sbd.]
'uithouden[1] *vt* hold out; *fig* bear, suffer, stand; *het* ~ hold out; stand it, stick it (out); *je hebt het uitgehouden!* what a time you have been!; **'uithoudingsvermogen** *o* staying-power(s), (power of) endurance, stamina
uithouwen[1] *vt* carve, hew (from *uit*); **'uithozen**[1] *vt* bail out, bale out; **'uithuilen**[1] *vi* weep oneself out; *eens* ~ ook: have a good cry
uit'huizig *hij is erg* ~ he is never at home
'uithuwelijken (huwelijkte 'uit, h. 'uitgehuwelijkt), **'uithuwen**[1] *vt* give in marriage, marry off [daughters]
uiting (-en) *v* utterance, expression; ~ *geven aan* give expression to, give utterance to, give voice to; *tot* ~ *komen* find expression
'uitje (-s) *o* (small) onion; || **F** outing
uitjouwen[1] *vt* hoot (at), boo; **'uitkafferen** (kafferde 'uit, h. 'uitgekafferd) *vt* fly out at, rage at [sbd.]; **'uitkammen**[1] *vt* comb out; (d o o r z o e k e n) go over (through) sth. with a fine-tooth comb
uitkeren[1] *vt* pay; **-ring** (-en) *v* 1 payment; 2 (v. f a i l l i s s e m e n t) dividend; 3 (b i j z i e k t e &) benefit; 4 (v. s t a k i n g) strike-pay; 5 (v a n w e r k l o z e n) unemployment benefit, dole
'uitkermen[1] *vt het* ~ *van pijn* groan with pain; **'uitketteren**[1] = *uitkafferen*; **'uitkienen**[1] *vt* **F** devise, work out, invent [sth.]; **'uitkiezen**[1] *vt* choose, select, single out, pick out
'uitkijk (-en) *m* 1 look-out; 2 (p e r s o o n) look-out (man); *op de* ~ on the look-out; **'uitkijken**[1] **I** *vi* look out, be on the look-out; *goed* ~ keep a good look-out; ~ *naar* look out for; *ik kijk wel uit!* I know better (than that); **II** *vt zich de ogen* ~ stare one's eyes out; **'uitkijkpost** (-en) *m* observation post; **-toren** (-s) *m* watch-tower
'uitklaren[1] *vt* $ clear; **-ring** *v* $ clearance
'uitkleden[1] **I** *vt* undress, strip; *naakt* ~ strip to the skin; (b e r o v e n) strip [sbd.] of his possessions; **II** *vr zich* ~ undress, strip; **'uitkloppen**[1] *vt* knock out [the ashes, a pipe]; beat [carpets]
'uitknijpen I (kneep 'uit, h. 'uitgeknepen) *vt* press (squeeze) out, squeeze; *een uitgeknepen citroen [fig]* a squeezed orange; **II** (kneep 'uit, is 'uitgeknepen) *vi* 1 (s t i l l e t j e s w e g g a a n) decamp, abscond; 2 **F** (d o o d g a a n) pop off
'uitknippen[1] *vt* 1 cut out; 2 ✻ switch off; **'uitknipsel** (-s) *o* cutting, scrap
'uitknob(b)elen (kno(b)belde 'uit, h. 'uitgekno(b)beld) *vt* think out, puzzle out; **'uitkoken**[1] *vt* boil
'uitkomen[1] *vi* 1 (e r g e n s u i t k o m e n) come out; 2 ✿ (u i t l o p e n) come out, bud; 3 ✿ hatch, come out of the shell [of chickens]; 4 (e e r s t u i t s p e l e n) ◊ lead; (o p k o m e n) *sp* turn out; compete [in a tournament &]; 5 (g e l e g e n k o m e n) suit; 6 (a f s t e k e n) stand out; 7 (i n h e t o o g v a l l e n) show; *fig* 1 (a a n h e t l i c h t k o m e n) come out, be brought to light [of crimes]; 2 (b e k e n d w o r d e n) become known [of secrets, plots &]; 3 (u i t v a l l e n) turn out; 4 (b e w a a r h e i d w o r d e n) come true; 5 (v e r s c h i j n e n) come out, appear, be published [of books &]; 6 (g o e d k o m e n) work out [of sums]; 7 (t o e k o m e n, r o n d k o m e n) make (both) ends meet; *dat komt uit* that's correct; *wat komt er uit (die som)?* what is the result?; *de krant komt niet meer uit* the paper has ceased to appear; *ik kom er wel uit* [don't trouble] I can find my way out; *je komt er niet uit* you shan't leave the house; *het kwam anders uit* things turned out differently; *zo komt het beter uit* 1 that's a better arrangement; 2 (in) this way it will be brought out to better advantage, it shows better; *dat kwam duidelijk uit* that was very evident; *dat komt goed uit* that is very opportune; how lucky!; *die kleur doet het borduursel goed* ~ brings out (sets off) the embroidery to advantage; *u moet dat eens goed doen* ~ do bring it out very clearly, underline it properly; *het komt mij niet goed uit* it doesn't suit me; *het kwam net zo uit* things turned out exactly that way; *dat komt goedkoper uit* it comes cheaper, it is cheaper in the end; *dat zal wel* ~ that goes without saying; *wie moet* ~*?* ◊ whose turn is it to play?; *u moet* ~ ◊ your lead!; • ~ *m e t goede spelers sp* turn out good players; *ik kan met die som (gelds) niet* ~ this sum is not enough for me; ~ *o p* open on (on to, into) [a garden &]; *ik kwam op de weg uit* I emerged into the road; ~ *t e g e n* stand out against [the sky]; *sp* play (against); *dat beeldje komt goed uit tegen die achtergrond* the statuette stands out well against that background; *hij kwam er v o o r uit* he admitted it; (b e k e n d e

[1] V.T. en V.D. van dit werkwoord volgens het model: **'uit**ademen, V.T. ademde **'uit**, V.D. **'uit**geademd. Zie voor de vormen onder het grondwoord, in dit voorbeeld: *ademen*. Bij sterke en onregelmatige werkwoorden wordt u verwezen naar de lijst achterin.

s c h u l d) he owned up; *hij kwam er rond voor uit* he made no secret of it; *(rond) ~ voor zijn mening* speak one's mind; **'uitkomst** (-en) *v* 1 (u i t s l a g) result, issue; (v a n s o m) result; 2 (r e d d i n g) relief, deliverance, help; *een ~ voor iedere huisvrouw* a boon and a blessing (a godsend) to every housewife

'uitkoop (-kopen) *m* buying out, buying off; **'uitkopen**[1] *vt* buy out, buy off

'uitkraaien[1] *vt het ~* crow; **'uitkrabben**[1] *vt* scratch out; **'uitkramen** (kraamde 'uit, h. 'uitgekraamd) *vt zijn geleerdheid ~* show off one's learning; *onzin ~* talk nonsense, say silly things; **'uitkrijgen**[1] *vt* get off [his boots &]; *ik kan het boek niet ~* I can't get through the book; **'uitkrijten**[1] *vt iem. ~ voor* decry sbd. as a..., denounce sbd. as a...; **'uitkruipen**[1] *vi* creep out; **'uitkunnen**[1] *vi je zult er niet ~* you won't be able to get out; *mijn schoenen kunnen niet uit* my shoes won't come off; *ermee ~* manage (make do) with; *ergens niet over ~* be dumbfounded about sth., be flabbergasted about sth.

'uitlaat (-laten) *m* exhaust; **–gassen** *mv* exhaust gases (fumes); **–klep** (-pen) *v* exhaust-valve

'uitlachen I (lachte 'uit, h. 'uitgelachen) *vt* laugh at; **II** (lachte 'uit, is 'uitgelachen) *vi* laugh one's fill

'uitladen[1] *vt* unload, discharge; **–ding** *v* unloading, discharge

'uitlaten[1] **I** *vt* 1 let out [a dog, a hidden person &]; see out [a visitor]; let off [fumes]; 2 (w e g l a t e n) leave out, omit [a word &]; 3 (w ij d e r m a k e n) let out [a garment]; 4 (n i e t m e e r d r a g e n) leave off [one's coat]; leave off wearing [Jaeger &]; **II** *vr zich ~ over iets* speak about it; **–ting** (-en) *v* 1 (w e g l a t i n g) letting out, omission; 2 (g e z e g d e) utterance; statement

'uitleenbibliotheek (-theken) *v* lending-library

'uitleg *m* 1 (a a n b o u w) extension [of a town]; 2 (v e r k l a r i n g) explanation, interpretation [of sbd.'s words]; **'uitleggen**[1] *vt eig* 1 (g e r e e d l e g g e n) lay out [articles of dress, books &]; 2 (g r o t e r m a k e n) let out [a garment]; extend [a town]; 3 *fig* explain, interpret; **–er** (-s) *m* explainer, interpreter; **'uitlegging** (-en) *v* explanation, interpretation [of words, a text]; exegesis [of Scripture]

'uitleiden[1] *vt* expel [an alien], conduct [him] across the frontier; **'uitlekken**[1] *vi* leak out[2], strain; *fig* trickle out, filter through, ooze out; transpire; **'uitlenen**[1] *vt* lend (out)

'uitleveren[1] *vt* extradite [a person]; **'uitlevering** (-en) *v* extradition [of a person]; **–sverdrag** (-dragen) *o* extradition treaty

'uitlezen[1] *vt* 1 read through (to the end), finish [a book], finish reading [the morning paper]; 2 pick out, select; **'uitlichten**[1] *vt* lift out [sth. from]; **'uitlikken**[1] *vt* lick out; **'uitlogen**[1] *vt* = 1 *logen*; **'uitlokken**[1] *vt* provoke [action, war &]; elicit [an answer]; invite [criticism]; evoke [a smile]; call forth [protests]; ask for [trouble]; court [comparison, disaster]; **'uitloodsen**[1] *vt* ⚓ pilot out

'uitloop (-lopen) *m* (v. w a t e r) outlet

uit'lootbaar redeemable

'uitlopen[1] *vi* 1 (v. p e r s o n e n) run out; go out; (v. b e v o l k i n g) turn out; 2 (v a n s c h e p e n) put out to sea, sail; 3 (u i t b o t t e n) bud, shoot; sprout [of potatoes]; 4 (v. k l e u r e n) run, bleed; 5 (v o o r s p r o n g k r ij g e n) get ahead, gain; 6 *de vergadering is uitgelopen* the meeting was drawn out (prolonged); *heel Parijs liep uit om hem toe te juichen* all Paris turned out to cheer him; ● *~ i n een baai* run into a bay; *het is o p niets uitgelopen* it has come to nothing; *waar moet dat op ~?* what is it to end in?; **–er** (-s) *m* 1 (p e r s o o n) gadabout; 2 (v. p l a n t e n) runner, offshoot, sucker; 3 (v. b e r g) spur; 4 *fig* offshoot

'uitloten[1] *vt* draw out, draw; **–ting** (-en) *v* drawing [for the prizes &]

'uitloven[1] *vt* offer [a reward, a prize], promise

'uitlozen[1] *vi* discharge (itself); **–zing** (-en) *v* discharge

'uitluchten[1] *vt* air, ventilate; **'uitluiden**[1] *vt* ring out

'uitmaken[1] *vt* 1 finish [a book, a game]; break off [an engagement]; 2 (u i t d o v e n) put out [fire]; 3 (w e g m a k e n) take out [stains]; 4 (b e s l i s s e n) decide, settle [a dispute]; 5 (v o r m e n) form, constitute [the board, the government], make up [the greater part of]; 6 (u i t s c h e l d e n) call [sbd.] names; *dat moeten zij samen maar ~* they should settle that between themselves; *dat maakt niet(s) uit* it does not matter, it is immaterial; *wat maakt dat uit?* what does it matter?; *dat is een uitgemaakte zaak* zie *uitgemaakt*; *dat is nu uitgemaakt* that is settled now; *iem. voor leugenaar ~* call sbd. a liar; *iem. ~ voor al wat lelijk is* call sbd. all sorts of names; **'uitmalen**[1] *vt* 1 (w a t e r) drain; 2 (m e e l) extract; **'uitmelken**[1] *vt* strip [a cow]; *fig* exhaust [a subject]; milk, bleed [sbd.]

'uitmergelen[1] *vt* exhaust; **–ling** *v* exhaustion

[1] V.T. en V.D. van dit werkwoord volgens het model: **'uit**ademen, V.T. ademde **'uit**, V.D. **'uit**geademd. Zie voor de vormen onder het grondwoord, in dit voorbeeld: *ademen*. Bij sterke en onregelmatige werkwoorden wordt u verwezen naar de lijst achterin.

'uitmesten[1] *vt* muck out, clean out; **'uitmeten**[1] *vt* measure (out); *breed* ~ exaggerate [one's grievances]
uitmiddel'puntig eccentric; **–heid** *v* eccentricity
'uitmikken[1] *vt* time; hit (upon)
'uitmonden (mondde 'uit, h. en is 'uitgemond) *vi* (v. rivier) flow (empty) into; (v. straat) lead (open) in(to); *fig* end in, result in; **–ding** (-en) *v* mouth
'uitmonsteren[1] *vt* fit out, rig out; **'uitmoorden**[1] *vt* massacre
'uitmunten[1] *vi* ~ *boven* excel, surpass; ~ *in* excel in (at); **uit'muntend I** *aj* excellent; **II** *ad* excellently; **–heid** *v* excellence
'uitnemen[1] *vt* take out; **uit'nemend** = *uitmuntend*; **–heid** *v* excellence; *bij* ~ pre-eminently, par excellence
'uitnoden[1], **'uitnodigen**[1] *vt* invite; **'uitnodiging** (-en) *v* invitation; *op* ~ *van* at (on) the invitation of; **–skaart** (-en) *v* invitation card
'uitoefenen[1] *vt* exercise [a profession, a right &]; bring to bear [pressure]; practise, carry on [a trade]; **–ning** *v* exercise [of a right], discharge [of a function], practice [of an art]; prosecution [of a trade]
'uitpakkamer (-s) *v* commercial room; **'uitpakken** (pakte uit, h. en is uitgepakt) **I** *vt* unpack; unwrap, undo [birthday presents]; **II** *vi* [aflopen, uitkomen) work out; *als hij aan het* ~ *gaat* [*fig*] when he begins to pour out his heart; ~ *over een onderwerp* let out on a subject; ~ *tegen* inveigh against
'uitpellen[1] *vt* peel off; enucleate; **'uitpersen**[1] *vt* express, press out, squeeze; **'uitpeuteren**[1] *vt* pick (out); **'uitpiekeren**[1] *vt* puzzle out, figure out; **'uitpikken**[1] *vt* 1 *eig* peck out; 2 (uitkiezen) pick out, select, single out; **'uitplanten**[1] *vt* plant out, bed out; **'uitpluizen**[1] *vt* pick; *fig* sift out, sift; **'uitplukken**[1] *vt* pluck out
'uitplunderen[1] *vt* plunder, pillage, ransack, sack; **–ring** (-en) *v* plundering, pillage, sack
'uitplussen (pluste 'uit, h. 'uitgeplust) *vt* puzzle out, work out; **'uitpompen**[1] *vt* pump (out); **'uitpoten**[1] *vt* = *poten*; **'uitpraten** (praatte 'uit, is 'uitgepraat) *vi* finish talking; *laat mij* ~ let me have my say; *daarover raakt hij nooit uitgepraat* that is a theme of which he never tires; *dan zijn we uitgepraat* then there is nothing more to say; **'uitproesten**[1] *vt het* ~ burst out laughing
'uitpuilen (puilde 'uit, h. en is 'uitgepuild) *vi* protrude, bulge; **–d** protuberant; ~*e ogen* bulging eyes; *met* ~*e ogen* 1 goggle-eyed; 2 with eyes starting from their sockets
'uitputten[1] **I** *vt* exhaust; **II** *vr zich* ~ exhaust oneself; **'uitputting** *v* exhaustion; **–soorlog** (-logen) *m* war of attrition
'uitpuzzelen[1] *vt* puzzle out
'uitrafelen[1] *vt* ravel out, fray; **'uitraken** (raakte 'uit, is 'uitgeraakt) *vi* (v. vriendschap) be off, be broken; come to an end; *er helemaal* ~ be out of it, get out of practice (out of the habit); **'uitrangeren**[1] [-rɑnʒe:rə(n)] *vt* [*fig*] shunt, shelve [sbd.]; **'uitrazen** (raasde 'uit, h. en is 'uitgeraasd) *vi* 1 (v. storm) rage itself out, spend itself; 2 (v. personen) vent one's fury; *de jeugd moet* ~ youth will have its fling; *hij is nu uitgeraasd* he has sown his wild oats
'uitredden[1] **I** *vt er* ~ help out, deliver; **II** *vr zich er* ~ get out of it; **–ding** *v* deliverance, (means of) escape
'uitreiken[1] *vt* distribute, deliver, give, issue [tickets], present [prizes]; **–king** (-en) *v* distribution, delivery, issue [of tickets], presentation [of prizes]
'uitreis (-reizen) *v* outward journey; ⚓ voyage out; *op de* ~ ⚓ outward bound; **–vergunning** (-en) *v* exit permit; **–visum** [-züm] (-s en -visa) *o* exit visa
'uitrekenen[1] *vt* calculate, compute, figure out, reckon up; *een som* ~ work out a sum; zie ook: *uitgerekend* & *vinger*; **–ning** *v* calculation, computation
'uitrekken[1] **I** *vt* stretch (out); **II** *vr zich* ~ stretch oneself; **'uitrichten**[1] *vt* do; *wat heb jij uitgericht?* what have you done?, what have you been at?; *er is niet veel mee uit te richten* it is not much good
'uitrijden[1] *vi* ride out, drive out; *de stad* ~ ride (drive) out of the town; *de trein reed het station uit* the train was moving (pulling) out of the station; **'uitrijstrook** (-stroken) *v* exit lane, deceleration lane
'uitrijzen[1] ~ *boven* rise above, overtop [neighbouring buildings]
'uitrit (-ten) *m* way out, exit
'uitroeien[1] *vt* root out[2] [trees]; weed out[2], extirpate[2], eradicate[2] [weed, an error]; exterminate [a tribe, a nation, vice]; **–iing** *v* extirpation, extermination, eradication
'uitroep (-en) *m* exclamation, shout, cry; **'uitroepen**[1] *vt* cry (out), exclaim; declare [a strike &]; ~ *tot* (*koning* &) proclaim [sbd.] king; **'uitroep(ings)teken** (-s) *o* exclamation mark
'uitroken[1] *vt* 1 (ten einde roken) smoke

[1] V.T. en V.D. van dit werkwoord volgens het model: **'uit**ademen, V.T. ademde **'uit**, V.D. **'uit**geademd. Zie voor de vormen onder het grondwoord, in dit voorbeeld: *ademen*. Bij sterke en onregelmatige werkwoorden wordt u verwezen naar de lijst achterin.

out [pipe]; finish [a pipe, cigar]; 2 (o m t e o n t s m e t t e n &) smoke, fumigate; 3 (d o o r r o o k v e r d r ij v e n) smoke out [animals]; **'uitrollen**[1] *vt* unroll [carpet]; roll out [pastry]; **'uitrukken**[1] **I** *vt* pull out, pluck out [sth.]; tear [one's own hair]; tear out [weeds]; **II** *vi* 1 ⚔ march (out); 2 (v. b r a n d w e e r) turn out; *de stad ~* ⚔ march out of the town; *je kunt ~!, ruk uit!* clear out!; **S** hop it!, beat it!; *de politie moest ~* the police were called out

1 'uitrusten (rustte 'uit, h. en is 'uitgerust) *vi* rest, take rest; *bent u nu helemaal uitgerust?* are you quite rested?; *ik heb de mannen laten ~* I have given the men a rest, I have rested them; *~ van* rest from [one's labours]

2 'uitrusten (rustte 'uit, h. 'uitgerust) *vt* equip [an army, a ship, a person]; fit out [a fleet]; rig [cabin as operating-room]; **–ting** (-en) *v* equipment, outfit; **'uitrustingsstukken** *mv* equipment

'uitschakelen[1] *vt* ✳ cut out, switch off; *fig* eliminate, leave out, rule out; **–ling** *v* ✳ putting out of circuit; *fig* elimination

'uitschateren[1] *vt het ~* burst out laughing

'uitscheiden* **I** *vi* stop, leave off; *er ~* 1 (t ij d e l ij k) stop working; 2 (v o o r g o e d) shut up shop; *schei uit!* stop (it)!; *schei uit met dat geklets!* stop that jawing!; **II** *vt* excrete; **'uitschelden**[1] *vt* abuse, call [sbd.] names; *~ voor* call; zie ook: *uitmaken*; **'uitschenken**[1] *vt* pour out; **'uitscheppen**[1] *vt* bail out, bale out, scoop out; **'uitscheuren**[1] **I** *vt* tear out; **II** *vi* tear; **'uitschieten**[1] **I** *vt* 1 shoot out, throw out [a cable]; shoot [rays]; 2 whip off [one's coat]; *er werd hem een oog uitgeschoten* he had one of his eyes shot out; **II** *vi* slip; *de boot kwam de kreek ~* the boat shot out from the creek; zie ook: *uitlopen* 3 en *voorschieten*; **'uitschiften**[1] *vt* sift (out); **'uitschilderen**[1] *vt* paint, portray; **'uitschoppen**[1] *vt* kick out[2]; kick off [one's shoes]

'uitschot (-ten) *o* refuse, offal, trash; offscourings, riff-raff, dregs [of the people]

'uitschrabben[1], **–schrapen**[1] *vt* scrape out; **'uitschreeuwen**[1] *vt* cry out; *het ~* cry out; **'uitschreien**[1] *vi = uithuilen*; **'uitschrijven**[1] *vt* write out, make out [an invoice &]; zie ook: *lening, prijsvraag, vergadering* &; **'uitschudden**[1] *vt* shake (out) [a carpet]; strip [a person] to the skin

uit'schuifbaar sliding, extensible; telescopic [antenna]; **'uitschuifblad** (-bladen) *o* pull-out leaf, (draw-)leaf; **–tafel** (-s) *v* extension table, pull-out table; **'uitschuiven**[1] *vt* push out; draw out [a table]

'uitschulpen[1] *vt* scallop; **'uitschuren**[1] *vt* scour (out); (u i t h o l l e n) wear out

'uitslaan[1] **I** *vt* beat out, strike out; drive out [a nail]; knock out [a tooth &]; hammer, beat (out) [metals]; shake out [carpets], unfold [a map]; throw out [one's legs]; put forth [one's claws]; stretch, spread [one's wings]; *mallepraat ~* talk nonsense; *de taal die zij ~!* the language they use!; **II** *vi* break out [of flames, measles]; sweat [of a wall]; grow mouldy [of bread]; deflect [of indicator]; **–d** *~e brand* blaze; *~e plaat* folding picture (plate)

'uitslag *m* 1 (-slagen) outcome, result, issue, event, success; 2 (s c h i m m e l) mouldiness; 3 (p u i s t j e s) eruption, rash; 4 (v. w ij z e r) deflection; *stille ~* **$** draft; *de ~ van de verkiezing* the result of the poll; *de bekendmaking van de ~ van de verkiezing* the declaration of the poll; *wat is de ~ van uw examen?* what is the result of your examination?; *met goede ~* with good success, successfully

'uitslapen (sliep 'uit, h. en is 'uitgeslapen) *vt* & *vi* lie in, sleep late, have one's sleep out; *zijn roes ~* sleep off one's debauch, sleep it off; **'uitslepen**[1] *ergens iets ~* get sth. out of it; **'uitsliepen** (sliepte 'uit, h. 'uitgesliept) *vt iem. ~* ± jeer at sbd.; *sliep uit!* ± sold again; **'uitslijpen**[1] *vt* grind out, hollow-grind; wear out; **'uitslijten**[1] *vi* wear out, wear away; wear off; **'uitsloven**[1] *zich ~* do one's best, drudge, toil, work oneself to the bone [for one's livelihood, for others]; lay oneself out [to please]

'uitsluiten[1] *vt* shut (lock) out; *fig* exclude; lock out [workmen]; **uit'sluitend** exclusive; **'uitsluiting** (-en) *v* 1 exclusion; 2 lock-out [workmen]; *met ~ van* exclusive of; **'uitsluitsel** *o* decisive answer

'uitsmeren[1] *vt* spread [over a longer period]

'uitsmijten[1] *vt* chuck out, throw out; **–er** (-s) *m* 1 chucker-out, bouncer; 2 slice of bread with veal & and a fried egg on top, ± ham and eggs

'uitsnellen[1] *vi de deur ~* rush out

'uitsnijden[1] *vt* cut out, carve out, excise; **–ding** (-en) *v* cutting out, excision

'uitsnikken[1] **I** *vt* sob out; **II** *vi* sob till one is calmed down

'uitspannen[1] *vt* 1 (u i t s t r e k k e n) stretch out, extend [one's fingers &]; spread [a net]; 2 (u i t h e t t u i g h a l e n) take out, unharness [the

[1] V.T. en V.D. van dit werkwoord volgens het model: **'uit**ademen, V.T. ademde **'uit**, V.D. **'uit**geademd. Zie voor de vormen onder het grondwoord, in dit voorbeeld: *ademen*. Bij sterke en onregelmatige werkwoorden wordt u verwezen naar de lijst achterin.

horses], unyoke [oxen]; **–ning** (-en) *v* tea-garden; **'uitspansel** *o* firmament, heavens, sky
'uitsparen[1] *vt* save, economize, (o p e n l a t e n) leave blank, leave free; **–ring** (-en) *v* saving, economy; blank space, free space
'uitspatting (-en) *v* dissipation, debauchery; excess; *zich aan ~en overgeven* indulge in dissipation (in excesses)
'uitspelen[1] *vt* play; *ze tegen elkaar ~* play them off against each other; **'uitspinnen**[1] *vt* spin out[2]; **'uitspoelen**[1] *vt* rinse (out); wash away; **'uitspoken**[1] *wat spookt hij daar uit?* what is he up to?, what is he doing there?
'uitspraak (-spraken) *v* 1 pronunciation; 2 (o o r d e e l) pronouncement, utterance, statement; 3 (a r b i t r a a l) award; ⚖ finding, verdict; *~ doen* pass judg(e)ment, pass (pronounce) sentence
'uitspreiden[1] *vt* spread (out); **'uitspreken I** (sprak 'uit, h. 'uitgesproken) *vt* pronounce [a word, judg(e)ment, a sentence]; deliver [a message]; express [thanks, the hope]; **II** (sprak 'uit, is 'uitgesproken) *vi* finish
'uitspringen[1] *vi* project, jut out; *ergens ~* jump out, leap out; [*fig*] *dat springt eruit* that stands out; **–d** jutting out, projecting [part]; salient [angle]
'uitspruiten[1] *vi* sprout, shoot; **'uitspruitsel** (-s) *o* sprout, shoot
'uitspugen[1], **'uitspuwen**[1] *vt* spit out; **'uitstaan**[1] **I** *vt* endure, suffer, bear; *ik kan hem niet ~* I cannot stand the fellow, I have no patience with him; *wat ik moest ~* what I had to suffer (bear, endure); *ik heb niets met hen uit te staan* I have nothing to do with them; *dat heeft er niets mee uit te staan* that has nothing to do with it; **II** *vi* 1 stand out; 2 be put out at interest; *mijn geld staat uit tegen 4%* my money is put out at 4%; *~de schulden* outstanding debts
'uitstalkast (-en) *v* show-case; **'uitstallen**[1] *vt* expose for sale, display; **–ling** (-en) *v* display (in the shop-window), (shop-)window display; **'uitstalraam** (-ramen) *o* show-window
'uitstamelen[1] *vt* stammer (out)
'uitstapje (-s) *o* excursion, tour, trip, outing, jaunt; *een ~ doen* (*maken*) make an excursion, make (take) a trip; **'uitstappen**[1] *vi* get out [of tram-car &]; step out, alight [from a carriage]; *allen ~!* all get out here
uit'stedig absent from town, out of town; **–heid** *v* absence from town
'uitsteeksel (-s) *o* projection; protuberance
'uitstek (-ken) *o* projection; *bij ~* pre-eminently
'uitsteken[1] **I** *vt* stretch out, hold out [one's hand], put out [the tongue, the flag]; *iem. de ogen ~* 1 put out sbd.'s eyes; 2 *fig* make sbd. jealous; zie ook: *hand* &; **II** *vi* 1 (i n e l k e r i c h t i n g) stick out; 2 (h o r i z o n t a a l) jut out, project, protrude; *hoog ~ boven...* rise far above..., tower above...; *hoog boven de anderen ~* rise (head and shoulders) above the others, tower above one's contemporaries; *boven anderen ~ in...* excel others in...; **1 –d** *aj* protruding &, prominent
2 uit'stekend I *aj* excellent, first-rate, eminent, admirable; **II** *ad* excellently, extremely well, splendidly, admirably; very well!; **–heid** *v* excellence
'uitstel *o* postponement, delay, respite; *~ van betaling* extension of time for payment; *het kan geen ~ lijden* it admits of no delay; *~ van executie* stay of execution; *~ geven* (*verlenen*) grant a delay; *~ vragen* ask for a delay; *van ~ komt dikwijls afstel* delays are often dangerous, ± procrastination is the thief of time; *~ is geen afstel* all is not lost that is delayed; *zonder ~* without delay; **'uitstellen**[1] *vt* delay, defer, postpone, put off; *stel niet uit tot morgen, wat ge heden doen kunt* don't put off till to-morrow what you can do to-day
'uitsterven[1] *vi* die out[2], become extinct; **–ving** *v* extinction
'uitstijgen[1] *vi* get out; *~ boven* rise above; **'uitstippelen**[1] *vt* dot [a line]; *fig* outline [a policy], lay down [lines, a programme]; **'uitstoelen** (stoelde 'uit, is 'uitgestoeld) *vi* ✿ stool; **'uitstomen**[1] **I** *vt* 1 clean by steam; 2 = *stomen* **II** 2; **II** *vi* steam away; *het schip stoomde uit* the ship steamed out to sea
'uitstorten[1] **I** *vt* pour out, pour forth; *zijn gemoed, zijn hart ~* pour out one's heart, unbosom oneself; **II** *vr zich ~* discharge itself [of a river, into the sea]; **–ting** (-en) *v* effusion; *de ~ van de Heilige Geest* the outpouring of the Holy Ghost
'uitstoten[1] *vt* thrust out; *fig* expel [a person]; *kreten ~* utter cries; **–ting** *v* expulsion
'uitstralen[1] *vt* radiate, beam forth; **–ling** (-en) *v* radiation, emanation; **'uitstralingsvermogen** *o* radiating power; **–warmte** *v* radiant heat
'uitstrekken[1] **I** *vt* stretch, stretch forth, extend; stretch out, reach out [one's hand]; **II** *vr zich ~* 1 (v. l e v e n d e w e z e n s) stretch oneself; 2 (v. d i n g e n) stretch, extend, reach; (v. t ij d) cover [a period of 10 years]; *zich ~ naar het oosten* stretch away to the east

[1] V.T. en V.D. van dit werkwoord volgens het model: **'uit**ademen, V.T. ademde **'uit**, V.D. **'uit**geademd. Zie voor de vormen onder het grondwoord, in dit voorbeeld: *ademen*. Bij sterke en onregelmatige werkwoorden wordt u verwezen naar de lijst achterin.

'uitstrijken[1] *vt* spread; smooth; cross out; ⚕ take a swab
'uitstrijkje (-s) *o* ⚕ smear, swab
'uitstromen[1] *vi* flow out, stream forth, gush out; (v. g a s) escape, pass out; ~ *in* flow into
'uitstrooien[1] *vt* strew, spread[2], disseminate[2]; *fig* spread [rumours], put about [lies &]; **'uitstrooisel** (-s) *o* rumour, false report
'uitstuffen[1] *vt* erase, rub out
'uitstulpen I (stulpte 'uit, is 'uitgestulpt) *vi* bulge, protrude, budge; **II** (stulpte 'uit, h. 'uitgestulpt) *vt* turn out [the inside of sth.]; **–ping** (-en) *v* bulge, protrusion
'uitsturen[1] *vt* send out; **'uittanden**[1] *vt* indent, tooth, jag
'uittarten[1] *vt* defy, challenge, provoke; **–ting** (-en) *v* defiance, challenge, provocation
'uittekenen[1] *vt* draw, delineate, portray, picture; **'uittellen**[1] *vt* count out
'uitteren (teerde 'uit, is 'uitgeteerd) *vi* pine (waste) away, waste; **–ring** *v* emaciation
'uittikken[1] *vt* type out
'uittocht (-en) *m* exodus[2]
'uittorenen (torende 'uit, h. 'uitgetorend) *vi* ~ *boven* tower above; **'uittrappen**[1] *vt* stamp out [a fire]; kick off [one's shoes]; kick [you] out [of the job]; **'uittreden**[1] *vi* step out; (*uit de firma*) ~ retire (from partnership); *rk* (h e t a m b t v e r l a t e n) give up (forsake) the priesthood (one's ministry); zie ook: *treden uit* & *aftreden*
'uittrekblad (-bladen) *o* pull-out leaf, (draw-) leaf; **'uittrekken**[1] **I** *vt* draw out [a nail &]; pull off [boots]; take off [one's coat]; pull out, extract [a tooth, herbs &]; *een som* ~ *voor* earmark (set aside) £... for...; **II** *vi* 1 ⚔ march out; set out, set forth; 2 move out [of a house]; **'uittreksel** (-s) *o* 1 (a f k o o k s e l) extract; 2 (k o r t e i n h o u d) abstract; (v. d. b u r g e r l. s t a n d) [birth, marriage &] certificate; $ (v a n r e k e n i n g) statement; 3 (h e t o n t l e e n d e) extract; **'uittrektafel** (-s) *v* pull-out table, extending table, telescope-table
'uittrompetten[1] *vt* trumpet forth
'uitvaagsel *o* scum, dregs, offscourings [of society]
'uitvaardigen (vaardigde 'uit, h. 'uitgevaardigd) *vt* issue [an order]; promulgate [a law]; **–ging** (-en) *v* issue; promulgation
'uitvaart (-en) *v* funeral, obsequies; **–dienst** (-en) *m* funeral ceremonies, obsequies; **–stoet** (-en) *m* funeral procession
'uitval (-len) *m* 1 ⚔ sally[2], sortie; 2 (b ij h e t s c h e r m e n) thrust, lunge, pass; 3 *fig* outburst, sudden fit of passion; *een* ~ *doen* 1 ⚔ make a sally (a sortie); 2 (b ij h e t s c h e r m e n) make a pass, lunge, lash out; **'uitvallen**[1] *vi* 1 fall out, come off [hair]; 2 ⚔ make a sally; 3 ⚔ fall out [while on the march]; 4 (b ij s c h e r m e n) make a pass, lunge, lash ou 5 (b ij s p e l) drop out; 6 (v. e l e k t r. l i c h t, s t r o o m &) fail; 7 *fig* fly out (at *tegen*), cut up rough; *goed* (*slecht*) ~ turn out well (badly); *tegen iem.* ~ fly out at sbd.; *hij kan lelijk tegen je* ~ he is apt to cut up rough; *die trein is uitgevallen* that train has been cancelled; *het* ~ *van de stroom* (*een transformator*) a power (a transformer) failure; **–er** (-s) *m* ⚔ straggler; *er waren twee* ~*s sp* two competitors dropped out; **'uitval(s)poort** (-en) *v* sally port; **–weg** (-wegen) *m* arterial road
'uitvaren[1] *vi* 1 ⚓ sail (out); put to sea; 2 *fig* storm, fly out; ~ *tegen* fly out at, inveigh against, declaim against; **'uitvechten**[1] *vt het onder elkaar maar* ~ fight (have) it out among themselves; **'uitvegen**[1] *vt* 1 sweep out; 2 (m e t g u m &) wipe out, rub out, efface; *iem. de mantel* ~ haul sbd. over the coals, give sbd. a bit of one's mind; **'uitventen**[1] *vt* hawk about; **'uitvergroten**[1] *vt* enlarge; **F** blow up
'uitverkiezing *v* predestination
'uitverkocht out of print [book]; sold out, out of stock [goods]; *de druk was gauw* ~ the edition was exhausted in a very short time; ~*e zaal* full house; **'uitverkoop** (-kopen) *m* $ selling-off, clearance sale, sale(s); **–prijs** (-prijzen) *m* sale price; **'uitverkopen** (verkocht 'uit, h. 'uitverkocht) *vt* & *va* sell off, clear
'uitverkoren *aj* chosen, elect; *het* ~ *volk* the Chosen People (Race); ~*e* favourite; *zijn* ~*e* his sweetheart; *de* ~*en* the chosen
'uitvertellen (vertelde 'uit, h. 'uitverteld) *vt* tell to the end; *ik ben uitverteld* I am at the end of my story; **'uitveteren** (veterde 'uit, h. 'uitgeveterd) *vt* scold, rate, fly out at; **'uitvieren**[1] *vt* veer out, pay out [a cable]; *een kou* ~ nurse one's cold
'uitvinden[1] *vt* invent [a machine &]; find out [the secret &]; **–er** (-s) *m* inventor; **'uitvinding** (-en) *v* invention; **'uitvindsel** (-s) *o* invention
'uitvissen[1] *vt* fish out[2], *fig* ferret out; **'uitvlakken**[1] *vt* blot out, wipe out; (m e t g u m) rub out; *dat moet je niet* ~*!* bear that in mind!, that is not to be scorned!, it is not to be sneezed at; **'uitvliegen**[1] *vi* fly out

[1] V.T. en V.D. van dit werkwoord volgens het model: **'uit**ademen, V.T. ademde **'uit**, V.D. **'uit**geademd. Zie voor de vormen onder het grondwoord, in dit voorbeeld: *ademen*. Bij sterke en onregelmatige werkwoorden wordt u verwezen naar de lijst achterin.

'uitvloeien[1] *vi* flow out; **'uitvloeisel** (-s en -en) *o* consequence, outcome, result
'uitvloeken[1] *vt* swear at, curse
'uitvlucht (-en) *v* evasion, pretext, subterfuge, excuse, shift; *~en zoeken* prevaricate, shuffle
'uitvoer (-en) *m* export, exportation; (d e g o e d e r e n) exports; *de ~ verhogen en de invoer verlagen* increase exports and reduce imports; *ten ~ brengen* (*leggen*) carry (put) into effect, execute, carry out [a threat]; **–artikel** (-en en -s) *o* article of export; *~en* ook: exports; **uit'voerbaar** practicable, feasible; **–heid** *v* practicability, practicableness, feasibility; **'uitvoerder** (-s) *m* (v. c o n c e r t) performer; (v. p l a n) executor; (v. b o u w w e r k) building supervisor; **'uitvoeren**[1] *vt* 1 carry out [harbour-works &]; execute [an order, a plan, a sentence &]; perform [an operation, a task, music, a play, tricks &]; carry (put) into effect, carry out [a resolution]; 2 **$** fill [an order]; export [goods]; *hij heeft weer niets uitgevoerd* he has not done a stroke of work; *wat voer jij daar uit?* what are you doing?, what are you up to?, what are you at?; *wat heb jij toch uitgevoerd, dat je...?* what ever have you been doing? (been up to?); *wat heb je vandaag uitgevoerd?* what have you done to-day?; *wat moet ik daarmee ~?* what am I to do with it?; *de ~de macht* the Executive; *de ~de Raad* the Executive Council; **'uitvoerhandel** *m* export trade; **–haven** (-s) *v* harbour of exportation
uit'voerig I *aj* ample, lengthy [discussion]; full [particulars], copious [notes], detailed, circumstantial, minute [account]; **II** *ad* amply &, in detail; *enigszins ~ citeren* quote at some length; *ik zal ~er schrijven* ook: I'll write more fully; **–heid** *v* ampleness, copiousness
'uitvoering (-en) *v* 1 execution [of an order &]; get-up [of a book]; 2 (v o o r s t e l l i n g) performance; *~ geven aan* carry (put) into effect, carry out; *werk in ~* road works ahead; **'uitvoerpremie** (-s) *v* export bounty, bounty on exportation; **–rechten** *mv* export duties; **–verbod** (-boden) *o* export prohibition; **–vergunning** (-en) *v* export licence
'uitvorsen[1] *vt* find out, ferret out; **'uitvouwen**[1] *vt* fold out, open out; **'uitvragen**[1] *vt* question, catechize, **F** pump; *ik ben uitgevraagd* 1 I have been asked out [to dinner &]; 2 I have no more questions to ask
'uitvreten[1] *vt* eat out, corrode; *fig* sponge on [sbd.]; **–er** (-s) *m* sponger, parasite
'uitvullen[1] *vt* space [evenly]; **'uitwaaien I** (waaide, woei 'uit, h. 'uitgewaaid) *vt* blow out; **II** (waaide, woei 'uit, is 'uitgewaaid) *vi* be blown out [of a candle]; *het is nu uitgewaaid* the wind (gale) has spent itself; **'uitwaaieren** (waaierde 'uit, h. en is 'uitgewaaierd) *vi* fan (out), spread, unfold
'uitwaarts I *aj* outward; **II** *ad* outward(s)
'uitwas (-sen) *m* & *o* outgrowth, excrescense, protuberance
'uitwasemen[1] **I** *vi* evaporate; **II** *vt* exhale; **–ming** (-en) *v* evaporation, exhalation
'uitwassen[1] *vt* wash (out)
'uitwateren[1] *vi ~ in* discharge itself into..., flow into...; **–ring** (-en) *v* discharge [of a stream]
'uitwedstrijd (-en) *m* away game (match)
'uitweg (-wegen) *m* way out[2], outlet; *fig* escape; loophole
'uitwegen[1] *vt* weigh out
'uitweiden[1] *vi ~ over* enlarge upon, expatiate on, dwell upon, digress upon; **–ding** (-en) *v* expatiation, digression
uit'wendig I *aj* external, exterior; *voor ~ gebruik* for outward application; *zijn ~ voorkomen* his outward appearance; **II** *ad* externally, outwardly; **–heid** (-heden) *v* exterior; *uitwendigheden* externals
'uitwerken I (werkte 'uit, h. 'uitgewerkt) *vt* 1 work out [a plan &]; elaborate [a scheme]; work [a sum]; labour [a point]; 2 (t o t s t a n d b r e n g e n) effect, bring about; *niets ~* be ineffective; **II** (werkte 'uit, is 'uitgewerkt) *vi* work; *dit geneesmiddel is uitgewerkt* this medicine has lost its efficacy; zie ook: *uitgewerkt*; **–king** (-en) *v* 1 working-out; 2 (g e v o l g) effect; *~ hebben* be effective, work; *geen ~ hebben* produce no effect, be ineffective
'uitwerpen[1] *vt* throw out [ballast], cast (out); eject; ✈ drop [bombs, arms], parachute [a man, troops]; (s p u w e n) vomit; *duivelen ~* cast out devils; **'uitwerpsel** (-en en -s) *o* excrement
'uitwieden[1] *vt* weed out
'uitwijken[1] *vi* 1 (o p z ij) turn aside, step aside, make way, make room; pull out [of a motor-car]; 2 (u i t h e t l a n d) go into exile, leave one's country; *~ n a a r* emigrate to, take refuge in [a country]; *~ v o o r* make way for, get out of the way of, avoid [a dog on the road]; **–king** (-en) *v* 1 turning aside; 2 emigration
'uitwijzen[1] *vt* 1 show; 2 (b e s l i s s e n) decide; 3 expel [persons]; **–zing** (-en) *v* expulsion

[1] V.T. en V.D. van dit werkwoord volgens het model: **'uit**ademen, V.T. ademde **'uit**, V.D. **'uit**geademd. Zie voor de vormen onder het grondwoord, in dit voorbeeld: *ademen.* Bij sterke en onregelmatige werkwoorden wordt u verwezen naar de lijst achterin.

'uitwinnen[1] *vt* save; **'uitwippen**[1] *vi* nip out
'uitwisselen[1] *vt* exchange; **–ling** (-en) *v* exchange
'uitwissen[1] *vt* wipe out, blot out, efface; **'uitwoeden** (woedde 'uit, h. en is 'uitgewoed) *vi* spend itself [of a storm]
'uitwonend non-resident [masters &]; ✎ non-collegiate [students]
'uitwrijven[1] *vt* rub out; *zich de ogen* ~ rub one's eyes[2]; **'uitwringen**[1] *vt* wring out
'uitzaaien[1] *vt* sow[2], disseminate[2]; **–iing** (-en) *v* ⚕ metastasis
'uitzagen[1] *vt* saw out; **'uitzakken**[1] *vi* sag; **'uitzeilen**[1] *vi* sail out, sail
'uitzendbureau [-by.ro.] (-s) *o* temporary employment agency; **'uitzenden**[1] *vt* send out; *RT* broadcast; transmit; *T* ook: televise; **–ding** (-en) *v* sending out; *RT* broadcast, broadcasting; transmission; **'uitzendkracht** (-en) *v-m* temporary employee, **F** temp
'uitzet (-ten) *m* & *o* [bride's] trousseau; ~ *voor de tropen* = *tropenuitrusting*; zie ook: *babyuitzet*
uit'zetbaar expansible, dilatable; **–heid** *v* expansibility, dilatability; **'uitzetten I** (zette 'uit, is 'uitgezet) *vi* 1 (in 't alg.) expand, dilate, swell; 2 (in de natuurkunde) expand; **II** (zette 'uit, h. 'uitgezet) *vr zich* ~ expand [of metals &]; **III** (zette 'uit, h. 'uitgezet) *vt* 1 (vergroten) expand; 2 (doen zwellen) distend, inflate; 3 set out [a rectangle]; mark out [distances]; ⚓ put out, get out [a boat]; ⚔ post [a sentinel]; put out [a post]; throw out [a line of sentinels]; ⚖ evict, eject [a tenant]; turn [sbd.] out [of the room]; $ invest [money], put out [at 4% interest]; *iem. het land* ~ expel, banish sbd. from the country; **–ting** (-en) *v* expansion; dilat(at)ion; inflation; expulsion, ⚖ eviction, ejection; **'uitzettingscoëfficiënt** [-ko.ɛfi.si.ɛnt] (-en) *m* coefficient of expansion; **–vermogen** *o* power of expansion, expansive power, dilatability
'uitzicht (-en) *o* view, prospect, outlook; *het* ~ *hebben op...* command a (fine) view of..., overlook [the Thames], give (up)on...; *...in* ~ *stellen* hold out a prospect that...; **–loos** *fig* hopeless [situation]; **–toren** (-s) *m* belvedere
'uitzieken (ziekte 'uit, is 'uitgeziekt) *vi* nurse one's illness; **'uitzien**[1] **I** *vi* look out; *er* ~ look; *je ziet er goed uit* you look well; *zij ziet er goed* (= *knap*) *uit* she is good-looking; *zij ziet er niet goed uit* she doesn't look well; *dat ziet er mooi uit!* a fine prospect!, a pretty state of affairs!; *dat ziet er slecht uit* things look black; *hoe ziet hij* (*het*) *eruit?* what does he (it) look like?, what is he (it) like?; *wat zie jij eruit!* what a state you are in!; you look a sight!; *ziet het er zó uit?* 1 does it look like this?; 2 is it thus that matters stand?; *het ziet eruit alsof het gaat regenen* it looks like rain; • *naar een betrekking* ~ look out for a situation; *naar iem.* ~ look out for sbd.; ~ *naar zijn komst* look forward to his coming; ~ *op een plein* look out (up)on a square; ~ *op de Theems* overlook the Thames; ~ *op het zuiden* look (face) south; **II** *vt zijn ogen* ~ stare one's eyes out; **'uitziften**[1] *vi* sift (out)[2]; *fig* thrash out; **'uitzingen**[1] *vt* sing out, sing [the chorus &] to the finish; *als we het maar kunnen* ~ if we can hold out, **F** stick it [until...]
uit'zinnig beside oneself, distracted, demented, mad, frantic; **–heid** (-heden) *v* distraction, madness
'uitzitten[1] *vt* sit out; *zijn tijd* ~ serve one's time [in prison], do time; **'uitzoeken**[1] *vt* select [an article, seeds &], choose [an article]; look out [the wash], sort out[2]
'uitzonderen (zonderde 'uit, h. 'uitgezonderd) *vt* except; **–ring** (-en) *v* exception; *een* ~ *op de regel* an exception to the rule; ~*en bevestigen de regel* the exception proves the rule; *bij* ~ by way of exception; *bij hoge* ~ very rarely; *bij* ~ *voorkomend* exceptional; *met* ~ *van...* with the exception of...; *zonder* ~ without exception; *allen zonder* ~ *hadden handschoenen aan* they one and all wore gloves; **'uitzonderingsbepaling** (-en) *v* exceptional disposition; saving clause; **–geval** (-len) *o* exceptional case; **–positie** [-zi.(t)si.] (-s) *v* special position, privileged position; **–toestand** (-en) *m* state of emergency; **–verlof** (-loven) *o* ⚔ compassionate leave; **'uitzonderlijk I** *aj* exceptional [ability], outstanding [merit]; **II** *ad* exceptionally [large], outstandingly [important]
'uitzuigen[1] *vt* 1 *eig* suck (out); 2 *fig* extort money from [a person]; sweat [labour]; **–er** (-s) *m* extortioner; sweater [of labour]
'uitzuinigen (zuinigde 'uit, h. 'uitgezuinigd) *vt* economize, save (on *op*); **'uitzwavelen**[1] *vt* fumigate, sulphur; **'uitzwermen** (zwermde 'uit, is 'uitgezwermd) *vi* 1 swarm off [of bees]; 2 ⚔ disperse; **'uitzweten**[1] *vt* exude, ooze out, sweat out
'ukkepuk (-ken) *m*, **'ukkie** (-s) *o* tiny tot
'ulevel (-len) *v* kind of sweet in a paper wrapper
'ulster (-s) *m* ulster
ult. = *ultimo*; **ultima'tief** *ultimatieve nota* note in

[1] V.T. en V.D. van dit werkwoord volgens het model: **'uit**ademen, V.T. ademde **'uit**, V.D. **'uit**geademd. Zie voor de vormen onder het grondwoord, in dit voorbeeld: *ademen*. Bij sterke en onregelmatige werkwoorden wordt u verwezen naar de lijst achterin.

(of) the nature of an ultimatum; **ulti'matum** (-s) *o* ultimatum; *een ~ stellen* issue an ultimatum (to *aan*); **'ultimo** *~ mei* at the end of May
'ultra I ('s) *m* extremist; **II** *ad* extremely, ultra [short wave]; **-kort** ultrashort [wave]; **ultrama'rijn** *o* ultramarine; **ultramon'taan(s)** *m* (-tanen) (& *aj*) ultramontane; **ultra'soon** ultrasonic; **ultravio'let** ultra-violet
'umlaut ['u.mlɔut] (-en) *m* Umlaut, (vowel) mutation; *a-~* modified a
una'niem I *aj* unanimous; **II** *ad* unanimously, with one assent (accord); **unanimi'teit** *v* unanimity, consensus [of opinion]
'unicum (-s en -ca) *o* 1 single copy; 2 unique phenomenon, thing unique of its kind
'unie (-s) *v* union
u'niek unique
unifi'catie [-(t)si.] (-s) *v* unification
uni'form I *aj* uniform; **II** (-en) *o* & *v* (i n 't a l g.) uniform; ⚔ (o o k:) regimentals; **uniformi'teit** *v* uniformity; **uni'formjas** (-sen) *m* & *v* ⚔ tunic; **-pet** (-ten) *v* uniform cap
uni'tariër (-s) *m* Unitarian
universali'teit [s = z] *v* universality; **univer'seel** universal, sole; *~ erfgenaam* sole heir, residuary legatee
universi'tair [-zi'tɛ:r] **I** *aj* university...; **II** *ad ~ opgeleid* college-taught; **universi'teit** (-en) *v* university, zie *hogeschool*; **universi'teitsbibliotheek** (-theken) *v* university library; **-gebouw** (-en) *o* university building; **-stad** (-steden) *v* university town
uni'versum [s = z] *o* universe
'unster (-s) *v* steelyard, weigh-beam
u'ranium *o* uranium
ur'baan urbane; **urbani'satie** [-'za.(t)si.] *v* urbanization; **urbani'teit** *v* urbanity
Ur'banus *m* Urban
'ure (-n) *v* = *uur*; **'urenlang** for hours, for hours on end
ur'gent urgent; **ur'gentie** [-(t)si.] *v* urgency; **-programma** ('s) *o* crash programme; **-verklaring** (-en) *v* declaration of urgency
uri'naal (-nalen) *o* urinal; **u'rine** *v* urine; **-blaas** (-blazen) *v* urinary bladder; **-leider** (-s) *m* ureter, urinary duct; **uri'neren** (urineerde, h. geürineerd) *vi* urinate, make (pass) water; **uri'noir** [-'nva:r] (-s) *o* public lavatory, public convenience, public urinal
'urmen (urmde, h. geürmd) *vi* complain, grumble
'urn(e) (urnen) *v* urn; **'urnenveld** (-en) *o* cinerarium
'Ursula *v* Ursula; **ursu'line** (-n) *v* Ursuline (nun); **ursu'linenklooster** (-s) *o* Ursuline convent; **-school** (-scholen) *v* Ursuline school
'Uruguay *o* Uruguay
u'sance [y.'zɑ̃sə] (-s), **u'santie** [-(t)si.] (-s en -iën) *v* custom, usage; **'uso** *o* $ usance
usur'patie [y.zurpa.(t)si.] (-s en -toren) *v* usurpation; **usur'pator** (-s) *m* usurper; **usur'peren** (usurpeerde, h. geüsurpeerd) *vt* [usurp
ut *v* ♪ ut, do
utili'teit *v* utility; **utili'teitsbeginsel** *o* utilitarian principle; **-bouw** *m* functional architecture
U'topia *o* Utopia; **uto'pie** (-ieën) *v* utopian scheme, Utopia; **u'topisch** utopian; **uto'pist** (-en) *m* Utopian
uur (uren) *o* hour; *een half ~* half an hour; *driekwart ~* three quarters of an hour; *een ~ gaans* an hour's walk; *alle uren* every hour; *uren lang* for hours (together, on end); • *a a n geen ~ gebonden* not tied down to time; *b i n n e n het ~* within an hour; *i n het ~ van het gevaar* in the hour of danger; *in een verloren ~* zie *uurtje*; *o m drie ~* at three (o'clock); *om het ~* every hour; *om de twee ~* every two hours; *o p elk ~* every hour; at any hour; *op elk ~ van de dag* at all hours of the day, at any hour; *op een vast ~* at a fixed hour; *o v e r een ~* in an hour; *zoveel p e r ~* so much per hour (an hour); *een rijtuig per ~ nemen* by the hour; *t e goeder (kwader) ure* in a happy (an evil) hour; *t e r elfder ure* at the eleventh hour; *t e g e n drie ~* by three o'clock; *v a n ~ tot ~* from hour to hour, hourly; **-dienst** *m* hourly service; **-glas** (-glazen) *o* hour-glass; **-loner** (-s) *m* hourly-paid worker; **-loon** *o* hourly wage; **-tje** (-s) *o* hour; *in een verloren ~* in a spare hour; *de kleine ~s* the small hours; **-werk** (-en) *o* 1 clock, timepiece; 2 (r a d e r w e r k) works, clockwork; **-werkmaker** (-s) *m* clock-maker, watchmaker; **-wijzer** (-s) *m* hour-hand, short hand
uw your, ⊙ thy; *de, het ~e* yours, ⊙ thine; *geheel de ~e...* Yours truly...; **'uwent** *te(n) ~* at your house; *~halve* for your sake; *~wege* as for you; *van ~wege* on your behalf, in your name; *om ~wil(le)* for your sake; **'uwerzijds** on your part, on your behalf

V

v [ve.] ('s) *v·v*
v. = *van; vrouwelijk; voor; vers*
vaag I *aj* vague, hazy; indefinite; **II** *ad* vaguely; **–heid** (-heden) *v* vagueness
1 vaak *m* sleepiness; ~ *hebben* be sleepy; zie ook: *praatje*
2 vaak *ad* often, frequently
vaal sallow; *fig* drab; **–bleek** sallow; **–bruin** dun, drab; **–grijs** greyish; **–heid** *v* sallowness
vaalt (-en) *v* dunghill
vaam (vamen) = *vadem*
vaan (vanen) *v* flag, banner, standard; *de ~ des oproers opheffen* raise the standard of revolt
'vaandel (-s) *o* flag, standard, ensign, colours; *met vliegende ~s* with colours flying; *onder het ~ van...* [fight] under the banner of...; **–drager** (-s) *m* standard-bearer[2]; **–wacht** *v* colour guard, colour party
'vaandrig (-s) *m* 1 standard-bearer; 2 🕮 (voetvolk) ensign; (ruiterij) cornet; (marine) midshipman; (leger) cadet-sergeant; (luchtmacht) acting pilot officer
'vaantje (-s) *o* 1 vane; 2 weathercock
'vaarboom (-bomen) *m* punting-pole
'vaardig I *aj* 1 skilled, skilful, adroit, clever, proficient; 2 fluent [speech]; 3 ready; *hij is ~ met de pen* he has a ready pen; *de geest werd ~ over hem* the spirit moved him; *~ in... zijn* be clever at...; **II** *ad* adroitly, cleverly &; **'vaardigheid** (-heden) *v* 1 skill, cleverness, proficiency; 2 fluency [of speech]; 3 readiness; *zijn ~ in...* his proficiency in...; **–sproef** (-proeven) *v* trial of skill
'vaargeul (-en) *v* channel; fairway, lane
vaars (vaarzen) *v* heifer
vaart *v* 1 (de scheepvaart) navigation; 2 (-en) (reis te water) = *reis*; 3 (snelheid) speed [of a vessel &]; 4 (voortgang) career [of a horse &]; 5 (-en) (kanaal) canal; *de grote ~* foreign(-going) trade, ocean-going trade; *de kleine ~* home trade; *wilde ~* tramp shipping; *~ hebben* have speed; *een ~ hebben van ...knopen* run ...knots; *~ krijgen* gather way, ⚓ gain headway; *het zal zo'n ~ niet lopen (niet nemen)* things won't take that turn, it won't come to that; *~ (ver)minderen* slacken speed, slow down; *~ achter iets zetten* put on steam, speed up the thing; • *in de ~ brengen* put into service [ships]; *in dolle ~* at breakneck speed, in mad career; *in volle ~* (at) full speed; *met een ~ van...* at the rate of...; *uit de ~ nemen* withdraw from service

'vaartje (-s) *o* zie *aardje*
'vaartuig (-en) *o* vessel; ~*(en)* ook: craft
'vaarwater (-s en -en) *o* fairway, channel; *iem. in het ~ zitten* thwart sbd.; *ze zitten elkaar altijd in het ~* they are always at cross-purposes; *je moet maar uit zijn ~ blijven* you had better give him a wide berth
vaar'wel I *ij* farewell, adieu, goodbye!; **II** *o* farewell, valediction; *hun een laatst ~ toewuiven* wave them a last adieu (good-bye); *~ zeggen* say good-bye, bid farewell (to), take leave (of), leave; *de studie ~ zeggen* give up studying; *de wereld ~ zeggen* retire from the world
vaas (vazen) *v* vase
vaat *v de ~ wassen* wash up
'vaatbundel (-s) *m* vascular bundle
'vaatdoek (-en) *m* dish-cloth
'vaatje (-s) *o* small barrel, cask, keg; *uit een ander ~ tappen* change one's tune
'vaatkramp (-en) *v* ⚕ angiospasm, vasospasm
'vaatkwast (-en) = *vatenkwast*
'vaatstelsel (-s) *o* vascular system; **–vernauwend** vaso-constricting; **–verwijdend** vaso-dilating
'vaatwasmachine [-ma.ʃi.nə] (-s) *v* (automatic) dishwasher; **–water** *o* dish-water; **–werk** *o* 1 casks; 2 plates and dishes; 3 vessels [in dairy-factory]
'vaatziekte (-n en -s) *v* vascular disease
va'cant vacant
va'catie [-(t)si.] (-s en -iën) *v* ⚖ sitting; **–geld** (-en) *o* fee
vaca'ture (-s) *v* vacancy; *bij de eerste ~* on the occurrence of the next vacancy; **vaca'tuur** (-tures) = *vacature*
vac'cin [vɑk'sɛ̃] (-s) *o* vaccine; **vaccina'teur** (-s) *m* vaccinator; **vacci'natie** [-(t)si.] (-s) *v* vaccination; **–bewijs** (-wijzen) *o* vaccination certificate; **vac'cine** (-s) *v* (stof) vaccine; **vacci'neren** (vaccineerde, h. gevaccineerd) *vt* vaccinate
va'ceren (vaceerde, h. gevaceerd) *vi* 1 be vacant; 2 sit; *komen te ~* fall vacant
vacht (-en) *v* fleece, pelt, fur
'vacuüm [-ky.üm] (-cua) *o* vacuum; **–verpakking** (-en) *v* vacuum package; vacuum packaging; **–verpakt** vacuum-packed
'vadem (-en en -s) *m* fathom; *een ~ hout* a cord of wood
vade'mecum (-s) *o* vade-mecum
'vader (-s en -en) *m* 1 father; 2 (v. weeshuis e. d.) master; (v. jeugdherberg) warden;

(*de*) *Heilige V~* (the) Holy Father; *Onze Hemelse V~* Our Heavenly Father; *de V~ des Vaderlands* the father of his country; *van ~ op zoon* from father to son; *zo ~, zo zoon* like father like son; *tot zijn ~en verzameld worden* be gathered to one's fathers; **–dag** *m* Father's Day; **–figuur** *v* father figure; **–hart** *o* father's heart; **–huis** *o* paternal home

'vaderland (-en) *o* (native) country, ⊙ fatherland; home; **–er** (-s) *m* patriot; **vaderland'lievend** = *vaderlandslievend*; **'vaderlands** patriotic [feelings]; national [history, songs]; native [soil]; **–liefde** *v* love of (one's) country, patriotism; **vaderlands'lievend** patriotic

'vaderliefde *v* a father's love, paternal love; **–lijk I** *aj* fatherly, paternal; **II** *ad* in a fatherly way; **–loos** fatherless; **–moord** (-en) *m* & *v* parricide; **–moordenaar** (-s) *m* parricide; **–plicht** (-en) *m* & *v* paternal duty, duty as a father; **–schap** *o* paternity, fatherhood; **–skant** *m* = *vaderszijde*; **–stad** *v* native town; **'vaderszijde** *v van ~* [related] on the (one's) father's side; paternal [grandfather]

'vadsig I *aj* lazy, indolent, slothful; **II** *ad* lazily, indolently, slothfully; **–heid** *v* laziness, indolence, sloth

va'gant (-en) *m* travelling scholar, itinerant priest

'vagebond (-en) *m* vagabond, tramp; **vagebon'deren** (vagebondeerde, h. gevagebondeerd) *vi* vagabond, tramp

'vagelijk vaguely

'vagevuur *o* purgatory[2]; *in het ~* in purgatory

'vagina ('s) *v* vagina

vak (-ken) *o* 1 (v. k a s t &) compartment, partition, pigeon-hole; 2 (v. g e r u i t v e l d) square, pane; 3 (v. m u u r) bay; 4 (v. d e u r &) panel; 5 (v. (s p o o r)w e g &) section, stretch; 6 (v. s t u d i e) subject; 7 (b e r o e p) line [of business]; trade [of a carpenter &]; profession [of a teacher &]; *zijn ~ verstaan* understand (know) one's job; *dat is mijn ~ niet* that is not my line of business (not in my line); *ik ben in een ander ~* I am in another line of business; *een man van het ~* a professional; *hij praat altijd over zijn ~* he is always talking shop

va'kantie [-'kɑnsi.] (-s) *v* holiday(s), vacation; *grote ~* summer holidays; [of University] long vacation; *een dag ~* a holiday, a day off; *een maand ~* a month's holiday; *~ nemen* take a holiday; • *i n de ~* during the holidays; *m e t ~ gaan* go (away) on holiday; *met ~ naar huis gaan* go home for the holidays; *waar ga je met de ~ naar toe?* where are you going for your holidays?; *met ~ zijn* be (away) on holiday; **–adres** (-sen) *o* holiday address; **–cursus** [züs] (-sen) *m* holiday course, summer school; **–dag** (-dagen) *m* holiday; **–ganger** (-s) *m* holiday-maker; **–geld** (-en) *o* holiday pay, leave pay; **–kaart** (-en) *v* holiday ticket; **–kolonie** (-s) *v* holiday camp; **–oord** (-en) *o* holiday resort; **–plan** (-nen) *o* holiday plan; **–reis** (-reizen) *v* holiday trip; **–spreiding** *v* staggering of holidays, staggered holidays; **–tijd** *m* holidays, holiday season; **–werk** *o* holiday task

'vakarbeider (-s) *m* skilled worker; **–bekwaam** skilled; **–bekwaamheid** *v* professional skill; **–beurs** (-beurzen) *v* trade fair; **–beweging** (-en) *v* trade-unionism, trade-union movement; **–blad** (-bladen) *o* professional journal, trade journal, technical paper; **–bond** (-en) *m* trade-union; **–bondsleider** (-s) *m* trade-union leader; **–centrale** (-s) *v* federation of trade unions; **–geleerde** (-n) *m* specialist, expert; **–genoot** (-noten) *m* colleague; **–groep** (-en) *v* trade association; **–jargon** *o* lingo, technical jargon; **–je** (-s) *o* compartment, partition; (v. b u r e a u) pigeonhole; (o p p a p i e r) square, box; **–kennis** *v* professional (specialized, expert) knowledge; **–kringen** *mv* professional (expert) circles; *in ~* among experts; **vak'kundig** expert, skilled, competent; **–heid** *v* (professional) skill; **'vakliteratuur** *v* technical (specialized) literature; **–man** (-nen, -lui, -lieden en -mensen) *m* professional man, professional, craftsman, expert, specialist; *geschoolde ~* skilled tradesman; **–manschap** *o* craftsmanship; skill; **–onderwijs** *o* technical (specialized) instruction; **–opleiding** *v* professional training; **–organisatie** [-za.(t)si.] (-s) *v* trade union, professional organization; **–school** (-scholen) *v* technical school; **–studie** *v* professional studies; **–taal** *v* technical (professional) language; *in ~* in technical terms; **–term** (-en) *m* technical term; **–terminologie** (-ieën) *v* technical (professional) terminology; **–tijdschrift** (-en) *o* = *vakblad*; **–verbond** (-en) *o* federation of trade unions; **–vereniging** (-en) *v* trade-union; **–werk** *o* 1 expert work, skilled work; professional job; 2 (b o u w w ij z e) half-timber; (b ij s k e l e t b o u w) skeleton structure

1 val *m* 1 fall[2]; *fig* ook: overthrow [of a minister]; *vrije ~* free fall; *een ~ doen* have a fall; *ten ~ brengen* ruin [a man]; overthrow [the ministry], bring down [the government]

2 val (-len) *v* 1 (o m t e v a n g e n) trap; 2 (s t r o o k) valance [round a chimney]; *een ~ opzetten* set a trap; *in de ~ lopen* walk (fall) into the trap[2]

3 val (-len) *o* ⚓ halyard

'valbijl (-en) *v* guillotine; **–blok** (-ken) *o* 1 = *hijsblok*; 2 = *heiblok*; **–brug** (-gen) *v* draw-

bridge; **–deur** (-en) *v* 1 trapdoor, trap; 2 (v. s l u i s) penstock
va'lentie [-(t)si.] (-s) *v* valence
valeri'aan 1 *v* ✿ valerian; 2 *v* & *o* (s t o f-n a a m) valerian
'valgordijn (-en) *o* & *v* blind; **–hek** (-ken) *o* portcullis; **–helm** (-en) *m* crash-helmet; **–hoogte** (-n en -s) *v* fall
va'lide 1 valid; 2 able-bodied [men]; **vali'deren** (valideerde, h. gevalideerd) *vt* validate, make valid; **validi'teit** *v* validity
va'lies (-liezen) *o* portmanteau
valk (-en) *m* & *v* falcon, hawk; **–ejacht** (-en) *v* falconry, hawking; **valke'nier** (-s) *m* falconer
'valkuil (-en) *m* trap, pit(fall)
val'lei (-en) *v* valley, ⊙ vale; (k l e i n e r) dale [cultivated or uncultivable], dell [with tree-clad sides]; *Sc* glen
'vallen* I *vi* fall[2] [ook = be killed]; drop, go down, come down; *de avond valt* night is falling; *het gordijn valt* the curtain drops; *de minister is gevallen* the minister fell; *de motie* (*het voorstel*) *is gevallen* the motion (the proposal) was defeated; *velen zijn in die slag gevallen* many fell; *het kleed valt goed* sits (hangs) well; *het zal hem hard ~* he'll find it a great wrench; zie ook: *hardvallen*; *de tijd valt mij lang* time hangs heavy on my hands; *dat valt mij moeilijk* (*zwaar*) it is difficult for me; I find it difficult; *het valt zo het valt* come what may; *er zullen klappen* (*slagen*) *~* there will be blows; *er vielen woorden* there were high words; *er valt wel met hem te praten* zie *praten*; *daar valt niet mee te spotten* that is not to be trifled with; *wat valt daarvan te zeggen?* what can be said about it?; *doen ~* trip up [sbd.]; bring about the fall of [the ministry]; *laten ~* drop [sth.]; let [it] fall; *wij kunnen niets van onze eisen laten ~* we cannot bate a jot of our claims; *wij kunnen niets van de prijs laten ~* we cannot knock off anything; *zich laten ~* drop [into a chair]; ● *a a n stukken ~* fall to pieces; *het huis viel aan mijn broeder* the house fell to my brother; *al n a a r het valt* as the case may be; *dat valt hier niet o n d e r* it does not fall (come) under this head; *de klem valt o p de eerste lettergreep* falls on the first syllable; *het valt op een maandag* it falls on Monday; *de keuze is op u gevallen* the choice has fallen on you; *hij valt o v e r elke kleinigheid* he stumbles at every trifle; *ik ken hem niet, al viel ik over hem* I don't know him from Adam; *v a n zijn paard ~* fall from one's horse; **II** *o het ~ van de avond* nightfall; *bij het ~ van de avond* at nightfall; **'vallend** *~e ster* falling star; *~e ziekte* epilepsy; *lijdend* (*lijder*) *aan ~e ziekte* epileptic
'valletje (-s) *o* valance
'vallicht (-en) *o* skylight; **'valling** (-en) *v* 1 slope; 2 ⚓ rake [of mast]; **'valluik** (-en) *o* trapdoor
valori'satie [-'za(t)si.] (-s) *v* valorization
'valpoort (-en) *v* portcullis; **–reep** (-repen) *m* ⚓ gangway; *een glaasje op de ~* a stirrup-cup, a final glass, **F** one for the road
vals I *aj* 1 (n i e t e c h t) false [coin, hair, teeth &, ideas, gods, pride, shame; ♪ note], forged [writings, cheque, Rembrandt], fake [picture, Vermeer], **F** dud [cheques]; 2 (n i e t o p-r e c h t) false, guileful, perfidious, treacherous; 3 (b o o s a a r d i g) vicious; *~ geld* base coin, counterfeit money; *een ~e handtekening* a forged signature; *een ~e hond* a vicious dog; *~e juwelen* imitation jewels; *~ spel* foul play; *~e speler* (card-)sharper; *~ spoor* [*fig*] red herring; *~e start* [*sp*] breakaway; **II** *ad* falsely; *iem. ~ aankijken* look viciously at sbd.; *~ klinken* have a false ring; *~ spelen* 1 ♪ play out of tune; 2 *sp* cheat [at cards]; *~ zingen* sing false (out of tune); *~ zweren* swear falsely, forswear oneself, perjure oneself; **–aard** (-s) *m* false (perfidious) person
'valscherm (-en) *o* parachute
'valselijk falsely; **valse'munter** (-s) *m* coiner; **'valserik** (-riken) *m* false person; **'valsheid** (-heden) *v* falseness, falsity, treachery, perfidy; *~ in geschrifte* forgery; **'valsmunter** (-s) = *valsemunter*
'valstrik (-ken) *m* gin; snare[2], trap[2]
va'luta ('s) *v* 1 value; 2 (k o e r s) rate of exchange; 3 (m u n t) [foreign, hard, soft] currency
'valwind (-en) *m* fall wind, down wind, föhn
'vampier (-s) *m* vampire-bat, vampire[2]
van I *prep* 1 (b e z i t a a n d u i d e n d) of [ook uitgedrukt door 's]; 2 (o o r z a k e l i j k) from, with, for; 3 (s c h e i d i n g a a n d u i d e n d) from; 4 (a f k o m s t) of [noble blood]; 5 (v o o r s t o f n a m e n) of [gold]; 6 (v o o r t i j d s a a n d u i d i n g) zie beneden; 1 *het boek ~ mijn vader* my father's book; *dat boek is ~ mij* that book is mine; *een vriend ~ mij* a friend of mine; *zij was een eigen nicht ~ de Koningin* ook: she was own niece to the Queen; *de E ~ Eduard* ☎ E for Edward; *de stijging ~ prijzen en lonen* the rise in prices and wages; 2 *~ kou omkomen* perish with cold; *~ vreugde schreien* weep with (for) joy; 3 *~ A tot B* from A to B.; *~ de morgen tot de avond* from morning till night; *het is een uur ~ A.* it is an hour's walk from A.; *eten ~ een bord* eat off a plate; *hij viel ~ de ladder* (*~ de trappen*) he fell of the ladder (down the stairs); *negen ~ de tien* 1 nine out of (every) ten [have a...]; 2 × nine from ten [leaves one]; 4 *dat heeft hij niet ~ mij* it is not me he takes it from; *een roman ~ Dickens* a

novel by Dickens; *een schilderij* ~ *Rembrandt* a picture of Rembrandt's; *het was dom* ~ *hem* it was stupid of him; 5 *een kam* ~ *zilver* a comb of silver, a silver comb; 6 ~ *de week* this week; • *de schurk* ~ *een kruidenier* that rascal of a grocer; *de sneltrein* ~ *3 uur 16* the 3.16 express; *hij zegt* ~ *ja* he says yes; *ik vind* ~ *wel* I think so; **II** (-nen en -s) *m* & *o zijn* ~ his family name

van'af from

van'avond this evening, to-night; **van'daag** to-day; ~ *de dag* 1 (o p d e z e d a g) to-day; 2 (t e g e n w o o r d i g) these days; ~ *of morgen* [*fig*] sooner or later

van'daal (-dalen) *m* vandal

van'daan *ergens* ~ *gaan* go away, leave; *ik kom daar* ~ from that place; *waar kom jij* ~? where do you come from?

van'daar hence, that's why; *ik kom* ~ I come from that place

vanda'lisme *o* vandalism

'vandehands *het* ~*e paard* the off horse

van'doen *ergens mee* ~ *hebben* have to do with sth.

van'door away; *er* ~ *gaan* run away, make (run) off; (v l u c h t e n) bolt, turn tail; *er stilletjes* ~ *gaan* take French leave; *kom, ik ga er eens* ~ well, I'm off now

van'een apart, asunder

vang (-en) *v* stay [of a mill]; **–arm** (-en) *m* tentacle; **'vangen*** *vt* catch, capture; *zich niet laten* ~ not walk into the trap; **–er** (-s) *m* catcher; **'vanglijn** (-en) *v* ⚓ painter; **–net** (-ten) *o* safety net; **–rail** [-re.l], **–reel** (-s) *v* guard-rail, crash barrier; **vangst** (-en) *v* catch, capture; bag, taking; *een goede* ~ a fine bag, a large take, a big haul; **'vangzeil** (-en) *o* jumping sheet

van'hier from here

va'nille [-'ni.(l)jə] *v* vanilla; **–ijs** *o* vanilla ice; **–stokje** (-s) *o* stick of vanilla

van'middag this afternoon; **van'morgen** this morning; **van'nacht** 1 (t o e k o m s t i g) to-night; 2 (v e r l e d e n) last night; **van'ochtend** this morning

van'ouds of old

van'waar from what place, from where, whence; (o m w e l k e r e d e n) why

van'wege 1 on account of, because of, due to; 2 on behalf of, in the name of

van'zelf [fall, happen] of itself, [come] of its own accord; ~! of course!; zie ook: *spreken* **II**; **vanzelf'sprekend I** *aj* self-evident; *het is* ~ it goes without saying; *als* ~ *aannemen* take it for granted; **II** *ad* naturally, as a matter of course; **–heid** *v een* ~ a matter of course

vapori'sator [s = z] (-s en -'toren) *m* vaporizer, spray

1 'varen (-s) *v* ☘ fern, bracken, brake

2 'varen* I *vi* sail, navigate; *hoe vaart u?* how are you?, how do you do?; *om hoe laat vaart de boot?* what time does the steamer leave (sail)?; *gaan* ~ go to sea; *zullen we wat gaan* ~? shall we go for a sail?; *zij hebben dat plan laten* ~ they have abandoned (relinquished, given up, dropped) the plan; • *wel b ij iets* ~ do well by sth.; *u zult er niet slecht bij* ~ you will be none the worse for it; *de duivel is i n hem gevaren* the devil has taken possession of him; *wij voeren o m de Kaap* we went via the Cape, sailed round the Cape; *zij* ~ *o p New York* they trade to New York; *t e n hemel* ~ ascend to Heaven; *ter helle* ~ go to hell; **II** *vt* row, take [a person across &]

'varensgezel (-len), **–man** (-lieden en -lui) *m* sailor

'varia *mv* miscellanies, miscellanea; **vari'abel** variable; ~*e werktijden* flexible hours, **F** flexitime; **vari'ant** (-en) *v* variant; **vari'atie** [-(t)si.] (-s) *v* variation; *voor de* ~ for a change; **vari'ëren** (varieerde, h. gevarieerd) **I** *vi* vary; ~*d tussen de 10 en 20 gulden* ranging from 10 to 20 guilders (between 10 and 20 g.); **II** *vt* vary

varié'té (-s) *v* variety theatre, music-hall; **–artiest** (-en) *m* variety artist, music-hall entertainer; **–nummer** (-s) *o* variety act; **varië'teit** (-en) *v* variety

'varken (-s) *o* 🐖 pig[2], hog[2], swine[2]; *wild* ~ (wild) boar; *we zullen dat* ~ *wel wassen!* we'll deal with it!; *het* ~ *is op één oor na gevild* everything is almost over; **'varkensblaas** (-blazen) *v* hog's bladder; **–draf** *m* swill, swillings; **–fokker** (-s) *m* pig-breeder, pig-farmer; **varkensfokke'rij** (-en) *v* 1 pig-breeding; 2 pig-farm; **'varkens-haar** *o* hog's bristles; **–hok** (-ken) *o* pigsty[2], piggery[2]; **–karbonade** (-s en -n) *v* pork-chop; **–kost** *m* food for swine, hog's meat; **–kot** (-ten) *o* pigsty[2], piggery[2]; **–kotelet** (-ten) *v* pork-cutlet; **–lapjes** *mv* pork-collops; **–le(d)er** *o* pigskin; **–markt** (-en) *v* pig-market; **–poot** (-poten) *m* 1 (v. l e v e n d d i e r) pig's leg; 2 (v. g e s l a c h t) pig's trotter; ~*jes* pettitoes; **–slachterij** (-en) *v* pork-butcher's shop; **–slager** (-s) *m* pork-butcher; **–staart** (-en) *m* pig's tail; **–stal** (-len) *m* pigsty[2], piggery[2]; **–trog** (-gen) *m* pig-trough, pig-tub; **–vet** *o* fat of pigs, pork dripping; **–vlees** *o* pork; **–voer** *o* = *varkenskost*; **'varkentje** (-s) *o* piglet, pigling, **F** piggy

Ⓜ **vase'line** [s = z] *v* vaseline

vasomo'torisch [va.zo.-] vaso-motor

vast I *aj* fast, firm, fixed, steady; *oliewaarden* ~ $ oil shares were a firm market; ~*e aanstelling* permanent appointment; ~*e aardigheden* stock jokes; ~*e arbeider* regular workman; ~*e avondjes* set evenings; *zijn ~e benoeming* his permanent appointment; *~e betrekking* permanent situation; *~e bezoeker* regular visitor, patron; *~e brandstoffen* solid fuel; *~e brug* fixed bridge; *~e goederen* fixed property, immovables; *~e halte* compulsory stop; *~e hand* firm (steady) hand; *een ~ inkomen* a fixed income; *~e inwoners* resident inhabitants; *~e klanten* regular customers; *~ kleed* fitted carpet; *~e kleuren* fast colours; *~e kost* solid food; *~e lasten* overhead expenses, overheads; *~e lichamen* solid bodies, solids; *een ~e massa* a solid mass; *een ~ nummer* a fixture; *~e offerte* $ firm offer; *~e overtuiging* firm conviction; *~e planten* perennials; *~e positie* stable position; *~e prijzen* fixed prices; no discount given!; *~ salaris* fixed salary; *onze ~e schotel op zondag* our standing Sunday-dish; *~e slaap* sound sleep; *~e spijzen* solid food; *~e ster* fixed star; *~e tussenpozen* [at] regular intervals; *~e uitdrukking* stock phrase; *~e vloerbedekking* fitted floor-covering; *~ voornemen* firm (fixed, set) intention; *~e wal* shore; *~e wastafel* fitted wash-basin; *~ weer* settled weather; *~ werk* regular work (employment); *~e woonplaats* fixed abode; *het is ~ en zeker* it is quite certain; *~ worden* congeal [of liquids], solidify [of cheese &], set [of custard]; settle [of the weather]; *~er worden* $ firm up, stiffen [of prices]; **II** *ad* 1 (f e r m) fast, firmly, $ [offer] firm; 2 (a l v a s t) as well, in the meantime; 3 (z e k e r) certainly, surely, for certain; *~ en zeker* quite certain; *~ niet* certainly not; *wij zullen maar ~ beginnen* we'll begin meanwhile; *~ slapen* be sound asleep, sleep soundly

'vastbakken (bakte vast, is vastgebakken) *vi* stick to the pan

vastbe'raden resolute, firm, determined; **-heid** *v* resoluteness, resolution, firmness, determination; **'vastbesloten** determined, resolute, firm, of set purpose

'vastbijten[1] *zich ~ in iets* get one's teeth into sth.; **-binden**[1] *vt* bind fast, fasten, tie up; **-draaien**[1] *vt* turn on, screw down

vaste'land (-en) *o* continent, mainland; **-sklimaat** *o* continental climate

1 'vasten *m* Lent; *in de ~* in Lent; **2 'vasten** (vastte, h. gevast) *vi* fast; *het ~* fasting, the fast; **vasten'avond** (-en) *m* Shrove Tuesday, Pancake Day, Shrovetide; **-gek** (-ken) *m* carnival reveller; **-grap** (-pen) *v* carnival joke; **-pret** *v* carnival fun; **-zot** (-ten) *m = vastenavondgek*; **'vastenbrief** (-brieven) *m rk* Lenten pastoral; **-dag** (-dagen) *m* fast-day, fasting-day; **-preek** (-preken) *v* Lenten sermon; **-tijd** *m* time of fasting; *de ~* Lent; **-wet** (-ten) *v* 1 law of fasting; 2 *rk* Lenten regulations; **'vaster** (-s) *m* faster

'vastgeroest rusted; *fig* stuck in a groove

'vastgespen[1] *vt* buckle; **-grijpen**[1] *vt* seize, catch hold of, grip; **-groeien**[1] *vi* grow together; **-haken**[1] *vt* hook (on to *aan*); **-hebben**[1] have got hold [of sth.]; **-hechten**[1] **I** *vt* attach, fasten, fix, affix [sth. to...]; **II** *vr zich ~ (aan)* attach itself (themselves) to...[2]; *fig* become (get) attached to...

'vastheid *v* firmness, fixedness, solidity

'vasthouden[1] **I** *vt* hold fast, hold [sth.]; retain [facts]; detain [the accused]; **II** *va ~ aan* be tenacious of [one's rights &]; stick to [one's opinion, old fashions &]; **III** *vr zich ~* hold fast, hold on; *zich ~ aan de leuning* hold on to the banisters; **vast'houdend** 1 tenacious; 2 (g i e r i g) stingy, tight-fisted; **-heid** *v* 1 tenacity; 2 (g i e r i g h e i d) stinginess

'vastigheid *v* 1 fixedness, fixity, stability; 2 fixed property, real property; 3 certainty

'vastketenen[1] *vt* chain up; **-klampen** (klampte 'vast, h. 'vastgeklampt) *zich ~ aan* cling to[2]; clutch at [a straw]; **-klemmen**[1] *zich ~ aan* hold on to [the banisters]; zie ook: *vastklampen*; **-kleven**[1] *vi & vt* stick (to *aan*); **-klinken**[1] *vt* rivet; **-kluisteren**[1] *vt* fetter[2], shackle[2]; **-knopen**[1] *vt* (k n o o p) button (up); (t o u w) tie, tie up, fasten; **-koppelen**[1] *vt* couple[2]; **-leggen**[1] *vt* fasten, tie up, chain up [a dog]; ⚓ moor [a ship]; *fig* tie up, lock up [capital]; record [by photography &]; lay down [in a contract]; *het geleerde ~* fix what one has learned; *het resultaat van het onderzoek ~ in...* embody (record) the result of the investigation in...; **-liggen**[1] *vi* lie firm [of things]; be chained up [of a dog]; be tied (locked) up [of a capital]; ⚓ be moored [of a ship]; **-lijmen**[1] *vt* glue; **-lopen**[1] 1 get stuck[2]; ⚒ jam [of a machine]; 2 ⚓ run aground; 3 *fig* come to a deadlock [of conference &]; **-maken**[1] *vt* fasten, make fast, tie, bind, secure [sth.]; ⚓ furl [sails]; *die blouse kan je van achteren ~* this blouse fastens at the back; **-meren**[1] *vt* ⚓ moor [a ship]; **-naaien**[1] *vt* sew together, sew (on to *aan*); **-nagelen**[1] *vt* nail (down)

'vastomlijnd clearly defined; *een ~ idee* a clear (definite) idea

'vastpakken[1] *vt* seize, take hold of, grip; *het goed ~* take fast hold of it; **-pinnen**[1] *vt* pin, fasten with pins; *iem. op iets ~* pin sbd. down to

[1] V.T. en V.D. van dit werkwoord volgens het model: **'vast**groeien, V.T. groeide **'vast**, V.D. **'vast**gegroeid. Zie voor de vormen onder het grondwoord, in dit voorbeeld: *groeien*. Bij sterke en onregelmatige werkwoorden wordt u verwezen naar de lijst achterin.

sth.; **–plakken**[1] **I** *vi* stick; ~ *aan* stick to; **II** *vt* stick; *het* ~ *aan...* paste it on to...; **–praten**[1] **I** *vt* corner [sbd.]; **II** *vr zich* ~ be caught in one's own words; **–prikken**[1] *vt* pin (up); **–raken**[1] *vi* get stuck[2]; ⚓ run aground

vast'recht *o* fixed charge, flat rate

'vastrijgen[1] *vt* lace (up); **–roesten**[1] *vi* rust (on to *aan*); **–schroeven**[1] *vt* 1 screw tight, screw home; 2 screw down, screw up; **–sjorren**[1] *vt* 1 (v. touwen) lash, belay; 2 secure [sth.]; **–slaan**[1] *vt* fasten, nail down; **–spelden**[1] *vt* pin (on to *aan*); **–spijkeren**[1] *vt* nail (down); **–staan**[1] *vi* stand firm; *dat staat vast!* that's a fact!; *zijn besluit stond vast* his resolution was fixed; **–stampen**[1] *vt* ram down; **–steken**[1] *vt* fasten [with pins or pegs]

'vaststellen[1] *vt* establish, ascertain [a fact]; determine [the amount &]; ⚕ diagnose [ulceration]; lay down [rules], draw up [a programme]; assess [the damages]; appoint [a time, place]; settle, fix [a day &]; state [that...]; *vastgesteld op 1 mei* fixed for May 1st; **–ling** (-en) *v* establishment; determination, fixation; settlement, appointment

'vaststrikken[1] *vt* tie; **–trappen**[1] *vt* stamp (tread) down; **–vriezen**[1] *vi* be frozen in (up); ~ *aan* freeze on to; **–wortelen**[1] *vi* root; *fig* establish formly; *vastgeworteld* firmly rooted; **–zetten**[1] *vt* fasten [sth.]; secure [a cask &]; *fig* check [sbd. at draughts]; tie up [money]; commit [sbd.] to prison; *geld* ~ *op iem.* settle a sum of money upon sbd.; *iem.* ~ 1 pose (nonplus, corner) sbd.; 2 commit sbd. to prison; **–zitten**[1] *vi* 1 (v. dingen) stick fast, stick; ⚓ be aground; 2 (v. personen) be in prison; *fig* be stuck; be at a nonplus; *wij zitten hier vast* we are marooned here; *daar zit meer aan vast* 1 more belongs to that; 2 more is meant than meets the ear (the eye); *nu zit hij eraan vast* he can't back out of it now; *ik zit er niet aan vast* I am not wedded to it; ~ *in het ijs* be ice-bound

1 vat *m* hold, grip; *ik heb geen* ~ *op hem* I have no hold on (over) him; *...heeft geen* ~ *op hem* ...has no hold upon him, he is proof against...; *niets had* ~ *op hem* it was all lost upon him; *ik kon geen* ~ *op hem krijgen* I could not get at him

2 vat (vaten) *o* 1 cask, barrel, tun, butt, vat; 2 ⚘ & ⚕ vessel; *de heilige* ~*en* the holy vessels; *een uitverkoren* ~ **B** a chosen vessel; *het zwakke* ~ **B** the weaker vessel; *de* ~*en wassen* wash up (the plates and dishes); *wat in het* ~ *is verzuurt niet* it will keep; *nog wat in het* ~ *hebben* have a rod in pickle [for]; *holle* ~*en klinken het hardst* the empty vessel makes the greatest sound; *bier van het* ~ beer on draught, draught ale; *wijn van het* ~ wine from the wood

'vatbaar ~ *voor* capable of [improvement], open to, accessible to, amenable to, susceptible to [reason &]; susceptible to [cold]; susceptible of [impressions]; ~ *voor indrukken* impressionable; **–heid** *v* capacity, accessibility, susceptibility; ~ *voor indrukken* impressionability

'vatbier *o* beer on draught, draught ale

'vaten meervoud van 2 *vat*

'vatenkwast (-en) *m* dish-mop

Vati'caan *o* Vatican; **–s** Vatican [Council, library]; **–stad** *v* Vatican City

'vatten (vatte, h. gevat) **I** *vt* catch[2], seize[2], grasp[2] [sth.]; *fig* understand [sth., the meaning], see [a joke]; zie ook: *kou, moed, 2 post* &; *in goud* ~ mount in gold; *in lood* ~ set in lead, frame with lead, lead; **II** *va vat je?* (you) see?

va'zal (-len) *m* vassal; **–staat** (-staten) *m* vassal state

'vechten* *vi* fight; **F** have a scrap; ~ *met de stadsjongens* fight (with) the townboys; ~ *om iets* fight for sth.; ~ *tegen* fight against, fight; *ik heb er altijd voor gevochten* I've always fought in behalf of it, stood up for it; **–er** (-s) *m* fighter, combatant; **vechte'rij** (-en) *v* fighting; **'vechtersbaas** (-bazen) *m* fighter; **'vechthaan** (-hanen) *m* 🐓 game-cock; **–jas** (-sen) *m* fighter, tough; **–lust** *m* pugnacity; combativeness; **vecht'lustig** pugnacious, combative; **'vechtpartij** (-en) *v* fight, scuffle; **F** scrap; **–pet** (-ten) *v* battle-cap, forage-cap; **–wagen** (-s) *m* ⚔ tank

'vedel (-s en -en) *v* fiddle; **–aar** (-s) *m* fiddler; **'vedelen** (vedelde, h. gevedeld) *vi* fiddle

'veder (-s en -en) = 1 *veer*; **–achtig** feathery; **–bal** (-len) *m* shuttlecock; **–bos** (-sen) *m* tuft, crest, plume; panache; **–gewicht** *o sp* featherweight; **–licht** light as a feather, feathery; **–loos** 1 featherless; 2 unfledged; **–vormig** feather-shaped; **–wolk** (-en) *v* cirrus [*mv* cirri]

ve'dette (-s en -n) *v* vedette, star

vee *o* cattle[2]; **–arts** (-en) *m* veterinary surgeon, **F** vet; **veeartse'nijkunde** *v* veterinary science, veterinary surgery; **–school** (-scholen) *v* veterinary college; **'veeboer** (-en) *m* cattle-breeder, stock-famer; **–boot** (-boten) *m* & *v* cattle-boat; **–dief** (-dieven) *m* cattle-stealer, cattle-lifter; **veédieve'rij** (-en) *v* cattle-lifting; **'veedrijver** (-s) *m* cattle-drover, drover; **–fokker** (-s) *m* cattle-breeder, stock-

[1] V.T. en V.D. van dit werkwoord volgens het model: **'vast**groeien, V.T. groeide **'vast**, V.D. **'vast**gegroeid. Zie voor de vormen onder het grondwoord, in dit voorbeeld: *groeien.* Bij sterke en onregelmatige werkwoorden wordt u verwezen naar de lijst achterin.

breeder; **veefokke'rij** (-en) *v* 1 cattle-breeding, cattle-raising; 2 stock-farm

1 veeg *aj het vege lijf redden* get off with one's life; *een ~ teken* an ominous sign

2 veeg (vegen) *m* & *v* wipe [with a cloth]; whisk [with a broom]; slap [in the face], box [on the ear]; (*vette*) ~ smear; *iem. een ~ uit de pan geven* have a smack (a fling) at sbd.; *hij kreeg ook een ~ uit de pan* he got a smack as well; **–sel** *o* sweepings

'veehandel *m* cattle-trade; **–handelaar** (-s) *m* cattle-dealer; **–hoeder** (-s) *m* herdsman; **–houder** (-s) *m* stock farmer; **–koek** (-en) *m* oil-cake

1 veel I *aj* 1 (v o o r e n k e l v o u d) much; a great deal, **F** a lot; lots of [money]; 2 (v o o r m e e r v o u d) many; *vele* many; *de velen die...* the many that...; *heel ~* zie *zeer ~*; *te ~* 1 too much; 2 too many; *ben ik hier te ~?* am I one too many?; *niets is hem te ~* he thinks nothing too much trouble; *te ~ om op te noemen* too numerous to mention; *~ te ~* 1 far too much; 2 far too many; *zeer ~* 1 very much, a great deal; 2 very many, a great many; *zo ~* 1 so much; 2 so many; *zo ~ je wilt* as much (as many) as you like; *~ hebben van...* be much like; **II** *ad* much [better &]; *~ te mooi* much too fine, a good (great) deal too fine; *hij komt er ~* he often goes there; *hij heeft ~ in Europa en Afrika gereisd* ook: he travelled widely in Europe and Africa; *een ~ gelezen roman* a widely read novel

2 veel (velen) *v* = *vedel*

'veelal often, mostly; **–begeerd** much sought after, much in demand; **–belovend** promising; **–besproken** much-discussed; **–betekenend I** *aj* significant, meaning; **II** *ad* significantly, meaningly; **–bewogen** very agitated, eventful [life, times], chequered [life]; **–eer** rather, sooner; **veel'eisend** exacting, exigent; **–heid** *v* exactingness; **'veelgelezen** widely read; **–geprezen** much-belauded; **veel'godendom** *o*, **veelgode'rij** *v* polytheism; **'veelheid** (-heden) *v* multiplicity, multitude; **–hoek** (-en) *m* polygon; **–hoekig** polygonal; **–hoofdig, veel'hoofdig** many-headed; **'veeljarig, veel'jarig** of many years; **'veelkleurig, veel'kleurig** multi-coloured, variegated, varicoloured; **veelletter'grepig** polysyllabic; **veelmanne'rij** *v* polyandry; **'veelmeer, veel'meer** rather; **'veelomstreden** much disputed, vexed [question]; **–omvattend** comprehensive, wide [programme]; **–prater** (-s) *m*, **–praatster** (-s) *v* voluble person; **'–schrijver** (-s) *m* scribbler, voluminous writer; **veel'soortig** manifold, multifarious; **veel'stemmig** 1 many-voiced; 2 ♪ = *meerstemmig*; **'veeltalig** polyglot; **–term** (-en) *m* multinomial; **–vermogend** powerful, influential; **–vlak** (-ken) *o* polyhedron; **–vlakkig** polyhedral; **–vormig** multiform; **–voud** (-en) *o* multiple; *kleinste gemene ~* least common multiple; **–voudig, veel'voudig** manifold, multifarious; **'veelvraat** (-vraten) *m* 1 🐾 wolverene; 2 *fig* glutton, greedy-guts; **veel'vuldig** frequent; zie ook: *veelvoudig*; **–heid** *v* frequency; **veelwijve'rij** *v* polygamy; **veel'zeggend** significant; **veel'zijdig** multilateral[2]; *fig* many-sided, versatile [mind]; wide [knowledge]; all-round [sportsman]; **–heid** *v* many-sidedness, versatility

veem (vemen) *o* $ dock company; warehouse company; (g e b o u w) warehouse

'veemarkt (-en) *v* cattle-market

'veemgericht (-en) *o* 🕮 vehmic court

veen (venen) *o* peat-moor, peat-bog, peat; **–achtig** boggy, peaty; **–bes** (-sen) *v* cranberry; **–brand** (-en) *m* peat-moor fire; **veende'rij** (-en) *v* 1 peat-digging; 2 peatery; **'veengrond** (-en) *m* peat-moor, peat; **–kolonie** (-iën en -s) *v* fen-colony, peat-colony; **–land** (-en) *o* peat-moor, peat-bog; **–mol** (-len) *m* mole-cricket

'veepest *v* cattle-plague, rinderpest

1 veer (veren) *v* 1 feather [of a bird]; 2 spring [of a watch &]; 3 side-piece [of spectacles]; *hij is nog niet uit de veren* he is still between the sheets; *elkaar in de veren zitten* be at loggerheads; *met andermans veren pronken* strut in borrowed feathers; *iem. een ~ op de hoed zetten* put a feather in sbd.'s cap

2 veer (veren) *o* ferry; ferry-boat

'veerbalans (-en) *v* spring-balance

'veerboot (-boten) *m* & *v* ferry(-boat), ferry-steamer; **–dienst** (-en) *m* ferry-service; **–geld** (-en) *o* passage-money, ferriage; **–huis** (-huizen) *o* ferryman's house, ferry-station

'veerkracht *v* elasticity[2], resilience[2], spring[2]; **veer'krachtig** elastic[2], resilient[2], springy

'veerman (-lieden en -lui) *m* ferryman; **–pont** (-en) *v* ferry-boat

'veertien fourteen; *~ dagen* a fortnight; **–daags** fortnightly; **–de** fourteenth (part)

'veertig forty; **–er** (-s) *m* person of forty (years); **–jarig** of forty years, forty-year-old; **–ste** fortieth (part)

'veestal (-len) *m* cow-house, cow-shed, byre; **–stapel** (-s) *m* live-stock, stock of cattle; **–teelt** *v* cattle-breeding, stock-breeding; **–tentoonstelling** (-en) *v* cattle-show; **–verzekering** (-en) *v* live-stock insurance; **–voe(de)r** *o* cattle-fodder, forage; **–wagen** (-s) *m* cattle-truck; **–ziekte** (-n en -s) *v* cattle-plague

'vegen (veegde, h. geveegd) *vt* sweep [a floor, a room, a chimney]; wipe [one's feet, one's

hands]; **–er** (-s) *m* 1 (persoon) sweeper; 2 (borstel) brush
vege'tariër (-s) *m* vegetarian; **vege'tarisch** vegetarian; **vegeta'risme** *o* vegetarianism; **vege'tatie** [-(t)si.] (-s) *v* vegetation; **vegeta'tief** vegetative; vegetating [existence]; **vege'teren** (vegeteerde, h. gevegeteerd) *vi* vegetate
ve'hikel (-s) *o* vehicle
veil venal, corruptible; *een ~e vrouw* a prostitute; *zijn leven ~ hebben* be ready to sacrifice one's life
'veilcondities [-(t)si.s] *mv* conditions of sale; **–dag** (-dagen) *m* auction-day; **'veilen** (veilde, h. geveild) *vt* sell by auction, auction; **–er** (-s) *m* auctioneer
'veilheid *v* venality, corruptibility
'veilig I *aj* safe, secure; *~!* all clear!; *een ~e plaats* ook: a place of safety; *de (spoor)lijn is ~* the line is clear; *~ voor* safe from, secure from; **II** *ad* safely; **'veiligheid** (-heden) *v* 1 safety, security; 2 ⚹ fuse; *collectieve ~* collective security; *openbare ~* public safety; *in ~ brengen* put (place) in safety; *voor de ~* for safety('s sake); **'veiligheidsdienst** *m* security service; **–glas** *o* safety glass; **–gordel** (-s) *m* seat belt, safety belt; **–grendel** (-s) *m* safety bolt; **veiligheids'halve** for safety's sake, for reasons of safety; **'veiligheidsklep** (-pen) *v* safety valve; **–lamp** (-en) *v* safety lamp; (v. mijnwerkers) Davy [lamp]; **–maatregel** (-en en -s) *m* precautionary measure, safety measure; **–marge** [-mɑrʒə] (-s) *v* margin of safety, safety margin; **–overwegingen** *mv uit ~* for safety (security) reasons; **–pal** (-len) *m* safety catch; **'Veiligheidsraad** *m* Security Council; **'veiligheidsriem** (-en) *m* safety belt, seat belt; **–scheermes** (-sen) *o* safety-razor; **–speld** (-en) *v* safety-pin; **–voorschrift** (-en) *o* safety regulation; **'veiligstellen** (stelde 'veilig, h. 'veiliggesteld) make safe [the currency], safeguard [our interests]
'veiling (-en) *v* public sale, auction; *in ~ brengen* put up for auction (for sale), sell by auction; **–condities** [-(t)si.s] *mv* conditions of sale; **–kosten** *mv* sale expenses; **–meester** (-s) *m* auctioneer; **–prijs** (-prijzen) *m* sale price; **'veilingzaal** (-zalen) *v* auction-room, sale-room
'veine ['vɛ:nə] *v* luck, run of luck; *hij heeft altijd ~* he is always in luck
'veinzaard (-s) *m* dissembler, hypocrite; **'veinzen** (veinsde, h. geveinsd) **I** *vi* dissemble, feign; **II** *vt* feign, simulate; *~ doof te zijn* feign that one is deaf, feign (sham) deafness; **–er** (-s) *m* dissembler, hypocrite; **veinze'rij** (-en) *v* dissimulation, hypocrisy
vel (-len) *o* 1 skin [of the body], (v. dieren) ook: hide; skin [on milk]; 2 sheet [of paper]; *niet meer dan ~ over been zijn* be only skin and bone; *iem. het ~ over de oren halen* fleece sbd.; *hij steekt in een slecht ~* he is delicate; *ik zou niet graag in zijn ~ steken* I should not like to be in his skin; *uit zijn ~ springen* be beside oneself; *het is om uit je ~ te springen* it is enough to drive you wild
veld (-en) *o* field; *het ~ van eer* the field of honour; *een ruim ~ van werkzaamheid* a wide field (sphere) of activity; *het ~ behouden* hold the field[2]; *het ~ ruimen* retire from the field, abandon (leave) the field[2]; *~ winnen* gain ground; ● *in het open (vrije) ~* in the open field; *in geen ~en of wegen* nowhere at all; *hoeveel mannen kunnen zij in het ~ brengen?* can they put into the field?; *op het ~ werken* work in the fields; *de te ~e staande gewassen* the standing crops; *de te ~e staande legers* the armies in the field; *te ~e trekken* take the field; *te ~e trekken tegen* [*fig*] fight; *uit het ~ geslagen zijn* be discomfited, be put out (of countenance); **–arbeid** *m* work in the fields, field-work; **–artillerie** [-ɑrtɪləri.] *v* field artillery; **–bed** (-den) *o* field-bed, camp-bed; **–bloem** (-en) *v* field-flower, wild flower; **–boeket** (-ten) *o* & *m* bunch (bouquet) of wild flowers; **–dienst** (-en) *m* ⚔ field service, field duty; **–fles** (-sen) *v* case-bottle, ⚔ water-bottle, canteen; **–gewas** (-sen) *o* ♣ field crop; **–heer** (-heren) *m* general; **–heerschap** *o* generalship; **–heersstaf** (-staven) *m* baton; **–hospitaal** (-talen) *o* field hospital, ambulance; **–keuken** (-s) *v* field-kitchen; **–kijker** (-s) *m* field-glass(es); **–krekel** (-s) *m* field-cricket; **–loop** *m sp* cross-country; **–maarschalk** (-en) *m* field-marshal; **–muis** (-muizen) *v* field-mouse, vole; **–post** *v* field-post, field-post office; **–prediker** (-s) *m* army chaplain; **–rit** *m* cross-country race; **–sla** *v* corn-salad; **–slag** (-slagen) *m* battle; **–spaat** *o* feldspar; **–telefoon** (-s) *m* field telephone; **–tent** (-en) *v* army tent; **–tenue** [-təny.] (-s) *o* & *v* field-service uniform, battle-dress; **–tocht** (-en) *m* campaign; **–uitrusting** *v* field-kit; **–vruchten** *mv* produce of the fields; **–wacht** (-en) *v* ⚔ picket; ↖ **–wachter** (-s) *m* village policeman; **–werk** *o* 1 farm-work; 2 field-work
1 'velen *vt hij kan het niet ~* he cannot stand it; *ik kan hem niet ~* I can't stand him, I can't bear the sight of him; *hij kan niets ~* he is very touchy
2 'velen many; zie ook: *veel* **I**
'velerhande, –lei of many kinds, of many sorts, various, sundry, many
velg (-en) *v* rim, felly, felloe; **–band** (-en) *m* tubeless tyre; **–rem** (-men) *v* rim-brake

ve'lijn *o* 1 vellum; 2 vellum-paper
'vellen (velde, h. geveld) *vt* 1 fell, cut down [trees]; 2 lay in rest [a lance], couch [arms]; 3 *fig* pass [judgment, a sentence]; zie ook: *bajonet*
'velletje (-s) *o* skin, film, membrane; *een ~ postpapier* a sheet of note-paper; **'vellig** skinny
'velling (-en) *v* = *velg*
ve'lours [və'lu:r] *o* & *m* velours
ven (-nen) *o* fen
'vendel (-s en -en) *o* 1 🕮 company; 2 = *vaandel*; **-zwaaien** *o* flag throwing
ven'detta *v* vendetta
ven'duhouder (-s) *m* auctioneer; **-huis** (-huizen), **-lokaal** (-kalen) *o* auction-room, sale-room; **-meester** (-s) *m* auctioneer; **ven'dutie** [-(t)si.] (-s) *v* auction, public sale; *op ~ doen* put up for auction
ve'nerisch venereal [disease]
Veneti'aan(s) [-(t)si.'a.n(s)] (-ianen) *m* (& *aj*) Venetian; **Ve'netië** [-(t)si.ə] *o* Venice
ve'neus venous [blood]
Venezu'ela *o* Venezuela
ve'nijn *o* venom[2]; **ve'nijnig** virulent, vicious; **-heid** (-heden) *v* virulence, viciousness
'venkel *v* ♣ fennel; **-olie** *v* fennel-oil
'vennoot, ven'noot (-noten) *m* $ partner; *beherend ~* managing partner; *commanditaire ~* limited partner; *stille ~* silent (sleeping) partner; *werkend ~* active partner; **'vennootschap, ven'nootschap** (-pen) *v* $ partnership, company; *besloten ~* private company with limited liability; *commanditaire ~* limited partnership; *naamloze ~* limited liability company; *een ~ aangaan* enter into partnership; **'vennootschapsbelasting** *v* company tax; *Am* corporate tax; **-recht** *o* company law
'venster (-s) *o* window; **-bank** (-en) *v* window-sill, window-ledge; (b r e d e z i t p l a a t s) window-seat; **-blind** (-en) *o* shutter; **-envelop(pe)** [-ãvə-] (-loppen) *v* window envelope; **-glas** (-glazen) *o* 1 window-pane; 2 (g l a s v o o r v e n s t e r s) window-glass; **-gordijn** (-en) *o* window-curtain; **-luik** (-en) *o* shutter; **-raam** (-ramen) *o* window-frame; **-ruit** (-en) *v* window-pane
vent (-en) *m* **F** fellow, chap; (a a n s p r e k i n g) sonny, little man [to a boy]; *een beste ~* **F** a good fellow; *een goeie ~* **F** a good sort; *geen kwaaie ~* **F** not a bad sort; *een rare ~* **F** a queer fellow (customer)
'venten (ventte, h. gevent) *vt* hawk, peddle; **-er** (-s) *m* hawker, pedlar; (v. f r u i t, v i s &) costermonger
ven'tiel (-en) *o* valve; **-dop** (-pen) *m* valve-cap; **-slang** *v* valve rubber tube
venti'latie [-(t)si.] *v* ventilation; **venti'lator** (-s en -'toren) *m* ventilator, fan; **-riem** (-en) *m* fan-belt; **venti'leren** (ventileerde, h. geventileerd) *vt* ventilate[2], air[2]
'ventje (-s) *o* little fellow, little man
'ventweg (-wegen) *m* service road
'Venus *v* Venus; **'venushaar** *o* ♣ maidenhair; **-heuvel** (-s) *m* mons veneris
ver I *aj* 1 far [way &]; distant [ages, past, connection, likeness]; remote [ages]; 2 (v e r w a n t s c h a p) distant [relation, relatives], remote [kinsman &]; **II** *ad* far; *het is ~* it is far, a long way (off); *het is mijlen ~* it is miles and miles away (off); *nu ben ik nog even ~* I'm no further forward than before; *dat is nog heel ~* that is very far off yet; *het ~ brengen* zie *brengen*; *~ gaan* go far; *te ~ gaan* go too far[2]; *zo ~ gaan wij niet* we shall not go so far[2]; *het te ~ laten komen* let things go too far; *~ beneden mij* far beneath me; *~ van hier* far away; *~ van rijk* far from being rich; zie ook: *verder, verre* & *verst*
ver'aangenamen (veraangenaamde, h. veraangenaamd) *vt* make agreeable, make pleasant
veraan'schouwelijken (veraanschouwelijkte, h. veraanschouwelijkt) *vt* illustrate
verabsolu'teren (verabsoluteerde, h. verabsoluteerd) *vt* absolutize [sth.]
verac'cijnzen (veraccijnsde, h. veraccijnsd) *vt* 1 (b e t a l e n) pay the excise; 2 (o p l e g g e n) excise
ver'achtelijk 1 despicable, contemptible; 2 contemptuous; *~e blik* contemptuous look; *~e kerel* contemptible fellow; **-heid** *v* contemptibleness; **ver'achten**[1] *vt* despise, have a contempt for, hold in contempt, scorn; *de dood ~* scorn death; **-er** (-s) *m* despiser; **ver'achting** *v* contempt; scorn; *iem. aan de ~ prijsgeven* hold sbd. up to scorn
ver'ademen[1] *vt* breathe again; **-ming** *v* 1 (o p l u c h t i n g) relief; 2 (t ij d) breathing-time, breathing-spell
'veraf at a great distance, far (away); **-gelegen** remote, distant
ver'afgoden (verafgoodde, h. verafgood) *vt* idolize; **-ding** *v* idolization
ver'afschuwen (verafschuwde, h. verafschuwd) *vt* abhor, loathe
veralge'menen (veralgemeende, h. veralgemeend) *vt* generalize
verameri'kaansen (veramerikaanste, is veramerikaanst) *vi* americanize

[1] V.T. en V.D. van dit werkwoord volgens het model: **ver'**achten, V.T. **ver'**achtte, V.D. **ver'**acht (**ge-** valt dus weg in het V.D.). Zie voor de vormen onder het grondwoord, in dit voorbeeld: *achten.* Bij sterke en onregelmatige werkwoorden wordt u verwezen naar de lijst achterin.

ve'randa ('s) *v* veranda(h)
ver'anderen I (veranderde, is veranderd) *vi* change, alter; *het weer verandert* the weather changes; ~ *i n* change into; ~ *v a n gedachte* zie *gedachte*; *van godsdienst* (*mening, toon*) ~ change one's religion (one's opinion, one's tone); *ik kon haar niet van mening doen* ~ I could not get her to change her mind; **II** (veranderde, h. veranderd) *vt* 1 (in 't alg.) change; 2 (wijzigen) alter; convert [a motor-car &]; 3 (tot iets geheel anders maken) transform; *dat verandert de zaak* that alters the case; *dat verandert niets a a n de waarheid* that does not alter the truth; *...i n...* ~ change (alter, convert, turn, transform) ...into...; ⚖ commute [death-sentence] to [imprisonment]; *hij is erg veranderd* he has altered a good deal, a great change has come over him; **–ring** (-en) *v* change, alteration, transformation, conversion, ⚖ commutation; ~ *ten goede* (*ten kwade*) change for the better (for the worse); ~ *van weer* a change in the weather (of weather); ~ *van woonplaats* change of residence; ~*en aanbrengen* make alterations, alter things; ~ *in iets brengen* change sth.; ~ *ondergaan* undergo a change; *voor de* ~ for a change; *alle* ~ *is geen verbetering* let well alone; ~ *van spijs doet eten* a change of food whets the appetite; **ver'anderlijk** changeable, variable; (wispelturig) inconstant, fickle; **–heid** *v* changeableness, variability; (wispelturigheid) inconstancy, fickleness
ver'ankeren[1] *vt* 1 ⚓ anchor, moor [a ship]; 2 △ brace, tie, stay [a wall]; 3 *fig* root
verant'woordelijk responsible, answerable, accountable; ~ *stellen voor* hold responsible for; *zich* ~ *stellen voor* accept responsibility for; ~ *zijn voor...* be (held) responsible for..., have to answer for...; **verant'woordelijkheid** *v* responsibility; *de* ~ *van zich afschuiven* shift the responsibility upon another; *de* ~ *op zich nemen* take the responsibility [of...], accept responsibility [for...]; *b u i t e n* ~ *van de redactie* the editor not being responsible; *o p eigen* ~ on his (her) own responsibility; **–sgevoel** *o* sense of responsibility; **ver'antwoorden**[1] **I** *vt* answer for, account for; justify; *hij zegt niet meer dan hij* ~ *kan* he doesn't like to say more than he can stand to; *het hard te* ~ *hebben* be hard put to it; *heel wat te* ~ *hebben* have a lot to answer for; *ik ben niet verantwoord* I am not justified; **II** *vr zich* ~ justify oneself; **–ding** (-en) *v* 1 justification; 2 responsibility; *o p eigen* ~ on one's own responsibility; *t e r* ~ *roepen* call to account
ver'armen I (verarmde, h. verarmd) *vt* impoverish, reduce to poverty, pauperize; **II** (verarmde, is verarmd) *vi* become poor; *verarmd* in reduced circumstances; **–ming** *v* impoverishment, pauperization, pauperism
ver'assen (veraste, h. verast) *vt* cremate, incinerate; **–sing** *v* cremation, incineration
ver'baal verbal
ver'baasd I *aj* surprised, astonished, amazed; ~ *staan* (*over*) be surprised (at), be astonished (at), be amazed (at); **II** *ad* wonderingly, in wonder, in surprise; ~ *kijken* look puzzled; **–heid** *v* surprise, astonishment, amazement
ver'babbelen[1] **I** *vt* waste [one's time] chattering; **II** *vr zich* ~ let one's tongue run away with one
verbali'seren [s = z] (verbaliseerde, h. geverbaliseerd) *vt iem.* ~ take sbd.'s name, summons sbd....
ver'band (-en) *o* 1 ⚕ bandage, dressing; 2 (van ader) ligature; 3 (samenhang) connection; 4 (betrekking) relation [between smoking and cancer]; 5 (zinsverband) context; 6 (verplichting) charge, obligation; *hypothecair* ~ mortgage; ~ *houden met...* be connected with...; *een* ~ *leggen* apply a dressing; *een* ~ *leggen op een wond* dress a wound; *in* ~ *brengen met* connect with; *iets met iets anders in* ~ *brengen* put two and two together; *zijn arm in een* ~ *dragen* carry one's arm in a sling; *dat staat in* ~ *met...* it is connected with...; *dat staat in geen* ~ *met...* it is in no way connected with...; it does not bear upon...; *in* ~ *hiermee...* in this connection; *in* ~ *met uw vraag* in connection with your question; **–cursus** [-züs] (-sen) *m* ambulance class(es); **–gaas** *o* sterilized gauze; **–kamer** (-s) *v* dressing-room; **–kist** (-en) *v* first-aid kit; **–leer** *v* wound-dressing; **–linnen** *o* rolls of bandage; **–middelen** *mv* dressings; **–plaats** (-en) *v* ⚔ dressing-station; **–stoffen** *mv* dressings; **–watten** *mv* medicated cottonwool
ver'bannen[1] *vt* exile, banish, expel; ~ *n a a r* exile & to; relegate to [the past]; ~ *u i t het land* banish from the country; **ver'banning** (-en) *v* exile, banishment, expulsion; **–soord** (-en) *o* place of exile
ver'basteren (verbasterde, is verbasterd) *vi* 1 degenerate; 2 be corrupted [of words]; **–ring** (-en) *v* 1 degeneration; 2 corruption [of words]
ver'bazen (verbaasde, h. verbaasd) **I** *vt* surprise, astonish; amaze; *het verbaast me dat...* it surprises me that..., what astonishes me is that...; *dat*

[1] V.T. en V.D. van dit werkwoord volgens het model: **ver**'achten, V.T. **ver**'achtte, V.D. **ver**'acht (**ge-** valt dus weg in het V.D.). Zie voor de vormen onder het grondwoord, in dit voorbeeld: *achten.* Bij sterke en onregelmatige werkwoorden wordt u verwezen naar de lijst achterin.

verbaast me niet I am not surprised (astonished) at it; *dat verbaast mij van je* I am surprised at you; **II** *vr zich* ~ be astonished & (at *over*); **–d** surprising, astonishing; prodigious, marvellous; *wel* ~*!* **F** by Jove!; good gracious!; ~ *veel...* ook: no end of...; ~ *weinig* 1 precious little; 2 surprisingly & few; **ver'bazing** *v* surprise, astonishment, amazement; ⊙ amaze; *één en al* ~ *zijn* look all wonder; *vol* ~ all astonishment; *in* ~ *brengen* astonish, amaze; *met* ~ zie *verbaasd* **II**; *tot mijn* ~ to my astonishment; *tot niet geringe* ~ *van...* to the no small astonishment of...; **verbazing'wekkend** astounding, stupendous

ver'bedden (verbedde, h. verbed) *vt een patient* ~ make (change the sheets of) a patient's bed

ver'beelden (verbeeldde, h. verbeeld) **I** *vt* represent; *dat moet...* ~ that's meant for...; **II** *vr zich* ~ imagine, fancy; *verbeeld je!* Fancy!; *wat verbeeld je je wel?* who do you think you are?; *verbeeld je maar niet dat...* don't fancy that...; *verbeeld je maar niets!* don't you presume!; *hij verbeeldt zich heel wat* he fancies himself; *hij verbeeldt zich een dichter te zijn* he fancies himself a poet; **ver'beelding** (-en) *v* 1 imagination; fancy; 2 (e i g e n w a a n) conceit, conceitedness; *dat is maar* ~ *van je* that is only your fancy; *hij heeft veel* ~ *van zich zelf* he is very conceited; **–skracht** *v* imagination

⊙ **ver'beiden**[1] *vt* wait for, await

ver'bena *v* verbena

ver'benen (verbeende, is verbeend) *vi* ossify; **–ning** *v* ossification

ver'bergen[1] **I** *vt* hide, conceal; *iets* ~ *voor* hide (conceal) sth. from; *je verbergt toch niets voor mij?* you are not keeping anything from me?; **II** *vr zich* ~ hide, conceal oneself; *zich* ~ *achter...* [*fig*] screen oneself behind...; **–ging** *v* hiding, concealment

ver'beten grim, dogged [struggle]; ~ *woede* pent-up rage; **–heid** *v* grimness

ver'beterblad (-bladen) *o* leaf with errata; **ver'beteren**[1] **I** *vt* 1 make better [things & men], better [the condition of..., men], improve [land, one's style &]; ameliorate [the soil, the condition of...]; mend [the state of...]; amend [a law]; 2 (c o r r i g e r e n) correct [work, mistakes &]; rectify [errors]; 3 (z e d e l i j k b e t e r m a k e n) reform, reclaim [people]; *dat kunt u niet* ~ you cannot improve upon that; **II** *va* correct; **III** *vr zich* ~ 1 (v a n g e d r a g) reform, mend one's ways; 2 (v a n c o n d i t i e) better one's condition; **ver'beterhuis** (-huizen) *o* house of correction; **ver'betering** (-en) *v* 1 change for the better, improvement, amelioration; amendment; betterment; 2 correction, rectification; 3 reformation, reclamation; ~*en aanbrengen* make corrections; effect improvements; *voor* ~ *vatbaar* corrigible; zie *verbeteren*; **–sgesticht** (-en) *o* approved school

ver'beurbaar confiscable; **ver'beurdverklaren** (verklaarde ver'beurd, h. ver'beurdverklaard) *vt* confiscate, seize, declare forfeit; **–ring** (-en) *v* confiscation, seizure, forfeiture; **ver'beuren**[1] *vt* 1 (v e r l i e z e n) forfeit; 2 (v e r b e u r d v e r k l a r e n) confiscate; *die..., verbeurt een pand* must pay a forfeit; *pand* ~ play (at) forfeits; *er is niets aan verbeurd* it is no great loss; **ver'beurte** *v op* (*onder*) ~ *van* on (under) penalty of

ver'beuzelen[1] *vt* trifle away, fritter away, dawdle away; fiddle away [one's time]

ver'bidden[1] *zich niet laten* ~ be inexorable

ver'bieden[1] *vt* forbid, prohibit [by law], interdict, veto; *een boek* (*film, partij* &) ~ ban a book (a film, a party &); *ten strengste verboden* strictly forbidden; *verboden in te rijden* no thoroughfare, no entry; *verboden te roken* no smoking (allowed); *verboden hier vuilnis neer te werpen* no rubbish (to be) shot here; *verboden* (*toegang*) *voor militairen* ⚔ out of bounds [to British troops], *Am* off limits; *verboden toegang* zie *toegang*

ver'bijsterd bewildered, perplexed, dazed, aghast, thunderstruck; **ver'bijsteren** (verbijsterde, h. verbijsterd) *vt* bewilder, perplex, daze; **–ring** *v* bewilderment, perplexity

ver'bijten[1] *zich* ~ bite one's lip(s), set one's teeth; *zich* ~ *van woede* chafe; zie ook: *verbeten*

verbij'zonderen [vərbi.-] (verbijzonderde, h. verbijzonderd) *vt* peculiarize; **–ring** (-en) *v* peculiarization

ver'binden[1] **I** *vt* 1 join [two things, persons]; connect [two things, points, places]; link, link up [two places], tie [two rafters]; combine [elements]; 2 ⚕ bind up, bandage, tie up, dress [a wound]; 3 ☎ connect, put through; *er is wel enig gevaar aan verbonden* it involves some danger; *de moeilijkheden verbonden aan...* the difficulties with which... is attended; *er is een salaris van £ 500 aan verbonden* it carries a salary of £ 500; *het daaraan verbonden salaris* the salary that goes with it; *welke voordelen zijn daaraan verbonden?* what advantages does it offer?; *er is een voorwaarde aan verbonden* there is a condition attached to it; *hen in de echt* ~ join (unite) them

[1] V.T. en V.D. van dit werkwoord volgens het model: **ver**'achten, V.T. **ver**'achtte, V.D. **ver**'acht (**ge-** valt dus weg in het V.D.). Zie voor de vormen onder het grondwoord, in dit voorbeeld: *achten*. Bij sterke en onregelmatige werkwoorden wordt u verwezen naar de lijst achterin.

in marriage; *wilt u mij ~ met nummer...?* ☏ put me through to number...; *na een uur was ik verbonden met onze firma* ☏ I was through to our firm; **II** *vr zich* ~ 1 (v. personen) enter into an alliance; 2 (v. stoffen, elementen) combine; *zich ~ om...* pledge oneself to...; *hij had zich verbonden om...* he was under an engagement to...; *zich ~ tot iets* bind oneself (commit oneself, undertake, pledge oneself) to do it; *zich tot niets ~* not commit oneself to anything; zie ook: *verbonden*; **–ding** (-en) *v* 1 (gemeenschap) communication; 2 connection [of two points]; junction [of railways]; union [of persons]; ⚕ dressing, bandaging [of a wound]; *deze scheikundige ~* 1 (abstract) this combination; 2 (concreet) this compound; *de ~ tot stand brengen* (*verbreken*) ✻ make (break) the connection; *in ~ staan met...* be in communication with..., have connection with...; *zich in ~ stellen met...* communicate with [the police &], get into touch with...; *kunt u mij in ~ stellen met...?* can you put me in communication with...?; *in ~ treden met...* zie: *zich in ~ stellen met...*; *zonder ~* $ without engagement; **ver'bindingsdienst** (-en) *m* ⚔ Signals; **–lijn** (-en), **–linie** (-s) *v* line of communication; **–officier** (-en) *m* ⚔ 1 liaison officer; 2 (technisch) Signals officer; **–spoor** (-sporen) *o* junction railway; **–stuk** (-ken) *o* connecting piece, link, adapter, adaptor; **–teken** (-s) *o* hyphen; **–troepen** *mv* ⚔ (Corps of) Signals; **–weg** (-wegen) *m* connecting road; zie ook: *verbindingslijn*; **–woord** (-en) *o gram* copulative; **ver'bintenis** (-sen) *v* engagement, undertaking; alliance [ook = marriage], bond; contract; *bestaande ~sen* existing commitments; *een ~ aangaan* 1 enter into an engagement; 2 enter into an alliance

ver'bitterd 1 embittered, exasperated; 2 fierce, furious [battle]; ~ *op...* embittered against...; ~ *over...* exasperated at...; **–heid** *v* bitterness, embitterment, exasperation; **ver'bitteren** (verbitterde, h. verbitterd) *vt* embitter, exasperate; **–ring** *v* = *verbitterdheid*

ver'bleken (verbleekte, is verbleekt) *vi* 1 (van personen) grow (turn) pale; 2 (van personen & kleuren) pale[2]; 3 (van kleuren) fade; *doen ~* pale[2]

ver'blijd = *verheugd*; **ver'blijden** (verblijdde, h. verblijd) **I** *vt* rejoice, gladden; **II** *vr zich ~* (*over*) rejoice (at); **–d** gladdening, joyful, cheerful

ver'blijf (-blijven) *o* 1 (plaats) abode, residence; 2 (ruimte om in te verblijven) [crew's, emigrants'] quarters; 3 (het verblijven) residence, stay, sojourn; ~ *houden* reside; **–kosten** *mv* hotel expenses, lodging expenses; **–plaats** (-en) *v* (place of) abode; *zijn tegenwoordige ~ is onbekend* his present whereabouts are unknown; **–svergunning** (-en) *v* residence permit; **ver'blijven**[1] *vi* stay, remain; *hiermee verblijf ik...* I remain yours truly...

verblikken[1] *vi zonder te ~* without batting an eyelid

ver'blind blinded[2], dazzled[2]; **ver'blinden** (verblindde, h. verblind) *vt* blind[2], dazzle[2]; ~ *voor...* blind to...; **ver'blindheid** *v* blindness; infatuation; **ver'blinding** *v* 1 blinding, dazzle; 2 = *verblindheid*

ver'bloeden (verbloedde, is verbloed) *vi* bleed to death; **–ding** (-en) *v* bleeding to death

ver'bloemd disguised, veiled; **ver'bloemen** (verbloemde, h. verbloemd) *vt* disguise [the fact that...]; palliate, veil, gloze over [unpleasant facts]; **–ming** (-en) *v* disguise, palliation

ver'bluffen[1] *vt* put out of countenance, dumbfound, baffle, bewilder; *~d* startling; **ver'bluft** put out of countenance, dumbfounded

ver'bod (-boden) *o* prohibition, interdiction; ban [on a book &]; *een ~ uitvaardigen* issue a prohibition; **ver'boden** forbidden; zie ook: *verbieden*; **ver'bodsbepaling** (-en) *v* prohibitive regulation; **–bord** (-en) *o* prohibition sign

ver'bolgen angry, incensed, wrathful; **–heid** (-heden) *v* anger, wrath

ver'bond (-en) *o* alliance; league; union; (verdrag) pact; covenant; *drievoudig ~* triple alliance; *het Nieuwe* (*Oude*) ~ the New (Old) Testament; **ver'bonden** allied; *de ~ mogendheden* the allied powers; zie ook *verbinden*

ver'borgen concealed, hidden [things, treasure &]; obscure [view, corner]; secret [sin, place, influence, life]; occult [qualities]; *in het ~(e)* in secret, secretly; zie ook: *verbergen*; **–heid** (-heden) *v* secrecy; *de verborgenheden van Parijs* the mysteries of Paris

ver'bouw *m* = *verbouwing*; **ver'bouwen**[1] *vt* 1 △ rebuild [a house], convert [a bank building into...]; 2 (telen) cultivate, raise, grow [potatoes]

verbouwe'reerd perplexed, dumbfounded; **–heid** *v* perplexity

ver'bouwing (-en) *v* 1 △ rebuilding [of a house]; structural alterations; 2 (teelt) cultivation, culture, growing

[1] V.T. en V.D. van dit werkwoord volgens het model: **ver'**achten, V.T. **ver'**achtte, V.D. **ver'**acht (**ge-** valt dus weg in het V.D.). Zie voor de vormen onder het grondwoord, in dit voorbeeld: *achten.* Bij sterke en onregelmatige werkwoorden wordt u verwezen naar de lijst achterin.

ver'brandbaar burnable, combustible; **ver'branden I** (verbrandde, h. verbrand) *vt* 1 burn [papers &]; burn to death [martyrs]; 2 (v e r a s s e n) cremate [a body], incinerate; *zijn door de zon verbrand gezicht* his sunburnt (tanned) face; **II** (verbrandde, is verbrand) *vi* 1 be burnt (to death); 2 (d o o r d e z o n) get sunburnt, tan; **–ding** *v* 1 burning, combustion; 2 (v a n l ij k e n) cremation; **ver'brandingsmotor** (-s en -toren) *m* internal combustion engine; **–proces** (-sen) *o* process of combustion; **–produkt** (-en) *o* product of combustion

ver'brassen[1] *vt* squander

ver'breden (verbreedde, h. verbreed) **I** *vt* widen, broaden; **II** *vr zich* ~ widen, broaden (out); **–ding** (-en) *v* widening, broadening

ver'breiden (verbreidde, h. verbreid) **I** *vt* spread [malicious reports]; propagate [a doctrine]; **II** *vr zich* ~ spread [of rumours &]; **–ding** *v* spread(ing), propagation

ver'breken[1] *vt* break [a contract, a promise &]; break off [an engagement]; sever [diplomatic relations]; cut [communications]; burst [one's chains]; violate [vows]; **–king** *v* breaking; severance; violation

ver'brijzelen (verbrijzelde, h. verbrijzeld) *vt* break (smash) to pieces, smash, shatter[2]; **–ling** *v* smashing, shattering[2]

ver'broddelen[1] *vt* bungle, spoil

ver'broederen (verbroederde, h. verbroederd) *zich* ~ fraternize; **–ring** *v* fraternization

ver'brokkelen[1] *vi* & *vt* crumble

ver'bruid *aj* deuced, wretched; *wel ~!* the deuce!; **ver'bruien** (verbruide, h. verbruid) *vt het bij iem.* ~ incur sbd.'s displeasure; zie ook: *vertikken*

ver'bruik *o* 1 consumption [of foodstuffs, petrol &]; expenditure [of energy, time]; 2 (v e r s p i l l i n g) wastage, waste; **ver'bruiken** (verbruikte, h. verbruikt) *vt* consume [food, time], use up [coal, wood &; one's strength], spend [money, time &]; **–er** (-s) *m* consumer; **ver'bruiksartikel** (-en en -s) *o* article of consumption; **–belasting** (-en) *v* consumer tax, consumption tax; **–goederen** *mv* consumer goods, consumption goods

ver'buigbaar *gram* declinable; **ver'buigen**[1] *vt* 1 bend (out of shape); ⚒ buckle; 2 *gram* decline; **–ging** (-en) *v gram* declension

ver'burgerlijken (verburgerlijkte, is verburgerlijkt) *vi* become (turn) bourgeois

ver'chroomd chromium-plated

ver'dacht I *aj* suspected [persons]; suspicious [circumstances]; (a l l é é n p r e d i k a t i e f) suspect; *~e personen* suspicious characters; suspected persons, suspects; *iem. ~ maken* make sbd. suspected; *er ~ uitzien* have a suspicious look; *er ~ uitziend* suspicious-looking; *dat komt me ~ voor* I think it suspicious; *op iets ~ zijn* be prepared for it; *eer ik erop ~ was* before I was prepared for it, before I knew where I was; *hij wordt ~ van...* he is suspected of...; **II** *sb de ~e* 1 the suspected party, the person suspected; 2 ⚖ the accused; the prisoner; *één ~e* one suspect [arrested]; *~en* suspected persons, suspects; **III** *ad* suspiciously; **–making** (-en) *v* insinuation

ver'dagen[1] *vt* adjourn, (v. p a r l e m e n t s - z i t t i n g) prorogue; **–ging** (-en) *v* adjournment, (v. p a r l e m e n t s z i t t i n g) prorogation

ver'dampen (verdampte, *trs* h., *intr* is verdampt) *vi* & *vt* evaporate, vaporize; **–er** (-s) *m* evaporator; **ver'damping** *v* evaporation, vaporization

ver'dedigbaar defensible; **–heid** *v* defensibility; **ver'dedigen** (verdedigde, h. verdedigd) **I** *vt* defend [a town]; stand up for [one's rights]; *wie zal u ~?* ⚖ who will defend you?; *een ~de houding aannemen* stand (act) on the defensive; *een ~d verbond* a defensive alliance; **II** *vr zich* ~ defend oneself; **–er** (-s) *m* 1 defender [of liberty &]; 2 ⚖ defending counsel, counsel for the defendant (for the defence); **ver'dediging** (-en) *v* defence°; *ter ~ van* in defence of; **ver'dedigingslinie** (-s) *v* ⚔ line of defence, defence line; **–middel** (-en) *o* means of defence; **–oorlog** (-logen) *m* war of defence; **–wapen** (-s) *o* defensive weapon; **–werken** *mv* ⚔ defences, defensive works

ver'deeld divided; **–heid** *v* dissension, discord [between...], division, disunity; **ver'deelsleutel** (-s) *m* distribution (distributive) code

verdee'moedigen[1] *vt* humble, humiliate; **–ging** *v* humbling, humiliation

ver'dek (-ken) *o* ⚓ deck

ver'dekt ⚔ under cover; ~ *opgesteld zijn* ⚔ be under cover

ver'delen[1] **I** *vt* divide, share out, distribute; **II** *va* divide [and rule]; ~ *i n* divide into [...parts]; ~ *o n d e r* divide (distribute) among; ~ *o v e r* spread over [a period of...]; **III** *vr zich* ~ divide; **–er** (-s) *m* distributor

ver'delgen[1] *vt* destroy, exterminate; **ver'delging** *v* destruction, extermination; **–soorlog** (-logen) *m* war of extermination

[1] V.T. en V.D. van dit werkwoord volgens het model: **ver'**achten, V.T. **ver'**achtte, V.D. **ver'**acht (**ge-** valt dus weg in het V.D.). Zie voor de vormen onder het grondwoord, in dit voorbeeld: *achten.* Bij sterke en onregelmatige werkwoorden wordt u verwezen naar de lijst achterin.

ver'deling (-en) *v* division [of labour], distribution [of food], partition [of Palestine]
ver'denken[1] *vt* suspect; *iem. van iets* ~ suspect sbd. of sth.; zie ook: *verdacht*; **–king** (-en) *v* suspicion; *een aantal personen op wie de* ~ *rustte* to whom suspicion pointed; *de* ~ *viel op hem* suspicion fell on him; *boven* ~ above suspicion; *in* ~ *brengen* cast suspicion on; *in* ~ *komen* incur suspicion; *in* ~ *staan* be under suspicion, be suspected; *onder* ~ *van*... on suspicion of...
'verder I *aj* 1 (meer verwijderd) farther, further; 2 (bijkomend, later) further; **II** *o het* ~*e* the rest; **III** *ad* farther, further; ~ *op* further on; ~ *gaan* 1 go farther; 2 proceed; 3 go on; *hij schrijft* ~... he goes on to write...; *we zouden al veel* ~ *zijn als*... we should be much further[2] if...
ver'derf *o* ruin, destruction, undoing, perdition; *in zijn* ~ *lopen* go to meet one's doom; *in het* ~ *storten* bring ruin upon; *ten verderve voeren* lead to perdition; **ver'derfelijk** pernicious, baneful, noxious, ruinous; **–heid** *v* perniciousness
verder'op further on
ver'derven* *vt* ruin, pervert, corrupt; **–er** (-s) *m* perverter, corrupter
ver'dicht 1 assumed [names]; fictitious [names &]; 2 condensed [vapour]; **ver'dichten**[1] **I** *vt* 1 condense [steam]; || 2 invent [a name, a story]; **II** *vr zich* ~ condense; **–ting** (-en) *v* 1 (van gassen) condensation || 2 (verzinnen) invention, fiction; **ver'dichtsel** (-s en -en) *o* fabrication, fable, fiction, story, figment, invention
ver'dienen[1] *vt* earn [money, one's bread]; deserve [praise &]; merit [a reward, punishment]; *hoeveel verdien je?* how much do you earn?; *veel geld* ~ make heaps of money; *een vermogen* ~ make a fortune; *er wat bij* ~ make some money on the side; *zij* ~ *niet beter* they don't deserve any better; *het verdient de voorkeur* it is preferable; *dat heb ik niet aan u verdiend* that I have not deserved at your hands; *dat is zijn verdiende loon* that serves him right, he richly deserves that; *een verdiende overwinning* a deserved victory; *er is niets aan (mee) te* ~ there is no money in it; *daar zul je niet veel aan (op)* ~ you will not make much out of it; *daar verdient hij goed aan* he makes a good profit on that; **ver'dienste** (-n) *v* 1 (loon) earnings, wages; 2 (winst) profit, gain; 3 (verdienstelijkheid) merit, desert; *naar* ~ according to merit, [punish] condignly; *zich iets tot een* ~ *(aan)rekenen* take merit to oneself for sth.; *een man van* ~ a man of merit; **ver'dienstelijk** deserving, meritorious; creditable [attempt], useful [contribution]; *hij heeft zich jegens zijn land* ~ *gemaakt* he has deserved well of his country; **–heid** *v* deservingness, meritoriousness, merit
ver'diepen (verdiepte, h. verdiept **I** *vt* deepen[2]; **II** *vr zich* ~ *in* lose oneself in; *verdiept in gedachten* deep (absorbed) in thought, in a brown study; *zich in allerlei gissingen* ~ lose oneself in conjectures [as to...]; *in zijn krant verdiept* engrossed in his newspaper; **–ping** (-en) *v* 1 deepening[2]; 2 storey, story, floor; *eerste* & ~ first floor, second stor(e)y; *op de eerste* & ~ on (in) the first floor; *op de bovenste* ~ on the top floor; **ver'dieping(s)huis** (-huizen) *o* multi-storey house
ver'dierf (**verdierven**) V.T. van *verderven*
ver'dierlijken I (verdierlijkte, h. verdierlijkt) *vt* brutalize; **II** (verdierlijkte, is verdierlijkt) *vi* become a brute; **–king** *v* brutalization; **ver'dierlijkt** brutalized, brutish
ver'dierven V.T. meerv. v. *verderven*
ver'dietsen (verdietste, h. verdietst) *vt* = *verhollandsen*
ver'dikken (verdikte, *vt* h., *vi* is verdikt) *vt* & *vi* thicken; **–king** (-en) *v* thickening
verdiscon'teerbaar $ negotiable; **verdiscon'teren**[1] *vt* $ negotiate [bills]; **–ring** *v* $ negotiation
ver'dobbelen[1] *vt* dice away, gamble away
ver'doeken (verdoekte, h. verdoekt) *vt* recanvas [a painting]
ver'doemd = *verdomd*; **ver'doemelijk** damnable; **ver'doemeling** (-en) *m* reprobate; **ver'doemen**[1] *vt* damn; **ver'doemenis** *v* damnation; **verdoemens'waard(ig)** damnable; **ver'doeming** *v* damnation
ver'doen[1] **I** *vt* dissipate, squander, waste; **II** *vr zich* ~ make away with oneself
ver'doezelen[1] *vt* blur, obscure [a fact], disguise [the truth]
ver'dokteren[1] *vt* pay out in doctor's fees
ver'dolen (verdoolde, is verdoold) *vi* lose one's way, go astray
ver'domboekje *o bij iem. in het* ~ *staan* be in sbd.'s bad (black) books; **ver'domd I** *aj* damned; **P** damn; *die* ~*e*...*!* that cursed...!; **II** *ad* < damn; **ver'domhoekje** *o hij zit in het* ~ he cannot do any good; **ver'domme! P** goddamn!, goddamned!; **–lijk** = *verdoemelijk*; **1 ver'dommen** (verdomde, h. verdomd) *vt* (dom maken) dull the mind(s) of, render

[1] V.T. en V.D. van dit werkwoord volgens het model: **ver**'achten, V.T. **ver**'achtte, V.D. **ver**'acht (**ge**- valt dus weg in het V.D.). Zie voor de vormen onder het grondwoord, in dit voorbeeld: *achten*. Bij sterke en onregelmatige werkwoorden wordt u verwezen naar de lijst achterin.

stupid; **2 ver'dommen** (verdomde, h. verdomd) *vt* = *vertikken*; **ver'dommenis** = *verdoemenis*

verdonkere'manen (verdonkeremaande, h. verdonkeremaand) *vt* spirit away, embezzle [money]; purloin [letters]

ver'donkeren (verdonkerde, *vt* h., *vi* is verdonkerd) *vt* & *vi* darken²; **–ring** (-en) *v* darkening, obscuration

ver'doofd benumbed, numb; torpid; (d o o r s l a g) stunned

ver'doold strayed, stray, wandering, having gone astray²

ver'dord withered; **–heid** *v* withered state; **ver'dorren** (verdorde, is verdord) *vi* wither; **–ring** *v* withering

1 ver'dorven depraved, corrupt, wicked, perverse; **2 ver'dorven** V.D. van *verderven*; **–heid** (-heden) *v* depravity, depravation, corruption, perverseness, perversity

ver'doven¹ *vt* 1 deafen, make deaf; 2 (g e l u i d) deafen, deaden, dull [sound]; 3 (l e d e m a t e n, g e v o e l) benumb [with cold], numb; 4 (p e r s o n e n) stupefy, stun; 5 (p ij n) ⚕ anaesthetize; **–d** 1 deafening; 2 stupefying; ⚕ anaesthetic; ~ *middel* ⚕ anaesthetic, narcotic, (i n z. a l s g e n o t m i d d e l) drug; **ver'doving** (-en) *v* stupefaction, stupor, torpor; numbness; ⚕ anaesthesia; **–smiddel** (-en) *o* = *verdovend middel*

ver'draaglijk bearable, endurable, tolerable; **ver'draagzaam** tolerant, forbearing; **–heid** *v* tolerance, forbearance, toleration

ver'draaid I *aj* distorted, disfigured, deformed [features]; *met een ~e hand geschreven* written in a disguised hand; **II** *ad* < damned; ~ *knap* jolly clever; *wel ~!* dash it!, damn!; **ver'draaien**¹ *vt* spoil [a lock]; distort², contort², twist² [features, facts, motives, statements, the truth &]; *fig* pervert [words, facts, a law]; *de ogen ~* roll one's eyes; *iems. woorden ~* ook: twist sbd.'s words; *ik verdraai het om...* I refuse to..., I just won't...; zie ook: *verdraaid*; **–iing** (-en) *v* distortion, contortion, twist, perversion [of fact]

ver'drag (-dragen) *o* treaty, pact; *een ~ aangaan* (*sluiten*) conclude (make, enter into) a treaty

ver'dragen¹ *vt* 1 (d u l d e n) suffer, bear, endure, stand; 2 (w e g d r a g e n) remove; *ik kan geen bier ~* beer does not agree with me; *men moet elkander leren ~* you must try to put up with each other; *zo iets kan ik niet ~* I can't stand it; *ik heb heel wat van hem te ~* I have to suffer (to put up with) a good deal at his hands

'verdragend ♪ carrying; ⚔ long-range [guns]

ver'dragshaven (-s) *v* treaty port

verdrie'dubbelen (verdriedubbelde, h. verdriedubbeld) *vt* treble, triple

ver'driet *o* grief, sorrow; ~ *aandoen* cause sorrow, give pain; ~ *hebben* grieve, sorrow; **ver'drietelijk** vexatious, irksome; **–heid** (-heden) *v* vexatiousness, irksomeness, vexation; *verdrietelijkheden* vexations; **ver'drieten*** *vt* vex, grieve; *het verdriet mij dat te horen* I'm grieved to hear this; **ver'drietig** sad, sorrowful

verdrie'voudigen (verdrievoudigde, h. verdrievoudigd) *vt* treble, triple

ver'drijven¹ *vt* drive away, drive out, chase away; dissipate, dispel [clouds, fears, suspicion]; oust, expel [from a place]; dislodge [the enemy from his position]; pass (while) away [the time]; **–ving** *v* expulsion, ousting

ver'dringen¹ **I** *vt* push away, crowd out², *fig* oust, supplant, supersede, cut out; *ps* repress [desires, impulses]; *elkaar ~* (d r i n g e n) jostle (each other); ~ *van de markt* oust from the market; **II** *vt zich ~* crowd (round *om*); **–ging** *v* ousting, supplanting [of a rival]; *ps* repression [of desires, impulses]

ver'drinken I (verdronk, h. verdronken) *vt* 1 drown [a young animal]; 2 spend on drink [one's money], drink [one's wages], drink away [one's fortune]; 3 drink down [one's sorrow], drown [one's sorrow in drink]; 4 inundate [a field]; **II** (verdronk, is verdronken) *vi* be drowned, drown; **III** *vr zich ~* drown oneself; **–king** (-en) *v* drowning; *dood door ~* death from drowning

ver'drogen¹ *vi* dry up; wither [of plants &]

ver'dromen¹ *vt* dream away

ver'dronken 1 drowned [person]; 2 submerged [fields]

ver'droot (**verdroten**) V.T. van *verdrieten*

ver'droten V.T. meerv. en V.D. van *verdrieten*

ver'drukken¹ *vt* oppress; **–er** (-s) *m* oppressor; **ver'drukking** (-en) *v* oppression; *in de ~ komen* zie *gedrang*; *tegen de ~ in groeien* prosper in spite of opposition

ver'dubbelen (verdubbelde, h. verdubbeld) **I** *vt* double [a letter &]; *fig* redouble [one's efforts]; *zijn schreden ~* quicken one's pace; **II** *vr zich ~* double; **–ling** (-en) *v* 1 doubling, duplication; *fig* redoubling; 2 *gram* reduplication

ver'duidelijken (verduidelijkte, h. verduidelijkt) *vt* elucidate, explain; **–king** (-en) *v*

¹ V.T. en V.D. van dit werkwoord volgens het model: **ver**'achten, V.T. **ver**'achtte, V.D. **ver**'acht (**ge-** valt dus weg in het V.D.). Zie voor de vormen onder het grondwoord, in dit voorbeeld: *achten.* Bij sterke en onregelmatige werkwoorden wordt u verwezen naar de lijst achterin.

elucidation, explanation

ver'duisteren I (verduisterde, h. verduisterd) *vt* 1 (d o n k e r m a k e n) darken², obscure²; cloud² [the sky, the mind, eyes with tears]; ★ eclipse [the sun, the moon]; (t e g e n l u c h t a a n v a l) black out; 2 (o n t v r e e m d e n) embezzle [money], misappropriate [funds]; **II** (verduisterde, is verduisterd) *vi* darken, grow dark; **–ring** (-en) *v* 1 obscuration²; ★ eclipse [of sun and moon]; (t e g e n l u c h t a a n v a l) black-out; 2 embezzlement [of money], misappropriation [of funds]

ver'duitsen (verduitste, h. verduitst) *vt* 1 Germanize; 2 translate into German

ver'duiveld = *verdomd*

verduizend'voudigen (verduizendvoudigde, h. verduizendvoudigd) *vt* multiply by a thousand

ver'dunnen[1] *vt* 1 thin; 2 (v l o e i s t o f) dilute; 3 (l u c h t) rarefy; **–ning** (-en) *v* 1 thinning; 2 dilution; 3 rarefaction

ver'duren[1] *vt* bear, endure; *het hard te ~ hebben* zie *verantwoorden*; *heel wat te ~ hebben* zie *verdragen*

ver'duurzamen (verduurzaamde, h. verduurzaamd) *vt* preserve; *verduurzaamde levensmiddelen* tinned food, canned food; **–ming** *v* preservation

ver'duveld = *verdomd*

ver'duwen[1] *vt* push away; *fig* digest [foods]; swallow [an insult]

ver'dwaald lost [child, traveller, sheep], stray [bullet]; *~ raken* lose one's way; *~ zijn* have lost one's way

ver'dwaasd foolish; **–heid** *v* folly

ver'dwalen (verdwaalde, is verdwaald) *vi* lose one's way, go astray²

ver'dwazen (verdwaasde, h. verdwaasd) *vt* make foolish, misguide; **–zing** *v* foolishness

ver'dween (verdwenen) V.T. van *verdwijnen*

ver'dwenen V.D. van *verdwijnen*

ver'dwijnen* *vi* disappear, vanish [suddenly or gradually]; fade away; *verdwijn* (*uit mijn ogen*)! out of my sight!, be off!; *deze regering* (*minister* &) *moet ~* must go; **–ning** *v* disappearance, vanishing; **ver'dwijnpunt** (-en) *o* vanishing point

ver'edelen (veredelde, h. veredeld) *vt* improve [fruit], grade (up) [cattle]; *fig* ennoble, elevate [the feelings], refine [manners, morals, the taste]; **–ling** *v* improvement; up-grading; *fig* ennoblement, elevation [of the feelings], refinement

ver'eelt callous², horny [hands]; **ver'eelten I** (vereeltte, h. vereelt) *vt* make callous, make horny; **II** (vereeltte, is vereelt) *vi* become callous, become horny; **ver'eeltheid, ver'eelting** *v* callosity

vereen'voudigen (vereenvoudigde, h. vereenvoudigd) *vt* simplify; × reduce [a fraction]; **–ging** (-en) *v* simplification; × reduction [of a fraction]

ver'eenzamen (vereenzaamde, is vereenzaamd) *vi* grow lonely; **–ming** *v* isolation

vereen'zelvigen (vereenzelvigde, h. vereenzelvigd) *vt* identify; **–ging** *v* identification

ver'eerder (-s) *m* worshipper, admirer, [her] adorer

ver'eeuwigen (vereeuwigde, h. vereeuwigd) *v* perpetuate, immortalize; **–ging** *v* perpetuation, immortalization

ver'effenen[1] *vt* balance, settle [an account]; square [a debt]; adjust, settle [a difference, a dispute]; **–ning** (-en) *v* settlement, adjustment; *ter ~ van* in settlement of

ver'eisen[1] *vt* require, demand; **ver'eist** required; **–e** (-n) *o* & *v* requirement, requisite; *...is een eerste ~* ...is a prerequisite

1 'veren (veerde, h. geveerd) *vi* be elastic, be springy, spring; *~d* elastic, springy, resilient; *~d zadel* spring-mounted saddle; *ze ~ niet* they have no spring in them

2 'veren *aj* feather; *~ bed* feather-bed

ver'enen (vereende, h. vereend) *vt* = *verenigen*; *met vereende krachten* with united efforts, unitedly

ver'engelsen I (verengelste, h. verengelst) *vt* Anglicize; **II** (verengelste, is verengelst) *vi* become Anglicized

ver'engen (verengde, h. verengd) *vt* & *vr* narrow

ver'enigbaar (*niet*) *~ met* (not) compatible (consistent, consonant) with...; **ver'enigd** united; *de V~e Naties* the United Nations [Organization]; *~ optreden* united action; *de V~e Staten* the United States; *~e vergadering* joint meeting; **ver'enigen** (verenigde, h. verenigd) **I** *vt* 1 unite, join [their efforts, two nations]; combine [data]; 2 (v e r z a m e l e n) collect; ● *hen i n de echt ~* join (unite) them in marriage, join A to B in marriage; *die belangen zijn niet m e t elkaar te ~* these interests are not consistent with each other; *voor zover het te ~ is met...* in so far as is consistent (compatible, reconcilable) with...; *~ t o t...* unite into...; **II** *vr zich ~* 1 unite; 2 (z i c h v e r z a m e l e n)

[1] V.T. en V.D. van dit werkwoord volgens het model: **ver'**achten, V.T. **ver'**achtte, V.D. **ver'**acht (**ge-** valt dus weg in het V.D.). Zie voor de vormen onder het grondwoord, in dit voorbeeld: *achten.* Bij sterke en onregelmatige werkwoorden wordt u verwezen naar de lijst achterin.

assemble; *zich ~ met* join [also of rivers]; join hands (forces) with [sbd. in doing sth.]; *ik kan mij met die mening niet ~* I cannot agree with (concur in) that opinion; *ik kan mij met het voorstel niet ~* I cannot agree to the proposal; **–ging** (-en) *v* 1 (handeling of resultaat) joining, junction, combination, union; 2 (genootschap) union, society, association, club; *recht van ~ en vergadering* right of association and of assembly; **ver'enigingsleven** *o* corporate life; **–lokaal** (-kalen) *o* club-room; **–punt** (-en) *o* junction; rallying-point

ver'eren[1] *vt* honour, revere, worship, venerate; *iem. iets ~* present sbd. with sth.; *~ met* honour with; grace with [one's presence, a title &]; **–d** *in ~e bewoordingen* in flattering terms

ver'ergeren I (verergerde, is verergerd) *vi* grow worse, change for the worse, worsen, deteriorate; **II** (verergerde, h. verergerd) *vt* make worse, worsen, aggravate; **–ring** *v* worsening, growing worse, change for the worse, aggravation, deterioration

ver'ering (-en) *v* veneration, worship, reverence

ver'erven I (vererfde, h. vererfd) *vt* descend, pass (to); **II** (vererfde, is vererfd) *vi* be transmitted to

ver'etteren (veretterde, is veretterd) *vi* fester, suppurate; **–ring** (-en) *v* suppuration

vereuro'pesen I (vereuropeeste, h. vereuropeest) *vt* Europeanize; **II** (vereuropeeste, is vereuropeest) *vi* become Europeanized

ver'evenen (verevende, h. verevend) *vt* = *vereffenen*

verf (verven) *v* 1 paint; 2 (v. kunstschilder) colour, paint; 3 (voor stoffen &) dye; **–doos** (-dozen) *v* box of colours, paintbox; **–handel** *m* 1 colour-trade; 2 (-s) colourman's business; **–handelaar** (-s) *m* colourman; **–hout** *o* dye-wood

ver'fijnen (verfijnde, h. verfijnd) *vt* refine; **–ning** (-en) *v* refinement

ver'filmen[1] *vt* film; **–ming** (-en) *v* 1 (handeling) filming; 2 (resultaat) film version, screen version

'verfkuip (-en) *v* dyeing-tub; **–kwast** (-en) *m* paintbrush; **–laag** (-lagen) *v* coat of paint

ver'flauwen (verflauwde, is verflauwd) *vi* 1 (v. kleuren &) fade; 2 (v. wind) abate; 3 (v. ijver &) flag, slacken; 4 $ flag; **–wing** *v* fading; abatement; flagging

ver'flensen (verflenste, is verflenst) *vi* fade, wither

'verflucht *v* smell of paint, painty smell

ver'foeien (verfoeide, h. verfoeid) *vt* detest, abhor, abominate; **–iing** *v* detestation, abomination; **ver'foeilijk** detestable, abominable; **–heid** (-heden) *v* detestableness, abominableness, abomination

ver'fomfaaien (verfomfaaide, h. verfomfaaid) *vt* crumple, rumple

'verfpot (-ten) *m* paint-pot

ver'fraaien (verfraaide, h. verfraaid) *vt* embellish, beautify; **–iing** (-en) *v* embellishment, beautifying

ver'fransen I (verfranste, h. verfranst) *vt* Frenchify; **II** (verfranste, is verfranst) *vi* become French

ver'frissen (verfriste, h. verfrist) **I** *vt* refresh; **II** *vr zich ~* 1 refresh oneself; 2 (iets gebruiken) take some refreshment; **–sing** (-en) *v* refreshment

'verfroller (-s) *m* paint roller

ver'frommelen[1] *vt* crumple (up), rumple, crush

'verfspuit (-en) *v* paint spray, spray gun; **–stoffen** *mv* dye-stuffs, dyes, colours; **–waren** *mv* oils and colours; **–winkel** (-s) *m* paint shop, colour shop

ver'gaan[1] *vi* 1 (v. het aardse) perish, pass away; decay; rot; 2 ⚓ founder, be wrecked, be lost [a vessel]; *het verging hun slecht* they fared badly; *het zal je er naar ~* you will meet with your deserts; *~ van afgunst* be consumed (eaten up) with envy; *~ van kou* be perishing with cold; *vergane glorie* departed glory

'vergaand = *verregaand*

ver'gaarbak (-ken) *m* reservoir, receptacle

ver'gaderen (vergaderde, h. en is vergaderd) *vi* meet, hold a meeting, assemble; **–ring** (-en) *v* assembly, meeting; *geachte ~!* (ladies and) gentlemen!; *~ met debat* discussion meeting; *een ~ bijeenroepen (houden)* call (hold) a meeting; *de ~ openen* open the meeting; *de ~ opheffen (sluiten)* close the meeting; *een ~ uitschrijven* convene a meeting; **ver'gaderplaats** (-en) *v* meeting-place, place of meeting; **–zaal** (-zalen) *v* meeting-room, meeting-hall

ver'gallen[1] *vt* break the gall-bladder of [a fish]; *iem. het leven ~* embitter sbd.'s life; *iems. vreugde ~* spoil (mar) sbd.'s pleasure

vergalop'peren[1] *zich ~* commit oneself, put one's foot in it

ver'gankelijk perishable, transitory, transient, fleeting; **–heid** *v* perishableness, transitoriness, instability

[1] V.T. en V.D. van dit werkwoord volgens het model: **ver'**achten, V.T. **ver'**achtte, V.D. **ver'**acht (**ge-** valt dus weg in het V.D.). Zie voor de vormen onder het grondwoord, in dit voorbeeld: *achten.* Bij sterke en onregelmatige werkwoorden wordt u verwezen naar de lijst achterin.

ver'gapen[1] *zich ~ aan* gape at; *zich aan de schijn ~* take the shadow for the substance
ver'garen[1] *vt* gather, collect, hoard
ver'gassen[1] *vt* 1 gasify [solids]; 2 gas [people]; **-er** (-s) *m* paraffin stove; primus; **ver'gassing** (-en) *v* 1 gasification [of solids]; 2 gassing [of people]
ver'gasten (vergastte, h. vergast) **I** *vt* treat (to *op*), regale (with *op*); **II** *vr zich ~ aan* feast upon, take delight in
ver'gat (vergaten) V.T. van *vergeten*
ver'geeflijk pardonable, forgivable, excusable [fault]; venial [sin]; **-heid** *v* pardonableness &, veniality
ver'geefs I *aj* vain, useless, fruitless; **II** *ad* in vain, vainly, to no purpose
ver'geestelijken (vergeestelijkte, h. vergeestelijkt) *vt* spiritualize; **-king** *v* spiritualization
ver'geetachtig apt to forget, forgetful; **-heid** *v* aptness to forget, forgetfulness; **ver'geetal** (-len) *m* forgetful person; **-boek** *o het raakte in het ~* it was forgotten, it fell into oblivion; **ver'geet-mij-niet** (-en) *v* ♣ forget-me-not
ver'gefelijk(heid) = *vergeeflijk(heid)*
ver'gelden[1] *vt* repay, requite; *goed met kwaad ~* return evil for good; *God vergelde het u!* God reward you for it!; **-er** (-s) *m* rewarder; avenger [of evil]; **ver'gelding** (-en) *v* requital, retribution; *de dag der ~* the day of reckoning; *ter ~ van...* in return for...; **-smaatregel** (-en en -s) *m* retaliatory measure; reprisal
ver'gelen[1] *vi* yellow
verge'lijk (-en) *o* agreement, accommodation, compromise; *een ~ treffen, tot een ~ komen* come to an agreement; **-baar** comparable; **verge'lijken**[1] *vt* compare; *~ bij...* compare to, liken to; *~ met* compare with; *u kunt u niet met hem ~* you can't compare with him; *vergeleken met...* in comparison with..., as compared with...; **-d** comparative; *~ examen* competitive examination; **verge'lijkenderwijs, -wijze** by comparison; **verge'lijking** (-en) *v* 1 comparison; 2 equation [in mathematics]; 3 simile [in stylistics]; *~ van de eerste graad met een onbekende* simple equation with one unknown quantity; *~ van de tweede (derde) graad* quadratic (cubic) equation; *de ~ doorstaan kunnen met...* bear (stand) comparison with; *een ~ maken (trekken)* make a comparison, draw a parallel; ● *in ~ met...* in comparison with..., as compared with...; *dat is niets in ~ met wat ik heb gezien* that is nothing to what I have seen; *ter ~* for (purposes of) comparison; **-smateriaal** *o* comparative material
verge'makkelijken (vergemakkelijkte, h. vergemakkelijkt) *vt* make easy (easier), facilitate
'vergen (vergde, h. gevergd) *vt* require, demand, ask; *te veel ~ van* ook: overtax [one's strength]
verge'noegd contented, satisfied; **-heid** *v* contentment, satisfaction; **verge'noegen** (vergenoegde, h. vergenoegd) **I** *vt* content, satisfy; **II** *vr zich ~ met te...* content oneself with ...ing
ver'getelheid *v* oblivion; *aan de ~ ontrukken* save (rescue) from oblivion; *aan de ~ prijsgeven* consign (relegate) to oblivion; *in ~ raken* fall (sink) into oblivion; **ver'geten*** **I** *vt* forget; *ik ben ~ hoe het moet* I forget (I've forgotten) how to do it; *...niet te ~* not forgetting...; *ik ben zijn adres ~* I forget his address; *ik heb de krant ~* I have forgotten the newspaper; *hebt u niets ~?* haven't you forgotten something?; *vergeet het maar!* forget it!; *(het) ~ en vergeven* forget and forgive; **II** *vr zich ~* forget oneself; **III** *aj* forgotten
1 ver'geven[1] *vt* 1 (weggeven) give away [a situation]; 2 (vergiffenis geven) forgive, pardon; 3 (verkeerd geven) misdeal [cards]; 4 (vergiftigen) poison; *vergeef (het) mij!* forgive me!; *vergeef me dat ik u niet gezien heb* forgive me for not having seen you; *dat zal ik u nooit ~* I'll never forgive you for it; *(alles) ~ en vergeten* forgive and forget; *wie heeft die betrekking te ~?* in whose gift is the place?
2 ver'geven [*het is er*] *~ van de muizen* infested with mice
vergevensge'zind forgiving; **-heid** *v* forgivingness; **ver'geving** *v* 1 pardon, remission [of sins]; 2 collation [of a living]
'vergevorderd (far) advanced[2]
verge'wissen (vergewiste, h. vergewist) *zich ~ van* make sure of [sth.]; ascertain [the facts]
verge'zellen (vergezelde, h. vergezeld) *vt* accompany [equals]; attend [superiors]; *vergezeld gaan van* be attended with; *vergezeld doen gaan van* accompany with [a threat]
'vergezicht (-en) *o* view, prospect, perspective, vista
'vergezocht far-fetched
ver'giet (-en) *o & v* strainer, colander; **ver'gieten**[1] *vt* shed [blood, tears]
ver'gif *o* poison[2], venom [of animals]
ver'giffenis *v* pardon, forgiveness; remission [of sins]; *iem. ~ schenken* forgive sbd.; *~ vragen*

[1] V.T. en V.D. van dit werkwoord volgens het model: **ver'**achten, V.T. **ver'**achtte, V.D. **ver'**acht (**ge-** valt dus weg in het V.D.). Zie voor de vormen onder het grondwoord, in dit voorbeeld: *achten.* Bij sterke en onregelmatige werkwoorden wordt u verwezen naar de lijst achterin.

beg sbd.'s pardon, ⊙ ask (sbd.'s) forgiveness
ver'gift (-en) = *vergif*; **–enleer** *v* toxicology; **ver'giftig** poisonous², venomous²; **ver'giftigen** (vergiftigde, h. vergiftigd) *vt* poison², envenom²; *ze wilden hem ~* they wanted to poison him; **ver'giftigheid** *v* poisonousness, venomousness; **ver'giftiging** (-en) *v* poisoning²
Vergili'aans Virgillian; **Ver'gilius** *m* Virgil; *van ~* Virgilian
ver'gissen (vergiste, h. vergist) in: *zich ~* mistake, be mistaken, be wrong; make a mistake; *vergis u niet!* make no mistake; *als ik me niet vergis* if I am not mistaken; *of ik zou me zeer moeten ~* unless I am greatly mistaken; *u vergist u als u...* you are under a mistake if...; *zich ~ in...* be mistaken in; *ik had mij in het huis vergist* I had mistaken the house; *u hebt u lelijk in hem vergist!* you have mistaken your man!; *~ is menselijk* we all make mistakes, to err is human; **–sing** (-en) *v* mistake, error; *bij ~* by mistake, in mistake; unintentionally
ver'glaassel *o* glaze, enamel; **ver'glazen** (verglaasde, h. verglaasd) *vt* 1 (v. b u i t e n) glaze, enamel; 2 (d o o r e n d o o r) vitrify; **–zing** *v* 1 glazing, enamelling; 2 vitrification
ver'goddelijken (vergoddelijkte, h. vergoddelijkt) *vt* deify; **–king** *v* deification; apotheosis [of Roman emperors]; **ver'goden** (vergoodde, h. vergood) *vt* 1 deify; 2 *fig* idolize; **–ding** *v* 1 deification; 2 *fig* idolization
ver'goeden (vergoedde, h. vergoed) *vt* make good [cost, damages, losses], compensate; reimburse [expenses]; pay [interest]; *iem. iets ~* indemnify sbd. for a loss (expenses); *dat vergoedt veel* that goes to make up for a lot; **–ding** (-en) *v* 1 compensation, indemnification; 2 (t e g e m o e t k o m i n g) allowance; 3 (l o o n) remuneration; 4 (b e l o n i n g) recompense, reward; *tegen een (kleine) ~* for a consideration
ver'goelijken (vergoelijkte, h. vergoelijkt) *vt* gloze over, smooth over [faults], palliate, extenuate [an offence], excuse [weakness], explain away [wrong done &]; **–king** (-en) *v* glozing over, palliation, extenuation, excuse
ver'gokken[1] *vt* gamble away
ver'gooien[1] **I** *vt* throw away; *eenkans ~* throw (chuck) away a chance; **II** *vr zich ~* throw oneself away (on *aan*)
ver'gramd angry, wrathful; **–heid** *v* anger, wrath; **ver'grammen** (vergramde, h. vergramd) *vt* make angry, kindle the wrath of
ver'grijp (-en) *o* transgression; offence [against decency and morals]; outrage [on virtue]; **ver'grijpen**[1] *zich ~ aan* lay hands upon
ver'grijsd grown grey [in the service], grizzled; **ver'grijzen**[1] *vi* grow (go, turn) grey
ver'groeien[1] *vi* 1 grow together; 2 grow out of shape; become crooked [of persons]; 3 disappear [of cicatrices]
ver'grootglas (-glazen) *o* magnifying-glass; **ver'groten** (vergrootte, h. vergroot) *vt* enlarge [a building, a portrait &]; increase [one's stock, their number]; add to [his wealth]; magnify [the size with a lens &]; **–ting** (-en) *v* enlargement; increase; magnifying
ver'groven (vergroofde, *vt* h., *vi* is vergroofd, vergrofd) *vt* & *vi* coarsen
ver'gruizen I *vt* (vergruisde, h. vergruisd) pulverize, pound; **II** *vi* (vergruisde, is vergruisd) crumble
ver'guizen (verguisde, h. verguisd) *vt* revile, abuse; **–zing** *v* revilement, abuse
ver'guld gilt; *~ op snee* gilt-edged; *er ~ mee zijn* feel very flattered (be highly pleased) with it; **ver'gulden** (verguldde, h. verguld) *vt* gild; zie ook: *pil*; **–er** (-s) *m* gilder; **ver'guldsel** (-s) *o* gilding, gilt
ver'gunnen[1] *vt* permit, allow; grant [privileges]; **ver'gunning** (-en) *v* 1 permission, allowance, leave; permit; 2 licence [for the sale of drinks]; 3 concession; *herberg m e t ~* licensed public house; *met ~ van...* by permission of...; *z o n d e r ~* 1 without permission; 2 without a licence, unlicensed; **–houder** (-s) *m* licensee; (v. h e r b e r g) licensed victualler; **–srecht** *o* licence
ver'haal (-halen) *o* 1 story, tale, narrative, account, recital, relation, narration; 2 ⚖ (legal) remedy, redress; *het korte ~* the short story; *een ~ doen* tell a story; *allerlei verhalen doen (opdissen) over...* pitch yarns about; *er is geen ~ op* there is no redress; *hij kwam weer op zijn ~* he collected himself, he picked himself up again; **–baar** ⚖ recoverable (from *op*); **–trant** *m* narrative style
ver'haasten[1] *vt* hasten, accelerate, quicken [one's steps &]; expedite [the process]; **–ting** *v* hastening, acceleration, expedition
ver'halen[1] *vt* 1 (v e r t e l l e n) tell, relate, narrate; 2 ⚓ (w e g t r e k k e n) shift [a ship]; 3 (v e r g o e d i n g v e r k r i j g e n) *men heeft hem bedrogen en nu wil hij het op mij ~* he wants to recoup the loss on me; *hij wil het op mij ~* he wants to take it out of me; *de schade ~ op een ander* recoup oneself out of another man's

[1] V.T. en V.D. van dit werkwoord volgens het model: **ver'**achten, V.T. **ver'**achtte, V.D. **ver'**acht (**ge-** valt dus weg in het V.D.). Zie voor de vormen onder het grondwoord, in dit voorbeeld: *achten.* Bij sterke en onregelmatige werkwoorden wordt u verwezen naar de lijst achterin.

pocket; **–d** narrative; **ver'haler** (-s) *m* relater, narrator, story-teller

ver'handelbaar negotiable; **–heid** *v* negotiability; **ver'handelen**[1] *vt* 1 deal in [goods]; negotiate [a bill]; 2 (b e s p r e k e n) discuss; **–ling** (-en) *v* treatise, essay, discourse, dissertation, paper [read to learned society]

ver'hangen[1] **I** *vt* rehang, hang otherwise; **II** *vr zich* ~ hang oneself; **–ging** (-en) *v* hanging

ver'hapstukken (verhapstukte, h. verhapstukt) **F** *vt* discuss, deliberate

ver'hard hardened²; metalled [road]; *fig* (case-) hardened, indurated, obdurate, hard-hearted; **ver'harden I** (verhardde, h. verhard) *vt* harden², indurate²; *een weg* ~ metal a road; **II** (verhardde, is verhard) *vi* become hard [mortar &]; harden², indurate²; **ver'hardheid** *v* hardness, obduracy; **ver'harding** (-en) *v* hardening²; metalling [of a road]; (v e r e e l t i n g) callosity

ver'haren (verhaarde, is verhaard) *vi* lose (shed) one's hair; (v. d i e r e n o o k:) moult

ver'haspelen[1] *vt* spoil, botch; mangle [a word, a quotation]

ver'heerlijken (verheerlijkte, h. verheerlijkt) *vt* glorify; **–king** *v* glorification

ver'heffen[1] **I** *vt* lift [one's head], raise [one's eyes, one's voice], lift up [the soul], elevate [the mind, a person above the mass]; exalt, extol [a person]; *een getal tot de 2de macht* (*in het kwadraat*) ~ raise a number to the second power (square it); zie ook: *stem* &; **II** *vr zich* ~ rise (above *boven*); *zich* ~ *op* [*fig*] pride oneself on, glory in; **–d** elevating, uplifting; **ver'heffing** (-en) *v* raising; elevation, exaltation; ~ *in* (*tot*) *de adelstand* ennoblement, [in England] raising to the peerage; *met* ~ *van stem* raising his voice

ver'heimelijken (verheimelijkte, h. verheimelijkt) *vt* secrete [goods], zie verder: *verbergen* **I**

ver'helderen I (verhelderde, is verhelderd) *vi* brighten² [of sky, face, eyes &]; clear up [of weather]; **II** (verhelderde, h. verhelderd) *vt* clarify [liquids, a question]; brighten, light up, lighten [sbd.'s face]; *fig* enlighten [the mind]; **–ring** *v* clearing, clarification; brightening; *fig* enlightenment

ver'helen[1] *vt* conceal, hide, keep secret; *iets voor iem.* ~ conceal (hide, keep back) sth. from sbd.; *hij verheelt 't niet* he makes no secret of it; *wij* ~ *het ons niet* we fully realize this; *wij kunnen ons niet* ~, *dat...* we cannot disguise from ourselves the fact that... (the difficulty & of...); **–ling** *v* concealment

ver'helpen[1] *vt* remedy, redress, correct; **–ping** *v* remedy, redress, correction

ver'hemelte (-n en -s) *o* palate [of the mouth]; *het* ~ ook: the roof (of the mouth); *zacht* ~ soft palate, velum

ver'heugd I *aj* glad, pleased; ~ *over* glad of, pleased at; **II** *ad* gladly; **ver'heugen**[1] **I** *vt* gladden, rejoice, delight; *dat verheugt mij* I am glad of that; *het verheugt ons te horen, dat...* we are glad to hear that...; **II** *vr zich* ~ rejoice, be glad; *zich* ~ *i n* rejoice in; *zich in een goede gezondheid* (*mogen*) ~ enjoy good health; *daar verheug ik mij* (*nu reeds*) *o p* I am looking forward to it; *zich* ~ *o v e r iets* rejoice at sth., be rejoiced at sth.; **–d I** *aj* welcome [sign, example, announcement &]; *het is* ~ *te weten, dat...* it is gratifying to know that...; **II** *ad* gratifyingly [high numbers]; **ver'heugenis** (-sen), **ver'heuging** (-en) *v* joy

ver'heven I *aj* 1 *fig* elevated, exalted, lofty, sublime, august; 2 (v. b e e l d w e r k) raised, embossed, in relief; ~ *zijn boven* be above; **II** *ad* loftily, sublimely; **–heid** (-heden) *v* elevation², *fig* loftiness, sublimity; *een kleine* ~ a slight elevation (eminence, height)

ver'hevigen (verhevigde, h. verhevigd) *vt* intensify; **–ging** *v* intensification

ver'hinderen[1] *vt* prevent, hinder; *dat zal mij niet* ~ *om te...* that will not prevent me from ...ing; *dat zal hem misschien* ~ *te schrijven* this may prevent him from writing; *hij zal verhinderd zijn* he will have been prevented (from coming); *iem.* ~ *in de uitoefening van zijn beroep* obstruct sbd. in the execution of his duty; **–ring** (-en) *v* 1 ('t v e r h i n d e r e n) prevention; 2 (b e l e t s e l) hindrance, obstacle, impediment; *bij* ~ in case of prevention

ver'hip F ~*!* bother!; **ver'hippen** *vt* & *vi* (verhipte, h. en is verhipt) **F** *het kan me niks* ~ I don't care [a damn]; *hij verhipte het* he wouldn't do it; **ver'hipt F** *ad* ~ *vervelend* an awful nuisance; ~ *koud* damned cold

ver'hit heated², overheated, flushed²; **ver'hitten** (verhitte, h. verhit) **I** *vt* heat² [iron, the blood]; *fig* heat, fire [the imagination]; **II** *vr zich* ~ (over)heat oneself; **–ting** *v* heating²

ver'hoeden[1] **I** *vt* prevent, avert; *dat verhoede God!* God forbid!; **–ding** *v* prevention

ver'hogen (verhoogde, h. verhoogd) **I** *vt* 1 heighten² [a wall &, the illusion]; raise² [a platform, a man, prices, salary &]; ♩ raise [a tone]; *fig* advance, put up [the charges]; enhance [their prestige]; increase, add to [the

[1] V.T. en V.D. van dit werkwoord volgens het model: **ver**'achten, V.T. **ver**'achtte, V.D. **ver**'acht (**ge**- valt dus weg in het V.D.). Zie voor de vormen onder het grondwoord, in dit voorbeeld: *achten.* Bij sterke en onregelmatige werkwoorden wordt u verwezen naar de lijst achterin.

beauty of...]; 2 (bevorderen) promote [in rank]; ⇔ move up to a higher form; ~ *met* raise (increase) by; **II** *vr zich* ~ exalt oneself; **ver'hoging** (-en) *v eig* 1 dais, (raised) platform; 2 elevation, eminence, height [of ground]; *fig* 1 rise, increase, advance [of salary, of prices]; 2 heightening[2], raising[2], enhancement; promotion [in rank]; ⇔ remove [of pupils]; *jaarlijkse* ~ 1 annual increment [of salary]; 2 ⇔ yearly promotion; *hij heeft wat* ~ he has a rise of temperature; **–steken** (-s) *o* ♪ sharp

ver'holen concealed, hidden, secret; **–heid** *v* concealment, secrecy

ver'hollandsen I (verhollandste, h. verhollandst) *vt* 1 Dutchify, make Dutch; 2 turn into Dutch; **II** (verhollandste, is verhollandst) *vi* become Dutch

verhonderd'voudigen (verhonderdvoudigde, h. verhonderdvoudigd) *vt* increase a hundredfold, centuple

ver'hongeren (verhongerde, is verhongerd) *vi* be starved to death, starve (to death), die of hunger; *doen* (*laten*) ~ starve (to death); **–ring** *v* starvation

ver'hoor (-horen) *o* hearing, examination [before the magistrate], interrogation; *wie zal het* ~ *afnemen?* who is going to examine?; *een* ~ *ondergaan* be under examination; *in* ~ *nemen* hear, interrogate; *in* ~ *zijn* be under examination; **ver'horen**[1] *vt* hear, answer [a prayer]; hear [a lesson]; hear, examine [a witness]; **–ring** (-en) *v* hearing

ver'houden[1] *zij* ~ *zich als... en...* they are in the proportion of... to...; *2 verhoudt zich tot 4 als 3 tot 6* 2 is to 4 as 3 is to 6; **ver'houding** (-en) *v* 1 (tussen getallen) proportion; ratio; 2 (tussen personen) relation(s); relationship [of master and servant, with God]; 3 (minnarij) (love-)affair; *een gespannen* ~ strained relations; • *buiten* ~ *tot...* out of proportion to...; *in* ~ *tot* in proportion to; *in de juiste* ~ [see the story] in (the right) perspective; *in geen* ~ *staan tot...* be out of (all) proportion to..., be totally disproportionate to...; *naar* ~ proportionally, proportionately; comparatively, relatively; *naar* ~ *van hun...* in proportion to their; **–sgetal** (-len) *o* ratio

verho'vaardigen (verhovaardigde, h. verhovaardigd) *zich* ~ (*op*) pride oneself (on), be proud (of); **–ging** *v* pride

ver'huisboel *m* furniture in course of removal; **–dag** (-en) *m* moving-day; **–drukte** *v* worry and trouble of (re)moving; **–kosten** *mv* expenses of (re)moving; **–wagen** (-s) *m* furniture van, pantechnicon (van); **ver'huizen I** (verhuisde, is verhuisd) *vi* remove, move (into another house), move house; **II** (verhuisde, h. verhuisd) *vt* remove; **–er** (-s) *m* (furniture) remover, removal contractor; **ver'huizing** (-en) *v* removal, move

ver'hullen[1] *vt* conceal

ver'huren[1] **I** *vt* let [apartments]; let out (on hire) [things]; hire (out) [motor-cars, bicycles]; **II** *vr zich* ~ go into service; **–ring** (-en) *v* letting (out), hiring (out); **ver'huur** *m* [car, dress] hire; zie verder: *verhuring*; **–der** (-s) *m* letter, lessor, landlord; hirer out [of bicycles]

verhypothe'keren [vərhi.-] (verhypothekeerde, h. verhypothekeerd) *vt* mortgage

verifica'teur (-s) *m* verifier; **verifi'catie** [-(t)si.] (-s) *v* verification; **–vergadering** (-en) *v* $ first meeting of creditors; **verifi'ëren** (verifieerde, h. geverifieerd) *vt* verify, check [figures, a reference &]; audit [accounts]

ver'ijdelen (verijdelde, h. verijdeld) *vt* frustrate, foil, baffle, baulk, defeat [attempts &]; upset [a scheme]; *dat verijdelde hun verwachtingen* that shattered their hopes; **–ling** *v* frustration

'vering (-en) *v* 1 (het veren) spring action; 2 (de veren) springs

ver'innigen (verinnigde, is verinnigd) *vi* grow closer

ver'int(e)resten (verint(e)restte, h. verint(e)rest) **I** *vt* put out at interest; **II** *vi* bear no interest

ver'jaard superannuated, statute-barred [debts]; prescriptive [rights]; **ver'jaardag** (-dagen) *m* anniversary [of a victory, marriage &]; birthday [of a person]; **ver'jaar(s)feest** (-en) *o* birthday party; **–geschenk** (-en) *o* birthday present; **–partij** (-en) *v* birthday party

ver'jagen[1] *vt* drive (chase, frighten, shoo) away [birds &]; expel [a person]; drive out [the enemy]; dispel [fear]; **–ging** *v* chasing away, expulsion

ver'jaren (verjaarde, h. en is verjaard) *vi* 1 celebrate one's birthday; 2 become superannuated, become statute-barred; *ik verjaar vandaag* it is my birthday to-day; **–ring** (-en) *v* 1 ⚖ superannuation; 2 = *verjaardag*; **ver'jaringsrecht** *o* statute of limitations; **–termijn** (-en) *m* term of limitation

ver'jongen I (verjongde, is verjongd) *vi* grow young again, rejuvenate; **II** (verjongde, h. verjongd) *vt* make young again, rejuvenate;

[1] V.T. en V.D. van dit werkwoord volgens het model: **ver'**achten, V.T. **ver'**achtte, V.D. **ver'**acht (**ge-** valt dus weg in het V.D.). Zie voor de vormen onder het grondwoord, in dit voorbeeld: *achten.* Bij sterke en onregelmatige werkwoorden wordt u verwezen naar de lijst achterin.

ver'jonging *v* rejuvenescense, rejuvenation; **-skuur** (-kuren) *v* rejuvenation cure
ver'kalken[1] *vi* & *vt* calcine, calcify; **-king** *v* calcination, calcification; ~ *van de bloedvaten* arteriosclerosis
ver'kankeren (verkankerde, is verkankerd) *vi* canker
ver'kapt disguised; veiled [threat]
ver'kassen (verkaste, is verkast) **F** *vi* shift, move (house)
ver'kavelen[1] *vt* lot (out), parcel out; **-ling** (-en) *v* lotting (out), parcelling out.
ver'kazen (verkaasde, is verkaasd) *vi* caseate, become caseous (cheesy)
ver'keer *o* 1 traffic; 2 (o m g a n g) intercourse; *geslachtelijk* ~ sexual intercourse; *gezellig (huiselijk)* ~ social (family) intercourse; *veilig* ~ road safety
ver'keerd I *aj* wrong, bad; *de ~e kant* the wrong side; zie ook: *been, kantoor, wereld* &; **II** *m de ~e voorhebben* mistake one's man; *dan heb je de ~e voor, mannetje!* then you have come to the wrong shop!; **III** *ad* wrong(ly), ill, amiss; *zijn kousen ~ aantrekken* put on one's stockings the wrong way; *(iets) ~ doen* do (sth.) wrong; *iets ~ uitleggen* misinterpret sth.; *iets ~ verstaan* misunderstand sth.; **-elijk** wrong(ly), mistakenly; **-heid** (-heden) *v* fault
ver'keersader (-s) *v* (traffic) artery, arterial road, thoroughfare; **-agent** (-en) *m* policeman on point-duty, pointsman, traffic policeman, **S** traffic cop; **-bord** (-en) *o* road sign, traffic sign; **-brigadiertje** (-s) *o* = *jeugdverkeersbrigadiertje*; **-brug** (-gen) *v* road-bridge; **-chaos** *m* traffic chaos; **verkeers'dichtheid** *v* traffic density; **ver'keersheuvel** (-s) *m* island, refuge; **-leider** (-s) *m* air-traffic controller; **-licht** (-en) *o* traffic light; **-middel(en)** *o (mv)* means of communication, means of transport; **-ongeval** (-len) *o* road accident; **-opstopping** (-en) *v* traffic congestion, traffic jam, traffic block, traffic tie-up; **-overtreding** (-en) *v* road offence, traffic offence; **-plein** (-en) *o* traffic circus, roundabout; **-politie** [-(t)si.] *v* traffic police; **-regel** (-s) *m* traffic rule; **-regeling** *v* traffic regulation; **-reglement** (-en) *o* highway code, traffic regulations; **-stroom** (-stromen) *m* traffic flow; **-teken** (-s) *o* traffic sign; **-toren** (-s) *m* ✈ control tower; **-tunnel** (-s) *m* road tunnel; underpass, subway; **-veiligheid** *v* road safety; **-vliegtuig** (-en) *o* ✈ airliner, passenger aircraft; **-voorschriften** *mv* traffic regulations; **-weg** (-wegen) *m* thoroughfare; (h a n d e l s w e g) trade route; **-wezen** *o* traffic; *minister van het* ~ minister of transport; **-zondaar** (-s) *m* road offender; **-zuil** (-en) *v* bollard
ver'kennen[1] *vt* reconnoitre; **-er** (-s) *m* scout; **ver'kenning** (-en) *v* reconnoitring, scouting; *een* ~ a reconnaissance; *op ~ uitgaan* go reconnoitring, make a reconnaissance; **ver'kenningspatrouille** [-tru.(l)jə] (-s) *v* reconnoitring patrol; **-tocht** (-en) *m* reconnoitring expedition; **-vliegtuig** (-en) *o* scoutingplane, scout; ~*(en)* ook: reconnaissance aircraft; **-vlucht** (-en) *v* reconnaissance flight; **-wagen** (-s) *m* ⚔ scout car
ver'keren[1] *vi* (v e r a n d e r e n) change; *het kan ~ (zei Breeroo)* things may change; *a a n het hof* ~ move in court-circles; *vreugd kan i n droefheid* ~ joy may turn to sadness; *in twijfel* ~ be in doubt; ~ *m e t iem.* associate with sbd.; *hij verkeert met ons dienstmeisje* he keeps company with our servant; **-ring** *v* courtship; *hij heeft ~ met ons dienstmeisje* he keeps company with our servant; *zij heeft* ~ she is walking out with a fellow; *zij hebben* ~ they are walking out; *vaste ~ hebben* **F** go steady
ver'kerven[1] *vt het bij iem.* ~ incur sbd.'s displeasure
ver'ketteren[1] *vt* charge with heresy; *fig* decry, denounce
ver'kiesbaar eligible; *zich ~ stellen* accept to stand for an election (an office &), stand as a candidate; **-heid** *v* eligibility; **ver'kies(e)lijk** preferable (to *boven*); **ver'kiezen**[1] *vt* 1 choose; elect; return [a member of Parliament]; 2 (d e v o o r k e u r g e v e n) prefer; *wij ~ naar de schouwburg te gaan* 1 we choose to go to the theatre; 2 we prefer to go to the theatre; *hij verkoos niet te spreken* he did not choose to speak; *ik verkies niet dat je...* you must not...; *zoals u verkiest* just as you like, please yourself; ● ~ *b o v e n* prefer to; *iem. ~ t o t president* choose him for a president, elect him president; **-zing** (-en) *v* 1 (k e u s) choice; 2 (p o l i t i e k) election; *een ~ uitschrijven* order elections, go (appeal) to the country; *b i j* ~ for choice; for (by, in) preference; *n a a r* ~ at choice, at pleasure, at will; *u kunt naar ~ òf..., òf...* the choice lies with you whether... or...; *meen je dat naar eigen ~ te kunnen doen?* at your own sweet will?; *handel naar eigen* ~ use your own discretion; please yourself; *u i t eigen* ~ of one's own free will; **ver'kiezingsagent** (-en) *m* election(eering) agent, electioneerer, *Am*

[1] V.T. en V.D. van dit werkwoord volgens het model: **ver'**achten, V.T. **ver'**achtte, V.D. **ver'**acht (**ge-** valt dus weg in het V.D.). Zie voor de vormen onder het grondwoord, in dit voorbeeld: *achten.* Bij sterke en onregelmatige werkwoorden wordt u verwezen naar de lijst achterin.

canvasser; **–belofte** (-n) *v* election promise; **–campagne** [-kɑmpɑɲə] (-s) *v* election(eering) campaign; **–dag** (-dagen) *m* election day, polling-day; **–leus** (-leuzen) *v* election cry, slogan; **–manifest** (-en) *o* election manifesto; **–program** (-s) *o* election programme; **–rede** (-s) *v* election speech; **–uitslag** (-slagen) *m* election result, election returns

ver'kijken[1] **I** *vt hij heeft zijn kans verkeken* he has lost his chance, **F** he missed the bus; **II** *vr zich* ~ (*op*) be mistaken, misjudge

ver'kikkerd ~ *op iets* keen on sth.; ~ *op een meisje* **F** gone on a girl

ver'killen I (verkilde, h. verkild) *vt* chill; **II** (verkilde, is verkild) *vi* chill, cool

ver'kitten[1] *vt* lute

ver'klaarbaar explicable, explainable; *om verklaarbare redenen* for obvious reasons; **ver'klaard** declared, avowed [enemy]

ver'klappen[1] **I** *vt* blab; *de boel* ~ give the game (the show) away; *iem.* ~ **S** peach on sbd.; **II** *vr zich* ~ let one's tongue run away with one, give oneself away; **–er** (-s) *m* telltale

ver'klaren[1] **I** *vt* 1 explain, elucidate, interpret [a text]; 2 (z e g g e n) declare [that..., sbd. to be a...], (o f f i c i e e l) certify; ⚖ depose, testify [that...]; 3 (a a n z e g g e n) declare [war]; *hoe kunt u het gebruik van dit woord hier* ~? can you account for the use of this word?; *het onder ede* ~ declare it upon oath; **II** *vr zich* ~ declare oneself; *verklaar u nader!* explain yourself; *zich* ~ *tegen* (*vóór*)... declare against (in favour of)...; **–d** explanatory [notes]; **ver'klaring** (-en) *v* 1 explanation; 2 declaration, statement; [doctor's] certificate; ⚖ deposition, evidence; *beëdigde* ~ sworn statement; (s c h r i f t e l ij k) affidavit

ver'kleden[1] **I** *vt* (v e r m o m m e n) disguise; *een kind* ~ (= a n d e r s k l e d e n) change a child's clothes; **II** *vr zich* ~ 1 change (one's clothes, [of woman] one's dress); 2 dress up, disguise oneself; **–ding** (-en) *v* 1 change of clothes; 2 (v e r m o m m i n g) disguise

ver'kleinbaar reducible; **ver'kleinen** (verkleinde, h. verkleind) *vt* make smaller, reduce [a design &], diminish [weight, pressure]; lessen [the number, the value &]; minimize [an incident]; belittle, disparage [merits]; *een breuk* ~ reduce a fraction; **ver'kleining** (-en) *v* reduction, diminution; disparagement, belittlement [of merits &]; reduction [of fractions]; **–suitgang** (-en) *m* diminutive ending; **ver'kleinwoord** (-en) *o* diminutive

ver'kleumd benumbed, numb; **–heid** *v* numbness; **ver'kleumen** (verkleumde, is verkleumd) *vi* grow numb, be benumbed (with cold)

ver'kleuren (verkleurde, is verkleurd) *vi* lose (its) colour, discolour, fade; **–ring** (-en) *v* discoloration, fading

ver'klikken[1] *vt* 1 (i e t s) tell, disclose; 2 (i e m.) **S** tell on [sbd.], give [sbd.] away, peach on; **–er** (-s) *m*, **ver'klikster** (-s) *v* 1 (p e r s o o n) telltale; 2 ⚒ (i n s t r u m e n t) telltale [of an air-pump], indicator; *stille* ~ police spy

ver'klungelen[1] *vt* trifle, fritter away

ver'knallen[1] **F** *vt* bungle, botch, make a hash (mess, botch) of, **S** muck up

ver'kneukelen (verkneukelde, h. verkneukeld), **ver'kneuteren** (verkneuterde, h. verkneuterd) *zich* ~ chuckle, hug oneself (rub one's hands) with joy; *zich* ~ *in* revel in

ver'kniezen[1] *zich* ~ fret (mope) oneself to death

ver'knippen[1] *vt* 1 cut up; 2 spoil in cutting; *verknipt* [*fig*] mixed-up, ill-adjusted

ver'knocht attached, devoted (to *aan*); **–heid** *v* attachment, devotion

ver'knoeien[1] *vt* 1 spoil, bungle [some work]; 2 (s l e c h t b e s t e d e n) waste [food, paper &]; *de boel* ~ make a mess of it

ver'koelen[1] **I** *vt* cool[2], refrigerate, chill; **II** *vi* cool[2]; **–ling** (-en) *v* cooling[2]; *fig* chill [between two persons]

ver'koken (verkookte, is verkookt) *vi* boil away

ver'kolen I (verkoolde, h. verkoold) *vt* carbonize, char; *een verkoold lijk* a charred body; **II** (verkoolde, is verkoold) *vt* become carbonized, char [wood]; **–ling** *v* 1 carbonization; 2 charring

ver'kommeren (verkommerde, is verkommerd) *vi* pine, (s t e r k e r) starve, (v a n p l a n t e n) wither

ver'kond(ig)en (verkond(ig)de, h. verkond(igd)) *vt* proclaim [the name of the Lord]; preach [the Gospel]; enunciate [a theory]; **–er** (-s) *m* proclaimer; preacher; **ver'kondiging** (-en) *v* proclamation; preaching [of the Gospel]

'verkoop, ver'koop (-kopen) *m* sale; *ten* ~ *aanbieden* offer for sale; ~ *bij afslag* Dutch auction; ~ *bij opbod* sale by auction, auction-sale; **'verkoopafdeling** (-en) *v* sales department; **–akte** (-n en -s) *v* deed of sale; **–automaat** [-o.to.- of-ɔuto.-] (-maten) *m* vending

[1] V.T. en V.D. van dit werkwoord volgens het model: **ver'**achten, V.T. **ver'**achtte, V.D. **ver'**acht (**ge-** valt dus weg in het V.D.). Zie voor de vormen onder het grondwoord, in dit voorbeeld: *achten.* Bij sterke en onregelmatige werkwoorden wordt u verwezen naar de lijst achterin.

machine; **ver'koopbaar** sal(e)able, marketable, vendible; **–heid** *v* sal(e)ability, vendility; **'verkoopboek** (-en) *o* sales-book; **–briefje** (-s) *o* sold note; **–campagne** [-kɑmpɑɲə] (-s) *v* sales (selling) campaign, sales drive; **–dag** (-dagen) *m* day of sale; **–huis** (-huizen) *o* auction-room, sale-room; **–kunde** *v* salesmanship; **–leider** (-s) *m* sales manager, sales executive; **–lokaal** (-kalen) *o* auction-room, sale-room; **–prijs** (-prijzen) *m* selling price; **–punt** (-en) *o* $ outlet; **–rekening** (-en) *v* $ account sales; **ver'koopster** (-s) *v* saleswoman, sales-lady, shop-assistant; *eerste (tweede)* ~ first (second) saleswoman; **'verkoopwaarde** *v* selling value, market value;
ver'kopen[1] **I** *vt* sell [goods]; dispose of [a house, horses]; *grappen* ~ crack jokes; *leugens* ~ tell lies; *in het groot (klein)* ~ sell wholesale (by retail); *in het openbaar of onderhands* ~ sell by public auction or by private contract; **II** *vr zich* ~ sell oneself; **–er** (-s) *m* seller, vendor; $ salesman [of a firm]; (shop-)assistant

ver'koperen[1] *vt* copper [iron &]; sheathe (with copper) [a ship]

ver'koping (-en) *v* sale, auction, public sale; *op de* ~ *doen* put up for auction

✎ **ver'koren** chosen, elect

ver'korten[1] *vt* shorten[2]; abridge[2] [a novel &]; abbreviate [a word]; *iem. in zijn rechten* ~ abridge sbd. of his rights; **–ting** (-en) *v* shortening[2]; abridg(e)ment[2]; abbreviation

ver'korven V.D. v. *verkerven*

ver'kouden having a cold, with a cold; *je zult* ~ *worden* you'll catch cold; *als... dan ben je* ~ [*fig*] you are in for it; **ver'koudheid** (-heden) *v* cold (in the head); *een* ~ *opdoen (oplopen)* catch (a) cold; *ik kan niet van mijn* ~ *afkomen* I cannot get rid of my cold

ver'krachten (verkrachtte, h. verkracht) *vt* violate [a law]; rape [a woman]; **–er** (-s) *m* rapist; **ver'krachting** (-en) *v* violation [of the law]; rape [of a woman]

ver'kreuk(el)en[1] *vt* rumple, crumple (up)

ver'krijgbaar obtainable, available, to be had; *niet meer* ~ sold out, out of stock, no longer to be had; **ver'krijgen**[1] *vt* obtain, acquire, gain, get, come by; *hij kon het niet van (over) zich* ~ he could not find it in his heart, he could not bring himself to; **–ging** *v ter* ~ *van* [in order] to acquire, to obtain; *verkregen rechten* vested rights

ver'kromming (-en) *v* ⚕ curvature [of the spine]

ver'kroppen[1] *vt* swallow[2] [one's anger]; *hij kan het niet* ~ it sticks in his throat; *verkropte gramschap* pent-up anger

ver'kruimelen[1] *vt* & *vi* crumble

ver'kwanselen (verkwanselde, h. verkwanseld) *vt* barter (bargain) away; fritter away [one's time, money]

ver'kwijnen (verkwijnde, is verkwijnd) *vi* pine away, languish

ver'kwikkelijk refreshing; comforting; **ver'kwikken** (verkwikte, h. verkwikt) *vt* refresh; comfort; **–king** (-en) *v* refreshment; comfort

ver'kwisten (verkwistte, h. verkwist) *vt* waste, dissipate, squander; ...~ *aan* waste... on; **–d** wasteful, extravagant, prodigal; ~ *met* lavish of; **ver'kwister** (-s) *m* spendthrift, prodigal; **ver'kwisting** (-en) *v* waste, wastefulness, dissipation, prodigality

1 ver'laat (-laten) *o* lock, weir

2 ver'laat *aj* belated

ver'laden[1] *vt* ⚓ ship; **–ding** (-en) *v* ⚓ shipment

ver'lagen (verlaagde, h. verlaagd) **I** *vt* lower[2]; reduce [prices]; cut [prices, wages]; ♪ flatten [a note]; ✎ put [a boy] in a lower form; *fig* debase, degrade; ~ *met* reduce (cut, lower) by; **II** *vr zich* ~ lower (degrade, debase) oneself; *ik wil me tot zo iets niet* ~ I refuse to stoop to such a thing; **ver'laging** (-en) *v* lowering[2]; reduction [of prices]; cut [in wages]; *fig* debasement, degradation; **–steken** (-s) *o* ♪ flat

ver'lak *o* lacquer, varnish; **ver'lakken**[1] *vt eig* lacquer, varnish, japan; *iem.* ~ [*fig*] bamboozle sbd.; **–er** (-s) *m* [*fig*] bamboozler; **verlakke'rij** (-en) *v* [*fig*] bamboozlement, spoof; *het was maar* ~ **F** it was all a do, all gammon; **ver'lakt** lacquered, japanned [boxes]; patent-leather [shoes]

ver'lamd paralyzed[2], palsied; *een* ~*e* a paralytic; **ver'lammen I** (verlamde, h. verlamd) *vt* paralyze[2]; *fig* cripple; **II** (verlamde, is verlamd) *vi* become paralyzed[2]; **–ming** (-en) *v* paralysis[2], palsy

ver'langen (verlangde, h. verlangd) **I** *vt* desire, want; *ik verlang dat niet te horen* I don't want to hear it; *ik verlang (niet), dat je...* I (do not) want you to...; *verlangt u, dat ik...?* do you want (wish) me to...?; *ik verlang niets liever* I'd ask nothing better, I shall be delighted (to...); *dat is alles wat men* ~ *kan* it is all that can be desired; *wat zou men meer kunnen* ~? what more could one ask for?; *verlangd salaris* salary required; **II** *vi* long, be longing; ~ *naar* long for [his

[1] V.T. en V.D. van dit werkwoord volgens het model: **ver'**achten, V.T. **ver'**achtte, V.D. **ver'**acht (**ge-** valt dus weg in het V.D.). Zie voor de vormen onder het grondwoord, in dit voorbeeld: *achten.* Bij sterke en onregelmatige werkwoorden wordt u verwezen naar de lijst achterin.

arrival]; *er naar ~ om...* long to..., be anxious to...; *wij ~ er niet naar om...* ook: we have no desire to...; **III** (-s) *o* desire; longing; *zijn ~ naar* his longing for; *op ~* [to be shown] on demand; *op ~ van...* at (by) the desire of...; *op speciaal ~ van...* at the special desire of...; **-d** longing (for *naar*); *~ naar* desirous of, eager for; *~ om...* desirous of ...ing, eager (anxious) to...; **ver'langlijst** (-en) *v* list of the presents one would like to get [at Christmas &]; *u moet maar eens een ~ opmaken* draw up a list of the things you would like to have

ver'langzamen (verlangzaamde, h. verlangzaamd) *vt* slow down

ver'lanterfanten[1] *vt* idle away

1 ver'laten[1] **I** *vt* leave, quit, abandon, forsake, desert; *de dienst ~* quit the service; *iem. ~* 1 (bij bezoek) leave sbd.; 2 (in de steek laten) abandon (desert) sbd.; *het ambt ~ rk* = *uittreden*; *zijn post ~* desert one's post; *de stad ~* leave the town; *de wereld ~* 1 give up the world; 2 depart this life; **II** *vr zich ~ op* trust to [Providence], rely (depend) upon; *daar kunt u zich op ~* depend upon it, you may rely upon it

2 ver'laten (verlaatte, h. verlaat) *ik heb mij verlaat* I am late

3 ver'laten *aj* 1 (niet bewoond) abandoned, deserted [islands, villages &]; 2 (afgelegen) lonely; **-heid** *v* abandonment, desertion, forlornness, loneliness

ver'lating *v* 1 abandonment, desertion; || 2 retardation, delay

ver'leden I *aj* past, last; *~ tijd* [*gram*] past tense; *dat is ~ tijd* [*fig*] zie *dat behoort tot het ~*; *~ vrijdag* last Friday; **II** *ad* the other day, lately, recently; **III** *o* past; *zijn ~* his past, his record, his antecedents; *dat behoort tot het ~* that's a thing of the past

ver'legen I *aj* 1 (bedorven) shop-worn, shop-soiled [articles]; stale [wine]; 2 (beschroomd) shy, timid, bashful; self-conscious [through inability to forget oneself]; 3 (beschaamd) confused, embarrassed; *u maakt me ~* you make me blush; *dat maakte hem ~* that put him out of countenance, embarrassed him; ● *~ met iets zijn* not know what to do with sth.; *hij was met zijn figuur ~* he was self-conscious, embarrassed; *~ zijn om* stand in need of [it], want [it] badly; be at a loss for [a reply]; *om geld ~ zijn* ook: be hard up; **II** *ad* shyly &; **-heid** *v* 1 shyness, timidity, bashfulness; self-consciousness [in speech &]; 2 confusion, embarrassment, perplexity; *in ~ brengen* 1 embarrass; 2 get into trouble; *in ~ geraken* get into difficulties; *uit de ~ redden* help out of a difficulty

ver'leggen[1] *vt* remove, shift, lay otherwise [things]; divert [a road, a river]; **-ging** *v* removal; shifting [of things]; diversion [of a road, a river]

ver'leidelijk I *aj* alluring, tempting, seductive; **II** *ad* alluringly &; **-heid** (-heden) *v* allurement, seductiveness; **ver'leiden**[1] *vt* 1 (tot het slechte) seduce [inexperienced youths, girls]; 2 (tot iets lokken) allure, tempt; *kan het mooie weer u niet ~?* can't the fine weather tempt you?; *hij liet zich door zijn... ~ tot een daad van...* by his... he was betrayed into an act of...; *tot zonde ~* tempt (entice) to sin; **-er** (-s) *m* seducer; tempter; **ver'leiding** (-en) *v* seduction; temptation; *de ~ weerstaan om...* resist the temptation to...; *in de ~ komen om...* be tempted to...; **ver'leidster** (-s) *v* seducer; temptress

ver'lekkerd *~ op* keen on

ver'lenen[1] *vt* grant [a pension, credit &]; give [permission, support, help]; confer [an order, full powers &] upon [him]; *hulp ~* render (lend, give) assistance

ver'lengbaar extensible; renewable [contract, passport]; **ver'lengen**[1] *vt* make longer, lengthen, prolong [in space, in time]; produce [a line: in geometry]; renew [bills, passports, a subscription]; extend [a contract, ticket &]; *de pas ~* step out; **-ging** (-en) *v* lengthening, prolongation; production [of a line: in geometry]; renewal [of a bill, a passport, a subscription]; extension [of leave]; **ver'lengsnoer** (-en) *o* ✱ extension cord; **-stuk** (-ken) *o* lengthening-piece; extension[2]

ver'lening *v* granting; conferment

ver'leppen (verlepte, is verlept) *vi* wither, fade; *een verlepte schoonheid* a faded beauty

ver'leren (verleerde, h. en is verleerd) *vt* unlearn; zie ook: *afleren*

ver'let *o* 1 delay; 2 loss of time; *zonder ~* without delay; **-sel** (-s) *o* hindrance, obstacle, impediment; **ver'letten**[1] *vt* 1 prevent; 2 neglect; 3 lose time; *niets te ~ hebben* be in no hurry

ver'leuteren[1] *vt* trifle (idle, fritter) away

ver'levendigen (verlevendigde, h. verlevendigd) *vt* revive [trade], quicken, enliven [the conversation]; **-ging** *v* revival [of trade], quickening, enlivening [of a conversation]

ver'licht 1 (minder donker) lighted (up),

[1] V.T. en V.D. van dit werkwoord volgens het model: **ver'**achten, V.T. **ver'**achtte, V.D. **ver'**acht (**ge-** valt dus weg in het V.D.). Zie voor de vormen onder het grondwoord, in dit voorbeeld: *achten.* Bij sterke en onregelmatige werkwoorden wordt u verwezen naar de lijst achterin.

illuminated; *fig* enlightened; 2 (minder zwaar) lightened; 3 (opgelucht) relieved; 4 (vrij v. vooroordelen) enlightened; *zich ~ voelen* feel relieved; *onze, ~e eeuw* our enlightened age; *een ~e geest* a luminary;
ver'lichten[1] *vt eig* 1 light, light up, illuminate [a building]; 2 (minder zwaar maken) lighten [a ship]; *fig* 1 enlighten [the mind]; 2 lighten [a burden]; relieve, ease, alleviate [pain]; zie ook: *verlicht*; **–ting** *v eig* 1 lighting, illumination [of a town]; 2 lightening; *fig* 1 enlightenment [of the mind]; 2 alleviation [of pain]; relief [of pain, from anxiety]

ver'liederlijken (verliederlijkte, is verliederlijkt) *vi* become a debauchee, go to the bad

ver'liefd enamoured, in love; amorous [look]; *~ op* in love with, sweet on; *~ worden op* fall in love with; *een ~ paar* a couple of lovers; **–heid** (-heden) *v* (state of) being in love, amorousness; *dwaze ~* infatuation

ver'lies (-liezen) *o* loss; bereavement; *ons ~ op de tarwe* our loss(es) on the wheat; *het was een groot ~* it was a great loss; *hun groot ~ door zijn dood* their sad bereavement; *iem. een ~ berokkenen* inflict a loss upon sbd.; *een ~ goedmaken* make good (make up for, recoup) a loss; • *met ~ verkopen (werken)* sell (work) at a loss; *niet tegen zijn ~ kunnen* be a bad loser; **–cijfer** (-s) *o* number of casualties; **–lijst** (-en) *v* ⚔ casualty list, list of casualties

⊙ **ver'lieven** (verliefde, is verliefd) *vi ~ op* fall in love with

ver'liezen* **I** *vt* lose [a thing, a battle, one's life &]; *u zult er (niet) bij ~* you will (not) lose by it, you will (not) be a loser by it (by the bargain); zie ook: *verloren*; **II** *vr zich ~* lose oneself (itself); **–er** (-s) *m* loser

ver'liggen (verlag, is verlegen) *vi* (bederven) spoil, get spoiled; (anders liggen) shift, move [one's lying position]

ver'lijden[1] *vt* draw up [a deed]; *verleden voor een notaris* notarially executed

ver'linken (verlinkte, h. verlinkt) **S** *vt* betray, **S** peach

ver'loederen (verloederde, is verloederd) *vi* become debase (degenerate, demoralised); run to seed, go to the bad

ver'lof (-loven) *o* 1 (vergunning) leave, permission; 2 (vakantie) leave (of absence); ⚔ ook: furlough; 3 (tapvergunning) licence for the sale of beer; *groot ~* ⚔ long furlough; *klein ~* ⚔ short leave; *onbepaald ~* ⚔ unlimited furlough; *~ aanvragen* apply for leave; *~ geven* grant leave; *~ geven om...* give (grant) permission to...; *alle ~ intrekken* ⚔ cancel all leave; *~ nemen* go on leave; • *met ~* on leave; *met ~ gaan* go on leave; *met ~ zijn* be on leave; *met uw ~* excuse me; *zonder ~* without permission; **–aanvrage** (-n) *v* application for leave; **–centrum** (-tra en -s) *o* ⚔ leave centre; **–ganger** (-s) *m* ⚔ soldier on leave; **–pas** (-sen) *m* leave pass; **ver'lof(s)traktement** (-en) *o* leave pay; **ver'lofsverlenging** *v* extension of leave; **ver'loftijd** (-en) *m* (time of) leave

ver'lokkelijk alluring, tempting, seductive; **–heid** (-heden) *v* allurement, seductiveness;
ver'lokken[1] *vt* allure, tempt, entice, seduce; *zij heeft mij er toe verlokt* ook: she wiled me into doing it; **–king** (-en) *v* temptation, allurement, enticement

ver'loochenen[1] **I** *vt* deny [God], disown [a friend, an opinion], disavow [an action], repudiate [an opinion, a promise], renounce [one's faith, the world], belie [one's words]; **II** *vr zich ~* 1 belie one's nature; 2 deny oneself, practise self-denial; *zijn... verloochende zich niet* his... did not belie itself; **–ning** *v* denial, repudiation, disavowal, renunciation

ver'loofd engaged (to *met*); **–e** (-n) *m-v* fiancé(e), betrothed, affianced; *de ~n* the engaged couple

ver'loop *o* 1 course, progress [of an illness]; course, lapse, expiration [of time]; 2 (achteruitgang) decline; wastage [among married women in industry]; 3 (wisseling van personeel) turnover; *het moet zijn ~ hebben* it must take its normal course; *het gewone ~ hebben* take the accustomed course; *een noodlottig ~ hebben* end fatally; *de vergadering had een rustig ~* the meeting passed off quietly; *de besprekingen hebben een vlot ~* the conversations are proceeding smoothly; *een gunstig ~ nemen* take a favourable turn; *na ~ van drie dagen* after a lapse of three days; *na ~ van tijd* in course (in process) of time; **–stuk** (-ken) *o* ⚒ reducer

ver'loor (verloren) V.T. van *verliezen*

1 ver'lopen[1] *vi* 1 ⚽ run into the pocket; 2 (van tijd) pass, pass away, elapse, go by; 3 (van biljet, paspoort &) expire; 4 (v. zaak) go down, run to seed; 5 (nauwer worden) ⚒ reduce, narrow; *het getij verliep* the tide was ebbing; *de staking verliep* the strike collapsed; *de demonstratie verliep zonder incidenten* the demonstration passed off without incident; zie ook: *verloop*

[1] V.T. en V.D. van dit werkwoord volgens het model: **ver'**achten, V.T. **ver'**achtte, V.D. **ver'**acht (**ge-** valt dus weg in het V.D.). Zie voor de vormen onder het grondwoord, in dit voorbeeld: *achten*. Bij sterke en onregelmatige werkwoorden wordt u verwezen naar de lijst achterin.

2 ver'lopen *aj* seedy-looking, seedy [man]; run-down [business]
ver'loren I *aj* lost; *een ~ man* a lost man, a dead man; *~ moeite* labour lost; *het V~ Paradijs van Milton* Milton's Paradise Lost; *~ ogenblikken* spare moments, odd moments; *de ~ zoon* the prodigal son; *~ gaan (raken)* be (get) lost; *er zou niet veel aan ~ zijn* it would not be much (of a) loss; **II** V.T. meerv. van *verliezen*; **III** V.D. van *verliezen*
ver'loskamer (-s) *v* ⚕ delivery room; **–kunde** *v* obstetrics, midwifery; **verlos'kundig** obstetric(al); **–e** (-n) *m-v* obstetrician; *v* (vroedvrouw) midwife; **ver'lossen**[1] *vt* 1 deliver, rescue, release [a prisoner], free [from...]; (v. Christus) redeem [mankind]; 2 (bij bevalling) deliver; **–er** (-s) *m* liberator, deliverer; *de Verlosser* the Redeemer, the Saviour; **ver'lossing** (-en) *v* 1 deliverance, rescue; redemption [of mankind]; 2 (bevalling) delivery; **ver'lostang** (-en) *v* forceps
ver'loten[1] *vt* dispose of [sth.] by lottery, raffle; **–ting** (-en) *v* raffle, lottery
1 ver'loven[1] *zich ~* become engaged
2 ver'loven meerv. van *verlof*
ver'loving (-en) *v* betrothal, engagement (to *met*); **ver'lovingsfeest** (-en) *o* engagement party; **–kaart** (-en) *v* engagement card; **–ring** (-en) *m* engagement ring
ver'luchten[1] *vt* illuminate [a manuscript]; **–er** (-s) *m* illuminator; **ver'luchting** *v* illumination
ver'luiden (verluidde, is verluid) *vi naar verluidt* it is understood that..., it is rumoured that...; *wat men hoort ~* what one hears; *niets laten ~* not breathe a word about it
ver'luieren[1] *vt* idle away
ver'lummelen[1] *vt* laze away, fritter away [one's time]
ver'lustigen (verlustigde, h. verlustigd) **I** *vt* divert; **II** *vr zich ~ in* take delight in, delight in, take (a) pleasure in; **–ging** (-en) *v* diversion
ver'maagschappen (vermaagschapte, h. vermaagschapt) *zich ~ aan* become related to, marry into the family of...
ver'maak (-maken) *o* pleasure, diversion, amusement; *~ scheppen in* take (a) pleasure in, find pleasure in, take delight in; *tot ~ van...* to the amusement of...; *tot groot ~ van...* much to the amusement of...; **–scentrum** (-tra en -s) *o* night-life district
ver'maan *o* admonition, warning
ver'maard famous, renowned, celebrated, illustrious; **–heid** (-heden) *v* fame, renown, celebrity; *een van de vermaardheden van de stad* one of the celebrities of the town
ver'mageren I (vermagerde, is vermagerd) *vi* grow lean (thin); (door dieet) reduce, slim; **II** (vermagerde, h. vermagerd) *vt* make lean (thin), emaciate; **ver'magering** *v* emaciation; (slank maken) slimming; **–skuur** (-kuren) *v* reducing cure, slimming course
ver'makelijk I *aj* amusing, entertaining; **II** *ad* amusingly; **ver'makelijkheid** (-heden) *v* amusingness; *publieke vermakelijkheden* public amusements; **–sbelasting** *v* entertainment tax
ver'maken[1] **I** *vt* 1 (veranderen) alter [a coat &]; 2 (amuseren) amuse, divert; 3 (nalaten) bequeath [it]; will away [money]; **II** *vr zich ~* enjoy (amuse) oneself; *zich ~ met...* amuse oneself with [sth.], amuse oneself (by) [doing sth.]; **–king** (-en) *v* ('t nalaten) bequest
vermale'dij(d)en (vermaledij(d)de, h. vermaledijd) *vt* curse, damn
ver'malen[1] *vt* grind [corn &]; crush [sugar-cane]
ver'manen[1] *vt* admonish, exhort, warn; **–er** (-s) *m* admonisher, exhorter; **ver'maning** (-en) *v* admonition, exhortation, warning, **F** talking-to
ver'mannen (vermande, h. vermand) *zich ~* take heart, nerve oneself, pull oneself together
ver'meend fancied, pretended; supposed [culprit, thief], reputed [father]
ver'meerderen I (vermeerderde, h. vermeerderd) *vt* increase, augment, enlarge; *(het getal) ~ met 10* add 10 (to the number); *het aantal inwoners is vermeerderd met...* has increased by...; *vermeerderde uitgave* enlarged edition; **II** (vermeerderde, is vermeerderd) *vi* grow, increase (by *met*); **III** *vr zich ~* 1 (v. dingen, getallen &) increase; 2 (v. mens en dier) multiply; **–ring** (-en) *v* increase, augmentation
ver'meesteren (vermeesterde, h. vermeesterd) *vt* master [one's passions]; capture [a town], conquer [a province], seize [a fortress &]
ver'meien (vermeide, h. vermeid) *zich ~* amuse oneself, disport oneself, enjoy oneself; *zich ~ in...* revel in...
ver'melden[1] *vt* mention, state; (boekstaven) record; **vermeldens'waard(ig)** worth mentioning, worthy of mention; **ver'melding** (-en) *v* mention; *eervolle ~* 1 (op tentoonstelling) honourable mention; 2 ⚔ being mentioned in dispatches; *met ~*

[1] V.T. en V.D. van dit werkwoord volgens het model: **ver'**achten, V.T. **ver'**achtte, V.D. **ver'**acht (**ge-** valt dus weg in het V.D.). Zie voor de vormen onder het grondwoord, in dit voorbeeld: *achten.* Bij sterke en onregelmatige werkwoorden wordt u verwezen naar de lijst achterin.

van... mentioning..., stating...
ver'menen[1] *vt* be of opinion, opine
ver'mengen[1] **I** *vt* mix, mingle [substances or groups]; blend [tea, coffee]; alloy [metals]; **II** *vr zich* ~ mix, mingle, blend; **-ging** (-en) *v* mixing, mixture, blending
vermenig'vuldigbaar multipliable; **vermenig'vuldigen** (vermenigvuldigde, h. vermenigvuldigd) **I** *vt* multiply; ~ *met*... multiply by...; **II** *vr zich* ~ multiply; **-er** (-s) *m* multiplier; **vermenig'vuldiging** (-en) *v* multiplication; ~*en maken* do sums in multiplication; **vermenig'vuldigtal** (-len) *o* multiplicand
ver'menselijken (vermenselijkte, *vt* h., *vi* is vermenselijkt) *vt* & *vi* humanize
ver'metel I *aj* audacious, bold, daring; **II** *ad* audaciously, boldly, daringly; **-heid** *v* audacity, boldness, daring
ver'meten[1] *zich* ~ 1 (d u r v e n) dare, presume, make bold; 2 (v e r k e e r d m e t e n) measure wrong
vermi'celli *m* vermicelli; **-soep** *v* vermicelli soup
ver'mijdbaar avoidable; **ver'mijden**[1] *vt* avoid; (s c h u w e n) shun; **-ding** *v* avoidance, avoiding
vermil'joen *o* vermilion, cinnabar; **-kleurig** vermilion, cinnabar
ver'minderen[1] **I** *vi* lessen, diminish, decrease [of strength &]; abate [of pain &]; fall off [of numbers]; **II** *vt* lessen, diminish, decrease, reduce; *verminder* a *met* b from *a* take *b*; *ik zal zijn verdienste niet* ~ I am not going to detract from his merit; **-ring** (-en) *v* diminution, decrease, falling-off [of the receipts &]; abatement [of pain &]; reduction [of price], cut [in wages]
ver'minken (verminkte, h. verminkt) *vt* maim, mutilate², disfeature; **-king** (-en) *v* mutilation²; **ver'minkt** maimed, mutilated²; crippled, disabled [soldier]; *de in de oorlog* ~*en* ook: the war cripples
ver'missen[1] *vt* miss; *hij wordt vermist* he is missing; *de vermisten* the (number of) missing
ver'mits whereas, since
ver'moedelijk I *aj* presumable, probable; supposed [thief]; [heir] presumptive; **II** *ad* presumably, probably; ~ *wel* ook: most likely; **ver'moeden** (vermoedde, h. vermoed) **I** *vt* suspect; suppose, presume, surmise, conjecture; guess; *je hebt..., vermoed ik* I suppose, I guess; *geen kwaad* ~*d* unsuspecting(ly); **II** (-s) *o* suspicion; surmise, supposition, presumption; ~*s hebben* have one's suspicions; ~*s hebben dat*... suspect that...; ~ *hebben tegen iem.* suspect sbd.; ~ *krijgen tegen iem.* begin to suspect sbd.; *het* ~ *wekken dat*... suggest that...; *kwade* ~*s wekken* arouse suspicion
ver'moeid tired, weary, fatigued; ~ *van* tired with; **-heid** *v* tiredness, weariness, fatigue; **ver'moeien** (vermoeide, h. vermoeid) **I** *vt* tire, weary, fatigue; **II** *vr zich* ~ tire oneself; get tired; **-d** tiring, fatiguing; trying [journey, light]; **ver'moeienis** (-sen) *v* weariness, fatigue, lassitude
ver'moet = *vermout*
ver'mogen[1] **I** *vt* be able; *dat zal niets* ~ it wil be to no purpose; *veel b ij iem.* ~ have great influence with sbd.; *niets* ~ *t e g e n* be of no avail against; **II** (-s) *o* 1 (m a c h t) power; 2 (g e s c h i k t h e i d) ability; 3 (f o r t u i n) fortune, means, wealth, riches; 4 (w e r k v e r m o g e n) capacity; *zijn* ~*s* his (intellectual) faculties; *geen* ~ *hebben* have no fortune, have no means; *goede* ~*s hebben* be naturally gifted; *ik zal doen al wat i n mijn* ~ *is* all in my power; *n a a r mijn beste* ~ to the best of my ability; **-d** 1 (m a c h t i g) influential [friends]; 2 (r ij k) wealthy, rich, well-to-do, well-off
ver'mogensaanwas *m* capital gains; increment of assets (of property); **-belasting** *v* capital gains tax; **-deling** *v* excess-profit sharing
ver'mogensbelasting (-en) *v* property tax; **-heffing** (-en) *v* capital levy
ver'molmen[1] *vi* moulder
ver'mommen (vermomde, h. vermomd) **I** *vt* disguise; **II** *vr zich* ~ disguise oneself; **-ming** (-en) *v* disguise
ver'moorden[1] *vt* murder, kill, **S** do in
ver'morsen[1] *vt* waste, squander [money]
ver'morzelen (vermorzelde, h. vermorzeld) *vt* crush, pulverize; **-ling** *v* crushing, pulverization
'vermout, ver'mout [-mu.t] *m* vermouth
ver'murwen (vermurwde, h. vermurwd) *vt* soften, mollify
ver'nachelen (vernachelde, h. vernacheld), **ver'naggelen** (vernaggelde, h. vernaggeld) **S** *vt* spoof, fool, hoax
ver'nagelen[1] *vt* ⚔ spike [a gun]; **-ling** *v* ⚔ spiking [of a gun]
ver'nauwen (vernauwde, h. vernauwd) **I** *vt* narrow; **II** *vr zich* ~ narrow; **-wing** (-en) *v* 1 narrowing; 2 ⚕ stricture
ver'nederen (vernederde, h. vernederd) **I** *vt*

[1] V.T. en V.D. van dit werkwoord volgens het model: **ver'**achten, V.T. **ver'**achtte, V.D. **ver'**acht (**ge-** valt dus weg in het V.D.). Zie voor de vormen onder het grondwoord, in dit voorbeeld: *achten.* Bij sterke en onregelmatige werkwoorden wordt u verwezen naar de lijst achterin.

humble, humiliate, mortify, abase; *vernederd worden* be brought low; **II** *vr zich* ~ humble (humiliate) oneself, **F** eat humble pie; *zich voor zijn God* ~ humble oneself before one's Maker; **–d** humiliating, degrading; **ver'nedering** (-en) *v* humiliation, mortification, abasement
ver'nemen[1] **I** *vt* hear, understand, learn; **II** *vi naar wij* ~ we learn [that...]
ver'neuken[1] **P** *vt* cheat, spoof, diddle, dupe, gull; **verneukera'tief P** cunning, artful, sly
ver'nevelen (vernevelde, h. verneveld) *vt* spray
ver'nielal (-len) *m* destroyer, smasher; **ver'nielen** (vernielde, h. vernield) *vt* 1 wreck [a car, machinery]; 2 (v e r w o e s t e n) destroy; *die jongen vernielt alles* that boy smashes everything; **–d** destructive; **ver'nieler** (-s) *m* destroyer, smasher; **ver'nieling** (-en) *v* destruction; **–swerk** *o* work of destruction; **ver'nielziek** destructive, ruinous; **–zucht** *v* love of destruction, destructiveness, vandalism; **verniel'zuchtig** destructive
ver'nietigen (vernietigde, h. vernietigd) *vt* 1 (s t u k m a k e n) destroy, annihilate, wreck; 2 (n i e t i g v e r k l a r e n) nullify, annul, quash, reverse [a verdict]; *het leger werd totaal vernietigd* the whole army was annihilated (wiped out); **–d** destructive [fire, acids]; *fig* smashing [victory], crushing [review], withering [phrases, look], slashing [criticism]; **ver'nietiging** *v* destruction, annihilation [of matter, credit &]; ⚖ annulment, nullification, quashing [of a verdict]
ver'nieuwen (vernieuwde, h. vernieuwd) *vt* renew, renovate; **–er** (-s) *m* renewer, renovator; **ver'nieuwing** (-en) *v* renewal, renovation
ver'nikkelen (vernikkelde, h. vernikkeld) *vt* (plate with) nickel, nickel-plate
ver'nis (-sen) *o* & *m* varnish[2]; *fig* veneer; **–je** (–s) *o* = *vernis*; **ver'nissen** (verniste, h. gevernist) *vt* varnish[2]; *fig* veneer; **–er** (-s) *m* varnisher
ver'noemen[1] *vt* name after
ver'nuft (-en) *o* 1 ingenuity, genius; 2 wit; *vals* ~ would-be wit; **ver'nuftig I** *aj* ingenious; **II** *ad* ingeniously; **–heid** *v* ingenuity
ver'nummeren[1] *vt* renumber
veron'aangenamen (veronaangenaamde, h. veronaangenaamd) *vt* make unpleasant
veron'achtzamen (veronachtzaamde, h. veronachtzaamd) *vt* disregard [warning &], neglect [one's duty &]; slight [one's wife]; **–ming** *v* neglect, negligence, disregard; *met* ~ *van...* neglecting
veronder'stellen[1] *vt* suppose; *veronderstel dat...* suppose, supposing (that)...; **–ling** (-en) *v* supposition; *in de* ~ *dat...* in (on) the supposition that...; *wij schrijven in de* ~ (*van de* ~ *uitgaand*) *dat...* we are writing on the assumption that...
ver'ongelijken (verongelijkte, h. verongelijkt) *vt* wrong, do [sbd.] wrong; **–king** (-en) *v* wrong, injury
ver'ongelukken (verongelukte, is verongelukt) *vi* 1 (v. p e r s o n e n) meet with an accident; perish, come to grief; 2 (v. s c h e p e n &) be wrecked, be lost
ve'ronica ('s) *v* ✿ speedwell
veront'heiligen (verontheiligde, h. verontheiligd) *vt* 1 desecrate [a tomb]; 2 profane [the name of God]; **–ging** (-en) *v* 1 desecration; 2 profanation
veront'reinigen (verontreinigde, h. verontreinigd) *vt* defile, pollute; **–ging** (-en) *v* defilement, pollution
veront'rusten (verontrustte, h. verontrust) **I** *vt* alarm, disturb, perturb; **II** *vr zich* ~ (*over*) be alarmed (at), be agitated, be disturbed; **–d** alarming, disquieting, disturbing; **veront'rusting** *v* alarm, perturbation, disturbance
veront'schuldigen (verontschuldigde, h. verontschuldigd) **I** *vt* excuse; *dat is niet te* ~ that is inexcusable; **II** *vr zich* ~ apologize (to *by*; for *wegens*); excuse oneself [on the ground that...]; **–ging** (-en) *v* excuse, apology; *zijn* ~*en aanbieden* apologize; *vermoeidheid als* ~ *aanvoeren* plead fatigue; *ter* ~ by way of excuse [he said that...]; *ter* ~ *van zijn...* in excuse of his... [bad temper &]
veront'waardigd indignant; ~ *over* indignant at [sth.]; indignant with [sbd.]; **veront'waardigen** (verontwaardigde, h. verontwaardigd) **I** *vt* make indignant; *het verontwaardigde hem* it roused his indignation; **II** *vr zich* ~ be (become) indignant, be filled with indignation; **–ging** *v* indignation
ver'oordeelde (-n) *m-v* condemned man (woman), convicted person; **ver'oordelen**[1] *vt* 1 ⚖ give judgment against, condemn, sentence, convict, pass sentence on; 2 (i n 't a l g.) condemn; 3 (a f k e u r e n) condemn; *iem. in de kosten* ~ order sbd. to pay costs; *ter dood* ~ condemn to death; *de ter dood veroordeelden* those under sentence of death; *t o t 3 maanden gevangenisstraf* ~ sentence to three months(' imprisonment); ~ *w e g e n s* convict of

[1] V.T. en V.D. van dit werkwoord volgens het model: **ver'**achten, V.T. **ver'**achtte, V.D. **ver'**acht (**ge-** valt dus weg in het V.D.). Zie voor de vormen onder het grondwoord, in dit voorbeeld: *achten.* Bij sterke en onregelmatige werkwoorden wordt u verwezen naar de lijst achterin.

[drunkenness &]; **–ling** (-en) *v* 1 condemnation°; 2 ⚖ conviction (for *wegens*)
ver'oorloofd allowed, allowable; permitted; **ver'oorloven** (veroorloofde, h. veroorloofd) **I** *vt* permit, allow, give leave; **II** *vr zich ~ om...* take the liberty to..., make bold to...; *zij ~ zich heel wat* they take great liberties; *zij kunnen zich dat ~* they can afford it; **–ving** (-en) *v* leave, permission
ver'oorzaken (veroorzaakte, h. veroorzaakt) *vt* cause, bring about, occasion; **–er** (-s) *m* cause, author
veroot'moedigen (verootmoedigde, h. verootmoedigd) *vt* humble, humiliate; **–ging** (-en) *vt* humiliation
ver'orberen (verorberde, h. verorberd) *vt* consume, **F** dispose of, polish off
ver'ordenen[1] *vt* order, ordain, decree; **–ning** (-en) *v* regulation; (g e m e e n t e l ij k e) by-law; *volgens ~* by order; **verordi'neren** (verordineerde, h. verordineerd) *vt* order, ordain, prescribe
ver'ouderd out of date, antiquated, archaic, obsolete [word]; aged [man]; **ver'ouderen I** (verouderde, is verouderd) *vi* 1 (v a n p e r s o n e n) grow old, age; 2 (v. w o o r d e n &) become obsolete; *hij is erg verouderd* he has aged very much; **II** (verouderde, h. verouderd) *vt* make older, age; **ver'oudering** *v* growing old, ageing [of people]; obsolescence [of a word]; **–sproces** (-sen) *o* ageing process
ver'overaar (-s) *m* conqueror; **ver'overen** (veroverde, h. veroverd) *vt* conquer, capture², take (from *op*); **ver'overing** (-en) *v* conquest², capture²; **–soorlog** (-logen) *m* war of conquest
ver'pachten[1] *vt* lease [land]; farm out [taxes]; **–er** (-s) *m* lessor; **ver'pachting** (-en) *v* leasing [of land]; farming out [of taxes]
ver'pakken[1] *vt* pack, put up [... in tins], (k a n t e n k l a a r v o o r v e r k o o p) package; **–er** (-s) *m* packer; **ver'pakking** (-en) *v* packing; [modern, plastic] packaging
ver'panden[1] *vt* pawn [at a pawnbroker's shop]; pledge [one's word]; mortgage [one's house]; **–ding** (-en) *v* pawning; pledging; mortgaging
ver'patsen (verpatste, h. verpatst) **S** *vt* flog
ver'pauperen (verpauperde, is verpauperd) *vi* pauperize, be reduced to pauperism
verper'soonlijken (verpersoonlijkte, h. verpersoonlijkt) *vt* personify, impersonate; **–king** *v* personification, impersonation
ver'pesten[1] *vt* infect² [the air &]; *fig* poison [the mind]; **–d** pestilential, pestiferous; **ver'pesting** *v* infection²; *fig* poisoning
ver'pieteren (verpieterde, is verpieterd) *vi* wither, dwindle, (v. p l a n t e n) wilt
ver'plaatsbaar movable, removable; portable [radio]; **ver'plaatsen**[1] **I** *vt* move, remove, transpose, displace [things, persons]; transfer [persons]; **II** *vr zich ~* move; *zich in iems. toestand ~* put oneself in sbd.'s place; *zich ~ in de toestand van iem. die...* put (place) oneself in the position of sbd. who...; **–sing** (-en) *v* 1 movement; removal [of furniture]; displacement [of water]; transposition [of words]; 2 (o v e r p l a a t s i n g) transfer [of officials]
ver'planten[1] *vt* transplant, plant out; **–ting** (-en) *v* transplantation
ver'pleegde (-n) *m-v* patient; inmate [of an asylum]; **ver'pleeginrichting** (-en) *v* nursing-home; **–kunde** *v* nursing; **verpleeg'kundig** nursing; **–e** (-n) *m-v* nurse; **ver'pleegster** (-s) *v* nurse; **ver'pleegtehuis** (-huizen) *o* nursing-home; **ver'plegen**[1] *vt* nurse, tend; **–er** (-s) *m* male nurse, (hospital) attendant; **ver'pleging** *v* 1 (v. z i e k e n, g e w o n d e n) nursing; **–skosten** *mv* hospital charges, nursing fees
ver'pletteren (verpletterde, h. verpletterd) *vt* crush, smash, shatter, dash to pieces; *~de meerderheid* overwhelming (crushing) majority; *een ~de tijding* crushing news; **–ring** *v* crushing, smashing, shattering
ver'plicht due (to *aan*); compulsory [subject, branch, insurance], obligatory; *ik ben u zeer ~* I am much obliged to you; *iets ~ zijn aan iem.* be indebted to sbd. for sth.; owe sth. to sbd.; *~ zijn om...* be obliged to, have to; zie ook: *verplichten*; **ver'plichten** (verplichtte, h. verplicht) **I** *vt* oblige, compel, force; *daardoor hebt u mij (aan u) verplicht* by this you have (greatly) obliged me, you have put me under an obligation; **II** *vr zich ~ tot* bind oneself to; zie ook: *verplicht*; **–ting** (-en) *v* obligation; commitment; *mijn ~en* ook: my engagements; *~en aangaan* enter into obligations; *grote ~en aan iem. hebben* be under great obligations to sbd.; *zijn ~en nakomen* 1 (i n 't a l g.) meet one's obligations, meet one's engagements; 2 (g e l d e l ij k) meet one's liabilities; *de ~ op zich nemen om...* undertake to...
ver'poppen (verpopte, h. verpopt) *zich ~* pupate; **–ping** (-en) *v* pupation
ver'poten[1] *vt* transplant, plant out
ver'potten[1] *vt* repot
ver'pozen[1] *zich ~* take a rest, rest; **–zing** (-en) *v* rest

[1] V.T. en V.D. van dit werkwoord volgens het model: **ver**'achten, V.T. **ver**'achtte, V.D. **ver**'acht (**ge-** valt dus weg in het V.D.). Zie voor de vormen onder het grondwoord, in dit voorbeeld: *achten.* Bij sterke en onregelmatige werkwoorden wordt u verwezen naar de lijst achterin.

ver'praten[1] **I** *vt* waste [one's time] talking, talk away [one's time]; **II** *vr zich* ~ let one's tongue run away with one, give oneself away
ver'prutsen[1] = *verknoeien*
ver'pulveren (verpulverde, *vt* h., *vi* is verpulverd) *vt* & *vi* pulverize; **-ring** *v* pulverization
ver'raad *o* treason, treachery, betrayal; ~ *plegen* commit treason; ~ *plegen jegens* betray; **S** blow the gaff; **-ster** (-s) *v* traitress; **ver'raden**[1] **I** *vt* betray[2], give away; *fig* show, bespeak; *dat verraadt zijn gebrek aan beschaving* that betrays his want of good-breeding; **II** *vr zich* ~ betray oneself, give oneself away; **-er** (-s) *m* betrayer, traitor [to his country]; **verrade'rij** (-en) *v* treachery, treason; **ver'raderlijk I** *aj* treacherous, traitorous, perfidious; insidious [disease]; *een* ~ *blosje* a telltale blush; **II** *ad* treacherously, perfidiously; **-heid** *v* treacherousness
ver'rassen (verraste, h. verrast) *vt* surprise, take by surprise; *uw bezoek verraste ons* ook: your visit was a (pleasant) surprise, came as a surprise, took us unawares; *zij willen u eens* ~ they intend to give you a surprise; *door de regen verrast worden* be caught in the rain; **-d** surprising, startling [news]; *een* ~*e aanval* ⚔ a surprise attack; **ver'rassing** (-en) *v* surprise; *iem. een* ~ *bereiden* prepare a surprise for sbd., give sbd. a surprise; *b ij* ~ ⚔ by surprise; *t o t mijn grote* ~ to my great surprise; **-saanval** (-len) *m* ⚔ surprise attack
'verre far, distant, remote; *het zij* ~ *van mij dat...* far be it from me to...; ~ *van...* (so) far from..., nowhere near...; ~ *van gemakkelijk* far from easy; *o p* ~ *na niet* not nearly, not by far; *v a n* ~ from afar; **-gaand I** *aj* extreme, excessive [cruelty &]; **II** *ad* < extremely, excessively
ver'regenen (verregende, is verregend) *vi* be spoiled by the rain(s)
'verreikend far-reaching [proposals], sweeping [changes]
ver'reisd travel-worn, travel-stained; **ver'reizen**[1] *vt* spend in travelling
ver'rek *ij* **F** Hell!, **P** damn (it), damn you!
ver'rekenen[1] I *vt* settle; clear [cheques]; **II** *vr zich* ~ miscalculate, make a mistake in one's calculation; **-ning** (-en) *v* 1 settlement; clearance; 2 miscalculation; **ver'rekenkantoor** *o* clearing-house; **-pakket** (-ten) *o* ℭ C.O.D. parcel
'verrekijker (-s) *m* = *kijker* 2
1 ver'rekken[1] I *vt* strain, rick [a muscle], wrench, dislocate [one's arm], sprain [one's ankle], crick [one's neck]; **II** *vr zich* ~ strain oneself
2 ver'rekken[1] **P** *vi* (d o o d g a a n) die, perish [from starvation, from cold]; starve [for hunger]; zie ook: *verrek, verrekt*
ver'rekking (-en) *v* strain(ing), sprain(ing) [of ankle, wrist]; crick [of neck]
ver'rekt *aj* & *ad* **F** damned, **P** damn
'verreweg by far, far and away; ~ *te verkiezen boven* much to be preferred to, infinitely preferable to
ver'richten[1] *vt* do, perform, execute, make [arrests].; **-ting** (-en) *v* action, performance, operation, transaction
ver'rijken (verrijkte, h. verrijkt) **I** *vt* enrich; **II** *vr zich* ~ enrich oneself; **-king** *v* enrichment
ver'rijzen[1] *vi* rise [from the dead]; arise [of difficulties &]; *doen* ~ raise; zie ook: *paddestoel*; **ver'rijzenis** *v* resurrection
ver'roeren[1] *vt* & *vr* stir, move, budge; *zich niet* ~ stay put
ver'roest 1 rusty; 2 **F** = *verrekt*; **ver'roesten**[1] *vi* rust
ver'roken[1] *vt* spend on cigars, tobacco &
ver'rollen[1] *vi* & *vt* roll away
ver'rot rotten, putrid, putrefied; **-heid** *v* rottenness; **ver'rotten**[1] *vi* rot, putrefy; **ver'rotting** *v* rotting, putrefaction; *tot* ~ *overgaan* rot, putrefy; **-sproces** (-sen) *o* process of putrefaction
ver'ruilen[1] *vt* exchange, barter (for *tegen, voor*); **-ling** (-en) *v* exchange, barter
ver'ruimen[1] *vt* enlarge, widen[2]; *fig* enlarge, broaden [one's outlook]; **-ming** *v* enlargement[2], widening[2], broadening[2]
ver'rukkelijk I *aj* delightful, enchanting, charming, ravishing; delicious [food]; **II** *ad* delightfully &; ook: < wonderfully; **-heid** (-heden) *v* delightfulness, charm; **ver'rukken** (verrukte, h. verrukt) *vt* delight, ravish, enchant, enrapture; zie ook: *verrukt*; **-king** (-en) *v* delight, ravishment, transport, rapture, ecstasy; **ver'rukt I** *aj* delighted &, zie *verrukken*; ook: rapturous [smile]; *zij waren er* ~ *over* they were in raptures about it; *zij zullen er* ~ *over zijn* they will be delighted at (with) it; **II** *ad* rapturously, in raptures
ver'ruwen (verruwde, *vt* h., *vi* is verruwd) *vt* & *vi* coarsen; **-wing** *v* coarsening
1 vers (verzen) *o* 1 (r e g e l) verse; 2 (c o u p l e t) stanza; 3 (t w e e r e g e l i g) couplet; 4 (v. B ij b e l) verse; 5 (g e d i c h t) poem
2 vers I *aj* fresh, new, new-laid [eggs], green

[1] V.T. en V.D. van dit werkwoord volgens het model: **ver**'achten, V.T. **ver**'achtte, V.D. **ver**'acht (**ge**- valt dus weg in het V.D.). Zie voor de vormen onder het grondwoord, in dit voorbeeld: *achten.* Bij sterke en onregelmatige werkwoorden wordt u verwezen naar de lijst achterin.

[vegetables]; *het ligt nog ~ in het geheugen* it is fresh in men's minds; **II** *ad* fresh(ly)

ver'saagd faint-hearted; **-heid** *v* faint-heartedness; **ver'sagen** (versaagde, h. en is versaagd) *vi* grow faint-hearted, quail, despair, despond

'versbouw *m* metrical construction

ver'schaffen[1] I *vt* procure [sbd. sth., sth. for sbd.], provide, furnish, supply [sbd. with sth.]; *wat verschaft mij het genoegen om...?* what gives me the pleasure of ...ing?; **II** *vr zich ~* procure; zie ook: 2 *recht, toegang*; **-fing** *v* furnishing, procurement, provision [of food and clothing]

ver'schalen (verschaalde, is verschaald) *vi* grow (go) flat (stale, vapid)

ver'schalken (verschalkte, h. verschalkt) *vt* outwit; *er eentje ~, een glaasje* & *~* **F** have one; *een vogel ~* catch a bird; **-king** *v* deception

ver'schansen (verschanste, h. verschanst) **I** *vt* entrench [a town &]; **II** *vr zich ~* ⚔ entrench oneself[2]; **-sing** (-en) *v* 1 ⚔ entrenchment [of a fortress]; 2 ⚓ bulwarks, (r e l i n g) rails [of a ship]

1 ver'scheiden[1] **I** *vi* depart this life, pass away; **II** *o* passing (away), death, decease

2 ver'scheiden 1 several; 2 (v e r s c h i l l e n d) various, diverse, different, sundry; **-heid** (-heden) *v* diversity, variety; difference; range [of colours, patterns &]

ver'schelen[1] 1 **F** = *verschillen*; 2 **F** *dat kan me niet ~* I don't care a damn

ver'schenken[1] *vt* pour out.

ver'schepen (verscheepte, h. verscheept) *vt* ship; **-er** (-s) *m* shipper; **ver'scheping** (-en) *v* shipment; **ver'schepingsdocumenten** *mv* shipping documents

ver'scherpen[1] *vt* sharpen[2]; *de wet ~* stiffen (tighten up) the law; **-ping** *v* sharpening[2]; *fig* stiffening, tightening up [of the law]

ver'scheurdheid *v* disunity [of a nation]; distraction [with grief]; **ver'scheuren**[1] *vt* 1 tear, tear up [a letter], tear to pieces; 2 (s t u k s c h e u r e n) ⊙ rend [one's garments]; 3 (v e r s l i n d e n) lacerate, mangle [its prey]; *~de dieren* ferocious animals; *verscheurd door verdriet* distracted with grief

ver'schiet (-en) *o* distance; perspective[2]; *fig* prospect; *in het ~* in the distance; *fig* ahead

ver'schieten[1] **I** *vt* 1 (a f s c h i e t e n) shoot; use up, consume [ammunition]; 2 (v o o r s c h i e t e n) advance [money]; 3 (o m z e t t e n) stir [grain]; zie ook: *kruit* & *pijl*; **II** *vi* 1 (v. s t e r r e n) shoot; 2 (v. k l e u r e n) fade; 3 (v. s t o f f e n) lose colour; *ik zag hem (van kleur) ~* I saw him change colour; *niet ~d* unfading, sunproof [dress-materials]

ver'schijnen (verscheen, is verschenen) *vi* 1 (v. h e m e l l i c h a m e n, p e r s o n e n &) appear; 2 (v. z a k e n, p e r s o n e n) make one's appearance; put in an appearance; 3 (v a n t e r m i j n) fall (become) due; *de verdachte was niet verschenen* ⚖ had not entered an appearance; *het boek zal morgen ~* is to come out to-morrow; *bij wie laat je het boek ~?* through whom are you going to publish the book?; *voor de commissie ~* attend before the Board.; **-ning** (-en) *v* 1 (h e t v e r s c h i j n e n) appearance; publication [of a book]; 2 (g e e s t) apparition, phantom, ghost; 3 (p e r s o o n) figure; *het is een mooie ~* she has a fine presence (a magnificent figure); **ver'schijnsel** (-s en -en) *o* 1 phenomenon [of nature], *mv* phenomena; 2 symptom

ver'schikken[1] **I** *vt* arrange differently, rearrange, shift; **II** *vi* move (higher) up; **-king** (-en) *v* different arrangement, shifting

ver'schil (-len) *o* difference [ook = remainder after subtraction & disagreement in opinion], disparity; distinction; *~ van mening* difference of opinion; *~ in leeftijd* difference in age, disparity in years; *het ~ delen* split the difference; *dat maakt een groot ~* that makes a big difference (all the difference); *het maakt geen groot (niet veel) ~ of ...* it is not much odds whether...; *~ maken tussen...* make a difference between, differentiate (distinguish) between...; *met dit ~ dat...* with the (this) difference that...; zie ook: *geschil* & *hemelsbreed*; **ver'schillen** (verschilde, h. verschild) *vi* differ, be different, vary; *~ van* differ from; *~ van mening* differ (in opinion); **-d I** *aj* different, various; differing; *~ van...* different from...; *~e personen* various persons, several persons; *ik heb het van ~e personen gehoord* ook: I've heard the story from several different people; **II** *ad* differently; **ver'schilpunt** (-en) *o* point of difference, point of controversy

ver'schimmelen[1] *vi* grow mouldy

ver'scholen hidden

ver'schonen (verschoonde, h. verschoond) **I** *vt* *eig* put clean sheets on [a bed]; change [the baby's clothes, sheets]; *fig* excuse [misconduct &]; *verschoon mij van die praatjes* spare me your talk!; *van iets verschoond blijven* be spared sth.; *ik wens van uw bezoeken verschoond te blijven* spare me your visits; **II** *vr zich ~* 1 change one's linen; 2 *fig* excuse oneself; **-ning** (-en) *v* 1 *eig* clean

[1] V.T. en V.D. van dit werkwoord volgens het model: **ver'**achten, V.T. **ver'**achtte, V.D. **ver'**acht (**ge-** valt dus weg in het V.D.). Zie voor de vormen onder het grondwoord, in dit voorbeeld: *achten.* Bij sterke en onregelmatige werkwoorden wordt u verwezen naar de lijst achterin.

linen, change (of linen); 2 *fig* excuse; *waar is mijn ~?* where are my clean things?; *~ vragen* apologize; **ver'schoonbaar** excusable
ver'schoppeling (-en) *m* outcast, pariah
ver'schot (-ten) *o* 1 assortment, choice; 2 *~ten* out-of-pocket expenses, disbursements
ver'schoten faded [dresses &]
ver'schraald scanty, poor, meagre; **ver'schralen** (verschraalde, *vt* h., *vi* is verschraald) *vi* (& *vt*) become (make) scanty, meagre, poor
ver'schrijven[1] *zich ~* make a mistake in writing; **-ving** (-en) *v* slip of the pen
ver'schrikkelijk I *aj* frightful, dreadful, terrible; **II** *ad* frightfully &, < awfully; **-heid** (-heden) *v* frightfulness, dreadfulness, terribleness; **ver'schrikken**[1] **I** *vt* frighten, terrify [persons &]; scare [birds]; **II** *vi* = *schrikken*; **-king** (-en) *v* 1 (h e t s c h r i k k e n) fright, terror; 2 (h e t v e r s c h r i k k e n d e) horror
ver'schroeien[1] I *vt* scorch, singe; **II** *vi* be scorched, be singed; *de tactiek der verschroeide aarde* scorched earth tactics; **-iing** *v* scorching, singeing
ver'schrompeld shrivelled, wizened; **ver'schrompelen**[1] *vi* shrivel (up), shrink, wrinkle
ver'schuilen[1] *zich ~* hide (from *voor*), conceal oneself; *zich ~ achter het ambtsgeheim* shelter oneself behind professional secrecy
ver'schuiven[1] **I** *vt* 1 *eig* move, shift; 2 (u i t s t e l l e n) put off; **II** *vi* shift; **-ving** (-en) *v* 1 shifting; 2 putting off
ver'schuldigd indebted, due; *met ~e eerbied* with due respect; *wij zijn hem alles ~* we are indebted to him for everything we have; we owe everything to him; *het ~e* the money due; *het hem ~e* his dues
ver'schutting *v* disgrace, humiliation
'versgebakken freshly-baked [bread]; **'versheid** *v* freshness
'versie [s = z] (-s) *v* version, rendering [of a story]
ver'sierder (-s) *m* decorator; **F** (v e r l e i d e r) seducer, Don Juan, Lothario; **ver'sieren**[1] *vt* adorn [with jewels], beautify, embellish [with flowers], ornament, decorate, deck [with flags, flowers &]; *ik kon het niet ~* [*fig*] **F** I couldn't fix it; *een meisje ~* chat up [a girl]; **ver'siering** (-en) *v* adornment, decoration, ornament; *~en* ♪ grace notes; **-skunst** *v* decorative art; **ver'siersel** (-s en -en) *o* ornament
ver'sjacheren[1] *vt* barter away
ver'sjouwen[1] *vt* lug away
ver'sjteren (versjteerde, h. versjteerd) **F** *vt* spoil [maliciously]
ver'slaafd *~ aan...* a slave to...; addicted to [drink], **S** hooked on [amphetamines]; *hij is ~ aan verdovende middelen* (*cocaïne, morfine* &) he is a drug (cocaine, morphine &) addict; **-heid** *v* addiction
ver'slaan[1] *vt* 1 beat, defeat [an army, a man &]; 2 (l e s s e n) quench [thirst]; 3 (v e r s l a g u i t b r e n g e n o v e r) report [a match], cover [a meeting], review [a book]; **II** *vi* 1 (v. w a r m e d r a n k e n) cool; 2 (v. k o u d e d r a n k e n) have the chill taken off; **ver'slag** (-slagen) *o* account, report; *officieel statistisch ~* returns; *schriftelijk ~* written account; *woordelijk ~* verbatim report; *~ doen van...* give an account of...; *een ~ opmaken van* draw up a report on; *~ uitbrengen* deliver a report, report (on *over*); **ver'slagen** *aj* beaten, defeated; *fig* dejected, dismayed; *de ~e* the person killed; **-heid** *v* consternation, dismay, dejection; **ver'slaggever** (-s) *m* reporter; **-geving** (-en) *v* reporting; **-jaar** (-jaren) *o* year under review
ver'slapen[1] **I** *vt* sleep away; **II** *vr zich ~* oversleep oneself
ver'slappen I (verslapte, is verslapt) *vi* slacken[2] [of a rope, one's zeal], relax[2] [of muscles, discipline]; *fig* flag [of zeal, interest]; **II** (verslapte, h. verslapt) *vt* slacken[2], relax[2]; enervate [of climate]; **-ping** (-en) *v* slackening, relaxation; flagging; enervation
ver'slavend addictive, habit-forming; **ver'slaving** *v* addiction; **-svergif(t)** (-giften) *o* addictive drug; habit-forming drug
ver'slecht(er)en I (verslechterde, verslechtte, h. verslechterd, verslecht) *vt* make worse, worsen, deteriorate; **II** (verslechterde, verschlechtte, is verslechterd, verslecht) *vi* grow worse, worsen, deteriorate; **ver'slechtering** (-en) *v* worsening, deterioration
'versleer *v* metrics, prosody
ver'slepen[1] *vt* drag away, tow away, haul away
ver'sleten the worse for wear, worn (out)[2]; threadbare[2]; **ver'slijten**[1] **I** *vi* wear out, wear off, wear away; **II** *vt* wear out [a coat &]; *iem. ~ voor...* take sbd. for...
ver'slikken[1] *zich ~* choke [on sth.], swallow sth. the wrong way
ver'slinden* *vt* devour[2]; *fig* swallow up [much money &]; *een boek ~* devour a book; *zijn eten ~* bolt (wolf down) one's food; *iets met de ogen ~* devour sth. with one's eyes

[1] V.T. en V.D. van dit werkwoord volgens het model: **ver'**achten, V.T. **ver'**achtte, V.D. **ver'**acht (**ge-** valt dus weg in het V.D.). Zie voor de vormen onder het grondwoord, in dit voorbeeld: *achten.* Bij sterke en onregelmatige werkwoorden wordt u verwezen naar de lijst achterin.

ver'slingerd ~ *aan* stuck on, crazy about; **ver'slingeren**[1] *zich* ~ *aan* throw oneself away on
ver'sloffen[1] *vt* neglect
ver'slond (verslonden) V.T. van *verslinden*
ver'slonden V.D. van *verslinden*
ver'slonzen (verslonsde, h. verslonsd) *vt* spoil (through carelessness), neglect
ver'sluieren[1] *vt* veil, blur, fog
'versmaat (-maten) *v* metre
ver'smachten (versmachtte, is versmacht) *vi fig* languish, pine away; ~ *van dorst* be parched with thirst
ver'smaden[1] *vt* disdain, despise, scorn; *dat is niet te* ~ that is not to be despised; **-ding** *v* disdain, scorn
ver'smallen (versmalde, *vt* h., *vi* is versmald) *vt* & *vr* narrow
ver'smelten[1] **I** *vt* melt [butter, metals], smelt [ore], fuse [metals]; *zijn zilverwerk* ~ melt down one's plate; **II** *vi* melt[2], melt away; **-ting** (-en) *v* melting, smelting, fusion; melting down
ver'snapering (-en) *v* titbit, dainty, refreshment
ver'snellen[1] *vi* & *vt* accelerate; *de pas* ~ mend (quicken) one's pace; *met versnelde pas* ⚔ at the double-quick; **-er** (-s) *m* accelerator; **ver'snelling** (-en) *v* 1 acceleration [of movement]; 2 ⚒ gear, speed; *eerste* ~ first (bottom) gear; *hoogste* ~ top gear; **ver'snellingsbak** (-ken) *m* gear-box, gear-case; **-handel** [-hɛndəl] (-s) *o* & *m* gear-lever, gear-shift; **-hendel** (-s) = *versnellingshandel*
ver'snijden[1] *vt* 1 (aan stukken) cut up [a loaf]; cut [sth.] to pieces; 2 (door snijden bederven) spoil in cutting; 3 (mengen) dilute [wine]; **-ding** (-en) *v* 1 cutting up &; 2 dilution [of wine]
ver'snipperen[1] *vt* 1 cut into bits; cut up; 2 *fig* fritter away [one's time]; **-ring** (-en) *v* cutting up &
ver'snoepen[1] *vt* spend on sweets
ver'soberen (versoberde, h. versoberd) *vi* economize, cut down expenses; **-ring** (-en) *v* economization, austerity
ver'somberen (versomberde, is versomberd) *vi* grow gloomy (dismal)
ver'spelen[1] *vt* 1 play away, lose in playing; 2 lose [sbd.'s esteem, ⚓ her rudder]
ver'spenen (verspeende, h. verspeend) *vt* prick out [seedlings]
ver'sperren[1] *vt* obstruct [the way], barricade [a street], block up [a road], block[2] [a passage, the way]; bar [the entrance]; **ver'sperring** (-en) *v* blocking up, obstruction [of the way &]; ⚔ barricade; [barbed wire] entanglement; [balloon &] barrage; **-sballon** (-s) *m* barrage balloon
ver'spieden[1] *vt* spy out, scout; **-er** (-s) *m* spy, scout; **ver'spieding** (-en) *v* spying (out)
ver'spillen[1] *vt* waste [one's time], dissipate [one's strength]; squander [one's money]; *er geen woord meer aan* ~ not waste another word upon it; **-er** (-s) *m* spendthrift; **ver'spilling** (-en) *v* waste, dissipation
ver'splinteren I (versplinterde, h. versplinterd) *vt* splinter, shiver; **II** (versplinterde, is versplinterd) *vi* splinter, break up into splinters
ver'spreid scattered[2] [houses, showers, writings]; sparse [population]; ⚔ extended [order]; **ver'spreiden**[1] **I** *vt* disperse [a crowd]; spread[2] [a smell, a report, a rumour]; scatter[2] [seed, people]; distribute [pamphlets]; *fig* disseminate [doctrines]; diffuse [happiness]; propagate [the Christian religion]; **II** *vr zich* ~ spread[2] [of odour, disease, fame, rumour, people]; disperse [of a crowd]; **-er** (-s) *m* spreader, propagator; distributor [of pamphlets]; **ver'spreiding** *v* spreading [of reports &]; dispersion [of a crowd]; spread [of knowledge]; distribution [of animals on earth, of pamphlets]; dissemination [of doctrines &]; propagation [of a creed]
ver'spreken[1] *zich* ~ make a mistake in speaking, make a slip of the tongue; zie ook: *zich vergaloppern*; **-king** (-en) *v* slip of the tongue
1 ver'springen[1] *vi* shift; *een dag* ~ move up one day
2 'verspringen *o sp* long jump
'versregel (-s) *m* verse, line of poetry; **-snede** (-n) *v* caesura
verst I *aj* furthest, farthest, furthermost; *in de ~e verte niet* zie *verte*; **II** *ad het* ~ furthest, ook: farthest
ver'staald steeled[2]
ver'staan[1] **I** *vt* understand, know; *ik heb het niet* ~ I did not understand, I did not catch what you (he) said; *versta je?* you understand?; *men versta mij wel* be it (distinctly) understood; *wel te* ~ that is to say; *iem. te* ~ *geven* give sbd. to understand that...; *iem. verkeerd* ~ misunderstand sbd.; *onder pasteurisatie* ~ *wij*... by p. is meant...; *wat verstaat u daaronder?* what do you understand by that?; *zijn vak* ~ know (understand) one's job; *de kunst* ~ know how [to]; **II** *vr zich* ~ *met*... come to an understanding with...; **ver'staanbaar I** *aj* understandable,

[1] V.T. en V.D. van dit werkwoord volgens het model: **ver'**achten, V.T. **ver'**achtte, V.D. **ver'**acht (**ge-** valt dus weg in het V.D.). Zie voor de vormen onder het grondwoord, in dit voorbeeld: *achten.* Bij sterke en onregelmatige werkwoorden wordt u verwezen naar de lijst achterin.

intelligible; *zich ~ maken* make oneself understood; **II** *ad* intelligibly; **–heid** *v* intelligibility; **ver'staander** (-s) *m een goed ~ heeft maar een half woord nodig* a word to the wise is enough, a nod is as good as a wink
ver'stalen[1] *vt* steel[2], harden[2]
ver'stand *o* understanding, mind, intellect, reason; *gezond ~* common sense; *zijn ~ gebruiken* 1 use one's brains; 2 listen to reason; *~ genoeg hebben om...* have sense enough (the wits) to...; *hij spreekt naar hij ~ heeft* according to his lights; *~ van iets hebben* understand about a thing, be good at sth., be at home in sth., be a good judge of sth.; *daar heb ik geen ~ van* I don't know the first thing about it, I'm no judge of that; *heeft u ~ van schilderijen?* do you know about pictures?; *het (zijn) ~ verliezen* lose one's reason (one's wits); *heb je je ~ verloren?* have you taken leave of your senses?; *daar staat mijn ~ bij stil* it is beyond my comprehension how...; ● *dat zal ik hem wel a a n zijn ~ brengen* I'll bring it home to him, I'll give him to understand it; *je kunt hun dat maar niet aan het ~ brengen* you can't make them understand it; *hij is niet b ij zijn ~* he is not in his right mind; *hij is nog altijd bij zijn volle ~* he is still in full possession of his faculties; he is still quite sane; *dat gaat b o v e n mijn ~ (mijn ~ te boven)* it is beyond (above) my comprehension, it passes my comprehension, it is beyond me; *m e t ~ lezen* understandingly, intelligently; *met dien ~e dat...* on the understanding that...; **ver'standelijk** intellectual; *~e leeftijd* mental age; **ver'standeloos** senseless, stupid; **ver'standhouding** (-en) *v* understanding; *geheime ~* secret understanding, ⚖ collusion; *in ~ staan met* have an understanding with, ⚖ be in collusion with; have dealings with, be in league with [the enemy]; *in goede ~ staan met* be on good terms with [one's neighbours]; **ver'standig I** *aj* intelligent, sensible, wise; *wees nu ~!* do be sensible! (reasonable!); *hij is zo ~ om...* he has the good sense to...; *het ~ste zal zijn, dat je...* the wisest thing you can (could) do will be to...; **II** *ad* sensibly, wisely; *je zult ~ doen met...* you will be wise to...; *hij zou ~ gedaan hebben, als...* he would have been well-advised if...; *~ praten* talk reason; *het ~ vinden om...* judge it wise to...; **–heid** *v* good sense, wisdom; **ver'standshuwelijk** (-en) *o* marriage of convenience; **–kies** (-kiezen) *v* wisdom-tooth; *hij heeft zijn ~ nog niet* he has not cut his wisdom-teeth yet; **–verbijstering** *v* mental derangement, insanity
ver'starren I (verstarde, h. verstard) *vt* 1 stiffen [limbs, the body]; 2 *fig* petrify, fossilize; **II** (verstarde, is verstard) *vi* 1 stiffen; 2 *fig* become petrified, become fossilized; **–ring** *v* 1 stiffening [of limbs, the body]; 2 *fig* petrifaction, fossilization
ver'stedelijken (verstedelijkte, is verstedelijkt) *vi* urbanize, citify; **–king** *v* urbanization
ver'steend petrified[2]; fossilized[2]; *als ~* petrified [with terror]; *een ~ hart* a heart of stone
1 ver'stek *o* ⚖ default; *~ laten gaan* make default; *hij werd bij ~ veroordeeld* he was sentenced by default (in his absence)
2 ver'stek (-ken) *o* (s c h u i n e n a a d v a n p l a n k) mitre(-joint); **–bak** (-ken) *m* mitre-box, mitre-block
ver'stekeling (-en) *m* stowaway
ver'stekvonnis (-sen) *o* ⚖ judgement by default
ver'stekzaag (-zagen) *v* nitre-saw
ver'stelbaar adjustable [instrument]
ver'steld 1 mended, repaired, patched; ‖ 2 *~ staan* be taken aback, be dumbfounded; *ik stond er ~ van* I was quite taken aback, it staggered me; *hem ~ doen staan* take him aback, stagger him; *de wereld ~ doen staan* stagger humanity; **–heid** *v* perplexity
ver'stelgoed *o* mending; **ver'stellen**[1] *vt* 1 (h e r s t e l l e n) mend, repair [clothes], patch [a coat]; 2 (a n d e r s s t e l l e n) adjust [apparatus]; **–ling** (-en) *v* 1 mending; 2 ⚒ adjustment; **ver'stelnaaister** (-s) *v* seamstress; **–ster** (-s) *v* mender; **–werk** *o* mending
ver'stenen (versteende, *vt* h., *vi* is versteend) *vi* & *vt* petrify; fossilize; **–ning** (-en) *v* petrifaction; *~en* ook: fossils
ver'sterf *o* 1 (d o o d) death; 2 (e r f e n i s) inheritance; *bij ~* in case of death; **–recht** *o* right of succession
ver'sterken[1] *vt* strengthen [the body, memory, the evidence &]; invigorate [the energy, the body, mind &]; fortify [the body, a town, a statement]; corroborate [a statement]; reinforce [sbd. with food, an army, a party, the orchestra]; consolidate [a position, power]; intensify [light]; *R* amplify; *~de middelen* restorative food, restoratives; *met versterkt orkest* ♪ with an increased orchestra; zie ook: *mens*; **–er** (-s) *m* amplifier; **ver'sterking** (-en) *v* strengthening, reinforcement, consolidation; intensification; *R* amplification; ⚔ 1 (t r o e p e n) reinforcement(s); 2 (w e r k) fortification; **–swerken** *mv* fortifications

[1] V.T. en V.D. van dit werkwoord volgens het model: **ver**'achten, V.T. **ver**'achtte, V.D. **ver**'acht (**ge**- valt dus weg in het V.D.). Zie voor de vormen onder het grondwoord, in dit voorbeeld: *achten.* Bij sterke en onregelmatige werkwoorden wordt u verwezen naar de lijst achterin.

ver'sterven I (verstierf, is verstorven) *vi* 1 (s t e r v e n) die; 2 (b ij e r f e n i s o v e r g a a n) devolve upon; **II** (verstierf, h. verstorven) *vr zich* ~ *rk* mortify the flesh; **–ving** (-en) *v* 1 death; 2 *rk* mortification
ver'stevigen (verstevigde, h. verstevigd) *vt* strengthen; **–er** (-s) *m* (h a a r ~) setting lotion
ver'stijfd 1 stiff; 2 (v. k o u d e o o k) benumbed, numb; **–heid** *v* stiffness; numbness; **ver'stijven I** (verstijfde, is verstijfd) *vi* stiffen; grow numb [with cold]; **II** (verstijfde, h. verstijfd) *vt* 1 stiffen; 2 benumb; **–ving** (-en) *v* stiffening; numbness
ver'stikken[1] **I** *vt* suffocate, stifle, choke, smother, asphyxiate; **II** *vi* = 1 *stikken*; **–d** suffocating, stifling, choking; **ver'stikking** (-en) *v* suffocation, asphyxiation, asphyxia; **ver'stikt** suffocated; *met ~e stem* in a strangled voice
ver'stild ⊙ stilly; **ver'stillen** (verstilde, is verstild) *vi* still
ver'stoffelijken (verstoffelijkte, h. verstoffelijkt) *vt* materialize
1 ver'stoken ~ *van* destitute of, deprived of, devoid of
2 ver'stoken[1] *vt* burn, consume
ver'stokken (verstokte, *vt* h., *vi* is verstokt) *vi* & *vt* harden; **ver'stokt** obdurate [heart], hardened [sinner], confirmed [bachelors &], seasoned [gamblers], case-hardened [malefactors]; **–heid** *v* obduracy, hardness of heart
ver'stolen stealthy, furtive
ver'stomd struck dumb, speechless; ~ *staan* zie *versteld* 2; **ver'stommen I** (verstomde, h. verstomd) *vt* strike dumb, silence; **II** (verstomde, is verstomd) *vi* be struck dumb, become speechless (silent); *alle geluid verstomde* every sound was hushed
ver'stompen I (verstompte, h. verstompt) *vt* blunt, dull; *fig* blunt, dull, stupefy [the mind]; **II** (verstompte, is verstompt) *vi* become dull[2]; **–ping** *v* blunting[2], dulling[2], *fig* stupefaction
ver'stoord disturbed; *fig* annoyed, cross, angry; **–er** (-s) *m* disturber; **–heid** *v* annoyance, crossness, anger
ver'stoppen[1] *vt* 1 (d i c h t s t o p p e n) clog [the nose, the pipes]; choke (up), stop up [a drainpipe]; 2 (v e r b e r g e n) put away, conceal, hide; **ver'stoppertje** *o* ~ *spelen* play at hide-and-seek; **ver'stopping** (-en) *v* 1 stoppage; 2 ⚕ constipation, obstruction; **ver'stopt** stopped up [pipes, drains]; clogged [nose]; ~ *raken* become clogged, be choked up (stopped up); ~ (*in het hoofd*) *zijn* have (got) the snuffles (a clogged nose)
ver'storen[1] *vt* 1 disturb [sbd.'s rest, the peace]; interfere with [sbd.'s plans]; 2 annoy, make angry; **–ring** (-en) *v* disturbance, interference
ver'stoteling (-en) *m* outcast, pariah; **ver'stoten**[1] *vt* repudiate [one's wife]; disown [a child]; **–ting** *v* repudiation
ver'stouten (verstoutte, h. verstout) *zich* ~ pluck up courage; *zij zullen zich niet ~ om...* they won't make bold to...
ver'stouwen[1] *vt* stow away
ver'strakken (verstrakte, is verstrakt) *vi* set [of the face]
ver'strekken[1] *vt* furnish, procure; *hun al het nodige* ~ furnish (provide) them with the necessaries of life; *gelden* ~ supply moneys; *inlichtingen* ~ give information; *levensmiddelen* ~ serve out provisions
'verstrekkend far-reaching
ver'strijken (verstreek, is verstreken) *vi* expire, elapse, go by; *de termijn is verstreken* has expired; **–king** *v* expiration, expiry, passage [of time]
ver'strikken[1] **I** *vt* ensnare, trap, entrap, enmesh, entangle; **II** *vr zich* ~ get entangled[2] [in a net, in a dispute], be caught [in one's own words]; **–king** *v* ensnaring, entanglement
ver'strooid 1 scattered, dispersed; 2 (v. g e e s t) absent-minded, distrait; **–heid** (-heden) *v* absent-mindedness, absence of mind; **ver'strooien**[1] **I** *vt* scatter, disperse, rout [an army]; **II** *vr zich* ~ 1 disperse; 2 seek amusement, unbend; **–iing** (-en) *v* 1 dispersion; 2 diversion
ver'stuiken (verstuikte, h. verstuikt) **I** *vt* sprain [one's ankle]; **II** *vr zich* ~ sprain one's ankle; **–king** (-en) *v* sprain(ing)
ver'stuiven[1] **I** *vi* be blown away [of dust]; be dispersed (scattered); *doen* ~ scatter, disperse; **II** *vt* (v. p o e d e r) pulverize, (v. v l o e i s t o f) spray; **–er** (-s) *m* (v. p o e d e r) pulverizer, (v. v l o e i s t o f) atomizer, spray, nebuliser; **ver'stuiving** (-en) *v* 1 dispersion; 2 pulverization; 3 = *zandverstuiving*
ver'sturen[1] = *verzenden*
ver'stuwen[1] = *verstouwen*
ver'suffen I (versufte, is versuft) *vi* grow dull, grow stupid; **II** (versufte, h. versuft) *vt* dream away [one's time]; **ver'suft** stunned, dazed, dull; ~ *van schrik* dazed with fright; **–heid** *v* stupor; (v. o u d e r d o m) dotage
ver'suikeren (versuikerde, h. versuikerd) *vt*

[1] V.T. en V.D. van dit werkwoord volgens het model: **ver**'achten, V.T. **ver**'achtte, V.D. **ver**'acht (**ge**- valt dus weg in het V.D.). Zie voor de vormen onder het grondwoord, in dit voorbeeld: *achten*. Bij sterke en onregelmatige werkwoorden wordt u verwezen naar de lijst achterin.

candy, crystallize
ver'sukkeling *v in de ~ raken* run to seed
'versvoet (-en) *m* (metrical) foot
ver'taalbaar translatable; **–kunde** *v* (art of) translation; **–machine** [-ma.ʃi.nə] (-s) *v* translating machine; **–oefening** (-en) *v* translation exercise; **–recht** *o* right of translation, translation rights; **–ster** (-s) *v* translator; **–werk** *o* translations, translation work
ver'takken (vertakte, h. vertakt) *zich ~* branch, ramify; **–king** (-en) *v* branching, ramification
ver'talen (vertaalde, h. vertaald) **I** *vt* translate; *~ in* translate (render, turn) into [English &]; *~ uit het... in het...* translate from [Persian] into [Turkish]; **II** *vi* translate; **–er** (-s) *m* translator; **ver'taling** (-en) *v* translation; *~ uit het... in het...* translation from... into...; **–srecht** *o* right of translation, translation rights
'verte (-n en -s) *v* distance; *in de ~* in the distance; *heel in de ~* far away (in the distance); *het leek er in de ~ op* it remotely resembled it; *nog in de ~ familie van...* a distant relation of..., distantly related to...; *in de verste ~ niet* not in the least; *ik heb er in de verste ~ niet aan gedacht om...* I have not had the remotest idea of ...ing, nothing could be further from my thoughts; *uit de ~* from afar, from a distance
ver'tederen (vertederde, h. vertederd) *vt* soften, mollify; **–ring** (-en) *v* softening, mollification
ver'teerbaar digestible; *licht ~* easily digested, easy to digest; **–heid** *v* digestibility
vertegen'woordigen (vertegenwoordigde, h. vertegenwoordigd) *vt* represent, ook: be representative of; *~d* representative; representative of, representing; **–er** (-s) *m* representative; **$** ook: agent, salesman; **vertegen'woordiging** *v* representation; **$** ook: agency
ver'tekend 1 out of drawing; 2 *fig* distorted
ver'tellen[1] **I** *vt* tell, relate, narrate; *men vertelt van hem dat...* he is said to...; *vertel me (er) eens...* just tell me...; *ik heb horen ~ dat...* I was told that...; *vertel het niet verder* don't let it get about; **II** *va* tell a story; *hij kan aardig ~* he can tell a story well; **III** *vr zich ~* miscount, make a mistake in adding up; **–er** (-s) *m* narrator, relater, story-teller; **ver'telling** (-en) *v* tale, story, narrative; **ver'telsel** (-s) *o* tale, story; **–boek** (-en) *o* story-book
ver'teren I (verteerde, h. verteerd) *vt* 1 (voedsel) digest; 2 (geld) spend; 3 *fig* (v. vuur &) consume; (v. hartstocht) eat up, devour [a man]; *de afgunst verteert hem* he is consumed (eaten up) with envy; *de roest verteert het ijzer* rust corrodes iron; **II** (verteerde, is verteerd) *vi* digest; *het verteert gemakkelijk* it is easy of digestion; *dat verteert niet goed* it does not digest well; *het hout verteert* the wood wastes away; **–ring** (-en) *v* 1 (v. voedsel) digestion; 2 (verbruik) consumption; 3 (gelag) expenses; *wat is mijn ~?* how much am I to pay for what I have had?; *grote ~en maken* spend largely
ver'teuten[1] *vt* fritter (dawdle, idle) away
verticaal vertical; (bij kruiswoordraadsel) down
vertien'voudigen (vertienvoudigde, h. vertienvoudigd) *vt* decuple
ver'tier *o* 1 (verkeer) traffic; 2 (drukte) bustle; 3 (vermaak) amusement
ver'tikken[1] *vt het ~* refuse; *hij vertikte het* he just wouldn't do it
ver'tillen[1] **I** *vt* lift, move; **II** *vr zich ~* strain oneself in lifting
ver'timmeren[1] *vt* make alterations in; **–ring** *v* alterations
ver'tinnen (vertinde, h. vertind) *vt* tin, coat with tin; **ver'tinsel** (-s) *o* tinning, tin coating
ver'toeven[1] *vi* sojourn, stay, abide
ver'tolken (vertolkte, h. vertolkt) *vt* interpret; *fig* voice [the feelings of...]; ♪ interpret, render; **–er** (-s) *m* interpreter[2]; *fig* exponent; **ver'tolking** (-en) *v* interpretation[2]
ver'tonen[1] I *vt* 1 show [one's card]; exhibit [signs of..., a work of art]; display [the beauty of...]; 2 (opvoeren) produce, present [said of the theatrical manager]; perform [a play]; show, present [a film]; **II** *vr zich ~* show, appear [of buds, flowers &]; show oneself [in public]; *hij vertoonde zich niet* ook: he did not put in an appearance, he did not show up (turn up); **–er** (-s) *m* shower; producer; performer; **ver'toning** (-en) *v* 1 show, exhibition; 2 (opvoering) performance, representation; *stichtelijke ~* edifying spectacle
ver'toog (-togen) *o* remonstrance, representation; expostulation; *vertogen richten tot* make representations to
ver'toon *o* 1 show; 2 (praal) show, ostentation, > parade; *~ van geleerdheid* parade of learning; *(veel) ~ maken* 1 (v. mensen) make a show; 2 (v. dingen) make a fine show; *~ maken met* show off, parade; • *op ~* on presentation; *zonder ~ van geleerdheid* without showing off one's learning; **–baar** = *toonbaar*
ver'toornd incensed, wrathful, angry; *~ op* angry with; **ver'toornen** (vertoornde, h.

[1] V.T. en V.D. van dit werkwoord volgens het model: **ver'**achten, V.T. **ver'**achtte, V.D. **ver'**acht (**ge-** valt dus weg in het V.D.). Zie voor de vormen onder het grondwoord, in dit voorbeeld: *achten.* Bij sterke en onregelmatige werkwoorden wordt u verwezen naar de lijst achterin.

vertoornd) **I** *vt* make angry, anger, incense; **II** *vr zich* ~ become angry
ver'tragen (vertraagde, h. vertraagd) *vt* retard, delay, slacken, slow down [the pace, movement]; *vertraagde film* slow-motion picture, slow-motion film; *vertraagd telegram* belated telegram; **-ging** (-en) slackening, slowing down [of the pace, a movement]; delay [in replying to a letter]; *de trein heeft 20 minuten* ~ the train is 20 minutes behind schedule (behind time), is running 20 minutes late
ver'trappen[1] *vt* trample (tread) upon[2]; **ver'trapt** trampled down, *fig* downtrodden
ver'treden[1] **I** *vt* tread upon; *in het stof* ~ trample under foot; **II** *vr ik moet mij eens* ~ I want to stretch my legs
ver'trek *o* 1 departure, ⚓ sailing; 2 (-ken) room, apartment; *bij zijn* ~ at his departure, when he left; **-hal** (-len) *v* departure hall; **ver'trekken**[1] **I** *vi* depart, start, leave, set out; go away (off); ⚓ sail; *je kunt* ~*!* you may go now!; ~ *van Parijs naar Londen* leave Paris for London; **II** *vt* distort [one's face]; *hij vertrok geen spier* he did not move a muscle, he did not turn a hair; **-king** (-en) *v* distortion; **ver'trekpunt** (-en) *o* point of departure; place of departure; **-sein** (-en) *o* starting signal; **-tijd** (-en) *m* time of departure, departure time; (v. b o o t) sailing time
ver'treuzelen[1] *vt* trifle away, loiter away
ver'troebelen (vertroebelde, h. vertroebeld) *vt* make cloudy (thick, muddy); *fig* cloud [the issue]; trouble [relations, the atmosphere]
ver'troetelen[1] *vt* coddle, pamper, pet
ver'troosten[1] *vt* comfort, console, solace; **-er** (-s) *m* comforter; **ver'troosting** (-en) *v* consolation, comfort, solace
ver'trouwd reliable, trusted, trustworthy, trusty; safe; ~ *vriend* 1 intimate friend; 2 trusted friend; ~ *met* conversant (familiar) with; *zich* ~ *maken met* make oneself familiar with [a subject]; ~ *raken met* become conversant with; **-e** (-n) *m-v* = *vertrouweling, vertrouwelinge*; **-heid** *v* familiarity [with the subject]; **ver'trouwelijk I** *aj* confidential; ~*e vriend* intimate friend; *streng* ~*!* strictly private!; **II** *ad* confidentially, in confidence; ~ *omgaan met* zie *omgaan*; **-heid** (-heden) *v* confidentialness; familiarity; **ver'trouweling(e)** (-lingen) *m(-v)* confidant(e); **ver'trouwen**[1] **I** *vt* trust; *iem. iets* ~ zie *toevertrouwen*; *wij* ~ *dat...* we trust that...; *zij* ~ *hem niet* they don't trust him; *hij vertrouwde het zaakje niet* he did not trust the business; *hij is niet te* ~ he is not to be trusted; **II** *vi* ~ *op God* trust in God; *ik vertrouw erop* I rely upon it; *kunnen wij op u* ~*?* can we rely upon you?; *op de toekomst* (*het toeval* &) ~ trust to the future (to luck); **III** *o* confidence, trust, faith; *zijn* ~ *op...* his reliance on..., his faith in...; *het* ~ *beschamen* betray sbd.'s confidence; *het volste* ~ *genieten* enjoy sbd.'s entire confidence; ~ *hebben* have confidence, be confident; *geen* ~ *meer hebben in...* have lost confidence in...; ~ *hebben op* = ~ *stellen in*; *iem. zijn* ~ *schenken* admit (take) sbd. into one's confidence; ~ *stellen in* put trust in, repose (place, have) confidence in, put one's faith in; *zijn* ~ *verliezen* lose faith [in]; *zijn* ~ *is geschokt* his confidence has been shaken; ~ *wekken* inspire confidence; • *in* ~ in (strict) confidence; *iem. in* ~ *nemen* take sbd. into one's confidence; *in* ~ *op* relying upon; *met* ~ with confidence, confidently; *met het volste* ~ with the utmost confidence, with every confidence; *op goed* ~ on trust; *goed van* ~ *zijn* be of a trustful nature; **ver'trouwenscrisis** [-zɪs] (-sen en -crises) *v* crisis of confidence, confidence crisis; **-kwestie** *v* = *kabinetskwestie*; **-man** (-nen en -lieden) *m* confidential agent; trusted representative; **-positie** [-zi.(t)si.] (-s) *v*, **-post** (-en) *m* position of trust; **-votum** *o* vote of confidence, confidence vote; **vertrouwen'wekkend** inspiring confidence (trust)
ver'vaard alarmed, frightened; *voor geen kleintje* ~ not easily frightened, nothing daunted; **-heid** *v* alarm, fear
ver'vaardigen (vervaardigde, h. vervaardigd) *vt* make, manufacture; **-er** (-s) *m* maker, manufacturer; **ver'vaardiging** *v* making, manufacture
ver'vaarlijk I *aj* frightful, awful; huge, tremendous; **II** *ad* frightfully, awfully; **-heid** *v* frightfulness, awfulness
ver'vagen (vervaagde, is vervaagd) *vi* fade, blur, grow blurred, become indistinct
ver'val *o* fall [difference in the levels of a river]; *fig* 1 (a c h t e r u i t g a n g) decay, decline, deterioration; 2 (o m m e k o m s t) maturity [of a bill of exchange]; 3 (f o o i e n) perquisites; ~ *van krachten* senile decay; *in* ~ *geraken* fall into decay; **-dag** (-dagen) *m* day of payment, due date; *op de* ~ at maturity, when due; **1 ver'vallen**[1] *vi* 1 decay, fall into decay, go to ruin; fall into disrepair [of a house]; 2 (n i e t l a n g e r l o p e n) expire [of a term]; fall (become) due, mature [of bills];

[1] V.T. en V.D. van dit werkwoord volgens het model: **ver'**achten, V.T. **ver'**achtte, V.D. **ver'**acht (**ge-** valt dus weg in het V.D.). Zie voor de vormen onder het grondwoord, in dit voorbeeld: *achten.* Bij sterke en onregelmatige werkwoorden wordt u verwezen naar de lijst achterin.

3 (wegvallen) be taken off [of a train]; be cancelled [of a service]; 4 (niet langer gelden) lapse [of a right], be abrogated [of a law]; • ~ *aan de Kroon* fall to the Crown; *in boete* ~ incur a fine; *in zijn oude fout* ~ fall into the old mistake; *in herhalingen* ~ repeat oneself; *in onkosten* ~ incur expenses; *tot zonde* ~ lapse into sin; zie ook: *armoede, uiterste* &; **2 ver'vallen** *aj* 1 (v. gebouwen &) ruinous, out of repair, dilapidated, ramshackle [house &]; worn (out), broken down [person]; 2 (v. wissels) due; 3 (v. recht) lapsed; 4 (van termijn, polis) expired; *van de troon ~ verklaard* deposed

ver'valsen (vervalste, h. vervalst) *vt* falsify [a text], forge [a document], cook [the accounts]; adulterate [food], debase [coin &], counterfeit [banknotes], load [dice], doctor [wine], fake [a painting]; **–er** (-s) *m* falsifier, adulterator, forger, faker: **ver'valsing** (-en) *v* falsification [of a document], adulteration [of food]; forgery [= forged document], [art] fake

ver'vangbaar replaceable, commutable; **ver'vangen**[1] *vt* 1 take (fill, supply) the place of, replace, be used instead of; 2 (aflossen) relieve; *wie zal u ~?* who is going to take your place?, who is going to stand in for you?; *het ~ door iets anders* replace it by something else, substitute something else for it; **–er** (-s) *m* = *plaatsvervanger*; **ver'vanging** *v* replacement, substitution; *ter ~ van* in (the) place of, in substitution for; **ver'vangingsmiddel** (-en) *o* substitute; **–waarde** *v* replacement value

ver'vat ~ *in* implied in [this statement &]; couched in [energetic terms]; *daarin is alles ~* everything is contained therein

'verve *v* verve, enthusiasm, vigour

ver'veeld bored

verveel'voudigen (verveelvoudigde, h. verveelvoudigd) *vt* multiply, duplicate

ver'velen (verveelde, h. verveeld) **I** *vt* bore, tire, weary; (ergeren) annoy; *hij zal je dood ~* he will bore you stiff; *het zal je dood ~* you will be bored to death; *het begint me te ~* I am beginning to get tired of it (bored with it); **II** *va* tire, bore, become a bore; *tot ~s toe* over and over again, ad nauseam; **III** *vr zich ~* be bored, feel bored; **–d I** *aj* tiresome, boring [fellow &]; dull [book, play, town &], tedious [speech &]; irksome [task]; (ergerlijk) annoying; *hè, wat ~ is dat nou!* how provoking!, how annoying!; Oh bother!; *wat is dat ~* what a bore it is!; *wat is die vent ~!* what a bore!; *het wordt ~* it becomes wearisome; **II** *ad* boringly, tediously; **ver'veling** *v* tiresomeness, tedium, boredom, weariness, ennui

ver'vellen (vervelde, is verveld) *vi* cast its skin [of a snake], slough; *mijn neus begint te ~* begins to peel; **–ling** (-en) *v* sloughing [of a snake]; peeling

'verveloos paintless, badly in need of (a coat of) paint; discoloured; **verve'loosheid** *v* paintlessness, colourlessness; **'verven** (verfde, h. geverfd) *vt* 1 paint [a door, one's face &]; 2 dye [clothes, one's hair]

ver'venen (verveende, is verveend) *vi* become peaty (boggy)

'verver (-s) *m* 1 (house-)painter; 2 dyer [of clothes]; **verve'rij** (-en) *v* dye-house, dye-works

ver'versen (ververste, h. ververst) *vt* refresh, renew; *olie ~* change oil; **–sing** (-en) *v* refreshment

ver'vetten (vervette, is vervet) *vi* turn to fat; ⚕ become fatty; **–ting** *v* ⚕ fatty degeneration

vervier'voudigen (verviervoudigde, h. verviervoudigd) *vt* quadruple

ver'vilten (verviltte, is vervilt) *vi* felt

ver'vlakken (vervlakte, is vervlakt) *vi* (van kleuren) fade; *fig* become trivial (shallow), peter out

ver'vlechten[1] *vt* interweave, interlace, intertwine

ver'vliegen[1] *vi* 1 (wegvliegen) fly [of time]; 2 (vervluchtigen) evaporate, volatilize [of liquids, salt &]; 3 *fig* evaporate; zie ook: *vervlogen*

ver'vloeien[1] *vi* flow away; run [of ink], melt [of colours]

ver'vloeken[1] *vt* 1 curse, damn, execrate; 2 (met banvloek) anathematize; **–king** (-en) *v* 1 curse, imprecation, malediction; 2 anathema; **ver'vloekt I** *aj* cursed, damned, execrable; *die ~e...!* damn the...!; *een ~e last* a damned nuisance; *(wel) ~!* damn it!; **II** *ad* < damned, deuced, confoundedly [difficult &]

ver'vlogen gone; *in ~ dagen* in days gone by; ~ *hoop* hope gone; ~ *roem* departed glory

ver'vluchtigen (vervluchtigde, *vt* h., *vt* is vervluchtigd) *vi* & *vt* volatilize, evaporate[2]; **–ging** *v* volatilization, evaporation[2]

ver'voegbaar *gram* that can be conjugated; **ver'voegen**[1] **I** *vt* conjugate [verbs]; **II** *vr zich ~ bij* apply to; **–ging** (-en) *v gram* conjugation

ver'voer *o* transport, conveyance, carriage; transit; *openbaar ~* public transport; ~ *te water*

[1] V.T. en V.D. van dit werkwoord volgens het model: **ver'**achten, V.T. **ver'**achtte, V.D. **ver'**acht (**ge-** valt dus weg in het V.D.). Zie voor de vormen onder het grondwoord, in dit voorbeeld: *achten.* Bij sterke en onregelmatige werkwoorden wordt u verwezen naar de lijst achterin.

water-carriage; **–adres** (-sen) *o* way-bill; **–baar** transportable; **–biljet** (-ten) *o* $ permit; **–der** (-s) *m* transporter, conveyer, carrier; **ver'voeren**[1] *vt* transport, convey, carry; **–ring** (-en) *v* transport, rapture, ecstasy; *in ~ raken* go into raptures [over it], be carried away [by these words]; **ver'voerkosten** *mv* transport charges, cost of carriage; **–middel** (-en) *o* (means of) conveyance, means of transport; **–verbod** (-boden) *o* prohibition of transport; **–wezen** *o* transport

ver'volg (-en) *o* continuation, sequel; (t o e k o m s t) future; *~ op bl. 12* continued on page 12; *i n het ~* in future, henceforth; *t e n ~e op* (*van*) *mijn brief van...* $ further to my letter of..., following up my letter of...; *ten ~e van...* in continuation of...; **–baar** ⚖ actionable, indictable [offence]; (c i v i e l) suable, (c r i m i n e e l) prosecutable [persons]; **–deel** (-delen) *o* supplementary volume; **ver'volgen**[1] *vt* 1 continue [a story, a course &]; proceed on [one's way]; 2 (a c h t e r n a z e t t e n) pursue [the enemy]; 3 persecute [for political or religious reasons]; 4 ⚖ prosecute [sbd.]; sue [a debtor]; proceed against, have the law of [sbd.]; *...vervolgde hij* ...he went on, ...he continued, ...he went on to say; *wordt vervolgd* to be continued (in our next); *die gedachte* (*herinnering*) *vervolgt mij* the thought (memory) haunts me; *door pech vervolgd* dogged by ill-luck, pursued by misfortune

ver'volgens then, further, next; afterwards; *hij vroeg ~...* ook: he went on (he proceeded) to ask...

ver'volger (-s) *m* 1 pursuer; 2 persecutor; **ver'volging** (-en) *v* 1 pursuit; 2 persecution; 3 ⚖ prosecution; *een ~ instellen tegen iem.* bring an action against sbd.; *aan ~ blootstaan* be exposed to persecution; **–swaanzin** *m* persecution mania; **ver'volgverhaal** (-halen) *o* serial (story); **–werk** (-en) *o* serial publication, work in instalments

vervol'maken (vervolmaakte, h. vervolmaakt) *vt* perfect, complete; **–king** *v* perfection, completion

ver'vormen[1] *vt* 1 transform, refashion; 2 deform; **–ming** (-en) *v* 1 transformation, refashioning; 2 deformation

ver'vrachten (vervrachtte, h. vervracht) *vt* zie *bevrachten*

ver'vreemd alienated, estranged (from *van*); **ver'vreemdbaar** alienable; **–heid** *v* alienability; **ver'vreemden I** (vervreemdde, h. vervreemd) *vt* alienate [property]; *~ van* alienate (estrange) from; *zijn familie van zich ~* alienate one's relations; **II** (vervreemdde, h. zich & is vervreemd) (*vr* &) *vi* (*zich*) *~ van* become estranged from, become a stranger to; **–ding** (-en) *v* alienation, estrangement

ver'vroegen (vervroegde, h. vervroegd) *vt* fix at an earlier time (hour), advance, bring (move) forward [the date by a week], put [dinner] forward; *vervroegde betaling* accelerated payment; **–ging** (-en) *v* anticipation

ver'vrouwelijken (vervrouwelijkte, *vt* h., *vi* is vervrouwelijkt) *vi* & *vt* feminize

ver'vuild 1 filthy; 2 polluted [river]; **ver'vuilen I** (vervuilde, is vervuild) *vi* grow filthy; **II** (vervuilde, h. vervuild) *vt* 1 make filthy; 2 pollute [air, water, the environment]; **–ling** *v* 1 filthiness; 2 [environmental] pollution [by industry]

ver'vullen[1] *vt* fill[2] [a room with..., a part, a place, a rôle]; fulfil [a prophecy, a promise]; occupy, fill [a place]; perform, carry out [a duty], accomplish [a task]; comply with [a formality]; *hij zag zijn hoop* (*zijn wensen*) *vervuld* his hopes (his wishes) were realized, his desires were fulfilled; *iems. plaats ~* take sbd.'s place; *~ m e t* fill with; *v a n angst vervuld* full of anxiety; **–ling** *v* fulfilment, performance; realization; *in ~ gaan* be realized, be fulfilled; (v. d r o o m) come true

ver'waaid blown about; *er ~ uitzien* look tousled (ruffled); **ver'waaien**[1] *vi* be blown away (about)

ver'waand conceited, bumptious, cocky, **F** stuck-up, uppish; *~ zijn* give oneself airs; **–heid** (-heden) *v* conceitedness, conceit, bumptiousness, cockiness

ver'waardigen (verwaardigde, h. verwaardigd) **I** *vt iem. met geen blik ~* not deign to look at sbd.; **II** *vr zich ~ om...* condescend to..., deign to...

ver'waarloosd neglected [health, studies, garden], uncared for [children, garden], untended, unkempt [hair]; **ver'waarlozen** (verwaarloosde, h. verwaarloosd) *vt* neglect, take no care of; (b u i t e n b e s c h o u w i n g l a t e n) disregard, ignore [third decimal]; *te ~* negligible; **–zing** *v* neglect; *met ~ van...* to the neglect of...

ver'wachten[1] *vt* expect [people, events]; look forward to, anticipate [an event]; *wij ~ dat ze komen zullen* we expect them to come; *dat had ik niet van hem verwacht* I had not expected it of

[1] V.T. en V.D. van dit werkwoord volgens het model: **ver**'achten, V.T. **ver**'achtte, V.D. **ver**'acht (**ge**- valt dus weg in het V.D.). Zie voor de vormen onder het grondwoord, in dit voorbeeld: *achten*. Bij sterke en onregelmatige werkwoorden wordt u verwezen naar de lijst achterin.

him (at his hands); *zoals te ~ was* as was to be expected; **–ting** (-en) *v* expectation; *blijde ~* joyful anticipation; *grote ~en hebben van...* entertain great hopes of...; *de ~ koesteren dat...* cherish a hope that..., expect that...; *zonder de minste ~(en) te koesteren dienaangaande* without entertaining any expectation on that score; *zijn ~ hoog spannen* pitch one's expectations high; *de ~en waren hoog gespannen* expectation ran high; *vol ~* in expectation, expectantly; ● *het beantwoordde niet a a n de ~en* it did not come up to my (their &) expectations, it fell short of my (his &) expectations; *b o v e n ~* beyond expectation; *b u i t e n ~* contrary to expectation; *zij is i n (blijde) ~* she is pregnant, **F** she is expecting (a baby), she is in the family way; *t e g e n alle ~* against all expectations, contrary to expectation

ver'want allied, related, affined, connected, kindred, congenial [spirits]; cognate [words]; (a l l é é n p r e d i k a t i e f) akin; *~ aan* allied (related, akin) to; *het naast ~ aan* most closely allied to; *die hem het naast ~ zijn* his next of kin; **ver'want(e)** (-wanten) *m(-v)* relative, relation; *zijn ~en* his relations, his relatives; **ver'wantschap** *v* relationship, kinship, consanguinity, affinity [of blood]; congeniality [of character &]; relation

ver'ward I *aj* 1 entangled, tangled [threads, hair, mass &]; tousled [hair]; confused [mass], disordered [things]; *fig* confused [thoughts, talk], woolly [mind, ideas]; 2 (i n g e w i k k e l d) entangled, intricate [affair]; *~ raken in* get entangled in; **II** *ad* confusedly[2]; **–heid** *v* confusion[2]

ver'warmen[1] *vt* warm, heat; **–ming** *v* warming, heating; *centrale ~* central heating; **ver'warmingsbuis** (-buizen) *v* (central-) heating pipe; **–kachel** (-s) *v* heater; **–ketel** (-s) *m* heater; **–toestel** (-len) *o* heating-apparatus

ver'warren[1] **I** *vt eig* entangle, tangle [threads &]; *fig* confuse [names &]; confound, mix up [facts]; muddle up [things]; **II** *vr zich ~* get entangled; **–ring** (-en) *v* entanglement; confusion[2], muddle; *~ stichten* create confusion; *in ~ brengen* throw into disorder [things]; confuse, confound [sbd.]; *in ~ raken* get confused[2]

ver'waten I *aj* arrogant, overbearing, overweening, presumptuous; **II** *ad* arrogantly; **–heid** *v* arrogance, presumption

ver'waterd spoiled by the addition of too much water; *fig* watered (down); **ver'wateren**[1] *vt* dilute too much, water [the milk]; *fig* water [the capital], water down [the truth &]

ver'wedden[1] *vt* 1 bet, wager; 2 (d o o r w e d d e n v e r l i e z e n) lose in betting; *ik verwed er 10 gulden onder* I bet you ten guilders; *ik verwed er mijn hoofd onder* I'll stake my life on it

ver'weer (-weren) *o* 1 resistance; 2 defence

ver'weerd weathered [stone &]; weather-beaten [pane, face]

ver'weerder (-s) *m* ⚖ defendant; **ver'weermiddel** (-en) *o* means of defence; **–schrift** (-en) *o* (written) defence, apology

ver'weesd orphaned, orphan...

ver'wekelijking *v* enervation, effeminacy

ver'weken[1] *vt* soften; **–king** *v* softening

ver'wekken[1] *vt* procreate, beget [children]; *fig* raise, cause [discontent]; rouse [feelings of...]; stir up [dissatisfaction, a riot]; breed [disease, strife]; *rk* make [an act of contrition]; **–er** (-s) *m* procreator, begetter, author, cause [of a disease]; **ver'wekking** *v* procreation, begetting; raising

ver'welf(sel) (-welven, -welfselen) *o* vault

ver'welken[1] *vi* fade, wither[2]; *doen ~* fade, wither[2]; **–king** *v* fading, withering[2]

ver'welkomen (verwelkomde, h. verwelkomd) *vt* welcome, bid [sbd.] welcome; *hartelijk ~* extend a hearty welcome to...; **–ming** (-en) *v* welcome

ver'welkt faded, withered

ver'welven[1] *vt* vault

ver'wend spoilt [children]; *op het punt van... zijn wij niet ~* they don't spoil us with..., as for... we only get what is just better than nothing; **ver'wennen**[1] **I** *vt* spoil, pamper, indulge (too much) [a child]; **II** *vr zich ~* coddle oneself; **verwenne'rij** (-en) *v* spoiling, pampering, over-indulgence

ver'wensen[1] *vt* curse; **–sing** (-en) *v* curse; **ver'wenst** confounded, damned

ver'wereldlijken I (verwereldlijkte, h. verwereldlijkt) *vt* secularize; **II** (verwereldlijkte, is verwereldlijkt) *vi* grow (more) worldly

1 ver'weren[1] *vr zich ~* defend oneself

2 ver'weren (verweerde, is verweerd) *vi* weather, become weather-beaten

1 ver'wering *v* 1 defence; 2 zie ook: *verweerschrift*

2 ver'wering *v* weathering

ver'werkelijken (verwerkelijkte, h. verwerkelijkt) *vt* realize; **–king** *v* realization

ver'werken[1] *vt* work up [materials], process

[1] V.T. en V.D. van dit werkwoord volgens het model: **ver'**achten, V.T. **ver'**achtte, V.D. **ver'**acht (**ge-** valt dus weg in het V.D.). Zie voor de vormen onder het grondwoord, in dit voorbeeld: *achten.* Bij sterke en onregelmatige werkwoorden wordt u verwezen naar de lijst achterin.

[information, gases into ammonia]; digest[2], assimilate[2] [food, what is taught]; *fig* cope with [the demand, the rush, a record number of passengers], deal with, handle [large orders, normal traffic]; ~ *tot* make into; **–king** *v* working up, processing [of information]; handling [of traffic]; assimilation[2], digestion[2] [of food, of what is taught]

ver'werpelijk objectionable; **–heid** *v* objectionableness; **ver'werpen**[1] *vt* reject [an offer]; reject, negative, defeat [a bill &]; repudiate the authority of...]; *het amendement werd verworpen* the amendment was lost (defeated); *het beroep werd verworpen* ⚖ the appeal was dismissed; **–ping** *v* rejection, repudiation; ⚖ dismissal [of an appeal]

ver'werven[1] *vt* obtain, acquire, win, gain; **–ving** *v* obtaining, acquiring, acquisition

ver'wester(s)en (verwesterste, verwesterde, *vt* h., *vi* is verwesterst, verwesterd) *vt* & *vi* westernize

ver'weven[1] *vt* interweave

ver'wezen dazed, dumbfounded; *bij stond als* ~, *als een* ~*e* he seemed to be in a daze

ver'wezenlijken (verwezenlijkte, h. verwezenlijkt) *vt* realize; **–king** (-en) *v* realization

ver'wijden (verwijdde, h. verwijd) **I** *vt* widen; **II** *vr zich* ~ widen; dilate [of eyes]

ver'wijderd remote, distant; *van elkaar* ~ *raken* drift apart[2]; **ver'wijderen** (verwijderde, h. verwijderd) **I** *vt* remove [things, a stain, a tumour, an official from office &]; get [sbd., sth.] out of the way; expel [a boy from school]; *de mensen van elkaar* ~ estrange people; **II** *vr zich* ~ withdraw, retire, go away [of persons]; move away, move off [of ships &]; grow fainter [of sounds]; *mag ik mij even* ~*?* excuse me one moment?; ✎ may I leave the room?; **–ring** (-en) *v* 1 removal; expulsion [of a boy from school]; 2 (t u s s e n p e r s o n e n) estrangement

ver'wijding (-en) *v* widening, dila(ta)tion

ver'wijfd effeminate; **–heid** (-heden) *v* effeminacy, effeminateness

ver'wijl *o* delay; *zonder* ~ without delay

ver'wijlen (verwijlde, h. verwijld) *vi* stay, sojourn; ~ *bij* dwell on [a subject]

ver'wijskaart (-en) *v* referral card [to medical specialist]

ver'wijt (-en) *o* reproach, blame, reproof; *iem. een* ~ *van iets maken* reproach sbd. with sth.; *ons treft geen* ~ no blame attaches to us, we are not to blame; **ver'wijten**[1] *vt* reproach, upbraid; *iem. iets* ~ reproach sbd. with sth.; *zij hebben elkaar niets te* ~ they are tarred with the same brush; *ik heb mij niets te* ~ I have nothing to reproach myself with; **–d** reproachful

ver'wijven I (verwijfde, h. verwijfd) *vt* render effeminate; **II** (verwijfde, is verwijfd) *vi* become effeminate

ver'wijzen[1] *vt* refer; *hij werd in de kosten verwezen* ⚖ he was cast in costs; **ver'wijzing** (-en) *v* reference; (cross-)reference [in a book]; *onder* ~ *naar*... referring to..., with reference to...; **–steken** (-s) *o* reference mark

ver'wikkeld intricate, complicated; ~ *zijn in* be mixed up in; **ver'wikkelen**[1] *vt* make intricate; *iem.* ~ *in* implicate sbd. in [a plot], mix sbd. up in [it]; **–ling** (-en) *v* 1 entanglement, complication; 2 (v. r o m a n, t o n e e l s t u k) plot; ~*en* complications

ver'wilderd *eig* 1 (v. d i e r, k i n d, p l a n t) run wild; 2 (t u i n) overgrown, neglected; *fig* wild [looks]; *hij keek* ~ he looked bewildered, perplexed; *wat zien die kinderen er* ~ *uit!* how unkempt these children look!; *de* ~*e jeugd* lawless youth; **ver'wilderen** (verwilderde, is verwilderd) *vi* run wild[2] [also of children]; *fig* sink back into savagery; **–ring** *v* running wild; *fig* sinking back into savagery; lawlessness [of youth, morals]

ver'wisselbaar interchangeable; **ver'wisselen I** (verwisselde, h. verwisseld) *vt* (inter)change; exchange [things]; *u moet ze niet met elkaar* ~ you should not mistake one for the other; you should not confound them; ~ *tegen* exchange for; **II** (verwisselde, is verwisseld) *vi van kleren* ~ change clothes; ~ *van kleur* change colour; *van paarden* ~ change horses; *van plaats* ~ change places; **–d** ~*e hoeken* alternate angles; **ver'wisseling** (-en) *v* (inter)change; exchange; mistake; ~ *van plaats* change of place

ver'wittigen (verwittigde, h. verwittigd) *vt* inform, tell; *iem. van iets* ~ inform sbd. of sth.; **–ging** *v* notice, information

ver'woed I *aj* furious, fierce, grim; keen [sportsman]; **II** *ad* furiously, fiercely, grimly; **–heid** *v* rage, fierceness, grimness

ver'woest destroyed, laid waste, devastated, ruined; ~ *gebied* devastated area; **ver'woesten** (verwoestte, h. verwoest) *vt* destroy, lay waste, devastate, ruin; **–d** destructive, devastating; **ver'woester** (-s) *m* destroyer, devastator; **ver'woesting** (-en) *v* destruction, devastation, ravage, havoc; ~*en* ravages; (*grote*) ~*en aanrichten* (*onder*) work (great) havoc, make

[1] V.T. en V.D. van dit werkwoord volgens het model: **ver'**achten, V.T. **ver'**achtte, V.D. **ver'**acht (**ge**- valt dus weg in het V.D.). Zie voor de vormen onder het grondwoord, in dit voorbeeld: *achten.* Bij sterke en onregelmatige werkwoorden wordt u verwezen naar de lijst achterin.

havoc (among, of)
ver'wonden[1] *vt* wound, injure, hurt
ver'wonderd I *aj* surprised, astonished (at *over*); **II** *ad* wonderingly, in wonder, in surprise; **ver'wonderen** (verwonderde, h. verwonderd) **I** *vt* surprise, astonish; *wat mij verwondert is dat...* what surprises me is that...; *het verwondert me alleen dat...* the only thing that astonishes me is...; *dat verwondert mij niet* I am not surprised at that; *het zou me niets ~ als...* I should not wonder, I should not be at all surprised if...; *het is niet te ~ dat...* no wonder that...; *is het te ~ dat...?* is it any wonder that...?; **II** *vr zich ~* (*over*) be surprised (at), be astonished (at), marvel (at), wonder (at); **–ring** *v* astonishment, wonder, surprise; *~ baren* cause a surprise; *tot mijn grote ~* to my great surprise; **ver'wonderlijk** astonishing, surprising; *het ~ste is dat...* the queer thing about it is that...
ver'wonding (-en) *v* wound, injury
ver'wonen[1] *vt* pay for rent
ver'woorden (verwoordde, h. verwoord) *vt* put into words, verbalize
ver'worden[1] *vi* degenerate (into *tot*); **–ding** *v* degeneration
ver'worgen[1] *vt* strangle, throttle; **–ging** *v* strangulation
ver'worpeling (-en) *m* outcast, reprobate; **ver'worpen** *fig* reprobate; **–heid** *v* reprobation
ver'worvenheid (-heden) *v* achievement
ver'wrikken[1] *vt* move (with jerks)
ver'wringen[1] *vt* twist, distort[2]; **–ging** *v* twisting, distortion[2]; **ver'wrongen** twisted, distorted[2]
ver'wulf(sel) (-wulven, -wulfsels) = *verwelf(sel)*
ver'wurgen[1] = *verworgen*; **–ging** = *verworging*
ver'zachten (verzachtte, h. verzacht) *vt* soften[2] [the skin, colours, light, voice]; *fig* soothe; mitigate, palliate, alleviate, allay, assuage, relieve [pain]; relax [the law]; **–d** softening, mitigating; *~ middel* emollient, palliative; *~e omstandigheden* mitigating (extenuating) circumstances; **ver'zachting** *v* softening [of the skin &]; mitigation, alleviation [of pain]; relaxation [of a law]
ver'zadigbaar 1 satiable [person]; 2 § saturable [substance, vapour &]; **ver'zadigd** 1 (v. e t e n) satisfied, satiated; 2 § saturated; **–heid** *v* 1 satiety; 2 § saturation; **ver'zadigen** (verzadigde, h. verzadigd) **I** *vt* 1 satisfy, satiate; 2 § saturate; *niet te ~* insatiable; **II** *vr zich ~* eat one's fill, satisfy oneself; **ver'zadiging** *v* 1 satiation; 2 § saturation; **–spunt** *o* § saturation point
ver'zaken (verzaakte, h. verzaakt) *vt* renounce, forsake; *kleur ~* ◊ revoke; zie ook: *plicht*; **–king** *v* 1 renunciation, forsaking; neglect [of duty]; 2 ◊ revoke
ver'zakken[1] *vi* sag, sink, subside, settle; **–king** (-en) *v* sagging, sag [of a door], sinking, subsidence; ⚕ prolapse
ver'zamelaar (-s) *m*, **–ster** (-s) *v* collector, gatherer, compiler; **ver'zamelband** (-en) *m* omnibus book (volume); **–bundel** (-s) *m* miscellany; **ver'zamelen**[1] **I** *vt* gather [honey &]; collect [things]; store up [energy, power &]; assemble [one's adherents]; rally [troops]; compile [stories]; *zijn gedachten ~* collect one's thoughts; *zijn krachten ~* gather one's strength; *zijn moed ~* muster one's courage; *~ blazen* ⚔ sound the assembly; *fig* sound the rally; **II** *vr zich ~* 1 (v. p e r s o n e n, d i e r e n) come together, gather, meet, assemble, rally, congregate; 2 (v. s t o f &) collect; *zich ~ om...* gather (rally) round...; **–ling** (-en) *v* 1 collection; 2 gathering; 3 compilation; **ver'zamelnaam** (-namen) *m* collective noun; **–plaats** (-en) *v* 1 meeting-place, trysting-place, meet; 2 ⚔ rallying-place; **–werk** (-en) *o* compilation; **–woede** *v* collector's mania, craze for collecting
ver'zanden (verzandde, is verzand) *vi* choke up with sand, silt up; *fig* come to a dead end; **–ding** *v* choking up with sand, silting up
ver'zegelen[1] *vt* seal (up); ⚖ put under seal, put seals upon; **–ling** (-en) *v* sealing (up); ⚖ putting under seal
ver'zeilen[1] *vi hoe kom jij hier verzeild?* what brings you here?; *ik weet niet waar hij verzeild is* I don't know where he has got to
ver'zekeraar (-s) *m* 1 assurer; 2 insurer; ⚓ underwriter; **ver'zekerd** 1 (z e k e r) assured, sure; 2 (g e a s s u r e e r d) insured; *u kunt ~ zijn van..., houd u ~ van...* you may rest assured of...; *de ~e* the insurant, the insured; *verplicht ~* obligatorily insured; zie ook: *bewaring*; **ver'zekeren** (verzekerde, h. verzekerd) **I** *vt* 1 assure [sbd. of a fact]; 2 (w a a r b o r g e n) assure, ensure [success]; 3 (a s s u r e r e n) insure [property], assure, insure [one's life]; 4 (v a s t m a k e n) secure [windows &]; *dat ~ wij u* we assure you; *niets was verzekerd* there was no insurance; **II** *vr zich tegen... ~* insure against..., take out an insurance against...; *zich van iems. hulp ~* secure sbd.'s help; *ik zal er mij*

[1] V.T. en V.D. van dit werkwoord volgens het model: **ver**'achten, V.T. **ver**'achtte, V.D. **ver**'acht (**ge-** valt dus weg in het V.D.). Zie voor de vormen onder het grondwoord, in dit voorbeeld: *achten.* Bij sterke en onregelmatige werkwoorden wordt u verwezen naar de lijst achterin.

van ~ I am going to make sure of it; **–ring** (-en) *v* 1 assurance; 2 assurance, insurance; ~ *tegen glasschade* plate-glass insurance; ~ *tegen inbraak* burglary insurance; ~ *tegen ongelukken* accident insurance; ~ *tegen ziekte en invaliditeit* health insurance; *sociale* ~ social security; *ik geef je de* ~ *dat...* I assure you that...; *een* ~ *sluiten* effect an insurance; **ver'zekeringsagent** (-en) *m* insurance agent; **–bank** (-en) *v* insurance bank; **–kantoor** (-toren) *o* insurance office; **–maatschappij** (-en) *v* insurance company; **verzekerings'plichtig** obliged to insurance; **ver'zekeringspolis** (-sen) *v* insurance policy; **–premie** (-s en -miën) *v* insurance premium; **–wet** (-ten) *v* insurance act; **–wiskundige** (-n) *m* actuary

'verzenboek (-en) *o* book of poetry; **–bundel** (-s) *m* volume of verse

ver'zenden[1] *vt* send (off), dispatch, forward, ship; **–er** (-s) *m* sender; shipper; **ver'zendhuis** (-huizen) *o* mail-order house, mail-order business; **ver'zending** (-en) *v* sending, forwarding, dispatch; shipment [of goods]; **–skosten** *mv* forwarding-charges; **ver'zendlijst** (-en) *v* mailing list

'verzenen *mv de* ~ *tegen de prikkels slaan* **B** kick against the pricks

ver'zengd scorched [grass]; torrid [zone]; **ver'zengen**[1] *vt* singe, scorch, parch; **–ging** *v* singeing &

'verzenmaker (-s) *m* > poetaster

ver'zepen (verzeepte, *vt* h., *vi* is verzeept) *vt* & *vi* (v. v e t t e n) saponify

ver'zet *o* 1 (t e g e n s t a n d) opposition, resistance; 2 (o n t s p a n n i n g) diversion, recreation; *gewapend* (*lijdelijk*) ~ armed (passive) resistance; ~ *aantekenen* enter a protest, protest (against *tegen*); *in* ~ *komen* offer resistance; *fig* protest; *in* ~ *komen tegen* offer resistance to, resist, oppose; *fig* oppose; protest against [a measure &]; stand up against [tyranny &]; *in* ~ *komen tegen een vonnis* ⚖ appeal against a sentence; **–je** (-s) *o* diversion, recreation; **ver'zetsbeweging** (-en) *v* resistance movement; **–man** (-nen en -lieden) *m* member of a resistance movement; **–organisatie** [-za.(t)si.] (-s) *v* resistance movement; **ver'zetten**[1] **I** *vt* 1 move, shift; 2 (a f l e i d i n g g e v e n) divert; *bergen* ~ **B** remove mountains; *de klok* ~ put the clock forward (back); *een vergadering* ~ put off a meeting; *heel wat werk* ~ get through (put in, do) a lot of work; *zij kan het niet* ~ she cannot get over it, it sticks in her throat; **II** *vr* *zich* ~ 1 (z i c h s c h r a p z e t t e n) recalcitrate, kick against the pricks, kick; 2 (w e e r s t a n d b i e d e n) resist, offer resistance; 3 (z i c h o n t s p a n n e n) take some recreation, unbend; *zich krachtig* ~ offer (make) a vigorous resistance; *zich niet* ~ make (offer) no resistance; *zich* ~ *tegen* resist; oppose[2] [a measure &]; stand up against [tyranny &]; stand out against [a demand]

ver'zieken I (verziekte, is verziekt) *vi* waste (away); **II** (verziekte, h. verziekt) **F** *vt* spoil, frustrate

ver'zien[1] *vt hij heeft het op mij* ~ **F** he has a down on me; *het niet op iem.* (*iets*) ~ *hebben* not like (hold with) sbd. (sth.)

'verziend far-sighted, long-sighted, presbyopic; **–heid** *v* far-sightedness, long-sightedness, presbyopia

ver'zilten (verziltte, *vt* h., *vi* is verzilt) *vi* & *vt* salt up

ver'zilveren (verzilverde, h. verzilverd) *vt eig* silver; *fig* $ convert into cash, cash [a banknote]; *verzilverd* ook: silver-plated [wares]; **–ring** *v eig* silvering; *fig* $ cashing

ver'zinken (verzonk, *vt* h., *vi* is verzonken) *vt* sink (down, away); (v. s c h r o e v e n) countersink; *verzonken in gedachten* absorbed (lost) in thought; *in dromen verzonken* lost in dreams; *in slaap verzonken* deep in sleep

ver'zinnen[1] *vt* invent, devise, contrive; *dat verzin je maar* you are making it up; *ik wist niemand te* ~ *die...* I could not think of anybody who...; **–er** (-s) *m* inventor, contriver; **ver'zinsel** (-s en -en) *o* invention

ver'zitten[1] *vi gaan* ~ move to another seat; shift one's position [in a chair]

ver'zoek (-en) *o* request; petition; *een* ~ *doen* make a request; *op* ~ [cars stop] by request, [samples sent] on request; *op dringend* ~ *van* at the urgent request of...; *op speciaal* ~ by special request; *op* ~ *van..., ten* ~*e van...* at the request of...; *op zijn* ~ at his request; **ver'zoeken**[1] *vt* 1 beg, request; 2 (u i t n o d i g e n) ask, invite; 3 (i n v e r z o e k i n g b r e n g e n) tempt; *verzoeke antwoord, antwoord verzocht* an answer will oblige; *verzoeke niet te roken* please do not smoke; *mag ik u* ~ *de deur te sluiten?* may I trouble you to close the door?, will you kindly close the door?; ~ *o m* ask for; *mogen wij u om de klandizie* ~*?* may we solicit your custom?; *hem o p de bruiloft* ~ invite him to the wedding; **–er** (-s) *m* 1 petitioner; 2 (v e r l e i d e r) tempter; **ver'zoeking** (-en) *v* temptation; *in* ~ *brengen*

[1] V.T. en V.D. van dit werkwoord volgens het model: **ver'**achten, V.T. **ver'**achtte, V.D. **ver'**acht (**ge-** valt dus weg in het V.D.). Zie voor de vormen onder het grondwoord, in dit voorbeeld: *achten.* Bij sterke en onregelmatige werkwoorden wordt u verwezen naar de lijst achterin.

tempt; *in de ~ komen om...* be tempted to...; **ver'zoekprogramma** ('s) *o* (musical) request programme; **–schrift** (-en) *o* petition; *een ~ indienen* present a petition
ver'zoenbaar reconcilable; **–dag** (-dagen) *m* day of reconciliation; *Grote Verzoendag* Day of Atonement; **ver'zoenen**[1] **I** *vt* 1 reconcile, conciliate; 2 placate, propitiate; *~ met* reconcile with (to); *ik kan daar niet mee verzoend raken* I cannot reconcile myself to it; **II** *vr zich ~* become reconciled; *ik kan me daar niet mee ~* I cannot reconcile myself to it; **–d** conciliatory, propitiatory; **ver'zoener** (-s) *m* conciliator; **ver'zoening** (-en) *v* reconciliation, reconcilement; atonement; **verzoeningsge'zind** conciliatory
ver'zoeten[1] *vt* sweeten[2]; **–ting** *v* sweetening
ver'zolen (verzoolde, h. verzoold) *vt* resole
ver'zorgd 1 (b e z o r g d) provided for; 2 (g e s o i g n e e r d) well-groomed [men &]; well-trimmed [nails]; well cared-for [baby]; well got-up [book]; 3 *geheel ~e reis* package tour, all-in tour; **ver'zorgen**[1] **I** *vt* take care of, attend to, look after, provide for; edit [sbd.'s writings]; **II** *vr zich ~* take care of onself; **–er** (-s) *m* 1 provider; 2 fosterer [of a child]; **ver'zorging** *v* care; provision; **ver'zorgingsflat** [-flɛt] (-s) *m* service flat; **–huis** (-huizen) *o* home for the aged, old people's home; **–staat** *m* welfare state
ver'zot *~ op* very fond of, infatuated with, mad on
ver'zuchten[1] *vt* sigh; **–ting** (-en) *v* sigh; lamentation; *een ~ slaken* heave a sigh
ver'zuiling *v* ± compartmentalization [of society]
ver'zuim (-en) *o* 1 neglect, oversight, omission; 2 non-attendance [at school], absenteeism [from work]; ⚖ default; **–d** neglected &; *het ~e inhalen* make up for time lost; **ver'zuimen** (verzuimde, h. verzuimd) **I** *vt* 1 (n a l a t e n) neglect [one's duty]; 2 (n i e t d o e n) omit, fail [to...]; 3 (n i e t w a a r n e m e n) lose, miss [an opportunity]; *de school ~* stop away from school; *niet ~ er heen te gaan* not omit going; **II** *va* stop away from school (from church &)
ver'zuipen F I (verzoop, h. verzopen) *vt* 1 drown; 2 spend on drink; **II** (verzoop, is verzopen) *vi* be drowned, drown
ver'zuren[1] **I** *vi* grow sour, sour[2]; turn [of milk]; **II** *vt* make sour, sour[2]; **ver'zuurd** soured[2]
ver'zwageren (verzwagerde, is verzwagerd) *vi* become related by marriage (to *met*)
ver'zwakken I (verzwakte, h. verzwakt) *vt* weaken [the body, the mind, a solution, the force of argument]; enfeeble [the mind, a country &]; debilitate [the constitution]; enervate [sbd. physically]; **II** (verzwakte, is verzwakt) *vi* weaken, grow weak; **–king** (-en) *v* weakening, enfeeblement, debilitation
ver'zwaren (verzwaarde, h. verzwaard) *vt* make heavier; strengthen [a dike]; *fig* aggravate [a crime]; stiffen [an examination]; increase, augment [a penalty]; *~de omstandigheden* aggravating circumstances
ver'zwelgen[1] *vt* swallow (up); **–ging** *v* swallowing (up)
ver'zweren (verzwoor, is verzworen) *vi* fester, ulcerate; **–ring** (-en) *v* festering, ulceration
ver'zwijgen[1] *vt iets ~* not tell sth., keep sth. a secret, conceal sth., suppress sth.; *je moet het voor hem ~* keep it from him; **–ging** *v* suppression [of the truth], concealment
ver'zwikken[1] **I** *vt* sprain, wrench [one's ankle]; **II** *vr zich ~* sprain one's ankle; **–king** (-en) *v* sprain
'vesper (-s) *v* vespers, evensong; **–dienst** (-en) *m* vespers; **–klokje** (-s) *o* vesper-bell, evening-bell; **–tijd** *m* vesper-hour, evening-time
1 vest (-en) *o* 1 (v. m a n) waistcoat; 2 (i n w i n k e l t a a l) vest; 3 (g e b r e i d) cardigan
2 vest (-en) *v* = *veste*
Ves'taals Vestal; **ves'tale** (-n) *v* vestal virgin, vestal
⚒ **'veste** (-n) *v* 1 fortress, stronghold; 2 rampart, wall; 3 moat
vesti'aire [-'ɛːrə] (-s) *m* cloakroom
vesti'bule (-s) *m* hall, vestibule
'vestigen (vestigde, h. gevestigd) **I** *vt* establish, set up; *de blik, de ogen ~ op* fix one's eyes upon; *zijn geloof ~ op* place one's faith in; *zijn hoop ~ op* set one's hopes on; *waar is hij gevestigd?* where is he living?; *waar is die maatschappij gevestigd?* where is the seat of that company?; **II** *vr zich ~* settle, settle down, establish oneself, take up one's residence; *zich ~ als dokter* set up as a doctor; **'vestiging** (-en) *v* establishment, settlement; **–svergunning** (-en) *v* permit to establish a business; permit to take up residence
'vesting (-en) *v* fortress; **–artillerie** *v* garrison artillery; **–gracht** (-en) *v* moat; **–stelsel** (-s) *o* fortifications; **–straf** (-fen) *v* imprisonment (detention, confinement) in a fortress; **–werken** *mv* fortifications
'vestzak (-ken) *m* waistcoat pocket
Ve'suvius [-'zy-] *m de ~* Vesuvius

[1] V.T. en V.D. van dit werkwoord volgens het model: **ver'**achten, V.T. **ver'**achtte, V.D. **ver'**acht (**ge-** valt dus weg in het V.D.). Zie voor de vormen onder het grondwoord, in dit voorbeeld: *achten.* Bij sterke en onregelmatige werkwoorden wordt u verwezen naar de lijst achterin.

1 vet (-ten) *o* 1 (i n 't a l g.) fat; 2 grease [of game, or dead animals when melted and soft]; *dierlijke en plantaardige ~ten* animal and vegetable fats; *iem. zijn ~ geven* **F** give sbd. a piece of one's mind, give it to sbd.; *zijn ~ krijgen* get a beating, get what for; *we hebben nog wat i n het ~* there is something in store for us; *ik heb voor jou nog wat in het ~* I have a rod in pickle for you; *laat hem in zijn eigen ~ gaar koken* let him stew in his own juice; *iets in het ~ zetten* grease sth.; *o p zijn ~ teren* (*leven*) live on one's own fat; **2 vet** *aj* fat [people, coal, clay, lands, type, benefices &]; greasy [fingers, skin &, wool]; *een ~ baantje* a fat job; *~te druk* ook: heavy (bold) type; *~ gedrukt* printed in heavy (bold) type; *daar ben je ~ mee* a lot of good that will do you!; *daar zal hij niet ~ van soppen* he won't make a pile out of that; *het ~te der aarde genieten* **B** live upon the fat of the land; **–achtig** fatty, greasy

'vete (-n en -s) *v* feud, enmity

'veter (-s) *m* 1 boot-lace, shoe-lace; 2 (v a n k o r s e t) stay-lace

vete'raan (-ranen) *m* veteran, war-horse

'veterband (-en) *o* & *m* tape; **–beslag** *o* tag; **–gat** (-gaten) *o* eyelet

veteri'nair [-'nɛ:r] **I** *aj* veterinary; **II** (-s) *m* veterinary surgeon, **F** vet

'vetgedrukt bold-faced, in bold type; **–gehalte** *o* fat-content, percentage of fat; **–gezwel** (-len) *o* fatty tumour; **–heid** *v* fatness; greasiness; **–kaars** (-en) *v* tallow candle, dip; **–klier** (-en) *v* sebaceous gland; **–laag** (-lagen) *v* layer of fat; **–le(d)er** *o* greased leather; **–leren** (of) greased leather; **'vetmesten** (mestte 'vet, h. 'vetgemest) **I** *vt* fatten[2]; **II** *vr zich ~ met* [*fig*] batten on

'veto ('s) *o* veto; *zijn ~ uitspreken* interpose one's veto; *zijn ~ uitspreken over...* put one's (a) veto on, veto; **–recht** *o* right of veto

'vetpan (-nen) *v* dripping-pan; **–plant** (-en) *v* succulent; **–pot** (-ten) *m* grease-pot; *het is er ~* they do themselves well there; **–potje** (-s) *o* lampion, fairy-lamp; **–puistje** (-s) *o* pimple; *~s* acne; **'vettig** fatty, greasy; **–heid** (-heden) *v* fatness, greasiness; **'vetvlek** (-ken) *v* grease-spot, greasy spot; **–vorming** *v* formation of fat; **–vrij** greaseproof [paper]; **–weefsel** (-s) *o* adipose (fatty) tissue; **'vetweiden** (vetweidde, h. gevetweid) *vt* fatten [cattle]; **–er** (-s) *m* grazier; **'vetzucht** *v* fatty degeneration; **–zuur** (-zuren) *o* fatty acid

'veulen (-s) *o* 1 (i n 't a l g.) colt; 2 (m a n n e t j e) foal; 3 (w ij f j e) filly; **'veulenen** (veulende, h. geveulend) *vi* foal

'vezel (-s) *v* fibre, filament, thread; **–achtig** = *vezelig*; **'vezelig** fibrous, filamentous; stringy [beans]; **–heid** *v* fibrousness &; **'vezelplaat** (-platen) *v* fibre-board; **–plant** (-en) *v* fibrous plant; **–stof** (-fen) *v* fibre

v.g.g.v. = *van goede getuigen voorzien* with gōod references

vgl. = *vergelijk* confer, cf

v.h.t.h. = *van huis tot huis* zie *huis*

'via 1 via, by way of; 2 through [a newspaper advertisement]

via'duct (-en) *m* & *o* viaduct; 🚗 fly-over

vi'aticum (-s) *o* viaticum

vibra'foon (-s en -fonen) *m* vibraphone; **vi'bratie** [-(t)si.] (-s) *v* vibration; **vi'breren** (vibreerde, h. gevibreerd) *vi* vibrate, quaver, undulate

vicari'aat (-iaten) *o* vicariate; **vi'caris** (-sen) *m* vicar; *apostolisch ~* vicar apostolic; **vi'caris-generaal** (vicarissen-generaal) *m* vicar general

'vice-admiraal (-s) *m* vice-admiral; **~-consul, ~-konsul** (-s) *m* vice-consul; **~-presi'dent** [s = z] (-en) *m* vice-president

vice 'versa vice versa

'vice-voorzitter (-s) *m* vice-president, deputy chairman

vici'eus vicious [circle]

vic'torie (-s) *v* victory; *~ kraaien* shout victory, triumph

victu'aliën *mv* provisions, victuals

'videoband (-en) *m* video tape; **–recorder** [-ri.kɔrdər] (-s) *m* video recorder

vief lively, smart

viel (**vielen**) V.T. van *vallen*

vier four; *met ~en!* ⚔ form fours!; **–armig** four-armed; **–baansweg** (-wegen) *m* dual carriageway, *Am.* divided highway; **–benig** four-legged; **–bladig** 1 four-leaved; 2 ⚒ four-bladed [screw]; **–daags** of four days, four days'; **–de** fourth (part); *~ man zijn sp* make a fourth; *ten ~* fourthly, in the fourth place; **–delig** divided into (consisting of) four parts, quadripartite; four-section [screen]; **–dendaags** quintan [fever]; **–derhande, –derlei** of four sorts; **–draads** four-ply

'vieren (vierde, h. gevierd) *vt* 1 celebrate, keep [Christmas]; observe (keep holy) [the Sabbath]; 2 (l a t e n s c h i e t e n) veer out, pay out, ease off [a rope]; zie ook: *teugel*; *hij wordt daar erg gevierd* he is made much of there

'vierendeel (-delen) *o* quarter [of weights and measures, of a year]; **'vierendelen** (vierendeelde, h. gevierendeeld) *vt* quarter [sth., ⛝ a shield, 📖 a traitor's body]; **'vierhandig** four-handed [pieces of music]; § quadrumanous; **–hoek** (-en) *m* quadrangle; **–hoekig** quadrangular

'viering (-en) *v* celebration [of a feast]; observance [of the Sunday]

'vierjaarlijks quadrennial; **vier'jarenplan** (-nen) *o* four-year plan; **'vierjarig** of four years, four-year-old; **'vierkant I** *aj* 1 (van figuren) square; 2 (v. getallen) square; *een ~e kerel* 1 a square-built fellow; 2 *fig* a blunt fellow; *drie ~e meter* three square metres; *~ maken* square; **II** (-en) *o* 1 (figuur) square; 2 (getal) square; *3 meter in het ~* 3 metres square; **III** *ad* squarely; *iem. ~ de deur uitgooien* bundle sbd. out without ceremony; *het ~ tegenspreken* contradict it flatly; *het ~ weigeren* refuse flatly; *~ tegen iets zijn* be dead against sth.; **'vierkantsvergelijking** (-en) *v* quadratic equation; **-wortel** (-s) *m* square root; **-worteltrekking** (-en) *v* extraction of the square root; **vier'kleurendruk** (-ken) *m* four-colour printing; **'vierkleurig** four-coloured; **-kwartsmaat** *v* quadruple time; **-ledig** consisting of four parts, quadripartite; **-lettergrepig** quadrisyllabic; *~ woord* quadrisyllable; **-ling** (-en) *m* quadruplets; **-motorig** four-engined; **-persoonsauto** [-o.to. of -ɔuto.] ('s) *m* four-seater; **-potig** four-legged; **-regelig** of four lines; *~ gedicht* quatrain; **-schaar** (-scharen) *v* tribunal, court of justice; *de ~ spannen* sit in judgment (upon *over*); **-snarig** four-stringed; **-span** (-nen) *o* four-in-hand; **-sprong** (-en) *m* cross-road(s); *op de ~* [*fig*] at the cross-roads (at the parting of the ways); **-stemmig** for four voices, fourpart; **-taktmotor** (-s en -toren) *m* four-stroke engine; **-tal** (-len) *o* (number of) four; *het ~* the four (of them); *ons ~* the four of us, our quartet(te); **-talig** quadrilingual; **-tallig** quaternary; **-vlak** (-ken) *o* tetrahedron; **-vlakkig** tetrahedral; **-voeter** (-s) quadruped; **-voetig** four-footed, quadruped; **-voud** (-en) *o* quadruple; *in ~* in quadruplicate; **-voudig** fourfold, quadruple; **-wielig** four-wheeled; **-zijdig** four-sided, quadrilateral

vies I *aj* 1 dirty, grubby [hands]; nasty[2] [smell, weather &] filthy [stories]; 2 (kieskeurig) particular, fastidious, dainty, nice; *hij valt niet ~* he is not over-particular; *ik ben er ~ van* it disgusts me; *daar ben ik niet ~ van* **F** I shouldn't mind that; **II** *ad ~ kijken* make a wry face; *~ ruiken* have a nasty smell; *dat valt ~ tegen* **F** that's very disappointing; *hij is ~ bij* **F** he is very clever; *je bent er ~ bij* **F** you are in for it, you are done for; **-heid** (-heden) *v* dirtiness, nastiness, filthiness; **-p(e)uk** (-peuken, -pukken) *m* **F** dirty pig, mucky pup

Viët'nam *o* Vietnam, Viet(-)Nam; **Viëtna'mees I** *aj* Vietnamese; **II** (-mezen) *m* Vietnamese; *de Viëtnamezen* the Vietnamese; **III** *o het ~* Vietnamese

'viezerik (-riken) *m* **F** dirty Dick, dirty pig, nasty fellow; **'viezigheid** (-heden) *v* 1 (abstract) dirtiness, nastiness; 2 (concreet) dirt, filth

vi'geren (vigeerde, h. gevigeerd) *vi* be in force

vigi'lante [vi.ʒi.-] (-s) *v* cab

vi'gilie (-iën en -s) *v* vigil [= eve of a festival]

vig'net [vi.'ɲɛt] (-ten) *o* vignette, (kop~) head-piece, (sluit~) tail-piece

'vijand (-en) *m* enemy, ⊙ foe; **vij'andelijk** 1 ⚔ (van een vijand) enemy('s) [fleet], hostile; 2 (als van een vijand) hostile [to...]; **-heid** (-heden) *v* hostility; **vij'andig** hostile, inimical; *hun ~ gezind* unfriendly disposed towards them; *hun niet ~ gezind zijn* bear them no enmity; **-heid** (-heden) *v* enmity, hostility; **vijan'din** (-nen) *v* enemy, ⊙ foe; **'vijandschap** (-pen) *v* enmity; *in ~* at enmity

vijf five; *geef mij de ~* **F** shake, shake hands; *een van de ~ is op de loop bij hem* **F** he has a screw loose; **-daags** of five days, five days'; *~e werkweek* five-day working week; **-de** fifth (part); *ten ~* fifthly, in the fifth place; **vijfen-zestig'plusser** (-s) *m* senior citizen; **'vijfhoek** (-en) *m* pentagon; **-hoekig** pentagonal; **-jaarlijks** quinquennial; **vijf'jarenplan** (-nen) *o* five-year plan; **'vijfjarig** of five years, five-year-old; quinquennial; **-kamp** *m* pentathlon; **-lettergrepig** of five syllables; **-ling** (-en) *m* quintuplets; **-snarig** five-stringed; **-stemmig** for five voices; **-tal** (-len) *o* (number of) five; quintet(te); *het ~* the five (of them); **-tallig** quinary

'vijftien fifteen; **-de** fifteenth (part)

'vijftig fifty; **-er** (-s) *m* person of fifty (years); **-jarig** of fifty years; *de ~e* the quinquagenarian; **-ste** fiftieth (part)

'vijfvoetig five-footed; *~ vers* pentameter; **-voud** (-en) *o* quintuple; **-voudig** fivefold, quintuple

vijg (-en) *v* fig; **'vijgeblad** (-bladeren, -bladen en -blaren) *o* fig-leaf[2]; **-boom** (-bomen) *m* fig-tree

vijl (-en) *v* file; *er de ~ over laten gaan* [*fig*] polish it; **'vijlen** (vijlde, h. gevijld) *vt* file; *fig* polish; **'vijlsel** (-s) *o* filings

'vijver (-s) *m* pond, (groot) (ornamental) lake

1 'vijzel (-s) *m* (stampvat) mortar

2 'vijzel (-s) *v* (hefschroef) jack; **'vijzelen** (vijzelde, h. gevijzeld) *vt* screw up, jack (up)

'viking (-s en -en) *m* viking

'vilder (-s) *m* flayer, (horse-)knacker

vi'lein vile, bad

'villa ['vi.la.] ('s) *v* villa, country-house, (klein) cottage; **-park** (-en) *o* villa park; **-wijk** (-en) *v* residential area

'villen (vilde, h. gevild) *vt* flay[2], fleece[2], skin[2];

ik laat me ~ *als*... I'll be hanged if...
vilt *o* felt; **–achtig** felty, felt-like; **1 'vilten** *aj* felt; **2 'vilten** (viltte, h. gevilt) *vt* felt; **'vilthoed** (-en) *m* felt hat; **–stift** (-en) *v* felt(-tipped) pen
vin (-nen) *v* 1 fin [of a fish]; 2 acne [on the human body]; *hij verroerde geen* ~ he did not stir (move) a finger; he didn't move hand or foot
'vinden* I *vt* 1 find, soms: meet with, come across; 2 think [it fair &]; feel [that they should be abolished, it churlish to say nothing]; *hoe* ~ *ze het?* how do they like it?; *hoe vind je onze stad?* what do you think of our town?; *ik vind het niets aardig* I don't think it nice; *ik vind het niet erg* I don't mind; *ik vind niet dat het zo koud is als gisteren* I don't find it so cold as yesterday; *vind je het goed?* do you approve, do you mind [if]; *ik vind het niet goed* I don't approve of that; *wij kunnen het goed met elkaar* ~ we get on very well together; *zij kunnen het niet goed met elkaar* ~ somehow they don't hit it off; *het niets* ~ *om*... think nothing of ...ing; *ik zal hem wel* ~ he shall smart for this!; he shall not go unpunished; *dat zullen wij wel* ~ we'll make it all right, get it settled; • *wat* ~ *ze daar nu a a n?* what can they see in it (in him)?; *er iets o p* ~ *om*... find (a) means to; *daar is hij altijd v o o r te* ~ he is always game for it; *daar is hij niet voor te* ~ he will not be found willing to do it, he does not lend himself to that sort of thing; **II** *vr hij vond zich door iedereen verlaten* he found himself left by everybody; *dat zal zich wel* ~ it is sure to come all right; **–er** (-s) *m* finder; (u i t v i n d e r) inventor; **'vinding** (-en) *v* invention, discovery; **–rijk** inventive [mind], ingenious, resourceful [person]; **vinding'rijkheid** *v* ingeniousness, ingenuity, inventiveness, resourcefulness; **'vindloon** *o* finder's reward; **–plaats** (-en) *v* place where something has been found, place of finding (discovery); deposit [of ore]; habitat [of animal, plant]
ving (vingen) V.T. van *vangen*
'vinger (-s) *m* finger; *middelste* ~ middle finger; *voorste* ~ forefinger, index; *vieze* ~*s* **F** finger-marks; *de* ~ *Gods* the finger of God; *als men hem een* ~ *geeft, neemt hij de hele hand* give him an inch, and he will take an ell; *het in de* ~*s hebben* be gifted; *een* ~ *in de pap hebben* have a finger in the pie; *lange* ~*s hebben, zijn* ~*s niet thuis kunnen houden* be light-fingered; *de* ~ *aan de pols houden* keep a finger on the pulse; *de* ~*s jeuken mij om*... my fingers itch to...; *iem. in de* ~*s krijgen* get hold of sbd., lay one's hands on sbd.; *de* ~ *op de wond leggen* put one's finger on the spot, touch the sore; *zijn* ~ *opsteken* show (put up) one's finger; *hij zal geen* ~ *uitsteken om*... he will not lift (raise, stir) a finger to...; *als je een* ~ *naar hem uitsteekt* if you wag a finger at him; • *iets d o o r de* ~*s zien* shut one's eyes to sth., turn a blind eye to sth., overlook sth.; *m e t zijn* ~*s ergens aan komen* (*zitten*) finger it, meddle with it; *als je hem maar met de* ~ *aanraakt* if you lay a finger on him; *iem. met de* ~ *nawijzen* point (one's finger) at sbd.; *iem. o m de* ~ *winden* twist (turn) sbd. round one's (little) finger; *iem. o p de* ~*s kijken* keep a close eye on sbd.; *dat kun je op je* ~*s natellen* (*narekenen, uitrekenen*) you can count it on your fingers, that's as clear as daylight; zie ook: *snijden* **III,** *tikken* **II** &; **–afdruk** (-ken) *m* finger-print; **–alfabet** *o* finger-alphabet; **–breed I** *aj* of a finger's breadth; **II** *o* finger's breadth; **–dik** as thick as a finger; **–doekje** (-s) *o* small napkin; **–gewricht** (-en) *o* finger-joint; **–hoed** (-en) *m* 1 thimble; 2 centilitre; **–hoedskruid** *o* foxglove; **–kommetje** (-s) *o* finger-bowl; **–lid** (-leden) *o* finger-joint; **–ling** (-en) *m* finger-stall; **–oefening** (-en) *v* ♩ (five-)finger exercise; **–ring** (-en) *m* finger ring; **–spraak** *v* finger-and-sign language; **–top** (-pen) *m* finger-tip; **–vlug** deft, dext(e)rous, **vinger'vlugheid** *v* dexterity, deftness; **'vingervormig** finger-shaped; **–wijzing** (-en) *v* hint, indication; **–zetting** (-en) *v* ♩ fingering; *met* ~ *van*... ♩ fingered by
vink (-en) *m* & *v* 🐦 finch; *blinde* ~*en* (meat) olives; **–entouw** *o op het* ~ *zitten* [*fig*] eagerly bide one's time
'vinnig I *aj* sharp, fierce; biting [cold, wind]; smart [blow]; keen [fight]; cutting [remarks]; **II** *ad* sharply &; **–heid** (-heden) *v* sharpness, fierceness &
'vinvis (-sen) *m* rorqual
vio'let *aj* & *o* violet
vio'lier (-en) *v* stock-gillyflower
vio'list (-en) *m* violinist, violin-player; *eerste* ~ first violin; **violon'cel** (-len) *v* violoncello, **F** 'cello; **violoncel'list** (-en) *m* violoncellist; **vi'ool** (violen) *v* 1 ♩ violin, **F** fiddle; 2 ✿ violet; *hij speelt de eerste* ~ he plays first fiddle; *op de* ~ *spelen* play (on) the violin; **–bouwer** (-s) *m* violin maker; **–concert** (-en) *o* 1 (u i t v o e r i n g) violon recital; 2 (m u z i e k - s t u k) violin concerto; **–hars** *o* & *m* colophony; **–kam** (-men) *m* bridge; **–kist** (-en) *v* violin-case; **–les** (-sen) *v* violin lesson; **–muziek** *v* violin music; **–partij** (-en) *v* violin part; **–sleutel** (-s) *m* treble clef; **–snaar** (-snaren) *v* violin-string; **–sonate** (-s en -n) *v* violin sonata; **–spel** *o* violin-playing; **–speler** (-s) *m* violinist, violin-player
vi'ooltje (-s) *o* ✿ violet; *driekleurig* ~ pansy; *Kaaps* ~ African violet
vi'riel virile; **virili'teit** *v* virility

virolo'gie *v* virology; **viro'loog** (-logen) *m* virologist
virtu'oos I (-uozen) *m* virtuoso [*mv* virtuosi]; *een piano* ~ a virtuoso pianist; **II** *aj* masterly; **III** *ad* in a masterly way; **virtuosi'teit** [s = z] *v* virtuosity
'virus (-sen) *o* virus; **–ziekte** (-n en -s) *v* virus disease
vis (-sen) *m* fish; *de Vissen* ★ Pisces; ~ *noch vlees* neither fish nor flesh; *als een* ~ *op het droge* like a fish out of water; **–aas** *o* fish-bait; **–achtig** fish-like, fishy; **–afslag** (-slagen) *m* fish auction; **–akte** (-n en -s) *v* fishing-licence; **–angel** (-s) *m* fish-hook; **–arend** (-en) *m* osprey
vis-à-'vis [vi.za.'vi.] *ad* & *v* & *m* vis-à-vis
'visboer (-en) *m* fish-monger, fish-hawker
vis'cose [-'ko.zə] *v* viscose; **viscosi'teit** *v* viscosity
'viscouvert [-ku.vɛ:r] (-s) *o* (set of) fish eaters, fish knife and fork; **–diefje** (-s) *o* tern
vi'seren [s = z] (viseerde, h. geviseerd) *vt* visa
'visfuik (-en) *v* fish trap; **–graat** (-graten) *v* fish-bone; **–gronden** *mv* fishing grounds, fisheries; **–haak** (-haken) *m* fish-hook; **–hal** (-len) *v* fish market (hall); **–handelaar** (-s) *m* fishmonger; **–hengel** (-s) *m* fishing rod
'visie [s = z] (-s) *v* 1 [prophetic] vision; 2 (k ij k) outlook [on art], view [of the problem]; *ter* ~ *liggen* = *(ter) inzage (liggen)*
visi'oen [s = z] (-en) *o* vision; **visio'nair** [-'nɛ:r] *aj* & (-s en -en) *m* visionary
visi'tatie [vi.zi.'ta.(t)si.] (-s) *v* 1 visit [of a ship], search; customs examination, [customs] inspection; 2 *rk* Visitation; **–recht** *o* right of visit
vi'site [s = z] (-s) *v* 1 (h a n d e l i n g) visit, call; 2 (v. p e r s o n e n) visitor(s); *er is* ~, *wij hebben* ~ we have visitors; *een* ~ *maken* pay a visit (call), make a call; *een* ~ *maken bij* pay a visit to, call on, give a call to, visit; **–kaartje** (-s) *o* (visiting-)card
visi'teren (visiteerde, h. gevisiteerd) *vt* examine, search, inspect, **F** frisk
'viskaar (-karen) *v* fish-basket, corf; **–kom** (-men) *v* fish bowl; **–koper** (-s) *m* fishmonger; **viskweke'rij** (-en) *v* 1 fish-farm; 2 (h e t k w e k e n) fish-farming, pisciculture; **'vislijm** *m* fish-glue, isinglass; **–lucht** *v* fishy smell; **–markt** (-en) *v* fish-market; **–meel** *o* fish meal; **–mes** (-sen) *o* fish-knife; **–mijn** (-en) *v* = *visafslag*; **–net** (-ten) *o* fishing net; **–ooglens** (-lenzen) *v* fish-eye lens; **–otter** (-s) *m* common otter; **–pan** (-nen) *v* fish-kettle; **–recht** *o* fishing-right; **–rijk** abounding in fish; **–rijkheid** *v* abundance of fish; **–schotel** (-s) *m* & *v* 1 fish-strainer; 2 (g e r e c h t) fish-dish; **–schub** (-ben) *v* scale [of fish]; **–sebloed** *o* fish blood; *hij heeft* ~ he is as cold(-blooded) as a fish; **–seizoen** *o* fishing-season; **'vissen I** (viste, h. gevist) *vi* fish; *naar een complimentje* ~ fish (angle) for a compliment; **II** *va* fish; *uit* ~ *gaan* go out fishing; **III** *o* fishing; **–er** (-s) *m* 1 (h e n g e l a a r) angler; 2 (v a n b e r o e p) fisherman; **visse'rij** *v* fishery, fishing-industry; **–grens** (-grenzen) *v* fishery limit; **'vissersboot** (-boten) *m* & *v* fishing-boat; **–dorp** (-en) *o* fishing-village; **–haven** (-s) *v* fishing-port; **–ring** (-en) *m* Fisherman's ring; **–schuit** (-en) *v* fishing-boat; **–vloot** *v* fishing-fleet; **–volk** *o* nation of fishermen; **–vrouw** (-en) *v* fisherman's wife; **'vissmaak** *m* fishy taste; **–stand** *m* fish stock; **–sterfte** *v* fish mortality, death of fish; **–stick** (-s) *m* fish finger
'vista ['vi: sta.] *a* ~ $ on presentation
'visteelt *v* fish-culture, pisciculture; **–tijd** *m* fishing-season; **–tuig** (-en) *o* fishing-tackle
visu'eel [s = z] visual
'visum [s = z] (visa en -s) *o* visa
'visvangst *v* fishing; *de wonderdadige* ~ **B** the miraculous draught of fishes; **–vijver** (-s) *m* fish-pond; **–vrouw** (-en) *v* fish-woman, fishwife; **–water** (-s en -en) *o* fishing-water, fishing-ground; *goed* ~ good fishing; **–wijf** (-wijven) *o* fish-woman, fishwife; **–wijventaal** *v* Billingsgate (language); **–winkel** (-s) *m* fish-shop
vi'taal vital
'vitachtig = *vitterig*
vitali'teit *v* vitality
vita'mine (-n en -s) *v* vitamin; ~ *C* ascorbic acid; **vitami'neren** (vitamineerde, h. gevitamineerd) *vt* vitaminize; **vita'minetablet** (-ten) *v* & *o* vitamin tablet; **vitamini'seren** [s = z] (vitaminiseerde, h. gevitaminiseerd) *vt* vitaminize
vi'trage [-'tra.ʒə] (-s) 1 *v* (g o r d ij n) lace curtain, net curtain, glass curtain; 2 *v* & *o* (s t o f) lace, net
vi'trine (-s) *v* (glass) show-case, show-window
vitri'ool *o* & *m* vitriol
'vitten (vitte, h. gevit) *vi* find fault, cavil, carp; ~ *op* find fault with, carp at; **–er** (-s) *m* fault-finder, caviller; **'vitterig** fault-finding, cavilling, censorious, captious; **–heid** *v*, **vitte'rij** (-en) *v* fault-finding, cavilling, censoriousness; carping criticism
'vitusdans *m* St. Vitus's dance
'vitzucht *v* censoriousness
'vivat (-s) *o* long live [the King!], three cheers [for the King]
vivi'sectie [-'sɛksi.] *v* vivisection; ~ *toepassen op* vivisect [animals]
1 vi'zier (-s en -en) *m* vizi(e)r

2 vi'zier (-en) *o* 1 visor [of a helmet]; 2 ⚔ (back-)sight [of a gun]; *in het ~ krijgen* catch sight of; *met open ~* with visor raised; *fig* openly; **–klep** (-pen) *v* ⚔ leaf; **–korrel** (-s) *m* ⚔ bead, foresight; **–lijn** (-en) *v* ⚔ line of sight

vla ('s en vlaas) *v* 1 (crème) custard; 2 (baksel) flan, tart

vlaag (vlagen) *v* shower [of rain], gust [of wind]; *fig* fit [of anger, insanity &]; access [of generosity]; *bij vlagen* by fits and starts

vlaai (-en) *v* flan, tart

Vlaams I *aj* Flemish; *~e gaai* 🐦 jay; **II** *o het ~* Flemish; **III** *v een ~e* a Flemish woman; **'Vlaanderen** *o* Flanders

vlag (-gen) *v* 1 flag, ⚔ (v. regiment) colours; *fig* standard; 2 vane, web [of a feather]; *de witte ~* the white flag, the flag of truce; *dat staat als een ~ op een modderschuit* it suits you as a saddle suits a sow; *de ~ hijsen* hoist the flag; *de ~ neerhalen* lower the flag; *de ~ strijken voor...* lower one's flag to...; *de ~ uitsteken* put out the flag; *de Engelse ~ voeren* fly the English flag; *met ~ en wimpel* with flying colours; *onder Franse ~ varen* fly the French flag; *onder valse ~ varen* sail under false colours, *fig* wear false colours; *de ~ dekt de lading* the flag covers the cargo; free flag makes free bottom; **–gekoord** (-en) *o* & *v* flag-line; **'vlaggen** (vlagde, h. gevlagd) *vi* put out (fly, hoist, display) the flag (flags); *de stad vlagde* the town was beflagged; **'vlaggendoek** *o* & *m* bunting; **'vlaggeschip** (-schepen) *o* flagship; **–stok** (-ken) *m* flagstaff, flag-pole; **–touw** (-en) *o* flag-line; **'vlagofficier** (-en) *m* flag-officer; **–vertoon** *o* showing the flag

1 vlak I *aj* flat, level; plane; *~ land* flat (level) country; *~ke meetkunde* plane geometry; *~ke tint* flat tint; *~ke zee* smooth sea; **II** *ad* flatly[2]; right [in the centre &]; *~ oost* due east; • *~ achter elkaar* close after one another, in close succession; *~ achter hem* close behind him, close upon his heels; *~ bij* close by; *het huis is ~ bij de kerk* the house is close to the church; *ik sloeg hem ~ in zijn gezicht* I hit him full in the face; *ik zei het hem ~ in zijn gezicht* I told him so to his face; *~ vóór je* right in front of you; *~ voor de start* just before the start; **III** (-ken) *o* 1 plane, level; 2 area, space; 3 face [of a cube]; 4 surface; 5 flat [of the hand, sword]; 6 sheet [of ice, water &]; *hellend ~* inclined plane; *wij zijn op een hellend ~* we are on a slippery slope

2 vlak (-ken) *v* = 2 *vlek*

'vlakdruk *m* planographic printing, planography

'vlakgom *m* & *o* india-rubber, [ink-]eraser

'vlakheid *v* flatness

1 'vlakken (vlakte, h. gevlakt) *vt* flatten, level

2 'vlakken (vlakte, *vt* h., *vi* is gevlakt) *vt* & *vi* = *vlekken*

'vlakte (-n en -s) *v* plain, level; *zich op de ~ houden* not commit oneself, give a non-committal answer; *hem tegen de ~ slaan* knock him down; *jongens van de ~* riff-raff; *meisje van de ~* streetwalker, hussy; **–maat** (-maten) *v* superficial (square) measure

vlam (-men) *v* flame[2], blaze; *een oude ~ van hem* **F** an old flame of his; *~men schieten* flash fire; *~ vatten* catch fire[2]; *fig* fire up; *in ~men opgaan* go up in flames; *in (volle) ~ staan* be ablaze (in a blaze)

'Vlaming (-en) *m* Fleming

'vlammen (vlamde, is gevlamd) *vi* flame, blaze, be ablaze; **–d** flaming, ablaze; **'vlammenwerper** (-s) *m* ⚔ flame-thrower; **'vlammetje** (-s) *o* 1 little flame; 2 light [for pipe]

vlas *o* flax; **–achtig** flaxy [plants]; flaxen [hair]; **–akker** (-s) *m* flax-field; **–baard** (-en) *m* 1 flaxen (downy) beard; 2 beardless boy, milksop; **–blond** flaxen [hair]; flaxen-haired [person]; **–bouw** *m* flax-growing; **–braak** (-braken) *v* flax-brake; **–haar** (-haren) *o* flaxen hair; *met ~* flaxen-haired; **–kleur** *v* flaxen colour; **–kleurig** flaxen; **–leeuwebek** *m* toadflax; **1 'vlassen** *aj* flaxen

2 'vlassen (vlaste, h. gevlast) *vi ~ op* look forward to, be keen on

'vlassig = *vlasachtig*; **'vlasspinne'rij** (-en) *v* flax-mill; **'vlasstengel** (-s) *m* flax stalk; **–vink** (-en) *m* & *v* linnet; **–zaad** (-zaden) *o* flax-seed, linseed

vlecht (-en) *v* braid, plait, tress; *valse ~* false plait; *haar ~* her [i. e. the girl's] pigtail; *in een (neerhangende) ~* in a pigtail; **'vlechten*** *vt* twist [thread, rope]; twine [strands of hemp &]; plait [hair, ribbon, straw, mats]; braid [the hair]; wreathe [a garland]; make [baskets]; *een opmerking in zijn rede ~* weave a remark into one's speech; **'vlechtwerk** *o* wicker-work, basket-work

'vleermuis (-muizen) *v* bat; **–brander** (-s) *m* batwing burner

vlees (vlezen) *o* 1 flesh; 2 meat [when cooked]; 3 pulp [of fruit]; *~ in blik* tinned beef; *het levende ~* the quick; *wild ~* proud flesh; *zijn eigen ~ en bloed* his own flesh and blood; *ik weet wat voor ~ ik in de kuip heb* I know with whom I have to deal; • *in het ~ snijden* cut to the quick; *goed in zijn ~ zitten* be in flesh; *het gaat hem naar den vleze* he is doing well; *hij bijt zijn nagels af tot op het ~* he bites his nails to the quick; **–bal** (-len) *m* meat-ball; **–blok** (-ken) *o* butcher's block; **–boom** (-bomen) *m* uterine myoma; **–dag** (-dagen) *m* meat-day; **–etend** flesh-eating, carnivorous; *~e dieren* carnivores, carnivora; *~e planten* carnivore, insectivore plants; **–extract** (-en) *o* meat extract; **–gerecht** (-en) *o* meat-course; **–hal(le)** (-hallen) *v* meat-market, shambles; **–houwer** (-s) *m* butcher; **vleeshouwe'rij** (-en) *v* butcher's shop; **'vleeskleur** *v* flesh colour; **–kleurig** flesh-coloured; **–klomp** (-en) *m* hunk of meat; *fig.* **F** lump of a man (woman); **–loos** meatless; **–made** (-n) *v* maggot; **–mes** (-sen) *o* carving-knife; butcher's knife; **–molen** (-s) *m* mincing-machine, meat-mincer; **–nat** *o* broth; **–pastei** (-en) *v* meat-pie; **–pasteitje** (-s) *o* meat-patty; **–pin** (-nen) *v* skewer; **–plank** (-en) *v* carving board; (in keuken) chopping board; **–pot** (-ten) *m* flesh-pot; *verlangen naar de ~ten van Egypte* be sick for the flesh-pots of Egypt; **–schotel** (-s) *m* & *v* meat-dish; meat-course; **–soep** (-en) *v* meat-soup; **–spijs** *v*, **–spijzen** *mv* meat; **–vork** (-en) *v* carving fork; **–waren** *mv* meats and sausages; **–wond(e)** (-wonden) *v* flesh-wound; **–wording** *v* incarnation

vleet (vleten) *v* herring-net; *bij de ~* lots of..., plenty of..., ...galore

'vlegel (-s) *m* 1 flail; 2 *fig* lout, cur, boor, tyke; **–achtig** loutish, currish, boorish; **–achtigheid** (-heden) *v* loutishness, currishness, boorishness; *één ~* a piece of impudence; *zijn vlegelachtigheden* his impudence; **–jaren** *mv* years of indiscretion, awkward age

'vleien (vleide, h. gevleid) **I** *vt* flatter, coax, cajole, wheedle; **II** *vr zich ~ dat...* flatter oneself that...; *zich ~ met de hoop dat...* indulge a hope that..., flatter oneself with the belief that...; *zich ~ met ijdele hoop* delude oneself with vain hopes; *zich gevleid voelen door...* feel flattered by...; **–er** (-s) *m* flatterer, coaxer; **vleie'rij** (-en) *v* flattery, **S** grease, oil; **'vleinaam** (-namen) *m* pet name, endearing name; **–ster** (-s) *v* flatterer, coaxer; **–taal** *v* flattering words, flattery

1 vlek (-ken) *o* small market-town

2 vlek (-ken) *v* 1 spot², stain², blot², blemish²; 2 speck [in fruit]; *een ~ op zijn naam* a blot on his reputation; **'vlekkeloos** spotless, stainless, speckless; **vlekke'loosheid** *v* spotlessness; **'vlekken I** (vlekte, h. gevlekt) *vt* blot, soil, stain, spot; **II** (vlekte, is gevlekt) *vi* soil; get spotted; *het vlekt gemakkelijk* it soils easily; **'vlekkenwater** *o* stain (spot) remover; **'vlekkig** spotted, full of spots; **'vlektyfus** [-ti.füs] *m* typhus (fever); **–vrij** spotless, stainless

1 vlerk (-ken) *v* wing; *fig* **F** paw [= hand]

2 vlerk (-en) *m* (lomperd) churl, boor

'vlerkprauw (-en) *v* outrigger canoe (prau, proa)

'vleselijk carnal; *mijn ~e broeder* my own brother; *~e lusten* carnal desires

vlet (-ten) *v* ⚓ flat, flat-bottomed boat

vleug (-en) *v* (v. vilt &) nap, hair, grain; *tegen de ~* against the hair (grain); *fig* unruly; zie ook: *vleugje*

'vleugel (-s) *m* 1 wing² [of a bird, the nose, a building, an army]; ⊙ pinion; 2 leaf [of a door]; 3 (v. molen) wing, vane; 4 ♪ grand piano; *kleine ~* ♪ baby grand; *de ~s laten hangen* droop one's wings; *de ~s uitslaan* spread one's wings; *iem. de ~s korten* clip sbd's wings; *met de ~s slaan* beat its wings [of a bird]; *iem. onder zijn ~en nemen* take sbd. under one's wing; **–adjudant** (-en) *m* ⚔ aide-de-camp; **–boot** (-boten) *m* & *v* hydrofoil; **–deur** (-en) *v* folding-door(s); **–lam** winged; **–man** (-nen) *m* ⚔ guide, leader of the file; **–moer** (-en) *v* butterfly-nut, wing-nut; **–piano** ('s) *v* grand piano; *kleine ~* baby grand; **–schroef** (-schroeven) *v* thumb-screw, wing-screw; **–slag** (-slagen) *m* wing-beat; **–speler** (-s) *m* wing

'vleugje (-s) *o* (lichte vlaag) breath [of wind], waft [of scent], whiff [of fresh air]; *fig* hint [of mockery], touch [of bitterness], flicker [of hope]

'vleze zie *vlees*; **'vlezig** 1 fleshy [arms &, women, tumours, ✿ leaves]; meaty [cattle]; 2 pulpy [fruits]; **–heid** *v* fleshiness &

vlg. = *volgende* following

'vlieden* **I** *vi* flee, fly [from...]; **II** *vt* flee, fly, shun, eschew [dangers &]

vlieg (-en) *v* fly; *iem. een ~ afvangen* steal a march upon sbd; *geen ~ kwaad doen* not hurt a fly; *twee ~en in één klap slaan* kill two birds with one stone; *je bent niet hier gekomen om ~en te vangen* you are not here to sit idle

'vliegbasis [-zɪs] (-sen en -bases) *v* air base; **–bereik** *o* radius of action; **–biljet** (-ten) *o* air ticket; **–boot** (-boten) *m* & *v* flying-boat; **–brevet** (-ten) *o* flying certificate; **–dek** (-ken) *o* flight-deck; **–dekschip** (-schepen) *o* (aircraft) carrier; **–dienst** *m* flying-service, air service

'vliegeklap (-pen) *m* fly-flap(per), (fly)swatter

'vliegen* **I** *vi* fly² [of birds, aviators, time]; *erin ~* be taken in, fall into a trap; *hij ziet ze ~* **F** he is cracked (potty); ● *in brand ~* catch (take) fire; *zij vloog naar de deur* she flew to the door; *iem. naar de keel ~* fly at sbd.'s throat; *de kogels vlogen ons om de oren* the bullets were flying about our ears; *wij vlogen over het ijs* we were simply flying over the ice; *hij vloog de kamer uit* he flew (tore) out of the room; *hij vliegt voor haar* he is at her beck and call; *ze ~ voor je* they will fly to serve you; **II** *vt* ✈ fly; **–d** flying; *~ blaadje* pamphlet; *~e bom* ⚔ fly(ing)-

bomb; *in ~e haast* in a great hurry; *~e jicht* wandering gout; *~e schotel* flying saucer; *~e start* running start; *~e tering* galloping consumption; *~e vis* flying fish; *~e winkel* travelling shop; zie ook: *geest, Hollander* &; **vliege'nier** (-s) *m* = *vlieger* 2
'vliegenkast (-en) *v* meat-safe; **–net** (-ten) *o* fly-net; **–papier** *o* fly-paper
'vliegensvlug as quick as lightning
'vliegenvanger (-s) *m* 1 fly-catcher; fly-paper; 2 fly-trap; 3 fly-catcher; **–vergif(t)** *o* fly-poison
'vlieger (-s) *m* 1 kite; 2 airman, flyer, flier, flying-man, aviator; *een ~ oplaten* fly a kite; *die ~ gaat niet op* that cock won't fight, that cat won't jump; **'vliegeren** (vliegerde, h. gevliegerd) *vi* fly kites
vliege'rij *v de ~* flying, aviation
'vliegertijd *m* kite-season; **–touw** (-en) *o* kite-line
'vlieggewicht *o* (v. b o k s e r s) fly weight; (v. v l i e g t u i g) all-up; **–haven** (-s) *v* airport; **–kunst** *v* aviation; **–machine** [-ma.ʃi.nə] (-s) *v* = *vliegtuig*; **–ongeluk** (-ken) *o* flying-accident, air crash; **–plan** *o* 1 flight plan; 2 (air service) time-table; **–post** *v* air mail; **–ramp** (-en) *v* air crash, aircraft disaster; **–reis** (-reizen) *v* air journey; **–terrein** (-en) *o* flying-ground, aerodrome
'vliegtuig (-en) *o* plane, airplane, aeroplane, flying-machine; *~(en)* ook: aircraft; *per ~* ook: by air; **–bemanning** *v* air crew; **–benzine** *v* aviation petrol, aviation spirit; **–bouw** *m* aircraft construction; **–fabriek** (-en) *v* aircraft factory; **–industrie** *v* aircraft industry; **–kaper** (-s) *m*, **–kaapster** (-s) *v* hijacker; **–kaping** (-en) *v* hijacking; **vliegtuig'moederschip** (-schepen) *o* carrier; **'vliegtuigmonteur** (-s) *m* air mechanic; **–motor** (-s en -toren) *m* aircraft engine, aero-engine; **–ongeluk** (-ken) *o* air(craft) crash
'vlieguren *mv* flying hours; **–veld** (-en) *o* airport, *mil* airfield; **–wedstrijd** (-en) *m* air race; **–weer** *o* flying weather; **–werk** *o met kunst en ~* zie *kunst*; **–wezen** *o* flying, aviation; **–wiel** (-en) *o* fly-wheel
vliem (-en) = *vlijm*
vlier (-en) *m* elder; **–bes** (-sen) *v* elder-berry; **–boom** (-bomen) *m* elder-tree; **–bosje** (-s) *o* elder-grove
'vliering (-en) *v* loft, garret, attic; *op de ~* under the leads
'vlierstruik (-en) *m* elder-bush; **–thee** *m* elder-tea
vlies (vliezen) *o* film [of any material]; & 1 membrane [in body]; 2 cuticle; pellicle [= film & membrane]; 3 fleece [= woolly covering of sheep &]; *het Gulden Vlies* the Golden Fleece; **–achtig** filmy, membranous; **vlies'vleugeligen** membrane-winged, hymenoptera
vliet (-en) *m* brook, rill
'vlieten* *vi* flow, run
'vliezig membranous, filmy
'vlijen (vlijde, h. gevlijd) **I** *vt* lay down; **II** *vr zich ~ in het gras* nestle down in the grass; *zich tegen iem. aan ~* nestle up to sbd.
vlijm (-en) *v* lancet; **'vlijmen** (vlijmde, h. gevlijmd) *vt* open with a lancet; **–d** sharp², biting²; **'vlijmscherp** (as) sharp as a razor, razor-sharp
vlijt *v* industry, diligence, assiduity, application; **–ig** industrious, diligent, assiduous
'vlinder (-s) *m* butterfly²; **–achtig** like a butterfly, butterfly-like; *fig* fickle; **vlinder'bloemigen** *mv* papilionaceous flowers; **'vlinderdas** (-sen) *v* bow(-tie); **–net** (-ten) *o* butterfly-net; **–slag** *m* butterfly stroke [in swimming]
'Vlissingen *o* Flushing
vlo (vlooien) *v* flea
'vlocht (**vlochten**) V.T. van *vlechten*
'vloden V.T. meerv. van *vlieden*
vloed (-en) *m* 1 (g e t ij) flood-tide, flux, flood, tide; 2 (r i v i e r) stream, river; 3 (o v e r s t r o m i n g) flood; 4 *fig* flood [of tears, of words], flow [of words]; *een ~ van scheldwoorden* a torrent of abuse; **–deur** (-en) *v* floodgate; **–golf** (-golven) *v* tidal wave², bore
vloei *o* = *vloeipapier* & *vloeitje*
'vloeibaar liquid, fluid; *~ maken* (*worden*) ook: liquefy; **–heid** *v* liquidity, fluidity; **–making, –wording** *v* liquefaction
'vloeiblad (-bladen) *o* blotter; **–blok** (-ken) *o* blotting-pad, blotter; **–boek** (-en) *o* blotting-book, blotter; **'vloeien** (vloeide, h. en is gevloeid) **I** *vi* 1 flow; 2 (i n 't p a p i e r t r e k k e n) run; blot [of blotting-paper]; 3 bleed; *die verzen ~* (*goed*) those lines flow well; *er vloeide bloed* 1 there was bloodshed; 2 (b ij d u e l) blood was drawn; **II** *vt* (m e t v l o e i p a p i e r) blot; **–d I** *aj* flowing, fluent²; *een ~e stijl* a smooth style; *~e verzen* flowing verse; **II** *ad* [speak] fluently, [run] smoothly; **'vloeiing** (-en) *v* bleeding, menorrhagia; **'vloeipapier** (-en) *o* 1 blotting-paper; 2 (z ij d e p a p i e r) tissue-paper; **–stof** (-fen) *v* liquid; **–tje** (-s) *o* cigarette paper
vloek (-en) *m* 1 oath, **F** swear-word; 2 (v e r v l o e k i n g) curse, malediction, imprecation; *er rust een ~ op* a curse rests upon it; *in een ~ en een zucht* in two shakes, in the twinkling of an eye; **'vloeken** (vloekte, h. gevloekt) **I** *vi* swear, curse (and swear); *~ als een ketter*

swear like a trooper; ~ *op* swear at; *die kleuren* ~ (*tegen elkaar*) these colours clash (with each other); **II** *vt* curse [a person &]; **–er** (-s) *m* swearer; **'vloekwoord** (-en) *o* oath, **F** swear-word

vloer (-en) *m* floor; *altijd over de* ~ *zijn* be always about the house; **–bedekking** *v* floor-covering, fitted carpet; **'vloeren** (vloerde, h. gevloerd) *vt* floor; **'vloerkleed** (-kleden) *o* carpet; **–kleedje** (-s) *o* rug; **–mat** (-ten) *v* floor-mat; **–steen** (-stenen) *m* paving-tile, flag(-stone); **–tegel** (-s) *m* floor-tile, paving-tile; **–verwarming** *v* floor heating; **–was** *m* & *o* floor-polish; **–wrijver** (-s) *m* floor-polisher; **–zeil** (-en) *o* floor-cloth, linoleum

'vlogen V.T. meerv. van *vliegen*

vlok (-ken) *v* 1 flock [of wool]; 2 flake [of snow, soap &]; 3 tuft [of hair]; **'vlokken** (vlokte, is gevlokt) *vi* flake; **'vlokkenzeep** *v* soap flakes; **'vlokkig** flocky, flaky

'vlonder (-s) *m* plank-bridge

vlood (**vloden**) V.T. van *vlieden*

vloog (**vlogen**) V.T. van *vliegen*

'vlooiebeet (-beten) *m* flea-bite; **1 'vlooien** (vlooide, h. gevlooid) *vt* clean of fleas [a dog &]; **2 'vlooien** meerv. van *vlo*; **'vlooiendresseur** (-s) *m* flea trainer; **–kruid** *o* fleabane; **–markt** (-en) *v* flea market; **–spel** (-len) *o* tiddly-winks; **–theater** (-s) *o* flea circus, performing fleas; **'vlooiepik** (-ken) *m* flea-bite

1 vloot (vloten) *v* fleet, navy

2 vloot (**vloten**) V.T. van *vlieten*

'vlootaalmoezenier (-s) *m rk* naval chaplain, **F** padre; **–basis** [-zɪs] (-sen en -bases) *v* naval base

'vlootje (-s) *o* butter-dish

'vlootpredikant (-en) *m* naval chaplain, **F** padre; **–schouw** *m* naval review; **–voogd** (-en) *m* commander of the fleet, admiral

'vlossen *aj* floss; **'vlossig** flossy

1 vlot (-ten) *o* raft

2 vlot I *aj* 1 (d r ij v e n d) ⚓ afloat; 2 (v l u g) fluent [speaker]; prompt [payment]; ready [answer]; smooth [journey, landing &]; 3 (n i e t s t r o e f) easy [manner, style, to live with], flowing [style]; *een* ~ *hoedje* a smart little hat; *zijn ~te pen* his facile pen; *een schip* ~ *krijgen* ⚓ get a ship afloat, float her; ~ *worden* ⚓ get afloat; **II** *ad* fluently; *het gaat* ~ it goes smoothly; *de... gaan* ~ *weg* $ there is a brisk sale of..., ...are a brisk sale,... sell like hot cakes; ~ *opzeggen* get off pat [a lesson]

'vlotbrug (-gen) *v* floating bridge

'vloten V.T. meerv. van *vlieten*

'vlotheid *v* fluency; smoothness

'vlothout *o* drift-wood

'vlotten (vlotte, h. gevlot) **I** *vi* float; *fig* go smoothly; *het gesprek vlotte niet* the conversation dragged; *het werk wil maar niet* ~ I can't make headway, I'm not getting anywhere; *het werk vlot goed* we are making headway; *~de bevolking* floating population; *~d kapitaal* circulating capital; *~de middelen* liquid resources; *~de schuld* floating debt; **II** *vt* raft [wood, timber]; **–er** (-s) *m* 1 (p e r s o o n) raftsman, rafter; 2 ⚒ float

vlucht (-en) *v* 1 (h e t v l u c h t e n) flight, escape; 2 (h e t v l i e g e n) flight; 3 (a f s t a n d v a n v l e u g e l u i t e i n d e n) wing-spread; 4 flight, flock [of birds]; bevy [of larks, quails]; covey [of partridges]; *de* ~ *nemen* flee, take to flight, take to one's heels; *zijn* ~ *nemen* take wing [of birds]; *een hoge* ~ *nemen* fly high, soar; *fig* soar high, take a high (lofty) flight; *een te hoge* ~ *nemen* fly too high; ● *een vogel i n de* ~ *schieten* shoot a bird on the wing; *o p de* ~ *drijven* (*jagen*) put to flight, put to rout, rout; *op de* ~ *gaan* (*slaan*) = *de* ~ *nemen*; *op de* ~ *zijn* be on the run; **'vluchteling** (-en) *m* 1 fugitive; 2 refugee; **–enkamp** (-en) *o* refugee camp; **'vluchten I** (vluchtte, is gevlucht) *vi* fly, flee; ~ *n a a r* flee (fly) to; *u i t het land* ~ flee (from) the country; ~ *v o o r* flee from, fly from, fly before; **II** (vluchtte, h. gevlucht) *vt* fly, flee, shun [dangers &]; **'vluchtgat** (-gaten) *o* bolt-hole; **–haven** (-s) *v* port (harbour) of refuge; **–heuvel** (-s) *m* island, refuge

'vluchtig I *aj* volatile [oils, persons]; cursory [reading], hasty [glance, sketch]; fleeting [glimpse, impression, visit], transient [pleasure]; **II** *ad* cursorily; **–heid** *v* volatility; cursoriness; hastiness

'vluchtleiding *v* flight control; **–plan** (-nen) *o* 1 flight plan; 2 (air service) time-table

'vluchtstrook (-stroken) *v* refuge lane, slip road; **–weg** (-wegen) *m* escape-route

vlug I *aj* 1 quick² [trot & walk; to act, perceive, learn, think, or invent]; nimble² [in movement, of mind]; agile² [frame, arm, movements &]; 2 (k u n n e n d e v l i e g e n) fledged [birds]; ~ *i n het rekenen* quick at figures; ~ *m e t de pen zijn* have a ready pen; ~ *v a n begrip* quick(-witted); *hij behoort niet tot de ~gen* he is none of the quickest; **II** *ad* quickly, quick; ~ (*wat*)*!* (be) quick!, make it snappy!, look sharp!; *hij kan* ~ *leren* he is a quick learner; **–gerd** (-s) *m-v* quick child, sharp child; **–gertje** (-s) *o* quickie; **–heid** *v* quickness, nimbleness, rapidity, promptness; **–schrift** (-en) *o* pamphlet; **–zout** *o* sal volatile

V.N. = *Verenigde Naties* United Nations

vnl. = *voornamelijk*

1 vo'caal *aj* (& *ad*) vocal(ly)

2 vo'caal (-calen) *v* vowel
vocabu'laire [-'lɛ:rə] (-s) *o* vocabulary
voca'list (-en) vocalist, singer
voca'tief (-tieven) *m* vocative
1 vocht 1 (-en) *o* (vloeistof) fluid, liquid; 2 *o* & *v* (condensatie) moisture, damp, wet
2 vocht (**vochten**) V.T. van *vechten*
1 'vochten (vochtte, h. gevocht) *vt* moisten, wet, damp
2 'vochten V.T. meerv. van *vechten*
'vochtgehalte *o* percentage of moisture, moisture content; **'vochtig** moist, damp, dank, humid; ~ *maken* moisten, wet, damp; ~ *worden* become moist &, moisten; **–heid** *v* moistness, dampness, humidity; (het vocht) moisture, damp; **'vochtigheidsgraad** *m* humidity; **–meter** (-s) *m* hygrometer; **'vochtmaat** (-maten) *v* liquid measure; **–vlek** (-ken) *v* damp-stain
vod (-den) *o* & *v* rag, tatter; *een ~ van een boek* some rubbishy book, some trashy novel; *iem. achter de ~den zitten* keep sbd. hard at it; *iem. bij de ~den krijgen* catch hold of sbd.; **'vodde** (-n) *v* rag, tatter; **–boel** *m*, **–goed** *o* trash, rubbish, trumpery things; **'voddenboer** (-en) *m* = *voddenman;* **–koper** (-s) *m* dealer in rags, ragman; **–kraam** (-kramen) *v* & *o* trash, rubbish; **–man** (-nen) *m* ragman, rag-and-bone man; **–markt** (-en) *v* rag-market; **–raper** (-s) *m*, **–raapster** (-s) *v* rag-picker; **'voddig** ragged; *fig* trashy; **'vodje** (-s) *o* rag; *fig* scrap [of paper]
'vodka = *wodka*
'voeden (voedde, h. gevoed) **I** *vt* feed [a man, a pump &]; nurse [her baby]; nourish[2] [one's family, a hope &] *fig* foster, nurse, cherish [a hope]; **II** *va* be nourishing [of food]; **III** *vr zich* ~ feed; *zich ~ met...* feed on...; **1 'voeder** *m* feeder; **2 'voeder** (-s) *o* fodder, forage, provender; **–artikelen** *mv* feeding stuffs; **–bak** (-ken) *m* manger; **–biet** (-en) *v* mangel (-wurzel); **'voederen** (voederde, h. gevoederd); **I** *vt* feed; **II** *o* feeding; **'voedergewas** (-sen) *o* fodder plant, fodder crop; **–graan** (-granen) *o* feeding grain; **–tijd** (-en) *m* feeding time; **–zak** (-ken) *m* nose-bag, feed bag
'voeding *v* 1 (handeling) feeding, nourishment, alimentation; 2 (voedsel) food, nourishment; 3 (voedingswijze) diet; *een gebalanceerde ~* a balanced diet; **'voedingsbodem** (-s) *m* 1 *eig* (culture) medium [of bacteria]; matrix [of fungus]; 2 *fig* breeding ground; **–deskundige** (-n) *m-v* dietician; **–gewas** (-sen) *o* food plant, food crop; **–leer** *v* dietetics, science of nutrition; **–middel** (-en) *o* article of food, food; *~en* foodstuffs; **–stoffen** *mv* nutritious matter, nutrients; **–stoornis** (-sen) *v* nutritional problem (difficulty); **–waarde** *v* food value, nutritional value
'voedsel *o* food, nourishment; ~ *geven aan* encourage; **–schaarste** *v* food shortage; **–vergiftiging** *v* food poisoning; **–voorraad** (-raden) *m* food supply; **–voorziening** *v* food supply
'voedster (-s) *v* nurse, foster-mother
'voedzaam nourishing, nutritious, nutritive; **–heid** *v* nutritiousness, nutritiveness
voeg (-en) *v* joint, seam; *uit zijn ~en rukken* put out of joint, disrupt; [*fig*] *dat geeft geen ~* that is not seemly, it is not the proper thing (to do)
'voege *v in dier ~* in this manner; *in dier ~ dat...* so as to..., so that...
1 'voegen (voegde, h. gevoegd) **I** *vi* (& *onpers. ww.*) (betamen) become; (gelegen komen) suit; **II** *vr zich ~ naar...* conform to..., comply with...
2 'voegen (voegde, h. gevoegd) **I** *vt* 1 (bijdoen) add; 2 (dichtvullen) △ point, joint, flush; ~ *bij* add to; zie ook: *daad*; **II** *vr zich ~ bij iem.* join sbd.
'voegijzer (-s) *o* pointing-trowel; **–werk** *o* pointing
'voegwoord (-en) *o* conjunction
'voegzaam suitable, becoming, (be)fitting, seemly, fit, proper; **–heid** *v* suitableness, becomingness, seemliness, propriety
'voelbaar to be felt; palpable; perceptible; **'voeldraad** (-draden) *m* antenna, palp; **'voelen** (voelde, h. gevoeld) **I** *vt* feel, ook: be sensible of [shame]; sense [danger, deceit]; be alive to [an insult]; *ik voel mijn benen* my legs are aching; *ik zal het hem laten ~* he shall be made to feel it; *ik voel daar niet veel voor* I don't sympathize with the idea, I don't care for it, it does not appeal to me; I don't care to... [be kept waiting &]; **II** *va het voelt zacht* it is soft to the touch; **III** *vr zich...* ~ feel [ill], feel oneself...; *hij begint zich te ~* he is getting above himself; *hij voelt zich nogal* he rather fancies himself; *zich thuis ~* feel at home[2]; **–er** (-s) *m* feeler; **'voelhoorn, –horen** (-s) *m* feeler, antenna; *zijn ~s uitsteken* [*fig*] put out feelers, feel one's ground; **'voeling** *v* feeling; touch; ~ *hebben met* be in touch with; ~ *houden met* keep (in) touch with; ~ *krijgen met* come into touch with; **'voelspriet** (-en) *m* antenna, palp, feeler
1 'voer *o* 1 fodder, forage, provender; feed, food; 2 (-en) cartload [of hay]
2 voer (**voeren**) V.T. van *varen*
'voerbak (-ken) *m* manger
1 'voeren (voerde, h. gevoerd) *vt* = *voederen*
2 'voeren (voerde, h. gevoerd) *vt* 1 carry, convey, take, bring, lead; 2 (hanteren) wield [the sword &]; 3 (dragen) bear [a

name, a title]; 4 conduct [negotiations], carry on [propaganda]; *dat zou ons te ver ~* that would carry us too far; *wat voert u hierheen?* what brings you here?; *een adelaar in zijn wapen ~* have an eagle in one's coat of arms; zie ook: *gesprek, woord* &

3 'voeren (voerde, h. gevoerd) *vt* line [a coat]

4 'voeren V.T. meerv. van *varen*

'voering (-en) *v* lining; **–stof** (-fen) *v* lining

'voerloon *o* cartage; **–man** (-lieden en -lui) *m* 1 (koetsier) driver, coachman; 2 (vrachtrijder) wag(g)oner, carrier; *de Voerman* ★ the Wag(g)oner; **–taal** *v* official language, vehicle; **–tuig** (-en) *o* carriage, vehicle[2]

voet (-en) *m* foot [of man, hill, ladder, page &]; *fig* foot, footing; *zes ~ lang* six feet long; *je moet hem daarin geen ~ geven* you should not indulge him too much, you should not encourage him; *de ~ in de stijgbeugel hebben* [*fig*] be in the saddle; *het heeft heel wat ~en in de aarde* it takes (will take) some doing; *~ bij stuk houden* 1 keep to the point; 2 stick to one's guns, stand one's ground; *vaste ~ krijgen* obtain a foothold, obtain a firm footing; *geen ~ verzetten* not move hand or foot; *geen ~ kunnen verzetten* not be able to stir; *ik zet daar geen ~ meer* I'll never set foot there again; *iem. de ~ dwars zetten* thwart sbd.'s plans; *iem. de ~ op de nek zetten* put one's foot upon sbd.'s neck; *~ aan wal zetten* set foot on shore; *geen ~ buiten de deur zetten* not stir out of the house; • *aan de ~ van de bladzijde, van de brief* at the foot of the page, at foot; *met het geweer bij de ~* ⚔ with arms at the order; *met de ~en bij elkaar* with joined feet; *met één ~ in het graf staan* have one foot in the grave; *met ~en treden* trample under foot, tread under foot[2]; *fig* set at naught, override [laws]; *onder de ~ geraken* be trampled on; *een land onder de ~ lopen* overrun a country; *onder de ~ vertrappen* tread (trample) under foot; *op de ~ van 5 ten honderd* at the rate of five per cent.; *iem. op de ~ volgen* 1 follow close at sbd.'s heels; 2 follow sbd.'s example; (*iets*) *op de ~ volgen* closely follow [a text]; *op die ~* at that rate; *op bescheiden ~* on a modest footing *op blote ~en* barefoot; *op dezelfde ~* on the old footing; in the old way; on the same lines; *op gelijke ~* on an equal footing, on a footing of equality, on the same footing; *zij staan op gespannen ~* relations are strained between them; *op goede ~ staan met* be on good terms with, stand well with; *op grote ~ leven* live in (grand) style; *op de oude ~* on the old footing; *op staande ~* off-hand, at once, on the spot, then and there; *op vertrouwelijke ~* on familiar terms; *op vrije ~en* at liberty, at large; *op ~ van gelijkheid* on a footing of equality, on equal terms; *op ~ van oorlog* on a war footing; *op ~ van vrede* on a peace footing; *te ~* on foot; *te ~ bereikbaar* within walking distance; *te ~ gaan* go on foot, walk; *iem. te ~ vallen* throw oneself at sbd.'s feet;... *ten ~en uit*... all over; *ten ~en uit geschilderd* full-length [portrait]; *uit de ~en kunnen* [*fig*] get on, get by; *zich uit de ~en maken* take to one's heels, make off; *~ voor ~* foot by foot, step by step; *iem. iets voor de ~en gooien* cast (fling, throw) it in sbd.'s teeth; *iem. voor de ~en lopen* be in sbd.'s way; **–afdruk** (-ken) *m* footprint; **–angel** (-s) *m* mantrap; *hier liggen ~s en klemmen* beware of mantraps; *fig* it is full of pitfalls, there are snakes in the grass; **–bad** (-baden) *o* foot-bath

'voetbal 1 (-len) *m* (bal) football; 2 *o* (spel) (Association) football, **F** soccer; *~ spelen* play football, **F** play soccer; **–competitie** [-(t)si.] *v* ± Association football season; **–knie** (-ieën) *v* football knee; **'voetballen** (voetbalde, h. gevoetbald) *vi* play football, **F** play soccer; **–er, 'voetbalspeler** (-s) *m* football-player, **F** soccer-player; **–pool** [-pu.l] (-s) *m* football pools; **–schoen** (-en) *m* football boot; **–stadion** (-s) *o* football stadium; **–toto** ('s) *m* football pools; **–trainer** [-tre.nər] (-s) *m* football coach; **–veld** (-en) *o* football ground, football field

'voetboeien *mv* fetters; **–boog** (-bogen) *m* cross-bow; **–breed** *o geen ~ wijken* not budge an inch; **–brug** (-gen) *v* foot-bridge; **–eind(e)** (-einden) = *voeteneind(e)*; **'voet(en)bank** (-en) *v* footstool; **'voeteneind(e)** (-einden) *o* foot-end, foot [of a bed]; **'voet(en)kussen** (-s) *o* hassock; **–schrapper** (-s) *m* scraper; **–werk** *o* footwork; **–zak** (-ken) *m* foot-muff

'voetganger (-s) *m*, **–ster** (-s) *v* pedestrian; **'voetgangersgebied** (-en) *o* pedestrian area (precinct); **–oversteekplaats** (-en) *v* pedestrian crossing, zebra (crossing); **–tunnel** (-s) *m* pedestrian subway (tunnel)

'voetje (-s) *o* small foot; *een wit ~ bij iem. hebben* be in sbd.'s good graces (in sbd.'s good books); *een wit ~ bij iem. zien te krijgen* insinuate oneself into sbd.'s good graces; *~ voor ~* step by step; **'voetkleedje** (-s) *o* rug; **–knecht** (-en) *m* 🕮 foot-soldier; **–kus** (-sen) *m* 1 foot-kissing; 2 kissing the Pope's toe; **–licht** *o* footlights; *voor het ~ brengen* put on the stage; *voor het ~ komen* appear before the footlights; **–mat** (-ten) *v* doormat; **–noot** (-noten) *v* foot-note; **–pad** (-paden) *o* footpath; **–pomp** (-en) *v* foot-pump, inflator; **–punt** (-en) *o* ★ nadir; (van loodlijn) foot; **–reis** (-reizen) *v* journey (excursion) on foot, walking-tour, *sp* hike; **–reiziger** (-s) *m* foot-traveller, wayfarer; **–rem** (-men) *v* foot-brake; **–rempedaal** (-dalen) *o* & *m* foot-brake pedal; **–spoor** (-sporen) *o* foot-mark, footprint, track; *iems. ~ volgen* follow in sbd.'s track; **–stap** (-pen) *m* step, footstep; *iems. ~pen drukken, in iems. ~pen treden* follow (tread, walk) in sbd.'s (foot)steps; **–stoots** 1 $ [buy, sell] outright, as it is (as they are); 2 out of hand; **–stuk** (-ken) *o* pedestal; **–titel** (-s) *m* sub-title; **–tocht** (-en) *m* = *voetreis*; **–val** (-len) *m* prostration; *een ~ doen voor...* prostrate oneself before...; **–veeg** (-vegen) *m* & *v* door-mat[2]; **–volk** *o* ⚔ foot-soldiers; *het ~* the foot, the infantry; **–vrij** ankle-length [dress]; **–wassing** (-en) *v* washing of the feet; **–wortel** (-s) *m* tarsus; **–wortelbeentje** (-s) *o* tarsal bone; **–zak** (-ken) *m* foot-muff; **–zoeker** (-s) *m* squib, cracker; **–zool** (-zolen) *m* sole of the foot

'vogel (-s) *m* bird, ⊙ fowl; *de ~en des hemels* the fowls of the air; *een slimme ~* a sly dog, a wily old bird; *beter één ~ in de hand dan tien in de lucht* a bird in the hand is worth two in the bush; *de ~ is gevlogen* the bird is flown; **–aar** (-s) *m* fowler, bird-catcher; **–bekdier** (-en) *o* duck-bill, platypus; **–ei** (-eren) *o* bird's egg; **–gekweel** *o* warbling of birds; **–handelaar** (-s) *m* bird-seller, bird-fancier; **–huis** (-huizen) *o* aviary; **–huisje** (-s) *o* nest box; **–jacht** (-en) *v* fowling; **–kers** *v* bird-cherry; **–knip** (-pen) *v* bird-trap; **–kooi** (-en) *v* bird-cage; **–koopman** (-lieden en -lui) *m* = *vogelhandelaar*; **–kunde** *v* ornithology; **–leven** *o* bird-life; **–liefhebber** (-s) *m* bird-lover; **–lijm** *m* 1 bird-lime; 2 ♣ mistletoe; **–markt** (-en) *v* bird-market; **–melk** *v* ♣ star of Bethlehem; **–nest** (-en) *o* 1 bird's nest; 2 (eetbaar) edible bird's nest; **–net** (-ten) *o* bird-net; **–pest** *v* fowl plague; **–pik** *m sp* darts; **–poot** (-poten) *m* bird's foot; **–roer** (-en en -s) *o* fowling-piece; **–slag** (-slagen) *o* & *m* bird-trap

'vogeltje (-s) *o* little bird, **F** dicky-bird, dicky; *~s die zo vroeg zingen krijgt 's avonds de poes* sing before breakfast (and you'll) cry before night; *ieder ~ zingt zoals het gebekt is* if better were within, better would come out; every one talks after his own fashion

'vogeltrek *m* bird migration; **–vanger** (-s) *m* bird-catcher, fowler; **–verschrikker** (-s) *m* scarecrow[2]; *er uitzien als een ~* look a perfect fright; **–vlucht** *v* bird's-eye view; *...in ~* bird's-eye view of...

'vogelvrij, vogel'vrij outlawed; *~ verklaren* outlaw; **–verklaarde** (-n) *m-v* outlaw; **–verklaring** (-en) *v* outlawry

'vogelzaad *o* bird-seed; **–zang** *m* singing (warbling) of bird, birds' song, bird song

Vo'gezen *mv de ~* the Vosges

'voile ['vva.lə] 1 (-s) *m* (voorwerpsnaam) veil; 2 *o* & *m* (stofnaam) voile

vol full, filled; *de autobus, tram* & *is ~* ook: is full up; *hij was er ~ van* he was full of it; *~ (van) tranen* full of tears; *hij was ~ verontwaardiging* he was filled with indignation; *een boek ~ wetenswaardigheden* ook: packed with interesting facts; *~le broeder* full brother; *een ~le dag* a full day; *in ~le ernst* in all seriousness, in dead earnest; *in de ~le grond* outside, outdoors; *~le leerkracht* full-time (whole-time) teacher; *~ matroos* able seaman; *~le melk* full-cream milk, whole milk; *~le neef* (*nicht*) first cousin, cousin german; *~le stem* rich (full) voice; *een ~ uur* a full hour, a solid hour; *een ~le winkel* (*met mensen*) a crowded shop; *zij willen hem niet voor ~ aanzien* they don't take him seriously; *~ doen* fill, fill up; *de tafel lag ~ papieren* the table was covered with papers; *ten ~le* to the full, fully, [pay] in full

'volaarde *v* fuller's earth

vo'lant [-'lã] (-s) *m* 1 *sp* shuttlecock; 2 flounce [of dress]

volauto'matisch [-o.to.- of -ɔuto.-] fully automatic

'volbloed thoroughbred, full-blooded [horses &]; *fig* out-and-out [radical]; **vol'bloedig** full-blooded

'volbrassen[1] *vt* ♣ brace full

vol'brengen (volbracht, h. volbracht) *vt* fulfil, execute, accomplish, perform, achieve; *het is volbracht* **B** it is finished; **–ging** *v* fulfilment, performance, accomplishment

vol'daan 1 satisfied, content; 2 $ (betaald) paid, received; *voor ~ tekenen* $ receipt [a bill]; **–heid** *v* satisfaction, contentment

'volder = *voller*

'vol doen[1] *vt* fill (up)

vol'doen (voldeed, h. voldaan) **I** *vt* 1 satisfy, give satisfaction to, content, please [people]; 2 (betalen) pay [a bill]; **II** *va* (& *vi*) satisfy, give satisfaction; *wij kunnen niet aan alle aanvragen ~* we cannot cope with the demand; *aan een belofte ~* fulfil a promise; *aan een bevel ~* obey a command; *aan het examen ~* satisfy the examiners; *aan zijn plicht ~* do (carry out) one's duty; *aan zijn verplichtingen ~* meet one's obligations ($ one's liabilities); (*niet*) *aan de verwachting ~* (not) answer expectations; *aan een verzoek ~* comply with a request; *aan een voorwaarde ~* satisfy (fulfil) a condition; *aan iems. wens ~*

[1] V.T. en V.D. van dit werkwoord volgens het model: **'vol**gooien, V.T. gooide **'vol**, V.D. **'vol**gegooid. Zie voor de vormen onder het grondwoord, in dit voorbeeld: *gooien*. Bij sterke en onregelmatige werkwoorden wordt u verwezen naar de lijst achterin.

satisfy sbd.'s wish; zie ook: *eis*; **–d(e) I** *aj* satisfactory [proof]; sufficient [amount, number, provisions &]; ... enough; ample [room]; *dat is ~e* ook: that will do; *meer dan ~e* more than enough, plenty; **II** *ad* satisfactorily; sufficiently; **–de** (-s en -n) *v* & *o* ⇔ sufficient mark; *ik heb ~* I have got sufficient (marks); **vol'doening** *v* 1 satisfaction; 2 $ settlement, payment; 3 atonement [by Christ]; *zijn ~ over...* his satisfaction at or with [the results &]; *~ geven (schenken)* give satisfaction; *ter ~ aan...* in compliance with [regulations]; *ter ~ van...* in settlement of [a debt]

vol'dongen *~ feit* accomplished fact

vol'dragen mature, full-term [child]

vol'eind(ig)en (voleind(ig)de, h. voleind(igd)) *vt* finish, complete; **–d(ig)ing** *v* completion

Volen'dammer (-s) *aj* (& *m*) Volendam (man)

'volgaarne right willingly

'volgauto [-o.to. of -ɔuto.] ('s) *m* car in funeral (or marriage) procession; **–briefje** (-s) *o* $ delivery order

'volgeboekt booked up (to capacity), fully booked [aircraft &]; **'volgefourneerd** [-fu:r-] = *volgestort*

'volgeling(e) (-lingen) *m(-v)* follower, adherent, votary [of a sect]; **'volgen** (volgde, h. en is gevolgd) **I** *vt* follow [a person, a path, a speaker, an argument, the fashion, an admonition, a command &]; follow up [a clue]; pursue [a policy]; watch [the course of events, a football match &]; track [spacecraft]; attend [a series of concerts, lectures]; take [a course of training]; *zijn eigen hoofd ~* go one's own way; *een verdachte ~* shadow (dog) a suspect; *ik heb het (verhaal) niet gevolgd* I have not followed it up; *hij is niet te ~* I cannot follow him; *hij liet deze verklaring ~ door...* he followed up this explanation by...; **II** *va* follow; *hij kan niet ~ (in de klas)* he can't keep up with his form; *je hebt weer niet gevolgd* you have not attended [to your book &]; **II** *vi* follow, ensue; *ik volg* I am next; *Nederland en België ~ met 11%* the Netherlands and Belgium come next with 11 percent.; *slot volgt* zie *slot*; *wie (die) volgt?* next, please; *hij schrijft als volgt* as follows; ● *~ o p* follow (on); *op de p volgt de q* p is followed by q; *de ene ramp volgde op de andere* disaster followed disaster; *de op haar ~de zuster* the sister next to her [in years]; *hieru i t volgt dat...* it follows that...; *wat volgt daaruit?* what follows?; **–d** *aj* following, ensuing, next; *de ~e week* 1 next week; 2 the next (the ensuing) week; *het ~e* the following; **'volgenderwijs, –wijze** in the following way, as follows; **'volgens** according to; *~ paragraaf zoveel* under such and such a paragraph; *~ de directe methode* by the direct method; *~ factuur* $ as per invoice; *~ hemzelf* by his own account; **'volger** (-s) *m* follower

'volgestort $ paid-up (in full), fully-paid [shares]

'volgieten[1] *vt* fill (up)

'volgkoets (-en) *v* mourning-coach; **–nummer** (-s) *o* serial number

'volgooien[1] *vt* fill (up)

'volgorde (-n en -s) *v* order (of succession), sequence; **'volgreeks** (-en) *v* series, sequence; **–rijtuig** (-en) *o* mourning-coach

vol'groeid full-grown

'volgstation [-sta(t).ʃòn] (-s) *o* tracking station; **–trein** (-en) *m* relief train; **–wagen** (-s) *m* 1 (r o u w k o e t s) mourning-coach; 2 = *aanhangwagen*

'volgzaam docile, tractable; **–heid** *v* docility, tractability

vol'harden (volhardde, h. volhard) *vi* persevere, persist; *~ b ij zijn besluit* stick to one's resolution; *~ bij zijn weigering* persist in one's refusal; *~ i n de boosheid* persevere in one's evil courses; **–d** persevering, persistent; **vol'harding** *v* perseverance, persistency; tenacity (of purpose); **–svermogen** *o* perseverance, persistency

'volheid *v* ful(l)ness; *uit de ~ van haar gemoed* out of the fulness of her heart

'volhouden[1] **I** *vt* maintain [a war, statement &]; keep up [the fight]; sustain [a character, rôle]; *zelfs een... kan dat niet lang ~* even a... won't last long at that; *het ~* hold on, hold out, stick it (out); *iets tot het eind toe ~* see sth. through (to the end); *hij bleef maar ~ dat...* he (stoutly) maintained that..., he insisted that..., he was not to be talked out of his conviction that...; **II** *va* persevere, persist, hold on, hold out, stick it out (to the end); *~ maar!* never say die!

voli'ère (-s) *v* aviary

'volijverig zealous, full of zeal, assiduous

volk (-en en -eren) *o* people, nation; *(er is) ~!* Shop!; *het ~* 1 the people; 2 ⚓ the crew; *ons ~* our nation, this nation, the people of this country; *er was veel ~* there were many people; *zulk ~* such people; *de ~en van Europa* the nations (peoples) of Europe; *het gemene ~* the mob, the vulgar; *wij krijgen ~* we expect people [to-night]; *een man u i t het ~* a man of the people; *v o o r het ~* for the many, for the

[1] V.T. en V.D. van dit werkwoord volgens het model: **'vol**gooien, V.T. gooide **'vol**, V.D. **'vol**gegooid. Zie voor de vormen onder het grondwoord, in dit voorbeeld: *gooien*. Bij sterke en onregelmatige werkwoorden wordt u verwezen naar de lijst achterin.

people; **'Volkenbond** *m* League of Nations; **'volkenkunde** *v* ethnology; **–recht** *o* law of nations, international law, public law; **'Volkerenbond** = *Volkenbond*; **'Volkerenslag** *m* 🕮 Battle of the Nations; **'volkje** (-s) *o* people; *het jonge* ~ the young folks; *dat jonge* ~*!* those youngsters

vol'komen I *aj* perfect [circle, ⚘ flower]; complete [victory &]; **II** *ad* perfectly [happy &]; completely [satisfied]; **–heid** *v* perfection, completeness

vol'korenbrood (-broden) *o* wholemeal bread

'volkrijk populous; **–heid** *v* populousness

'volksaard *m* national character; **–begrip** (-pen) *o* popular notion; **–belang** (-en) *o* matter of national concern; *het* ~ the interest of the nation; **–beschaving** *v* national culture; **–bestaan** *o* existence as a nation; **–bestuur** *o* popular government; **–beweging** (-en) *v* popular movement; **–bibliotheek** (-theken) *v* free (circulating) library; **–blad** (-bladen) *o* popular paper; **–boek** (-en) *o* 1 popular book; 2 🕮 chap-book; **–buurt** (-en) *v* popular neighbourhood, working-class quarter; **–concert** (-en) *o* popular concert; **–dans** (-en) *m* folk-dance; **–democratie** [-(t)si.] (-ieën) *v* people's democracy; **–dichter** (-s) *m* popular poet; *onze* ~ our national poet; **–dracht** (-en) *v* national dress, national costume; **–drank** (-en) *m* national drink; **–duitser** (-s) *m* ethnic German; **–etymologie** [-e.ti.-] (-ieën) *v* folk (popular) etymology, ghost-word; **–feest** (-en) *o* 1 national feast; 2 public amusement; ~*en* public rejoicings; **–front** *o* popular front; **–gebruik** (-en) *o* popular custom, national custom; ~*en* ook: folk-customs; **–geest** *m* national spirit; **–geloof** *o* popular belief; **–gemeenschap** (-pen) *v* national community, nation; **–gericht** (-en) *o* ± kangaroo court; **–gewoonte** (-n en -s) *v* popular (national) habit; **–gezondheid** *v* public health; **–gunst** *v* public favour, popularity; *de* ~ *trachten te winnen* make a bid for popularity; **–hogeschool** (-scholen) *v* people's college; **–huishouding** *v* national (political) economy; **–huishoudkunde** *v* economics; **–huisvesting** *v* housing; **–karakter** (-s) *o* national character; **–kind** (-eren) *o* child of the people; **–klas(se)** (-klassen) *v* lower classes; **–kunde** *v* folklore; **–kunst** *v* folk art, popular art; **–leger** (-s) *o* popular army; **–leider** (-s) *m* leader of the people; > demagogue; **–leven** *o* life of the people; **–lied** (-eren) *o* national song, national anthem; ~*eren* popular songs, folk-songs; **–menigte** (-n en -s) *v* crowd, multitude; **–menner** (-s) *m* demagogue; **–mond** *m in de* ~ in the language of the people; *zoals het in de* ~ *heet* as it is popularly called; **–muziek** *v* folk music; **–naam** (-namen) *m* 1 name of a people; 2 popular name; **–onderwijs** *o* national (popular) education; **–oploop** (-lopen) *m* street-crowd; **–oproer** (-en) *o* popular rising; **–opruier** (-s) *m* agitator; **–opstand** (-en) *m* insurrection, riot; **–overlevering** (-en) *v* popular tradition; **–partij** (-en) *v* people's party; **–planting** (-en) *v* colony, settlement; **–raadpleging** (-en) *v* = *volksstemming*; **–redenaar** (-s) *m* popular orator; **–regering** (-en) *v* government by the people, popular government; **–republiek** (-en) *v* people's republic [of China]; **–school** (-scholen) *v* public elementary school; **–soevereiniteit** *v* sovereignty of the people; **–spel** (-spelen) *o* popular game; **–stam** (-men) *m* tribe, race; **–stem** (-men) *v* voice of the people; **–stemming** (-en) *v* 1 plebiscite; 2 popular feeling; **–taal** *v* 1 language of the people, popular language, vulgar tongue; 2 national idiom, vernacular; **–telling** (-en) *v* census (of population); *een* ~ *houden* take a census; **–tribuun** (-bunen) *m* tribune of the people; **–tuintje** (-s) *o* allotment (garden); **–uitdrukking** (-en) *v* popular expression; **–uitgave** (-n) *v* cheap (popular) edition; **–verdrukker** (-s) *m* oppressor of the people; **–vergadering** (-en) *v* national assembly; **–verhuizing** (-en) *v* migration (wandering) of the nations; **–vermaak** (-maken) *o* public (popular) amusement; **–vertegenwoordiger** (-s) *m* representative of the people, member of Parliament; **–vertegenwoordiging** (-en) *v* representation of the people; *de* ~ Parliament; **–verzekering** (-en) *v* national insurance; **–vijand** (-en) *m* enemy of the people; **–vooroordeel** (-delen) *o* popular prejudice; **–vriend** (-en) *m* friend of the people; **–wil** *m* will of the people (of the nation), popular will; **–woede** *v* anger (fury) of the people; **–zang** *m* community singing; **–ziekte** (-n en -s) *v* endemic

'volle *ten* ~ zie *vol*

vol'ledig I *aj* complete [set, work &]; full [confession, details, report]; plenary [session]; **II** *ad* completely, fully; **vol'ledigheid** *v* completeness, ful(l)ness; **–shalve** for the sake of completeness

vol'leerd finished, proficient, full(y)-fledged; ~

[1] V.T. en V.D. van dit werkwoord volgens het model: **'vol**gooien, V.T. gooide **'vol**, V.D. **'vol**gegooid. Zie voor de vormen onder het grondwoord, in dit voorbeeld: *gooien*. Bij sterke en onregelmatige werkwoorden wordt u verwezen naar de lijst achterin.

zijn have done learning, have left school; *een ~e schurk* a consummate scoundrel
volle'maan *v* full moon; **–sgezicht** (-en) *o* full-moon face
'vollen (volde, h. gevold) *vt* full; **–er** (-s) *m* fuller; **volle'rij** (-en) *v* 1 fulling; 2 fulling-mill; **'vollersaarde** *v* fuller's earth; **–kuip** (-en) *v* fuller's tub
'volleybal ['vòli.-] 1 (-len) *m* (b a l) volleyball; 2 *o* (s p e l) volleyball
'vollopen[1] *vi* fill[2]
vol'maakt I *aj* perfect; **II** *ad* perfectly, to perfection; **–heid** (-heden) *v* perfection
'volmacht (-en) *v* full powers, power of attorney; procuration, proxy; *iem. ~ verlenen* confer full powers upon sbd.; *iem. ~ verlenen om...* authorize, empower sbd. to... [do sth.]; *bij ~* by proxy
1 'volmaken[1] *vt* fill
2 vol'maken (volmaakte, h. volgemaakt) *vt* perfect; **–king** *v* perfection
vol'mondig I *aj* frank, unqualified [yes &]; **II** *ad* frankly
volon'tair [-'tɛ:r] (-s) *m* 1 ⚔ volunteer; 2 improver, (practical) trainee; unsalaried clerk
'volop plenty of..., ...in plenty; *we hebben ~ genoten van ons uitstapje* we thoroughly enjoyed our trip
'volproppen[1] *vt* stuff, cram [with food, knowledge]; *volgepropt* ook: **F** chock-a-block [with]; **–schenken**[1] *vt* fill (to the brim); **–schrijven**[1] *vt* cover (with writing)
vol'slagen *aj* (& *ad*) complete(ly), total(ly), utter(ly)
'volslank rather plump, with a full figure
vol'staan (volstond, h. volstaan) *vi* suffice; *daar kunt u mee ~* that will do; *daar kan ik niet mee ~* it's not enough; *wij kunnen ~ met te zeggen dat...* suffice it to say that...
'volstoppen[1] *vt* zie *volproppen*
'volstorten[1] *vt* $ pay up (in full); **–ting** *v* $ payment in full
vol'strekt I *aj* absolute; **II** *ad* absolutely, wholly; *~ niet* not at all, by no means, nothing of the kind; **–heid** *v* absoluteness
volt (-s) *m* ※ volt; **vol'tage** [-'ta.ʒə] *v* & *o* ※ voltage
vol'tallig complete [set of...]; full [meeting]; plenary [assembly]; *zijn we ~?* all present?; *~ maken* make up the number, complete; **–heid** *v* completeness
1 'volte *v* 1 (v o l h e i d) ful(l)ness; 2 (g e d r a n g) crowd
2 'volte (-s) *v* (z w e n k i n g) volt
volte 'face [vɔltə'fa.s] *v* volte-face; *~ maken* make (execute) a volte-face
1 'voltekenen[1] *vt* fill (cover) with drawings
2 vol'tekenen *vt de lening is voltekend* the loan is fully subscribed
volti'geren [-'ʒe:rə(n)] (voltigeerde, h. gevoltigeerd) *vi* vault; **volti'geur** (-s) *m* vaulter
'voltmeter (-s) *m* voltmeter
vol'tooid *~ tegenwoordige tijd* present perfect; *~ toekomende tijd* future perfect; *~ verleden tijd* past perfect; zie ook: *deelwoord*; **vol'tooien** (voltooide, h. voltooid) *vt* complete, finish; **–iing** (-en) *v* completion; *zijn ~ naderen* be nearing completion
'voltreffer (-s) *m* direct hit
vol'trekken (voltrok, h. voltrokken) *vt* execute [a sentence]; solemnize [a marriage]; **–king** (-en) *v* execution [of a sentence]; solemnization [of a marriage]
'voluit in full
vo'lume (-n en -s) *o* volume, size, bulk; **volumi'neus** voluminous, bulky
'volvet *~te kaas* full fat cheese
vol'voeren (volvoerde, h. volvoerd) *vt* perform, fulfil, accomplish; **–ring** *v* performance, fulfilment, accomplishment
vol'waardig full, adequate [worker, employee]; highly nutritious [food]; (mentally, physically) fit; *fig* full(y)-fledged [partner]
vol'wassen full-grown, grown-up, adult; *half ~* half-grown; **–e** (-n) *m-v* adult, grown-up [man, woman]; *fig* mature; *~n* grown people, **F** grown-ups; *school voor ~n* adult school; **–heid** *v* adulthood, (v. m a n n e n o o k) manhood, (v. v r o u w e n o o k) womanhood
vol'wichtig of full weight
'volzin (-nen) *m gram* sentence, period
vo'meren (vomeerde, h. gevomeerd) *vi* vomit
vond (**vonden**) V.T. van *vinden*
'vondel (-s) = *vonder*
'vondeling (-en) *m* foundling; *een kind te ~ leggen* expose a child; **–enhuis** (-huizen) *o* foundling-hospital
'vonden V.T. meerv. van *vinden*
'vonder (-s) *m* plank-bridge, foot-bridge
vondst (-en) *v* find, discovery, invention; *een ~ doen* make a find
vonk (-en) *v* spark; **'vonkelen** (vonkelde, h. gevonkeld) *vi* 1 (v o n k e n) spark; 2 (f o n k e l e n) sparkle; **'vonken** (vonkte, h. gevonkt) *vi* spark, sparkle; **'vonkje** (-s) *o* sparklet, scintilla[2]; **'vonkvrij** non-sparking

[1] V.T. en V.D. van dit werkwoord volgens het model: **'vol**gooien, V.T. gooide **'vol**, V.D. **'vol**gegooid. Zie voor de vormen onder het grondwoord, in dit voorbeeld: *gooien.* Bij sterke en onregelmatige werkwoorden wordt u verwezen naar de lijst achterin.

'vonnis (-sen) *o* sentence, judg(e)ment; ~ *bij verstek* judg(e)ment by default; *een* ~ *uitspreken* pronounce (give) a verdict; *een* ~ *vellen* pass (pronounce) sentence; *toen was zijn* ~ *geveld* then his doom was sealed; **'vonnissen** (vonniste, h. gevonnist) *vt* sentence, condemn

vont (-en) *v* font

voogd (-en) *m,* **voog'des** (-sen) *v* guardian; **voog'dij** (-en) *v* 1 guardianship, tutelage; 2 trusteeship [of the United Nations]; *onder* ~ [child] in tutelage (to *van*); **-kind** (-eren) *o* ward of court; ward in chancery; **-raad** (-raden) *m* 1 ± Guardians' Supervisory Board; 2 Trusteeship Council [of the United Nations]; **-schap** (-pen) *o* guardianship, tutelage

1 voor (voren) *v* furrow

2 voor I *prep* 1 (t e n b e h o e v e v a n) for [soms: to]; 2 (i n p l a a t s v a n) for; 3 (v o o r d e d u u r v a n) for; 4 (n i e t a c h t e r) before, in front of [the house]; at [the gate]; off [the coast]; 5 (t e g e n o v e r n a) before, prior to; 6 (e e r d e r d a n) before; 7 (g e l e d e n) [weeks &] ago; 8 (t e r o n t k o m i n g, o n t h o u d i n g) [hide, keep, shelter] from; 9 *fig* for, in favour of [a measure &]; *ik* ~ *mij* I for one, I for my part; *dat is niets* ~ *hem* 1 it's not in his line; 2 it's not like him to...; *het doet mij genoegen* ~ *hem* for him I am glad; *hij is een goed vader* ~ *hem geweest* he has been a good father to him; *hij werkte* ~ *de vooruitgang* he worked in the cause of progress; *vijf minuten* ~ *vijf* five minutes to five; *kom* ~ *vijven* come before five o'clock; *gisteren* ~ *een week* yesterday week; *hij had een kamer* ~ *zich alleen* he had a room all to himself; *mijn cijfers* ~ *algebra* my marks in algebra; ~ *en achter mij* in front of me and behind me; **II** *ad* in front; ~ *in de tuin* in the front of the garden; *het is pas 1 uur, u bent* (*uw horloge is*) ~ your watch is fast; *er is iemand* ~ there is somebody in the hall; *de auto staat* ~ the car is at the door, is waiting; *er is veel* ~ there is much to be said in favour of it; *ik ben er* ~ I am for it (in favour of it); *wij waren hun* ~ 1 we were ahead[2] of them; 2 we had got beforehand with them, we had got the start of them, we had forestalled them; *wij wonen* ~ we live in the front of the house; *de een* ~ *de ander na* one after another; ~ *en achter* in front and at the back; ~ *en na* again and again; *het was „beste vriend"* ~ *en na* it was "dear friend" here, there, and everywhere; *van* ~ *tot achter* from front to rear; ⚓ from stem to stern; **III** *o het* ~ *en tegen* the pros and cons; **IV** *cj* before, ⊙ ere

'vooraan, voor'aan in front; ~ *in het boek* at the beginning of the book; ~ *in de strijd* in the forefront of the battle; *hij is* ~ *in de dertig* he is in the (his) early thirties; ~ *onder de ... stond X* [*fig*] pre-eminent among the... was X; **-staand** standing in front; *fig* prominent, leading

'vooraanzicht *o* front view

voor'af beforehand, previously; **voor'afgaan** (ging voor'af, is voor'afgegaan) *vt* & *vi* go before, precede; *...laten* ~ *door...* precede... by...; **-d** foregoing, preceding [word]; prefatory [remarks]; previous [knowledge]; *het* ~*e* what precedes; **voor'afschaduwing** (-en) *v* adumbration, foreshadowing

voor'al especially, above all things; *ga er* ~ *heen* do go by all means

'vooraleer *cj* before

voorals'nog for the present, for the time being, as yet

'voorarm (-en) *m* forearm; **-arrest** *o* detention under remand; *in* ~ under remand; **-as** (-sen) *v* front-axle; **-avond** (-en) *m* 1 first part of the evening; 2 eve; *aan de* ~ *van de slag* on the eve of the battle; *wij staan aan de* ~ *van grote gebeurtenissen* we are on the eve (on the threshold) of important events; **-baat** *bij* ~ in advance, in anticipation; *bij* ~ *dank* thanking you in anticipation, thanking you in advance; **-balkon** (-s) *o* 1 front-balcony [of a house]; 2 driver's platform [of a tram-car]; **-band** (-en) *m* front-tyre

voor'barig I *aj* premature, rash, (over-)hasty; *je moet niet zo* ~ *zijn* you should not anticipate, don't rush to conclusions; *dat is nog wel wat* ~ it is early days yet to...; **II** *ad* prematurely, rashly; **-heid** (-heden) *v* prematureness, rashness, (over-)hastiness

'voorbedacht premeditated; *met* ~*en rade* of malice prepense, of (with) malice aforethought, zie ook: *voorbedachtelijk*; **voorbe'dachtelijk** premeditatedly, with premeditation, on purpose

'voorbede (-n) *v* intercession

'voorbeding (-en) *o* condition, stipulation, proviso; *onder* ~ *dat...* on condition that...; **'voorbedingen** (bedong 'voor, h. 'voorbedongen) *vt* stipulate (beforehand)

'voorbeeld (-en) *o* 1 example, model; 2 (g e v a l) example, instance; 3 ✎ (i n s c h r ij f b o e k) copy-book heading; ~*en aanhalen van...* cite instances of...; *een* ~ *geven* set an example; *kunt u een* ~ *geven?* can you give an instance?; *een goed* ~ *geven* set a good example; *het* ~ *geven* give the example, set the example; *een* ~ *nemen aan* take example by, follow the example of...; *een* ~ *stellen* make an example of sbd.; *iems.* ~ *volgen* follow sbd.'s example; take a leaf out of (from) sbd.'s book; follow suit; ● *b ij* ~ for instance, for example; e.g.; *t o t* ~ *dienen* serve as a model; *z o n d e r* ~ without example, unexampled; **voor'beeldeloos** unexampled, matchless; **voor'beeldig** exemplary; **–heid** *v* exemplariness

'voorbehoedmiddel (-en) *o* contraceptive; preservative

'voorbehoud *o* reserve, reservation; proviso; *geestelijk* ~ mental reservation; *o n d e r ~ dat...* with a (the) proviso that; *het onder ~ aannemen* accept it [the statement] with reservations, with al proper reserve; *onder alle* ~ with all reserve; *onder gewoon* ~ $ under usual reserve; *onder het nodige* ~ with due reserve; *onder zeker* ~ with reservations, with some reserve; *z o n d e r* ~ [state] without reserve; [agree] unreservedly; **'voorbehouden** (behield 'voor, h. 'voorbehouden) *vt* reserve; *zich het recht* ~ reserve to oneself the right [of...]

'voorbereiden[1] **I** *vt* prepare; *iem. ~ op* prepare sbd. for [sth., some news, the worst]; **II** *vr zich* ~ prepare (oneself); *zich ~ voor een examen* read for an examination; **–d** preparatory [school &]; **'voorbereiding** (-en) *v* preparation; **'voorbereidsel** (-en en -s) *o* preparation

'voorbericht (-en) *o* preface; foreword [esp. by another than the author]

'voorbeschikken (beschikte 'voor, h. 'voorbeschikt) *vt* preordain [of God]; predestinate, predestine [to greatness &]; **–king** (-en) *v* predestination

'voorbespreking (-en) *v* 1 preliminary talk; 2 (v. p l a a t s e n) advance booking

'voorbestaan *o* pre-existence

'voorbestemmen (bestemde 'voor, h. 'voorbestemd) *vt* predestine, predestinate; foreordain [to any fate]; **–ming** *v* predestination

'voorbidden[1] *vi* lead in prayer, say the prayers; **–er** (-s) *m* intercessor; **'voorbidding** (-en) *v* intercession

voor'bij I *prep* beyond, past; **II** *ad* past; *het huis* ~ past the house; *het is* ~ it is over now, it is at an end; **III** *aj* past; **–drijven**[2] **I** *vi* float past (by); **II** *vt* drive past; **–gaan**[2] **I** *vi* 1 (v a n p e r s o n e n) go by, pass by, pass; 2 (v. t ij d &) go by, pass; *het zal wel* ~ it is sure to pass off; *hemel en aarde zullen* ~ heaven and earth shall pass away; **II** *vt* pass (by) [a house, person &]; *iem.* ~ pass sbd.; *fig* pass sbd. over; *een kans laten* ~ miss a chance, miss the bus; *met stilzwijgen* ~ pass over in silence; **III** *o in het* ~ in passing[2]; *fig* by the way; **–gaand** passing, transitory, transient; *...is slechts van ~e aard* ...is but temporary; **–gang** *m met ~ van...* over the head(s) of..., ...being passed over; **–ganger** (-s) *m* passer-by; **–komen**[2] **I** *vi* pass (by); **II** *vt* pass (by); **–laten**[2] *vt* let [sbd.] pass; **–lopen**[2] *vt* & *vi* pass; **–marcheren**[2] [-ʃe:rə(n)] *vi* & *vt* march past; **–praten**[2] *vt zijn mond* ~ let one's tongue run away with one; **–rijden**[2] *vi* & *vt* ride (drive) past, pass; **–schieten**[2] **I** *vi* dash past; **II** *vt* shoot past, *fig* overshoot [the mark]; **–snellen**[2] *vi* & *vt* pass by in a hurry; **–snorren**[2] *vi* & *vt* whir past, whizz by; **–streven** (streefde voor'bij, is voor'bijgestreefd) *vt* outstrip; zie ook: *doel*; **–trekken**[2] *vi* march past [of an army]; pass over [of a thunderstorm]; **–varen**[2] **I** *vt* outsail; **II** *vi* pass; **–vliegen**[2] **I** *vi* fly past; **II** *vt* fly past, rush past; **–wandelen**[2] *vi* & *vt* walk past, pass; **–zien**[2] *vt* overlook; *wij moeten niet ~ dat...* not overlook the fact that...

'voorbinden[1] *vt* tie on, put on; **–blijven**[1] *vi* keep ahead of, lead, remain in front

'voorbode (-n en -s) *m* foretoken, forerunner[2], precursor[2], ⊙ harbinger

'voorbrengen[1] *vt* 1 bring on the carpet, put forward [a proposal]; 2 ⚖ bring up [the accused]; produce [witnesses]

voor'christelijk [-*g*rɪs- of -krɪs-] pre-Christian era

'voorcijferen[1] *vt* = *voorrekenen*

voord (-en) *v* ford

'voordacht *v met* ~ with premeditation, deliberately

'voordansen[1] **I** *vi* lead the dance; **II** *vt* show how to dance

'voordat before; ⊙ ere

'voorde (-n) = *voord*

'voordeel (-delen) *o* 1 advantage, benefit; 2 (w i n s t) profit, gain; *zijn ~ doen met* take advantage of, profit by, turn to (good) account; *dat heeft zijn* ~ there is an advantage in that; *~ bij iets hebben* derive advantage from sth., profit by sth.; *wat voor ~ zal hij daarbij hebben?* what will it profit him?; *~ opleveren* yield profit; *~ trekken van* turn to (good) account, profit by, take advantage of; *zijn ~ zoeken* seek one's own advantage; ● *i n het ~ zijn van* be an advantage to; *is het in uw ~?* is it in your favour?, to your advantage?; *in zijn ~ veranderd* changed for the better; *m e t* ~ with advantage; $ at a profit; *t e n (tot) ~ strekken* be to sbd.'s advantage, benefit, be beneficial to [trade]; be all to the good; *ten voordele van* for the benefit of; *z o n d e r* ~ without profit;

[1,2] V.T. en V.D. van dit werkwoord volgens het model: 1 **'voor**cijferen, V.T. cijferde **'voor**, V.D. **'voor**gecijferd; 2 **voor'bij**praten, V.T. praatte **voor'bij**, V.D. **voor'bij**gepraat. Zie voor de vormen onder het grondwoord, in deze voorbeelden: *cijferen* en *praten*. Bij sterke en onregelmatige werkwoorden wordt u verwezen naar de lijst achterin.

–regel *m sp* advantage rule; **–tje** (-s) *o* windfall
voordegekhoude'rij *v* fooling
'voordek (-ken) *o* ⚓ foredeck
voor'delig I *aj* 1 profitable, advantageous; 2 (in het gebruik) economical, cheap; 3 (goedkoop) low-budget [prices]; *dat is ~er in het gebruik* ook: that goes farther; **II** *ad* profitably, advantageously, to advantage; *zij kwamen niet op hun ~st uit* ook: they did not show at their best; **–heid** *v* profitableness, advantageousness
'voordeur (-en) *v* front door, street-door
voor'dezen, –'dien before this, previously, before
'voordienen[1] *vt* serve
'voordoen[1] I *vt* 1 show [sbd.] (how to...); 2 put on [an apron]; **II** *vr zich ~* present itself, offer [of an opportunity]; arise, crop up, occur [of a difficulty]; *zich ~ als...* set up for a..., pass oneself off as a...; *hij weet zich goed voor te doen* he has a good address; *ik wil me niet beter ~ dan ik ben* I don't want to make myself out better than I am
'voordracht (-en) *v* 1 (wijze van voordragen) utterance, diction, delivery; elocution; ♪ execution, rendering, playing; 2 (het voorgedragene) recitation, recital [of a poem]; discourse, lecture, address; 3 (kandidatenlijst) short list; nomination; 4 (domineesaanbeveling) presentation; *een ~ houden* give a lecture, read a paper; *een ~ indienen* submit (present) a list of names; *een ~ opmaken* make out a short list; *nummer één op de ~* first in the short list; *op ~ van* on the recommendation of; **–skunstenaar** (-s) *m* elocutionist, reciter; **'voordragen**[1] *vt* 1 (iem.) propose, nominate [a candidate]; present [a clergyman]; 2 (een gedicht &) recite; *ik zal voor die betrekking voorgedragen worden* I shall be recommended for that post; **–er** (-s) *m* reciter
'voorechtelijk pre-marital
voor'eerst (voorlopig) for the present, for the time being; *~ niet* not just yet
'vooreind(e) (-einden) *o* fore-part, fore-end
voor- en 'nadelen *mv* advantages and disadvantages
'voorgaan[1] *vi* 1 go before, precede; *fig* set an example; 2 (voorbidden) lead in prayer, say the prayers; 3 (v. uurwerk) be fast, gain [5 minutes a day]; 4 (de voorrang hebben) take precedence; *gaat u voor!* after you!; *dames gaan voor!* ladies first!; *iem. laten ~* let sbd. go first; *zal ik maar ~?* shall I lead the way?; *dat gaat voor* that comes first; *de generaal gaat voor* the general takes precedence; *de majoor liet de generaal ~* the major yielded the *pas* to the general; **–d** preceding [century &]; antecedent [term]; *het ~e* the foregoing; *in het ~e* in the preceding pages
'voorgalerij (-en) *v* front veranda(h)
'voorganger (-s) *m* 1 (in ambt) predecessor; 2 (predikant) pastor; **–gangster** (-s) *v* predecessor
'voorgebergte (-n en -s) *o* promontory, headland; **–geborchte** *o het ~ der hel* limbo; **–gebouw** (-en) *o* front part of a building
'voorgekrompen pre-shrunk
'voorgeleiden[1] *vt* bring up [the accused]; **–ding** *v* (enforced) appearance in court
'voorgemeld = *voormeld*; **–genoemd** = *voornoemd*; **–genomen** intended, proposed, contemplated
'voorgerecht (-en) *o* entrée
'voorgeschiedenis *v* 1 (v. zaak, ziekte &) (previous) history, case history; 2 (van persoon) antecedents; 3 (prehistorie) prehistory
'voorgeschreven prescribed, regulation...
'voorgeslacht (-en) *o ons ~* our ancestors
'voorgespannen *~ beton = spanbeton*
'voorgevallene *o het ~* what has happened
'voorgevel (-s) *m* front, forefront, façade
'voorgeven[1] **I** *vt* 1 pretend, profess [to be a lawyer &]; 2 *sp* give odds; **II** *o volgens zijn ~* according to what he pretends (to what he says)
'voorgevoel (-ens) *o* presentiment; *mijn angstig ~* ook: my misgiving(s)
'voorgift (-en) *v* odds (given); handicap
voor'goed for good (and all), forever, permanently
'voorgoochelen[1] *vt iem. iets ~* delude sbd. with sth.
'voorgrond (-en) *m* foreground; (v. toneel) downstage; *zich op de ~ plaatsen* put oneself forward; *op de ~ staan* be in the foreground; *fig* be to the fore; be the centre [of the discussion]; be the main theme [of the conference]; *dat staat op de ~* that is a conditio sine qua non; *dat moeten wij op de ~ stellen* that's what we should emphasize; *op de ~ treden* come to the front, come (be) to the fore
'voorhamer (-s) *m* sledge-hammer
'voorhand (-en) *v* 1 front part of the hand; 2

[1] V.T. en V.D. van dit werkwoord volgens het model: '**voor**cijferen, V.T. cijferde '**voor**, V.D. '**voor**gecijferd. Zie voor de vormen onder het grondwoord, in dit voorbeeld: *cijferen.* Bij sterke en onregelmatige werkwoorden wordt u verwezen naar de lijst achterin.

forehand [of a horse]; *aan de ~ zitten* have the lead, play first

voor'handen 1 on hand, in stock, in store, to be had, available; 2 existing, extant; *de ~ gegevens* the data on hand; *niet ~* sold out, exhausted

'voorhang (-en) *m* **B** veil [of the temple]; **'voorhangen**[1] **I** *vt* 1 (i e t s) hang in front; 2 (i e m. a l s l i d) put up, propose for membership; **II** *va* be put up, be proposed for membership; **'voorhangsel** (-s en -en) *o* curtain; **B** veil [of the temple]

'voorhaven (-s) *v* outport

'voorhebben[1] *vt* have before one; *fig* intend, be up to, drive at, purpose; *een schort ~* wear an apron; *weet je wie je voorhebt?* do you know whom you are talking to?; ● *het goed m e t iem. ~* mean well by sbd.; *wat zouden ze met hem ~?* what do they intend to do with him?; *wat ~ o p* have an advantage (the pull) over [sbd.]

voor'heen formerly, before, in the past; *Smith & Co. ~ Jones* $ Smith & Co., late Jones; *~ en thans* past and present

'voorheffing *v* advance levy

'voorhistorisch prehistoric

'voorhoede (-n en -s) *v* ⚔ advance(d) guard[2], van[2], vanguard[2]; *fig* forefront; *de ~ sp* the forwards; **–speler** (-s) *m sp* forward

'voorhof (-hoven) *o* & *m* forecourt

'voorhoofd (-en) *o* forehead, brow, ⊙ front; **'voorhoofdsbeen** (-deren) *o* frontal bone; **'voorhoofdsholte** (-n en -s) *v* sinus; **–ontsteking** *v* sinusitis

'voorhouden[1] *vt* 1 (i e t s) keep on [an apron]; 2 (i e m. i e t s) hold [a book &] before; hold up [a mirror] to...; *fig* point sth. out [to sbd.], remonstrate with [sbd.] on [sth.], expostulate with [sbd.] about [sth.]

'voorhuid (-en) *v* foreskin, prepuce

'voorhuis (-huizen) *o* hall, front part of the house

'voorin, voor'in in (the) front; at the beginning [of the book]

'Voor-Indië *o* India (proper)

voor'ingenomen prepossessed, prejudiced, bias(s)ed; **–heid** *v* prepossession, prejudice, bias

'voorjaar (-jaren) *o* spring; **'voorjaarsbeurs** *v* spring fair; **–bloem** (-en) *v* spring-flower; **–moeheid** *v* spring fatigue, *Am* spring fever; –nachtevening (-en) *v* vernal equinox; **–opruiming** (-en) *v* $ spring sale(s); **–schoonmaak** *m* spring-cleaning

'voorkamer (-s) *v* front room; **–kant** (-en) *m* = *voorzij(de)*

'voorkauwen[1] *vt 40 jaar heb ik het hun voorgekauwd* for 40 years I have repeated it over and over again to them (I have spoonfed it to them)

'voorkennis *v* (v. d. t o e k o m s t) prescience, (m e d e w e t e n) (fore)knowledge; *m e t ~ van...* with the (full) knowledge of; *z o n d e r ~ van* without the knowledge of, unknown to

'voorkeur *v* preference; *de ~ genieten* 1 be preferred [of applicants, goods &]; 2 $ have the preference [for a certain amount]; *de ~ geven aan* give preference to, prefer; *de ~ geven aan... boven* prefer... to; *de ~ hebben* 1 enjoy (have) the preference, be preferred; 2 $ have the (first) refusal [of a house &]; *bij ~* for preference, preferably; **–sbehandeling** *v* preferential treatment; **'voorkeurspelling** *v* preferred spelling [of Dutch]; **–stem** (-men) *v pol* preferential vote; **–tarief** (-rieven) *o* preferential tariff

'voorkind (-eren) *o* 1 child by a previous marriage; 2 child born before marriage

1 'voorkomen[1] **I** *vi* 1 (b ij h a r d l o p e n &) get ahead[2]; 2 (v. a u t o) come round; 3 ⚖ (v. z a a k) come on, come up for trial; (v a n p e r s o o n) appear; 4 (g e v o n d e n w o r d e n, b e s t a a n) occur, be found, be met with [of instances &]; appear, figure [on a list]; 5 (g e b e u r e n) happen, occur; 6 (l ij k e n) appear to, seem to; *het komt vaak voor* it frequently occurs, ook: it is of frequent occurrence; *het komt mij voor dat...* it appears (seems) to me that...; *laat de auto ~* order the car round; *het laten ~ alsof...* make it appear as if...; **II** *vt* get ahead of [sbd.], outstrip, outdistance [sbd.]; **III** *o* appearance, mien, aspect, look(s), air; *het ~ van dit dier* 1 the appearance of this animal; 2 the occurrence of this animal

2 voor'komen (voorkwam, h. voorkomen) *vt* 1 anticipate, forestall [sbd.'s wishes]; 2 (v e r h i n d e r e n) prevent, preclude; *~ is beter dan genezen* prevention is better than cure

1 'voorkomend *aj* occurring; zie ook: *gelegenheid*

2 voor'komend obliging, polite, courteous; **–heid** *v* obligingness, politeness, courtesy

voor'koming *v* prevention [of crime]; anticipation [of wishes]; *ter ~ van...* in order to

[1] V.T. en V.D. van dit werkwoord volgens het model: **'voor**cijferen, V.T. cijferde **'voor**, V.D. **'voor**gecijferd. Zie voor de vormen onder het grondwoord, in dit voorbeeld: *cijferen.* Bij sterke en onregelmatige werkwoorden wordt u verwezen naar de lijst achterin.

prevent..., for the prevention of...
'voorkoop (-kopen) *m* pre-emption
'voorkrijgen[1] *vt sp* receive [fifty points]
'voorlaatst last [page &] but one; penultimate [syllable]
'voorlader (-s) *m* muzzle-loader
'voorland (-en) *o* foreland
'voorlaten[1] *vt iem.* ~ let sbd. go first
'voorleggen[1] *vt* put before, place before, lay before, submit [the papers to him]; propound [a question to sbd.]; *iemand de feiten* ~ lay the facts before one; *hem die vraag* ~ put the question to him
'voorleiden[1] *vt* bring up [the accused]
'voorletter (-s) *v* initial
'voorlezen[1] *vt* read to [a person]; read out [a message]; **-er** (-s) *m* reader [also in church]; **'voorlezing** (-en) *v* reading; lecture
'voorlicht (-en) *o* headlight
'voorlichten[1] *vt* enlighten [public opinion], advise [the government on...]; inform [a person of..., on...]; give [sbd.] information [about sth.]; *iem. seksueel* ~ explain the facts of life to sbd.; **'voorlichting** *v* enlightenment, [vocational, marriage] guidance, [marital] advice; [sex] education (instruction); information [on...]; **-sdienst** (-en) *m* information service, ± Public Relations (Department)
'voorliefde *v* liking, predilection, partiality; (*een zekere*) ~ *hebben voor* be partial to...
'voorliegen[1] *vt iem.* (*wat*) ~ lie to sbd.
'voorlijk precocious, forward [plant, child]; **-heid** *v* precocity, forwardness
'voorlopen[1] *vi* 1 (v. p e r s o o n) lead the way; 2 (v. u u r w e r k) be fast, gain [5 minutes a day]; **-er** (-s) *m* forerunner, precursor, ⊙ harbinger
voor'lopig I *aj* provisional; ~*e cijfers* (*conclusie* &) ook: tentative figures (conclusion &); ~ *dividend* $ interim dividend; ~*e hechtenis* = *voorarrest*; **II** *ad* provisionally; for the present, for the time being
voor'malig former, late, sometime, one-time, ex-[enemy]
'voorman (-nen en -lieden) *m* 1 (o n d e r b a a s) foreman; 2 ⚔ front-rank man; 3 $ preceding holder; *de* ~*nen der beweging* the leaders, the leading men; **-mast** (-en) *m* foremast
voor'meld above-mentioned, afore-said; ~*e...* ook: the above...
voor'menselijk pre-human
'voormiddag (-dagen) *m* morning, forenoon; *om 10 uur des* ~*s* at 10 o'clock in the morning, at 10 a.m.
voorn (-s) *m* roach
1 'voornaam (-namen) *m* forename, first name, Christian name
2 voor'naam *aj* 1 distinguished [appearance]; prominent [place]; 2 (b e l a n g r ij k) important; **-heid** *v* distinction; **-ste** chief, principal, leading; *het* ~ the principal (main) thing
'voornaamwoord (-en) *o* pronoun; **voornaam'woordelijk** pronominal
'voornacht (-en) *m* first part of the night
voor'namelijk chiefly, principally, mainly, primarily
'voornemen[1] **I** *vr zich* ~ resolve, make up one's mind [to do sth.]; zie ook: *voorgenomen*; **II** (-s) *o* 1 (b e d o e l i n g) intention; 2 (b e s l u i t) resolution; *het* ~ *hebben om* intend to; *het* ~ *opvatten om...* make up one's mind to..., resolve to...; ~*s zijn* (*om*) intend (to), propose (to); *het ligt in het* ~ *van de directie om...* it is the intention of the management to...
voor'noemd = *voormeld*
voor'onder (-s) *o* ⚓ forecastle
'vooronderstellen (vooronderstelde, h. voorondersteld) *vt* presuppose; **-ling** (-en) *v* presupposition, hypothesis
'vooronderzoek *o* preliminary examination; **-ontsteking** *v* ⚒ advanced ignition; **-ontwerp** (-en) *o* preliminary draft; **voor'oordeel** (-delen) *o* prejudice, bias (against *tegen*)
voor'oorlogs pre-war
voor'op in front; **-gezet** preconceived [opinion]
'vooropleiding *v* (a l g e m e e n) preliminary training, pre-school education; (s p e c i a a l) preparatory training
voor'oplopen[2] *vi* go first, walk in front, lead the way; *fig* lead
voor'opstellen[2] *vt* premise; *vooropgesteld dat het verhaal waar is* assuming the truth of the story; *ik stel voorop dat..., het zij vooropgesteld dat...* I wish to point out that...; **-zetten**[2] *vt* premise; zie ook: *vooropgezet*
voor'ouderlijk ancestral; **'voorouders** *mv* ancestors, forefathers; **'voorouderverering** *v* ancestor worship, veneration of ancestors
voor'over forward, bending forward, prone, face down; **-buigen**[3] **I** *vi* bend (lean) forward, stoop; **II** *vt* bend [sth.]; **-hangen**[3] *vi* hang forward; **-hellen**[3] *vi* incline forward
'vooroverleg *o* preliminary consultation

[1,2,3] V.T. en V.D. van dit werkwoord volgens het model: 1 **'voor**cijferen, V.T. cijferde **'voor**, V.D. **'voor**gecijferd; 2 **voor'op**stellen, V.T. stelde **voor'op,** V.D. **voor'op**gesteld; 3 **voor'over**leunen, V.T. leunde **voor'over**, V.D. **voor'over**geleund. Zie voor de vormen onder het grondwoord, in deze voorbeelden: *cijferen, leunen* en *stellen.* Bij sterke en onregelmatige werkwoorden wordt u verwezen naar de lijst achterin.

voor'overleunen[3] *vi* lean forward; **–liggen**[3] *vi* lie prostrate; **–liggend** prostrate, prone
'vooroverlijden *o* predecease
voor'overlopen[3] *vi* stoop, walk with a stoop; **–vallen**[3] *vi* fall forward (headlong), fall head foremost; **–zitten**[3] *vi* bend forward
'voorpaard (-en) *o* leader; **–pagina** ('s) *v* front page; **–pand** (-en) *o* front; **–plecht** (-en) *v* forecastle; **–plein** (-en) *o* forecourt, castle-yard; **–poort** (-en) *v* front gate, outer gate; **–poot** (-poten) *m* foreleg, front paw; **–portaal** (-talen) *o* porch, hall
'voorpost (-en) *m* ⚔ outpost; **'voorpostengevecht** (-en) *o* ⚔ outpost skirmish; **–linie** (-s) *v* ⚔ line of outposts
'voorpraten[1] *vt* prompt; *hij zegt maar na wat ze hem ~* he parrots everything
'voorpreken[1] *vt* preach to
'voorproefje (-s) *o* foretaste, taste; **'voorproeven**[1] *vt* taste (beforehand)
'voorprogram(ma) (-grams, -gramma's) *o* supporting programme
'voorraad (-raden) *m* store, stock, supply [of books, wares &]; *zolang de ~ strekt* subject to stock being available (being unsold); *nieuwe ~ opdoen* (*in ~ opslaan*) lay in a fresh supply; *in ~* on hand, in stock, in store; *uit ~ leveren* supply from stock; **–kamer** (-s) *v* store-room; **–kelder** (-s) *m* store-cellar; **–schuur** (-schuren) *v* storehouse, granary; **–vorming** *v* stocking of supplies; (*strategische*) *~* stockpiling; **voor'radig** in stock, on hand, available; *niet meer ~* out of stock, sold out
'voorrang *m* precedence, priority; (v. auto &) right of way; *de ~ hebben* (*boven*) take precedence (of), have priority (over); *om de ~ strijden* contend for the mastery; (*de*) *~ verlenen* give (right of) way to [another car]; give precedence [to pedestrians on a zebra crossing]; yield precedence to [sbd.]; give priority to [a good cause]; **'voorrangskruising** (-en) *v* priority crossroad; **–weg** (-wegen) *m* major road
'voorrecht (-en) *o* privilege, prerogative
'voorrede (-s) *v* preface; foreword [esp. by another than the author]
'voorrekenen[1] *vt iem. iets ~* show sbd. how sth. works out
'voorrijden[1] *vi* ride in front [of horseman], drive in front [of motor-car]; come round [of car]; **–er** (-s) *m* outrider; postilion
'voorronde (-n en -s) *v* qualifying round
'voorruit (-en) *v* 🚗 windscreen
'voorschieten[1] *vt* advance [money]; **–er** (-s) *m* money-lender
'voorschijn *te ~ brengen* produce, bring out, bring to light; *te ~ halen* produce [a key, revolver &]; take out [one's purse]; *te ~ komen* appear, make one's appearance, come out; *te ~ roepen* call up
'voorschip *o* fore-part of the ship; **–schoot** (-schoten) *m* & *o* apron
'voorschot (-ten) *o* advanced money, advance, loan; *~ten* out-of-pocket expenses; (*geen*) *~ geven op...* advance (no) money upon...; *~ nemen* obtain an advance; **–bank** (-en) *v* loan-bank
'voorschotelen (schotelde 'voor, h. 'voorgeschoteld) *vt* dish up, serve up
'voorschrift (-en) *o* prescription [of a doctor]; precept [respecting conduct]; instruction, direction [what or how to do]; [traffic, safety] regulation; *op ~ van de dokter* by medical orders; **'voorschrijven**[1] *vt eig* write for, show how to write; *fig* prescribe [a medicine, a line of conduct]; dictate [conditions]; *de dokter zal het u ~* the doctor will prescribe it for you; *hij zal u wat* (*een recept*) *~* he will write you out a prescription; *de dokter schreef me volkomen rust voor* the doctor ordered me a complete rest
'voorschuiven[1] *vt* push, shoot [a bolt]
voors'hands for the time being, for the present
'voorslaan[1] *vt* propose, suggest
'voorslag (-slagen) *m* first stroke; warning [of clock]; ♪ appoggiatura
'voorsmaak *m* foretaste, taste
'voorsnijden[1] *vt* carve; **'voorsnijmes** (-sen) *o* carving-knife, carver; **–vork** (-en) *v* carving-fork
'voorsorteren[1] *vi* (in het verkeer) move into the correct (traffic) lane; *~!* get in lane
'voorspan (-nen) *o* leader(s)
'voorspannen[1] **I** *vt* put [the horses] to; **II** *vr zich ergens ~* take sth. in hand
'voorspel (-spelen) *o* 1 ♪ prelude; overture; 2 prologue, introductory part [of a play]; *dat was het ~ van* [*fig*] it was the prelude to...
voor'spelbaar predictable
'voorspelden[1] *vt* pin on
'voorspelen[1] *vt* 1 show how to play, play [it to you]; audition; 2 play first, have the lead [at cards]
1 'voorspellen[1] *vt* spell [a word] to
2 voor'spellen (voorspelde, h. voorspeld) *vt* predict, foretell, prophesy, presage, prognosti-

[1,3] V.T. en V.D. van dit werkwoord volgens het model: 1 **'voor**cijferen, V.T. cijferde **'voor**, V.D. **'voor**gecijferd; 3 **voor'over**leunen, V.T. leunde **voor'over,** V.D. **voor'over**geleund. Zie voor de vormen onder het grondwoord, in deze voorbeelden: *cijferen* en *leunen.* Bij sterke en onregelmatige werkwoorden wordt u verwezen naar de lijst achterin.

cate; forebode, portend, bode [evil], spell [rain]; *dat heb ik je wel voorspeld* I told you so!; *het voorspelt niet veel goeds* it bodes us no good; *het voorspelt niet veel goeds voor de toekomst* it bodes ill for the future; **–er** (-s) *m* predictor, prophet; **voor'spelling** (-en) *v* prediction, prophecy, prognostication, [weather] forecast

'voorspiegelen[1] *vt iem. iets* ~ hold out hope, promises & to sbd., hold out to sbd. the prospect that...; *zich iets* ~ delude oneself with the belief that...; *hij had zich van alles daarvan voorgespiegeld* he had deluded himself with all manner of vain hopes about it; **–ling** (-en) *v* false hope, delusion

'voorspijs (-spijzen) *v* hors d'œuvres, entrée

'voorspoed *m* prosperity; ~ *hebben* be prosperous; ~ *en tegenspoed* ups and downs; *in* ~ *en tegenspoed* in storm or shine; for better for worse; **voor'spoedig I** *aj* prosperous [in affairs], successful; **II** *ad* prosperously, successfully

'voorspraak *v* 1 intercession, mediation; 2 (-spraken) (p e r s o o n) intercessor, advocate; **'voorspreken**[1] *vt* speak in favour of; **–er** (-s) *m* intercessor, advocate

'voorsprong (-en) *m* start, lead; *hem een* ~ *geven sp* give him a start; *een* ~ *hebben van 5 km* have a lead of 5 km; *een* ~ *hebben op* have a lead over; *een* ~ *krijgen op* gain a lead over; *met een 2-0* ~ leading 2-0

'voorstaan[1] **I** *vt* advocate [pacifism &]; champion [a cause]; *hij laat zich daarop (heel wat)* ~ he prides himself on it; **II** *vi* be present to one's mind; stand in front; *sp met 2-0* ~ lead with 2-0; *het staat mij voor* I think I remember; *het staat mij nog duidelijk voor* it still stands out clearly before me; *er staat mij nog zo iets van voor* I have a hazy recollection of it

'voorstad (-steden) *v* suburb

'voorstander (-s) *m* advocate, champion, supporter

'voorste foremost, first; ~ *rij* ook: front row

'voorstel (-len) *o* 1 proposal; (w e t s v o o r s t e l) bill; (m o t i e) motion; 2 (v. w a g e n) fore-carriage; *een* ~ *aannemen* accept (agree to) a proposal; *een* ~ *doen* make a proposal [to sbd.]; *een* ~ *indienen* move (put, hand in) a motion [in an assembly]; *op* ~ *van...* 1 on the proposal of..., on a (the) motion of...; 2 on (at) the suggestion of...; **'voorstellen**[1] **I** *vt* 1 represent; 2 (o p t o n e e l) represent [a forest, a king], (im)personate [Hamlet &]; 3 (e e n v o o r s t e l d o e n) propose, move, suggest [a scheme]; 4 (t e r k e n n i s m a k i n g) present, introduce; *mag ik u mijnheer X* ~? allow me to introduce to you Mr X; *ik heb ze aan elkaar voorgesteld* I introduced them; *hij werd aan de koning voorgesteld* he was presented to the King; *een amendement* ~ move an amendment; *ik stel voor dat wij heengaan* I move we go, **F** I vote we go; *de feiten verkeerd* ~ misrepresent the facts; **II** *vr zich* ~ introduce oneself; *zich iets* ~ 1 (z i c h v e r b e e l d e n) figure (picture) to oneself, imagine, fancy, conceive (of); 2 (z i c h v o o r n e m e n) intend, propose, purpose; *stel je voor!* (just) fancy!; **–er** (-s) *m* 1 proposer; 2 (i n v e r g a d e r i n g) mover; **'voorstelling** (-en) *v* 1 idea, notion, image; 2 representation; 3 performance [of a play]; 4 introduction [of people], presentation [at court]; *een verkeerde* ~ *van de feiten* a mis-representation of the facts; *zich een verkeerde* ~ *maken van...* form a mistaken notion of...; *u kunt u er geen* ~ *van maken hoe...* you can't imagine how...; **–svermogen** *o* imaginative faculty, imagination

'voorstemmen[1] *vi* vote for it; **–ers** *mv* ayes

'voorsteven (-s) *m* stem; **–studie** (-s en diën) *v* preliminary study; (s c h e t s t e k e n i n g) preliminary sketch; **–stuk** (-ken) *o* 1 front-piece; front [of a shoe]; 2 (t o n e e l) curtain-raiser

voort 1 (v e r d e r) forward, onwards, on, along; 2 (w e g) away; 3 (t e r s t o n d) at once, directly

'voortaan henceforward, henceforth, in future, from this time on

'voortand (-en) *m* front tooth, incisor

'voortbestaan I (bestond 'voort, h. 'voortbestaan) *vi* continue to exist, survive; **II** *o* survival, continued existence; **–bewegen** (bewoog 'voort, h. 'voortbewogen) **I** *vt* move (forward), propel; **II** *vr zich* ~ move, move on; **–beweging** *v* propulsion; ('t z i c h v e r p l a a t s e n) locomotion; **–bomen**[2] *vt* punt, pole [a boat]; **–borduren**[2] *vi* ~ *op* elaborate on, develop [a plan]; return to, harp on [a remark]; **–bouwen**[2] *vi* go on building; ~ *op* build (up)on[2]

'voortbrengen[2] *vt* produce, bring forth, generate, breed; **–er** (-s) *m* producer, generator; **'voortbrenging** *v* production, generation; **'voortbrengsel** (-s en -en) *o* product, production; ~*(en)* (v. d. n a t u u r) ook: produce

'voortdrijven[2] **I** *vt* drive on, drive forward,

[1,2] V.T. en V.D. van dit werkwoord volgens het model: 1 **'voor**cijferen, V.T. cijferde **'voor**, V.D. **'voor**gecijferd; 2 **'voort**bomen, V.T. boomde **'voort**, V.D. **'voort**geboomd. Zie voor de vormen onder het grondwoord, in deze voorbeelden *cijferen* en *bomen*. Bij sterke en onregelmatige werkwoorden wordt u verwezen naar de lijst achterin.

spur on, urge on; **II** *vi* float along
'voortduren[2] *vi* continue, last, go on;
voort'durend I *aj* (h e r h a a l d e l i j k) continual; (o n a f g e b r o k e n) continuous, constant, lasting; **II** *ad* continually; continuously; **'voortduring** *v* continuance, continuation, persistence, persistency; *bij ~* continuously, persistently
'voortduwen[2] *vt* push on [forward]
'voorteken (-s en -en) *o* sign, indication, omen, portent, presage; *de ~en van een ziekte* the precursory symptoms
'voortellen[1] *vt* count down
'voortentamen (-s en -mina) *o* prelim(inary examination); **–terrein** (-en) *o* front court, front yard
'voortgaan[2] *vi* go on, continue, proceed; **'voortgang** (-en) *m* progress; *~ hebben* proceed; *het had geen ~* it didn't come off
'voortgezet prolonged [investigations]; secondary [education]
'voortglijden[2] *vi* glide on; **–helpen**[2] *vt* help on, give a hand
'voortijd (-en) *m* prehistoric times
'voortijdig premature
'voortijds in former times, formerly
'voortijlen[2] *vi* hurry (hasten) on; **–jagen**[2] *vt* & *vi* hurry on; **–kankeren**[2] *vi* ulcerate[2], putrefy[2], rankle[2]; **–komen**[2] *vi* get on, get along; *~ uit* proceed from, originate from, arise from, spring from, result from, emanate from; **–kruipen**[2] *vi* creep on (along); **–kunnen**[2] *vi* be able to go on[2] (get on); **–leven**[2] *vi* live on; **–maken**[2] *vi* make haste; *maak wat voort!* hurry up!, get a move on!; *~ met het werk* press on with the work, speed up the work; **–moeten**[2] *vi* have to go on
'voortoneel *o* proscenium
'voortoveren[1] *vt* call up, conjure up
'voortplanten[2] **I** *vt* carry on [the race]; propagate, spread [the gospel, faith]; transmit [sound]; **II** *vr zich ~* breed, propagate; ⚘ & 🐄 propagate itself; travel [of sound & light]; **'voortplanting** *v* propagation [of the race, a plant, vibrations &; *fig* of the faith]; [human] reproduction, procreation; transmission [of sound]; **–sorganen** *mv* reproductive organs
'voortreden[1] *vi* come forward; *fig* come to the fore
voor'treffelijk I *aj* excellent, admirable; **II** *ad* excellently, admirably; **–heid** *v* excellence
'voortrein (-en) *m* relief train
'voortrekken[1] *vt iem. ~* treat sbd. with marked preference, favour sbd....
'voortrekker (-s) 1 *ZA* voortrekker; 2 *fig* pioneer; 3 rover [boy scout]
'voortrennen[2] *vi* gallop (run) on; **–rijden**[2] *vi* ride (drive) on; **–roeien**[2] *vi* row on; **–rollen**[2] *vi* (& *vt*) roll on, bowl along; **–rukken**[2] **I** *vi* march on; **II** *vt* pull along
voorts further, moreover, besides; then; *en zo ~* and so on, et cetera
'voortschoppen[2] *vi* kick forward; **–schrijden**[2] *vi* proceed; (v. t ij d) move on, pass; *een gestadig ~de techniek* a constantly advancing technology; *een ~de vermindering* a progressive diminution; **–schuiven**[2] *vt* push (shove) on; **–sjokken**[2] *vi* trudge along, jog along; **–slepen**[2] *vt* drag along [sth.]; drag out [a miserable life]; **–sleuren**[2] *vt* drag along [sth.]; **–sluipen**[2] *vi* steal along, sneak along; **–snellen**[2] *vi* hurry on, hurry along; **–spoeden**[2] *zich ~* hurry on, hasten away; **–spruiten**[2] *vi ~ uit* proceed (spring, arise, result) from; **–stappen**[2] *vi* step on; **–stormen**[2] *vi* dash on; **–strompelen**[2] *vi* hobble (stumble) along
'voortstuwen[2] *vt* propel, drive; **–wing** *v* propulsion
'voortsukkelen[2] *vi* 1 trudge on; 2 potter along; **–telen**[2] *vt* procreate, multiply; **–trekken**[2] **I** *vt* draw (on), drag (along); **II** *vi* march on
'voortuin (-en) *m* front garden
voort'varend I *aj* energetic, **F** go-ahead; **II** *ad* energetically; **–heid** *v* energy, drive
'voortvliegen[2] *vi* fly on; **–vloeien**[2] *vi* flow on; *~ uit* result (follow) from
voort'vluchtig fugitive; *de ~e* the fugitive
'voortwoekeren (woekerde 'voort, h. en is 'voortgewoekerd) *vi* spread; **–zeggen**[2] *vt* make known; *zegt het voort!* tell your friends!
'voortzetten[2] *vt* continue [a business, story &], proceed on [one's journey], go on with [one's studies], carry on; **–ting** *v* continuation
'voortzeulen[2] *vt* drag along; **–zwoegen**[2] *vi* toil on
voor'uit 1 (v. p l a a t s) forward; 2 (v. t ij d) before, beforehand, in advance; *~!* come along!, come on!; *~ dan maar* well, all right; *~ maar, ~ met de geit!* go it!; **F** fire away! [= say it!]; *borst ~!* chest out!; *zijn tijd ~ zijn* be ahead of his time(s); **voor'uitbepalen** (bepaalde voor'uit, h. voor'uitbepaald) *vt* determine beforehand; **voor'uitbestellen** (bestelde voor'uit, h. voor'uitbesteld) *vt* order in advance; **–ling** (-en) *v* advance order;

[1,2] V.T. en V.D. van dit werkwoord volgens het model: 1 **'voor**cijferen, V.T. cijferde **'voor**, V.D. **'voor**gecijferd; 2 **'voort**bomen, V.T. boomde **'voort**, V.D. **'voort**geboomd. Zie voor de vormen onder het grondwoord, in deze voorbeelden *cijferen* en *bomen*. Bij sterke en onregelmatige werkwoorden wordt u verwezen naar de lijst achterin.

voor'uitbetalen[3] *vt* prepay, pay in advance; **–ling** (-en) *v* prepayment, payment in advance; *bij ~ te voldoen* payable in advance; $ cash with order; **voor'uitboeren** (boerde voor'uit, is voor'uitgeboerd) **F** *vi* get on in the world, make one's way in life; go ahead; **–brengen**[3] *vt* bring forward [sth.]; advance [a cause, the line]; help forward; **–drijven**[3] *vt* drive forward; **–gaan**[3] *vi* go first, walk on before; *fig* make progress, improve; rise [of barometer]; *de zieke gaat goed vooruit* the patient is getting on well; **voor'uitgang** *m* progress, improvement; **voor'uithelpen**[3] *vt* help on; **–komen**[3] *vi* get on[2], go ahead[2], make headway[2]; ~ *(in de wereld)* get on (in the world); **–lopen**[3] *vi* go first, walk on ahead; ~ *op...* anticipate [events]; **–rijden**[3] *vi* ride (drive) on before [you &]; sit with one's face to the engine (to the driver); **–schieten**[3] *vi* shoot forward; **–schoppen**[3] *vt* kick on; **–schuiven**[3] **I** *vt* shove (push) forward; **II** *vi* shove along; **–snellen**[3] *vi* hurry on ahead; **–springend** jutting out, projecting; **voor'uitsteken**[3] **I** *vt* put forward, advance; **II** *vi* jut out, project; **–d** projecting, jutting out; **vooruit'strevend** progressive, go-ahead; **–heid** *v* progressiveness; **voor'uitwerpen**[3] *vt fig zijn schaduw ~* foreshadow; **–zenden**[3] *vt* send in advance (ahead); **–zetten**[3] *vt* advance, put [the clock] forward (ahead); **voor'uitzicht** (-en) *o* prospect, outlook; *de ~en van de oogst* the crop prospects; *geen prettig ~* not a cheerful outlook; *geen ~en hebben* have no prospects in life; *goede ~en hebben* have good prospects; • *iets in het ~ hebben* have something in prospect; *iem. iets in het ~ stellen* promise sbd. sth.; *met dit ~* with this prospect in view; **voor'uitzien**[3] **I** *vt* foresee; **II** *va* look ahead; **–d** far-seeing; *zijn ~e blik* his foresight; *mensen met ~e blik* far-sighted people; *hij had een ~e blik* he was far-sighted

'voorvader (-s en -en) *m* forefather, ancestor; *onze ~en* ook: our forbears; **–lijk** ancestral

'voorval (-len) *o* incident, event, occurrence; **'voorvallen**[1] *vi* occur, happen, pass

'voorvechter (-s) *m* champion, advocate [of women's rights &]; **–vergadering** (-en) *v* preliminary meeting; **–verkoop** *m* (in theater &) advance booking; (in winkel) advance sale; **–verpakt** prepacked; **–vertoning** (-en) *v* preview [of films]; **–vertrek** (-ken) *o* front-room

'voorverwarmen (verwarmde 'voor, h. 'voorverwarmd) *vt* (borden &) warm (up) beforehand; ⚔ preheat

'voorvlak (-ken) *o* front face

'voorvoegen[1] *vt* prefix; **'voorvoegsel** (-s) *o gram* prefix

voor'voelen (voorvoelde, h. voorvoeld) *vt iets ~* have a presentiment

'voorvoet (-en) *m* forefoot

'voorvorig [year &] before last

voor'waar indeed, truly, in truth

'voorwaarde (-n) *v* condition, stipulation; *~n* ook: terms; *~n stellen* make (one's) conditions; *onder ~ dat...* on (the) condition that...; *onder de bestaande ~n* under existing conditions; *onder geen enkele ~* not on any account; *onder zekere ~n* on conditions; *op deze ~* on this condition; **voor'waardelijk** conditional; *~e veroordeling* suspended sentence

'voorwaarts forward, onward; ~ *mars!* ⚔ quick march

'voorwenden[1] *vt* pretend, feign, affect, simulate, sham; *voorgewend* ook: put on; **'voorwendsel** (-s en -en) *o* pretext, pretence, blind; *onder ~ van...* on (under) the pretext of..., on (under) pretence of...

'voorwereld *v* prehistoric world; **voor'wereldlijk** 1 prehistoric; 2 *fig* antediluvian

'voorwerk (-en) *o typ* preliminary pages, front matter, **F** prelims; (v. vesting) outwork

'voorwerp (-en) *o* 1 (ding) object, thing, article; 2 *gram* object; *gevonden ~en* lost property; *lijdend ~* [*gram*] direct object; *meewerkend ~* [*gram*] indirect object; ~ *van spot* object of ridicule, laughing-stock; **–glaasje** (-s) *o* slide [of a microscope]; **'voorwerpsnaam** (-namen) *m gram* name of a thing; **–zin** (-nen) *m gram* object(ive) clause

'voorweten *o* = *voorkennis*; **–schap** *v* foreknowledge, prescience

'voorwiel (-en) *o* front-wheel; **–aandrijving** *v* front(wheel) drive; **–ophanging** *v* front suspension

'voorwinter (-s) *m* beginning of the winter; **–woord** (-en) *o* preface; foreword [esp. by another than the author]; **–zaal** (-zalen) *v* 1 front room; 2 ante-chamber, ante-room; **–zaat** (-zaten) *m* ancestor, forefather; *onze voorzaten* ook: our forbears

'voorzang (-en) *m* 1 introductory song; 2 proem [to poem &]; 3 hymn before the sermon; **–er** (-s) *m* precentor, cantor, clerk

1 'voorzeggen[1] *vt* prompt

2 voor'zeggen (voorzegde, voorzei, h. voorzegd) *vt* predict, presage, prophesy; **–ging**

[1,3] V.T. en V.D. van dit werkwoord volgens het model: 1 **'voor**cijferen, V.T. cijferde **'voor**, V.D. **'voor**gecijferd; 3 **voor'uit**schoppen, V.T. schopte **voor'uit**, V.D. **voor'uit**geschopt. Zie voor de vormen onder het grondwoord, in deze voorbeelden: *bomen* en *schoppen*. Bij sterke en onregelmatige werkwoorden wordt u verwezen naar de lijst achterin.

(-en) *v* prediction, prophecy
voor'zeker certainly, surely, assuredly, to be sure
'voorzet (-ten) *m sp* centre
'voorzetlens (-lenzen) *v* close-up lens, supplementary lens
'voorzetsel (-s) *o* preposition
'voorzetten[1] *vt* 1 (iets) put [sth.] before [sbd.]; 2 (de klok) put [the clock] forward, put [the clock an hour] ahead; 3 *sp* centre [the ball]
voor'zichtig I *aj* prudent, careful, cautious; conservative [estimate]; *~!* 1 be careful!; look out!; mind the paint (the steps &); 2 (op kist &) with care!; *naar ~e schatting* at a conservative estimate; **II** *ad* prudently, carefully, cautiously; conservatively [valued at...]; **–heid** *v* prudence, care, caution; *~ is de moeder van de porseleinkast* safety first!; **voorzichtigheids'halve** by way of precaution; **voor'zichtigheidsmaatregel** (-en en -s) *m = voorzorgsmaatregel*
voor'zien (voorzag, h. voorzien) **I** *vt* foresee [evil &]; *het was te ~* it was to be expected; *wij zijn al ~* we are suited; *~ van (met)* provide with, supply with, furnish with; fit with [shelves &]; *van etiketten ~* labelled; **II** *vi ~ in* supply, meet, fill [a deficiency]; *in een (lang gevoelde) behoefte ~* supply a (long-felt) want; *~ in de behoeften van...* supply (provide for) the wants of...; *de wet heeft daarin (in een dergelijk geval) niet ~* the law makes no provision for a case of the kind; *daarin moet worden ~* that should be seen to; *in de vacature is ~* the vacancy has been filled; *het op iem. ~ hebben* F have a down on sbd.; *het niet op iem. ~ hebben* zie *begrijpen (begrepen)*; **III** *vr zich ~* suit oneself; *zich ~ van* provide oneself with; **voor'zienbaar** forseeable; **voor'zienigheid** *v* providence; *de Voorzienigheid* Providence; **voor'ziening** (-en) *v* provision, supply
'voorzij(de) (-zijden) *v* front [of a house &], face
'voorzingen[1] **I** *vt* sing to [a person]; **II** *vi* lead the song
'voorzitten[1] **I** *vi* preside, be in the chair; *dat heeft bij hem voorgezeten* that has been his main consideration (his motive); **II** *vt* preside over, at [a meeting]; **'voorzitter** (-s) *m* 1 chairman, president; 2 Speaker [of the House of Commons]; *Mijnheer de ~* Mr Chairman; **–schap** *o* chairmanship, presidency; *onder ~ van...* presided over by..., under the chairmanship of...; **'voorzittershamer** (-s) *m* chairman's hammer; **–plaats** (-en) *v* chair; **'voorzitting** = *voorzitterschap*
'voorzomer (-s) *m* beginning of the summer
'voorzorg (-en) *v* precaution, provision; *uit ~* by way of precaution; **–smaatregel** (-s en -en) *m* precautionary measure, precaution
voorzo'ver zie 2 *zover*
voos spongy, woolly [radish]; *fig* sham [piety], hollow [phrases]; **–heid** *v* sponginess, woolliness
1 'vorderen (vorderde, is gevorderd) *vi* advance, make headway, make progress, progress; **2 'vorderen** (vorderde, h. gevorderd) *vt* 1 demand, claim; 2 requisition [for war purposes]; **–ring** (-en) *v* 1 (voortgang) advance, progress, improvement; || 2 (eis) demand, claim; 3 requisitioning [of buildings for war purposes]; *~en maken* make progress
'vore (-n) = 1 *voor*
1 'voren (-s) *m* 🐟 roach
2 'voren *ad naar ~* to the front; *naar ~ brengen* put forward, advance [a claim &]; *naar ~ komen* 1 be put forward, be advanced [of plans &]; 2 emerge [from the discussion]; *te ~* 1 (eerder) before, previously; 2 (vooraf) beforehand, [pay, book] in advance; *nooit te ~* never before; *drie dagen te ~* three days earlier; *van ~* in front; *van ~ af (aan)* from the beginning; *van te ~* zie *tevoren*; **–staand** mentioned before, above-mentioned, above-said; *het ~e* ook: the above
'vorig former, previous; *in ~e dagen* in former days; *de ~e maand* last month; *de ~e oorlog (regering)* the late war (government)
vork (-en) *v* fork; *hij weet hoe de ~ aan (in) de steel zit* he knows the ins and outs of it; **–been** (-deren en -benen) *o* wish(ing)-bone; **–heftruck** (-s) *m* fork-lift (truck)
vorm (-en) *m* 1 (gestalte) form, shape; 2 ⚒ (gietmal) mould, matrix; 3 *gram* [strong, weak] form; [active, passive] voice; 4 (plichtpleging) form, formality; ceremony; *vaste ~ aannemen* take definite form, take shape; *de ~en in acht nemen* observe the forms; *hij heeft (kent) geen ~en* he has no manners; • *in de ~ van* in the shape (form) of; *in welke ~ ook* in any shape or form; *in ~ zijn sp* be in (good) form; *naar de ~* in form; *voor de ~* for form's sake, as a matter of form; formal [invitation]; *zonder ~ van proces* without trial; *fig* without ceremony, without more ado; **'vormelijk** *aj* (& *ad*) formal(ly), ceremonious(ly); **–heid** (-heden) *v* formality, ceremo-

[1] V.T. en V.D. van dit werkwoord volgens het model: **'voor**cijferen, V.T. cijferde **'voor**, V.D. **'voor**gecijferd. Zie voor de vormen onder het grondwoord, in dit voorbeeld: *cijferen.* Bij sterke en onregelmatige werkwoorden wordt u verwezen naar de lijst achterin.

niousness; **'vormeling** (-en) *m rk* confirmee; **'vormeloos** = *vormloos*; **vorme'loosheid** = *vormloosheid*; **'vormen** (vormde, h. gevormd) **I** *vt* 1 form, fashion, frame, shape, model, mould [sth.]; 2 form, constitute, make up [the committee &], build up [stocks, reserves]; 3 *rk* confirm; **II** *vr zich* ~ form; **-d** forming &, formative [influences]; *fig* educative [methods], informing [books]; **'vormendienst** *m* formalism; **'vormer** (-s) *m* framer, moulder, modeller; **'vormgever** (-s) *m* designer; **-geving** *v* design; **-gieter** (-s) *m* moulder; **'vorming** (-en) *v* formation, forming, shaping, moulding; *fig* education, cultivation, culture; **'vormleer** *v* 1 morphology [of words; ♣ & ♠]; 2 *gram* accidence; **-loos** shapeless, formless; **vorm'loosheid** *v* shapelessness, formlessness; **'vormraam** (-ramen) *o* 1 moulding-frame; 2 [printer's] chase; **-school** (-scholen) *v* training-school; **-sel** *o rk* confirmation; *het ~ toedienen* confirm, administer confirmation; **-vast** that keeps its shape, that keeps in shape; **-verandering** (-en) *v* transformation, metamorphosis [*mv* metamorphoses]

'vorsen (vorste, h. gevorst) *vi* investigate; ~ *naar* inquire into; **-d** searching [look], inquiring [mind]; **'vorser** (-s) *m* investigator; researcher

1 vorst (-en) *v* △ ridge [of a roof]

2 vorst *m* (h e t v r i e z e n) frost

3 vorst (-en) *m* sovereign, monarch, king, emperor; prince; *de ~ der duisternis* the prince of darkness; **'vorstelijk I** *aj* princely [salary], royal, lordly; **II** *ad* in a princely way, royally; **-heid** *v* royalty; **'vorstendom** (-men) *o* principality; **-gunst** *v* royal favour; **-huis** (-huizen) *o* dynasty

'vorstgrens (-grenzen) *v* frost limit (range); **'vorstig** frosty

vor'stin (-nen) *v* sovereign, monarch, queen, empress; princess

'vorstperiode (-s en -n) *v* spell (period) of frost, freeze; **-schade** *v* frost damage; **-verlet** *o* loss of working hours due to frost; **-vrij** frost-proof [cellar]

vort off with you!, **S** hop it!

vos (-sen) *m* 1 fox[2]; 2 (h a l s b o n t) fox fur; 3 (p a a r d) sorrel (horse); 4 ❀ tortoise-shell (butterfly); *zo'n slimme ~!* the slyboots!; *een ~ verliest wel zijn haren maar niet zijn streken* Reynard is still Reynard though he put on a cowl; what is bred in the bone will not come out of the flesh; *als de ~ de passie preekt, boer pas op je ganzen* when the fox preaches beware of your geese; **'vossebont** *o* fox (fur); **-hol** (-en) *o* fox-hole; **-jacht** (-en) *v* fox-hunt(ing); **-klem** (-men) *v* fox trap

'vossen (voste, h. gevost) *vi* & *vt* swot, mug; **'vossestaart** (-en) *m* foxtail; ♣ foxtail-grass; **-val** (-len) *v* fox-trap; **-vel** (-len) *o* fox-skin

vo'teren (voteerde, h. gevoteerd) *vt* vote

vo'tief votive; **-kerk** (-en) *v* votive church

'votum (vota en -s) *o* vote; *een ~ van vertrouwen* (*wantrouwen*) a vote of (want of) confidence

vouw (-en) *v* fold [in paper &]; crease, pleat [in cloth &]; **-baar** foldable, pliable; **-been** (-benen) *o* paper-knife; **-blad** (-bladen) *o* folder; **-deur** (-en) *v* folding-door(s); **'vouwen*** *vt* fold; *de handen ~* fold one's hands; *in vieren ~* fold in four; **'vouwfiets** (-en) *m* & *v* folding bicycle; **-scherm** (-en) *o* folding-screen; **-stoel** (-en) *m* folding-chair, camp-stool

voy'eur [vʋa'jør] (-s) *m* voyeur, **F** Peeping Tom; **voyeu'risme** *o* voyeurism

vraag (vragen) *v* 1 question; query; 2 $ request, demand; *~ en aanbod* supply and demand; *~ en antwoord* question and answer; *een ~ doen* ask [sbd.] a question; put a question to [sbd.]; *vragen stellen* ask questions; *de ~ stellen is haar beantwoorden* the question is answered by being asked; *een ~ uitlokken* invite a question; *er is veel ~ naar...* $ ...is much in demand, it is in great request, there is a great demand for...; *dat is nog de ~* that's a question; *het is de ~ of...* it is a question whether...; *de ~ doet zich voor of...* the question arises whether...; **-achtig** inquisitive; **-al** (-len) *m* inquisitive person; **-baak** (-baken) *v* (b o e k) vade-mecum; (p e r s o o n) oracle; **-gesprek** (-ken) *o* interview; **-prijs** (-prijzen) *m* asking price; **-punt** (-en) *o* point in question; **-steller** (-s) *m* questioner; **-stuk** (-ken) *o* problem; **-teken** (-s) *o* question-mark, note (point) of interrogation, query; *daar zullen we een ~ achter moeten zetten* we shall have to put a note of interrogation to it[2]; **-woord** (-en) *o* interrogative word; **-ziek** inquisitive

vraat (vraten) *m* glutton; **-zucht** *v* gluttony, greed, voracity; **vraat'zuchtig** gluttonous, greedy, voracious

vracht (-en) *v* 1 load; ⚓ cargo; 2 (p r ij s) fare [for passengers]; carriage; ⚓ freight

'vrachtauto [-o.to. of -ɔuto.] ('s) *m* (motor-) lorry, (motor-)truck, (motor-)van; **-bestuurder** (-s), **-chauffeur** [-ʃo.fø:r] (-s) *m* lorry driver

'vrachtboot (-boten) *m* & *v* cargo-boat, freighter; **-brief** (-brieven) *m* $ 1 [railway] consignment note; 2 ⚓ bill of lading; **-dienst** *m* cargo service; **-enmarkt** *v* freight market; **-goed** (-eren) *o* goods; *als ~ zenden* send by goods-train; **-je** (-s) *o* small load, burden; (v. t a x i) fare; **-lijst** (-en) *v* $ manifest; **-loon** (-lonen) *o*, **-prijs** (-prijzen) *m* = *vracht* 2;

–overeenkomst (-en) *v* contract of carriage, *Am* freight contract; **–rijder** (-s) *m* carrier; **–schip** (-schepen) *o* ⚓ cargo-boat, freighter; **–tarief** (-rieven) *o* 1 railway rates, tariff; 2 ⚓ freight rates; **–vaarder** (-s) *m* 1 = *vrachtschip*; 2 (schipper) carrier; **–vaart** *v* carrying-trade; **–verkeer** *o* goods traffic (transport); *Am* freight transport; **–vervoer** *o* carrying trade; *Am* freighting trade; **–vliegtuig** (-en) *o* freight plane, freighter; ~*(en)* ook: cargo aircraft; **–vrij** carriage paid; ⚓ freight paid; ✉ post-paid; **–wagen** (-s) *m* truck, van; zie ook: *vrachtauto*; **–zoeker** (-s) *m* ⚓ tramp (steamer)

'vragen* I *vt* ask; *gevraagd: een 2de bediende &* Wanted; *wij ~ een tekenaar* we require a draughtsman; *mij werd gevraagd of...* I was asked if...; *zij is al tweemaal gevraagd* she has had two proposals; *zult u haar ~?* 1 are you going to propose to her (to ask her hand in marriage)?; 2 shall you invite her?; 3 are you going to question her (to hear her lesson)?; *iem. iets ~* ask sth. of sbd.; *je moet het hem maar ~* (you had better) ask him; *vraag het maar aan hem* 1 ask him (about it); 2 ask him for it; *dat moet je mij niet ~!* don't ask me!; *hoeveel vraagt hij ervoor?* 1 how much does he ask for it?; 2 what does he [the tailor &] charge for it?; *waarom vraagt u dat?* what makes you ask that?; *hoe kunt u dat ~?* how can you ask (the question)?; • *iem. op een feestje ~* invite sbd. to a party; *iem. ten eten ~* ask sbd. to dinner; **II** *vi & va* ask; *nu vraag ik je!* I ask you!; *...als ik ~ mag* if I may ask (the question); • *~ naar iem.* ask after (inquire for) sbd.; *~ naar iets* inquire after sth.; *vraag er uw broer maar eens naar* ask your brother (about it); *~ naar die waren* inquire for these commodities; *er wordt veel naar gevraagd* there is a great demand for it (them); *naar uw mening wordt niet gevraagd* your opinion is not asked; *(iem.) naar de weg ~* ask one's way (of sbd.), ask (sbd.) the way; *daar ~ ze niet naar* they never care about that; *~ om iets* ask for sth.; *je hebt ze maar voor het ~* they may be had for the asking; **III** *o ~ kost niets* there's no harm in asking; **'vragenboek** (-en) *o* 1 questionbook; 2 catechism; **'vragend I** *aj* inquiring, questioning [eyes]; [look] of inquiry, of interrogation; interrogatory [tone]; *gram* interrogative; **II** *ad* inquiringly; *gram* interrogatively; **vragender'wijs, –'wijze** interrogatively; **'vragenlijst** (-en) *v* questionnaire; **–uurtje** (-s) *o* question-time [in Parliament]; **'vrager** (-s) *m* interrogator, questioner, inquirer

vrat (vraten) V.T. van *vreten*

'vrede *m & v* peace; *de Vrede van Munster* 🕮 the Peace of Westphalia; *de Vrede van Utrecht* 🕮 the Treaty of Utrecht, the Utrecht Treaty; *ik heb er ~ mee* I don't object, all right!; *wij kunnen daar geen ~ mee hebben* we can't accept (agree with, put up with) that; • *ga in ~* go in peace; *in ~ leven met iedereen* live at peace with all men; *laat mij met ~* let me alone; *om de lieve ~* for the sake of peace; **–breuk** (-en) *v* breach of the peace; **–kus** (-sen) = *vredeskus*; **vrede'lievend I** *aj* peace-loving, peaceable, peaceful; **II** *ad* peaceably, peacefully; **–heid** 1 love of peace, peaceableness, peacefulness

'vredesaanbod *o* peace offer; **–apostel** (-s en -en) *m* apostle of peace; **–bespreking** (-en) *v ~en* preliminary peace talks; **–beweging** *v* peace movement; **–conferentie** [-(t)si.] (-s) *v* peace conference; **–congres** (-sen) *o* peace congress; **–duif** (-duiven) *v* dove of peace, peace dove; **–korps** *o* Peace Corps [of the U.S.A.]; **–kus** (-sen) *m* kiss of peace; **–macht** *v* peace-keeping force [of the U.N.O.]; **–naam** *in ~* zie *godsnaam*; **–onderhandelingen** *mv* peace negotiations; **'Vredespaleis** *o* Palace of Peace, Peace-Palace; **'vredespijp** (-en) *v* pipe of peace; **–prijs** (-prijzen) *m* (Nobel) peace prize; **–sterkte** *v* ⚔ peace establishment; *~ 25.000 man* ook: 25,000 men on a peace footing

'vredestichter (-s) *m* peacemaker

'vredestijd *m* time of peace, peace-time; **–verdrag** (-dragen) *o* treaty of peace, peace treaty; **–voorstel** (-len) *o* peace proposal; **–voorwaarden** *mv* conditions of peace, peace terms

'Vredevorst *m* **B** Prince of Peace; **'vredig** *aj* (& *ad*) peaceful(ly), quiet(ly)

1 vree = *vrede*

2 vree (vreeën) F V.T. van *vrijen*

'vreedzaam I *aj* peaceable; peaceful [citizen, coexistence]; **II** *ad* peaceably; peacefully; **–heid** *v* peaceableness; peacefulness

'vreeën V.T. meerv. van *vrijen*

vreemd I *aj* 1 (niet bekend) strange, unfamiliar; 2 (buitenlands) foreign [persons, interference, tyranny]; alien [enemy]; 3 exotic [plants]; 4 (raar) strange, queer, odd; *~ geld* foreign money; *~e goden* strange gods; *~e hulp* hired assistance; *~ lichaam* ⚕ foreign body; *een ~e taal* 1 a foreign language; 2 a strange (queer) language; *ik ben hier ~* I am a stranger here; *dat is toch ~* that is strange, it is a strange thing; *het is (valt) mij ~* it is strange to me; *hij is me ~* he is a stranger to me; *afgunst is mij ~* envy is foreign to my nature; *niets menselijks is mij ~* nothing human is alien to me; *alle vrees is hem ~* he is an utter stranger to fear; *het werk is mij ~* I am strange to the work; *~ zijn aan iets* have nothing to do with it; *hoe ~!* how strange (it is); *ik voel me hier zo ~* I feel so strange here; *het ~e van de zaak is, dat...* the strange thing about the matter is; **II** *ad* strangely; *~ gaan* **F** be unfaithful, commit adultery; *er ~ uitziend* strange-looking; **1 'vreemde** (-n) *m-v* (o n b e k e n d e) stranger; *dat heeft hij van geen ~* it runs in the family; **2 'vreemde** *in den ~* in foreign parts, abroad

'vreemdeling (-en) *m* 1 (o n b e k e n d e) stranger; 2 (b u i t e n l a n d e r) foreigner; (n i e t g e n a t u r a l i s e e r d e) alien; *een ~ in Jeruzalem* a stranger in Jerusalem (in the place, to the place); **'vreemdelingenboek** (-en) *o* arrival book, (hotel) register, visitor's book; **–bureau** [-by.ro.] (-s) *o* tourist office; **–dienst** *m* Aliens Branch (of the Home Office); **–legioen** *o* Foreign Legion; **–verkeer** *o* tourist traffic, tourism; *Vereniging voor ~* ± Travel Association

'vreemdheid (-heden) *v* strangeness, queerness, oddness, oddity; **vreemd'soortig** strange, odd; quaint; **–heid** *v* strangeness, oddity; quaintness

vrees (vrezen) *v* fear, fears, dread [= great fear], apprehension; *ps* phobia; *zijn ~ voor...* his fear of...; *~ aanjagen* intimidate; *heb daar geen ~ voor!* no fear!; *~ koesteren voor* be afraid of, stand in fear of, fear; • *u i t ~ dat...* for fear (that)..., for fear lest [he should...], lest...; *uit ~ voor...* for fear of...; *ridder z o n d e r ~ of blaam* knight without fear and without reproach; zie ook: *vreze*; **–aanjaging** *v* intimidation; **'vreesachtig** timid, timorous; **–heid** *v* timidity, timorousness; **'vreeslijk** = *vreselijk*; **–heid** = *vreselijkheid*; **vrees'wekkend** fear-inspiring, frightful

'vreetzak (-ken) **F** *m* glutton, hog, pig, greedy-guts

vrek (-ken) *m* miser, niggard, skinflint; **–achtig, 'vrekkig** miserly, stingy; **–heid** *v* miserliness, stinginess

'vreselijk I *aj* dreadful, frightful, terrible; **II** *ad* fearfully &; ook: < awfully; **–heid** (-heden) *v* dreadfulness, terribleness

'vreten* I *vt* (v. d i e r) eat, feed on; **II** *va* 1 (v. d i e r) feed; 2 (v. m e n s) feed, gorge, **F** stuff; **–er** (-s) *m* glutton; **vrete'rij P** *v* grub

'vreugd(e) (-den) *v* joy, gladness; *Vreugde der Wet* Rejoicing of the Law; *~ scheppen in het leven* enjoy life; **–bedrijf** (-drijven), **–betoon** *o* rejoicings; **–dag** (-dagen) *m* day of rejoicing; **–dronken** drunk with joy, elated with joy, **–kreet** (-kreten) *m* shout (cry) of joy; *vreugdekreten* cheerings; **–loos** joyless, cheerless; **–traan** (-tranen) *m* & *v* tear of joy; **–vol** full of joy, joyful, joyous; **–vuur** (-vuren) *o* bonfire; **–zang** (-en) *m* song of joy

⊙ **'vreze** (-n) *v* fear; *in duizend ~n* in constant fear; *de ~ des Heren* the fear of the Lord;

'vrezen (vreesde, h. gevreesd) **I** *vt* fear, dread; *God ~* fear God; *iem. ~* fear (be afraid of) sbd.; *iets ~* dread sth.; *niets te ~ hebben* have nothing to fear; *het is te ~* it is to be feared; **II** *vi* be afraid; *~ vòor zijn leven* fear for his life

vriend (-en) *m* friend; *een ~ van de natuur* a lover of nature, a nature lover; *een ~ zijn van...* be a friend of..., be fond of...; *een ~ der armen* a friend of the poor; *zeg eens, beste ~* I say, dear fellow; *even goede ~en, hoor!* we'll not quarrel for that; *goede ~en zijn met* be friends with; *kwade ~en worden* fall out; *kwade ~en zijn* be on bad terms; *een trouwe ~* a loyal friend; *een ware ~* a true friend; *iem. te ~ hebben* be friends with sbd.; have sbd. for a friend; *iem. te ~ houden* keep friends with sbd., keep on good terms with sbd.; *~en en verwanten* friends and relations, kith and kin; *~ en vijand* friend and foe; *~en in de nood, honderd in een lood* ± a friend in need is a friend indeed; *God bewaar me voor mijn ~en* God save me from my friends; **'vriendelijk I** *aj.* 1 kind, friendly, affable; 2 (v. h u i s, s t a d j e) pleasant; **II** *ad* kindly, affably, in a friendly way; **–heid** (-heden) *v* kindness, friendliness, affability; *vriendelijkheden* kindnesses; **'vriendendienst** (-en) *m* kind turn, good office; **–feest** (-en) *o* friendly feast (gathering); **–groet** (-en) *m* friendly greeting; **–kring** (-en) *m* circle of friends; **–paar** (-paren) *o* 1 two friends; 2 homosexual couple; **vrien'din** (-nen) *v* (lady, woman) friend; **–netje** (-s) *o* girl friend; **'vriendje** (-s) *o* (little) friend, *Am* buddy; boy friend; **–spolitiek** *v* favouritism, nepotism; **'vriendschap** (-pen) *v* friendship; *~ sluiten met* contract (form, strike up) a friendship with, make friends with, befriend; *uit ~* out of friendship, for the sake of friendship; **vriend'schappelijk I** *aj* friendly, amicable; **II** *ad* in a friendly way, amicably; **–heid** *v* friendliness, amicableness; **'vriendschapsband** (-en) *m* tie (bond) of friendship; **–betuiging** (-en) *v* profession (protestation) of friendship; **–verdrag** (-dragen) *o* treaty of friendship

'vrieskamer (-s) *v* freezing-chamber; **–kast** (-en) *v* upright freezer; **–kist** (-en) *v* freezer; **–mengsel** (-s) *o*, **–middel** (-en) *o* cryogen; **–punt** *o* freezing-point; *boven* (*onder, op*) *het ~* above (below, at) freezing-point; **–vak** (-ken) *o* freezing (ice) compartment; **–we(d)er** *o* frosty weather; **'vriezen*** *vi* freeze; *het vriest hard* (*dat het kraakt*) it is freezing hard; **–d** freezing, frosty

vrij I *aj* 1 (n i e t s l a a f, o n b e l e m m e r d) free; 2 (z o n d e r b e l e t o f w e r k) free, at liberty, at leisure, disengaged; 3 (n i e t b e z e t o f b e s p r o k e n) not engaged, vacant [seats]; [taxi] for hire; *~e arbeid* free labour; *~e avond* evening (night) out, night off; *~ beroep* profession; *~ bovenhuis* self-contained flat; *een ~e dag* a free day, a day off; *~ kwartier* ✎ break; *een ~e middag* a free afternoon, a half-holiday; *~e ogenblikken* leisure (spare) moments; *~e tijd* spare time; *~ uitzicht* free view; *een ~ uur* a spare (leisure, idle) hour, an off-hour; *het ~e woord* free speech; *mijn ~e zondag* my Sunday out; *zo ~ als een vogeltje in de lucht* as free as air (as a bird); *60 gld. per maand en alles ~* and everything found; *goed loon en veel ~* and liberal outings; *~ hebben* be off duty, have a holiday; *~ krijgen* get a holiday, be free [3 times a week]; *~ vragen* ask for a (half-) holiday; *~ zijn* be free; *mag ik zo ~ zijn?* may I take the liberty?, may I be so bold [as to]; *zij is nog ~* she is still free; *de lijn is ~* the line is clear; *~ van accijns* free (exempt) from excise; *~ van dienst* 1 off duty, free, disengaged; 2 exempt from duty; *~ van port* ✆ post-free; **II** *ad* 1 (v r ij e l ij k) freely; 2 (g r a t i s) free (of charge); 3 (t a m e l ij k) rather, fairly [sunny weather], pretty; *~ goed* pretty good; *~ veel* rather much (many); *~ wat...* a good deal of...; *~ wat meer* much more; **vrij'af** a holiday, a day (evening) off; *~ nemen* take a holiday

vrij'age [-'a.ʒə] (-s) *v* courtship, wooing

'vrijbiljet (-ten) *o* = *vrijkaart*

'vrijblijven[1] *vi* remain free; **vrij'blijvend $** without engagement, not binding

'vrijbrief (-brieven) *m* passport; charter, licence, permit

'vrijbuiten (vrijbuitte, h. gevrijbuit) *vi* practise piracy; **–er** (-s) *m* freebooter; **vrijbuite'rij** (-en) *v* freebooting

'vrijdag (-dagen) *m* Friday; *Goede Vrijdag* Good Friday; **–s I** *aj* Friday; **II** *ad* on Fridays

'vrijdenker (-s) *m* free-thinker; **vrijdenke'rij** *v* free-thinking, free thought

'vrijdom (-men) *m* freedom, exemption; **'vrije** (-n) *m* freeman; **'vrijelijk** freely

'vrijen* I *vi* 1 court; 2 make love, **F** pet, neck, **S** spoon; *uit ~ gaan* go courting; *~ met een meisje* court a girl, make love to her; *~ om (naar) een meisje* court a girl, ⊙ woo her; **II** *vt* court, ⊙ woo; **–er** (-s) *m* suitor, lover, sweetheart, ⊙ wooer; *oude ~* bachelor; *haar ~* **F** ook: her young man, her chap; **vrije'rij** (-en) *v* love-making, courtship; **'vrijersvoeten** *mv op ~ gaan* go (a-)courting

vrije'tijdsbesteding *v* use (employment) of leisure, leisure activity; **–kleding** *v* leisurewear, ± casual wear

'vrijgeboren free-born

'vrijgeest (-en) *m* free-thinker; **vrijgeeste'rij** *v* free-thinking, free thought

'vrijgelatene (-n) *m-v* freedman, freed woman

'vrijgeleide (-n en -s) *o* safe-conduct; *onder ~* under a safe-conduct

'vrijgestelde (-n) *m* paid (full-time) trade-union official

'vrijgeven[1] *vt* release, free, decontrol [government butter &]; manumit, emancipate [a slave]; set at liberty [sbd.]; give a holiday [to boys &]

vrij'gevig I *aj* liberal, open-handed; **II** *ad* liberally; **–heid** *v* liberality, open-handedness

'vrijgevochten *het is een ~ land* it is Liberty Hall there; **vrijge'zel** (-len) *m* bachelor

'vrijhandel *m* free trade; **–aar** (-s en -laren) *m* free-trader; **'vrijhandelsassociatie** [-si.a.(t)si.] *v Europese V~* European Free Trade Association, EFTA

'vrijhaven (-s) *v* free port

'vrijheid (-heden) *v* liberty, freedom; *dichterlijke ~* poetic licence; *persoonlijke ~* personal freedom; *~ van drukpers (van gedachte, van geweten)* liberty (freedom) of the press (of thought, of conscience); *~ van vergadering* freedom of association; *~ van het woord* freedom of speech; *geen ~ hebben om...* not be at liberty to...; *de ~ nemen om...* take the liberty to..., make bold to..., make free to...; *zich vrijheden veroorloven* take liberties; *ik vind geen ~ om...* I don't see my way to...; *in ~* free, at liberty; *in ~ stellen* release, set at liberty, set free; **vrijheid'lievend** fond of liberty, liberty-loving, freedom-loving [people]; **'Vrijheidsbeeld** *o* [the New York] Statue of Liberty; **'vrijheidsberoving** *v* deprivation of liberty; **–beweging** (-en) *v* liberation movement; **–boom** (-bomen) *m* tree of liberty; **–geest** *m* spirit of liberty; **–liefde** *v* love of liberty; **–muts** (-en) *v* cap of liberty, Phrygian cap; **–oorlog** (-logen) *m* war of independence; **–straf** (-fen) *v* ⚖ imprisonment; **–strijder** (-s) *m* freedom fighter; **–vaan** (-vanen) *v* flag (standard) of liberty; **–zin** *m* spirit of liberty; **–zucht** *v* love of liberty

'vrijhouden[1] *vt* 1 (l e t t e r l ij k) keep free; 2 defray sbd.'s expenses; *ik zal je ~* I'll stand treat

'vrijkaart (-en) *v* free ticket, complimentary

[1] V.T. en V.D. van dit werkwoord volgens het model: **'vrij**loten, V.T. lootte **'vrij**, V.D. **'vrij**geloot. Zie voor de vormen onder het grondwoord, in dit voorbeeld: *loten.* Bij sterke en onregelmatige werkwoorden wordt u verwezen naar de lijst achterin.

ticket; (v. schouwburg, spoor &) free pass

'vrijkomen[1] *vi* get off; come out [of prison]; be released [of forces]; be liberated [in chemistry]; ~ *met de schrik* get off with a fright

'vrijkopen[1] *vt* buy off, ransom, redeem; **–ping** (-en) *v* buying off, redemption

'vrijkorps (-en) *o* volunteer corps

'vrijlaten[1] *vt* set at liberty, release [a prisoner], let off [their victim]; emancipate, manumit [a slave]; release, free, decontrol [government butter &]; leave [a country] free [to determine its own future]; *iem. de handen* ~ leave (allow) sbd. a free hand; **–ting** (-en) *v* release; emancipation, manumission [of a slave]

'vrijloop *m* free wheel; (v. motor) idling

'vrijlopen[1] *vi* go free, get off, escape; (van motor) idle

'vrijmaken[1] **I** *vt* emancipate [a slave]; free [a person]; liberate [a nation]; free [the mind]; disengage, free [one's arm]; clear [the way]; **II** *vr zich* ~ disengage (extricate, free) oneself; *zich* ~ *van* get rid of; **–king** (-en) *v* liberation, emancipation

vrij'metselaar (-s en -laren) *m* freemason, mason; **–sloge** [-lɔ:ʒə] (-s) *v* 1 masonic lodge; 2 (gebouw) masonic hall; **vrijmetsela'rij** *v* freemasonry

vrij'moedig outspoken, frank, free, bold; **–heid** *v* frankness, outspokenness, boldness

'vrijpartij (-en) **F** *v* petting, necking

'vrijplaats (-en) *v* sanctuary, refuge, asylum

'vrijpleiten[1] **I** *vt* exculpate, exonerate, clear [from blame]; **II** *vr zich* ~ exculpate oneself, clear oneself

vrij'postig I *aj* bold, free, forward, pert; **II** *ad* boldly; **–heid** (-heden) *v* boldness, forwardness, pertness; *vrijpostigheden* liberties

'vrijspraak *v* acquittal; **'vrijspreken**[1] *vt* acquit

'vrijstaan[1] *vi* be permitted; *het staat u vrij om...* you are free to...

'vrijstaand ~ *huis* detached house; ~ *beeld* free-standing statue; ~*e muur* self-supporting wall; *sp* ~*e speler* unguarded player

'vrijstaat (-staten) *m* free state; **–stad** (-steden) *v* free city, free town

'vrijstellen[1] *vt* exempt (from *van*); **–ling** (-en) *v* exemption, freedom (from *van*)

'vrijster (-s) *v* sweetheart; *oude* ~ old maid, spinster

vrij'uit freely, frankly; *hij spreekt altijd* ~ he is very free-spoken; *spreek* ~*!* ook: speak out!

'vrijverklaren (verklaarde 'vrij, h. 'vrijverklaard) *vt* declare free

'vrijwaren (vrijwaarde, h. gevrijwaard) *vt* ~ *voor* (*tegen*) guarantee from, safeguard against, protect from, secure from, guard from (against); **–ring** (-en) *v* safeguarding, protection

'vrijwel *hij is* ~ *genezen* practically cured; ~ *alles wat men kan wensen* pretty well everything that could be wanted; ~ *hetzelfde* much the same (thing); ~ *iedereen* almost everybody; ~ *niets* next to nothing; ~ *nooit* hardly ever; ~ *onmogelijk* well-nigh impossible; *ik ben er* ~ *zeker van* I am all but certain of it

'vrijwiel (-en) *o* free wheel

vrij'willig I *aj* voluntary, free; ~*e brandweer* volunteer fire-brigade; **II** *ad* voluntarily, freely, of one's own free will; **–er** (-s) *m* volunteer; **–heid** *v* voluntariness

vrij'zinnig I *aj* liberal; *een* ~*e* a liberal; **II** *ad* liberally; **–heid** *v* liberalism, liberality

'vrille ['vri.jə] (-s) *v* ✈ spin

vrind (-en) *m* = *vriend*

vroed wise, prudent; *de* ~*e vaderen* the City Fathers; **–schap** (-pen) *v* town-council; *de* ~ ook: the City Fathers; **–vrouw** (-en) *v* midwife

1 vroeg I *aj* early; *zijn* ~*e dood* his untimely (premature) death; **II** *ad* early; at an early hour; *het is nog* ~ it is still early; *niets te* ~ none too early, none too soon; *een uur te* ~ an hour early (before one's time); *al* ~ *in maart* early in March; *'s morgens* ~ early in the morning; *te* ~ *komen* come too early, be early; ~ *opstaan* rise early; zie ook: *opstaan*; ~ *en laat* early and late; ~ *of laat* sooner or later; *van* ~ *tot laat* from early in the morning till late at night; zie ook: *vroeger* & *vroegst*

2 vroeg (vroegen) V.T. van *vragen*

'vroegdienst (-en) *m* early service

'vroegen V.T. meerv. v. *vragen*

'vroeger I *aj* former [friends, years &]; earlier [documents]; previous [statements]; past [sins]; late, ex- [president &]; **II** *ad* [come] earlier; [an hour] sooner; of old, in former days (times), in times gone by, on former occasions, previously, before now; *daar stond* ~ *een molen* there used to be a mill there

'vroegkerk *v* early service; **–mis** (-sen) *v rk* early mass; **–preek** (-preken) *v* early service

'vroegrijp early-ripe, precocious [child]; **vroeg'rijpheid** *v* precocity

vroegst earliest; *op zijn* ~ at the earliest

'vroegte *v in de* ~ early in the morning

vroeg'tijdig I *aj* early, untimely, premature

[1] V.T. en V.D. van dit werkwoord volgens het model: **'vrij**loten, V.T. lootte **'vrij**, V.D. **'vrij**geloot. Zie voor de vormen onder het grondwoord, in dit voorbeeld: *loten*. Bij sterke en onregelmatige werkwoorden wordt u verwezen naar de lijst achterin.

[death]; **II** *ad* 1 early, betimes, at an early hour; 2 prematurely, before one's time
'vrolijk I *aj* merry, gay, cheerful; *een ~e Frans* a gay dog, a jolly fellow; *zich ~ maken over* make merry over; **II** *ad* merrily, gaily, cheerfully; **-heid** *v* mirth, merriment, gaiety, cheerfulness; *grote ~ onder het publiek* great hilarity
'vrome (-n) *m-v* pious man or woman; **vroom** *aj* (& *ad*) devout(ly), pious(ly); *vrome wens* pious wish; **-heid** *v* devoutness, devotion, piety
vroor (**vroren**) V.T. van *vriezen*
vrouw (-en) *v* 1 woman; 2 (echtgenote) wife, ⊙ spouse; 3 ◊ queen; *de ~ des huizes* the lady (mistress) of the house; *~ van de wereld* woman of the world; *~ Hendriks* Mrs H.; *hoe is het me je ~?* how is Mrs H.?; *Maar ~!* 1 But woman!; 2 I say, wife!; *haar tot ~ nemen* take her to wife; **-achtig** effeminate, womanish; **'vrouwelijk I** *aj* 1 female [animal, plant, sex &]; feminine [virtues, rhyme &]; womanly [conduct, modesty &], womanlike; *2 gram* feminine; *~e kandidaat* (*kandidaten*) woman candidate, women candidates; **II** *o het ~e in haar* the woman in her; **-heid** *v* womanliness, feminity; **'vrouwenaard** *m* woman's nature, female character; **-arbeid** *m* women's labour; **-arts** (-en) *m* gynaecologist; **-beeld** (-en) *o* image (statue) of a woman; **-beul** (-en) *m* wife beater; **-beweging** *v* woman's rights movement; **-blad** (-bladen) *o* woman's magazine, woman's weekly (monthly); **-bond** (-en) *m* woman's league; **-gek** (-ken) *m* ladies' man, philanderer; **-haar** (-haren) *o* 1 woman's hair; 2 ♣ maidenhair; **-hater** (-s) *m* woman-hater, misogynist; **-jager** (-s) *m* womanizer; **-kiesrecht** *o* woman suffrage, votes for women; **-kleding** *v* woman's (women's) dress; **-klooster** (-s) *o* nunnery, convent for women; **-koor** (-koren) *o* choir for female voices; **-kwaal** (-kwalen) *v* female (woman's) complaint, women's disease; **-liefde** *v* woman's love; **-list** (-en) *v* woman's ruse, female cunning; **-rechten** *mv* women's rights; **-regering** *v* woman's rule; **-rok** (-ken) *m* woman's skirt; **-stem** (-men) *v* woman's voice; **-vereniging** (-en) *v* women's association; **-verering** *v* woman-worship; **-werk** *o* women's work; **-zadel** (-s) = *dameszadel*; **-ziekte** (-n en -s) *v* women's disease; **'vrouwlief** my dear, my dear wife; **-mens** (-en en -lui), **-spersoon** (-sonen) *o* woman, **F** female; **-tje** (-s) *o* 1 little woman; 2 wif(e)y; **-volk** *o* women, womenfolk
vrucht (-en) *v* fruit²; *deze ~en* these fruit; *de ~en der aarde* (*van zijn vlijt*) the fruits of the earth (of his industry); *~en op sap* (*in blik*) tinned fruit; *verboden ~ is zoet* forbidden fruit is sweet; *~en afwerpen, ~ dragen* (*opleveren*) bear fruit; *de ~(en) plukken van...* reap the fruits of...; *aan hun ~en zult gij ze kennen* **B** by their fruits ye shall know them; *aan de ~ kent men de boom* a tree is known by its fruit; • *met ~* with success, successfully; profitably, with profit, usefully; *zonder ~* without avail, fruitless(ly); **-afdrijvend ~** *middel* abortifacient; **-afdrijving** *v* abortion; **'vruchtbaar** fruitful² [fields, minds, collaboration, discussion &]; fertile² [soil, inventions]; < prolific² [females, brain, writer &]; *~ in* fruitful in [great events &]; fertile in, fertile of [great men]; prolific in; prolific of [offspring, honey &]; **-heid** *v* fruitfulness², fertility²; **'vruchtbeginsel** (-s) *o* ♣ ovary; **-bodem** (-s) *m* ♣ receptacle; **-boom** (-bomen) *m* fruit-tree; **-dragend** fruit-bearing, *fig* fruitful; **'vruchteloos I** *aj* fruitless, vain, futile, unavailing; **II** *ad* fruitlessly, vainly, in vain, to no purpose, without avail; **vruchte'loosheid** *v* fruitlessness, futility; **'vruchtemesje** (-s) *o* fruit-knife; **'vruchtengelei** [-ʒəlɛi] *m* & *v* fruit jelly; **-ijs** *o* fruit ice; **-koopman** (-lieden en -lui) *m* fruit-seller, dealer in fruit, fruiterer; **-kweker** (-s) *m* fruit-grower; **vruchtenkweke'rij** (-en) *v* fruit farm; **'vruchtenlimonade** *v* fruit lemonade; **-mand** (-en) *v* fruit basket; **-schaal** (-schalen) *v* fruit-dish; **-slaatje** (-s) *o* fruit salad; **-taart** (-en) *v* fruit tart, fruit pie; **-wijn** *m* fruit wine
'vruchtepers (-en) *v* fruit-squeezer; **-sap** (-pen) *o* fruit juice; **-suiker** *m* fruit sugar, fructose
'vruchtgebruik *o* usufruct; **-gebruiker** (-s) *m* usufructuary; **-genot** *o* usufruct; **-vlees** *o* ♣ pulp; **-vlies** (-vliezen) *o* amnion; **-vorming** *v* fructification; **-water** *o* amniotic fluid, **F** the waters; **-wisseling** *v* rotation of crops, crop rotation; **-zetting** *v* ♣ setting
V.U. = *Vrije Universiteit* Free (Calvinist) University of Amsterdam
vue [vy.] *~s hebben op* have an eye on; *a ~* at first sight
vuig *aj* (& *ad*) vile(ly), sordid(ly), base(ly); **-heid** *v* vileness, sordidness, baseness
vuil I *aj* dirty², filthy², grimy, grubby [hands]; *fig* nasty, smutty, obscene; (*er*) *~* (*uitziend*) dingy; *~e borden* used plates; *een ~ ei* an addled egg; *~e taal* obscene language; *het ~e wasgoed* the soiled linen; **II** *ad* dirtily²; **III** *o* dirt²; zie ook: *vuilnis*; **-bek** (-ken) *m* foul-mouthed fellow; **'vuilbekken** (vuilbekte, h. gevuilbekt) *vi* talk smut; **vuilbekke'rij** *v* smutty talk, smut; **'vuilheid** *v* dirtiness², filthiness²; *fig* obscenity; **'vuiligheid** (-heden) *v* filth, filthiness, dirt, dirtiness; **'vuilik** (-liken) *m* dirty fellow; *fig* dirty pig; **'vuilmaken** (maakte 'vuil, h. 'vuilgemaakt) **I** *vt* make dirty, dirty,

soil; *ik zal mijn handen niet ~ aan die vent* I am not going to mess my hands with such a fellow; *ik wil er geen woorden over ~* I will waste no words over the affair; **II** *vr zich ~* dirty oneself

'vuilnis *v* & *o* [household] refuse, dirt, rubbish; *Am* garbage; **–auto** [-o.to. of -ɔuto.] ('s) *m* refuse collector; **–bak** (-ken) *m* dustbin, ash-bin, *Am* ash-can, garbage-box; **–belt** (-en) *m* & *v* refuse dump; **–blik** (-ken) *o* dustpan; **–emmer** (-s) *m* dustbin, refuse bin; **–hoop** (-hopen) *m* refuse heap, rubbish heap, midden; **–kar** (-ren) *v* dust-cart, refuse cart; **–koker** (-s) *m* refuse chute; **–man** (-nen) *m* dustman, refuse collector, *Am* garbage man (collector); **–vat** (-vaten) *o* refuse bin; **–wagen** (-s) *m* dust-cart, refuse lorry

'vuilpoes (-en en -poezen) *v* dirty woman (girl &)

'vuilstortplaats (-en) *v* refuse dump

'vuiltje (-s) *o* speck of dirt

'vuilverbranding *v* refuse incineration; **–verwerking** *v* refuse dressing, waste-treatment

vuist (-en) *v* fist; *m e t de ~ op tafel slaan* bang one's fist on the table; *o p de ~ gaan* take off the gloves, resort to fisticuffs; *v o o r de ~* offhand, extempore, without notes; *RT* unscripted [programme]; *een ~ maken* make a fist; *fig* get tough; **–gevecht** (-en) *o* fist-fight, **F** set-to; **–je** (-s) *o* (little) fist; *in zijn ~ lachen* laugh in one's sleeve; **–recht** *o* fist-law, club-law; **–regel** (-s) *m* rule of thumb; **–slag** (-slagen) *m* blow with the fist; **–vechter** (-s) *m* boxer, prize-fighter

vulcani'satie [-'za.(t)si.] *v* vulcanization; **vulcani'seren** (vulcaniseerde, h. gevulcaniseerd) *vt* vulcanize

'vuldop (-pen) *m* 🚗 filler cap

vul'gair [-'gɛ:r] *aj* (& *ad*) vulgar(ly); **vulgari'satie** [-'za.(t)si.] (-s) *v* vulgarization; **vulgari'sator** (-s en -'toren) *m* vulgarizer; **vulgari'seren** (vulgariseerde, h. gevulgariseerd) *vt* vulgarize; **vulgari'teit** (-en) *v* vulgarity; **'vulgus** *o het ~* the vulgar herd, the hoi-polloi, the rabble

'vulhaard (-en) *m* = *vulkachel*

vul'kaan (-kanen) *m* volcano

'vulkachel (-s) *v* base-burner

vul'kanisch volcanic, igneous [rock]

'vullen (vulde, h. gevuld) **I** *vt* fill [a glass, the stomach &]; stuff [chairs, birds]; pad [sofas]; fill, stop [a hollow tooth]; inflate [a balloon]; ⚡ charge [an accumulator]; **II** *vr zich ~* fill

'vulles, 'vullis *o* **F** = *vuilnis*

'vulling (-en) *v* 1 (i n 't a l g.) filling; 2 (v a n o p g e z e t t e d i e r e n & i n d e k e u k e n) stuffing; 3 (v. s o f a) padding; 4 (v. b o n b o n) centre; 5 (v. b a l l o n) inflation; *nieuwe ~* refill [for ball-point pen &]

'vulpen (-nen) *v* fountain-pen; **–houder** (-s) *m* fountain-pen; **–inkt** *m* fountain-pen ink

'vulpotlood (-loden) *o* propelling pencil

'vulsel (-s) *o* stuffing; filling, stopping [of a tooth]

'vultrechter (-s) *m* (filling) funnel; ⚒ hopper

'vulva *v* vulva

vuns dirty, smutty, wasty; **–heid** *v* dirtiness, smuttiness; **'vunzig(heid)** = *vuns(heid)*

'vurehout *o* deal; **–en** deal

1 'vuren (vuurde, h. gevuurd) **I** *vi* ⚔ fire; *~ op* fire at, fire on; **II** *o* firing

2 'vuren *aj* deal

'vurig I *aj* 1 fiery[2] [coals, eyes, horses &]; ardent[2] [rays, love, zeal]; *fig* fervent [hatred, prayers]; fervid [wishes]; 2 red, inflamed [of the skin]; **II** *ad* fierily, ardently, fervently, fervidly; **–heid** *v* 1 fieriness[2]; *fig* fervency [of prayer]; ardour [to do sth.]; spirit [of a horse]; 2 redness, inflammation [of the skin]

vuur (vuren) *o* 1 fire; *fig* ardour; 2 (i n h o u t) dry rot; *het ~ was niet van de lucht* the lightning was continuous; *~ commanderen* ⚔ command fire; *~ geven* ⚔ fire; *geef me eens wat ~* just give me a light; *heeft u wat ~ voor me?* have you got a light for me?; *iem. het ~ na aan de schenen leggen* make it hot for sbd., press sbd. hard; *~ maken* light a fire; *een goed onderhouden ~* ⚔ [keep up] a well-sustained fire; *~ spuwen* spit fire; *~ en vlam spuwen* boil over with rage; *~ vatten* catch fire[2]; *fig* flare up; ● *b ij het ~ zitten* sit near (close to) the fire; *voor iem. d o o r het ~ gaan* go through fire (and water) for sbd.; *i n ~ (ge)raken* catch fire[2]; *fig* warm (up) [to one's subject]; *de troepen zijn nog nooit in het ~ geweest* ⚔ the troops have never been under fire; *in het ~ van het gesprek* in the heat of the conversation; *in ~ en vlam zetten* set [Europe] ablaze; *m e t ~ spelen* play with fire; *iem. met ~ verdedigen* defend sbd. spiritedly; *o n d e r ~* ⚔ under fire; *onder ~ nemen* ⚔ subject to fire; *t e ~ en te zwaard verwoesten* destroy by fire and sword; *t u s s e n twee vuren* ⚔ [enclose the enemy] between two fires; *fig* between the devil and the deep sea; *ik heb wel v o o r heter vuren gestaan* I have been up against a stiffer proposition; **–aanbidder** (-s) *m* fire-worshipper; **–aanbidding** *v* fire-worship; **–baak** (-baken) *v* beacon-light; **vuurbe'stendig** fireproof, heat resistant; **'vuurbol** (-len) *m* fire-ball; **–dood** *m* & *v* death by fire; **–doop** *m* baptism of fire; **–doorn** (-s) *m* ✿ fire thorn, pyracantha; **–eter** (-s) *m* fire-eater; **–gevecht** (-en) *o* exchange of shots (fire); **–gloed** *m* glare, blaze; **–haard**

(-en) *m* hearth, fireplace; **-kast** (-en) *v* ⚒ fire-box; **-kolom** (-men) *v* pillar of fire; **-lak** *o* & *m* black japan; **'Vuurland** *o* Tierra del Fuego; **'vuurlijn** (-en) *v* ⚔ firing-line, line of fire; **-linie** (-s) *v* ⚔ = *vuurlijn*; **-mond** (-en) *m* (muzzle of a) gun; *tien ~en* ten guns; **-peloton** (-s) *o* firing-party, firing-squad; **-pijl** (-en) *m* rocket; **-plaat** (-platen) *v* hearth-plate; **-poel** (-en) *m* sea of fire, blaze; **-proef** (-proeven) *v* fire-ordeal; *fig* crucial (acid) test; *het heeft de ~ doorstaan* it has stood the test; **-rad** (-raderen) *o* Catherine wheel; **-regen** (-s) *m* 1 rain of fire; 2 golden rain [pyrotechnics]; **-rood** as red as fire, fiery red; scarlet [blush, cheeks]; **-scherm** (-en) *o* fire-screen; **-schip** (-schepen) *o* 🕮 fire-ship; ⚓ lightship; **-slag** (-slagen) *o* (flint and) steel; **-spuwend** fire-spitting, spitting fire; *~e berg* volcano; **-staal** (-stalen) *o* fire-steel; **-steen** (-stenen) *o* & *m* flint; **-tje** (-s) *o* small fire; (voor sigaret &) light; *een ~ stoken* make a fire; *als een lopend ~* like wild-fire; **-toren** (-s) *m* lighthouse; **-torenwachter** (-s) *m* lighthouse keeper; **-vast** fire-proof [dish], incombustible; *~e klei* fire-clay; *~e steen* fire-brick, refractory brick; **-vlieg** (-en) *v* fire-fly; **-vreter** (-s) *m* fire-eater[2]; **-wapen** (-s en -en) *o* fire-arm; **-water** *o* fire-water; **-werk** (-en) *o* fireworks; pyrotechnic display, display of fireworks; *~ afsteken* let off fireworks; **-zee** (-zeeën) *v* sea of fire; *het was één ~* it was one sheet of fire, one blaze; **-zuil** (-en) *v* pillar of fire

v.v. = *vice versa*

V.V.V. = *Vereniging voor Vreemdelingenverkeer* ± Travel Association

W

w [*ve.*] ('s) *v* w
W. = *west*
W.A. = *wettelijke aansprakelijkheid*
'waadbaar fordable; *waadbare plaats* ford; **–poot** (-poten) *m* wading-foot; **–vogel** (-s) *m* wading-bird, wader
1 waag (wagen) *v* 1 balance; 2 weighing-house
2 waag *m dat is een hele ~* that is a risky thing; **–hals** (-halzen) *m* dare-devil, reckless fellow; **–halzerig** venturesome, reckless; **waaghalze'rij** (-en) *v* recklessness
'waagmeester (-s) *m* weigh-master; **–schaal** *v zijn leven in de ~ stellen* risk (venture, stake) one's life
'waagstuk (-ken) *o* risky undertaking, venture, piece of daring
'waaien* I *vi* 1 (v. w i n d) blow; 2 (v. v l a g &) flutter in the wind; *laten ~* hang out [a flag]; *hij laat de boel maar ~* he lets things slide; *laat hem maar ~!* give him the go-by; *laat maar ~!* blow the letter (the thing &)!; *de appels ~ van de bomen* the apples are blown from the trees; *het waait* it is blowing; *het waait hard* it is blowing hard, there is a high wind, it is blowing great guns; **II** *vt* in: *iem. met een waaier ~* fan sbd.; **III** *vr zich ~* fan oneself
'waaier (-s) *m* fan; **–boom** (-bomen) *m* fan-tree; **'waaieren** (waaierde, h. gewaaierd) *vi* fan; **'waaierpalm** (-en) *m* ☘ fan-palm; **–vormig I** *aj* fan-shaped; **II** *ad* fan-wise
waak (waken) = *wake*; **'waakhond** (-en) *m* watch-dog, house-dog; **waaks** = *waakzaam*; **'waakster** (-s) *v* watcher; **'waakvlam** (-men) *v* pilot-light; **'waakzaam** vigilant, watchful, wakeful; **–heid** *v* vigilance, watchfulness, wakefulness
1 Waal *v* Waal [river]
2 Waal (Walen) *m* Walloon; **–s I** *aj* Walloon; *de ~e Kerk* the French Reformed Church [in the Netherlands]; **II** *o* Walloon
waan *m* erroneous idea, delusion; *i n de ~ brengen* lead to believe; *hem in de ~ laten dat...* leave him under the impression that...; *in de ~ verkeren dat...* be under a delusion that...; *u i t de ~ helpen* undeceive; **–denkbeeld** (-en) *o* fallacy; **–voorstelling** (-en) *v* delusion
'waanwijs self-conceited, opinionated; **–heid** *v* self-conceit
'waanzin *m* madness, insanity, dementia; **waan'zinnig** mad, insane, demented, distracted, deranged; *als ~* like mad; **–e** (-n) *m-v* madman, mad woman, maniac, lunatic; **waan'zinnigheid** *v* madness; lunacy
1 waar (waren) *v* ware(s), commodity, stuff; *alle ~ is naar zijn geld* you only get value for what you spend; *~ voor zijn geld krijgen* get (good) value for one's money, get one's money's worth; *goede ~ prijst zichzelf* good wine needs no bush
2 waar *aj* true°; *een ware weldaad* ook: a veritable boon; *~ maken* prove, make good [an assertion]; live up to [the expectations, one's name &]; *dat zal je mij ~ maken* you'll have to prove that to me; *het is ~, het zou meer kosten* (it is) true, it would cost more; *het is ~ ook, heb je...?* that reminds me, have you...?; well, now I come to think of it, have you...?; *dat zal wel ~ zijn!* I should think so!; *daar is niets van ~* there is not a word of truth in it; *niet ~?* isn't it?; *jij hebt het gezegd, niet ~?* didn't you?; *jij hebt het, niet ~?* haven't you?; *wij zijn er, niet ~?* aren't we? &; *zo ~ ik leef* (*ik hier voor je sta*) as I live (as I stand here); *daar is iets ~s in* there is some truth in that; *hij is daarvoor de ware niet* he is not the right man for it; *dat is je ware* that is the real thing, the real McCoy, that is it!
3 waar I *ad* where; *~ ga je naar toe?* where are you going?; *~ het ook zij* wherever it be; *~ ook maar* wherever; *~ vandaan* zie *vandaan*; **II** *cj* 1 where; 2 (a a n g e z i e n) since, as
waar'aan, 'waaraan on which, to which &; *de persoon, ~ ik gedacht heb* of whom I have been thinking (whom I have been thinking of); *~ denk je?* what are you thinking of?; **waar'achter, 'waarachter** 1 (v. z a k e n) behind which; 2 (v. p e r s o n e n) behind whom
waa'rachtig I *aj* true, veritable; **II** *ad* truly, really; *~!* surely, certainly!; *~?* is it true?; *~ niet!* 1 certainly not; 2 indeed I won't!; *ik weet het ~ niet!* (I am) sure I don't know!; *en daar ging hij me ~ weg!* and he actually went away; *daar is hij ~!* sure enough, there he is; **–heid** *v* truth, veracity
waar'bij, 'waarbij by which, by what, whereby, whereat &; on which occasion, [accident] in which [people were killed]
'waarborg (-en) *m* guarantee, warrant, security; **'waarborgen** (waarborgde, h. gewaarborgd) *vt* guarantee, warrant; *~ tegen* secure against; **'waarborgfonds** (-en) *o* guarantee fund; **–kapitaal** (-talen) *o* guarantee capital; **–maatschappij** (-en) *v* insurance company; **–som** (-men) *v* security; deposit

waar'boven, 'waarboven above (over) which, above (over) what, above (over) whom

1 waard (-en) *m* 1 innkeeper, landlord, host; 2 ❧ = *woerd*; *zoals de ~ is, vertrouwt hij zijn gasten* you (they) measure other people's cloth by your (their) own yard; *buiten de ~ rekenen* reckon without one's host

2 waard (-en) *v* 1 holm; 2 polder

3 waard I *aj* worth; *het is geen antwoord ~* it is not worthy of a reply; *het aanzien niet ~* not worth looking at; *het is de moeite niet ~* it is not worth (your, our) while, it is not worth it (the trouble); *dank u! – het is de moeite niet ~!* it is no trouble (at all), don't mention it!; *het is niet veel ~* it is not worth much; *het is niets ~* it is worth nothing; *dat is al heel wat ~* that's worth a good deal; *ik geef die verklaring voor wat ze ~ is* for what it may be worth; *hij was haar niet ~* he was not worthy of her; *~e vriend* dear friend; *W~e heer* Dear Sir; **II** *m mijn ~e!* (my) dear friend

'waarde (-n) *v* 1 worth, value; 2 (bedrag v. onderdeel) denomination [of coins, of stamps]; *~n* $ stocks and shares, securities; *aangegeven ~* declared value; *belastbare ~* ratable value; *~ in rekening* $ value in account; *~ genoten* $ value received; *belasting over de toegevoegde ~* zie *BTW*; *~ hebben* be of value; *veel* (*weinig*) *~ hebben* have much (little) value; *~ hechten aan* set value on, attach (great) value to; *zijn ~ ontlenen aan...* owe its value to...; ● *in ~ houden* value; *in ~stijgen* increase in value, go up; *in ~ verminderen* 1 fall in value; 2 (v. geld) depreciate; *naar ~ schatten* judge [sth.] by its true merits; *onder de ~ verkopen* sell for less than its value; *ter ~ van, tot een ~ van* to the value of; *van ~* of value, valuable; *dingen van ~* things of value, valuables; *van geen ~* of no value, valueless, worthless; *van gelijke ~* of the same value; *van grote ~* of great value, valuable; *van nul en gener ~* null and void; *van weinig ~* of little value; **–bepaling** (-en) *v* valuation; **–bon** (-nen en -s) *m* (als geschenk) gift token; (voor gratis monster) gift voucher; **waar'deerbaar** valuable, appreciable; **'waardeleer** *v filos* axiology; **–loos** worthless; **waarde'loosheid** *v* worthlessness; **'waardemeter** (-s) *m* standard of value; **–oordeel** (-delen) *o* value judg(e)ment; **–papieren** *mv* securities

waar'deren (waardeerde, h. gewaardeerd) *vt* value (at its true worth), appreciate (at its proper value), esteem; value, estimate, appraise [by valuer]; **–d** *aj* (& *ad*) appreciative(ly); **waar'dering** (-en) *v* valuation, estimation, appraisal [by valuer]; appreciation [of sbd.'s worth &]; esteem; (*geen, weinig*) *~ vinden* meet with (no, little) appreciation; *met ~ spreken van* speak appreciatingly of; **–scijfer** (-s) *o* rating

'waardeschaal (-schalen) *v* scale of values; **–vast** stable [currency]; **–vermeerdering** (-en) *v* 1 increase in value; 2 [tax on] increment; **–vermindering** (-en) *v* depreciation, fall in value; **–vol** valuable, of (great) value

'waardig I *aj* worthy, dignified; *een ~ zwijgen* a dignified silence; *~ zijn* be worthy of; **II** *ad* [conduct oneself] with dignity; **–heid** (-heden) *v* 1 (het waard zijn) worthiness; 2 (van houding &) dignity; 3 (ambt) dignity; *de menselijke ~* human dignity; *het is beneden zijn ~* it is beneath his dignity, it is beneath him; *in al zijn ~* in all his dignity; *met ~* with dignity; **–heidsbekleder** (-s) *m* dignitary

waar'dij *v* worth, value

waar'din (-nen) *v* landlady, hostess

waar'door, 'waardoor 1 through which; 2 by which, by which means, whereby; **waar'heen, 'waarheen** where, where... to, to what place, ⚒ whither

'waarheid (-heden) *v* truth; *de zuivere ~* the truth and nothing but the truth; *een ~ als een koe* a truism; *de ~ spreken* speak the truth; *de ~ zeggen* tell the truth, be truthful; *iem.* (*ongezouten, vierkant*) *de ~ zeggen* tell sbd. some home truths, give sbd. a piece of one's mind; *om de ~ te zeggen* to tell the truth; ● *dat is dichter bij de ~* that is nearer the truth; *naar ~* truthfully; truly; **waarheid'lievend, –'minnend** truth-loving, truthful, veracious; **'waarheidsgetrouw** truthful, faithful, true, factual; **–liefde** *v* love of truth, truthfulness, veracity; **–serum** *o* truth serum; **–zin** *m* sense of truth

waa'rin, 'waarin in which, ⊙ wherein; **waar'langs, 'waarlangs** past which, along which

'waarlijk truly, indeed, sure enough, upon my word, ⊙ in truth, of a truth

'waarmaken (maakte 'waar, h. 'waargemaakt) *vt zich ~* prove oneself; prove to come up to expectations

waar'me(d)e, 'waarme(d)e with which; with whom

'waarmerk (-en) *o* stamp; hallmark [on metal objects]; **'waarmerken** (waarmerkte, h. gewaarmerkt) *vt* stamp, authenticate, attest, certify, validate; hallmark [metal objects]; **–king** *v* stamping, authentication

waar'na after which, whereupon; **waar'naar, 'waarnaar** to which; **waar'naast, 'waarnaast** beside which, by the side of which, next to which &

waar'neembaar perceptible; **–heid** *v* perceptibility; **'waarnemen** (nam 'waar, h. 'waargenomen) **I** *vt* 1 (met het oog &) observe, perceive; 2 (gebruik maken van) avail oneself of, take [the opportunity]; 3 (uitvoeren) perform [one's duties]; *hij neemt de betrekking waar* he fills the place temporarily; **II** *va* 1 observe; 2 fill a place temporarily; act (as a deputy, as a substitute) for, deputize for; act as a locum tenens, stand in [for a doctor or clergyman]; **–d** acting, deputy, temporary; **'waarnemer** (-s) *m* 1 (die waarneemt) observer; 2 (plaatsvervanger) deputy, locum tenens [of doctor or clergyman], substitute; **'waarneming** (-en) *v* 1 observation; perception; 2 performance [of duties]; **'waarnemingsfout** (-en) *v* observational error; **–post** (-en) *m* observation post; **–vermogen** *o* 1 perceptive faculty; 2 power(s) of observation

waar'nevens next to which; **waa'rom, 'waarom I** *cj* why, ⊙ wherefore; **II** *o het* ~ the why (and wherefore); **'waaromtrent, waarom'trent** about which; **waa'ronder, 'waaronder** 1 under which; 2 among whom; including...; **waar'op, 'waarop** 1 on which; 2 upon which, after which, whereupon; **waar'over, 'waarover** across which; *fig* about which

waar'schijnlijk I *aj* probable, likely; **II** *ad* probably; *hij zal ~ niet komen* ook: he is not likely to come; **waar'schijnlijkheid** (-heden) *v* probability, likelihood; *naar alle ~ zal hij...* in all probability (likelihood) he will...; **–srekening** *v* theory (calculus) of probabilities

'waarschuwen (waarschuwde, h. gewaarschuwd) **I** *vt* warn, admonish, caution; (een sein geven) let [sbd.] know, tell; (roepen) call [a doctor], alarm [the police]; ~ *voor* (*tegen*) caution against, warn of [a danger], warn against [person or thing]; *wees gewaarschuwd!* take my warning!, let this be a warning to you!; **II** *va* warn; **–d I** *aj* warning; **II** *ad* warningly; **'waarschuwing** (-en) *v* 1 warning, admonition, caution; 2 [tax-collector's] summons for payment; **'waarschuwingsbord** (-en) *o* notice-board, danger-board; **–commando** ('s) *o* cautionary word of command; **–schot** (-schoten) *o* warning shot

waar'tegen, 'waartegen against which; **waar'toe, 'waartoe** for which; ~ *dient dat?* what's the good?; **waar'tussen, 'waartussen** between which, between whom; **waar'uit, 'waaruit** from which, whence; **waar'van, 'waarvan** of which, ⊙ whereof; **waar'voor, 'waarvoor** for what; *~?* what for?, for what purpose?

'waarzeggen (waarzegde, h. gewaarzegd, waargezegd) *vi* tell fortunes; *iem.* ~ tell sbd.'s fortune; *zich laten* ~ have one's fortune told; **–er** (-s) *m* fortune-teller, soothsayer; **waarzegge'rij** (-en), **'waarzegging** (-en) *v* fortune-telling, soothsaying; **–zegster** (-s) *v* fortune-teller, soothsayer

waas *o* 1 haze [in the air]; 2 bloom [of fruit]; 3 mist [before one's eyes]; 4 *fig* air [of secrecy]

wacht (-en en -s) *m* & *v* 1 watch, guard; 2 clue [of an actor]; *de ~ aflossen* ⚔ relieve guard; ⚓ relieve the watch; *de ~ betrekken* ⚔ mount guard; ⚓ go on watch; *de ~ hebben* ⚔ be on guard; ⚓ be on watch; *de ~ houden* keep watch; *de ~ overnemen* ⚔ take over guard; ⚓ take over the watch; *de ~ in het geweer roepen* ⚔ turn out the guard; ● *in de ~ slepen* walk away with, spirit away; *in de ~ zijn* be on night-duty [of nurses]; *op ~ staan* ⚔ be on duty, stand guard; **–dienst** *m* ⚔ guard-duty; ⚓ watch

'wachten (wachtte, h. gewacht) **I** *vi* wait; *wacht even!* just a moment!; *wacht (even), je vergeet dat...* wait a bit! you forget that...; *wacht (jij) maar!* just wait!, you wait!; *dat kan ~* it can wait; *iem. laten ~* keep sbd. waiting; > leave sbd. to cool his heels; give sbd. a long wait; *staan ~* be waiting; *wat u te ~ staat* what awaits you, what is in store for you; ● *~ met iets tot...* wait to... till..., delay ...ing till...; *~ met het eten op vader* wait dinner for father; *~ met schieten* wait to fire; *~ op* wait for; *hij laat altijd op zich ~* he always has to be waited for; *u hebt lang op u laten ~* you have given us a long wait; **II** *vt* wait for [letter, visitors &]; *zij heeft geld te ~ van een oom* she has expectations from an uncle of hers; *wat u wacht* what awaits you, what is in store for you; **III** *vr zich ~* be on one's guard; *zich wel ~ om...* know better than to...; *zich ~ voor iets* be on one's guard against sth.; *wacht u voor zakkenrollers!* beware of pickpockets!; **–er** (-s) *m* 1 watchman, keeper; 2 satellite [of a planet]

'wachtgeld (-en) *o* half-pay; **–gelder** (-s) *m* official on half-pay; **–hebbend** on duty; **–huisje** (-s) *o* 1 ⚔ sentry-box; 2 [tram, bus] shelter; **–kamer** (-s) *v* 1 waiting-room; ook: [a doctor's] ante-room; 2 ⚔ guard-room [for soldiers]; **–lijst** (-en) *v* waiting-list; **–lokaal** (-kalen) *o* ⚔ guard-room; **–meester** (-s) *m* sergeant; **–parade** (-s) *v* guard-mounting, parade for guard; **–post** (-en) *m* guard-post; **–schip** (-schepen) *o* ⚓ guard-ship; **–tijd** *m* waiting time, waiting period; **–toren** (-s) *m* watch-tower; **–verbod** *o* waiting prohibition; **–vuur** (-vuren) *o* watch fire; **–woord** (-en) *o* 1 ⚔ password, word, countersign, parole; 2 watchword[2]; 3 cue [of an actor]; *het ~ uitgeven* ⚔ give the word

wad (-den) *o* shoal, mud-flat; *de Wadden* the

Dutch Wadden shallows
⊙ **'wade** (-n) *v* shroud
'waden (waadde, h. en is gewaad) *vi* wade
'wadjan (-s) *m* wok
'wadlopen *o* wading in the mud-flats
waf (waf)! bow-wow!
'wafel (-s en -en) *v* waffle; (d u n) wafer; *hou je ~* **F** shut your head!, shut up!; **-bakker** (-s) *m* waffle-baker; **-doek** 1 *o* & *m* (s t o f n a a m) honeycomb cloth; 2 (-en) *m* (v o o r w e r p s - n a a m) honeycomb towel; **-ijzer** (-s) *o* waffle-iron; **-kraam** (-kramen) *v* & *o* waffle-baker's booth; **-stof** *v* honeycomb cloth
1 'wagen (waagde, h. gewaagd) **I** *vt* risk, hazard, venture, dare; *het ~* venture [to go &]; *er alles aan ~* risk one's all; *er een gulden aan ~* venture a guilder on it; *hij durft alles ~* he is ready for any venture; *daar waag ik het op* I'll risk it, I'll take my chance of it; *waag het niet!* don't you dare!; *hij zal het niet ~* he won't venture (up)on doing it (to do it); *hoe durft u 't ~?* how dare you (do it)?; *wie het waagt hem tegen te spreken* who should venture upon contradicting him; *ze zijn aan elkaar gewaagd* they are well matched, it is diamond cut diamond; *zijn leven ~* risk (venture) one's life; **II** *vr zich ~ aan iets* venture on sth., take the risk; *zich aan een voorspelling ~* venture on a prophecy; *zich op het ijs ~* venture upon the ice, zie ook: *ijs*; **III** *va die niet waagt, die niet wint* nothing venture, nothing have
2 'wagen (-s) *m* (v o e r t u i g) vehicle; (r ij t u i g) [railway] carriage, [state] coach; (v r a c h t w a g e n) waggon, wagon, [delivery, goods] van, [flat, open] truck; (k a r) [milk-, hand-] cart; [tram-, motor-] car; ↖ & 📖 chariot; (v. s c h r ij f m a c h i n e) carriage; *de Wagen* ★ Charles's Wain; *krakende ~s duren (lopen) het langst* creaking doors hang (the) longest, cracked pots last longest; **-as** (-sen) *v* axle-tree; **-bestuurder** (-s) *m* driver; **-huis** (-huizen) *o* cart-shed, coach-house; **-maker** (-s) *m* 1 cartwright, wheelwright; 2 coach-builder; **wagenmake'rij** (-en) *v* 1 cartwright's (wheelwright's) shop; 2 coach-builder's shop; **'wagenmenner** (-s) *m* driver, ⊙ charioteer; **-park** (-en) *o* 1 = *autopark*; 2 (r o l l e n d m a t e r i a a l) rolling-stock, (p l a a t s d a a r - v o o r) rolling-stock depot; 3 ⚔ artillery park, wagon park; **-rad** (-raderen) *o* carriage-wheel, cartwheel; **-schot** *o* wainscot; **-smeer** *o* & *m* cart-grease; **-spoor** (-sporen) *o* rut, track; **-vol** *v*, **-vracht** (-en) *v* cart-load, wagon-load; **-wijd** (very) wide; **-ziek** carsick, trainsick
'waggelen (waggelde, h. en is gewaggeld) *vi* stagger, totter, reel; waddle [like a duck]; *een ~de tafel* a rickety table
wa'gon (-s) *m* carriage [for passengers]; van [for luggage, goods], wag(g)on, truck [for cattle, open or flat]; **-lading** (-en) *v* wagon-load, truck-load
'wajang (-s) *m* wayang [Javanese shadow-play]
wak (-ken) *o* blow-hole in the ice
'wake (-n) *v* watch, vigil; **'waken** (waakte, h. gewaakt) *vi* wake, watch; *~ b ij* watch by, watch over, sit up with, watch with [the sick]; *~ o v e r* watch over, look after; *~ t e g e n* (be on one's) guard against; *~ v o o r* watch over, look after [sbd.'s interests]; *ervoor ~ dat...* take care that..., see to it that...; **-d** 1 wakeful, watchful; vigilant; 2 waking; *een ~ oog houden op...* keep a wakeful (watchful) eye on...; **'waker** (-s) *m* watchman, watcher
'wakker I *aj* 1 (w a k e n d) awake, waking; 2 (w a a k z a a m) awake, vigilant; 3 (f l i n k) smart; spry; brisk; *~ liggen* lie awake; *~ maken* wake², awake², waken², wake up²; *~ roepen* wake (up), call up² [a person, an image, memories]; *fig* evoke [feelings &]; *~ schrikken* start from one's sleep; *~ schudden* shake up², rouse²; *hem ~ schudden uit zijn droom* rouse him from his dream²; *~ worden* wake up², awake²; **II** *ad* smartly; briskly; **-heid** *v* spryness; briskness
wal (-len) *m* 1 ⚓ bank, coast, shore; quay, embankment; 2 ⚔ rampart; *~len onder de ogen* bags under the eyes; *a a n (de) ~* ashore, on shore; *aan ~ brengen* land; *aan ~ gaan* go ashore; *aan lager ~ geraken* ⚓ get on a lee-shore; *fig* go downhill, come down in the world, be thrown on one's beam-ends; *aan lager ~ zijn* [*fig*] be in low water; *v a n de ~* $ ex quay; *van de ~ in de sloot* out of the frying-pan into the fire; *van ~ steken* ⚓ push off, shove off; *fig* start, go ahead; *steek maar eens van ~!* **F** fire away!; *van twee ~len eten* play a double game and take advantage of both sides; **-baas** (-bazen) *m* wharfinger, superintendent
'waldhoorn, -horen (-s) *m* ♪ French horn
'Walenland *o* Walloon country
Wales [ve.ls] *o* Wales; *van ~* Welsh
walg *m* loathing, disgust, aversion; *een ~ hebben van* loathe; **'walgelijk** = *walglijk*; **-heid** = *walglijkheid*; **'walgen** (walgde, h. gewalgd) *vi ik walg ervan* I loathe it, I am disgusted at (with) it, it makes me sick; *tot je ervan walgt* till you become nauseated (disgusted) with it; *ik walg van mezelf* I loathe myself; *iem. doen ~* fill sbd. with disgust, turn sbd.'s stomach; *tot ~s toe* to loathing; **-ging** *v* loathing, disgust, nausea; **'walglijk I** *aj* loathsome, revolting, nauseating, sickening, nauseous, disgusting; **II** *ad* disgustingly &; *~ braaf* disgustingly good;

~ *zoet* revoltingly sweet; **–heid** *v* loathsomeness &
wal'halla *o* Valhalla
'walkapitein (-s) *m* landing captain; **–kraan** (-kranen) *v* (lifting) crane
Wal'lonië *o* Wallonia
walm (-en) *m* smoke; **'walmen** (walmde, h. gewalmd) *vi* smoke; **–d, 'walmig** smoky [lamp]
'walnoot (-noten) *v* walnut
'walrus (-sen) *m* walrus
wals (-en) 1 *m* & *v* (d a n s) waltz; || 2 *v* ⚒ roller, cylinder; **1 'walsen** (walste, h. gewalst) *vi* ♪ waltz; **2 'walsen** (walste, h. gewalst) *vt* ⚒ roll; **walse'rij** (-en) *v* ⚒ rolling-mill; **'walsmachine** [-ma.ʃi.nə] (-s) *v* ⚒ rolling-machine; **–tempo** *o* ♪ waltz-time
'walstro *o* ✿ bedstraw
'walvis (-sen) *m* whale; **–achtig** cetacean; **–baard** (-en) *m* whalebone; **–spek** *o* (whale-) blubber; **–traan** *m* whale-oil, train-oil; **–vaarder** (-s) *m* whaler; **–vangst** *v* whale-fishery, whaling
'wambuis (-buizen) *o* jacket, 🕮 doublet
wan (-nen) *v* winnower, fan
'wanbegrip (-pen) *o* false notion; **–beheer** *o* mismanagement; **–beleid** *o* mismanagement; **–bestuur** *o* misgovernment; **–betaler** (-s) *m* defaulter; **–betaling** (-en) *v* non-payment; *bij* ~ in default of payment; **–bof** *m* bad luck; **'wanboffen** (wanbofte, h. gewanboft) *vi* be down on one's luck
wand (-en) *m* 1 wall; 2 (v. b e r g, s c h i p) side; (v. r o t s, s t e i l) face
'wandaad (-daden) *v* crime, outrage, misdoing
'wandbekleding (-en) *v* wall-lining
'wandel *m fig* conduct, behaviour; *aan* (*op*) *de* ~ *zijn* be out for a walk; **–aar** (-s) *m*, **–aarster** (-s) *v* walker; **–dek** (-ken) *o* ⚓ promenade deck; **'wandelen** (wandelde, h. en is gewandeld) *vi* walk, take a walk; *~d blad* leaf-insect; *de Wandelende Jood* the Wandering Jew; *~de nier* wandering kidney; *~de tak* stick-insect; **'wandelgang** (-en) *m* lobby; **'wandeling** (-en) *v* walk, stroll; *een* ~ *doen* take a walk; *een* ~ *gaan doen* (*maken*) go for a walk; *in de* ~ ... *genoemd* popularly called...; **'wandelkaart** (-en) *v* tourist's map; **–kostuum** (-s) *o* walking-dress [of a lady]; lounge-suit [of a gentleman]; **–pad** (-paden) *o* footpath; **–pier** (-en) *m* promenade pier; **–plaats** (-en) *v* promenade; **–sport** *v* hiking; **–stok** (-ken) *m* walking-stick; **–tocht** (-en) *m* walking tour, hike; **–wagen** (-s) *m* push chair; **–weg** (-wegen) *m* walk
'wandgedierte *o* bugs; **–kaart** (-en) *v* wall-map; **–kalender** (-s) *m* wall-calendar; **–kleed** (-kleden) *o* (wall) tapestry, arras; **–luis** (-luizen) *v* (bed-)bug; **–plaat** (-platen) *v* ✎ wall-picture; **–rek** (-ken) *o* rib stalls, wall bars; **–schildering** (-en) *v* mural painting, mural, wall-painting; **–tapijt** (-en) *o* tapestry; **–versiering** (-en) *v* mural decoration
'wanen (waande, h. gewaand) *vt* fancy, think
wang (-en) *v* cheek; **–been** (-deren) *o* cheekbone
'wangedrag *o* bad conduct, misconduct, misbehaviour; **–gedrocht** (-en) *o* monster; **–geluid** (-en) *o* dissonance, cacophony
'wangunst *v* envy; **wan'gunstig** envious
'wangzak (-ken) *m* cheek-pouch
'wanhoop *v* despair; *uit* ~ in despair; **'wanhoopsdaad** (-daden) *v* act of despair, desperate act; **–kreet** (-kreten) *m* cry of despair; **'wanhopen** (wanhoopte, h. gewanhoopt) *vi* despair (of *aan*); **wan'hopig** desperate, despairing; *iem.* ~ *maken* drive sbd. to despair, drive sbd. mad; ~ *worden* give way to despair; ~ *zijn* be in despair
'wankel unstable, unsteady; rickety [chairs &]; shaky[1]; delicate [health]; **–baar** unstable, unsteady, changeable; ~ *evenwicht* unstable equilibrium; **–baarheid** *v* instability, unsteadiness, changeableness; **'wankelen** (wankelde, h. en is gewankeld) *vi* totter[2], stagger[2], shake[2]; *fig* waver, vacillate; *een slag die hem deed* ~ a staggering blow; *aan het* ~ *brengen* stagger[2], shake[2] [the world, his resolution]; *fig* make [him] waver; *aan het* ~ *raken* (begin to) waver[2]; **–ling** (-en) *v* tottering; *fig* wavering, vacilation; **wankel'moedig** wavering, vacillating, irresolute; **–heid** *v* wavering, vacillation, irresolution
'wankelmotor (-s en -toren) *m* Wankel engine
'wanklank (-en) *m* discordant sound, dissonance; *fig* jarring note
wan'luidend dissonant, jarring; **–heid** *v* dissonance
'wanmolen (-s) *m* winnower
wan'neer I *ad* when; **II** *cj* when; (i n d i e n) if; ~ *...ook* whenever
'wannen (wande, h. gewand) *vt* winnow, fan
'wanorde *v* disorder, confusion; *in* ~ *brengen* throw into disorder, confuse, disarrange; **wan'ordelijk** disorderly, in disorder; **–heid** *v* disorderliness; *wanordelijkheden* disturbances
'wanprestatie [-(t)si.] (-s) non-fulfilment, non-performance, default
wan'schapen misshapen, deformed, monstrous; **–heid** *v* deformity, monstrosity
'wanschepsel (-s) *o* monster; **–smaak** (-smaken) *m* bad taste
wan'staltig misshapen, deformed; **–heid** *v* deformity

1 want (-en) *v* (v u i s t h a n d s c h o e n) mitten
2 want *o* 1 ⚓ rigging; 2 (v i s~) nets; *lopend ~* running rigging; *staand ~* standing rigging
3 want *cj* for
'wanten *hij weet van ~* he knows the ropes
'wantoestand (-en) *m* abuse
'wantrouwen (wantrouwde, h. gewantrouwd) **I** *vt* distrust; suspect; **II** *o* distrust (of *in*); suspicion; zie ook: *motie*; **wan'trouwend** = *wantrouwig*; **wan'trouwig I** *aj* distrustful; suspicious; **II** *ad* distrustfully; suspiciously; **–heid** *v* distrustfulness; suspiciousness
wants (-en) *v* ❀ bug
'wanverhouding (-en) *v* disproportion; *~en* abuses
'wapen (-s) *o* 1 (ook: -en) weapon, arm; 2 arm of service, arm; 3 ▨ arms, coat of arms; *het ~ der infanterie, artillerie* ook: the infantry, artillery arm; *de ~s dragen* bear arms; *de ~s (~en) opnemen* of *opvatten* take up arms; ● *b ij welk ~ dient hij?* in what arm is he?; *hoog i n zijn ~ zijn* be very proud; *o n d e r de ~s komen* ⚔ join the army; *onder de ~s roepen* ⚔ call up; *onder de ~s staan (zijn)* ⚔ be under arms; *t e ~!* to arms!; *te ~ snellen* spring to arms; **–boek** (-en) *o* ▨ armorial; **–broeder** (-s) *m* brother in arms, companion in arms, comrade in arms, fellow-soldier; **–drager** (-s) *m* 🕮 armour-bearer, squire; **'wapenen** (wapende, h. gewapend) **I** *vt* arm; **II** *vr zich ~* arm oneself, arm; *zich ~ tegen* arm against[2]; **'wapenfabriek** (-en) *v* arms factory; **–fabrikant** (-en) *m* arms manufacturer; **–feit** (-en) *o* feat of arms; **–gekletter** *o* clash (clang, din) of arms; **–geweld** *o* force of arms; **–handel** *m* 1 ⚔ use of arms; 2 $ trade in arms, > arms traffic; **–handelaar** (-s) *m* arms dealer; **–industrie** *v* armaments industry; **'wapening** *v* ⚔ arming, armament, equipment; **'wapenkamer** (-s) *v* armoury; **–koning** (-en) *m* king-of-arms; **–kreet** (-kreten) *m* war-cry; **–kunde** *v* ▨ heraldry; **wapen'kundig** ▨ 1 heraldic; 2 versed in heraldry; **–e** (-n) *m* ▨ heraldist; **'wapenmagazijn** (-en) *o* arsenal; **–rek** (-ken) *o* arm-rack; **–rok** (-ken) *m* 1 ⚔ tunic; 2 🕮 coat of mail; **–rusting** (-en) *v* 🕮 (suit of) armour; **–schild** (-en) *o* ▨ escutcheon, scutcheon, armorial bearings, coat of arms; **–schouwing** (-en) *v* review; **–smid** (-smeden) *m* armourer; **–smokkelarij** *v* gun-running; **–spreuk** (-en) *v* device; **–stilstand** *m* armistice; **–stok** (-ken) *m* truncheon, baton; **–tuig** *o* weapons, arms; **–zaal** (-zalen) *v* armoury
'wapperen (wapperde, h. gewapperd) *vi* wave, float, fly, flutter, stream
war *v i n de ~* tangled, in a tangle, in confusion, confused; *iem. in de ~ brengen* put sbd. out, confuse sbd.; *in de ~ gooien* zie *in de ~ sturen*; *in de ~ maken* 1 (p e r s o n e n) confuse, disconcert; 2 (d i n g e n) disarrange, muddle up [things]; tangle [threads, hair]; tumble, rumple [clothes, hair]; *in de ~ raken* 1 (v. p e r s o n e n) be put out; 2 (v. d i n g e n) get entangled [of thread &], get mixed up, be thrown into confusion [of things]; *in de ~ sturen* derange [plans]; upset, spoil [everything]; *de boel in de ~ sturen* ook: make a mess of it; *een openbare bijeenkomst in de ~ sturen* break up a public meeting; *in de ~ zijn* 1 (v. p e r s o o n) be confused, be at sea; be (mentally) deranged; 2 (v. d i n g e n) be in confusion, be in a tangle, be at sixes and sevens; *mijn maag is in de ~* my stomach is out of order, is upset; *het weer is in de ~* the weather is unsettled; *u i t de ~ halen* disentangle
wa'rande (-n) *v* park, pleasure-grounds
wa'ratje = *waarachtig* **II**
'warboel (-en) *m* confusion, muddle, mess, tangle, mix-up
ware zie 2 *waar*
wa'rempel = *waarachtig* **II**
1 'waren *mv* wares, goods, commodities
2 'waren (waarde, h. gewaard) *vi* = *rondwaren*
3 'waren V.T. meerv. van *wezen, zijn*
'warenhuis (-huizen) *o* department store(s), stores; **–wet** *v* food and drugs act
'warhoofd (-en) *o* & *m-v* scatter-brain, muddle-head; **war'hoofdig** scatter-brained, muddle-headed
'warhoop (-hopen) *m* confused heap
wa'ringin (-s) *m* ✿ 1 banyan (tree) [Ficus Benjamina]; 2 pagoda tree [Ficus religiosa]
'warkruid *o* dodder
warm I *aj* warm[2] [food &, friend, partisan, thanks, welcome], hot[2] [water &]; *~e baden* 1 hot baths; 2 thermal baths; *~e bron* thermal spring; *je bent ~! sp* you are warm (hot)!; *het wordt ~* 1 it is getting warm; 2 the room is warming up; *het ~ hebben* be warm; *het eten ~ houden* keep dinner warm; *iem. ~ maken voor iets* rouse sbd.'s interest in sth., make sbd. enthusiastic for sth.; **II** *ad* warmly[2], hotly[2]; *~ aanbevelen* recommend warmly; *het zal er ~ toegaan* it will be hot work; **warm'bloedig** warm-blooded; **'warmen** (warmde, h. gewarmd) **I** *vt* warm, heat; **II** *vr zich ~ (aan)* warm oneself (at); *warm je eerst eens* have a warm first; **'warmlopen** (liep 'warm, is 'warmgelopen) *vi* ⚒ run hot, heat; *fig* warm up, warm [to one's work]; kindle to
warmoeze'rij (-en) *v* market-garden
'warmpjes = *warm* **II**; zie ook: *inzitten*; **'warmte** *v* warmth[2], heat, ardour[2]; *b ij zulk een ~* in such hot weather, in such a heat; *m e t ~ (verdedigen &)* warmly; **–besparend** heat

saving; **–bron** (-nen) *v* source of heat; **–ëenheid** (-heden) *v* heat unit, thermal unit, calorie; **–geleider** (-s) *m* conductor of heat; **–geleiding** (-en) *v* conduction of heat; **–graad** (-graden) *m* degree of heat; **–ïsolatie** [-i.zo.la.(t)si.] *v* heat insulation; **–leer** *v* theory of heat, thermodynamics; **–meter** (-s) *m* thermometer; calorimeter; **–ontwikkeling** *v* development of heat; **–techniek** *v* heat engineering; **~-uitslag** *m* heat rash, prickly heat; **warm'waterkraan** (-kranen) *v* hotwater tap (cock); **–kruik** (-en) *v* hot-water bottle; **–reservoir** [-re.zɛrvva:r] (-s) *o* (water-)heater; **–zak** (-ken) *m* hot-water bag

'warnet (-ten) *o* maze, labyrinth

'warrelen (warrelde, h. gewarreld) *vi* whirl; **–ling** (-en) *v* whirl(ing); **'warrelwind** (-en) *m* whirlwind

'warren (warde, h. geward) *vt door elkaar* ~ entangle

wars ~ *van* averse to (from)

'Warschau ['vɑrʃɔu] *o* Warsaw

'wartaal *v* incoherent talk, gibberish

'wartel (-s) *m* swivel

'warwinkel (-s) *m* = *warboel*

1 was *m* rise [of a river]

2 was *m* & *o* wax; *slappe* ~ dubbin(g); *goed in de slappe ~ zitten* **F** be well-heeled

3 was *m* wash, laundry; *bonte* (*witte*) ~ coloured (white) washing; *schone* ~ clean linen; *vuile* ~ soiled linen; *zij doet zelf de* ~ she does the washing herself; *het blijft goed in de* ~ it will wash; it doesn't shrink in the wash; *in de ~ doen* (*geven*) put in the wash, send to the laundry; *de ~ uit huis doen* send the washing out

4 was (**waren**) V.T. van *wezen, zijn*

'wasachtig waxy, cereous; **–afdruk** (-ken) *m* impression in wax

'wasautomaat [-o.to.- of -ɔuto.-] (-maten) *m* (automatic) washing-machine; **–baar** = *wasecht*; **–baas** (-bazen) *m* washerman, laundryman; **–bak** (-ken) *m* (wash-)basin; **–beer** (-beren) *m* raccoon

'wasbleek waxen

'wasbord (-en) *o* washboard, scrubbing board; **–dag** (-dagen) *m* washing-day, wash-day; **–doek** (-en) *o* & *m* oilcloth

'wasdom *m* growth

'wasecht washable, fast-dyed, fast [colours], washing [silk, frock]; *is het ~?* does it wash?

'wasem (-s) *m* vapour, steam; **'wasemen** (wasemde, h. gewasemd) *vi* steam

'wasgeel as yellow as wax

'wasgeld (-en) *o* 1 laundry charges, washing-money; 2 laundry allowance; **–goed** *o* washing, laundry; **–handje** (-s) *o* washing-glove, flannel; **–hok** (-ken), **–huis** (-huizen) *o* wash-house; **–inrichting** (-en) *v* laundry

'waskaars (-en) *v* wax candle, taper

'waskan (-nen) *v* ewer, jug; **–ketel** (-s) *m* wash-boiler; **–klem** (-men) *v* = *wasknijper*

'waskleur *v* wax colour; **–ig** wax-coloured

'wasknijper (-s) *m* clothes-peg, clothes-pin; **–kom** (-men) *v* wash-basin, wash-hand basin; **–kuip** (-en) *v* washing-tub, wash-tub; **–lapje** (-s) *o* face-cloth, flannel

'waslicht (-en) *o* wax-light

'waslijn (-en) *v* clothes-line; **–lijst** (-en) *v* wash-list, laundry list; **–lokaal** (-kalen) *o* wash-room

'waslucifer (-s) *m* wax-match, (wax-)vesta

'wasmachine [-ma.ʃi.nə] (-s) *v* washing-machine; **–man** (-nen) *m* washerman, laundryman; **–mand** (-en) *v* laundry-basket; **–merk** (-en) *o* laundry mark; **–middel** (-en) *o* detergent

'waspitje (-s) *o* night-light

'waspoeder, –poeier (-s) *o* & *m* washing-powder

1 'wassen* *vi* 1 (g r o e i e n) grow; 2 rise [of a river]; *de maan is aan het* ~ the moon is on the increase (is waxing)

2 'wassen* *vt* wax

3 'wassen* I *vt* 1 wash [one's hands, dirty linen &]; 2 wash up [plates]; 3 shuffle [cards, dominoes]; **II** *va* wash [for a living], take in washing; **III** *vr zich* ~ wash oneself; wash [before dinner &]

4 'wassen *aj* wax(en); **wassen'beeld** (-en) *o* wax figure, dummy; **–enspel** (-len) *o* waxwork show, waxworks

'wasser (-s) *m* washer; **wasse'rij** (-en) *v* laundry(-works); *automatische* ~ launderette; **'wasstel** (-len) *o* toilet-service, toilet-set; **–tafel** (-s) *v* wash-hand basin, wash-hand stand; *vaste* ~ fitted wash-basin; **–tobbe** (-n en -s) *v* washing-tub, wash-tub; **–verzachter** (-s) *m* (fabric) softener, softening agent; **–voorschrift** (-en) *o* washing instructions; **–vrouw** (-en) *v* washerwoman, laundress; **–water** *o* wash-water, washing-water

wat I *vragend vnmw* 1 (i n v r a g e n d e z i n n e n) what; ~ *is er?* what is the matter?; ~ *zegt hij?* what does he say?; *mooi, ~?* fine, what? ~ *nieuws?* what news?; ~ *voor een man is hij?* what man (what sort of man) is he?; *ik weet ~ voor moeilijkheden er zijn* I know what difficulties there are; ~, *meent u het?* what, do you really mean it?; *wel, ~ zou dat?* well, what of it?, what's the odds?; *en al zijn we arm, ~ zou dat?* what though we are poor?; *en ~ al niet* and what not; 2 (i n u i t r o e p e n d e z i n n e n) what; ~ *een mooie bomen!* what fine trees!; ~ *een idee!* what an idea!; ~ *was ik blij!* how glad

I was!; ~ *liepen ze!* how they did run!; ~ *mooi &!* how fine!; ~ *dan nog!* so what!; *weet je ~?, we gaan...* you know what (I'll tell you what), let's...; **II** *onbep. vnmw.* something; *het is me ~!* it is something awful!; *ja, jij weet ~!* **F** fat lot you know!; ~ *je zegt!* as you say!, indeed!; *hij zei ~* he said something; ~ *hij ook zei, ik...* whatever he said I...; *voor ~ hoort ~* nothing for nothing; ~ *nieuws* something new; ~ *papier* some paper; **III** *betr. vnmw.* what; which; that; *alles ~ ik heb* all (that) I have; *doe ~ ik zeg* do as I say; *hij zei dat hij het gezien had, ~ een leugen was* he said he had seen it, which was a lie; **IV** *ad* 1 (e e n b e e t j e) a little, somewhat, slightly, rather; 2 (h e e l e r g) very, quite; *hij was ~ beter* a little better; *hij was ~ blij* he was very glad, **F** that pleased; *het is ~ leuk* awfully funny; *heel ~ last* a good deal (a lot) of trouble; *heel ~ mensen* a good many (quite a few) people; *dat is heel ~* that is quite a lot, that is saying a good deal; *het scheelt heel ~* it makes quite a difference; *hij kent vrij ~* he knows a pretty lot of things

wat'blief? 1 (b ij n i e t v e r s t a a n) beg pardon?; 2 (b ij v e r b a z i n g) what did you say?, what?

'water (-s en -en) *o* water; (w a t e r z u c h t) dropsy; *de ~en van Nederland* the waters of Holland; *stille ~s hebben diepe gronden* still waters run deep; *het ~ komt je ervan in je mond* it makes your mouth water; *Gods ~ over Gods akker laten lopen* let things drift, let things take their course; *er zal nog heel wat ~ door de Rijn lopen, eer het zover is* much water will have to flow under the bridge; *er valt ~* it is raining; ~ *en melk* [*fig*] milk and water; *ze zijn als ~ en vuur* they are at daggers drawn; ~ *in zijn wijn doen* water one's wine; *fig* climb down; ~ *naar (de) zee dragen* carry coals to Newcastle; *het ~ hebben* suffer from dropsy; *het ~ in de knieën hebben* have water on the knees; ~ *inkrijgen* 1 (d r e n k e - l i n g) swallow water; 2 ⚓ (s c h i p) make water; ~ *maken* ⚓ make water; ~ *treden* tread water; • *b ij laag ~* at low water, at low tide; *het hoofd (zich) b o v e n ~ houden* keep one's head above water; *hij is weer boven ~* he is above water again; *weer boven ~ komen* turn up again; *i n het ~ vallen* fall into the water; *fig* fall to the ground, fall through; *in troebel ~ vissen* fish in troubled waters; *o n d e r ~ lopen* be flooded; *onder ~ staan* be under water, be flooded; *onder ~ zetten* inundate, flood; *o p ~ en brood zetten (zitten)* put (be) on bread and water; *t e ~ gaan, zich te ~ begeven* take the water; *een schip te ~ laten* launch a vessel; *het verkeer te ~* by water; *te ~ en te land* by sea and land; *een diamant (een schurk) v a n het zuiverste ~* a diamond (a rascal) of the first water

'waterachtig watery[2]; **–afstotend** water-repellent; **–afvoer** (-en) *m* water-drainage; **–bak** (-ken) *m* 1 cistern, tank; watertrough [for horses]; 2 urinal; **–ballet** *o* water ballet, *fig* inundation, flood; **–bestendig** waterproof, water-resistant; **–bewoner** (-s) *m* aquatic animal; **–bloem** (-en) *v* aquatic flower; **–bouwkunde** *v* hydraulics, hydraulic engineering; **waterbouw'kundig** hydraulic; **–e** (-n) *m* hydraulic engineer; **'watercloset** [s = z] (-s) *o* water-closet; **–cultuur** (-turen) *v* hydroponics, tankfarming; **–damp** (-en) *m* (water-)vapour; **–deeltje** (-s) *o* water-particle, particle of water; **–dicht** 1 impermeable to water; 2 (v. k l e r e n) waterproof; 3 (v a n b e s c h o t t e n &) watertight; 4 *fig* watertight; ~ *(be)schot* watertight bulkhead; **–dier** *o* aquatic animal; **–drager** (-s) *m* water-carrier; **–droppel** (-s) = *waterdruppel*; **–druk** *m* water-pressure; **–druppel** (-s) *m* drop of water, waterdrop; **–emmer** (-s) *m* water-pail; **'wateren** (waterde, h. gewaterd) **I** *vt* water; **II** *vi* make water, urinate; **'waterfiets** (-en) *m* & *v* pedal boot; **–geest** (-en) *m* water-sprite; **–gehalte** *o* percentage of water; **–gekoeld** water-cooled; **–geneeswijze** *v* hydropathy; **–geus** (-geuzen) *m* 🕮 Water-Beggar; *de watergeuzen* ook: the Beggars of the Sea; **–glas** (-glazen) *o* 1 (o m u i t t e d r i n k e n) drinking-glass, tumbler; (v o o r u r i n e) urinal; 2 (s t o f) water-glass, soluble glass; **–god** (-goden) *m* water-god; **–godin** (-nen) *v* naiad, nereid; **–golf** (-golven) *v* set, water-wave; **'watergolven** (watergolfde, h. gewatergolfd) *vt* set, water-wave; *wassen en ~* wash and set; **'waterhoen** (-ders) *o* 🦆 water-hen; **–hoofd** (-en) *o* hydrocephalus; *hij heeft een ~* he has water on the brain; **–hoos** (-hozen) *v* water-spout; **–houdend** aqueous; **–huishouding** *v* water-balance; **–ig** watery[2]; **–igheid** *v* wateriness[2]; **–juffer** (-s) *v* dragon-fly; **–kan** (-nen) *v* ewer, jug; **–kanon** (-nen) *o* water-cannon; **–kant** (-en) *m* water's edge, waterside; **–karaf** (-fen) *v* water-bottle; **–kering** (-en) *v* weir, dam; **–kers** (-en) *v* watercress; **–ketel** (-s) *m* water-kettle; **–koeling** *v* water-cooling; *motor met ~* water-cooled engine; **–kolom** (-men) *v* column of water; **–kom** (-men) *v* bowl, water-basin; **–koud** damp cold; **–kraan** (-kranen) *v* water-tap, water-cock; **–kracht** *v* water-power; **–krachtcentrale** (-s) *v* hydro-electric power-station; **–kruik** (-en) *v* pitcher; **–kuur** (-kuren) *v* water-cure, hydropathic cure; **–laarzen** *mv* waders; **–landers** *mv* tears; *de ~ kwamen voor de dag* he turned on the waterworks; **–leiding** (-en) *v* waterworks; aqueduct; *er is geen ~ (in* *huis*) there is no piped water, no water-supply; **–leidingbuis** (-buizen) *v* conduit-pipe, water-pipe; **–lelie** (-s en -liën) *v* water-lily; **–lijn** (-en) *v* water-line; **–linie** (-s) *v* ⚓ & ⚔ water-line; **–loop** (-lopen) *m* watercourse; **–loos** waterless; **–lozing** *v* 1 drain(age); 2 urination

'Waterman *m de* ~ ★ Aquarius

'watermassa ('s) *v* mass of water; **–meloen** (-en) *m* & *v* water-melon; **–merk** (-en) *o* watermark; **–meter** (-s) *m* water-meter; **–molen** (-s) *m* 1 water-mill [worked by water-wheel]; 2 draining-mill; **–nimf** (-en) *v* water-nymph, naiad; **–nood** *m* want of water, water-famine; **–ontharder** (-s) *m* water softener; **–pas I** (-sen) *o* water-level; **II** *aj* level; **–passen** (waterpaste, h. gewaterpast) **I** *vt* level, grade; **II** *va* take the level; **III** *o het* ~ levelling; **–peil** (-en) *o* 1 watermark; 2 (w e r k t u i g) water-gauge; **–pest** *v* water-weed; **–pijp** (-en) *v* water-pipe; **–pistool** (-tolen) *o* water pistol, squirt gun; **–plaats** (-en) *v* 1 urinal; 2 horse-pond; 3 watering-place [for ships]; **–plant** (-en) *v* aquatic plant, water-plant; **–plas** (-sen) *m* puddle; **–pokken** *mv* chicken-pox; **–polo** *o* water-polo; **–pomp** (-en) *v* water pump; **–proef, –proof** [*'vòtə-pru.f*] **I** *aj* waterproof; **II** (-s) *o* waterproof; **–put** (-ten) *m* draw-well; **–rad** (-raderen) *o* water-wheel; **–rat** (-ten) *v* 1 🐭 water-vole, water-rat; 2 *fig* water-dog; **–reservoir** [-re.zɛr-vva: r] (-s) *o* water-tank, cistern; **–rijk** watery, abounding with water; **–rot** (-ten) *v* = *waterrat*; **–salamander** (-s) *m* newt; **–schade** *v* damage caused by water; **–schap** (-pen) *o* 1 body of surveyors of the dikes; 2 jurisdiction of the water-board; **–scheiding** (-en) *v* watershed, waterparting; **–schouw** *m* inspection of canals; **–schuw** afraid of water; **–schuwheid** *v* hydrophobia; **–ski** 1 ('s) *m* (e e n s k i) water ski; 2 *o* (d e s p o r t) water-skiing; **–skiën** *vi* water-ski; **–skiër** (-s) *m* water-skier; **–slang** (-en) *v* water-snake; **–snip** (-pen) *v* 🐦 snipe; **'watersnood** *m* inundation, flood(s); **'water-spiegel** *m* water-level; **–spin** (-nen) *v* water-spider; **–sport** *v* aquatic sports; **–spuwer** (-s) *m* gargoyle; **–staat** *m* ± Department of Buildings and Roads; **–stand** (-en) *m* height of the water, level of the water, water-level; *bij hoge* (*lage*) ~ at high (low) water; **–stof** *v* hydrogen; **–stofbom** (-men) *v* hydrogen bomb; **–stofgas** *o* hydrogen gas; **waterstof'peroxyde** [-ɔksi.-də] *o* hydrogen peroxide; **'waterstraal** (-stralen) *m* & *v* jet of water

'watertanden (watertandde, h. gewatertand) *vi het doet mij* ~, *ik watertand ervan* it makes my mouth water; **'watertank** [-tɛŋk] (-s) *m* water-tank, cistern; **–tje** (-s) *o* 1 streamlet; 2 [eye-, hair-]wash; **–tocht** (-en) *m* trip by water, water-excursion; **–toevoer** *m* water supply; **–ton** (-nen) *v* water-cask; **–toren** (-s) *m* water-tower; **–trappen** *vi* tread water; **–val** (-len) *m* (water)fall; cataract; (k l e i n) cascade; *de Niagara* ~ the Niagara Falls; **–vat** (-vaten) *o* water-cask; **–verband** (-en) *o* wet compress; **–verbruik** *o* water consumption; **–verf** (-verven) *v* water-colour(s); **–verontreiniging** *v* water pollution; **–verplaatsing** *v* displacement [of a ship]; **–vlak** *o* sheet of water; **–vlek** (-ken) *v* water-stain; **–vliegtuig** (-en) *o* seaplane, hydroplane; **–vlo** (-vlooien) *v* water-flea; **–vloed** (-en) *m* great flood, inundation; **–vogel** (-s) *m* water-bird, aquatic bird; **–voorziening** *v* water supply; **–vrees** *v* hydrophobia; **–vrij** free from water; **–weg** (-wegen) *m* waterway, water-route; *de Nieuwe Waterweg* the New Waterway; **–werend** water-repellent; **–werken** *mv* 1 bridges, canals, sluices &; 2 fountains, ornamental waters; **–wilg** (-en) *m* water-willow; **–winning** *v* procurement of water; **–zak** (-ken) *m* water-bag; **–zucht** *v* dropsy; **water'zuchtig** dropsical

'watje (-s) *o* wad of cotton-wool

'watjekouw (-en) *m* **F** box on the ear, cuff

1 'watten *mv* 1 wadding [for padding]; 2 cotton-wool [for medical purposes]; *in de* ~ *leggen* [*fig*] feather-bed, coddle; *met* ~ *voeren* wad, quilt; **2 'watten** *aj* cotton-wool [beard]; **–prop** (-pen) *v* cotton-wool plug

wat'teren (watteerde, h. gewatteerd) *vt* wad, quilt

'wauwelaar (-s) *m*, **–ster** (-s) *v* twaddler, driveller; chatterbox; **'wauwelen** (wauwelde, h. gewauweld) *vi* twaddle, drivel; chatter; **'wauwelpraat** *m* twaddle, drivel, **F** rot

Ⓜ **wa'xinelichtje** (-s) *o* wax light

'wazig hazy; **–heid** *v* haziness

W.C. [*ve.'se.*] ('s) *v* lavatory, w.c., **F** loo; **W.'C.-papier** *o* toilet-paper

we [*və*] = *wij*

web (-ben) *o* web

weck *m* 1 preservation; 2 (h e t g e w e c k t e) preserves; **'wecken** (weckte, h. geweckt) *vt* preserve; **'weckfles** (-sen) *v* preserving-bottle; **–glas** (-glazen) *o* preserving-jar

wed (-den) *o* 1 (w a a d p l a a t s) ford; 2 (d r i n k p l a a t s) (horse-)pond, watering-place

wed. = *weduwe*

'wedde (-n) *v* salary, pay

'wedden (wedde, h. gewed) *vi* bet, wager, lay a wager; *durf je m e t me* ~? will you wager anything?; *ik wed met je o m tien tegen één* I'll bet you ten to one; *ik wed met je om 100 pop dat*... I bet (go) you a hundred guilders; *ik wed om wat* *je wil, dat...* I'll bet you anything that...; ~ *o p* bet on [a horse &]; *ik zou er niet op durven* ~ I should not like to bet on it; *op het verkeerde paard* ~ put one's money on the wrong horse[2]; *ik wed v a n ja* I bet you it is; *ik wed dat de hele straat het weet* I bet the whole street knows it; **'weddenschap** (-pen) *v* wager, bet; *een* ~ *aangaan* lay a wager, make a bet; *de* ~ *aannemen* take the bet, take the odds; **'wedder** (-s) *m* better, bettor, betting-man

'wede (-n) *v* ♣ (& v e r f s t o f) woad

1 'weder *o* = 2 *weer*

2 'weder *ad* = 3 *weer*

'wederantwoord (-en) *o* reply

'wederdienst (-en) *m* service in return; *iem. een* ~ *bewijzen* do sbd. a service in return; (*gaarne*) *tot* ~ *bereid* ready to reciprocate

'wederdoper (-s) *m* anabaptist

'wederga(de) *v* = *weerga*

'wedergeboorte (-n) *v* re-birth, regeneration; **–geboren** born again, reborn, regenerate

'wedergeven[1] = *weergeven*

'wederhelft (-en) *v* **J** better half [= wife]

'wederhoor *o het hoor en* ~ *toepassen* hear both sides

'wederik (-riken) *m* loosestrife

'wederkeren[1] = *weerkeren*

weder'kerend *gram* reflexive; **weder'kerig** *aj* (& *ad*) mutual(ly), reciprocal(ly)[2]; ~ *voornaamwoord gram* reciprocal pronoun; **–heid** *v* reciprocity

'wederkomen[1] = *weerkomen*; **'wederkomst** *v* 1 return; 2 second coming [of Christ]

'wederkrijgen[1] = *weerkrijgen*

'wederliefde *v* love in return; ~ *vinden* be loved in return

wede'rom 1 (n o g e e n s, o p n i e u w) again, once again, anew, once more, a second time; 2 (t e r u g) back

weder'opbloei *m* revival, reflourish

weder'opbouw *m* rebuilding[2], reconstruction[2]

weder'opleving *v* renaissance

weder'opstanding *v* resurrection

weder'opzeggens *tot* ~ until further notice

'wederpartij (-en) *v* = *tegenpartij*

weder'rechtelijk illegal, unlawful; **–heid** *v* illegality, unlawfulness

weder'spannig ⚖ contumacious; **–heid** *v* ⚖ contumacy

1 weder'varen (wedervoer, h. en is wedervaren) *vi* befall; *wat mij is* ~ what has befallen me, my experiences; zie ook: 2 *recht*

2 'wedervaren *o* adventure(s), experience(s); *zijn* ~ ook: what has (had) befallen him

'wedervergelden (vergold 'weder, h. 'wedervergolden) *vt iem. iets* ~ 1 retaliate upon sbd.; 2 recompense (reward) sbd. for sth.; **–ding** *v* 1 retaliation; 2 recompense, reward

'wederverkoper (-s) *m* retailer, retail dealer

'wedervinden[1] = *weervinden*

'wedervraag (-vragen) *v* counter-question

weder'waardigheid (-heden) *v wederwaardigheden* vicissitudes

'wederwoord (-en) *o* answer, reply

'wederwraak = *weerwraak*

'wederzien[1] = *weerzien*

'wederzijds mutual

'wedijver *m* emulation, competition, rivalry; **'wedijveren** (wedijverde, h. gewedijverd) *vi* vie, compete; ~ *m e t* vie with, compete with, emulate, rival; ~ *o m* vie for, compete for; **'wedkamp** (-en) *m* = *wedstrijd*; **–loop** (-lopen) *m* running-match, race[2]; **–ren** (-nen) *m* race; **–strijd** (-en) *m* match, [athletic, beauty] contest, competition; [tennis] tournament; [sailing, ski, sprint] race; **–strijdsport** (-en) *v* competitive sport(s)

'weduwe (-n) *v* widow; *onbestorven* ~ grass widow; **'weduwenfonds** (-en) *o*, **–kas** (-sen) *v* widows' fund; **'weduwnaar** (-s) *m* widower; *onbestorven* ~ grass widower; **–schap** *o* widowerhood; **'weduwschap** *o*, **–staat** *m* widowhood; **–vrouw** (-en) *v* widow(-woman)

wee I (weeën) *o* & *v* woe; zie ook: *barensweeën*; **II** *aj* sickly [smell]; ~ *zijn* feel bad, feel sick; faint [with hunger]; **III** *ij* ~ *mij!* woe is me!; ~ *u!* woe be to you!; ~ *je gebeente als...!* unhappy you, if...!; *o* ~*!* o dear!

'weeffout (-en) *v* flaw; **–getouw** (-en) *o* weaving-loom, loom; **–kunst** *v* textile art; **'weefsel** (-s en -en) *o* tissue[2], texture, fabric, weave; **–leer** *v* histology; **'weefspoel** (-en) *v* shuttle; **–ster** (-s) *v* weaver; **–stoel** (-en) *m* loom

'weegbree (-s en -breeën) *v* ♣ plantain

'weegbrug (-gen) *v* weigh-bridge, weighing-machine; **–haak** (-haken) *m* weigh-beam, steelyard; **–loon** (-lonen) *o* weighage; **–machine** [-ma.ʃi.nə] (-s) *v* weighing-machine

weegs *hij ging zijns* ~ he went his way; *elk ging zijns* ~ they went their separate ways; *een eind* ~ *vergezellen* accompany part of the way

'weegschaal (-schalen) *v* (pair of) scales, balance; *de Weegschaal* ★ Libra

'weeïg sickly

1 week (weken) *v* week; *de volgende* ~ next week; *de vorige* ~ last week; *witte* ~ $ white sale; *de* ~ *hebben* be on duty for the week; ◆ *d o o r de* ~, *i n de* ~ during the week, on week-days; *o m de* ~ every week; *om de andere* ~ every other week; *o v e r een* ~ a week hence, in a week; *vandaag* (*vrijdag* &) *over een* ~ to-day (Friday) week; *v o o r een* ~ 1 for a week; 2 a week ago

2 week *aj* soft, *fig* soft, tender, weak; ~ *maken* soften[2]; ~ *worden* soften[2]

3 week *v in de ~ staan* lie in soak; *in de ~ zetten* put in soak

4 week (weken) V.T. van *wijken*

'weekbericht (-en) *o* weekly report; **–beurt** (-en) *v* weekly turn; *de ~ hebben* be on duty for the week; **–blad** (-bladen) *o* weekly (paper); **–dag** (-dagen) *m* week-day

'weekdier (-en) *o* mollusc

'weekend ['vi.kɛnt] (-s en -en) *o* week end; **'weekenden** (weekendde, h. geweekend) *vi* week-end; **'weekendhuisje** (-s) *o* week-end cabin

'weekgeld (-en) *o* 1 weekly allowance; 2 weekly pay, weekly wages

week'hartig soft-hearted, tender-hearted; **–heid** *v* soft-heartedness, tender-heartedness; **'weekheid** *v* softness

'weekhuur (-huren) *v* weekly rent; **–kaart** (-en) *v* weekly ticket

'weeklacht (-en) *v* lamentation, lament, wailing; **'weeklagen** (weeklaagde, h. geweeklaagd) *vi* lament, wail; ~ *over* lament, bewail

'weekloon (-lonen) *o* weekly wages

'weekmaker (-s) *m* plasticizer; softener

'weekmarkt (-en) *v* weekly market; **–overzicht** (-en) *o* weekly review; **–staat** (-staten) *m* weekly report, weekly return

'weelde *v* 1 (l u x e) luxury; 2 (o v e r v l o e d) abundance, opulence, wealth; 3 luxuriance [of vegetation]; 4 (d a r t e l h e i d) wantonness; *een ~ van bloemen* a wealth of flowers; *...is een ~ voor een moeder* ...is the highest bliss to a mother; *ik kan mij die ~ (niet) veroorloven* I can(not) afford it; **–artikel** (-en en -s) *o* article of luxury; *~en* ook: luxuries; **–belasting** *v* luxury tax; **'weelderig** 1 (l u x u e u s) luxurious; 2 (w e l i g t i e r e n d) luxuriant; lush [meadows]; 3 (v o l v a n v o r m) opulent [bosom, nudes]; 4 (d a r t e l) wanton; **–heid** *v* 1 luxuriousness, luxury; 2 luxuriance [of vegetation]; lushness; 3 opulence; 4 wantonness

'weemoed *m* sadness, melancholy; **wee'moedig I** *aj* sad, melancholy; **II** *ad* sadly; **–heid** *v* sadness, melancholy

Weens Viennese, Vienna [Congress &], [the Congress] of Vienna

1 weer *v* defence, resistance; *i n de ~ zijn* be busy; be on the go [the whole day]; *zich t e ~ stellen* defend oneself

2 weer *o* weather; *mooi ~* fine weather; *mooi ~ spelen van iems. geld* live in style at sbd.'s expense; *a a n ~ en wind blootgesteld* exposed to wind and weather; *b ij gunstig ~* weather permitting; *i n ~ en wind, ~ of geen ~* in all weathers, rain or shine

3 weer *ad* (o p n i e u w) again; *heen en ~* there and back, to and fro; *over en ~* mutually

'weerbaar defensible [stronghold]; [men] capable of bearing arms, able-bodied

weer'barstig unmanageable, unruly, refractory

'weerbericht (-en) *o* weather-report

'weerga *v* equal, match, peer; *hun ~ is niet te vinden* they can't be matched; *a l s de ~!* like blazes!, (as) quick as lightning!; *o m de ~ niet!* Hell, no!; *z o n d e r ~* matchless, unequalled, unrivalled, unparalleled, without precedence

'weergaaf = *weergave*

'weergaas devilish, deuced

'weergalm *m* echo; **weer'galmen**[1] *vi* resound, re-echo, reverberate; ~ *van* resound (ring, echo) with

'weergaloos matchless, peerless, unequalled, unrivalled, unparalleled

'weergave (-n) *v* reproduction; rendering; **'weergeven** (gaf 'weer, h. 'weergegeven) *vt* return, restore; *fig* render [the expression, poetry in other words &]; reproduce [in one's own words, a sound &]; voice [feelings]

'weerglas (-glazen) *o* weather-glass, barometer

'weerhaak (-haken) *m* barb, barbed hook

'weerhaan (-hanen) *m* weather-vane, weathercock[2], *fig* time-server

weer'houden[1] **I** *vt* keep back, restrain, check, stop; *dat zal mij niet ~ om* that will not keep me from ...ing; **II** *vr zich ~* restrain oneself; *zich van lachen ~* forbear laughing; *ik kon mij niet ~ het te zeggen* I could not refrain from saying it

'weerhuisje (-s) *o* weather-box; **–kaart** (-en) *v* weather chart, weather map

weer'kaatsen[1] **I** *vt* reflect [light, sound, heat]; reverberate [sound, light]; (re-)echo [sound]; **II** *vi* be reflected; reverberate; (re-)echo; **–sing** (-en) *v* reflection

'weerkeren (keerde 'weer, is 'weergekeerd) *vi* return, come back

'weerklank *m* echo[2]; ~ *vinden* meet with a wide response; **weer'klinken**[1] *vi* ring again, resound, re-echo, reverberate; *schoten weerklonken* shots rang out

'weerkomen (kwam 'weer, is 'weergekomen) *vi* come back, return

'weerkrijgen (kreeg 'weer, h. 'weergekregen) *vt* get back, recover

'weerkunde *v* meteorology; **weer'kundig**

[1] V.T. en V.D. van dit werkwoord volgens het model: **weer'**galmen, V.T. **weer'**galmde, V.D. **weer'**galmd (**ge**-valt dus weg in het V.D.). Zie voor de vormen onder het grondwoord, in dit voorbeeld: *galmen.* Bij sterke en onregelmatige werkwoorden wordt u verwezen naar de lijst achterin.

meteorological; **–e** (-n) *m* weather-man, meteorologist
weer'legbaar refutable; **weer'leggen**[1] *vt* refute; **–ging** (-en) *v* refutation
'weerlicht *o* & *m* sheet lightning, heat lightning, summer lightning; *als de ~* zie *weerga*; **'weerlichten** (weerlichtte, h. geweerlicht) *vi* lighten [on the horizon]
'weerloos defenceless; **–heid** *v* defencelessness
'weermacht *v* armed forces; **–middelen** *mv* means of defence
weer'om back; zie ook: *wederom*
weer'omstuit *m* rebound; *van de ~ lachen* laugh again
'weerpijn (-en) *v* sympathetic pain
weer'plichtig liable to military service
'weerprofeet (-feten) *m* weather-prophet; **–satelliet** (-en) *m* weather satellite
'weerschijn *m* reflex, reflection; lustre; **weer'schijnen**[1] *vi* reflect
'weerschip (-schepen) *o* weather ship; **'weersgesteldheid** (-heden) *v* state of the weather; *de ~ (van dit land)* the weather conditions; *bij elke ~* in all weathers
'weerskanten *a a n ~* on both sides, on either side; *aan ~ van* on either side of...; *v a n ~* from both sides, on both sides
'weerslag (-slagen) *m* reaction, revulsion, repercussion
'weersomstandigheden *mv* weather conditions
weer'spannig recalcitrant, rebellious, refractory; **–heid** *v* recalcitrance, rebelliousness, refractoriness
weer'spiegelen[1] **I** *vt* reflect, mirror; **II** *vr zich ~* be reflected, be mirrored; **–ling** (-en) *v* reflection, reflex
weer'spreken[1] *vt = tegenspreken*
weer'staan[1] *vt* resist, withstand
'weerstand (-en) *m* resistance [of steel, air &, of a person to...]; ✻ resistor; *~ bieden* offer resistance; *~ bieden aan* resist; *krachtig ~ bieden* make (put up) a stout resistance; **'weerstandskas** (-sen) *v* fighting-fund; **–vermogen** *o* (power of) resistance, endurance, staying power, stamina [of body, a horse], resistibility
'weerstation [-(t)ʃòn] (-s) *o* weather-station
weer'streven[1] *vt* oppose, resist, struggle against, strive against
'weersverandering (-en) *v* change of weather, break in the weather; **–verwachting** (-en) *v* weather-forecast
'weerszij(den) = *weerskanten*
'weertype [-ti.pə] (-n en -s) *o* weather type
'weervinden (vond 'weer, h. 'weergevonden) *vt* find again
'weervoorspeller (-s) *m* weather-prophet; **–voorspelling** (-en) *v* weather-forecast
'weervraag (-vragen) = *wedervraag*
'weerwerk *o* reaction; opposition
'weerwil *m in ~ van* in spite of, notwithstanding, despite, despite of
'weerwolf (-wolven) *m* wer(e)wolf
'weerwoord (-en) = *wederwoord*
'weerwraak *v* retaliation, revenge
'weerzien I (zag 'weer, h. 'weergezien) *vt* see again; **II** *o* meeting again; *tot ~s* till we meet again, **F** so long
'weerzin *m* aversion, reluctance, repugnance; *~ tegen* aversion to; **weerzin'wekkend** revolting, repugnant, repulsive
1 wees (wezen) *m-v* orphan
2 wees (**wezen**) V.T. van *wijzen*
weesge'groet(je) (-groeten, -groetjes) *o rk* Hail Mary
'weeshuis (-huizen) *o* orphans' home, orphanage; **–jongen** (-s) *m* orphan-boy; **–kamer** (-s) *v* 1 orphans' court; 2 (i n E n g e l a n d) Court of Chancery; **–kind** (-eren) *o* orphan (child); **–meisje** (-s) *o* orphan-girl; **–moeder** (-s) *v* matron of an orphanage; **–vader** (-s) *m* master of an orphanage
1 weet *v ~ van iets hebben* be in the know; *het kind heeft al ~ van een en ander* the child takes notice already; *geen ~ van iets hebben* not be aware of sth.; *het aan de ~ komen* find out
2 weet (**weten**) V.T. van *wijten*
'weetal (-len) *m* know-all, wiseacre; **weet'gierig** eager for knowledge, inquiring; **–heid** *v* thirst for knowledge; **'weetje** *o zijn ~ weten* know what's what, know one's stuff; **'weetlust** *m = weetgierigheid*; **–niet** (-en) *m* know-nothing, ignoramus
'weeuwtje (-s) *o* 1 widow; 2 🦆 = *nonnetje*
1 weg (wegen) *m* way, road, path, route; *fig* way, road, course, channel, path, avenue; *de ~ afleggen* cover the distance; *zich een ~ banen* hew one's way; *de juiste ~ bewandelen* take the right course; *de ~ van alle vlees gaan* go the way of all flesh; *zijn eigen ~ gaan* go one's own way; *deze ~ inslaan* take this road; *een andere ~ inslaan* take another road; *fig* take another course; *de slechte ~ opgaan* go [morally] wrong; ook: go to the bad; *dezelfde ~ opgaan* go the same way[2]; *fig* follow the rest; *het zal zijn ~ wel vinden* it is sure to find its way; *hij zal zijn ~ wel vinden* he is

[1] V.T. en V.D. van dit werkwoord volgens het model: **weer'**galmen, V.T. **weer'**galmde, V.D. **weer'**galmd (**ge**- valt dus weg in het V.D.). Zie voor de vormen onder het grondwoord, in dit voorbeeld: *galmen*. Bij sterke en onregelmatige werkwoorden wordt u verwezen naar de lijst achterin.

sure to make his way (in the world); *u kunt de ~ wel vinden, niet?* 1 you know your way, don't you?; 2 you know your way out, don't you?; *~ noch steg weten* not know one's way at all; *hij weet ~ met zijn eten, hoor!* he can shift his food!; *geen ~ weten met zijn geld* not know what to do with one's money; *de ~ wijzen* show the way; *fig* point the way; *de ~ naar de hel is geplaveid met goede voornemens* the road to hell is paved with good intentions; *alle ~en leiden naar Rome* all roads lead to Rome; • *a a n de ~ gelegen* skirting the road, by the roadside; *aan de ~ timmeren* make oneself conspicuous; *altijd b ij de ~ zijn* be always gadding about; be always on the road [of commercial travellers]; *iem. iets i n de ~ leggen* thwart sbd.; *ik heb hem niets (geen strobreed) in de ~ gelegd* I have never given him cause for resentment; *een zaak moeilijkheden in de ~ leggen* put obstacles in the way; *in de ~ lopen* be in the way; *in de ~ staan* be in sbd.'s way; *fig* stand in sbd.'s light; stand in the way of a scheme &; *in de ~ zitten* be in the way, hinder; *fig* bother; *l a n g s de ~* along the road; by the roadside; *langs dezelfde ~* by the same way; *langs deze ~* 1 [*fig*] in this way; 2 through the medium of this paper; *langs diplomatieke ~* through diplomatic channels; *langs gerechtelijke ~* legally, by legal steps; *n a a r de bekende ~ vragen* ask what one knows already; *o p ~* on his (her) way; *op ~ naar* on the way to, destined for; *zich op ~ begeven, op ~ gaan* set out (for *naar*); *iem. op ~ helpen* give sbd. a start; help sbd. on; *het ligt niet op mijn ~* it is out of my way; *fig* it is not my business; *het ligt niet op mijn ~ om...* it is not for me to...; *op de goede (verkeerde) ~ zijn* be on the right (wrong) road; *mooi op ~ zijn om...* be in a fair way to...; be well on the road to...; *u i t de ~!* out of the way there!, away!; *je moet hem uit de ~ blijven* keep out of his way, avoid him, give him a wide berth; *uit de ~ gaan* 1 make way; 2 side-step [an issue, a problem]; *voor iem. uit de ~ gaan* get out of sbd.'s way, make way for sbd.; *daarin ga ik voor niemand uit de ~* in this I don't yield to anybody; *iem. uit de ~ ruimen* make away with sbd., put sbd. out of the way [by poison &]; *moeilijkheden uit de ~ ruimen* remove obstacles, smooth over (away) difficulties; *v a n de goede ~ afgaan* stray from the right path

2 weg I *ad* 1 (n i e t m e e r a a n w e z i g) away; 2 (v e r l o r e n) gone, lost; 3 (v e r t r o k k e n) gone; *ik ben ~* I'm off; *hij was helemaal ~* 1 he was quite at sea; 2 he was unconscious; *hij was ~ van haar* he was crazy about her (smitten with her); *dan ben je ~* then you are done for; *mijn horloge is ~* my watch is gone; *~ van iets zijn* be crazy about sth.; **II** *ij ~ wezen!* **S** beat it!, scram!; *~ jullie!* be off!, get out!; *~ daar!* make way there!, get away!; *~ ermee!* away with it!; *~ met die verraders!* down with those traitors!; *~ van hier!* get away!, get out!

'wegbereider (-s) *m fig* pioneer

'wegbergen[2] *vt* put away, lock up; **–blazen**[2] *vt* blow away; **–blijven**[2] *vi* stay away; **–branden**[2] *vt* burn away; cauterize [a wart]; [*fig*] *hij is er niet weg te branden* he never leaves the spot; **–breken**[2] *vt* pull down [a wall &]; **–brengen**[2] *vt* take (carry) away [sth.]; see off [sbd.]; remove, march off [a prisoner]; **–cijferen**[2] **I** *vt* eliminate, set aside; leave out of account; **II** *vr zich (zelf) ~* put oneself aside, efface oneself

'wegdek (-ken) *o* road surface

'wegdenken[2] *vt* think away, eliminate; **–doen**[2] *vt* 1 (w e g l e g g e n) put away; 2 (v a n d e h a n d d o e n) dispose of, part with; **–dragen**[2] *vt* carry away; *de goedkeuring ~ van* meet with the approval of..., be approved by...; *de prijs ~* bear away the prize; **–drijven**[2] **I** *vt* drive away; **II** *vi* float away; **–dringen**[2] *vt* push away, push aside; **–duiken**[2] *vi* dive, duck (away); *weggedoken in zijn fauteuil* ensconced in his arm-chair; **–duwen**[2] *vt* push aside, push away; **–ebben** (ebde 'weg, is 'weggeëbd) *vi* ebb away

1 'wegen* I *vt* weigh[2] [luggage, 6 tons, one's words]; scale [100 pounds]; poise [on the hand]; **II** *vi* weigh; *hij weegt niet zwaar* he doesn't weigh much; *fig* he is a light-weight; *dat weegt niet zwaar bij hem* that point does not weigh (heavy) with him; *wat het zwaarst is moet het zwaarst ~* first things come first

2 'wegen meerv. van *weg*; **–aanleg** *m* = *wegenbouw*; **–belasting** *v* road-tax; **–bouw** *m* road-making, road-building, road-construction; **–kaart** (-en) *v* road-map; **–net** (-ten) *o* road-system, network of roads; **–plan** *o* road-construction plan

'wegens on account of, because of; for [lack of evidence, the murder of]

'wegenverkeersreglement *o* highway code; **–wacht** 1 *v* ± road patrol, (Automobile Association) scouts; 2 (en) *m* (p e r s o o n) ± (Automobile Association) scout

'weger (-s) *m* weigher

[2] V.T. en V.D. van dit werkwoord volgens het model: **'weg**cijferen, V.T. cijferde **'weg**, V.D. **'weg**gecijferd. Zie voor de vormen onder het grondwoord, in dit voorbeeld: *cijferen*. Bij sterke en onregelmatige werkwoorden wordt u verwezen naar de lijst achterin.

'wegfladderen[2] *vi* flutter away, flit away; **–gaan**[2] *vi* go away, leave; *ga weg!* go away!, **F** buzz off!; *fig ach, ga weg!* (= *ik geloof het niet*) oh, get along with you!
'weggebruiker (-s) *m* road-user; **–geld** (-en) *o* road-tax, toll
'weggeven[2] *vt* give away; **–glippen**[2] *vi* slip away, slip out; **–goochelen**[2] *vt* spirit away
'weggooien[2] **I** *vt* throw away, chuck away [sth.]; throw away, waste [money on...]; discard [the eight of clubs &]; *fig* pooh-pooh [an idea]; **II** *vr zich* ~ throw oneself away
'weggraaien[2], **–grissen**[2] *vt* snatch, grab (away); **–graven**[2] *vt* dig away; **–haasten**[2] *zich* ~ hasten away, hurry away; **–hakken**[2] *vt* cut away, chop away; **–halen**[2] *vt* take (fetch) away, remove; **–hebben**[2] *vt veel van iem.* ~ look much like sbd.; *het heeft er veel van weg, alsof...* it looks like... [rain &]; **–hollen**[2] *vi* run away, scamper away; **–ijlen**[2] *vi* hurry (hasten) away
'weging *v* weighing
'wegjagen[2] *vt* drive away [beggars, beasts, a visitor &]; turn [people] out [of doors]; expel [from office]; send about one's business [of people]; shoo away [birds]
'wegkampioen (-en) *m* cycling champion (on the road); **–kant** (-en) *m* roadside, wayside
'wegkapen[2] *vt* snatch away, pilfer, filch; **–kappen**[2] *vt* chop away, cut off; **–kijken**[2] *vt iem.* ~ freeze sbd. out; **–knippen**[2] *vt* 1 (m e t s c h a a r) cut off; 2 (d o o r v i n g e r - b e w e g i n g) flick away [the ash of a cigar &]; **–komen**[2] *vi* get away; *ik maak dat ik wegkom* I'm off; *ik maakte dat ik wegkwam* I made myself scarce; *maak dat je wegkomt!* take yourself off!, clear out!; **–krijgen**[2] *vt* get away; *ik kon hem niet* ~ I couldn't get him away; *de vlekken* ~ get out the spots; **–kruipen**[2] *vi* creep away, hide away
'wegkruising (-en) *v* intersection, cross-roads
'wegkunnen[2] *vi het kan weg* it may be left out, it may go; *niet* ~ not be able to get away; **–kussen**[2] *vt* kiss away; **–kwijnen** (kwijnde 'weg, is 'weggekwijnd) *vi* languish, pine away; **–lachen**[2] *vt* laugh away, laugh off
'weglaten[2] *vt* leave out, omit; **'weglating** (-en) *v* leaving out, omission; *met* ~ *van...* leaving out..., omitting...; **–steken** (-s) *o* apostrophe
'wegleggen[2] *vt* lay by, lay aside; *dat was niet voor hem weggelegd* that was not reserved for him; **–leiden**[2] *vt* lead away, march off
'wegligging *v* road-holding qualities
'weglokken[2] *vt* entice away, decoy; **–lopen**[2] *vi* run away (off); make off; *hij loopt niet zo hoog weg met dat idee* he is not in favour of the idea; *ze lopen erg met die man weg* they are greatly taken with him, he is a great favourite; *met iem. (hoog)* ~ make much of sbd., think much of sbd.; *het loopt niet weg, hoor!* there is no hurry!, it can wait; *het werk loopt niet weg* the work can wait; **–maaien**[2] *vt* mow down[2]; zie ook: *gras*; **–maken**[2] **I** *vt* 1 (i e t s) make away with, mislay [sth.]; remove, take out [grease-spots]; 2 (i e m.) anaesthetize [a patient]; **II** *vr zich* ~ make off
'wegmarkering (-en) *v* road marking
'wegmoffelen (moffelde 'weg, h. 'weggemoffeld) *vt* spirit away
'wegnemen[2] *vt* 1 take away, remove [sth., apprehension, doubt]; *fig* do away with [a nuisance &]; obviate [a difficulty]; 2 steal, pilfer; *dat neemt niet weg, dat...* that does not alter the fact that...; **–ming** *v* taking away &, removal
'wegomlegging (-en) *v* diversion; **–opzichter** (-s) *m* road-surveyor
'wegpakken[2] **I** *vt* snatch away; **II** *vi pak weg 20, 30 jaar geleden* say 20, 30 years ago; **III** *vr zich* ~ take oneself off; *pak je weg!* be off!; **–pesten**[2] *vt* get rid of sbd. by annoying him, **S** freeze sbd. out; **–pikken**[2] *vt* peck away; *fig* snatch away; **–pinken**[2] *vt een traan* ~ brush away a tear
'wegpiraat (-raten) *m* road-hog
'wegpromoveren[2] *vt* kick sbd. upstairs; **–raken**[2] *vi* be (get) lost; **–redeneren**[2] *vt* reason (explain) away
'wegrenner (-s) *m sp* road-racer; **–restaurant** [-rɛsto:rã] (-s) *o* road-house
'wegrijden[2] *vi* ride away, drive away, drive off; **–roepen**[2] *vt* call away; **–roesten**[2] *vi* rust away; **–rollen**[2] *vt* & *vi* roll away; **–rotten**[2] *vi* rot, rot off
'wegruimen[2] *vt* remove, clear away; **–ming** *v* removal
'wegrukken[2] *vt* snatch away[2]; **–schenken**[2] *vt* give away; ~ *aan* make [sbd.] a present of; **–scheren**[2] **I** *vt* shave (shear) off; **II** *vr zich* ~ make oneself scarce, decamp; **–scheuren**[2] **I** *vt* tear off; **II** *vi* (s n e l w e g r ij d e n) tear away; **–schieten**[2] **I** *vt* shoot away; **II** *vi* dart off; **–schoppen**[2] *vt* kick away; **–schuilen**[2] *vi* hide (from *voor*); **–schuiven**[2] *vt* push away (aside), shove away; **–slaan**[2] *vt* beat (strike) away; *de brug werd weggeslagen* the bridge was swept

[2] V.T. en V.D. van dit werkwoord volgens het model: **'weg**cijferen, V.T. cijferde **'weg**, V.D. **'weg**gecijferd. Zie voor de vormen onder het grondwoord, in dit voorbeeld: *cijferen.* Bij sterke en onregelmatige werkwoorden wordt u verwezen naar de lijst achterin.

away; **–slepen**[2] *vt* drag away; ⚓ tow away; **–slikken**[2] *vt* swallow[2]; **–slingeren**[2] *vt* fling (hurl) away; **–sluipen**[2] *vi* steal (sneak) away; **–sluiten**[2] *vt* lock up; **–smelten**[2] *vi* melt away, melt [into tears]; **–smijten**[2] *vt* fling (throw) away; **–snellen**[2] *vi* hasten away, hurry away; **–snijden**[2] *vt* cut away; **–snoeien**[2] *vt* prune away, lop off; **–spoelen**[2] **I** *vt* wash away; **II** *vi* be washed away; **–steken**[2] *vt* put away; **–stelen**[2] *vt* steal, pilfer; **–stemmen**[2] *vt* vote [sth. or sbd.] down; **–sterven**[2] *vi* die away, die down; **–stevenen**[2] *vi* sail away; **–stompen**[2] *vt* strike (punch, shove) away; **–stoppen**[2] *vt* put away, tuck away, hide; **–stormen**[2] *vi* gallop off, tear away; **–stoten**[2] *vt* push away; **–stuiven**[2] *vi* fly away [of dust &]; dash away, rush off [persons]; **–sturen**[2] *vt* send away [sth.]; dismiss [a servant]; send [sbd.] away; turn [people] away; ◌ expel [a boy from school]; **–teren** (teerde ′weg, is ′weggeteerd) *vi* waste away; **–toveren**[2] *vt* spirit away, conjure away; **–trappen**[2] *vt* kick away; **–trekken**[2] **I** *vt* pull (draw) away; **II** *vi* 1 march away, march off, pull out [of troops]; leave [here]; 2 blow over [of clouds]; lift [of a fog]; disappear [of a headache]; (bleek worden) grow pale, lose colour; **–vagen** (vaagde ′weg, h. ′weggevaagd) *vt* sweep away[2]; wipe out, blot out [memories &]

′wegvak (-vakken) *o* section of a (the) road

′wegvallen[2] *vi* fall off; *fig* be left out (omitted); *tegen elkaar* ~ cancel one another; **–varen**[2] *vi* sail away; **–vegen**[2] *vt* sweep away [dirt]; wipe away [tears]; rub out, erase [a written word]

′wegverkeer *o* road traffic; **–vernauwing** (-en) *v* road narrowing; **–versmalling** (-en) *v* road narrowing; **–versperring** (-en) *v* road-block; **–vervoer** *o* (road) haulage; **–vervoerder** (-s) *m* (road) haulier

′wegvliegen[2] *vi* fly away; *ze vliegen weg* they [the goods, the tickets] are going (are being snapped up) like hot cakes; **–vloeien**[2] **I** *vi* flow away; **II** *o het* ~ the outflow; **–vluchten**[2] *vi* flee

′wegvoeren[2] *vt* carry off, lead away [a prisoner]; **–ring** *v* carrying off

′wegvreten[2] *vt* eat away, corrode; **–waaien**[2] **I** *vi* be blown away, blow away; **II** *vt* blow away

′wegwals (-en) *v* ⚒ road-roller; **–wedstrijd** (-en) *m* road-race

′wegwerken[2] *vt* 1 (in de algebra) eliminate; 2 (v. personen) get rid of [a minister &]; manoeuvre [an employee] away; 3 (van werk) clear off [arrears of work]

′wegwerker (-s) *m* road-man; (bij het spoor) surface-man

′wegwerp... disposable [containers, nappies &], non-returnable [bottles], throw-away [packaging]; **′wegwerpen**[2] *vt* throw away

′wegwijs *iem.* ~ *maken* show sbd. the ropes; ~ *zijn* know one's way; *fig* know the ropes; **–wijzer** (-s) *m* 1 (persoon) guide; 2 signpost, finger-post; 3 handbook, guide

′wegwippen[2] *vi* whip away, pop away (off); **–wissen**[2] *vt* wipe away, wipe off; **–wuiven**[2] *vt* *fig* wave aside; **–zakken**[2] *vi* 1 (v. personen, grond &) sink away; 2 (v. bodem) give way; **–zenden**[2] *vt* = *wegsturen*; **–zetten**[2] *vt* put away

′wegzijde (-n) *v* roadside, wayside

′wegzinken[2] *vi* sink away; **–zuigen**[2] *vt* suck up (away); *fig* drain

1 wei *v* 1 whey [of milk]; 2 serum [of blood]

2 wei (-den) = *weide*

′Weichsel *m* Vistula

′weide (-n) *v* meadow; *koeien in de* ~ *doen* (*sturen*) put (send, turn out) cows to grass; *in de* ~ *lopen* be at grass; **–grond** (-en) *m* = *weigrond;* **′weiden** (weidde, h. geweid) **I** *vi* graze, feed; *zijn ogen* (*de blik*) *laten* ~ *over* pass one's eyes over; **II** *vt* tend [flocks]; *zijn ogen* ~ *aan* feast one's eyes on; **′weiderecht** *o* grazing-rights, common of pasture

weids stately, grandiose [name]; **–heid** *v* stateliness, grandiosity

′weifelaar (-s) *m* waverer; **′weifelachtig** = *weifelend*; **′weifelen** (weifelde, h. geweifeld) *vi* hesitate, waver, vacillate; **–d** hesitating, wavering, vacillating; **′weifeling** (-en) *v* hesitation, wavering, vacillation; **weifel′moedig** wavering, vacillating, irresolute; **–heid** *v* wavering, vacillation, irresolution

′weigeraar (-s) *m* refuser; **′weigerachtig** unwilling to grant a request; *een* ~ *antwoord ontvangen* meet with a refusal; ~ *blijven* persist in one's refusal; ~ *zijn te...* refuse to...; **′weigeren** (weigerde, h. geweigerd) **I** *vt* 1 (niet willen) refuse [to do sth., duty]; 2 (niet aannemen) refuse, reject [an offer], decline [an invitation]; 3 (niet toestaan) refuse [a request], deny [sb. sth., sth. to sbd.]; **II** *vi* refuse [of persons]; refuse to act [of things], fail [of brakes], misfire [of fire-arms, of an engine]; **–ring** (-en) *v* 1 refusal, denial; < rebuff; 2 failure [of brakes], misfire [of fire-

[2] V.T. en V.D. van dit werkwoord volgens het model: ′**weg**cijferen, V.T. cijferde ′**weg**, V.D. ′**weg**gecijferd. Zie voor de vormen onder het grondwoord, in dit voorbeeld: *cijferen.* Bij sterke en onregelmatige werkwoorden wordt u verwezen naar de lijst achterin.

arms]; *ik wil van geen ~ horen* I will take no denial
'weigrond (-en) *m*, **–land** (-en) *o* meadow-land, grass-land, pasture
'weinig 1 (e n k e l v.) little; 2 (m e e r v.) few; *~ goeds* little good (that is good); *~ of niets* little or nothing; *~ maar uit een goed hart* little but from a kind heart; *een ~* a little; *het ~e dat ik heb* what little (money) I have; *maar ~* but little; *niet ~* not a little; *6 stuiver te ~* six pence short; *al te ~* too little; *veel te ~* 1 much too little; 2 far too few; *~en* few; *maar ~en* only a few
weit *v* wheat
'weitas (-sen) *v* game-bag
'wekamine *v* amphetamine
'wekelijk *aj* (& *ad*) soft(ly), tender(ly), weak(ly), effeminate(ly); **–heid** *v* weakness, effeminacy
'wekelijks I *aj* weekly; **II** *ad* weekly, every week
'wekeling (-en) *m* weakling
1 'weken I (weekte, h. geweekt) *vt* soak [bread in coffee &], put in soak, steep, soften, macerate; **II** (weekte, is geweekt) *vi* be soaking, soak, soften
2 'weken V.T. meerv. van *wijken*
'wekken (wekte, h. gewekt) *vt* (a)wake², awaken², (a)rouse²; *fig* ook: evoke, call up [memories]; create [an impression]; raise [expectations]; cause [surprise]; provoke [indignation]; *wek me om 7 uur* call me (knock me up) at seven o'clock; **–er** (-s) *m* 1 (p e r s o o n) caller-up; 2 (w e k k e r k l o k) alarm(-clock)
1 wel (-len) *v* spring, well
2 wel I *ad* 1 (g o e d) well; rightly; *zij danst* (*heel*) *~* she dances (very) well; *als ik het mij ~ herinner* if I remember rightly; 2 (z e e r) very (much); *dank u ~* thank you very much; *u is ~ vriendelijk* it is very kind of you, indeed; 3 (v e r s t e r k e n d) indeed, truly; *~ een bewijs dat...* a proof, indeed, that...; *~ ja!* yes, indeed! *~ neen!* Oh no!, certainly not!; *~ zeker* yes, certainly, to be sure (I do, I have &); *hij moet ~ rijk zijn om...* he must needs be rich to...; *hij zal ~ moeten* he will jolly well have to; 4 (n i e t m i n d e r d a n) no less (no fewer) than, as many as; *er zijn er ~ 50* no fewer (no less) than 50, as many as 50; 5 (v e r m o e d e n u i t d r u k k e n d o f g e r u s t s t e l l e n d) surely; *hij zal ~ komen* he is sure to come, I daresay he will come; *ik behoef ~ niet te zeggen...* I need hardly say...; 6 (t o e g e v e n d) (indeed); *zij is ~ mooi, maar niet...* handsome she is (indeed), but not...; 7 (t e g e n o v e r o n t k e n n i n g) ...is, ...has, &; *Jan kan het niet, Piet ~* but Peter can; *ik heb mijn les ~ geleerd* I did learn my lesson; *vandaag niet, morgen ~* not to-day, but to-morrow; 8 (a l s b e l e e f d - h e i d s w o o r d) kindly; *zoudt u me dat boek ~ willen aangeven?* would you kindly hand me that book?; would you mind handing me that book?; 9 (v r a g e n d) are you, have you? &; *je gaat niet uit, ~?* you aren't going out, are you?; 10 (u i t r o e p e n d) why, well; *~, heb ik je dat niet gezegd?* why, didn't I tell you?; *~ van me leven!, ~ nu nog mooier!* well, I never!; *~, wat is er?* why, what is the matter?; *~, waarom niet?* well, why not?; *~! ~!* well, well!, well, to be sure!; *~ zo!* well!; *er is nog wat mooiers, en ~...* and it is this...; *zijn beste vriend nog ~* and that his best friend, his best friend of all people; *wat denk je ~?* what do you take me for!, certainly not!; *ik heb het ~ gedacht!* I thought so (as much); *ik moest ~* I had to, I could do no other, it couldn't be helped; *je moet... of ~...* you must either... or...; *~ eens* now and again; *hebt u ~ eens...?* have you ever...?; **II** *aj* well; *alles ~ aan boord* all well on board; *hij is niet ~* he does not feel well, he is unwell; *het is mij ~!* all right!, I have no objection; *hij is niet ~ bij het hoofd* zie *hoofd*; *laten we ~ wezen* to be quite honest; *als ik het ~ heb* if I am not mistaken; **III** *o* well-being; *~ hem die...* happy he who...; *het ~ en wee* the weal and woe [of his subjects]; **wel'aan** well then
'welbedacht well-considered, well thought-out; **–begrepen** well-understood
'welbehagen *o* pleasure, complacency
'welbekend well-known; **–bemind** well-beloved, beloved; **–beraamd** well thought-out, well-planned; **–bereid** well-prepared; **–beschouwd** after all, all things considered
welbe'spraakt fluent, well-spoken; **–heid** *v* eloquence, fluency
'welbesteed well-used, well-spent; **–bewust** deliberate
'weldaad (-daden) *v* benefit, benefaction; *een ~ voor iedereen* a boon to everybody; *een ~ bewijzen* confer a benefit [upon sbd.]; **wel'dadig** 1 beneficent, benevolent, (l i e f d a d i g) charitable; 2 (h e i l z a a m) beneficial; **wel'dadigheid** *v* beneficence, benevolence, (l i e f d a - d i g h e i d) charity; **–sbazaar** (-s) *m* (charity) bazaar
'weldenkend right-thinking, right-minded
'weldoen (deed 'wel, h. 'welgedaan) *vi* 1 (g o e d d o e n) do good; 2 (l i e f d a d i g z ij n) give alms; be charitable [to the poor]; *doe wel en zie niet om* zie *doen* **II**; **'weldoener** (-s) *m* benefactor; **'weldoenster** (-s) *v* benefactress
'weldoordacht well thought-out, well-considered
'weldra soon, before long, shortly
wel'edel, –geboren, –gestreng *W~e heer*

Dear Sir; *de W~e heer J. Botha* J. Botha Esq.; **–zeergeleerd** *de W~e heer Dr. V.* Dr. V.

wel'eer formerly, in olden times, of old

weleer'waard reverend; *zeker, ~e!* certainly, your Reverence; *de W~e heer A. B.* (the) Reverend A. B., the Rev. A. B.

'welfboog (-bogen) *m* vaulted arch; **'welfsel** (-s en -en) *o* vault

'welgeaard well-natured; genuine [Dutchman]

'welgedaan well-fed, portly; **welge'daanheid** *v* portliness

'welgekozen well-chosen; **–gelegen** well-situated; **–gelijkend** *een ~ portret* a good likeness

'welgemaakt well-made [person, thing]; well-built [man], shapely [figure]; **welge'maaktheid** *v* handsomeness

welgema'nierd well-bred, well-mannered, mannerly; **–heid** *v* good breeding, good manners

'welgemeend well-meant [advice &]; heartfelt [thanks]; **–gemoed** cheerful; **–geordend** well-regulated; **–geschapen** well-made

welge'steld well-to-do, in easy circumstances, well of, substantial [man]; **–heid** *v* easy circumstances

'welgeteld exactly; ...in all

'welgevallen I *zich iets laten ~* put up with sth.; **II** *o* pleasure; *met ~* with pleasure, with satisfaction; *naar ~* at will, at (your) pleasure; **welge'vallig** pleasing [to God], agreeable [to the Government]

'welgevormd well-made, well-shaped, shapely; **–gezind** well-disposed [man]; well-affected, friendly [tribes]

wel'haast 1 (weldra) soon; 2 (bijna) almost, nearly; *~ niets (niemand)* hardly anything (anybody)

'welig luxuriant, < rank; *~ groeien* thrive[2]; zie ook *tieren*; **–heid** *v* luxuriance

'welingelicht well-informed

welis'waar it is true, true

welk I *vragend vnmw* which, what; *~e jongen (van de zes)?* which boy?; *~e jongen zal zo iets doen?* what boy?; **II** *uitroepend* what; *~ een schande!* what a shame!; **III** *betr. vnmw* 1 (v. personen) who, that; 2 (niet van personen) which, that; *het Polyolbion, ~ boek ik niet had* which book I hadn't got; *~(e) ook* which(so)ever, what(so)ever; any

'welken (welkte, is gewelkt) *vi* wither, fade

'welkom I *aj* welcome; *wees ~!* welcome!; *~ in Amsterdam* Welcome to A.!; *~ thuis* welcome home; *iem. ~ heten* bid sbd. welcome, welcome sbd.; *iem. hartelijk ~ heten* extend a hearty welcome to sbd., give sbd. a hearty welcome; *iets ~ heten* welcome sth.; **II** *o* welcome;

'welkomst *v* welcome; **–geschenk** (-en) *o* welcoming-gift; **–groet** (-en) *m* welcome

1 'wellen (welde, is geweld) *vi* well

2 'wellen (welde, h. geweld) *vt* ⚒ weld

3 'wellen (welde, h. geweld) *vt* draw [butter]

'welletjes *het is zo ~* 1 that will do; 2 we have had enough of it

wel'levend polite, well-bred; **–heid** *v* politeness, good breeding

wel'licht perhaps

wel'luidend melodious, harmonious; **–heid** *v* melodiousness, harmony

'wellust (-en) *m* 1 (gunstig) delight; 2 (ongunstig) voluptuousness, lust, sensuality; **wel'lusteling** (-en) *m* voluptuary, sensualist, sybarite; **wel'lustig I** *aj* sensual, voluptuous, lustful, lascivious; **II** *ad* sensually &; **–heid** (-heden) *v* voluptuousness, sensuality, lasciviousness

'welmenend well-meaning, well-intentioned; **wel'menendheid** *v* good intention

'welnemen *o met uw ~* by your leave

wel'nu well then

wel'opgevoed well-bred

'weloverwogen well-considered, deliberate

welp (-en) 1 *m* & *o* cub, whelp; 2 *m* (bij de padvinderij) (wolf-)cub

wel'riekend sweet-smelling, sweet-scented, fragrant, odoriferous; **–heid** *v* fragrance, odoriferousness

'welslagen *o* success

wel'sprekend eloquent; **–heid** *v* eloquence

'welstand *m* 1 welfare, well-being; 2 health; 3 (welgesteldheid) prosperity; *in ~ leven* be well off [in easy circumstances]; *naar iems. ~ informeren* inquire after sbd.'s health

'welste *van je ~* with a vengeance, with a will, like anything; *een klap van je ~* **F** a spanking blow; *een lawaai van je ~* a terrible din, a deafening uproar; *een ruzie van je ~* **F** a regular row

'weltergewicht *o* welter-weight

'welvaart *v* 1 (maatschappelijk, economisch) prosperity; 2 (welzijn) well-being; **'welvaartsstaat** (-staten) *m* 1 affluent society; 2 (verzorgingsstaat) welfare state

'welvaren I (voer 'wel, h. en is 'welgevaren) *vi* 1 prosper, thrive, be prosperous; 2 be in good health; **II** *o* 1 prosperity; 2 health; *er uitzien als Hollands ~* be the picture of health, glow with health; **wel'varend** 1 (voorspoedig) prosperous, thriving; 2 (gezond) healthy; **–heid** *v* 1 prosperity; 2 good health

'welven (welfde, h. gewelfd) **I** *vt* vault, arch; **II** *vr zich ~* vault, arch

'welverdiend well-deserved

'welversneden *een ~ pen hebben* write well

'welving (-en) *v* vaulting, vault
wel'voeglijk becoming, seemly, decent, proper; **–heid** *v* seemliness, decency, propriety; **welvoeglijkheids'halve** for decency's sake
'welvoorzien well-provided [table]; well-loaded [table]; well-stocked [shop &]; well-lined [purse]
'welwater *o* spring water
wel'willend benevolent, kind; sympathetic; **–heid** *v* kindness; sympathy; benevolence
'welzijn *o* welfare, well-being; *n a a r iems. ~ informeren* inquire after sbd.'s health; *o p iems. ~ drinken* drink sbd.'s health; *v o o r uw ~* for your good; **–swerk** *o* welfare work
'wemelen (wemelde, h. gewemeld) *vi ~ van* swarm (teem) with [flies, people, spies &]; crawl with, be infested with [vermin]; bristle with [mistakes]
'wendbaar manoeuvrable; **–heid** *v* manoeuvrability; **'wenden** (wendde, h. gewend) **I** *vi* turn; ⚓ go about, put about; **II** *vt* turn; ⚓ put about [ship]; **III** *vr zich ~* turn; *je kunt je daar niet ~ of keren* there is hardly room enough to swing a cat; *ik weet niet hoe ik mij ~ of keren moet* which way to turn; *zich ~ tot* apply to, turn to, approach [the minister]; **–ding** (-en) *v* turn; *het gesprek een andere ~ geven* give another turn to the conversation, turn the conversation; *een gunstige ~ nemen* take a favourable turn
1 'wenen (weende, h. geweend) *vi* weep, cry; *~ over iets* weep for sth., weep over sth.
2 'Wenen *o* Vienna; **–er I** *aj* Viennese, Vienna [Congress &], [the Congress] of Vienna; *~ meubelen* Austrian bentwood furniture; **II** (-s) *m* Viennese
wenk (-en) *m* wink, nod, hint; *de ~ begrijpen (opvolgen)* take the hint; *iem. een ~ geven* 1 beckon to sbd.; 2 *fig* give sbd. a hint; *iem. op zijn ~en bedienen* be at sbd.'s beck and call; **–brauw** (-en) *v* eyebrow; **'wenken** (wenkte, h. gewenkt) *vt* beckon
'wennen I (wende, h. gewend) *vt* accustom, habituate [a person to something]; **II** (wende, is gewend) *vi ~ aan iets* accustom oneself to sth.; *men went aan alles* one gets used to everything; *het zal wel ~, u zult er wel aan ~* you will get used to it; *hij begint al goed te ~ bij hen* he begins to feel quite at home with them; zie ook: *gewend*
wens (-en) *m* wish, desire; *mijn ~ is vervuld* I have my wish; *n a a r ~* according to our wishes; *t e g e n de ~ van...* against the wishes of [his parents]; *de ~ is de vader van de gedachte* the wish is father to the thought; **–dromen** *mv* wishful dreams; *fig* wishful thinking; **'wenselijk** desirable; *al wat ~ is!* my best wishes!; *het ~ achten* think it desirable; **–heid** *v* desirableness, desirability; **'wensen** (wenste, h. gewenst) *vt* 1 wish; 2 desire, want; *wij ~ te gaan* we wish to go; *ik wenste u te spreken* I should (would) wish to have a word with you; *ik wens dat hij dadelijk komt* I wish (want) him to come at once; *ik wens u alle geluk* I wish you every joy; *wat wenst u?* 1 (i n 't a l g.) what do you wish?; 2 (i n w i n k e l) what can I do for you?; *het is te ~ dat...* it is to be wished that...; *niets (veel) te ~ overlaten* leave nothing (much) to be desired; *iem. naar de maan ~* wish sbd. at the devil; *ja, als men 't maar voor het ~ had* if wishes were horses, beggars might ride
'wentelen I (wentelde, h. gewenteld) *vt* turn over, roll; **II** (wentelde, is gewenteld) *vi* revolve; **III** *vr zich ~* welter, roll, wallow [in mud], revolve; *de planeten ~ zich om de zon* the planets revolve round the sun; **–ling** (-en) *v* revolution, rotation; **'wentelteefjes** *mv* French toast, fried sop; **–trap** (-pen) *m* winding (spiral) staircase
werd (**werden**) V.T. van *worden*
'wereld (-en) *v* world, universe; *de ~ is een schouwtoneel* all the world is a stage; *wat zal de ~ ervan zeggen?* what will the world (what will Mrs. Grundy) say?; *de andere ~* the other world, the next world; *de boze ~* the wicked world; *de Derde Wereld* the Third World; *de geleerde ~* the learned (the scientific) world; *de grote ~* society, the upper ten; *de hele ~* the whole world, all the world [knows]; *de Nieuwe (Oude) Wereld* the New (Old) World; *de verkeerde ~* the world turned upside down; *de vrije ~* the free world; *de wijde ~* the wide world; *iets de ~ in sturen* launch [a manifesto], give it to the world; *zijn ~ kennen (verstaan)* have manners; *de ~ verzaken* renounce the world; • *zich d o o r de ~ slaan* fight one's way through the world; *i n de ~* in the world; *zo gaat het in de ~* so the world wags, such is the way of the world; *n a a r de andere ~ helpen* dispatch; *naar de andere ~ verhuizen* go to kingdom come; *reis o m de ~* voyage round the world; *o p de ~, t e r ~* in the world; *ter ~ brengen* bring into the world, give birth to [a child &]; *ter ~ komen* come into the world, see the light; *voor alles ter ~* [I would not do it] for the world; *hij zou alles ter ~ willen geven om...* he would give the world to...; *niets ter ~* nothing on earth, no earthly thing; *voor niets ter ~* not for the world; *wat ter ~ moest hij...* what in the world should he...; *hoe is 't Gods ter ~ mogelijk!* how in the world is it possible; *een zaak u i t de ~ helpen* settle a business; *die zaak is uit de ~* that business is done with; *een leven v a n de andere ~* a noise fit to raise the dead; *een man*

van de ~ a man of the world; *wat van de* ~ *zien* see the world; *alleen v o o r de* ~ *leven* live for the world only, be worldy-minded; **–beeld** *o* weltanschauung, world-view, philosophy of life; **–beheerser** (-s) *m* world-ruler, master of the world; **–beroemd** world-famous, world-famed; **–beschouwing** (-en) *v* view (conception) of the world; philosophy; **–bevolking** *v* world population; **–bewoner** (-s) *m* inhabitant of the world; **–bol** (-len) *m* globe; **–bouw** *m* cosmos; **–brand** *m* world conflagration; **–burger** (-s) *m* citizen of the world, cosmopolitan, cosmopolite; *de nieuwe* ~ **J** the little stranger, the new arrival; **–deel** (-delen) *o* part of the world, continent; **–gebeuren** *o* world events, world affairs; **–gebeurtenis** (-sen) *v* world event; **–geschiedenis** *v* world history; **–handel** *m* world (international) trade; **–heer** (-heren) *m rk* secular priest; **–heerschappij** *v* world dominion; **–hervormer** (-s) *m* world reformer; **–kaart** (-en) *v* map of the world; **–kampioen** (-en) *m* world champion; **–kampioenschap** *o* world championship; **–kennis** *v* knowledge of the world; **wereld'kundig** universally known; *iets* ~ *maken* spread it abroad, make it public; **'wereldlijk** worldly; secular [clergy], temporal [power]; ~ *maken* secularize; **'wereldlit(t)eratuur** *v* world literature; **–macht** (-en) *v* world power; **–markt** *v* world market; **–naam** *m* world reputation; **wereldom'vattend** world-wide; global [warfare]; **'wereldoorlog** (-logen) *m* world war; *de Eerste Wereldoorlog* the Great War [of 1914–'18]; *de jaren tussen de twee* ~*en* the interwar years, the interbellum; **–opinie** *v* world opinion; **–orde** *v* world order; **–première** (-s) *v* world première; **–record** [-rəkɔ:r, -rəkɔrt] (-s) *o* world record; **–recordhouder** (-s) *m* world-record holder; **–reis** (-reizen) *v* world tour; **–reiziger** (-s) *m* world traveller, globe-trotter; **–rond** *o* world, globe; **–ruim** *o het* ~ space; **–s** 1 (v o o r d e w e r e l d l e v e n d, v a n d e w e r e l d) worldly, worldly-minded; 2 (t ij d e l ij k) secular, temporal [power]; **wereld'schokkend** world-shaking; **'wereldsgezind** worldly-minded, worldly; **wereldsge'zindheid** *v* worldly-mindedness, worldliness; **'wereldstad** (-steden) *v* metropolis; **–stelsel** (-s) *o* cosmic system, cosmos; **–streek** (-streken) *v* region of the world, zone; **–taal** (-talen) *v* world language; **–tentoonstelling** (-en) *v* world('s) fair, international exhibition; **–titel** *m sp* world title; **–toneel** *o* stage of the world; **–verkeer** *o* world traffic, international traffic; **–vermaard** world-famous; **–vrede** *m* & *v* world peace; **–vreemd** unworldly; **–wijs** worldly-wise, sophisticated; **–wonder** (-en) *o* wonder of the world; **–zee** (-zeeën) *v* ocean

'weren I (weerde, h. geweerd) *vt* prevent, avert [mischief]; keep out [a person]; *we kunnen hem niet* ~ we cannot keep him out; **II** *vr zich* ~ 1 (z ij n b e s t d o e n) exert oneself; 2 (z i c h v e r d e d i g e n) defend oneself

werf (werven) *v* 1 ship-yard, ship-building yard; (v. d. m a r i n e) dockyard; 3 (h o u t w e r f) timber-yard

'werfbureau [-by.ro.] (-s), **–kantoor** (-toren) *o* recruiting-office

'wering *v* prevention; *tot* ~ *van* for the prevention of

1 werk *o* tow; (g e p l o z e n) oakum; ~ *pluizen* pick oakum

2 werk (-en) *o* work [= task; employment; piece of literary or musical composition &]; labour; *de* ~*en van Vondel* the works of Vondel, Vondel's works; *het* ~ *van een horloge* the works of a watch; *een* ~ *van Gods handen* (of) God's workmanship; *het* ~ *van een ogenblik* the work (the business) of an instant; *dat is uw* ~ that is your work (your doing); *het is mooi* ~ it is a fine piece of work, a fine achievement: *er is* ~ *aan de winkel* there's much work to be done, he (you) will find his (your) work cut out for him (you); *een goed* ~ *doen* do a work of mercy; *geen half* ~ *doen* not do things by halves; *honderd mensen* ~ *geven* employ a hundred people; *dat geeft veel* ~ it gives you a lot of work; ~ *hebben* have a job, be in work; *geen* ~ *hebben* 1 ☞ have no work; 2 be out of work (out of employment); *lang* ~ *hebben om* be long about ...ing; *zijn* ~ *maken* do one's work; *er dadelijk* ~ *van maken* see to it at once; *er veel* ~ *van maken* take great pains over it; *hij maakt* (*veel*) ~ *van haar* he is making up to her; *ik maak er geen* ~ *van* (*van die zaak*) I'll not take the matter up; ~ *verschaffen* give employment; ~ *vinden* find work (employment); ~ *zoeken* be looking for work; ● *a a n het* ~*!* to work!; *aan het* ~ *gaan, zich aan het* ~ *begeven* set to work; *weer aan het* ~ *gaan* resume work; *iem. aan het* ~ *zetten* set sbd. to work; *aan het* ~ *zijn* be at work, be working, be engaged; *aan het* ~ *zijn aan* be engaged (at work) on [a dictionary &]; *hoe gaat dat i n zijn* ~*?* how is it done?; *hoe is dat in zijn* ~ *gegaan?* how did it come about?; *alles in het* ~ *stellen om...* leave no stone unturned (do one's utmost) in order to...; *pogingen in het* ~ *stellen* make efforts (attempts); *n a a r zijn* ~ *gaan* go to one's work; *o n d e r het* ~ while at work, while working; *goed* (*verkeerd*) *t e* ~ *gaan* set about it the right (wrong) way; *voorzichtig te* ~ *gaan* proceed cautiously; *te* ~ *stellen* employ, set to work; *z o n d e r* ~ out of work; **–baas** (-bazen) *m* foreman; **–bank** (-en) *v* (work-) bench; **–bezoek** (-en) *o* working visit; **–bij** (-en) *v* worker (bee); **–broek** (-en) *v* overalls; **–college** [-le.ʒə] (-s) *o* ⚭ seminar; **–comité** (-s) *o* working committee; **werk'dadig** efficacious, active, operative; **–heid** *v* efficacy, activity; **'werkdag** (-dagen) *m* work-day, week-day; [eight-hours'] working day

'werkelijk I *aj* real, actual; *~e dienst* active service; *ik heb het niet gedaan, ~!* really!, fact!; **II** *ad* really; **'werkelijkheid** *v* reality; *in ~* in reality, in point of fact, in fact, really; **–szin** *m* realism

'werkeloos = *werkloos*; **werke'loosheid** = *werkloosheid*; **'werkeloze(-), werke'loze(-)** = *werkloze(-)*

'werken (werkte, h. gewerkt) **I** *vi* 1 (w e r k d o e n) work; 2 (u i t w e r k i n g h e b b e n) work, act, operate, take effect, be effective [of medicine &]; ⚒ work, function [of an engine]; 3 (s t a m p e n e n s l i n g e r e n) labour [of a ship]; 4 (v e r s c h u i v e n) shift [of cargo]; 5 (t r e k k e n) get warped [of wood]; *de rem werkt niet* the brake doesn't act; *het schip werkte vreselijk* the ship laboured heavily; *hij heeft nooit van ~ gehouden* he never liked work; *hij laat hen te hard ~* he works them too hard, he overworks them; *hij moet hard ~* he has to work hard; • *a a n een boek* & ~ be at work (engaged) on a book; *nadelig ~ o p* have a bad effect upon; *op iems. gemoed ~* work on sbd.'s feelings; *het werkt op de zenuwen* it affects the nerves; *v o o r Engels ~* be reading for English; **II** *vt iets naar binnen ~* get [food] down; *hij kan heel wat naar binnen ~* he can negotiate a lot of food; *ze ~ elkaar eronder* they are cutting each other's throats; **–d** 1 working; active; 2 efficacious; *~ lid* active member; *de ~e stand* the working classes; **'werker** (-s) *m* worker; **'werkezel** (-s) *m* drudge; *hij is een echte ~* he is a glutton for work; **–gelegenheid** *v* employment; *volledige ~* full employment; **–gever** (-s) *m* employer; *~s en werknemers* employers and employed; **–groep** (-en) *v* working party; **–handen** *mv* callous hands; **–huis** (-huizen) *o* (v. w e r k s t e r) place; **–hypothese** [-hi.po.te.zə] (-n en -s) *v* working hypothesis [*mv* working hypotheses]; **'werking** (-en) *v* working, action, operation; (u i t w e r k i n g) effect; *die bepaling is b u i t e n ~* has ceased to be operative; *buiten ~ stellen* suspend; *i n ~* in action; *in ~ stellen* put in operation, set going, work; *in ~ treden* come into operation (into force); *in ~ zijn* be working; be operative; *in volle ~* in full operation, in full swing; **'werkinrichting** (-en) *v* labour colony; **–je** (-s) *o* piece of work, (little) work, job; **–kamer** (-s) *v* study; **–kamp** (-en) *o* (v. v r ij w i l l i g e r s) work-camp; (s t r a f k a m p) labour camp; **–kiel** (-en) *m* overalls; **–kleding** *v* working clothes; **–kracht** *v* 1 energy; 2 (-en) hand, workman; *de Europese ~en* European labour; **–kring** (-en) *m* sphere of activity (of action); **–lieden** *mv* workpeople, workers, operatives; **–loon** (-lonen) *o* wage(s), pay

'werkloos 1 inactive, idle; 2 out of work, out of employment, unemployed, jobless; *~ maken* throw out of work; **werk'loosheid** *v* 1 inactivity, idleness, inaction; 2 unemployment; **werk'loosheidsuitkering** (-en) *v* unemployment benefit, (unemployment) dole; **–verzekering** *v* unemployment insurance; **'werkloze** (-n) *m* out-of-work; *de ~n* the unemployed; **werk'lozencijfer** (-s) *o* unemployment index; **–kas** (-sen) *v* unemployment fund

'werklust *m* zest for work; **–maatschappij** (-en) *v* subsidiary company; **–man** (-lieden en -lui) *m* workman, labourer, operative, mechanic; **–mandje** (-s) *o* work-basket; **–meid** (-en) *v* work-maid, housemaid; **–methode** (-n en -s) *v* (working) method; **–mier** (-en) *v* worker (ant); **–nemer** (-s) *m* employee, employed man; zie ook: *werkgever*; **–paard** (-en) *o* work-horse; **–pak** (-ken) *o* working clothes, overalls; **–plaats** (-en) *v* workshop, shop, workroom; **–plan** (-nen) *o* working plan, plan of work; **–program(ma)** (-grams, -gramma's) *o* working-programme; **–rooster** (-s) *m* & *o* time-table; **–schoen** (-en) *m* working-boot; **–schuw** work-shy; **–staker** (-s) *m* striker; **–staking** (-en) *v* strike; **–ster** (-s) *v* 1 (female) worker; 2 charwoman, daily woman; **–student** (-en) *m* working student; **–stuk** (-ken) *o* 1 (piece of) work, workpiece; 2 (i n d e m e e t k.) proposition, problem; **–tafel** (-s) *v* desk; ⚒ work-bench; **–tekening** (-en) *v* working drawing; **–terrein** (-en) *o* area (sphere, field) of work; **–tijd** (-en) *m* working-hours; (v. e. p l o e g) shift; *lange ~en hebben* work long hours; *variabele ~en* flexible hours, **F** flexitime; **–tijdverkorting** (-en) *v* short-time working

'werktuig (-en) *o* 1 tool[2], instrument[2], implement; 2 organ [of sight]; *~en* (v o o r g y m n a s t i e k) apparatus; **–bouwkunde** *v* mechanical engineering; **werktuigbouw'kundige** (-n) *m* mechanical engineer, mechanician; **'werktuigkunde** *v* mechanics; **werktuig'kundig I** *aj* mechanical [action, drawing, engineer &]; **II** *ad* mechanically; **–e** (-n) *m* mechanician, instrument-maker; **werk'tuiglijk** *aj* (& *ad*) mechanical(ly)[2], automatic(ally)[2]; **–heid** *v* mechanicalness

'werkuur (-uren) *o* working-hour; **–verdeling** *v* division of labour; **–vergunning** (-en) *v* work permit; **–verschaffing** *v* the procuring (creation, provision) of employment (work); relief work(s); **–volk** *o* work-people, workmen, labourers; **–vrouw** (-en) *v* charwoman; **–week** (-weken) *v* working week; **–wijze** (-n) *v* (working) method; **werk'willige** (-n) *m* willing worker, non-striker; **'werkwinkel** (-s) *m* workshop; **–woord** (-en) *o gram* verb; **werk'woordelijk** verbal; **'werkzaam I** *aj* active, laborious, industrious; *hij is ~ op een fabriek* he is employed at a factory, he works in a factory; *een ~ aandeel hebben in* have an active part in; **II** *ad* actively, laboriously, industriously; **–heid** (-heden) *v* activity, industry; *mijn talrijke werkzaamheden* my numerous activities; *de verschillende werkzaamheden* the various proceedings; **'werkzoekende, werk'zoekende** (-n) *m-v* person looking for a job (for work, for employment)

'werpen* I *vt* throw, cast, fling, hurl, toss; *jongen ~* zie 2 *jongen*; *iem. met stenen ~* zie *gooien*; **II** *vr zich ~* throw oneself; *zich in de armen ~ van...* fling oneself into the arms of...; *zich op iem. ~* fall on sbd., set upon sbd.; *zich op de knieën ~* go down on one's knees, prostrate oneself [before sbd.]; *zich op de studie van... ~* apply oneself to the study of... with a will; *zich te paard ~* fling oneself into the saddle; **'werpnet** (-ten) *o* casting-net; **–pijl** (-en), **–schicht** (-en) *m* dart; **–speer** (-speren), **–spies** (-en), **–spiets** (-en) *v* javelin; **–tros** (-sen) *m* ⚓ warp; **–tuig** (-en) *o* missile, projectile

'wervel (-s) *m* vertebra [*mv* vertebrae]; **'wervelen** (wervelde, h. gewerveld) *vi* whirl; **'wervelkolom** (-men) *v* spinal column, spine; **–storm** (-en) *m* tornado; **–wind** (-en) *m* whirlwind

'werven* *vt* recruit, enlist, enrol; canvass for [customers]; **–er** (-s) *m* ⚔ recruiter, recruiting-officer; **'werving** (-en) *v* recruitment, enlistment, enrolment; canvassing [for customers]

'weshalve wherefore, for which reason

wesp (-en) *v* wasp; **'wespendief** (-dieven) *m* honey-buzzard; **–nest** (-en) *o* wasps' nest, vespiary; *fig* hornets' nest[2]; *zich in een ~ steken* bring a hornets' nest about one's ears; **'wespesteek** (-steken) *m* wasp-sting; **–taille** [-tɑ(l)jə] (-s) *v* wasp-waist

west west; **West** *v de ~* the West Indies; **–duits** West German; **–duitser** (-s) *m* West German; **West-'Duitsland** *o* West Germany; **'westelijk** western, westerly; **'westen** *o* west; *het Westen* the West, the Occident; *buiten ~* unconscious; *ten ~ van* (to the) west of; **–wind** (-en) *m* westwind; **'wester** western; **–kim(me)** *v* western horizon; **–lengte** *v* West longitude; **–ling** (-en) *m* Westerner; **–s** western, occidental; **'Westerschelde** *v de ~* the West Scheldt; **'West-Europa** *o* Western Europe; **Westeuro'pees** West(ern) European; **West-'Indië** *o* the West Indies; **West'indisch** West-Indian; **'westkant** *m* west side; **–kust** (-en) *v* west coast, western coast; **–moesson** (-s) *m* south-west monsoon; **'Westromeins** *het ~e Rijk* the Western Empire, the Empire of the West; **'westwaarts I** *aj* westward; **II** *ad* westward(s)

wet (-ten) *v* 1 (in 't alg.) law; 2 (in 't bijzonder) act; *de Mozaïsche ~* the Mosaic Law; *~ op het Lager Onderwijs* Primary Education Act; *de ~ van Archimedes* Archimedes' principle, the Archimedian principle; *de ~ van Boyle* (*Grimm, Parkinson* &) Boyle's (Grimm's, Parkinson's &) law; *de ~ van vraag en aanbod* (*der zwaartekracht* &) the law of supply and demand (of gravitation &); *een ~ van Meden en Perzen* a law of the Medes and Persians; *korte ~ten maken met* make short work of; *iem. de ~ stellen* (*voorschrijven*) lay down the law for sbd.; *~ worden* become law; • *boven de ~ staan* be above the law; *buiten de ~ stellen* outlaw; *door de ~ bepaald* fixed by law, statutory; *tegen de ~* against the law; *tot ~ verheffen* put [a bill] on the Statute Book; *volgens de ~* by law; *volgens de Franse ~* 1 according to French law [you are right]; 2 [married &] under French law; *voor de ~* in the eye of the law; [equality] before the law; zie ook: *volgens de ~*; *voor de ~ niet bestaan* not exist in law; *voor de ~ getrouwd* married at the registrar's office; **–boek** (-en) *o* code; *~ van koophandel* commercial code; *~ van privaatrecht, burgerlijk ~* civil code; *~ van strafrecht* penal code, criminal code

1 'weten* I *vt* 1 (in 't alg.) know; 2 (kennis dragen van) be aware of; *doen* (*laten*) *~* let [one] know, send [one] word, inform [sbd.] of; *wie weet of hij niet zal...* who knows but he may...; *God weet het!* God knows!; *dat weet ik niet* I don't know; *hij is mijn vriend moet je ~* (*weet je*) he is my friend, you know; *wel te ~ ...* that is to say...; *het te ~ komen* get to know it; find out, learn; *hij wist te ontkomen* he managed to escape; *hij weet zich te verdedigen* he knows how to defend himself; *er iets op ~* know a way out; *het uit de krant ~* know it from the paper(s); *van wie weet je het?* whom did you hear it from?, who told you?; *eer je het weet* before you know where you are; *zij ~ het samen* they are as thick as thieves; they are hand and glove; *hij weet er alles van* he knows all about it; *hij weet er niets* *van* he doesn't know anything about it; *dat moeten zij zelf maar* ~ that's their look-out; *zij willen er niet(s) van* ~ they will have none of it; *zij wil niets van hem* ~ she will not have anything to say to him; *dat moet je zelf* ~ that's your look-out; *wat niet weet, wat niet deert* what one does not know causes no woe; *weet je wat?, we gaan naar* ... I'll tell you what, we'll go to...; *zij weet wat zij wil* she knows what she wants, she knows her own mind; *hij weet zelf niet wat hij wil* he doesn't know his own mind; *daar weet jij wat van!* **F** fat lot you know about it!; *ik weet wat van je* I know something about you; *dat schoonmaken dat weet wat!* what a nuisance!; *hij wil het wel* ~ (*dat hij knap is* &) he needn't be told that he is clever; *hij wil het niet* ~ he never lets it appear; *zonder het zelf te* ~ unwittingly; ~ *waar Abraham de mosterd haalt* know what's what; **II** *va* know; *wie weet?* who knows?; *men kan nooit* ~ you never can tell; *hij weet niet beter* he doesn't know any better; *hij weet wel beter* he knows better (than that); *niet dat ik weet* not that I know of; **III** *o* knowledge; ● *niet b ij mijn* ~ not to my knowledge; *b u i t e n mijn* ~ without my knowledge, unknown to me; *m e t mijn* ~ with my knowledge; *n a a r mijn beste* ~ to the best of my knowledge; *t e g e n beter* ~ *in* against one's better judgment; *z o n d e r mijn* ~ without my knowledge; **IV** *ad te* ~ *appels, peren*... viz., namely, to wit...

2 'weten V.T. meerv. van *wijten*

'wetens zie *willens*

'wetenschap (-pen) *v* 1 science; learning; 2 (k e n n i s) knowledge; *er geen* ~ *van hebben* know nothing about it, not be aware of it; **weten'schappelijk I** *aj* scientific; learned; **II** *ad* scientifically; **–heid** *v* scientific character; **'wetenschapsmensen, 'wetenschappers** *mv* scientists

wetens'waardig worth knowing; **–heid** (-heden) *v* thing worth knowing

'wetering (-en) *v* watercourse

'wetgeleerde (-n) *m* one learned in the law, jurist; **–gevend** law-making, legislative; *de ~e macht* the legislature; *~e vergadering* Legislative Assembly; **–gever** (-s) *m* law-giver, legislator; **–geving** (-en) *v* legislation; **–houder** (-s) *m* alderman; **wet'matig** regular; **'wetsartikel** (-en en -s) *o* article of a (the) law; **–bepaling** (-en) *v* provision of a (the) law; **–herziening** (-en) *v* revision of the (a) law; **–ontduiking** *v* evasion of the law; **–ontwerp** (-en) *o* bill; **–overtreding** (-en) *v* breach of the law; **–rol** (-len) *v* scroll of the (Mosaic) law

1 'wetstaal (-stalen) *o* (sharpening) steel

2 'wetstaal *v* legal language

'wetsteen (-stenen) *m* whetstone, hone

'wetsverkrachting (-en) *v* violation of the law; **–voorstel** (-len) *o* bill; **–wijziging** (-en) *v* amendment (modification, alteration) of the law; *een* ~ *invoeren* amend the law; **–winkel** (-s) *m* (neighbourhood) law-centre; **'wettelijk I** *aj* legal; statutory; *~e aansprakelijkheid* ⚖ liability; **II** *ad* legally; **–heid** *v* legality; **'wetteloos** lawless; **wette'loosheid** *v* lawlessness

'wetten (wette, h. gewet) *vt* whet, sharpen

'wettig I *aj* legitimate, legal, lawful; *een* ~ *kind* a legitimate child; **II** *ad* legitimately, legally, lawfully; **'wettigen** (wettigde, h. gewettigd) *vt* legitimate, legalize; *fig* justify; sanction [by usage]; **'wettigheid** *v* legitimacy; **'wettiging** (-en) *v* legitimation, legalization

'weven* *vt* & *vi* weave; **–er** (-s) *m* 1 weaver; 2 🐦 weaver-bird; **weve'rij** (-en) *v* 1 weaving; 2 weaving-mill

'wezel (-s) *v* weasel

1 'wezen* I *vi* be; *ik ben hem* ~ *opzoeken* I have been to see him; *hij mag er* ~ **F** he is all there; *dat mag er* ~ **S** that is not half bad, that is some; **II** (-s) *o* 1 (p e r s o o n) being, creature, [human, social] animal; 2 (b e s t a a n) being, existence; 3 (a a r d) nature; 4 (w e z e n l i j k h e i d) essence, substance; 5 (v o o r k o m e n) countenance, aspect; *geen levend* ~ not a living being (soul)

2 'wezen V.T. meerv. van *wijzen*

'wezenfonds (-en) *o* orphans' fund

'wezenlijk I *aj* real, essential; substantial; *het ~e* the essence; **II** *ad* 1 essentially; substantially; 2 < really; **–heid** *v* reality

'wezenloos vacant, vacuous, blank [stare]; **–heid** *v* vacancy, vacuity

wezens'vreemd foreign to one's nature

w.g. = *was getekend* (signed)

'whisky ['vɪski.] *m* whisky, whiskey; **whisky'soda** *v* whisk(e)y and soda

whist *o* whist; **'whisten** (whistte, h. gewhist) *vi* play (at) whist

w.i. = *werktuigkundig ingenieur*

'wichelaar (-s) *m,* **–ster** (-s) *v* augur, soothsayer; **wichela'rij** (-en) *v* augury, soothsaying; **'wichelen** (wichelde, h. gewicheld) *vt* augur, soothsay; **'wichelroede** (-n) *v* divining-rod, dowsing-rod; **–loper** (-s) *m* diviner, douser, rhabdomancer

1 wicht (-en) *o* (k i n d) baby, child, babe, mite; *arm ~!* poor thing!; *een of ander mal* ~ some foolish creature; *mal ~!* you fool!

2 wicht (-en) *o* (g e w i c h t) weight; **'wichtig** weighty²; **–heid** *v* weight²

wie I *betr. vnmw.* he who; ~ *ook* who(so)ever; **II** *vragend vnmw.* who?; ~ *van hen?* which of them?; ~ *daar?* ⚔ who goes there

'wiebelen (wiebelde, h. gewiebeld) *vi* wobble,

wiggle; **–d** wobbly
'wieden (wiedde, h. gewied) *vt* & *va* weed; **–er** (-s) *m* weeder
'wiedes F *dat is nogal* ~ it goes without saying
'wiedijzer (-s) *o* weeding-hook, spud; **'wiedster** (-s) *v* weeder
wieg (-en) *v* cradle; *voor dichter in de ~ gelegd* a born poet; *hij was voor soldaat in de ~ gelegd* he was cut out for a soldier; *hij is niet voor soldaat in de ~ gelegd* he will never make a soldier; *voor dat werk was hij niet in de ~ gelegd* he was not fitted by nature for that sort of work; *van de ~ af* from the cradle; **–edruk** (-ken) *m* incunabulum, incunable
'wiegelen (wiegelde, h. gewiegeld) *vi* rock
'wiegelied (-eren) *o* cradle-song, lullaby; **'wiegen** (wiegde, h. gewiegd) *vt* rock; zie ook: *slaap*
wiek (-en) *v* (vleugel) wing; (lampekatoen) wick; (v. molen) sail, wing, vane; *hij was in zijn ~ geschoten* he was affronted (affended); he was stung to the quick; *op eigen ~en drijven* stand on one's own legs, shift for oneself
wiel (-en) *o* wheel; || (plas) pool; *het vijfde ~* zie 1 *rad*; *iem. in de ~en rijden* put a spoke in sbd.'s wheel; **–basis** [-zɪs] *v* wheel-base; **–dop** (-pen) *m* 🚗 hub-cap, wheel-disc
'wielerbaan (-banen) *v* cycle race-track; **–sport** *v* cycling; **–wedstrijd** (-en) *m* bicycle race
'wielewaal (-walen) *m* golden oriole
'wielrennen *o* cycle-racing; **–er** (-s) *m* racing cyclist
'wielrijden *vi* cycle, wheel; **'wielrijder** (-s) *m* cyclist; **–sbond** *m* cyclists' union
wier (-en) *o* seaweed, alga [*mv* algae]
wierf (wierven) V.T. van *werven*
'wierook *m* incense[2], frankincense; **–geur** (-en) *m*, **–lucht** *v* smell of incense; **–scheepje** (-s) *o* incense-boat; **–vat** (-vaten) *o* censer, thurible, incensory
wierp (wierpen) V.T. van *werpen*
'wierven V.T. meerv. van *werven*
wies (wiesen) V.T. van *1, 3 wassen*
wig (-gen), **–ge** (-n) *v* wedge; *een ~ drijven tussen* drive a wedge between; **–vormig** wedge-shaped [thing]; cuneiform [inscription]
wij we
'wijbisschop (-pen) *m* suffragan (bishop)
wijd I *aj* wide, ample, large, broad, spacious; **II** *ad* wide(ly); *de ramen ~ openzetten* open the windows wide; *~ en zijd* far and wide; *~ en zijd bekend* widely known; **–beens** with (one's) legs apart
'wijdeling (-en) *m* ordinand
'wijden (wijdde, h. gewijd) **I** *vt* ordain [a priest]; consecrate [a church, churchyard, a bishop &]; *~ aan* dedicate to [God, some person &]; *fig* consecrate to [some purpose]; *zijn tijd & ~ aan...* devote one's time & to...; *hem tot priester ~* ordain him priest; **II** *vr zich ~ aan iets* devote oneself to sth.
'wijders further, besides, moreover
'wijding (-en) *v* 1 ordination, consecration; 2 devotion; *hogere (lagere) ~en rk* major (minor) orders
wijd'lopig prolix, diffuse, verbose; **–heid** *v* prolixity, diffuseness, verbosity; **wijd'mazig** wide (coarse)-mashed; **'wijdte** (-n en -s) *v* 1 width, breadth, space; 2 gauge [of a railway]; **'wijdverbreid** widespread, extensive; **–vermaard** widely known, far-famed; **–verspreid** widespread, extensive; **–vertakt** wide-spread [plot]
wijf (wijven) *o* woman, female; > mean woman, virago, vixen, shrew; *een oud ~* an old woman[2]; **–je** (-s) *o* 1 female [of animals]; 2 (als aansprekïng) wifey, little wife
'wijgeschenk (-en) *o* votive offering
wijk (-en) *v* quarter, district, ward; beat [of policeman], round [of milkman], walk [of postman]; *de ~ nemen naar Amerika* fly (flee) to America, take refuge in America
'wijken* *vi* give way, give ground, yield; *geen voet ~* not budge an inch; ⚔ not yield an inch of ground; *niet van iem. ~* not budge from sbd.'s side; *~ voor niemand* not yield to anybody; *moet ik voor hem ~?* should I make way for him?; *~ voor de overmacht* yield to superior numbers; *het gevaar is geweken* the danger is over; *de pijn is geweken* the pain has gone
'wijkgebouw (-en) *o* church hall, community centre; **–hoofd** (-en) *o* chief (air-raid) warden
'wijkplaats (-en) *v* asylum, refuge
'wijkverpleegster (-s) *v* district nurse; **–verpleging** *v* district nursing; **–zuster** (-s) *v* district nurse
1 wijl *cj* since, because, as
2 'wijl(e) (wijlen) *v* while, time
1 'wijlen *aj ~ Willem I* the late William I; *~ mijn vader* my late father
2 'wijlen (wijlde, h. gewijld) *vi* zie *verwijlen*
wijn (-en) *m* wine; *rode ~* red wine, claret; *witte ~* white wine; *klare ~ schenken* speak frankly, be frank; *er moet klare ~ geschonken worden!* plain language wanted!; *goede ~ behoeft geen krans* good wine needs no bush; **–achtig** vinous; **–appel** (-s en -en) *m* wine-apple; **–azijn** *m* wine-vinegar; **–berg** (-en) *m* vineyard; **–boer** (-en) *m* wine-grower; **–bouw** *m* viniculture, wine-growing; **–bouwer** (-s) *m* wine-grower; **–druif** (-druiven) *v* grape; **–fles** (-sen) *v* wine-bottle; **–gaard** (-en) *m* vineyard; **wijn-**

gaarde'nier (-s) *m* vine-dresser; **'wijngaardslak** (-ken) *v* edible-snail; **–geest** *m* spirit of wine, alcohol; **–glas** (-glazen) *o* wine-glass; **–handel** (-s) *m* 1 wine-trade; 2 wine-business; wine-shop; **–handelaar** (-s en -laren) *m* wine-merchant; **–huis** (-huizen) *o* wine-house; **–jaar** (-jaren) *o* vintage [of 1910], vintage year; **–kaart** (-en) *v* wine-list; **–kan** (-nen) *v* wine-jug; **–karaf** (-fen) *v* wine-decanter; **–kelder** (-s) *m* wine-cellar, wine-vault; **–kenner** (-s) *m* judge of wine, wine connoisseur; **–kleur** *v* wine colour; **–kleurig** wine-coloured; **–koeler** (-s) *m* wine cooler; **–koper** (-s) *m* wine-merchant; **–kuip** (-en) *v* wine-vat; **–lezer** (-s) *m* vintager; **–maand** *v* October; **–merk** (-en) *o* brand of wine; **–oogst** *m* vintage; **–oogster** (-s) *m* vintager; **–pers** (-en) *v* winepress; **–rank** (-en) *v* vine-tendril; **–rijk** abounding in wine, viny; **–rood** wine-red; **–saus** (-en en -sauzen) *v* wine-sauce; **–smaak** *m* vinous (winy) taste; **–soort** (-en) *v* kind of wine; **–steen** *m* wine-stone, tartar; **–steenzuur** *o* tartaric acid; **–stok** (-ken) *m* vine; **–vat** (-vaten) *o* wine-cask; **–vlek** (-ken) *v* 1 wine-stain [in napkin &]; 2 strawberry mark [on the skin]

1 wijs (wijzen) *v* 1 (m a n i e r) manner, way; 2 *gram* mood; 3 ♩ tune, melody; zie ook: 2 *wijze*; *de ~ niet kunnen houden* ♩ not be able to keep tune; *o p de ~ van...* ♩ to the tune of...; *op die ~* in this manner, in this way; *v a n de ~* ♩ out of tune; *iem. van de ~ brengen* [*fig*] put sbd. out; *zich niet van de ~ laten brengen* 1 not suffer oneself to be put out; 2 not suffer oneself to be misled [by idle gossip]; *van de ~ raken* ♩ get out of tune; *fig* get flurried; *ik ben geheel van de ~* [*fig*] I am quite at sea; *'s lands ~, 's lands eer* when in Rome, do as Rome does

2 wijs I *aj* wise; *ben je (wel) ~?* are you out of your senses?, are you in your right senses?, where are your senses?; *nu ben ik nog even ~* I am just as wise as (I was) before, I am not any the wiser; *hij is niet goed (niet recht) ~* he is not in his right mind, not his right senses (not quite in his senses); *ze zijn niet wijzer* they know no better; *hij zal wel wijzer zijn* he will know better (than to do that); *~ worden* learn wisdom; *ik kan er niet uit ~ worden* I can make neither head nor tail of it; I cannot make it out; *ik kan niet ~ uit hem worden* I don't know what to make of him; **II** *ad* wisely; *die hoed staat het kind te ~* makes the child look older; **–begeerte** *v* philosophy; **–elijk** wisely; **–geer** (-geren) *m* philosopher; **wijs'gerig** philosophical; **'wijsheid** (-heden) *v* wisdom; *alsof zij de ~ in pacht hebben* as if they had a monopoly of wisdom, as if they were the only wise people in the world; **'wijsmaken** (maakte wijs, h. wijsgemaakt) *vt iem. iets ~* make sbd. believe sth.; *zich (zelf) ~ dat...* delude oneself into the belief that...; *maak dat anderen wijs* tell that story somewhere else; *dat maak je mij niet wijs* I know better, tell me another; *maak dat de kat wijs* tell that to the (horse-) marines; *ik laat me niets ~* I don't suffer myself to be imposed upon; *hij laat zich alles ~* he will swallow anything; **'wijsneus** (-neuzen) *m* know-all, wiseacre, smart-aleck; **wijs'neuzig** conceited, smart-alecky

'wijsvinger (-s) *m* forefinger, index finger

'wijten* *vt iets ~ aan* impute sth. to; blame [sbd.] for sth.; *het was te ~ aan...* it was owing to...; *dat heeft hij zichzelf te ~* he has no one to thank for it but himself, he has only himself to blame for it

'wijting (-en) *m* 🐟 whiting

'wijwater *o* holy water; **–bakje** (-s) *o* holy-water font (basin); **–kwast** (-en) *m* holy-water sprinkler

1 'wijze (-n) *m* sage, wise man; *de Wijzen uit het Oosten* the Wise Men from the East, the Magi

2 'wijze (-n) *v* manner, way; zie 1 *wijs*; *b ij ~ van proef* by way of trial; *bij ~ van spreken* in a manner of speaking, so to speak, so to say; *n a a r mijn ~ van zien* in my opinion; *o p die ~* in this manner, in this way; *op de een of andere ~* somehow or other; *op generlei ~* by no manner of means, in no way

'wijzen* I *vt* 1 show, point out [sth.]; 2 ⚖ pronounce [sentence]; *dat zal ik u eens ~* I'll show you; *dat wijst (ons) op...* this points to...; *iem. op zijn ongelijk ~* point out to sbd. where he is wrong; **II** *vi* point; *ik zou erop willen ~ dat...* I should like to point out the fact that...; *alles wijst erop dat...* everything points to the fact that...; **'wijzer** (-s) *m* 1 ⚒ indicator; 2 hand [of a watch]; 3 (h a n d w ij z e r) finger-post; *grote ~* minute-hand; *kleine ~* hour-hand; **–plaat** (-platen) *v* dial(-plate), face [of a clock], clock face; **–tje** (-s) *o* hand [of a watch]; *het ~ rond slapen* sleep the clock round

'wijzigen (wijzigde, h. gewijzigd) *vt* modify, alter, change; **–ging** (-en) *v* modification, alteration, change; *een ~ aanbrengen (in)* make a change (in); *een ~ ondergaan* undergo a change, be altered

'wijzing *v* ⚖ pronouncing [of a sentence]

'wikke (-n) *v* ✿ vetch

'wikkel (-s) *m* wrapper; (v. s i g a a r) filler; **'wikkelen** (wikkelde, h. gewikkeld) **I** *vt* wrap (up) [in brown paper &]; envelop [person, thing in]; swathe [in bandages]; wind [on a reel]; involve[2] [sbd. in difficulties &]; *gewikkeld in een strijd op leven en dood* engaged in a life-

and-death struggle; **II** *vr zich ~ in...* wrap [a shawl] about [her]; **–ling** (-en) *v* ⚒ winding
'wikken (wikte, h. gewikt) *vt* weigh² [goods, one's words]; poise [on the hand]; *~ en wegen* weigh the pros and cons; weigh one's words; *de mens wikt, maar God beschikt* man proposes, (but) God disposes
wil *m* will, desire; *zijn uiterste ~* his last will (and testament); *de vrije ~* free will; *het is zijn eigen ~* he has willed it himself, it's his own wish; *~ van iets hebben* derive satisfaction from sth.; *u zult er veel ~ van hebben* it will prove very serviceable; *voor elk wat ~s* something for everyone, all tastes are catered for; *de ~ voor de daad nemen* take the will for the deed; *zijn goede ~ tonen* show one's willingness; *waar een ~ is, is een weg* where there's a will there's a way; • *buiten mijn ~* without my will and consent; *met de beste ~ van de wereld* with the best will in the world; *met mijn ~ gebeurt het niet* not with my consent, not if I can help it; *om 's hemels ~* for Heaven's sake; goodness gracious!; *om harent* (*mijnent, uwent*) *~* for her (my, your) sake; *tegen mijn ~* against my will; *tegen ~ en dank* against his will, in spite of himself, willy-nilly; *iem. ter ~le zijn* oblige sbd.; *ter ~le van mijn gezin* for the sake of my family; *ter ~le van de vrede* for peace's sake; (*niet*) *uit vrije ~* (not) of my own free will
wild I *aj* 1 (in 't wild groeiend) wild [flowers]; 2 (in 't wild levend) wild [animals], savage [tribes]; 3 (niet kalm) wild, unruly; 4 (woest kijkend) fierce [looks]; *~e boot* ⚓ tramp (steamer); *in het ~(e weg)* at random, wildly; *in het ~ groeien* grow wild; *de in het ~ levende dieren* wild life; *in het ~ opgroeien* run wild; *in het ~(e weg) redeneren* reason at random; *in het ~(e weg) schieten* shoot at random; fire random shots; **II** *ad* wildly; **III** *o* 1 game, quarry; 2 (gebraden) game; *grof* (*klein*) *~* big (small) game; zie *wilde*; **–baan** (-banen) *v* hunting ground (preserve); **–braad** *o* game; **–dief** (-dieven) *m* poacher; **wild-dieve'rij** (-en) *v* poaching; **'wilde** (-n) *m* savage; wild man; *de ~n* the savages; **–bras** (-sen) *m-v* 1 (jongen) wild monkey; 2 (meisje) tomboy, romp; **–man** (-nen) *m* wild man; **'wildernis** (-sen) *v* wilderness, waste; **'wildheid** (-heden) *v* wildness, savageness; **–le(d)er** *o* doeskin, buckskin; suède; **–park** (-en) *o* game preserve; deer park; **–pastei** (-en) *v* game-pie; **–reservaat** [s = z] (-vaten) *o* game reserve, game sanctuary; **–rijk** gamy, abounding in game; **–smaak** *m* gamy taste, taste of venison; **–stand** *m* game population, stock of game; **–stroper** (-s) *m* poacher; **–vreemd** *ik ben hier ~* I am a perfect stranger here; **wild-'westfilm** (-s) *m* western; **–verhaal** (-halen) *o* western; **'wildzang** (-en) *m* 1 wild notes, untaught song; 2 *m-v* = *wildebras*
wilg (-en) *m* willow; **'wilgeboom** (-bomen) *m* willow-tree; **–roos** (-rozen) *v* willow herb
Wil'helmus *o het ~* the Dutch national anthem
'willekeur *v* arbitrariness; *naar ~* at will; **wille'keurig I** *aj* arbitrary [actions &]; voluntary [movements]; *een ~ getal* any (given) number; **II** *ad* arbitrarily; **–heid** (-heden) *v* arbitrariness
'willen* I *vi* & *va* will; be willing; *ik wil* I will; *ik wil niet* I will not, I won't; *hij kan wel, maar hij wil niet* but he will not; *hij wil wel* he is willing; *of hij wil of niet* willy-nilly; *hij moge zijn wie hij wil* whoever he may be; *zij ~ er niet aan* they won't hear of it; *dat wil er bij mij niet in* that won't go down with me; **II** *vt* will; vóór inf. 1 (zich niet verzetten) be willing [to go &]; 2 (wensen) wish, want [to go, write &]; 3 (nadrukkelijk wensen) insist [on being obeyed &]; 4 (beweren) say [sth. to have occurred]; *wilt u het zout aangeven?* would you pass the salt?; *ik wil je wel vertellen...* I don't mind telling you...; *hij was zieker dan hij wel wilde bekennen* than he was willing to own; *zij ~ hebben dat wij...* they want us to...; *hij zal hard moeten werken, wil hij slagen* if he wants to succeed; *wil je wel eens zwijgen!* keep quiet, will you?; *als ik iets wilde* 1 if I willed a thing; 2 whenever I wanted anything; *zij ~ het zo* it is their pleasure; *dat zou je wel ~, he?* wouldn't you like it?; *ik zou wel een glaasje bier ~* I should not mind a glass of beer; *ik zou hem wel om de oren ~ slaan* I should like to box his ears; *ik wilde liever sterven dan...* I would rather die than...; *zij ~ het niet* (*hebben*) 1 they don't want it, they will have none of it; 2 they don't allow it; *zij ~ dat u...* they want (wish) you to...; *ik wou dat ik het kon* I wish I could; *hij kan niet ~ dat wij...* he cannot want us to...; *als God wil dat ik...* if God wills me to...; *het gerucht wil dat...* rumour has it that...; *het toeval wilde dat...* zie *toeval*; *wat wil je?* what do you want?; what is your desire?; *wat ze maar ~* anything they like; *men kan niet alles doen wat men maar wil* a man cannot do all he pleases; *hij mag* (*ervan*) *zeggen wat hij wil, maar...* he may say what he will, but...; *wat wil hij er voor?* what does he ask for it?; **III** *o* volition; *~ is kunnen* where there's a will there's a way; *het is maar een kwestie van ~* it is but a question of willing; **'willens** on purpose; *~ of onwillens* willy-nilly; *~ en wetens* (willingly and) knowingly; *~ zijn* intend [to...]; **'willig** 1 willing; 2 $ firm; **–heid** *v* 1 willingness; 2 $ firmness [of the market]; **'willoos**

will-less; **–heid, wil'loosheid** *v* will-lessness; **'wilsbeschikking** *v* last will (and testament), will; **–kracht** *v* will-power, energy; **–zwakte** *v* infirmity of purpose

'wimpel (-s) *m* pennant, streamer; *de blauwe* ~ the blue ribbon

'wimper (-s) *v* (eye)lash

wind (-en) *m* 1 wind; 2 (b u i k w i n d) flatus, **P** fart; ~ *van voren* head wind; *dat is maar* ~ that is mere gas; ~ *en weder dienende* weather permitting; *zien uit welke hoek de* ~ *waait* find out how the wind lies (blows); *waait de* ~ *uit die hoek?* sits the wind in that quarter?; *de* ~ *waait uit een andere hoek* the wind blows from another quarter; *ga* & *als de* ~*!* like the wind!; *iem. de* ~ *van voren geven* take sbd. up roundly; *de* ~ *van achteren hebben* go down the wind; *toen wij de* ~ *mee hadden* when the wind was with us; *er de* ~ *onder hebben* have them well in hand; *de* ~ *tegen hebben* sail against the wind; *de* ~ *van iets krijgen* zie *lucht*; *de* ~ *van voren krijgen* catch it; *een* ~ *laten* break wind, **F** let one go, **P** fart; ~ *maken* cut a dash; ● *a a n de* ~ *zeilen, b ij de* ~ *zeilen* ⚓ sail close to (near) the wind; *scherp bij de* ~ *zeilen* ⚓ sail close-hauled; *de Eilanden b o v e n de* ~ the Windward Islands; *d o o r de* ~ *gaan* ⚓ tack; *i n de* ~ *praten* be talking to the wind; *zijn raad in de* ~ *slaan* fling his advice to the winds; *een waarschuwing in de* ~ *slaan* disregard a warning; *m e t alle* ~*en draaien* (*waaien*) trim one's sails to every wind; *met de* ~ *mee* down the wind; *de Eilanden o n d e r de* ~ the Leeward Islands; *t e g e n de* ~ *in* against the wind; *vlak tegen de* ~ *in* in the teeth of the wind; *iem. de* ~ *u i t de zeilen nemen* take the wind out of sbd.'s sails; *v a n de* ~ *kan men niet leven* you cannot live on air; *v o o r de* ~ downwind; *het gaat hem vóór de* ~ he is sailing before the wind, he is thriving; *vóór de* ~ *zeilen* ⚓ sail before the wind; *wie* ~ *zaait, zal storm oogsten* sow the wind and reap the whirlwind; *zoals de* ~ *waait, waait zijn jasje* he hangs his cloak to the wind; **–as** (-sen) *o* windlass, winch; **–buil** (-en) *v* windbag, gas-bag, braggart; **–buks** (-en) *v* air-gun, air-rifle; **–dicht** wind-proof; **–druk** *m* wind-pressure

'winde (-n en -s) *v* ✿ bindweed, convolvulus

'windei (-eren) *o* wind-egg; *het zal hem geen* ~*eren leggen* he will do well out of it

'winden* I *vt* 1 wind, twist [yarn &]; 2 (o p h ij s e n) hoist (up); ⚓ heave [an anchor &]; *het op een klos* ~ wind it on a reel, reel it; **II** *vr zich* ~ wind, wind itself [round a pole &]

'winderig windy[2]; **–heid** *v* windiness[2]; **'windgat** (-gaten) *o* vent-hole; **–handel** *m* speculation, stock-jobbery, gambling; **–hoek** (-en) *m* 1 quarter from which the wind blows; 2 windy spot; **–hond** (-en) *m* greyhound; **–hondenrennen** *mv* greyhound races; **–hoos** (-hozen) *v* wind-spout, tornado

'winding (-en) *v* winding, coil [of a rope]; convolution [of the brain]

'windjak (-ken) *o* wind-cheater, *Am* wind-breaker; **'windje** (-s) *o* breath of wind; **'windkant** *m* = *windzij*(*de*); **–kracht** *v* 1 (s t e r k t e) wind-force; 2 (e n e r g i e) wind power; *storm met* ~ *10* force 10 gale; **–kussen** (-s) *o* air-cushion; **–meter** (-s) *m* wind-gauge, anemometer; **–molen** (-s) *m* windmill; *tegen* ~*s vechten* tilt at (fight) windmills; **–richting** (-en) *v* direction of the wind, wind direction; **–roos** (-rozen) *v* ⚓ compass-card; **–scherm** (-en) *o* windscreen; wind-break

'windsel (-s en -en) *o* bandage, swathe; ~*s* swaddling clothes; **'windsingel** (-s) *m* shelter-belt, wind-break; **–snelheid** (-heden) *v* wind speed, wind velocity; **–stil** calm, windless; **–stilte** (-s en -n) *v* calm; **–stoot** (-stoten) *m* gust of wind; **–streek** (-streken) *v* point of the compass; **–surfing** *v* sail-surf; **–tunnel** (-s) *m* wind-tunnel; **–vaan** (-vanen) *v* weather-vane; **–vlaag** (-vlagen) *v* gust of wind, squall; **–waarts** to windward; **–wijzer** (-s) *m* weathercock, weather-vane; **–zak** (-ken) *m* ✈ wind-sock, wind-sleeve, drogue; **–zij(de)** *v* wind-side, windward side, weather-side

'wingerd (-s en -en) *m* 1 (w ij n g a a r d) vineyard; 2 ✿ (w ij n s t o k) vine; *wilde* ~ ✿ Virginia(n) creeper

'wingewest (-en) *o* conquered country, province

'winkel (-s) *m* 1 shop; 2 (v. a m b a c h t s m a n) workshop, shop; *een* ~ *doen* (*houden*) keep a shop; *de* ~ *sluiten* close the shop, shut up shop; **–bediende** (-n en -s) *m-v* shop-assistant; **–centrum** (-s en -tra) *o* shopping-centre; **–chef** [-ʃɛf] (-s) *m* shopwalker; **–dief** (-dieven) *m* shoplifter; **–diefstal** (-len) *m* shoplifting; **–dievegge** (-n) *v* shoplifter; **'winkelen** (winkelde, h. gewinkeld) *vi* go (be) shopping, shop; **'winkelgalerij** (-en) *v* arcade

'winkelhaak (-haken) *m* 1 (v. t i m m e r m a n) square; 2 (s c h e u r) tear

winke'lier (-s) *m* shopkeeper, shopman; **'winkeljuffrouw** (-en) *v* shop-girl, salesgirl; **–kast** (-en) *v* show-window; **–la(de)** (-laden, -la's en -laas) *v* till; **–nering** *v* custom, goodwill; *gedwongen* ~ truck(-system); **–opstand** *m* shop-fittings, fixtures; **–prijs** (-prijzen) *m* retail price; **–pui** (-en) *v* shop-front; **–raam** (-ramen) *o* shop-window; **–sluiting** *v* closing of shops; **–stand** (-en) *m* 1 shopping quarter; 2 community of shop-keepers; **–straat** (-straten) *v* shopping street; **–vereniging** (-en) *v* co-operative store(s); **–waar** (-waren) *v* shop-wares; **–wijk** (-en) *v* shopping quarter; **–zaak** (-zaken) *v* shop

'winnaar (-s) *m* winner; **'winnen* I** *vt* 1 win [money, time, a prize, a battle &], gain [a battle, a lawsuit &]; 2 (v e r k r ij g e n) make [hay &]; ook: win [hay, ore &]; *het ~* win, be victorious, carry the day; *het van iem. ~* get the better of sbd.; *het in zeker opzicht ~ van...* have the pull over...; *u hebt 10 pond (de weddenschap) van me gewonnen* you have won £ 10 of me, you have won the bet from me; *(het) gemakkelijk ~* win hands down; *het glansrijk van iem. ~* beat sbd. hollow; *iem. voor de goede zaak ~* win sbd. over to the (good) cause; *iem. voor zich ~* win sbd. over (to one's side); **II** *va* win, gain; *a a n (in) duidelijkheid ~* gain in clearness; *b ij iets ~* gain by sth.; *bij nadere kennismaking ~* improve upon acquaintance; *o p iem. ~* gain (up)on sbd.; *Oxford wint v a n Cambridge* O. wins from C., O. beats C.; *zo gewonnen, zo geronnen* zie *gewonnen*; **–er** (-s) *m* winner

winst (-en) *v* gain, profit, winnings, return(s); *~ behalen (maken) op* make a profit on; *grote ~en behalen* make big profits; *~ geven (opleveren)* yield profit; *met ~ verkopen* sell at a profit; *~ en verlies* $ profits and losses; **–aandeel** (-delen) *o* share in the profit(s); **–bejag** *o* pursuit (love) of gain, profiteering; **–belasting** *v* profits tax; **–cijfer** (-s) *o* profit; **–deling** (-en) *v* profit-sharing; **–derving** (-en) *v* loss of profit; **winst-en-ver'liesrekening** (-en) *v* profit and loss account; **winst'gevend** profitable, lucrative; **'winstje** (-s) *o* (little) profit; *met een zoet ~* with a fair profit; **'winstmarge** [-mɑr-ʒə] (-s) *v* profit margin, margin of profit; **–punt** (-en) *o* plus, advantage; **–saldo** ('s en -saldi) *o* balance of profit(s); **–uitkering** (-en) *v* distribution of profits

'winter (-s) *m* 1 winter; 2 (z w e l l i n g) chilblain(s); *des ~s, in de ~* in winter; *van de ~* 1 this winter [present]; 2 next winter [future]; 3 last winter [past]; **–achtig** wintry; **winter'avond** (-en) *m* winter evening; **'winterdag** (-dagen) *m* winter-day; **–dienst** *m* 1 winter-service; 2 winter time-table; **'winteren** (winterde, h. gewinterd) *het wintert* it is freezing, it is winter; **'wintergezicht** (-en) *o* wintry scene; **–goed** *o* winter-clothes; **–groen** *o* ✿ wintergreen; **–handen** *mv* chilblained hands; **–hard** ✿ hardy; **–hiel** (-en) *m* chilblained heel; **–jas** (-sen) *m* & *v* winter overcoat; **–kleed** (-klederen en -kleren) *o* winter-dress; 🐦 winter-plumage; **–kleren** *mv* winter-clothes; **–koninkje** (-s) *o* wren; **–koren** *o* winter-corn; **–kost** *m* winter-fare; **–kwartier** (-en) *o* winter quarters; **–landschap** (-pen) *o* wintry landscape; **–maand** (-en) *v* December; *de ~en* the winter-months; **–mantel** (-s) *m* winter-coat; **–nacht** (-en) *m* winter-night; **–provisie** [s = z] (-s) *v* winter-store; **–s** *aj* wintry; **–seizoen** *o* winter-season; **–slaap** *m* winter sleep, hibernation; *een ~ houden* hibernate; **'Winterspelen** *mv Olympische ~* Winter Olympic Games; **'wintersport** *v* winter sport(s); **–tenen** *mv* chilblained toes; **–tijd** *m* winter-time; **–tuin** (-en) *m* winter garden; **–verblijf** (-blijven) *o* winter-resort; winter-residence; **–vermaak** (-maken) *o* winter-amusement; **–voe(de)r** *o* winter-fodder; **–voeten** *mv* chilblained feet; **–voorraad** (-raden) *m* winter-store; **–we(d)er** *o* winter-weather, wintry weather; **–zonnestilstand** *m* winter solstice

'winzucht *v* love of gain, covetousness; **win'zuchtig** greedy of gain

1 wip (-pen) *v* 1 (p l a n k) seesaw; 2 (w i p-g a l g) 🕮 strappado; 3 (v. b r u g) bascule; *op de ~ zitten* [*fig*] hold the balance [in politics]; *hij zit op de ~* [*fig*] his position is shaky

2 wip *m* skip; *in een ~* in no time, **F** in a jiffy; *en ~ was hij weg!* pop! he was gone

'wipbrug (-gen) *v* drawbridge, bascule-bridge; **–galg** (-en) *v* 🕮 strappado; **–kar** (-ren) *v* tip-cart; **–neus** (-neuzen) *m* turned-up nose, nez retroussé; **'wippen** (wipte, h. en is gewipt) **I** *vi* 1 seesaw, move up and down; 2 skip, whip, nip; *even binnen ~* pop in; *naar binnen ~* skip into the house; *de hoek om ~* whip round the corner; *de straat over ~* nip across the street; **II** *vt* turn out [an official, a Liberal &]; **'wippertje** (-s) *o* 1 jack [in a piano]; 2 nip [of gin], dram; **'wippertoestel** (-len) *o* breeches buoy; **'wipplank** (-en) *v* seesaw; **–staart** (-en) *m* wagtail; **–stoel** (-en) *m* rocking-chair

'wirwar *m* tangle; maze [of narrow alleys]

1 wis *aj* certain, sure; *van een ~se dood redden* save from certain death; *~ en zeker* yes, to be sure!

2 wis *v* wisp

wi'sent (-en) *m* wisent

'wiskunde *v* mathematics; **–leraar** (-s en -raren) *m* mathematics master; **wis'kundig** *aj* (& *ad*) mathematical(ly); **–e** (-n) *m* mathematician

wispel'turig inconstant, fickle, flighty, fly-away; **–heid** (-heden) *v* inconstancy, fickleness, flightiness

'wissel (-s) 1 *m* & *o* (v. s p o o r) switch, points [of a railway]; 2 *m* $ bill (of exchange), draft; *de ~ omzetten* shift the points; **–aar** (-s en -laren) *m* money-changer; **–agent** (-en) *m* exchange-broker; **–arbitrage** [-tra.ʒə] *v* arbitration of exchange; **–baden** *mv* alternating hot and cold baths; **–bank** (-en) *v* discount-bank; **–beker** (-s) *m* challenge cup; **–boek** (-en) *o* bill-book; **–bouw** *m* rotation of crops, crop rotation; **–brief** (-brieven) *m* bill of exchange; **'wisselen** (wisselde, h. gewisseld) **I** *vt* 1 change, give change for [a guilder &]; 2 (t a n d e n) shed [one's teeth], get one's second teeth; 3 exchange [glances, words &]; bandy [jests]; *zij hebben een paar schoten met elkaar gewisseld* they have exchanged a few shots; **II** *va* change, give [sbd.] change; *ik kan niet* ~ I have no change; *dat kind is aan het* ~ it is shedding its teeth; *zijn stem is aan het* ~ his voice is turning; *die trein moet nog* ~ must shunt; **III** *vi* change; *de a wisselt met de o a* varies with *o*; *van gedachten* ~ *over...* exchange views about...; *van paarden* ~ change horses; *met ~d succes* with varying success; *~d bewolkt* cloudy with bright intervals; **'wisselgeld** *o* (small) change; **–handel** *m* exchange business; **–ing** (-en) *v* 1 (v e r a n d e r i n g, a f w i s s e l i n g) change; 2 turn [of the century, of the year]; 3 (r u i l) exchange; **–kantoor** (-toren) *o* exchange-office; **–kind** (-eren) *o* changeling; **–koers** (-en) *m* rate of exchange, exchange rate; **–loon** *o* bill-brokerage; **–loper** (-s) *m* collector; **–makelaar** (-s) *m* bill-broker; **–paard** (-en) *o* fresh horse; **–personeel** *o* parties to a bill; **–plaats** (-en) *v* stage [of a coach]; **–portefeuille** [-pɔrtəfœyjə] *v* bill-case; **–provisie** [s = z] *v* bill-commission; **–rekening** *v* bill-account; **–ruiterij** *v* **F** kite-flying; **–slag** *m sp* medley relay; **–spoor** (-sporen) *o* siding; **–stand** *m* position of the points; **–stroom** (-stromen) *m* alternating current; **–stroomdynamo** [-di.na.mo.] ('s) *m* alternator; **–tand** (-en) *m* permanent tooth; **wissel'vallig** precarious [living], uncertain [weather]; **–heid** (-heden) *v* precariousness, uncertainty; *de wisselvalligheden des levens* the vicissitudes of life; **'wisselvervalser** (-s) *m* bill-forger; **–wachter** (-s) *m* pointsman; **–werking** (-en) *v* interaction; **–zegel** (-s) *m* & *o* bill-stamp

'wissen (wiste, h. gewist) *vt* wipe [plates &]; **–er** (-s) *m* wiper, mop

'wissewasje (-s) *o* trifle; *~s* fiddle-faddle

wist (**wisten**) V.T. van *weten*

wit I *aj* white; *Witte Donderdag* Maundy Thursday; ~ *maken* whiten, blanch; ~ *worden* 1 (v. d i n g e n) whiten, go (turn) white; 2 (v. p e r s o n e n) turn pale; *zo* ~ *als een doek* as white as a sheet; **II** *o* white; *het* ~ *van een ei* the white of an egg; *het* ~ *van de ogen* the white(s) of the eye(s); *het* ~ *van de schijf* the white; **–achtig** whitish; **–boek** (-en) *o* white paper; **–bont** black with white spots; **–geel** whitish yellow; **–gekuifd** white-crested; **–gloeiend** white-hot; **–harig** white-haired; **–heid** *v* whiteness; **–hout** *o* whitewood; **–je** (-s) *o* 🦋 white [cabbage butterfly]; **–jes** *ad* palely; ~ *lachen* smile wanly; **–kalk** *m* whitewash; **–kiel** (-en) *m* railway-porter; **–kwast** (-en) *m* whitewash brush; **–lo(o)f** *o* chicory; **–sel** *o* whitewash; **–staart** (-en) *m* 1 🐦 wheatear; 2 🐎 white-tailed horse; **'wittebrood** (-broden) *o* white bread; *een* ~ a white loaf; **–sweken** *mv* honeymoon; **'wittekool** *v* white cabbage; **'witten** (witte, h. gewit) *vt* whitewash; **–er** (-s) *m* whitewasher; **'witvis** (-sen) *m* 🐟 whiting, whitebait

W.L. = *westerlengte*

wnd. = *waarnemend*

w.o. = *waaronder*

'Wodan *m* Wotan

'wodka *m* vodka

'woede *v* rage, fury; *machteloze* ~ impotent rage; *zijn* ~ *koelen op* wreak one's fury on, vent one's rage on; **–aanval** (-len) *m* fit of rage, flare-up, **S** wax; *een* ~ *krijgen,* fly off the handle, fly into a tantrum, **S** get into a wax; **'woeden** (woedde, h. gewoed) **I** *vi* rage[2] [of the sea, wind, passion, battle, disease]; **II** *o* raging; *het* ~ *der elementen* ook: the fury of the elements; **–d I** *aj* furious; *iem.* ~ *maken* put sbd. in a passion, infuriate sbd.; *zich* ~ *maken* fly into a passion, fly into a rage; ~ *zijn* be in a rage, be furious, be in a white heat; ~ *zijn o p* be furious with; ~ *zijn o v e r* be furious at (about), be in a rage at (about); **II** *ad* furiously; **'woedeuitbarsting** (-en) *v* outburst of fury (rage)

woef! woof!

woei (**woeien**) V.T. van *waaien*

'woeker *m* usury; ~ *drijven* practise usury; **–aar** (-s) *m* usurer; **–dier** (-en) *o* parasite; **'woekeren** (woekerde, h. gewoekerd) *vi* 1 practise usury; 2 (v. o n k r u i d &) be rampant; ~ *m e t zijn tijd* make the most of one's time; ~ *o p* be parasitic on; **'woekergeld** *o* money got by usury; **–handel** *m* usurious trade; **–huur** (-huren) *v* rack rent; **–ing** (-en) *v* excrescence[2]; (v. p l a n t e n) rampancy, rankness; (g e z w e l) growth, tumour; **–plant** (-en) *v* parasitic plant, parasite; **–prijs** (-prijzen) *m* usurious price, exorbitant price; **–rente** (-n) *v* usurious interest, usury; **–winst** (-en) *v* exorbitant profit; ~ *maken* profiteer

'woelen (woelde, h. gewoeld) **I** *vi* 1 (i n d e s l a a p) toss (about), toss in bed; 2 (i n d e g r o n d) burrow, grub; *zit niet in mijn papieren te* ~ stop rummaging in my papers; **II** *vt zich bloot* ~ kick the bed-clothes off; *gaten in de grond* ~ burrow holes in the ground; *iets uit de grond* ~ grub sth. up; **'woelgeest** (-en) *m* turbulent spirit, agitator; **'woelig** turbulent; *de kleine is erg ~ geweest* has been very restless; *het is erg ~ op straat* the street is in a tumult; *in ~e tijden* in turbulent times; **–heid** (-heden) *v* turbulence, unrest; **'woeling** (-en) *v* turbulence, agitation; *~en* disturbances; **'woelmuis** (-muizen) *v* field-vole; **–rat** (-ten) *v* water-vole; **–water** (-s) *m-v* fidget; **–ziek** turbulent; **–zucht** *v* turbulence

'woensdag (-dagen) *m* Wednesday; **–s I** *aj* Wednesday; **II** *ad* on Wednesdays

woerd (-en) *m* 🦆 drake

woest I *aj* 1 (o n b e b o u w d) waste [grounds]; 2 (o n b e w o o n d) desolate [island]; 3 (w i l d) savage [scenery]; wild [waves]; fierce [struggle]; furious [speed]; reckless [driver, driving]; 4 **F** (n ij d i g) savage, wild, mad; *hij werd ~* **F** he got wild, mad; *hij was ~ op ons* **F** he was wild with us, mad with us; *~e gronden* waste lands; **II** *ad* wildly &; **–aard** (-s), **–eling** (-en) *m* brute

woeste'nij (-en) *v* waste (land), wilderness

'woestheid (-heden) *v* wildness, savagery, fierceness

woes'tijn (-en) *v* desert

'wogen V.T. meerv. van *wegen*

wol *v* wool; *een i n de ~ geverfde schurk* a double-dyed villain; *ik ging vroeg o n d e r de ~* **F** I turned in early; *onder de ~ zijn* be between the sheets; **–achtig** woolly; **–baal** (-balen) *v* bale of wool, woolsack; **–bereider** (-s) *m* wool-dresser; **–bereiding** *v* wool-dressing

wolf (wolven) *m* 1 🐾 wolf; 2 caries [in the teeth]; *een ~ in schaapskleren* **B** a wolf in sheep's clothing; *~ en schapen sp* fox and geese; *wee de ~ die in een kwaad gerucht staat* give a dog a bad name and hang him; *eten als een ~* eat ravenously; *een honger hebben als een ~* be as hungry as a hunter

'wolfabriek (-en) *v* wool mill; **–fabrikant** (-en) *m* woollen manufacturer

'wolfachtig wolfish

'wolfra(a)m *o* wolfram, tungsten; **–lamp** (-en) *v* tungsten filament lamp

'wolfsangel (-s) *m* trap (for wolves); **–hond** (-en) *m* wolf-dog, wolf-hound; **–kers** (-en) *v* belladonna; **–klauw** (-en) *m* & *v* 1 wolf's claw; 2 ✿ club-moss; **–melk** *v* ✿ spurge; **–vel** (-len) *o* wolfskin

'Wolga *v* Volga

'wolgras *o* cotton-grass; **–haar** *o* woolly hair; **–handel** *m* wool-trade; **–handelaar** (-s en -laren) *m* wool-merchant; **–harig** woolly-haired

wolk (-en) *v* cloud; *een ~ van insekten* a cloud of insects; *een ~ van een jongen* the baby (boy) is a picture of health; *een ~ van een meid* she is all peaches and cream; *er lag een ~ op zijn voorhoofd* there was a cloud on his brow; *hij is in de ~en* he is beside himself with joy, he walks on air, he is on cloud seven; *iem. tot in de ~en verheffen* extol sbd. to the skies

'wolkaarder (-s) *m* wool-carder

'wolkbreuk (-en) *v* cloud-burst, torrential rain; **'wolkeloos** cloudless, clear [sky]; **'wolkenbank** (-en) *v* cloud bank; **–dek** *o* cloud cover, blanket of clouds; **–krabber** (-s) *m* skyscraper; **'wolkig** cloudy, clouded; **'wolkje** (-s) *o* cloudlet [in the sky]; *een ~ melk* a drop of milk; *er is geen ~ aan de lucht* there is not a cloud in the sky[2]

'wolkoper (-s) *m* wool-merchant; **'wollegras** = *wolgras*; **'wollen** *aj* woollen; *~ goederen* woollens; **–goed** *o* 1 (k l e r e n) woollen things; 2 (g o e d e r e n) $ woollens; **'wolletje** (-s) *o* woolly; **'wollig** woolly; **–heid** *v* woolliness; **wolspinne'rij** (-en) *v* wool mill

'wolveaard *m* wolfish nature

'wolvee *o* wool-producing cattle

'wolvejacht *v* wolf-hunting

'wolverver (-s) *m* wool-dyer; **wolverve'rij** (-en) *v* 1 wool-dyeing; 2 dye-works

'wolvevel (-len) = *wolfsvel*; **wol'vin** (-nen) *v* 🐾 she-wolf

'wolwever (-s) *m* wool-weaver; **–zak** (-ken) *m* woolsack

won (**wonnen**) V.T. van *winnen*

1 wond *aj* sore; *de ~e plek* the sore spot

2 wond (-en) *v* wound; *oude ~en openrijten* rip up (reopen) old sores; *diepe ~en slaan* inflict deep wounds

3 wond (**winden**) V.T. van *winden*

'wonde (-n) = 2 *wond*; **'wonden** (wondde, h. gewond) *vt* wound, injure, hurt

'wonder (-en) *o* wonder, miracle, marvel, prodigy; *de ~en in de Bijbel* the miracles in the Bible; *~en van dapperheid* prodigies of valour; *een ~ van geleerdheid* a prodigy of learning; *de zeven ~en van de wereld* the seven wonders of the world; *de ~en zijn de wereld nog niet uit* wonders will never cease; live and learn; *(het is) geen ~ dat...* (it is) no wonder that..., small wonder that...; *~en doen* work wonders, perform miracles; *en ~ boven ~, hij...* miracle of miracles, he..., and for a wonder, he...; **–baar** 1 miraculous; 2 strange; **wonder'baarlijk I** *aj* miraculous, marvellous; **II** *ad* miraculously, marvellously; **–heid** (-heden) *v* marvellousness; **'wonderbeeld** (-en) *o* miraculous image; **–daad** (-daden) *v* miracle; **wonder'dadig** miraculous; **'wonderdier** (-en) *o* prodigy, monster; **–doend** wonder-working; **–doener** (-s) *m* wonder-worker; **–dokter** (-s) *m* quack (doctor); **–kind** (-eren) *o* wonder-child, child

prodigy, infant prodigy; **–kracht** *v* miraculous power; **–lijk** strange; **–lijkheid** (-heden) *v* strangeness; **–macht** *v* miraculous power; **–mens** (-en) *o* human wonder, prodigy; **–middel** (-en) *o* wonderful remedy; **–olie** *v* castor-oil; **–schoon** most beautiful, absolutely beautiful; **–teken** (-s en -en) *o* miraculous sign; **–wel** to a miracle; **–werk** (-en) *o* miracle
'wondkoorts (-en) *v* wound-fever, traumatic fever; **–roos** *v* ⚕ erysipelas
'wonen (woonde, h. gewoond) *vi* live, reside, dwell; *hij woont b ij ons* he lives in our house (with us); *i n de stad ~* live in town; *o p kamers ~* zie *kamer*; *op het land ~* live in the country; *vrij ~ hebben* live rent-free, have free housing; **'woning** (-en) *v* house, dwelling, residence, ⊙ mansion; **–bouw** *m* house-building, house construction, housing; **–bureau** [-by.ro.] (-s) *o* house-agent's office; **–gids** (-en) *m* directory; **–inrichting** *v* furnishings, appointments; **–nood** *m* housing shortage; **–ruil** *m* exchange of houses; **–tekort** *o* housing shortage; **–textiel** *m* & *o* décor fabrics; **–toestanden** *mv* housing conditions; **–vraagstuk** *o* housing problem; **–wet** *v* housing act; **–wetwoning** (-en) *v* ± council house; **woning'zoekende** (-n) *m* & *v* house-hunter, home-seeker, person looking for accomodation
'wonnen V.T. meerv. van *winnen*
woof (woven) F V.T. van *wuiven*
woog (wogen) V.T. van *wegen*
woon'achtig resident, living; **'woonark** (-en) *v* houseboat; **–huis** (-huizen) *o* dwelling-house; **–kamer** (-s) *v* sitting-room, living-room; **–kazerne** (-s) *v* tenement-house; **–keuken** (-s) *v* kitchen-cum-livingrooom; **–laag** (-lagen) *v* storey; **–plaats** (-en) *v* dwelling-place, home, residence, domicile; ♣ & ♣ habitat; **–ruimte** (-n) *v* housing accommodation, living accommodation, living space; **–schip** (-schepen) *o*, **–schuit** (-en) *v* houseboat; **–ste(d)e** (-steden) *v* home; **–vertrek** (-ken) *o* = *woonkamer*; **–wagen** (-s) *m* caravan; **–wagenkamp** (-en) *o* caravan camp; (v a n z i g e u n e r s) gipsy camp; **–wijk** (-en) *v* housing estate; (d e f t i g) residential quarter (district)
1 woord (-en) *m* ⚓ = *woerd*
2 woord (-en) *o* word, term; *grote ~en* big words; *hoge ~en* high words; *het hoge ~ is er uit* at last the truth is out; *het hoge ~ kwam er uit* he owned up; *een vies ~* a dirty word[2]; *het Woord (Gods)* God's Word, the Word (of God); *het Woord is vlees geworden* **B** the Word was made flesh; *hier past een ~ van dank aan...* thanks are due to...; *~en en daden* words and deeds; *geen ~ meer!* not another word!; *er is geen ~ van waar* there is not a word of truth in it; *zijn ~ breken* break one's word; *een ~ van lof brengen aan...* pay a tribute to...; *het ~ doen* act as spokesman; *hij kan heel goed zijn ~ doen* he is never at a loss what to say, he has the gift of the gab; *een goed ~ voor iem. doen bij...* put in a word for sbd. with...; *iem. het ~ geven* call upon sbd. to speak (to say a few words); *(iem.) zijn ~ geven* give (sbd.) one's word; *het éne ~ haalt (lokt) het andere uit, van het éne ~ komt het andere* one word leads to another; *het ~ hebben* be speaking; be on one's feet, have the floor; *het ~ alléén hebben* have all the talk to oneself; *ik zou graag het ~ hebben* I should like to say a word; *~en met iem. hebben* have words with sbd.; *het hoogste ~ hebben* do most of the talking; *hij wil het laatste ~ hebben* he wants to have the last word; *(zijn) ~ houden* keep one's word, be as good as one's word; *het ~ vrees & kent hij niet* fear & is a word that has no place in his vocabulary; *het ~ krijgen* zie *aan het ~ komen*; *men kon er geen ~ tussen krijgen* you could not get in a word; *ik kan geen ~ uit hem krijgen* I cannot get a word out of him; *~en krijgen met iem.* come to words with sbd.; *het ~ nemen* begin to speak, rise, take the floor; *hem het ~ ontnemen* ask the speaker to sit down; *het ~ richten tot iem.* address sbd.; *hij kon geen ~ uitbrengen* he could not bring out a word; *men kon zijn eigen ~en niet verstaan* you couldn't hear your own words; *ik kan geen ~en vinden om...* I have no words to..., words fail me to...; *het ~ bij de daad voegen* suit the action to the word; *het ~ voeren* act as spokesman; *de heer A. zal het ~ voeren* Mr A. will speak; *een hoog ~ voeren* talk big; *het ~ vragen* 1 ask leave to speak; 2 try to catch the Speaker's eye; *wenst iem. het ~?* does any one desire to address the meeting?; *geen ~ zeggen* not say a word; *ik heb er geen ~ in te zeggen* I have no say in the matter; *het ~ is aan u* the word is with you; *het ~ is nu aan onze tegenstander* it is for our antagonist to speak now; • *wie is a a n het ~?* who is speaking?; *iem. aan zijn ~ houden* take sbd. at his word; *ik kon niet aan het ~ komen* 1 I could not get in a word; 2 I could not catch the Speaker's eye; *b ij het ~ des meesters zweren* zie *zweren* **I**; *i n één ~* in a word, in one word; *de oorlog in ~ en beeld* the war in words and pictures; *m e t andere ~en* in other words; *hetzelfde met andere ~en* the same thing though differently worded; *met deze ~en* with these words; *met een paar ~en* in a few words; *met zoveel ~en* in so many words; *iets o n d e r ~en brengen* put sth. into words; *o p één ~ van u* on a word from you; *op dat ~* on the word, with the word; *iem. op zijn ~ geloven* take sbd.'s word for it; *op mijn ~* 1 at this word of mine; 2 upon

my word; *op mijn ~ van eer* upon my word (of honour); *iem. te ~ staan* give sbd. a hearing, listen to sbd.; *~ voor ~* [repeat] word by (for) word, verbatim; *een goed ~ vindt een goede plaats* a good word is never out of season; *~en wekken, voorbeelden trekken* example is better than precept; **–accent** (-en) *o* word stress, word accent; **–afleiding** (-en) *v* etymology; **–blind** word-blind, dyslexic; **–breker** (-s) *m* promise-breaker; **–breuk** *v* breach of promise (faith); **–elijk I** *aj* verbal, literal; verbatim [report]; **II** *ad* verbally, literally, word for word, verbatim

'woordenboek (-en) *o* dictionary, lexicon; **–kraam** *v* verbiage, verbosity; **–lijst** (-en) *v* word-list, vocabulary; **–praal** *v* pomp of words, bombast; **–rijk** 1 rich in words; 2 wordy, verbose, voluble [speaker]; **–rijkheid** *v* 1 wealth of words; 2 flow of words, wordiness, verbosity, volubility; **–schat** *m* stock of words, vocabulary; **–spel** *o* play upon words, pun; **–strijd** *m,* **–twist** *m* verbal dispute, altercation; **–vloed** (-en) *m* flow (torrent) of words; **–wisseling** (-en) *v* altercation, dispute; **–zifter** (-s) *m* word-catcher, verbalist; **woordenzifte'rij** (-en) *v* word-catching, verbalism; **'woordje** (-s) *o* (little) word; *een ~, alstublieft!* just a word, please!; *doe een goed ~ voor me* put in a good word for me; *een ~ meespreken* put in a word

'woordkeus *v* choice of words; **–kunst** *v* (art of) word-painting; **–kunstenaar** (-s) *m* artist in words; **–merk** (-en) *o* brand name; **–ontleding** (-en) *v* parsing; **–orde** *v,* **–schikking** *v* order of words, word-order; **–soorten** *mv* parts of speech; **–speling** (-en) *v* play (up)on words; pun; *~en maken* pun; **–verdraaier** (-s) *m* perverter of words; **–verdraaiing** (-en) *v* perversion of words; **–voerder** (-s) *m* spokesman, mouthpiece; **–vorming** *v* formation of words, word formation

'worden* *vi* become, get, go, grow, turn, fall; ⚒ wax; *arm ~* become poor; *bleek ~* turn pale; *blind ~* go blind; *dronken ~* get drunk; *gek ~* go mad; *hij is gisteren (vandaag) 80 geworden* he was eighty yesterday (he is eighty to day); *hij is bijna honderd jaar geworden* he lived to be nearly a hundred; *nijdig ~* get angry; *oud ~* grow old; *soldaat ~* become a soldier; *hij zal een goed soldaat ~* he will make a good soldier; *wat wil je later ~?* what do you want to be when you grow up?; *ijs wordt water* ice turns into water; *ziek ~* be taken ill, fall ill; *wanneer het lente wordt* when spring comes; *het wordt morgen een week* tomorrow it will be a week; *wat is er van hem geworden?* what has become of him?; *er zal gedanst ~* there is to be dancing; **'wording** *v* origin, genesis; *in ~ zijn* be in process of formation; **–sgeschiedenis** *v* genesis

'worgband (-en) *m* choke chain; **'worgen** (worgde, h. geworgd) *vt* strangle, throttle; *~de greep* stranglehold; **–er** (-s) *m* strangler; **'worggreep** (-grepen) *m* stranglehold; **'worging** *v* strangulation

worm (-en) *m* 1 worm; 2 (made) grub, maggot; **–achtig** wormy, vermicular; **–ig** wormy, worm-eaten; **–middel** (-en) *o* vermifuge; **–pje** (-s) *o* small worm, vermicule; **worm'stekig** worm-eaten, wormy; **–heid** *v* worm-eaten condition; **'wormverdrijvend** vermifuge; **–vormig** vermiform [appendix]

worp (-en) *m* throw [of dice &]; litter [of pigs]

worst (-en) *v* sausage; **–ebroodje** (-s) *o* sausage-roll

'worstelaar (-s en -laren) *m* wrestler; **'worstelen** (worstelde, h. geworsteld) **I** *vi* wrestle; *~ met* wrestle with[2], *fig* struggle with, grapple with; *tegen de wind ~* struggle with the wind; **II** *o vrij ~* catch-as-catch-can, all-in wrestling; **–ling** (-en) *v* wrestling[2], wrestle; *fig* struggle; **'worstelperk** (-en) *o* ring, arena; **–strijd** *m* struggle; **–wedstrijd** (-en) *m* wrestling-match

'worstmachine [-ma.ʃi.nə] (-s) *v* sausage-machine

'wortel (-s en -en) *m* 1 root[2]; 2 (peen) carrot; 3 (v. getal) root; *gele ~* ♣ carrot; *witte ~* ♣ parsnip; *~ schieten* take (strike) root[2]; *~ trekken* extract the root of a number; *met ~ en tak uitroeien* root out, cut up root and branch; **–boom** (-bomen) *m* mangrove; **'wortelen** (wortelde, h. en is geworteld) *vi* take root; *~ in* [*fig*] be rooted in; **'wortelgetal** (-len) *o* root (number); **–gewas** (-sen) *o* root crop; **–grootheid** (-heden) *v* radical quantity; **–haren** *mv* ♣ fibrils; **–hout** *o* root-wood; **–kiem** (-en) *v* radicle; **–knol** (-len) *m* tuber; **–notehout** *o* figured walnut; **–noten** walnut [table]; **–stelsel** (-s) *o* root-system, rootage; **–stok** (-ken) *m* root-stock, rhizome; **–teken** (-s) *o* radical sign; **–tje** (-s) *o* ♣ 1 rootlet, radicle; 2 *~s* carrots; **–trekking** (-en) *v* extraction of roots; **–vezel** (-s) *v* ♣ root-fibre, fibril; **–woord** (-en) *o* root-word, radical (word)

wou (**wouwen**) **F** V.T. van *willen*

woud (-en) *o* forest; **–duif** (-duiven) *v* wood-pigeon; **–ezel** (-s) *m* ♞ wild ass, onager; **–loper** (-s) *m* 📖 coureur de(s) bois [French trapper in Canada]; **–reus** (-reuzen) *m* giant of the forest

'Wouter *m* Walter

1 wouw (-en) *m* 🐦 kite

2 wouw (-en) *v* ♣ weld

'wouwen F V.T. meerv. van *willen*

'woven F V.T. meerv. van *wuiven*
'wraak *v* revenge, vengeance; *de ~ is zoet* sweet is revenge; *zijn ~ koelen* wreak one's vengeance; *~ nemen op* take revenge on, revenge oneself on, be revenged on; *~ nemen over iets* take revenge [on sbd.] for sth.; *~ oefenen* take revenge; *~ zweren* swear vengeance; *om ~ roepen* cry for vengeance; *uit ~* in revenge; **-baar** 1 ⚖ challengeable [witness]; 2 (laakbaar) blamable; **-gevoelens** *mv* vindictive feelings; **wraak'gierig** vindictive, revengeful; **-heid** *v* vindictiveness, revengefulness, thirst for revenge; **'wraakgodin** (-nen) *v* avenging goddess; *de ~nen* the Furies; **-lust** *m* = *wraakgierigheid*; **-neming** (-en), **-oefening** (-en) *v* retaliation, (act of) revenge; **-zucht** *v* = *wraakgierigheid*; **wraak'zuchtig** = *wraakgierig*
1 wrak *aj* crazy, unsound, rickety; ⚓ cranky
2 wrak (-ken) *o* wreck
⊙ **'wrake** = *wraak*; *mij is de ~!* **B** vengeance is mine!
'wraken (wraakte, h. gewraakt) *vt* 1 challenge, rule out of court [a witness]; 2 denounce [abuses &]
'wrakgoederen *mv* wreck, wreckage, flotsam and jetsam; **-heid** *v* craziness, unsound condition, ricketiness; ⚓ crankiness; **-hout** *o* ⚓ wreckage
'wraking (-en) *v* ⚖ challenge
wrang sour, acid, tart, harsh [in the mouth]; *de ~e vruchten van zijn luiheid* the bitter fruit of his idleness; **-heid** *v* sourness, acidity, tartness, harshness
wrat (-ten) *v* wart; **-achtig** warty
wreed I *aj* cruel, ferocious; grim [scenes]; **II** *ad* cruelly; **-aard** (-s) *m* cruel man; **wreed'aardig** *aj* (& *ad*) cruel(ly); **'wreedheid** (-heden) *v* cruelty, ferocity
1 wreef (wreven) *v* instep
2 wreef (**wreven**) V.T. van *wrijven*
'wreekster (-s) *v* avenger, revenger; **'wreken* I** *vt* revenge [an offence, a person]; avenge [a person, an offence]; **II** *vr zich ~* revenge oneself, avenge oneself, be avenged; *het zal zich wel ~* it is sure to avenge itself; *zich ~ op* revenge oneself (up)on; *zich ~ over... op...* revenge oneself for... (up)on...; **-er** (-s) *m* avenger, revenger
'wrevel I *m* resentment, spite; (knorrigheid) peevishness; **II** *aj* & *ad* = *wrevelig*; **'wrevelig I** *aj* resentful; (knorrig) peevish, crusty, testy; **II** *ad* resentfully; (knorrig) peevishly, crustily, testily; **-heid** *v* resentment, spite; (knorrigheid) peevishness, crustiness, testiness
'wreven V.T. meerv. van *wrijven*
'wriemelen (wriemelde, h. gewriemeld) *vi* wriggle; (friemelen) fiddle; *~ van* crawl with
'wrijfdoek (-en), **-lap** (-pen) *m* rubbing cloth, polishing cloth; **-hout** (-en) *o* ⚓ fender; **-paal** (-palen) *m eig* rubbing-post; *fig* butt; **-steen** (-stenen) *m* rubbing-stone; **-was** *m* & *o* beeswax; **'wrijven* I** *vt* 1 rub [chairs &, things against each other]; 2 bray [colours]; *het ~ over...* rub it over; *ze tegen elkaar ~* rub them together; *het tot poeder ~* rub it to powder; *zich de handen (de ogen) ~* rub one's hands (one's eyes); **II** *vi* rub; *~ tegen iets* rub (up) against something; **-er** (-s) *m* rubber; **'wrijving** (-en) *v* rubbing, friction[2]; *de ~ tussen hen* the friction between them; **'wrijvingselektriciteit** *v* frictional electricity; **-hoek** (-en) *m* angle of friction
'wrikken (wrikte, h. gewrikt) **I** *vi* jerk [at sth.]; **II** *vt* ⚓ scull [a boat]; **'wrikriem** (-en) *m* scull
'wringen* I *vt* wring [one's hands]; wring out, wring [wet clothes]; *iem. iets uit de handen ~* wrest sth. from sbd.; *daar wringt hem de schoen* that's where the shoe pinches; **II** *vr zich ~* twist oneself; *zich ~ als een worm* writhe like a worm; *zich door een opening ~* worm oneself through a gap; *zich in allerlei bochten ~* wriggle, twist and turn; *zich in allerlei bochten ~ van pijn* writhe with pain; **-ging** *v* wringing; twisting, twist; **'wringmachine** [ma.ʃinə] (-s) *v* wringing-machine, wringer
'wroeging (-en) *v* remorse, compunction, contrition
'wroeten (wroette, h. gewroet) **I** *vi* root, rout [= turn up the earth], grub[2] [in the earth, *fig* for a livelihood]; *in de grond ~* root (rout) up the earth; **II** *vt een gat in de grond ~* burrow a hole
wrok *m* grudge, rancour, resentment; *een ~ tegen iem. hebben (jegens iem. koesteren)* bear (owe) sbd. a grudge, have a spite against sbd., bear sbd. ill-will; *geen ~ koesteren* bear no malice; **'wrokken** (wrokte, h. gewrokt) *vi* chafe, sulk; *~ over* chafe at; *~ tegen* have a spite against [him]; **'wrokkig** rancorous
1 wrong (-en) *m* 1 (ruk) wrench, twist; 2 (v. krans) wreath; 3 (v. haar) coil; 4 (tulband) turban; 5 ▨ wreath; *een ~ sajet* a skein of worsted
2 wrong (**wrongen**) V.T. van *wringen*
'wrongel *v* curdled milk, curds
'wrongen V.T. meerv. v. *wringen*
wsch. = *waarschijnlijk*
wuft I *aj* fickle, frivolous; **II** *ad* frivolously; **-heid** (-heden) *v* fickleness, frivolity
'wuiven* *vi* wave; *~ met de hand* wave one's hand
wulp (-en) *m* 🐦 curlew

wulps *aj* wanton, lascivious, lewd, voluptuous [nude]; **–heid** (-heden) *v* wantonness, lasciviousness, lewdness, voluptuousness
'wurgen (wurgde, h. gewurgd) = *worgen*; **–er** (-s) = *worger*; **'wurging** = *worging*
wurm (-en) 1 *m* worm; 2 *o het* ~ the poor mite
'wurmen (wurmde, h. gewurmd) **I** *vi* worm, wriggle; *fig* drudge, toil; **II** *vr zich er uit* ~ wriggle out of it
W.v.K. = *Wetboek van Koophandel*
W.v.Str. = *Wetboek van Strafrecht*

X

x [ɪks] ('en) *v* x
Xan'tippe, xan'tippe (-s) *v* Xanthippe²
'x-as (-sen) *v* x-axis
'x-benen *mv* turned-in (knock-kneed) legs; *iem. met* ~ a knock-kneed person
xylo'foon [ksi.lo.-] (-s en -fonen) *m* xylophone

Y

y [i.'grɛk] ('s) *v* y
ya(c)k [jɑk] = 2 *jak*
'yamswortel ['jɑms-] (-s) *m* yam
'yankee ['jɛŋki.] (-s) *m* Yankee, **F** Yank
'y-as ['ɛi-ɑs] (-sen) *v* y-axis
yen [jɛn] (-s) *m* yen
'yoga ['jo.ga.] *v* yoga
'yoghurt ['jɔgərt] *m* yogurt
'yogi ['jo.gi.] ('s) *m* yogi

Z

z [zɛt] ('s) *v* z
Z. = *zuid*
z.a. = *zie aldaar* which see
zaad (zaden) *o* seed² [of plants &, of strife, vice]; sperm [of mammalia]; *het ~ van Abraham* **B** the seed of Abraham; *het ~ der tweedracht* the seed(s) of dissension (of discord); *in het ~ schieten* run (go) to seed; *op zwart ~ zitten* be hard up; **–bakje** (-s) *o* seed-box [of a bird-cage]; **–bal** (-len) *m* testicle; **–bed** (-den) *o* seed-bed; **–doos** (-dozen) *v* capsule; **–handel** *m* seed-trade; **–handelaar** (-s en -laren) *m* seedsman; **–huid** (-en) *v* seed-coat; **–huisje** (-s) *o* seed-vessel; **–kiem** (-en) *v* germ; **–korrel** (-s) *m* grain of seed; **–lob** (-ben) *v* seed-lobe, cotyledon; **–loos** seedless; **–lozing** (-en) *v* ejaculation (of semen); **–monster** (-s) *o* seed-sample; **–rok** (-ken) *m* tunic; **–streng** (-en) *v* spermatic cord, funiculus; **–teelt** *v* seed-growing; **–veredeling** *v* seed-improvement; **–vlies** (-vliezen) *o* tunic; **–winkel** (-s) *m* seed-shop
zaag (zagen) *v* 1 ⚒ saw; 2 (mens) bore; **–blad** (-bladen) *o* saw-blade; **–bok** (-ken) *m* trestle, saw-horse; **–machine** [-ma.ʃi.nə] (-s) *v* sawing-machine; **–meel** *o* sawdust; **–molen** (-s) *m* saw-mill; **–sel** *o* sawdust; **'zaagsnede** (-n) *v* kerf; *mes met ~* serrated knife; **–tand** (-en) *m* tooth of a saw; **–vijl** (-en) *v* saw-file; **–vis** (-sen) *m* sawfish; **–vormig** saw-shaped, serrate(d)
'zaaibed (-den) *o* seed-bed; **'zaaien** (zaaide, h. gezaaid) *vt* sow²; *wat gij zaait zult gij oogsten* you must reap what you have sown; **–er** (-s) *m* sower; **'zaaigoed** *o* seeds for sowing; **–graan** *o* seed-corn; **–ing** *v* sowing; **–koren** *o* seed-corn; **–land** (-en) *o* sowing-land; **–ling** (-en) *m* seedling; **–machine** [-ma.ʃi.nə] (-s) *v* sowing-machine; **–sel** (-s) *o* seed (sown); **–tijd** (-en) *m* sowing-time, sowing-season; **–zaad** (-zaden) *o* seed for sowing
zaak (zaken) *v* 1 (ding) thing; 2 (aangelegenheid) business, affair, matter, concern, cause; 3 ⚖ case, (law)suit; 4 (bedrijf) business, concern, trade; *zaken* $ 1 business; 2 *zijn twee zaken te A.* his two businesses at A.; *zaken zijn zaken* business is business; *gedane zaken nemen geen keer* what is done cannot be undone, it's no use crying over spilt milk; *de goede ~* the good cause; *de ~ is dat ik de ~ niet vertrouw* the fact is that I don't trust the thing; *dat is de hele ~* that is the whole matter; *het is ~ dat te bedenken* it is essential for us to consider that; *dat is uw ~* that's your look-out; that's your affair; *het is mijn ~ niet* it is not my business, it is no concern of mine; *niet veel ~s* not much of a thing, not up to much, not worth much; *eens zien hoe de zaken staan* how things stand; *zoals de ~ nu staat* as matters (things) stand at present; *een ~ beginnen* start a business, set up in business, open a shop; *zaken doen* do (carry on) business; *zaken doen met iem.* do business (have dealings) with sbd.; *goede zaken doen* do good business; do a good trade [in ice-creams &]; *zijn advocaat de ~ in handen geven* place the matter in the hands of one's solicitor; *gemene ~ maken met...* make common cause with; *er een ~ van maken* ⚖ take proceedings; ● *hoe staat het met de zaken?* how's things?; *ter zake!* 1 to the point!; 2 (parlementair) Question!; *dat doet niets ter zake* 1 (that is) no matter; 2 it is not to the purpose, it is neither here nor there; *laat ons ter zake komen* let us come (get) to business (to the point); *het is niet ter zake dienende* it is not to the point; *ter zake van...* on account of...; zie ook: *inzake*; *hij is uit de ~* he has retired from business; *voor een goede ~* in a good cause; *voor zaken op reis* away on business; *suiker & zonder zaken* $ without any transactions; **–bezorger** (-s) *m* man of business, solicitor, agent, proxy; **–gelastigde** (-n) *m* agent, proxy; [diplomatic] chargé d'affaires; **–kennis** *v* (expert) knowledge of a subject, practical knowledge; **zaak'kundig** expert; *een ~e* an expert; **'zaakregister** (-s) *o* subject-index; **–waarnemer** (-s) *m* solicitor
1 zaal (zalen) *v* hall, room; ward [in hospital]; auditorium [of a theatre]; *een volle ~* a full house [of theatre &].
2 zaal (zalen) *o* = *zadel*
'zaalsport (-en) *v* indoor-sport(s), indoor game(s); **–wachter** (-s) *m* attendant, custodian [in a museum]
'zabbelen (zabbelde, h. gezabbeld) = *sabbelen*
Zacha'rias *m* Zachariah, Zachary
zacht I *aj* 1 (niet hard) *eig* soft [bed, cushion, bread, butter, fruit, palate, steel]; *fig* gentle [rebuke, treatment]; mild [punishment]; 2 (niet ruw) *eig* soft, smooth [skin]; *fig* soft, mild [weather]; mild [climate]; 3 (niet luid) soft [whispers, music, murmurs]; low [voice]; gentle [knock]; mellow [tones]; 4 (niet hevig) soft [rain]; gentle [breeze]; slow [fire]; 5 (niet streng) soft, mild [winter]; 6 (niet

schel) soft [hues]; 7 (niet scherp) soft [air, letters, water, wine]; 8 (niet geprononceerd) gentle [slope]; 9 (niet drastisch) mild, gentle [medicine]; 10 (niet pijnlijk) easy [death]; ~ *van aard* of a gentle disposition, gentle; *zo ~ als een lammetje* as gentle (meek) as a lamb; **II** *ad* softly &; ~ *wat!* gently!; ~ *spreken* speak below (under) one's breath, whisper; *~er spreken* lower (drop) one's voice; *ze hadden de radio ~ aanstaan* they had the radio turned on low; *de radio ~er zetten* turn down the radio; *op zijn ~st gezegd* to put it mildly, to say the least (of it); **zacht'aardig** gentle, mild; ⚕ benign; **–heid** *v* gentleness, mildness; ⚕ benignity; **'zachtgekookt** soft-boiled; **'zachtheid** *v* softness, smoothness &; **'zachtjes** softly, gently; in a low voice; *~!* hush!; **zachtjes'aan** slowly, zie ook: *zoetjesaan*; **zacht'moedig I** *aj* gentle, meek; **II** *ad* gently, meekly; **–heid** *v* gentleness, meekness; **'zachtwerkend** mild; **zacht'zinnig I** *aj* gentle, meek; **II** *ad* gently, meekly; **–heid** *v* gentleness, meekness

'zadel *o* & *m* (-s) saddle; *iem. in het ~ helpen* help sbd. into the saddle, give sbd. a leg up[2]; *in het ~ springen* vault into the saddle; *in het ~ zitten* be in the saddle; *vast in het ~ zitten* have a firm seat; *uit het ~ lichten* (*werpen*) unseat (unhorse); *fig* oust; **–boog** (-bogen) *m* saddle-bow; **–boom** (-bomen) *m* saddle-tree; **–dak** (-daken) *o* saddle(back) roof; **–dek** (-ken) *o* saddle-cloth; **'zadelen** (zadelde, h. gezadeld) *vt* saddle; **'zadelkleed** (-kleden) *o* saddle-cloth; **–knop** (-pen) *m* pommel; **–kussen** (-s) *o* saddle-cushion, pillion; **–maker** (-s) *m* saddler; **zadelmake'rij** (-en) *v* 1 saddler's shop; 2 saddlery; **'zadelpaard** (-en) *o* saddle-horse; **–pijn** *v* saddle-soreness; ~ *hebben* be saddle-sore; **–riem** (-en) *m* (saddle-)girth; **–rug** (-gen) *m* saddle-back; *met een ~* saddle-backed; **–tas** (-sen) *v* 1 saddle-bag; 2 (aan fiets) tool-bag; **–tuig** *o* tack; saddle and harness; **–vast** saddlefast, firmly seated (in the saddle); ~ *zijn* have a firm seat[2]; **–vormig** saddle-shaped; **–zak** (-ken) *m* saddle-bag

zag (**zagen**) V.T. van *zien*

1 'zagen (zaagde, h. gezaagd) **I** *vt* saw; **II** *vi* > scrape [on a violin]; zie ook: *zaniken*

2 'zagen V.T. meerv. van *zien*

'zager (-s) *m* 1 sawyer; 2 > scraper [on a violin]; 3 (vervelend mens) bore; **zage'rij** (-en) *v* 1 sawing; 2 saw-mill

Za'ïre *o* Zaire

zak (-ken) *m* 1 bag [for money &]; sack [for corn, coal, potatoes, wool &]; 2 (aan kledingstuk) pocket; 3 (kleiner of los te maken) pouch [for tobacco]; 4 (v. papier) bag; 5 ⚬ pocket; 6 (snertvent) **F** = *klootzak*; 7 ✿ & 🐾 sac; *geen ~* **P** nothing; *hij weet er geen ~ van* **P** he knows nothing about it, he hasn't a clue; *het kan hem geen ~ schelen* **P** he doesn't care a rap (a fig); *de ~ geven* (*krijgen*) **F** give (get) the sack; • *in ~ken doen* bag, sack; *in eigen ~ steken* pocket [the profit]; *steek het in je ~* put it in your pocket; *steek die in je ~* put that in your pipe and smoke it; *iem. in zijn ~ kunnen steken* be more than a match for sbd., run rings around sbd.; *in ~ en as zitten* **B** be in sackcloth and ashes; *ik heb niets op ~* I have no money with me (about me); *met geen* (*zonder een*) *cent op ~* penniless; *uit eigen ~ betalen* pay out of one's own pocket; **–agenda** ('s) *v* pocket-diary; **–almanak** (-ken) *m* pocket-almanac; **–bijbeltje** (-s) *o* pocket-bible; **–boekje** (-s) *o* 1 notebook; 2 ⚔ paybook; **–centje** (-s) *o* pocket money; **–doek** (-en) *m* (pocket-)handkerchief; *~je leggen* drop the handkerchief

'zake *ter ~* zie *zaak*; **'zakelijk I** *aj* 1 essential [differences]; real [tax]; matter-of-fact [statement &]; objective [judgment]; business-like [management]; 2 (zaakrijk) full of matter, matterful [paper, study &]; *een ~e aangelegenheid* a matter of business; *~e belangen* business interests; *~e inhoud* sum and substance, gist; *~ onderpand* collateral security; ~ *blijven* (*zijn*) keep to the point, not indulge in personalities; **II** *ad* in a matter-of-fact way, without indulging in personalities, objectively; in a business-like way; **–heid** *v* 1 business-like character; objectivity; 2 (zaakrijkheid) matterfulness; **'zakenbrief** (-brieven) *m* business letter; **–kabinet** (-ten) *o* caretaker government; **–man** (-lieden en -lui) *m* business man; **–reis** (-reizen) *v* business tour, business trip; **–relatie** [-(t)si.] (-s) *v* business relation; **–vriend** (-en) *m* business friend; **–vrouw** (-en) *v* business woman; **–wereld** *v* business world; **–wijk** (-en) *v* business quarter

'zakformaat *o* pocket-size; *een... in ~* a pocket...; **–geld** *o* pocket-money; **–je** (-s) *o* 1 small pocket (bag, &); 2 paper bag; *met het ~ rondgaan* take up the collection [in church]; **–kammetje** (-s) *o* pocket-comb

1 'zakken (zakte, is gezakt) *vi* 1 (barometer) fall; 2 (muur &) sag; 3 (water) fall; *fig* 1 (aandelen) fall; 2 (woede) subside; 3 (bij examens) fail, **F** be ploughed; 4 (bij zingen) go flat; *door het ijs ~* go (fall) through the ice; *in de modder ~* sink in the mud; *in elkaar ~* collapse; *~ voor* fail [one's driving test &]; *het gordijn laten ~* let down the curtain; *het hoofd laten ~* hang one's head; *een leerling laten ~* fail [a pupil], **F** plough a pupil; *de moed laten ~* lose courage, lose heart; *de stem* *laten* ~ lower one's voice; *zich laten* ~ let oneself down

2 'zakken (zakte, h. gezakt) *vt* bag, sack; **'zakkendrager** (-s) *m* porter; **–goed** *o* bagging; **–linnen** *o* sackcloth, sacking; **–roller** (-s) *m* pickpocket

'zaklantaarn (-s), **–lantaren** (-s) *v* electric torch; **–lopen** *o* sack-race; **–mes** (-sen) *o* pocket-knife, penknife; **–pistool** (-stolen) *o* pocket-pistol; **–potloodje** (-s) *o* pocket-pencil; **–radio** ('s) *m* pocket radio (set); **–spiegel** (-s) *m* pocket-mirror; **–uitgave** (-n) *v* pocket-edition; **–vol** *v* pocketful, bagful, sackful; **–vormig** sack-shaped, bag-shaped; **–woordenboek** (-en) *o* pocket dictionary

zalf (zalven) *v* ointment, unguent, salve; **–je** (-s) *o* zie *zalf*; *een ~ op de wond* a salve for his wounded feelings; **–olie** (-liën) *v* anointing-oil; **–pot** (-ten) *m* gallipot

'zalig 1 (i n d e h e m e l) blessed, blissful; 2 (h e e r l ij k) lovely, heavenly, divine, delicious; ~ *maken* save [a sinner]; ~ *verklaren rk* beatify [a dead person], declare [him] blessed; *wat moet ik doen om ~ te worden?* what am I to do to be saved?; ~ *zijn de bezitters* **B** possession is nine points of the law; *het is ~er te geven dan te ontvangen* **B** it is more blessed to give than to receive; de ~*en* the blessed; **'zaligen** (zaligde, h. gezaligd) *vt rk* beatify; **'zaliger** late, deceased; ~ *gedachtenis* of blessed memory; *mijn vader* ~ my late father, **F** my poor father, my sainted father; **'zaligheid** (-heden) *v* salvation, bliss, beatitude; *wat een ~!* how delightful!; **'zaligmakend** beatific, (soul-)saving; **'Zaligmaker** *m* Saviour; **'zaligmaking** *v* salvation; **–sprekingen** *mv* **B** beatitudes; **–verklaring** *v rk* beatification

zalm (-en) *m* salmon; **–forel** (-len) *v* salmon-trout; **–kleurig** salmon(-coloured), salmon-pink; **–teelt** *v* salmon-breeding; **zalmvisse'rij** *v* salmon-fishing

'zalven (zalfde, h. gezalfd) *vt* 1 ⚕ rub with ointment; 2 (c e r e m o n i e e l) anoint; **–d I** *aj fig* unctuous, oily, soapy [words &]; **II** *ad* unctuously; **'zalving** (-en) *v* anointing; *fig* unction, unctuousness

'zamelen (zamelde, h. gezameld) *vt* collect, gather

'Zambia *o* Zambia; **Zambi'aan(s)** (-anen) *m* (& *aj*) Zambian

'zamen *te* ~ together

zand *o* sand; *iem. ~ in de ogen strooien* throw dust in sbd.'s eyes; *op ~ bouwen* build on sand; ~ *erover!* let's forget it!, let bygones be bygones!; **–achtig** sandy; **–bak** (-ken) *m* sand-pit; **–bank** (-en) *v* sandbank [ook: the sands], sand-bar; flat(s); shallow, shoal [showing at low water]; **–berg** (-en) *m* sand-hill; **–blad** (-bladen) *o* sand-leaf [of tobacco]; **–duin** (-en) *v* & *o* sand-dune; **'zanden** (zandde, h. gezand) *vt* sand

'zander (-s) *m* 𝔖 = *snoekbaars*

'zanderig sandy; gritty; **–heid** *v* sandiness; grittiness; **zande'rij** (-en), **'zandgroef** (-groeven), **–groeve** (-n) *v* sand-pit; **–grond** (-en) *m* sandy soil, sandy ground; **–haas** (-hazen) *m* **F** infantryman; **–heuvel** (-s) *m* sand-hill; **–hoop** (-hopen) *m* heap of sand; **–hoos** (-hozen) *v* sand-spout; **–ig** = *zanderig*; **–kever** (-s) *m* tiger-beetle; **–koekje** (-s) *o* (kind of) shortbread; **–korrel** (-s) *m* grain of sand; ~*s* ook: sands; **–kuil** (-en) *m* sand-pit; **–laag** (-lagen) *v* layer of sand; **–lichaam** *o* sandy body [of a road]; **–loper** (-s) *m* hour-glass, sand-glass; zie ook: *strandloper* & *zandkever*; **–mannetje** *o* sandman; **–plaat** (-platen) *v* sand-bar, flat(s), shoal; **–ruiter** (-s) *m* **J** unseated horseman; **–schuit** (-en) *v* sand-barge; **–steen** *o* & *m* sandstone; **–steengroef** (-groeven), **–steengroeve** (-n) *v* sandstone quarry; **–storm** (-en) *m* sand-storm; **–straal** (-stralen) *m* & *v* sandblast; **zandstralen** (zandstraalde, h. gezandstraald) *vt* & *va* sand-blast; **'zandstrand** (-en) *o* sandy beach; **–strooier** (-s) *m* sand-box; **–taart** (-en) *v* sand-cake; **–verstuiving** (-en) *v* sand-drift, shifting sand; **–vlakte** (-n en -s) *v* sandy plain; **–weg** (-wegen) *m* sandy road; **–woestijn** (-en) *v* sandy desert; **–zak** (-ken) *m* sandbag; **–zee** (-zeeën) *v* sea of sand; **–zuiger** (-s) *m* suction-dredger

zang (-en) *m* 1 (h e t z i n g e n) singing, song; 2 (g e z a n g, l i e d) song; 3 (i n d e p o ë z i e) stave [of a poem]; canto [of a long poem]; **'Zangberg** *m de* ~ Parnassus; **'zangboek** (-en) *o* book of songs, song-book; **–cursus** [-züs] (-sen) *m* singing-class; **'zanger** (-s) *m* 1 *eig* singer, vocalist; 2 (d i c h t e r) singer, songster, bard, poet; **zange'res** (-sen) *v* (female) singer, vocalist; **'zangerig** melodious; **–heid** *v* melodiousness; **'zangkoor** (-koren) *o* choir; **–kunst** *v* art of singing; **–leraar** (-s en -raren) *m* singing-master; **–lerares** (-sen) *v* singing-mistress; **–les** (-sen) *v* singing-lesson; **–lijster** (-s) *v* song-thrush; **–muziek** *v* vocal music; **–noot** (-noten) *v* musical note; **–nummer** (-s) *o* vocal number; **–oefening** (-en) *v* singing-exercise; **–onderwijs** *o* singing-lessons; *het* ~ the teaching of singing; **–parkiet** (-en) *m* budgerigar, **F** budgie; **–partij** (-en) *v* voice part; **–school** (-scholen) *v* singing-school; **–stem** (-men) *v* 1 singing-voice; 2 = *zangpartij*; **–stuk** (-ken) *o* song; **–uitvoering** (-en) *v* vocal concert; **–vereni-**

ging (-en) *v* choral society; **–vogel** (-s) *m* singing-bird, song-bird; **–wedstrijd** (-en) *m* singing-contest; **–wijs** (-wijzen), **–wijze** (-n) *v* tune, melody; **–zaad** *o* mixed bird-seed

'zanik (-niken) *m-v* bore; **'zaniken** (zanikte, h. gezanikt) *vi* nag, bother; *lig toch niet te* ~ don't keep nagging (bothering); **–er** (-s) *m* bore

1 zat 1 satiated; 2 drunk; (*oud en*) *der dagen* ~ **B** full of days; *hij heeft geld* ~ he has plenty of money; *ik ben het* ~ **F** I am fed up with it, I'm sick of it; *zich* ~ *eten* eat one's fill

2 zat (**zaten**) V.T. van *zitten*

'zaterdag (-dagen) *m* Saturday; **–s I** *aj* Saturday; **II** *ad* on Saturdays

'zatheid *v* satiety; weariness; **'zatladder** (-s), **–lap** (-pen) *m* = *zuiplap*

Z.B., Z.Br. = *zuiderbreedte*

Z.E. 1 = *Zijne Edelheid*; 2 = *Zijn Eerwaarde*

ze 1 she, her; 2 they, them; ~ *zeggen, dat hij...* they say he..., he is said to..., people say he...

Zebe'deus [-'de.üs] *m* Zebedee

'zeboe (-s) *m* zebu

'zebra ('s) *m* 1 zebra; 2 (o v e r s t e e k - p l a a t s) zebra crossing; **–pad** (-paden) *o* = *zebra* 2

'zede (-n) *v* custom, usage, zie ook: *zeden;* **'zedelijk** *aj* (& *ad*) moral(ly); *een* ~ *lichaam* a corporate body, a body corporate; **'zedelijkheid** *v* morality; **'zedelijkheidsapostel** (-en en -s) *m* sermonizer; **–gevoel** *o* moral sense; **'zedeloos** *aj* (& *ad*) immoral(ly), profligate(ly); **zede'loosheid** *v* immorality, profligacy; **'zeden** *mv* 1 morals; 2 manners; *hun* ~ *en gewoonten* their manners and customs; **–bederf** *o* demoralization, corruption (of morals), depravity; **–delict** (-en) *o* sexual offence; **–kunde** *v* ethics, moral philosophy; **zeden'kundig** moral, ethical; **'zedenkwetsend** shocking, immoral; **–leer** *v* morality, ethics; **–les** (-sen) *v* moral, moral lesson; **–meester** (-s) *m* moralist, moralizer; **–misdrijf** (-drijven) *o* sexual offence; **–politie** [-(t)si.] *v* ± **F** vice squad; **–preek** (-preken) *v* moralizing sermon; **–preker** (-s) *m* moralizer, moralist, moral censor; **–spreuk** (-en) *v* maxim; **–verwildering** *v* moral corruption, demoralization, depravity; **–wet** (-ten) *v* moral law; **'zedig** *aj* (& *ad*) modest(ly), demure(ly); **–heid** *v* modesty, demureness

zee (zeeën) *v* sea[2], ocean[2], ⊙ main; *een* ~ *van bloed* (*licht, rampen*) a sea of blood (light, troubles); *een* ~ *van tijd* plenty of time; ~ *kiezen* put to sea; ~ *winnen* get sea-room; ● *a a n* ~ at the seaside; *aan* ~ *gelegen* on the sea, situated by the sea; *recht d o o r* ~ *gaan* zie 1 *recht* **III**; *i n* ~ *steken* 1 ⚓ put to sea; 2 *fig* launch forth, go ahead; *in open* ~, *in volle* ~ on the high seas, in the open sea; [a ship seen] in the offing; *n a a r* ~ *gaan* 1 (a l s m a t r o o s) go to sea; 2 (v o o r g e n o e g e n) go to the seaside; *o p* ~ at sea; *hij is* (*vaart*) *op* ~ he is a seafaring man (a sailor), he follows the sea; *o v e r* ~ *gaan* go by sea; *in de landen van over* ~ in the countries beyond the seas, overseas, in oversea countries; *hij kan niet t e g e n de* ~ he is a bad sailor; *t e r* ~ *varen* follow the sea; *de oorlog ter* ~ the war at sea; **–aal** (-alen) *m* sea-eel, conger; **–ajuin** *m* squill; **–anemoon** (-monen) *v* sea-anemone; **–arend** (-en) *m* white-tailed eagle; **–arm** (-en) *m* arm of the sea, estuary, firth; **–assurantie** [-(t)si.] (-s) *v* marine insurance; **–baak** (-baken) *v* sea-mark; **–baars** (-baarzen) *m* sea-perch; **–bad** (-baden) *o* sea-bath; **–badplaats** (-en) *v* seaside resort; **–baken** (-s) *o* sea-mark; **–banket F** *o* herring; **–benen** *mv* sea-legs; **–beving** (-en) *v* seaquake; **–bewoner** (-s) *m* inhabitant of the sea; **–bodem** (-s) *m* bottom of the sea, sea-bottom; **–boezem** (-s) *m* gulf, bay; **–bonk** (-en) *m* (Jack-)tar; *een oude* ~ an old salt; **–breker** (-s) *m* breakwater; **–brief** (-brieven) *m* certificate of registry; **–cadet** (-ten) *m* naval cadet; **–den** (-nen) *m* cluster pine; **–dienst** *m* naval service; **–dier** (-en) *o* marine animal; **–dijk** (-en) *m* sea-bank, sea-dike; **–drift** *v* flotsam; **–duivel** (-s) *m* sea-devil; **–ëgel** (-s) *m* sea-urchin; **–ëngte** (-n en -s) *v* strait(s), narrows

zeef (zeven) *v* sieve, strainer; riddle, screen [for gravel &]

'zeefauna *v* marine fauna

'zeefdoek (-en) *m* & *o* strainer; **–druk** (-ken) *m* silk-screen (printing); **–je** (-s) *o* sieve

1 zeeg (zegen) *v* ⚓ sheer

2 zeeg (**zegen**) V.T. van *zijgen*

'zeegat (-gaten) *o* mouth of a harbour or river, outlet to the sea; *het* ~ *uitgaan* put to sea; **–gevecht** (-en) *o* sea-fight, naval combat; **–gezicht** (-en) *o* seascape, sea-piece; **–god** (-goden) *m* sea-god; **–godin** (-nen) *v* sea-goddess; **–gras** *o* seaweed; **–groen** sea-green; **–handel** *m* oversea(s) trade; **–haven** (-s) *v* seaport; **–held** (-en) *m* naval hero; **–hond** (-en) *m* seal; **–hondevel** (-len) *o* sealskin; **–hoofd** (-en) *o* pier, jetty

zeek (**zeken**) **P** V.T. van zeiken

'zeekaart (-en) *v* (sea-)chart; **–kanaal** (-nalen) *o* ship-canal; **–kant** *m* seaside; **–kapitein** (-s) *m* sea-captain; (b ij d e m a r i n e) captain in the navy; **–kasteel** (-telen) *o* sea-castle; **–klaar** ready for sea; **–klimaat** *o* marine (maritime) climate; **–koe** (-koeien) *v* sea-cow, manatee; **–koet** (-en) *m* guillemot; **–komkommer** (-s) *m* sea-cucumber; **–kompas** (-sen) *o* mariner's compass; **–krab** (-ben) *v* sea-crab; **–kreeft**

(-en) *m* & *v* lobster; **–kust** (-en) *v* sea-coast, sea-shore
zeel (zelen) *o* strap, trace
'Zeeland *o* Zealand, Zeeland; **'zeeleeuw** (-en) *m* sea-lion; **–lieden** *mv* seamen, sailors, mariners
zeelt (-en) *v* tench
'zeelucht *v* sea-air
1 zeem *o* = *zeemle(d)er*; **2 zeem** (zemen) *m* & *o* = *zeemlap*
'zeemacht (-en) *v* naval forces, navy
'zeeman (-lieden en -lui) *m* seaman, sailor, mariner; **–schap** *o* seamanship; **~** *gebruiken* steer cautiously; **'zeemansgraf** *o een* **~** *krijgen* be buried at sea, **F** go to Davy Jones's locker; **–huis** (-huizen) *o* sailors' home; **–kunst** *v* art of navigation, seamanship; **–leven** *o* seafaring life, sailor's life
'zeemeermin (-nen) *v* mermaid; **–meeuw** (-en) *v* (sea-)gull, seamew; *drietenige* **~** kittiwake; **–mijl** (-en) *v* sea-mile, nautical mile; **–mijn** (-en) *v* sea-mine
'zeemlap (-pen) *m* wash-leather; **–le(d)er** *o* chamois-leather, shammy; **–leren** *aj* shammy; *een* **~** *lap* a (wash-)leather
'zeemogendheid (-heden) *v* maritime (naval, sea) power; **–monster** (-s) *o* 1 sea-monster; 2 $ shipping-sample; **–mos** *o* sea-moss, seaweed
zeen (zenen) *v* tendon, sinew
'zeenatie [-(t)si.] (-s en -tiën) *v* seafaring nation; **–nimf** (-en) *v* sea-nymph; **–officier** (-en) *m* naval officer; **–oorlog** (-logen) *m* naval war
zeep (zepen) *v* soap; *groene* **~** soft soap; *om* **~** *brengen* kill; *hij ging om* **~** he went west
'zeepaard (-en) *o* sea-horse [of Neptune]; **–je** (-s) *o* ⚘ sea-horse
'zeepachtig soapy, saponaceous
'zeepaling (-en) *m* sea-eel, conger; **–pas** (-sen) *m* passport
'zeepbakje (-s) *o* soap-dish; **–bekken** (-s) *o* shaving-basin; **–bel** (-len) *v* soap-bubble, bubble; **–fabriek** (-en) *v* soap-works; **–fabrikant** (-en) *m* soap-maker, soap-boiler; **–kist** (-en) *v* soap-box
'zeeplaats (-en) *v* seaside town; **–polis** (-sen) *v* marine policy; **–post** *v* oversea(s) mail
'zeeppoeder, –poeier *o* & *m* soap-powder
'zeeprik (-ken) sea-lamprey
'zeepsop *o* soap-suds; **–water** *o* soap and water, soapy water; **–zieden** *o* soap-boiling; **–zieder** (-s) *m* soap-boiler; **zeepziede'rij** (-en) *v* soap-works
1 zeer *o* sore, ache; **~** *doen* ache, hurt[2]; *fig* pain; *heb je je erg* **~** *gedaan?* were you much hurt?; *het doet geen* **~** it doesn't hurt; *zich* **~** *doen* hurt oneself; *iem. in zijn* **~** *tasten* touch sbd. on the raw, touch the tender spot
2 zeer *aj* sore [arm &]; *ik heb een zere voet* my foot is sore
3 zeer *ad* 1 very; 2 (v ó ó r d e e l w o o r d) much, greatly [astonished &]; ✎ sorely [needed &]; *al te* **~** overmuch
'zeeraad (-raden) *m* maritime court; **–ramp** (-en) *v* catastrophe at sea; **–recht** *o* maritime law
'zeereerwaard *de* **~***e heer A. B.* the Reverend A. B., Rev. A. B.
'zeereis (-reizen) *v* (sea-)voyage; ook: sea-journey
'zeergeleerd very learned; *een* **~***e* a doctor
'zeerob (-ben) *m* 1 ⚘ seal; 2 *fig* (Jack-)tar, sea-dog; *een oude* **~** an old salt; **–roof** *m* piracy; **–rover** (-s) *m* pirate, corsair; **zeerove'rij** (-en) *v* piracy
zeerst *om het* **~** as much as possible; *ten* **~***e* very much, highly, greatly
'zeeschade *v* sea-damage; **–schelp** (-en) *v* sea-shell; **–schilder** (-s) *m* marine painter; **–schildpad** (-den) *v* turtle; **–schip** (-schepen) *o* sea-going vessel; **–schuimen** *vi* practise piracy; **–schuimer** (-s) *m* pirate, corsair; **–slag** (-slagen) *m* sea-battle, naval battle; **–slak** (-ken) *v* sea-snail; **–slang** (-en) *v* sea-serpent; **–sleper** (-s) *m* seagoing tug(boat); **–spiegel** *m* sea-level, level of the sea; *beneden (boven) de* **~** below (above) sea-level; **–stad** (-steden) *v* seaside town; **–ster** (-ren) *v* starfish; **–straat** (-straten) *v* strait(s); **–strand** (-en) *o* beach; *het* **~** ook: the sands; **–stroming** (-en) *v* ocean current; **–stuk** (-ken) *o* sea-piece, seascape; **–term** (-en) *m* nautical term; **–tijdingen** *mv* shipping intelligence; **–tje** (-s) *o* sea; *een* **~** *overkrijgen* ship a sea; **–tocht** (-en) *m* voyage; **–transport** *o* sea-carriage, sea-transport
Zeeuw (-en) *m* inhabitant of Zealand (Zeeland); **–s I** *aj* Zealand; **II** *v* Zealand dialect; **Zeeuws-'Vlaanderen** *o* Dutch Flanders
'zeevaarder (-s) *m* seafarer; **zee'vaardig** ready to sail; **'zeevaart** *v* navigation; **–kunde** *v* art of navigation; **zeevaart'kundig** nautical; **'zeevaartschool** (-scholen) *v* school of navigation; **–varend** seafaring [nation]; **–verkenner** (-s) *m* sea-scout; **–verzekering** (-en) *v* marine insurance; **–vis** (-sen) *m* sea-fish; **–vogel** (-s) *m* sea-bird; **–volk** *o* seamen, sailors; **–vracht** *v* freight; **zee'waardig** seaworthy; **–heid** *v* seaworthiness; **'zeewaarts** seaward; **–water** *o* sea-water; **–weg** (-wegen) *m* sea-route; **–wering** (-en) *v* sea-wall; **–wezen** *o* maritime (nautical) affairs; **–wier** (-en) *o* seaweed; **–wind** (-en) *m* sea-wind, sea-breeze; **–wolf** (-wolven) *m* sea-wolf;

–ziek seasick; **–ziekte** *v* seasickness; **–zout** *o* sea-salt; **–zwaluw** (-en) *v* sea-swallow
'zefier (-en en -s) *m* zephyr
'zege *v* victory, triumph; **–boog** (-bogen) *m* triumphal arch
'zegel (-s) 1 *o* (v. document) seal; 2 (papier) stamped paper; 3 (instrument) seal, stamp; 4 *m* (v. belasting, post &) stamp; (v. winkel) trading stamp; *zijn ~ drukken op een document* affix one's seal to a document; *zijn ~ aan iets hechten* set one's seal to sth.; *aan ~ onderhevig* liable to stamp-duty; *alles is onder ~* everything is under seal; *onder het ~ van geheimhouding* under the seal of secrecy; *alle stukken moeten op ~* all documents must be written on stamped paper; *vrij van ~* exempt from stamp-duty; **–belasting** *v* stamp-duty; **–bewaarder** (-s) *m* Keeper of the Seal; **–doosje** (-s) *o* seal-box; **'zegelen** (zegelde, h. gezegeld) *vt* 1 seal; ⚖ place under seal; 2 (stempelen) stamp; *gezegeld papier* stamped paper; **'zegelkantoor** (-toren) *o* stamp-office; **–kosten** *mv* stamp-duties; **–lak** *o* & *m* sealing-wax; **–merk** (-en) *o* impression of a seal; **–recht** *o* stamp-duty; **–ring** (-en) *m* seal-ring, signet-ring; **–was** *m* & *o* sealing-wax; **–wet** (-ten) *v* stamp-act
1 'zegen *m* blessing, benediction; *welk een ~!* what a mercy!; what a blessing!, what a godsend!
2 'zegen (-s) *v* seine, drag-net
3 'zegen V.T. meerv. van *zijgen*
'zegenen (zegende, h. gezegend) *vt* bless; **–ning** (-en) *v* blessing [of civilization], benediction; **'zegenrijk** 1 salutary, beneficial; 2 most blessed; **–wens** (-en) *m* blessing
'zegepalm (-en) *m* palm (of victory); **–poort** (-en) *v* triumphal arch; **–praal** (-pralen) *v* triumph; **'zegepralen** (zegepraalde, h. gezegepraald) *vi* triumph (*over* over); **'zegeteken** (-en en -s) *o* trophy; **–tocht** (-en) *m* triumphal march; **–vaan** (-vanen) *v* victorious banner; **'zegevieren** (zegevierde, h. gezegevierd) *vi* triumph (*over* over); **–d** victorious, triumphant; **'zegewagen** (-s) *m* triumphal chariot, triumphal car; **–zang** (-en) *m* song of triumph, paean
'zegge (-n) *v* ♣ sedge
'zeggen* **I** *vt* say [to him]; tell [him]; *wat een prachtstuk, zeg!* I say, what a beauty!; *zegge vijftig gulden* $ say fifty guilders; *u zei...?* you were saying ...?; *doe dat, zeg ik je* I tell you; *nu u het zegt* now you mention it; *zeg eens!* I say!; *al zeg ik het zelf* though I say it who shouldn't, though I do say myself; *goede nacht ~* say (bid) good night; *dat zegt (meer dan) boekdelen* that speaks volumes; *en dat zegt wat!, dat wil wat ~!* which is saying a good deal, and that is saying a lot; *hij zegt maar wat* he is just talking; (sterker) he is talking through his hat; *ik heb gezegd!* I have had my say; *hij zegt niets maar denkt des te meer* he says nothing but thinks a lot; *de mensen ~ zóveel* people will say anything; *ik heb het wel gezegd* I told you so; *heb ik het niet gezegd?* didn't I tell you?; *daarmee is alles gezegd* that's all you can say of him (them &); (basta!) and there's an end of it; *anders gezegd* to put it differently, in other words; *dat is gauw (gemakkelijk) gezegd* it is easy (for you) to say so; *dat is gauwer gezegd dan gedaan* that is sooner said than done; *zo gezegd, zo gedaan* no sooner said than done; *dat behoef ik u niet te ~* I need not tell you; *dat hoef je hem geen twee maal te ~* he need no be told twice; *wat heeft u te ~?* what have you got to say?; *wat zou je ervan ~ als...* what about..., suppose...; *wat zeg je van...?* how about...?; *alle leden hebben evenveel te ~* all the members have an equal say; *ik heb er ook iets in te ~* I have some say in the matter; *ga het hem ~* go and tell him; *dat kan ik u niet ~* I cannot tell you; *dat zou ik u niet kunnen ~* I could not say; *ze hebben het laten ~* they have sent word; *laten we ~ tien* (let us) say ten; *dat laat ik mij niet ~!* I don't have to take that!; *dat mag ik niet ~* I must not tell (you), that would be telling; *hij is..., dat moet ik ~* I cannot but say that; *wij hadden het eerder moeten ~* we should have spoken sooner; *dat wil ~* that is (to say); *rechts..., ik wil ~, links* right, I mean, left; *dat wil nog niet ~ dat...* that is not to say that..., that does not mean (imply) that...; *hij zegt het* he says so, so he says; *zeg dat niet* don't say so; *zegt u dat wel!* you may well say so!; *dat zeg je nu wel, maar...* you are pleased to say so, but...; *wat zegt dat dan nog?* well, what of it?; *mag ik ook eens iets ~?* may I say something?; *hij zeit wat!* listen to him!; *niets ~, hoor!* keep quiet (keep mum) about it!; *hij zegt niet veel* he is a man of few words; *deze titel zegt al genoeg* this title speaks for itself; *dat zegt niet veel* that doesn't mean much; *die naam zegt mij niets* this name means nothing to me; *wat zegt u?* 1 what did you say?; 2 (bij verbazing) you don't say so!; *wat u zegt!* you don't say so!; *hij weet niet wat hij zegt* he doesn't know what he's talking about; *...wat ik je zeg* I tell you; *doe wat ik je zeg* do as I tell you; *het is wat te ~* it is awful; *als ik wat te ~ had* if I could work my will; *wat ik ~ wil (wou)...* à propos, by the way, that reminds me...; *wat wou ik ook weer ~?* what was I going to say?; *daar zeg je zo iets* that's not a bad idea; *iem. ~ waar het op staat* give sbd. a piece of one's mind; *wat is er op hem te ~?* what is there to be said against him?; *wat heb je daarop te ~?* what have you got to say to

that?; *je hebt niets over mij te ~* you have no authority over me; *om ook iets te ~* by way of saying something; *om zo te ~* so to say, so to speak; *daar is alles (veel) voor te ~* there is everything (much) to be said for it; *het voor het ~ hebben* be in charge; *zonder iets te ~* without a word; *zonder er iets van te ~* without saying anything about it; **II** *o* saying; *~ en doen zijn twee* to promise is one thing to perform another; *naar zijn ~, volgens zijn ~* according to what he says; *als ik het voor het ~ had* if I had my say in the matter; *je hebt het maar voor het ~* you need only say the word; **'zeggenschap** *v* & *o* right of say; control; *~ hebben* have a say (in the matter); **'zeggingskracht** *v* expressiveness, eloquence; **'zegje** *o zijn ~ doen (zeggen)* say one's piece; **'zegsman** (-lieden en -lui) *m* informant, authority; *wie is uw ~?* who is your informant?, who told (it) you?; **-wijs** (-wijzen), **-wijze** (-n) *v* saying, expression, phrase

zei (**zeiden**) V.T. van *zeggen*

'zeiken* P = *urineren*; = *zaniken*

zeil (-en) *o* 1 ⚓ sail; 2 (v. w i n k e l &) awning; 3 (t o t d e k k i n g) tarpaulin; tilt [of cart]; 4 (v. v l o e r) floor-cloth; 5 = *zeildoek*; *~ bijzetten* set more sail; *alle ~en bijzetten* crowd on all sail; *fig* leave no stone unturned, do one's utmost; *~(en) minderen* take in sail, shorten sail; *m e t een opgestreken (opgestoken) ~* in high dudgeon; *met volle ~en* (in) full sail, all sails set; *o n d e r ~ gaan* ⚓ get under sail, set sail; *fig* drop off (to sleep), doze off; *onder ~ zijn* 1 ⚓ be under sail; 2 *fig* be sound asleep; *een vloot v a n 20 ~en* a fleet of twenty sail; zie ook *oog*; **-boot** (-boten) *m* & *v* sailing-boat; **-doek** *o* & *m* sailcloth, canvas; (w a s d o e k) oilcloth; **'zeilen** (zeilde, h. en is gezeild) *vi* sail; *gaan ~* go for a sail, go sailing; *~d(e)* $ sailing, floating [goods]; *~de verkopen* $ sell on sailing terms, sell to arrive; *een uur ~s* an hour's sail; **-er** (-s) *m* 1 (p e r s o o n) yachtsman; 2 (s c h i p) sailing-ship; **'zeiljacht** (-en) *o* sailing-yacht; **-jopper** (-s) *m* (sailing) jacket; **-kamp** (-en) *o* sailing camp; **-klaar** ready to sail, ready for sea; *zich ~ maken* get under sail; **-maker** (-s) *m* sail-maker; **zeilmake'rij** (-en) *v* sail-loft; **'zeilpet** (-ten) *v* yachting cap; **-ree** ready to sail, ready for sea; **-schip** (-schepen) *o* sailing-vessel, sailing-ship; **-sport** *v* yachting; **-tocht** (-en) *m* sailing-trip, sail; **zeil'vaardig** = *zeilklaar*; **'zeilvaartuig** (-en) *o* sailing-vessel; **-vereniging** (-en) *v* yacht-club; **-wagen** (-s) *m* sailing-car; **-wedstrijd** (-en) *m* sailing-match, sailing-race, regatta

zeis (-en) *v* scythe

'zeken P V.T. meerv. van *zeiken*

'zeker I *aj attributief* 1 (v a s t s t a a n d) certain [event &]; 2 (b e t r o u w b a a r) sure [proof]; 3 (n i e t n a d e r a a n t e d u i d e n) certain [gentleman, lady of a certain age]; 4 (e n i g e) a certain, some [reluctance &]; *predikatief* 1 (m e t p e r s o o n s - o n d e r w e r p) certain, sure, assured, positive, confident; 2 (m e t d i n g - o n d e r w e r p) sure, certain; *(een) ~e dinges* **F** a certain Mr Thingumbob, a Mr Th., one Th.; *een ~e wrijving tussen hen* a certain friction (a certain amount of friction, some friction) between them; *ik ben ~ van hen* I can depend on them; *~ van zijn zaak zijn* be sure of one's ground; *ben je er ~ van?* are you (quite) sure?, are you quite positive?; *ik ben er ~ van dat...* I am sure (that)..., I am sure of his (her, their...); *je kunt er ~ van zijn dat...* ook: you may feel (rest) assured that...; *men is er niet ~ van zijn leven* a man's life is not safe there; *iets ~s* something positive; *niets ~s* nothing certain; *zo ~ als 2 × 2 (4 is)* as sure as two and two make four, as sure as eggs is eggs; **II** *o het ~e* what is certain; *het ~e voor het onzekere nemen* take a certainty for an uncertainty; prefer the one bird in the hand to the two in the bush; **III** *ad* 1 (w o o r d b e p a l i n g) for certain; for a certainty, positively; 2 (z i n s b e p a l i n g) certainly, surely &; *(wel) ~!* 1 (b e v e s t i g e n d) certainly; 2 (a f w ij z e n d) why not!; *ik weet het ~* I know it for certain (for a certainty, for a fact); *~ weet jij dat ook wel* surely you know it too; *jij weet dat ~ ook wel, he?* I daresay (I suppose) you know it too; *hij komt ~ als hij het weet* he is sure to come if he knows; *we kunnen ~ op hem rekenen* we can safely count on him; *Kunnen wij op hem rekenen? Zeker!* Certainly! To be sure you can!; **-heid** (-heden) *v* 1 certainty; 2 (v e i l i g h e i d) safety; 3 (b o r g) security; *~ bieden dat...* hold out every certainty that...; *voldoende ~ geven dat...* guarantee that...; *~ hebben* be certain; *~ stellen* give security; *niet met ~ bekend* not certainly known; *we kunnen niet met ~ zeggen of...* we cannot say with certainty (for certain); *voor de ~, voor alle ~* to be on the safe side, to make sure; **zekerheids'halve** for safety('s sake); **'zekerheidstelling** (-en) *v* security

'zekering (-en) *v* ⚡ fuse

'zelden seldom, rarely; *niet ~* not unfrequently

'zeldzaam I *aj* rare [= seldom found & of uncommon excellence]; scarce [books, moths]; **II** *ad* uncommonly, exceptionally [beautiful]; **-heid** (-heden) *v* rarity, scarceness; *zeldzaamheden* rarities, curiosities; *een van de grootste zeldzaamheden* one of the rarest things; *het is een grote ~ als...* it is a rare thing for him to...; *het is geen ~ dat...* it is no rare thing to [find them &]

zelf self; *ik* ~ I myself; *u, jij* ~ you yourself; *de man* ~ the man himself; *de vrouw* ~ the woman herself; *het kind* ~ the child itself; *zij hebben* ~... they have... themselves; *zij kunnen niet* ~ *denken* they cannot think for themselves; *wees u* ~ be thyself; *hij is de beleefdheid* ~ he is politeness itself; zie ook: *zich, zichzelf* &

'zelfbediening *v* self-service; **'zelfbedieningswasserij** (-en) *v* launderette; **–winkel** (-s), **–zaak** (-zaken) *v* self-service shop, self-service store

'zelfbedrog *o* self-deceit, self-deception; **–begoocheling** *v* self-delusion; **–behagen** *o* self-complacency; **–beheersing** *v* self-control, self-command, self-possession, restraint; *zijn* ~ *herkrijgen* regain one's self-control, collect oneself; **–behoud** *o* self-preservation; **–beklag** *o* self-pity; **–beschikkingsrecht** *o* right of self-determination; **–beschuldiging** (-en) *v* self-accusation; **–bestuiving** *v* ♣ self-pollination; **–bestuur** *o* self-government; **–bevlekking** *v* self-abuse, masturbation; **–bevrediging** *v* masturbation; **–bevruchting** *v* ♣ self-fertilization, autogamy; **zelfbe'wust** self-assured; **–be'wustheid** *v*, **–be'wustzijn** *o* self-assuredness; **'zelfbinder** (-s) *m* 1 (l a n d b o u w m a c h i n e) self-binder; 2 (d a s) knotted tie; **'zelfde** same; **'zelfgebreid** home-knitted; **–gemaakt** home-made [jam]; **zelfge'noegzaam** complacent, smug, self-satisfied; **–ge'noegzaamheid** *v* complacency, smugness, self-satisfiedness; **'zelfgevoel** *o* self-esteem; **zelf'ingenomen** self-opinionated, self-satisfied; **'zelfkant** (-en) *m* selvage, selvedge, list; *aan de* ~ *der maatschappij* [live] on the fringe of society; **–kastijding** (-en) *v* self-chastisement; **–kennis** *v* self-knowledge; **–klevend** self-adhesive; **–kritiek** *v* self-criticism; **–kwelling** (-en) *v* self-tormenting, self-torture; **–moord** (-en) *m* & *v* suicide, self-murder; ~ *plegen* commit suicide; **–moordenaar** (-s) *m*, **–moordenares** (-sen) *v* suicide, self-murderer; **–onderricht** *o* self-tuition; **–onderzoek** *o* self-examination, heart-searching; **–ontbranding** *v* spontaneous combustion; **–ontplooiing** *v* self-realization; **–ontspanner** (-s) *m phot* automatic release, self-timer; **–ontsteking** *v* ✱ self-ignition; **–opoffering** (-en) *v* self-sacrifice; **–overschatting** *v* exaggerated opinion of oneself, presumption; **–overwinning** (-en) *v* self-conquest; **–plakkend** (self-)adhesive; **–portret** (-ten) *o* self-portrait; **–registrerend** self-registering, self-recording; **–respect** *o* self-respect; **–rijzend** self-raising [flour]

zelfs even; ~ *zijn vrienden* ook: his very friends; *zij klommen* ~ *tot op de daken* ook: on to the very roofs

'zelfspot *m* self-derision, self-mockery; **zelf'standig I** *aj* independent; ~ *naamwoord* substantive, noun; *de kleine* ~*en* the self-employed; **II** *ad* 1 [act] independently; 2 [used] substantively; **–heid** (-heden) *v* 1 independence; 2 (s t o f) substance; **'zelfstrijd** *m* inward struggle; **–strijkend** non-iron; **–studie** *v* self-tuition; **–tucht** *v* self-discipline; **–verblinding** *v* infatuation; **–verbranding** *v* (v. m e n s) self-burning; **–verdediging** *v* self-defence; *uit* (*ter*) ~ in self-defence; **–vergoding** *v* self-idolization; **–verheerlijking** *v* self-glorification; **–verheffing** *v* self-exaltation; **–verloochening** *v* self-denial; **–verminking** *v* self-mutilation; **–vernedering** *v* self-abasement; **–vernietiging** *v* self-destruction; **–vertrouwen** *o* self-confidence, self-reliance; **–verwijt** *o* self-reproach; **–verzekerd** self-assured, self-confident, self-possessed; **zelfver'zekerdheid** *v* self-assurance, self-confidence, self-possession; **'zelfvoldaan** self-complacent; **zelfvol'daanheid** *v* self-complacency; **'zelfvoldoening** *v* self-satisfaction, self-content; **–werkend** self-acting, automatic; **–zucht** *v* egotism, egoism, selfishness; **zelf'zuchtig I** *aj* selfish, egoistic, egotistic, self-seeking; *een* ~*e* an egoist, an egotist; **II** *ad* selfishly, egoistically, egotistically

ze'loot (-loten) *m* zealot

1 'zemelen *mv* bran

2 'zemelen (zemelde, h. gezemeld) *vi* = *zaniken*

1 'zemen *aj* shammy; *een* ~ *lap* a leather, (wash-)leather; **2 'zemen** (zeemde, h. gezeemd) *vt* clean [windows] with a (wash-) leather

'zendapparatuur *v* transmitting set, transmitter; **–bereik** *o RT* service area, transmission range; **–bode** (-n) *m* messenger; **–brief** (-brieven) *m* pastoral letter; **B** epistle; **'zendeling** (-en) *m* missionary; **'zenden*** *vt* send [sth., sbd.], forward, dispatch [a parcel &], ship, consign [goods &]; ~ *om* send for; **'zendenergie** [-e.nɛrʒi. en -gi.] *v R* emissive power; **'zender** (-s) *m* sender; *R* transmitter; *over de Moskouse* ~ over Moscow radio; *over een Nederlandse* ~ on a Dutch transmitter; *over alle* ~*s* over all radio stations; **'zending** (-en) *v* 1 (h e t z e n d e n) sending, forwarding, dispatch; 2 (h e t g e z o n d e n e) shipment, consignment; parcel; 3 (r o e p i n g, o p d r a c h t) mission; 4 (z e n d i n g s w e r k) mission (to Jews *onder de joden*); **'zendingsgenootschap** (-pen) *o* missionary society; **–post** (-en) *m* mission, missionary post; **–school** (-scholen) *v* missionary school; **–station**

[-sta.ʃòn] (-s) *o* mission station; **–werk** *o* missionary work; **'zendinstallatie** [-(t)si.] (-s) *v R* transmitting set, radio transmitter; **–lamp** (-en) *v* R transmitting valve; **–mast** (-en) *m* R transmitter mast; **–station** [-sta.ʃòn] (-s) *o* R transmitting station; **–tijd** (-en) *m* R air time, transmission time, broadcast(ing) time; **–toestel** (-len) *o* R transmitting set, transmitter; **–uur** (-uren) *o* R broadcasting hour; **–vergunning** (-en) *v* R transmitting licence

'zengen (zengde, h. gezengd) *vt* & *vi* singe [hair], scorch [grass &]; **–ging** *v* singeing, scorching

'zenig stringy, sinewy [meat]

'zenit *o* zenith

'zenuw (-en) *v* nerve; *de ~ van de oorlog* the sinews of war; *stalen ~en* iron nerves; *hij was één en al ~en* he was a bundle of nerves; *het op de ~en hebben* be in a fit of nerves, **F** have the jitters; *het op de ~en krijgen* go into hysterics, throw a fit, **F** get the jitters; *dat werkt op mijn ~en* that gets (grates) on my nerves; *in de ~en zitten* be very nervous, **F** be in a flap; **–aandoening** (-en) *v* affection of the nerves, nervous disease; **–achtig I** *aj* nervous, agitated, nervy, jumpy; *iem. ~ maken* ook: get on sbd.'s nerves; **II** *ad* nervously; **–achtigheid** *v* nervousness; **–arts** (-en) *m* neurologist; **–cel** (-len) *v* nerve-cell; **–crisis** [-zɪs] (-sen en -crises) *v* nervous attack, nervous breakdown; **–enoorlog** *m* war of nerves; **–gas** (-sen) *o* nerve gas; **–gestel** *o* nervous system; **–inrichting** (-en) *v* mental home (hospital); **–inzinking** (-en) *v* nervous breakdown; **–knoop** (-knopen) *m* ganglion; **–kwaal** (-kwalen) *v*, **–lijden** *o* nervous disease; **–lijder** (-s) *m* nervous sufferer; **–ontsteking** (-en) *v* neuritis; **–oorlog** = *zenuwenoorlog*; **–patiënt** [-sjɛnt] (-en) *m* neuropath; **–pees** (-pezen) *v* **F** fuss-pot; **–pijn** (-en) *v* neuralgia, nerve pains; **–schok** (-ken) *m* nervous shock; **zenuw'slopend** nerve-racking; **'zenuwstelsel** *o* nervous system; *het centrale ~* the central nervous system; **–toeval** (-len) *m* nervous attack; **–trekking** (-en) *v* nervous twitch; **–ziek** suffering from nerves; **–ziekte** (-n en -s) *v* nervous disease; **–zwakte** *v* neurasthenia, nervous debility

'zepen (zeepte, h. gezeept) *vt* soap; lather [before shaving]

zerk (-en) *v* slab, tombstone

zes six; *dubbele ~* double six; *met ons ~sen* the six of us; *tegen ~sen* by six o'clock; *hij is v a n ~sen klaar* he is an all-round man; *ze hadden pret v o o r ~* they were having no end of fun; **zes'achtste** six eighths; *~ maat* six-eight time; **'zesdaags** of six days, six days'; *de Zesdaagse oorlog* the Six-Day War; **zes'daagse** (-n) *v sp* six-day bicycle-race; **'zesde** sixth (part); **'zeshoek** (-en) *m* hexagon; **–hoekig** hexagonal; **–jarig** of six years, six-year-old; **–kantig** hexagonal; **–regelig** of six lines; *~ versje* sextain; **–tal** (-len) *o* six, half a dozen; *het ~* the six of them

'zestien sixteen; **–de** sixteenth (part)

'zestig sixty; *ben je ~!* are you mad?; –er (-s) *m* person of sixty (years); **–jarig** of sixty years; *de ~e* the sexagenarian; **–ste** sixtieth (part)

'zesvlak (-ken) *o* hexahedron; **–voud** (-en) *o* multiple of six; **–voudig** sixfold, sextuple

zet (-ten) *m* 1 (d u w) push, shove; 2 (s p r o n g) leap, bound; 3 *sp* move² [at draughts, chess &]; *een domme ~* a stupid move²; *een geestige ~* a stroke of wit; *een gelukkige ~* a happy move; *een handige ~* a clever move (stroke); *een verkeerde ~* a wrong move; *een ~ doen sp* make a move; *aan ~ zijn sp* be playing, be at play; *wit is aan ~ sp* it's white's move; *iem. een ~ geven* give sbd. a shove; **–baas** (-bazen) *m* manager; *fig* agent, hired man; **–boer** (-en) *m* tenant-farmer

'zetel (-s) *m* 1 seat, chair; 2 (v e r b l ij f) see [of a bishop]; 3 seat [in parliament, on a committee, of government, of a company]; **'zetelen** (zetelde, h. gezeteld) *vi* sit, reside; *~ te Amsterdam* have its seat at A; **'zetelverdeling** *v* distribution of seats [in parliament]; **–winst** *v ~ behalen* gain seats [in parliament]

'zetfout (-en) *v* typographical error, misprint; **–haak** (-haken) *m* (v. l e t t e r z e t t e r s) composing-stick; **–je** (-s) *o* shove; **–lijn** (-en) *v* 1 set-line, night-line [for fishing]; 2 ⚒ [compositor's] setting-rule; **–loon** (-lonen) *o* compositor's wages; **–machine** [-ma.ʃi.nə] (-s) *v* type-setting machine

'zetmeel *o* starch, farina; **–achtig** starchy, farinaceous

'zetpil (-len) *v* suppository

'zetsel (-s) *o* 1 brew [of tea]; 2 ⚒ matter [of compositors]; **'zetspiegel** (-s) *m* type area; **'zetten** (zette, h. gezet) **I** *vt* 1 set, put; 2 (o p d e d r u k k e r ij) set up, compose; 3 (l a t e n t r e k k e n) make [tea, coffee]; 4 *een diamant in goud ~* enchase a diamond in gold; *een arm & ~* set an arm [a bone, a fracture]; *een ernstig gezicht ~* put on a serious face; *zijn handtekening (naam) ~ (onder)* sign (one's name), put one's name to [a document], set one's hand to [a deed &]; *ze kunnen elkaar niet ~* they can't get on (get along) together; *ik kan hem niet ~* **F** I can't stick the fellow; *ik kon het niet ~* I could not stomach it; • *het glas a a n de mond ~* put the glass to one's mouth; *iets i n elkaar ~* put sth. together; *een stukje in de krant ~* put a notice (a paragraph) in; *o p muziek ~* zie *muziek*; *de wekker op 5 uur* ~ set the alarm for five o'clock; *waar zal jij op* ~*?* what are you going on?; *hij schijnt het erop gezet te hebben om mij te plagen* he seems to be bent upon teasing me; *zet 'm op!* go at it!; *een ladder t e g e n de muur* ~ put a ladder against the wall; *iem. u i t het land* ~ expel sbd. from the country; *een ambtenaar eruit* ~ turn out (**F** fire) an official; *ik kan de gedachte niet v a n mij* ~ I can't dismiss the idea; *gezet v o o r piano en viool* arranged for the piano and the violin; **II** *vr zich* ~ 1 (v a n p e r s o n e n) sit down; 2 (v. v r u c h t e n) set; *zich iets i n het hoofd* ~ take (get) sth. into one's head; *zich o v e r iets heen* ~ get over sth.; *als hij er zich t o e zet* when he sets himself to do it; *zet u dat maar u i t het hoofd* put (get) it out of your head; **–er** (-s) *m* (d r u k k e r ij) compositor, type-setter; **zette'rij** (-en) *v* composing room; **'zetting** (-en) *v* 1 setting [of a bone &]; 2 (v a n j u w e e l) setting; 3 ♪ arrangement; **'zetwerk** *o* type-setting

zeug (-en) *v* ♎ sow

'zeulen (zeulde, h. gezeuld) *vt* drag

zeur (-en) *m-v* bore; **'zeuren** (zeurde, h. gezeurd) *vi* worry; tease; *hij zeurde o m het boek* he was teasing me to get the book (for the book); *hij zit daar altijd o v e r te* ~ he keeps on at it; he goes on and on about it; he is always harping on the subject; *ergens over door* ~ **F** chew the rag (the fat); **'zeurig** 1 (v a n p e r s o o n) worrying; 2 (v. s p r e k e n) whining, drawling; **'zeurkous** (-en) *v*, **–piet** (-en) *m* bore

1 'zeven 7, seven

2 'zeven (zeefde, h. gezeefd) *vt* sieve, sift; riddle, screen [coal, gravel &]

'zevende seventh (part); *in de* ~ *hemel zijn* tread on air, be on cloud seven (six); **'Zevengesternte** *o* Pleiades; **'zevenhoek** (-en) *m* heptagon; **–hoekig** heptagonal; **–jarig** of seven years, seven-year-old; **–klapper** (-s) *m* squib, cracker; **zevenmijls'laarzen** *mv* seven-league boots; **'zevenslaper** (-s) *m* 1 ♎ dormouse [*mv* dormice]; 2 *fig* lie-abed; **'Zevenster** *v* Pleiades; **'zevental** (-len) *o* seven

'zeventien seventeen; **–de** seventeenth (part)

'zeventig seventy; **–er** (-s) *m* person of seventy (years); **–jarig** of seventy years; *de* ~*e* the septuagenarian; **–ste** seventieth (part)

'zevenvoud (-en) *o* multiple of seven; **–ig** sevenfold, septuple

'zever *m* slaver, slobber, drivel; **'zeveren** (zeverde, h. gezeverd) *vi* 1 drivel, slaver; 2 = *zaniken*

z.g. = *zogenaamd*

z.i. = *zijns inziens*

zich oneself, himself, themselves; *hij heeft het niet bij* ~ he has not got it with him; *op* ~ in itself

1 zicht (-en) *v* reaping-hook, sickle

2 zicht *o* 1 sight; 2 [good, poor] visibility; *i n* ~ in sight, within sight; *drie dagen n a* ~ at three days' sight, three days after sight; *betaalbaar o p* ~ payable at sight; *boeken op* ~ *zenden* send books on approval (for inspection); **'zichtbaar I** *aj* visible, perceptible; **II** *ad* visibly; **–heid** *v* visibility, perceptibility

'zichten (zichtte, h. gezicht) *vt* cut, reap [corn]

'zichtkoers (-en) *m* sight-rate; **–papier** *o* sight-bills; **–wissel** (-s) *m* sight-bill; **–zending** (-en) *v* consignment on approval, goods on approval

zich'zelf oneself, himself; *hij was* ~ *niet* he was not himself; *b ij* ~ to himself [he said...]; *b u i t e n* ~ beside himself; *i n* ~ [talk] to oneself; *o p* ~ in itself [it is...]; [a class] by itself; [look at it] on its own merits; *op* ~ *staand* isolated [event, instance &]; self-contained [book, volume, school &]; *u i t* ~ of his own accord; *v a n* ~ *Jansen* her maiden name is J.; *zij is van* ~ *chic* she is smart in her own right; *v o o r* ~ for himself (themselves)

zie'daar there; ~ *wat ik u te zeggen had* that's what I had to tell you

'zieden* I *vi* seethe, boil; ~ *van toorn* seethe with rage; **II** *vt* boil

zie'hier 1 look here; 2 (o v e r r e i k e n d) here you are!; here is... [the key &]; ~ *wat hij schrijft* this is what he writes

ziek 1 (p r e d i k a t i e f) ill, diseased; 2 (a t t r i b u t i e f) sick, diseased; ~ *worden* fall ill, be taken ill; *hij is zo* ~ *als een hond* he is as sick as a dog; zie ook: *zieke*; **–bed** (-den) *o* sick-bed; **'zieke** (-n) *m-v* sick person, patient, invalid; ~*n* sick people; *de* ~*n* the sick; **'ziekelijk** sickly, ailing; morbid[2] [fancy]; **–heid** *v* sickliness; morbidity[2]; **'ziekenauto** [-o.to. of -ɔuto.] ('s) *m* motor ambulance, ambulance; **–bezoek** (-en) *o* sick-call, visit to a sick person; **–boeg** (-en) *m* ⚓ sick-bay; **–broeder** (-s) *m* male nurse; **–drager** (-s) *m* stretcher-bearer; **–fonds** (-en) *o* sick-fund; **–geld** *o* sick-pay, sickness-benefit; **–huis** (-huizen) *o* hospital, infirmary; *particulier* ~ nursery home; **–huisbed** (-den) *o* hospital bed; *particulier* ~ pay-bed; **–kamer** (-s) *v* sick-room; **–kost** *m* invalid's food, sick-diet; **–oppasser** (-s) *m* hospital attendant, male nurse; ⚔ hospital orderly; **–rapport** (-en) *o* ⚔ sick parade; **–stoel** (-en) *m* invalid chair; **–troost** *m* comfort of the sick; **–verpleegster** (-s) *v* nurse; **–verpleger** (-s) *m* male nurse; **–verpleging** (-en) *v* 1 nursing; 2 nursing-home; **–wagen** (-s) *m* ambulance (wagon);

–zaal (-zalen) *v* (hospital) ward, infirmary; **–zuster** (-s) *v* nurse

'ziekte (-n en -s) *v* illness; [contagious, tropical] disease, [bowel, liver, heart] complaint, ailment; *lichte ~* indisposition; *~ van de maag, lever, nieren &* disorder of the stomach, liver, kidneys &; *wegens ~* on account of ill-health; **–beeld** *o* clinical picture; **–geschiedenis** *v* anamnesis, medical history, case history; **–geval** (-len) *o* case; **–kiem** (-en) *v* disease germ; **–(kosten)verzekering** *v* health-insurance; **'ziektenleer** *v* pathology; **'ziekteverlof** (-loven) *o* sick-leave; *met ~* absent on sick-leave; **–verloop** *o* course of the disease; **–verschijnsel** (-en en -s) *o* symptom; **–verwekker** (-s) *m* agent (of a disease), pathogen; **–verzekering** (-en) *v* health insurance; **–verzuim** *o* absence due to illness; **–wet** *v* health insurance act

ziel (-en) *v* 1 soul[2], spirit; 2 ⚒ (v. f l e s) kick; 3 ⚔ (v. k a n o n) bore; *arme ~!* poor soul!; *die eenvoudige ~en* these simple souls; *een goeie ~* **F** a good sort; *geen levende ~* not a (living) soul; *de ouwe ~!* poor old soul!; *hij is de ~ van de onderneming* he is the soul of the undertaking; *een stad van... ~en* of... souls; *God hebbe zijn ~!* God rest his soul!; *hoe meer ~en hoe meer vreugd* the more the merrier; • *b ij mijn ~!* upon my soul!; *het ging (sneed) me door de ~* it cut me to the quick; *i n het binnenste van zijn ~* in his heart of hearts; *m e t zijn ~ onder zijn arm lopen* be at a loose end; *iem. o p zijn ~ geven* **S** sock sbd. (on the jaw), sock it to sbd.; *op zijn ~ krijgen* get a sound thrashing; *t e r ~e zijn* be dead and gone; *t o t in de ~* [moved] to the heart

'zieleadel *m* nobility of soul, nobleness of mind; **–grootheid** *v* magnanimity; **–heil** *o* salvation; **–leed** *o* mental suffering, agony of the soul; **–leven** *o* inner life; **–mis** (-sen) = *zielmis*; **'zielenherder** (-s) *m* pastor; **'zielenood** *m* mental distress; **'zielental** *o* number of inhabitants; **–zorg** = *zielzorg*; **'zielepijn** *v* mental anguish; **–piet** (-en), **–poot** (-poten) *m* poor thing, wretch; **–rust** = *zielsrust*; **–smart** *v* mental anguish; **–strijd** *m* struggle of the soul, inward struggle; **–vrede** *m* & *v* peace of mind; **–vreugde** (-n) = *zielsvreugde*

'zielig pitiful, pitiable, piteous, pathetic; *hoe ~!* how sad!, what a pity!

'zielkunde *v* psychology; **ziel'kundig** *aj* (& *ad*) psychological(ly); **'zielloos** 1 (z o n d e r z i e l) soulless; 2 (d o o d) inanimate, lifeless; **–mis** (-sen) *v rk* mass for the dead; **–roerend** soul-moving, pathetic; **'zielsangst** (-en) *m* (mental) agony, anguish; **–bedroefd** deeply afflicted; **–beminde** (-n) *m-v* dearly beloved; **–blij(de)** very glad, overjoyed; **–gelukkig** radiant, blissful, perfectly happy; **–genot** *o* heart's delight; **–kracht** *v* strength of mind, fortitude; **–kwelling** (-en) *v* = *zielsangst*; **–lief** *iem. ~ hebben* love sbd. dearly, love sbd. with all one's soul; **–rust** *v* peace of mind, tranquillity of mind; repose of the soul [after death]; **–veel** *~ houden van* be very, very fond of; love dearly; **–verdriet** *o* deep-felt grief; **–vergenoegd** pleased as Punch, very content; **–verhuizing** (-en) *v* (trans)migration of souls, metempsychosis; **–verrukking, –vervoering** *v* trance, rapture, ecstasy; **–verwanten** *mv* congenial spirits; **–verwantschap** *v* congeniality, psychic affinity; **–vreugde** (-n) *v* soul's delight; **–vriend** (-en) *m*, **–vriendin** (-nen) *v* bosom friend; **–ziek** mentally deranged; **–ziekte** (-n en -s) *v* mental derangement, disorder of the mind; **–zorg** = *zielzorg*; **'zieltje** (-s) *o* soul; *een ~ zonder zorg* a carefree (light-hearted) soul, a happy-go-lucky fellow; *~s winnen* make proselytes; **'zieltogen** (zieltoogde, h. gezieltoogd) *vi* be dying; **–d** dying, moribund; **'zielverheffend** elevating, soulful; **–zorg** *v* cure of souls, pastoral care; **–zorger** (-s) *m* pastor

zien* **I** *vt* 1 (i n h e t a l g.) see, perceive; *hij is..., dat zie ik* ...I see; *de directie ziet dat niet gaarne* the management does not like it; *(geen) mensen ~* see (no) people, see (no) company; (not) entertain; *mij niet gezien!* **F** nothing doing!; 2 (v ó ó r i n f i n i t i e f) *ik heb het ~ doen* I've seen it done; *ik heb het hem ~ doen* I have seen him do(ing) it; *ik zie hem komen* I see him come (coming); zie ook: *aankomen*; *men zag hem vallen* he was seen falling (seen to fall); *ik zal het ~ te krijgen* I'll try to get it for you; *je moet hem ~ over te halen* you must try to persuade him; 3 (n a i n f i n i t i e f) *doen ~* make [us] see; *iem. niet kunnen ~* not be able to bear the sight of sbd.; *laten ~* show; *laat eens ~...* let me see; *laat me ook eens ~* let me have a look; *hij heeft het mij laten ~* he has shown it to me; *zich laten ~* show oneself; *laat je hier niet weer ~* don't show yourself again, let me never set eyes on you again; *dat zou ik wel eens willen ~* I will see if...; *wat ze hier te ~ geven* what they let you see; • *ik zie het a a n je dat...* I can see it by your looks that...; *n a a r iets ~* look at sth., have a look at sth.; *ze moest naar de kinderen ~* she had to look after the children; *naar het spel ~* look on at the game; *zie eens o p je horloge* look at your watch; *hij ziet op geen rijksdaalder* he is not particular to a few guilders; *de kamer ziet op de tuin* the room looks out upon the garden, overlooks the garden, commands a view of the garden; *op eigen voordeel ~* seek one's own advantage; *u i t uw brief zie ik dat...* from (by) your letter I see that...; *uit eigen ogen* ~ look through one's own eyes; *hij kon van de slaap niet uit zijn ogen* ~ he could not see for sleep; *zijn... ziet hem de ogen uit* his... looks through his eyes; *ik zie hem nog v o o r mij* I can see him now; *geen ... te* ~ not a... to be seen; *het is goed te* ~ 1 it can easily be seen, it shows; 2 it is distinctly visible; *er is niets te* ~ there is nothing to be seen; *er is niets van te* ~ there is nothing that shows; *iedere dag te* ~ on view every day; **II** *vi* & *va* see; look; *bleek* ~ look pale; *donker* ~ look black[2]; *dubbel* ~ see double; *ik zie niet goed* my eye-sight is none of the best, my sight is poor; *hij ziet bijna niet meer* his sight is almost gone; *hij ziet slecht* his eye-sight is bad; *het ziet zwart van de mensen* the place is black with people; *we zullen* ~ well, we shall see; *zie beneden* see below; *zie boven* see above; *zie je?* you see?, **F** see?; *zie je wel?* (do you) see that, now?, I told you so!; *zie eens hier!* look here!; *En zie, daar kwam...* and behold!; *~de blind zijn* see and not perceive; **III** *o* seeing, sight, vision; *bij (op) het* ~ *van* on seeing; *tot ~s!* see you again!, **F** see you soon!, be seeing you!, so long!; zie ook: *gezien*; **'zienderogen** visibly; **'ziener** (-s) *m* seer, prophet; **'zienersblik** (-ken) *m* prophetic eye; **'zienlijk** visible; **'zienswijs** (-wijzen), **–wijze** (-n) *v* opinion, view; *iems.* ~ *delen* share sbd.'s views

zier *v* whit, atom; *het is geen* ~ *waard* it is not worth a pin (straw, bit); **–tje** *o* = *zier*; *geen* ~ *beter* not a whit better

zie'zo well, so; *~!* that's it!, there (it is done)!

'ziften (ziftte, h. gezift) *vt* sift; **–er** (-s) *m* sifter; *fig* fault-finder, hair-splitter; **zifte'rij** (-en) *v* fault-finding, hair-splitting; **'ziftsel** (-s) *o* siftings

zi'geuner (-s) *m* gipsy; **zigeune'rin** (-nen) *v* gipsy (woman); **zi'geunertaal** *v* gipsy language, Romany

'zigzag *m* zigzag; ~ *lopen* zigzag; **–lijn** (-en) *v* zigzag line; **zigzagsge'wijs, –ge'wijze** zigzag

1 zij (e n k e l v.) she; (m e e r v.) they

2 zij (-den) *v* side; ~ *aan* ~ side by side; zie verder: 1 *zijde*

3 zij *v* = 2 *zijde*

'zijaanzicht *o* side-view

'zijachtig = *zijdeachtig*

'zijaltaar (-taren) *o* & *m* side-altar; **–beuk** (-en) *m* & *v* (side-)aisle

zijd *wijd en* ~ far and wide

1 'zijde (-n) *v* 1 side [of a cube, a house, a table, the body &]; 2 flank [of an army]; *een* ~ *spek* a side of bacon; 3 *wiskunde is (niet) zijn sterkste* ~ mathematics is his strong (weak) point; *zijn goede* ~ *hebben* have its good side; *iems.* ~ *kiezen* take sbd.'s side, side with sbd.; • *a a n beide ~n* on both sides, on either side; *aan deze* ~ on this side of, (on) this side [the Alps &]; *aan de ene* ~ *heeft u gelijk* on one side you are right; *aan zijn* ~ at his side; *hij staat aan onze* ~ he is on our side; *de handen i n de* ~ *zetten* set one's arms akimbo; *iem. in zijn zwakke* ~ *aantasten* attack sbd. where he is weakest; *n a a r alle ~n* in every direction; *o p ~!* stand clear!, out of the way there!; *op zij van het huis* at the side of the house; *met een degen op zij* sword by side; *op zij duwen* push aside; *op zij gaan* make way (for *voor*); *niet voor... op zij gaan* not give way to...; *fig* not yield to...; *op zij leggen* lay by [money]; save [money]; *op zij schuiven* shove on one side; set aside[2]; *iem. op zij zetten* shove sbd. on one side; *t e r* ~ aside; *ter* ~ *gezegd* in an aside; *ter* ~ *laten* leave on one side; *ter* ~ *leggen* lay on one side; *iem. ter* ~ *nemen* draw sbd. aside; *ter* ~ *staan* stand by [a friend]; support [an actor on the stage]; *ter* ~ *stellen* put on one side, waive [considerations of...]; *v a n alle ~n* from all quarters [they flock in]; [you must look at it] from all sides; *van bevriende* ~ from a friendly quarter; *van de* ~ *van de regering* on the part of the Government; *van die* ~ *geen hulp te verwachten* no help to be looked for in that quarter; *van militaire* ~ *vernemen wij* from military quarters we hear; *van mijn* ~ on my part; *van ter* ~ *vernemen wij* from other sources we hear...; *van verschillende ~n* from various quarters

2 'zijde *v* (s t o f) silk; *daar spint hij geen* ~ *bij* he doesn't profit by it; **–achtig** silky; **–cultuur** *v* sericulture; **–fabriek** (-en) *v* silk factory; **–fabrikant** (-en) *m* silk manufacturer; **–glans** *m* silk lustre (gloss); **–handelaar** (-s en -laren) *m* silk merchant

'zijdelings I *aj een ~e blik* a sidelong look; *een* ~ *verwijt* an indirect reproach; **II** *ad* sideways, sidelong; indirectly

'zijdelinnen *o* rayon; **'zijden** *aj* silk; *fig* silken [hair]; **'zijdepapier** *o* tissue paper; **–rups** (-en) *v* silkworm; **zijdespinne'rij** (-en) *v* 1 silk spinning; 2 silkmill, silk spinnery, filature; **'zijdeteelt** *v* sericulture

'zijdeur (-en) *v* side-door

'zijdewever (-s) *m* silk weaver; **zijdeweve'rij** (-en) *v* silk weaving; **'zijdeworm** (-en) *m* = *zijderups*

'zijgang (-en) *m* 1 side-passage [in a house]; 2 lateral gallery [in a mine]; 3 corridor [in a train]

'zijgen* *vt* strain

'zijgevel (-s) *m* side-façade

'zijig silky; *fig* **F** soft, effeminate

'zijingang (-en) *m* side-entrance; **–kamer** (-s) *v* side-room; **–kanaal** (-nalen) *o* branch-canal;

–kant (-en) *m* side; **–kapel** (-len) *v* side-chapel; **–laan** (-lanen) *v* side-avenue; **–laantje** (-s) *o* side-alley, by-walk; **–leuning** (-en) *v* handrail, railing; armrest [of a chair]; **–licht** (-en) *o* sidelight; **–lijn** (-en) *v* 1 side-line, branch line, loop-line [of railway]; 2 *sp* touch-line [of football field]; 3 = *zijlinie*; **–linie** (-s) *v* collateral line [of a dynasty]; **–lings** = *zijdelings*; **–loge** [-lɔ:ʒə] (-s) *v* side-box; **–muur** (-muren) *m* side-wall

1 zijn *pron* his; *de* (*het*) *~e* his; *elk het ~e* every one his due; *Hitler en de ~en* Hitler and company

2 zijn* I *vi* 1 (z e l f s t a n d i g) be; *2 × 2 is 4* twice two is four; *hij is er* 1 he is there; 2 *fig* he is a made man; *daarvoor is de politie er* that is what the police is there for; *hij* (*zij*) *mag er ~* zie *wezen* **I**; *wij ~ er nog niet* we have not got there yet; *hoe is het?* how are you?, how do you do?; *hoe is het met de zieke?* how is the patient?; *wat is er?* what is the matter?; **II** (k o p p e l - w e r k w.) be; *God is goed* God is good; *dat ben ik!* that's me; *hij is soldaat* he is a soldier; *ze ~ officier* they are officers; *jongens ~* (*nu eenmaal*) *jongens* boys will be boys; *het is te hopen, dat...* it is to be hoped that...; *het is makkelijk & te doen* it is easy to do; **III** (h u l p w e r k w.) have, be; *hij is geslaagd* he has succeeded; *hij is gewond* 1 he has been wounded; 2 he is wounded; *ik ben naar A. geweest* I have been to A., [yesterday] I went to A.; **IV** *o* being

'zijnent *te*(*n*) *~* at his house, at his place; *~halve* for his sake; *~wege* as for him; *van ~wege* on his behalf, in his name; *om ~wil*(*le*) for his sake; **'zijnerzijds** on his part, from him

'zijnsleer *v filos* ontology

'zijpad (-paden) *o* by-path

'zijpelen (zijpelde, h. en is gezijpeld) = *sijpelen*

'zijraam (-ramen) *o* side-window; **–rivier** (-en) *v* tributary (river), affluent, confluent; **–schip** (-schepen) *o* (side-)aisle; **–span** (-nen) *o* & *m*, **–spanwagen** (-s) *m* side-car; **–spoor** (-sporen) *o* side-track, siding, shunt; *de trein werd op een ~ gebracht* the train was shunted on to a siding; **–sprong** (-en) *m* side-leap; **–straat** (-straten) *v* side-street, off-street, by-street; **–stuk** (-ken) *o* side-piece; **–tak** (-ken) *m* 1 side-branch; 2 branch [of a river]; 3 spur [of a mountain]; 4 *fig* collateral branch [of a family]; **–venster** (-s) *o* side-window; **–vlak** (-ken) *o* side, lateral face; **–waarts I** *aj* sideward, lateral; **II** *ad* sideways, sideward(s); **–wand** (-en) *m* side-wall; **–weg** (-wegen) *m* side-way, by-way; **–wind** (-en) *m* side-wind; **–zwaard** (-en) *o* ⚓ leeboard

zilt, –ig saltish; briny; *het ~e nat* the salty sea, the briny waves, the brine; **–heid, –igheid** *v* saltishness, brininess

'zilver *o* 1 (i n 't a l g.) silver; 2 (h u i s r a a d) plate, silver, silverware; *~ in staven* bar-silver, bullion; **–achtig** silvery; **–blank** as bright as silver; **–bon** (-s en -nen) *m* currency note; **–draad** (-draden) *o* & *m* 1 (m e t z i l v e r o m w o n d e n) silver thread; 2 (v a n zilver) silver wire; **–en** *aj* silver; **–erts** (-en) *o* silver-ore; **–fazant** (-en) *m* silver pheasant; **–gehalte** *o* silver content; **–geld** *o* silver money, silver; **–glans** *m* silvery lustre; **–goed** *o* (silver) plate, silver; **–grijs** silver-grey, silvery grey; **–houdend** containing silver; **–kast** (-en) *v* 1 silver-cabinet; 2 silversmith's show-case; **–kleur** *v* silvery colour; **–kleurig** silver-coloured; **–ling** (-en) *m* **B** piece of silver; **–meeuw** (-en) *v* herring gull; **–mijn** (-en) *v* silver mine; **–munt** (-en) *v* silver coin; **–nitraat** *o* silver nitrate; **–papier** *o* silver-paper; tinfoil; **–poeder, –poeier** *o* & *m* 1 powder to clean silver; 2 silver-dust; **–populier** (-en) *m* white poplar, abele; **–reiger** (-s) *m grote ~* great white heron; *kleine ~* little egret; **–schoon** *v* silverweed; **–smid** (-smeden) *m* silversmith; **–spar** (-ren) *m* ♣ silver fir; **–staaf** (-staven) *v* bar of silver; **–stuk** (-ken) *o* silver coin; **–uitje** (-s) *o* shallot; **–visje** (-s) *o* ❀ silver-fish; **–vloot** (-vloten) *v* silver-fleet; **–vos** (-sen) *m* silver-fox; **–werk** (-en) *o* silverware; plate; **–wit** silvery white

zin (-nen) *m* 1 (b e t e k e n i s) sense, meaning; 2 (z i e l s v e r m o g e n) sense; 3 (l u s t) mind; 4 (v o l z i n) sentence; *~ voor humor* a sense of humour; (*geen*) *~ voor het schone* a (no) sense of beauty; *waar zijn uw ~nen?* have you taken leave of your senses?; *zijn eigen ~ doen* do as one pleases; *iems. ~ doen* do what sbd. likes; *hij wil altijd zijn eigen ~ doen* he always wants to have his own way; *als ik mijn ~ kon doen* if I could work my will; *iem. zijn ~ geven* let sbd. have his way, indulge sbd.; *wat voor ~ heeft het om...?* what's the sense (the point) of ...ing?; *dat heeft geen ~* 1 that [sentence] makes no sense; 2 that is nonsense, **F** that's no go; *het heeft geen ~...* there is no sense (no point) in ...ing; *nu heb je je ~* now you have it all your own way; *zij heeft ~ in hem* she fancies him; *ik heb ~ om* I have a mind to...; *als je ~ hebt om...* if you feel like ...ing, if you care to...; *ik heb er geen ~ in* I have no mind to, I don't feel like it; *ik heb er wel ~ in om* I have half a mind to; *zijn ~nen bij elkaar houden* keep one's head; *zijn ~ krijgen* get (have) one's own way, get (have) one's will; *zijn ~ niet krijgen* not carry one's point; *zijn ~nen op iets gezet hebben* have set one's heart upon sth.; ● *niet goed b ij zijn ~nen zijn* not be in one's right senses, be out of one's senses; *i n* *dezelfde* (*die*) ~ [speak] to the same (to that) effect; *in eigenlijke* ~ in its literal sense, in the proper sense; *in engere* ~ in the strict (the limited) sense of the word; *in figuurlijke* ~ in a figurative sense, figuratively; *in ruimere* ~ in a wider sense; *opvoeding in de ruimste* ~ education in its widest sense; *in de ruimste* (*volste*) ~ *des woords* in the full sense of the world; *in zekere* ~ in a certain sense; in a sense, in a way; *iets in de* ~ *hebben* be up to sth.; *hij heeft niets goeds in de* ~ he is up to no good; *dat zou mij nooit in de* ~ *komen* I should not even dream of it, it would never occur to me; *is het n a a r uw* ~*?* is it to your liking?; *men kan het niet iedereen naar de* ~ *maken* it is impossible to please everybody; *t e g e n mijn* ~ against my will; *v a n zijn* ~*nen beroofd zijn* be out of one's senses; *wat is hij van* ~*s?* what does he intend?; *hij is niets goeds van* ~*s* he is up to no good; *ik ben niet van* ~*s om* I have no thought of ...ing; *één van* ~ *handelen* act in harmony; *één van* ~ *zijn* be of one mind; **–deel** (-delen) = *zinsdeel*

'zindelijk clean, cleanly, tidy; (v. e. k i n d) trained; (v. e. h o n d) house-trained; **–heid** *v* cleanness, cleanliness, tidiness

'zingen* I *vi* (& *va*) sing [of people, birds, the wind, a kettle]; ⊙ chant; ❧ sing, carol, warble; *dat lied zingt gemakkelijk* sings easily; *zuiver* ~ sing true, sing in tune; *vals* ~ sing out of tune; *er naast* ~ sing off-key; **II** *vt* sing; *iem. in slaap* ~ sing sbd. to sleep; *kom, zing eens wat* give us a song

'zingenot *o* sensual pleasure(s)

zink *o* zinc; $ spelter

1 'zinken* *vi* sink; *goederen laten* ~ sink goods; *tot* ~ *brengen* sink; (z e l f o p z e t t e l i j k) scuttle [to prevent capture]

2 'zinken *aj* zinc

'zinker (-s) *m* underwater main

'zinklaag (-lagen) *v* layer of zinc

'zinklood (-loden) *o* 1 (a a n h e n g e l &) sinker; 2 = *dieplood*

'zinkplaat (-platen) *v* zinc plate

'zinkput (-ten) *m* cesspool, sink; **–stuk** (-ken) *o* mattress

'zinkwit *o* zinc-white; **–zalf** *v* zinc ointment

zin'ledig meaningless, nonsensical; **–heid** *v* meaninglessness

'zinlijk(heid) = *zinnelijk*(*heid*)

'zinloos senseless, meaningless, inane, pointless; **zin'loosheid** (-heden) *v* senselessness, meaninglessness, inanity, pointlessness

'zinnebeeld (-en) *o* emblem, symbol; **zinne'beeldig I** *aj* emblematic(al), symbolic(al); **II** *ad* emblematically, symbolically

'zinnelijk I *aj* 1 (v a n d e, d o o r m i d d e l d e r z i n t u i g e n) of the senses; 2 (v. h e t z i n g e n o t) sensual; **II** *ad* 1 by the senses; 2 sensually; **–heid** *v* sensuality, sensualism

'zinneloos insane, mad; **zinne'loosheid** *v* insanity, madness

1 'zinnen* *vi* meditate, ponder, muse, reflect; ~ *op* meditate on; *op wraak* ~ brood on revenge

2 'zinnen* *vi het zint mij niet* I do not like it, it is not to my liking

'zinnenprikkelend, zinnen'prikkelend sensual; **'zinnenstrelend, zinnen'strelend** sensuous

'zinnia ('s) *v* zinnia

'zinnig sensible; *geen* ~ *mens zal...* no man in his senses (no sane man) will...

'zinrijk full of sense, significant, meaningful, pregnant; **–heid** *v* significance, meaningfulness, pregnancy

'zinsbedrog *o*, **–begoocheling** (-en) *v* illusion, delusion

'zinsbouw *m*, **–constructie** [-strüksi.] *v* construction (of a sentence), sentence structure; **–deel** (-delen) *o* part of a sentence; **'zinsnede** (-n) *v* passage, clause; **'zinsontleding** (-en) *v* analysis

'zinspelen (zinspeelde, h. gezinspeeld) *vi* ~ *op* allude to, hint at; **–ling** (-en) *v* allusion (to *op*), hint (at *op*); *een* ~ *maken op* allude to, hint at

'zinspreuk (-en) *v* motto, device; **–storend** confusing

'zinsverband *o* context

'zinsverbijstering *v* mental derangement; **–verrukking, –vervoering** *v* exaltation

'zinswending (-en) *v* turn (of phrase)

'zintuig (-en) *o* organ of sense, sense-organ; *een zesde* ~ a sixth sense; **zin'tuiglijk** sensorial

'zinverwant synonymous; **'zinvol** meaningful; **–heid** *v* meaningfulness

zio'nisme *o* Zionism; **zio'nist** (-en) *m*, **–isch** *aj* Zionist

zit *m het is een hele* ~ it is quite a long journey [from A.]; it is quite a long stretch [from 9 to 4]; *hij heeft geen* ~ *in 't lijf* **F** he is fidgety; **–bad** (-baden) *o* hip-bath, sitz-bath; **–bank** (-en) *v* 1 bench, seat; 2 (i n k e r k) pew; **–dag** (-dagen) *m* ⚖ court-day; **–kamer** (-s) *v* sitting-room, parlour; **–plaats** (-en) *v* seat; *er zijn* ~*en voor 5000 mensen* the hall (church &) can seat 5000 people, the seating accommodation is 5000; **zit'slaapkamer** (-s) *v* bed-sittingroom, **F** bed-sitter, bedsit; **'zitstaking** (-en) *v* stay-in strike; **–stok** (-ken) *m* perch; **'zitten* I** *vi* sit; *die zit!* that is one in the eye for you; *sp* goal!; *ze* ~ *al* they are seated; *hij heeft gezeten* he has done time, he has been in prison; *die stoelen* ~ *gemakkelijk* these chairs are very comfortable;

zit je daar goed? are you comfortable there?; *de jas zit goed* (*slecht*) is a good (bad) fit; *dat zit wel goed* it's (it'll be) all right; *de boom zit vol vruchten* is full of fruit; *daar zit je nou!* there you are!; *waar ~ ze toch?* where can they be?; *zit daar geld?* are they well off?; *hoe zit dat toch?* how is that?; *daar zit het hem* there's the rub; *dat zit nog!* that's a question!; *dat zit zo* it is like this; *het zit hem als aangegoten, als* (*aan het lijf*) *gegoten* (*geschilderd*) it fits him like a glove; (vóór infinitief) *de kip zit te broeden* the hen is sitting; *ze zaten te eten* they were having dinner; they were eating [apples]; *hij zit weer te liegen* he is telling lies again; *hij zit de hele dag te spelen* he does nothing but sit and play all day long; (met infinitief) *blijven ~* remain seated; *blijft u ~* keep your seat, don't get up; *~ blijven!* keep your seats!; *die jongen is blijven ~* he has missed his remove; *zij is blijven ~* she has been left on the shelf; *hij is met die goederen blijven ~* he was left with his wares (on his hands); *ze is met vier kinderen blijven ~* she was left with four children; *je hoed blijft zo niet ~* your hat won't stay on; *gaan ~* 1 sit down; 2 (v. vogels) perch; *gaat u ~* sit down; be seated, take a seat; *kom bij mij ~* come and sit by me; *iem. laten ~* make sbd. sit down; *hij heeft haar laten ~* he has deserted her; *er veel geld bij laten ~* lose a lot of money over it; *dat kan ik niet op mij laten ~* I won't take it lying down, I cannot sit down under this charge; *laat* (*het*) *maar ~* keep the change [waiter], it is all right; *iets wel zien ~* see one's way to do sth.; *het niet zo zien ~* think sth. unworkable (unrealizable); *het niet meer zien ~* be despondent, see no way out; • *aan tafel ~* be at table; *het zit er aan, hoor* you seem to have plenty of money; *het zit er niet aan* I can't afford it; *hij zit achter mij* he sits behind me; *hij zit er achter* he is at the bottom of it; *er zit iets achter* there is something behind; *ze ~ altijd bij elkaar* they are always (sitting) together; *ze ~ er goed bij* they are well off; *er zit niet veel bij die man* he is a man with nothing in him; *in angst ~* be in fear; *hij zit in de commissie* he is on the committee; *hoe zit dat in elkaar?* how is that?; *het zit in de familie* it runs in the family; *dat zit er wel in* that's quite on the cards; *het zit niet in hem* it is not in him, he hasn't got it in him; *er zit wel wat in hem* he has (jolly) good stuff in him; zie ook: *inzitten*; *wij ~ er mee* (*te houden, te kijken* &) we don't know what to do (with it), what to make of it; *daar zit ik niet mee* that doesn't worry me; *om het vuur ~* sit (be seated) round the fire; *daar zit een jaar op, als je...* it will be a year (in prison) if you...; *dat zit er weer op* that job is jobbed; zie ook: *opzitten*; *hij zit nu al een uur over dat opstel* he has been at work on it for an hour; *het zit me tot hier* **F** I am fed up with it; *hij zit voor het kiesdistrict A.* he represents the constituency of A., he sits for A.; *zij zit voor een schilder* she sits to a painter; **II** *o stemmen bij ~ en opstaan* vote by rising or remaining seated; **'zittenblijver** (-s) *m* non-promoted pupil; **'zittend** 1 seated, sitting; 2 sedentary [life]; **'zittijd** *m* 1 (time of) session; 2 ⚖ term [= period during which a court holds sessions]; **'zitting** (-en) *v* 1 session, sitting [of a committee &]; 2 seat, bottom [of a chair]; *geheime ~* secret session; *een stoel met een rieten ~* a cane-bottomed chair; *~ hebben* sit, be in session [of a court]; *~ hebben in* sit on [a committee]; be on [the board]; serve on [a jury]; *~ hebben voor...* sit [in Parliament] for...; *~ houden* sit; *~ nemen in een commissie* serve on a committee; *~ nemen in het ministerie* accept office; **'zittingsdag** (-dagen) *m* day of session; (v. rechtbank) court-day; **-zaal** (-zalen) *v* (v. rechtbank) court-room; **'zitvlak** (-ken) *o* seat, bottom; **-vlees** *o hij heeft geen ~* **F** he is fidgety

Z.K.H. = *Zijne Koninklijke Hoogheid*

Z.M. = *Zijne Majesteit*

Z.O. = *zuidoosten*

1 zo I *ad* 1 (zodanig) so, like that, such; zie ook: *zo'n*; *het is ~* 1 so it is; 2 that is true, it's a fact!; 3 you are right; *~ is het* quite so!, that's it!; *~ is het niet* it is not like that (like this); *het is niet ~* it is not true; *als dat ~ is* if that is the case; if that is true; *~ was het* that's how it was; *~ zij het!* so be it; *~ is hij* (*niet*) he is (not) like that; *~ is hij nu eenmaal* he is built that way; *het is nu eenmaal ~* things are so; *~ is het leven* such is life; *~ zijn soldaten* (*nu eenmaal*) it is the way with soldiers; *het voorstel kan zó niet worden aangenomen* the proposal cannot be accepted as it stands; 2 (op die of zo'n manier) thus, like this, like that, in this way, in this manner, so; *alleen ~ kan je het doen* so and only so; *~ moet je het doen* ook: that's how you should do it; *zó bang dat...* so much (so) afraid that...; *zó hoog dat...* so high that...; 3 (zoals ik hierbij aangeef) as ... as; *het was zó dik* it was as big as this; *~ groot dat...* of such a size that...; *hij sprong zó hoog* he jumped as high as this, he jumped that high; 4 (even) bevestigend: as... as; ontkennend: not so (ook: not as)... as; *~ groot als zijn broer* as tall as his brother; *~ wit als sneeuw* (as) white as snow, snow-white; *hij is lang niet ~...als...* he is not nearly so... as...; 5 (in die mate) so; *zijn ze zó slecht?* are they so bad (as bad as that, all that bad)?; *ik betaalde hem dubbel, zó tevreden was ik* I paid him double, I was so pleased; *wees ~ vriendelijk mij mede te delen...* be so kind as to inform me, be kind enough to inform me, kindly inform me...; 6 (in hoge mate) so; *ik ben ~ blij!* I am so glad!; *ik ben zó blij!* I am so very glad!; *ik verlang ~ hen weer te zien* I so long to see them again; 7 (dadelijk) directly; in no time; 8 (aanstonds) presently; 9 (stopwoord) I say, well; *~, ben jij daar!* I say, that you!; *~, en waar is Marie?* well, and where is Mary?; 10 (uitroep v. tevredenheid) that's it, well; *~, dat is in orde!* Well, that's all right!; *~, nu kunnen we gaan* that's it, now we can be off; 11 (vragend) Really?, did he?, has he? &; *~ dat* so... that, in such a way that, so as not to...; *~ een* zie *zo'n*; *net ~ een* just such another; *~ eentje* such a one; *om ~ en ~ laat* at something something o'clock; *~ en zoveel gulden* umpty guilders; *in het jaar ~ en zoveel* zie *zóveel*; *~ iem.* such a man, such a one; *~ iets* such a thing, such things; *...of ~ iets* or some such thing; *~ iets als £ 5000* about £ 5000; *zó maar* without further ado; *waarom? och, zó maar!* I just thought I would!; just like that; *en ~ meer* and so on; *~ dadelijk, ~ meteen* in a moment, presently; *~ mogelijk* if possible; *~ net* just now; *~ niet!* not so!; *~ pas = zoëven*; *~ zeer* so much that, zie ook: *zozeer*; *~ ~!* so so!; *hij was niet ~ doof of hij hoorde mij binnenkomen* he was not so deaf but he heard me enter; *al is hij nog ~* zie 3 *al*; *net ~* zie 2 *net* **III**; *o ~!* Aha!; *het was o ~ koud* ever so cold; **II** *cj* 1 (vergelijkend) as; 2 (veronderstellend) if; 3 (voorwaardelijk) if; *bij is, ~ men zegt, rijk* he is said to be rich; *je bent weer hersteld, ~ ik zie* I see; *~ ja...* if so; *~ neen (niet)...* if not...; *~ hij nu eens binnenkwam* if he were to come into the room now; *~ hij al moeite gedaan heeft om...* (even) if he has been at pains to... **2 zo** (zooien) *v = zooi*

zo'als as, like; *zij stemmen ~ men hun zegt* they vote the way one tells them; *in landen ~ België, Frankrijk...* in countries such as Belgium, France...

zocht (**zochten**) V.T. van *zoeken*

zo'danig, 'zodanig I *aj* such (as this, as these); *~e mensen* such people, people such as these; *op ~e wijze* in such a manner; *als ~* as such; **II** *ad* so (much), in such a manner

zo'dat so that

'zode (-n) *v* turf, sod [of grass]; *onder de groene ~n liggen* **F** push up the daisies; *dat zet geen ~n aan de dijk* that cuts no ice; **'zodenrand** (-en) *m* turf-border

zodi'ak *m* zodiac; **zodia'kaallicht** *o* zodiacal light

'zodoende thus, in this way; so

zo'dra as soon as; *niet ~..., of...* no sooner [had he, did he &]... than..., scarcely (hardly)... when...

zoe'aaf (zoeaven) *m* zouave

zoek *het is ~* it has been mislaid, it is not to be found; *~ maken* mislay [sth.]; *~ raken* be (get) lost; *op ~ naar...* in search of...; **'zoekbrengen** (bracht 'zoek, h. 'zoekgebracht) *vt* kill [time]; **'zoeken* I** *vt* look for [something, a person &]; seek [assistance, the Lord]; *ja, maar hij zoekt het ook altijd* he is always asking for trouble; *hij zoekt mij ook altijd* he is always down on me; *hij zocht mij te overreden* he sought to persuade me; *zoek me eens een krant* go and find a newspaper for me; *ruzie ~* look for trouble; *wij ~ het in...* we go in for [quality]; *de waarheid ~* seek truth; ook: search after truth; *arbeiders die werk ~* in search of work; zie ook: *ruzie* &; *hij wordt gezocht* they are looking for him; (door politie) he is wanted; *dat had ik niet achter hem gezocht* 1 (ongunstig) I never thought him capable of such a thing; 2 (gunstig) I never thought he had it in him; *er wat achter ~* suspect something behind it; *hij zoekt overal wat achter* he always tries to find hidden meanings; *dat is nog ver te ~* far to seek; *hij wist niet waar hij het ~ moest* he didn't know where to turn; *hij heeft hier niets te ~* he has no business here; *ik heb daar niets (meer) te ~* there's no point going there; **II** *vi* & *va* seek, search, make a search; *zoek, Castor!* seek!; *ik zal wel eens ~* I'll have a look [in the cupboard &]; *wie zoekt, die vindt, zoekt en gij zult vinden* **B** seek, and ye shall find; *naar iets ~* look for (search for, seek) something; *naar zijn woorden ~* grope for words; **III** *o* search, quest; *aan het ~ zijn* be looking for it; **-er** (-s) *m* 1 seeker; 2 ⚒ view-finder; **'zoeklicht** (-en) *o* searchlight; **-plaatje** (-s) *o* puzzle picture

zoel mild, balmy [weather]; **-heid** *v* mildness, balminess

'Zoeloe (-s) *m* Zulu; **-kaffer** (-s) *m* Zulu-Kaffir

'zoelte *v* 1 mildness, balminess; 2 soft breeze

'zoemen (zoemde, h. gezoemd) *vi* buzz, hum; **'zoemer** (-s) *m* 1 ✳ buzzer; 2 ✈ = *zoemvlucht*; **-toon, 'zoemtoon** *m* buzzing tone, ☎ dialling tone; **'zoemvlucht** (-en) *v* ✈ zoom

zoen (-en) *m* 1 (kus) kiss; 2 (verzoening) expiation, atonement; **-dood** *m* & *v* redeeming death; **'zoenen** (zoende, h. gezoend) *vt* & *va* kiss; **'zoenoffer** (-s) *o* expiatory sacrifice, sin-offering, peace-offering, piacular offer

zoet 1 sweet[2]; 2 (gehoorzaam) good; *een ~ kind* a good child; *~ water* fresh water, sweet water; *het kind ~ houden* keep (the) baby quiet; *~ maken* sweeten; **-achtig** sweetish; **'zoetekauw** (-en) *m-v een ~ zijn* have a sweet tooth; **-lijk** sugary; **-melks** *~e kaas* cream cheese; **'zoeten** (zoette, h. gezoet) *vt* sweeten;

'zoeterd (-s) *m* darling, dear; **'zoetgevooisd** mellifluous, melodious; **'zoetheid** (-heden) *v* sweetness; **–houdertje** (-s) *o* sop; **–hout** *o* liquorice; **'zoetig** sweetish; **'zoetigheid** (-heden) *v* sweetness; (*allerlei*) ~ sweet stuff, sweets, dainties; **'zoetje** (-s) *o* (v. z o e t s t o f) sweetener, saccharin; **'zoetjes** 1 softly, gently; 2 sweetly; **zoetjes'aan** 1 softly; 2 gradually; ~ *dan breekt het lijntje niet* easy does it; **'zoetluidend** melodious; **–middel** (-en) *o* sweetening; **zoet'sappig** *fig* sugary, saccharine; **–heid** *v* sugariness; **'zoetschaaf** (-schaven) *v* smoothing plane; **–stof** (-fen) *v* sweetening; **–vijl** (-en) *v* smoothing file; **zoet'vloeiend** mellifluous, melodious; **–heid** *v* mellifluence, melodiousness; **zoet'watervis** (-sen) *m* fresh-water fish; **'zoetzuur I** *aj* sweet-and-sour; **II** *o* sweet pickles

'zoeven (zoefde, h. gezoefd) *vi* whiz

zo'ëven just now, a minute ago

zog *o* 1 (mother's) milk; 2 ⚓ wake [of a ship]; *in iems. ~ varen* follow in sbd.'s wake

1 'zogen (zoogde, h. gezoogd) *vt* suckle, give suck, nurse

2 'zogen V.T. meerv. van *zuigen*

zoge'naamd I *aj* so-called; self-styled, would-be; **II** *ad ~ om te* ostensibly to; **zoge'noemd** so-called; **zoge'zegd** so to say; **zoge'zien** so to see, on the face of it

zo'lang I *cj* so (as) long as; **II** *ad* meanwhile

'zolder (-s) *m* 1 garret, loft; 2 (z o l d e r i n g) ceiling; **'zolderen** (zolderde, h. gezolderd) *vt* 1 warehouse, lay up, store; 2 △ ceil; **'zoldering** (-en) *v* ceiling; **'zolderkamertje** (-s) *o* attic, attic room, garret; **–ladder** (-s) *v* loft ladder; **–licht** (-en) *o* skylight, garret window; **–luik** (-en) *o* trapdoor; **–raam** (-ramen) *o* dormer-window; **–schuit** (-en) *v* ⚓ barge; **–trap** (-pen) *m* garret stairs; **–venster** (-s) *o* garret-window; **–verdieping** (-en) *v* attic-floor

'zolen (zoolde, h. gezoold) *vt* sole [boots]

'zomen (zoomde, h. gezoomd) *vt* hem

'zomer (-s) *m* summer; *des ~s, in de ~* in summer; *van de ~* 1 this summer [present]; 2 next summer [future]; 3 last summer [past]; **–achtig** = *zomers*; **zomer'avond** (-en) *m* summer-evening; **–dag** (-dagen) *m* summer's day, summer day; **–dienst** (-en) *m* 1 summer-service; 2 summer time-table; **–goed** *o* = *zomerkleren*; **–hitte** *v* summer-heat; **–hoed** (-en) *m* summer hat; **–huis(je)** (-huizen, huisjes) *o* summer-cottage; **–japon** (-nen) *m*, **–jurk** (-en) *v* summer-frock, summer-dress; **–kleed** *o* 🦢 summer-plumage; **–kleren** *mv* summer-clothes; **–maand** (-en) *v* June; *de ~en* the summer-months; **–mantel** (-s) *m* summer-coat; **zomer'morgen** (-s) *m* summer-morning; **'zomerpak** (-ken) *o* summer-suit; **'zomers** *aj* summery; **'zomersproeten** *mv* freckles; **–tarwe** *v* summer-wheat, spring-wheat; **–tijd** *m* 1 summer-time; 2 daylight-saving time; **–vakantie** [-kɑnsi.] (-s) *v* summer-holidays; **–verblijf** (-blijven) *o* summer-residence; **–we(d)er** *o* summer-weather; **–zonnestilstand** *m* summer solstice

zo'min ~ *als* no more than

zo'n [zo.n] such a; ~ *leugenaar!* the liar!; ~ *twintig* & about twenty &, zie verder *ongeveer*

1 zon (-nen) *v* sun; *in de ~ staan* stand in the sun; *hij kan de ~ niet in het water zien schijnen* he is a dog in the manger; zie ook: *schieten* **II** & *zonnetje*

2 zon (**zonnen**) V.T. van *zinnen*

zo'naal zonal

'zonaanbidder (-s) *m* sun-worshipper

zond (**zonden**) V.T. van *zenden*

'zondaar (-s en -daren) *m* sinner; **–sbankje** (-s) *o* penitent form

'zondag (-dagen) *m* Sunday; **'zondags I** *aj* Sunday; *mijn ~e pak* my Sunday suit, my Sunday best; **II** *ad* on Sundays; **–blad** (-bladen) *o* Sunday paper; **–dienst** (-en) *m* Sunday service [at church]; Sunday duty [of employees]; **–gezicht** (-en) *o* 1 sanctimonious mien; 2 soms: best mien; *een ~ zetten* look as if butter wouldn't melt in one's mouth; **–heiliging** *v* Sunday observance; **–kind** (-eren) *o* Sunday child; *fig* one born with a silver spoon in his mouth; **–rijder** (-s) *m* weekend driver; **–ruiter** (-s) *m* would-be horseman, Sunday rider; **–rust** *v* Sunday rest; **–school** (-scholen) *v* Sunday school; **–sluiting** *v* Sunday closing; **–viering** *v* Sunday observance

zonda'res (-sen) *v* sinner; **'zonde** (-n) *v* sin; *dagelijkse ~ rk* venial sin; ~ *tegen de H. Geest rk* sin against the Holy Ghost; *een kleine ~* a peccadillo; *het is ~* 1 it is a sin; 2 it is a pity; *het is ~ en jammer* it is a pity; *het is ~ en schande* it is a sin and a shame; *het is ~ van het meisje* it is a pity of the girl; ~ *doen* commit a sin, sin; **–besef** *o* sense of sinfulness; **–bok** (-ken) *m* scapegoat²; **–last** *m* burden of sins; **–loos** sinless

'zonden V.T. meerv. van *zenden*

'zondenregister (-s) *o* register of sins

'zonder without; ~ *zijn hulp* 1 without his help [you can't do it]; 2 but for his help [I should have been drowned]; ~ *hem zou ik verdronken zijn* but for him I should have been drowned; ~ *het te weten* without knowing it; ~ *meer* just, simply, frankly; in its own right [a work of art]

'zonderling I *aj* singular, queer, odd, eccentric; **II** *ad* singularly &; **III** (-en) *m* eccentric (person); **–heid** (-heden) *v* singularity, queer-

ness, oddity, eccentricity
'zondeval *m de* ~ (*van Adam*) the Fall (of man); **'zondig** sinful; **'zondigen** (zondigde, h. gezondigd) *vi* sin²; ~ *tegen* sin against; **'zondigheid** *v* sinfulness
'zondvloed *m* deluge², flood²; *van vóór de* ~ antediluvian
'zone ['zɔ:nə, 'zo.nə] (-n en -s) *v* zone [of earth]
'zoneclips (-en) *v* solar eclipse
zong (zongen) V.T. van *zingen*
'zonhoed (-en) = *zonnehoed*
zonk (zonken) V.T. van *zinken*
'zonkant (-en) *m* sunny side; **–licht** *o* sunlight; **'zonnebaan** (-banen) *v* ecliptic; **–bad** (-baden) *o* sun-bath; **'zonnebaden I** (zonnebaadde, h. gezonnebaad) *vi* sun-bathe; **II** *o* sun-bathing; **'zonneblind** (-en) *o* Persian blind; **–bloem** (-en) *v* sunflower; **–brand** *m* sunburn; **–brandolie** *v* tanning oil; **–bril** (-len) *m* sun-glasses; **–dauw** *m* sundew; **–gloed** *m* heat (glow) of the sun; **–gloren** *o* daybreak, dawn; **–god** *m* sun-god; **–hoed** (-en) *m* sun-hat; **–jaar** (-jaren) *o* solar year; **–klaar** as clear as daylight; *het* ~ *bewijzen* prove it up to the hilt; **–klep** (-pen) *v* 🚗 (sun) visor; **–licht** = *zonlicht*; **1 'zonnen** (zonde, h. gezond) **I** *vt* sun; **II** *vr zich* ~ sun oneself
2 'zonnen V.T. meerv. van *zinnen*
'zonnepitten *mv* sunflower seeds; **–scherm** (-en) *o* 1 (v o o r p e r s o n e n) sunshade, parasol; 2 (a a n h u i s) sun-blind, awning [over a shop-window]; **–schijf** *v* disc of the sun; **–schijn** *m* sunshine; **–spectrum** *o* solar spectrum; **–stand** *m* sun's altitude; **–steek** (-steken) *m* sunstroke; *een* ~ *krijgen* be sunstruck; **–stelsel** (-s) *o* solar system; **zonne'stilstand** (-en) *m* solstice; **zonne'straal** (-stralen) *m* & *v* sunbeam, ray of the sun; **–tent** (-en) *v* awning; **–tje** (-s) *o* sun; *het* ~ *van binnen* the sunshine in our heart(s); *zij is ons* ~ *in huis* she is the sunshine of our home; *iem. in het* ~ *z e t t e n* praise sbd.; **–vis** (-sen) *m* John Dory; **–vlek** (-ken) *v* sun-spot, solar spot; **–wagen** *m* chariot of the sun, Phoebus' car; **–wende** *v* [summer, winter] solstice; **–wijzer** (-s) *m* sun-dial; **'zonnig** sunny; **'zonshoogte** *v* sun's altitude; **zons'ondergang** (-en) *m* sunset, sundown; **–'opgang** (-en) *m* sunrise; **'zonsverduistering** (-en) *v* eclipse of the sun, solar eclipse; **'zonwering** (-en) *v* = *zonnescherm* 2; **–zij(de)** *v* sunny side
zoog ('zogen) V.T. van *zuigen*
'zoogbroe(de)r (-s) *m* foster-brother; **–dier** (-en) *o* mammal [*mv* mammalia]; **–kind** (-eren) *o* 1 (z u i g e l i n g) suckling; 2 (v o e d s t e r - k i n d) nurse-child; **–zuster** (-s) *v* foster-sister
zooi (-en) *v* **F** lot, heap; *het is* (*me*) *een* ~*!* they are a nice lot!; *de hele* ~ the whole lot, the whole caboodle
zool (zolen) *v* sole; **–beslag** *o* sole protectors; **–ganger** (-s) *m* plantigrade; **–le(d)er** *o* sole-leather
zoölo'gie *v* zoology; **zoö'logisch** zoological; **zoö'loog** (-logen) *m* zoologist
zoom (zomen) *m* hem [of a dress, handkerchief]; edge, border; fringe [of a forest, a town]; bank [of a river]
'zoomlens ['zu.mlɛns] (-lenzen) *v* zoom lens
zoon (zonen en -s) *m* son²; *de verloren* ~ zie *verloren*; *de Zoon Gods* the Son of God; *de Zoon des Mensen* the Son of Man; *Neerlands zonen* the sons of Holland; *hij is de* ~ *van zijn vader* he is his father's son
zoop (zopen) F V.T. van *zuipen*
'zootje (-s) *o* **F** lot; *het hele* ~ the whole lot, the whole caboodle
'zopen F V.T. meerv. van *zuipen*
zorg (-en) *v* 1 (z o r g z a a m h e i d) care; 2 (b e z o r g d h e i d) solicitude, anxiety, concern; 3 (m o e i l i j k h e i d, l a s t) care, trouble, worry; 4 (s t o e l) easy chair; *het zal mij een* ~ *zijn* that is the last thing I am concerned about, **F** I couldn't care less, fat lot I care!; *zij is een trouwe* ~ she is a faithful soul; ~ *dragen voor* take care of, see to; *geen* ~ *vóór de tijd* sufficient unto the day is the evil thereof; *heb daar geen* ~ *over* don't worry about that; *vol* ~ *over*... ook: solicitous concerning...; *ik neem de* ~ *daarvoor op mij* that shall be my care; *zich* ~*en maken* worry; *geen* ~*en voor morgen* care killed the cat; • *i n* ~ *zijn over*... be anxious about...; *in de* ~ *zitten* sit in the easy chair; *fig* be in trouble; *m e t* ~ *gedaan* carefully done; *z o n d e r* ~ *gedaan* carelessly done; **–barend** alarming, critical; **–dragend** careful, solicitous; **'zorgelijk(heid)** = *zorglijk*(*heid*); **–loos I** *aj* 1 (a c h t e l o o s) careless, improvident, unconcerned; 2 (z o n d e r z o r g e n) carefree; **II** *ad* carelessly; **zorge'loosheid** (-heden) *v* carelessness, improvidence,unconcern; **'zorgen** (zorgde, h. gezorgd) *vi* care; ~ *voor*... 1 take care of...; 2 (v e r s c h a f f e n) provide [entertainment &]; *voor de oude dag* ~ make provision for one's old age, lay by something for the future; *er was voor eten gezorgd* provision had been made for food; *de vrouw zorgt voor de keuken* (*de kinderen*) looks after the kitchen (the children); *u moet zelf voor uw kleren* ~ 1 you have to take care of your clothes yourself; 2 you have to find your own clothing; *voor de lunch* ~ see to lunch; *hij kan wel voor zich zelf* ~ 1 (f i n a n c i e e l) he can support himself, he can fend (shift) for himself; 2 (o p p a s s e n) he is able to look after himself; *zorg er voor dat het*

gedaan wordt see to it that it is done; *daar zal ik wel voor* ~ I shall see to that, that shall be my care; *zorg (er voor) dat je om 9 uur thuis bent* mind (that) you are (at) home at nine; **'zorgenkind** (-eren) *o* problem child; **'zorglijk** precarious, critical; **–heid** *v* precariousness; **zorg'vuldig** careful; **–heid** *v* carefulness; **zorg'wekkend** alarming, critical; **'zorgzaam** careful, tender; **–heid** *v* carefulness, tender care

zot I *aj* foolish; **II** (-ten) *m* fool; **–heid** (-heden) *v* folly; **–skap** (-pen) *v* 1 fool's cap; 2 (p e r s o o n) fool; **'zottenklap, –praat** *m* foolish talk, stuff and nonsense; **zotter'nij** (-en) *v* folly; **zot'tin** (-nen) *v* fool

zou zie *zouden*

'zou(den) V.T. van *zullen;* 1 (v a n v o o r w a a r d e) [I, we] should, [he, they, you] would; 2 (v a n a f s p r a a k) was to..., were to...; *wij ~ gaan, als...* we should go if...; *wij ~ er allemaal heengaan* we were to go all of us; *ik zou je danken!* thank you very much!; *wat zou dat?* zie *wat* **I**

zout (-en) **I** *o* salt; *Attisch* ~ Attic wit (salt); *het ~ der aarde* **B** the salt of the earth; [adventure is] the salt of life [to some men]; *hij verdient het ~ in de pap niet* he earns a mere pittance; **II** *aj* salt, salty, saltish, briny; salted [almonds, peanuts]; *~ water* salt water; **–achtig** saltish; **–arm** salt-poor, low-salt [diet], with little salt; **–eloos** saltless, *fig* insipid; **zoute'loosheid** (-heden) *v fig* insipidity; **'zouten*** *vt* salt down, salt [meat]; corn [meat]; **–er** (-s) *m* salter; **'zoutevis** *m* salt fish, salt cod; **'zoutgehalte** *o* salt content, percentage of salt, salinity; **–heid** *v* saltness, salinity; **–houdend** saline; **–ig** saltish; **–je** (-s) *o* salted biscuit; **–korrel** (-s) *m* grain of salt; **–laag** (-lagen) *v* salt deposit; **–loos** salt-free [diet]; **–meer** (-meren) *o* salt-lake; **–mijn** (-en) *v* salt-mine; **–pan** (-nen) *v* salt-pan, saline; **–pilaar** (-laren) *m* pillar of salt; **–raffinaderij** (-en) *v* salt-refinery; **–raffinadeur** (-s) *m* salt-refiner; **–smaak** *m* salty taste; **–strooier** (-s) *m* salt-sprinkler; **–te** *v* saltiness; (v. z e e w a t e r) salinity; **'zoutvaatje** (-s), **–vat** *o* salt cellar; **zout'watervis** (-sen) *m* salt-water fish; **'zoutwinning** *v* salt-making; **–zak** (-ken) *m* salt-bag; *fig* lump (of a fellow); **–zieden** *o* salt-making; **–zieder** (-s) *m* salt-maker; **zoutziede'rij** (-en) *v* salt-works; **'zoutzuur** *o* hydrochloric acid

1 'zoveel so much, thus (that) much; *~ is zeker* that much is certain; *dat is ~ gewonnen* that much gained; *in 1800 ~* in 1800 odd, in 1800 and something; *in het jaar ~* in such and such a year; *om drie uur ~* at three something; *de trein van 5 uur ~* the five something train; *ik geef er niet ~ om!* I don't care that about it!; *voor nog ~ niet* not for anything, not for the world

2 zo'veel so much; *~ als* as much as; *hij is daar ~ als opziener* he is by way of being an overseer there; *~ mogelijk* as much as possible

'zoveelste n'th, **S** umpteenth; *dat is de ~ keer* the n'th time, the hundredth time; *bij het ~ regiment* in the -th (**S** the umpteenth) regiment

1 'zover so far, thus far; *ga je ~?* will you go that far[2]?; *~ zal hij niet gaan* he will never go as far as that, he will never go that length; *hij heeft het ~ gebracht dat...* he has succeeded so well that...; *hij zal het ~ niet laten komen* he won't let things go so far; *het is ~ gekomen dat...* things have come to such a pass that...; • *i n ~ ben ik het met u eens* so far I am with you; *t o t ~* as far as this, so far, thus far

2 zo'ver so far; *~ ik weet* as far as I know, for aught (for all, for anything) I know; • *i n (voor) ~ (als)...* (in) so far as..., as far as...; *v o o r ~ men weet* (in) so far as is known, as far as is known

zo'waar actually; sure enough

zo'wat about; *dat is ~ alles* that's about all; *~ hetzelfde* pretty much the same (thing); *~ even groot* about the same size, much of a size; *~ niets* next to nothing

zo'wel *~ als* as well as; *hij is ~...als...* he is... as well as..., he is both... and...; *hij ~ als zijn broer* both he and his brother

z.o.z. = *zie ommezijde* please turn over, P.T.O.

zo'zeer so much, to such an extent; *niet ~..., als wel...* not so much... as...

1 zucht (-en) *m* (v e r z u c h t i n g) sigh

2 zucht *v* (b e g e e r t e) desire; *~ n a a r* desire for, desire of, love of [liberty, adventure]; *~ o m te zien en te weten* desire to see and know; *~ t o t navolging (tot tegenspraak)* spirit of imitation (contradiction)

'zuchten (zuchtte, h. gezucht) **I** *vi* sigh; *~ n a a r (om) iets* sigh for sth.; *~ o n d e r het juk* groan under the yoke; *~ o v e r zijn werk* sigh over one's task (work); **II** *o het ~ van de wind* the sighing of the wind; **'zuchtje** (-s) *o* 1 sigh; 2 sigh, sough, zephyr; *geen ~* not a breath of wind

zuid south; **Zuid-'Afrika** *o* South Africa; **Zuidafri'kaans** South African; **–afri'kaner** (-s) *m ZA* Afrikaner; **Zuid-A'merika** *o* South America; **Zuidameri'kaan** (-kanen) *m,* **–s** *aj* South American; **'zuidelijk I** *aj* southern, southerly; **II** *ad* southerly; **'zuiden** *o* south; *o p het ~ gelegen* having a southern aspect; *t e n ~ van...* (to the) south of...; **–wind** *m* south wind; **'zuiderbreedte** *v* South latitude; **'Zuiderkruis** *o* Southern Cross; **'zuiderlicht** *o* southern lights, aurora australis; **–ling** (-en) *m* 1 somebody from the south; 2 somebody from a South-European country; **Zuider'zee** *v* Zuider

Zee; **'zuidkust** (-en) *v* south-coast; **zuid'oostelijk** south-easterly; **–'oosten** *o* south-east

zuid'pool *v* south pole, antarctic pole; **–cirkel** *m* Antarctic Circle; **–expeditie** [-(t)si.] (-s) *v* antarctic expedition; **–gebied** *o het* ~ the Antarctic; **–landen** *mv* antarctic regions; **–tocht** (-en) *m* antarctic expedition

'zuidvruchten *mv* tropical and subtropical fruit; **–waarts I** *aj* southward; **II** *ad* southward(s); **zuid'westelijk** south-westerly; **–'westen** *o* south-west; **–'wester** (-s) *m* 1 (w i n d) southwester; 2 (h o o f d d e k s e l) southwester; **'Zuidzee** *v Stille* ~ Pacific (Ocean)

'zuigbuis (-buizen) *v* suction-pipe, sucker; **'zuigeling** (-en) *m* baby, infant, babe; **'zuigelingensterfte** *v* infant mortality; **–zorg** *v* infant care; **'zuigen* I** *vi* suck; *a a n zijn pijp* & ~ suck at one's pipe &; *ergens even aan* ~ take (have) a suck at it; *o p zijn duim* & ~ suck one's thumb &; **II** *vt* suck; *iets uit zijn duim* ~ invent a story; **'zuiger** (-s) *m* 1 (p e r s o o n) sucker; 2 ⚒ piston, plunger [of a pump]; **–klep** (-pen) *v* piston-valve; **–slag** (-slagen) *m* piston-stroke; **–stang** (-en) *v* piston-rod; **–veer** (-veren) *v* piston-ring; **'zuigfles** (-sen) *v* feeding-bottle, baby's bottle; **'zuiging** *v* sucking; suction; **'zuigklep** (-pen) *v* suction-valve; **–kracht** *v* 1 suction; 2 absorptiveness, absorptivity; **–leer** (-leren) *o* sucker; **–napje** (-s) *o* sucker; **–pijp** (-en) *v* suction-pipe, sucker; **–pomp** (-en) *v* suction-pump

zuil (-en) *v* pillar², column; *Dorische* ~ Doric column; *de ~en van Hercules* the Pillars of Hercules; ~ *van Volta* Voltaic pile; **'zuilengalerij** (-en) *v*, **–gang** (-en) *m* colonnade, arcade, portico; **–rij** (-en) *v* colonnade

'zuinig I *aj* 1 economical, thrifty, frugal, sparing, saving [woman, housekeeper &]; 2 demure [look, mien]; ~ *zijn* be economical &; ~ *zijn met...* use... sparingly, economize [one's strength &], husband [provisions &]; be chary of [favours]; **II** *ad* 1 economically &; 2 [look] demurely; (*ik heb ervan gelust*) *en niet ~ ook* **S** not half!; **–heid** *v* economy, thrift, thriftiness; *verkeerde ~ betrachten* be penny-wise and pound-foolish; *uit* (*voor de*) ~ from motives of economy, for reasons of economy, for economy's sake; **–heidsmaatregel** (-en en -s) *m* measure of economy; **–jes** economically

'zuipen* I *vi* tipple, **F** booze, soak; **II** *vt* swig; **–er** (-s), **'zuiplap** (-pen) *m* boozer, soaker, tippler

'zuivel *m* & *o* butter and cheese, dairy-produce, dairy-products; **–bereiding** *v* dairy industry; **–boer** (-en) *m* dairy-farmer; **–fabriek** (-en) *v* dairy-factory; **–produkten** *mv* dairy-produce, dairy-products

'zuiver I *aj* 1 (s c h o o n, z i n d e l ij k) clean [hands]; 2 (z o n d e r o n r e i n h e d e n) pure [air, water &]; 3 (o n v e r m e n g d) pure, unadulterated [alcohol &]; 4 (z o n d e r s c h u l d) pure, clear [conscience]; 5 (k u i s, r e i n) pure, chaste [thoughts &]; 6 (l o u t e r) pure, sheer, mere [nonsense &]; 7 $ clear, net [profit]; 8 ♪ pure [sounds]; *dat* (*die zaak*) *is niet* ~ **F** that is a bit fishy; *dat is ~e taal* that is plain speaking; *het is daar niet* ~ things are not as they ought to be; *hij is niet ~ in de leer* he is not sound in the faith, he is unsound in doctrine; **II** *ad* purely [accidental]; ~ *schrijven* write pure English (Dutch &], write grammatically correct English; ~ *zingen* ♪ sing in tune; *niet ~ zingen* ♪ sing out of tune; *het is* ~ (*en alléén*) *daarom* simply and solely (purely and simply) for that reason; **–aar** (-s) *m* purifier; purist [in language]; **'zuiveren** (zuiverde, h. gezuiverd) **I** *vt* clean [of dirt]; cleanse [of sin]; purify [the air, blood, language, liquor, metal &]; refine [oil, sugar, metals]; clear [the air²]; purge² [the belly, our moral life &]; wash [a wound]; ~ *van* clean of [dirt]; purge of [impurities, sin &]; clean of [foreign elements, suspicion &]; cleanse of [sin]; **II** *vr zich* ~ [*fig*] clear oneself; *zich ~ van het ten laste gelegde* purge (clear) oneself of the charge; **–d** purifying; ⚕ purgative; **'zuiverheid** *v* cleanness², purity²; **'zuivering** (-en) *v* cleaning, cleansing, purification, purgation, [political] purge; refining [of oil, sugar, metals]; **'zuiveringsactie** [-aksi.] (-s) *v* ⚔ mopping-up operation, [political] purge; **–zout** *o* bicarbonate of soda

zulk such; **zulks** such a thing, such, this, it, the same

'zullen* 1 (g e w o n e t o e k o m s t) [I, we] shall; [you, he, they] will; *we ~ gaan* we shall go; *zij ~ gaan* they will go, they'll go; *ze ~ morgen gaan* ook: they are going tomorrow; *ik hoop dat hij komen zal* I hope he may come; 2 (v e r m o e d e l ij k o f w a a r s c h ij n l ij k) will (probably); *dat zal Jan zijn* that will be John; *dat zal Waterloo zijn* this would be Waterloo, I suppose; *ze ~ ziek zijn* they are ill maybe; 3 (a f s p r a a k) are to; *hij zal om 5 uur komen* he is to call here at five o'clock; 4 (w i l v. s p r e k e r t e g e n o v e r e e n a n d e r) shall; *hij wil niet? hij zal* he shall [go &]; *gehoorzamen ~ ze!* they shall obey!; 5 (b e l o f t e) shall; *u zult ze morgen krijgen* you shall have them to-morrow; 6 (v o o r s p e l l i n g) shall; *de aarde zal vergaan* the earth shall pass away; 7 (b e d r e i g i n g) shall; *dat zal je berouwen* you shall smart for it; *ik zal je!* you shall catch it; 8

(g e b o d) shall; *gij zult niet stelen* thou shalt not steal; 9 (n a *te*) *hij beloofde te ~ komen* he promised to come; *hij zei te ~ komen* he said he would come; 10 (a n d e r e g e v a l l e n) *ja, dat zal wel* I daresay you have (he is &); *voetbal? ik zal hem voetballen* I'll give him football
zult *m* pork pickled in vinegar; **'zulten** (zultte, h. gezult) *vt* pickle, salt
'zundgat (-gaten) *o* touch-hole, vent
'zuren I (zuurde, h. gezuurd) *vt* sour, make sour; **II** (zuurde, is gezuurd) *vi* sour, turn sour; **'zurig** sourish; **–heid** *v* sourishness
'zuring *v* ♣ sorrel; *eetbare ~* dock; **–zout** *o* salt of sorrel; **–zuur** *o* oxalic acid
1 zus (-sen) *v* sister
2 zus so, thus; *~ of zo handelen* act one way or the other; *juffrouw ~ en juffrouw zo* Miss Blank and Miss Dash
'zusje (-s) *o* (little) sister, baby sister; **'zuster** (-s) *v* sister; (v e r p l e e g s t e r) nurse, sister; *ja, je ~!* **F** your grandmother!; **–huis** (-huizen) *o* 1 (k l o o s t e r) nunnery; 2 (v. g e e s t e l i j k e o r d e) affiliated house; 3 (v. v e r p l e e g s t e r s) nurses' home; **–liefde** *v* sisterly love; **–lijk** sisterly; **–maatschappij** (-en) *v* affiliated (associated) firm; **–paar** (-paren) *o* pair of sisters; *het ~* the two sisters; **–schap** *o* & *v* sisterhood; **–schip** (-schepen) *o* sister ship; **–school** (-scholen) *v* convent school; **–vereniging** (-en) *v* sister association
zuur I *aj* sour² [apples, grapes &, bread &, temper]; acid² [taste, expression & in chemistry]; acetous [fermentation]; tart [apple]; *fig* ook: soured [spinsters]; crabbed [expression]; *een ~ stukje brood* a hard-earned livelihood; *~ werk* disagreeable work; *nu ben je ~!* your number is up!; *dan zijn we allemaal ~* we are all in for it; *iem. het leven ~ maken* make life a burden to sbd.; *~ worden* turn sour, sour²; **II** *ad* sourly &; *~ kijken* look sour; *~ verdiend* hard-earned; **III** (zuren) *o* 1 (i n g e m a a k t) pickles; 2 (i n d e s c h e i k.) acid; *het ~ in de maag* heartburn; *gemengd ~* mixed pickles; *uitjes in 't ~* pickled onions; **–achtig** sourish, acidulous, subacid; **–bestendig** acid resistant, acid-proof, non-corrosive; **–deeg** *o*, **–desem** *m* leaven²; **–graad** *m* (degree of) acidity; **–heid** *v* sourness, acidity; tartness; **–kool** *v* sauerkraut; **–pruim** (-en) *v* **F** sourpuss, crab-apple; **–stel** (-len) *o* pickle-stand
'zuurstof *v* oxygen; **–apparaat** (-raten) *o* oxygen apparatus; resuscitator; **–cilinder** (-s) *m* oxygen cylinder; (v. d u i k e r) aqualung; **–tent** (-en) *v* oxygen tent; **–verbinding** (-en) *v* oxide
'zuurtje (-s) *o* acid drop; **'zuurvast** acid resistant, acid proof; **–verdiend** hard-earned [money]; **–zoet** sour-sweet, sweet-and-sour
Z.W. = *zuidwesten*
zwaai *m* swing, sweep, flourish; **'zwaaien I** (zwaaide, h. gezwaaid) *vt* sway [a sceptre]; flourish [a flag]; swing, wield [a hammer]; brandish [the lance]; zie ook: *scepter*; *wij zwaaiden de hoek om* we swung round the corner; **II** (zwaaide, h. en is gezwaaid) *vi* 1 (v. t a k k e n &) sway, swing; 2 (v. d r o n k e m a n) reel; 3 ⚓ (v. s c h i p) swing; *met de hoed (een vlag &) ~* wave one's hat (a flag &); **'zwaailicht** (-en) *o* flashing light
zwaan (zwanen) *m* & *v* swan; *een jonge ~* a cygnet
'zwaar I *aj* 1 heavy [of persons, things &], ponderous, weighty [bodies]; 2 (z w a a r g e b o u w d) heavily built, stout [man], hefty [Hollander]; 3 (d i k) heavy [materials]; 4 ⚔ (g r o f) heavy [ordnance, guns]; 5 (s t e r k) heavy [wine], strong [cigars, beer &]; *fig* 1 (g r o o t) heavy [costs, losses]; 2 (e r n s t i g) severe [illness], grievous [crime]; 3 (m o e i l i j k) heavy, hard, difficult [task]; stiff [examination]; hard [times]; 4 (h a r d, s t r e n g) severe [punishment]; *een zware slag* 1 a heavy report [of gun &]; 2 a heavy thud [of falling body]; 3 a heavy blow² [with the hand, of fortune]; *dat is 5 kg ~* it weighs 5 kg; *het is tweemaal zo ~ als...* ook: it is twice the weight of...; *ik ben ~ in mijn hoofd* I feel a heaviness in the head; *hij is ~ op de hand* he is heavy on hand; **II** *ad* heavily &, soms: heavy [e.g. heavy-laden]; *~ getroffen* hard hit, badly hit (by *door*); *~ gewond* badly wounded; *~ verkouden* having a bad cold; *~ ziek* seriously ill; **–beladen** heavily laden, heavy-laden
zwaard (-en) *o* 1 ⚔ sword; 2 ⚓ (= z ij~) leeboard [of a ship], (m i d d e n~) centre-board; *met het ~ in de vuist* sword in hand; **–leen** (-lenen) *o* male fief; **–lelie** (-s en -iën) *v* sword-lily, gladiolus [*mv* gladioli]; **–slag** (-slagen) *m* stroke with the sword, sword-stroke; **–vechter** (-s) *m* gladiator; **–vis** (-sen) *m* sword-fish; **–vormig** sword-shaped
'zwaargebouwd heavy, hefty, big-boned; **–gewapend** heavily armed; **–gewicht** *o* heavyweight; **–gewond** critically wounded; **–heid** *v* heaviness, weight; **zwaar'hoofdig** pessimistic; **zwaar'lijvig** corpulent, stout, obese; **–heid** *v* corpulence, stoutness, obesity; **zwaar'moedig** melancholy, melancholic, hypochondriac; **–heid** *v* melancholy, hypochondria; **'zwaarte** *v* weight, heaviness; **–kracht** *v* gravitation, gravity; *middelpunt van ~* centre of gravity; *de wet der ~* the law of gravitation; **–lijn** (-en) *v* median line; **–punt** *o* centre of gravity; *fig* main point, emphasis;

zwaar'tillend pessimistic, gloomy; **zwaar'wichtig** weighty, ponderous; **–heid** (-heden) *v* weightiness, ponderousness
'zwabber (-s) *m* 1 (b o r s t e l) swab, mop; 2 (b o e m e l a a r) rake; *aan de ~ zijn* be on the loose (on the spree); **'zwabberen** (zwabberde, h. gezwabberd) **I** *vt* swab, mop; **II** *vi fig* = *aan de zwabber zijn*
'zwachtel (-s) *m* bandage, swathe; **'zwachtelen** (zwachtelde, h. gezwachteld) *vt* swathe, bandage
zwad (zwaden) *o,* **'zwade** (-n) *v* swath
'zwager (-s) *m* brother-in-law
zwak I *aj* 1 *eig* weak [barrier, enemy, eyes, stomach &]; *gram* weak [conjugation, verb]; *fig* weak [argument, character, mind, team]; > feeble; 2 (n i e t k r a c h t i g) weak, mild [attempt]; weak [resistance]; weak, low [pulse]; frail [old man]; 3 (n i e t h a r d) faint [sound]; 4 (n i e t h e l d e r) faint [light]; 5 (z e d e l i j k o n s t e r k) weak [man], frail [woman]; *stemming ~* **$** market weak; *het ~ke geslacht* zie 1 *geslacht*; *in een ~ ogenblik* in a moment of weakness; *~ in Frans* weak (shaky) in French; *~ van karakter* of a weak character; *~ staan* be shaky; **II** *ad* weakly &; **III** (-ken) *o* weakness; *de Engelsen hebben een ~ voor traditionele vormen* the British have a weakness for traditional forms; *een ~ hebben voor iem.* have a weak spot for sbd.; *iem. in zijn ~ tasten* touch sbd. in his weakest (tenderest) spot; **–begaafd** (mentally) retarded [child]; **–heid** (-heden) *v* 1 (v. l i c h a a m s k r a c h t) weakness, feebleness, 2 (g e b r e k a a n k r a c h t o f e n e r g i e) feebleness; 3 (t e g r o t e t o e g e e f l i j k h e i d) weakness; 4 (m o r e e l) frailty; *zwakheden* weaknesses, failings, foibles; **–hoofd** (-en) *m-v* feeble-minded person; **zwak'hoofdig** feeble-minded, weak-minded; **'zwakjes I** *aj hij is ~* weakly, weakish; **II** *ad* weakly; **'zwakkelijk** a little weak, weakish; **–ling** (-en) *m* weakling[2]; **'zwakstroom** *m* weak current; **'zwakte** *v* weakness, feebleness; **zwak'zinnig** feeble-minded, (mentally) deficient, defective; **–heid** *v* feeble-mindedness, mental deficiency
'zwalken (zwalkte, h. gezwalkt) *vi* ⚓ drift about; wander about; *op zee ~* rove the seas
'zwaluw (-en) *v* 🐦 swallow; *één ~ maakt nog geen zomer* one swallow does not make a summer; **–staart** (-en) *m* 1 *eig* swallow's tail; 2 ⚒ dovetail; 3 swallow-tail [butterfly]; 4 swallow-tail(ed coat)
1 zwam (-men) *v* fungus [*mv* fungi]
2 zwam *o* tinder, touchwood
'zwamachtig fungous
'zwammen (zwamde, h. gezwamd) *vi* **S** talk tosh, jaw; **'zwamneus** (-neuzen) *m* twaddler, **F** gas-bag
'zwanedons *o* swan'sdown; **–hals** (-halzen) *m* swan-neck; **–zang** *m* swan-song
zwang *m in ~ brengen* bring into vogue; *in ~ komen* become the fashion, come into vogue; *in ~ zijn* be fashionable, be the vogue
'zwanger pregnant[2], with child; **–schap** (-pen) *v* pregnancy; **–schapsonderbreking** (-en) *v* termination of pregnancy, induced abortion
'zwarigheid (-heden) *v* difficulty, scruple; *heb daar geen ~ over* don't bother about that; *~ maken* make (raise) objections
zwart I *aj* black[2] [colour, bear, bread, list, hands, ingratitude, sable ▨ &]; *~ maken* blacken[2] [things, character]; *het was er ~ van de mensen* the place was black with people; *~e handel* black market, black-market traffic (dealings, transactions); *~ kopen* buy on the black market; *~e winst* & black-market profit &; *het in de ~ste kleuren afschilderen* paint it in the darkest colours; **II** *ad alles ~ inzien* look at the gloomy (black) side of things; *~ kijken* look black; **III** *o* black; *de ~en* the blacks; *het ~ op wit hebben* have it in black and white; **–achtig** blackish; **–bont** mottled; **'zwarte** (-n) *m* & *v* black; **zwarte'handelaar** (-s) *m* black marketeer; **–'piet** (-en) *m* ◇ knave of spades; *iem. de ~ toespelen* pass the buck to sbd.; **zwarte'pieten** (zwartepiette, h. gezwartepiet) *vi* play the game of Old Maid; **Zwarte 'Woud** *o het ~* the Black Forest; **Zwarte 'Zee** *v de ~* the Black Sea; **zwart'gallig** melancholy, ill-tempered, atrabilious; **–heid** *v* melancholy; **'zwartgestreept** 1 (a a n d e o p p e r v l a k t e) black-striped; 2 (d o o r a d e r d) black-streaked; **–handelaar** (-s en -laren) = *zwartehandelaar*; **–harig** black-haired; **–heid** *v* blackness; **–hemd** (-en) *m* Blackshirt, Fascist; **–je** (-s) *o* **F** darky; **–kijker** (-s) *m* 1 pessimist, melancholic; 2 **F** non-paying television viewer; **–kop** (-pen) *m* black-haired boy (girl &); **'zwartmaken** (maakte 'zwart, h. 'zwartgemaakt) *vt* blacken[2]; **'zwartogig** black-eyed; **'zwartsel** *o* black; **zwart-'wit** black and white
'zwavel *m* sulphur; **–achtig** sulphurous; **–bad** (-baden) *o* sulphur-bath; **–bloem** *v* flowers of sulphur; **–bron** (-nen) *v* sulphur-spring; **–damp** (-en) *m* sulphur-fume, sulphurous vapour; **'zwavelen** (zwavelde, h. gezwaveld) *vt* treat with sulphur, sulphurize, sulphurate; **'zwavelerts** (-en) *o* sulphur-ore; **–geel** sulphur-yellow; **–houdend** sulphurous; **-ig** sulphurous; **–ijzer** *o* ferric sulphide; **–lucht** *v* sulphurous smell; ⚒ **–stok** (-ken) *m* (sulphur-) match; **zwavel'waterstof** *v,* **–gas** *o* sulphuretted hydrogen; **'zwavelzuur** *o* sulphuric acid

'Zweden *o* Sweden; **Zweed** (Zweden) *m* Swede; **–s I** *aj* Swedish; **II** *o het* ~ Swedish; **III** *v een ~e* a Swedish woman
'zweefbaan (-banen) *v* overhead railway; telpher way; **–molen** (-s) *m* giant('s)-stride; **–rek** (-ken) *o* trapeze; **'zweefvliegen** (zweefvliegde, h. gezweefvliegd) **I** *vi* ✈ glide; **II** *o* ✈ gliding; **–er** (-s) *m* ✈ glider-pilot; **'zweefvliegtuig** (-en) *o* ✈ glider; **–vlucht** (-en) *v* ✈ volplane, glide; (v. z w e e f v l i e g e r) glide
zweeg (**zwegen**) V.T. van *zwijgen*
zweem *m* 1 semblance, trace [of fear &]; 2 touch [of mockery], shade [of difference], tinge [of sadness]; *geen ~ van hoop* not the least flicker of hope
zweep (zwepen) *v* whip; *er de ~ over leggen* whip up the horses; *fig* lay one's whip across their (her, his) shoulders; **–diertje** (-s) *o* flagellate; **–draad** (-draden) *m* flagellum; **–slag** (-slagen) *m* lash; **–tol** (-len) *m* whipping-top
zweer (zweren) *v* ulcer, sore, boil
zweet *o* perspiration, sweat; *het klamme ~* the cold perspiration; *het koude ~ brak hem uit* zie *uitbreken* **I**; *in het ~ uws aanschijns* **B** in the sweat of thy brow (face); *zich in het ~ werken* work oneself into a sweat; **–bad** (-baden) *o* sweating-bath, sudatory; **–doek** (-en) *m* sweat-cloth; [Veronica's] sudarium; **–druppel** (-s) *m* drop of perspiration, drop of sweat; **–handen** *mv* perspiring (sweaty) hands; **–kamer** (-s) *v* sweating-room; **–klier** (-en) *v* sweat-gland; **–kuur** (-kuren) *v* sweating-cure; **–lucht** *v* sweaty smell; **–middel** (-en) *o* sudorific; **–voeten** *mv* perspiring feet
'zwegen V.T. meerv. van *zwijgen*
zwei (-en) *v* bevel
zwelg (-en) *m* gulp, draught
'zwelgen* **I** *vt* swill, quaff; guzzle; **II** *vi* carouse; *~ in...* luxuriate in..., revel in...; **–er** (-s) *m* guzzler, carouser; **zwelge'rij** (-en) *v* guzzling, revelling; **'zwelgpartij** (-en) *v* carousal, revelry, orgy
'zwellen* *vi* swell [= grow bigger or louder], fill out; *de ~de zeilen* the swelling (bellying) sails; *doen ~* swell; **–ling** (-en) *v* swelling
'zwembad (-baden) *o* swimming-bath; **–band** (-en) *m* swimming-belt; **–bassin** [-bɑsɛ̃] (-s) *o* swimming-pool; **–blaas** (-blazen) *v* swimming-bladder, sound; **–broek** (-en) *v* swimming-trunks, bathing-trunks
'zwemen (zweemde, h. gezweemd) *vi ~ naar* be (look) like; *~ naar het blauw* have a bluish cast
'zwemgordel (-s) *m* swimming-belt; **–inrichting** (-en) *v* swimming-baths; **–kunst** *v* art of swimming, natation; **–les** (-sen) *v* (a l g.) swimming instruction; swimming-lessons; **'zwemmen*** *vi* swim; *de aardappels ~ i n de boter* are swimming in butter; *in het geld ~* roll in money; *haar ogen zwommen in tranen* her eyes were swimming with tears; *o p de buik (rug) ~* swim on one's chest (back); *zullen we gaan ~?* shall we have (take) a swim?; *zijn paard o v e r de rivier laten ~* ook: swim one's horse across the river; **–er** (-s) *m* swimmer; **'zwempak** (-ken) *o* swim-suit, bathing suit; **–poot** (-poten) *m* flipper; zie ook: *zwemvoet*; **–school** (-scholen) *v* swimming-school; **–sport** *v* swimming; **–vest** (-en) *o* life-jacket, air-jacket; **–vlies** (-vliezen) *o* 1 web; 2 *sp* flipper [for frogman]; *met zwemvliezen* web-footed [animals], webbed [feet]; **–voet** (-en) *m* web-foot [of birds]; **–vogel** (-s) *m* web-footed bird, swimming-bird; **–wedstrijd** (-en) *m* swimming-match
'zwendel *m* = *zwendelarij*; **–aar** (-s) *m* swindler, **F** sharper; **zwendela'rij** (-en) *v* swindling; swindle; **'zwendelen** (zwendelde, h. gezwendeld) *vi* swindle
'zwengel (-s) *m* 1 wing [of a mill]; 2 pump-handle; 3 crank [of an engine]; 4 splinter-bar, swingle-tree [of a carriage]; **'zwengelen** (zwengelde, h. gezwengeld) *vi* swing, turn, pump
zwenk (-en) *m* turn; **'zwenken** (zwenkte, h. en is gezwenkt) *vi* turn to the right (left), swing round; ⚔ wheel; swerve [of motorcar]; *fig* change front; *links (rechts) ~!* ⚔ left (right), wheel!; **–king** (-en) *v* turn, swerve; ⚔ wheel; *fig* change of front
'zwepen (zweepte, h. gezweept) *vt* whip, lash
'zweren* **I** *vi* 1 ulcerate, fester; ‖ 2 swear; *b ij hoog en laag (bij kris en kras) ~* swear by all that is holy; *ze ~ bij die pillen* they swear by these pills; *bij het woord des meesters ~* swear by the word of a (one's) master; *o p de bijbel ~* swear upon the bible; *men zou erop ~* one could swear to it; **II** *vt* swear [an oath]; *dat zweer ik (u)!* I swear it!; *iem. geheimhouding laten ~* swear sbd. to secrecy
'zwerfdier (-en) *o* stray animal; **–kei** (-en), **–steen** (-stenen) *m* erratic block, erratic boulder; **–tocht** (-en) *m* wandering, ramble; **–vogel** (-s) *m* nomadic bird; **–ziek** of a roving disposition
⊙ **zwerk** *o* 1 welkin, firmament, sky; 2 rack, drifting clouds
zwerm (-en) *m* swarm [of bees, birds, horsemen &]; **'zwermen** (zwermde, h. gezwermd) *vi* swarm
'zwerveling (-en) *m* wanderer, vagabond; **'zwerven*** *vi* wander, roam, ramble, rove; *~de kat* stray cat; *~de stammen* wandering tribes, nomadic tribes; **–er** (-s) *m* wanderer, vagabond, rambler, rover, tramp

'zweten (zweette, h. gezweet) **I** *vi* perspire, sweat [also of new hay, bricks &]; **II** *vt* sweat [blood]; **'zweterig** sweaty; **–heid** *v* sweatiness
'zwetsen (zwetste, h. gezwetst) *vi* boast, brag, **F** talk big air; **–er** (-s) *m* boaster, braggart; **zwetse'rij** *v* boasting, boast, bragging, brag
'zweven (zweefde, h. en is gezweefd) *vi* be in suspension, be suspended [in a liquid]; float [$, in the air]; hover [over sth.]; ✈ glide [ook: over the ice]; ● *het zweeft mij op de tong* I have it on the tip of my tongue: ~ *tussen leven en dood* be hovering between life and death; *voor de geest* ~ be present to the mind [of an image]; have [a thought] in mind; **'zweverig** (vaag) dreamy, vague, in the clouds; (duizelig) dizzy
'zwezerik (-riken) *m* sweetbread
'zwichten (zwichtte, h. en is gezwicht) *vi* yield, give way; ~ *voor* yield to [him, his arguments, persuasion]; yield to, succumb to [superior numbers]; give in to [threats]
'zwiepen (zwiepte, h. gezwiept) *vi* swish, switch
zwier *m* 1 (draai) flourish; 2 (pompeuze gratie) dash; jauntiness, smartness; *aan de ~ zijn* be on the spree (on the randan); *met edele ~* with a noble grace; **'zwieren** (zwierde, h. gezwierd) *vi* 1 reel [when drunk]; glide [over the ice &]; whirl [round the ball-room]; 2 (pret maken) go the pace
zwierf (**zwierven**) V.T. van *zwerven*
'zwierig I *aj* dashing, jaunty, stylish, smart; **II** *ad* smartly; **–heid** *v* dash, jauntiness, stylishness, smartness
'zwierven V.T. meerv. van *zwerven*
'zwijgen* I *vi* & *va* 1 be silent; 2 fall silent; *zwijg!, zwijg stil!* hold your tongue!, silence!, be silent!; *wie zwijgt, stemt toe* silence gives consent; *hij kan niet ~* he cannot keep a secret, he cannot keep his (own) counsel; *~ als het graf* be as silent as the grave; *iem. doen ~* put sbd. to silence, silence sbd.; *wie zwijgt stemt toe* silence gives consent; *daarop moest ik ~* to this I could make no reply; *maar je moet er over ~* hold your tongue about it; *de geschiedenis zwijgt daarover* history is silent about this; *een batterij tot ~ brengen* ⚔ silence a battery; *iem. tot ~ brengen* reduce (put) sbd. to silence, silence sbd.; *daarvan zullen wij maar ~* let it pass; *zwijg mij daarvan!* don't talk to me about that!; *om nog maar te ~ van...* to say nothing of..., not to mention..., let alone...; **II** *vt iets ~* be silent about sth.; **III** *o* silence; *het ~ bewaren* keep silence; *hij moest er het ~ toe doen* he could make no reply; *iem. het ~ opleggen* impose silence (up)on sbd.; *het ~ verbreken* break silence; **–d I** *aj* silent; **II** *ad* silently, in silence; **'zwijger** (-s) *m* silent person; *Willem de Zwijger* William the Silent; **'zwijggeld** (-en) *o* hush-money; **'zwijgzaam** silent, taciturn; **–heid** *v* silence, taciturnity
zwijm *in ~ liggen* lie in a swoon; *in ~ vallen* faint, swoon
'zwijmel *m* 1 giddiness, dizziness; 2 intoxication; **'zwijmelen** (zwijmelde, h. gezwijmeld) *vi* become dizzy
zwijn (-en) *o* 1 🐖 pig², hog², (*mv* & *fig*) swine²; 2 **S** fluke; *wild ~* (wild) boar; **–achtig** hoggish, swinish; **'zwijneboel** *m* piggery, mess; *in een ~ leven* hog it; **–jacht** (-en) *v* boar-hunting; **'zwijnen** (zwijnde, h. gezwijnd) *vi* (boffen) be lucky, be in luck; **'zwijnenhoeder** (-s) *m* swineherd; **'zwijnepan** *v* (pig) sty, dirty mess; **zwijne'rij** (-en) *v* filth, dirt, muck, beastliness; **'zwijnestal** (-len) *m* 1 piggery, pigsty; 2 = *zwijnepan*; **'zwijnjak** (-ken) *m* pig, hog, swine, dirty tike; **'zwijntje** (-s) *o* 1 piggy; 2 **F** (fiets) bike; **–sjager** (-s) *m* **F** bicycle-thief
zwik (-ken) *m* 1 vent-peg, spigot, spile; 2 ⚔ kit; *de hele ~* the whole lot, the whole caboodle; **–boor** (-boren) *v* auger; **–gat** (-gaten) *o* vent-hole; **'zwikken** (zwikte, is gezwikt) *vi* sprain one's ankle
'zwingel (-s) *m* swingle(-staff); **–aar** (-s) *m* flax-dresser; **'zwingelen** (zwingelde, h. gezwingeld) *vt* swingle [flax]
'Zwitser (-s) *m* Swiss; *de ~s* the Swiss; **–land** *o* Switzerland; **–s** *aj* Swiss
'zwoegen (zwoegde, h. gezwoegd) *vi* toil, toil and moil, drudge; **–er** (-s) *m* toiler, drudge
zwoel sultry; **–heid** *v*, **–te** *v* sultriness
zwoer (**zwoeren**) V.T. van *zweren* **II**
zwoerd (-en) *o* rind [of bacon], pork-rind
'zwoeren V.T. meerv. van *zweren* **II**
zwol (**zwollen**) V.T. van *zwellen*
zwolg (**zwolgen**) V.T. van *zwelgen*
'zwollen V.T. meerv. v. *zwellen*
zwom (**zwommen**) V.T. van *zwemmen*
zwoor (**zworen**) V.T. van *zweren* **I**
zwoord (-en) *o* = *zwoerd*
'zworen V.T. meerv. van *zweren* **I**
Z.Z.O. = *zuidzuidoost*
Z.Z.W. = *zuidzuidwest*

Nederlandse sterke en onregelmatige werkwoorden

ONBEPAALDE WIJS	VERLEDEN TIJD	VERLEDEN DEELWOORD[1]
bakken	bakte (bakten)	h. gebakken
bannen	bande (banden)	h. gebannen
barsten	barstte (barstten)	is gebarsten
bederven	bedierf (bedierven)	*vt* h., *vi* is bedorven
bedriegen	bedroog (bedrogen)	h. bedrogen
beginnen	begon (begonnen)	is begonnen
bergen	borg (borgen)	h. geborgen
bersten	borst, berstte (borsten, berstten)	is geborsten
bevelen	beval (bevalen)	h. bevolen
bevriezen	bevroor, bevroos (bevroren, bevrozen)	*vt* h., *vi* is bevroren, bevrozen
bezwijken	bezweek (bezweken)	is bezweken
bidden	bad (baden)	h. gebeden
bieden	bood (boden)	h. geboden
bijten	beet (beten)	h. gebeten
binden	bond (bonden)	h. gebonden
blazen	blies (bliezen)	h. geblazen
blijken	(het) bleek	is gebleken
blijven	bleef (bleven)	is gebleven
blinken	blonk (blonken)	h. geblonken
braden	braadde (braadden)	h. gebraden
breken	brak (braken)	h. en is gebroken
brengen	bracht (brachten)	h. gebracht
brouwen	brouwde (brouwden)	h. gebrouwen
buigen	boog (bogen)	*vt* h., *vi* is gebogen
delven	dolf, delfde (dolven, delfden)	h. gedolven
denken	dacht (dachten)	h. gedacht
dingen	dong (dongen)	h. gedongen
doen	deed (deden)	h. gedaan
dragen	droeg (droegen)	h. gedragen
drijven	dreef (dreven)	*vt* h., *vi* is gedreven
dringen	drong (drongen)	h. en is gedrongen
drinken	dronk (dronken)	h. gedronken
druipen	droop (dropen)	h. en is gedropen
duiken	dook (doken)	h. en is gedoken
dunken	(mij) docht, dacht	h. gedocht, gedunkt
durven	durfde, dorst (durfden, dorsten)	h. gedurfd
dwingen	dwong (dwongen)	h. gedwongen
ervaren	ervaarde, ervoer (ervaarden, ervoeren)	h. ervaren
eten	at (aten)	h. gegeten
fluiten	floot (floten)	h. gefloten
gaan	ging (gingen)	is gegaan
gelden	gold (golden)	h. gegolden
genezen	genas (genazen)	*vt* h., *vi* is genezen
genieten	genoot (genoten)	h. genoten
geven	gaf (gaven)	h. gegeven
gieten	goot (goten)	h. gegoten
glijden	gleed (gleden)	h. en is gegleden
glimmen	glom (glommen)	h. geglommen

[1]) h. = hulpwerkwoord *hebben*; is = hulpwerkwoord *zijn*.

ONBEPAALDE WIJS	VERLEDEN TIJD	VERLEDEN DEELWOORD[1])
graven	groef (groeven)	h. gegraven
grijpen	greep (grepen)	h. gegrepen
hangen	hing (hingen)	h. gehangen
hebben	had (hadden)	h. gehad
heffen	hief (hieven)	h. geheven
helpen	hielp (hielpen)	h. geholpen
heten	heette (heetten)	h. geheten
hijsen	hees (hesen)	h. gehesen
hoeven	hoefde (hoefden)	h. gehoefd, gehoeven
houden	hield (hielden)	h. gehouden
houwen	hieuw (hieuwen)	h. gehouwen
jagen	joeg, jaagde (joegen, jaagden)	h. gejaagd
kerven	korf, kerfde (korven, kerfden)	*vt* h., *vi* is gekorven, gekerfd
kiezen	koos (kozen)	h. gekozen
kijken	keek (keken)	h. gekeken
kijven	keef (keven)	h. gekeven
klieven	kliefde, *ZN* kloof (kliefden, kloven)	h. gekliefd, *ZN* gekloven
klimmen	klom (klommen)	h. en is geklommen
klinken	klonk (klonken)	h. geklonken
kluiven	kloof (kloven)	h. gekloven
knijpen	kneep (knepen)	h. geknepen
komen	kwam (kwamen)	is gekomen
kopen	kocht (kochten)	h. gekocht
krijgen	kreeg (kregen)	h. gekregen
krijten (schreeuwen)	kreet (kreten)	h. gekreten
„ (met krijt)	krijtte (krijtten)	h. gekrijt
krimpen	kromp (krompen)	*vt* h., *vi* is gekrompen
kruipen	kroop (kropen)	h. en is gekropen
kunnen	kon (konden)	h. gekund
kwijten	kweet (kweten)	h. gekweten
lachen	lachte (lachten)	h. gelachen
laden	laadde (laadden)	h. geladen
laten	liet (lieten)	h. gelaten
leggen	legde, lei (legden, leien)	h. gelegd
lezen	las (lazen)	h. gelezen
liegen	loog (logen)	h. gelogen
liggen	lag (lagen)	h. gelegen
lijden	leed (leden)	h. geleden
lijken	leek (leken)	h. geleken
lopen	liep (liepen)	h. en is gelopen
luiken	look (loken)	h. geloken
malen (met molens)	maalde (maalden)	h. gemalen
„ (bezorgd zijn, schilderen)	maalde (maalden)	h. gemaald
melken	molk, melkte (molken, melkten)	h. gemolken
meten	mat (maten)	h. gemeten
mijden	meed (meden)	h. gemeden
moeten	moest (moesten)	h. gemoeten
mogen	mocht (mochten)	h. gemoogd, gemogen, gemocht
nemen	nam (namen)	h. genomen
nijgen	neeg (negen)	h. genegen

[1]) h. = hulpwerkwoord *hebben*; is = hulpwerkwoord *zijn*.

ONBEPAALDE WIJS	VERLEDEN TIJD	VERLEDEN DEELWOORD[1])
nijpen	neep (nepen)	h. genepen
ontginnen	ontgon (ontgonnen)	h. ontgonnen
pijpen	peep (pepen)	h. gepepen
plegen (gewoon zijn)	placht (plachten)	—
„ (begaan)	pleegde (pleegden)	h. gepleegd
pluizen	ploos (plozen)	h. geplozen
prijzen (loven)	prees (prezen)	h. geprezen
„ (een prijs aangeven)	prijsde (prijsden)	h. geprijsd
raden	ried, raadde (rieden, raadden)	h. geraden
rieken	rook (roken)	h. geroken
rijden	reed (reden)	h. en is gereden
rijgen	reeg (regen)	h. geregen
rijten	reet (reten)	*vt* h., *vi* is gereten
rijzen	rees (rezen)	is gerezen
roepen	riep (riepen)	h. geroepen
ruiken	rook (roken)	h. geroken
scheiden	scheidde (scheidden)	*vt* h., *vi* is gescheiden
schelden	schold (scholden)	h. gescholden
schenden	schond (schonden)	h. geschonden
schenken	schonk (schonken)	h. geschonken
scheppen (creëren)	schiep (schiepen)	h. geschapen
„ (met een schep)	schepte (schepten)	h. geschept
scheren	schoor, scheerde (schoren, scheerden)	h. en is geschoren, gescheerd
schieten	schoot (schoten)	h. en is geschoten
schijnen	scheen (schenen)	h. geschenen
schijten P	scheet (scheten)	h. gescheten
schrijden	schreed (schreden)	h. en is geschreden
schrijven	schreef (schreven)	h. geschreven
schrikken	schrikte, schrok (schrikten, schrokken)	h. en is geschrokken, geschrikt
schuilen	school, schuilde (scholen, schuilden)	h. gescholen, geschuild
schuiven	schoof (schoven)	h. en is geschoven
slaan	sloeg (sloegen)	h. en is geslagen
slapen	sliep (sliepen)	h. geslapen
slijpen	sleep (slepen)	h. geslepen
slijten	sleet (sleten)	*vt* h., *vi* is gesleten
slinken	slonk (slonken)	is geslonken
sluiken	slook (sloken)	h. gesloken
sluipen	sloop (slopen)	h. en is geslopen
sluiten	sloot (sloten)	h. gesloten
smelten	smolt (smolten)	*vt* h., *vi* is gesmolten
smijten	smeet (smeten)	h. gesmeten
snijden	sneed (sneden)	h. gesneden
snuiten	snoot (snoten)	h. gesnoten
snuiven (krachtig in-, uitademen)	snoof (snoven)	h. gesnoven
„ (van snuif)	snuifde, snoof (snuifden, snoven)	h. gesnuifd
spannen	spande (spanden)	h. gespannen
spijten	(het speet)	h. gespeten
spinnen	spon (sponnen)	h. gesponnen
splijten	spleet (spleten)	*vt* h., *vi* is gespleten
spouwen	spouwde (spouwden)	h. gespouwd, gespouwen

[1]) h. = hulpwerkwoord *hebben*; is = hulpwerkwoord *zijn*.

ONBEPAALDE WIJS	VERLEDEN TIJD	VERLEDEN DEELWOORD[1])
spreken	sprak (spraken)	h. gesproken
springen	sprong (sprongen)	h. en is gesprongen
spruiten	sproot (sproten)	is gesproten
spugen	spuugde, spoog (spuugden, spogen)	h. gespuugd, gespogen
spuiten	spoot (spoten)	h. en is gespoten
staan	stond (stonden)	h. gestaan
steken	stak (staken)	h. gestoken
stelen	stal (stalen)	h. gestolen
sterven	stierf (stierven)	is gestorven
stijgen	steeg (stegen)	is gestegen
stijven (met stijfsel)	steef (steven)	h. gesteven
„ (versterken)	stijfde (stijfden)	h. gestijfd
stinken	stonk (stonken)	h. gestonken
stoten	stootte, stiet (stootten, stieten)	h. gestoten
strijden	streed (streden)	h. gestreden
strijken	streek (streken)	h. gestreken
stuiven	stoof (stoven)	h. en is gestoven
tijgen	toog (togen)	is getogen
treden	trad (traden)	h. en is getreden
treffen	trof (troffen)	h. getroffen
trekken	trok (trokken)	h. en is getrokken
uitscheiden (ophouden)	scheidde, scheed uit (scheidden, scheden uit)	is uitgescheiden, uitgescheden
„ (afscheiden)	scheidde uit (scheidden uit)	h. uitgescheiden
vallen	viel (vielen)	is gevallen
vangen	ving (vingen)	h. gevangen
varen	voer (voeren)	h. en is gevaren
vechten	vocht (vochten)	h. gevochten
verderven	verdierf (verdierven)	h. en is verdorven
verdrieten	verdroot (verdroten)	h. verdroten
verdwijnen	verdween (verdwenen)	is verdwenen
vergeten	vergat (vergaten)	h. en is vergeten
verliezen	verloor (verloren)	h. en is verloren
verslinden	verslond (verslonden)	h. verslonden
vinden	vond (vonden)	h. gevonden
vlechten	vlocht (vlochten)	h. gevlochten
vlieden	vlood (vloden)	is gevloden
vlieten	vloot (vloten)	is gevloten
vliegen	vloog (vlogen)	h. en is gevlogen
vouwen	vouwde (vouwden)	h. gevouwen
vragen	vroeg, vraagde (vroegen, vraagden)	h. gevraagd
vreten	vrat (vraten)	h. gevreten
vriezen	vroor (vroren)	h. en is gevroren
vrijen	vrijde, F vree (vrijden, vreeën)	h. gevrijd, F gevreeën
waaien	waaide, woei (waaiden, woeien)	h. en is gewaaid
wassen (groeien)	wies (wiesen)	is gewassen
„ (schoonmaken)	waste, wies (wasten, wiesen)	h. gewassen
„ (met was bewerken)	waste (wasten)	h. gewast

[1]) h. = hulpwerkwoord *hebben*; is = hulpwerkwoord *zijn*.

ONBEPAALDE WIJS	VERLEDEN TIJD	VERLEDEN DEELWOORD[1])
wegen	woog (wogen)	h. gewogen
werpen	wierp (wierpen)	h. geworpen
werven	wierf (wierven)	h. geworven
weten	wist (wisten)	h. geweten
weven	weefde (weefden)	h. geweven
wezen	was (waren)	is geweest
wijken	week (weken)	is geweken
wijten	weet (weten)	h. geweten
wijzen	wees (wezen)	h. gewezen
willen	wou, wilde (wouwen, wilden)	h. gewild
winden	wond (wonden)	h. gewonden
winnen	won (wonnen)	h. gewonnen
worden	werd (werden)	is geworden
wreken	wreekte (wreekten)	h. gewroken
wrijven	wreef (wreven)	h. gewreven
wringen	wrong (wrongen)	h. gewrongen
wuiven	wuifde, F woof (wuifden, woven)	h. gewuifd, F gewoven
zeggen	zegde, zei(de) (zegden, zeiden)	h. gezegd
zeiken P	zeikte, zeek (zeikten, zeken)	h. gezeikt, gezeken
zenden	zond (zonden)	h. gezonden
zieden	ziedde (ziedden)	h. gezoden
zien	zag (zagen)	h. gezien
zijgen	zeeg (zegen)	*vt* h., *vi* is gezegen
zijn (ik ben, wij zijn)	was (waren)	is geweest
zingen	zong (zongen)	h. gezongen
zinken	zonk (zonken)	is gezonken
zinnen (peinzen)	zon (zonnen)	h. gezonnen
„ (aanstaan)	zinde (zinden)	h. gezind
zitten	zat (zaten)	h. gezeten
zoeken	zocht	h. gezocht
zouten	zoutte (zoutten)	h. gezouten
zuigen	zoog (zogen)	h. gezogen
zuipen F	zoop (zopen)	h. gezopen
zullen (zal)	zou (zouden)	—
zwelgen	zwolg, zwelgde (zwolgen, zwelgden)	h. gezwolgen
zwellen	zwol (zwollen)	is gezwollen
zwemmen	zwom (zwommen)	h. en is gezwommen
zweren (een eed)	zwoer (zwoeren)	h. gezworen
„ (van een wond)	zweerde, zwoor (zweerden, zworen)	h. gezweerd, gezworen
zwerven	zwierf (zwierven)	h. gezworven
zwijgen	zweeg	h. gezwegen

[1]) h. = hulpwerkwoord *hebben*; is = hulpwerkwoord *zijn*.